# DUDEN
Band 8

# Der Duden in 10 Bänden
# Das Standardwerk
# zur deutschen Sprache

*Herausgegeben vom Wissenschaftlichen Rat
der Dudenredaktion:
Prof. Dr. Günther Drosdowski,
Dr. Rudolf Köster, Dr. Wolfgang Müller,
Dr. Werner Scholze-Stubenrecht*

1. Rechtschreibung
2. Stilwörterbuch
3. Bildwörterbuch
4. Grammatik
5. Fremdwörterbuch
6. Aussprachewörterbuch
7. Etymologie
8. Sinn- und sachverwandte Wörter
9. Zweifelsfälle der deutschen Sprache
10. Bedeutungswörterbuch

# DUDEN

## Sinn- und sachverwandte Wörter und Wendungen

Wörterbuch der treffenden Ausdrücke

Bearbeitet von Wolfgang Müller
unter Mitwirkung
folgender Mitarbeiter der Dudenredaktion:
M. Dose, J. Ebner, S. Lang, D. Mang,
H. Roth, C. Schrupp

DUDEN BAND 8

**Bibliographisches Institut Mannheim/Wien/Zürich**
Dudenverlag

# Vorwort

Das vorliegende Wörterbuch der treffenden Ausdrücke ist ein „Wortwahlwörterbuch", in dem sinn- und sachverwandte Wörter in Gruppen zusammengestellt sind. Der Ratsuchende kann daraus das jeweils für seinen Fall passende Wort selbst auswählen.

Das Buch ist für die Praxis bestimmt, für Schreibende und Sprechende, für alle die, die sich um das treffende und richtige Wort bemühen, die aussagekräftig, differenziert und lebendig formulieren wollen. Wem der passende Ausdruck fehlt, wer für ein landschaftliches, umgangssprachliches oder vulgäres Wort eine hochsprachliche Entsprechung wissen möchte, wer sich im Ausdruck nicht wiederholen, sondern seine Aussage variieren will oder wer sich an ein Wort – z. B. an ein Fachwort der Medizin –, das er einmal gehört, aber wieder vergessen hat, zu erinnern sucht: Für sie alle ist dieser Band des Großen Dudens bestimmt.

In diesem Wörterbuch ist die Welt nicht in Sach- und Lebensbereiche aufgeteilt und der Wortschatz von dorther gegliedert – was ohnehin nicht ohne Willkür hätte geschehen können –, sondern der Wortschatz ist in alphabetischer Reihenfolge aufgeführt, um auf diese Weise ein schnelles Auffinden zu ermöglichen.

Dieses Buch soll in erster Linie an Wörter erinnern, die man kennt, aber im Augenblick nicht parat hat; es kann aber auch zur Erweiterung des eigenen Vokabulars herangezogen werden. Daher wurden, um das Wörterbuch über den Stand eines Worterinnerungsbuches traditioneller Prägung hinauszuheben und die Wortgruppen nicht zu einem bloßen Wortfriedhof werden zu lassen, die Wörter und Wendungen nicht nur, wo es erforderlich war, mit Stilbewertungen versehen, sondern es wurden in zahlreichen Fällen auch knappe Bedeutungs- und Anwendungshinweise gegeben (z. B. **Speiseraum**, Speisesaal · *in Betrieben:* Kantine · *für Offiziere:* Kasino · *in Universitäten:* Mensa · *auf Schiffen:* Messe · *in Klöstern:* Refektorium; → Gaststätte. **Arzt**, Doktor, Mediziner · *für innere Krankheiten:* Internist · *operierender:* Chirurg · *für Hautkrankheiten:* Dermatologe · *für Frauenkrankheiten, Geburtshilfe o. ä.:* Gynäkologe, Muschelkieker (*salopp, berlin.*) · **Hochzeitstag** · *nach fünf Ehejahren:* Veilchenhochzeit · *nach zehn Ehejahren:* Rosenhochzeit · *nach fünfzehn Ehejahren:* Kristallhochzeit · *nach fünfundzwanzig Ehejahren:* silberne Hochzeit, Silberhochzeit ...).

Durch die ausführlichen stilistischen Bewertungen kann der Benutzer zu stilgerechter Formulierung geführt werden. Nicht normalsprachliche Ausdrücke werden je nach ihrer Stillage als dichterisch, umgangssprachlich, salopp, derb oder vulgär gekennzeichnet.

Spezieller landschaftlicher Wortgebrauch – vor allem viele Wörter aus Österreich und der Schweiz – ist in die Gruppen eingearbeitet worden. Manche Gruppen bestehen sogar nur aus den verschiedenen landschaftlichen Benennungen (Fleischer, Schlächter, Fleischhauer usw.). In besonderer Weise ist auch die Fachsprache der Medizin berücksichtigt worden, weil jeder mit medizinischen Fachbezeichnungen irgendwann einmal — sei es beim Arztbesuch oder bei der Lektüre — konfrontiert wird. In engem Zusammenhang damit steht auch der Wortschatz der Tabubezirke. Er ist in entsprechendem Umfang vom sachlich-hochsprachlichen bis zum vulgärsprachlichen Ausdruck aufgenommen worden. Damit werden einerseits Aussagen aus diesem Bereich hochsprachlich möglich gemacht, und es wird damit denen geholfen, die sich zum Beispiel beim Arzt, vor Gericht oder als Erzieher bei der Sexualaufklärung darüber äußern müssen, aber nicht über das sachliche Vokabular verfügen. Andererseits können diese Wortgruppen auch denen Aufschluß geben, die vulgärsprachliche Wörter hören oder lesen, sie aber nicht ohne weiteres verstehen. Durch die Aufnahme der vulgärsprachlichen Wörter in das Wörterbuch wird dem Benutzer die Möglichkeit gegeben, auch vom derben, anstößigen und nicht salonfähigen Wort zum sachlichen, medizinischen oder verhüllenden Ausdruck zu gelangen. Die Aufnahme dieser Wörter ist deswegen für richtig und nützlich gehalten worden, weil es – wie Sozialfürsorger immer wieder betonen – manche Probleme auf diesem Gebiet nicht in dem Maße gäbe, wenn die Betroffenen über einen Wortschatz verfügten, der es ihnen ermöglichte, über Fragen aus dem genannten Bereich zu sprechen. Im übrigen dürfen weder moralische noch ästhetische Gesichtspunkte in der Lexikographie Geltung haben, denn der Benutzer hat ein Recht auf vollständige Information. Daß diese Information auch gewünscht wird, geht immer wieder aus den Sprachanfragen und Zuschriften an die Dudenredaktion hervor.

Speziell für die Abfassung dieses Bandes sind viele neue Wörter, Wortbedeutungen, moderne Redewendungen der Alltagssprache sowie Bezeichnungen und Begriffe aus neuen Lebensbereichen gesammelt worden. Vor allem wurden auch die Gebrauchsliteratur und die mündliche Rede ausgewertet, denn dort spiegelt sich die Produktivität der Sprache in besonders eindrucksvoller Weise wider. Alle diese Wörter werden in einem Wortwahlwörterbuch gesucht, weil für sie auch immer wieder stilistische und semantische Varianten gebraucht werden.

Auch Rätselratern kann dieses Buch häufig Fragen beantworten, da ihnen in den sinn- und sachverwandten Gruppen mancherlei Hilfe bei der Lösung von Rätseln mit sprachlich-begrifflichen oder sachlichen Fragen, vor allem in bezug auf Fremd- und Fachwörter, gegeben wird (z. B. ein anderes Wort für: *Preisgericht, Geldinstitut, Abscheu, Hast, Wasserlauf.* Antwort: *Jury, Bank, Ekel, Eile, Fluß*).

Die zahlreichen Fremdwörter, die in den Band aufgenommen worden sind, sollen einen doppelten Zweck erfüllen: Einerseits bieten sie stilistische Variationsmöglichkeiten, da das fremde Wort oft eine besondere Bedeutungsnuance hat. Andererseits kann ein Benutzer, der Fremdwörter – aus welchem Grunde auch immer – umgehen will, von dem Fremdwort auf eine deutsche Entsprechung verwiesen werden.

Unsere unübersehbar große und vielfältige Welt der Sachen und Begriffe mit ihrem mehrere hunderttausend Wörter umfassenden Wortschatz kann natürlich nicht vollständig in ein Wörterbuch eingebracht werden. Zum Beispiel kann nicht die gesamte Tier- und Pflanzenwelt berücksichtigt werden. Auch vom Thema des Buches her sind der Aufnahme der Wörter Grenzen gesetzt. Trotzdem hoffen wir, mit diesem Band und dem darin enthaltenen Wortschatz ein praktikables, modernes, in mancher Hinsicht unkonventionell und neuartig gestaltetes Nachschlagewerk für die Sprachpraxis des Alltags geschaffen zu haben.

Mannheim, den 1. Oktober 1972

Der Wissenschaftliche Rat der Dudenredaktion

# Zur Anlage des Buches

## 1. Die Wortgruppen

Die sinn- oder sachverwandten Wörter sind jeweils unter einem Leitwort in Gruppen zusammengestellt. Als Leitwort steht in der Regel das Wort mit dem allgemeinsten Inhalt, das zugleich der normalsprachlichen Stilschicht angehört. Beispiele für sinnverwandte Wörter: billigen, gutheißen, bejahen, beistimmen. Beispiele für sachverwandte Wörter: Geige, Bratsche, Cello. Da die Wörter nur aneinandergereiht und aufgezählt, aber nicht durch einen bestimmten Textzusammenhang in ihrem Anwendungsbereich eingegrenzt oder genau festgelegt sind, konnten die Grenzen der Gruppen oft recht weit gesteckt werden.

Manchmal werden unter einem Oberbegriff mehrere kleinere Synonymgruppen zu einer Großgruppe begriffsverwandter Wörter zusammengefaßt. So finden sich beispielsweise unter dem Oberbegriff „Verwandter" mehrere, auch für sich allein bestehende Synonymgruppen, z. B. Vater, Papa, Erzeuger, Alter usw.; Mutter, Mama, alte Dame usw.; Sohn, Filius, Junior, Stammhalter, Sprößling usw.; Tochter, Filia usw.

Größere Synonymgruppen, die außer dem Leitwort noch andere zentrale Wörter enthalten, werden unter Umständen zwei oder mehrere Male aufgeführt, damit der Benutzer auch bei diesen Wörtern gleich die ganze Wortgruppe vorgeführt erhält. Gelegentlich — wenn es sich in den allgemeinen Rahmen einfügt — ist auch grammatische, syntaktische und Wortbildungssynonymität einbezogen worden, z. B. beim Leitwort „müssen" als Fortführung „muß ... werden": etwas muß [gemacht] werden / ist zu [machen]; beim Leitwort „ohne" die Halbsuffixe -frei (sorgenfrei), -los (sorgenlos), -leer (inhaltsleer), -arm (inhaltsarm). Beim Leitwort „Passiv" mit dem Synonym „Leideform" finden sich Passivkonstruktionen, die gleichfalls die Möglichkeit stilistischer Variation mit grammatischen Mitteln bieten.

Für die Reihenfolge der Wörter innerhalb einer Gruppe ist sowohl die inhaltliche Nähe der Wörter zueinander als auch ihre Stillage ausschlaggebend, wobei jedoch im allgemeinen die inhaltlichen Gesichtspunkte den Vorrang haben. Um ein Leitwort und die verschiedentlich mit dem Leitwort verbundenen Sinneinheiten nicht auseinanderzureißen, sind diese Sinneinheiten — durch Druck hervorgehoben — mit den dazugehörenden sinnverwandten Wörtern an den Wörterbuchartikel angeschlossen (vgl. „gesund" mit den Sinneinheiten „gesund machen", „gesund sein", „gesund werden").

Innerhalb der Gruppen sind Wörter mit eingeschränktem oder speziellem Inhalt — wenn es nötig oder nützlich ist — durch kurze, inhaltlich charakterisierende

Zusätze erläutert. Diese Zusätze sind den jeweiligen Wörtern vorangestellt und sind mit Bezug auf das Leitwort formuliert (z. B. **Arzt**, Doktor ... · *operierender:* Chirurg).

Verben, die innerhalb einer Gruppe sinnverwandter Wörter stehen und sowohl reflexiv (rückbezüglich) als auch nichtreflexiv gebraucht werden können, sind ohne „sich" aufgeführt; die nur reflexiv gebrauchten haben ein „sich" erhalten. Wenn es für das Verständnis erforderlich ist, werden die Verben in der Art ihrer Verwendung, z. B. in der dritten Person (etwas setzt ein), angeführt. Fest zu einem Wort gehörende präpositionale Anschlüsse sind meist mit angegeben.

## 2. Stilbewertungen und andere Angaben zum Wortgebrauch

Stilistische Angaben finden sich bei den Wörtern, die von der Normalsprache abweichen. Es werden allerdings nicht allzu strenge Maßstäbe angelegt, so daß manches schon umgangssprachlich gefärbte Wort stilistisch noch unbewertet bleibt.

Die Stilangaben stehen im allgemeinen hinter dem Wort oder hinter der jeweiligen Wendung. Wenn allerdings Wörter oder Wendungen durch Schrägstriche (/) miteinander verbunden sind, dann sind die Stilbewertungen den einzelnen Wörtern vorangestellt. Steht bei solchen durch Schrägstriche aneinandergereihten Wörtern die Stilangabe am Schluß, dann bezieht sie sich auf alle durch Schrägstriche verbundenen Wendungen.

Folgende Bewertungen sind verwendet worden:

*dichterisch* (z. B. Antlitz): nur in feierlicher, poetischer, oft altertümlicher Ausdrucksweise.

*bildungssprachlich* (z. B. interpretieren): gebildete oder eine gewisse Kenntnis voraussetzende Ausdrucksweise; bedeutet keine positive Wertung, sondern nur Zuordnung; hier handelt es sich um die Fremdwörter, die weder einer besonderen Fachsprache noch der Alltags- oder Umgangssprache angehören.

*gehoben* (z. B. erbleichen): gepflegte, nicht alltägliche Ausdrucksweise; kann in der mündlichen Alltagssprache gespreizt klingen.

*umgangssprachlich* (z. B. jmdn. hereinlegen): gelockerte, zwanglose Ausdrucksweise, meist in der gesprochenen Sprache.

*familiär* (z. B. einnicken): Ausdrucksweise im engeren, vertrauteren Kreise.

*salopp* (z. B. jmdn. aufs Kreuz legen): recht nachlässige, burschikose, oft emotionale Ausdrucksweise; überwiegend in der gesprochenen Sprache.

*derb* (z. B. Fresse): grobe und gewöhnliche Ausdrucksweise.

*vulgär* (z. B. scheißen): sehr niedrige, anstößige, unanständige und gossensprachliche Ausdrucksweise.

Ferner finden sich die Angaben:

*abwertend* (z. B. Verriß): drückt das ablehnende Urteil, die persönliche Kritik des Sprechers (Schreibers) aus, ist subjektiv und emotional gefärbt.

*scherzhaft* (z. B. Benzinkutsche).

## 3. Angaben zur landschaftlichen Zugehörigkeit der Wörter

Wenn Wörter in ihrem Gebrauch regional begrenzt sind, dann sind sie mit dem nachgestellten Zusatz ,,landschaftlich" gekennzeichnet. Die für eine bestimmte Landschaft charakteristischen Wörter werden, wenn eine Abgrenzung möglich ist, mit genaueren Angaben, z. B. ,,norddeutsch", ,,süddeutsch", ,,österreichisch", ,,schwäbisch" versehen. Erstreckt sich der Gebrauch über mehrere zusammenhängende Gebiete, dann findet sich oft eine zusammenfassende Angabe, z.B. ,,oberdeutsch". Die Angaben ,,schweizerisch", ,,österreichisch" usw. besagen nicht, daß die so gekennzeichneten Wörter dort überall gebräuchlich sind oder daß diese Wörter dort ausschließlich oder überwiegend verwendet werden. Oft ist das Leitwort auch in diesen Landschaften das allgemein gebräuchliche Wort. Handelt es sich um Begriffe, Einrichtungen o. ä., die in anderen Ländern anders bezeichnet werden, dann sind entsprechende Angaben angebracht worden, z. B. in der Gruppe ,,Oberhaupt": Tenno (japanisch).

## 4. Verweise

Die Wörter, die nicht Leitwort, d. h. nicht erstes, durch besonderen Druck hervorgehobenes Wort einer Gruppe sind, finden sich an der alphabetisch entsprechenden Stelle des Wörterbuchs, von wo aus der Benutzer auf das Leitwort mit den dazugehörenden verwandten Wörtern verwiesen wird, unter denen das betreffende Wort dann zu finden ist. Kommt das Wort in mehreren Gruppen vor, dann sind entsprechend viele Verweise unter dem Verweisstichwort angegeben, die in alphabetischer Folge aufgezählt werden. Die Wendungen befinden sich jeweils erst am Ende, z. B. Herz: → Eingeweide, → Mittelpunkt, → Seele, → Spielkarte; sein H. verlieren → verlieben (sich); jmdm. etwas ans H. legen → vorschlagen. Die Verweise stehen mit den Wortgruppen in ein und derselben alphabetischen Abfolge. Dadurch wird ein gesondertes Wortregister überflüssig, und schon beim Verweisstichwort wird durch den Hinweis auf das Leitwort der entsprechenden Gruppe dem Benutzer in den meisten Fällen ein anderer Ausdruck zur Wahl genannt.

In Wendungen, die unter einem in der alphabetischen Folge stehenden Verweis aufgeführt werden, wird nur der erste Buchstabe des in der Wendung vorkommenden Stichworts wiederholt, z. B. Pfand: als P. geben → verpfänden. Handelt es sich jedoch um eine flektierte (gebeugte) Form des Stichworts innerhalb der Wendung, dann tritt für das Stichwort ein Strich (-) ein, an den die Flexionsendung angehängt wird, z. B. Ohr: die -en spitzen → achtgeben.

Um einen recht großen Bereich von Auswahlmöglichkeiten zu erschließen, wird innerhalb der Wortgruppen häufig auf weitere ähnliche oder assoziativ verbundene Gruppen der gleichen oder einer anderen Wortart mit einem Pfeil verwiesen. Zuerst kommen stets die Verweise auf Gruppen der gleichen Wortart, dann die Verweise auf die anderen Wortarten, und zwar in der Reihenfolge: Verb (Zeitwort), Adjektiv (Eigenschaftswort) / Adverb (Umstandswort), Substantiv (Hauptwort). Handelt es sich beispielsweise um eine Adjektivgruppe, dann ist die Reihenfolge der Verweise, und zwar im Uhrzeigersinn, wie folgt: Adjektiv, Substantiv, Verb. Finden sich unter einem Leitwort – wie z. B. bei ,,gesund" – Reihen sinnverwandter Wörter verschiedener Wortarten, dann stehen die Verweise jeweils bei der entsprechenden Wortart; alle anderen Verweise befinden sich am Schluß der Gruppe. Das gleiche trifft auch für die Verweise auf Gegengruppen zu.

Die Hinweise auf Gegengruppen haben den Zweck, noch auf andere Wörter aufmerksam zu machen, die im verneinten Gebrauch weitere Ausdrucksvariationen bieten. Auf zweierlei Art wird auf diese Gegengruppen hingewiesen: Handelt es sich um Wörter – das ist vor allem bei Verben und Adjektiven der Fall –, die in Verbindung mit der Negation „nicht" als austauschbares Wort verwendet werden können, dann werden sie mit „nicht" unmittelbar angeschlossen (z. B. fortschrittlich, progressiv..., nicht → rückschrittlich).

Auf die anderen, nur im weiteren Sinne gegensätzlichen Gruppen wird durch einen Punkt auf Mitte mit der Abkürzung „Ggs." (· Ggs. →) hingewiesen. Die Angabe „Ggs." deutet nicht nur auf den unmittelbaren Wortgegensatz (zunehmen / abnehmen), sondern auch ganz allgemein auf den Sinngegensatz (zunehmen / verringern) hin.

## 5. Die in diesem Buch verwendeten Zeichen, Zahlen und Klammern

→ Der Pfeil weist auf ein in der alphabetischen Reihenfolge stehendes Leitwort, d. h. auf das erste Wort einer Gruppe, hin.

[ ] Die eckigen Klammern schließen entweder weglaßbare Buchstaben innerhalb eines Wortes (fried[e]voll) oder weglaßbare bzw. austauschbare Wörter in einer Wendung ([von der Bildfläche] verschwinden, [Menschen] jeder Coleur) ein.

( ) In den runden Klammern stehen Angaben und Erläuterungen zu den Wörtern, z. B. Stilbewertungen.

Der Punkt auf Mitte soll das danach Folgende vom Vorhergehenden abheben. Er dient zur Gliederung innerhalb der Gruppen. Bei stärkerer Untergliederung werden zwei oder mehr Punkte verwendet, wobei die mit einem Punkt zusammengefaßten Wörter am engsten zusammengehören. Der Punkt findet sich auch vor Bedeutungshinweisen und vor den Gegensatzangaben.

/ Der Schrägstrich wird verwendet, um reflexive Verben oder um Wendungen, die in einigen Bestandteilen übereinstimmen, zusammenzufassen, z. B. sich in etwas schicken / ergeben / finden / fügen.

Ⓦ bedeutet Warenzeichen. Das Fehlen dieses Zeichens besagt jedoch nicht, daß die Bezeichnung frei ist.

Hochgestellte Zahlen: Wenn das gleiche Wort mehr als einmal in der alphabetischen Folge vorkommt, erhalten die Wörter vorangestellte Indizes (hochgestellte Zahlen), um den Benutzer auf das mehrfache Vorhandensein aufmerksam zu machen. Auch die Wörter, die zwar gleich geschrieben werden, aber verschiedenen Wortarten angehören oder sich durch den Artikel unterscheiden, sind mit Indizes versehen, z. B. [1]vermessen (Verb), [2]vermessen (Adjektiv); [1]Tor (das), [2]Tor (der).

Da es in dem Buch nie zwei Wortgruppen mit dem gleichen Leitwort gibt, erübrigen sich Indizes bei den mit einem Pfeil versehenen Wörtern, denn diese weisen stets auf das Leitwort einer Gruppe hin, also auf das erste bei zwei gleichen Wörtern in der alphabetischen Abfolge.

# 6. Die in diesem Buch verwendeten Abkürzungen

| | | | |
|---|---|---|---|
| aleman. | alemannisch | mittelrhein. | mittelrheinisch |
| amerik. | amerikanisch | mundartl. | mundartlich |
| Amtsspr. | Amtssprache | niederd. | niederdeutsch |
| bayr. | bayrisch | nordd. | norddeutsch |
| berlin. | berlinisch | norw. | norwegisch |
| bes. | besonders | o. ä. | oder ähnliches |
| bibl. | biblisch | oberd. | oberdeutsch |
| bildungsspr. | bildungssprachlich | österr. | österreichisch |
| dän. | dänisch | ostmitteld. | ostmitteldeutsch |
| dichter. | dichterisch | ostpr. | ostpreußisch |
| engl. | englisch | pfälz. | pfälzisch |
| ev. | evangelisch | Philos. | Philosophie |
| fachspr. | fachsprachlich | Rechtsspr. | Rechtssprache |
| fam. | familiär | Rel. | Religion |
| Flugw. | Flugwesen | rhein. | rheinisch |
| fränk. | fränkisch | russ. | russisch |
| franz. | französisch | sächs. | sächsisch |
| Gaunerspr. | Gaunersprache | scherzh. | scherzhaft |
| geh. | gehoben | schles. | schlesisch |
| Ggs. | Gegensatz | schwäb. | schwäbisch |
| hamburg. | hamburgisch | schweiz. | schweizerisch |
| hebr. | hebräisch | Seemannsspr. | Seemannssprache |
| hess. | hessisch | skand. | skandinavisch |
| hist. | historisch | Soldatenspr. | Soldatensprache |
| Imkerspr. | Imkersprache | span. | spanisch |
| iron. | ironisch | Sprachw. | Sprachwissenschaft |
| ital. | italienisch | Studentenspr. | Studentensprache |
| Jägerspr. | Jägersprache | südd. | süddeutsch |
| jidd. | jiddisch | sudetend. | sudetendeutsch |
| jmd. | jemand | südwestd. | südwestdeutsch |
| jmdm. | jemandem | tirol. | tirolerisch |
| jmdn. | jemanden | tschech. | tschechisch |
| jmds. | jemandes | u. a. | und andere |
| jüd. | jüdisch | ugs. | umgangssprachlich |
| jurist. | juristisch | ung. | ungarisch |
| kath. | katholisch | verhüll. | verhüllend |
| Kinderspr. | Kindersprache | volkst. | volkstümlich |
| Kochk. | Kochkunst | westd. | westdeutsch |
| Kunstw. | Kunstwissenschaft | westfäl. | westfälisch |
| landsch. | landschaftlich | wiener. | wienerisch |
| Med. | Medizin | Ⓦ | Warenzeichen |
| milit. | militärisch | z. B. | zum Beispiel |
| mitteld. | mitteldeutsch | | |

# A

à, zu, Stück; → je.

¹A: von A bis Z, ungekürzt, von vorn bis hinten (*ugs.*), von Anfang bis Ende; → alle, → ganz.

²A: das A und O → Hauptsache.

Aa: → Exkrement; Aa machen → defäkieren.

Aachen: -er Printe → Gebäck.

Aal: → Fisch; sich winden wie ein A. → sprechen.

aalen: sich a. → liegen, → räkeln (sich), → wohl fühlen (sich); sich in der Sonne a. → sonnen (sich).

Aalfischer → Fischer.

aalglatt → höflich.

Aar → Adler.

¹Aas, Kadaver, Luder (*Jägerspr.*); → Toter.

²Aas: kein A. → niemand; ein A. auf der Baßgeige/Geige sein → Schlaukopf.

aasen → verschwenden.

Aasfliegenpilz → Ständerpilz.

Aaskrähe → Vogel.

ab: → abwärts; ab jetzt → zukünftig; ab die Post/nach Kassel → weg; ab und zu, ab und an → manchmal.

aba → nein.

Abade → Orientteppich.

abändern → ändern.

Abänderung → Änderung.

abarbeiten (sich), sich anstrengen, alle Kräfte anspannen, sich fordern, sich etwas abverlangen, seine ganze Kraft aufbieten, sich ins Zeug legen (*ugs.*), nichts unversucht lassen, alle Hebel/ (*ugs.*) Himmel und Hölle in Bewegung setzen, sich ins Geschirr legen, sich bemühen/befleißigen / befleißen / mühen / abmühen / abschleppen / strapazieren / (*ugs.*) auf den Hosenboden setzen / (*ugs.*) abrackern/ plagen / abplagen / (*ugs., landsch.*) placken / (*ugs., landsch.*) abplacken / (*österr.*) abfretten / (*ugs.*) abschuften / quälen / abquälen / (*ugs.*) schinden / (*ugs.*) abschinden / aufreiben/Mühe geben, bemüht sein, einen Versuch machen, sein möglichstes / Bestes / das menschenmögliche tun, sich zusammenreißen (*salopp*), versuchen / suchen + zu + Infinitiv (zu [schaffen] suchen); zusehen, daß...; zu strampeln haben (*ugs.*), schuften (*salopp*) puckeln (*salopp*), ackern (*salopp*), asten (*salopp*), krebsen (*salopp*), herumkrebsen (*salopp*), rumkrebsen (*salopp*); → anfertigen, → arbeiten, → befassen (sich), → lernen, → streben, → übernehmen (sich).

abartig → pervers.

Abartigkeit: → Abweichung, → Perversität.

abbalgen → abziehen.

Abbau → Zerlegung.

abbauen: → abmontieren, → entlassen; → ohnmächtig [werden], → zerlegen; abgebaut haben → abgewirtschaftet [haben].

Abbaustoffwechsel → Stoffwechsel.

abbeeren → pflücken.

abbeißen: → kauen; einen a. → trinken; sich eher die Zunge a., als ... → mitteilen; da beißt die Maus keinen Faden ab → unabänderlich [sein].

abbekommen: sein Fett abbekommen → bestrafen; Frost a. → erfrieren; keinen Mann a. → heiraten.

Abbéperücke → Perücke.

abberufen: zur großen Armee werden → sterben.

abbestellen, kündigen; → absagen.

abbetteln: → ablisten; sich etwas a. → geben.

abbeuteln → abschütteln.

abbezahlen → zahlen.

¹abbiegen, abschwenken, einbiegen, einschwenken, um die Ecke biegen/schwenken, die Richtung ändern, einen Bogen machen; → umkehren; → Kurve.

²abbiegen: → hindern, → verhindern.

Abbiegung → Kurve.

Abbild → Bild.

¹abbilden, abformen, nachbilden, nachformen, abgießen, nachgießen, einen Abguß machen, reproduzieren, darstellen, wiedergeben; → darstellen; → Abguß, → Bild.

²abbilden: auf etwas ist jmd./ etwas abgebildet → darstellen.

Abbildung: → Abguß, → Bild.

abbinden: → ausziehen, → eindicken.

Abbitte: → Entschuldigung; A. leisten/tun → entschuldigen (sich).

abbitten: jmdm. etwas a. → entschuldigen (sich).

abblasen: → absagen; abgeblasen werden → ausfallen.

abblassen → verblassen.

abblättern → lösen (sich).

abblenden → verdunkeln.

Abblendung → Verdunkelung.

abblitzen: a. lassen → ablehnen.

abblocken → verhindern.

Abblockung → Vereitelung.

abblühen → welken.

abbrauchen → abnutzen.

¹abbrechen, beenden, beendigen, aufgeben, aufstecken, begraben (*ugs.*), einstellen, es dabei bewenden lassen, Feierabend / Schluß / ein Ende machen, aufhören, ein Ende setzen, ad acta legen, einen Strich (oder:) Schlußstrich unter etwas ziehen/ machen, einen Punkt machen, abschließen, zum Abschluß / unter Dach und Fach / (*ugs.*) über die Bühne bringen, schließen, beschließen, mit etwas zu Ende sein / gehen · *einen Boxkampf:* das Handtuch werfen; → abgewöhnen (sich etwas), → abnehmen, → abschreiben, → aufgeben, → bewältigen, → enden, → Feierabend [haben], → kündigen, → stillegen, → stocken, → unterbrechen, → vollenden · Ggs. → anfangen, → fortsetzen.

²abbrechen: → abmachen, → niederreißen, → pflücken; abgebrochen → stumpf; abge-

brochener Riese → Mann; alle Brücken hinter sich a. → abwenden (sich); sich einen a. → äußern (sich), → tun; seine Zelte a. → übersiedeln.
**abbremsen** → bremsen.
**abbrennen:** → verbrennen; sich [in/von der Sonne] a. lassen → sonnen (sich).
**Abbreviatur** → Abkürzung.
**abbringen:** a. von → abraten, → entwöhnen; sich von etwas nicht a. lassen → bestehen (auf); nicht von etwas/seinem Ziel abzubringen sein → zielstrebig [sein]; jmdn. vom rechten Weg a. → verleiten.
**abbröckeln:** → lösen (sich), → zerfallen.
**abbrocken** → pflücken.
**¹Abbruch,** Abriß, Demolierung (*österr.*); → niederreißen.
**²Abbruch:** → Entwöhnung, → Zerlegung; A. tun → schaden; auf A. heiraten → heiraten.
**abbrühen:** → blanchieren, → sieden.
**abbrummen** → abbüßen.
**abbürsten** → säubern.
**abbüßen,** eine Strafe verbüßen, einsitzen, gefangensitzen, im Gefängnis / in Haft / im Zuchthaus / hinter schwedischen Gardinen / hinter Schloß und Riegel / hinter Gittern / auf Nummer Sicher sitzen, im Kerker liegen, brummen (*ugs.*), [bei Wasser und Brot] sitzen (*ugs.*), seine Zeit / Strafe absitzen (*ugs.*), abbrummen (*ugs.*), abreißen (*salopp*), Arrest / Knast schieben (*salopp*), Tüten drehen/kleben (*ugs.*), gesiebte Luft atmen (*ugs., scherzh.*); → Bewährungsfrist, → Strafanstalt.
**Abc:** → Alphabet; nach dem A. → alphabetisch; nach dem A. anordnen/einordnen/einreihen/ordnen → alphabetisieren.
**ABC-Abwehrtruppe** → Waffengattung.
**ABC-Alarm** → Alarm.
**Abcdarier** → Schulanfänger.
**Abcdarius** → Schulanfänger.
**abchecken** → durchschleusen.
**Abc-Schütze** → Schulanfänger.
**ABC-Waffen** → Waffen.
**abdämmen** → abschwächen.
**abdampfen** → weggehen.
**¹abdanken,** abtreten, den Dienst quittieren.

**²abdanken:** → bestatten, → kündigen.
**Abdankung:** → Kündigung, → Trauerfeier.
**abdarben:** sich etwas a. → erübrigen.
**abdecken:** → abziehen, → bedecken; den Tisch a. → abservieren.
**Abdecker,** Wasenmeister, Schinder, Hundschlager (*landsch.*), Keibenschinder (*landsch.*), Fallmeister.
**abdingen:** jmdm. etwas a. → abhandeln (jmdm. etwas).
**Abdomen** → Bauch.
**Abdominalgravidität** → Schwangerschaft.
**Abdominaltyphus** → Typhus.
**Abdominoskopie** → Ausspiegelung.
**abdrehen:** → abstellen, → filmen; jmdm. das Gas a. → ausbeuten, → töten.
**abdrohen** → abnötigen.
**Abdruck:** → Abguß, → Auflage, → Druck, → Spur; einen A. machen → vervielfältigen.
**abdrucken** → edieren.
**abdrücken:** → liebkosen; jmdm. etwas a. → abhandeln (jmdm. etwas); etwas drückt jmdm. [fast] das Herz ab → bekümmern.
**Abduktor** → Muskel.
**abdunkeln** → verdunkeln.
**Abdunkelung** → Verdunkelung.
**Abdunklung** → Verdunkelung.
**Abe** → Toilette.
**abebben,** abnehmen, nachlassen, schwinden, dahinschwinden, im Schwinden begriffen sein, aussterben, abklingen, zurückgehen, sinken, absinken, sich verringern / vermindern / verkleinern, zusammenschrumpfen, abflauen, verebben, erkalten, einschlafen, schwächer / weniger / geringer werden, etwas beruhigt sich, sich dem Ende zuneigen, ausgehen, zu Ende / zur Neige / (*dichter.*) zur Rüste gehen, zu Ende/(*ugs.*) alle sein (oder:) werden; → beenden, → nachlassen, → schlank [werden], → verringern; → Abwanderung · Ggs. → vermehren, → zunehmen.
**Abece:** → Alphabet; nach dem A. → alphabetisch; nach dem A. anordnen / einordnen / ein-

reihen / ordnen → alphabetisieren.
**Abecedarier** → Schulanfänger.
**Abecedarius** → Schulanfänger.
**abecelich:** [in -er Ordnung/Reihenfolge] → alphabetisch; in eine -e Ordnung bringen, a. anordnen / einordnen / einreihen / ordnen → alphabetisieren.
**Abeceschütze** → Schulanfänger.
**abeceweise** → alphabetisch.
**abeisen** → abtauen.
**¹Abend,** Abendstunde, Abendzeit; → Dämmerstunde, → Mitternacht, → Tageszeit.
**²Abend:** → Himmelsrichtung; jeden A., alle -e, A. für A., immer am A. → allabendlich; es ist noch nicht aller Tage A. → ungewiß [sein]; guten A.! → Gruß; des -s, am A. → abends; du kannst mich am A. besuchen! → unwichtig [sein]; zu A. essen → Abendessen [einnehmen].
**Abendakademie** → Volkshochschule.
**Abendblatt** → Zeitung.
**Abendbrot:** → Abendessen; A. essen → Abendessen [einnehmen].
**Abendbummel** → Bummel.
**Abenddämmerung** → Abendlicht.
**Abendessen,** Abendmahlzeit (*bes. ostd.*), Abendmahl (*geh., veralt., landsch.*), Abendbrot (*nordd., ostd.*), Nachtessen (*südwestd., schweiz.*), Zabig (*schweiz.*), Znacht (*schweiz.*), Nachtmahl (*österr.*), Abendtafel (*geh.*), Souper, Dinner; → Essen; **das A. einnehmen,** zu Abend essen, Abendbrot essen (*nordd., ostd.*), zu/zur Nacht essen (*bes. südwestd., schweiz.*), nachtmahlen (*österr.*); → essen.
**Abendfrieden** → Abendruhe.
**Abendgebet** → Gebet.
**Abendgesellschaft,** Abendunterhaltung, Abendvorstellung, Soiree; → Fest.
**Abendgymnasium** → Schule.
**Abendhauch** → Luft.
**Abendkasse** → Kasse.
**Abendkleid** → Kleid.
**Abendland** → Europa.
**abendländisch,** europäisch, okzidental, okzidentalisch, westlich; → Europa · Ggs. → orientalisch.
**abendlich** → allabendlich.

**Abendlicht,** Abenddämmerung, Abendrot, Abendröte, Sonnenuntergang; → Abendruhe, → Dämmerung · Ggs. → Morgengrauen.
**Abendluft** → Luft.
**¹Abendmahl,** Kommunion, Abendmahlsfeier, Altarsakrament, Tisch des Herrn, Eucharistie · *als Substanz:* Leib und Blut [des Herrn], Brot und Wein; → Altargerät, → Gottesdienst, → Konfirmation, → Oblate, → Sakrament, → Wandlung; **zum A. gehen,** zur Kommunion gehen, das Abendmahl empfangen/nehmen, die Kommunion empfangen, kommunizieren; **das A. spenden,** das Abendmahl reichen/erteilen.
**²Abendmahl:** → Abendessen, → Gottesdienst; das A. auf etwas nehmen → versprechen.
**Abendmahlsfeier:** → Abendmahl, → Gottesdienst.
**Abendmahlsgerät** → Altargerät.
**Abendmahlskelch** → Altargerät.
**Abendmahlzeit** → Abendessen.
**Abendmantel** → Mantel.
**Abendmusik:** → Musikveranstaltung, → Serenade.
**Abendnebel** → Nebel.
**Abendoberschule** → Schule.
**Abendpfauenauge** → Schmetterling.
**Abendrobe** → Kleid.
**Abendrot** → Abendlicht.
**Abendröte** → Abendlicht.
**Abendruhe,** Abendstille, Abendfriede, Dämmerstündchen, Schummerstündchen;→Abendlicht, → Dämmerung.
**¹abends,** am Abend, des Abends (*geh.*), spät; → allabendlich; → Tageszeit · Ggs. → morgens.
**²abends:** immer a. → allabendlich; von morgens bis a. → Tag.
**Abendschuh** → Schuh.
**Abendsonne** → Sonnenlicht.
**Abendspaziergang** → Spaziergang.
**Abendstern** → Planet.
**Abendstille** → Abendruhe.
**Abendstunde** → Abend.
**Abendtafel** → Abendessen.
**Abendtasche** → Tasche.
**Abendunterhaltung** → Abendgesellschaft.
**Abendvorstellung** → Abendgesellschaft.
**Abendwind** → Wind.

**Abendzeit** → Abend.
**Abendzeitung** → Zeitung.
**Abendzug** → Eisenbahnzug.
**Abenteuer:** → Ereignis, → Eskapade, → Liebelei; ein A. mit jmdm. haben → koitieren.
**Abenteuerfilm** → Kinofilm.
**abenteuerlich:** → außergewöhnlich, → gefährlich.
**Abenteuerlust,** Erlebnishunger, Erlebnisgier, Unternehmungslust, Unternehmungsgeist, Unternehmungsfreude; → Abenteurer, → Entschlußkraft; → aktiv, → lebenshungrig.
**Abenteuerroman** → Roman.
**Abenteurer,** Glücksritter, Glücksjäger; → Abenteuerlust, → Glücksspiel, → Spieler.
**¹aber,** jedoch, doch, jedennoch (*veraltend*), indes, indessen, dabei, immerhin, mindestens, zum mindesten, wenigstens, dagegen, dahingegen, hingegen, hinwieder, hinwiederum, wiederum, allerdings, freilich, and[e]rerseits, anderseits, nur, höchstens, sondern, allein, im Gegensatz dazu, demgegenüber; → also, → auch, → dennoch, → gegensätzlich, → nein, → verschieden, → zwar.
**²aber:** a. eben → eben; a. ja → ja.
**Aberglaube,** Köhlerglaube, Volksglaube, Gespensterglaube, Geisterglaube, Wunderglaube, Mystizismus; → Astrologie, → Geisterbeschwörung → Handlesekunst, → Ketzerei, → Zauberei; → beschreien.
**abergläubisch** → ängstlich.
**aberhundert** → viele.
**Aberhunderte** → viele.
**aberkennen,** absprechen, entziehen, einstellen (*schweiz.*); → Aberkennung.
**Aberkennung,** Entzug, Entziehung, Absprechung; → Entlassung; → aberkennen, → entlassen.
**abermalig,** nochmalig, wiederholt, mehrmalig; → oft, → wieder.
**abermals** → wieder.
**abernten** → ernten.
**Aberration** → Abweichung.
**abertausend** → viele.
**Abertausende** → viele.
**Aberwitz** → Absurdität.
**Abessinien** → Nacktbadestrand.

**Abessinier:** → Katzenrassen, → Nudist.
**abfahren:** → abgehen, → abnutzen, → abreisen, → sterben; a. lassen → ablehnen; der Zug ist abgefahren → versäumen.
**Abfahrt:** → Abwärtsfahrt, → Piste, → Start.
**Abfahrtsflagge** → Fahne.
**Abfahrtslauf** → Schirennen.
**Abfahrtsläufer** → Schifahrer.
**¹Abfall,** Kehricht, Mist (*österr.*), Müll, Unrat; → Altmaterial, → Müll, → Müllablageplatz, → Umweltverschmutzung.
**²Abfall:** → Abkehr, → Gefälle, → Müll, → Rückgang, → Steilabfall, → Untreue.
**Abfallbehälter** → Abfalleimer.
**Abfalleimer,** Abfallbehälter, Mülltonne, Mülleimer, Ascheimer, Ascheneimer, Dranktonne (*nordd.*), Mistkübel (*österr.*), Coloniakübel (*österr.*), Koloniakübel (*österr.*), Kutterfaß (*südd.*), Kütterkessel (*schweiz.*), Ochsnerkübel (*schweiz.*) ·· *für Papierabfälle:* Papierkorb, Abfallkorb · *der auf dem Tisch steht:* Tischpapierkorb.
**abfallen:** → lösen (sich), → untreu [werden]; etwas fällt ab → einträglich [sein].
**abfallend** → schräg.
**Abfallgrube** → Müllablageplatz.
**Abfallhaufen** → Müllablageplatz.
**abfällig** → abschätzig.
**Abfälligkeit** → Nichtachtung.
**Abfallkorb** → Abfalleimer.
**abfangen:** → federn, → töten.
**¹abfärben,** ausgehen, auslaufen, Farbe verlieren / abgeben, nicht farbecht / nicht waschecht sein · Ggs. → farbecht.
**²abfärben** → beeinflussen.
**abfassen:** → aufschreiben, → ergreifen; in Geheimschrift a. → chiffrieren.
**abfaulen** → faulen.
**abfedern** → federn.
**abfegen** → säubern.
**abfeilen:** → absehen, → glätten, → plagiieren.
**abfeilschen:** jmdm. etwas a. → abhandeln (jmdm. etwas).
**abferkeln** → gebären.
**abfertigen:** → ablehnen, → bedienen; [der Reihe nach a.] → durchschleusen.

**Abfertigung** → Versandabteilung.

**Abfertigungsgebäude**, Terminal; → Flugplatz.

**Abfertigungsstelle** → Versandabteilung.

**abfeuern** → schießen.

**abfiedeln** → abmachen.

**abfinden:** jmdn. a. → befriedigen; sich a. mit → ertragen.

**¹Abfindung**, Belohnung, Nachzahlung, Entschädigung, Pauschale; → Ersatz, → Vergütung.

**²Abfindung:** → Ersatz; jmdm. eine A. zahlen → befriedigen.

**abflauen**, abnehmen, nachlassen, schwinden, dahinschwinden, im Schwinden begriffen sein, aussterben, abklingen, zurückgehen, sinken, absinken, sich verringern / vermindern / verkleinern, zusammenschrumpfen, abebben, vereben, erkalten, einschlafen, schwächer / weniger / geringer werden, etwas beruhigt sich, sich dem Ende zuneigen, ausgehen, zu Ende / zur Neige / (dichter.) zur Rüste gehen, zu Ende / (ugs.) alle sein (oder:) werden; → beenden, → nachlassen, → schlank [werden], → verringern; → Abwanderung · Ggs.→ vermehren,→ zunehmen.

**abfliegen** → abgehen, → abreisen.

**abfließen**, ablaufen, abströmen, abtropfen, abtröpfeln, abrieseln, absickern, abrinnen; → ausfließen, → ausströmen, fließen.

**abfluchten** → ausrichten.

**Abflug** → Start.

**Abfluß:** → Abwasserkanal, → Ausguß.

**Abflußgraben** → Graben.

**Abflußrinne**, Gosse; → Rinnstein.

**abfohlen** → gebären.

**Abfolge** → Reihenfolge.

**abformen** → abbilden.

**abfragen** → abhören.

**¹abfressen**, abnagen, kahlfressen, ratzekahl fressen (ugs.); → annagen.

**²abfressen** → grasen.

**abfretten:** sich a. → anstrengen (sich).

**¹abfrottieren**, abreiben, abrubbeln (ugs.), abtrocknen.

**²abfrottieren** → reiben.

**Abfuhr:** → Ablehnung; eine A. erteilen → ablehnen.

**¹abführen**, zur Wache bringen, mit auf die Wache nehmen, [auf die Wache] mitnehmen, insistieren; → ergreifen, → verhaften.

**²abführen** → defäkieren.

**Abführmittel** · leichtes: Aperitivum, Laxans, Laxativ, Laxativum · stärkeres: Purgans, Purgativ, Purgativum · starkes: Drastikum; → defäkieren.

**Abführung** → Satzzeichen.

**abfüllen** → füllen.

**abfüttern** → ernähren.

**¹Abgabe**, Tribut, Zoll, Ausfuhrzoll, Einfuhrzoll, Gebühr ·· Steuer · direkte Steuer, Maßsteuer, Lohnsteuer, Einkommen[s]steuer, Vermögen[s]steuer, Erbschaft[s]steuer, Kirchensteuer, Körperschaft[s]steuer, Grundsteuer, Gewerbesteuer, Umsatzsteuer, Mehrwertsteuer, Hundesteuer, Kraftfahrzeugsteuer · indirekte Steuer, Marktsteuer, Verbrauch[s]steuer, Akzise, Verkehrssteuer, Getränkesteuer, Tabaksteuer ·· für die Benutzung von Straßen o.ä.: Maut (bayr., österr.); → Beitrag, → Gebührenmarke, → Preis, → Staatskasse, Steuererklärung, → Zollverschluß; → besteuern, → versteuern · Ggs. → Gebührenfreiheit.

**²Abgabe** → Lieferung.

**Abgang** → Fehlbetrag.

**Abgänger** → Schüler.

**abgängig** → verschollen.

**Abgängigkeitsanzeige** → Vermißtenanzeige.

**Abgangszeugnis** → Zeugnis.

**Abgas**, Auspuffgas, Emission; → Gas, → Giftgas.

**abgaukeln:** jmdm. etwas a. → ablisten (jmdm. etwas).

**abgaunern:** jmdm. etwas a. → ablisten (jmdm. etwas).

**ABGB** → Gesetzessammlung.

**abgearbeitet** → erschöpft.

**abgebaut** → pensioniert.

**¹abgeben**, aushändigen, geben, überstellen, übereignen, übertragen, einhändigen, aus der Hand geben, überreichen, einlegen (schweiz.), überbringen, zuteil werden / zukommen lassen, rausrücken (ugs.), abliefern, ablassen, abtreten, zur Verfügung stellen, überlassen, anvertrauen, überantworten, [zu treuen Händen] übergeben, sich einer Sache entäußern / begeben, nicht → aufbewahren · etwas Wertvolles für etwas Wertloses: etwas für ein Linsengericht hergeben; → einreichen, → geben, → leihen, → opfern, → schenken, → schicken, → spenden, → teilen, → überantworten, → widmen; → Lieferung, → Zuteilung.

**²abgeben:** → absondern, → verursachen, → vorlegen; Farbe a. → abfärben; einen Posten a. → kündigen; seine Stimme a. / einen weißen Stimmzettel a. → wählen; ein Urteil a. → beurteilen; sich a. mit → befassen; sich a. mit jmdm. → koitieren.

**abgeblaßt**, verblaßt, ausgebleicht, verwaschen, verschossen; → farblos.

**abgeblüht** → verwelkt.

**abgebrannt:** → gebräunt, → zahlungsunfähig.

**abgebrochen:** → abgehackt, → losgelöst.

**abgebrüht** → unempfindlich.

**Abgebrühtheit** → Abgestumpftheit.

**abgebunden** → legiert.

**abgedankt** → pensioniert.

**abgedreht** → rücksichtslos.

**abgedroschen** → phrasenhaft.

**abgefedert** → gefedert.

**abgefeimt** → schlau.

**abgeflacht**, flach, abgeplattet, platt; → niedrig.

**abgefuckt:** -e Type → Rauschgiftsüchtiger.

**abgegriffen** → abgenutzt.

**¹abgehackt**, abgerissen, abgebrochen, kurzatmig, stotternd, stotterig (ugs.), stöckerig (ugs.), gacksend (ugs.), stockend, mit stockender Stimme, nicht → fließend; → heiser, → leise, → unartikuliert; → flüstern, → sprechen, → stottern.

**²abgehackt** → diskontinuierlich.

**abgehalftert** → pensioniert.

**abgehangen** → abgelagert.

**abgehärmt** → unzufrieden.

**abgehärtet** → widerstandsfähig.

**Abgehärtetsein** → Widerstandsfähigkeit.

**abgeheilt,** verheilt, heil geworden, vernarbt, verschorft; → abheilen; → Wunde.

**¹abgehen,** abfahren, wegfahren, abfliegen, wegfliegen · *vom Schiff:* ablegen, auslaufen, in See stechen, die Anker lichten; → abreisen, → entfernen, → transportieren.

**²abgehen:** → gabeln (sich), → lösen (sich); sich nichts a. lassen → leben; etwas geht jmdm. ab → mangeln; jmdm. geht einer ab → Samenerguß [haben]; jmdm. geht jeder Sinn / jedes Verständnis für etwas ab → unzugänglich [sein]; mit Tod a. → sterben; a. von etwas → abschreiben; von einer Gewohnheit a. → abgewöhnen (sich etwas).

**abgehetzt** → erschöpft.

**abgeklappert** → phrasenhaft.

**abgeklärt** → ruhig.

**Abgeklärtheit** → Gesetztheit.

**abgekühlt:** → gekühlt, → kalt.

**abgekürzt** → kurz.

**abgelagert,** abgehangen; → mürbe, → reif.

**abgelebt:** → altmodisch, → verlebt.

**abgelegen,** abseitig, entlegen, abgeschieden, einsam, verlassen, menschenleer; öde, einschichtig (*südd., österr.*), gottverlassen, jwd (janz weit draußen; *salopp*); → einsam, → fern, → zurückgezogen; a. **sein,** dort ist die Welt mit Brettern vernagelt, am Ende der Welt sein, dort sagen sich Fuchs und Hase gute Nacht (*scherzh.*), am Arsch der Welt sein (*derb*); **nicht a. sein,** verkehrsgünstig / günstig gelegen sein, leicht erreichbar / zu erreichen sein, eine gute / günstige Geschäftslage haben.

**abgeleiert** → phrasenhaft.

**abgelenkt** → unaufmerksam.

**Abgelenktheit** → Zerstreutheit.

**abgelöst** → losgelöst.

**abgelten** → einstehen (für).

**Abgeltung** → Ersatz.

**abgemacht** → okay.

**abgemagert** → abgezehrt.

**abgemergelt** → abgezehrt.

**abgeneigt:** → widerwillig; einer Sache a. sein → mögen (etwas).

**Abgeneigtheit:** → Abneigung, → Widerwille.

**abgenutzt,** abgenützt (*landsch.*), abgegriffen, abgewetzt, blank, abgeschabt, verschabt, vertragen, schäbig, verschlissen, zerschlissen, durchgewetzt (*ugs.*), fadenscheinig, dünn, blöd (*landsch.*), abgetragen, überspielt (*österr.*), ausgedient; → defekt; **a. sein:** etwas ist abgenutzt / hat seine Schuldigkeit getan, etwas ist durch viele Hände gegangen.

**abgenützt** → abgenutzt.

**Abgeordnetenhaus** → Volksvertretung.

**Abgeordneter,** Volksvertreter, Delegierter, Deputierter, Parlamentarier, Mandatar (*österr.*), Repräsentant · Nationalrat (Österreich, Schweiz), Bundesrat (Österreich), Ständerat (Schweiz), Mitglied des Bundestags/Bundesrats (BRD), MdB (BRD), Bundestagsabgeordneter, Landtagsabgeordneter · *wenig hervortretender:* Hinterbänkler (*abwertend*); → Abgesandter, → Abordnung, → Ausschuß, → Beauftragter, → Bote, → Diplomat, → Volksvertretung, → Wahl, → Wähler; → abordnen.

**¹abgepackt,** gebündelt, verpackt, eingepackt, eingewikkelt, verschnürt, verschlossen; → versiegelt; → füllen · Ggs. → unverpackt.

**²abgepackt:** nicht a. → unverpackt.

**abgeplattet** → abgeflacht.

**abgerechnet** → abzüglich.

**abgerissen:** → abgehackt, → abgewirtschaftet, → losgelöst.

**abgerundet** → abgestimmt.

**Abgesandter,** Beauftragter, Bevollmächtigter, Parlamentär, Kurier, Sendbote, Sendling (*schweiz.*), Melder, Ordonnanz, Unterhändler, Emissär, Delegat, Verkünder, Apostel; → Abgeordneter, → Abordnung, → Anhänger, → Ausschuß, → Beauftragter, → Bote, Diplomat, → Schrittmacher; → abordnen.

**Abgesang** → letzte.

**abgeschabt** → abgenutzt.

**abgeschafft** → erschöpft.

**abgeschieden:** → abgelegen, tot, → zurückgezogen.

**Abgeschiedener** → Toter.

**Abgeschiedenheit** → Einsamkeit.

**abgeschlafft** → erschöpft.

**abgeschlagen:** a. sein → erschöpft [sein].

**Abgeschlagenheit** → Erschöpfung.

**abgeschlossen:** → fertig, → geschlossen, → komplett, → versiegelt.

**Abgeschlossenheit** → Exklusivität.

**abgeschmackt** → taktlos.

**Abgeschmacktheit** → Taktlosigkeit.

**abgesehen:** a. von → ausgenommen; es auf jmdn. a. haben → schikanieren.

**abgesetzt** → pensioniert.

**abgesondert** → einzeln.

**abgespannt** → erschöpft.

**Abgespanntheit** → Erschöpfung.

**abgesperrt** → geschlossen.

**abgestanden,** schal, fade, fad, labberig, lasch, flau, verbraucht (Luft); → fade, → langweilig, → ungewürzt.

**abgestimmt,** abgerundet, wohlgegliedert, harmonisch, passend, zusammenpassend, zusammenstimmend, stilgerecht, stilvoll, geschmackvoll, einwandfrei; → ebenmäßig, → passend, → schön; → harmonieren.

**abgestorben:** → blutleer, → trocken.

**abgestoßen** → defekt.

**abgestuft:** → differenziert, → hierarchisch, → stufenweise.

**abgestumpft** → unempfindlich.

**¹Abgestumpftheit,** Stumpfheit, Dumpfheit, Abgebrühtheit (*salopp, abwertend*); → Teilnahmslosigkeit; → unempfindlich.

**²Abgestumpftheit** → Teilnahmslosigkeit.

**abgetan** → überlebt.

**abgetönt** → differenziert.

**abgetragen** → abgenutzt.

**abgetrennt** → einzeln.

**abgewetzt** → abgenutzt.

**abgewinnen:** einer Sache keinen Gefallen / keinen Geschmack / nichts a. können → gefallen.

**abgewirtschaftet,** ruiniert, heruntergekommen, abgerissen; → defekt, → zahlungsunfähig; **a. haben,** verloren / am Ende (*ugs.*) abgewrackt / (*salopp*) geliefert sein, kein [ganzes] Hemd

[mehr] am/auf dem Leibe haben (*ugs.*), bessere Tage gesehen haben, abgebaut haben, auf/aus dem letzten Loch pfeifen (*ugs.*); → verwahrlosen; → Zahlungsunfähigkeit.

¹**abgewöhnen** (sich etwas), sich einer Sache entwöhnen/enthalten, einstellen, abstellen, aufgeben, ablassen von, aufhören, [eine Gewohnheit] ablegen, mit einer Gewohnheit brechen, von einer Gewohnheit abgehen; → abschreiben, → beenden, → entwöhnen; → Entwöhnung.

²**abgewöhnen:** jmdm. etwas a. → entwöhnen.

**Abgewöhnung** → Entwöhnung.

**abgewrackt:** a. sein → abgewirtschaftet [haben].

**abgezehrt,** ausgemergelt, abgemergelt, abgemagert, hohlwangig, eingefallen; → erschöpft, → schlank, → verlebt; **a. sein,** jmdm. kann man das Vaterunser durch die Backen blasen; → Abmagerung.

**abgezogen** → abzüglich.

**abgießen** → abbilden.

**Abglanz** → Spiegelung.

**abgleiten:** → abschweifen, → gleiten.

¹**Abgott,** Angebeteter, Ideal, Idol, Götze, Götzenbild; → Amulett, → Anhänger, → Geliebte, → Geliebter, → Gott, → Liebling, → Muster, → Schicksal.

²**Abgott** → Publikumsliebling.

**abgöttisch,** übertrieben, übersteigert, übermäßig, blind; → anormal, → ausgeprägt, überspannt.

**abgraben:** jmdm. das Wasser a. → Konkurrenz [machen].

**abgrämen:** sich a. → sorgen (sich).

¹**abgrasen,** abweiden, abfressen, kahlfressen, leer / ratzekahl fressen; → essen.

²**abgrasen** → absuchen.

**abgrenzen:** → verringern; a. gegeneinander → unterscheiden.

**Abgrenzung,** Umgrenzung, Begrenzung, Grenze, Grenzlinie, Grenzscheide, Grenzwall, Grenzfluß, Grenzbach; → Einfassung, → Grenze.

**Abgrund,** Tiefe, Kessel, Kluft, Krater, Schlucht, Schlund,

Tal; → Abhang, → Schlucht, → Steilabfall.

**abgrund-:** → erz-.

**abgründig:** → hintergründig, → sehr.

**Abgründigkeit** → Doppelbödigkeit.

**abgrundtief** → tief.

**abgucken** → absehen.

**Abgunst** → Neid.

**abgünstig** → neidisch.

¹**Abguß,** Abdruck, Abbildung, Gipsabguß, Gipsabdruck; → Nachahmung; → abbilden.

²**Abguß** → Ausguß; einen A. machen → abbilden.

**abhacken:** → abmachen; sich die Hand a. lassen → einstehen (für).

**abhaken** → markieren.

¹**abhalftern,** ausschirren, abschirren, absträngen, absatteln, abspannen, ausspannen.

²**abhalftern** → entlassen.

**Abhalfterung** → Entlassung.

¹**abhalten,** fernhalten, schützen vor, abschirmen, bewahren vor; → aufbewahren, → behüten, → eingreifen, → entfernen, → hindern.

²**abhalten:** → hindern, → veranstalten; jmdn. a. von etwas → abschrecken; etwas hält jmdn. ab, etwas zu tun → anfreunden (sich mit).

¹**Abhaltung,** Veranstaltung, Durchführung, Ausrichtung, Arrangieren, Inszenierung, Organisierung, Organisation; → Bewerkstelligung; → veranstalten.

²**Abhaltung** → Verhinderung.

¹**abhandeln** (jmdm. etwas), jmdm. etwas abfeilschen / abschachern / abpressen / (*veraltet*) abmarkten / (*selten*) abdingen / (*selten*) abdrücken; → ablisten, → handeln.

²**abhandeln:** → ablisten, → erörtern.

**abhanden:** a. kommen → verlorengehen.

**Abhandlung** → Aufsatz.

**Abhang,** Hang, Böschung, Halde, Bord (*schweiz.*), Leite (*südd., österr.*), Lehne (*oberd.*); → Abgrund, → Berg, → Gefälle, → Steilabfall; → steil.

¹**abhängen** (von): etwas hängt ab von/kommt an auf, etwas steht/liegt bei jmdm., etwas

unterliegt / untersteht / obliegt jmdm.

²**abhängen:** → entlassen; a. von → abhängig [sein von].

¹**abhängig,** unselbständig; **a. sein von,** abhängen von, angewiesen sein / (*österr.*) anstehen auf, jmds. Sklave / jmdm. untertan sein · *in sexueller Hinsicht:* jmdm. hörig / verfallen sein.

²**abhängig:** → unselbständig; a. sein → selbständig; a. sein von → zusammenhängen (mit).

**Abhängigkeit:** → Sucht, → Unselbständigkeit, → Verhältnis.

**Abhängigkeitsgrammatik** → Grammatik.

**abhärmen:** sich a. → sorgen (sich).

**abhärten** → widerstandsfähig [machen].

**Abhärtung,** Festigung, Kräftigung, Stählung; → Widerstandsfähigkeit.

**abhaspeln:** → abwickeln, → vortragen.

**abhauen:** → abmachen, → fliehen, → weggehen; hau ab! → weg!; sich die Haxen a. lassen → einstehen (für).

**abhausen** → zahlungsunfähig [werden].

**abhäuteln** → abziehen.

**abhäuten** → abziehen.

¹**abheben** (Geld), auszahlen lassen, beheben (*österr.*) · *mehr von einem Konto, als darauf gutgeschrieben ist:* sein Konto überziehen; → entnehmen; → Abhebung.

²**abheben:** sich a. → abzeichnen (sich); a. auf → abzielen (auf), → vorhaben; sich a. von → entgegenstellen (sich), → kontrastieren.

**Abhebung,** Abholung, Behebung (*österr.*); → abheben.

**abheften** → ablegen.

**abheilen,** heilen, verheilen, heil werden, vernarben, verschorfen; → abgeheilt; → Wunde.

**abhelfen,** Abhilfe schaffen, für Abhilfe sorgen, einer Sache steuern / begegnen; → verhindern, → reparieren.

**abhetzen:** sich a. → beeilen (sich).

**abheucheln:** jmdm. etwas a. → ablisten (jmdm. etwas).

**Abhilfe:** A. schaffen, für A. sorgen. → abhelfen.

**abhin** → vorig.

**abhobeln** → glätten.

**Abhobelung** → Operation.

**abhold:** einer Sache a. sein → mögen (etwas).

**abholen** → verhaften.

**Abholung** → Abhebung.

**¹abholzen,** absägen, fällen, umlegen, umhauen, roden, schlagen, schlägern (österr.); → bebauen, → urbar [machen]; → kahl.

**²abholzen:** den Schilderwald a. → Verkehrszeichen.

**Abhörapparat** → Abhörgerät.

**abhorchen** → horchen.

**¹abhören,** abfragen, examinieren; → prüfen.

**²abhören** → horchen.

**Abhörgerät,** Abhörapparat, Spion, Minispion, Wanze (ugs.); → Tonbandgerät; → horchen.

**Abhub** → Abschaum.

**Abi** → Abitur.

**abirren:** → abschweifen; vom Wege a. → verirren (sich).

**Abirrung** → Abweichung.

**Abitur,** Reifeprüfung, Abiturientenexamen, Abiturium, Abi (ugs.), Maturum, Matur, Matura (österr., schweiz.), Maturität (schweiz.) · in Kriegszeiten vorzeitig gegebenes: Notabitur, Kriegsabitur · hauswirtschaftliches, das nicht zum Hochschulstudium berechtigt: Puddingabitur (scherzh., abwertend); → Prüfung; **A. machen,** die Reifeprüfung ablegen, Matura machen (österr., schweiz.), maturieren (österr.), sein Abitur bauen (ugs.), im Abitur stehen / sein; → bewältigen, → versagen.

**Abiturient** → Schüler.

**Abiturientenball** → Ball.

**Abiturientenexamen** → Abitur.

**Abiturientenklasse** → Schulklasse.

**Abiturium** → Abitur.

**Abiturzeugnis** → Reifezeugnis.

**abjagen** → wegnehmen; jmdm. etwas a. → ablisten.

**abkalben** → gebären.

**abkanzeln** → schelten.

**abkapiteln** → schelten.

**abkapseln** (sich), sich abschließen / absondern / separieren / isolieren / einspinnen / ver-

schließen / (ugs.) verkriechen / (ugs.) [in sein Schneckenhaus] zurückziehen / (ugs.) einpuppen/ (ugs.) einigeln, sich von der Außenwelt abschließen, sich vor der Welt verschließen, im Elfenbeinturm / Wolkenkuckucksheim leben, Kontakt meiden, der Welt entsagen, das Leben fliehen, ins Kloster gehen; → ausweichen, → einkreisen, → entziehen (sich); → unrealistisch, → unzugänglich; → Abkapselung, → Einsamkeit.

**Abkapselung,** Selbstisolierung, Isolierung; → Einzelgängertum; → abkapseln (sich).

**abkassieren** → kassieren.

**abkaufen** → kaufen.

**Abkehr,** Umkehr, Abwendung, Abfall, Absage, Lossagung, Bruch; → abwenden (sich).

**abkehren:** → säubern; sich a. → abwenden (sich).

**abklappern** → absuchen.

**abklären:** → berichtigen, → enträtseln.

**Abklärung** → Aufklärung.

**Abklatsch** → Nachahmung.

**abklemmen** → abmachen.

**abklingen:** → abnehmen, → verhallen.

**abklopfen:** → abschütteln; a. auf → nachforschen.

**abknallen** → töten.

**abknappen** → erübrigen.

**abknapsen** → erübrigen.

**¹abkneifen,** abklemmen, abknipsen, entfernen; → abmachen.

**²abkneifen** → abmachen.

**abknicken** → abmachen.

**Abknickung** → Kurve.

**abknipsen** → abmachen.

**abknöpfeln** → abmachen.

**abknöpfen:** → ablisten; a. → abmachen.

**abknutschen** → küssen.

**abkochen:** → betrügen, → sieden.

**abkommandieren** → abordnen.

**Abkommandierung** → Abordnung.

**Abkomme** → Angehöriger.

**abkommen:** → abschweifen; a. von etwas → abschreiben; vom Thema a. → abschweifen; vom Wege a. → verirren (sich); vom rechten Weg a. → verwahrlosen.

**Abkommen** → Abmachung.

**abkömmlich** → nutzlos.

**Abkömmling** → Angehöriger.

**abkönnen:** etwas nicht a. → ertragen.

**abkrageln** → töten.

**abkratzen:** → glätten, → sterben.

**abkriegen:** sein Fett a. → bestrafen; Frost a. → erfrieren.

**abkühlen** (etwas), kälter/kühler werden lassen, kalt stellen, überkühlen (österr.); → tiefkühlen; → Abkühlung.

**¹Abkühlung,** Kühlung, Temperatursenkung, Temperaturabnahme, Temperaturrückgang, Wärmeabnahme; → Kälteeinbruch, → Wärmeentzug, → Wetterumschwung; → abkühlen (etwas).

**²Abkühlung** → Entfremdung.

**abkündigen** → mitteilen.

**Abkündigung** → Nachspann.

**¹Abkunft,** Herkommen, Abstammung, Herkunft, Geburt, Ursprung, Stammbaum, Geschlecht, Provenienz, Stemma, Stamm: → Adelskalender, → Anfang, → Angehöriger, → Art, → Familie, → Generation, → Tradition; → stammen (von).

**²Abkunft:** von edler/hoher A. sein → adlig [sein].

**abkupfern** → plagiieren.

**abkürzen,** abschneiden, den kürzeren Weg (oder:) eine Abkürzung nehmen / gehen / fahren; → Weg.

**¹Abkürzung,** Abbreviatur, Sigel, Kürzel, Kurzwort, Stummelwort, Aküwort, Abkürzungszeichen, Akronym, Initialwort; → Aküsprache, → Kurzschrift.

**²Abkürzung:** eine A. nehmen / gehen / fahren → abkürzen.

**Abkürzungszeichen** → Abkürzung.

**abküssen** → küssen.

**Ablad** → Verladung.

**abladen,** ausladen, entladen · eine Schiffsladung: löschen; → ausladen, → ausschiffen, → laden; → Verladung.

**Abladung** → Verladung.

**¹Ablage,** Aktenablage, Briefablage, Rechnungsablage; → Aktenordner, → Aktenständer.

**²Ablage:** → Annahmestelle, → Gestell, → Zweigstelle.

**19**

¹**ablagern** (sich), sich absetzen / setzen / niederschlagen, sintern; → Rückstand.

²**ablagern** → lagern.

**Ablagerung:** → Bodensatz, → Lagerung.

**ablaichen** → gebären.

**Ablaktation** → Entwöhnung.

**ablandig,** vom Lande her wehend · Ggs. → auflandig.

**ablassen:** → abgeben; nicht a. → bestehen (auf); Dampf a. → abreagieren (sich); a. von → abgewöhnen (sich etwas), → abschreiben.

**Ablaßtag** → Gründonnerstag.

**Ablation** → Operation.

**Ablativ** → Kasus.

**Ablauf:** → Ausguß, → Start, → Reihenfolge, → Vorgang.

¹**ablaufen,** verfallen, ungültig / fällig werden, auslaufen; → Geltung.

²**ablaufen:** → abfließen, → abnutzen, → absuchen; -des Wasser → Ebbe; a. lassen → ablehnen; jmds. Uhr ist abgelaufen → sterben.

**ablauschen** → nachgestalten.

**ablausen** → ablisten.

**ableben,** sterben, versterben, einschlafen, entschlafen, hinüberschlummern, entschlummern (selten), der Tod holt jmdn. heim, vom Tode ereilt werden, sein Leben aushauchen, den Geist aufgeben/aushauchen, die Seele aushauchen, heimgehen, dahinscheiden, hinscheiden, aus dem Leben scheiden, die Augen zumachen / [für immer] schließen, das Auge bricht (dichter.), vom Schauplatz / von der Bühne abtreten, sein Leben/Dasein vollenden, die sterbliche Hülle ablegen, zu Staub werden, die Feder aus der Hand legen, enden, das Zeitliche segnen, den Weg allen/alles Fleisches gehen, abfahren (salopp), ins Grab sinken, in die/zur Grube fahren, zugrunde gehen, [für immer] von jmdm. gehen, aus dieser Welt gehen, jmdn. verlassen (er hat uns [zu früh] verlassen), [in die Ewigkeit] abgerufen werden, verscheiden, dahingerafft werden, das letzte Stündlein ist gekommen / hat geschlagen, jmds. Uhr ist abgelaufen, von

hinnen scheiden, abscheiden, erlöst werden, nicht mehr aufstehen, tot hinsinken, zu seinen Vätern versammelt werden, sich zu den Vätern versammeln, zur großen Armee abberufen werden, jmdm. passiert etwas / stößt etwas zu (verhüllend), seinen Verletzungen erliegen, seine letzte Reise / seinen letzten Weg antreten, in die ewigen Jagdgründe / zum ewigen Frieden / zur ewigen Ruhe eingehen, aus unserer/ihrer Mitte gerissen werden, aus dem Leben gerissen werden, umkommen, ums Leben/zu Tode kommen, den Tod finden, mit jmdm. ist es aus (ugs.), mit dem Tode ringen, im Sterben liegen, in den letzten Zügen liegen (ugs.), mit jmdm. geht es zu Ende, dran glauben müssen (ugs.), abkratzen (salopp), abschnappen (salopp), abnibbeln (salopp), hopsgehen (salopp), draufgehen (salopp), vor die Hunde gehen (ugs.), ins Gras beißen (salopp), den Löffel wegschmeißen (salopp), Sterbchen machen (salopp), ein Bankerl reißen (salopp, österr.), die Patschen aufstellen (salopp, österr.), den Arsch zukneifen (vulgär).

**Ableben** → Exitus.

**ablecken** → lecken.

**Ablederung** → Verletzung.

¹**ablegen,** abheften, wegordnen, einordnen, einstoßen; → einordnen.

²**ablegen:** → abgehen, → ausziehen, → hinstellen, → lagern; nicht a. → anbehalten; den alten Adam a. → bessern (sich); das Gelübde/die Gelübde a. → Mönch [werden], → Nonne [werden]; [eine Gewohnheit] a. → ablegen; Zeugnis a. → zeugen (für, gegen); sich Rechenschaft a. über → klarwerden (sich über); etwas legt Zeugnis ab von etwas → zeigen.

¹**Ableger,** Absenker, Setzling, Schoß, Schößling, Steckling, Senker; → Samen.

²**Ableger** → Sohn.

¹**ablehnen,** zurückweisen, desavouieren, ausschlagen, abweisen, abwimmeln (ugs., abwertend), [kurz] abfertigen, verschmähen, jmdn. abschlägig

bescheiden, aus Abschied und Traktanden fallen lassen (schweiz.), abschlagen, etwas verweigern, versagen, abwinken, eine Abfuhr erteilen, abfahren / abblitzen / ablaufen lassen (salopp), jmdm. einen Korb geben/die kalte Schulter zeigen, jmdm. die Tür vor der Nase zuschlagen, verachten, jmd./etwas kann jmdm. gestohlen bleiben (ugs.), jmdm. etwas husten/niesen (salopp), nicht → billigen; → beanstanden, → entledigen (sich jmds./einer Sache), → ignorieren, → mißachten, → verabscheuen, → verbieten, → verweigern (sich jmdm.); **abgelehnt werden,** auf Ablehnung stoßen; → nein; → Ablehnung.

²**ablehnen:** → verabscheuen; -de Antwort/Haltung → Ablehnung.

¹**Ablehnung,** Zurückweisung, Abweisung, Weigerung, Verweigerung, Versagung, Absage, ablehnende Haltung, abschlägiger Bescheid, ablehnende/abschlägige Antwort, Abfuhr (salopp); → ablehnen; → nein.

²**Ablehnung:** auf A. stoßen → ablehnen.

**ableisten** → vortragen.

**ableisten:** den Militärdienst/Präsenzdienst/Wehrdienst a. → Soldat [sein].

**ableitbar:** → zurückführbar; nicht a. → irreduktibel.

**ableiten** → folgern.

¹**Ableitung,** Derivation, Herleitung; → Folgerung.

²**Ableitung** → Folgerung.

**ablenken:** → erheitern; sich a. → zerstreuen (sich); sich nicht a. lassen → versenken (sich in); sich durch nichts a. lassen → zielstrebig [sein].

**Ablenkung** → Unterhaltung.

**Ablepsie** → Blindheit.

**ablesbar** → erkennbar.

**ablesen:** → vortragen; jmdm. jeden Wunsch von den Augen a. → verwöhnen.

**Ableser** → Gasmann.

**ableugnen** → abstreiten.

**Ableugnung** → Widerruf.

**ablichten,** fotokopieren, xerokopieren, pausen, lichtpausen, abwärmen, Lichtpausen herstellen, eine Fotokopie / Xerokopie / Ablichtung machen; → vervielfältigen.

**Ablichtung** → Reproduktion.

**abliefern:** → abgeben, → einliefern.

**Ablieferung** → Lieferung.

**ablisten** (jmdm. etwas), jmdm. etwas ablocken / herauslocken / abschwindeln / herausschwindeln / abjagen / abheucheln / abschmeicheln / abbetteln / abschmarotzen / (ugs.) abgaunern / abgaukeln / (ugs.) abknöpfen / (ugs.) abzwacken / (salopp) abluchsen / (salopp) ablotsen / (salopp) ablausen / (salopp) abzapfen / (salopp) aus dem Kreuz leiern / (landsch.) abschwätzen / (ugs.) abhandeln / (landsch.) herausschwätzen / (landsch.) rausschwätzen / (nordd.) abschnacken, schröpfen, zur Ader lassen, ausziehen (ugs.), rupfen, jmdn. ausnehmen (salopp), jmdm. maßnehmen (salopp), [von jmdm.] etwas schlauchen (salopp); → abhandeln, → betrügen, → entlocken (jmdm. etwas), → handeln, → wegnehmen.

**ablocken:** → ablisten; jmdm. etwas a. → entlocken (jmdm. etwas).

**ablöschen** → säubern.

**ablösen:** → abmachen, → abwechseln, → entlassen; sich a. → lösen (sich).

**Ablösung:** → Abtrennung, → Alternation, → Entlassung.

**ablotsen** → ablisten.

**abluchsen** → ablisten.

**¹abmachen,** entfernen, machen von, losmachen, losbinden, abreißen, reißen von, losreißen, abbrechen, abknicken, ablösen, lösen von, loslösen, abknöpfen, abknöpfeln (österr.), abschlagen, schlagen von, losschlagen, abhauen, hauen von, abhacken, abschneiden, absäbeln (ugs.), abfiedeln (ugs.), abtrennen, trennen von, lostrennen, abkneifen, abklemmen, abknipsen (ugs.), abzwicken (ugs.); → aufbinden, → beschneiden, → pflücken, → ziehen; → Abtrennung.

**²abmachen:** → abmontieren, → mähen, → übereinkommen.

**Abmachung,** Absprache, Verabredung, Abrede, Überein-

kunft, Übereinkommen, Abschluß, Festsetzung, Arrangement, Vereinbarung, Papier, Vertrag, Stipulation, Kontrakt, Pakt, Traité, Konvention, Abkommen, gangbarer Weg, Verkommnis (schweiz.), Agreement, Akkord, Konkordat · die nur Teilgebiete regelt: Teilabkommen, Zusatzabkommen · vertrauliche: Geheimabkommen, Geheimabsprache · politische: Militärabkommen, Beistandspakt, Freundschaftsabkommen, Neutralitätsabkommen, Viermächteabkommen · die die Wirtschaftsbeziehungen zwischen Staaten regelt: Wirtschaftsabkommen, Handelsabkommen, Handelsvertrag, Warenabkommen, Zahlungsabkommen, Interzonenhandelsabkommen · die kulturelle Beziehungen zwischen Staaten regelt: Kulturabkommen · auf Treu und Glauben: Gentleman's Agreement · inoffizielle, in einem gegebenen Fall keine Maßnahmen ergreifen zu wollen: Stillhalteabkommen · mit beiderseitigem Nachgeben: Ausgleich, Vergleich, Kompromiß, Mittelweg, Packelei (abwertend, österr.) · erträgliche: Modus vivendi · durch längeres Verhandeln um [politische] Vorteile zustande gekommene: Kuhhandel (abwertend) · betrügerische: Kollusion; → Aufgabe, → Begrüßung, → Bund, → Einigung, → Erlaubnis, → Klausel, → Nichtangriffspakt, → Protokoll, → Testament, → Urkunde, → Verabredung, → Weisung; → übereinkommen; → handelseinig.

**abmagern** → schlank [werden].

**Abmagerung,** Auszehrung, Gewichtsabnahme, Gewichtsverlust; → abgezehrt, → krank.

**Abmagerungsdiät** → Diät.

**Abmagerungskur** → Schlankheitskur.

**abmähen** → mähen.

**abmahnen:** → abraten, → mahnen.

**¹abmalen,** abzeichnen, kopieren.

**²abmalen** → schreiben.

**abmarkten:** jmdm. etwas a. → abhandeln (jmdm. etwas).

**Abmarsch** → Start.

**abmarschbereit** → verfügbar.

**abmarschieren** → weggehen.

**abmelden** (sich) · von der Hochschule: exmatrikulieren; → kündigen, → trennen (sich) · Ggs. → anmelden (sich).

**abmessen:** → einteilen, → messen.

**Abmessung** → Ausmaß.

**abmieten** → mieten.

**abmildern** → abschwächen.

**abmindern** → verringern.

**Abminderung** → Verminderung.

**abmontieren,** abschrauben, abmachen, abbauen; → zerlegen.

**abmühen** (sich), sich anstrengen, alle Kräfte anspannen, sich fordern, sich etwas abverlangen, sich ins Zeug legen (ugs.), nichts unversucht lassen, alle Hebel / (ugs.) Himmel und Hölle in Bewegung setzen, sich ins Geschirr legen, sich bemühen / befleißigen / befleißen / mühen / abarbeiten / abschleppen / strapazieren / (ugs.) auf den Hosenboden setzen / (ugs.) abrackern / plagen / abplagen / (ugs., landsch.) placken / (ugs., landsch.) abplacken / (österr.) abfretten / (ugs.) abschuften / quälen / abquälen / (ugs.) schinden / (ugs.) abschinden / aufreiben / Mühe geben, bemüht sein, einen Versuch machen, sein möglichstes / Bestes / das menschenmögliche tun, sich zusammenreißen (salopp), versuchen / suchen + zu + Infinitiv (zu [schaffen] suchen); zusehen, daß...; zu strampeln haben (ugs.), schuften (salopp), puckeln (salopp), ackern (salopp), asten (salopp), krebsen (salopp), herumkrebsen (salopp), rumkrebsen (salopp); → anfertigen, → arbeiten, → befassen (sich), → lernen, → streben, → übernehmen (sich), → wünschen.

**abmurksen** → töten.

**abnabeln** → selbständig [werden].

**abnagen** → abfressen.

**Abnahme:** → Kontrolle, → Verminderung.

**Abnegation** → Teilnahmslosigkeit.

**¹abnehmen,** nachlassen, schwinden, dahinschwinden, im Schwinden begriffen sein, aus-

sterben, abklingen, zurückgehen, sinken, absinken, fallen,
nachgeben (Kurse, Preise), sich
verringern / vermindern / verkleinern, zusammenschrumpfen, abflauen, abebben, verebben, erkalten, einschlafen,
schwächer / weniger / geringer
werden, etwas beruhigt sich,
sich dem Ende zuneigen, ausgehen, zu Ende / zur Neige /
(*dichter.*) zur Rüste gehen, zu
Ende / (*ugs.*) alle sein (oder:)
werden; → beenden, → nachlassen, → schlank [werden], →
verringern; → Abwanderung ·
Ggs. → vermehren, → zu-
nehmen.

**²abnehmen:** → ausziehen, →
fotografieren, → kaufen, →
schlank [werden], → weg-
nehmen, → welken; der Teilnehmer nimmt nicht ab →
telefonieren (mit jmdm.); jmdm.
etwas nicht a. → glauben; das
Baugerüst a. → Baugerüst;
jmdm. Blut a. → Blut; den Hut
a. → begrüßen.

**abnehmend:** -er Mond → Mond.

**Abnehmer** → Kunde.

**¹Abneigung,** Abgeneigtheit, Ungeneigtheit, Widerwille, Antipathie, Vorurteil, Voreingenommenheit, Feindschaft, Feindseligkeit, Hostilität, Abscheu,
Ekel, Degout, Aversion, Haß,
Odium, Animosität · *gegen alles
Weibliche:* Gynäkophobie · *gegen Frauen:* Misogynie · *gegen
die Ehe:* Misogamie · *gegen
Kinder:* Misopädie; → Ab-
scheulichkeit, → Angst, → Arglist, → Bosheit, → Entsetzen,
→ Gegner, → Gehässigkeit, →
Neid, → Unduldsamkeit, →
Unzuträglichkeit, → Vorurteil,
→ Widerwille; → hassen; →
gegnerisch · Ggs. → Zuneigung.

**²Abneigung** → Widerwille.

**abnibbeln** → sterben.

**abnorm** → anormal.

**abnormal** → anormal.

**¹Abnormität,** Abweichung, Ausnahme, Sonderfall, Irregularität, Regelverstoß, Abirrung,
Anomalität, Anomalie, Normwidrigkeit, Regelwidrigkeit, Unstimmigkeit, Aberration, Deviation, Unterschied, Unterschiedlichkeit, Divergenz, Differenz,

Änderung, Variation, Variante,
Spielart, Lesart, Diskrepanz,
Derivation, Verschiedenartigkeit, Verschiedenheit, Ungleichheit, Ungleichmäßigkeit, Mißverhältnis, Disproportion, Ametrie · *sexuelle:* Abartigkeit, Perversion; → Abschweifung, →
Änderung, → Gegensätzlichkeit,
→ Homosexueller, → Kontrast,
→ Mißklang, → Unausgegli-
chenheit; → gleichen, → unterscheiden; → anormal, → entgegen, → krank, → unüblich ·
Ggs. → Regel.

**²Abnormität:** → Mißbildung, →
Mißgebilde.

**Abnormitätenkabinett** → Jahrmarktsbude.

**abnötigen,** abtrotzen, abringen,
abdrohen, abdringen, abzwingen; → aufnötigen, → nötigen,
→ wegnehmen.

**¹abnutzen,** abnützen, abbrauchen, abscheuern, abwetzen,
abtragen, verschleißen, auswerkeln (*österr.*), abwerkeln
(*österr.*), ausweiten (Schuhe),
austreten (Schuhe), auslatschen
(Schuhe; *ugs.*), abfahren (Reifen), ablaufen (Schuhe), abtreten (Absätze), aufbrauchen,
verbrauchen; → beschädigen,
→ opfern; → Verschleiß.

**²abnutzen** → entkräften.

**abnützen** → entkräften.

**Abnutzung:** → Kräfteverschleiß, → Verschleiß.

**Abnützung:** → Kräfteverschleiß, → Verschleiß.

**Abnutzungserscheinung** →
Kräfteverschleiß.

**abolieren** → begnadigen.

**abominabel** → abscheulich.

**Abonnement,** Zeitungsabonnement, Zeitschriftenabonnement,
Konzertabonnement, Theaterabonnement, Miete, Theatermiete, Platzmiete, Dauermiete,
Anrecht, Theateranrecht, Jahresabonnement, Jahresmiete,
Monatsabonnement, Wochen-
abonnement; → Abonnent, →
Anspruch, → Reservierung; →
bestellen.

**Abonnent,** Bezieher, Bezüger,
(*schweiz.*), Leser; → Abonnement; → bestellen.

**abonnieren** → bestellen.

**abordnen,** delegieren, deputieren, entsenden, schicken, be-

ordern, detachieren, abkommandieren, kommandieren zu,
jmdn. abstellen; → anordnen,
→ auswählen, → schicken; →
Abgeordneter, → Abgesand-
ter, → Abordnung, → Aus-
schuß.

**Abordnung,** Delegation, Deputation, Abkommandierung,
Entsendung; → Abgeordneter,
→ Abgesandter, → Ausschuß;
→ abordnen.

**Abort:** → Fehlgeburt, → Toilette.

**abortieren,** eine Fehlgeburt haben, fehlgebären; → gebären;
→ Fehlgeburt.

**Abortus** → Fehlgeburt.

**ab ovo** → Anfang.

**abpachten** → mieten.

**abpaschen** → weggehen.

**abpassen** → auflauern.

**abpfählen** → abstecken.

**abpflocken** → abstecken.

**abpflücken** → ernten, →
pflücken.

**abpinnen** → absehen.

**abplacken:** sich a. → anstrengen (sich).

**abplagen:** sich a. → anstrengen
(sich).

**abplanken** → abstecken.

**abplatzen** → lösen (sich).

**abprallen** → federn.

**abpressen:** jmdm. etwas a. →
abhandeln (jmdm. etwas).

**abprotzen** → defäkieren.

**abpumpen** → absaugen.

**abputzen:** den Baum / Weihnachtsbaum a. → Weihnachtsbaum.

**abquälen:** sich a. → anstrengen
(sich).

**abqualifizieren** → schlechtmachen.

**Abrachie** → Gliedmaßenmißbildung.

**Abrachius** → Gliedmaßenmißbildung.

**abrackern:** sich a. → anstrengen
(sich).

**Abraham:** wie in -s Schoß →
sicher.

**abrahmen** → entrahmen.

**Abrasio:** [A. uteri] → Kürettage.

**Abrasion** → Kürettage.

**Abrasionsküste** → Ufer.

**abraten,** abmahnen, zu bedenken geben, widerraten, abreden,
abbringen von, warnen, aus-

reden, nicht → zuraten; → bitten, → entmutigen, → mahnen, → verleiden; → Alarm, → Warnung.

**abräumen** → abservieren.

**Abraumhalde** → Müllabladeplatz.

**abreagieren (sich),** sich beruhigen/(*ugs.*) abregen, Dampf ablassen (*salopp*), zur Ruhe kommen, die Wogen glätten sich; → beruhigen.

**abrebeln** → pflücken.

¹**abrechnen,** Kasse / (*scherzh.*) Kassensturz machen, Rechnung legen; → Abrechnung.

²**abrechnen** → bestrafen.

¹**Abrechnung,** Bilanz, Kassensturz (*scherzh.*); → Quittung; → abrechnen.

²**Abrechnung** → Vergeltung.

**Abrede:** → Abmachung; in A. stellen → abstreiten.

**abreden** → abraten.

**abregen:** sich a. → abreagieren (sich).

**abreiben:** → abfrottieren, → glätten, → reiben.

**Abreibung:** → Massage, → Schläge.

**Abreise** → Reise.

**abreisen,** abfahren, wegfahren, abfliegen, wegfliegen, in See stechen (*scherzh.*) · *bald:* jmds. Tage / Stunden [hier] sind gezählt; → abgehen.

**abreißen:** → abbüßen, → abmachen, → niederreißen, → pflücken, → Wucher; die Verbindung nicht a. lassen → Kontakt; jmdm. die Maske a. → entlarven.

**Abreißkalender** → Kalender.

**Abreißung** → Verletzung.

**abrichten** → erziehen.

**Abrichtung** → Erziehung.

**abriegeln** → abschließen.

**Abriegelung** → Absperrung.

**abrieseln** → abfließen.

**abringen:** → abnötigen; jmdm. etwas a. → entlocken (jmdm. etwas).

**abrinnen** → abfließen.

**Abriß:** → Abbruch, → Betrug, → Ratgeber, → Verletzung, → Zusammenfassung.

**Abrißheck** → Autoheck.

**abrollen** → abwickeln.

**abrubbeln:** → abfrottieren, → reiben.

¹**abrücken** (von jmdm.), sich distanzieren von, nicht mehr zu jmdm. halten, sich jmdn. vom Leibe halten; → entfernen.

²**abrücken:** → weggehen; a. von → zurückziehen (sich); a. von etwas → absagen.

**abrufen:** [in die Ewigkeit] abgerufen werden → sterben.

**abrunden** → vervollständigen.

**Abrundung** → Ergänzung.

**abrupfen** → pflücken.

**abrupt** → plötzlich.

¹**abrüsten,** demobilisieren; → Abrüstung · Ggs. → rüsten.

²**abrüsten** → Baugerüst.

**Abrüstung,** Demobilisierung, Entwaffnung, Truppenreduzierung; → Entspannung; → abrüsten · Ggs. → Aufrüstung.

**Abrutsch** → Erdrutsch.

¹**abrutschen,** den Boden unter den Füßen verlieren, auf die schiefe Bahn (oder:) Ebene kommen / geraten, den Halt verlieren, absinken; → verwahrlosen.

²**abrutschen** → gleiten.

**absäbeln** → abmachen.

**absacken** → untergehen.

**Absage:** → Abkehr, → Ablehnung, → Nachspann, → Widerruf.

¹**absagen,** eine Zusage zurücknehmen, abrücken von etwas, rückgängig machen, abblasen (*salopp*); → abbestellen, → abschaffen, → widerrufen.

²**absagen** → abschreiben.

**absägen:** → abholzen; → entlassen; den A. a., auf dem man sitzt → schaden.

**absahnen:** → entrahmen, → nehmen, → verdienen.

**absammeln** → sammeln.

**absatteln** → abhalftern.

¹**Absatz,** Umsatz, Verkauf, Vertrieb, Verschleiß (*veraltend, österr.*); → Geschäft, → Verkauf.

²**Absatz:** → Abschnitt, → Treppenabsatz; reißenden A. finden → verkaufen.

**Absatzforschung** → Marktforschung.

**Absatzgebiet,** Markt, Absatzmarkt · Inlandsmarkt, Binnenmarkt · Auslandsmarkt, Weltmarkt; → Export, → Import, → Wirtschaft.

**Absatzmarkt** → Absatzgebiet.

**absaufen:** → sterben, → untergehen.

**absaugen,** abpumpen, abziehen, wegsaugen, wegpumpen, herauspumpen; → entfernen.

**abschaben** → glätten.

**abschachern:** jmdm. etwas a. → abhandeln (jmdm. etwas).

¹**abschaffen,** aufheben, auflösen, einstellen, beseitigen, annullieren, für ungültig / nichtig / null und nichtig erklären, kassieren (*Rechtsspr.*), außer Kraft setzen · *Veraltetes:* die alten Zöpfe abschneiden; → absagen, → ausstreichen, → stillegen; → Aufhebung.

²**abschaffen** → ausweisen.

**Abschaffung** → Aufhebung.

¹**abschälen** (sich), sich schälen/schuppen/abschuppen, abschilfern, schilfern, abschelfern (*landsch.*), schelfern (*landsch.*), abschelbern (*landsch.*); → lösen (sich).

²**abschälen** → abziehen.

**abschalten:** → abstellen; abgeschaltet haben → unaufmerksam [sein].

**abschatten:** → nuancieren, → verdunkeln.

**abschattieren** → nuancieren.

**abschattiert** → differenziert.

**Abschattung** → Nuance.

**abschätzen:** → beurteilen, → schätzen.

**abschätzig,** pejorativ, abfällig, geringschätzig, bagatellmäßig (*österr.*), en canaille, verächtlich, mißfällig, wegwerfend, despektierlich; → abwertend, → ehrlos.

**Abschätzigkeit** → Nichtachtung.

**Abschätzung** → Kalkulation.

**abschauen** → absehen.

**Abschaum** (*abwertend*), Auswurf (*abwertend*), Abhub (*abwertend*), Bodensatz (*abwertend*), Hefe (*abwertend*), Pöbel (*abwertend*), Plebs (*abwertend*), Janhagel (*abwertend*), Gesindel (*abwertend*), Zigeuner (*abwertend*), Pack (*abwertend*), Bagage (*abwertend*), Lumpengesindel (*abwertend*), Lumpenpack (*abwertend*), Lumpenbagage (*abwertend*), Lumpenproletariat (*abwertend*), Gelichter (*abwertend*), Brut (*abwertend*), Geschmeiß (*abwertend*), Gezücht (*abwertend*), Sippschaft (*abwertend*), Gesocks (*salopp, abwertend*), Grobzeug (*salopp, abwertend*), Kroppzeug (*salopp, abwertend*), Geschlücht (*abwertend*), Kanaille (*abwertend*), Sakramenter (*abwertend*), Blase (*salopp, abwertend*), Zores (*südwestd., abwertend*); → Abteilung, → Bande, → Bund.

**abscheiden:** → absondern, → sterben.

**abschelbern** → abschälen (sich).

**abschelfern** → abschälen (sich).

**abscheren** → beschneiden.

**Abscherung** → Verletzung.

**Abscheu:** → Abneigung, → Überdruß; A. empfinden → verabscheuen; mit A. zurückweisen → Angst [haben vor].

**abscheuern:** → abnutzen, → säubern.

**abscheuerregend** → abscheulich.

**¹abscheulich,** scheußlich, häßlich, unschön, greulich, verabscheuenswert, verabscheuenswürdig, abscheuerregend, widerlich, abdominabel, verwerflich, nicht → hübsch; → böse, → ekelhaft, → geschmacklos; → Abscheulichkeit; → verabscheuen.

**²abscheulich:** A. finden → verabscheuen.

**Abscheulichkeit,** Scheußlichkeit, Verabscheuenswürdigkeit, Widerwärtigkeit, Widerlichkeit, Ekelhaftigkeit; → Abneigung; verabscheuen; → abscheulich, → ekelhaft.

**abschicken** → schicken.

**abschieben:** → entlassen, → weggehen; a. auf → aufbürden.

**Abschiebung** → Entlassung.

**Abschied:** → Exitus, → Kündigung; den A. bekommen → entlassen [werden]; A. nehmen → trennen (sich); den A. nehmen → kündigen; aus A. und Traktanden fallen lassen → ablehnen.

**Abschiedsbrief** → Schreiben.

**¹abschießen,** niederschießen, zusammenschießen (*ugs.*), abknallen (*salopp*); → töten.

**²abschießen:** → entlassen, → schießen, → töten, → verblassen; den Vogel a. → siegen, → übertreffen.

**abschilfern** → abschälen (sich).

**abschinden:** sich a. → anstrengen (sich).

**Abschirmdienst:** Militärischer A. → Geheimpolizei.

**abschirmen:** → abhalten; [gegen] die Sonne/das Tageslicht a. → verdunkeln.

**Abschirmung:** → Schutz, → Verdunkelung.

**abschirren** → abhalftern.

**abschlachten:** → schlachten, → töten.

**Abschlag** → Preisnachlaß.

**abschlagen:** → ablehnen, → abmachen, → abschütteln; sich die Hand a. lassen → einstehen (für).

**abschlägig:** -e Antwort, -er Bescheid → Ablehnung; a. bescheiden → ablehnen.

**Abschlagszahlung:** → Abzahlung, → Zahlung.

**abschlecken** → lecken.

**abschleifen** → glätten.

**abschleppen:** → ziehen; etwas a. → mitnehmen; jmdn. a. → koitieren; sich a. → anstrengen (sich).

**¹abschließen** (etwas), schließen, zumachen, absperren (*landsch.*), sperren (*landsch.*), zuschließen, zusperren (*landsch.*), verschließen, versperren (*landsch.*), abriegeln, zuriegeln, verriegeln, den Riegel vorschieben/vorlegen; → verbarrikadieren; → Riegel, → Schlüssel.

**²abschließen:** → beenden; sich a. → abkapseln; noch nicht abgeschlossen sein → wandeln (sich); erfolgreich a. → absolvieren; etwas a. → abschneiden (bei etwas); einen Prämiensparvertrag abgeschlossen haben → prämiensparen; eine Versicherung a. → versichern (sich); einen Vertrag a. → aushandeln; eine Wette a. → wetten; a. von → ausschließen; sich von der Außenwelt a. → abkapseln (sich).

**abschließend,** zusammenfassend, resümierend, zum Schluß/ Abschluß; → folgern.

**Abschluß:** → Abmachung, → Ende; vor dem A. stehen, zum A. gelangen/kommen → fertig [werden]; zum A. bringen → beenden; zum A. → abschließend.

**Abschlußball** → Ball.

**Abschlußschlüssel** → Schlüssel.

**Abschlußzeugnis** → Zeugnis.

**abschmarotzen** → ablisten.

**abschmatzen** → küssen.

**abschmecken** → kosten.

**abschmeicheln** → ablisten.

**abschmieren,** schmieren, ölen, fetten; → einreiben.

**abschmirgeln** → glätten.

**abschmücken:** den Baum / Weihnachtsbaum a. → Weihnachtsbaum.

**abschmulen** → absehen.

**abschnacken:** jmdm. etwas a. → ablisten (jmdm. etwas).

**abschnallen** → nachgeben.

**abschnappen** → sterben.

**¹abschneiden** (bei etwas), etwas [erfolgreich] abschließen, ([gut] bei etwas) wegkommen (*ugs.*).

**²abschneiden:** → abkürzen, → abmachen, → beschneiden, → mähen; jmdm. die Ehre a. → schlechtmachen; jmdm. den Hals a. → ausbeuten; sich von jmdm. eine Scheibe a. können → Vorbild; jmdm. das Wort a. → dazwischenreden; die alten Zöpfe a. → abschaffen.

**¹Abschnitt,** Absatz, Kapitel, Artikel, Passus, Passage, Paragraph, Teil, Stück, Ausschnitt · Bibelabschnitt, Perikope; → Aufsatz, → Pensum, → Rubrik.

**²Abschnitt:** →Bau,→Bau,→Teilstrecke; in -en → stufenweise.

**Abschnittsburg** → Burg.

**Abschnitzel** → Span.

**abschnüren:** ringförmig -der Muskel → Muskel.

**abschöpfen:** die Milch / den Rahm / die Sahne a. → entrahmen; den Rahm a. → nehmen.

**abschrauben** → abmontieren.

**abschrecken,** jmdn. zurückhalten, jmdn. abhalten von etwas.

**abschreckend:** -es Beispiel → Warnung.

**Abschreckung** → Warnung.

**¹abschreiben,** abstreichen, Abstriche machen, abtun, fallenlassen, verzichten, Verzicht leisten, sich einer Sache entschlagen, seine Rechte abtreten, resignieren, aufgeben, verloren geben, nicht mehr rechnen mit, sich trennen von, sich einer Sache begeben, einer Sache entsagen / entraten / abschwören / absagen, zurücktreten / absehen / lassen / ablassen / abgehen / abkommen / abstehen / Abstand nehmen von, Umgang nehmen von (*schweiz.*), sich etwas versagen / aus dem Kopf (oder:) Sinn schlagen, etwas zu Grabe tragen, an den Nagel hängen (*ugs.*), in den Mond / in den Kamin / in den Schornstein / in die Esse / in den Wind schreiben (*ugs.*), fahrenlassen (*ugs.*), bleibenlassen (*ugs.*), lassen, schießen lassen (*salopp*); → abgewöhnen (sich etwas), → amortisieren, → beenden, → ermäßigen, → sitzenlassen, → unterdrücken, → unterlassen, → verzagen; → Entsagung · Ggs. → zuraten.

²**abschreiben:** → absehen, → plagieren, → schreiben.

**Abschreibung** → Abzahlung.

**abschreiten** → messen.

**Abschrift,** Zweitschrift, Duplikat, Duplum, Doppel, Durchschlag, Durchschrift, Kopie; → Dublette, → Kohlepapier, → Nachahmung, → Original; → verdoppeln.

**abschrubben** → reiben.

**abschuften:** sich a. → anstrengen (sich).

**abschuppen:** sich a. → abschälen (sich).

**Abschürfung** → Verletzung.

**abschüssig** → steil.

**Abschüssigkeit** → Steilabfall.

**Abschußliste:** auf der A. stehen → Entlassung.

**abschütteln,** runterschütteln (*ugs.*), schütteln von, abschlagen, abklopfen, abbeuteln; → ausschütteln, → schütteln.

**abschwächen,** dämpfen, dämmen, eindämmen, abdämmen, mildern, abmildern, herunterspielen; → lindern, → verringern · Ggs. → übertreiben.

**abschwächend** → beschönigend.

**Abschwächung** → Euphemismus.

**abschwarten** → schlagen.

**abschwätzen** → ablisten.

**abschweifen,** abweichen, abgleiten, abirren, abkommen · *beim Sprechen:* vom Hundertsten ins Tausendste kommen (*abwertend*), sich ins Uferlose verlieren, vom Thema abkommen, den Faden verlieren; **nicht a.,** beim Thema bleiben.

**abschweifend** → unsachlich.

**Abschweifung,** Gedankensprung, Exkurs; → Abweichung, → Richtungsänderung; → abschweifen.

**abschwenken:** → abbiegen, → säubern.

**abschwimmen** → weggehen.

**abschwindeln:** jmdm. etwas a. → ablisten (jmdm. etwas).

**abschwirren** → weggehen.

**abschwören** → abschreiben.

**absegeln** → weggehen.

¹**absehbar,** vorraussehbar, vorauszusehen, vorhersehbar, vorherzusehen, berechenbar, vorausberechenbar, erkennbar, voraussagbar, vorhersagbar; erkennbar; → voraussehen.

²**absehbar:** in -er Zeit → später.

¹**absehen,** abschreiben, abgukken, abschauen, abpinnen (*ugs.*), abschmulen (*ugs., berlin.*), spicken (*landsch.*), eine Übersetzung / eine Klatsche / einen Schlauch / (*österr.*) einen Schmierer / einen Spickzettel benutzen (*ugs.*), abfeilen (*landsch.*); → vorsagen.

²**absehen:** → voraussehen; a. von etwas → abgewöhnen.

**abseifen:** sich a. → waschen (sich / jmdn.).

**abseilen,** herunterlassen, herablassen, hinunterlassen, hinablassen; → abwärts.

**absein** → erschöpft [sein].

**Abseite** → Rückseite.

**abseitig** → abgelegen.

**abseits:** → fern; a. stehen, sich a. halten → teilnehmen.

**Abseits** → Regelverstoß.

**Absence** → Zerstreutheit.

**absenden** → schicken.

¹**Absender,** Adressant; → Briefschreiber · Ggs. → Empfänger.

²**Absender** → Briefschreiber.

**Absendung** → Versand.

**absenken** → ermäßigen.

**Absenker** → Ableger.

**absentieren:** sich a. → weggehen.

¹**abservieren,** abtragen, den Tisch abdecken, abräumen · Ggs. → servieren.

²**abservieren** → entlassen.

**Abservierung** → Entlassung.

**absetzbar:** → marktgerecht, → verkäuflich.

**absetzen:** → ausziehen, → entlassen, → entwöhnen, → hinstellen, → verkaufen; sich a. → ablagern (sich), → weggehen; abgesetzt werden → ausfallen; sich a. gegen → entgegenstellen (sich).

**Absetzung:** → Entlassung, → Operation.

**absichern** → sichern.

¹**Absicht,** Plan, Vorhaben, Projekt, Intention, Zweck, Vorsatz, Ziel, Fernziel, Nahziel, Zielsetzung, Bestreben, Streben, Strebungen, Bestrebungen · *böse:* Dolus; → Arglist, → Ehrgeiz, → Einfall, → Entwurf, → Muster, → Neigung, → Versuch, → Zweck; → entwerfen, → vorhaben; → absichtlich.

²**Absicht:** → Absichtlichkeit, → Zweck; [böse] A. → Übelwollen; die A. haben → vorhaben; ernste -en haben → heiraten [wollen]; in böser A. → böswillig; mit A. → absichtlich; ohne A. → unabsichtlich.

¹**absichtlich,** geflissentlich, wissentlich, absichtsvoll, beabsichtigt, vorsätzlich, gewollt, bewußt, mit Willen / Bedacht / Absicht, willentlich, wohlweislich, mit Fleiß (*oberd.*); zum Trotz, erst recht, nun gerade, aus Daffke (*salopp, berlin.*), zufleiß (*österr.*), justament (*österr.*), nicht → unabsichtlich; → freiwillig; → Absicht, → Absichtlichkeit; → vorhaben.

²**absichtlich** → böswillig.

**Absichtlichkeit,** Absicht, Vorsätzlichkeit, Bewußtheit, Bedacht; → absichtlich · Ggs. → Unabsichtlichkeit.

**absichtslos** → unabsichtlich.

**Absichtslosigkeit** → Unabsichtlichkeit.

**Absichtssatz** → Satz.

**absichtsvoll** → absichtlich.

**absickern** → abfließen.

**Absiedelung** → Geschwulst.

**absieden** → sieden.

**Absiedlung** → Geschwulst.

**absinken:** → abnehmen, → abrutschen, → sinken, → untergehen.

**Absinth** → Alkohol.

**absitzen:** seine Zeit/Strafe a. → abbüßen.

**absocken** → weggehen.

**absolut:** → gereinigt, → grundlegend, → selbständig, → unbedingt; a. nicht → nein; -e Kunst → Malerei; -e Leere → Vakuum; -e Mehrheit → Mehrheit; -e Musik → Musik; -es Verb → Verb.

**Absolutheit** → Gotteseigenschaften.

**Absolution:** → Begnadigung; A. erteilen → lossprechen.

**Absolutismus** → Herrschaft.

**absolutistisch** → totalitär.

**Absolvent** → Prüfling.

**absolvieren,** durchlaufen, erfolgreich beenden/abschließen, hinter sich bringen, seinen [Meister] machen; → bewältigen; → Prüfung.

**absonderlich** → seltsam.

**Absonderlichkeit** → Seltsamkeit.

**¹absondern,** abgeben, abscheiden, ausscheiden, auswerfen · *in bezug auf Harz:* harzen; → Absonderung.

**²absondern:** → abkapseln, → ausschließen.

**Absonderung,** Sekret, Schleim, Exkret, Exkretion, Ausfluß, Ausscheidung; → Auswurf, → Exkrement, → Meltau; → absondern.

**absorbieren:** → aufsaugen, → beanspruchen.

**absorgen:** sich a. → sorgen (sich).

**Absorption,** Aufnahme, Aufsaugung, Ansaugung, Einsaugung, Resorption; → aufsaugen; → saugfähig.

**absorptionsfähig** → saugfähig.

**Absorptionskühlschrank** → Kühlschrank.

**absorptiv** → saugfähig.

**Abspaltung** → Ketzerei.

**abspänen** → entwöhnen.

**abspannen** → abhalftern.

**Abspannung** → Erschöpfung.

**absparen:** sich etwas [am/vom Munde] a. → erübrigen.

**abspeisen:** mit [leeren] Worten a. → vertrösten.

**abspenstig:** a. machen → abwerben.

**absperren** → abschließen.

**¹Absperrung,** Sperrung, Abriegelung · *von Truppen, Polizei gebildete:* Kordon; → Blokkierung, → Hürde.

**²Absperrung** → Hürde.

**abspielen:** sich a. → geschehen.

**absplittern** → lösen (sich).

**Absprache:** → Abmachung; nach A. mit → Erlaubnis.

**absprechen:** → aberkennen, → abstreiten, → übereinkommen.

**Absprechung** → Aberkennung.

**¹abspreizen,** spreizen, wegstrecken, von sich/zur Seite strecken; ausstrecken.

**²abspreizen:** abgespreizt sein → abstehen.

**Abspreizer** → Muskel.

**Abspreizmuskel** → Muskel.

**abspringen:** → hinunterspringen, → lösen (sich), → untreu [werden].

**abspritzen** → töten.

**Absprung** → Sprung.

**abspulen** → abwickeln.

**abspülen** → säubern.

**abstammen** → stammen (von).

**Abstammung** → Abkunft.

**¹Abstand,** Distanz, Entfernung · *den der Autofahrer zum Vordermann halten muß:* Sicherheitsabstand; → Strecke.

**²Abstand:** → Ersatz, → Strecke. A. nehmen von etwas → abschreiben, → zurückziehen (sich); in bestimmten/regelmäßigen Abständen → periodisch.

**Abstandszahlung** → Ersatz.

**abstatten:** Dank a. → danken.

**¹abstauben,** entstauben, von Staub befreien, Staub wischen, Staub saugen, staubsaugen; → säubern.

**²abstauben** → wegnehmen.

**Abstauber** → Tor (das).

**Abstaubertor** → Tor (das).

**abstechen:** → schlachten, → töten; a. gegen → kontrastieren.

**Abstecher** → Reise.

**¹abstecken,** abpfählen, abpflocken, abplanken; → einfassen, → einzäunen.

**²abstecken:** eine Fluchtlinie a. → ausrichten.

**¹abstehen,** wegstehen, abgespreizt sein, in die Luft stehen/ragen, zur Seite ragen; → überstehen.

**²abstehen:** a. von etwas → abschreiben.

**Abstehohren** → Ohr.

**absteifen** → abstützen.

**Absteifung** → Abstützung.

**Absteige:** → Hotel, → Unterkunft.

**absteigen:** → besuchen, → hintergehen, → übernachten.

**absteigend:** → schräg; auf dem -en Ast sein → nachlassen.

**Absteigequartier:** → Hotel, → Unterkunft.

**¹abstellen,** ausschalten, abschalten, ausmachen, ausdrehen, ausknipsen *(ugs.),* abdrehen · Ggs. → anstellen.

**²abstellen:** → abgewöhnen (sich etwas), → abordnen, → hinstellen, → parken, → verhindern; a. auf → abzielen (auf).

**Abstellgeis:** → Gleisanlage; aufs A. schieben → entlassen.

**Abstellkammer** → Abstellraum.

**Abstellraum,** Besenkammer, Rumpelkammer *(abwertend),* Abstellkammer, Vorratskammer, Vorratsraum, Kabuff *(ugs., abwertend);* → Boden, → Raum, → Remise, → Warenlager.

**Abstelltisch** → Tisch. -

**abstempeln,** stempeln, siegeln, mit einem Stempel / Siegel / Amtssiegel versehen; → Siegel.

**¹absterben,** einschlafen, gefühllos / taub werden; → blutleer.

**²absterben:** → eingehen, → verhallen.

**Abstieg,** Talmarsch; → hintergehen · Ggs. → Besteigung.

**abstillen:** → entwöhnen; das Abstillen → Entwöhnung.

**¹abstimmen** (auf etwas), anpassen, in Übereinstimmung/Einklang bringen, einander annähern, aufeinander einstellen; → anpassen; → Anpassung.

**²abstimmen:** → wählen; sich a. → übereinkommen.

**Abstimmung:** → Anpassung, → Wahl.

**abstimmungsberechtigt** → wahlberechtigt.

**Abstimmungsberechtigter** → Wahlberechtigter.

**Abstimmungskennzeichen** → Handzeichen.

**abstinent** → enthaltsam.

**Abstinent** → Antialkoholiker.

**Abstinenz** → Enthaltsamkeit.

**Abstinenzler** → Antialkoholiker.

**abstoppen** → anhalten (etwas/jmdn.).

**abstoßen:** → verkaufen; sich die Hörner a. → erleben; die Nadeln a. → nadeln.

**abstoßend:** → ekelhaft, → häßlich.

**abstottern** → zahlen.

**abstrafen:** → schlagen, → verurteilen.

**abstrahieren,** verallgemeinern, generalisieren, zum Begriff erheben; → verallgemeinern; → abstrakt, → begrifflich; → Abstraktion.

**¹abstrakt,** ungegenständlich, gegenstandslos; → begrifflich; → Abstraktion; → abstrahieren · Ggs. → konkret.

**²abstrakt:** → begrifflich, → unwirklich; -e Kunst → Malerei.

**¹Abstraktion,** Begriffsbildung, Verallgemeinerung, Generalisierung; → abstrahieren; → abstrakt, → begrifflich.

**²Abstraktion** → Einbildung.

**absträngen** → abhalftern.

**abstreichen** → abschreiben.

**abstreifen:** → abziehen, → ausziehen; die Fesseln a. → entledigen (sich jmds./einer Sache).

**Abstreifer** → Fußabstreifer.

**abstreiten,** bestreiten, in Abrede stellen, leugnen, ableugnen, verneinen, negieren, sich verwahren gegen, von sich weisen, dementieren, als unrichtig / unwahr / unzutreffend / falsch bezeichnen, absprechen; → antworten, → äußern (sich), → berichtigen, → verleugnen, → widerlegen, → widerrufen; → Widerruf.

**Abstrich:** -e machen → abschreiben, → zurückstecken, → verringern.

**abströmen** → abfließen.

**abstrus** → verworren.

**abstufen** → nuancieren.

**Abstufung** → Nuance.

**abstumpfen** → verwahrlosen.

**Abstumpfung** → Teilnahmslosigkeit.

**Absturz:** → Steilabfall, → Unglück.

**abstürzen** → hinunterfallen.

**¹abstützen,** stützen, verschalen, ausmauern, absteifen (*fachspr.*), pölzen (*österr.*); → Abstützung.

**²abstützen** → stützen.

**Abstützung,** Verschalung, Absteifung (*fachspr.*), Pölzung (*österr.*); → abstützen.

**¹absuchen,** [nacheinander] aufsuchen, abklappern (*ugs.*), abgrasen (*ugs.*), ablaufen (*ugs.*),

durchsuchen, durchstreifen, durchstöbern, durchstreichen (*geh.*); → durchsuchen.

**²absuchen** → durchsuchen.

**Absud** → Extrakt.

**absurd:** → lächerlich, → unsinnig; -es Drama/Theater → Drama.

**Absurdität,** Wahnwitz, Unvernunft, Aberwitz, Irrwitz, Wahnsinn, Irrsinn, Unsinn, Unsinnigkeit, Dummheit, Betise, Sottise, Widersinnigkeit, Sinnwidrigkeit, Sinnlosigkeit, Torheit, Narrheit, Blödsinn (*ugs.*), Blödsinnigkeit, Hirnverbranntheit (*ugs.*), Witzlosigkeit, Hirnrissigkeit (*österr., ugs.*), Quatsch (*salopp*); → Unsinn, → Zusammenhanglosigkeit; → lächerlich, → unsinnig.

**Abszeß,** Geschwür, Fistel, Aß (*mundartl., österr.*), Helkose, Furunkel, Karbunkel; → Beule, → Geschwulst; → Hautausschlag, → Magengeschwür.

**abtakeln** → zerlegen.

**abtasten** → durchsuchen.

**abtauen,** abeisen (*österr.*); → tauen; → Kühlschrank.

**abtauschen** → wechseln.

**Abtei** → Kloster.

**Abteikirche** → Gotteshaus.

**Abteil** → Eisenbahnabteil.

**abteilen** → unterteilen.

**¹Abteilung,** Truppe, Einheit, Geschwader, Pulk, Zug, Trupp, Vorhut, Vorausabteilung, Nachhut, Schar, Kolonne, Haufen, Harst (*schweiz.*), Ansammlung · *die Spionage oder Sabotage ausübt:* die fünfte Kolonne; → Partisan · *undisziplinierte:* Löffelgarde (*scherzh.*); → Abschaum, → Bande, → Heeresverband, → Herde, → Mannschaft, → Menge.

**²Abteilung:** → Bereich, → Klasse; geschlossene A. → Krankenhaus.

**Abteilungsleiter** → Leiter (der).

**Äbtissin** → Anrede.

**abtönen** → nuancieren.

**Abtönung** → Nuance.

**abtöten** → unterdrücken.

**Abtrag:** A. tun → schaden.

**abtragen:** → abnutzen, → abservieren, → amortisieren, → niederreißen, → zahlen.

**abträgig** → unerfreulich.

**abträglich** → unerfreulich.

**Abtragung:** → Abzahlung, → Operation.

**Abtransport** → Beseitigung.

**abtransportieren** → entfernen.

**abtreiben:** → rühren; jmdm. die Würmchen a. → zusetzen (jmdm.).

**Abtreibung,** Schwangerschaftsunterbrechung, Schwangerschaftsabbruch, Interruptio; → Engelmacher, → Fehlgeburt, → Hebamme, → Kürettage.

**¹abtrennen,** trennen, lostrennen; → abmachen.

**²abtrennen** → abmachen.

**Abtrennung,** Lostrennung, Trennung, Spaltung, Teilung, Entfernung, Lösung, Loslösung, Ablösung; → Beseitigung; → abmachen, → entfernen; → geteilt.

**abtreten:** → abdanken, → abgeben, → abnutzen; [einen Posten] a. → kündigen; seine Rechte a. → abschreiben; von der Bühne/vom Schauplatz a. → sterben.

**¹Abtretung,** Übertragung, Zession; → Delegierung; → übertragen.

**²Abtretung** → Entäußerung.

**Abtrieb** → Teig.

**ab trimo!** → weg!

**Abtritt** → Toilette.

**Abrockentuch:** → Handtuch, → Putzlappen.

**abtrocknen:** → abfrottieren, → trocken [werden], → trocken [machen], → trocknen.

**abtröpfeln** → abfließen.

**abtropfen** → abfließen.

**abtrotzen:** → abnötigen; jmdm. etwas a. → entlocken (jmdm. etwas).

**abtrünnig:** → untreu; a. werden → überwechseln.

**Abtrünniger,** Wortbrüchiger, Treubrüchiger, Treuloser, Renegat, Apostat; → Bekehrter, → Deserteur, → Ketzer, → Revolutionär, → Untreue, → Verräter; → konvertieren, → überreden; → untreu.·

**Abtrünnigkeit** → Untreue.

**abtun:** → abschreiben, → ausziehen, → weglegen; von sich a. → entledigen (sich jmds./einer Sache).

**Abulie** → Antriebsschwäche.

**Abundanz** → Pleonasmus.

aburteilen → verurteilen.

Aburteilung → Verurteilung.

Abverkauf → Ausverkauf.

abverkaufen → verkaufen.

¹abverlangen (sich etwas), sich anstrengen, alle Kräfte anspannen, sich fordern, seine ganze Kraft aufbieten, sich ins Zeug legen (ugs.), nichts unversucht lassen, alle Hebel / (ugs.) Himmel und Hölle in Bewegung setzen, sich ins Geschirr legen, sich bemühen / befleißigen / befleißen / mühen / abmühen / abarbeiten / abschleppen / strapazieren / (ugs.) auf den Hosenboden setzen / (ugs.) abrackern / plagen / abplagen / (ugs., landsch.) placken / (ugs., landsch.) abplacken / (österr.) abfretten / (ugs.) abschuften / quälen / abquälen / (ugs.) schinden / (ugs.) abschinden / aufreiben / Mühe geben, bemüht sein, einen Versuch machen, sein möglichstes / Bestes/das menschenmögliche tun, sich zusammenreißen (salopp), versuchen / suchen + zu + Infinitiv (zu [schaffen] suchen); zusehen, daß...; zu strampeln haben (ugs.), schuften (salopp), puckeln (salopp), akkern (salopp), asten (salopp), krebsen (salopp), herumkrebsen (salopp), rumkrebsen (salopp); → anfertigen, → arbeiten, → befassen (sich), → lernen, → streben, → übernehmen (sich), → wünschen.

²abverlangen → verlangen.

abvermieten → vermieten.

abwägen → vergleichen.

Abwägung → Vergleich.

abwälzen: a. auf → aufbürden.

abwandeln: → ändern, → flektieren, → verändern.

abwandern, weggehen, wegziehen; → weggehen; → Abwanderung.

Abwanderung, Weggang, Wegzug, Exodus, Auszug; → Rückgang; → abnehmen, → abwandern, → verringern, → weggehen.

¹Abwandlung, Modulation, Modifikation, Variante, Variation; → Änderung, → Umwandlung, → Veränderung; → ändern; → variativ.

²Abwandlung: → Änderung, → Beugung.

abwärmen → ablichten.

Abwart → Hausmeister.

¹abwarten, sich abwartend verhalten, geduldig sein, sich · in Geduld fassen/üben, etwas an sich herankommen lassen; → warten; erst einmal a.!, abwarten und Tee trinken (ugs.); es wird nichts so heiß gegessen, wie es gekocht wird.

²abwarten → warten.

¹abwärts, ab, herab, hinab, nach unten, hernieder, nieder, herunter, hinunter, bergab, stromab, talab, talabwärts, talwärts, flußabwärts; → hin; → abseilen, → hinunterfallen, → hinuntergehen, → hinunterspringen, → sinken · Ggs. → aufwärts.

²abwärts: a. gehen/steigen/klettern → hintergehen; mit jmdm. geht es a. → nachlassen.

Abwärtsfahrt, Talfahrt, Abfahrt · ungebremste: Schußfahrt; → Schirennen.

Abwärtsschielen → Schielen.

Abwasch: → Ausguß; das ist ein A. → zugleich.

abwaschen → säubern.

¹Abwaschwasser, Spülicht, Spülwasser; → Abwasser, → Ausguß.

²Abwaschwasser → Kaffee.

Abwasser, Schmutzwasser, Abwässer, Hausabwässer, Industrieabwässer; → Abwaschwasser.

Abwasserkanal, Abfluß, Gully, Senkloch, Senkgrube, Senke; → Abflußrinne, → Rinnstein.

abwechseln, ablösen, alternieren; → fluktuieren; → abwechselnd, → wechselseitig; → Alternation.

abwechselnd, umschichtig, alternierend, im Wechsel mit; → periodisch, → wahlweise, → wechselseitig; → Alternation; → abwechseln.

Abwechslung: → Alternation, → Bewerkstelligung, → Veränderung; für A. sorgen → zerstreuen (sich).

abwechslungsreich → kurzweilig.

abwechslungsvoll → kurzweilig.

Abweg: auf -e kommen/geraten → verwahrlosen.

abwegig, ungereimt, unzusammenhängend, verfehlt, irrig, unsinnig, seltsam, merkwürdig; → falsch, → seltsam, → unsinnig, → unzusammenhängend.

¹Abwehr, Gegenwehr, Widerstand, Notwehr, Verteidigung, Defensive · letzte, schwache: Rückzugsgefecht; · Widerstand · Ggs. → Angriff.

²Abwehr: → Geheimpolizei, → Vereitelung.

abwehrbereit → kampfbereit.

Abwehrbereitschaft → Kampfbereitschaft.

abwehren → verhindern.

Abwehrkrieg → Krieg.

Abwehrschlacht → Kampf.

Abwehrspieler → Fußballspieler.

Abwehrstoff → Antikörper.

Abwehrzauber → Zaubermittel.

abweichen: → abschweifen, → kontrastieren; keinen Fingerbreit a. → beharrlich [sein].

abweichend → verschieden.

Abweichler → Ketzer.

Abweichlertum → Ketzerei.

¹Abweichung, Ausnahme, Sonderfall, Irregularität, Regelverstoß, Abirrung, Abnormität, Anomalität, Anomalie, Normwidrigkeit, Regelwidrigkeit, Unstimmigkeit, Aberration, Deviation, Unterschied, Unterschiedlichkeit, Divergenz, Differenz, Änderung, Variation, Variante, Spielart, Lesart, Diskrepanz, Derivation, Verschiedenartigkeit, Verschiedenheit, Ungleichheit, Ungleichmäßigkeit, Mißverhältnis, Disproportion, Ametrie · sexuelle: Abartigkeit, Perversion; → Abschweifung, → Änderung, → Gegensätzlichkeit, → Homosexueller, → Kontrast, → Mißklang, → Mißbildung, → Nichtübereinstimmung, → Richtungsänderung, → Unausgeglichenheit; → gleichen, → unterscheiden; → anormal, → entgegen, → krank, → ungleich, → unüblich · Ggs. → Regel.

²Abweichung: → Ketzerei; keine A. zulassend → bürokratisch.

abweiden → abgrasen.

abweisen, ablehnen, zurückweisen, desavouieren, ausschlagen, abwimmeln (ugs., abwertend), [kurz] abfertigen, verschmähen, jmdn. abschlägig bescheiden, aus Abschied und Traktanden fallen lassen (*schweiz.*), abschlagen, etwas verweigern, versagen, abwinken, eine Abfuhr erteilen, abfahren / abblitzen / ablaufen lassen (*salopp*), jmdn. einen Korb geben / die kalte Schulter zeigen, jmdm. die Tür vor der Nase zuschlagen, verachten, jmd. / etwas kann jmdm. gestohlen bleiben (*ugs.*), etwas husten/niesen (*salopp*), nicht → billigen; → beanstanden, → entledigen (sich jmds. / einer Sache), → ignorieren, → mißachten, → verabscheuen, → verbieten, → verweigern (sich jmdm.); → Ablehnung; → nein.

**abweisend** → unhöflich.

**Abweisung** → Ablehnung.

**¹abwenden** (sich), sich abkehren / wegkehren / wenden, den Rücken kehren / wenden, mit jmdm. / etwas brechen, sich lösen, alle Brücken hinter sich abbrechen, die Schiffe hinter sich verbrennen; → Abkehr · Ggs. → hinwenden (sich).

**²abwenden** → verhindern.

**Abwendung:** → Abkehr, → Vereitelung.

**abwerben,** abspenstig machen, ausspannen (*ugs.*), losbekommen (*ugs.*), loseisen (*salopp*); → überreden.

**abwerfen:** → einträglich [sein]; die Blätter/das Laub a. → entlauben (sich); Bomben a. → beschießen; die Nadeln a. → nadeln.

**abwerkeln** → abnutzen.

**¹abwerten** (die Währung), eine Abwertung vornehmen, den Wert herabsetzen, die Kaufkraft herabsetzen / vermindern; → entwerten · Ggs. → aufwerten.

**²abwerten** → verleumden.

**abwertend,** pejorativ; → abschätzig.

**Abwertung:** → Geldentwertung; eine A. vornehmen → abwerten.

**abwesend,** nicht greifbar; → anderwärts, → aushäusig, → weg; **a. sein,** fehlen, schwänzen (*ugs.*), vermißt werden, ausgeblieben / weggeblieben / ferngeblieben sein, jmd. fällt aus, durch Abwesenheit glänzen (*iron.*), nicht → anwesend [sein]; → faulenzen, → kommen; → Abwesenheit.

**¹Abwesenheit,** Fehlen, Absenz; → abwesend.

**²Abwesenheit:** durch A. glänzen → abwesend [sein].

**abwetzen** → abnutzen.

**abwichsen:** sich einen a. → masturbieren.

**¹abwickeln,** wickeln von, abspulen, spulen von, abhaspeln, abrollen · Ggs. → aufwickeln.

**²abwickeln** → verwirklichen.

**Abwicklung** → Auflösung.

**abwiegeln** → beruhigen.

**Abwiegelung** → Beschwichtigung.

**abwiegen,** wiegen, auswiegen, einwiegen (*österr.*), wägen (*fachspr.*), das Gewicht feststellen, auf die Waage legen · *wobei man das Gewicht der Verpackung von der Waage ausgleichen läßt:* austarieren; → einteilen, → messen, → wiegen; → Gewicht, → Gewichtseinheit, → Waage.

**Abwieglung** → Beschwichtigung.

**abwimmeln** → ablehnen.

**abwinkeln** → beugen (sich).

**abwinken** → ablehnen.

**abwirtschaften:** → verwahrlosen, → zahlungsunfähig [sein].

**abwischen** → säubern.

**abwürgen:** → lahmlegen; den Motor a. → bremsen.

**Abyssus** → Hölle.

**abzahlen:** → amortisieren, → zahlen.

**abzählen:** → zählen; sich etwas an den fünf / zehn Fingern a. können → klar [sein], → voraussehen.

**¹Abzahlung,** Abschlagszahlung, Ratenzahlung, Teilzahlung, Abtragung, Tilgung, Schuldentilgung, Amortisierung, Amortisation, Abschreibung; → Anzahlung, → Ersatz, → amortisieren.

**²Abzahlung** → Zahlung.

**abzapfen:** → ablisten; jmdm. Blut a. → Blut.

**abzäunen** → einzäunen.

**Abzehrung** → Altersschwäche.

**¹Abzeichen,** Emblem, Hoheitszeichen, Wahrzeichen, Insignien, Kokarde, Distinktion (*österr.*); → Etikett, → Fahne, → Merkmal, → Plakette, → Zeichen.

**²Abzeichen:** → Plakette, → Zepter.

**¹abzeichnen** (sich), sich abheben, sichtbar werden, in Sicht sein/kommen.

**²abzeichnen:** → abmalen, → unterschreiben, → zeichnen.

**Abzeichnung** → Unterzeichnung.

**¹abziehen,** häuten, abhäuten, abhäuteln (*österr.*), enthäuten, abbalgen, abstreifen, schälen, abschälen, pellen (*ugs.*), abdecken.

**²abziehen:** → absaugen, → glätten, → subtrahieren, → vervielfältigen; -der Muskel → Muskel; eine Schau a. → prahlen; etwas von etwas a. → verringern; seine/die Hand von jmdm. a. → helfen.

**Abziehen** → Rechenverfahren.

**Abzieher** → Muskel.

**Abziehmuskel** → Muskel.

**¹abzielen (auf),** zielen / abheben/ abstellen/anspielen auf, etwas mit etwas meinen/ansprechen; → meinen; → Hinweis.

**²abzielen:** a. auf → vorhaben.

**abzirkeln** → messen.

**abzischen** → weggehen.

**abzittern** → weggehen.

**Abzug:** → Preisnachlaß, → Reproduktion; freien A. gewähren → freilassen; einen A. machen → vervielfältigen.

**abzüglich,** abgerechnet, abgezogen, ohne, exklusive; → ausgenommen · Ggs. → zuzüglich.

**Abzugsgraben** → Graben.

**abzupfen** → pflücken.

**abzwacken** → ablisten, → erübrigen.

**abzweigen:** → erübrigen, → gabeln (sich).

**Abzweigung** → Gabelung.

**abzwicken** → abmachen.

**abzwingen** → abnötigen.

**abzwitschern** → weggehen.

**Accessoires:** → Schmuck, → Zubehör.

**Accouchement** → Geburt.

**Acetat** → Chemiefaser.

**Acetylenlampe** → Grubenlampe.

**Ach:** mit A. und Krach/Weh → kaum.

**Achat** → Schmuckstein.

**Acheirie** → Gliedmaßenmißbildung.

**acheln** → essen.

**Acheron** → Lethe.

**Achillesferse,** Lindenblattstelle, schwache / empfindliche / verwundbare / verletzbare Stelle, schwacher / empfindlicher / neuralgischer / wunder Punkt; → Empfindsamkeit, → Verwundbarkeit.

**Achirie** → Gliedmaßenmißbildung.

**Achloropsie** → Farbenblindheit.

**Achromasie** → Farbenblindheit.

**achromatisch** → farblos.

**Achromatopsie** → Farbenblindheit.

**Achse:** → Bund, → Mittelpunkt; auf A. → unterwegs.

**¹Achsel,** Achselhöhle; → Schulter.

**²Achsel:** → Schulter; etwas auf die leichte A. nehmen → mißachten; jmdn. über die A. ansehen → umgehen (mit jmdm.).

**Achselhöhle** → Achsel.

**Achselklappe,** Schulterklappe, Achselstück, Schulterstück, Epaulette; → Kleidung.

**Achselstück** → Achselklappe.

**Achselzucken** → Nichtachtung.

**acht:** a. Tage → Zeitraum; Passahtage -er Tag → Feiertag; außer a. lassen → mißachten; sich in a. nehmen → vorsehen (sich).

**Acht:** [A. und Bann] → Bann; in A. und Bann tun → brandmarken.

**achtbar:** → anerkennenswert, → ehrenhaft.

**Achtbarkeit** → Rechtschaffenheit.

**Achtel** → Notenzeichen.

**Achtelnote** → Notenzeichen.

**Achtelpetit** → Schriftgrad.

**¹achten,** hochachten, ehren, in Ehren halten, adorieren (geh.), jmdm. Ehre erzeigen/erweisen, schätzen, verehren, bewundern, würdigen, anbeten, vergöttern, jmdm. zu Füßen liegen, ästimieren, respektieren, anerkennen, honorieren, große Stücke auf jmdn. halten (salopp), viel für jmdn. übrig haben (ugs.), nicht → ignorieren, nicht →

mißachten; → lieben, → loben; → Ansehen, ↦ Fan.

**²achten:** → achtgeben; geachtet sein → Achtung [genießen]; der Gefahr nicht a. → mutig [sein]; auf die schlanke Linie a. → schlank [sein wollen].

**ächten** → brandmarken.

**achtenswert** → ansehnlich.

**Achterbahn,** Gebirgsbahn, Berg-und-Tal-Bahn; → Jahrmarkt, → Karussell.

**Achterfront** → Hinterseite.

**Achterknoten** → Knoten.

**achtern** → hinten.

**Achtersteven** → Hinterteil.

**achtgeben,** achten [auf], aufpassen, Obacht geben, zuhören, sich konzentrieren / sammeln, seine Gedanken sammeln / zusammennehmen, seine fünf Sinne zusammennehmen, aufpassen wie ein Heftelmacher /Haftelmacher (landsch.), bei der Sache sein (ugs.), aufmerksam sein, ganz Ohr sein (ugs.), die Ohren spitzen (ugs.), ganz Auge und Ohr sein (ugs.), an jmds. Mund hängen, die Augen aufmachen, aufmerken, achthaben, sein Augenmerk auf jmdn. / etwas richten, ein Auge haben auf (ugs.), passen auf (ugs.), [einen Rat] annehmen, beachten, Notiz nehmen von, zur Kenntnis nehmen, sich merken, bemerken, ad notam nehmen (geh.), beobachten, Beachtung schenken, nicht → ignorieren, nicht → mißachten · und warnen, wenn jmd. kommt: Schmiere stehen (ugs.); → befolgen, → beobachten, → berücksichtigen, → erwägen, → gehorchen, → versenken (sich in); → merksam, → wachsam.

**achthaben** → achtgeben.

**Achthundertmeterlauf:** 800-m-Lauf → Lauf.

**achtkantig:** jmdn. a. rausschmeißen → hinauswerfen.

**Achtknoten** → Knoten.

**achtlos** → unachtsam.

**Achtlosigkeit** → Unachtsamkeit.

**achtsam** → wachsam.

**Achtsamkeit,** Behutsamkeit, Fingerspitzengefühl, Wachsamkeit, Vorsicht; → Ahnung, → Verschwiegenheit; → behutsam, → wachsam.

**¹Achtung,** Hochachtung, Respekt, Verehrung, Ehrfurcht, Ehrerbietung,, Anerkennung, Wertschätzung, Bewunderung, Rücksicht, Pietät; → Ansehen, → Geneigtheit, → Gunst, → Nächstenliebe, → Zuneigung · Ggs. → Nichtachtung; **A. genießen,** geachtet sein; **A. haben vor jmdm. / etwas,** vor jmdn. / etwas den Hut ziehen; → billigen.

**²Achtung:** alle A.! → anerkennenswert [sein].

**Ächtung:** → Bann, → Vergeltungsmaßnahmen.

**achtunggebietend** → erhaben.

**Achtungsapplaus** → Beifall.

**Achtzigmeterhürdenlauf:** 80-m-Hürdenlauf → Lauf.

**ächzen** → stöhnen.

**Acid** → Rauschgift.

**¹Acker,** Feld, Feldstück, Stück (landsch.), Land (schweiz.) · unbebauter: Brachfeld, Brache; → Feld.

**²Acker** → Flächenmaß.

**Ackerbau** → Landwirtschaft.

**Ackerbaukunde** → Agronomie.

**Ackerbohne** → Saubohne.

**Ackergaul** → Pferd.

**Ackerland** → Feld.

**Ackermann** → Bauer.

**ackern:** → anstrengen (sich), → pflügen.

**Ackersalat** → Feldsalat.

**Ackerschachtelhalm** → Schachtelhalm.

**Ackersmann** → Bauer.

**Ackja** → Schlitten.

**Acne decalvans** → Haarbalgentzündung.

**Acne mentagra** → Haarbalgentzündung.

**Action-painting** → Malerei.

**A. D.** → Jahr.

**Adabei** → Zuschauer.

**ad absurdum:** ad a. führen → widerlegen.

**ad acta:** ad a. legen → beenden, → weglegen.

**adagio** → langsam.

**Adaktylie** → Gliedmaßenmißbildung.

**Adam:** den alten A. ablegen / ausziehen / von sich werfen → bessern (sich); bei A. und Eva anfangen → äußern (sich); etwas stammt von A. und Eva → altmodisch [sein].

**Adamsfeige** → Südfrucht.

**Adamskostüm:** im A. sein → nackt [sein].
**Adaptation** → Anpassung.
**adaptieren** → anpassen.
**Adaptierung** → Umbau.
**Adaption:** → Anpassung, → Umbau.
**adäquat** → passend.
**ad calendas graecas** → niemals.
**addieren,** zusammenzählen, hinzuzählen; → Rechenverfahren.
**Addition** → Rechenverfahren.
**Adduktor** → Muskel.
**ade:** ade! → Gruß; a. sagen → trennen (sich); a. sein → verloren [sein].
**¹Adel,** Adelsstand, Fürstenstand, Adelskaste, Aristokratie, Geburtsadel, Geburtsaristokratie, Erbadel, alter Adel, Hochadel, Hocharistokratie, hoher Adel, Feudaladel, Feudalaristokratie, Landadel, Landaristokratie, Hofadel, Hofaristokratie, niederer/niedriger Adel, Beamtenadel, Bürgeradel, Stadtadel, Neuadel, Briefadel, Verdienstadel, Dienstadel, Reichsadel (*hist.*), Lehensadel (*hist.*); → Adelsbrief, → Adelsgeschlecht, → Adelstitel, → Adlige, → Adliger; → adlig.
**²Adel:** → Adelsgeschlecht, → Adelsprädikat; → Dünger, → Vornehmheit; von A. sein → adlig [sein].
**adeln** → düngen.
**¹Adelsbrief,** Adelspatent; → Adel, → Adelsgeschlecht, → Adelstitel, → Adlige, → Adliger; → adlig.
**²Adelsbrief** → Urkunde.
**Adelsfamilie** → Adelsgeschlecht.
**Adelsgeschlecht,** Adelsfamilie, Adel, Aristokratengeschlecht, Aristokratenfamilie, Fürstengeschlecht, Fürstenhaus, Königshaus, Kaiserhaus; → Adel, → Adelsbrief, → Adelstitel, → Adlige, → Adliger; → adlig.
**Adelskalender,** Gothaischer Kalender/Hofkalender, Gotha; → Abkunft.
**Adelskaste** → Adel.
**Adelspatent** → Adelsbrief.
**Adelsprädikat** → Adelstitel.
**Adelsstand** → Adel.
**Adelstitel,** Adelsprädikat, Adel; → Adel, → Adelsbrief, → Adelsgeschlecht, → Adlige, → Adliger; → adlig.

**Adenotrichie** → Haarbalgentzündung.
**Adept** → Helfer.
**¹Ader,** Blutgefäß, Blutader, Blutbahn · *vom Herzen wegführende:* Arterie, Schlagader · *zum Herzen hinführende:* Vene; → Blut, → Arterienerkrankung, → Embolie, → Gefäßverstopfung, → Venenentzündung.
**²Ader:** eine leichte A. haben → unbesonnen [sein]; blaues Blut in den -n haben → adlig [sein]; zur A. lassen → ablisten, → Blut.
**Adhäsion,** Saugkraft, Klebekraft, Aneinanderhaften, Haftfähigkeit; → Klebrigkeit, → Kohäsion, → Verklebung.
**ad hoc** → hierfür.
**adieu** → Gruß.
**ad infinitum** → unaufhörlich.
**adios** → Gruß.
**Adiuretin** → Hormon.
**Adjektiv** → Wortart.
**adjustieren** → einkleiden.
**Adjustierung** → Kleidung.
**Adjutant** → Helfer.
**Adjutum** → Gehalt (das).
**adjuzieren** → zuerkennen.
**Adlatus** → Helfer.
**¹Adler,** Aar (*dichter.*), König der Lüfte (*dichter.*); → Vogel.
**²Adler:** → Sinnbild, → Sternbild.
**Adlerauge** → Scharfsichtigkeit.
**adleräugig** → scharfsichtig.
**Adlerblick** → Scharfsichtigkeit.
**Adlerbussard** → Vogel.
**Adlerfarn** → Farn.
**Adlerhorst** → Vogelnest.
**Adlerkapitell** → Kapitell.
**Adlernase** → Nase.
**ad libitum** → beliebig.
**adlig,** adelig, altad[e]lig, hochad[e]lig, aristokratisch, hocharistokratisch, blaublütig, hochgeboren · kaiserlich, königlich, herzoglich, fürstlich, gefürstet, gräflich; **a. sein,** von Adel sein ad[e]ligem Hause sein, von hoher/edler Abkunft (oder:) Geburt sein, blaues Blut in den Adern haben (*scherzh.*); **nicht a. sein,** nicht die richtige Blutgruppe haben (*scherzh.*); → Adel, → Adelsbrief, → Adelsgeschlecht, → Adelstitel, → Adlige, → Adliger.
**Adlige,** Aristokratin (*selten*) · Kaiserin, Königin, Herzogin,

Duchesse, Fürstin, Königliche Prinzessin, Prinzessin, Gräfin, Freifrau, Freiin, Baronin, Baronesse, Freifräulein, Edle; → Adel, → Adelsbrief, → Adelsgeschlecht, → Adelstitel, → Adliger; → adlig.
**Adliger,** Aristokrat, Edelmann, Edeling (*hist.*), Standesherr (*hist.*) · Kaiser, König, Herzog, Fürst, Fürstlichkeit (*veraltend*), Königlicher Prinz, Prinz, Reichsgraf, Graf, Freiherr, Baron, Ritter, Edler; → Adel, → Adelsbrief, → Adelsgeschlecht, → Adelstitel, → Adlige, → Ritter; → adlig.
**Administration** → Amt.
**administrativ** → behördlich.
**Administrator** → Verwalter.
**administrieren** → anordnen.
**Admiral:** → Dienstgrad, → Schmetterling, → Seeoffizier.
**Admiralarzt** → Arzt.
**ad notam:** a. n. nehmen → achten.
**ad oculos:** ad o. demonstrieren → anschaulich [machen].
**Adoleszenz** → Pubertät.
**Adonai** → Gott.
**¹Adonis,** Schönling (*iron.*), Beau, Paris, Feschak (*ugs., österr.*); → Mann; → geschmackvoll; → schönmachen.
**²Adonis** → Frauenheld.
**adoptieren,** an Kindes Statt annehmen, affiliieren (*veraltet*); → Adoption, → Kind.
**Adoption,** Affiliation (*veraltet*); → adoptieren.
**Adoptiveltern,** Wahleltern, Pflegeeltern, Stiefeltern; → Eltern.
**Adoptivkind** → Kind.
**Adoptivsohn** → Sohn.
**Adoptivtochter** → Tochter.
**adorieren** → achten.
**Adrenalin** → Hormon.
**Adressant** → Absender.
**Adressat** → Empfänger.
**Adreßbuch,** Anschriftenbuch, Adressenverzeichnis, Anschriftenverzeichnis, Einwohnerverzeichnis; → Einwohnermeldeamt.
**Adresse:** → Anschrift; mit einer A. versehen → Anschrift.
**Adressenverzeichnis** → Adreßbuch.
**adressieren:** jmdn. a. → ansprechen; etwas a. → Anschrift.
**Adreßkalender** → Kalender.

**¹adrett,** ordentlich, gepflegt, sauber, frisch, appetitlich (*ugs.*), knusprig (*ugs.*), wie aus dem Ei gepellt (*scherzh.*), wie aus dem Schächtelchen (*ugs.*, *scherzh.*); → anziehend, → aufgeputzt; **a. sein,** zum Anbeißen / zum Fressen sein (*ugs.*).

**²adrett** → geschmackvoll.

**Adular** → Schmuckstein.

**ad usum Delphini:** Ausgabe ad u. D. → Edition.

**Advent:** → Adventszeit; 1. / 2. / 3. / 4. A. → Adventssonntag, → Kirchenjahr.

**Adventisten** → Sekte.

**Adventssonntag** · 1. / 2. Advent · 3. Advent, Silberner Sonntag · 4. Advent, Goldener Sonntag; → Adventszeit, → Kirchenjahr.

**Adventszeit,** Advent, Vorweihnachtszeit; → Adventssonntag, → Weihnachten.

**Adverb** → Wortart.

**adversativ** → gegensätzlich.

**Advertising** → Werbung.

**Advocatus Diaboli** → Fürsprecher.

**Advokat:** → Alkohol, → Fürsprecher, → Jurist.

**Advokaturskanzlei** → Anwaltsbüro.

**Aerembolie** → Embolie.

**Aerobiose** → Leben.

**Aeronautik** → Luftfahrt.

**Aerophobie** → Phobie.

**Aeroplan** → Flugzeug.

**Aerosonde** → Radiosonde.

**Aerotaxe** → Flugzeug.

**Aerotaxi** → Flugzeug.

**Aerotherapeutik** → Aerotherapie.

**Aerotherapie,** Aerotherapeutik, Luftbehandlung, Luftheilbehandlung · *mittels warmer Luft:* Aerothermotherapie, Warmluftbehandlung · *auf klimatisch günstige Luft bezogen:* Klimatotherapie, Klimatotherapeutik; → Naturheilverfahren.

**Aerothermotherapie** → Aerotherapie.

**Affäre:** → Angelegenheit, → Liebelei; sich aus der A. ziehen → Lage.

**¹Affe,** Menschenaffe, Anthropoide, Gorilla, Orang-Utan, Schimpanse · Gibbon, Weißhandgibbon, Langarmaffe · Schmalnase, Altweltaffe, Schlankaffe, Stummelaffe, Guerega, Nasenaffe, Kleideraffe, Hundskopfaffe, Berberaffe, Magot, Rhesusaffe, Pavian, Manteipavian, Drill, Mandrill, Javaneraffe, Meerkatze, Dianameerkatze, Husarenaffe, Hulman · Breitnase, Neuweltaffe, Rollschwanzaffe, Kapuzineraffe, Mönchsaffe, Nachtaffe, Brüllaffe, Klammeraffe, Wollaffe, Satansaffe, Spinnenaffe, Miriki, Krallenäffchen, Pinchéäffchen, Löwenäffchen, Seidenäffchen, Totenkopfäffchen, Totenköpfchen · Halbaffe, Lemure, Potto, Lori, Plumplori, Schlanklori, Indri, Maki, Vliesmaki, Mausmaki.

**²Affe:** → Tornister; eitler A. → Geck, [ich denke] mich laust der A. → überrascht [sein]; wie ein A. auf dem Schleifstein sitzen → sitzen; an jmdm. einen -n gefressen haben → lieben; einen A. haben → betrunken [sein]; sich einen A. kaufen → betrunken (sich); dem -n Zucker geben → spielen; nicht um einen Wald voll/ von -n → nein.

**Affekt** → Erregung.

**Affekthandlung** → Tat.

**affektiert** → geziert.

**Affektiertheit** → Geziertheit.

**affektiv:** → gefühlsbetont; -er Tonusverlust → Schrecklähmung.

**äffen** → anführen.

**Affen-:** → Erz-.

**affenartig:** mit -er Geschwindigkeit → schnell.

**Affenhitze** → Wärme.

**Affenkäfig** → Käfig.

**Affenkasten** → Gefängniswagen.

**Affenschaukel** → Frisur.

**Affentempo:** mit einem A. → schnell.

**Affentheater** → Getue.

**Affenzahn:** mit einem A. → schnell.

**Affenzeck** → Getue.

**Affiche** → Plakat.

**affig** → eitel.

**Affiliation** → Adoption.

**affiliieren** → adoptieren.

**Affinität:** → Anziehungskraft, → Gemeinsamkeit.

**affirmativ** → bejahend.

**¹Affix,** Formans, Bildungselement ·· *vor dem Wortstamm:* Präfix, Vorsilbe · *in bezug auf* den nichtverbalen Teil bei Verben: Präverb, Verbzusatz ·· *in den Wortstamm eingefügtes:* Infix ·· *hinter dem Wortstamm stehendes:* Suffix, Nachsilbe; → Silbe.

**²Affix** → Silbe.

**Affodil** → Liliengewächs.

**Affront** → Beleidigung.

**Afghan** → Orientteppich.

**Afghane** → Wind.

**afghanisch:** -er Windhund → Hunderassen.

**¹Afrika,** Schwarzer Erdteil, Schwarzafrika; → Kontinent.

**²Afrika** → Kontinent.

**Afrikaner** → Neger.

**Afrikanistik** → Philologie.

**Afscharie** → Orientteppich.

**After** → Darmausgang.

**Aftermieter** → Untermieter.

**Aftersausen** → Darmwind.

**After-shave-Lotion** → Rasierwasser.

**Aftervorfall** → Eingeweidesenkung.

**Afterweisel** → Biene.

**Agape** → Nächstenliebe.

**Agamist** → Junggeselle.

**Agent:** → Beauftragter, → Geschäftsvermittler, → Handelsvertreter, → Spion.

**Agentie** → Zweigstelle.

**Agent provocateur** → Auskundschafter.

**Agentur:** → Presseagentur, → Vermittlungsstelle, → Zweigstelle.

**Aggiornamento** → Anpassung.

**Agglutination** → Verklebung.

**Aggression:** → Angriff, → Okkupation.

**aggressiv:** → streitbar; -es Fahren → Fahrverhalten.

**Aggressivität** → Streitbarkeit.

**Aggressor** → Angreifer.

**Ägidius** → Nothelfer.

**¹agieren,** handeln, tätig sein, wirken; → arbeiten, → verfahren; → Wirkungsbereich.

**²agieren:** → spielen, → verfahren.

**agil** → geschickt.

**Agilität** → Wendigkeit.

**Agioteur** → Börsenmakler.

**agiotieren** → spekulieren.

**Agitation** → Propaganda.

**Agitator** → Propagandist.

**Agitprop** → Propaganda.

**Agitpropstück** → Schauspiel.

**Agitproptheater** → Schauspiel.

Agnostizismus → Pessimismus.
agnoszieren → erkennen.
Agonie → Todeskampf.
Agoraphobie → Phobie.
Agorot → Zahlungsmittel.
Agraffe → Brosche.
Agrammatismus → Aphasie.
Agraphie → Aphasie.
Agrarier → Bauer.
Agrasel → Stachelbeere.
Agreement: [Gentleman's A.]
→ Abmachung.
Agrikultur → Landwirtschaft.
Agronom → Bauer.
Agronomie, Landwirtschafts-
wissenschaft, Ackerbaukunde;
→ Bauer, → Landwirtschaft.
Agrypnie → Schlaflosigkeit.
ägyptisch: -e Finsternis →
Dämmerung; -es Kreuz →
Kreuzzeichen.
Ägyptologie → Philologie.
Ahasver → Umherirrender.
ahasverisch → ruhelos.
Ahasverus → Umherirrender.
Ahn → Angehöriger.
ahnden → bestrafen.
Ahndung → Vergeltung.
¹ähneln, ähnlich sein / sehen,
etwas gemeinsam haben, jmdm.
[aufs Haar] gleichen, sich gleichen wie ein Ei dem andern,
nach jmdm. kommen / arten /
geraten / schlagen, jmdm. nachschlagen, in die Art schlagen,
der Apfel fällt nicht weit vom
Stamm; wie die Alten sungen,
so zwitschern auch die Jungen;
jmdm. wie aus dem Gesicht geschnitten sein, ganz jmd. sein
(er ist ganz der Vater); jmd.
sein, wie er leibt und lebt; →
gleichen, → übereinstimmen
(mit jmdm.); jmdm. nicht ä.,
aus der Art schlagen, ein
Kuckucksei / das schwarze
Schaf [in der Familie] sein; →
geistesverwandt.
²ähneln: → gleichen; sich/ein-
ander -d → gleichartig.
ahnen: → vermuten; nichts
Böses -d → ahnungslos; Böses/
nichts Gutes -d → ahnungsvoll.
Ahnherr → Angehöriger.
Ahnl → Großmutter.
ähnlich: [von -er Art] → gleichartig; ä. sein/sehen → ähneln,
→ gleichen.
ähnlichbedeutend → synonym.
Ähnlichkeit: → Gemeinsam-
keit, → Gleichartigkeit.

¹Ahnung, Vorahnung, Vorgefühl, Vorherwissen, Vermutung,
Gefühl, Annahme, Besorgnis,
Befürchtung, innere Stimme,
sechster Sinn (ugs.), Animus
(ugs.); → Achtsamkeit, → Ansicht, → Gefühl, → Hoffnung,
→ Verdacht; eine A. haben,
sich etwas denken können /
seinen Vers drauf machen, die
richtige Nase / den richtigen
Riecher haben (ugs.), die
richtige Antenne haben (ugs.),
mein kleiner Finger sagt mir das
(ugs.); → vermuten, → voraussehen.
²Ahnung: keine A. haben →
wissen.
ahnungslos, nichtsahnend,
nichts Böses ahnend, unwissend, unvorbereitet; → kindisch, → plötzlich, → überrascht; → Ahnungslosigkeit ·
Ggs. → ahnungsvoll.
Ahnungslosigkeit, Unwissenheit, Unvorbereitetsein, Unkenntnis, Nichtwissen; → Arglosigkeit, → Unkenntnis; →
ahnungslos.
ahnungsvoll, vorausahnend,
vorahnend, Böses/nichts Gutes
ahnend; → prophetisch; →
voraussehen · Ggs. → ahnungslos.
¹Ahorn, Bergahorn, Feldahorn,
Spitzahorn; → Laubhölzer.
²Ahorn → Laubhölzer.
Ahornhonig → Honig.
Ährchen → Blütenstand.
Ähre → Blütenstand.
Ährenfisch → Fisch.
Ai → Faultier.
Aichmophobie → Phobie.
Aida-Trompete → Blasinstru-
ment.
Aide-mémoire → Niederschrift.
Aikido → Selbstverteidigung.
Air → Ausstrahlungskraft.
Airbus: → Flugzeug, → Taxe.
Air-conditioning → Klimagerät.
Airedaleterrier → Hunderassen.
Air-fresh → Spray.
Airport → Flugplatz.
Aitel → Fisch.
Akademie: → Hochschule, →
Vormittagsveranstaltung.
Akademiker → Gelehrter.
akademisch: → langweilig, →
wissenschaftlich.
Akalkulie → Aphasie.
Akanthusfries → Fries.

Akaromanie → Hypochondrie.
Akarophobie → Hypochondrie.
Akazie: [falsche A.] → Robinie.
Akazienhonig → Honig.
Akazius → Nothelfer.
Aki → Kino.
Akinotherapie → Radiothera-
pie.
Akklamation → Beifall.
akklamieren → applaudieren.
Akklimatisation → Anpassung.
akklimatisieren → anpassen.
Akklimatisierung → Anpas-
sung.
akkompagnieren → musizieren.
¹Akkord, Zusammenklang · · ·
Dreiklang · Vierklang, Septi-
menakkord · Fünfklang, No-
nenakkord · · Hauptakkord,
Grundakkord · Nebenakkord · ·
Durakkord · Mollakkord · · ge-
brochener Akkord, Arpeggio;
→ Tonabstand.
²Akkord → Abmachung; im A.
arbeiten → arbeiten.
Akkordarbeit → Arbeit.
Akkordeon → Tasteninstru-
ment.
Akkordeonmacher → Musik-
instrumentenbauer.
Akkordlohn → Lohn.
akkreditieren → anerkennen.
Akkreditierung → Bevollmäch-
tigung.
Akkreditiv → Beglaubigungs-
schreiben.
Akku → Stromspeicher.
Akkumulation → Anhäufung.
Akkumulator → Stromspeicher.
akkumulieren → aufbewahren.
Akkumulierung → Anhäufung.
akkurat → gewissenhaft.
Akkuratesse → Sorgfalt.
Akkusativ, vierter Fall, Wen-
fall; → Kasus.
Akme → Höhepunkt.
Akne, Finnen, Hautfinnen, Fin-
nenausschlag; → Hautaus-
schlag.
Aknemie → Gliedmaßenmiß-
bildung.
Aknephaskopie → Sehstörung.
Akonto → Vorauszahlung.
Akontozahlung → Zahlung.
Akonurese → Bettnässen.
akquirieren → kaufen.
Akquisiteur, Akquisitor (österr.),
Kundenwerber, Werbevertre-
ter.
Akquisition → Neuerwerbung.
Akquisitor → Akquisiteur.

**Akrencephalon** → Gehirn.
**Akribie** → Sorgfalt.
**Akrobat,** Artist, Zirkusartist, Zirkuskünstler, Gaukler (*dichter.*), Varietékünstler, Jahrmarktskünstler · Zirkusakrobat, Bodenakrobat, Kaskadeur, Athlet, Schlangenmensch · Geschicklichkeitskünstler, Messerwerfer, Jongleur, Balancekünstler · Seilkünstler, Seiltänzer, Hochseilartist, Hochseilakrobat, Trapezkünstler · Kunstfahrer, Todesfahrer, Steilwandfahrer · Dompteur, Dresseur, Tierbändiger · Schwertschlukker, Degenschlucker, Feuerschlucker, Feuerfresser · Clown, dummer August, Imitator, Tierstimmenimitator, Bauchredner, Mimiker, Pantomime, Verwandlungskünstler · Illusionist, Zauberkünstler, Zauberer, Schwarzkünstler, Taschenspieler, Kartenkünstler, Magier, Gedankenleser, Wahrsager, Hellseher; → Double, → Jahrmarkt, → Schausteller, → Spaßmacher, → Wahrsager, → Zauberer, → Zirkus.
**Akrobatik:** → Körperbeherrschung, → Schwerathletik.
**Akromegalie** → Großwuchs.
**Akromikrie** → Kleinwuchs.
**Akronym:** → Abkürzung, → Wort.
**Akropachie** → Großwuchs.
**Akrophobie** → Phobie.
**Akrostichon** → Gedicht.
**¹Akt,** Aufzug; → Auftritt.
**²Akt:** → Akte, → Bildnis, → Tat; [ehelicher A.] → Koitus; weiblicher A. → Nackte; den A. vollziehen → koitieren.
**Aktaufnahme** → Fotografie.
**Aktbild** → Bildnis.
**¹Akte,** Akt (*landsch.*); → Aktenbündel, → Urkunde.
**²Akte:** zu den -n legen → weglegen.
**Aktenablage** → Ablage.
**Aktenbock** → Aktenständer.
**Aktenbündel,** Dossier, Faszikel, Konvolut; → Akte, → Urkunde.
**Aktendeckel** → Aktenordner.
**Aktenknecht** → Aktenständer.
**Aktenköfferchen** → Aktentasche.
**aktenkundig** → belegbar.
**Aktenmappe** → Aktentasche.

**Aktenordner,** Ordner, Briefordner, Aktendeckel, Hefter, Schnellhefter; → Ablage, → Aktenständer.
**Aktenschrank** → Aktenständer.
**Aktenständer,** Aktenschrank, Aktenbock, Bock, Aktenknecht; → Ablage, → Aktenordner, → Untergestell.
**Aktentasche,** Aktenmappe, Tasche, Mappe, Aktenköfferchen, Diplomatenköfferchen, Diplomatentasche; → Schultasche.
**Akteur** → Schauspieler.
**Aktfoto** → Fotografie.
**Aktfotografie:** → Fotografie.
**Aktie:** → Claim, → Wertpapier.
**Aktienbörse** → Börse.
**Aktienkurs** → Börsenkurs.
**¹Aktion,** Unternehmung, Unternehmen, Maßnahme, Vorgehen, Verfahren; → Maßnahme, → Schutzmaßnahme, → Selbsthilfe, → Tat.
**²Aktion** → Tat.
**Aktionsbereich** → Wirkungsbereich.
**aktionsfähig** → handlungsfähig.
**Aktionsradius** → Wirkungsbereich.
**aktionsunfähig** → handlungsunfähig.
**¹aktiv,** unternehmend, unternehmungslustig, handlich (*schweiz.*), tätig, rührig, regsam; → betriebsam, → fleißig · Ggs. passiv; **a. sein,** Hansdampf in allen Gassen sein (*abwertend*), ein Gschaftlhuber / Vereinsmeier sein (*abwertend*); **a. werden können,** zum Zuge kommen; → beteiligen (sich), → Abenteuerlust, → Aktivität, → Entschlußkraft.
**²aktiv:** → fleißig; -e Immunisierung, → Schutzimpfung → Impfung; -er Offizier → Offizier; a. werden → unternehmen.
**Aktiv,** Tatform; → Genera verbi · Ggs. → Passiv.
**Aktive** → Zigarette.
**aktivieren** → mobilisieren.
**Aktivist** → Reformer.
**¹Aktivität,** Tätigkeitsdrang, Betätigungsdrang, Tatkraft, Unternehmungsgeist, Unternehmungslust, Regsamkeit, Betriebsamkeit, Gschaftlhuberei (*ugs., abwertend*) · *in vielen Vereinen:* Vereinsmeierei (*ugs., abwertend*); → Entschlußkraft, →

**Fleiß,** → Tatkraft; → aktiv, → betriebsam.
**²Aktivität** → Anstrengung.
**Aktmodell** → Fotomodell.
**Aktrice** → Schauspielerin.
**Aktstudie** → Bildnis.
**aktualisieren** → mobilisieren.
**Aktualität** → Bedeutsamkeit.
**Aktualitätenkino** → Kino.
**Aktualneurose** → Gemütskrankheit.
**Aktuar** → Schriftführer.
**aktuell,** akut, brisant, spruchreif, ausgegoren (*ugs.*); → fertig, → jetzt; **etwas ist noch nicht a.,** das sind ungelegte Eier (*ugs.*).
**Aküsprache,** Abkürzungssprache; → Abkürzung.
**¹akustisch** → Raumakustik.
**²akustisch,** klangmäßig (*ugs.*), phonetisch, auditiv, gehörsmäßig (*ugs.*); → laut, → leise, → verständlich; → Raumakustik; → hören.
**³akustisch:** -e Verhältnisse → Raumakustik.
**akut** → aktuell.
**Akut** → Betonungszeichen.
**Aküwort** → Abkürzung.
**Akzeleration** → Entwicklung.
**Akzent:** → Betonungszeichen, → Tonfall; [neue] -e setzen → richtungsweisend [sein].
**akzentuieren** → betonen.
**akzentuiert** → zugespitzt.
**Akzept** → Wechsel.
**akzeptabel** → annehmbar.
**¹akzeptieren,** billigen, gutheißen, [einen Vorschlag] annehmen, bejahen, ja sagen zu, sanktionieren, legitimieren, goutieren, Geschmack finden an, anerkennen, zulassen, genehmigen, beistimmen, etwas richtig / nicht falsch finden, etwas für richtig / nicht für falsch halten, beipflichten, beiwilligen (*schweiz.*), zustimmen, belieben (*schweiz.*), seine Zustimmung geben, sein Amen / seinen Segen zu etwas geben (*ugs.*), die Genehmigung erteilen / geben, jmdm. einen Freibrief ausstellen / geben, begrüßen, übereinstimmen / sympathisieren mit, einiggehen, konform gehen, unterschreiben, einverstanden sein, zu etwas ja und amen sagen (*ugs.*), dafür sein, nichts dagegen / dawider haben, dulden, tolerieren, re-

spektieren, geschehen lassen, erlauben, zubilligen, einräumen, konzedieren, einwilligen, jmdm. etwas freistellen, auf einen Vorschlag eingehen, anbeißen (*ugs.*), die Erlaubnis geben, gestatten, zugeben, verstatten, jmdm. freie Hand lassen, grünes Licht geben für etwas (*ugs.*), jmdn. gewähren / schalten und walten lassen, etwas in jmds. Hände legen, etwas ist jmdm. vergönnt / gegeben, nicht → ablehnen, nicht → beanstanden, nicht → verbieten; → Beifall [finden], → ermächtigen, → ertragen, → gewähren, → überlassen (jmdm. etwas), → wünschen; → aufgeklärt, → befugt, → bejahend, → statthaft; → Achtung, → Ansehen, → Erlaubnis, → Übereinstimmung · Ggs. → Nichtachtung.

²**akzeptieren:** ein Angebot a. → überreden.

**akzidentell** → unwichtig.

**Akzidenzsatz** → Schriftsatz.

**Akzidenzsetzer** → Schriftsetzer.

**Akzise** → Abgabe.

**à la...,** in der / nach Art von, ebenso / genau wie.

**Alabaster:** → Kalkstein, → Murmel.

**alabasterfarben** → weiß.

**Alabasterstein** → Kalkstein.

**à la bonne heure!** → bravo!

**à la carte** → Speisekarte.

**Alaktoflavinose** → Ariboflavinose.

**à la longue** → allmählich.

**à la mode** → modern.

**Aland** → Fisch.

¹**Alarm,** Alarmierung, Warnung, Warnruf · Probealarm, Feueralarm, Luftalarm, Fliegeralarm, ABC-Alarm; → Warnung; → abraten.

²**Alarm:** → Hörzeichen; blinder A. → Erregung; A. schlagen → alarmieren.

**alarmieren,** Alarm / Lärm schlagen, aufmerksam machen auf.

**Alarmierung** → Alarm.

**Alastrim** → Pocken.

**Alaungerber** → Gerber.

**Alba** → Lied.

**Albatros** → Vogel.

**Albenportefeuiller** → Täschner.

**Alberei** → Albernheit.

¹**albern,** herumalbern, kalbern (*ugs.*), dalbern (*ugs.*), kaspern,

Dummheiten machen; → spaßen.

²**albern:** → kindisch, → lächerlich.

¹**Albernheit,** Clownerie, Gealbere, Alberei, das Herumalbern, Blödelei (*ugs.*), Geblödel (*ugs.*), Kinderei, kindisches Wesen, Puerilität; → Infantilität; → kindisch.

²**Albernheit:** → Plattheit; -en → Laune.

**Albigenser** → Ketzer.

**Albion** → Großbritannien.

**Album** · Sammelbuch, Photoalbum, Fotoalbum, Briefmarkenalbum, Markenalbum · Gedenkbuch, Poesiealbum, Erinnerungsalbum, Andenkenbuch · Stammbuch, Gästebuch, Ehrenbuch, Goldenes Buch; → Buch, → Sammlung; → aufbewahren.

**alea iacta est** → entschließen (sich).

**Aleatorik** → Musik.

**aleatorisch:** -e Musik → Musik.

**alemannisch:** a. sprechen → Mundart [sprechen].

**Alemannisch** → Mundart.

**Alençon** → Spitzenstickerei.

**alert:** → lebhaft, → schlau.

**Alexandriner** → Vers.

**Alexandrit** → Schmuckstein.

**Alexie** → Aphasie.

**Alexine** → Antikörper.

**Alfapapier** → Papier.

¹**Alge,** Grünalge, Fadenalge, Flächenalge, Kugelalge, Volvox, Wassernetz, Kraushaaralge, Meersalat · Geißelalge, Augentierchen · Kieselalge · Jodalge, Schraubenalge · Schlauchalge, Schirmchenalge · Armleuchteralge · Braunalge, Tang, Zuckertang, Palmentang, Blasentang, Beerentang, Birntang, Kelp · Rotalge, Perltang, Froschlaichalge; → Lagerpflanze.

²**Alge** → Lagerpflanze.

**Algebra** → Mathematik.

**algebraisch:** -e Gleichung → Gleichung.

**Algenpilz,** Kartoffelkrebs, Kartoffelpilz, Pillenwerfer, Falscher Mehltau, Strahlenpilz, Schimmelpilz, Schimmel, Braunschimmel, Köpfchenschimmel, Fliegenschimmel, Wasserschimmel, Wasserschim-

melpilz; → Lagerpflanze, → Pilz, → Schlauchpilz, → Ständerpilz.

**algetisch** → schmerzhaft.

**-algie** → Schmerz.

**Algo-:** → Schmerz.

**ALGOL** → Sprache.

**Algolagnie** → Perversität.

**Algonkin** → Indianer.

**Algonkium** → Erdzeitalter.

**alias,** mit anderem Namen, [auch] ... genannt, [oder] auch, außerdem [... genannt], sonst [... genannt], anders, eigentlich; → genannt.

**Alibi** → Nachweis.

**Alimentation** → Lebensunterhalt.

**Alimente,** Pflichtbeitrag, Unterhaltsbeitrag, Unterhalt, Unterhaltszahlung; → Kind, → Lebensunterhalt; → unehelich.

**Alk** → Vogel.

¹**Alkohol,** alkoholisches / geistiges Getränk, Spirituosen, Alkoholika, scharfe Getränke / (*ugs.*) Sachen, Krambambuli (*Studentenspr.*) · Kognak, Cognac, Weinbrand, Branntwein, Feuerwasser, Zielwasser (*ugs.*), Schnaps (*ugs.*), Schabau (*rhein.*), Fusel (*abwertend*), Rachenputzer (*scherzh., abwertend*) · Klarer, Kurzer, Short Drink, Korn, Aquavit, Absinth, Genever, Whisky, Kümmel, Köm (*niederd.*), Wacholder, Gin, Kranewitter (*bayr., österr.*), Enzian, Obstler (*landsch.*) · Aprikosenschnaps, Marillenschnaps (*österr.*), Barack · Kirschwasser · Himbeergeist · Zwetschgenwasser, Slibowitz · Wodka ·· *aus Zuckerrohr:* Rum · *mit heißem Wasser:* Grog ·· *aus Reis:* Arrak ·· *süßer:* Likör, Kräuterlikör, Benediktiner, Chartreuse ⓦ, Eierlikör, Advokat, Kirschlikör, Cherry Brandy · *mit Honig:* Bärenfang · *aus Apfelsinen:* Curaçao ⓦ ·· Spiritus, Sprit (*ugs.*); → Bier, → Getränk, → Mixgetränk, → Prohibition, → Wein.

²**Alkohol:** ohne / frei von A. → alkoholfrei.

**Alkoholdelir** → Säuferwahnsinn.

¹**alkoholfrei,** frei von Alkohol, ohne Alkohol; → Antialkoholiker, → Enthaltsamkeit · Ggs. → alkoholhaltig.

²**alkoholfrei:** -es Restaurant → Gaststätte.

**Alkoholgegner** → Antialkoholiker.

**alkoholhaltig,** alkoholisch · *sehr:* hochprozentig, berauschend; → Alkohol; → trinken · Ggs. → alkoholfrei.

**Alkoholika** → Alkohol.

**Alkoholiker** → Trinker.

**alkoholisch:** → alkoholhaltig; -er Exzeß → Alkoholvergiftung; -es Getränk → Alkohol.

**alkoholisiert** → betrunken.

**Alkoholisierung** → Betrunkenheit.

**Alkoholismus:** → Anankasmus, → Sucht, → Trunksucht.

**Alkoholomanie** → Säuferwahnsinn.

**Alkoholophilie** → Trunksucht.

**Alkoholthermometer** → Thermometer.

**Alkoholverbot** → Prohibition.

**Alkoholvergiftung,** alkoholischer Exzeß; → Ausschweifung, → Säuferwahnsinn, → Trunksucht.

**Alkoven,** Bettnische; → Bett.

**all:** -e Abende → allabendlich; bis in -e Ewigkeit, für -e Zeiten → bleibend; in -er Frühe / Herrgottsfrühe → morgens; aus -en Himmeln / Wolken fallen → überrascht [sein]; -e Jubeljahre → selten; -e Mittage → allmittäglich; -es mögliche → allerlei; -e Morgen → allmorgendlich; -e Nächte → allnächtlich; -e Nase lang → unaufhörlich; -e Seiten berücksichtigend, nach -en Seiten hin, von -en Seiten → allseitig; -e Tage → täglich; aus -er Herren Länder[n], aus -en Himmelsrichtungen, von -en Seiten / Richtungen / Orten → überallher; in -e Richtungen / Himmelsrichtungen, in -e Teile der Welt, in -e [vier] Winde, nach -en Orten / Seiten / Richtungen → überallhin; trotz -em → dennoch; unter -er Sau → schlecht; vor -em → besonders, → jedenfalls.

**All** → Weltall.

**alla:** a. Wiedersehen → Gruß.

**allabendlich,** abendlich, jeden Abend, alle Abende, Abend für Abend, immer abends / am Abend; → abends.

**Allantiasis** → Lebensmittelvergiftung.

¹**alle,** sämtliche, allesamt, allerseits, vollzählig, jeder, jedermann, jedweder, jeglicher (*geh.*, *veraltend*), wer auch immer, ausnahmslos, ohne Ausnahme, durch die Bank (*ugs.*), samt und sonders, mit Kind und Kegel, mit Mann und Maus, groß und klein, jung und alt, arm und reich, hoch und nieder, jeden Alters, aller Altersstufen, Freund und Feind, Hinz und Kunz (*abwertend*), Krethi und Plethi (*abwertend*), alle Welt, alle möglichen, die verschiedensten, [Menschen] aller / jeder Couleur, jeder Sorte, jeden Standes und Ranges; alles, was Beine hat; geschlossen wie ein Mann, bis zum letzten Mann; → A (von A bis Z); → allgemein, → allseitig, → durchgängig, → einschließlich.

²**alle:** a. werden / sein → abnehmen.

**Allee** → Straße.

**Allegorie** → Sinnbild.

**allegorisch** → sinnbildlich.

**allegorisieren** → versinnbildlichen.

**allegro** → lebhaft.

¹**allein** (in bezug auf eine Entscheidung o.ä.), für sich, im stillen Kämmerlein; → einsam, → einzeln, → solo.

²**allein:** → aber, → einsam, → Hilfe, → solo; für sich a. → selbständig; von a. → freiwillig, → per se.

**Alleinerbe** · *bäuerlicher:* Anerbe (*veraltet*); → Erbe (der).

**Alleingang:** → Tat; im A. → Hilfe.

**Alleinherrschaft** → Herrschaft.

**Alleinherrscher:** → Gewaltherrscher, → Oberhaupt.

**alleinig:** → ausschließlich, → ledig.

**Alleinsein** → Einsamkeit.

**alleinstehend** → ledig.

**Alleinunterhalter** → Unterhalter.

¹**allemal,** auf jeden Fall, dicke (*salopp*).

²**allemal:** → ja; ein für a. → unabänderlich.

**Allemande** → Tanz.

**allenfalls** → vielleicht.

**allenthalben** → überall.

**allerbarmend** → göttlich.

**Allerbarmer:** der A. → Gott.

**allerbeste** → beste.

**allerdings:** → aber, → ja, → zwar.

**allererste** → erste.

**Allergie** → Überempfindlichkeit.

**allergisch:** → empfindlich; -e Reaktion → Unzuträglichkeit.

**allerhand:** → allerlei; das ist ja a. → unerhört [sein].

**Allerheiligen:** → Feiertag, → Kirchenjahr.

**allerlei,** mancherlei, manches, alles mögliche, verschiedenes, vieles, verschiedenerlei, vielerlei, allerhand (*ugs.*); → ausreichend, → einige, → gegensätzlich, → mannigfaltig, → verschieden.

**Allerlei** → Mischung.

**allerletzte** → letzte.

**allerliebst** → hübsch.

**allerorten** → überall.

**allerorts** → überall.

**Allerseelen** → Kirchenjahr.

**allerseits** → alle, → überall.

**allerwärts** → überall.

**allerwege** → unaufhörlich.

**Allerwelts-,** Dutzend-, Nullachtfünfzehn-, 08/15-, Serien-, von der Stange, Durchschnitts-, Alltags-, Feld-Wald-und-Wiesen-; → Allgemeingeschmack, → Durchschnittsbürger.

**Allerweltsgeschmack** → Allgemeingeschmack.

**Allerweltsmittel** → Allheilmittel.

**Allerwertester** → Gesäß.

**alles:** nicht a. mitmachen → entgegenstellen (sich).

**allesamt** → alle.

**Alleskleber** → Bindemittel.

**Alleswisser** → Besserwisser.

**Alleswisserei** → Wichtigtuerei.

**alleweil** → unaufhörlich.

**allezeit** → unaufhörlich.

**allfällig:** → etwaig, → vielleicht.

**Allgegenwart** → Gotteseigenschaften.

**allgegenwärtig** → göttlich.

**allgemach** → allmählich.

¹**allgemein,** universal, universell, gesamt, umfassend, weltweit, weltumspannend, weltumfassend, erdumfassend, global, supranational, international, interdisziplinär; → alle, → durch-

gängig, → eigens, → generell, → üblich.

²**allgemein:** → überall; -e Anerkennung / Geltung → Allgemeingültigkeit; ganz a. → schlechthin; im -en → generell, → prinzipiell.

**Allgemeinbegriff:** -e → Universalien.

**Allgemeinbesitz** → Gemeinbesitz.

**Allgemeinbildung** → Bildung.

**Allgemeingeschmack,** Durchschnittsgeschmack, Dutzendgeschmack, Allerweltsgeschmack, Massengeschmack, Publikumsgeschmack, Null-Acht-Fünfzehn-Geschmack; → Allerwelts-, → Durchschnittsbürger.

**Allgemeingültigkeit,** [allgemeine] Geltung, [allgemeine] Anerkennung; → Ansehen.

**Allgemeingut** → Gemeinbesitz.

**Allgemeinheit:** → Öffentlichkeit; -en → Plattheit.

**Allgemeinmedizin:** → Arzt für A. → Arzt.

**Allgemeinplätze** → Plattheit.

**allgemeinverständlich** → populär.

**allgütig** → göttlich.

**Allgütige:** der A. → Gott.

**Allheilmittel,** Universalmittel, Allerweltsmittel, Patentmedizin (*ugs.*), Mittelchen (*ugs., abwertend*); → Medikament.

**Allianz** → Bund.

**Alligation** → Mischung.

**Alligator** → Krokodil.

**alliieren:** sich a. → verbünden (sich).

**alliiert** → vereinigt.

**Alliierter:** → Bundesgenosse; die Alliierten → Westmächte (die).

**Alliteration** → Reim.

**Allmacht** → Gotteseigenschaften.

**allmächtig:** → göttlich, → mächtig.

**Allmächtige:** der A. → Gott.

**allmählich,** sukzessive, langsam, allgemach (*veraltet*), bei kleinem (*selten*), nach und nach, schrittweise, kleinweis (*bayr., österr.*), zizerlweis (*bayr., österr.*), auf die Dauer (*österr.*) Länge, auf die Länge hin gesehen, à la longue, Schritt um Schritt, Schritt für Schritt, mit der Zeit, anfangs

(*südwestd., schweiz.*), im Laufe der Zeit, der Reihe nach, nacheinander, peu à peu; → behutsam, → langsam, → planmäßig, → ruhig, → stufenweise.

**Allmende** → Gemeinbesitz.

**allmittäglich,** mittäglich, jeden Mittag, alle Mittage, Mittag für Mittag, immer mittags / am Mittag / zu Mittag / über Mittag / in der Mittagszeit / um die Mittagszeit; → mittags.

**allmorgendlich,** jeden Morgen, alle Morgen, Morgen für Morgen, immer morgens / am Morgen · immer vormittags / am Vormittag; → morgens.

**allnächtlich,** nächtlich, jede Nacht, alle Nächte, Nacht für Nacht, immer nachts / in der Nacht / während der Nacht; → nachts.

**Allomnesie** → Gedächtnisstörung.

**Allongeperücke** → Perücke.

**Allonym** → Pseudonym.

**Allopath** → Arzt.

**Allopathie** → Heilkunde.

**Allotria** → Unsinn.

**allsehend** → göttlich.

**allseitig,** von allen Seiten, nach allen Seiten hin, alle Seiten berücksichtigend, in jeder Beziehung; → alle.

**allseits** → überall.

**Allstrom** → Elektrizität.

**Alltag** → Werktag.

**alltäglich:** → täglich, → üblich.

**Alltäglichkeit:** → Trivialität, → Üblichkeit.

**alltags** → wochentags.

**Alltags-:** → Allerwelts-.

**Alltagskleid** → Kleid.

**Alltagsmensch,** Durchschnittsmensch, Dutzendmensch, Normalverbraucher, Herdentier; → Durchschnittsbürger, → Spießer.

**Alltagssprache** → Ausdrucksweise.

**Allüren:** → Benehmen, → Laune.

**Allvater** → Gott.

**allweil** → unaufhörlich.

**allweise** → göttlich.

**allwissend** → göttlich.

**Allwissende:** der A. → Gott.

**Allwissenheit** → Gotteseigenschaft.

**allzeit** → unaufhörlich.

**Alm,** Alpe; → Bergwiese, → Milchwirtschaft; **eine A. bewirtschaften,** schwaigen (*bayr., tirol.*), sennen.

**Alma mater** → Hochschule.

**Almanach** → Jahrbuch.

**Almandin** → Schmuckstein.

**almen** →beaufsichtigen.

**Almer** → Hirt.

**Almerin** → Sennerin.

¹**Almhütte,** Sennhütte, Schwaige (*bayr., tirol.*), Kaser (*tirol.*); → Berghütte. → Hirt.

²**Almhütte** → Berghütte.

**Almosen** → Gabe.

**Almrausch** → Alpenrose.

**Almrosen** → Alpenrose.

**Almwirtschaft** → Milchwirtschaft.

**Alopezie** → Haarlosigkeit.

**Alp:** etwas liegt wie ein A. auf der Brust / Seele → schwernehmen.

**Alpakawolle** → Wolle.

**Alpdruck** → Traum.

**Alpdrücken** → Traum.

**Alpe** → Alm.

**Alpendohle** → Vogel.

**Alpendollar** → Schilling.

**Alpenkrähe** → Vogel.

**Alpenrepublik** → Österreich.

**Alpenrose,** Rhododendron, Almrausch (*österr.*), Almrosen (*südd., österr.*); → Blume.

**Alpensalamander** → Salamander.

**Alpenschneehuhn** → Vogel.

**Alpensegler** → Vogel.

**Alpenstraße** → Straße.

**Alpha** → Buchstabe.

¹**Alphabet,** Abc, Abece, Buchstabenreihe, Buchstabenfolge; → alphabetisieren; → alphabetisch.

²**Alphabet:** nach dem A. → alphabetisch; nach dem A. anordnen / einordnen / einreihen / ordnen → alphabetisieren.

¹**alphabetisch,** abecelich, abeceweise, in alphabetischer / abecelicher Ordnung (oder:) Reihenfolge, nach dem Alphabet / Abc / Abece, nach der Buchstabenfolge / Buchstabenreihe; → Alphabet; → alphabetisieren.

²**alphabetisch:** in eine -e Ordnung bringen, a. anordnen / einordnen / einreihen / ordnen → alphabetisieren.

**alphabetisieren,** in eine alphabetische / abeceliche Ordnung bringen, alphabetisch / abecelich / nach dem Alphabet / Abc / Abece ordnen (oder:) anordnen (oder:) einordnen (oder:) einreihen; → alphabetisch; → Alphabet.

**¹alpin,** gebirgs-, hochgebirgs-; → bergig.

**²alpin** → bergig.

**Alpinist** → Bergsteiger.

**Alpinistik,** Hochtouristik, Bergsteigen; → Berghütte, → Bergsteiger.

**Älpler:** → Hirt, → Bergbewohner.

**Alptraum** → Traum.

**Alpweide** → Bergwiese.

**Alraune,** Mandragola, Mandragora, Mandragore; → Aufputschmittel, → Zaubermittel.

**¹als** (temporal), nachdem, wenn, wie, da, wo (ugs.); → während.

**²als:** a. sei → gleichsam; a. da sind → nämlich; a. erstes / nächstes → zunächst, mehr a. → wenigstens; a. ob → gleichsam.

**alsbald** → gleich.

**alsfort** → unaufhörlich.

**also,** mithin, jedenfalls, infolgedessen, danach, folglich, demnach, ergo, demzufolge, demgemäß, dementsprechend, somit, sonach; → aber, → deshalb.

**¹alt,** älter, bejahrt, betagt, hochbetagt, bestanden (schweiz.), uralt, steinalt, senil, verkalkt (abwertend), verknöchert (abwertend), verknorzt (abwertend, schweiz.), greis, ältlich, nicht → jung; → älter, → altmodisch, → hinfällig; **a. sein,** im vorgerückten Alter sein, schon viele Jahre auf dem Rücken / Buckel haben (ugs.), alt wie Methusalem sein (ugs.), bei jmdm. rieselt [schon] der Kalk (salopp, abwertend); **a. werden,** zu [hohen] Jahren kommen, es zu Jahren bringen, ein langes Leben haben; → altern, → Greis, → Lebensalter.

**²alt:** → antiquarisch, → gewesen, → langjährig, → morsch, → ungenießbar; den -en Adam ablegen / ausziehen / von sich werfen → bessern (sich); -er Adel → Adel; -e Dame → Mutter; zum -en Eisen werfen → entlassen, → wegwerfen; -er Fuchs / Hase → Fachmann; -er Gegenstand / Kunstgegenstand, -es Stück → Antiquität; das älteste Gewerbe der Welt → Prostitution; a. [geworden] → altbacken; -es Haus → Student; Einfälle haben wie ein -es Haus → Einfall; -er Herr → Vater; die -en Herrschaften → Eltern; das ist ein -er Hut → langweilig [sein]; -er Knacker → Greis; -es Mädchen → Frau; ein -er Mann ist [doch] kein D-Zug! → ruhig; ältester Sohn → Ältester; Altes Testament → Bibel; älteste Tochter → Älteste; die Alte Welt → Europa; die gute -e Zeit → Gründerzeit; die -en Zöpfe abschneiden → abschaffen; ebenso / genauso a. sein wie ... → gleichaltrig [sein]; a. genug sein, um ... → erwachsen [sein]; a. werden → altern, → vergessen; jung und a. → alle; a. und zitterig → hinfällig; wie die Alten sungen, so zwitschern auch die Jungen → ähneln; alles beim -en lassen → verändern.

**Alt:** → Sängerin, → Singstimme.

**altadelig** → adlig.

**altadlig** → adlig.

**Altan** → Veranda.

**¹Altar,** Tisch des Herrn · Hauptaltar, Mittelaltar, Hochaltar, Fronaltar · Nebenaltar, Seitenaltar · Tischaltar, Kastenaltar, Schnitzaltar, Flügelaltar, Wandelaltar, Barockaltar, Sarkophagaltar · Tragaltar, Feldaltar, Hausaltar; → Altarbild, → Altargerät, → Gotteshaus, → Kirche, → Kultstätte, → Opferstätte.

**²Altar:** → Opferstätte, → Sternbild; zum A. führen → heiraten.

**Altarbekleidung** → Parament.

**Altarbild,** Altargemälde, Flügelaltar · zweiteiliges: Diptychon · dreiteiliges: Triptychon · mit mehr als zwei Flügeln: Polyptychon; → Altar, → Altargerät, → Parament.

**Altardecke** → Parament.

**Altargemälde** → Altarbild.

**Altargerät,** Abendmahlsgerät, Meßgerät · Abendmahlskelch, Kelch · Hostienbehälter, Ziborium · Kreuz, Kruzifix · Monstranz · Meßbuch, Missale, Mis-

sal; → Abendmahl, → Altar, → Altarbild, → Parament, → Tabernakel.

**Altarkerze** → Kerze.

**Altarsakrament** → Abendmahl.

**Altartuch** → Parament.

**¹altbacken,** alt [geworden], nicht [mehr] frisch, trocken, hart, vergammelt (ugs.), gammelig (ugs.); → ungenießbar.

**²altbacken** → altmodisch.

**altbacken** → altmodisch.

**altbekannt** → langweilig.

**altbewährt** → erprobt.

**Alte:** → Ehefrau, → Mutter.

**altehrwürdig:** → erhaben, → herkömmlich.

**alteingeführt** → eingeführt.

**alteingesessen** → einheimisch.

**Alteisen** → Altmaterial.

**Alten:** die A. → Eltern.

**Altenheim** → Altersheim.

**Altenpflegerin** → Fürsorgerin.

**¹Altenteil,** Ausgedinge, Altgedinge, Stöckli (schweiz.), Ausnahme (südd., österr.), Austrag (südd., österr.), Austragstübchen (südd.), Austragstüberl (südd., österr.); → Altenteiler.

**²Altenteil:** sich aufs A. setzen / zurückziehen → pensionieren.

**Altenteiler,** Auszugsbauer (landsch.), Auszügler (südd., österr.), Austrägler (österr.), Ausnehmer (österr.); → Altenteil.

**Altenwohnheim** → Altersheim.

**¹älter,** nicht mehr ganz jung; → alt; **ä. sein,** nicht mehr der Jüngste / ein Mann in den besten Jahren / ein Herr mit grauen Schläfen / (ugs.) aus dem Schneider [raus] sein; → Lebensalter; → altern.

**²älter:** → alt; die Älteren → Erwachsener; -es Semester → Student.

**¹Alter:** → Ehemann, → Vater.

**²Alter:** → Bejahrtheit, → Generation, → Lebensabend, → Lebensalter; gefährliches A. → Lebensalter; kritisches A. → Klimakterium; das gleiche A. haben, im gleichen A. sein, in jmds. A. sein → gleichaltrig [sein]; gleichen -s, im A. übereinstimmen → gleichaltrig; Person gleichen -s → Altersgenosse; jeden -s → alle; im vorgerückten A. sein → alt [sein].

**altererbt** → herkömmlich.

alterieren: sich a. → ärgern.

altern, alt werden, aus den besten Jahren heraussein, in die Jahre kommen, Moos ansetzen (ugs.), ergrauen, grau werden, vergreisen, verkalken (ugs.); → alt, → älter; → Greis, → Lebensabend.

Alternanz → Alternation.

Alternation, Wechsel, Abwechslung, Ablösung, Alternanz; → abwechseln; → abwechselnd.

alternativ → wahlweise.

Alternative: → Entscheidung, → Gegenvorschlag.

Alternativfrage → Frage.

alternieren → abwechseln.

alternierend → abwechselnd.

alterprobt → erprobt.

alters: seit a., von a. [her] → unaufhörlich; von a. → unaufhörlich.

Altersasyl → Heim.

Altersaufbau, Altersgliederung, Bevölkerungsgliederung / Bevölkerungsstufung nach dem Lebensalter; → Gliederung.

Altersblödsinn → Geistesgestörtheit.

Alterserscheinung → Kräfteverschleiß.

Altersfleck → Muttermal.

Altersforschung, Alterskunde, Alterspsychologie, Gerontologie; → Heilkunde.

Altersfürsorge → Sozialhilfe.

Altersgenosse, Gleichaltriger, Person gleichen Alters; → Generation; → gleichaltrig.

Altersgliederung → Altersaufbau.

Altersheilkunde → Heilkunde.

Altersheim, Altenheim, Altenwohnheim, Feierabendheim, Seniorenheim, Seniorenhotel, Pflegeheim; → Heim.

Altersjahr → Jahr.

Altersklasse → Generation.

Alterskrankheit → Altersschwäche.

Alterskunde → Altersforschung.

Alterspräsident → Vorsitzender.

Alterspsychologie → Altersforschung.

Altersrente → Rente.

altersschwach: → hinfällig, → morsch.

Altersschwäche, Alterskrankheit, Kräfteverfall, Hinfälligkeit, Gebrechlichkeit, Abzehrung, Auszehrung, Inanition,

Phthise, Kachexie; → Kräfteverschleiß, → Krankheit, → Verkalkung; → hinfällig.

Alterssicherung → Altersversorgung.

Alterssichtigkeit → Fehlsichtigkeit.

Altersstar → Katarakt.

Altersstufe: → Generation; aller -n → alle.

Altersversicherung → Altersversorgung.

Altersversorgung, Versorgung, Altersversicherung, Versicherung, Alterssicherung; → Rente, → Versicherung.

Altersvorsitz → Vorsitz.

Altersvorsitzender → Vorsitzender.

Altersweisheit → Gesetztheit.

Altersweitsichtigkeit → Fehlsichtigkeit.

Alterswerk → Werk.

Alterswürde → Gesetztheit.

Altertum: → Geschichtsepoche, → Lebensalter; Altertümchen, Altertümer → Antiquität.

altertümlich: → altmodisch; -er Gegenstand / Kunstgegenstand, -es Stück → Antiquität.

Altertümlichkeit → Antiquität.

Altertumsforscher → Archäologe.

Altertumsforschung → Archäologie.

Altertumskunde → Archäologie.

Altertumskundler → Archäologe.

Altertumsstück → Antiquität.

Altertumswissenschaft → Archäologie.

Altertumswissenschaftler → Archäologie.

Älteste, älteste Tochter, Größte, Große; → Ältester, → Kind, → Tochter · Ggs. → Jüngste.

Ältester, ältester Sohn, Erstgeborener (geh.), Erstgeburt, Erstling (selten), Größter, Großer; → Älteste, → Kind, → Sohn · Ggs. → Jüngster.

altfränkisch → altmodisch.

Altgedienter → Soldat.

Altgedinge → Altenteil.

Althändler → Trödler.

althergebracht → herkömmlich.

Althergebrachtes → Brauch.

althochdeutsch: -e Literatur → Literaturepochen.

Althochdeutsch → Deutsch.

Altistin → Sängerin.

Altjahrstag → Silvester.

altjüngferlich → tantenhaft.

altklug → unkindlich.

Altklugheit, Frühreife, Unkindlichkeit; → unkindlich.

Altlage: Tenor in A. → Sänger.

ältlich → alt.

Altmaterial, Altmetall, Alteisen, Altwaren, Schrott; → Abfall, → Shredder, → Trödler.

Altmaterialhändler → Trödler.

Altmeister → Nestor.

Altmetall → Altmaterial.

altmodisch, unmodern, veraltet, gestrig, zöpfig (ugs.), uralt, aus der Mottenkiste (ugs.), aus grauer Vorzeit, Opas ..., obsolet, abgelebt, vorsintflutlich (abwertend), altväterisch, altfränkisch, altbacken (ugs.), altbacksch (ugs., landsch.), aus dem Jahre Schnee (österr.), antiquiert, altertümlich, antiquarisch, arachaisch, nicht → modern, nicht → fortschrittlich; → alt, → antik, → erhaben, → rückschrittlich, → überlebt, → vorig; a. sein, ein -muffel sein, an der Mode vorübergehen, nicht modisch eingestellt sein, eine Mode nicht mitmachen, etwas stammt von Adam und Eva (ugs.), etwas ist von Anno dazumal / Anno Tobak (ugs.); → Rückständigkeit.

Alto → Singstimme.

Altokumulus → Wolken.

Altostratus → Wolken.

Altphilologe → Philologe.

Altphilologie → Philologie.

altrosa → rosa.

Altruismus → Selbstlosigkeit.

altruistisch → selbstlos.

Altschlüssel → Notenschlüssel.

Altschnee → Schnee.

Altsprachler → Philologe.

Altstadt → Innenstadt.

Altstimme → Singstimme.

Alttier → Hirsch.

altüberliefert → herkömmlich.

altüblich → herkömmlich.

Altus → Singstimme.

altväterisch → altmodisch.

altväterlich → erhaben.

Altvordere: die -n → Angehöriger.

Altwaren → Altmaterial.

Altwarenhändler → Trödler.

Altweibersommer, Spätsommer, Nachsommer, Marienfäden (veraltend), Indianersommer (Ame-

rika), Fadensommer (*österr.*, *veraltend*); → Jahreszeit, → Spinnwebe.
**Altweltaffe** → Affe.
**Altwolle** → Wolle.
**Alufolie** → Folie.
**aluminiumfarben** → grau.
**Aluminiumfolie** → Folie.
**Aluminiumlunge** → Staublungenerkrankung.
**Aluminiumstaublunge** → Staublungenerkrankung.
**Aluminose** → Staublungenerkrankung.
**Alumnat** → Heim.
**Alveolarpyorrhö** → Parodontitis.
**Alwegbahn** → Verkehrsmittel.
**Alzerl:** ein A. → bißchen.
**am:** am ... sein → tun, → Verlaufsform; am Ende sein → abgewirtschaftet [haben].
**Amalientrakt:** A. der Hofburg → Regierung.
**Amant** → Geliebter.
**amarantrot** → rot.
**Amarelle** → Obst.
**Amateur:** → Fotograf, → Nichtfachmann, → Sportler.
**Amateurartistik** → Schwerathletik.
**Amateurfoto** → Fotografie.
**Amateurfotograf** → Fotograf.
**Amateurreiter** → Reiter.
**Amateurreiterin** → Reiterin.
**Amateursportler** → Sportler.
**Amateurtheater** → Theater.
**Amati** → Streichinstrument.
**Amaurose:** → Blindheit, → Star.
**Amazone:** → Mädchen, → Reiterin.
**Amazonit** → Schmuckstein.
**Ambassadeur** → Diplomat.
**Ambassador** → Diplomat.
**Ambiente** → Umwelt.
**Ambiguität** → Mehrdeutigkeit.
**Ambition** → Ehrgeiz.
**ambitioniert** → fleißig.
**ambivalent** → mehrdeutig.
**Ambivalenz** → Mehrdeutigkeit.
**Amblyopie** → Sehstörung.
**Ambo** → Neger.
**Amboßwolken** → Wolken.
**Ambozeptor** → Antikörper.
**¹ambulant,** umherziehend, herumziehend, wandernd, nicht ortsgebunden, ohne festen Sitz · Ggs. → ortsfest.
**²ambulant:** -es Gewerbe → Einzelhandel, → Prostitution.

**Ambulanz:** → Krankenhaus, → Unfallwagen.
**Ambulanzwagen** → Unfallwagen.
**Ambulatorium** → Krankenhaus.
**Ameise:** → Hautflügler; -n in den Hosen haben → lebhaft [sein].
**Amelie** → Gliedmaßenmißbildung.
**Amelioration** → Bodenverbesserung.
**Amelus** → Gliedmaßenmißbildung.
**amen:** zu etwas ja und a. sagen, sein Amen zu etwas geben → billigen.
**Amenorrhö** → Menstruation.
**American Football** → Fußballspiel.
**Amerika,** Nordamerika, die Neue Welt, die westliche Hemisphäre, die [Vereinigten] Staaten, die USA, Onkel / Uncle Sam (*scherzh.*), das Land der unbegrenzten Möglichkeiten; → Amerikaner, → Südamerika; in A., jenseits des großen Teiches.
**¹Amerikaner,** Nordamerikaner, Yankee (*iron.*), Ami (*ugs.*); → Amerika, → Südamerikaner.
**²Amerikaner** → Gebäck.
**amerikanisch:** Amerikanisches Mittelmeer → Atlantik.
**Amerikanistik** → Philologie.
**Amethyst** → Schmuckstein.
**amethystfarben** → violett.
**amethystviolett** → violett.
**Ametrie** → Abweichung.
**Ametropie** → Fehlsichtigkeit.
**Ami** → Amerikaner.
**Amimie** → Aphasie.
**Amman** → Vollziehungsbeamter.
**Amme** → Kindermädchen.
**Ammenbier** → Bier.
**Ammenmärchen** → Lüge.
**Ammer:** → Obst, → Vogel.
**Ammoniak** → Gas.
**Amnesie** → Gedächtnisstörung.
**Amnestie:** → Begnadigung; eine A. erlassen → begnadigen.
**amnestieren** → begnadigen.
**Amöbe** → Einzeller.
**Amoklauf** → Raserei.
**Amoklaufen** → Raserei.
**Amokläufer** → Tobsüchtiger.
**Amor:** → Cupido, → Gott, → Liebe; von -s Pfeil getroffen sein → verliebt [sein].

**Amorces** → Feuerwerkskörper.
**Amorette** → Cupido.
**amorph,** gestaltlos, formlos, strukturlos, ungegliedert, unstrukturiert, nicht gegliedert / strukturiert, ohne Gliederung/ Struktur · Ggs. → gegliedert.
**Amortisation** → Abzahlung.
**amortisieren,** tilgen, abzahlen, abtragen; → abschreiben; → Abzahlung.
**Amortisierung** → Abzahlung.
**Amos** → Prophet.
**Amouren** → Liebelei.
**Ampel:** → Lampe, → Verkehrszeichen.
**Amphibien** → Lurch.
**Amphibienflugzeug** → Flugzeug.
**Amphibolie:** → Mehrdeutigkeit, → Wortspiel.
**amphibolisch** → mehrdeutig.
**Amphitheater** → Theatergebäude.
**Amphora** → Kanne.
**Amphore** → Kanne.
**Ampulle,** Glasröhrchen, Röhrchen, Proberöhrchen (*österr.*) Eprouvette (*österr.*), Reagenzglas; → Behälter.
**Amputation** → Operation.
**amputieren** → operieren.
**Amsel** → Vogel.
**¹Amt,** Behörde, Dienststelle, Verwaltung, Administration, Verweserei (*schweiz.*), Magistrat, Senat, Ministerium, [zuständige] Stelle, Organ; → Amtsweg, → Amtsstunden, → Büro, → Dezernat; → amtlich, → behördlich.
**²Amt:** → Anstellung, → Beruf, → Gottesdienst; sein A. zur Verfügung stellen/zurücklegen → kündigen; jmds. A. übernehmen → nachfolgen; des -es entheben/entkleiden → entlassen; bestimmen/ vorsehen für ein A. → designieren; in seinem A. bestätigen → anerkennen; in A. und Würden sein → Anstellung; von -s wegen → dienstlich.
**amten** → innehaben.
**amtieren** → innehaben,
**¹amtlich,** behördlich, offiziell, öffentlich, halbamtlich, offiziös; → behördlich, → verbürgt; → Amt · Ggs. → inoffiziell.
**²amtlich:** → behördlich; ohne -e Genehmigung → heimlich; -es Grundstücksverzeichnis → Grundbuch.

**Amtsanwalt** → Jurist.
**Amtsarzt** → Arzt.
**Amtsbote** → Amtsdiener.
**Amtsbruder** → Kollege.
**Amtsdeutsch,** Behördendeutsch, Behördensprache, Verwaltungssprache, Papierdeutsch, Amtsstil, Behördenstil, Kanzleistil; → Landessprache.
**Amtsdiener,** Gerichtsdiener, Amtsbote, Weibel (*schweiz.*); → Hilfskraft.
**Amtseinführung,** Amtseinsetzung, Ordination, Investitur, Installation (*österr., schweiz.*); → Geistlicher, → Priesterweihe.
**Amtseinsetzung:** → Amtseinführung. → Nominierung.
**Amtsenthebung** → Entlassung.
**Amtsentsetzung** → Entlassung.
**Amtsgeheimnis** → Geheimnis.
**Amtsgericht** → Gericht.
**Amtsgerichtsrat** → Jurist.
**Amtsgewalt** → Befehlsgewalt.
**Amtsmiene** → Miene.
**Amtsmißbrauch** → Pflichtvergessenheit.
**Amtsnachfolge** → Nachfolge.
**Amtsnachfolger** → Nachfolger.
**Amtsneid** → Neid.
**Amtsperson** → Respektsperson.
**Amtspflicht:** seiner A. entbinden → pensionieren.
**Amtsrichter** → Jurist.
**Amtsschimmel:** → Bürokratie; den A. reiten → bürokratisch [sein].
**Amtssiegel:** → Siegel; mit einem A. versehen → abstempeln.
**Amtssprache** → Landessprache.
**Amtsstil** → Amtsdeutsch.
**Amtsstube:** → Büro, → Bürokratie.
**Amtsstunden,** Dienststunden, Parteienverkehr (*österr.*); → Amt.
**Amtsverzicht** → Kündigung.
**Amtsweg,** Instanzenweg, Instanzenzug (*österr.*); → Amt.
**Amtszimmer** → Büro.
**Amulett,** Fetisch, Talisman, Maskottchen, Glücksbringer, Totem, Götzenbild; → Abgott, → Zaubermittel.
**amüsant** → lustig.
**Amüsement** → Unterhaltung.
**Amüsierbetrieb** → Nachtlokal.
**amüsieren:** etwas amüsiert jmdn. → belustigen, → erfreuen; sich a. → schadenfroh [sein], → vergnügen (sich).

**Amüsierlokal** → Nachtlokal.
**amusisch,** unmusisch, unkünstlerisch, unschöpferisch; → banausisch, → prosaisch, → originell · Ggs. → musisch, → schöpferisch.
**an:** Substantiv + an + gleiches Substantiv → dicht, → nacheinander; an die [100 Personen] → einigermaßen; an sich → per se; an und für sich → gewissermaßen; von nun an → zukünftig.
**... ana** → Werk.
**Anabolie** → Stoffwechsel.
**Anabolismus** → Stoffwechsel.
**Anachoret** → Einsiedler.
**anachronistisch** → überlebt.
**Anadidysmus** → Mißgeburt.
**Anakoluth** → Satzbruch.
**Anakonda** → Schlange.
**Anakreontik** → Lyrik.
**Anakusis** → Gehörstörung.
**anal:** → rektal; -e Phase → Entwicklungsphase.
**Analeptikum** → Aufputschmittel.
**Analgetikum** → Linderungsmittel.
**analog:** → gleichartig, → übereinstimmend.
**Analogie:** → Gleichartigkeit, → Parallele.
**analogisch** → übereinstimmend.
**Analogrechner** → Computer.
**Analverkehr** → Koitus.
**Analyse,** Zergliederung, Aufgliederung, Zerlegung.
**analysieren** → zergliedern.
**analytisch:** -es Drama → Drama; -e Geometrie → Mathematik.
**Anämie:** → Blutarmut; genuine/ kryptogenetische / perniziöse A. → Perniziosa.
**Ananas** → Südfrucht.
**Ananasjuice:** → Fruchtsaft.
**Anankasmus,** Obsession, Impulsion (*selten*), Zwangsneurose, Zwangshandlung, Zwangsvorstellung, Denkzwang, Monomanie · Zählzwang, Arithmomanie · Stehlzwang, Stehltrieb, Kleptomanie, Kleptophobie (*selten*), Eßzwang, Phagomanie · periodische Trunksucht, Quartalsaufen, Dipsomanie, Alkoholismus · Waschzwang, Reinigungszwang, Sauberkeitsfimmel · Wandertrieb, Reisetrieb, Vagabondage (*selten*), Dromo-

manie, Poriomanie, Apodemialgie, planloses Davonlaufen, Lauftrieb, motorische Unruhe · Lachzwang, Gelasma, Lachkrampf · Namenszwang, Onomatomanie, Koprolalie, Koprolalomanie · Schenkzwang, Doromanie · Brandstiftungszwang, Pyromanie; → Komplex, → Zwang.
**Ananke** → Zwang.
**Ananym** → Pseudonym.
**Anapäst** → Versfuß.
**anaphylaktisch:** -er Schock → Unzuträglichkeit.
**Anaphylaxie** → Unzuträglichkeit.
**Anaplastik** → Transplantation.
**Anarchie,** Chaos, Gesetzlosigkeit, Herrschaftslosigkeit; → Verschwörung; → anarchisch.
**anarchisch,** anarchistisch, gesetzlos, chaotisch; → Anarchie.
**Anarchist** → Revolutionär.
**anarchistisch** → anarchisch.
**anastatisch:** -er Nachdruck/ Neudruck → Reproduktion.
**Anästhesie** → Betäubung.
**anästhesieren** → betäuben.
**Anästhesiologe** → Arzt.
**Anästhesist** → Arzt.
**Anästhetikum** → Medikament.
**Anatas** → Schmuckstein.
**Anathema** → Bann.
**Anatolien** → Türkei.
**Anatomie** → Leichenschauhaus.
**¹anbahnen** (etwas), einleiten, vorbereiten, in die Wege leiten, Beziehungen / Verbindungen anknüpfen, Fühlung nehmen, Kontakt aufnehmen; → anfangen, → anschicken (sich, etwas zu tun).
**²anbahnen:** etwas bahnt sich an → entstehen; eine Verständigung / Versöhnung a. → Frieden [stiften].
**¹anbandeln** (mit), anbändeln mit, anbinden mit, ein Gespräch anknüpfen, schäkern, tändeln, sich jmdn. anlachen, sich jmdn. anschaffen / zulegen / ankratzen / angeln (*salopp*), aufreißen, auf Männerfang gehen · *von Prostituierten:* auf den Strich gehen, anschaffen; → aufziehen, → lieben; → verliebt.
**²anbändeln:** mit jmdm. a. → Streit [anfangen].
**anbändeln:** a. mit → anbandeln (mit).

Anbau → Bebauung.

anbauen: sich a. → niederlassen (sich).

anbaufähig → urbar.

anbegehren → bestellen.

Anbeginn → Anfang.

anbehalten, anlassen, nicht ablegen, nicht → ausziehen.

anbei, beiliegend, anliegend, inliegend, im Innern, innen, als (oder:) in der Anlage/ (österr.) Beilage, beigeschlossen; → beifügen.

anbeißen: → billigen; zum Anbeißen sein → adrett [sein].

anbelangen: was das anbelangt → hinsichtlich.

¹anberaumen, einberufen, festsetzen.

²anberaumen → ansetzen.

anbeten: → achten; das Goldene Kalb a. → habgierig [sein].

Anbeter → Geliebter.

anbiedern: sich a. → nähern (sich jmdm.).

¹anbieten (jmdm. etwas), offerieren, antragen, sich erbieten, sich anheischig machen, andienen.

²anbieten: → aufnötigen, → bereitstellen; jmdm. Geld a. → bestechen; [zum Kauf] a. → feilhalten.

¹anbinden, festbinden, zusammenbinden · von Personen: fesseln; → binden.

²anbinden: → befestigen; a. mit → anbandeln (mit), → Streit [anfangen].

anblaffen → schelten.

anblasen → schelten.

anblättern → lesen.

¹Anblick, Optik, Sicht, Ansicht, Augenschein.

²Anblick: → Ausblick, → Gesichtspunkt.

anblicken, ansehen, anschauen, betrachten, besichtigen, beschauen, beobachten, studieren, in Augenschein nehmen, beaugenscheinigen (scherzh.), beaugapfeln (scherzh.), beäugeln, beäugen (ugs., scherzh.), mustern, fixieren, anstarren, anglotzen (salopp, abwertend), anstieren, angaffen (salopp, abwertend), besehen, beglotzen (salopp, abwertend), begaffen (salopp, abwertend), angucken, begucken, blicken auf, den Blick heften auf, den Blick

nicht abwenden können, jmdm. einen Blick zuwerfen / schenken / gönnen, einen Blick werfen auf, anglupschen (abwertend) · voll Staunen und Begierde: jmdn./etwas mit den Augen verschlingen, Stielaugen machen (ugs.), jmdm. gehen die Augen über · besonders scharf: jmdn. mit Blicken durchbohren; → begutachten, → blicken, → blinzeln, → forschen, → sehen; jmdn. nicht a., → ignorieren; → Besichtigung, → Vernissage.

Anbot → Angebot.

anbrauchen → gebrauchen.

anbrechen: → gebrauchen; etwas bricht an → anfangen.

anbrennen → anzünden.

anbringen: → befestigen, → verkaufen, → verraten.

Anbruch → Anfang.

anbrüllen → schelten.

anbuffen → schwängern.

anbumsen → schwängern.

Andacht: → Gottesdienst, → Konzentration.

andächtig → aufmerksam.

Andachtsbild, Heiligenbild, Gnadenbild, Kultbild · der Ostkirche: Ikone; → Malerei; → Votivbild.

Andachtsort → Gotteshaus.

Andalusit → Schmuckstein.

andante → langsam.

andauern: etwas dauert an / dauert / währt / hält an / besteht fort / dauert fort / zieht sich hin.

andauernd → unaufhörlich.

¹Andenken, Souvenir, Erinnerungsstück; → Gabe.

²Andenken: → Gedächtnis; sich ein bleibendes A. erwerben → verewigen (sich).

Andenkenbuch → Album.

andere: → weitere; einen -n Beruf ergreifen → umsatteln; das a. Deutschland → Deutschland; von der -n Fakultät / vom -n Ufer sein → gleichgeschlechtlich [sein]; im andern Fall → oder; die Kameraden von der -n Feldpostnummer → Russe; ein oder das a. Mal → manchmal; a. Möglichkeit → Gegenvorschlag; jmdn. eines -n belehren → berichtigen; mit -m Namen → alias; die a. Seite → Gegner; auf der -n Seite → umseitig; auf der -n / andern Seite → gegen-

über; auf der -n / andern Seite, am -n / andern Ufer → jenseits.

andererseits → aber.

¹ändern, abändern, umändern, umkrempeln (ugs.), etwas auf den Kopf stellen, modifizieren, korrigieren, revidieren, umarbeiten, überarbeiten, umwandeln, umformen, umsetzen, transformieren, ummodeln, modeln, verändern, abwandeln, wandeln, variieren, umfunktionieren, ummünzen, verwandeln, anders machen / werden, etwas schlägt um / wechselt · grundlegend: die Welt aus den Angeln heben · ein Gesetz: novellieren; → berichtigen, → lenken, → verändern, → verbessern; → variativ; → Abwandlung, → Umwandlung, → Veränderung.

²ändern: → verändern; sich ä. → wandeln (sich); seine Meinung ä. → umschwenken; die Richtung ä. → abbiegen; etwas ändert gar nichts → nutzlos [sein], → wirkungslos [sein].

andernfalls → oder.

anders → alias, → verschieden.

andersartig → verschieden.

anderseits → aber.

andersgeschlechtlich, heterosexuell, gegengeschlechtlich, nicht → gleichgeschlechtlich; → zwittrig.

andersgläubig → ketzerisch.

Andersgläubiger, Ungläubiger · bei den Mohammedanern: Giaur (abwertend) · bei den Juden: Goi (abwertend), Gojim (abwertend).

andersherum → gleichgeschlechtlich [sein].

anderswo → anderwärts.

¹Änderung, Abänderung, Umänderung, Veränderung, Abwandlung, Umwandlung, Verwandlung, Umarbeitung, Ummodelung, Umkrempelung (ugs.), Modifizierung, Variierung, Variation, Korrektur; → Abwandlung, → Abweichung, → Korrektur, → Umwandlung, → Veränderung; mit den nötigen Änderungen, mutatis mutandis.

²Änderung → Abweichung.

Änderungsschneider → Schneider.

anderwärts, anderswo, anderweitig, sonstwo, woanders; →

abwesend, → auch, → aushäusig.

anderweitig → anderwärts.

andeuten: → Hinweis, → hinweisen (auf).

andichten: jmdm. etwas a. → schlechtmachen.

andicken → eindicken.

andienen → anbieten.

andiniert: a. sein → angeekelt [sein].

andonnern → schelten.

Andradit → Schmuckstein.

Andrang → Zustrom.

Andreas → Apostel.

Andreaskreuz → Kreuzzeichen.

andrehen: → aufbürden, → anstellen, → betrügen; jmdm. etwas a. → aufschwatzen (jmdm. etwas); die Heizung a. → heizen.

andrerseits → aber.

Androgen → Hormon.

androgyn → zwittrig.

Androgynie → Zwittertum.

Androgynismus → Zwittertum.

androhen (jmdm. etwas), mit etwas drohen, ankündigen, in Aussicht stellen (iron.); → drohen, → mitteilen, → versprechen.

Androkinin → Hormon.

Androloge → Arzt.

Andrologie → Heilkunde.

Andromanie → Mannstollheit.

Andromeda → Sternbild.

Androphanie → Zwittertum.

Androphiler → Homosexueller.

Androphobie → Misandrie.

anecken → anstoßen.

aneifern → anstacheln.

aneignen: sich etwas a. → annektieren, → anverwandeln (sich etwas), → lernen, → nehmen.

Aneignung: widerrechtliche A. → Diebstahl.

aneinanderfügen → zusammenfügen.

aneinandergeraten → zanken (sich).

Aneinanderhaften → Adhäsion.

aneinanderkleben → kleben (etwas).

Anekdote → Erzählung.

anekeln → anwidern; etwas ekelt jmdn. an → schmecken.

Anemone, Buschwindröschen; → Blume.

anempfehlen → vorschlagen.

anempfinden → einfühlen (sich).

anenergisch → schmerzunempfindlich.

Anerbe → Alleinerbe.

Anerbieten → Angebot.

Anergie → Antriebsschwäche.

anergisch → schmerzunempfindlich.

anerkannt: → bekannt, → eingeführt, → erprobt; a. sein → angesehen [sein].

¹anerkennen, [in seinem Amt] bestätigen, beglaubigen, akkreditieren, bevollmächtigen; → beglaubigen; → Bekräftigung, → Bevollmächtigung.

²anerkennen: → achten, → billigen, → honorieren, → loben.

anerkennend: → beifällig.

anerkennenswert, lobenswert, verdienstvoll, verdienstlich, löblich, rühmlich, rühmenswert, achtbar, ehrenvoll, ruhmreich, glorreich; → angesehen; a. sein, etwas gereicht jmdm. zur Ehre, jmdm. ist etwas hoch anzurechnen, alle Achtung!, allen Respekt!, Hut ab [vor jmdm./etwas]!, das muß der Neid ihm/ihr lassen; → beifällig; → Beifall.

Anerkenntnis → Schuldschein.

¹Anerkennung, Bewunderung, Wertschätzung, Anwert (bayr., österr.), Würdigung; → Beifall, → Erlaubnis, → Gunst, → Lob, → Lobrede, A finden, Anklang finden, etwas gelten (er gilt in seinem Fach etwas), Resonanz haben; A. erzwingen, zur Anerkennung bringen, jmdn./einer Sache zur Anerkennung verhelfen.

²Anerkennung: → Achtung, → Belohnung, → Bevollmächtigung, → Dank; [allgemeine] A. → Allgemeingültigkeit.

Anerythropsie → Farbenblindheit.

anerzogen, erworben, angenommen, äußerlich, nicht → angeboren; → oberflächlich.

Anetodermie → Chalodermie.

anfachen: → anregen, → anzünden.

anfahren: → ansteuern, → schelten, → servieren, → zusammenstoßen.

Anfahrt → Fahrt.

Anfall, Kollaps, Schock, Attacke, Paroxysmus, Schlaganfall, Herzanfall, Insult, Insultation · kleiner epileptischer: petit mal; → Herzinfarkt, → Ohnmacht, → Schock, → Wutanfall.

anfallen → auflauern.

anfällig, schwächlich, schwach, labil, nicht → widerstandsfähig, nicht → stark; → kraftlos, → machtlos, → willensschwach; a. sein, neigen zu.

Anfälligkeit: → Anlage, → Beeinflußbarkeit.

¹Anfang, Beginn, Anbeginn, Eröffnung, Anbruch, Ausbruch, Eintritt, Auftakt, Startschuß, erster Schritt; → Abkunft, → Grundlage, → Start; am A., zu Anfang, anfangs, anfänglich, eingangs; von A. an, ab ovo; am A. sein, am Beginn sein, noch in den Kinderschuhen stecken; → anfangen.

²Anfang: → Entstehung; seine Anfänge haben in → stammen (von); an den A. stellen → vorausschicken; von A. bis Ende → A.

¹anfangen, beginnen, in die Wege leiten, etwas angehen, anpacken, in Angriff nehmen, einer Sache zu Leibe gehen/rücken, den Stier bei den Hörnern fassen/packen, eröffnen, starten, loslegen (ugs.), einsteigen (ugs.), sich an etwas machen, etwas nimmt seinen Anfang / hebt an / setzt ein / bricht an / läuft an / läßt sich an / (ugs.) geht an / (ugs.) geht los / kommt in Schwung · mit Singen, Musizieren: anstimmen, intonieren, den Ton angeben; → anbahnen, → anschicken (sich, etwas zu tun), → anstacheln, → ausbrechen, → einspielen (sich), → entstehen, → erörtern, → gebrauchen; → Anfang · Ggs. → beenden.

²anfangen: mit etwas nichts a. können → unzugänglich; Streit mit jmdm. a. → Streit.

¹Anfänger, Neuling, Novize, Debütant, Greenhorn, Newcomer, Grünschnabel (abwertend), Kiekindiewelt (ugs.), Unerfahrener; → Schulanfänger, → Schüler.

²Anfänger: → Neuer; blutiger A. sein → Nichtfachmann [sein].

anfänglich → Anfang.

anfangs: → allmählich, → Anfang.

**Anfangssilbe** → Silbe.

**anfärben** → anmalen.

**anfassen:** → berühren, → greifen; etwas falsch/verkehrt a. → verkehrt [machen]; geschickt a. → bewerkstelligen; jmdn. mit Samthandschuhen / mit Glacéhandschuhen a. → umgehen (mit jmdm.); jmdn. / etwas nicht mit der Zange a. mögen → verabscheuen.

**anfauchen** → schelten.

**anfechten:** → beanstanden; sich durch nichts a. lassen → zielstrebig [sein].

**Anfechtung,** Versuchung, Versuch (schweiz.), Verlockung, Verführung; → Angriff.

**Anfechtungsklage** → Anklage.

**anfeinden** → hassen.

**Anfeindung,** Angriff, Feindseligkeit, Attacke, Offensive, Kreuzfeuer, Beschuß (ugs.); → Angriff, → Verhör.

**¹anfertigen,** fertigen, verfertigen, herstellen, bereiten, zubereiten, machen (ugs.), etwas in der Mache haben (salopp), fabrizieren, basteln, arbeiten [an] · aus weichem Material durch Drücken: kneten, modellieren · aus Holz mit scharfem Gegenstand: schnitzen · aus Metall: schmieden · mit Hilfe eines Meißels: meißeln · beim Schiffsbau: auf Kiel / Stapel legen · eine schriftliche Arbeit o.ä.: sitzen/(ugs.) brüten über; → anstrengen, → arbeiten, → bauen, → befassen (sich mit), → bosseln, → formen, → produzieren; → Herstellung; → vorgefertigt.

**²anfertigen** → nähen.

**Anfertigung** → Herstellung.

**anfeuchten:** → naß [machen], → sprengen; sich die Kehle a. → trinken.

**anfeuern:** → anstacheln; -d → zugkräftig.

**anfinden:** etwas findet sich an → finden.

**anflehen** → bitten.

**anfliegen** → ansteuern.

**Anflug** → Nuance.

**anfordern** → bestellen.

**Anforderung** → Anspruch.

**Anfrage:** → Frage, → Gesuch.

**anfragen** → fragen.

**anfressen** → annagen.

**anfreunden** (sich mit), Freundschaft schließen, befreundet sein mit; **sich mit etwas nicht a. können,** sich mit etwas nicht befreunden können, sich an etwas nicht gewöhnen können; etwas hält jmdn. ab, etwas zu tun; → Freund, → Freundin.

**¹anführen** (jmdn.), äffen, narren, nasführen, an der Nase herumführen, anschmieren (ugs.), foppen, jmdn. zum besten (oder:) zum Narren haben/ halten, jmdn. in den April schicken, ankohlen (ugs.), verkohlen (ugs.), jmdm. einen Bären aufbinden (ugs.), jmdn. am Seil herunterlassen (schweiz.), jmdn. am Schmäh halten (österr.), veräppeln (salopp), vergackeiern (salopp), verhohnepipeln (salopp), verarschen (derb); → aufziehen, → betrügen, → lügen, → schäkern, → übertreiben, → verzerren, → vortäuschen; → Lüge.

**²anführen:** → begleiten, → erwähnen; die Tabelle a. → Höchstleistung [erzielen].

**¹Anführer,** Rädelsführer, Bandenführer, Gangleader, Haupt, Chef, Boß, Leiter, Räuberhauptmann (scherzh.); → Arbeitgeber, → Befehlshaber.

**²Anführer:** → Führer, → Oberhaupt.

**Anführungsstriche** → Satzzeichen.

**Anführungszeichen:** → Satzzeichen; in A. → wirklich.

**anfüllen** → anreichern.

**¹Angabe,** Nachweis, Aussage, Nennung; → Aufklärung, → Auslegung, → Darlegung, → Hinweis, → Lösung; → Nachricht.

**²Angabe** → Vorauszahlung.

**Angaben,** Daten, Tatsachen, Fakten.

**angaffen** → ansehen.

**angattigen** → bewerkstelligen.

**angeben:** → erwähnen, → prahlen, → verraten; angegeben werden mit → beziffern.

**Angeber,** Gernegroß, Möchtegern, Großsprecher, Maulheld (derb), Aufschneider, Prahlhans, Renommist, Schaumschläger, Großtuer, Großmaul (derb), Großgoscherter (salopp, österr.),

Faselhans, Tulifäntchen (veraltet), Windbeutel, Münchhausen; → Besserwisser, → Betrüger, → Geck, → Leichtfuß.

**Angeberei** → Übertreibung.

**angeberisch** → protzig.

**Angebertum** → Großspurigkeit.

**angebetet** → angesehen.

**Angebetete** → Geliebte.

**Angebeteter** → Abgott.

**Angebinde** → Gabe.

**angeblich,** vorgeblich, sogenannt, wie man behauptet / vorgibt, zu [können] glauben, scheinbar; → anscheinend.

**angeboren,** eingeboren, ererbt, erblich, vererbbar, hereditär, kongenital, angestammt, nicht → anerzogen; → gefühlsmäßig.

**¹Angebot,** Offerte, Anbot (österr.), Offert (österr.), Ausschreibung, Anerbieten, Anzeige, Inserat, Insertion, Annonce; → Bestellung, → Gesuch, → Vorschlag; → annoncieren, → vorschlagen.

**²Angebot:** ein A. annehmen/ akzeptieren → überreden; ein A. machen → Gebot [machen].

**angebracht:** → befindlich; es ist a. → nötig.

**angedeihen:** jmdm. Hilfe a. lassen → helfen.

**Angedenken** → Gedächtnis.

**angedickt** → legiert.

**angeekelt,** angewidert; **a. sein,** gelangweilt sein, jmds. (oder:) einer Sache überdrüssig sein/ müde sein, etwas ist jmdm. über (ugs.), jmd. hat etwas über (ugs.), genug haben [von jmdm./etwas], etwas satt/ dick[e] haben (ugs.), die Faxen dicke haben (salopp, landsch.), eine Sache leid/(ugs.) satt sein, bedient sein (ugs.), etwas reicht jmdm. (ugs.), etwas stinkt jmdm. (salopp), die Nase voll haben (salopp), die Schnauze/ den Kanal voll haben (derb), das große Kotzen kriegen (derb), etwas steht jmdm. bis oben/bis an den Hals (salopp), etwas hängt/wächst jmdm. zum Hals heraus (salopp), jmdm. dreht sich der Magen um, angespeist / angefressen / andiniert sein (österr.); → anwidern, → langweilen, → unerträglich [sein].

angefressen: a. sein → angeekelt [sein].

angegangen → ungenießbar.

angegossen: wie a. sitzen → Paßform.

angegriffen → erschöpft.

angeheiratet → verwandt.

angeheitert → betrunken.

Angeheiterter → Betrunkener.

angehen: etwas a., etwas geht an → anfangen; etwas geht jmdm. an → betreffen; was mich angeht → ich; Außenstehende nichts angehend → intern; a. gegen → ankämpfen (gegen etwas), → beanstanden, → hindern; a. um → bitten.

¹angehören, zugehören, gehören, zählen / rechnen zu; → aufweisen.

²angehören: der Marine a. → Seemann [sein].

Angehöriger, Verwandter, Anverwandter, Blutsverwandter, Familienmitglied, Familienangehöriger · in aufsteigender Linie: Aszendent, Vorfahr, Ahn, Ahnherr, Urvater, Väter, die Altvorderen · in absteigender Linie: Deszendent, Nachkomme, Abkömmling, Abkomme, Nachfahr[e], Sproß; → Abkunft, → Eltern, → Familie, → Mitglied, → Nachfolger, → Verwandter, → Vorangegangener.

Angeklagter, Beklagter, Beschuldigter; → Anklage, → Kläger; → prozessieren.

angekleckert: a. kommen → kommen.

angeknackst: a. sein → krank [sein].

angekränkelt: → krank, → morbid.

Angel: die Welt aus den -n heben → ändern; zwischen Tür und A. → Hast.

Angeld: → Anzahlung → Handgeld.

Angelegenheit, Sache, Affäre, Fall, Kasus, Geschichte (ugs.), Ding (ugs. oder schweiz.), Chose (salopp), Mist (derb, abwertend), Scheißdreck (vulgär, abwertend); → Ereignis, → Gegenstand, → Tat; → schwierig [sein].

Angelegenheiten → Belange.

angelegentlich, interessiert, geflissentlich.

Angelei → Angelsport.

angelernt: -er Arbeiter → Arbeiter.

Angelfischerei → Fischerei.

angeln: → fangen, → nehmen; sich jmdn. a. → anbandeln; sich einen Goldfisch a. → heiraten; das Angeln → Angelsport.

angeloben: → vereidigen; sich dem Himmel a. → Nonne [werden].

Angelobung → Vereidigung.

Angelsport, das Angeln, Angelei, Anglerei, Sportfischerei · Flußangelei, Meeresangelei, Küstenangelei, Hochseeangelei, Nachtangelei · mit natürlichen und mit lebenden Ködern: Grundangelei · meist mit künstlichen Insekten: Flugangelei · mit künstlichen oder toten Ködern: Spinnangelei; → Angler.

Angelsportler → Angler.

Angelus: → Angelusläuten, → Gebet.

Angelusläuten, Angelus, Gebetläuten (österr.).

angemaßt → eigenmächtig.

¹angemessen, gebührend, gebührlich, ordentlich, gehörig, geziemend, geziemlich (veraltet), schuldig, schicklich; → anständig, → ausreichend, → erprobt, → geeignet, → höflich, → nötig, → sehr, → tunlichst; → ziemen (sich).

²angemessen: → gleichwertig, → zweckmäßig.

angenähert → einigermaßen.

angenehm: → behaglich, → erfreulich, → gemütlich, → hübsch, → sympathisch; jmdm. a. sein → gefallen.

angenommen: → anerzogen, → erfunden.

angeordnet → gegliedert.

angepaßt → etabliert.

Anger → Wiese.

Angerdorf → Dorf.

angesäuselt → betrunken.

Angesäuselter → Betrunkener.

angeschissen: a. kommen → kommen.

angeschlagen: → defekt, → erschöpft.

angeschlossen → zugehörig.

angeschmutzt → schmutzig.

angeschrieben: nicht gut angeschrieben sein → unbeliebt [sein].

¹angesehen, geachtet, bewundert, geehrt, verehrt, verdient, hochgeschätzt, geschätzt, beliebt, geliebt, angebetet, vergöttert, gefeiert, populär, volkstümlich, volksverbunden, renommiert; → anerkennenswert, → anständig, → außergewöhnlich, → begehrt, → bekannt, → ehrenhaft, → gediegen, → modern; → gelten (als jmd. / etwas) · Ggs. → anrüchig; a. sein, einen Namen / guten Ruf haben, anerkannt sein, Zulauf/Zuspruch haben, willkommen sein, gut angeschrieben sein (ugs.), einen Stein bei jmdm. im Brett haben (ugs.), Anklang finden, gut ankommen (ugs.), wohlgelitten/gut gelitten sein bei jmdm., bei jmdm. in hohen Gnaden stehen (iron.), begehrt sein, hoch im Kurs bei jmdm. stehen (ugs.) · nicht mehr a. sein, nicht mehr gefragt sein, aufs tote Gleis geschoben sein (ugs.), weg vom Fenster sein (ugs.); → Erfolg [haben], → Glück [haben].

²angesehen: bei jmdm. schlecht a. sein → unbeliebt [sein].

Angesehensein: das A. → Bekanntheit.

Angesicht → Gesicht.

angesichts → wegen.

angespannt → aufmerksam.

angespeist: a. sein → angeekelt [sein].

angespitzt → spitz.

angestammt → angeboren.

angestaubt → schmutzig.

Angestelltenschaft → Personal.

Angestelltenversicherung → Versicherung.

Angestellter: → Arbeitnehmer, → Führungskraft; kaufmännischer A. → Büroangestellter.

angestoßen → defekt.

angestrahlt → beleuchtet.

angestrengt → aufmerksam.

angetan: → bekleidet (mit); a. sein von → anschwärmen.

Angetraute → Ehefrau.

Angetrauter → Ehemann.

angetrunken → betrunken.

Angetrunkener → Betrunkener.

angewackelt: a. kommen → kommen.

angewandt: -e Mathematik → Mathematik.

angewidert → angeekelt.

**angewiesen:** a. sein auf → abhängig [sein von]; nicht auf etwas a. sein → brauchen.

**Angewohnheit** → Brauch.

**angezeigt:** a. sein → nötig; es ist a. → zweckmäßig [sein].

**angezogen:** → verfügbar; gut a. → geschmackvoll.

**Angina** → Halsentzündung.

**Angina cardiaca** → Angina pectoris.

**Angina cordis** → Angina pectoris.

[1]**Angina pectoris,** Angina cordis (*veraltend*), Angina cardiaca (*veraltend*), Stenokardie, Herzbräune, Herzangst, Herzbeklemmung, Herzenge, Brustbräune, Heberden-Krankheit; → Herzleiden.

[2]**Angina pectoris:** funktionelle A. p. → Herzbeschwerden.

**Angiogramm** → Röntgenogramm.

**Angiographie** → Röntgenographie.

**Angiokardiogramm** → Röntgenogramm.

**Angiokardiographie** → Röntgenographie.

**Angiologe** → Arzt.

**Angiologie** → Heilkunde.

**angleichen:** → anpassen, → eingliedern, → gleichsetzen; dem Deutschen a. → eindeutschen.

**Angleichung:** → Anpassung, → Eingliederung.

**Angler,** Fischer, Petrijünger (*scherzh.*), Sportangler, Angelsportler, Sportfischer; → Angelsport, → Fischer, → Fischerei.

**Anglerei** → Angelsport.

**angliedern** → annektieren.

**Anglistik** → Philologie.

**Anglizismus** → Spracheigentümlichkeit.

**anglotzen** → ansehen.

**anglupschen** → ansehen.

**Angora** → Pelz.

**Angorakaninchen** → Kaninchen.

**Angorakatze** → Katzenrassen.

**Angorawolle** → Wolle.

**Angoraziege** → Ziege.

**angrapschen** → berühren.

[1]**angreifen,** überfallen, herfallen über, überrumpeln → über, losschlagen, zum Angriff übergehen, überraschen, zu Leibe rücken; → Angreifer.

[2]**angreifen:** → attackieren, → berühren, → schelten, → vor-

rücken; etwas greift an → beschwerlich [sein], → zehren; mit Bomben a. → bombardieren.

**Angreifer,** Aggressor; → Gegner; → angreifen.

[1]**Angriff,** Attacke, Aggression, Offensive, Gegenangriff, Konterattacke · *aus der Luft:* Luftangriff, Fliegerangriff · *aus dem Gefühl der Angst heraus:* Angstangriff; → Anfechtung, → Anfeindung, → Beleidigung, → Kampf, → Luftangriff, → Überfall, → Versuch · Ggs. → Abwehr.

[2]**Angriff:** → Anfeindung; etwas stellt einen A. auf/gegen etwas dar → verstoßen (gegen etwas); in A. nehmen → anfangen.

**angriffsbereit** → kampfbereit.

**Angriffsbereitschaft** → Kampfbereitschaft.

**Angriffskrieg** → Krieg.

**Angriffslust** → Streitbarkeit.

**angriffslustig** → streitbar.

**Angriffsspitze** → Fußballspieler.

**Angry young men** → Lost generation.

**angst:** jmdm. ist a., jmdm. ist a. und bange → Angst [haben]; jmdm. wird a. und bange → Angst [bekommen].

[1]**Angst,** Ängstlichkeit, Bangigkeit, Bänglichkeit, Befangenheit, Unsicherheit, Beklemmung, Beklommenheit, Hemmungen, Scheu, Phobie, Furcht, Furchtsamkeit, Panik · *den Anschluß zu verpassen:* Torschlußpanik; → Abneigung, → Bescheidenheit, → Entsetzen, → Feigheit, → Hypochondrie, → Neigung, → Phobie, → Verlegenheit; **A. haben** [vor], fürchten, scheuen, sich ängstigen/(*ugs.*) graulen, es graut / graust / gruselt jmdm. (oder:) jmdn., jmdm. ist die Kehle wie zugeschnürt, befürchten, Furcht hegen/haben, Pusch haben (*salopp*), einen Horror haben, zurückscheuen, zurückschrecken, perhorreszieren, mit Abscheu zurückweisen, jmdm. ist angst/himmelangst/bange, jmdm. ist angst und bange/(*schweiz.*) wind und weh, Bange / Bammel / Manschetten / Heidenangst haben (*ugs.*), Lampenfieber haben, Fracksausen / Frackschoßsau-

sen haben (*salopp*), die Hose [gestrichen] voll / Schiß haben (*derb*), jmdm. ist schwumm[e]rig (*salopp*), jmdm. sitzt die Angst im Nacken, vor Angst mehr tot als lebendig sein, vor Angst sterben/(*ugs.*) eingehen, Blut und Wasser schwitzen, nicht → mutig [sein]; → ärgern, → aufgeregt [sein], → deprimiert [sein], → entziehen (sich), → fremdeln, → schämen (sich); **jmdm. angst machen,** ängstigen, erschrecken, Angst / einen Schreck[en] einjagen, Panik machen, den Schimmel wild machen (*ugs.*), jmdm. die Katze den Buckel hinaufjagen (*schweiz.*); → einschüchtern, → entmutigen, → mutlos [machen]; **A. bekommen,** Angst kriegen (*ugs.*), jmdm. bricht der Angstschweiß aus, kalte Füße / eine Gänsehaut bekommen (oder:) kriegen (*ugs.*), in den Knien weich werden (*ugs.*), jmdm. fällt / rutscht das Herz in die Hose[n] (*ugs.*), jmdm. wird angst und bange / (*schweiz.*) wind und weh; → ängstlich.

[1]**Angst:** A. kriegen → Angst [bekommen]; in tausend Ängsten schweben → sorgen (sich).

**Angstangriff** → Angriff.

**angstbebend** → ängstlich.

**angsterfüllt** → ängstlich.

**angsthaft** → ängstlich.

**Angsthase** → Feigling.

**ängstigen:** → Angst [haben, machen]; sich ä. um → sorgen (sich).

**Angstkauf** → Kauf.

**ängstlich,** furchtsam, schreckhaft, phobisch, bang, besorgt, angsterfüllt, angstvoll, angsthaft (*veraltend*), angstbebend, angstschlotternd, angstverzerrt (vom Gesicht), zähneklappernd (*ugs.*), bänglich, beklommen, scheu, schüchtern, verschüchtert, eingeschüchtert, verschreckt, dasig (*südd., österr.*), verängstigt, zaghaft, zag, abergläubisch, gehemmt, befangen, verklemmt (*abwertend*), neurotisch; → argwöhnisch, → aufgeregt, → behutsam, → bescheiden, → betroffen, → deprimiert, → feige, → schwermütig, → unzugänglich, → verkrampft, → widerwillig; **ä. sein,**

Komplexe haben, sich vor seinem eigenen Schatten fürchten; → sorgen (sich); → Angst, → Entsetzen · Ggs. → ungezwungen.

**Ängstlichkeit** → Angst.

**Angstneurose** → Phobie.

**Angströhre** → Kopfbedeckung.

**angstschlotternd** → ängstlich.

**Angstschweiß:** jmdm. bricht der A. aus → Angst [bekommen].

**Angsttraum** → Traum.

**angstverzerrt** → ängstlich.

**angstvoll** → ängstlich.

**angucken:** → ansehen, → lernen; jmdn. nicht [mehr] a. → ignorieren.

**¹anhaben,** tragen, bekleidet sein mit, aufhaben, auf dem Leib[e] / Kopf tragen (oder:) haben; → anziehen; → bekleidet.

**²anhaben:** nichts a. → nackt [sein]; jmdm. nichts a. können → schaden; die Hosen a. → maßgeblich [sein].

**anhaften,** innewohnen, inhärieren; → einschließen; → inhärent.

**anhaftend:** → inhärent, → klebrig.

**anhaken** → markieren.

**Anhalt** → Fahrtunterbrechung.

**¹anhalten** (etwas / jmdn.), aufhalten, zum Stehen / Stillstand bringen, abstoppen, stoppen; **etwas a. lassen,** die Notbremse ziehen; → bremsen, → eingreifen, → halten.

**²anhalten:** → andauern, → halten, → mahnen; um jmdn. a. → werben; a. zu → einprägen.

**anhaltend** → unaufhörlich.

**Anhalter:** per A. fahren → mitfahren.

**Anhaltspunkt:** → Anzeichen, → Gedächtnisstütze.

**Anhang:** → Familie → Freundeskreis.

**anhängen:** jmdm. den Bart a. → verdächtigen; jmdm. etwas/ ein Maul a. → schlechtmachen; jmdm. einen Prozeß a. → prozessieren.

**¹Anhänger,** Jünger, Schüler [von], Parteigänger, Sympathisant, Parteigenosse, Parteimann, Mitläufer, Fußvolk (ugs.), Fan, Groupie, Verehrer, Gefolgschaft, Gemeinde; → Abgesandter, → Abgott, → Anfänger, → Fan, → Helfer, →

Jasager, → Komplice, → Linientreuer, → Mannschaft, → Nachahmer, → Opportunist, → Publikumsliebling.

**²Anhänger:** → Fan; überzeugter A. → Linientreuer.

**¹anhängig,** schwebend, hängig (schweiz.), pendent (schweiz.); → unerledigt.

**²anhängig:** eine Klage a. machen → prozessieren.

**anhänglich** → treu.

**Anhänglichkeit:** → Treue, → Zuneigung.

**anhauchen** → schelten.

**anhauen:** → ansprechen, → bitten; angehauen → defekt.

**anhäufen:** → aufbewahren, → aufhäufen.

**Anhäufung,** Häufung, Aufhäufung, Akkumulation, Akkumulierung, Kumulation, Kumulierung, Ansammlung, Sammlung, Stapelung, Aufstapelung, Aufschichtung; → Lagerung; → aufbewahren, → aufhäufen, → lagern.

**anheben:** → aufbessern, → heraufsetzen; etwas hebt an → anfangen.

**Anhebung** → Heraufsetzung.

**anheften** → befestigen.

**anheimelnd** → gemütlich.

**anheimfallen:** nicht der Vergessenheit a. lassen → wachhalten.

**anheimgeben:** jmdm. etwas a. → überlassen (jmdm. etwas).

**anheimstellen:** jmdm. etwas a. → überlassen (jmdm. etwas).

**anheischig:** sich a. machen → anbieten.

**anheizen:** → ankurbeln, → aufwiegeln, → heizen.

**anher** → her.

**anherrschen** → schelten.

**anheuern** → einstellen.

**Anhidrose** → Transpiration.

**Anhidrosis** → Transpiration.

**Anhieb:** auf A. → gleich.

**anhimmeln** → anschwärmen.

**anhin:** → nächst, → später; bis a. → bisher.

**Anhöhe** → Berg.

**anholen:** sich etwas a. → einhandeln (sich etwas).

**anhören** → horchen.

**Anhörung** → Verhör.

**anhusten** → schelten.

**Anidrose** → Transpiration.

**Anidrosis** → Transpiration.

**änigmatisch** → rätselhaft.

**Anikotinose** → Pellagra.

**Anilingus** → Perversität.

**animalisch:** → kreatürlich, → triebhaft.

**Animierdame** → Bardame.

**animieren** → anregen.

**Animiermädchen** → Bardame.

**Animo** → Temperament.

**animos** → gegnerisch.

**Animosität** → Abneigung.

**Animus:** → Ahnung; einen A. haben → merken.

**Anis** → Gewürz.

**Anisbrot** → Gebäck.

**¹ankämpfen** (gegen etwas), bekämpfen, befehden, angehen/ vorgehen gegen, Front machen, zu Felde ziehen gegen, entgegentreten, begegnen, entgegenwirken, entgegenarbeiten, kämpfen · gegen etwas schon Bewilligtes o. ä.: gegen etwas einrennen · gegen etwas Eingebildetes oder Aussichtsloses: gegen Windmühlen / Windmühlenflügel kämpfen → einschreiten, → verhindern.

**²ankämpfen:** a. gegen → hindern.

**Ankauf** → Kauf.

**ankaufen:** → kaufen, → niederlassen.

**Ankäufer** → Händler.

**Anke** → Nacken.

**ankeilen** → bitten.

**anken** → buttern.

**Anken** → Fett.

**Anker:** die A. lichten → abgehen; A. werfen, vor A. gehen/liegen → ankern; vor A. gehen → heiraten.

**Ankerkreuz** → Kreuzzeichen.

**ankern,** anlegen, Anker werfen, vor Anker gehen / liegen; → landen; → Anlegebrücke, Hafen, → Schiff.

**Ankerplatz** → Anlegebrücke.

**Ankertaumine** → Mine.

**Ankerwinde** → Winde.

**¹Anklage,** Klage, Zivilklage, Privatklage, Hauptklage, Nebenklage, Gegenklage, Widerklage, Feststellungsklage, Anfechtungsklage, Beleidigungsklage, Schadenersatzklage; → Angeklagter, → Kläger; → prozessieren.

**²Anklage:** soziale A. → Gesellschaftskritik; A. erheben → prozessieren.

anklagen → verdächtigen.
Ankläger → Kläger.
Anklagezustand: jmdn. in A. versetzen → prozessieren.
Anklang: A. finden → Anerkennung [finden], → Beifall [finden]; angesehen [sein] → gefallen.
ankleben → befestigen.
ankleiden → anziehen.
Ankleidetisch, Toilette[n]tisch, Frisiertoilette, Toilette, Frisiertisch, Psyche (österr.).
anklingeln → anrufen.
anklingen, mitschwingen, mitklingen, mit hereinspielen; → gleichen.
anknipsen → anstellen.
anknüpfen: Beziehungen a. → Kontakt [aufnehmen]; → Beziehungen / Verbindungen a. → anbahnen (etwas); ein Gespräch a. → anbandeln, → ansprechen.
anknurren → schelten.
ankohlen → anführen.
ankommen: → geboren [werden], → kommen; ein Kind ist angekommen → gebären; etwas kommt an, gut a. → angesehen [sein]; bei jmdm. [gut] a. → gefallen; nicht a. →spielen, → Erfolg, → Mißerfolg [haben]; etwas kommt jmdn. an → überkommen; etwas kommt an auf → abhängen; a. gegen → beikommen.
ankotzen → anwidern.
ankratzen: sich jmdn. a. → anbandeln.
ankreiden → übelnehmen.
ankreuzen → markieren.
ankümmeln: sich einen a. → betrinken (sich).
ankünden: → Anzeichen [sein für etwas], → mitteilen.
ankündigen: → androhen (jmdm. etwas), → mitteilen.
Ankündigung → Nachricht.
¹Ankunft, das Eintreffen, Einfahrt, das Einlaufen, Landung, Arrival; → Landung.
²Ankunft: → Geburt, → Landung.
ankurbeln, vorantreiben, in Gang/Schwung bringen, anheizen, Dampf hinter etwas machen/setzen (ugs.), durchstarten, Gas geben, grünes Licht geben, mit Volldampf voraus!; → anstacheln, → verstärken, → verwirklichen.

ankuscheln: sich a. → anschmiegen (sich).
anlachen: sich jmdn. a. → anbandeln.
¹Anlage, Disposition, Empfänglichkeit, Anfälligkeit, Neigung [zu].
²Anlage: → Begabung, → Investition, → Park, → Struktur, → Veranlagung, → Wesen; als/in der A. → anbei.
anlangen: → berühren, → kommen.
anlappen → schelten.
¹Anlaß, Beweggrund, Triebfeder, Grund, Daseinsberechtigung, Existenzberechtigung, Ursache, Verursachung, Motiv, Veranlassung, Handhabe, Gelegenheit, Rücksichten · zum Streit: Casus belli (bildungsspr.) · mit dem eine allgemeine [journalistische] Darstellung verbunden werden kann: Aufhänger, Einstieg; → Argument, → Entstehung, → Grundlage, → Impuls, → Reiz; → veranlassen, → verursachen.
²Anlaß: jmd. nimmt etwas zum A. → veranlassen.
anlassen: → anbehalten; etwas läßt sich an → anfangen.
anlasten, zur Last legen, belasten; → übelnehmen, → verdächtigen.
anlaufen: etwas läuft an → anfangen.
anläuten → anrufen.
Anlegebrücke, Anlegestelle, Landungssteg, Landesteg, Steg, Schiffsgelände, Lände, Landebrücke, Landungsbrücke, Anlegeponton, Steiger, Bootssteg, Schiffsbrücke, Ankerplatz, Reede; → Brücke, → Hafen; → ankern.
anlegen: → ankern, → anziehen, → entwerfen, → zahlen; ein Lager a. → lagern; Trauer angelegt haben → Trauerkleidung [tragen]; einen Verband a. → verbinden; Zügel a. → bändigen; keine Zügel a. → einschränken; sich mit jmdm. a. → Streit [anfangen].
Anlegeponton → Anlegebrücke.
Anlegestelle → Anlegebrücke.
anlehnen, lehnen, stützen; → anschmiegen (sich), → berühren, → stützen.

anlehnungsbedürftig, anschmiegsam, liebebedürftig, kontaktsuchend, schutzsuchend; → folgsam, → treu.
¹Anleihe, Darleh[e]n, Darleihen (schweiz.), Kredit, Hypothek, Aushilfe, Vorschuß, Vorauszahlung, Pump (salopp), Borg (ugs.); → Guthaben, → Hypothek; → beleihen.
²Anleihe: → Schuld, → Wertpapier.
anleiten → einarbeiten.
Anleiter: → Berater, → Instrukteur.
Anleitung: → Gebrauchsanweisung, → Unterricht.
anlernen: → einarbeiten; sich etwas a. → lernen.
Anlernling → Lehrling.
anliefern → liefern.
Anlieferung → Lieferung.
anliegen: sich etwas angelegen sein lassen → bestreben (sich); jmdn. a. [mit etwas] → bitten; jmdm. liegt etwas an → wichtig [sein].
Anliegen: → Bitte; etwas ist jmds. A. → wichtig [sein].
anliegend → anbei.
Anlieger → Anwohner.
Anliegerverkehr, Anrainerverkehr (bes. südd., österr.), Anwänderverkehr (schweiz.); → Anwohner.
anlocken, heranlocken, anziehen; → verleiten.
anlöten → löten.
anlügen → lügen.
anmachen: → anstellen, → befestigen, → kochen, → reizen; Feuer / den Ofen a. → heizen.
Anmahnung → Ermahnung.
¹anmalen, bemalen, übermalen, bestreichen, anpinseln (ugs.), bepinseln (ugs.), überpinseln (ugs.), färben, anfärben, einfärben, umfärben; → malen, → schminken, → streichen, → zeichnen; → Malerei.
²anmalen: sich a. → schminken.
anmarschieren → kommen.
anmaßen: sich etwas/ein Urteil a. → erdreisten (sich).
Anmaßung → Überheblichkeit.
anmeiern → betrügen.
Anmeldebestätigung, polizeiliche Anmeldung, Meldeschein, Meldezettel (österr.), Anmeldeformular, Meldebogen; → Einwohnermeldeamt.

**Anmeldeformular** → Anmelde-bestätigung.

**¹anmelden** (sich), sich einschreiben / eintragen · *an einer Hochschule:* sich immatrikulieren, inskribieren (*österr.*); → anmelden, → ausschließen, → mitteilen · Ggs. → abmelden (sich).

**²anmelden:** → mitteilen; Konkurs a. → zahlungsunfähig [sein].

**Anmelderaum** → Vorzimmer.

**Anmelderolle** → Nebenrolle.

**¹Anmeldung,** Einschreibung, Eintragung · *an einer Hochschule:* Immatrikulation, Inskription (*österr.*); → anmelden.

**²Anmeldung:** → Vorzimmer; polizeiliche A. → Anmeldebestätigung.

**anmerken** → aufschreiben; jmdm. etwas a. → bemerken.

**¹Anmerkung,** Marginalie, Glosse, Randbemerkung, Zusatz · *unter einem Text:* Fußnote; → Auslegung, → Darlegung; → auslegen.

**²Anmerkung** → Bemerkung.

**anmieten** → mieten.

**anmit** → hiermit.

**anmontieren** → befestigen.

**Anmut,** Liebreiz, Reiz, Lieblichkeit, Schmelz, Zartheit, Zauber, Grazie, Charme, Liebenswürdigkeit, Sex-Appeal, das gewisse Etwas; → Anziehungskraft, → Zuneigung; → anziehend, → hübsch.

**anmuten:** etwas mutet jmdn. an [wie] → vermuten.

**anmutig** → hübsch.

**annadeln** → befestigen.

**annageln** → befestigen.

**annagen,** zernagen, anfressen, zerfressen; → abfressen, → kauen.

**annähern:** einander a. → abstimmen (auf etwas).

**annähernd:** → einigermaßen, → ungefähr; a. gleich → gleichartig.

**Annäherung:** → Anpassung, → Kontakt.

**Annäherungsversuch** → Zudringlichkeit.

**Annahme:** → Ahnung, → Behauptung, → Entgegennahme; man geht wohl nicht fehl in der A., daß ... → Recht.

**Annahmestelle,** Übernahmestelle (*österr.*), Ablage (*schweiz.*)·

*für das Lotto:* Lottokollektur (*österr.*), Kollektur (*österr.*); → Zweigstelle.

**Annähung** → Operation.

**Annalen:** → Chronik, → Jahrbuch.

**Annalist** → Chronist.

**annehmbar,** akzeptabel, passabel, leidlich, erträglich, auskömmlich, zufriedenstellend; → ausreichend, → notdürftig, → zweckmäßig; **a. sein,** tragbar sein; **als a. darstellen,** jmdm. etwas schmackhaft machen.

**¹annehmen** (sich einer Sache), sich kümmern um, sich einsetzen für, einer Sache das Wort reden; → eintreten (für), → erwirken, → sorgen (sich); **sich einer Sache nicht a.,** sich den Teufel (oder:) den Henker um etwas kümmern/scheren (*ugs.*).

**²annehmen:** → entgegennehmen, → vermuten; angenommen → erfunden; man kann kaum a., daß → ungewiß [sein]; es darf doch als sicher angenommen werden, daß → zweifellos; stramme Haltung a. → strammstehen; [einen Rat] a. → achtgeben; [einen Vorschlag] a. → billigen; sich etwas a. → lernen; an Kindes Statt a. → adoptieren.

**Annehmlichkeit** → Bequemlichkeit.

**annektieren,** einverleiben, sich etwas aneignen, angliedern; → beschlagnahmen, → usurpieren, → wegnehmen; → Verschwörung.

**Anniversarium** → Jahrestag.

**Anno:** A. dazumal / Tobak / dunnemals → damals; A. [Domini] ... → Jahr; von A. dazumal / Tobak sein → altmodisch [sein], → überlebt [sein].

**Annomination** → Wortspiel.

**Annonce:** → Angebot; eine A. aufgeben → annoncieren.

**annoncieren,** inserieren, anzeigen, eine Anzeige / eine Annonce / ein Inserat aufgeben; → Angebot, → Werbung.

**annullieren** → abschaffen.

**Annullierung** → Aufhebung.

**anöden:** → aufziehen; von etwas angeödet sein → langweilen.

**anomal:** → anormal; geistig a. sein → geistesgestört [sein].

**Anomalie:** → Abweichung, → Mißbildung.

**anomalistisch:** -es Jahr → Zeitraum.

**Anomalität** → Abweichung.

**Anomie** → Aphasie.

**¹anonym,** ungenannt, namenlos, ohne Namensnennung, N. N. (nomen nescio *lat.* = ,,den Namen weiß ich nicht" oder: nomen nominandum *lat.* = ,,der zu nennende Name"), unter einem Pseudonym, inkognito, privat; → Deckname.

**²anonym:** -er Brief, -es Schreiben → Schreiben.

**Anorak,** Parka, Windjacke, Windbluse, Blouson, Lumberjack; → Jacke, → Kleidung.

**¹anordnen,** befehlen, erlassen, [ein Gesetz] verkünden, bestimmen, reglementieren, administrieren, jmdn. etwas heißen, lassen (jmdn. etwas tun lassen), jmdn. auf etwas ansetzen, verfügen, festlegen, in die Wege leiten, Vorkehrungen / (*schweiz.*) Vorkehren treffen, veranlassen, jmdn. zu etwas bringen, anweisen, Auftrag / Anweisung / Befehl geben, anschaffen (*südd., österr.*), schaffen (*bayr., österr.*), Auflage erteilen, auftragen, jmdm. etwas auf die Seele binden (*ugs.*), überbinden (*schweiz.*), aufgeben, beauftragen, jmdn. mit etwas befassen; → abordnen, → anstacheln, → befolgen, → beordern, → bestellen, → designieren, → ernennen, → erwirken, → festschreiben, → übertragen, → verleiten, → vorschlagen, → wünschen, → zuraten; → Befehlsgewalt, → Mitbestimmung.

**²anordnen:** → betrauen, → gliedern; abecelich / alphabetisch / nach dem Abc / Abece / Alphabet a. → alphabetisieren; eine gerichtliche Untersuchung a. → belangen.

**Anordnung:** → Gliederung, → Weisung; auf A. → befehlsgemäß.

**anormal,** abnorm, abnormal, anomal, regelwidrig, normwidrig, unnormal; → abgöttisch, → außergewöhnlich, → krankhaft, → pervers, → unüblich; → Abweichung.

**anpacken:** → anfangen, → ergreifen.

**¹anpassen,** angleichen, harmonisieren, assimilieren, adaptieren, sich gewöhnen an / eingewöhnen / akklimatisieren / einfügen / fügen / einordnen / unterordnen / einleben · *an die allgemeine Entwicklung:* dynamisieren; → abstimmen, → eingliedern; **sich nicht a.,** das schwarze Schaf sein; → anpassungsfähig, → unzugänglich; → Anpassung, → Außenseiter.

**²anpassen:** → abstimmen (auf etwas); **sich a.** → verbürgerlichen.

**Anpassung,** Abstimmung auf, Angleichung, Annäherung, Harmonisierung, Assimilierung, Assimilation, Gewöhnung, Eingewöhnung, Akklimatisierung, Akklimatisation, Einordnung, Unterordnung, Opportunismus, Adaption, Adaptation, Mimikry · *an die allgemeine Entwicklung:* Dynamisierung · *der katholischen Kirche an die modernen Lebensverhältnisse:* Aggiornamento; → Brauch, → Eingliederung, → Einordnung, → Gesinnungswandel, → Zugeständnis; → anpassen; → anpassungsfähig.

**anpassungsfähig,** flexibel, geschmeidig, rückgratlos (*abwertend*), ohne Rückgrat (*abwertend*); → Anpassung; → anpassen.

**anpatzen** → beschmutzen.

**anpellen** → anziehen.

**anpfeifen** → schelten.

**Anpfiff** → Vorwurf.

**anpflanzen** → bebauen.

**Anpflanzung:** → Bebauung, → Park.

**anpflaumen** → aufziehen.

**anpicken** → befestigen.

**anpinseln** → anmalen.

**anpöbeln** → ansprechen.

**Anprall** → Zusammenstoß.

**anprangern** → brandmarken.

**anpreisen:** → feilhalten; etwas wie sauer / saures Bier a. → feilhalten.

**Anpreisung,** Schlagwort, Werbespruch, Slogan, Fernsehspot, Spot, Werbetext, Werbespot; → Werbung.

**anpumpen** → leihen.

**anquasseln** → ansprechen.

**anquatschen** → ansprechen.

**Anrainer** → Anwohner.

**Anrainerverkehr** → Anliegerverkehr.

**anranzen** → schelten.

**anraten** → beraten.

**anrechnen:** → berücksichtigen; jmdm. ist etwas hoch anzurechnen → anerkennenswert [sein].

**Anrecht:** → Abonnement, → Anspruch; sich das A. sichern auf etwas → Anspruch [geltend machen].

**¹Anrede,** Titulierung, Betitelung · *an einen regierenden König, Kaiser bzw. an eine Königin, Kaiserin:* Euer Majestät · *an einen königlichen Prinzen, regierenden Herzog bzw. an eine königliche Prinzessin, regierende Herzogin:* Königliche Hoheit (mündlich), Euer Königlichen Hoheit (schriftlich), Eure Königliche Hoheit (schriftlich)· *an einen nicht regierenden Herzog bzw. an eine nicht regierende Herzogin:* Hoheit (mündlich), Euer Herzoglichen Hoheit (schriftlich), Eure Herzogliche Hoheit (schriftlich) · *an fürstliche Personen:* Durchlaucht (mündlich), Euer/Eure Durchlaucht (schriftlich) · *an einen Prinzen bzw. Prinzessin aus nicht regierendem Hause:* Hoheit (mündlich), Euer/Eure Hoheit (schriftlich) · *an einen Grafen bzw. an eine Gräfin von hohem Adel:* Erlaucht (mündlich), Euer/Eure Erlaucht (schriftlich) · *an einen algerischen Herrscher:* Dey (*hist.*), Dei (*hist.*) · *an einen Angehörigen der türkischen Oberschicht:* Bei, Bej, Beg · *an den Rektor einer Universität:* [Eure/Euer] Magnifizenz · *an den Dekan einer Universität:* [Eure/Euer] Spektabilität · *an den Papst:* [Eure/Euer] Heiligkeit · *an einen Kardinal, an den Nuntius:* [Eure / Euer] Exzellenz · *an Patriarchen allgemein:* Eure Seligkeit · *an Erzbischöfe allgemein:* Eure Eminenz · *an einen Abt, an einen Prälaten:* Euer Gnaden · *an einen Generalvikar:* Monsignore · *an katholische Geistliche:* Ehrwürden · *an katholische und höhere evangelische Geistliche:* [Euer] Hochwürden · *an Geistliche in England und Amerika:* Reverend · *an einen Generaloberen:* [Euer] Paternität · *an einen Prior:* Hochwürdiger Herr... · *an einen Pater, an einen Ordenspriester:* Hochwürden, Pater... · *an einen Mönch, an einen Ordensbruder:* Ehrwürden, Ehrwürdiger Bruder · *an eine Äbtissin, Priorin oder Generaloberin:* Wohlehrwürdige Frau Äbtissin / Priorin / Generaloberin · *an eine Oberin:* Ehrwürdige Schwester Oberin / Frau Oberin · *an eine Nonne, an eine Ordensschwester:* Schwester (mündlich) Ehrwürdige Schwester (schriftlich); → Titel → anreden; → verehrt.

**²Anrede** → Rede.

**¹anreden,** titulieren, benennen, mit einem Titel versehen; → Anrede, → Titel.

**²anreden** → ansprechen.

**¹anregen,** innervieren, aufregen, beleben, aufpulvern, aufpeitschen, aufmöbeln (*ugs.*), Auftrieb geben, aufputschen, animieren, anreizen, anfachen, stimulieren, den Anstoß geben zu, den Stein ins Rollen bringen, initiieren · *zu hoher sportlicher Leistung:* dopen; → anstacheln, → begeistern, → erheitern, → erregen, → reizen, → überreden, → verleiten, → verursachen, → vorschlagen, → verwirren, → zuraten; → Impuls.

**²anregen** → vorschlagen.

**¹anregend,** belebend, aufputschend, stimulierend; → anregen.

**²anregend:** → charmant, → interessant.

**Anreger** → Gründer.

**Anregung:** → Impuls; die/eine A. geben → vorschlagen.

**¹anreichern,** anfüllen, auffüllen, füllen mit, bereichern, reicher machen.

**²anreichern:** mit Vitaminen a. → vitaminieren.

**Anreise** → Reise.

**anreißerisch** → reißerisch.

**Anreiz:** → Reiz, → Zugkraft.

**anreizen:** → anregen, → reizen.

**anreizend** → zugkräftig.

**Anrichte** → Möbel.

**¹anrichten,** anstellen, [eine Dummheit] machen, ausfressen (*salopp*), pekzieren (*landsch.*), verbrechen (*salopp*), verzapfen (*salopp*); → ausfressen, → tun, → zuraten.

²**anrichten:** → kochen; mit der großen Kelle a. → verschwenden.

**Anrichtetisch,** Serviertisch, stummer Diener · *fahrbarer:* Servierwagen, Teewagen; → Speiseplatte, → Tisch.

**anrüchig,** berüchtigt, verschrien, übel beleumdet, in üblem Geruch stehend, einen schlechten Leumund habend, halbseiden, verrufen, fragwürdig, bedenklich, verdächtig, undurchsichtig, unheimlich, lichtscheu, nicht ganz hasenrein / astrein (*ugs.*), zweifelhaft, dubios, ominös, notorisch, obskur, suspekt, nicht → unverdächtig; → anstößig, → bekannt, → gewöhnlich, → ungewiß; → gelten (als jmd. / etwas) · Ggs. → angesehen.

**Anrüchigkeit,** Hautgout, übler Beigeschmack, Odium, Makel; → Makel.

**anrücken** → kommen.

**Anruf** → Telefongespräch.

¹**anrufen,** telefonieren, telephonieren, sich an die Strippe hängen (*salopp*), anläuten, anklingeln (*ugs.*), antelefonieren (*ugs.*); → telefonieren (mit jmdm.); → Ferngespräch, → Fernsprecher, → Telefonverbindung, → Telefonzelle.

²**anrufen:** → bitten, → Lebenszeichen; jmdn. a. → herantreten (an); das Gericht / die Gerichte a. → prozessieren; Gott a. → beten.

**Anrufung:** A. Gottes → Gebet.

**anrühren:** → berühren, → rühren; etwas rührt jmdn. an → überkommen; keinen Bissen a. → essen.

**anrüsten** → Baugerüst.

**ansäen** → bebauen.

¹**Ansager,** Showmaster, Conférencier · *für Nachrichten:* Nachrichtensprecher · *für Zwischentexte beim Fernsehen:* Moderator · *bei Schallplattendarbietungen:* Schallplattenjockey, Diskjockey; → Revue, → Schallplatte, → Sprecher, → Unterhalter, → Vergnügungsindustrie, → Vortragskünstler, → Vortragskünstlerin.

²**Ansager** → Sprecher.

**ansammeln:** → aufbewahren; [Geld] sammelt sich an → zusammenkommen.

¹**Ansammlung,** Auflauf, Zusammenrottung, Aufmarsch, Gedränge, Getümmel, Gewimmel, Gewühl; → Demonstration, → Menge, → Zustrom.

²**Ansammlung:** → Abteilung, → Anhäufung.

**ansässig** → einheimisch.

**Ansatzstörung** → Ernährungsstörung.

**ansaufen:** sich einen a. → betrinken (sich).

**Ansaugung** → Absorption.

**Anschaffe:** auf die A. gehen → prostituieren (sich).

**anschaffen:** → anordnen, → kaufen, → prostituieren (sich), → verdienen; [sich jmdn.] a. → anbandeln.

**Anschaffung** → Kauf.

**Anschaffungspreis** → Neuwert.

**Anschaffungswert** → Neuwert.

**anschalten** → anstellen.

**anschauen:** → ansehen, → lernen; nicht mehr a. → ignorieren.

¹**anschaulich,** eidetisch, bildhaft, sinnfällig, deutlich, verständlich, sprechend, lebendig, wirklichkeitsnah, bilderreich, farbig, einprägsam, drastisch, plastisch, demonstrativ, veranschaulichend, illustrativ, nicht → lebensfremd; → metaphorisch, → sinnbildlich; **a. machen,** ad oculos demonstrieren, deutlich vor Augen führen, illustrieren; → auslegen, → veranschaulichen; → Anschaulichkeit, → Veranschaulichung.

²**anschaulich:** → klar; a. machen → veranschaulichen.

**Anschaulichkeit,** Bildhaftigkeit, Einprägsamkeit, Sinnfälligkeit, Deutlichkeit, Verständlichkeit, Lebendigkeit, Wirklichkeitsnähe, Farbigkeit; → Veranschaulichung; → veranschaulichen; → anschaulich.

**Anschauung** → Ansicht.

**Anschauungsmaterial** → Lehrmittel.

¹**Anschein,** Aussehen, Schein, Augenschein.

²**Anschein:** dem A. nach → anscheinend.

**anscheinend,** dem Anschein nach, wie es scheint, vermutlich, vermeintlich, es sieht so aus, es ist denkbar / möglich, es kann sein, es ist nicht ausgeschlossen, daß..., mutmaßlich, wahrscheinlich, höchstwahrscheinlich, aller Wahrscheinlichkeit nach, voraussichtlich, aller Voraussicht nach, wenn nicht alle Zeichen trügen, wohl; → angeblich, → offenbar, → ungewiß, → vielleicht; → Anschein; → meinen, → vermuten.

**anscheißen:** → betrügen, → schelten; angeschissen kommen → kommen.

**anschicken** (sich, etwas zu tun): sich rüsten / sich fertigmachen / Anstalten machen / Miene machen / im Begriff sein / dabeisein / ansetzen, etwas zu tun; zu etwas rüsten, in etwas begriffen sein, Vorbereitungen zu etwas treffen; → anbahnen, → anfangen.

**anschießen:** → beschießen, → schwängern; jmdn. a → beanstanden.

**Anschiß:** → Vorwurf; einen A. verpassen → schelten.

**Anschlag:** → Plakat, → Überfall; in A. bringen → berücksichtigen.

**Anschlagbrett,** Anschlagtafel, Schaukasten, Aushang, Schwarzes Brett; → Schaufenster.

**anschlagen:** → anzapfen, → bellen; einen Ton / eine Tonart a. → sprechen; einen anderen Ton a. → eingreifen.

**Anschlagsäule** → Litfaßsäule.

**Anschlagtafel** → Anschlagbrett.

**anschließen:** sich a. → beitreten; sich jmdm. a. → begleiten; sich nicht der herrschenden Meinung a. → entgegenstellen (sich).

**anschließend** → hinterher.

**Anschluß:** → Kontakt, → Okkupation, → Telefonanschluß, → Verkehrsverbindung; A. finden → Kontakt [finden]; A. suchen → Kontakt [aufnehmen]; den A. verpassen → heiraten, → versäumen; den A. verpaßt haben → ledig [sein]; keinen Anschluß bekommen / kriegen → telefonieren (mit jmdm.); im A. → hinterher.

**anschmettern** → lügen.

**anschmiegen** (sich), sich ankuscheln / schmiegen an / kuscheln an; → anlehnen.

**anschmiegsam** → anlehnungsbedürftig.

**anschmieren:** → anführen, → betrügen; sich a. → schminken; angeschmiert werden → hereinfallen.

**anschnauben** → schelten.

**anschnauzen** → schelten.

**Anschnauzer** → Vorwurf.

**anschneiden** → erwähnen.

**Anschoppung** → Blutandrang.

**anschrauben** → anbringen.

**¹anschreiben,** Kredit geben, auf Borg geben; → leihen.

**²anschreiben:** jmdn. a. → herantreten (an); gut angeschrieben sein → angesehen [sein].

**anschreien** → schelten.

**Anschrift,** Adresse, Aufenthaltsort, Wohnungsangabe; **mit einer A. versehen,** mit einer Adresse versehen, etwas adressieren; → Wohnung.

**Anschriftenbuch** → Adreßbuch.

**Anschriftenverzeichnis** → Adreßbuch.

**anschuldigen** → verdächtigen.

**Anschuldigung** → Beschuldigung.

**anschüren** → anzünden.

**anschwärmen,** schwärmen für, anhimmeln, verhimmeln, sich begeistern für, begeistert sein von, Feuer und Flamme sein, schmachten nach, angetan sein von (ugs.), sich erwärmen für; →begeistern, → loben, → streben.

**anschwärzen** → schlechtmachen.

**anschweißen** → löten.

**anschwellen:** → steif [werden], → zunehmen.

**Anschwemmungsküste** → Ufer.

**anschwindeln** → lügen.

**¹ansehen,** anschauen, anblicken, betrachten, besichtigen, beschauen, beobachten, studieren, in Augenschein nehmen, beaugenscheinigen (scherzh.), beaugapfeln (scherzh.), beäugeln, beäugen (ugs., scherzh.), mustern, kein Auge von jmdm./etwas wenden, jmdn. [mit Blicken] messen, fixieren, anstarren, anglotzen (salopp, abwertend), anstieren, angaffen (salopp, abwertend), besehen, beglotzen (salopp, abwertend), begaffen (salopp, abwertend), angucken, begucken, blicken auf, den Blick heften auf, den Blick nicht abwenden können, kein Auge von jmdm. / etwas lassen, jmdm. einen Blick zuwerfen / schenken / gönnen, einen Blick werfen auf, anglupschen (abwertend) · voll Staunen und Begierde: jmdn. / etwas mit den Augen verschlingen, Stielaugen machen (ugs.), jmdm. gehen die Augen über · besonders scharf: jmdn. mit Blicken durchbohren, jmdn. scharf ins Auge fassen; → begutachten, → blicken, → blinzeln, → forschen, → sehen; **jmdn. nicht a.** → ignorieren; → Besichtigung, → Vernissage.

**²ansehen:** als selbstverständlich a. → voraussetzen; angesehen werden als → gelten (als jmd. / etwas); jmdm. etwas an der Nase/Nasenspitze a. → bemerken; a. für → beurteilen; etwas nicht mit a. können → betroffen [sein]; jmdn. / etwas mit scheelen Augen a. → neiden; jmdn. über die Achsel a. → umgehen (mit jmdm.).

**¹Ansehen,** Ehre, Würde, Stolz, Höhe, Größe, Format, Bedeutung, Wichtigkeit, Geltung, Nimbus, Ruf, Prestige, Sozialprestige, Unbescholtenheit, [guter] Name, Leumund, Renommee, Reputation, Autorität, Gewicht, Einfluß, Rang, Profil, Stand, Image, Gesichtskosmetik (ugs., scherzh.), Persönlichkeitsbild; → Achtung, → Allgemeingültigkeit, → Ausstrahlungskraft, → Autorität, → Einfluß, → Fähigkeit, → Gunst, → Lob, → Stellung; **sein A. verlieren,** das Gesicht verlieren; **sein A. nicht verlieren,** das Gesicht wahren; → billigen, → unterdrücken, → vortäuschen; → ehrenhaft · Ggs. → Nichtachtung.

**²Ansehen:** → Autorität; sein A. aufs Spiel setzen → bloßstellen (sich).

**¹ansehnlich,** stattlich, beachtlich, achtenswert (schweiz.), ziemlich [groß, hoch], statiös, ordentlich, recht (schweiz.), artig (schweiz.); → reichlich, → sehr.

**²ansehnlich** → außergewöhnlich.

**ansein** → funktionieren.

**¹ansetzen,** anberaumen, auf das Programm/den Spielplan setzen, vorsehen, ins Auge fassen.

**²ansetzen:** → verlängern; a., etwas zu tun → anschicken (sich, etwas zu tun); Daumenschrauben a. → nötigen; Fett/ Speck a. → dick [werden]; Moos a. → altern; [den Preis] zu hoch a. → Wucher; Rost a. → rostig [werden]; jmdn. auf etwas a. → anordnen; zur Landung a. → landen.

**¹Ansicht,** Meinung, Stellungnahme, Standpunkt, Überzeugung, Anschauung, Auffassung, Vorstellung, Präsum[p]tion, Hypothese, Supposition · in der Öffentlichkeit herrschende: Communis opinio · die nur aus Trotz oder Prinzip, ohne sachliche Gründe beibehalten wird: Justamentstandpunkt (österr.); → Ahnung, → Behauptung, → Denkweise, → Einbildung, → Expertise, → Gesichtspunkt, → Lehre; **nach jmds. A.,** nach jmds. Meinung / Dafürhalten, meines Erachtens; **der gleichen A. sein,** mit jmdm. der einer Meinung sein, gleichen Sinnes / eines Sinnes sein, ins gleiche Horn blasen / stoßen / tuten (salopp, abwertend), in dieselbe / die gleiche Kerbe hauen (salopp, abwertend); **merkwürdige Ansichten haben,** ein sonniges Gemüt haben (iron.); → meinen, → umschwenken; → beliebig.

**²Ansicht:** → Anblick, → Bild, → Meinungsverschiedenheit; der A. sein → meinen.

**ansichtig:** a. werden → wahrnehmen.

**Ansichtskarte** → Schreiben.

**ansiedeln:** sich a. → niederlassen (sich).

**Ansiedler** → Einwanderer.

**ansinnen:** jmdm. etwas a. → verlangen.

**Ansinnen** → Vorschlag.

**Ansitz** → Haus.

**ansonsten** → außerdem.

**anspannen:** etwas spannt an → beschwerlich [sein]; alle Kräfte a. → anstrengen (sich).

**Anspannung** → Anstrengung.

ansparen → sparen.

anspazieren: anspaziert kommen → kommen.

anspielen: a. auf → abzielen (auf), → Hinweis [geben].

Anspielung: → Spitze; etwas ist eine A. auf jmdn. → münzen.

anspinnen: sich a. → entstehen.

anspitzen: → schärfen, → spitz [machen]; angespitzt → geschärft, → spitz; jmdn. a. → lenken.

anspornen: → anstacheln; -d → zugkräftig.

Ansprache: → Kontakt, → Rede; eine A. halten → vortragen.

ansprechbar → aufgeschlossen.

¹ansprechen, ein Gespräch beginnen / anknüpfen, das Wort an jmdn. richten, jmdn. adressieren (geh.), anreden, anquatschen (salopp), anquasseln (salopp), anhauen (salopp), anpöbeln (abwertend); → begrüßen, → bezeichnen (als), → bitten, → unterhalten (sich).

²ansprechen: → reagieren; jmdn. a. → herantreten (an); jmdn. a. auf → auskundschaften; etwas mit etwas a. → abzielen (auf); a. um → bitten.

ansprechend → interessant.

Ansprecher → Antragsteller.

¹Anspruch, Anrecht, Recht [auf], Anwartschaft, Gewohnheitsrecht, Anforderung, Mindestforderung, Forderung; → Abonnement, → Berechtigung. → Bitte, → Recht, → Vorrecht; **Ansprüche geltend machen**, Anspruch machen/erheben auf, sein Recht geltend machen auf, beanspruchen, sich etwas sichern, sich das Anrecht sichern auf etwas, vormerken lassen, vorbestellen, besetzen (Platz), belegen (Platz).

²Anspruch: → Claim; Ansprüche erheben / stellen → bestehen (auf); Ansprüche stellen → fordern; in A. nehmen → beanspruchen; viel Zeit in A. nehmend → zeitraubend.

anspruchslos → bescheiden.

Anspruchslosigkeit → Bescheidenheit.

¹anspruchsvoll, wählerisch, unbescheiden, prätentiös, nicht → bescheiden; → Fachmann.

²anspruchsvoll: → hochtrabend; nicht a. → bescheiden.

anstacheln, anspornen, aufstacheln, anstiften, anzetteln, ins Werk setzen, anfeuern, aneifern (südd., österr.), beflügeln, befeuern, antreiben, in Gang bringen, jmdn. zu etwas bringen / bewegen / inspirieren / begeistern; schaffen, daß ...; jmdn. auf Trab bringen (ugs.), jmdm. Beine machen (salopp), jmdm. Dampf machen (salopp), jmdm. einheizen (ugs.), mennen (schweiz.), jmdn. auf Touren bringen (salopp) · ein Pferd [vor einem Hindernis]: aufnehmen, versammeln; → anfangen, → ankurbeln, → anordnen, → anregen, → aufwiegeln, → begeistern, → beseelen, → bitten, → mobilisieren, → überreden, → verleiten, → verstärken, → verursachen, → zuraten; → Reiz.

Anstalt: → Institut; -en machen, etwas zu tun → anschicken (sich, etwas zu tun).

Anstaltsarzt → Arzt.

Anstand: → Benehmen, → Hochsitz, → Höflichkeit; ohne Anstände → anstandslos.

¹anständig, unbescholten, tugendhaft, züchtig, sittsam, nicht → anstößig; → angemessen, → angesehen, → artig, → ehrenhaft, → lauter, → sittlich, → zurückhaltend; **a. sein**, auf dem Pfad der Tugend wandeln (geh.); **a. bleiben**, die Ehre bewahren, jmdm. keine Schande machen; → ziemen (sich); → Bloßstellung, → Sitte.

²anständig: → entgegenkommend, → jungfräulich; sich a. benehmen → benehmen (sich).

Anständigkeit, Wohlanständigkeit, Fairneß, Fair play; → Treue.

Anstandsbesuch → Besuch.

anstandslos, ohne weiteres, ohne Bedenken / Anstände, ungeprüft, unbesehen, bedenkenlos, blanko, selbstverständlich, selbstredend, natürlich, bereitwillig, gern, mit Vergnügen, kritiklos, kurzerhand; → rundheraus, → ungefähr.

anstarren → ansehen.

anstatt, anstelle, an Stelle, für, dafür, ersatzweise, stellvertretend, im Austausch.

anstauen → aufstauen.

anstaunen → bestaunen.

anstecken: → anzapfen, → anzünden, → beeinflussen, → befestigen; sich a. → krank [werden]; sich eine a. → rauchen.

ansteckend → virulent.

Anstecknadel: → Brosche, → Plakette.

Ansteckung, Infektion, Infekt, Übertragung; → Krankheit; → verseuchen; → krank.

anstehen: → unerledigt [sein], → vormerken, → warten; nicht a. auf → abhängig [sein von].

anstehend → unerledigt.

ansteigen → zunehmen.

anstelle → anstatt.

Anstelleiter → Leiter (die).

¹anstellen (ein Gerät o. ä.), einstellen, einschalten, anschalten, andrehen (ugs.), aufdrehen (österr.), anmachen, anknipsen (ugs.) · Ggs. → abstellen.

aufdrehen (österr.), anmachen, anknipsen (ugs.) · Ggs. → abstellen.

²anstellen: → anrichten, → bewerkstelligen, → einstellen; sich a. → schämen (sich), → warten; angestellt sein → funktionieren; Ermittlungen a. → nachforschen; die Heizung a. → heizen; ein Verhör a. → vernehmen.

anstellig, gelehrig, brauchbar, verwendbar, ankerig (schweiz.), geschickt, praktisch, fingerfertig; → geschickt, → zweckmäßig.

¹Anstellung, Stellung, Stelle, Posten, Position, Amt, Funktion · gesicherte, für immer: Lebensstellung, Dauerstellung · in einem festen Beamtenverhältnis: Beamter auf Lebenszeit, Pragmatisierung (österr.); → Beamtenlaufbahn, → Beruf; **eine A. haben**, in Amt und Würden sein.

²Anstellung: ohne A. → arbeitslos; eine A. finden → einstellen.

¹ansteuern, anfliegen, anfahren, anlaufen, Kurs nehmen auf, berühren; → fahren.

²**ansteuern** → vorhaben.
**Anstieg** → Steigerung.
**anstieren** → ansehen.
**anstiften** → anstacheln.
**Anstifter** → Gründer.
**anstimmen:** → anfangen; ein Loblied a. → loben.
**Anstoß:** → Impuls, → Verkehrsverbindung; den A. geben → anregen; A. nehmen → beanstanden; A. erregen → anstoßen.
¹**anstoßen** (bei jmdm.), Anstoß/ Mißfallen / Mißbilligung / Ärgernis erregen, der Stein des Anstoßes sein, Unwillen hervorrufen, anecken (ugs.); → kränken, → schockieren; → anstößig, → ärgerlich; → Ärger.
²**anstoßen:** → stoßen; auf jmds. Wohl a. → zutrinken.
**Anstößer** → Anwohner.
**anstößig,** unschicklich, ungehörig, unziemlich, shocking, schockING, ungebührlich, unanständig, zweideutig, nicht salonfähig / (scherzh.) stubenrein, pikant, lasziv, schlüpfrig, schmutzig, unsittlich, unmoralisch, schlecht, wüst, liederlich, zuchtlos, verdorben, verderbt, verrucht, ruchlos, verworfen, unzüchtig, pornographisch, tierisch, zotig, schweinisch (salopp, abwertend), lasterhaft, sittenlos, unkeusch, unsolide, ausschweifend, obszön, nicht → anständig; → anrüchig, → begierig, → frech, → gemein, → gewöhnlich, → hemmungslos, → pervers, → unhöflich; **a. reden,** schweinigeln (abwertend), sauigeln (derb, abwertend), die Sau rauslassen (derb, abwertend); → anstoßen, → verwahrlosen; → Anstößigkeit, → Inzest, → Sittenlosigkeit, → Unzucht.
**Anstößigkeit,** Unschicklichkeit, Ungehörigkeit, Unziemlichkeit, Ungebührlichkeit, Unanständigkeit, Zweideutigkeit; → Sittenlosigkeit; → anstößig.
**anstreben** → streben.
**anstreichen:** → markieren, → streichen; sich a. → schminken; etwas muß im Kalender rot angestrichen werden → betonen.
**Anstreicher** → Maler.
¹**anstrengen** (sich), alle Kräfte anspannen, sich fordern, sich etwas abverlangen, seine ganze

Kraft aufbieten, seinen Stolz dareinsetzen, sich ins Zeug legen (ugs.), nichts unversucht lassen, alle Hebel/(ugs.) Himmel und Hölle in Bewegung setzen, sich ins Geschirr legen, sich bemühen /befleißigen / befleißen / mühen / abmühen / abarbeiten / abschleppen / strapazieren / (ugs.) auf den Hosenboden setzen / (ugs.) abrackern / plagen / abplagen / (ugs., landsch.) placken / (ugs., landsch.) abplacken / (österr.) abfretten / (ugs.) abschuften / quälen / abquälen / (ugs.) schinden / (ugs.) abschinden / aufreiben / Mühe geben, es sich sauer werden lassen, bemüht sein, einen Versuch machen, sein möglichstes / Bestes / das menschenmögliche tun, sich zusammenreißen (salopp), versuchen / suchen + zu + Infinitiv (zu [schaffen] suchen); zusehen, daß ...; zu strampeln haben (ugs.), schuften (salopp), puckeln (salopp), ackern (salopp), asten (salopp), sich verausgaben (ugs.), krebsen (salopp), herumkrebsen (salopp), rumkrebsen (salopp) · geistig: sich in geistige Unkosten stürzen (ugs.); → anfertigen, → arbeiten, → befassen (sich), → lernen, → streben, → übernehmen (sich), → wünschen; **sich nicht a.,** sich Zeit lassen, sich kein Bein ausreißen (ugs.), eine ruhige Kugel schieben (ugs.), ruhmarschig sein (derb) · nach Erfolgen: [sich] auf seinen Lorbeeren ausruhen (ugs.), sich zur Ruhe setzen; → tüchtig; → Anstrengung.
²**anstrengen:** sich a. → schenken; etwas strengt an → beschwerlich [sein].
**anstrengend** → beschwerlich; etwas ist a. → zehren.
¹**Anstrengung,** Arbeit, Heidenarbeit (salopp), Mordsarbeit (salopp), Sauarbeit (derb, abwertend), Mistarbeit (derb, abwertend), Dreck[s]arbeit (ugs., abwertend), Scheißarbeit (vulgär, abwertend), Anspannung, Kraftanstrengung, Kraftaufwand, Kraftakt, Aktivität, Mühsal, Mühe, Bemühung, Strapaze, Mühseligkeit, G[e]frett (südd.,

österr.), Gfrött (südd., österr.), Mühewaltung (gespreizt), Beschwerlichkeit, Beschwerde, Beschwer (veraltend), Beschwernis, Belastung, Belastungsprobe, Zerreißprobe, Streß, Plackerei (abwertend), Knorz (schweiz.), Schinderei (abwertend), Schufterei (ugs., abwertend) · unnötige: Kraftvergeudung, Kraftverschwendung · für die Augen (auf Grund seiner Kleinheit): Augenpulver (ugs.); → Arbeit, → Last; → anstrengen (sich); → beschwerlich.
²**Anstrengung:** → Versuch; etwas bedeutet eine große A. für jmdn. → beschwerlich [sein]; mit letzter A. → kaum.
**Anstrich:** sich den A. geben → vortäuschen.
**anstückeln** → verlängern.
**Ansturm** → Zustrom.
**ansuchen** → bitten.
**Ansuchen:** → Bitte, → Gesuch.
**Antagonismus** → Kontrast.
**Antagonist** → Gegner.
**antanzen** → kommen.
**Antarktika** → Kontinent.
**antarktisch:** -es Eis → Polareis.
**antasten:** → berühren; etwas a. → verstoßen (gegen).
**antatschen** → berühren.
**antauchen** → drücken.
**anteigen** → anschwängern.
¹**Anteil,** Teil, Portion, Stück, Hälfte, Ration · größter: Hauptteil, Löwenanteil, das größte Stück, das größte Stück vom Kuchen (ugs.), die größere Hälfte (ugs.), der größte Brocken (ugs.) · als Arbeit geleisteter: Beitrag; → Anzahl, → Dosis, → Erbe.
²**Anteil:** → Claim, → Rate; A. nehmen → mitfühlen.
**Anteilnahme:** → Beileid, → Engagement, → Mitgefühl.
**antelefonieren** → anrufen.
**Antenkapitell** → Kapitell.
¹**Antenne,** Radioantenne, Fernsehantenne, Außenantenne, Hausantenne, Dachantenne, Gemeinschaftsantenne, Zimmerantenne; → ausstrahlen, → empfangen.
²**Antenne:** keine A. für etwas haben → unzugänglich; die richtige A. haben → Ahnung.
**Antependium** → Parament.
**Antepileptikum** → Relaxans.

Anthemion → Fries.

Anthologie → Auswahl.

Anthrakose → Staublungenerkrankung.

Anthrakosilikose → Staublungenerkrankung.

anthrazit → grau.

Anthrazit → Kohle.

Anthropoide → Affe.

Anthropologie → Menschenkunde.

Anthropophagie → Menschenfresserei.

Anthropophobie → Menschenverachtung.

Anthurie, Anthurium, Flamingoblume; → Blume.

Anthurium → Anthurie.

Antialkoholiker, Abstinenzler, Abstinent, Alkoholgegner, Nichttrinker, Mäßigkeitsapostel (scherzh.), Blaukreuzler, Guttempler, Temperenzler; → Enthaltsamkeit; → alkoholfrei, → enthaltsam.

antiautoritär → freiheitlich.

Antibabypille → Ovulationshemmer.

antichambrieren → unterwürfig [sein].

Antichrist → Teufel.

Antidepressivum → Psychopharmakon.

Antidot → Gegenmittel.

Antidoton → Gegenmittel.

Antiepileptikum → Relaxans.

Antifaschist → Gegner.

¹antik, griechisch-römisch; → altmodisch.

²antik: -er Gegenstand / Kunstgegenstand, -es Stück → Antiquität.

Antikommunismus → Faschismus.

Antikommunist → Gegner.

antikonzeptionell: -e Mittel → Empfängnisverhütungsmittel.

Antikörper, Abwehrstoff, immunisierender Blutstoff, Immunkörper, Alexine (Plural), Komplement, Zytase, Ambozeptor, Kopula, Immunisin, Intermediärkörper, Immunkörper, Sensitizer · bei Überempfindlichkeit gegen artfremdes Eiweiß auftretend: Reagin, Reaktionskörper, Sensibilin, Sensibilisin, Antisensibilisin · gegen tierische oder pflanzliche Giftstoffe: Antitoxin.

Antineuralgetikum → Linderungsmittel.

Antinomie → Gegensätzlichkeit.

antinomisch → gegensätzlich.

Antipathie → Abneigung.

Antipharmakon → Gegenmittel.

Antipode → Gegner.

antippen: → erwähnen, → fragen.

Antiqua: [freie/klassizistische A.] → Schrift.

Antiquar → Buchhändler.

Antiquariat → Buchhandlung.

¹antiquarisch, alt, gebraucht, nicht mehr neu, aus zweiter Hand, übertragen (österr.); → Antiquität · Ggs. → neu.

²antiquarisch: → altmodisch; -er Gegenstand / Kunstgegenstand, -es Stück → Antiquität.

antiquiert → altmodisch.

Antiquität, Altertümer (Plural), Altertumsstück, Altertümlichkeit (selten), Altertümchen (landsch.), alter / altertümlicher / antiker / antiquarischer Gegenstand (oder:) Kunstgegenstand, altes / altertümliches / antikes / antiquarisches Stück; → Kunsthändler; → antiquarisch.

Antiquitätenhändler → Kunsthändler.

Antisemit, Judenhasser, Judenfresser (ugs., abwertend); → antisemitisch.

Antisemitismus → Israel, → Israelit; → antisemitisch.

antisemitisch, judenfeindlich; → Antisemit → Antisemitismus.

Antisemitismus, Judenhaß, Judenfeindlichkeit; → Antisemit; → antisemitisch.

Antisensibilisin → Antikörper.

Antispasmodikum → Relaxans.

Antispastikum → Relaxans.

Antithese → Gegenteil.

antithetisch → gegensätzlich.

Antitoxin → Antikörper.

antizipieren → vorwegnehmen.

Antlitz → Gesicht.

antönen → Hinweis [geben].

Antoniuskreuz → Kreuzzeichen.

Antonym → Gegensatz.

Antrag → Gesuch.

antragen → anbieten.

Antragsteller, Bittsteller, Supplikant, Petent, Ansprecher (schweiz.).

¹antreffen, vorfinden; → finden; niemanden a., aufs leere Nest kommen (ugs.); → aushäusig [sein].

²antreffen: → finden; nicht anzutreffen sein → aushäusig [sein].

antreiben → anstacheln.

antrenzen → beschmutzen.

antreten: die Flucht nach vorn[e] a. → attackieren; einen Gang nach Canossa a. → erniedrigen (sich); die Nachfolge a. → nachfolgen; den Rückzug a. → nachgeben; eine Schiffsreise a. → einschiffen (sich); seinen letzten Weg a. → sterben.

Antreten → Appell.

Antrieb: → Impuls, → Motor, → Reiz; aus eigenem A. → freiwillig.

Antriebsschwäche, Willensschwäche, Willensschwächung, Willenslähmung, Willenlosigkeit, Dysbulie, Abulie, Hypobulie, Anergie, Energielosigkeit; → Unfähigkeit; → Willenlosigkeit; → willensschwach.

antrinken: sich einen a. → betrinken (sich).

Antrittsbesuch → Besuch.

¹antrocknen, verkleben, verkrusten, verschorfen; → trocknen.

²antrocknen → trocknen.

antun: → anziehen; sich etwas a. → ärgerlich [sein]; sich etwas / ein Leid a. → entleiben (sich); jmdm. etwas a. → schaden; es jmdm. angetan haben → gefallen; → verliebt [machen].

antunen → Rausch.

anturnen → Rausch.

¹Antwort, Erwiderung, Entgegnung, Beantwortung, Gegenrede, Replik, Retourkutsche (ugs., abwertend); → Reaktion; → antworten · Ggs. → Frage.

²Antwort: → Lösung; ablehnende/abschlägige A. → Ablehnung; das ist die A.! → Folge; die/keine A. schuldig bleiben, Rede und A. stehen, zur A. bekommen / geben → antworten; die A. schuldig bleiben/unterdrücken → schweigen.

Antwortbrief → Schreiben.

antworten, zur Antwort geben/bekommen, Bescheid geben,

beantworten, entgegnen, erwidern, versetzen, zurückgeben, eingehen auf, reagieren, dagegenhalten, widersprechen, Widerspruch erheben, jmdm. in die Parade fahren (*ugs.*), einwenden, einwerfen, entgegenhalten, begegnen, Einwände erheben/machen, replizieren, nichts/keine Antwort schuldig bleiben, Rede und Antwort stehen, kontern, Kontra geben · *barsch oder schnippisch:* jmdm. über den Mund fahren (*ugs.*) · *gleich:* wie aus der Pistole geschossen antworten · *mit Heftigkeit, zornig:* aufflammen, aufbegehren · *scharf:* zurückschießen; → abstreiten, → ausfüllen, → äußern (sich), → berichtigen, → mitteilen, → widerlegen, → widerrufen, → zweifeln; **nicht a.,** die Antwort schuldig bleiben, schweigen; **nicht a. können.** passen müssen (*ugs.*); → Antwort, → Reaktion · Ggs. → fragen.

**Antwortschreiben** → Schreiben.

**Anus** → Darmausgang.

**Anus praeter** → Darmausgang.

**Anus praeternaturalis** → Darmausgang.

**anvertrauen:** → abgeben, → mitteilen.

**anverwandeln** (sich etwas), sich etwas zu eigen machen, aneignen; → anpassen.

**Anverwandter** → Angehöriger.

**anvettermicheln:** sich a. → nähern (sich jmdm.).

**anwachsen** → zunehmen.

**Anwalt:** → Fürsprecher, → Jurist, → Verwalter.

**¹Anwaltsbüro,** Rechtsanwaltsbüro, Kanzlei (*veraltend*), Anwaltskanzlei (*oberd.*), Rechtsanwaltskanzlei (*oberd.*), Advokaturskanzlei (*veraltend, österr.*); → Jurist.

**²Anwaltsbüro** → Büro.

**Anwaltskanzlei:** → Anwaltsbüro, → Büro.

**anwandeln** → befallen.

**Anwänderverkehr** → Anliegerverkehr.

**Anwärter,** Aspirant, Reflektant, Bewerber, Kandidat, Spitzenkandidat, Prätendent, Assessor, Exspektant, Postulant.

**Anwartschaft** → Anspruch.

**anweisen** → anordnen.

**Anweisung:** → Gebrauchsanweisung, → Weisung; A. geben → anordnen.

**¹anwenden,** verwenden, Verwendung haben für, gebrauchen, Gebrauch machen von, in Gebrauch nehmen, einsetzen, zum Einsatz bringen, verwerten, ausschlachten (*ugs.*), sich einer Sache bedienen, sich etwas dienstbar machen, benutzen, nutzen, nützen, sich etwas zunutze machen · *alle Mittel:* alle Minen springen lassen (*ugs.*), alle Register ziehen (*ugs.*); → ausnutzen, → brauchen, → erdreisten (sich), → gebrauchen, → verarbeiten; → Anwendung.

**²anwenden:** Gewalt a. → einschreiten; eine bestimmte Methode a. → verfahren; eine Politik der kleinen Schritte a. → stufenweise [vorgehen].

**¹Anwendung,** Verwendung, Gebrauch, Einsatz; **A. finden,** Verwendung finden, in Verwendung stehen (*österr.*), zum Einsatz kommen; → anwenden.

**²Anwendung:** → Kurmittel, → Verabreichung.

**anwerben** → einstellen (jmdn.).

**Anwesen:** → Bauernhof, → Besitztum.

**anwesend,** greifbar (*ugs.*); → daheim; **a. sein,** zugegen/gegenwärtig/gekommen sein, dasein, zur Stelle sein, hier bin ich, hier hängt er/sie (*ugs., berlin.*), hier!, dabeisein, vertreten sein, nicht → abwesend sein; → existieren, → kommen.

**Anwesenheit,** Gegenwart, Zugegensein, Dabeisein; **in A. von,** im Beisein/in Gegenwart von.

**anwidern,** anekeln, ankotzen (*derb*), widerlich/zuwider sein, Ekel erregen; → angeekelt [sein], → schmecken, → unzugänglich [sein], → verabscheuen.

**anwinkeln** → beugen (sich).

**Anwohner,** Anlieger, Anrainer, Anstößer (*schweiz.*), Nachbar; → Anliegerverkehr, → Bewohner; → gegenüber.

**Anwurf** → Vorwurf.

**¹Anzahl,** Zahl, Vielzahl, Mehrzahl, Mehrheit, Quantum, Quantität, Unzahl, Menge, Unmenge, Masse, eine Fülle von, ein Heer von, Legion, Myriade, Unmasse · *nicht genau bekannte:* Dunkelziffer; → Anteil, → Ausmaß, → Dosis, → Rate, → Stück, → Summe; → zählen; → einige, → reichlich.

**²Anzahl:** eine A. → einige, → viele.

**anzahlen** → Anzahlung.

**¹Anzahlung,** Einzahlung, Angeld, Aufgeld, Handgeld; → Abzahlung; **eine A. leisten,** anzahlen, beangeld (*österr.*).

**²Anzahlung:** → Vorauszahlung, → Zahlung.

**anzapfen,** anstechen, anschlagen (*österr.*); → Behälter.

**Anzeichen,** Zeichen, Anhaltspunkt, Vorbote, Symptom, Erscheinung, Auspizien, Vorzeichen, Mahnung, Omen · *drohenden Unheils:* Menetekel; → Merkmal, → Nachweis; **A. sein für etwas,** anzeigen, ankünden, signalisieren, hindeuten auf.

**anzeichnen** → markieren.

**Anzeige:** → Angebot, → Nachricht; eine A. aufgeben → annoncieren; A. erstatten → anzeigen.

**¹anzeigen,** Strafanzeige/Anzeige erstatten, melden, Meldung machen, zur Polizei gehen; → belangen, → bestrafen, → verraten.

**²anzeigen:** → annoncieren, → verraten, → Werbung [treiben], → Anzeichen [sein für etwas].

**Anzeigensetzer** → Schriftsetzer.

**anzetteln** → anstacheln.

**¹anziehen,** ankleiden, bekleiden, ausstaffieren, sich bedecken, anlegen (*geh.*), antun, sich kleiden, hineinschlüpfen, steigen in [die Hosen] (*ugs.*), in die Kleider fahren / steigen (*ugs.*), einmummeln (*fam.*), anpellen (*salopp*), aufsetzen (Hut), aufstülpen (Hut), überstülpen (Hut), umbinden (Kopftuch, Schürze), überwerfen, überziehen, überstreifen, umhängen; → anhaben, → einhüllen (sich), → einkleiden, → schönmachen · Ggs. → ausziehen; **sich gut a.,** sich in Schale werfen (*salopp*), sich landfein machen (*scherzh.*); **gut angezogen sein,** in Schale sein (*salopp*) · *zu festlich:* overdressed sein; → geschmackvoll, → hübsch; → Anzug, → Kleid, → Kleidung.

²**anziehen:** → anlocken, → aufschlagen (Preis), → beziehen, → heranziehen; -der Muskel → Muskel; sich eine Jacke nicht a. → betreffen; sich warm a. → einhüllen (sich); die Zügel straffer a. → streng.

¹**anziehend,** attraktiv, anmutig, lieblich, charmant, bestrickend, berückend, aufreizend, toll (*ugs.*), doll (*salopp*), bezaubernd, betörend, dämonisch, gewinnend, sympathisch, liebenswert, angenehm, lieb · *in erotisch-sexueller Hinsicht:* sexy; → adrett, → begehrt, → geschmackvoll, → hübsch, → interessant, → zugkräftig; **a. sein,** Rasse / Klasse sein (*salopp*); **nicht a. sein,** die Grazien haben nicht an jmds. Wiege gestanden; → Anmut, → Anziehungskraft, → Zuneigung.

²**anziehend** → sympathisch.

**Anzieher** → Muskel.

**Anziehmuskel** → Muskel.

¹**Anziehungskraft,** Magnetismus, Zugkraft, Sog, Attraktivität, Affinität; → Anmut, → Köder; → anziehend.

²**Anziehungskraft** → Zugkraft.

**Anziehungspunkt:** → Köder; A. sein → beliebt [sein].

**anzischen** → schelten.

**Anzucht** → Züchtung.

¹**Anzug,** Gesellschaftsanzug, Kleid (*schweiz.*), Full-dress, Gala, Smoking, Gehrock, Frack, Cut, Cutaway, Dinnerjacket · *für die Arbeit:* Arbeitsanzug, Schutzanzug, Overall, Kombination · *für den Sport:* Dreß, Trainingsanzug, Traineranzug (*schweiz.*); → Kleid, → Kleidung; → anziehen, → schönmachen.

²**Anzug:** → Bezug, → Gesuch; dumm aus dem A. gucken, aus dem A. kippen → überrascht [sein]; im A. sein → kommen; etwas ist im A. → bevorstehen, → heraufziehen.

**anzüglich:** → spöttisch; -e Bemerkung → Spitze.

**Anzüglichkeit** → Spitze.

**Anzugsspezialist** → Schneider.

**anzünden,** zünden, anstecken, zündeln, gokeln (*landsch.*), kokeln (*landsch.*), pösern (*landsch.*), in Brand stecken/ setzen, entzünden, anbrennen, anfachen, schüren, anschüren, entfachen, Feuer legen, den roten Hahn aufs Dach setzen; → heizen, → verbrennen; → Brandstifter, → Brandstiftung.

**anzweifeln** → zweifeln.

**äolisch:** -es Kapitell → Kapitell.

**Äolsharfe,** Windharfe; → Musikinstrument.

**Äon** → Zeitraum.

**Aortogramm** → Röntgenogramm.

**Aortographie** → Röntgenographie.

**Apache:** → Indianer, → Verbrecher.

**Apanage** → Einkünfte.

**apart:** → einzeln, → geschmackvoll.

**Apartheid** → Rassentrennung.

**Apartment** → Wohnung.

**Apathie** → Teilnahmslosigkeit.

**apathisch** → träge.

**Apatit** → Schmuckstein.

**aper** → schneefrei.

**Aperçu** → Ausspruch.

**Aperitivum** → Abführmittel.

**apern** → tauen.

¹**Apfel** · Gravensteiner, James Grieve, Cox' Orange, Goldparmäne, Boskop, Jonathan, Golden Delicious, Morgenduft, Renette, Klarapfel, Glockenapfel, Winterapfel, Dauerapfel, Eßapfel · *mit Schale im Backofen bis zum Weichwerden erhitzter:* Bratapfel; → Obst.

²**Apfel:** → Obst; A. im Schlafrock → Gebäck; kein A. kann zur Erde fallen → voll [sein]; der Apfel fällt nicht weit vom Stamm → ähneln; für einen A. und ein Ei kaufen → billig [kaufen]; in den sauren A. beißen → tun.

**Apfelbäckchen** → Wange.

**apfelgrün** → grün.

**Apfelkern** → Kern.

**Apfelkraut** → Brotaufstrich.

**Apfelkuchen** → Gebäck.

**Apfelrose** → Rose.

**Apfelsaft** → Fruchtsaft.

**Apfelscheibe,** Scheibe, Apfelspalte (*österr.*), Spalte (*österr.*); → Apfelsinenscheibe.

**Apfelschimmel** → Pferd.

**Apfelschorf** → Schlauchpilz.

**Apfelsine** (*nordd.*), Orange (*südd.*), Pomeranze (*mundartl.*, *südd.*) · Navelorange · Saftorange · Blutorange, Blutapfelsine; → Mandarine, → Orangeat, → Pampelmuse, → Südfrucht, → Zitrone.

**apfelsinenfarben** → orange.

**Apfelsinenschale:** kandierte A. → Orangeat.

**Apfelsinenscheibe,** Scheibe, Orangenspalte (*österr.*), Spalte (*österr.*); → Apfelscheibe.

**Apfelspalte** → Apfelscheibe.

**Apfelstrudel** → Gebäck.

**Apfelwickler** → Schmetterling.

**Aphasie,** [zentrale] Sprachstörung · Aphemie, Dysphasie, Sprechstörung, Dysphrasie, Sprachhemmungen · *mit Wortvertauschungen beim Sprechen:* Paraphasie, Paraphrasie, Wortbildungsstörung · *mit Schwierigkeiten bei der Objektbenennung:* Anomie, Dysnomie, Paranomie · *mit Schwierigkeiten beim Lesen:* Dyslexie, Dysanagnosie, Lesestörung, Leseschwäche, Legasthenie, Paralexie, Alexie, Buchstabenblindheit, Schriftblindheit, Wortblindheit · *mit Schwierigkeiten beim Schreiben:* Agraphie, Paragraphie, Schreibschwäche · *mit Schwierigkeiten bei der Satzbildung:* Agrammatismus, Aphrasie, Paragrammatismus · *mit Vergessen und Verdrehen von Wörtern:* Logasthenie · *mit Störungen in der Verständigung durch Zeichen und Gebärden:* Asemie, Amimie, Dysmimie, Asymbolie, Apraxie · *mit Störungen des Rechenvermögens:* Akalkulie, Rechenstörung.

**Aphemie** → Aphasie.

**Aphorismus** → Ausspruch.

**aphoristisch** → kurz.

**Aphrasie** → Aphasie.

**Aphrodisiakum** → Aufputschmittel.

**Aphrodisie** → Geschlechtstrieb.

**Aphrodite** → Göttin.

**Aphthe** → Hautausschlag.

**Apo** → Widerstandsbewegung.

**APO** → Widerstandsbewegung.

**Apodemialgie** → Anankasmus.

**Apodie** → Gliedmaßenmißbildung.

**apodiktisch** → klar.

Apokalypse, Offenbarung Johannis / des Johannes; → Bibel.
Apokoinu → Konstruktion.
apokryph → unecht.
Apokryph: -en → Bibel.
Apoll → Gott.
Apollo: → Gott, → Schmetterling.
Apollofalter → Schmetterling.
Apologetik → Theologie.
Apophthegma → Ausspruch.
Apoplexie → Schlaganfall.
Aporinosis → Avitaminose.
Apostasie → Untreue.
Apostat → Abtrünniger.
¹Apostel, Jünger [Jesu] · [Simon] Petrus, Andreas, Jakobus der Ältere, Johannes, Philippus, Bartholomäus, Thomas, Matthäus, Jakobus der Jüngere, Judas Thaddäus, Simon, Judas [Ischariot], Matthias; → Evangelist.
²Apostel → Abgesandter.
Apostroph → Auslassungszeichen.
apostrophieren: a. als → bezeichnen (als).
Apotheker, Pharmazeut, Arzneikundiger, Pillendreher (scherzh.) · Provisor (veraltet); → Medikament, → Pharmazeutik.
Apothekerskink → Eidechse.
Apothekerwaage → Waage.
Apotheose: → Bild, → Verherrlichung.
¹Apparat, Maschine, Gerät, Apparatur, Vorrichtung, Maschinerie · mit Lautstärkereglern und Meßinstrumenten für Einzel- oder Zusammenschaltungen verschiedener Mikrofone, Bandgeräte o.ä.: Mischpult; → Computer, → Gerätschaft, → Motor, → Rüstzeug.
²Apparat: → Bücherbestand, → Exemplar, → Fernsprecher, → Penis, → Radio, → Telefonanschluß; [fotografischer / photographischer] A. → Fotoapparat; am A. sein → Fernsprecher.
Apparatschik → Beauftragter.
Apparatur → Apparat.
Appartement → Wohnung.
Appartementhaus → Haus.
Äppelkahn: → Schiff, → Schuh.
¹Appell, Antreten, Weckruf, Hauptverlesen (schweiz.), Stubenappell, Zimmerverlesen

(schweiz.); → Militär; → strammstehen.
²Appell → Aufruf.
appellieren: a. an → berufen (sich auf).
Appendix → Darm.
Apperzeption → Wahrnehmung.
apperzipieren → erkennen.
Appetenz → Leidenschaft.
Appetenzverhalten → Verhaltensweise.
¹Appetit, Eßlust, Freßlust, Gusto (veraltend, österr.); → Gefräßigkeit,→ Hunger; A.haben, jmdm. läuft das Wasser im Munde zusammen; → eßlustig.
²Appetit: jmdm. ist der A. vergangen → bereit; einen gesegneten A. haben → eßlustig [sein].
¹appetitlich, lecker, fein, delikat, köstlich, deliziös, schnuddelig (berlin.), schnuckelig (berlin.), gustiös (österr.); → auserwählt, → kostbar, → knusprig, → schmackhaft; → Leckerbissen.
²appetitlich → adrett.
applaudieren, klatschen, Beifall spenden / zollen, beklatschen, mit Beifall überschütten, da capo / bravo rufen, akklamieren, paschen (bayr., österr.); → Beifall.
Applaus → Beifall.
Applikation → Verabreichung.
Applizierung → Verabreichung.
Appoint → Wechsel.
Apportierhunde→Hunderassen.
appretieren, stärken, imprägnieren, ausrüsten, zurüsten; → Appretur, → Stärke.
Appretur, Imprägnierung, Ausrüstung, Zurüstung; → Stärke; → appretieren.
Approbation → Imprimatur.
approximativ → einigermaßen.
Apraxie → Aphasie.
Aprikose, Marille (österr.), Barelle (schweiz.),Barille (schweiz.); → Obst.
aprikosenfarben → orange.
Aprikosenkern → Kern.
¹April, Ostermond, Wandelmonat; → Monat, → Zeitraum.
²April: in den A. schicken → anführen.
Aprilschauer → Niederschlag.
Aprilwetter → Wetter.
apropos → nebenbei.
Aprosdokese → Formelbruch.

Apus → Gliedmaßenmißbildung.
Aquadest → Wasser.
Aqua destillata → Wasser.
Aquamarin → Schmuckstein.
Aquaplaning → Fahrverhalten.
Aquarell → Malerei.
aquarellieren → malen.
Aquarellmalerei → Maltechnik.
Aquarium → Vivarium.
Aquatinta → Graphik.
Äquativ: → Kasus, → Vergleichsstufe.
Aquavit → Alkohol.
Äquinoktium → Tagundnachtgleiche.
äquipollent →übereinstimmend.
äquivalent → gleichwertig.
Äquivalent → Ersatz.
äquivok → mehrdeutig.
Äquivokation → Mehrdeutigkeit.
Ar → Flächenmaß.
Ara → Vogel.
Ära → Zeitraum.
Araber → Pferd.
arabisch: -e Zahl → Zahl.
Arachnitis → Gehirnhautentzündung.
Arachnoidea → Meninx.
Arachnoiditis → Gehirnhautentzündung.
Arancini → Orangeat.
Aranzini → Orangeat.
Arapaho → Indianer.
Ärar → Staatskasse.
Arazzo → Wandteppich.
¹Arbeit, Tätigkeit, Beschäftigung, Betätigung, Wirksamkeit, Fron, Fabrikarbeit, Akkordarbeit, Büroarbeit, Heimarbeit, Halbtagsarbeit, Hausarbeit · einer Gruppe: Zusammenarbeit, Gruppenarbeit, Gemeinschaftsarbeit, Koproduktion, Teamwork, Kollektivarbeit · freiwillige unbezahlte für Gemeinde, Nachbarn usw.: Frondienst (schweiz.), Fronarbeit (schweiz.), Robot (bes. österr.) · dringende: Postarbeit (österr.); → Anstrengung, → Aufgabe, → Beruf, → Last, → Liebhaberei, → Mitarbeit, → Überstunden, → Zwangsarbeit; streiken; → arbeitslos.
²Arbeit → Anstrengung, Klassenarbeit, → Werk; langwierige / umständliche -en → Umstände; viel A. haben → arbeiten; ganze A. leisten →

tun; ohne A. → arbeitslos; von der A. [nach Hause] kommen → Feierabend [haben].

¹**arbeiten,** tätig sein, werken, werkeln, sich zu schaffen machen, herumpusseln (ugs.), pusseln (ugs.), wirken, hantieren, sich beschäftigen / betätigen / regen / rühren, fleißig sein, tun, schaffen (landsch.), ausüben, betreiben, treiben, [einer Beschäftigung] nachgehen · bis spät in die Nacht: die Nacht zum Tage machen · unaufhörlich: in der Tretmühle sein (ugs.), den ganzen Tag eingespannt sein · länger: Überstunden machen · schwer: sich Schwielen / Blasen an die Hände arbeiten, barabern (österr.) · im Stücklohn: im Akkord arbeiten; → anstrengen (sich) · langsam, wenig → faulenzen · unsorgfältig → pfuschen · gegen geringe Bezahlung: für ein Butterbrot arbeiten; → agieren, → anfertigen, → befassen (sich mit), → funktionieren, → verwirklichen; **viel zu a. haben,** viel Arbeit haben, alle Hände voll zu tun haben, keine Zeit haben für etwas, nicht zu etwas kommen; nicht wissen, wo einem der Kopf steht; den Kopf voll / (ugs.) viel um die Ohren haben, viel auf dem / am Hals haben; **nicht a.,** blaumachen, feiern, krankfeiern, seine Grippe nehmen (ugs., scherzh.); → faulenzen; → fleißig, → vollbeschäftigt; → Wirkungsbereich.

²**arbeiten:** → anfertigen; etwas arbeitet → funktionieren; als Kellner a. → kellnern; als Schauspieler a. → schauspielern; a. [an] → anfertigen; an der Doktorarbeit / Dissertation a. → dissertieren; aus dem Rohen a. → behauen; in die eigene Tasche a. → bereichern (sich).

¹**Arbeiter,** Facharbeiter, angelernter Arbeiter · Hilfsarbeiter, ungelernter Arbeiter, Fabrikarbeiter, Fabriksarbeiter (österr.), Schwerarbeiter, Baraber (österr.) · der zu seinem Arbeitsplatz fahren muß: Pendler (ugs.); → Arbeitnehmer, → Berufsstand.

²**Arbeiter** → Arbeitnehmer.

**Arbeiterdenkmal:** ein A. machen → faulenzen.
**Arbeiterdichtung** → Dichtung.
**Arbeiterforelle** → Hering.
¹**Arbeiterin,** Facharbeiterin, Hilfsarbeiterin, Fabrikarbeiterin, Fabrikmädchen (veraltend, abwertend); → Arbeiter.
²**Arbeiterin** → Biene.
**Arbeiterschaft** → Personal.
**Arbeiterzug** → Eisenbahnzug.
¹**Arbeitgeber,** Lohnherr (veraltet), Dienstherr, Dienstgeber (österr.), Brotherr, Brötchengeber (ugs.); → Anführer, → Beauftragter, → Befehlshaber, → Führungskraft, → Leiter, → Oberhaupt, → Sozialpartner, → Stellvertreter, → Vorstand; → vorstehen · Ggs. → Arbeitnehmer.
²**Arbeitgeber** → Sozialpartner.
**Arbeitgeberhut** → Kopfbedeckung.
¹**Arbeitnehmer,** Lohnabhängiger, Untergebener, Arbeiter, Saisonarbeiter, Proletarier, Prolet (abwertend), Dienstnehmer (österr.), Angestellter, Stehkragenprolet (abwertend), Stehkragenproletarier (abwertend), Betriebsangehöriger, Bediensteter, Beamter; → Arbeiter, → Arbeitnehmervertretung → Arbeitstier, → Beamtenlaufbahn, → Berufsstand, → Diener, → Gastarbeiter, → Gehaltsstufe, → Handelsgehilfe, → Kollege, → Lehrling, → Lohnkampf, → Personal, → Sozialpartner, → Streik · Ggs. → Arbeitgeber.
²**Arbeitnehmer:** → Sozialpartner; ausländischer A. → Gastarbeiter.
**Arbeitnehmerorganisation** → Arbeitnehmervertretung.
**Arbeitnehmerverband** → Arbeitnehmervertretung.
**Arbeitnehmervertretung,** Arbeitnehmerorganisation, Arbeitnehmerverband, Gewerkschaft · innerhalb eines Betriebes: Betriebsrat; → Arbeitnehmer, → Gehaltsstufe, → Lohn, → Mitbestimmung.
**arbeitsam** → fleißig.
**Arbeitsanzug** → Anzug.
**Arbeitsbereich** → Beruf.
**Arbeitseifer,** Arbeitsfreude, Arbeitslust, Arbeitswille, Emsigkeit, Tatenlust, Tatendurst, Tatendrang, Schaffenslust; →

Fleiß; **A. zeigen,** mit Lust und Liebe dabeisein.
**arbeitserleichternd,** arbeitssparend · pflegeleicht · bügelfrei.
**Arbeitsethos** → Pflichtbewußtsein.
**Arbeitsfeld** → Beruf.
**arbeitsfrei:** -er Tag → Ruhetag.
**Arbeitsfreude** → Arbeitseifer.
**Arbeitsgebiet** → Beruf.
**Arbeitsgemeinschaft** → Arbeitskreis.
**Arbeitsgericht** → Gericht.
**Arbeitsgruppe:** → Arbeitskreis, → Team.
**Arbeitshaus** → Strafanstalt.
**Arbeitskalender** → Kalender.
**Arbeitskamerad** → Kollege.
**Arbeitskampf** → Lohnkampf.
**Arbeitskleid** → Kleid.
**Arbeitskleidung** → Kleidung.
**Arbeitskollege** → Kollege.
**Arbeitskreis,** Arbeitsgruppe, Arbeitsgemeinschaft, Projektgruppe · links orientierter, politisch aktiver (von Studenten), der auf einem bestimmten Gebiet progressive Ideen durchzusetzen versucht: Basisgruppe, rote Zelle.
**Arbeitslager** → Gefangenenlager.
**Arbeitslast** → Last.
**Arbeitslohn** → Lohn.
**arbeitslos,** ohne Arbeit, erwerbslos, beschäftigungslos, unbeschäftigt, ohne Beschäftigung, stellenlos, stellungslos, ohne Anstellung, brotlos; **a. sein,** stempeln gehen (ugs.), Arbeitslosenunterstützung beziehen; → entlassen, → pensionieren; → Arbeit, → Beruf.
**Arbeitslosenunterstützung:** A. beziehen → arbeitslos [sein].
**Arbeitslosenversicherung** → Versicherung.
**Arbeitslust** → Arbeitseifer.
**Arbeitsmoral:** mangelnde A. → Faulheit; keine A. haben → faulenzen.
**Arbeitsniederlegung** → Streik.
**Arbeitspferd** → Pferd.
**Arbeitspsychologie** → Psychologie.
**Arbeitsraum** → Werkstatt.
**Arbeitsrecht** → Rechtsgebiet.
**arbeitsscheu** → faul.
**Arbeitsscheu** → Faulheit.
**arbeitssparend** → arbeitserleichternd.

Arbeitstag → Werktag.
Arbeitsteilung → Mitarbeit.
Arbeitstier, Roboter, Kuli, Kärrner, Packesel; → Arbeitnehmer.
Arbeitstisch → Tisch.
Arbeitsüberlastung → Überanstrengung.
arbeitsunfähig → krank.
Arbeitsweise → Verfahren.
Arbeitswille → Arbeitseifer.
arbeitswillig → fleißig.
Arbeitswilliger → Streikbrecher.
arbiträr, unmotiviert, willkürlich; → eigenmächtig.
Archaikum → Erdzeitalter.
archaisch → altmodisch.
Archäologe, Altertumswissenschaftler, Altertumskundler, Altertumsforscher; → Archäologie, → Bodenfund.
Archäologie, Altertumswissenschaft, Altertumskunde, Altertumsforschung; → Archäologe, → Bodenfund, → Wissenschaft.
archäologisch: -er Fund → Bodenfund.
Archetyp → Muster.
Architekt, Baumeister, Baukünstler, Erbauer; → Baukunst, → Künstler.
Architektonik → Baukunst.
Architektur → Baukunst.
Archiv, Dokumentensammlung, Urkundensammlung · Rundfunkarchiv · Filmarchiv, Filmothek, Kinemathek, Cinemathek; → Bibliothek, → Dokumentensammlung.
archivieren → buchen.
Archivknoten → Knoten.
Ardabil → Orientteppich.
Ardennenschinken → Schinken.
Areal → Gebiet.
Ares → Gott.
arg: → schlimm, → sehr; etwas liegt im -en → vernachlässigen (etwas).
Arg: ohne A. → arglos.
Argentan → Spitzenstickerei.
Argentella → Spitzenstickerei.
argentinisch: -er Peso → Zahlungsmittel.
¹Ärger, Zorn, Wut, Rage (ugs.), Täubi (schweiz.), Grimm, Ingrimm, Jähzorn, Raserei, Furor; → Einspruch, → Erregung, → Laune, → Launenhaftigkeit, → Raserei, → Streit,

→ Unannehmlichkeiten, → Unzufriedenheit, → Verstimmung, → Wutanfall; → anstoßen (bei jmdm.).
²Ärger: → Unannehmlichkeiten; das gibt Ä. → Unannehmlichkeiten [bekommen]; seinen Ä. runterschlucken → schweigen.
¹ärgerlich, böse, aufgebracht, verärgert, entrüstet, empört, peinlich / unangenehm berührt, unwillig, ungehalten, unwirsch, fünsch (niederd.), indigniert, erbost, erzürnt, erbittert, zornig, fuchtig (ugs.), wütend, rabiat, wutentbrannt, wutschäumend, wutschnaubend (ugs.), fuchsteufelswild, zähneknirschend, grimmig, ingrimmig, tückisch (ugs.), mürrisch, verdrossen, bärbeißig, grämlich, verdrießlich, griesgrämig, hässig (schweiz.), mauserig (schweiz.), sauertöpfisch, brummig, mißmutig, mißvergnügt, mißgestimmt, mißlaunig, mißgelaunt, vergnatzt (ugs.), gnatzig (ugs.), vergrätzt (ugs.), gereizt, übellaunig, muffig, grantig, leid (schweiz.), maßleidig (südd.); → aufgelegt, → aufgeregt, → blindwütig, → geharnischt, → gekränkt, → launisch, → unerfreulich, → unzufrieden, → widerwillig; ä. werden, ungemütlich werden, krötig werden (ugs.), aufbrausen, die Beherrschung / Geduld verlieren, jmds. Geduld ist zu Ende, jmdm. reicht es / langt es (ugs.), jmdm. reißt der Geduldsfaden (ugs.), jetzt ist Schluß / ist der Ofen aus / ist der Bart ab! (ugs.), jetzt ist aber Sense! (salopp), in Harnisch geraten / kommen, in Fahrt / in Rage kommen (ugs.), wütend / (ugs.) wild werden, in Wut kommen / geraten, ergrimmen, Zustände kriegen (ugs.), jmdm. kommt der Kaffee hoch (salopp), aufdrehen (österr.), hochgehen (ugs.), in die Luft / an die Decke gehen (ugs.), explodieren (ugs.), vor Wut bersten / (ugs.) platzen / (ugs.) aus der Haut fahren, jmdm. platzt der Kragen (salopp), jmdm. läuft die Galle über (ugs.); → aufbe-

gehren; ä. sein, jmdm. ist eine Laus über die Leber gelaufen, jmd. ist mit dem linken Fuß aufgestanden, das Barometer steht auf Sturm, auf jmdn. einen Rochus haben (ugs.), zürnen, sich alterieren / aufregen / erregen / enragieren, ich könnte mir vor Wut in den Hintern beißen (salopp), sich schwarz ärgern, sich fuchsen / giften (ugs.), sich etwas antun (österr.), rotsehen (ugs.), geladen / sauer sein (salopp), der fehlt mir noch zu meinem Glück / in meiner Raupensammlung! (ugs.), das / der hat mir [gerade] noch gefehlt! (ugs.), auf jmdn. böse / nicht gut zu sprechen sein, jmdm. böse / (ugs., bayr., österr.) harb sein, wüten, toben, rasen, sich entladen, den wilden Mann spielen · über jede Kleinigkeit: jmdn. stört / ärgert die Fliege an der Wand; jmdn. ä. machen, in Rage bringen (ugs.); → anstoßen (bei jmdm.), → grollen, → kränken, → lärmen, → schockieren; → Griesgram, → Stimmung, → Überraschung, → Unannehmlichkeiten.
²ärgerlich → unerfreulich.
¹ärgern (jmdn.), verärgern, aufbringen, hochbringen (salopp), reizen, wütend / rasend machen, in Harnisch / Wut bringen, ertäuben (schweiz.), jmdm. das Blut in Wallung bringen, Unfrieden stiften, böses Blut machen, jmdn. bis aufs Blut peinigen / quälen / reizen, auf die Palme bringen (salopp), zur Weißglut bringen, jmdm. die Freude verderben / die Lust nehmen, etwas erbost / erzürnt / empört / erbittert / verdrießt / ärgert / kränkt / verstimmt / verwundet / bekümmert / deprimiert / betrübt / (ugs.) fuchst / (ugs.) wurmt / bedrückt / bedrängt / belästigt jmdn., jmdm. auf die Nerven / (salopp) auf den Wecker fallen (oder:) gehen, jmdm. den letzten Nerv rauben / töten (ugs.), auf jmds. Nerven herumtrampeln, etwas wird jmdm. zuviel, eine Landplage sein, lästig sein, ein rotes Tuch für jmdn. sein, wie ein rotes Tuch auf jmdn. wirken; → Angst [haben], →

Arm

sorgen (sich); **sich nicht über etwas ä.**, sich nichts aus etwas machen.

²**ärgern:** → aufziehen; sich ä. → ärgerlich [sein]; Mensch, ärgere dich nicht → Würfelspiel; jmdn. ärgert die Fliege an der Wand → ärgerlich [sein].

**Ärgernis** → Ereignis.

**Arglist,** Verrat, Falschheit, Unaufrichtigkeit, Hinterhältigkeit, Hinterfotzigkeit (*derb*), Schliche, List, Tücke, Malice, Heimtücke, Hinterlist, Überlistung, Winkelzug, Intrige, Ränke, Ränkespiel, Fallstrick, Fußangel, Doppelspiel, Kabale; → Abneigung, → Absicht, → Ausflucht, → Betrug, → Bosheit, → Hintergedanke, → Hinterhalt, → Lüge, → Trick, → Untreue, → Verschwörung; → unaufrichtig· Ggs. → Treue; → arglos.

**arglistig** → unaufrichtig.

**arglos,** ohne Arg / Argwohn / Falsch, harmlos, leichtgläubig, einfältig, treuherzig, naiv; → aufrichtig, → dumm, → ehrenhaft, → einfach, → friedfertig, → gutgläubig, → harmlos, → unbesorgt, → ungefährlich, → unrealistisch; **etwas a. tun,** etwas in gutem Glauben (*schweiz.*) / in gutem Treuen tun; → Arglosigkeit · Ggs. → Arglist.

**Arglosigkeit,** Gutgläubigkeit, Vertrauensseligkeit, Leichtgläubigkeit, Gläubigkeit, Harmlosigkeit, Einfältigkeit, Einfalt, Treuherzigkeit, Naivität, Kinderglaube, Kritiklosigkeit; → Ahnungslosigkeit, → Güte, → Rechtschaffenheit, → Schlichtheit, → Unkenntnis; → arglos, → gutgläubig.

**Argon:** → Edelgas, → Gas.

**Argot** → Ausdrucksweise.

¹**Argument,** Grund, Erklärung, Begründung, Argumentation, Argumentierung (*bes. schweiz.*), Beweisführung, Beweisgrund; → Anlaß, → Gesichtspunkt, → Hinderungsgrund, → Hinweis, → Nachweis; → unsachlich.

²**Argument:** -e vorbringen → begründen.

**Argumentation** → Argument.

**argumentieren** → begründen.

**Argumentierung** → Argument.

**Argusaugen:** mit A. → argwöhnisch.

**Argwohn:** → Verdacht; A.fassen / schöpfen → argwöhnisch [werden]; A. haben / hegen → argwöhnisch [sein]; ohne A. → arglos.

**argwöhnen** → argwöhnisch [sein].

**argwöhnisch,** mißtrauisch, mit Argusaugen, skeptisch, kritisch, ungläubig; → ängstlich, → behutsam; **a. sein,** argwöhnen, beargwöhnen, Argwohn (oder:) Verdacht hegen / haben, mißtrauen, dem Frieden nicht trauen (*ugs.*), jmdm. nicht über den Weg trauen (*ugs.*), etwas kommt jmdm. spanisch vor (*ugs.*), ein ungläubiger Thomas sein; **a. werden,** stutzen (*ugs.*), stutzig werden (*ugs.*), Argwohn (oder:) Verdacht fassen / schöpfen; → befremden, → verdächtigen; → Verdacht.

**Argyriasis** → Vergiftung.

**Argyrie** → Vergiftung.

**Argyrismus** → Vergiftung.

**Ari** → Waffengattung.

**Arianismus** → Ketzerei.

**Ariboflavinose,** Vitamin-B₂-Mangel-Krankheit, Vitamin-B₂-Avitaminose, Avitaminose B₂, Alaktoflavinose; → Avitaminose.

**arid** → unfruchtbar.

**Aridität** → Kargheit.

**Arie** → Lied.

**Arioso** → Lied.

**Aristokrat** → Adliger.

**Aristokratenfamilie** → Adelsgeschlecht.

**Aristokratengeschlecht** → Adelsgeschlecht.

¹**Aristokratie,** Adel, Adelsstand, Fürstenstand, Adelskaste, Geburtsadel, Geburtsaristokratie, Erbadel, alter Adel, Hochadel, Hocharistokratie, hoher Adel, Feudaladel, Feudalaristokratie, Landadel, Landaristokratie, Hofadel, Hofaristokratie, niederer / niedriger Adel, Beamtenadel, Bürgeradel, Stadtadel, Neuadel, Briefadel, Verdienstadel, Diensadel, Reichsadel (*hist.*), Lehensadel (*hist.*); → Adelsbrief, → Adelsgeschlecht, → Adelstitel, → Adliger; → adlig.

²**Aristokratie** → Herrschaft.

**Aristokratin** → Adlige.

**aristokratisch** → adlig.

**Arithmetik** → Mathematik.

**Arithmomanie** → Anankasmus.

**Arkade** → Bogen.

**Arkadien** → Fabelland.

**arkadisch:** -e Poesie → Dichtung.

**arktisch:** -es Eis → Polareis; Arktischer Ozean → Weltmeer.

**Arlecchino** → Spaßmacher.

¹**arm,** mittellos, unbemittelt, unvermögend, notleidend, notig (*südd., österr.*), verarmt, bedürftig, bettelarm, notig → reich; → einkommensschwach, →hinfällig, → karg, → machtlos; **a. sein,** arm wie eine Kirchenmaus sein, kein Geld haben, schwach auf der Brust sein, Geldsorgen haben, in Geldverlegenheit sein, in finanziellen Schwierigkeiten sein, knapp bei Kasse sein (*ugs.*), von der Hand in den Mund leben, jmdm. fehlt es am Notwendigsten; **a. werden,** verarmen, an den Bettelstab kommen; → ausbeuten, → behelfen (sich), → Hunger [leiden], → leben; → Armer, → Armut, → Not.

²**arm:** ärmer → einkommensschwach; -er Irrer → Dummkopf; ach, du -er Körper! → überrascht [sein]; -er Schlucker/ Teufel → Armer; a. machen → ausbeuten; a. und reich → alle.

**Arm:** → Gliedmaße; einen langen A. haben → mächtig [sein]; die -e verwerfen, mit den -en fuchteln → gestikulieren; jmdn. am steifen A. verhungern lassen → unzugänglich [sein]; auf den A. nehmen → aufziehen; A. in A., per A. → untergehakt; jmdm. in den A. fallen → verhindern; A. in A. / per A. gehen → unterhaken; jmdm. in die -e laufen → finden; jmdm. in die -e sinken → umfassen; mit offenen -en aufgenommen werden → willkommen [sein]; mit verschränkten -en zusehen / dabeistehen → faulenzen; über / unter den A. genommen haben, sich etwas unter den A. geklemmt haben → tragen; unter die -e greifen → helfen; die Beine unter den A. nehmen → fortbewegen (sich).

61

-arm → ohne.
Armbanduhr → Uhr.
Armbrust → Schußwaffe.
Armee: → Heeresverband, →
Militär; bei der A. sein →
Soldat [sein]; zur A. gehen →
Soldat [werden].
Armeekorps → Heeresverband.
Ärmel: etwas aus dem Ä.
schütteln → mühelos.
Ärmelbrett → Bügelbrett.
Ärmelkusine → Geliebte.
Ärmelplättbrett → Bügelbrett.
Armenanwalt → Jurist.
Armenbibel → Bibel.
Armenpflege → Sozialhilfe.
Armenrechtszeugnis → Armuts-
zeugnis.
Armenverteidiger → Jurist.
Armenviertel, Elendsviertel,
Slums · am Rand nordafrika-
nischer Städte: Bidonville.
Armer, Mittelloser, Habenichts,
Bettler, Clochard, Klinkenput-
zer (abwertend), Schnorrer (sa-
lopp, abwertend), Schnörri
(schweiz.), Hungerleider, armer
Schlucker / Teufel, Besitzloser;
→ Mann, → Vagabund; →
arm.
Armgelenk → Gelenk.
Armleuchter: → Dummkopf, →
Kerzenleuchter.
Armleuchteralge → Alge.
ärmlich → karg.
armselig → karg.
Armstuhl → Stuhl.
Armut, Mittellosigkeit, Bedürf-
tigkeit, Dürftigkeit, Kärglich-
keit, Spärlichkeit, Knappheit,
Verknappung, Geldmangel,
Geldnot, Mangel, Armutei
(schwäb.), Elend, Verelendung,
Verarmung; → Bescheidenheit,
→ Not; → arm.
Armutei → Armut.
¹Armutszeugnis, Armenrechts-
zeugnis (österr.), Mittellosig-
keitszeugnis.
²Armutszeugnis: sich ein A.
ausstellen → bloßstellen
(sich).
Arom: → Geruch, → Ge-
schmack.
Aroma: → Geruch, → Ge-
schmack, → Gewürz; ohne A.
→ ungewürzt.
Arpeggio → Akkord.
Arrak → Alkohol.
Arrangement → Abmachung.
Arrangeur → Komponist.

arrangieren → bewerkstelligen,
→ veranstalten, → vertonen,
→ verwirklichen; sich a. →
übereinkommen.
Arrangierung: → Abhaltung, →
Bewerkstelligung.
Arrektor → Muskel.
Arrest: → Freiheitsentzug; A.
schieben → abbüßen; in A.
bringen / stecken → verhaften;
in A. halten → festsetzen.
Arrestant → Gefangener.
Arrestantenwagen → Gefängniswagen.
Arrestlokal → Strafanstalt.
arretieren → verhaften.
Arretierung → Verhaftung.
Arrival: → Ankunft, → Landung.
arrivederci → Gruß.
arrivieren → avancieren.
arrogant, dünkelhaft, eingebildet (abwertend), stolz, selbstbewußt, selbstsicher, selbstüberzeugt, selbstüberzogen (ugs., abwertend), wichtigtuerisch (abwertend), aufgeblasen (abwertend), selbstgefällig (abwertend),
überheblich, hybrid, anmaßend, präpotent (österr.), süffisant, hochmütig, hoffärtig,
hochfahrend, blasiert (abwertend), herablassend, gnädig, snobistisch, spleenig, hochnäsig
(ugs.); → aufdringlich, → eitel,
→ protzig, → selbstbezogen,
→ selbstsüchtig; a. sein, die
Nase hoch tragen, einen Dünkel haben, jmdm. schwillt der
Kamm, auf dem hohen Roß
sitzen; a. werden, etwas steigt
jmdm. zu Kopf / (ugs.) in
die Krone; → überschätzen
(sich); → Standesbewußtsein,
→ Überheblichkeit.
Arroganz: → Frechheit, →
Überheblichkeit.
arrondieren → vervollständigen.
Arsch: → Gesäß; Himmel, A.
und Wolkenbruch / Zwirn!
→ verflucht; einen kalten A.
kriegen, den A. zukneifen →
sterben; jmdm. den A. aufreißen → schikanieren ; am A.
der Welt sein → abgelegen
[sein]; Pfeffer im A. haben →
lebhaft [sein]; jmdm. in den A.
kriechen → unterwürfig [sein].
Arschfick → Koitus.
Arschficker → Homosexueller.
Arschkriecher → Schmeichler.

Arschlecker → Schmeichler.
Arschloch → Dummkopf.
Arsenal → Warenlager.
Arsenik → Gift.
Arsenikalismus → Vergiftung.
Arsenikismus → Vergiftung.
Arsenismus → Vergiftung.
Arsenvergiftung → Vergiftung.
¹Art, Sorte, Couleur, Gattung,
Zweig, Kategorie, Marke,
Schlag, Genre, Spezies, Kaliber
(salopp, abwertend); → Ab-
kunft, → Exemplar, → Modell.
²Art: → Manier, → Rasse, →
Wesen; A. und Weise → Be-
schaffenheit, → Modalität; die
A. erhalten → fortpflanzen
(sich); auf diese A. → so; stets
auf dieselbe A. → schematisch;
aus der / in die A. schlagen →
ähneln; in der / nach A. von →
à la ...; von ähnlicher / gleicher
A. → gleichartig.
Art brut → Malerei.
Artemis → Göttin.
arten: nach jmdm. a. →
ähneln.
Arterhaltung → Fortpflanzung.
Arteriasis → Arterienerkrankung.
Arterie → Ader.
Arterienblutung → Blutung.
Arterienentzündung → Arterienerkrankung.
Arterienerkrankung, Arteriopathie ·· infolge Stoffwechselstörun-
gen: Arteriose, Arteriosklerose,
Arteriasis, Arterienverkalkung,
Atherosklerose, Atheromatose ·
im Bereich der Arteriolen: Arteriolosklerose ·· entzündliche:
Arteri[i]tis, Arterienentzündung, Schlagaderentzündung ·
im Bereich der Arteriolen: Arteriolitis, Arteriolenentzündung ·
im Bereich der Gefäßinnenwand:
Endarteri[i]tis · im Bereich der
mittleren Gefäßwandschicht:
Mesarteri[i]tis · im Bereich der
äußeren Gefäßwandschicht: Peri-
arteri[i]tis; → Ader, → Embolie, → Gefäßverstopfung, →
Venenentzündung.
Arterienverkalkung → Arterienerkrankung.
Arteriitis → Arterienerkrankung.
Arteriogramm → Röntgeno-
gramm.
Arteriographie → Röntgenographie.

Arzt

Arteriolenentzündung → Arterienerkrankung.
Arteriolitis → Arterienerkrankung.
Arteriolosklerose → Arterienerkrankung.
Arteriopathie → Arterienerkrankung.
Arteriorrhagie → Blutung.
Arteriose → Arterienerkrankung.
Arteriosklerose → Arterienerkrankung.
Arteritis → Arterienerkrankung.
Arthritis, Arthrose, Gicht, Rheumatismus, Rheuma, Ischias, Gutta (veraltet), Reißen (ugs.), Zipperlein (ugs., scherzh.), Gelenkrheumatismus, Gelenksrheumatismus (österr.), Gelenkgicht, Gelenksgicht (österr.) · Fußgicht, Podagra · Kniegicht, Kniegelenkrheumatismus, Gonagra · Handgicht, Fingergicht, Chiragra · Schultergicht, Omagra; → Bandscheibenschaden.
Arthrogramm → Röntgenogramm.
Arthrographie → Röntgenographie.
Arthrose → Arthritis.
¹artig, brav, folgsam, fügsam, gehorsam, lieb, manierlich, gesittet, wohlerzogen, nicht → frech; → anständig, → bereit, → folgsam, → bescheiden, → zahm; → gehorchen; → Gehorsam · Ggs. → unzugänglich.
²artig: → ansehnlich, → höflich.
Artigkeit: → Höflichkeit, → Kompliment.
Artikel: → Abschnitt, → Aufsatz, → Ware, → Wortart.
Artikulation, Artikulierung, Aussprache; → Tonfall; → artikulieren; → verständlich.
¹artikulieren, aussprechen, Laute erzeugen; → Artikulation, → Tonfall.
²artikulieren: → formulieren, → mitteilen.
artikuliert → verständlich.
Artikulierung → Artikulation.
Artillerie → Waffengattung.
Artillerist → Soldat.
Artischocke → Gemüse.
Artist, Zirkusartist, Zirkuskünstler, Gaukler (dichter.), Va-

rietékünstler, Jahrmarktskünstler · Akrobat, Zirkusakrobat, Bodenakrobat, Kaskadeur, Athlet, Schlangenmensch· Geschicklichkeitskünstler, Messerwerfer, Jongleur, Balancekünstler·Seilkünstler, Seiltänzer, Hochseilartist, Hochseilakrobat, Trapezkünstler · Kunstfahrer, Todesfahrer, Steilwandfahrer · Dompteur, Dresseur, Tierbändiger · Schwertschlucker, Degenschlucker, Feuerschlucker, Feuerfresser, Fakir · Clown, dummer August, Imitator, Tierstimmenimitator, Bauchredner, Mimiker, Pantomime, Verwandlungskünstler · Illusionist, Zauberkünstler, Zauberer, Schwarzkünstler, Taschenspieler, Eskamoteur, Kartenkünstler, Magier, Gedankenleser, Wahrsager, Hellseher; → Double, → Jahrmarkt, → Schausteller, → Spaßmacher, → Wahrsager, → Zauberer, → Zirkus.
Artistik → Schwerathletik.
Art nouveau → Jugendstil.
Artung → Veranlagung.
Aruak → Indianer.
Arve → Nadelhölzer.
Arznei → Medikament.
Arzneikundiger → Apotheker.
Arzneimittel → Medikament.
Arzneimittelkunde → Pharmazeutik.
Arzneischrank → Schrank.
¹Arzt, Ärztin, Humanmediziner, Doktor, Hausarzt, Landarzt, praktischer Arzt (veraltend), Praktiker, Arzt für Allgemeinmedizin, Mediziner, Männer in Weiß, Therapeut, Facharzt, Spezialarzt, Kassenarzt, Spezialist, Modearzt, Wunderdoktor, Wunderarzt, Medikus (scherzh.), Heilkundiger, Medizinmann (scherzh.), Kurpfuscher (abwertend), Medikaster (abwertend), Quacksalber (abwertend), Physikus (veraltet), Bader (hist.) · noch in der Ausbildung befindlicher: Medizinalpraktikant, Famulus, Assistenzarzt · eines Krankenhauses: Krankenhausarzt, Stationsarzt, Kliniker, Oberarzt, Chefarzt, Primararzt (österr.), Primar (österr.), Primarius (österr.) · allopathisch behan-

delnder: Allopath, Schulmediziner · in einem Kurbad praktizierender: Kurarzt, Badearzt · homöopathisch behandelnder: Homöopath, Naturheilkundiger · ohne akademische Ausbildung: Heilpraktiker · mit Augendiagnose arbeitender: Augendiagnostiker · beim Militär: Militärarzt, Truppenarzt, Stabsarzt, Oberstabsarzt, Flotillenarzt, Oberfeldarzt, Flottenarzt, Oberstarzt, Admiralarzt, Generalarzt, Generalstabsarzt, Generaloberstabsarzt, Feldscherer (veraltet), Feldscher (veraltet) · in größeren Betrieben tätiger: Betriebsarzt, Werksarzt · vom Gesundheitsamt bestellter, der den Gesundheitszustand der Schüler überwacht: Schularzt · mit sportmedizinischer Ausbildung: Sportarzt, Sportmediziner · als Berater einer Krankenkasse: Vertrauensarzt · als Leiter eines Gesundheitsamts: Amtsarzt · für Notfälle: Bereitschaftsarzt, Notarzt, Unfallarzt · operierender: Chirurg, Wundarzt (veraltet), Operateur · für Augenkrankheiten: Augenarzt, Ophthalmologe · fürOhrenkrankheiten:Ohrenarzt, Otiater, Otologe · für Nasenkrankheiten: Rhinologe · für Kehlkopfleiden: Laryngologe · für Hals, Nase und Ohren: Hals-Nasen-Ohren-Arzt, HNO-Arzt, Otorhinolaryngologe · für innere Krankheiten: Facharzt für innere Krankheiten (veraltend), Internist · für Herzkrankheiten: Kardiologe, Herzspezialist · für Gefäßleiden: Angiologe · mit Spezialkenntnissen in bezug auf den Mastdarm: Proktologe · für Magen- und Darmkrankheiten: Gastroenterologe · für Leiden im Bereich des Zentralnervensystems: Neurologe, Nervenchirurg · für Lungenkrankheiten: Lungenarzt, Pulmologe, Pneumologe, Pneumonologe · für Leberkrankheiten: Leberspezialist, Hepatologe · für Nierenkrankheiten: Nephrologe · für Zuckerkrankheiten: Diabetologe · für Blutkrankheiten: Hämatologe · für Hautkrankheiten: Hautarzt, Dermatologe · in bezug auf Körpergewebe: Histo-

63

loge · *für Krankheiten der Harnorgane:* Urologe · *für Frauenkrankheiten, Geburtshilfe o.ä.:* Frauenarzt, Geburtshelfer, Gynäkologe, Muschelkieker (*salopp, berlin.*) · *für Männerkrankheiten:* Androloge · *mit Spezialisierung auf dem Gebiet der Sexualpathologie:* Sexologe · *für seelische, geistige u.a. Krankheiten:* Nervenarzt, Psychotherapeut, Neurologe, Psychiater, Anstaltsarzt, Irrenarzt (*ugs.*), Klapsdoktor (*ugs., scherzh.*), Seelenarzt (*scherzh.*) · *für Kinderkrankheiten:* Kinderarzt, Pädiater · *für Krankheiten Neugeborener:* Neonatologe · *für die Behandlung von Sprachstörungen:* Phoniater · *für Zahnbehandlung:* Zahnarzt, Dentist, Odontologe, Kieferchirurg, Zahnchirurg · *für Behandlung [von Fehlbildungen] der Bewegungsorgane:* Orthopäde · *für Röntgenologie und Strahlenheilkunde:* Röntgenologe, Röntgenarzt, Radiologe · *für altersbedingte Krankheiten:* Gerontologe · *für Geschlechtskrankheiten:* Venerologe · *für die Behandlung von Tumoren:* Onkologe, Karzinologe, Kanzerologe, Krebsarzt (*ugs.*) · *auf dem Gebiet der Anästhesie ausgebildeter:* Narkosefacharzt, Narkosearzt, Narkotiseur, Anästhesist, Anästhesiologe · *der für die Klärung von Rechtsfragen vom medizinischen Standpunkt aus tätig ist:* Gerichtsmediziner · *für Tierkrankheiten:* Tierarzt, Veterinär, Viehdoktor (*ugs.*); → Behandlung, → Diagnose, → Hebamme, → Heilkunde, → Krankenhaus, → Medikament, → Sprechstunde, → Sprechzimmer, → Veterinär; → gesund [machen].

²**Arzt:** von den Ärzten aufgegeben sein → unheilbar [krank sein].

**Ärztin** → Arzt.

**As:** → Fachmann, → Sportler.

**Asbestlunge** → Staublungenerkrankung.

**Asbestose** → Staublungenerkrankung.

**Asbeststaublunge** → Staublungenerkrankung.

**Ascenseur** → Aufzug.

**Aschanti:** → Neger, → Nudist.

**Aschantinuß** → Nuß.

**aschblond** → blond.

**Asche:** sich A. aufs Haupt streuen, sein Haupt mit A. bestreuen → bereuen; wie Phönix aus der A. steigen → wiedererstehen; in Schutt und A. legen → verbrennen.

**Äsche** → Fisch.

**Ascheimer** → Abfalleimer.

**Aschenbahn** → Sportfeld.

**Ascheneimer** → Abfalleimer.

**Aschenschimmel** → Pferd.

**Aschermittwoch:** → Fastnacht, → Kirchenjahr.

**aschfahl** → blaß.

**Aschfalb** → Pferd.

**aschgrau:** → blaß, → grau.

**Aschkuchen** → Napfkuchen.

**Aseität** → Gotteseigenschaften.

**Asemie** → Aphasie.

**äsen** → essen.

**aseptisch** → keimfrei.

**asiatisch:** -e Grippe → Grippe.

**Asien** → Kontinent.

**Askese** → Enthaltsamkeit.

**Asket,** Säulenheiliger, Stylit, Märtyrer, Martyrer, Geißler, Geißelbruder, Flagellant; → Einsiedler.

**asketisch** → enthaltsam.

**Äskulapschlange** → Schlange.

**Asomnie** → Schlaflosigkeit.

**asozial,** gemeinschaftsfeindlich, gemeinschaftsschädigend, unsozial; → selbstsüchtig · Ggs. → gemeinnützig, → menschlich.

**Asozialer** → Außenseiter.

**Aspekt:** → Gesichtspunkt; -e → Aussichten.

**Asphalt** → Straßenpflaster.

**Asphaltdachpappe** → Pappe.

**asphaltieren** → pflastern.

**Asphaltstraße** → Straße.

**Aspirant** → Anwärter.

**Aspiration** → Hoffnung.

**Aß** → Abszeß.

**Assekuranz** → Versicherung.

**Assembler:** → Dolmetscher, → Sprache.

**Assentierung** → Musterung.

**Assentkommission** → Musterungskommisson.

**Assertion** → Feststellung.

**Assessor:** → Anwärter, → Lehrer.

**Assiette:** → Teller, → Lage.

**Assignate** → Papiergeld.

**Assimilation** → Anpassung.

**assimilieren** → anpassen.

**Assimilierung** → Anpassung.

**Assistent** → Helfer.

**Assistentin:** medizinisch-technische A. → Sprechstundenhilfe.

**Assistenzarzt** → Arzt.

**assistieren** → helfen.

**Assonanz** → Reim.

**Assortiment** → Auswahl.

**Assoziation** → Gedankengang.

**assoziativ** → wechselseitig.

**assoziieren:** → verknüpfen; sich a. → verbünden (sich).

**assoziiert** → vereinigt, → zugehörig.

**Ast:** → Höcker, → Zweig; den A. absägen, auf dem man sitzt → schaden; einen A. haben → verwachsen [sein].

**asten** → anstrengen.

**Asteroid** → Himmelskörper.

**Asteronym** → Pseudonym.

**Astgabel,** Gabel, Astgabelung, Gabelung, Zwiesel (*landsch.*); → Zweig; → gabeln (sich).

**Astgabelung** → Astgabel.

**Astheniker** → Körperbautyp.

**asthenisch** → schlank.

**ästimieren** → achten.

**Astralwesen** → Gespenst.

**astrein:** → unverdächtig; nicht ganz a. → anrüchig; etwas ist nicht ganz a. → seltsam [sein].

**Astrologe** → Wahrsager.

**Astrologie,** Sterndeutung, → Aberglaube, → Astronomie, → Tierkreiszeichen, → Voraussage; → voraussehen.

**Astronaut** (*amerik.*), Weltraumfahrer, Raumfahrer, Kosmonaut (*russ.*), Lunaut (*schweiz.*), Selenonaut (*poln.*); → Weltall.

**Astronomie,** Sternkunde, Himmelskunde; → Astrologie.

**astronomisch:** -e Einheit → Längenmaß; das sind -e Preise → teuer [sein].

**Astwerk** → Zweig.

**Asyl:** → Heim, → Unterkunft, → Zuflucht.

**Asymbolie** → Aphasie.

**Aszendent** → Angehöriger.

**Ataraktium** → Beruhigungsmittel.

**Atelier** → Werkstatt.

**Atelierfenster** → Fenster.

**Atelierkamera** → Fotoapparat.

¹**Atem,** Luft, Puste (*ugs.*), Odem (*dichter.*); → Luft; **A. schöpfen,** Luft schöpfen/(*ugs.*) schnappen, wieder zu Atem kommen, ver-

pusten (ugs.), verschnaufen (landsch.), ausschnaufen (südd., österr.); → Wiederbelebung; → atmen.

²Atem: einen langen A. haben → beharrlich [sein]; A. holen → atmen; etwas verschlägt jmdm. den A. → überrascht [sein]; in A. halten → Spannung; mit verhaltenem A. → erwartungsvoll.

atemlos: in -er Spannung → erwartungsvoll.

Atemluft, Luft, Sauerstoff, Ozon.

Atempause: → Erholung, → Pause,

a tempo → schnell.

Atemwurzel → Wurzel.

Atemzug: bis zum letzten A. kämpfen → verteidigen (sich).

Athapaske → Indianer.

Atheismus, Gottesleugnung, Gottlosigkeit, Glaubenslosigkeit, Ungläubigkeit, Unglaube, Heidentum; → Atheist, → Deismus, → Rationalismus · Ggs. → Theismus.

Atheist, Gottesleugner, Ungläubiger, Heide; → Freidenker, → Ketzer.

atheistisch → ungläubig.

Athen: Eulen nach A. tragen → tun.

Athene → Göttin.

Äther → Luft.

Atheromatose → Arterienerkrankung.

Atherosklerose → Arterienerkrankung.

Ätherrausch → Betäubung.

Äthiopien → Nacktbadestrand.

Äthiopier → Nudist.

Athlet: → Artist, → Kraftmensch, → Olympiakämpfer, → Sportler.

Athletiker: → Körperbautyp, → Kraftmensch.

athletisch, muskulös, herkulisch, kraftstrotzend; → dick, → männlich, → plump, → sportlich, → stark; → Kraftmensch.

Athymie → Melancholie.

Ätiologie: → Entstehung, → Krankheitsentstehung.

ätiologisch → ursächlich.

Atlant → Säule.

¹Atlantik, Atlantischer Ozean · Nordatlantischer Ozean, Nordatlantik · Südatlantischer

Ozean, Südatlantik · seine Nebenmeere: Nordpolarmeer · Nordsee, der blanke Hans (dichter.) · Ostsee, Irische See, Mittelmeer; Hudsonbai, Sankt-Lorenz-Golf, Amerikanisches Mittelmeer; → Meer, → Weltmeer.

²Atlantik → Ozean.

atlantisch: Atlantischer Ozean → Atlantik.

Atlas, Handatlas, Autoatlas, Weltatlas, Geschichtsatlas, historischer Atlas; → Landkarte.

Atlasschimmel → Pferd.

Atlasseide → Seide.

atlasweiß → weiß.

¹atmen, Luft / Atem holen, frische Luft schnappen (ugs.), einatmen, ausatmen, schnaufen, schnauben, schnieben, keuchen, hecheln, japsen (ugs.), röcheln · um den Geruch von etwas festzustellen: riechen, wittern, schnuppern, schnobern, schnofeln (ugs., österr.), schnüffeln, schmecken (landsch.); → blasen, → inhalieren, → riechen, → stöhnen; → Atem, → Geruch, → Wiederbelebung.

²atmen: → leben, → tot; gesiebte Luft a. → abbüßen.

Atmosphäre: → Fluidum, → Luft, → Stimmung, → Umwelt.

atmungsaktiv → luftdurchlässig.

atmungsfreundlich → luftdurchlässig.

Atoll → Insel.

atomar: -e Waffen → Waffen.

Atombombe → Bombe.

Atombunker → Bunker.

Atombusen → Busen.

Atomkrieg → Krieg.

Atommine → Mine.

Atommüll → Müll.

Atomreaktor, Kernreaktor, Atommeiler, Atomofen.

Atom-U-Boot → Kriegsschiff.

Atomzeitalter, technisches Zeitalter, Massenzeitalter; → Belle Epoque, → Gegenwart, → Geschichtsepoche, → Gründerzeit, → Vergangenheit.

Atopie → Unzuträglichkeit.

Atrichie → Haarlosigkeit.

Atrichose → Haarlosigkeit.

Atriumbungalow → Haus.

Atrium dextrum → Herz.

Atrophie → Ernährungsstörung.

Atropos → Schicksalsgöttin.

ätsch: ä.! → Folge.

Attaché → Diplomat.

Attachement → Zuneigung.

attachiert: jmdm. a. sein → lieben.

Attacke: → Anfall, → Anfeindung, → Angriff.

¹attackieren, angreifen, kritisieren, mit jmdm. [scharf] ins Gericht gehen, jmdn. ins Kreuzverhör / auf die Hörner nehmen, ein schweres / grobes Geschütz auffahren (ugs.) · in einer Notsituation: die Flucht nach vorn[e] antreten · in beleidigender Weise: persönlich werden, nicht mehr sachlich bleiben; attackiert werden, ins Kreuzfeuer geraten, im Kreuzfeuer stehen; → beanstanden, → schelten.

²attackieren → schelten.

Attentat → Überfall.

¹Attentäter · aus politischer Überzeugung: Gesinnungstäter, Überzeugungstäter; → Mörder, → Verbrecher.

²Attentäter → Mörder.

Attest → Bescheinigung.

Ätti → Vater.

Attika → Aufbau.

attisch: -e Tragödie → Tragödie.

Attitüde → Stellung.

Attraktion: → Glanzpunkt, → Zugkraft.

Attraktionskapelle → Orchester.

attraktiv → hübsch.

Attraktivität → Anziehungskraft.

Attrappe: → Nachahmung → Packung.

Attribut: → Eigenschaft, → Merkmal; -e Gottes → Gotteseigenschaften.

Attributsatz → Satz.

Atze → Bruder.

Atzel → Perücke.

atzeln → wegnehmen.

atzen → ernähren.

Ätzkunst → Graphik.

Atzung: → Ernährung, → Nahrung.

Au: → Insel, → Sumpf.

aubergine → violett.

Aubergine, Melanzane, Melanzani (österr.), Eierfrucht; → Gemüse.

¹auch, ebenfalls, desgleichen, gleichermaßen, in gleichem Maße, gleicherweise, in gleicher

Weise, sowohl... als auch, gleichfalls, genauso, ebenso, dito, detto (*bayr.*, *österr.*), selbst, sogar; → aber, → anderwärts, → außerdem, → denn, → erwartungsgemäß, → und, → oder, → übrigens, → wirklich; **a. so einer**, ebenso / genauso einer, der gleiche, derselbe.
**²auch:** → und; a. ... genannt, [oder] a. → alias; a. wenn, ob a.; so / wie ... a. ..., [so] ...; wenn a. → obgleich; wie a. immer, wie dem a. sei → gleichviel.
**Audienz** → Empfang.
**audiovisuell:** -e Systeme → Kassettenfernsehen; -er Unterricht → Unterrichtsmethode.
**auditiv** → akustisch.
**Auditorium** → Publikum.
**Aue:** → Insel, → Sumpf.
**Auelehm** → Erde.
**Auerhenne** → Auerhuhn.
**Auerhahn** → Auerhuhn.
**Auerhuhn**, Auerhahn, Auerhenne; → Vogel.
**Auerochse** → Bison.
**auf:** → aufwärts, → geöffnet, → offen; a. daß, → damit; a. und davon sein → weg [sein]; a. haben → geöffnet [sein]; a. ... hin → wegen.
**aufarbeiten**, auffrischen, aufmöbeln (*salopp*), aufpolieren, aufpolstern; → erneuern.
**aufatmen**, erleichtert / erlöst / befreit / (*ugs.*) heilfroh / beruhigt / froh und dankbar sein, drei Kreuze machen (*ugs.*), jmdm. fällt ein Stein vom Herzen, aufschnaufen (*südd.*, *österr.*); → glücklich.
**aufbammeln:** → töten; sich a. → entleiben (sich).
**¹Aufbau** (an Portalen, Schränken o.ä.), Aufsatz, Bekrönung, Verzierung, Verkleidung, Giebelaufsatz, Giebel, Attika.
**²Aufbau:** → Karosserie, → Struktur, → Überbau, → Wiederaufbau.
**aufbauen:** → bauen; → fördern, → niederlassen, → managen (jmdn.); -d → nützlich.
**aufbaumeln:** → töten; sich a. → entleiben (sich).
**aufbäumen:** sich a. → aufbegehren.
**aufbauschen** → übertreiben.
**Aufbaustoffwechsel** → Stoffwechsel.

**¹aufbegehren**, sich empören / auflehnen / aufbäumen / erheben / widersetzen / sträuben / wehren / zur Wehr setzen, auftrumpfen, Sperenzchen / Mätzchen / Kaleika machen (*ugs.*), einen Tanz aufführen (*ugs.*), sich mit Händen und Füßen wehren / sträuben (*ugs.*), jmdm. die Stirn bieten / die Zähne zeigen / (*schweiz.*) die Stange halten, protestieren, opponieren, Protest erheben / einlegen, revoltieren, rebellieren, meutern, Krach schlagen (*ugs.*), eine [dicke] Lippe riskieren (*ugs.*), auf die Barrikaden steigen / gehen, Sturm laufen gegen, wider / gegen den Stachel löcken, Widerpart bieten, in Aufruhr geraten, trotzen, mucken, murren, aufmucken, aufmucksen, sich auf die Hinterbeine stellen, sich etwas nicht gefallen lassen; → ärgerlich [werden], → demonstrieren, → entgegenstellen (sich), → gekränkt [sein], → streiken, → unzugänglich [sein], → wehren (sich); → Demonstration, → Verschwörung.
**²aufbegehren** → antworten.
**aufbekommen**, aufbringen, aufkriegen (*ugs.*); → öffnen.
**aufbereiten** → bearbeiten.
**Aufbereitung** → Verarbeitung.
**aufbersten** → platzen.
**aufbessern**, verbessern, erhöhen, anheben; → Gehalt.
**aufbewahren**, aufheben, verwahren, bewahren, behalten, versorgen (*schweiz.*), zurückbehalten, zurückhalten, jmdm. etwas vorenthalten, unter Verschluß halten, in Verwahrung / an sich nehmen, sammeln, ansammeln, häufen, anhäufen, akkumulieren, speichern, aufspeichern, beiseite legen / bringen, um die Ecke bringen (*ugs.*), horten, hamstern (*ugs.*), kuten (*berlin.*), nicht → abgeben; → abhalten, → aufhäufen, → aufstauen, → behüten, → lagern, → unterbringen, → verstecken, → zurücklegen; → Album, → Anhäufung, → Aufbewahrung, → Lagerung, → Tresor.
**¹Aufbewahrung**, Verwahrung, Gewahrsam; → Lagerung; → aufbewahren.

**²Aufbewahrung** → Lagerung.
**Aufbewahrungsort**, Verwahrungsort, Verwahrungsplatz · *geheimer:* Versteck; → Schließfach, → Warenlager.
**aufbieten:** seine ganze Kraft a. → anstrengen (sich).
**¹aufbinden**, aufknoten, aufknüpfen, aufmachen (*ugs.*), lösen; → abmachen · Ggs. → binden, → verschnüren.
**²aufbinden:** jmdm. einen Bären a. → anführen.
**aufblähen:** → vermehren; sich a. → bauschen (sich), → prahlen.
**Aufblähung** → Vermehrung.
**¹aufblasen**, aufpusten (*ugs.*), mit Luft / mit Gas füllen, aufpumpen.
**²aufblasen:** → vermehren; sich a. → prahlen; blas mich auf! → unwichtig [sein].
**aufblättern**, aufschlagen, öffnen, aufmachen; → nachschlagen (in).
**aufbleiben** → wach [sein].
**aufblicken** → aufsehen.
**aufblinken** → aufleuchten.
**aufblitzen** → aufleuchten.
**¹aufblühen**, erblühen, aufgehen, zur Blüte kommen, die Knospe bricht auf / entfaltet sich; → blühen.
**²aufblühen:** → entwickeln (sich); aufgeblüht sein → blühen.
**aufbraten** → aufwärmen.
**aufbrauchen:** → abnutzen, → durchbringen, → verbrauchen.
**aufbrausen** → ärgerlich [werden].
**aufbrausend** → unbeherrscht.
**aufbrechen:** → öffnen, → weggehen; die Knospe bricht auf → aufblühen.
**aufbrennen:** → brennen; jmdm. eins a. → schlagen.
**aufbringen:** → ärgern, → aufbekommen, → aufschrecken, → beschaffen, → kapern.
**Aufbruch** → Start.
**aufbrühen** → aufwärmen.
**aufbrüllen** → schreien.
**aufbrummen:** eine Strafe a. → bestrafen.
**aufbügeln** → bügeln.
**¹aufbürden**, aufladen, überbürden (*schweiz.*), andrehen (*ugs.*), zuschieben, abwälzen / abschieben auf, jmdm. den

Schwarzen Peter zuspielen / zuschieben, unterbuttern (*ugs.*), unterjubeln (*ugs.*), jmdm. etwas unter die Weste jubeln (*ugs.*), aufpelzen (*österr.*), jmdm. ein Kuckucksei ins Nest legen; → Prügelknabe.

²**aufbürden** → laden.

¹**aufdecken**, bloßlegen, exhibieren, vorzeigen, zur Schau stellen, durchschauen, nachweisen, aufrollen, hinter etwas kommen, Licht in etwas bringen, etwas ans Licht bringen, enthüllen, entschleiern, den Schleier lüften, entlarven, dekuvrieren, demaskieren; → aufweisen, → enträtseln, → offenbar [werden], → öffnen, → zergliedern.

²**aufdecken**: die Karten a. → gestehen.

**Aufdeckung**: → Enthüllung, → Taktlosigkeit.

**aufdonnern**: sich a. → schönmachen.

**aufdrängen** → aufnötigen.

**aufdrehen**: → anstellen, → ärgerlich [werden], → aufdröseln, → aufschrauben; den Gashahn a. → entleiben (sich); die Heizung a. → heizen.

¹**aufdringlich**, penetrant, zudringlich, plump-vertraulich, sekkant, lästig, indiskret, nicht → dezent, nicht → höflich, nicht → zurückhaltend; → dünkelhaft, → unhöflich; **a. sein,** jmdm. zu nahe treten, jmdm. auf die Pelle rücken (*salopp*); → Taktlosigkeit, → Zudringlichkeit.

²**aufdringlich**: nicht a. → dezent.

**Aufdringlichkeit** → Zudringlichkeit.

**aufdröseln**, auftrennen, aufmachen, aufdrehen.

**aufdrücken**: jmdm. einen a. → küssen.

**Aufeinanderfolge**: → Reihenfolge; in A. → nacheinander.

**aufeinanderfolgend** → nacheinander.

**aufeinanderrumsen** → zusammenstoßen.

**Aufenthalt**: → Einschnitt, → Fahrtunterbrechung, → Unterbrechung; A. nehmen → niederlassen (sich).

**Aufenthalter** → Bewohner.

**Aufenthaltsort** → Anschrift.

**auferlegen**: → anordnen; sich etwas a. → entschließen (sich).

**auferstehen** → wiedererstehen.

**Auferstehen** → Neubelebung.

**Auferstehung**: → Neubelebung; Fest der A. Christi → Ostern.

**Auferstehungsfest** → Ostern.

**aufessen**, verspeisen, aufzehren, vertilgen, verschmausen, verschlingen, verschlucken, konsumieren, verkonsumieren (*ugs.*), verdrücken (*ugs.*), auffuttern (*ugs.*), verputzen (*ugs.*), wegputzen (*ugs.*), verspachteln (*ugs.*), seinen Teller leer essen, leer spachteln (*ugs.*), ratzekahl essen (*ugs.*) · *von Tieren:* auffressen; → essen.

**auffa** → her.

**auffächern** → gliedern.

**Auffächerung** → Gliederung.

**auffädeln**, aufziehen, aufreihen; → durchziehen.

**auffahren**: → zusammenstoßen; [a. lassen] → servieren; großes/schweres Geschütz a. → attackieren.

**auffahrend** → unbeherrscht.

**Auffahrt**, Rampe, Zufahrt, Zugang, Aufgang · *in einem Parkhaus:* Spindel.

**Auffahrunfall** → Zusammenstoß.

**Auffall** → Mißerfolg.

**auffallen**, sich einer Sache bewußt werden, ins Bewußtsein dringen, Beachtung finden, bemerkt werden, in die Augen fallen / springen, von sich reden machen, die Aufmerksamkeit / alle Augen auf sich ziehen (oder:) lenken, alle Blicke auf sich lenken, Aufsehen erregen / verursachen / (*ugs.*) machen, Staub aufwirbeln, Furore/Schlagzeilen machen, beeindrucken, Eindruck machen / (*ugs.*) schinden, hervortreten, hervorragen, hervorstechen, in Erscheinung treten · *in angenehmer Weise:* in gutem Licht erscheinen, etwas vorstellen, eine glänzende / blendende Figur machen; → gefallen; → Aufsehen.

**auffallend** → außergewöhnlich.

**auffällig**: → ausgeprägt, → außergewöhnlich.

**Auffangbecken**: → Sammelbecken, → Tummelplatz.

**auffangen** → ertragen.

**auffassen**: → auslegen; falsch a. → mißverstehen; a. als → beurteilen.

**Auffassung**: → Ansicht, → Beurteilung.

**Auffassungsgabe**: → Begabung, → Vernunft.

**auffegen** → säubern.

**auffetzen** → öffnen.

**auffi** → hin.

**auffinden**, finden, stoßen auf, entdecken, sehen, antreffen, vorfinden, treffen [auf], begegnen, wiedersehen, aufspüren, orten, den Standort bestimmen, ausfindig machen, ausfinden, ausmachen, ermitteln, in Erfahrung bringen, feststellen, auf die Spur kommen, herausfinden, herauskommen, herausbringen (*ugs.*), herauskriegen (*salopp*), rausbringen (*salopp*), ausklamüsern (*ugs.*), aufstöbern, auftreiben (*ugs.*), auflesen (*ugs.*), aufgabeln (*salopp*), auffischen (*salopp*); → beschaffen, → erfahren, → erfinden, → fragen, → sehen, → wahrnehmen; **aufgefunden werden,** jmdm. in die Arme / Beine / über den Weg laufen (*ugs.*), etwas findet sich an; → Auskundschafter, → Fundbüro · Ggs. → suchen.

**auffischen** → finden.

**aufflackern** → brennen.

**aufflammen**: → antworten, → brennen.

**auffliegen**: a. lassen → ergreifen; etwas fliegt auf → scheitern.

¹**auffordern** (zum Tanz), engagieren, um einen / den nächsten Tanz bitten, mit jmdm. tanzen wollen; → tanzen.

²**auffordern** → zuraten.

**Aufforderung**: → Aufruf, → Weisung; ohne A. → freiwillig.

**Aufforderungscharakter**: etwas hat A. → verführen.

**Aufforderungssatz** → Satz.

**auffressen**: → aufessen, → beanspruchen.

**auffrischen**: → aufarbeiten, → erneuern; jmds. Gedächtnis a. → mahnen.

**auffrischend** → luftig.

**Auffrischungsimpfung** → Impfung.

¹**aufführen**, zur Aufführung bringen, herausbringen, spie-

len, [ein Stück] geben/zeigen, auf die Bühne bringen, auf den Spielplan setzen · *zum ersten Mal:* uraufführen, erstaufführen, zur Uraufführung/Erstaufführung bringen; → verwirklichen; **aufgeführt werden,** über die Bretter / über die Bühne gehen; → Aufführung, → Schauspiel.
**²aufführen:** → bauen, → erwähnen, → vollführen; sich a. → benehmen (sich); sich unanständig a. → Darmwind [entweichen lassen]; Freudentänze / Indianertänze a. → freuen (sich); einen Tanz a. → aufbegehren.
**¹Aufführung,** Vorstellung, Darbietung · *erste:* Premiere, Erstaufführung, Uraufführung; → Auftreten, → Schauspiel, → Souffleur, → Theater; → aufführen.
**²Aufführung:** zur A. bringen → aufführen.
**auffüllen:** → anreichern, → tanken, → vervollständigen.
**Auffüllung** → Ergänzung.
**auffuttern** → aufessen.
**¹Aufgabe,** Obliegenheit, Pflicht, Funktion, Verpflichtung, Schuldigkeit, Auftrag, Bestimmung, Destination · *Kinder oder bestimmte andere Personen zu beaufsichtigen:* Aufsichtspflicht; → Abmachung, → Arbeit, → Beruf, → Last, → Schuld; → dienen.
**²Aufgabe:** → Entäußerung, → Entwöhnung, → Pensum; ungelöste A. → Schwierigkeit; etwas erfüllt die A. → dienen.
**aufgabeln:** → finden, → krank [werden].
**Aufgabenstellung** → Gegenstand.
**Aufgang:** → Auffahrt, → Treppe.
**¹aufgeben** (Geschäft), auflösen, schließen, liquidieren, ausverkaufen, nicht → beibehalten; → beenden, → verkaufen; → zahlungsunfähig.
**²aufgeben:** → abgewöhnen (sich etwas), → abschreiben, → anordnen, → beenden, → einliefern, → nachgeben; nicht a. → durchhalten; von den Ärzten aufgegeben sein → unheilbar [krank sein]; eine Anzeige /

eine Annonce / ein Inserat a. → annoncieren; den Geist a. → sterben; die Hoffnung a. → Mut; die Hoffnung nicht a. → Hoffnung; die bürgerliche Lebensweise a. → Lebensweise; jmdm. Rätsel a. → rätselhaft [sein]; das Rauchen a. → rauchen; einen Standpunkt a. → umschwenken; seine Wohnung a. → übersiedeln.
**aufgebläht** → aufgedunsen.
**aufgeblasen:** → aufgedunsen, → dünkelhaft.
**Aufgeblasenheit** → Überheblichkeit.
**aufgebracht,** ärgerlich, böse, verärgert, entrüstet, empört, peinlich / unangenehm berührt, unwillig, ungehalten, unwirsch, fünsch (*niederd.*), indigniert, erbost, erzürnt, erbittert, zornig, fuchtig (*ugs.*), wütend, rabiat, wutentbrannt, wutschäumend, wutschnaubend (*ugs.*), fuchsteufelswild, zähneknirschend, grimmig, ingrimmig, tückisch (*ugs.*), mürrisch, verdrossen, bärbeißig, grämlich, verdrießlich, griesgrämig, hässig (*schweiz.*), mauserig (*schweiz.*), sauertöpfisch, brummig, mißmutig, mißvergnügt, mißgestimmt, mißlaunig, mißgelaunt, gereizt, übellaunig, muffig, grantig, leid (*schweiz.*), maßleidig (*südd.*); → aufgelegt, → aufgeregt, → geharnischt, → gekränkt, → launisch; → unerfreulich, → unzufrieden, → widerwillig; a. **sein,** jmdm. ist eine Laus über die Leber gelaufen, mit dem linken Fuß aufgestanden sein, das Barometer steht auf Sturm, auf jmdn. einen Rochus haben (*ugs.*), zürnen, sich alterieren / aufregen / erregen, ich könnte mir vor Wut in den Hintern beißen (*salopp*), sich schwarz ärgern, sich fuchsen / giften (*ugs.*), sich etwas antun (*österr.*), rotsehen (*ugs.*), geladen / sauer sein (*salopp*), auf jmdn. böse / nicht gut zu sprechen sein, jmdm. böse / (*ugs., bayr., österr.*) harb sein, wüten, toben, rasen, sich entladen, den wilden Mann spielen; → anstoßen (bei jmdm.), → grollen, → kränken, → lärmen; → schokieren; →

Griesgram, → Überraschung, → Unannehmlichkeiten, → Stimmung.
**aufgedreht:** a. sein → lustig [sein].
**aufgedonnert** → aufgeputzt.
**aufgedunsen,** aufgequollen, verquollen, aufgeschwollen, verschwollen, gedunsen, pastös · *vom Körper:* aufgeschwemmt, schwammig · *vom Hefeteig:* gegangen · *vom Leib:* aufgetrieben, aufgebläht · *vom Vogel:* aufgeblasen, aufgeplustert; → dick; → Fettleibigkeit, → Gedunsenheit, → Wohlgenährtsein.
**Aufgedunsenheit** → Gedunsenheit.
**aufgefächert** → gegliedert.
**aufgegangen** → aufgedunsen.
**aufgegliedert** → gegliedert.
**aufgehen:** → aufblühen; das Land der aufgehenden Sonne → Japan; etwas / ein Licht / ein Seifensieder geht jmdm. auf → erkennen; a. in → verschmelzen (mit); in Flammen a. → brennen.
**aufgeilen** → reizen.
**aufgeklärt,** vorurteilsfrei, vorurteilslos, freisinnig, liberal, lax (*abwertend*), wissend, erfahren, unterrichtet, eingeweiht, esoterisch; → klug, → modern, → selbständig, → tolerant, unparteiisch; → Duldsamkeit; → billigen.
**aufgekratzt** → lustig.
**Aufgeld:** → Anzahlung, → Handgeld, → Zuschlag.
**¹aufgelegt,** gestimmt, gelaunt; **gut a. sein,** gut gelaunt / guter Dinge sein; → lustig [sein]; **schlecht a. sein,** schlecht gelaunt / schlechter Laune / in schlechter Stimmung / mißgestimmt / mißgelaunt / übel gelaunt sein, mit dem linken Fuß aufgestanden sein, seine Tour haben (*ugs.*), jmdm. ist eine Laus über die Leber gelaufen (*ugs.*); → ärgerlich [sein].
**²aufgelegt:** → aufgeschlossen, → offenbar.
**aufgelockert,** gelockert, entspannt, gelöst.
**aufgelöst:** → geschieden; a. sein → aufgeregt [sein].
**aufgemacht** → aufgeputzt.
**aufgemascherlt** → aufgeputzt.

**aufgenordet** → blond.

**aufgeplustert** → aufgedunsen.

**aufgeputzt**, herausgeputzt, aufgedonnert (*abwertend*), overdressed, aufgemascherlt (*österr.*), gstatzt (*österr.*), zurechtgemacht, aufgemacht (*ugs.*), in großer Toilette, gestriegelt (*ugs.*), geschniegelt und gebügelt (*scherzh.*), wie geleckt (*scherzh.*), geputzt / geschmückt wie ein Pfingstochse (*ugs., scherzh.*); → adrett; → schönmachen.

**aufgequollen** → aufgedunsen.

**Aufgequollenheit** → Gedunsenheit.

**aufgeräumt** → lustig.

**aufgeregt**, erregt, nervös, neurasthenisch, nervenschwach, hysterisch, gereizt, ruhelos, unruhig, ungeduldig, unstet, bewegt, fahrig, tumultuarisch, turbulent, hektisch, fiebrig, schußlig (*ugs.*), huschlig (*ugs.*), zapplig (*ugs.*), kribblig (*ugs.*), fickrig (*ugs., landsch.*), nicht → ruhig; → ängstlich, → ärgerlich, → bewegt, → empfindlich, → erwartungsvoll, → fleißig, → lebhaft, → reizbar, → unaufmerksam, → unbeherrscht · Ggs. → geistesgegenwärtig; **a. sein**, außer sich / aufgelöst/außer Fassung/(*ugs.*) ganz aus dem Häuschen / ein Nervenbündel sein, Herzklopfen/Lampenfieber haben, jmdm. schlägt das Herz bis zum Hals, den Kopf / die Nerven verlieren, seiner selbst / seiner Sinne nicht mehr (oder:) kaum noch mächtig sein, kopflos sein, durchdrehen (*ugs.*), mit jmdm. gehen die Nerven durch, jmdm. brennen / gehen die Sicherungen durch (*salopp*); → Angst [haben], → pfuschen; → Choleriker, → Nervenbündel, → Unrast.

**Aufgeregtheit** → Erregung.

**aufgerissen** → wund.

**aufgerüstet** → kampfbereit.

**aufgescheuert** → wund.

¹**aufgeschlossen**, offen, interessiert, ansprechbar, aufnahmefähig, aufnahmsfähig (*österr.*), aufnahmebereit, empfänglich, geneigt, gestimmt, aufgelegt, disponiert, zugänglich, geweckt · Ggs. → unzugänglich; **a. sein**, zu haben sein für (*ugs.*), interes-

siert sein an; [ein] Interesse haben für, Interesse zeigen [für], sich interessiert zeigen, vielseitig sein, einen weiten Horizont haben; → entgegenkommen.

²**aufgeschlossen:** → offen, → tolerant.

**aufgeschmissen** → ratlos.

**aufgeschürft** → wund.

**aufgeschwemmt** → aufgedunsen.

**Aufgeschwemmtheit** → Gedunsenheit.

**aufgeschwollen** → aufgedunsen.

**aufgesperrt** → offen.

**aufgetaut** → flüssig.

**aufgeteilt** → gegliedert.

**aufgetrieben** → aufgedunsen.

**aufgeweckt** → klug.

**aufgewühlt** → bewegt.

**aufgliedern:** → entflechten, → gliedern, → unterteilen.

**Aufgliederung:** → Analyse, → Gliederung.

**aufgreifen** → ergreifen.

**aufgrund** → wegen.

**aufgucken** → aufsehen.

**Aufgußtierchen** → Einzeller.

**aufhaben** → anhaben.

**aufhalsen** → laden.

**aufhalten:** → anhalten, → behindern; sich a. → weilen; etwas ist nicht aufzuhalten → verhindern; etwas hält auf → zeitraubend [sein]; die Hand a. → erwarten; sich a. über → reden.

**aufhängen** → töten; sich a. → entlednen (sich); jmdm. etwas a. → aufschwatzen (jmdm. etwas).

**Aufhänger** → Anlaß.

**aufhauen** → verschwenden.

**aufhäufen**, anhäufen, kumulieren, aufschichten, stapeln, aufstapeln, beigen (*südd., schweiz.*), aufrichten (*österr.*), aufschobern (*bes. österr.*), schöbern (*bes. österr.*), türmen, auftürmen; → aufbewahren, → lagern, → Anhäufung, → Lagerung → Stapel.

**Aufhäufung** → Anhäufung.

¹**aufheben**, aufraffen, aufnehmen, hochnehmen, aufklauben, auflesen, aufsammeln.

²**aufheben:** → abschaffen, → aufbewahren, → heben, → zurücklegen; die Hand a. → Handzeichen [geben].

**Aufheben:** Aufheben[s] machen → übertreiben; ohne viel -s zu machen → unbemerkt.

**Aufhebung**, Auflösung, Einstellung, Abschaffung, Beseitigung, Annullierung, Außerkraftsetzung, Ungültigkeitserklärung; → abschaffen.

**aufheitern:** → erheitern; sich a. → aufhellen (sich).

**aufhelfen:** → gesund [machen].

¹**aufhellen** (sich), heller werden, sich aufheitern / lichten, aufklaren; → Wetter.

²**aufhellen** → tönen.

**aufhetzen** → aufwiegeln.

**Aufhetzer** → Hetzer.

**aufhetzerisch**, aufwieglerisch, demagogisch; → aufwiegeln.

**Aufhetzung** → Aufwiegelung.

**aufhissen** → flaggen.

**aufholen**, [Boden] gutmachen (Sport), einholen, nachholen, wettmachen, nachziehen, ausgleichen, das Gleichgewicht herstellen, gleichziehen · *versäumte Arbeitszeit:* nacharbeiten, einarbeiten (*österr.*).

**aufhorchen:** → überrascht [sein].

¹**aufhören**, unterlassen; **hör auf!**, gleich knallt es [im Karton]! / gibt es etwas! / gibt es Schläge! / setzt es etwas! / raucht es! (*ugs.*).

²**aufhören** → abgewöhnen (sich etwas), → beenden, → enden, → kündigen; da hört sich doch alles auf → unerhört [sein]; da hört der Spaß auf → unerhört [sein]; nicht a. mit → zusetzen (jmdm.).

**aufhucken** → tragen.

**aufhussen** → aufwiegeln.

**aufjagen** → aufscheuchen.

**aufjauchzen:** → jubeln, → schreien.

**aufjubeln:** → jubeln, → schreien.

**aufjuchzen:** → jubeln, → schreien.

**aufkaufen** → kaufen.

**Aufkäufer** → Händler.

**Aufkaufhandel** → Großhandel.

**aufkehren** → säubern.

**aufklaren** → aufhellen (sich).

**aufklären:** → auskundschaften, → mitteilen.

**Aufklärer:** → Flugzeug, → Propagandist.

¹**Aufklärung,** Erklärung, Abklärung (*schweiz.*), Aufschluß, Schlüssel; → Lösung; → enträtseln.

²**Aufklärung:** → Literaturepochen, → Rationalismus.

**Aufklärungsfilm** → Kinofilm.

**Aufklärungsflug** → Flug.

**Aufklärungsflugzeug** → Flugzeug.

**Aufklärungsmaschine** → Flugzeug.

**Aufklärungstruppe:** technische A. → Waffengattung.

**aufklauben** → aufheben.

**Aufklebeetikett** → Etikett.

**aufkleben:** → befestigen; eine Briefmarke a. → frankieren; ein Pflaster a. → verbinden.

**Aufkleber** → Etikett.

**Aufklebetikett** → Etikett.

**Aufklebezettel** → Etikett.

**aufknoten** → aufbinden.

**aufknüpfen:** → aufbinden, → töten; sich a. → entleiben (sich).

**aufkochen:** → brodeln, → sieden.

**aufkommen:** → entstehen, → gesund [werden], → herumsprechen (sich); etwas kommt auf → heraufziehen; a. für → einstehen (für); [für die Kosten] a. → zahlen; für jmds. Lebensunterhalt a. → ernähren; das Aufkommen → Entstehung.

**Aufkommen** → Entstehung.

**aufkreischen** → Laut.

**aufkreuzen** → kommen.

**aufkriegen** → aufbekommen.

**aufkündigen:** jmdm. die Freundschaft a. → brechen (mit jmdm.).

**auflachen** → lachen.

**aufladen** → aufbürden, → laden.

¹**Auflage,** Ausgabe, Fassung, Druck, Abdruck, Druckauflage · *abzüglich der Makulaturexemplare:* Verlagsauflage · *in bezug auf die Anzahl der Exemplare, die zur Deckung der Herstellungskosten verkauft werden müssen:* Deckungsauflage; → Druck, → Edition, → Nachdruck.

²**Auflage:** → Vorbehalt; A. erteilen → anordnen.

**auflandig,** auf das Land zu wehend · Ggs. → ablandig.

**auflassen** → stillegen.

**Auflassung** → Stillegung.

**auflasten** → laden.

**auflauern,** belauern, auf der Lauer liegen, sich auf die Lauer legen, abpassen, passen (*ugs., österr.*), auf der Paß sein / stehen (*ugs., österr.*), anfallen, überfallen, sich heranschleichen.

**Auflauf** → Ansammlung.

**Auflaufbremse** → Bremse.

**auflaufen:** -des Wasser → Flut.

**aufleben** → entwickeln (sich).

**Aufleben** → Neubelebung.

**auflegen:** Farbe / Rouge / Schminke a. → schminken; ein Pflaster a. → verbinden.

**auflehnen:** sich a. → aufbegehren.

**Auflehnung** → Widerstand.

**auflesen:** → aufheben, → finden.

**aufleuchten,** aufblinken, aufblitzen, aufscheinen · *wenn Licht darauffällt:* fluoreszieren, phosphoreszieren; → brennen, → leuchten.

**aufliefern** → einliefern.

**aufliegen** → ausliegen.

**auflodern** → brennen.

**auflösen:** → abschaffen, → aufgeben, → dechiffrieren, → enträtseln, → trennen (sich), → zerlegen; sich a. → schmelzen; die Ehe a. → scheiden (jmdn.); seinen Haushalt a. → übersiedeln; sich in seine Bestandteile / sich in Wohlgefallen auflösen → defekt [werden]; sich in Luft a. → eintreffen.

¹**Auflösung,** Abwicklung, Liquidation, Stralzierung, Stralzio (*österr.*); → Versteigerung.

²**Auflösung:** → Aufhebung, → Ehescheidung, → Lösung, → Verfall, → Zerlegung.

**aufmachen:** → aufbinden, aufblättern, → aufbröseln, eröffnen, → öffnen; sich a. → schönmachen, → weggehen; die Augen a. → achtgeben, → wach [werden]; ein Faß a. → feiern; jmdm. eine Rechnung a. → Unkosten; jmdm. a. → einlassen.

**Aufmarsch:** → Ansammlung, → Parade.

**aufmascherln:** sich a. → schönmachen.

**aufmerken,** achtgeben, achten [auf], aufpassen, Obacht geben, zuhören, sich konzentrieren / sammeln, seine Gedanken sammeln / zusammennehmen, seine fünf Sinne zusammennehmen, aufpassen wie ein Heftelmacher / Haftelmacher (*landsch.*), bei der Sache sein (*ugs.*), aufmerksam sein, die Ohren spitzen (*ugs.*), ganz [Auge und] Ohr sein (*ugs.*), die Augen aufmachen, achthaben, sein Augenmerk auf jmdn. / etwas richten, ein Auge haben auf (*ugs.*), passen auf (*landsch.*), [einen Rat] annehmen, beachten, Notiz nehmen von, zur Kenntnis nehmen, sich merken, bemerken, ad notam nehmen (*geh.*), beobachten, Beachtung schenken, nicht → ignorieren, nicht → mißachten; → befolgen, → beobachten, → berücksichtigen, → erwägen, → gehorchen, → versenken (sich in); → aufmerksam, → wachsam.

¹**aufmerksam,** gespannt, angespannt, angestrengt, konzentriert, andächtig; → erwartungsvoll; → Konzentration; → achtgeben, → versenken (sich in) · Ggs. → unaufmerksam.

²**aufmerksam:** → höflich, → wachsam; a. machen auf → alarmieren, → hinweisen (auf); a. sein → achtgeben.

**Aufmerksamkeit:** → Gabe, → Höflichkeit, → Konzentration; die A. auf sich ziehen → exponieren (sich); die A. auf sich ziehen / lenken → auffallen; etwas entgeht jmds. A. → merken.

**aufmöbeln:** → anregen, → aufarbeiten.

**aufmontieren** → befestigen.

**aufmucken:** → aufbegehren, wehren (sich).

**aufmucksen** → aufbegehren.

**aufmuntern:** → erheitern, → zuraten.

**Aufmunterung** → Impuls.

**aufmüpfig,** unzugänglich, verschlossen, finster, trotzig, aufsässig, widersetzlich, unbotmäßig, widerspenstig, widerborstig, kratzbürstig, störrisch, renitent, fest, unnachgiebig, unversöhnlich, intransigent, radikal, kompromißlos, unerbittlich, eigensinnig, starrsinnig, starrköpfig, halsstarrig, rechthaberisch, verbohrt, orthodox, doktrinär, obstinat, steifnackig, dickköpfig, dickschädelig, unbequem, hartgesotten, unbelehrbar, ungehorsam, unfolgsam, bockbeinig (*ugs.*), bockig (*ugs.*), eisern, verstockt, stur (*ugs., abwertend*), sturheil (*ugs., abwertend*), stützig (*veraltet, südd., österr.*), verständnislos; → aufrührerisch, → beharrlich, → frech, → gefühlskalt, → herrisch, → passiv, → selbständig, → streng, → unbarmherzig, → verschlossen · Ggs.artig, → menschlich; **a. sein,** sich nichts sagen lassen, sich einer Sache / gegen etwas verschließen, seine Ohren verschließen, sich gegen etwas sperren, einer Sache widerstreben, einen Dickkopf haben / aufsetzen, einen dicken / harten Schädel haben, stur wie ein Bock / Panzer sein (*salopp*), mit dem Kopf durch die Wand wollen, Mais machen (*schweiz.*) · *in bezug auf ein Anliegen:* bei jmdm. auf Granit beißen, jmdn. am steifen Arm verhungern lassen (*ugs.*).

**Aufmüpfigkeit** → Eigensinn.

**aufmutzen** → übelnehmen.

**[1]Aufnahme,** Empfang; **A. finden,** Eingang finden, aufgenommen werden in, eingehen in.

**[2]Aufnahme:** → Absorption, → Aufzeichnung, → Fotografie, → Rezeption, → Sendung, → Willkomm; A. finden → Unterkunft [finden]; eine A. machen → fotografieren.

**aufnahmebereit** → aufgeschlossen.

**aufnahmefähig:** → aufgeschlossen, → saugfähig.

**Aufnahmefähigkeit** → Fassungsvermögen.

**Aufnahmeraum** → Rezeption.

**aufnahmsfähig** → aufgeschlossen.

**aufnehmen:** → anstacheln, → aufheben, → aufschreiben, → beherbergen, → buchen, → einstellen, → fotografieren, → lernen, → säubern; aufgenommen werden → Unterkunft [finden]; aufgenommen werden in → Aufnahme [finden]; nicht wieder a. → ruhenlassen; ein Darlehen / einen Kredit a. → leihen; es mit jmdm. a. [kön-

nen] → erreichen; die Fährte / die Spur / die Witterung a. → wittern; Kontakt a. → anbahnen (etwas); Verbindung a. → Kontakt [aufnehmen]; [auf Band / Schallplatten / Tonband a.] → aufzeichnen; [in sich] a. → aufsaugen; jmdn. in die christliche Gemeinschaft a. → taufen; das Aufnehmen → Wahrnehmung.

**Aufnehmer** → Putzlappen.

**äufnen** → vermehren.

**aufnotieren** → aufschreiben.

**aufnötigen,** anbieten, aufdrängen, aufzwingen, oktroyieren, aufoktroyieren; → abnötigen, → nötigen.

**aufoktroyieren** → aufnötigen.

**aufopfern** → opfern.

**aufopfernd** → selbstlos.

**Aufopferung:** → Opfer, → Selbstlosigkeit.

**aufpacken:** → auspacken, → laden.

**aufpäppeln** → großziehen.

**[1]aufpassen,** achtgeben, achten [auf], Obacht geben, zuhören, sich konzentrieren / sammeln, seine Gedanken sammeln / zusammennehmen, seine fünf Sinne zusammennehmen, aufpassen wie ein Heftelmacher / Haftelmacher (*landsch.*), bei der Sache sein (*ugs.*), aufmerksam sein, die Ohren spitzen (*ugs.*), ganz [Auge und] Ohr sein (*ugs.*), die Augen aufmachen, aufmerken, achthaben, sein Augenmerk auf jmdn. / etwas richten, ein Auge haben auf (*ugs.*), passen auf (*landsch.*), [einen Rat] annehmen, beachten, Notiz nehmen von, zur Kenntnis nehmen, sich merken, bemerken, ad notam nehmen (*geh.*), beobachten, Beachtung schenken, nicht → ignorieren, nicht → mißachten; → befolgen, nicht → beobachten, → berücksichtigen, → erwägen, → gehorchen, → versenken (sich in); → aufmerksam, → wachsam.

**[2]aufpassen:** → vorsehen (sich); a. auf → beaufsichtigen; das Aufpassen → Koitus.

**aufpeitschen** → anregen.

**aufpelzen** → aufbürden.

**aufpflanzen:** sich a. → aufstellen (sich).

**aufpicken** → befestigen.

**aufplatzen** → platzen.

**aufplustern:** sich a. → prahlen, → reden (über jmdn., etwas).

**aufpolieren** → aufarbeiten.

**aufpolstern** → aufarbeiten.

**Aufprall** → Zusammenstoß.

**Aufpreis** → Zuschlag.

**aufpulvern** → anregen.

**aufpumpen** → aufblasen.

**aufpusten** → aufblasen.

**aufputschen:** → anregen, → aufwiegeln; -d → anregend.

**Aufputschmittel,** Stimulans, Psychotonikum, Weckamin, Exzitans, Analeptikum, Weckmittel, Schnellmacher (*ugs.*) · *in bezug auf die Sexualität:* Aphrodisiakum, Liebestrank, Liebeselixier; → Alraune, → Kokainvergiftung, → Medikament, → Opiumvergiftung, → Psychopharmakon, → Rauschgift · Ggs. → Beruhigungsmittel.

**Aufputschung** → Aufwiegelung.

**aufputzen** → schönmachen.

**aufraffen:** → aufheben; sich a. → überwinden (sich).

**aufragend** → hoch.

**aufranken** → ranken.

**aufrappeln:** sich a. → überwinden (sich), → gesund [werden].

**[1]aufräumen,** in Ordnung bringen, Ordnung machen, ausmisten (*salopp*), zusammenstellen, richten; → säubern.

**[2]aufräumen** → eingreifen.

**aufrecht:** → ehrenhaft, → gerade, → standhaft.

**aufrechterhalten:** → beibehalten, → wachhalten.

**aufrecken:** sich a. → erheben (sich).

**aufreden:** jmdm. etwas a. → aufschwatzen (jmdm. etwas).

**aufregen:** → anregen, → erregen; sich a. → ärgerlich [sein]; sich a. über → reden (über).

**aufregend** → beschwerlich; nicht a. → mäßig.

**Aufregung:** → Erregung; nur keine A.! → ruhig [bleiben].

**[1]aufreiben** (sich), sich anstrengen, alle Kräfte anspannen, sich fordern, sich etwas abverlangen, seine ganze Kraft aufbieten, sich ins Zeug legen (*ugs.*), nichts unversucht lassen,

alle Hebel / (*ugs.*) Himmel und Hölle in Bewegung setzen, sich ins Geschirr legen, sich bemühen / befleißigen / befleißen / mühen / abmühen / abarbeiten / abschleppen / strapazieren / (*ugs.*) auf den Hosenboden setzen / (*ugs.*) abrackern / plagen / abplagen / (*ugs., landsch.*) placken / (*ugs., landsch.*) abplacken / (*österr.*) abfretten / (*ugs.*) abschuften / quälen / abquälen / (*ugs.*) schinden / (*ugs.*) abschinden / Mühe geben, bemüht sein, einen Versuch machen, sein möglichstes / Bestes / das menschenmögliche tun, sich zusammenreißen (*salopp*), versuchen / suchen + zu + Infinitiv (zu [schaffen] suchen); zusehen, daß ...; zu strampeln haben (*ugs.*), schuften (*salopp*), puckeln (*salopp*), ackern (*salopp*), asten (*salopp*), krebsen (*salopp*), herumkrebsen (*salopp*), rumkrebsen (*salopp*); → anfertigen, → arbeiten, → befassen (sich), → lernen, → streben, → übernehmen (sich), → wünschen, → zehren · Ggs. → Gelassenheit; → ruhig.
²**aufreiben:** → besiegen; sich a. → ärgerlich [sein]; etwas reibt auf → zehren.
**aufreibend** → beschwerlich.
**Aufreibfetzen** → Putzlappen.
**aufreihen** → auffädeln.
**aufreißen:** → kennenlernen, → öffnen; die Fenster a. → lüften; sich jmdn. a. → anbandeln; jmdm. den Arsch a. → schikanieren.
**aufreiten** → koitieren.
**aufreizen:** → aufwiegeln, → reizen.
**aufreizend:** → anziehend, → provozierend.
**Aufrichte** → Richtfest.
**Aufrichtefest** → Richtfest.
**aufrichten:** → aufhäufen, → bauen, → trösten; sich a. → erheben (sich); -der Muskel → Muskel.
**Aufrichter** → Muskel.
¹**aufrichtig,** ehrlich, vertrauenswürdig, zuverlässig, geradlinig, gerade, offen, offenherzig, freimütig, frank und frei, unverhüllt, unverhohlen, wahrhaftig,

wahr, wahrhaft, nicht → unaufrichtig; → arglos, → echt, → klar, → rundheraus; **a. sein,** ohne Falsch / eine ehrliche Haut sein, mit der Wahrheit nicht hinterm Berg halten, mit offenen Karten spielen, die Wahrheit sagen, der Wahrheit die Ehre geben, nicht → lügen; → Aufrichtigkeit.
²**aufrichtig:** -en Dank! → danke!; in -er Verbundenheit → hochachtungsvoll.
**Aufrichtigkeit,** Freimut, Offenherzigkeit, Offenheit, Ehrlichkeit, Unverblümtheit, Lauterkeit, Geradlinigkeit, Geradheit; → Deutlichkeit, → Pflichtbewußtsein, → Schlichtheit, → Treue; → aufrichtig.
**Aufrichtung** → Trost.
**Aufriß** → Grundriß.
¹**aufrollen,** wiederaufnehmen, behandeln.
²**aufrollen:** → aufdecken, → aufwickeln.
**aufrücken:** → avancieren, → kommen; a. lassen → befördern.
**Aufruf,** Appell, Ruf [nach], Aufforderung, Mahnung, Mahnruf, Proklamation, Memento, Ultimatum; → Mitteilung, → Programm, → Verschwörung, → Vorwurf, → Weisung.
**aufruhen,** gestützt werden von, gehalten werden von.
**Aufruhr:** → Erregung, → Verschwörung; in A. geraten → aufbegehren.
**aufrühren** → aufwirbeln.
**Aufrührer** → Revolutionär.
**aufrührerisch,** aufständisch, rebellisch; → umstürzlerisch, → unzugänglich.
**aufrunden** → vervollständigen.
**Aufrundung** → Ergänzung.
**aufrüsten** → rüsten.
**Aufrüstung,** Rüstung, Mobilmachung, Mobilisierung, Bewaffnung; → rüsten · Ggs. → Abrüstung.
¹**aufrütteln,** wachrütteln, rufen, zur Besinnung / Vernunft / Einsicht bringen; → mahnen, → wachrufen.
²**aufrütteln:** etwas rüttelt jmdn. auf → erschüttern.
**aufsacken:** → laden; sich etwas a. → einhandeln (sich etwas), → Geschlechtskrankheit.

**aufsagen** → vortragen.
**aufsammeln** → aufheben.
**aufsässig,** unzugänglich, verschlossen, finster, trotzig, widersetzlich, unbotmäßig, aufmüpfig, widerspenstig, widerborstig, kratzbürstig, störrisch, renitent, fest, unnachgiebig, unversöhnlich, intransigent, radikal, kompromißlos, unerbittlich, eigensinnig, starrsinnig, starrköpfig, halsstarrig, rechthaberisch, verbohrt, orthodox, doktrinär, obstinat, steifnackig, dickköpfig, dickschädelig, unbequem, hartgesotten, unbelehrbar, ungehorsam, unfolgsam, bockbeinig (*ugs.*), bockig (*ugs.*), eisern, verstockt, stur (*ugs., abwertend*), sturheil (*ugs., abwertend*), stützig (*veraltet, südd., österr.*); → aufrührerisch, → beharrlich, → frech, → gefühlskalt, → herrisch, → passiv, → selbständig, → streng, → unbarmherzig, → verschlossen · Ggs. → artig, → menschlich; **a. sein,** sich nichts sagen lassen, sich einer Sache / gegen etwas verschließen, seine Ohren verschließen, sich gegen etwas sperren, einer Sache widerstreben, einen Dickkopf haben / aufsetzen, einen dicken / harten Schädel haben, stur wie ein Bock / Panzer sein (*salopp*), mit dem Kopf durch die Wand wollen, Mais machen (*schweiz.*) · *in bezug auf ein Anliegen:* bei jmdm. auf Granit beißen, jmdn. am steifen Arm verhungern lassen (*ugs.*).
**Aufsässigkeit** → Eigensinn.
¹**Aufsatz,** Essay, Essai, Niederschrift, Aufzeichnung, Artikel, Beitrag, Traktat, Abhandlung, Studie, Miszellen, Vermischtes · *schlechter:* Elaborat (*abwertend*); → Abschnitt, → Mitteilung, → Niederschrift, → Schulaufsatz, → Werk.
²**Aufsatz:** → Aufbau, → Schulaufsatz.
**Aufsatzheft** → Heft.
**aufsaugen,** absorbieren, [in sich] aufnehmen, resorbieren, einsaugen; → saugfähig, → Absorption.
**Aufsaugung** → Absorption.
**aufschauen** → aufsehen.

aufscheinen: → aufleuchten, → vorkommen.

aufscheuchen, hochscheuchen, in die Höhe jagen, aufjagen.

aufschichten → aufhäufen.

Aufschichtung → Anhäufung.

aufschieben → verschieben.

¹Aufschlag, Umschlag, Stulpe · am Ärmel: Manschette · am Kragen: Revers; → Besatz.

²Aufschlag: → Revers, → Zusammenstoß, → Zuschlag.

¹aufschlagen (Preis), teurer werden, im Preis steigen, anziehen (ugs.); → teuer.

²aufschlagen: → aufblättern, → öffnen; die Augen a. → Ohnmacht; sein Lager a. → übernachten; sein Quartier / seine Wohnung a. → niederlassen; seine Zelte a. → einziehen, → niederlassen.

aufschließen → öffnen.

Aufschluß → Aufklärung.

aufschlüsseln → dechiffrieren.

Aufschlüsselung → Gliederung.

aufschlußreich → interessant.

aufschmeißen → kompromittieren.

aufschnallen → koitieren.

aufschnappen: → hören; etwas a. → krank [werden].

aufschnaufen → aufatmen.

aufschneiden: → prahlen, → zerlegen; sich die Pulsader[n] a. → entleiben (sich).

Aufschneider → Angeber.

Aufschneiderei → Übertreibung.

aufschnellen → erheben (sich).

Aufschnitt → Brotbelag.

aufschobern → aufhäufen.

¹aufschrauben, aufdrehen, öffnen; → öffnen; → Verschluß.

²aufschrauben → befestigen.

aufschrecken, aufscheuchen, aufbringen, erregen, provozieren.

aufschreiben, aufnotieren, notieren, hinschreiben, zur Feder greifen, aufnehmen, festhalten, über etwas Buch führen, vermerken, anmerken, niederschreiben, aufzeichnen, verzeichnen, zusammenstellen, eintragen, mitschreiben, protokollieren, stenographieren, zu Papier bringen, aufs Papier werfen, aufsetzen, formulieren, entwerfen, verfassen, abfassen, texten, ins unreine schreiben;

→ ausfertigen, → ausfüllen, → buchen, → dichten, → entwerfen, → maschineschreiben, → schreiben; → Schriftsteller.

aufschreien → schreien.

Aufschrift, Inschrift, Schrift, Beschriftung, Unterschrift, Überschrift · Grabschrift, Epitaph · antike: Epigraph; → Schlagzeile.

Aufschub: → Stundung; ohne A. → gleich; keinen A. duldend → dringend.

aufschwatzen (jmdm. etwas), jmdm. etwas aufreden / (ugs.) aufhängen / (salopp) andrehen; → überreden.

aufschwingen: sich a. → überwinden (sich).

¹Aufschwung, Blüte, Boom, Hausse, Hochkonjunktur, Konjunktur, Welle (ugs.); → Preisanstieg · Ggs. → Rückgang.

²Aufschwung → Turnübung.

aufsehen, aufschauen, hochsehen, aufblicken, hochblicken, aufgucken, hochgucken.

¹Aufsehen, Eklat, Hallo (ugs.), Kladderadatsch (ugs.), Donnerwetter (ugs.); → Bloßstellung, → Ereignis, → Lärm, → Streit; → auffallen.

²Aufsehen: A. erregen / verursachen / machen → auffallen.

aufsehenerregend → außergewöhnlich.

Aufseher: → Aufsichtführender, → Wächter.

¹aufsein, aufgestanden / (ugs.) zugange / (ugs.) aus den Federn sein; → wach [sein].

²aufsein: → geöffnet [sein], → offen [sein], → wach [sein]; früh a. → aufstehen.

aufsetzen: → anziehen, → aufschreiben, → landen; einen Dickkopf a. → unzugänglich [sein].

aufseufzen → stöhnen.

Aufsicht: → Aufsichtführender, → Überwachung; unter A. stehen → beobachten; unter A. stellen → beobachten → entmündigen.

Aufsichtführender, Aufsicht, Aufseher; → Kontrolleur.

Aufsichtsbeamter → Kontrolleur.

Aufsichtsbehörde → Kuratorium.

Aufsichtspflicht → Aufgabe.

Aufsichtsrat: → Überwachungsorgan.

aufsieden → sieden.

aufsitzen: → wach [sein]; jmdm. a. → hereinfallen.

Aufsitzer → Mißerfolg.

aufsparen → zurücklegen.

Aufspeicherung → Lagerung.

aufsperren: → öffnen; Mund und Nase a. → überrascht [sein]; die Ohren a. → horchen.

¹aufspielen, spielen, Musik / Tanzmusik machen; → Orchester.

²aufspielen: sich a. → prahlen.

aufsprengen → öffnen.

aufspringen → erheben (sich).

aufspulen → aufwickeln.

¹aufspüren, finden, stoßen auf, entdecken, sehen, antreffen, auffinden, vorfinden, treffen [auf], begegnen, wiedersehen, orten, den Standort bestimmen, ausfindig machen, ausfinden, ausmachen, ermitteln, in Erfahrung bringen, feststellen, auf die Spur kommen, herausfinden, herausbekommen, herausbringen (ugs.), herauskriegen (salopp), rausbringen (salopp), ausklamüsern (ugs.), aufstöbern, auftreiben (ugs.), auflesen (ugs.), aufgabeln (salopp), auffischen (salopp); → beschaffen, → erfahren, → erfinden, → fragen, → sehen, → wahrnehmen;

aufgespürt werden, jmdm. in die Arme / Beine / über den Weg laufen (ugs.), etwas findet sich an; → Auskundschafter, → Fundbüro · Ggs. → suchen.

²aufspüren → auskundschaften.

aufstacheln → anstacheln.

Aufstand → Verschwörung.

aufständisch → aufrührerisch.

Aufständischer → Revolutionär.

aufstapeln → aufhäufen.

Aufstapelung → Anhäufung.

aufstauen, anstauen, zurückhalten, speichern; → aufbewahren.

aufstecken: → beenden; → erwirken; jmdm. ein Licht a. → mitteilen.

¹aufstehen, sich erheben, aus dem Bett kommen, aus den Federn kommen/kriechen (ugs.), das Bett verlassen, aufsteigen

(*ugs., landsch.*) · *früh:* [ein] Frühaufsteher sein, beim ersten Hahnenschrei / wenn die Hähne krähen aufstehen; → aufwekken, → erheben (sich); **früh aufgestanden sein,** früh aufsein / auf den Beinen sein, aus dem Bett gefallen sein (*scherzh.*) · Ggs. → schlafen [gehen].

²**aufstehen:** → erheben (sich); nicht mehr a. → sterben; aufgestanden sein → aufsein; mit dem linken Fuß aufgestanden sein → ärgerlich [sein].

**aufsteigen:** → aufstehen, → avancieren, → besteigen, → versetzen; einen Versuchsballon a. lassen → vorfühlen.

**aufsteigend** → schräg.

¹**aufstellen** (sich), sich hinstellen / stellen / postieren / formieren / (*ugs.*) aufpflanzen; → stationieren.

²**aufstellen:** → placieren; das Baugerüst a. → Baugerüst; als Kandidat aufgestellt sein / werden → kandidieren; eine Behauptung a. → behaupten; die Patschen a. → sterben.

**Aufstellung** → Verzeichnis.

¹**Aufstieg,** Vorwärtskommen, Avancement, Beförderung · *sehr schneller:* Blitzkarriere; → Karrieremacher, → Laufbahn; → avancieren.

²**Aufstieg** → Besteigung.

**aufstöbern** → finden.

**aufstocken** → vermehren.

**Aufstockung** → Vermehrung.

**aufstöhnen** → stöhnen.

**aufstoßen:** → eruktieren; etwas stößt jmdm. sauer auf → Folge; das Aufstoßen → Eruktation.

**aufstreben** → erheben (sich).

**aufstreichen** → bestreichen.

**aufstülpen** → anziehen.

**Aufstützen** → Regelverstoß.

**aufsuchen:** → besuchen; [nacheinander] a. → absuchen; etwas in etwas a. → nachschlagen (in).

**auftakeln:** sich a. → schönmachen.

**Auftakt** → Anfang.

**auftafeln** → servieren.

**auftanken:** → erholen (sich), → tanken.

**auftauchen:** → entstehen, → vorkommen; aus der Versenkung a. → wiedererstehen.

**auftauen:** → herausgehen (aus sich), → Scheu, → tauen.

---

**aufteilen:** → entflechten, → teilen.

**Aufteilung** → Gliederung.

**auftischen:** → mitteilen, → servieren; Lügen a. → lügen.

**Auftrag:** → Aufgabe, → Beruf, → Bestellung, → Weisung; A. geben → anordnen; jmdm. einen A. geben → bestellen; im A. von → namens; in A. geben → bestellen; ohne A. → eigenmächtig.

**Auftragebrett** → Tablett.

**auftragen:** → anordnen, → servieren; dick a. → übertreiben, → prahlen; Farbe / Rouge / Schminke a. → schminken.

**Auftraggeber** → Kunde.

**auftreiben:** → beschaffen, → finden.

**auftrennen** → aufdröseln.

**auftreten:** → benehmen (sich), → vorkommen; a. als → figurieren (als), → spielen; als Zeuge a. → zeugen (für, gegen); regelmäßig -d → periodisch.

¹**Auftreten,** Auftritt · *erstes:* Debüt, Rollendebüt, Start · *nach längerer Pause:* Comeback · *auf einer fremden Bühne als Gast:* Gastspiel, Gastrolle, Gastvorstellung; → Aufführung.

²**Auftreten:** → Benehmen; sicheres A. → Weltgewandtheit.

**Auftrieb:** A. geben → anregen.

¹**Auftritt,** Szene, Bild; → Akt.

²**Auftritt:** → Auftreten; einen A. haben mit → zanken (sich).

**auftrocknen** → trocknen.

**auftrumpfen** → aufbegehren.

**auftun:** → öffnen; den Mund a. → äußern (sich); den Mund nicht a. → schweigen.

**auftürmen:** → aufhäufen; sich a. → aufragen.

**aufwachen:** → Ohnmacht, → wach [werden].

**aufwachsen,** heranwachsen, groß werden, seine Kindheit verbringen; → erziehen, → großziehen.

**aufwallen:** → brodeln; a. lassen → sieden.

**Aufwand:** → Prunk; ohne großen A. → einfach.

**Aufwandsentschädigung:** → Spesen, → Vergütung.

¹**aufwärmen,** wärmen, warm / heiß machen, heiß werden lassen, [im Wasserbad] erhitzen,

---

aufbrühen, aufbraten; → sieden.

²**aufwärmen:** sich a. → wärmen (sich); das ist aufgewärmter Kohl → langweilig [sein].

**Aufwartefrau** → Putzfrau.

**aufwarten:** mit etwas a. können → vorweisen [können].

¹**aufwärts,** empor (*geh.*), auf, hoch, herauf, hinauf, nach oben, bergan, stromauf, talauf, bergauf, bergwärts, stromaufwärts, flußaufwärts; → hin; → hinaufgehen · Ggs. → abwärts.

²**aufwärts:** a. gehen / steigen / klettern → hinaufgehen.

**aufwärtsgehen:** es geht aufwärts → Schwierigkeit.

**Aufwärtshaken** → Fausthieb.

**Aufwartung:** → Putzfrau; seine A. machen → besuchen.

**Aufwasch:** in einem A. → zugleich.

**aufwaschen:** → säubern; in einem Aufwaschen → zugleich.

**aufwecken,** wecken, erwecken (*geh.*), aus dem Schlaf reißen, munter / wach machen; → aufstehen.

**aufweichen:** → untergraben, → weichen.

**Aufweichung:** ideologische A. → Trotzkismus.

**aufweisen,** zeigen, sich kennzeichnen durch, in sich tragen / bergen, demonstrieren, jmdm. (oder:) einer Sache eigen sein / eigentümlich sein / eignen; → angehören, → aufdecken; → bekunden, → haben, → wissen.

**aufwenden** → zahlen.

**aufwendig:** → prunkvoll, → teuer.

**Aufwendung** → Unkosten.

**aufwerfen:** sich zum Richter a. → erdreisten (sich).

¹**aufwerten** (die Währung), eine Aufwertung vornehmen · Ggs. → abwerten.

²**aufwerten** → steigern.

**Aufwertung:** eine A. vornehmen → aufwerten.

¹**aufwickeln,** wickeln auf, aufrollen, aufspulen, spulen [auf]; → drehen, → rollen · Ggs. → abwickeln.

² **aufwickeln** → auspacken.

**aufwiegeln,** hetzen, aufhetzen, hussen (*ugs., österr.*), aufhussen (*ugs., österr.*), verhetzen, aufreizen, aufputschen, anheizen.

Öl ins Feuer gießen, fanatisieren, Zwietracht säen, scharfmachen (*ugs.*), pesten (*ugs.*); → anstacheln, → bitten, → propagieren, → überreden, → verleiten, → verursachen, → zuraten; → aufhetzerisch; → Aufwiegelung, → Hetzer.

**Aufwiegelung,** Aufwieglung, Aufhetzung, Fanatisierung, Aufputschung; → aufwiegeln · Ggs. → Beschwichtigung; → beruhigen.

**aufwiegen:** nicht mit Geld aufzuwiegen sein → unersetzlich [sein].

**Aufwiegler** → Hetzer.

**aufwieglerisch** → aufhetzerisch.

**Aufwieglung** → Aufwiegelung.

**¹aufwirbeln,** aufrühren, hochwirbeln, in die Höhe wirbeln.

**²aufwirbeln:** Staub a. → auffallen.

**aufwischen** → säubern.

**Aufwischlappen** → Putzlappen.

**aufwühlen:** etwas wühlt jmdn. auf → erschüttern.

**aufzahlen** → zahlen.

**aufzählen** → erwähnen.

**Aufzahlung** → Zuschlag.

**aufzäumen:** das Pferd am / beim Schwanz a. → verkehrt [machen].

**aufzehren:** → aufessen, → verbrauchen.

**¹aufzeichnen,** [auf Tonband / Band / Schallplatten] aufnehmen, eine Tonbandaufnahme / Schallplattenaufnahme machen; → Direktsendung.

**²aufzeichnen:** → aufschreiben, → zeichnen.

**¹Aufzeichnung,** Aufnahme, Bandaufnahme, Tonbandaufnahme, Magnetbildaufzeichnung, Fernsehkassette · *bei der die Bildaufnahme nachträglich mit der vorliegenden Tonaufnahme abgestimmt wird:* Playback; → Direktsendung; → ausstrahlen.

**²Aufzeichnung:** → Aufsatz, → Niederschrift, → Sendung.

**aufzeigen** → nachweisen.

**¹aufziehen** (jmdn.), necken, mit jmdm. seinen Schabernack / seinen Scherz treiben, hänseln, veralbern (*ugs.*), anöden (*salopp*), ärgern, frotzeln, verulken (*ugs.*), hochnehmen (*ugs.*),

uzen (*ugs., landsch.*), auf den Arm nehmen (*ugs.*), auf die Schippe nehmen (*salopp*), durch den Kakao ziehen (*salopp*), witzeln, spötteln, spotten, jmdn. dem Gelächter preisgeben, verspotten, ausspotten (*oberd.*), pflanzen (*österr.*), höhnen, verhöhnen, foppen, ulken (*ugs.*), flachsen (*ugs.*), anpflaumen (*salopp*); → anbandeln, → anführen, → aussetzen (sich einer Sache), → schadenfroh [sein]; → Scherz.

**²aufziehen:** → auffädeln, → füllen, → großziehen, → veranstalten; etwas zieht auf → heraufziehen; andere Saiten a. → eingreifen.

**Aufzucht** → Züchtung.

**¹Aufzug,** Fahrstuhl, Lift, Ascenseur, Paternoster, Proletenbagger (*scherzh.*), Beamtenbagger (*scherzh.*), Bonzenheber (*scherzh.*); → Treppe, → Winde.

**²Aufzug:** → Akt, → Kleidung, → Winde.

**aufzwicken** → kennenlernen.

**aufzwingen** → aufnötigen.

**Augapfel:** → Liebling; etwas wie seinen A. hüten → schonen (etwas).

**¹Auge,** Pupille · *bei Tieren:* Seher (Plural; Hase, Murmeltier), Lichter (Plural: Rotwild, Schwarzwild u. a.); → Augenlicht, → Bindehautentzündung, → Scharfsichtigkeit, → Sinnesorgan.

**²Auge:** → Sinnesorgan; scharfes A. → Scharfsichtigkeit; jmdm. gehen die -n auf → erkennen; da bleibt kein A. trocken → verschonen; das A. bricht → sterben; so weit das A. reicht → überall, → überallhin; ganz A. und Ohr sein → achtgeben; jmdm. gehen die -n über → ansehen; jmdm. jeden Wunsch von den -n ablesen → verwöhnen; die -n aufmachen → achtgeben, → wach [werden]; die -n aufschlagen → Ohnmacht; ein A. haben auf → achtgeben, → lieben; jmd. hat seine -n überall / hat vorn und hinten -n → sehen; gute / scharfe -n haben → scharfsichtig [sein]; keine -n im Kopf haben → erkennen; kein A. von jmdm. / etwas lassen, jmdn.

scharf ins A. fassen, jmdn. / etwas mit den -n verschlingen → ansehen; alle -n auf sich lenken / ziehen → auffallen; [große] -n machen → überrascht [sein]; jmdm. schöne -n machen → flirten; [vor Scham] die -n niederschlagen → schämen (sich); jmdm. die -n öffnen → mitteilen; ein A. riskieren → blicken; seinen [eigenen] -n nicht trauen → überrascht [sein]; vor etwas die -n verschließen → erkennen; ein / das A. werfen auf → verlieben (sich); ein A. / beide -n zudrücken → nachgeben, → tolerant [sein]; die -n zumachen / [für immer] schließen → sterben; kein A. zutun können → wach [sein]; an seinem geistigen A. vorüberziehen lassen → vorstellen (sich etwas); etwas paßt wie die Faust aufs A. → harmonieren, → passen; geh mir aus den -n! → weg!; eine Beleidigung fürs A. sein → häßlich [aussehen]; im A. behalten, nicht aus den -n verlieren / lassen → beobachten; im A. haben → vorhaben; einen Knick im A. haben → blicken; jmdm. ein Dorn im A. sein → unbeliebt [sein]; in die -n fallen/springen → auffallen; jmdm. Sand in die -n streuen → betrügen; etwas ins A. fassen → ansetzen, → erwägen; ein Ziel ins A. fassen → zielen; der Gefahr ins A. schauen / sehen → mutig [sein]; jmdm. zu tief ins A. / in die -n sehen → verlieben (sich); etwas sticht jmdm. ins A. / in die -n → wünschen; jmd. / etwas mit scheelen -n ansehen → neiden; mit einem blauen A. davonkommen → entrinnen; mit offenen -n schlafen → unaufmerksam [sein]; etwas mit [ganz] anderen -n sehen → umschwenken; nicht um jmds. schöner -n willen / wegen jmds. schöner -n → Zuneigung; unter vier -n → Verschwiegenheit; jmdm. unter die -n kommen / treten → sehen; es fällt jmdm. wie eine Binde/ wie Schuppen von den -n → erkennen; vor jmds. -n keine Gnade finden → gefallen; sich etwas vor -n führen / halten →

äugen

vorstellen (sich etwas); deutlich vor -n führen → anschaulich [machen]; einen Schleier
vor den -n haben → sehen; ein
Ziel vor -n haben → zielstrebig
[sein]; jmdm. etwas vor -n
halten → vorwerfen (jmdm. etwas); man kann die Hand nicht
vor den -n sehen → dunkel
[sein]; etwas steht jmdm. noch
klar vor -n → erinnern (sich);
vor den -n verschwimmen →
unscharf [werden]; jmdm. wird
schwarz vor den -n → ohn-
mächtig [werden].
äugen → blicken.
Augenarzt → Arzt.
Augenbindehautxerose →
Xerophthalmie.
¹Augenblick, Moment, Zeitpunkt, Zeit; im richtigen A., im
richtigen Moment, zu gegebener / zu seiner Zeit, wenn die
Zeit dafür reif / gekommen ist;
→ Weile.
²Augenblick: → Gegenwart, →
Weile; keinen A. → niemals;
keinen A. verlieren → beeilen
(sich); auf / für einen A. →
vorübergehend; im A. → jetzt;
im letzten A. kommen → spät
[kommen]; im A. tun → tun.
augenblicklich: → jetzig, →
jetzt.
Augenblutung → Blutung.
Augendarre → Xerophthalmie.
Augendiagnostiker → Arzt.
augenfällig: → einleuchtend, →
offenbar.
Augenfalter → Schmetterling.
Augengläser → Brille.
¹Augenheilkunde, Ophthalmiatrie, Ophthalmiatrik; → Bindehautentzündung.
²Augenheilkunde → Heilkunde.
Augenklinik → Krankenhaus.
¹Augenlicht, Sehvermögen, Sehkraft, Sehschärfe, Gesicht (selten); → Auge → Katarakt, →
Scharfsichtigkeit, → Sinnesorgan, → Star; → sehen, →
wahrnehmen; → optisch.
²Augenlicht: das A. verlieren →
blind [werden].
Augenmerk: sein A. auf jmdn./
etwas richten → achtgeben.
Augenpflege: A. machen →
schlafen.
Augenpulver → Anstrengung.
Augenschein: → Anblick, → Anschein; in A. nehmen → ansehen.

augenscheinlich → offenbar.
Augenspinner → Schmetterling.
Augentierchen: → Alge, → Ein-
zeller.
Augenweide → Labsal.
Augenwischerei → Selbstbe-
trug.
Augenzahn → Zahn.
Augenzeuge: → Zeuge, → Zu-
schauer.
Augiasstall: den A. ausmisten
→ Ordnung [schaffen].
Augsburg, Fuggerstadt; →
Stadt.
Augur → Wahrsager.
Augurenlächeln: → Lächeln
(das).
Augurke → Gurke.
¹August, Erntemonat, Ernting,
Erntemond; → Monat, →
Zeitraum.
²August: dummer A. → Artist,
→ Spaßmacher.
Augustapfel → Apfel.
Augustiner-Chorherr: -en →
Mönchsorden.
Augustiner-Eremit: -en →
Mönchsorden.
Augustmond → Monat.
Auktion → Versteigerung.
Auktionator, Versteigerer; →
Versteigerung.
Aule → Auswurf.
Au-pair → Student.
Au-pair-Mädchen → Haushalts-
hilfe, → Student.
Aurar → Zahlungsmittel.
Aureole → Heiligenschein.
Auris → Sinnesorgan.
aurora → rot.
Aurora → Göttin.
Aurorafalter → Schmetterling.
aus: → wegen; a. Versehen →
unabsichtlich; [a. und vorbei]
→ vorüber.
ausarbeiten → entwerfen.
Ausarbeitung: → Herstellung,
→ Skript, → Verarbeitung.
ausarten → überhandnehmen.
ausatmen → atmen.
ausbaden: → einstehen (für).
ausbaldowern → auskundschaften.
Ausbau → Umbau.
ausbauen → erweitern.
ausbedingen: sich etwas a. →
ausbitten (sich etwas).
ausbeinen → zerlegen.
ausbessern → reparieren.
ausbeulen → ausweiten.
Ausbeute: → Ertrag, → Profit.

ausbeuteln → ausschütteln.
¹ausbeuten, [jmdn. bis aufs
Blut] aussaugen, jmdm. das
Mark aus den Knochen saugen,
arm machen, jmdn. an den
Bettelstab bringen, ruinieren,
zugrunde richten, jmdm. das
Gas abdrehen (salopp), jmdm.
den Rest geben (ugs.), auspowern (abwertend), jmdm. die
Gurgel zuschnüren / zudrücken
(ugs.), jmdm. den Hals abschneiden (ugs.), jmdm. das
Fell über die Ohren ziehen
(ugs.), ausnutzen, ausnützen
(landsch.); → arm [werden],
→ auswerten, → betrügen; →
Wucher.
²ausbeuten → auswerten.
Ausbeuter: → Erpresser, →
Kapitalist.
Ausbeutung → Lohnabhängigkeit.
ausbiegen → ausweichen.
ausbieten: → feilhalten, → Gebot [machen].
ausbilden: → erziehen; ausgebildet werden → Ausbildung.
Ausbilder → Instrukteur.
Ausbildner → Instrukteur.
¹Ausbildung, Berufsausbildung,
Erziehung, Schulbildung, Vorbereitung, Lehre, Lehrzeit,
Lehrjahr; → Bildung, → Erziehung, → Lehrplan, → Unterricht, → Weisung; eine [gründ-
liche] A. erhalten, eine [gründ-
liche] Ausbildung erfahren /
genießen / finden, ausgebildet
werden, in die Lehre gehen, eine
Lehre / Ausbildung durch-
machen (ugs.), eine Lehre / Ausbildung durchlaufen; → erziehen, → lehren; ohne volle A.,
ohne Vollstudium, Schmal-
spur-, im Nebenfach, nicht voll-
wertig.
²Ausbildung → Erziehung.
Ausbildungsstätte → Institut.
¹ausbitten (sich etwas), sich
etwas vorbehalten / ausbedingen / (österr.) austragen,
etwas zur Bedingung machen;
→ verlangen; → Bedingung.
²ausbitten: sich etwas a. →
bitten.
¹ausblasen, auspusten (ugs.),
auslöschen, löschen; → löschen;
→ Kerze.
²ausblasen: das Lebenslicht a.
→ töten.

**ausblassen** → verblassen.
**ausbleiben:** → eintreffen, → kommen; ausgeblieben sein → abwesend [sein].
**ausbleichen** → verblassen.
**Ausblick,** Aussicht, Anblick, Panorama, Fernsicht, Fernblick, Bild, Sicht, Blick; → Gesichtspunkt.
**ausblicken:** a. nach → suchen.
**ausbluten** → bluten.
**ausbooten** → entlassen.
**Ausbootung** → Entlassung.
**ausborgen** → leihen.
**¹ausbrechen,** zum Ausbruch kommen; → anfangen.
**²ausbrechen:** → fliehen, → schleudern; jmdm. bricht der Angstschweiß aus → Angst [bekommen]; in Klagen a. → klagen; in Tränen a. → weinen.
**¹ausbreiten** (sich), sich verbreiten, übergreifen, an Boden gewinnen, sich durchsetzen.
**²ausbreiten:** → ausdehnen; sich a. → äußern.
**Ausbreitung:** → Ausdehnung, → Ausmaß.
**Ausbrennung** → Verätzung.
**ausbringen:** einen Trinkspruch / einen Toast / ein Hoch auf jmdn. a. → zutrinken.
**Ausbruch:** → Anfang, → Vulkanausbruch; zum A. kommen → ausbrechen.
**ausbrüten:** → ausdenken, → krank [werden].
**Ausbuchtung:** → Rundung.
**ausbügeln** → bereinigen.
**ausbuhen** → auspfeifen.
**ausbürgern** → ausweisen.
**ausbürsten** → säubern.
**ausbüxen** → weggehen.
**Ausdauer** → Beharrlichkeit.
**ausdauernd** → beharrlich.
**¹ausdehnen,** ausweiten, ausbreiten; → entwerfen, → strecken, → überhandnehmen, → vermehren, → vervollständigen, → zunehmen; → weitverzweigt; → Ausdehnung.
**²ausdehnen:** → ausweiten, → vermehren; sich a. → erstrecken (sich), → expandieren, → recken (sich).
**¹Ausdehnung,** Ausweitung, Vermehrung, Expansion, Entwicklung, Ausbreitung, Erweiterung, Verbreiterung, Verlängerung, Vergrößerung; → Steigerung, → Zunahme; → ausdehnen, →

erweitern, → zunehmen; → weitverzweigt.
**²Ausdehnung** → Ausmaß.
**ausdenken** (sich etwas), erfinden, konstruieren, erdenken, ersinnen, erdichten, aussinnen, ausgrübeln, ergrübeln, ausklügeln, austüfteln, ertüfteln, ausknobeln (ugs.), ausixen (ugs., landsch.), ausbrüten (ugs., abwertend), aushecken (salopp, abwertend); → denken, → entwerfen, → erfinden.
**ausdeuten** → auslegen.
**ausdeutschen** → auslegen.
**Ausdeutung** → Auslegung.
**ausdiskutieren:** noch nicht ausdiskutiert sein → offenbleiben.
**ausdörren** → trocknen.
**ausdrehen** → abstellen.
**Ausdruck:** → Begriff, → Bekundung, → Miene, → Wort; [unanständiger A.] → Vulgärausdruck; A. verleihen → mitteilen; einem Wunsch A. verleihen → gratulieren; mit A. → ausdrucksvoll; mit dem A. tiefster Verehrung → hochachtungsvoll; zum A. bringen → aussagen, → bekunden, → mitteilen; seine Dankbarkeit zum A. bringen → danken.
**¹ausdrücken,** ausquetschen, auspressen, auswringen (nordd.), auswinden (landsch.), ausringen (landsch.), ausreiben (österr.).
**²ausdrücken:** → bedeuten, → formulieren, → mitteilen; seinen Dank a. → danken.
**ausdrücklich:** → besonders, → nachdrücklich, → namentlich; -e Feststellung / Erwähnung / Nennung / Hervorhebung; a. erwähnen → betonen.
**Ausdrücklichkeit** → Nachdrücklichkeit.
**Ausdruckslyrik** → Lyrik.
**Ausdrucksmittel,** Stilmittel, Redefigur, Stilfigur; → Konstruktion.
**Ausdruckspsychologie** → Psychologie.
**ausdrucksstark** → ausdrucksvoll.
**Ausdruckstanz** → Tanz.
**ausdrucksvoll,** ausdrucksstark, expressiv, mit Ausdruck, bilderreich, dichterisch, poetisch, hymnisch, rednerisch, rhetorisch, metaphorisch; → gefühls-

betont, → geziert, → hochtrabend.
**Ausdrucksweise,** Stil, Schreibweise, Diktion, Sprechweise, Redeweise, Darstellungsweise, Sprache · knappe: Lapidarstil, Telegrammstil · fehlerhafte, unverständliche: Kauderwelsch (abwertend) · eines Künstlers: Handschrift, Feder, Schreibe (salopp) · einer bestimmten Gruppe oder Schicht: Fachsprache, Soziolekt, Parteijargon (abwertend), Parteichinesisch (abwertend) · verschlüsselte: Geheimsprache · im täglichen Umgang gebrauchte: Alltagssprache, Umgangssprache, Gemeinsprache, Koine (bildungsspr.) · ungepflegte, niedrige: Gossensprache, Vulgärsprache, skatologische Ausdrucksweise, Jargon, Slang, Argot, Cant; → Begriff, → Formelbruch, → Gaunersprache, → Hochsprache, → Manier, → Mischsprache, → Mundart, → Satzbruch, → Spracheigentümlichkeit, → Stilblüte, → Wortschatz, → Wortspiel.
**ausdünsten** → schwitzen.
**Ausdünstung:** → Körpergeruch, → Schweißabsonderung, → Transpiration.
**auseinander:** → geteilt; a. schreiben → schreiben.
**auseinanderbrechen** → defekt [werden].
**auseinanderbringen** → ausschließen.
**auseinanderbröckeln** → zerfallen.
**auseinandergehen:** → dick [werden], → trennen (sich).
**auseinanderhalten** → unterscheiden.
**auseinanderkennen** → unterscheiden.
**auseinanderleben:** sich a. → entfremden (sich).
**auseinandernehmen:** → besprechen, → zerlegen.
**auseinanderschneiden** → zerlegen.
**auseinandersetzen** → erörtern.
**Auseinandersetzung:** → Streit, → Tauziehen; bewaffnete A. → Krieg.
**auserkoren** → auserwählt.
**auserlesen:** → auserwählt, → kostbar.

**Auserlesenheit** → Kostbarkeit.
**¹ausersehen:** → auswählen, → erwählen.
**²ausersehen** → auserwählt.
**auserwählen** → erwählen.
**auserwählt,** erwählt, elitär, berufen, ausersehen, auserlesen, auserkoren; → appetitlich, → geeignet, → geschmackvoll, → kostbar, → selten, → trefflich.
**Ausfahrer** → Bote.
**Ausfall** → Mangel.
**¹ausfallen:** etwas fällt aus / findet nicht statt / (*ugs.*) fällt ins Wasser / wird abgesetzt / wird abgeblasen, etwas fällt aus wegen Nebel (*ugs., scherzh.*) · Ggs. → geschehen.
**²ausfallen:** → geraten; jmd. fällt aus → abwesend [sein]; etwas fällt aus → funktionieren; jmdn. fallen die Haare aus → Glatze.
**ausfällen:** über jmdn. eine Strafe a. → bestrafen.
**ausfallend** → gewöhnlich.
**Ausfallstraße** → Straße.
**ausfegen** → säubern.
**ausfertigen,** ausschreiben, ausstellen; → aufschreiben, → ausfüllen, → vervollständigen.
**ausfinden** → finden.
**ausfindig:** a. machen → finden.
**ausflicken** → reparieren.
**ausfliegen:** ausgeflogen sein → abwesend [sein]; der Vogel ist ausgeflogen → weg [sein].
**¹ausfließen,** fließen aus, herausfließen, entfließen, entströmen, entquellen, auslaufen, herauslaufen, rauslaufen (*ugs.*), rausfließen (*ugs.*), leerfließen, leerlaufen, ausrinnen (*südd., österr.*); → abfließen, → ausströmen, → fließen.
**²ausfließen** → ausströmen.
**ausflippen:** → Lebensweise; ausgeflippte Type → Rauschgiftsüchtiger.
**Ausflucht,** Ausrede, Vorwand, Finte (*abwertend*), Fickfack (*landsch.*), Fisimatenten (*ugs., abwertend*), Sperenzchen (*ugs.*);
**eine A. gebrauchen:** sich herausreden, sich hinter etwas verschanzen (*ugs.*), sich auf jmdn./ etwas ausreden (*österr., schweiz*); → Arglist, → Lüge, → Ziererei.
**¹Ausflug,** Partie, Betriebsausflug, Familienausflug, Klassenausflug, Schulausflug, Sonn-

tagsausflug, Wochenendausflug, Landpartie, Segelpartie, Kahnpartie, Schlittenpartie; → Fahrt, → Reise, → Spaziergang; → spazierengehen.
**²Ausflug** → Reise.
**Ausflügler** → Urlauber, → Wanderer.
**Ausflugsdampfer** → Fahrgastschiff.
**Ausfluß** → Absonderung.
**ausfolgen** → überantworten.
**Ausfolgung** → Aushändigung.
**ausformen** → bearbeiten.
**Ausformung** → Gestaltung.
**ausförscheln** → fragen.
**ausforschen:** → fragen, → nachforschen.
**Ausforschung** → Nachforschung.
**ausfragen** → fragen.
**Ausfragerei** → Verhör.
**ausfratscheln** → fragen.
**ausfressen** (*ugs.*), verbocken (*ugs.*), falsch machen; → anrichten.
**Ausfuhr** → Export.
**ausführbar** → möglich.
**ausführen:** → verwirklichen, → wegnehmen; ausgeführt → fertig.
**Ausführender,** Vollstrecker · Testamentsvollstrecker, Willensvollstrecker (*schweiz.*); → verwirklichen.
**Ausfuhrhafen** → Hafen.
**ausführlich,** eingehend, in extenso, breit, langatmig (*abwertend*), weitschweifig, umständlich, weitläufig, wortreich, lang und breit (*ugs., abwertend*), des langen und breiten (*ugs., abwertend*), langstielig (*ugs., abwertend*), nicht → kurz; → ganz → langweilig, → minuziös;
**zu a. machen,** komplizieren, verumständlichen (*schweiz.*).
**Ausführung:** → Bewerkstelligung, → Darlegung.
**Ausfuhrzoll** → Abgabe.
**ausfüllen,** einsetzen, eintragen; → antworten, → aufschreiben, → ausfertigen.
**ausfüttern** → bespannen.
**Ausgabe:** → Auflage, → Edition, → Zuteilung, -n → Unkosten; gekürzte A. → Kurzfassung.
**Ausgabekurs** → Börsenkurs.
**Ausgang:** → Ende, → Tür; seinen A. nehmen → ausgehen.

**Ausgangspunkt:** → Grundlage, → Stützpunkt.
**ausgeapert** → schneefrei.
**ausgearbeitet** → ausgewogen.
**¹ausgeben,** sein Geld unter die Leute bringen (*ugs.*), verbraten (*salopp*) · viel für Getränke: [sein Geld] vertrinken / (*ugs.*) durch die Gurgel jagen / (*salopp*) versaufen · viel für Essen: [sein Geld] verfressen (*salopp*) · viel für Kleidung: sich alles an/ auf den Leib hängen (*ugs.*) · eine verhältnismäßig große Summe für Telefongespräche: vertelefonieren (*ugs.*); → zahlen.
**²ausgeben:** → teilen, → zahlen; sein Gehalt schon ausgegeben haben → Gehalt [das]; a. als → behaupten; einen a. → spendieren; [sein Geld] mit vollen Händen a. → verschwenden.
**ausgebeult** → ausgeweitet.
**ausgeblaßt:** → verblaßt.
**ausgebleicht** → abgeblaßt.
**ausgeblichen** → verblaßt.
**ausgebucht:** → vergriffen, → vollbeschäftigt.
**ausgebufft** → schlau.
**Ausgeburt:** → Hervorbringung, → Übersteigerung; A. der Phantasie → Einbildung.
**ausgedacht** → erfunden.
**ausgedehnt:** → geräumig, → umfangreich, → weitverzweigt.
**ausgedient:** → abgenutzt, → defekt, → pensioniert.
**Ausgedinge** → Altenteil.
**ausgedörrt** → trocken.
**¹ausgefallen,** außergewöhnlich, ungewöhnlich, ungeläufig, außerordentlich, exzeptionell, extraordinär, groß, erstaunlich, überraschend, entwaffnend, umwerfend, bewundernswert, bewunderungswürdig, großartig, formidabel, ersten Ranges, brillant, kapital, stupend, hervorragend, überragend, eminent, überwältigend, eindrucksvoll, beeindruckend, beträchtlich, erklecklich, stattlich, ansehnlich, nennenswert, bedeutend, unvergleichlich, ohnegleichen, sondergleichen, einzigartig, ungleich + Komparativ (ungleich [besser]), bedeutungsvoll, bedeutsam, erheblich, grandios, imponierend, imposant, phänomenal, beachtlich, enorm, sensationell, epochal, epochema-

chend, spektakulär, aufsehenerregend, auffallend, auffällig, abenteuerlich, frappant, verblüffend, fabelhaft, sagenhaft, märchenhaft, pyramidal (ugs.); → angesehen, → anormal, → bahnbrechend, → beispiellos, → bekannt, → besonders, → bleibend, → gewaltig, → groß, → inhaltsreich, → interessant, → meisterhaft, → offenbar, → sehr, → trefflich, → unsagbar, → unschlagbar, → unüblich, → unwahrscheinlich, → wichtig.

²**ausgefallen:** → überspannt, → unüblich.

**Ausgefallenheit,** Extravaganz, Übertriebenheit, Überspanntheit, Verstiegenheit, Überspitztheit, Skurrilität, Verdrehtheit (ugs.), Verrücktheit (ugs.), närrischer Einfall, Hirnrissigkeit (österr.); → Seltsamkeit; → überspannt.

**ausgefeilt** → ausgewogen.

**Ausgefeiltheit:** → Ausgereiftheit, → Gewähltheit.

**Ausgeflippter** → Außenseiter.

**ausgeflogen** → aushäusig.

**ausgefranst,** zerfranst, fußlig, fusselig → defekt; → zerlegen.

**ausgefuchst** → schlau.

**ausgeführt** → fertig.

**ausgeglichen:** → gemäßigt, → ruhig.

**Ausgeglichenheit** → Gelassenheit.

**ausgegoren** → aktuell.

¹**ausgehen:** etwas geht von etwas aus / nimmt seinen Ausgang / (österr.) erfließt.

²**ausgehen:** → abfärben, → abnehmen, → enden, → stokken; es geht sich aus → passen; leer a. → bekommen; straffrei a. → verurteilen; a. wie das Hornberger Schießen → wirkungslos [bleiben]; jmdm. gehen die Haare aus → Glatze; jmdm. geht die Luft aus → zahlungsunfähig [werden]; bei jmdm. ein- und a. → verkehren (mit); a. von → voraussetzen.

**Ausgeher** → Bote.

**ausgehungert:** a. sein → Hunger [haben].

**ausgeknobelt** → ausgewogen.

**ausgekocht** → schlau.

**ausgekühlt** → kalt.

**ausgelassen** → übermütig.

¹**Ausgelassenheit,** Übermut, Unbekümmertheit, Leichtsinn, Draufgängertum · in einer gefährlichen Situation: Tanz auf dem Vulkan; → Heiterkeit, → Lust.

²**Ausgelassenheit** → Lust.

**ausgelastet** → vollbeschäftigt.

**ausgelatscht** → ausgeweitet.

**ausgelaugt** → erschöpft.

**ausgeleiert** → ausgeweitet.

**ausgeliefert:** → schutzlos, → unsicher.

**Ausgeliefertsein** → Ungesichertheit.

**ausgemergelt** → abgezehrt.

**ausgenommen,** außer, ohne, sonder, ausschließlich, mit Ausnahme, bis auf, abgesehen von, exklusive, nicht inbegriffen / einbegriffen; → abzüglich, → ausschließlich, → zuzüglich · Ggs. → einschließlich.

**ausgepicht** → schlau.

¹**ausgeprägt,** kraß, extrem, hochgradig, stark, auffällig; → abgöttisch.

²**ausgeprägt:** → profiliert, → zugespitzt.

**ausgepumpt** → erschöpft.

**ausgereift:** → ausgewogen, → reif.

**Ausgereiftheit,** Überlegtheit, Durchdachtheit, Ausgefeiltheit, Ausgewogenheit; → Gewähltheit; → ausgewogen.

**ausgerüstet:** a. sein mit → haben.

**ausgeschlossen:** → nein; es ist nicht a., daß → anscheinend.

**ausgeschnitten,** dekolletiert, offenherzig (scherzh.); → Ausschnitt.

**ausgesetzt:** → schutzlos, → unsicher.

**Ausgesetztsein** → Ungesichertheit.

**ausgespielt:** [seine Rolle] a. haben → Einfluß.

**ausgesprochen** → typisch.

**ausgestorben:** [wie a.] → menschenleer.

**Ausgestoßener** → Außenseiter.

**ausgesucht:** → kostbar, → sehr.

**Ausgesuchtheit:** → Gewähltheit, → Kostbarkeit.

**ausgetreten:** → ausgeweitet; die -en Pfade verlassen → schöpferisch [sein].

**ausgetrocknet** → trocken.

**ausgetüftelt** → ausgewogen.

**ausgewachsen:** -er Mensch → Erwachsener.

**ausgewählt** → kostbar.

**Ausgewähltheit** → Kostbarkeit.

**ausgewalzt:** breit a. → gedehnt.

**ausgeweitet,** ausgeleiert (ugs.), ausgebeult (ugs.), verbeult (ugs.), ausgetreten, ausgelatscht (salopp), verlatscht (salopp), verhatscht (ugs., österr.); → abgenützt; → ausweiten.

**ausgewiesen** → bekannt.

**Ausgewiesener** → Auswanderer.

¹**ausgewogen,** ausgereift, überlegt, wohlüberlegt, [gut] durchdacht, ausgearbeitet, ausgetüftelt (ugs.), ausgefeilt, ausgeknobelt (ugs.), durchgeknobelt (ugs.); → ebenmäßig · Ggs. → unausgegoren; a. sein, Hand und Fuß haben; → denken, → stimmen; → Ausgereiftheit.

²**ausgewogen** → ebenmäßig.

**Ausgewogenheit:** → Ausgereiftheit, → Ebenmäßigkeit, → Gewähltheit.

**ausgezählt:** a. werden → besiegen.

**ausgezeichnet:** → bravo!, → preisgekrönt, → trefflich; mit dem Ausdruck meiner -sten Hochachtung → hochachtungsvoll.

**ausgezogen** → nackt.

**ausgießen:** → leeren, → schütten.

**Ausgleich:** → Abmachung, → Ersatz; etwas ist ein A. / stellt einen A. dar → Korrektiv.

**ausgleichen:** → aufholen, → belohnen, → nivellieren, → überbrücken.

**Ausgleicher** → Beauftragter.

**Ausgleichszahlung** → Ersatz.

**ausgleiten** → gleiten.

**ausglitschen** → gleiten.

**ausgraben:** → ausmachen (Kartoffeln); das Kriegsbeil a. → bekriegen; einen Span a. → Streit [anfangen mit jmdm.].

**Ausgrabung** → Bodenfund.

**Ausgrabungsfund** → Bodenfund.

**ausgrübeln** → ausdenken.

**Ausguß,** Abguß, Spülstein, Spülbecken, Spüle, Schüttstein (schweiz.), Spültisch (schweiz.), Abwasch, Ablauf, Abfluß; → Abwaschwasser.

**aushacken** → zerlegen.

**aushallen** → verhallen.

79

aushalten

¹**aushalten,** ertragen, erdulden, dulden, leiden, erleiden, auf sich nehmen, sich in etwas schicken/ ergeben / finden / fügen, sein Kreuz tragen / auf sich nehmen, durchmachen, mitmachen, durchstehen, bestehen, ausstehen, überstehen, überwinden, überleben, vertragen, verkraften, verarbeiten, tragen, hinnehmen, in Kauf nehmen, auffangen (*ugs.*), verschmerzen, verdauen (*ugs.*), fertig werden mit, sich etwas gefallen / bieten lassen, sich abfinden mit, sich in seine Rolle finden, etwas über sich ergehen lassen, jmdm. bleibt nichts erspart, etwas einstecken / schlucken müssen (*ugs.*) · *gleiche Unannehmlichkeiten:* Leidensgenossen sein; → bewältigen, → billigen, → durchsetzen (sich), → erleben, → nachgeben, → standhalten, → überdauern; **etwas nicht a. können,** etwas nicht abkönnen (*ugs.*); → hassen; → Duldung. ²**aushalten:** → durchhalten, → ernähren; etwas ist nicht auszuhalten → unerträglich [sein]; nichts a. können → wehleidig [sein]; es vor Schmerzen nicht a. können → Schmerz.

¹**aushandeln,** [einen Vertrag] schließen / abschließen / (*ugs.*) machen, vereinbaren; → übereinkommen. ²**aushandeln** → übereinkommen. **aushändigen** → abgeben. **Aushändigung,** Übergabe, Überantwortung, Auslieferung, Ausfolgung, Einantwortung (*österr.*); → Lieferung, → Vergabe, → Zuteilung; → überantworten. **Aushang:** → Anschlagbrett, → Plakat. **ausharren:** → durchhalten, → warten. **aushauchen:** den Geist / sein Leben / die Seele a. → sterben. **aushäusig,** ausgeflogen (*ugs.*); → abwesend, → anderwärts, → weg; **a. sein,** nicht zu Hause / (*scherzh.*) nicht momentan/nicht anzutreffen sein; → antreffen. **ausheben:** → ausleeren, → einberufen, → ergreifen. **Aushebung** → Einberufung. **aushecken** → ausdenken. **ausheilen** → gesund [werden].

**aushelfen** → vertreten. **ausheulen:** sich a. → weinen. **Aushilfe:** → Anleihe, → Hilfskraft. **Aushilfskraft** → Hilfskraft. **Aushobelung** → Operation. **aushöhlen:** jmdn. a. → beanspruchen. **ausholen:** → fragen; weit a. → äußern (sich). **aushorchen** → fragen. **ausixen:** → ausdenken (sich etwas), → ausstreichen. **auskegeln:** sich etwas a. → verstauchen (sich etwas). **auskehren:** → säubern; mit eisernem Besen a. → eingreifen. **auskennen** (sich), kennen, zu Hause sein in etwas, in- und auswendig kennen (*ugs.*), vom Bau sein · *in einer Stadt o.ä.:* etwas wie seine Westentasche kennen (*ugs.*) · *auf allen Gebieten:* in allen Sätteln gerecht sein; → verstehen, → wissen; → firm. **auskippen** → leeren. **ausklamüsern** → finden. **Ausklang** → Ende. **auskleiden:** → ausziehen, → bespannen. **ausklingen:** → verhallen; etwas klingt aus → stocken. **ausklopfen** → ausschütteln. **Ausklopfer** → Teppichklopfer. **ausklügeln** → ausdenken. **ausknautschen** → fragen. **auskneifen** → weggehen. **ausknipsen** → abstellen. **ausknobeln** → ausdenken. **auskochen** → desinfizieren. ¹**auskommen,** sein Auskommen/ (*österr.*) Drauskommen haben, mit etwas hinkommen (*ugs.*), sein Auslangen finden (*österr.*); → leben. ²**auskommen:** → entkommen; mit jmdm. a. → vertragen (sich); mit etwas a. → ausreichen; mit jmdm. ist schwer auszukommen → böse [sein]. **Auskommen:** sein A. haben → auskommen. **auskömmlich** → annehmbar. **auskosten** → genießen. **auskratzen** → weggehen. **Auskratzung** → Kürettage. **auskriechen** → schlüpfen. **auskugeln:** sich etwas a. → verstauchen (sich etwas). **Auskugelung** → Verrenkung.

**Auskuglung** → Verrenkung. **Auskühlung** → Unterkühlung. **auskultieren** → horchen. **auskundschaften,** erkunden, erfragen, jmdn. ansprechen auf, ausspüren, aufspüren, ausspionieren, rekognoszieren, aufklären, ausschnüffeln (*ugs., abwertend*), ausbaldowern (*salopp*); → finden, → forschen, → fragen, → neugierig [sein], → vorfühlen; → Auskundschafter, → Detektei, → Spion. **Auskundschafter,** Späher, Lauscher, Privatdetektiv, V-Mann, Konfident (*österr.*), Spitzel, Lockspitzel, Agent provocateur, Haderer (*veraltet, österr.*); → Kriminalbeamter, → Spion; → auskundschaften, → finden, → überwachen. **Auskunft:** → Nachricht; A. geben / erteilen → mitteilen. **Auskunftei** → Detektei. **auskurieren** → gesund [machen]. **auslachen** → schadenfroh [sein]. **Auslad** → Verladung. ¹**ausladen,** entladen, ausleeren, leeren, entleeren · *in bezug auf einen Briefkasten:* leeren, ausheben (*österr.*); → abladen, → auspacken, → ausschiffen, → laden; → Verladung. ²**ausladen** → abladen. **ausladend** → gebogen. **Ausladung** → Verladung. **Auslage** → Schaufenster. **auslagern** → verlagern. **Auslagerung** → Verlagerung. ¹**Ausland,** Fremde, → Fremder, → Verbannung · Ggs. → Heimat. ²**Ausland:** ins A. gehen → auswandern. **Ausländer** → Fremder. **ausländisch:** → fremd; -er Arbeitnehmer → Gastarbeiter; -es Geld, -e Währung, -e Zahlungsmittel → Devisen. **Auslandskorrespondent** → Berichter. **Auslandsmarkt** → Absatzgebiet. **Auslandspresse** → Presse. **Auslandsreise** → Reise. **Auslangen:** sein A. finden → auskommen. **auslassen:** → aussparen, → freilassen, → zerlassen; [seine Wut] an jmdm. a. → schikanieren; sich a. über → äußern (sich).

Auslassungen → Darlegung.

Auslassungszeichen, Apostroph; → Satzzeichen.

auslasten → auswerten.

auslatschen: → abnutzen, → ausweiten.

Auslauf: → Hühnerhof; A. haben → toben.

auslaufen: → abfärben, → abgehen, → ablaufen, → ausfließen.

¹Ausläufer, Verästelung, Zweig.

²Ausläufer → Bote.

ausleeren: → ausladen, → leeren, → schütten.

¹auslegen, deuten, deuteln, erklären, erläutern, klarmachen, explizieren, exemplifizieren, ausdeuten, ausdeutschen (ugs., südd., österr.), hineingeheimnissen (abwertend), interpretieren (bildungsspr.), kommentieren, auffassen · jmds. Aussage falsch: jmdm. das Wort im Mund herumdrehen; → anschaulich [machen], → begründen, → beurteilen, → enträtseln, → folgern, → merken, → übersetzen, → voraussehen; → Auslegung, → Dolmetscher, → Randbemerkung.

²auslegen: → bespannen, → dick [werden], → zahlen; falsch a. → mißverstehen.

Ausleger → Interpret.

Auslegeware → Teppichboden.

Auslegung, Ausdeutung, Lesart, Deutung, Erklärung, Worterklärung, Erläuterung, Kommentar, Bestimmung, Definition, Begriffsbestimmung, Denotation, Sinndeutung, Stellungnahme, Urteil, Interpretation, Explikation, Hermeneutik; → Angabe, → Darlegung, → Exegese, → Randbemerkung, → Verarbeitung, → Wortbedeutung; → auslegen.

ausleiern → ausweiten.

ausleihen → leihen.

Auslese → Auswahl.

¹auslesen, verlesen, lesen aus; → auswählen, → aussortieren.

²auslesen: → auswählen, → lesen.

ausleuchten → nachforschen.

¹ausliefern (jmdn.), überantworten, übergeben, preisgeben, ans Messer liefern; → schutzlos [sein].

²ausliefern: → aussetzen (sich einer Sache), → liefern; sich a. → stellen (sich); ausgeliefert sein → machtlos [sein].

Auslieferung: → Aushändigung, → Entäußerung, → Lieferung.

ausliegen, aufliegen (südd., österr.), bereitliegen, ausgestellt sein.

ausloben → versprechen.

Auslobung → Belohnung.

auslöffeln: die Suppe [die man sich eingebrockt hat] a. [müssen] → einstehen (für).

auslöschen: → ausblasen, → säubern.

auslosen → losen.

auslösen: → verursachen, → zerlegen; Bestürzung a. → schockieren.

Auslosung → Ziehung.

ausloten, loten; → Lot.

auslüften → lüften.

auslugen: a. nach → suchen.

¹ausmachen (Kartoffeln), roden, buddeln, austun, ausgraben; → ernten.

²ausmachen: → abstellen, → bedeuten, → betragen, → finden, → schlechtmachen, → sehen, → übereinkommen; etwas macht jmdm. nichts aus → dickfellig [sein].

ausmahlen → mahlen.

ausmalen: → schildern, → streichen; sich etwas a. → vorstellen (sich etwas).

ausmären: sich a. → langsam [arbeiten].

Ausmärz → Frühling.

Ausmaß, Größe, Größenordnung, Maß, Abmessung, Ausbreitung, Dimension, Ausdehnung, Umkreis, Reichweite, Spielraum, Höhe, Breite, Länge, Tiefe, Weite, Dichte, Fülle, Umfang, Grad, Stärke; → Anzahl, → Bedeutung, → Größe.

ausmauern → abstützen.

ausmerzen → ausrotten.

ausmessen → messen.

ausmieten → vermieten.

ausmisten: → aufräumen; den Augiasstall a. → Ordnung [schaffen].

Ausnahme: → Abweichung, → Alienteil, → Vorrecht; mit A. → ausgenommen; ohne A. → alle.

Ausnahmefall, Ausnahmsfall (österr.), Einzelfall, Sonderfall, Extremfall, Notfall; → Lage, → Not; im A., wenn Not am Mann ist, wenn alle Stricke / Stränge reißen, zur Not.

Ausnahmeverkauf → Ausverkauf.

Ausnahmezustand, Ausnahmszustand (österr.), Kriegsrecht, Belagerungszustand, Notstand; → Belagerung.

Ausnahmsfall → Ausnahmefall.

ausnahmslos: → alle, → durchgängig.

Ausnahmszustand → Ausnahmezustand.

ausnehmen: → ablisten, → ausweiden, → fragen, → wahrnehmen.

ausnehmend → sehr.

Ausnehmer → Altenteiler.

ausnüchtern → nüchtern [machen]; [sich a.] → nüchtern [werden].

¹ausnutzen, ausnützen, sich etwas zunutze machen, sich einer Sache bedienen, jmdn. zu etwas gebrauchen, aus etwas / jmdm. Vorteil ziehen · einen günstigen Augenblick: die Gelegenheit beim Schopfe packen / fassen / greifen / nehmen · jmds. Gutmütigkeit: jmdm. auf der Nase herumtanzen.

²ausnutzen: → ausbeuten, → auswerten.

ausnützen: → ausbeuten, → ausnutzen, → auswerten.

¹auspacken, auswickeln, aufwickeln, aufpacken, enthüllen; → ausladen, → entfernen, → entnehmen, → schütten.

²auspacken: → gestehen, → mitteilen.

auspeitschen → schlagen.

auspellen → ausziehen.

auspfeifen, pfeifen, ein Pfeifkonzert anstimmen / veranstalten, auszischen, zischen, Buh rufen, buhen, seinen Unwillen kundtun, ausbuhen, niederschreien.

Auspflanzung → Explantation.

Auspizien: → Anzeichen; unter jmds. A. → Schirmherrschaft.

ausplappern → mitteilen.

ausplaudern → mitteilen.

ausplauschen → mitteilen.

ausplündern → wegnehmen.

ausposaunen → verbreiten.

auspowern → ausbeuten.

¹**auspressen,** entsaften; → Saftpresse.

²**auspressen** → ausdrücken.

**ausprobieren** → probieren.

**Auspuffgas** → Abgas.

**auspusten:** → ausblasen; das Lebenslicht a. → töten.

**ausputzen** → säubern.

**Ausputzer** → Fußballspieler.

**ausquasseln** → mitteilen.

**ausquatschen:** → mitteilen; sich a. → äußern (sich).

**ausquetschen:** → ausdrücken, → fragen.

**ausradieren:** → ausstreichen, → zerstören.

**ausrangieren** → wegwerfen.

**ausrasten:** sich a. → ruhen.

**ausratschen** → mitteilen.

**ausrauben:** → bestehlen, → wegnehmen.

**ausräubern** → wegnehmen.

**ausrauchen** → verfliegen.

**ausraufen** → herausreißen.

**ausräumen:** → entfernen, → wegnehmen.

**Ausräumung** → Beseitigung.

¹**ausrechnen,** rechnen, berechnen, errechnen, vorausberechnen, kalkulieren, ermitteln; → bearbeiten, → einteilen, mitrechnen, → schätzen, → vermuten, → verrechnen.

²**ausrechnen:** sich etwas a. können → voraussehen.

**Ausrede** → Ausflucht.

**ausreden:** → abraten; nicht a. lassen → dazwischenreden; sich auf jmdn. / etwas a. → Ausflucht.

**ausreiben** → ausdrücken.

**Ausreibfetzen** → Putzlappen.

**Ausreibtuch** → Putzlappen.

**ausreichen,** reichen, hinreichen, genügen, mit etwas auskommen, etwas zur Genüge haben, der Bedarf ist gedeckt, der Sättigungsgrad ist erreicht, langen (*ugs.*), nicht → hapern; → ausreichend; → Bedarf.

¹**ausreichend,** genug, genügend, befriedigend, gut, hinreichend, zureichend, hinlänglich; → allerlei, → angemessen, → annehmbar, → einigermaßen, → sattsam; → ausreichen.

²**ausreichend** → gehörig.

**ausreißen:** → fliehen, → herausreißen, → weggehen; Bäume a. [können] → stark [sein]; sich kein Bein a.→ anstrengen (sich).

**ausrenken:** sich etwas a. → verstauchen (sich etwas).

**Ausrenkung** → Verrenkung.

¹**ausrichten,** geraderichten, richten, fluchten, abfluchten, in eine Fluchtlinie bringen, eine Fluchtlinie festlegen / abstecken; → messen.

²**ausrichten:** → erwirken, → mitteilen, → schlechtmachen, → veranstalten; → zahlen.

**Ausrichtung** → Abhaltung.

**ausringen** → ausdrücken.

**ausrinnen** → ausfließen.

**Ausritt:** → Ritt.

**ausrollen** (Teig), auswalken, austreiben (*österr.*); → Nudelholz.

¹**ausrotten,** tilgen, austilgen, vertilgen, ausmerzen; → besiegen, → töten, → zerstören.

²**ausrotten:** mit Stumpf und Stiel a. → zerstören.

**Ausrottung** → Austilgung.

**ausrücken:** → fliehen → weggehen.

**Ausrufesatz** → Satz.

**Ausrufewort** → Wortart.

**Ausrufezeichen** → Satzzeichen.

**Ausrufungszeichen** → Satzzeichen.

**Ausrufzeichen** → Satzzeichen.

**ausruhen:** → ruhen; [sich] auf seinen Lorbeeren a. → anstrengen (sich).

**ausrupfen** → herausreißen.

**ausrüsten:** → appretieren, geben.

**Ausrüstung:** → Appretur, → Mobiliar, → Rüstzeug.

**ausrutschen** → gleiten.

**aussa** → her.

**aussäen** → bebauen.

**Aussage:** → Angabe, → Darlegung; eine A. machen → gestehen; stark in der A. → inhaltsreich.

**Aussagekraft:** etwas enthält A. / ist von großer A. → aussagen.

**aussagekräftig:** → inhaltsreich; etwas ist a. → aussagen.

¹**aussagen:** etwas sagt etwas über etwas aus / enthält Aussagekraft / ist von großer Aussagekraft / ist aussagekräftig, schildern, darstellen, eine Darstellung / eine Vorstellung / ein Bild geben von, einen Eindruck geben / vermitteln von, zum Ausdruck / zur Darstellung bringen, informieren über, bekanntmachen mit, veranschaulichen, sichtbar machen; → mitteilen.

²**aussagen:** → bedeuten, → gestehen; als Zeuge a. → zeugen (für, gegen).

**Aussagesatz** → Satz.

**aussagestark** → inhaltsreich.

**Aussageweise** → Modus.

**Aussagewort:** [vorgangsschilderndes / zustandsschilderndes A.] → Verb.

¹**Aussatz,** Lepra, Elephantiasis graecorum, Hansen-Krankheit; → Hautkrankheit, → Krankheit.

²**Aussatz:** lombardischer A. → Pellagra.

**aussätzig** → ekelhaft.

**aussaufen** → austrinken.

**aussaugen:** [jmdn. bis aufs Blut a.] → ausbeuten.

**Ausschabung** → Kürettage.

**ausschalten:** → abstellen, → ausschließen.

**Ausschälung** → Operation.

**Ausschank** → Schanktisch.

**Ausschau:** A. halten → suchen.

**ausschauen:** → aussehen; a. nach → suchen.

**ausscheiden:** → absondern, aufhören, → ausschließen, → kündigen, → unterscheiden; das Ausscheiden → Kündigung.

**Ausscheidung:** → Absonderung, → Exkrement.

**ausscheißen:** wie ausgeschissen aussehen → blaß [sein].

**ausschelten** → schelten.

**ausschenken,** zapfen, schenken; → schütten.

**ausschießen** → verblassen.

**ausschiffen,** von Bord / an Land bringen; → abladen → ausladen · Ggs. → einschiffen; **sich a.,** von Bord / an Land gehen, das Schiff verlassen.

**Ausschilderung** → Beschilderung.

**ausschimpfen** → schelten.

**ausschirren** → abhalftern.

**ausschlachten:** → anwenden, → auswerten.

**ausschlafen:** ausgeschlafen wach; sich den Rausch a. → nüchtern [werden].

**Ausschlag:** → Hautausschlag; den A. geben → maßgeblich [sein].

¹**ausschlagen,** ablehnen zurückweisen, desavouieren, ab-

weisen, abwimmeln (*ugs.*, *abwertend*), [kurz] abfertigen, verschmähen, jmdn. abschlägig bescheiden, aus Abschied und Traktanden fallen lassen (*schweiz.*), abschlagen, etwas verweigern, versagen, abwinken, eine Abfuhr erteilen, abfahren / abblitzen / ablaufen lassen (*salopp*), jmdm. einen Korb geben / die kalte Schulter zeigen, jmdm. die Tür vor der Nase zuschlagen, verachten, jmd. / etwas kann jmdm. gestohlen bleiben (*ugs.*), jmdm. etwas husten / niesen (*salopp*), nicht → billigen; → beanstanden, → entledigen (sich jmds./ einer Sache), → ignorieren, → mißachten, → verabscheuen, → verbieten, → verweigern (sich jmdm.); → nein; → Ablehnung.

²**ausschlagen:** → ausschütteln, → bespannen, → sprießen, → stoßen.

**ausschlaggebend:** → maßgeblich; -er Einfluß → Autorität.

**ausschleichen** → verringern.

¹**ausschließen,** absondern, isolieren, abschließen / scheiden / trennen / sondern von, dirimieren, auseinanderbringen, einsperren, ausstoßen, verstoßen, jmdn. für vogelfrei erklären, ausscheiden, nicht in Betracht ziehen, verweisen, separieren, ausschalten, allein lassen · *von der Hochschule:* relegieren · *aus der Kirche:* exkommunizieren · *beim Sport:* disqualifizieren, vom Platz stellen / verweisen; → anmelden, → auswählen, → ausweisen, → brandmarken, → entfernen, → entlassen, → festsetzen (jmdn.), → kündigen, → sitzenlassen, → unterscheiden; → Außenseiter, → Verbannung.

²**ausschließen:** ausgeschlossen sein → bekommen; es ist nicht auszuschließen → vielleicht; einander -d → gegensätzlich; vom Erbe / von der Erbschaft a. → enterben.

¹**ausschließlich,** alleinig, uneingeschränkt, nur, bloß, lediglich, nichts anderes / nicht mehr als; → ausgenommen, → besonders · Ggs. → einschließlich.

²**ausschließlich** → ausgenommen.

**Ausschließung** → Aussperrung.

**ausschlüpfen** → schlüpfen.

**ausschlürfen** → austrinken.

**Ausschluß,** Entfernung, Ausstoßung · *mißliebiger Personen aus einer Partei o.ä.:* Säuberungsaktion; → Verfolgung.

**ausschmieren:** → betrügen, → schelten.

**ausschmücken:** → beschönigen, → schmücken; mit Bildern a. → ausbildern.

**Ausschmückung** → Zubehör.

**ausschnauben** → schneuzen (sich).

**ausschnaufen** → Atem [schöpfen].

**ausschneiden** → beschneiden.

**Ausschneidung** → Operation.

¹**Ausschnitt,** Halsausschnitt, Kleiderausschnitt · V-Ausschnitt · *tiefer:* Dekolleté, Rückendekolleté, Rückenausschnitt; → ausgeschnitten.

²**Ausschnitt:** → Abschnitt, → Detail, → Segment, → Zitat.

**ausschnüffeln** → auskundschaften.

**ausschoppen** → präparieren.

**ausschreiben** → ausfertigen.

**Ausschreibung:** → Angebot, Konkurrenz.

**ausschreien** → feilhalten.

**Ausschreitung** → Verschwörung.

**ausschroten** → zerlegen.

¹**Ausschuß,** Komitee, [wissenschaftlicher] Rat, Kommission, Gremium, Kreis, Zirkel; → Abgeordneter, → Abgesandter, → Abordnung, → Berater, → Kuratorium, → Preisgericht; → abordnen.

²**Ausschuß:** → Pfuscherei, → Schleuderware.

**ausschütteln,** ausschlagen, ausklopfen, ausbeuteln; → abschütteln, → schütteln.

**ausschütten:** → leeren, → schütten, → zahlen; das Kind mit dem Bade a. → reagieren.

**ausschweifend** → anstößig.

**Ausschweifung,** Exzeß, Orgie, Debauche, Unmäßigkeit, Zügellosigkeit, Dissolution, Libertinage; → Alkoholvergiftung, → Steigerung, → Trunksucht.

**ausschweigen:** sich a. → schweigen.

**Ausschwingmaschine** → Wäscheschleuder.

**Aussegnung** → Viatikum.

¹**aussehen,** ausschauen, dreinschauen (*ugs.*), dreinblicken · *verdrießlich:* ein ... Gesicht machen / ziehen, ein Gesicht wie drei / sieben Tage Regenwetter machen (*ugs.*).

²**aussehen:** elend / schlecht / wie eine wandelnde Leiche/wie eine Leiche auf Urlaub / wie das Leiden Christi a. → krank [aussehen]; gut -d → hübsch; häßlich / unvorteilhaft a. → häßlich; es sieht so aus → anscheinend; wie ausgeschissen / wie ausgespuckt / wie Braunbier mit Spucke / wie gekotzt / wie der Tod [von Basel] a.→ blaß [sein].

**Aussehen** → Anschein.

**aussein:** → fertig [sein]; a. auf → begierig [sein]; mit jmdm. ist es aus → sterben; das Aussein auf Wirkung → Effekthascherei.

¹**außen,** an der Außenseite / der äußeren Seite · Ggs. → innen.

²**außen** → draußen.

**Außenantenne** → Antenne.

**Außenbackenbremse** → Bremse.

**Aussendung** → Umlaufschreiben.

**Außenhafen** → Hafen.

¹**Außenhandel,** Außenwirtschaft, Überseehandel; → Export, → Import, → Marktform · Ggs. → Binnenhandel.

²**Außenhandel** → Handel.

**Außenmauer** → Mauer.

**Außenseite:** an der A. → außen.

**Außenseiter,** Einzelgänger, Eigenbrötler, Kauz, Original, Sonderling, Individualist, Subjektivist, Nonkonformist, Außenstehender, Outsider, Outcast, Drop-out, Ausgeflippter, Marginalexistenz, Paria, Ausgestoßener, Geächteter, Verfemter, Asozialer, Unterprivilegierter, Entrechteter; → Einzelgänger, → Ketzer, → Nichtfachmann, → Optimist; → anpassen, → ausschließen; → schöpferisch, → seltsam.

**Außenseitertum** → Einzelgängertum.

**außenstehend:** Außenstehende nicht betreffend → intern.

**Außenstehender:** → Außenseiter, → Dritter, → Nichtfachmann.

**Außenstelle** → Zweigstelle.

**Außenstürmer** → Fußballspieler.

**Außenwand** → Mauer.

**Außenwelt:** sich von der A. abschließen → abkapseln (sich).

**Außenwirtschaft** → Außenhandel.

**außer:** → ausgenommen; a. Kraft setzen → abschaffen; a. Kurs gesetzt sein → Geltung; a. Obligo → Sicherheit; a. der Reihe → zusätzlich; a. sich sein → aufgeregt [sein].

**Außerachtlassung,** Nichtbeachtung, Nichteinhaltung, Mißachtung, Verletzung, Zuwiderhandlung, Überschreitung, Übertretung; → Verstoß; → mißachten, → übertreten.

¹**außerdem,** überdies, obendrein, zudem, weiter, weiters (österr.), weiterhin, des weiteren, ferner, fernerhin, im übrigen, ansonsten, sonst, dazu, daneben, nebstdem (schweiz.), erst noch (schweiz.); → auch.

²**außerdem:** [a. ... genannt] →, alias.

**außerdienstlich** → inoffiziell.

**äußere:** an der -n Seite → außen.

**außerehelich:** → unehelich; -es Kind → Kind.

**außergewöhnlich,** ungewöhnlich, ausgefallen, ungeläufig, außerordentlich, exzeptionell, extraordinär, groß, erstaunlich, überraschend, entwaffnend, umwerfend, bewundernswert, bewunderungswürdig, großartig, formidabel, ersten Ranges, brillant, kapital, stupend, hervorragend, überragend, eminent, überwältigend, eindrucksvoll, beeindruckend, beträchtlich, erklecklich, stattlich, ansehnlich, nennenswert, bedeutend, unvergleichlich, ohnegleichen, sondergleichen, einzigartig, ungleich + Komparativ (ungleich [besser]), bedeutungsvoll, bedeutsam, erheblich, grandios, imponierend, imposant, phänomenal, beachtlich, enorm, sensationell, epochal, epochemachend, spektakulär, aufsehenerregend, auffallend, auffällig, abenteuerlich, frappant, verblüffend, fabelhaft, sagenhaft, märchenhaft, pyramidal (ugs.); → angesehen, → anormal, →

bahnbrechend, → beispiellos, → bekannt, → besonders, → bleibend, → gewaltig, → groß, → inhaltsreich, → interessant, → meisterhaft, → offenbar, → sehr, → trefflich, → unsagbar, → unschlagbar, → unüblich, → unwahrscheinlich, → wichtig; **a. sein,** etwas übersteigt alle Begriffe.

**außerhalb:** a. der Legalität → gesetzwidrig.

**Außerkraftsetzung** → Aufhebung.

**äußerlich** → anerzogen.

¹**äußern (sich),** sprechen / reden über, etwas von sich geben, sich verbreiten/ausbreiten/auslassen über, sich ergehen in / über, Stellung nehmen, seine Meinung kundtun, den Mund auftun, meinen, erklären, behaupten, sich ausquatschen (salopp) · zu ausführlich: weit ausholen, bei Adam und Eva / beim Urschleim anfangen (ugs.) · umständlich und geziert: sich verkünsteln, sich einen abbrechen (ugs.); → abstreiten, → antworten, → sprechen, → verbreiten, → vortäuschen; **jmdn. sich ä. lassen,** jmdn. zu Wort kommen lassen; jmdm. Gelegenheit geben / bieten, sich zu äußern; **sich nicht ä. können;** keine Gelegenheit erhalten, sich zu äußern; nicht zu Wort kommen; → Bemerkung.

²**äußern** → mitteilen.

**außerordentlich** → außergewöhnlich.

**außerparlamentarisch:** Außerparlamentarische Opposition → Widerstandsbewegung.

**außerplanmäßig** → folgewidrig.

**äußerst:** [aufs -e] → sehr; bis zum -en → ganz.

**außerstande:** a. sein → können.

**außertourlich** → zusätzlich.

**Äußerung:** → Darlegung, → Nachricht.

¹**aussetzen** (sich einer Sache), preisgeben, ausliefern · im Vorbeigehen den Blicken geben: Spießruten laufen; → aufziehen.

²**aussetzen:** → aufhören; sich a. → exponieren (sich); -der Puls → Pulsschlag; sich einer Gefahr a. → Gefahr; [eine Belohnung] a. → versprechen; etwas auszusetzen haben → beanstanden;

ausgesetzt sein → machtlos [sein].

**aussi** → hin.

**Aussicht:** → Ausblick; etwas in A. nehmen → vorhaben; in A. stellen → androhen (jmdm. etwas), → versprechen.

**Aussichten,** Perspektiven, Erwartungen, Aspekte; → Hoffnung, → Möglichkeit.

¹**aussichtslos,** ausweglos, hoffnungslos, verfahren, unhaltbar, verbaut, verstellt, verschlossen; → fern, → wirkungslos · Ggs. → aussichtsreich; **a. sein,** etwas ist ein totgeborenes Kind, die Karre ist [total] verfahren (ugs.), es ist zappenduster (salopp); → Ausweglosigkeit.

²**aussichtslos** → unausführbar.

**Aussichtslosigkeit:** → Ausweglosigkeit, → Unerreichbarkeit.

**aussichtsreich,** vielversprechend, günstig, erfolgversprechend · Ggs. → aussichtslos.

**Aussichtsturm** → Turm.

**Aussichtswagen** → Eisenbahnwagen.

**aussiedeln:** → ausweisen, → verlagern.

**Aussiedler** → Auswanderer.

**Aussiedlerhof** → Bauernhof.

**Aussiedlung:** → Deportation, → Verlagerung.

**aussinnen** → ausdenken.

**aussöhnen:** → bereinigen; sich a. → einigen (sich).

**aussondern:** → aussortieren, → wegwerfen.

**aussortieren,** aussondern, die Spreu vom Weizen trennen / sondern / scheiden; → auslesen, → wegwerfen.

**ausspähen:** a. nach → suchen.

**ausspannen:** → abhalftern, → abwerben, → erholen (sich).

**Ausspannung** → Erholung.

**aussparen,** auslassen, weglassen, fortlassen, beiseite lassen; → sparen.

**ausspeien** → spucken.

**ausspeisen** → ernähren.

**Aussperrung,** Ausschließung, Zutrittsverbot, Lockout; · Kurzarbeit · Ggs. → Streik; → streiken.

**Ausspiegelung,** Spiegelung, Endoskopie, Entoskopie (selten) · des Rachens: Pharyngoskopie, Rachenspiegelung · des Kehlkopfs: Laryngoskopie,

Kehlkopfspiegelung · *der Luftröhrenäste:* Bronchoskopie, Tracheoskopie, Luftröhrenspiegelung · *des Naseninnenraums:* Rhinoskopie, Nasenspiegelung · *des Gehörgangs:* Otoskopie, Ohrspiegelung · *der Speiseröhre:* Ösophagoskopie, Speiseröhrenspiegelung · *des Magens:* Gastroskopie, Stomachoskopie (*selten*), Magenspiegelung · *des Darms:* Enteroskopie, Darmspiegelung · *des Mastdarms:* Rektoskopie, Proktoskopie (*selten*), Mastdarmspiegelung · *der Harnblase:* Zystoskopie, Blasenspiegelung · *der Harnröhre:* Urethroskopie, Harnröhrenspiegelung · *der Scheide:* Kolposkopie, Vaginoskopie, Scheidenspiegelung · *der Gebärmutter:* Hysteroskopie, Uteroskopie, Gebärmutterspiegelung · *des Douglas-Raumes:* Douglasskopie, Douglasoskopie, Kuldoskopie · *der freien Bauchhöhle:* Laparoskopie, Abdominoskopie, Zölioskopie, Bauchhöhlenspiegelung · *der Gallenwege:* Choledochoskopie, Gallengangsspiegelung · *der Brustfellhöhle:* Thorakoskopie, Pleurahöhlenspiegelung, Mediastinoskopie.
**ausspielen:** jmdn. gegen jmdn. a. → intrigieren.
**Ausspielung** → Ziehung.
**ausspionieren** → auskundschaften.
**ausspotten** → aufziehen (jmdn.).
**Aussprache:** → Artikulation, → Gespräch, → Tonfall.
**¹aussprechen,** [mündlich / schriftlich] sagen; **etwas nicht a.,** etwas nicht sagen / in den Mund nehmen, ein Wort nicht gebrauchen, etwas kommt nicht über jmds. Lippen.
**²aussprechen:** → artikulieren, → formulieren, → mitteilen; Dank a. → danken; die Scheidung a. → scheiden (jmdn.).
**aussprengen** → verbreiten.
**Ausspruch,** Zitat, geflügeltes Wort, Sprichwort, Diktum, Apophthegma, Philosophem, Denkspruch, Parömie, Wahlspruch, Kernspruch, Losung, Devise, Sentenz, Gnome, Aphorismus, Gedankensplitter, Gedankenblitz, Aperçu, Maxime, Lebensregel; → Einfall, →

Epigramm, → Gegenstand, → Losung, → Motto, → Pointe, → Regel, → Versenkung, → Voraussage.
**ausspucken:** → spucken; wie ausgespuckt aussehen → blaß [sein].
**ausspülen:** → säubern; die Gurgel a. → trinken; [den Mund a.] → gurgeln.
**ausspüren** → auskundschaften.
**ausstaffieren** → anziehen.
**Ausstand:** → Streik; in den A. treten → streiken.
**ausständig:** etwas ist a. → ausstehen.
**ausstatten:** → einrichten, → geben; ausgestattet sein mit → haben; mit einer Federung ausgestattet → gefedert.
**Ausstattung** → Rüstzeug.
**Ausstattungsfilm** → Kinofilm.
**ausstechen** → übertreffen.
**Ausstecherle** → Gebäck.
**¹ausstehen:** etwas steht noch aus / fehlt noch / (*österr.*) ist ausständig / ist noch zu erwarten / ist noch nicht eingetroffen / ist noch nicht eingetreten · *in bezug auf das Schwierigste, Schlimmste:* das dicke Ende kommt noch / nach (*ugs.*); → bevorstehen.
**²ausstehen:** → ertragen, → kündigen; etwas ausgestanden haben → überstanden; nicht a. können → hassen.
**aussteigen:** → beenden; [aus einem Geschäft] a. → Geschäft.
**ausstellen:** → ausfertigen, → beanstanden; ausgestellt sein → ausliegen; sich ein Armutszeugnis a. → bloßstellen (sich); jmdm. einen Freibrief a. → billigen; eine Urkunde a. → Urkunde.
**¹Ausstellung,** Exposition (*veraltet*), Messe, Schau; → Ausstellungsstück, → Messe, → Museum.
**²Ausstellung:** → Kunstausstellung, → Vorwurf.
**Ausstellungskatalog** → Prospekt.
**Ausstellungsstück,** Museumsstück, Exponat; → Ausstellung, → Museum.
**aussterben** → abnehmen.
**Aussteuer,** Mitgift, Dotation, Heiratsgut, Morgengabe (*veraltet*), Eingebrachtes (*veraltet*); → Gabe.

**aussteuern** → beenden.
**aussticken** → besticken.
**Ausstieg** → Tür.
**ausstopfen** → präparieren.
**Ausstoß:** → Produktionsmittel (die).
**ausstoßen:** → ausschließen; einen Seufzer a. → stöhnen.
**Ausstoßung:** → Ausschluß, → Verbannung.
**ausstrahlen,** senden, funken, morsen, übertragen; → Antenne, → Aufzeichnung · Ggs. → empfangen.
**Ausstrahlung:** → Ausstrahlungskraft, → Sendung.
**Ausstrahlungskraft,** Ausstrahlung, Wirkung, Fluidum, Air; → Ansehen, → Fluidum.
**ausstrecken:** → abspreizen; die Fühler a. → vorfühlen.
**ausstreichen,** streichen, tilgen, durchstreichen, ausixen, übertippen, ausradieren, radieren; → abschaffen, → säubern.
**ausstreuen** → verbreiten.
**¹ausströmen,** sich verbreiten, ausfließen, austreten; → abfließen, → ausfließen, → fließen.
**²ausströmen:** Duft -d → duftend; einen üblen/merkwürdigen/unangenehmen Geruch a. → riechen.
**Ausstülpung** → Rundung.
**aussuchen:** → auswählen, → durchsuchen.
**Austage** → Frühling.
**austarieren** → abwiegen.
**Austausch:** einen A. vornehmen → austauschen; im A. → anstatt.
**austauschbar,** auswechselbar, konvertibel, substituierbar, kommutierbar, kommutabel, kommutativ, reversibel, nicht irreversibel; → Substitution.
**¹austauschen,** einen Austausch vornehmen, auswechseln, ersetzen, Ersatz schaffen; → erneuern, → tauschen, → verwechseln, → wechseln.
**²austauschen:** über etwas Gedanken a. → unterhalten (sich).
**Austauschstudent** → Student.
**Austauschtransfusion** → Blutübertragung.
**austeilen:** → teilen; den Segen a. → segnen.
**Austeilung** → Zuteilung.
**Auster** → Muschel.
**Austernfischer** → Vogel.

**Austernseitling** → Ständerpilz.

**austilgen** → ausrotten.

**Austilgung,** Ausrottung · *eines ganzen Volkes:* Genozid, Völkermord; → Vernichtung.

**austoben:** sich a. → toben.

**austollen:** sich a. → toben.

**austönen** → verhallen.

**Austrag** → Alteilteil.

**¹austragen,** zustellen, vertragen (*schweiz.*), verteilen; → Bote, → Zusteller.

**²austragen:** sich etwas a. → ausbedingen (sich etwas); einen Kampf a. → Kampf; einen Wettkampf a. → kämpfen.

**Austräger** → Bote.

**Austrägler** → Altenteiler.

**Austragstübchen** → Alteilteil.

**Austragstüberl** → Alteilteil.

**australasiatisch:** Australasiatisches Mittelmeer → Pazifik.

**Australien** → Kontinent.

**austreiben:** → ausrollen, → sprießen, → vertreiben.

**¹austreten,** seine Notdurft / sein Bedürfnis verrichten, sein Geschäft erledigen / machen, machen (*ugs.*) · *unfreiwillig bei Krankheit, Gebrechlichkeit:* unter sich machen; **a. gehen,** laufen / rennen müssen (*ugs.*), aufs Töpfchen gehen (*ugs.*), sich [seitwärts] in die Büsche schlagen (*scherzh.*), verschwinden müssen (*ugs.*), mal müssen (*salopp*), ein menschliches Rühren fühlen / verspüren (*ugs., scherzh.*), retirieren, ein Örtchen aufsuchen (*ugs.*); → Darmwind [entweichen lassen], → defäkieren, → urinieren; → Exkrement, → Urin.

**²austreten:** → abnützen, → ausströmen, → trennen (sich); aus einem Geschäft a. → Geschäft.

**Austria** → Österreich.

**Austriazismus** → Spracheigentümlichkeit.

**austrinken,** [bis zur Neige] leeren, leer trinken, ausschlürfen, ex trinken · *vom Tier:* aussaufen; → trinken.

**Austritt:** → Kündigung, → Veranda.

**austrocknen:** → trocknen, → versanden.

**austüfteln** → ausdenken.

**austun** → ausmachen (Kartoffeln).

**ausüben:** → arbeiten, → handhaben, → innehaben; Druck/ Zwang a. → nötigen; Zwang -d → repressiv.

**¹Ausverkauf,** Schlußverkauf, Räumungsverkauf, Sommerschlußverkauf, Winterschlußverkauf, Inventurverkauf, Ausnahmeverkauf (*schweiz.*) · *der gesamten Waren wegen Geschäftsaufgabe o.ä.:* Abverkauf (*österr.*); → Preisnachlaß.

**²Ausverkauf** → Entäußerung.

**ausverkaufen:** → aufgeben, → verkaufen.

**ausverkauft** → vergriffen.

**ausverschämt** → frech.

**¹auswachsen** (sich zu etwas), werden zu, sich entwickeln zu.

**²auswachsen:** es ist zum Auswachsen → unerträglich [sein].

**¹Auswahl,** Wahl, Auslese, das Beste, Digest, Assortiment, Kollektion · *von Gedichten oder Prosastücken:* Anthologie, Chrestomathie, Brevier; → Exzerpt, → Mischung, → Sammlung, → Verzeichnis.

**²Auswahl** → Sortiment

**Auswahlausgabe** → Edition.

**auswählen,** wählen, auslesen, lesen aus, heraussuchen, herausklauben (*ugs., landsch.*), klauben aus (*ugs., landsch.*), selektieren, aussuchen, suchen, finden, die Wahl treffen, Auswahl treffen / vornehmen, ausersehen, nehmen, jmds. Wahl fällt auf · *männliches Haustier für die Zucht:* kören; **gut ausgewählt haben,** einen guten / glücklichen Griff getan haben, mit jmdm. / etwas das Große Los gezogen haben; → abordnen, → auslesen, → ausschließen, → bevorzugen, → entschließen, → ernennen, → erwählen, → wegnehmen, → wegwerfen.

**auswalken** → ausrollen.

**auswalzen:** → mitteilen; breit ausgewalzt → gedehnt.

**Auswanderer,** Aussiedler, Umsiedler, Flüchtling, Emigrant, Vertriebener, Heimatvertriebener, Ausgewiesener, Verbannter; → Flüchtlingszug, → Gast; → auswandern; → einwandern; → heimatverbunden · Ggs. → Einwanderer.

**auswandern,** emigrieren, ins Ausland gehen; → weggehen;

→ Auswanderer · Ggs. → einwandern; → Einwanderer.

**Auswärts** → Frühling.

**Auswärtsdreher** → Muskel.

**Auswärtsschielen** → Schielen.

**Auswärtsspiel** → Spiel.

**auswaschen:** → säubern, → waschen.

**auswechselbar** → austauschbar.

**auswechseln:** → austauschen, → erneuern, → wechseln.

**Ausweg:** keinen A. finden → Lösung.

**ausweglos** → aussichtslos.

**¹Ausweglosigkeit,** Sackgasse, Aussichtslosigkeit, Hoffnungslosigkeit, Unmöglichkeit, Unlösbarkeit, Aporie, Trostlosigkeit; → Not, → Teufelskreis; → aussichtslos.

**²Ausweglosigkeit** → Verzweiflung.

**¹ausweichen,** ausbiegen, aus dem Wege / zur Seite gehen, Platz machen.

**²ausweichen:** → entziehen (sich).

**ausweichend** → hinhaltend.

**ausweiden,** ausnehmen; → schlachten.

**ausweinen:** sich a. → weinen.

**¹Ausweis,** Personalausweis, Reisepaß, Paß, Kennkarte, Passierschein, Papiere, Propusk, Passeport, Legitimation, Studentenausweis · *für Autofahrer:* Führerschein (BRD, Österreich), Fahrerlaubnis (DDR), Fahrausweis (Schweiz), Führerausweis (Schweiz); → Berechtigung, → Bescheinigung, → Fahrkarte, → Urkunde, → Visum; → legitimieren (sich).

**²Ausweis:** → Zeugnis; seinen A. zeigen → legitimieren (sich).

**¹ausweisen,** des Landes verweisen, expatriieren, abschaffen (*veraltend, österr.*), ausbürgern, aussiedeln, umsiedeln, verbannen; → ausschließen, → brandmarken, → verlagern, → verschleppen, → vertreiben; → Verbannung.

**²ausweisen:** sich a. → legitimieren (sich).

**Ausweisung** → Verbannung.

**¹ausweiten,** ausdehnen, ausleiern (*ugs.*), ausbeulen (*ugs.*), verbeulen (*ugs.*), auslatschen (*salopp*); → ausgeweitet.

**²ausweiten:** → abnutzen, → ausdehnen; sich a. → expandieren, → überhandnehmen, → zunehmen.

**Ausweitung:** → Ausdehnung, → Steigerung.

**auswendig:** in- und a. kennen → auskennen (sich); a. lernen → lernen; a. spielen → musizieren; etwas a. wissen → Gedächtnis.

**auswerfen** → absondern.

**auswerkeln** → abnutzen.

**¹auswerten,** verwerten, nützen, ausnutzen, ausnützen, ausbeuten, ausschlachten, auslasten, exploitieren, die Gelegenheit wahrnehmen, sich etwas zunutze machen, nutzbar machen *in bezug auf den Unterricht:* nachbereiten; → anwenden, → ausbeuten, → erwirken, → mißbrauchen.

**²auswerten:** → ausnutzen, → heranziehen.

**Auswertung** → Verarbeitung.

**auswetzen:** eine Scharte [wieder] a. → einstehen (für).

**auswichsen** → weggehen.

**auswickeln** → auspacken.

**auswiegen** → abwiegen.

**auswinden** → ausdrücken.

**auswintern** → erfrieren.

**auswirken:** sich a. → wirken.

**Auswirkung:** → Erfolg, → Folge; zur A. kommen → wirken.

**auswischen:** jmdm. eins a. → schaden.

**auswringen** → ausdrücken.

**Auswuchs:** → Hautblüte, → Übersteigerung; Auswüchse → Verschwörung; Auswüchse der Phantasie → Einbildung.

**¹Auswurf,** Schleim, Sputum, Aule (*vulgär*), Qualster (*derb*), Rotz (*derb*); → Absonderung, → Speichel; → spucken.

**²Auswurf** → Abschaum.

**auszahlen:** a. lassen → abheben; sich a. → einträglich [sein], → lohnend [sein].

**Auszahlung** → Zahlung.

**auszanken** → schelten.

**Auszehrung:** → Abmagerung, → Altersschwäche, → Tuberkulose.

**auszeichnen:** → loben; a. mit → Gunst.

**auszeichnend** → kennzeichnend.

**Auszeichnung:** → Gunst, → Lob, → Orden.

**¹ausziehen,** auskleiden, entkleiden, der Kleider berauben (*geh.*), [sich] freimachen, ent-

blößen, entblättern, die Hüllen fallen lassen, enthüllen, Striptease machen (*ugs., scherzh.*), ablegen, sich's bequem machen (*ugs.*), abtun, auspellen (*salopp*), abnehmen (Hut), absetzen (Hut), abbinden (Kopftuch, Schürze), abstreifen (Strümpfe, Slip usw.), nicht → anbehalten; → umziehen (sich); → Umkleideraum · Ggs. → anziehen.

**²ausziehen:** → ablisten, → übersiedeln, → weggehen; den alten Adam a. → bessern (sich); bis aufs Hemd ausgezogen werden → zahlen [müssen].

**Ausziehmädchen** → Striptease-tänzerin.

**Ausziehtisch** → Tisch.

**auszischen** → auspfeifen.

**Auszubildender** → Lehrling.

**Auszug:** → Abwanderung, → Extrakt, → Exzerpt, → Zitat.

**Auszügler** → Altenteiler.

**Auszugsbauer** → Altenteiler.

**auszupfen** → herausreißen.

**autark** → selbständig.

**authentisch** → verbürgt.

**Authentizität,** Echtheit, Zuverlässigkeit, Glaubwürdigkeit, Gesichertheit, Gewährleistetsein; → Glaubwürdigkeit; → verbürgt.

**autistisch** → selbstbezogen.

**Autler** → Autofahrer.

**Auto,** Wagen, Automobil, Kraftwagen, Kraftfahrzeug, Fahrzeug, Personenkraftwagen, Pkw, fahrbarer Untersatz (*scherzh.*), Benzinkutsche (*scherzh.*), Schlitten (*salopp*), Kraftpaket (*salopp*), Ofen (*salopp*), Töfftöff (*Kindersp.*), Nuckelpinne (*scherzh., abwertend*), Blechgeliebte (*scherzh.*), Lastkraftwagen, Lkw, Laster (*ugs.*), Kipper (*ugs.*), Kettenfahrzeug, Raupenschlepper, Sattelschlepper, Fourgon, Lieferwagen, Camion (*schweiz.*), Lieferungsauto (*schweiz.*), Lieferungswagen (*schweiz.*), Kombi, Kombiwagen · *geschlossenes, sportlich gebautes mit versenkbaren Seitenfenstern:* Coupé · *offenes, sportlich gebautes mit zwei Sitzen:* Sportwagen, Roadster, Spider · *geschlossenes, auch mit Schiebedach:* Limousine · *mit zurückklappbarem Stoffver-*

*deck:* Kabriolett · *schnelles:* Flitzer · *altes [schlechtes]:* Karosse, Vehikel, Kiste, Schnauferl, Oldtimer, Karre, Klapperkasten, Chaise, Mühle · *großes:* Straßenkreuzer · *kleineres:* Käfer, Straßenfloh, Chausseewanze (*scherzh.*), Stoppelhopser (*scherzh.*), Leukoplastbomber (*scherzh.*) · *geländegängiges:* Jeep, Landrover · *für Rennen:* Rennwagen, Bolid, Go-cart · *gegen Entgelt zu leihendes:* Leihwagen · *noch nicht in Serie produziertes Versuchsmodell:* Erlkönig; → Autodach, → Autofahrer, → Autoheck, → Chassis, → Fahrrad, → Karosserie, → Motodrom, → Motorrad, → Omnibus, → Prellbock, → Tachometer, → Tanksäule, → Tankstelle, → Taxe, → Wagen, → Wohnwagen.

**Autoatlas** → Atlas.

**Autobahn:** → Skooterbahn, → Straße.

**Autobahnbrücke** → Brücke.

**Autobahnraststätte** → Gaststätte.

**Autobahnzubringer** → Straße.

**Autobus:** → Omnibus, → Verkehrsmittel; A. fahren → fahren.

**Autocar** → Omnibus.

**autochthon** → bodenständig.

**AUTOCODE** → Sprache.

**Autodach,** Verdeck · *das man öffnen kann:* Schiebedach, Rollverdeck, Klappverdeck · *abnehmbares:* Hardtop; → Auto.

**Autodafé** → Bücherverbrennung.

**Autodidakt:** → Gelehrter, → Künstler.

**Autodrom** → Motodrom, → Skooterbahn.

**Autoerastie** → Selbstverliebtheit.

**autoerotisch** → selbstbezogen.

**Autoerotismus** → Selbstverliebtheit.

**Autofahrer,** Fahrer, Pkw-Fahrer, Automobilist, Fernfahrer, Fernlastfahrer, Lastwagenfahrer, Lkw-Fahrer, Autler (*veraltet*) · *ohne genügende Fahrpraxis:* Sonntagsfahrer (*abwertend*) · *rücksichtslos fahrender im großen Auto:* Herrenfahrer (*abwertend*); → Auto, → Beifahrer, → Verkehrsteilnehmer.

Autofahrt → Fahrt.
Autofeuerlöscher → Feuerlöscher.
Autofriedhof → Müllabladeplatz.
autogen: -es Training → Entspannungsübung.
Autogramm → Unterschrift.
Autogrammjäger → Fan.
Autohämotransfusion → Blutübertragung.
Autoheck, Heck, Fließheck, Abrißheck, Fastback; → Auto.
Autointoxikation → Vergiftung.
Autokarte → Landkarte.
Autokino → Kino.
Autoknacker → Dieb.
Autokoffer → Gepäck.
Autokrankheit → Bewegungskrankheit.
Autokratie → Herrschaft.
autokratisch → totalitär.
Automat: wie ein A. → automatisch.
Automatenknacker → Dieb.
Automation → Automatisierung.
¹automatisch, selbsttätig, wie ein Automat, unwillkürlich, von selbst, zwangsläufig, mechanisch; → ohnehin, → schematisch.
²automatisch → geisttötend.
Automatisierung, Automation, Mechanisierung.
Automobil → Auto.
Automobilist → Autofahrer.
Automobilreifen → Autoreifen.
autonom: → selbständig; -es Nervensystem → Nervensystem.
Autonomie, Selbstbestimmung, Selbstbestimmungsrecht, Selbstverwaltung, Eigengesetzlichkeit, Selbstbefreiung, Mündigwerden, Unabhängigkeit; → Freiheit, → Mitbestimmung.
Autophilie → Selbstverliebtheit.
Autoplastik → Transplantation.
Autopsie → Obduktion.
Autor → Schriftsteller.
Autoradio → Radio.
Autoreferat → Besprechung.
Autoreifen, Reifen, Pneumatik, Pneu, Automobilreifen, Gürtelreifen, Vollgummireifen, Luftreifen, Ballonreifen · Sommerreifen, Winterreifen · Ersatzreifen, Reservereifen; → Reifendefekt, → Winterreifen.
Autoreisezug → Eisenbahnzug.

Autoreißwolf → Shredder.
Autorennbahn → Motodrom.
Autorennen → Rennen.
Autorenreferat → Besprechung.
Autorisation → Berechtigung.
autorisieren → ermächtigen.
autorisiert → befugt.
Autorisierung → Berechtigung.
autoritär: → repressiv, → totalitär; a. erziehen → lenken.
¹Autorität, Maßgeblichkeit, maßgeblicher / entscheidender / ausschlaggebender Einfluß, Macht, Prestige, Geltung, Ansehen, Wichtigkeit; → Ansehen, → Einfluß, → Macht, → Machtposition, → Respektsperson; → maßgeblich.
²Autorität: → Ansehen, → Fachmann, → Macht, → Respektsperson.
autoritativ → maßgeblich.
Autoritätslosigkeit → Machtlosigkeit.
Autorreferat → Besprechung.
Autoscheinwerfer → Scheinwerfer.
Autoschlange → Verkehrsstauung.
Autoschlosser → Schlosser.
Autosilo → Parkhaus.
Autoskooterbahn → Skooterbahn.
Autospengler → Schlosser.
Autostop: per A. fahren → mitfahren.
Autostraße → Straße.
Autotelefon → Fernsprecher.
Autotransfusion → Blutübertragung.
Autotransplantation → Transplantation.
Autotransport → Transport.
Autounfall → Unglück.
Autoverkehr → Straßenverkehr.
Autowachs → Wachs.
Autowolf → Shredder.
Auwald → Sumpf.
Auxiliarverb → Verb.
Avance: jmdm. -n machen → Entgegenkommen [zeigen].
Avancement → Aufstieg.
avancieren, aufrücken, steigen, befördert werden, klettern (ugs.), arrivieren, hochkommen, emporsteigen, aufsteigen, emporkommen, etwas werden, es zu etwas bringen, Karriere machen, sein Fortkommen finden, vorwärtskommen, die Treppe rauffallen (ugs.), auf

die Beine fallen (ugs.); → befördern, → vorangehen, → Erfolg [haben]; avanciert sein; fest im Sattel sitzen; nicht a., auf keinen grünen Zweig kommen, auf der Stelle treten; → Aufstieg, → Karrieremacher.
Avantgarde → Schrittmacher.
Avantgardist → Schrittmacher.
avantgardistisch → fortschrittlich.
Ave-Maria → Gebet.
Avenida → Straße.
Aventurin → Schmuckstein.
Avenue → Straße.
Aversion → Abneigung.
Avis → Hinweis.
avisieren → mitteilen.
Aviso → Hinweis.
Avitaminose, Vitaminmangelkrankheit, Aporinosis, Hypovitaminose; → Ariboflavinose, → Beriberi, → Krankheit, → Pellagra, → Perniziosa, → Skorbut, → Xerophthalmie.
Avitaminose A → Xerophthalmie.
Avitaminose $B_1$ → Beriberi.
Avitaminose $B_2$: → Ariboflavinose, → Pellagra.
Avitaminose $B_{12}$ → Perniziosa.
Avitaminose C → Skorbut.
Avocat → Jurist.
à votre santé → prost.
Avoué → Jurist.
Avulsion → Verletzung.
awa → nein.
Awayspiel → Spiel.
Axel → Eislauf.
Axinit → Schmuckstein.
axiomatisch → zweifellos.
Axolotl → Salamander.
Axt: → Beil; sich benehmen wie die A. im Walde → benehmen (sich).
Azetylen → Gas.
Aztekenstein → Schmuckstein.
azur → blau.
azurblau → blau.
Azurit → Schmuckstein.
Azyanopsie → Farbenblindheit.
Azygie → Ehelosigkeit.

# B

Baas → Leiter.
babbeln → sprechen.
Babbelwasser: B. getrunken haben → sprechen.

Bäbe → Napfkuchen.
Babusche → Schuh.
Baby: → Kind; ein B. bekommen / erwarten / kriegen → schwanger [sein].
babyblau → blau.
Babydoll → Nachtgewand.
Baby Irish → Spitzenstickerei.
Babykorb → Bett.
Baby lace → Spitzenstickerei.
babyleicht: → mühelos; etwas ist b. → schwierig.
Babypuppe → Puppe.
Babyschuh → Schuh.
Babyseife → Seife.
babysitten → beaufsichtigen.
Babysitter → Kindermädchen.
Babyspeck → Fettleibigkeit.
Babywaage → Wage.
Bacchanal → Trinkgelage.
Bacchantin → Mänade.
Bacchus → Gott.
¹Bach, Wildbach, Gießbach, Sturzbach, Gletscherbach, Mühlbach, Quell[e], Born, Rinnsal; → Fluß, → See; → fließen.
²Bach → Fluß.
bachab: b. gehen → verlorengehen; b. sein → verloren [sein].
Bache → Schwein.
Bachforelle → Fisch.
Bächlein: ein B. machen → urinieren.
Bachneunauge → Fisch.
Bachschmerle → Fisch.
Bachstelze → Vogel.
Bachtiari → Orientteppich.
Back → Fußballspieler.
Bäck → Bäcker.
Backblech → Backform.
backbord → links.
backbords → links.
Backe: → Wange; jmdm. kann man das Vaterunser durch die -n blasen → abgezehrt [sein].
backen: → braten; → fest [sein]; kleine / kleinere Brötchen b. → zurückstecken.
Backen → Wange.
Backenbart → Bart.
Backenbremse → Bremse.
Backenstreich → Ohrfeige.
Backenzahn: [großer / hinterer / kleiner / vorderer B.] → Zahn.
Bäcker, Bäck (mundartl., österr.) · Feinbäcker, Konditor, Konfiseur (schweiz.), Patissier (schweiz.), Zuckerbäcker (landsch.), Lebkuchenbäcker, Zeltler

(veraltet, österr.); → Brötchen, → Gebäck, → Teegebäck.
Backerbsensuppe → Suppe.
Bäckerei, Feinbäckerei · Konditorei, Konfiserie (schweiz.), Patisserie (selten, schweiz.), Zukkerbäckerei (landsch.); → Gebäck.
Backfeige → Ohrfeige.
Backfisch → Mädchen.
Backform, Kuchenform, Springform, Kastenform, Napfkuchenform, Form, Blech, Backblech, Kuchenblech; → Gebäck.
Background → Hintergrund.
Backhähnchen → Huhn.
Backhendl → Huhn.
Backhendlfriedhof → Bauch.
Backhendlstation → Gaststätte.
Backhuhn → Huhn.
backig → klebrig.
Backobst → Obst.
¹Backofen, Bratröhre, Backröhre, Backrohr (österr.), Rohr, (österr.); → Herd.
²Backofen: es ist wie im B. → warm [sein].
Backpfeife → Ohrfeige.
Backpulver → Treibmittel.
Backrezept → Kochrezept.
Backrohr → Backofen.
Backröhre → Backofen.
Backstein → Ziegelstein.
Backsteinmauer → Mauer.
Backsteinraster → Raster.
Backtrog → Gefäß.
Backvorschrift → Kochrezept.
Backware → Gebäck.
Backwerk → Gebäck.
Backzahn → Zahn.
¹Bad, Schwimmbad, Freibad, Hallenbad, Strandbad, Badeanstalt · nur für Brause- und Wannenbäder: Volksbad, Tröpferlbad (wiener.); → Sauna, → Schwimmen, → See (der); → baden, → schwimmen.
²Bad: → Badeort; ein B. nehmen → baden; das Kind mit dem -e ausschütten → reagieren.
Badeanstalt → Bad.
Badeanzug, Damenbadeanzug, Badekostüm, Badkleid (schweiz.) · zweiteiliger: Bikini; → Badehose.
Badearzt → Arzt.
Badehandtuch → Handtuch.
Badehose, Schwimmhose, Badeshorts, Shorts, Bermudas; → Badeanzug.

Badekostüm → Badeanzug.
Badekur → Hydrotherapie.
Badelaken → Handtuch.
¹baden, sich erfrischen, ein Bad nehmen, in die Wanne steigen (ugs.) · sich brausen / duschen / unter die Brause stellen / unter die Brause treten; → saunieren, → schwimmen; → Badezimmer, → Schwimmen.
²baden: → schwimmen; den Wurm b. → fangen; zu heiß gebadet haben → verrückt [sein]; zu heiß gebadet worden sein → dumm [sein]; [wie] in Schweiß gebadet sein → schwitzen.
badengehen → zahlungsunfähig [werden].
Badeort, Bad, Kurbad, Heilbad, Weltbad, Modebad, Seebad, Moorbad, Schwefelbad, Solebad, Thermalbad, Stahlbad, Kneippbad, Herzbad, Rheumabad, Nierenbad, Frauenbad; → Bäderkunde, → Kurort.
Bader: → Arzt, → Friseur.
Bäderbehandlung → Hydrotherapie.
Bäderkunde, Heilquellenkunde, Balneologie; → Badeort.
Bäderkur → Hydrotherapie.
Badeschuh → Schuh.
Badeschwamm → Schwamm.
Badeseife → Seife.
Badeshorts → Badehose.
Badestrand → Strand.
Badestube → Badezimmer.
Badetuch → Handtuch.
Badewetter: → Schönwetter, → Wetter.
Badezellenbühne → Bühne.
Badezimmer, Bad, Badestube (veraltend); → baden.
Badhur → Prostituierte.
Badkleid → Badeanzug.
Badminton → Federballspiel.
Bad-Trip → Rausch.
Bafel → Gewäsch.
baff: b. sein → überrascht [sein].
Bagage → Abschaum.
Bagassose → Staublungenerkrankung.
Bagatelle: → Kleinigkeit; als B. behandeln → bagatellisieren.
bagatellisieren, als Bagatelle behandeln, als geringfügig / unbedeutend hinstellen, verniedlichen, verharmlosen, vernütigen (schweiz.), herunterspielen;

→ beschönigen, → verringern; → klein, → unwichtig · Ggs. → übertreiben.

**bagatellmäßig** → abschätzig.

**Bagno** → Strafanstalt.

**Bagstall** → Säule.

**bähen:** → braten, → Laut.

**Bahn:** → Bahnlinie, → Straßenbahn, → Verkehrsmittel; einer Sache B. brechen → unterstützen (etwas); jmdm. die B. ebnen → fördern; freie B. haben → selbständig [sein]; B. schlagen → schlittern; auf die schiefe B. kommen / geraten → abrutschen, → verwahrlosen.

**Bahnbeamter,** Bahnbediensteter, Eisenbahner, Bundesbahner (österr.), Bähnler (schweiz.), Bahner (ugs.); → Bahnhofsvorsteher, → Bahnwärter.

**Bahnbediensteter** → Bahnbeamter.

**bahnbrechend,** umwälzend, genial; → außergewöhnlich, → schöpferisch, → vorbildlich.

**Bahnbrecher** → Schrittmacher.

**Bahndamm** → Bahnkörper.

**Bahner** → Bahnbeamter.

**Bahnfahrt** → Fahrt.

**Bahngleis** → Gleis.

**¹Bahnhof,** Station, Zielbahnhof, Hauptbahnhof, Zentralbahnhof, Bestimmungsbahnhof · an einem Grenzübergang: Grenzbahnhof · zum Rangieren: Rangierbahnhof, Verschiebebahnhof · für Güter: Güterbahnhof, Frachtenbahnhof (österr.), Frachtbahnhof, Verladebahnhof, Container-Terminal, Containerbahnhof · ohne durchlaufende Gleise: Kopfbahnhof, Sackbahnhof; → Bahnsteig, → Haltestelle, → Kopfgleis.

**²Bahnhof:** großer B. → Willkomm; ich verstehe immer nur B. → unverständlich.

**Bahnhofsbuchhandlung** → Buchhandlung.

**Bahnhofsbüffet** → Gaststätte.

**Bahnhofsuhr** → Uhr.

**Bahnhofsvorplatz** → Platz.

**Bahnhofsvorstand** → Bahnhofsvorsteher.

**Bahnhofsvorsteher,** Bahnhofsvorstand (österr., schweiz.), Stationsvorsteher, Stationsvorstand (österr., schweiz.); → Bahnbeamter.

**¹Bahnkörper,** Gleisanlage, Bahndamm, Strecke; → Bahnlinie.

**²Bahnkörper** → Gleisanlage.

**Bähnler** → Bahnbeamter.

**Bahnlinie,** Eisenbahnlinie, Eisenbahnstrecke, Straßenbahnlinie, Linie, Zubringerlinie, Bahnstrecke, Bahnnetz, Strecke, Bahn, Netz; → Linienführung.

**Bahnnetz** → Bahnlinie.

**Bahnreise** → Reise.

**Bahnrennen** → Rennen.

**Bahnschaffner** → Schaffner.

**Bahnschranke,** Schranke, Bahnschranken (oberd.), Schranken (oberd.), Schlagbaum, Fallbaum; → Hürde.

**Bahnschranken** → Bahnschranke.

**Bahnsteig,** Perron, Plattform, Gleis; → Bahnhof, → Haltestelle.

**Bahnstrecke** → Bahnlinie.

**Bahntransport** → Transport.

**Bahnversand** → Versand.

**Bahnwächter** → Bahnwärter.

**Bahnwärter,** Bahnwächter (veraltend, österr.); → Bahnbeamter.

**Bahöl** → Lärm.

**Bahre,** Tragbahre, Trage; → tragen.

**Baht** → Zahlungsmittel.

**Bai** → Meerbusen.

**bairisch:** b. sprechen → Mundart [sprechen].

**Baiser** → Gebäck.

**Baisse** → Preissturz.

**Bajaß** → Spaßmacher.

**Bajazzo** → Spaßmacher.

**Bajuware** → Bayer.

**Bakchos** → Gott.

**Bake** → Warnzeichen.

**Bakkarat:** → Glücksspiel, → Kartenspiel.

**Bakschisch** → Trinkgeld.

**Bakteriämie** → Blutvergiftung.

**Bakterie:** → Krankheitserreger, → Spaltpflanze.

**Bakteriengift** → Gift.

**Bakteriophobie** → Hypochondrie.

**Bakteriotoxin** → Gift.

**Balalaika** → Zupfinstrument.

**Balancekünstler** → Artist.

**balancieren** → lavieren.

**Balaton** → Plattensee.

**Balchen** → Fisch.

**bald:** → beinahe, → früh, → später; bis b.! → Gruß; so b.

wie / als möglich, möglichst b. → früh.

**Bälde:** in B. → später.

**baldigst** → früh.

**Baldriantee** → Tee.

**Baldur** → Gott.

**¹Balg (das):** → Kind.

**²Balg (der):** → Fell.

**balgen:** sich b. → schlagen.

**⁽Balken** → Brett; lügen, daß sich die B. biegen → lügen.

**Balkenbrücke** → Brücke.

**Balkendecke** → Zimmerdecke.

**Balkenüberschrift** → Schlagzeile.

**Balkenwerk,** Strebewerk, Gebälk, Verstrebung; → Säule.

**Balkon:** → Busen, → Veranda.

**Balkonloge** → Loge.

**Balkonsitz** → Sitzplatz.

**¹Ball,** Festball, Prunkball, Bal paré, Presseball, Filmball, Opernball, Hofball, Hausball, Sommerball, Sommerfest, Tanzkränzchen, Kränzchen, Tanzstundenball, Abschlußball, Abiturientenball, Maturaball (österr.); → Maskerade, → Tanz, → Tanzvergnügen; → tanzen.

**²Ball:** → Fußball; den B. in die Maschen setzen → Tor [schießen]; am B. bleiben → fortsetzen.

**Ballade** → Gedicht.

**Balladensänger** → Moritatensänger.

**Ballawatsch** → Unsinn.

**Ballbub** → Balljunge.

**Bällchen** → Fleischkloß.

**ballen:** die Faust b. → unzufrieden [sein].

**Ballen:** → Packen; Berliner B. → Pfannkuchen.

**Ballerei** → Schußwechsel.

**Ballerina** → Ballettänzerin.

**Ballerinaschuh** → Schuh.

**Ballerino** → Ballettänzer.

**Ballermann** → Schußwaffe.

**ballern** → schießen.

**Ballesterer** → Fußballspieler.

**ballestern** → Fußballspiel.

**Ballett** → Tanz.

**Ballettänzer,** Tänzer, Ballerino, Solotänzer, Solist, Ensembletänzer; → Ballettänzerin, → Künstler.

**Ballettänzerin,** Tänzerin, Ballerina, Solotänzerin, Solistin, Ensembletänzerin, Balletteuse, Ballettmädchen (ugs.), Ballettratte (*salopp*); → Ballettänzer, → Künstler.

**Ballettdirektor** → Leiter (der).

**Balletteuse** → Ballettänzerin.

**Ballettmädchen** → Ballettänzerin.

**Ballettmeister** → Leiter (der).

**Ballettmusik** → Musik.

**Ballettratte** → Ballettänzerin.

**Ballettröckchen** → Rock.

**Ballettschuh** → Schuh.

**Ballhausplatz** → Regierung.

**[1]Balljunge**, Ballbub, Ballschani (*österr.*); → Fußball, → Spiel.

**[2]Balljunge:** → Junge, → Tennisspiel.

**Ballkleid** → Kleid.

**Ballkünstler** → Fußballspieler.

**Ballon:** → Kopf, → Luftballon, → Luftschiff.

**Ballon d'essai** → Experiment.

**Ballonmantel** → Mantel.

**Ballonmütze** → Kopfbedeckung.

**Ballonreifen** → Autoreifen.

**Ballsaal** → Saal.

**Ballschani** → Balljunge.

**Ballschuh** → Schuh.

**Ballspiel** ·· Fußballspiel, Fußball · Soccer · Rugby, [American] Football · Wasserball · Handball, Feldhandball, Hallenhandball · Faustball, Volleyball · Korbball, Basketball · Völkerball · Treib[e]ball · Schlagball, Baseball, Kricket · Hockey, Hallenhockey, Feldhockey, Eishockey, Polo · Golf, Krocket, Minigolf, Kleingolf.

**Balltreter** → Fußballspieler.

**Ballungsgebiet** → Industriegebiet.

**Ballungszentrum** → Industriegebiet.

**Balneologie** → Bäderkunde.

**Balneotherapie** → Hydrotherapie.

**Bal paré** → Ball.

**Balsam:** → Linderungsmittel, → Trost.

**balsamieren** → einreiben.

**balsamisch** → duftend.

**Balustrade** → Geländer.

**Balz** → Koitus.

**balzen:** → flirten, → Laut.

**Bambi** → Filmpreis.

**Bambino:** → Kind, → Rauschgift.

**Bambusvorhang** → Grenze.

**Bammel:** B. haben → Angst [haben].

**bammeln** → hängen.

**Bampeletsch** → Kind.

**Bams** → Kind.

**bamstig** → protzig.

**Ban** → Zahlungsmittel.

**banal** → phrasenhaft.

**Bananasfeige** → Südfrucht.

**Banane:** → Südfrucht; fliegende B. → Hubschrauber.

**Bananendampfer** → Schiff.

**bananengelb** → gelb.

**Banause** → Ungebildeter.

**banausisch**, ungeistig, unkünstlerisch, ungebildet, philiströs, spießig, spießbürgerlich, kleinlich, kleinkariert, eng, muckerhaft; → amusisch, → engherzig; → Spießer, → Ungebildeter.

**[1]Band** (das): → Bindeglied, → Gurt, → Haarschleife, → Schnur; deutsches B. → Fries; am laufenden B. → unaufhörlich; auf B. aufnehmen → aufzeichnen; außer Rand und B. sein → lebhaft [sein]; durchs B. [weg] → generell.

**[2]Band** (der): → Buch.

**[3]Band** (die): → Orchester.

**Bandage** → Verband.

**bandagieren** → verbinden.

**Bandaufnahme** → Aufzeichnung.

**Bandblitz** → Blitz.

**[1]Bande**, Rotte, Horde, Korona, Brüder (*ugs.*, *abwertend*), Gesellschaft (*abwertend*), Platte (*österr.*), Gang, Duo, Trio, Quartett; → Abschaum, → Abteilung, → Clique, → Familie, → Gruppe, → Herde, → Mannschaft.

**[2]Bande** → Einfassung.

**Bändel** → Schnur.

**Bandelei** → Liebelei.

**Bandenführer** → Anführer.

**Banderillero** → Stierkämpfer.

**Banderole** → Zollverschluß.

**[1]bändigen**, zügeln, zurückhalten, im Zaum / in Schranken halten, Zügel anlegen, mäßigen, zähmen, bezähmen; → beruhigen.

**[2]bändigen:** → zähmen; sich b. → ruhig [bleiben]; gebändigt → zahm.

**Bandit** → Dieb.

**Bandleader** → Dirigent.

**Bandmaß** → Metermaß.

**Bandnagel** → Nagel.

**Bandnudeln** → Teigwaren.

**Bandoneon** → Tasteninstrument.

**Bandonium** → Tasteninstrument.

**Bandsäge** → Säge.

**Bandscheibenprolaps** → Bandscheibenschaden.

**Bandscheibenschaden**, Hexenschuß, Spondylose, Bandscheibenprolaps, Bandscheibenvorfall, Zwischenwirbelscheibenvorfall, Zwischenwirbelscheibenbruch, Diskushernie, Diskusbruch, Bandscheibensyndrom, Wurzelkompressionssyndrom; → Arthritis, → Lumbago.

**Bandscheibensyndrom** → Bandscheibenschaden.

**Bandscheibenvorfall** → Bandscheibenschaden.

**Bändsel** → Schnur.

**Bandwurm** → Wurm.

**Bandwurmsatz** → Satz.

**Bandy** → Hockey.

**bang** → ängstlich.

**Bangbüx** → Feigling.

**bange:** jmdm. ist [angst und] b. → Angst [haben]; jmdm. b. machen → entmutigen; jmdm. wird angst und b. → Angst [bekommen]; b. machen gilt nicht → einschüchtern.

**Bange:** B. haben → Angst [haben].

**Bangigkeit** → Angst.

**Bangladesch** → Bengalenland.

**bänglich** → ängstlich.

**Bänglichkeit** → Angst.

**Banjo** → Zupfinstrument.

**Bank:** → Geldinstitut, → Sitzbank; auf die lange B. schieben → verschieben; durch die B. → generell, → alle; über die B. → bargeldlos.

**Bankeinlage** → Ersparnisse.

**Bänkelsänger** → Moritatensänger.

**Bankerl:** ein B. reißen → sterben.

**Bankert** → Kind.

**Bankett** → Festmahl.

**Bankettsaal** → Saal.

**Bankfach** → Tresor.

**Bankgeheimnis** → Geheimnis.

**Bankhaus** → Geldinstitut.

**Bankier**, Bankinhaber; → Geldinstitut.

**Bankinhaber** → Bankier.

**Bankkaufmann** → Büroangestellter.

**Bankkonto,** Sparkonto, Girokonto, Gehaltskonto, laufendes Konto, Konto; → Geldinstitut, → Guthaben.

**Banknote** → Papiergeld.

**bankrott:** → zahlungsunfähig; b. gehen / werden → zahlungsunfähig [werden].

**Bankrott:** → Mißerfolg, → Zahlungsunfähigkeit; B. machen → zahlungsunfähig [werden].

**Bankrotterklärung** → Zahlungsunfähigkeit.

**Bankscheck** → Scheck.

**¹Bann,** Bannfluch, Bannstrahl, Bannspruch, Bannbrief, Bannbulle (*hist.*), Acht [und Bann], Ächtung, Verfemung, Proskription, Bulle, Urteil, Urteilsspruch, Fluch, Verfluchung, Kirchenbann, Exkommunikation, Cherem (*jüd.*), Verurteilung, Verwünschung, Verdammung, Verdikt, Anathema, Exsekration; → Ansicht, → Verbannung, → Verbot, → Vergeltungsmaßnahmen, → Verurteilung; → brandmarken.

**²Bann:** den B. brechen → Scheu [nehmen], → tun; in Acht und B. tun → brandmarken.

**Bannbrief** → Bann.

**Bannbulle** → Bann.

**¹bannen,** beschwören, besprechen, behexen, verhexen, verzaubern, bezaubern (*veraltet*), feien; → zaubern.

**²bannen:** eine Gefahr b. → Gefahr.

**Banner** → Fahne.

**Bannfluch** → Bann.

**bannig** → sehr.

**Bannmeile** → Vorort.

**Bannspruch** → Bann.

**Bannstrahl** → Bann.

**Bannware** → Schmuggelware.

**Banse** → Warenlager.

**Bantamgewicht** → Ringen.

**Bantamgewichtler** → Boxer.

**Bantu** → Neger.

**Baptisten** → Sekte.

**Baptisterium** → Gotteshaus.

**¹bar,** in Münzen / Scheinen, in klingender Münze (*ugs.*), mit Bargeld (*ugs.*) · Ggs. → bargeldlos.

**²bar:** -es Geld → Bargeld; für -e Münze nehmen → möglich.

**Bar:** → Gaststätte, → Nachtlokal.

**¹Bär,** [Meister] Petz, Zottelbär (*Kinderspr.*), Brummbär (*Kinderspr.*), Mutz (*schweiz.*), Braunbär, Zeidelbär, Beutelbär, Nasenbär, Kleinbär, Schwarzbär, Graubär, Brillenbär, Höhlenbär · Waschbär, Schupp · Eisbär, Polarbär · Grislybär, Kragenbär, Lippenbär, Malaienbär · *dressierter:* Tanzbär, Zeiselbär (*landsch.*); → Raubtier.

**²Bär:** → Raubtier, → Schwein, → Teddybär; Brauner B. → Schmetterling; Goldener / Silberner B. → Filmpreis; Großer / Kleiner B. → Sternbild; jmdm. einen -en aufbinden → anführen.

**-bar:** etwas ist [erklär]bar usw. → lassen (sich); etwas ist [trag]bar → können.

**Baraber** → Arbeiter.

**barabern** → arbeiten.

**Barack** → Alkohol.

**Baracke** → Haus.

**barattieren** → tauschen.

**Barbar** → Rohling.

**Barbara** → Nothelfer.

**Barbarei** → Zerstörungswut.

**barbarisch** → unbarmherzig.

**Barbe** → Fisch.

**Barbecue:** → Fest, → Grill.

**¹bärbeißig,** ärgerlich, böse, aufgebracht, verärgert, entrüstet, empört, peinlich / unangenehm berührt, unwillig, ungehalten, unwirsch, fünsch (*niederd.*), indigniert, erbost, erzürnt, erbittert, zornig, fuchtig (*ugs.*), wütend, rabiat, wutentbrannt, wutschäumend, wutschnaubend (*ugs.*), fuchsteufelswild, zähneknirschend, grimmig, ingrimmig, tüksch (*ugs.*), mürrisch, verdrossen, grämlich, verdrießlich, griesgrämig, hässig (*schweiz.*), mauserig (*schweiz.*), sauertöpfisch, brummig, mißmutig, mißvergnügt, mißgestimmt, mißlaunig, mißgelaunt, gereizt, übellaunig, muffig, grantig, leid (*schweiz.*), maßleidig (*südd.*); → aufgelegt, → aufgeregt, → geharnischt, → gekränkt, → launisch, → unerfreulich, → unzufrieden, → widerwillig; **b. sein,** jmdm. ist eine Laus über die Leber gelaufen, jmd. ist mit dem linken Fuß aufgestanden, geladen / sauer sein (*salopp*), auf jmdn. böse / nicht gut zu sprechen sein,

jmdm. böse / (*ugs., bayr., österr.*) harb sein; → grollen, → kränken, → lärmen, → schockieren; → Griesgram, → Stimmung, → Überraschung, → Unannehmlichkeiten.

**²bärbeißig** → unhöflich.

**Barbier** → Friseur.

**Barbitalismus** → Schlafmittelvergiftung.

**Barbiturismus:** → Schlafmittelvergiftung, → Sucht.

**Barbitursäurevergiftung** → Schlafmittelvergiftung.

**barbusig** → nackt.

**Barbutsch** → Friseur.

**Barbuttkäfer** → Marienkäfer.

**Barbutz** → Friseur.

**Barch** → Schwein.

**Bärchen** → Teddybär.

**Barchent** → Stoff.

**Bardame,** Animierdame, Animiermädchen, Büffetdame *in japanischen Teehäusern:* Geisha; → Barkeeper, → Go-go-Girl, → Nachtlokal, → Stripteasetänzerin.

**Barde:** → Minnesänger, → Schauspieler, → Schriftsteller.

**Barelle** → Aprikose.

**bären-:** → erz-.

**Bären-:** → Erz-.

**Bärendienst:** jmdm. mit etwas einen B. erweisen → schaden.

**Bärenfang** → Alkohol.

**Bärenführer** → Begleiter.

**Bärenhaut:** auf der B. liegen → faulenzen.

**Bärenhunger** → Hunger.

**Bärenhüter** → Sternbild.

**Bärenjagd** → Jagd.

**Bärenkräfte** → Kraft.

**Bärenöhrli** → Schlüsselblume.

**Bärenspinner** → Schmetterling.

**bärenstark** → stark.

**Bärenzwinger** → Freigehege.

**Barett** → Kopfbedeckung.

**barfuß:** → barfüßig; b. bis an den Hals → nackt.

**Barfüßerorden** → Mönchsorden.

**barfüßig,** barfuß, bloßfuß, mit nackten / bloßen Füßen, ohne Schuhe und Strümpfe; → nackt.

**Barg** → Schwein.

**¹Bargeld,** Barmittel, Barschaft, bares Geld; → Geld, → Wirtschaftsgeld.

**²Bargeld:** → Geld; mit B. → bar.

**bargeldlos,** unbar, durch / per Scheck, über die Bank / das Konto · Ggs. → bar.

**barhaupt** → barhäuptig.

**barhäuptig,** barhaupt, mit unbedecktem Kopf, mit entblößtem Haupt (*geh.*), ohne → Kopfbedeckung.

**bärig:** → sehr, → trefflich.

**Barille** → Aprikose.

**Baringel** → Obst.

**Bariton:** → Sänger, → Singstimme.

**Baritonstimme** → Singstimme.

**Bark:** → Schwein, → Segelschiff.

**Barkarole:** → Boot, → Lied.

**Barkasse:** → Beiboot, → Boot.

**Barke** → Boot.

**Barkeeper,** Barmixer, Mixer; → Bardame, → Nachtlokal.

**Bärlapp** → Bärlappgewächs.

**¹Bärlappgewächs,** Bärlapp, Schlangenmoos, Schweizer Moosfarm, tropischer Moosfarn; → Farnpflanze.

**²Bärlappgewächs** → Farnpflanze.

**Bärme** → Gärstoff.

**barmen** → klagen.

**barmherzig:** → göttlich, → gütig.

**Barmherzigkeit:** → Gotteseigenschaften, → Nächstenliebe.

**Barmittel** → Bargeld.

**Barmixer** → Barkeeper.

**barock** → überladen.

**Barock:** → Baustil, → Literaturepochen.

**Barockaltar** → Altar.

**Barock-Antiqua** → Schrift.

**Barockdrama** → Drama.

**Barocklyrik** → Lyrik.

**Barockmalerei** → Malerei.

**Barockmusik** → Musik.

**Barockperle** → Perle.

**Barockuhr** → Uhr.

**¹Barometer,** Luftdruckmesser; → Thermometer.

**²Barometer:** das B. steht auf Sturm → ärgerlich [sein].

**Baron** → Adliger.

**Baronesse** → Adlige.

**Baronin** → Adlige.

**Barpianist** → Musikus.

**Barras:** → Militärdienst; beim B. sein → Soldat [sein].

**Barre** → Insel.

**Barren:** → Gefäß, → Sportgerät.

**Barriere:** → Behinderung, → Hindernis, → Hürde.

**Barrikade:** → Hürde; auf die -n gehen → aufbegehren.

**Barrister** → Jurist.

**barsch** → unhöflich.

**Barsch** → Fisch.

**Barschaft** → Bargeld.

**Barscheck** → Scheck.

**Barschheit** → Unhöflichkeit.

**Barsel** → Handschelle.

**Barsoi** → Hunderassen.

**¹Bart,** Bartwuchs, Bartstoppeln (*ugs.*), Stoppeln (*ugs.*), Stoppelbart (*ugs.*), Sauerkohl (*scherzh.*)· *erstmals wachsender:* Milchbart, Flaum · *nur am Ohr:* Koteletten · *auf der Oberlippe:* Schnurrbart, Schnauzbart, Schnauzer, Knebelbart, Bürste, Menjoubärtchen, Fliege · *auf den Wangen:* Backenbart, Favoris (Plural; *veraltet*), Kaiserbart, Schifferfräse, Fräse, Schifferkrause, Vollbart, Rauschebart · *am Kinn:* Spitzbart, Kinnbart, Ziegenbart, Geißbart (*oberd.*), Zickenbart, Zwirbelbart · *von roter Farbe:* Rotbart; → Bartflechte; → bärtig, → bartlos.

**²Bart:** jetzt ist der B. ab → ärgerlich [werden]; jmdm. den B. anhängen → verdächtigen; einen B. haben / tragen→bärtig [sein]; einen B. haben → überlebt [sein]; beim -e des Propheten! → versprechen, wahrlich; mit B. → bärtig; ohne B. → bartlos; jmdm. um den B. gehen → schmeicheln; Streit um des Kaisers B. → Streit.

**Bartenwal** → Wal.

**Barterl** → Serviette.

**¹Bartflechte,** Kinnflechte, Sykose; → Bart, → Haarbalgentzündung, → Impetigo.

**²Bartflechte:** → Flechte, → Haarbalgentzündung.

**Bartgeier** → Vogel.

**Barthel:** jmdm. zeigen, wo B. den Most holt → rankriegen.

**Bartholomäus** → Apostel.

**bärtig,** mit Bart, unrasiert, stoppelbärtig, stoppelig (*ugs.*), stopplig (*ugs.*), schnurrbärtig, schnauzbärtig, rotbärtig, graubärtig · *in bezug auf den ersten Bartwuchs:* milchbärtig, flaumbärtig · Ggs. → bartlos, →

behaart; **b. sein,** einen Bart haben / tragen; → Bart.

**Bartl** → Knecht Ruprecht.

**bartlos,** ohne Bart, glattrasiert, glattbärtig; → Bart · Ggs. → bärtig.

**Bartscher** → Friseur.

**Bartscherer** → Friseur.

**Bartstoppeln** → Bart.

**Barttasse** → Tasse.

**Bartwisch** → Handfeger.

**Bartwuchs** → Bart.

**Barweiser** → Nudist.

**Baryton** → Streichinstrument.

**Barzahlung** → Zahlung.

**Basar** → Laden.

**baschgen** → besiegen.

**Baschlik** → Kopfbedeckung.

**Base:** → Kusine, → Tante.

**Baseball** → Schlagball.

**Basedow** → Schilddrüsenüberfunktion.

**Basedow-Krankheit** → Schilddrüsenüberfunktion.

**Basedowoid** → Schilddrüsenüberfunktion.

**Basel:** wie der Tod von B. aussehen → blaß [sein].

**Basement** → Geschoß.

**bashed: b. sein** → Rausch.

**Basic English** → Grundwortschatz.

**Basilika** → Gotteshaus.

**Basilikum** → Küchengewürz.

**Basilisk** → Meduse.

**Basiliskenei** → Gabe.

**Basis:** → Fundament, → Grundlage, → Stützpunkt.

**Basisgruppe** → Arbeitskreis.

**Baskenmütze** → Kopfbedeckung.

**Basketball** → Korbball.

**Basotho** → Neger.

**Basrelief** → Relief.

**baß** → sehr.

**Baß:** → Sänger, → Singstimme, → Streichinstrument.

**Bäss** → Kuß.

**Baßbauer** → Musikinstrumentenbauer.

**Baßbuffo** → Sänger.

**Basse** → Schwein.

**Bassena** → Waschbecken.

**Bassenatratsch** → Klatsch.

**Bassetthorn** → Blasinstrument.

**Baßgeige:**→Streichinstrument; ein Aas auf der B. sein → Schlaukopf.

**Bassin,** Becken, Schwimmbecken, Schwimmbecken (*schweiz.*), Swimmingpool,

Planschbecken; → Bad, → Waschbecken; → baden, → schwimmen.

**Bassist** → Sänger.

**Baßklarinette** → Blasinstrument.

**Baßschlüssel** → Notenschlüssel.

**Baßstimme** → Singstimme.

**Baßtölpel** → Vogel.

**Baßtrompete** → Blasinstrument.

**Bastard:** → Kind, → Mischling.

**Bastei** → Befestigungsanlage.

**basteln** → anfertigen.

**Bastelraum** → Werkraum.

**Bastelzimmer** → Werkraum.

**bastfarben** → beige.

**Bastille** → Festung.

**Bastion** → Befestigungsanlage.

**Bataillon** → Heeresverband.

**Batak** → Pferd.

**Bathykardie** → Herzsenkung.

**Batist** → Stoff.

**Batisthemd** → Oberhemd.

**Batterie:** → Heeresverband, → Stromspeicher.

**Batzen:** → Klumpen, → Münze, → Summe.

**Bau:** → Haus, → Höhle, → Strafanstalt, → Struktur; vom B. sein → auskennen (sich).

**Bauart** → Modell.

**Baubudenrülps** → Flegel.

**¹Bauch,** Leib, Abdomen, Unterleib, Ranzen (ugs.), Wanst (derb), Wampe (derb), Wamme (derb) · dicker: Schmerbauch, Embonpoint, Bierbauch, Mollenfriedhof (scherzh., berlin.), Backhendlfriedhof (scherzh., österr.), Güggelifriedhof (scherzh., schweiz.) · spitzer: Spitzbauch, Spitzkühler (salopp, scherzh.); → Bauchspeicheldrüse, → Dicker, → Magengrube; → dick.

**²Bauch:** → Leib, → Rundung; sich den B. vor Lachen halten → lachen; sich den B. vollschlagen → essen; sich die Sonne auf den B. scheinen lassen → sonnen (sich); auf dem B. [liegend] → bäuchlings; vor jmdm. auf dem B. rutschen / liegen → unterwürfig [sein]; jmdm. ein Kind in den B. reden → einreden; jmdm. ein Loch in den B. fragen → fragen; sich die Beine / Füße in den B. stehen → warten.

**Bauchbruch** → Bruch.

**Baucheingeweide** → Eingeweide.

**Bauchfleck** → Sprung.

**Bauchgefieder** → Gefieder.

**Bauchgrimmen** → Kolik.

**Bauchhöhlenschwangerschaft** → Schwangerschaft.

**Bauchhöhlenspiegelung** → Ausspiegelung.

**bauchig** → gebogen.

**Bauchklatscher** → Sprung.

**Bauchlandung** → Landung.

**bäuchlings,** auf dem Bauch [liegend], kriechend · Ggs. → rücklings.

**Bauchnabel** → Nabel.

**Bauchpilz:** → Pilz, → Ständerpilz.

**bauchpinseln:** sich gebauchpinselt fühlen → schmeicheln.

**Bauchplatscher** → Sprung.

**Bauchredner** → Artist.

**Bauchriemen** → Gürtel.

**Bauchschmerzen** → Kolik.

**Bauchspeicheldrüse,** Pankreas; → Bauch, → Eingeweide.

**Bauchtyphus** → Typhus.

**Bauchwandbruch** → Bruch.

**Bauchweh** → Kolik.

**Bauchwelle** → Turnübung.

**Baude:** → Berghütte, → Haus.

**¹bauen:** → bebauen, errichten, aufbauen, erstellen, bebauen, hochziehen, aufführen, aufrichten, zimmern; → anfertigen; → Baugerüst, → Ingenieur, → Wiederaufbau · Ggs. → niederreißen.

**²bauen:** → bebauen; sein Abitur b. → Abitur [machen]; jmdm. eine goldene Brücke / goldene Brücken b. → entgegenkommen; seinen Kohl b. → leben; Mist b. → falsch [machen]; einen Türken b. → vortäuschen; [dicht] am / ans Wasser gebaut haben → weinen; b. auf → glauben (jmdm.), verlassen (sich auf etwas); jmd. hat auf Sand gebaut / etwas ist auf Sand gebaut → unsicher.

**Bauen:** Neues B. → Baustil.

**¹Bauer,** Landwirt, Diplomlandwirt, Ökonom, Agrarier, Großagrarier, Großbauer, Agronom, Acker[s]mann, Landmann, Bauersmann, Pflanzer, Farmer · der Viehzucht betreibt: Hörndlbauer (österr.) · der Getreide anbaut: Körndlbauer (österr.) ·· des Vorderen Orients: Fellache; → Agronomie, → Bäuerin, → Bergbewohner, → Bewohner, → Feld, → Großgrundbesitzer, → Gut, → Kleinbauer, → Landwirtschaft; ländlich.

**²Bauer** (der): → Kegel, → Narr, → Schachfigur; kalter B. → Samenerguß; was der B. nicht kennt, das frißt er nicht → wählerisch [sein].

**³Bauer** (das oder der): → Käfig.

**Bäuerchen:** B. machen → eruktieren.

**Bäuerin,** Bäurin, Bauersfrau, Landfrau; → Bauer; → ländlich.

**bäuerlich** → ländlich.

**Bauernbrot** → Brot.

**Bauernbühne** → Theater.

**Bauerndichtung** → Dichtung.

**Bauerndorf** → Dorf.

**Bauernfang** → Überlistung.

**Bauernfänger** → Betrüger.

**Bauerngut** → Bauernhof.

**Bauernhof,** Hof, Landwirtschaft, landwirtschaftlicher Betrieb, Ökonomie (österr.), Gehöft, Bauerngut, Anwesen, Klitsche (ugs., abwertend), Heimwesen (schweiz.), Heimen (schweiz.), Heimet (schweiz.), Hofstatt (schweiz.), Gewerbe (schweiz.), Umschwung (schweiz.), Liegenschaft (schweiz.), Hofreite (südd., schweiz.) · in der Einöde: Einödhof (südd., österr.), Einschichthof (südd., österr.), Einöd (südd., österr.) · gepachteter: Pachthof · aus beengter Dorflage im Rahmen der Flurbereinigung und Rationalisierung mit staatlichen Subventionen in die Feldmark verlegter: Aussiedlerhof; → Gut.

**Bauernkalender** → Kalender.

**Bauernkaro** → Stoffmuster.

**Bauernleinen** → Stoff.

**Bauernroman** → Roman.

**Bauernrose** → Pfingstrose.

**Bauernschaft,** Bauernstand, Bauersame (schweiz.); → Bauer.

**Bauernschinken** → Schinken.

**bauernschlau** → schlau.

**Bauernschläue** → Klugheit.

**Bauernschrank** → Schrank.

**Bauernstand** → Bauernschaft.

Bauerntheater → Schauspiel.
Bauernwetzel → Ohrspeicheldrüsenentzündung.
Bauersame → Bauernschaft.
Bauersfrau → Bäuerin.
Bauersmann → Bauer.
baufällig → morsch.
Baufläche → Grundstück.
Baugelände → Grundstück.
Baugerüst, Gerüst; **das B. aufstellen**, anrüsten, einrüsten, berüsten; **das B. abnehmen**, abrüsten; → bauen.
Bauglas → Glas.
Baugrund → Grundstück.
Baugrundstück → Grundstück.
Bauherr, Bauträger; → Hausbesitzer.
Bauingenieur → Ingenieur.
Bauklammer, Klampfe (*österr.*), Maurerklampfe (*österr.*).
Bauklotz: Bauklötzer staunen → überrascht [sein].
Baukunst, Architektur, Architektonik; → Architekt, → Baustil, → Bogen, → Kapitell, → Säule.
Baukünstler → Architekt.
Bauland → Grundstück.
Baulichkeit → Haus.
Baum: → Pflanze; ein Kerl wie ein B. → Mann; Bäume ausreißen [können] → stark [sein]; dafür sorgen, daß die Bäume nicht in den Himmel wachsen → einschränken; das ist, um auf die Bäume zu klettern → unerträglich [sein]; den Wald vor lauter Bäumen nicht sehen → erkennen; zwischen B. und Borke stecken → Not [leiden].
Baumaterial, Baustoff; → Baustein, → Glas.
Baumblatt → Blatt.
Baumblüte, Obstbaumblüte, Obstblüte, Blüte, Blütezeit, Blust (*südd., schweiz.*), Blühet (*schweiz.*); → blühen.
Bäumchenwechseln: → Fangspiel, → Koitus.
Baumeister → Architekt.
baumeln → hängen.
Baumfalke → Vogel.
Baumfarn → Farn.
baumgroß → groß.
bäumig: → sehr, → stark.
Baumkrone → Wipfel.
Baumkuchen → Gebäck.
baumlang → groß.
Baumläufer → Vogel.

baumlos → kahl.
Baumsäge → Säge.
Baumsarg → Sarg.
Baumschere → Gartenschere.
Baumschnecke → Schnecke.
Baumschule, Pflanzschule, Pepiniere, Schonung, Gärtnerei, Blumenzüchterei, Saatzuchtbetrieb.
Baumstamm → Stamm.
baumstark → stark.
Baumweißling → Schmetterling.
Baumwipfel → Wipfel.
Baumwollbatist → Stoff.
Baumwollbluse → Bluse.
Baumwolle → Stoff.
Baumwollfaser → Faser.
Baumwollhemd → Oberhemd.
Baumwollkleid → Kleid.
Baumwollpulli → Pullover.
Baumwollpullover → Pullover.
Baumwollstaublunge → Staublungenerkrankung.
Baunzerl → Brötchen.
Bauplan, Plan, Skizze, Bauriß, Bauskizze; → Grundriß.
Bauplastik → Plastik.
Bauplatz → Grundstück.
baureif, bebaubar, erschlossen; → bauen.
Bäurin → Bäuerin.
bäurisch → unhöflich.
Bauriß → Bauplan.
Bausch: in B. und Bogen → ungefähr.
bauschen (sich), sich blähen / wölben / vorwölben / aufblähen.
Bauskizze → Bauplan.
bausparen, einen Bausparvertrag haben / abgeschlossen haben; → sparen.
Bausparvertrag: einen B. haben / abgeschlossen haben → bausparen.
Baustätte → Grundstück.
Baustein, Mauerstein, Kunststein, Naturstein, Hohlstein, Hohlblockstein, Vollstein, Bimsstein, Tuffstein, Preßstein, Naßpreßstein, Schamottestein, Glasbaustein, Sandstein, Kalksandstein, Bruchstein, Quaderstein, Quader, Leichtbaustein, Ziegelstein, Ziegel, Backstein, Klinker, Klinkerstein, Mauerziegel, Vollziegel, Lochziegel, Lehmziegel • *Bruchstück eines zertrümmerten:* Klamotte (*abwertend*); → Baumaterial, → Glas.
Baustelle → Grundstück.

Baustil • *der griechischen Antike:* dorischer / ionischer / korinthischer Stil • *der römischen Antike:* römischer / frühchristlicher/byzantinischer Stil • *ab 750 n.Chr. in Deutschland:* karolingischer, ottonischer Stil • *1050–1230 in Deutschland:* Romanik • *1230–1500 in Deutschland:* Gotik • *1500–1650 in Deutschland:* Renaissance • *1650 –1730 in Deutschland:* Barock • *1730–1770 in Deutschland:* Rokoko • *1770–1830 in Deutschland:* Klassizismus • *1830 –1900 in Deutschland:* Neugotik, Neuromanik, Neurenaissance, Neubarock • *ab 1900 in Deutschland:* Jugendstil, Neues Bauen; → Baukunst, → Fries, → Jugendstil, → Kapitell, → Kuppel.
Baustoff → Baumaterial.
Bautischler → Tischler.
Bauträger → Bauherr.
Bauwerk → Haus.
Bauxerl → Kind.
Bauzaun → Zaun.
Bauzeichner → Zeichner.
Bayer, Bajuware (*scherzh.*), Bazi (*abwertend*); → Deutscher.
bayerisch: -e Leberknödel → Fleischgericht; b. sprechen → Mundart [sprechen].
Bayerisch → Mundart.
Bayeux → Spitzenstickerei.
bayrisch: -er Gebirgsschweißhund → Hunderassen; b. sprechen → Mundart [sprechen].
Bazi: → Bayer, → Betrüger, → Freund.
Bazillämie → Blutvergiftung.
Bazille → Krankheitserreger.
Bazillenfurcht → Hypochondrie.
Bazillophobie → Hypochondrie.
Bazillus → Krankheitserreger.
Bazooka → Panzerabwehrkanone.
beabsichtigen: [das ist nicht beabsichtigt] → vorhaben.
beabsichtigt → absichtlich.
beachten: → achtgeben, → befolgen, → berücksichtigen; nicht b. → ignorieren, → übertreten; nicht mehr beachtet werden → Einfluß.
beachtenswert → interessant.
[1]**beachtlich**, außergewöhnlich, ungewöhnlich, ausgefallen, un-

geläufig, außerordentlich, exzeptionell, extraordinär, groß, erstaunlich, überraschend, entwaffnend, umwerfend, bewundernswert, bewunderungswürdig, großartig, formidabel, ersten Ranges, brillant, kapital, stupend, hervorragend, überragend, eminent, überwältigend, eindrucksvoll, beeindruckend, beträchtlich, erklecklich, stattlich, ansehnlich, nennenswert, bedeutend, unvergleichlich, ohnegleichen, sondergleichen, einzigartig, ungleich + Komparativ (ungleich [besser]), bedeutungsvoll, bedeutsam, erheblich, grandios, imponierend, imposant, phänomenal, enorm, sensationell, epochal, epochemachend, spektakulär, aufsehenerregend, auffallend, auffällig, abenteuerlich, frappant, verblüffend, fabelhaft, sagenhaft, märchenhaft, pyramidal (ugs); → angesehen, → anormal, → bahnbrechend, → beispiellos, → bekannt, → besonders, → bleibend, → gewaltig, → groß, → inhaltsreich, → interessant, → meisterhaft, → offenbar, → sehr, → trefflich, → unsagbar, → unschlagbar, → unüblich, → unwahrscheinlich, → wichtig.

**²beachtlich:** → ansehnlich, → sehr.

**Beachtung:** B. finden → auffallen; B. schenken → achtgeben; keine B. schenken → ignorieren.

**Beamtenadel** → Adel.

**Beamtenbagger** → Aufzug.

**Beamtenbürokratie** → Bürokratie.

**Beamtenherrschaft** → Bürokratie.

**Beamtenlaufbahn,** Dienstordnung (österr.), Dienstpragmatik (österr.), Pragmatik (österr.); → Anstellung, → Arbeitnehmer.

**Beamter:** → Arbeitnehmer, → Polizist; B. auf Lebenszeit → Anstellung.

**Beamtung** → Beruf.

**beangaben** → Anzahlung.

**beängstigend:** → schrecklich, → schlimm.

**¹beanspruchen** (jmdn.), in Anspruch nehmen, mit Beschlag belegen, überbeanspruchen, ab-

sorbieren, aushöhlen, ruinieren, auffressen (salopp).

**²beanspruchen:** → Anspruch [geltend machen], → bestehen auf; etwas beansprucht etwas → erfordern; wenig b. → schonen.

**beanstanden,** bemängeln, kritisieren, jmdn. anschießen / beschießen, beanständen (österr.), unmöglich finden, verhackstücken (ugs.), kein gutes Haar an jmdm. lassen, jmdm. etwas am Zeug flicken, auf jmdm. herumhacken (ugs.), etwas auszusetzen haben, reklamieren, monieren, ausstellen, mißbilligen, sich stoßen / (ugs.) stören an, Anstoß nehmen, Kritik üben, mit jmdm. [scharf] ins Gericht gehen, sich beschweren / beklagen, klagen über, Klage führen, Beschwerde einlegen / einreichen / führen, Beschwerden haben / vorbringen, Einspruch erheben, anfechten, angehen gegen, rekurrieren, herumnörgeln, nörgeln, herumkritteln (ugs.), bekritteln (ugs.), bemäkeln (ugs.), kritteln (ugs.), herummäkeln (ugs.), rummäkeln (salopp), mäkeln (ugs.), mit nichts zufrieden sein, ein Haar in der Suppe / in etwas finden, raunzen (landsch.), meckern (salopp, abwertend), brabbeln (salopp, abwertend), nicht → billigen / → ablehnen, → attackieren, → Berufung [einlegen], → besprechen, → brandmarken, → erörtern, → klagen, → kontrollieren, → mahnen, → murren, → schelten, → sprechen, → verabscheuen, → verurteilen, → zweifeln; **beanstandet werden,** unter jmds. Kritik zu leiden haben, unter Beschuß geraten (ugs); → gekürzt; → Einspruch.

**beanständen** → beanstanden.

**Beanstandung:** → Einspruch, → Vorwurf.

**Beanständung** → Vorwurf.

**beantragen** → einreichen.

**beantworten:** → antworten; eine Quizfrage / Rätselfrage b. → raten.

**Beantwortung** → Antwort.

**¹bearbeiten,** verarbeiten, aufbereiten, ausformen; → formen, → verbessern; → Verarbeitung.

**²bearbeiten:** → überreden; nicht b. → ruhenlassen; mit dem Meißel b. → behauen.

**Bearbeiter:** → Referent, → Schriftleiter.

**Bearbeitung:** → Beeinflussung, → Bühnenbearbeitung, → Erledigung, → Verarbeitung.

**Bearbeitungsgebühr,** Schreibgebühr, Manipulationsgebühr (österr.).

**beargwöhnen** → argwöhnisch [sein].

**Beat** → Unterhaltungsmusik.

**Beat generation** → Lost generation.

**Beatle** → Gammler.

**Beatmusik** → Unterhaltungsmusik.

**Beatnik** → Gammler.

**Beatschuppen** → Gaststätte.

**Beau** → Frauenheld.

**¹beaufsichtigen,** aufpassen auf, sehen nach, sich kümmern um, hüten, bewachen · kleine Kinder: babysitten, gaumen (bes. schweiz.), kindsen (mundartl., österr.) · Vieh: weiden, hirten (schweiz.), almen (österr.), halten (österr.); → beobachten.

**²beaufsichtigen** → überwachen.

**Beaufsichtigung** → Überwachung.

**¹beauftragen,** anordnen, befehlen, bestimmen, reglementieren, administrieren, jmdn. etwas heißen, lassen (jmdn. etwas tun lassen), verfügen, festlegen, in die Wege leiten, Vorkehrungen / (schweiz.) Vorkehren treffen, veranlassen, jmdn. bringen zu, anweisen, Auftrag / Anweisung / Befehl geben, anschaffen (südd., österr.), schaffen (bayr., österr.), Auflage erteilen, auftragen, auferlegen, jmdm. etwas auf die Seele binden (ugs.), überbinden (schweiz.), aufgeben, jmdn. mit etwas befassen; → abordnen, → anstacheln, → befolgen, → beordern, → bestellen, → designieren, → ernennen, → erwirken, → übertragen, → verleiten, → vorschlagen, → wünschen, → zuraten; → Befehlsgewalt, → Mitbestimmung.

**²beauftragen** → betrauen (jmdn. mit).

**¹Beauftragter,** Veranstalter, Funktionär, Politruk (abwer-

*tend*), Apparatschik (*abwertend*), Bonze (*abwertend*), Agent, Kommissar, Kommissär (*oberd.*) · *beim Galoppsport:* Ausgleicher, Handikapper · *beim Boxsport:* Promoter; → Abgeordneter, → Abgesandter, → Arbeitgeber, → Betreuer, → Chef, → Diplomat, → Geschäftsvermittler, → Gönner, → Stellvertreter, → Vermittler; → erwirken, → zuraten.

²**Beauftragter:** → Abgesandter, → Geschäftsvermittler.

**beaugapfeln** → ansehen.

**beäugeln** → ansehen.

**beäugen** → ansehen.

**beaugenscheinigen** → ansehen.

**Beaujolais** → Wein.

**Beauté** → Frau.

**Beauty** → Frau. ·

**bebaubar** → baureif.

¹**bebauen,** bauen, bewirtschaften, kultivieren, bepflanzen, anpflanzen, bestellen, pflanzen, setzen, aussäen, säen, ansäen, legen, stecken; → abholzen, → düngen, → pflügen, → umpflanzen; → Bebauung.

²**bebauen** → bauen; nicht bebaut sein → brachliegen.

**bebaut,** besiedelt, bewohnt; → Besiedlung.

¹**Bebauung,** Anbau, Anpflanzung, Bepflanzung, Bestellung, Feldbestellung, Bewirtschaftung, Kultivierung; → Landwirtschaft; → bebauen.

²**Bebauung** → Besiedlung.

**Bébé** → Kind.

**beben** → zittern.

**Beben** → Erdbeben.

**bebildern,** illustrieren, mit Bildern versehen / ausschmücken; → veranschaulichen; → Illustration.

**Bebilderung** → Illustration.

**beblättert** → belaubt.

**Bebop** → Jazz.

**Becher** → Sternbild, → Trinkgefäß; den B. bis zur Neige leeren → genießen.

**Becherflechte** → Flechte.

**Becherglas** → Trinkgefäß.

**bechern** → trinken.

**becircen,** betören, jmdn. einwickeln (*ugs.*), jmdn. um den Finger wickeln (*ugs.*); → bezaubern, → überreden, → verleiten.

**Becken:** → Bassin, → Hüften; → Schlaginstrument, → Schüssel.

**Beckenendlage** → Kindslage.

**Beckengurt** → Sicherheitsgurt.

**Beckenlage** → Kindslage.

**Beckmesser** → Nörgler.

**Beckmesserei** → Pedanterie.

**bedachen,** überdachen, mit einem Dach versehen; → Bedachung, → Dach.

**bedacht:** → umsichtig; auf Gewinn b. → habgierig.

**Bedacht:** → Absichtlichkeit, → Umsicht; mit B. → absichtlich, → umsichtig.

**Bedachtheit** → Umsicht.

**bedächtig :** → ruhig, → umsichtig.

**bedachtsam:** → ruhig, → umsichtig.

**Bedachtsamkeit:** → Umsicht; aus B. → vorsorglich.

**Bedachtsein:** das B. auf Wirkung → Effekthascherei.

**Bedachung,** Überdachung, Dach, Überdeckung; → Dach; → bedachen.

**bedanken:** jmdn. / sich / etwas b. → danken; ich bedanke mich! → danke!

¹**Bedarf,** Bedürfnis, Nachfrage; → Bedarfsartikel; → ausreichen, → brauchen.

²**Bedarf:** der B. ist gedeckt → ausreichen.

**Bedarfsartikel,** Bedarfsgegenstand, Gebrauchsgegenstand, Bedarfsgüter, Gebrauchsgüter, Konsumgüter; → Bedarf, → Konsument, → Verbrauch.

**Bedarfsgegenstand** → Bedarfsartikel.

**Bedarfsgüter** → Bedarfsartikel.

**Bedarfsträger** → Konsument.

¹**bedauerlich,** betrüblich, traurig; → schade.

²**bedauerlich** → kläglich.

**bedauerlicherweise** → schade.

¹**bedauern** (etwas), bereuen, etwas tut / ist jmdm. leid; untröstlich / traurig / betrübt sein, daß...; → entschuldigen, → mitfühlen; → Entschuldigung. ·

²**bedauern** → beklagen; jmdn. b. → bemitleiden; etwas b. → bereuen.

**Bedauern:** → Entschuldigung; zu meinem B. → schade.

**bedauernswert** → kläglich.

**bedauernswürdig** → kläglich.

¹**bedecken,** zudecken, verdecken, abdecken, decken [auf /

über], überdecken, überziehen; → umhüllen.

²**bedecken:** → decken, → koitieren; sich b. → anziehen; mit dem Mantel der christlichen Nächstenliebe b. → vertuschen; mit Blut bedeckt → blutig; mit Flecken bedeckt → schmutzig; mit Schnee bedeckt → verschneit; mit Sternen bedeckt → gestirnt; von Rost bedeckt → rostig.

**bedeckt** → bewölkt.

**Bedeckung** → Geleit.

**bedenken:** → erwägen; sich b. → denken; zu b. geben → abraten; nicht bedacht werden mit → leer [ausgehen].

¹**Bedenken,** Skepsis, Reserve, Zurückhaltung;→Pessimismus, → Verdacht, → Vorbehalt; **keine B. haben,** nichts dabei finden.

²**Bedenken:** → Verdacht; man muß in dieser Frage seine B. anmelden → ungewiß [sein]; keine B. haben, etwas zu tun → zögern; ohne B. sein → rücksichtslos [sein]; B. tragen → zögern; ohne B. → anstandslos, → kritiklos.

**bedenkenlos:** → anstandslos, → kritiklos, → rücksichtslos.

**Bedenkenlosigkeit** → Gewissenlosigkeit.

**bedenklich:** → anrüchig, → schlimm.

**Bedenkzeit,** Frist, Überlegung; → Frist; **B. erfordern:** etwas erfordert B., etwas muß / will überlegt sein, etwas erfordert Überlegung / [genaues] Nachdenken, etwas muß durchdacht werden; → erwägen.

**bedeppert** → verlegen.

¹**bedeuten,** heißen, die Bedeutung haben, besagen, sagen, kennzeichnen, charakterisieren, aussagen, ausdrücken, sein, darstellen, vorstellen, repräsentieren, bilden, ausmachen, ergeben (etwas ergibt etwas); **nichts b.,** etwas will nichts heißen; → beurteilen, → lauten, → wichtig [sein]; → vielsagend.

²**bedeuten:** jmdm. etwas b. → Hinweis.

**bedeutend,** außergewöhnlich, ungewöhnlich, ausgefallen, ungeläufig, außerordentlich, exzeptionell, extraordinär, groß, erstaunlich, überraschend, entwaffnend, umwerfend, bewundernswert, bewunderungswürdig, großartig, formidabel, ersten Ranges, brillant, kapital, stupend, hervorragend, überragend, eminent, überwältigend, eindrucksvoll, beeindruckend, beträchtlich, erklecklich, stattlich, ansehnlich, nennenswert, unvergleichlich, ohnegleichen, sondergleichen, einzigartig, ungleich + Komparativ (ungleich [besser]), bedeutungsvoll, bedeutsam, erheblich, grandios, imponierend, imposant, phänomenal, beachtlich, enorm, sensationell, epochal, epochemachend, spektakulär, aufsehenerregend, auffallend, auffällig, abenteuerlich, frappant, verblüffend, fabelhaft, sagenhaft, märchenhaft, pyramidal (*ugs.*); → angesehen, → anormal, → bahnbrechend, → beispiellos, → bekannt, → besonders, → bleibend, → gewaltig, → groß, → inhaltsreich, → interessant, → meisterhaft, → offenbar, → sehr, → trefflich, → unsagbar, → unschlagbar, → unüblich, → unwahrscheinlich, → wichtig.

**bedeutsam:** → außergewöhnlich; b. sein → wichtig [sein].

**Bedeutsamkeit,** Bedeutung, Wichtigkeit, Signifikanz, Gewichtigkeit · *für die unmittelbare Gegenwart:* Aktualität, Brisanz; → wichtig.

**¹Bedeutung,** Sinn, Hintersinn, Nebensinn, Konnotation, Beiklang, Gehalt (der), Inhalt, Substanz, Essenz, Idee, Tenor; → Ausmaß, → Begriff, → Sinnbild, → Wesen.

**²Bedeutung:** → Ansehen, → Bedeutsamkeit, → Wortbedeutung; eine B. haben, von B. sein → wichtig [sein]; etwas ist von untergeordneter B. → unwichtig [sein].

**bedeutungsähnlich** → synonym.

**Bedeutungslehre** → Wortbedeutungslehre.

**bedeutungslos** → unwichtig.

**Bedeutungslosigkeit,** Unwichtigkeit, Wertlosigkeit, Nichtigkeit, Belanglosigkeit, Nebensächlichkeit, Trivialität, Uner-

heblichkeit, Unwesentlichkeit, Unbedeutendheit, Irrelevanz; → Kleinigkeit, → Trivialität; → unwichtig.

**bedeutungsverwandt** → synonym.

**bedeutungsvoll:** → außergewöhnlich, → nachdrücklich, → vielsagend, → wichtig.

**Bedfordspitze** → Spitzenstickerei.

**¹bedienen,** abfertigen, fertigmachen; → helfen, → servieren; → Kundendienst, → Schaffner.

**²bedienen:** → diskriminieren, → kellnern; bedient sein → Not [leiden]; [der Reihe nach] b. → durchschleusen; die Bremse b. → bremsen; sich einer Sache b. → anwenden, → ausnutzen.

**Bedienerin:** → Hausangestellte, → Putzfrau.

**Bediensteter** → Arbeitnehmer.

**bedient:** b. sein → angeekelt [sein]; mit etwas gut b. gewesen sein → Erfahrung.

**Bedientenrolle** → Nebenrolle.

**Bedienter** → Diener.

**¹Bedienung,** Kellner, Garçon (*veraltet*), Oberkellner, Ober, Zahlkellner, Zimmerkellner, Ganymed (*scherzh.*), Pikkolo, Piccolo (*österr.*), Markör (*veraltet*) · *weibliche:* Kellnerin, Serviererin, Saaltochter (*schweiz.*), Serviertochter (*schweiz.*), Servierfräulein, Hebe (*scherzh.*) · *auf Schiffen, in Flugzeugen:* Steward, Stewardeß; → Betreuerin, → Putzfrau, → Schaffner, → Trinkgeld; → kellnern.

**²Bedienung:** → Handhabung, → Kundendienst, → Personal, → Putzfrau.

**Bedienungsgeld** → Trinkgeld.

**Bedienungsvorschrift** → Gebrauchsanweisung.

**Bedienungszuschlag** → Trinkgeld.

**bedingen:** sich b. → Wechselbeziehung; etwas bedingt etwas → verursachen.

**Bedingnis** → Bedingung.

**bedingt:** → Bewährungsfrist, → vorbehaltlich.

**¹Bedingung,** Vorbedingung, Voraussetzung, Kondition, Bedingnis (*Amtsspr., österr.*) · *unerläßliche:* Conditio sine qua

non; → Modalität, → Vorbehalt; → ausbitten (sich etwas).

**²Bedingung:** → Grundlage, → Modalität, → Vorbehalt; -en stellen → bestehen (auf); ohne -en → vorbehaltlos; unter keiner B. → nein; etwas zur B. machen → ausbitten (sich etwas).

**bedingungslos:** → vorbehaltlos; jmdm. b. ergeben sein → folgsam [sein].

**Bedlingtonterrier** → Hunderassen.

**bedrängen:** → bitten, → unterdrücken, → zusetzen; etwas bedrängt jmdn. → ärgern.

**Bedrängnis:** → Beengung, → Not.

**bedrängt,** beengt, eingeengt, eingezwängt; → Beengung, → Zwang.

**Bedrängung** → Beengung.

**bedripst** → verlegen.

**bedrohen:** → drohen, → nötigen.

**bedrohlich** → ernst.

**bedroht:** etwas ist b. → Gefahr.

**Bedrohung** → Gefahr.

**bedrücken:** → bekümmern, → unterdrücken; etwas bedrückt jmdn. → ärgern.

**bedrückend:** als b. empfinden → schwernehmen.

**bedrückt:** → schwermütig, → sorgenvoll.

**Bedrücktheit:** → Melancholie, → Trauer.

**Bedrückung** → Unfreiheit.

**bedürfen:** → brauchen; etwas bedarf einer Sache → erfordern.

**Bedürfnis:** → Bedarf; sein B. verrichten → austreten.

**Bedürfnisanstalt** → Toilette.

**bedürfnislos** → bescheiden.

**Bedürfnislosigkeit:** → Bescheidenheit, → Besitzlosigkeit.

**bedürftig** → arm.

**Bedürftigkeit** → Armut.

**beduselt** → betrunken.

**Beefeater** → Wächter; -s → Leibwache.

**Beefsteak:** → Fleischgericht; [deutsches] B. → Fleischkloß.

**¹beehren (sich),** sich die Ehre geben, sich erlauben; → erdreisten (sich).

**²beehren:** b. mit → Gunst; mit einem Besuch b. → besuchen.

**beeiden:** → beschwören, → versprechen.

**beeidigen** → versprechen.

**beeilen** (sich), sich sputen / tummeln / abhetzen (ugs.), sich eilen (landsch.), sich überstürzen, schnell / rasch / fix machen (ugs.), keinen Augenblick verlieren, sich dazuhalten / ranhalten (salopp); zusehen, daß... (ugs.); dazuschauen (österr.) · bei der Arbeit: hinschauen (österr.); **sich b. müssen**, es eilig haben, jmdm. brennt der Boden unter den Füßen, in Hetze sein, keine Zeit verlieren, keine Zeit [zu verlieren] haben, unter Zeitdruck / (ugs.) unter Dampf stehen, [mach] Tempo! (ugs.), mach schnell! (ugs.); los, Tempo! (ugs.); Beeilung, bitte!; dalli [dalli]!; → eilen, → fortbewegen (sich), → spät [sein]; → Hast.

**Beeilung:** B., bitte! → beeilen.

**beeindrucken:** → auffallen; sich nicht b. lassen, etwas beeindruckt jmdn. nicht → ungerührt [bleiben].

**beeindruckend** → außergewöhnlich.

**beeindruckt** → bewegt.

**beeinflußbar** → labil.

**Beeinflußbarkeit,** Anfälligkeit, Labilität, Unbeständigkeit; → labil.

**¹beeinflussen,** Einfluß nehmen auf, Einfluß haben / gewinnen, einwirken auf / (ugs.) abfärben auf, einflüstern, einflößen, eingeben, infizieren, anstecken, insinuieren, suggerieren, hinlenken auf · in bezug ˌauf eine Antwort: jmdm. etwas in den Mund legen; → anstacheln, → bitten, → dirigieren, → lenken, → mahnen, → überreden, → verleiten, → vorschlagen, → wirken, → zuraten; → Beeinflussung.

**²beeinflussen:** [entscheidend] b. → Einfluß [ausüben]; sich b. lassen → umschwenken.

**¹Beeinflussung,** Suggestion, Bearbeitung (ugs.), Seelenmassage (ugs.), Berieselung (ugs., abwertend); → Einfluß; → beeinflussen, → überreden.

**²Beeinflussung** → Überlagerung.

**beeinträchtigen** → behindern; durch nichts beeinträchtigt → ungetrübt.

**Beeinträchtigung,** Schädigung, Minderung, Wertminderung; → schaden.

**Beelzebub** → Teufel.

**¹beenden,** beendigen, abbrechen, aufgeben, aufstecken, aussteigen (ugs.), begraben (ugs.), einstellen, es dabei bewenden lassen, Feierabend / Schluß / ein Ende machen, aufhören, ein Ende setzen, ad acta legen, einen Strich (oder:) Schlußstrich unter etwas ziehen / machen, einen Punkt machen, abschließen, zum Abschluß / unter Dach und Fach / (ugs.) über die Bühne bringen, schließen, beschließen, mit etwas zu Ende sein / gehen · einen Boxkampf: das Handtuch werfen · jmds. Unterstützung aus einer Versicherung: aussteuern · eine Verbindung: das Tischtuch zwischen sich und jmdm. zerschneiden · ein Gespräch über etwas Unerfreuliches: Schwamm drüber! (ugs.), reden wir nicht mehr darüber!; → abgewöhnen (sich etwas), → abnehmen, → abschreiben, → aufgeben, → bewältigen, → enden, → Feierabend [haben], → kündigen, → stillegen, → stecken, → unterbrechen, → vollenden · Ggs. → anfangen, → fortsetzen; **etwas nicht b.,** kein Ende finden.

**²beenden:** beendet → fertig; erfolgreich b. → absolvieren; den Kriegszustand b. → Frieden [schließen].

**beendigen** → beenden.

**Beendigung** → Ende.

**beengen** → einengen.

**beengt** → bedrängt.

**Beengung,** Einengung, Bedrängung, Bedrängnis; → Zwang; → bedrängt.

**beerdigen** → bestatten.

**Beerdigung** → Begräbnis.

**Beerdigungsinstitut** → Bestattungsunternehmen.

**Beerdigungsunternehmen** → Bestattungsunternehmen.

**Beerenauslese** → Wein.

**Beerenernte** → Ernte.

**Beerenlese** → Weinlese.

**Beerenobst** · Stachelbeere, Hekkenbeere, Agrasel (mundartl., bayr., österr.) · Johannisbeere, Ribisel (österr.) · Himbeere · Brombeere, Moldbeere (land-

sch.), Multbeere (landsch.), Torfbeere, Zwergbrombeere · Erdbeere, Monatserdbeere, Walderdbeere, Rotbeere (oberd.), Brestli (oberd.), Bresling (oberd.), Brästling (oberd.) · Blaubeere, Heidelbeere, Bickbeere (nordd.), Schwarzbeere, Zechbeere (österr.), Mollbeere (landsch.) · Preiselbeere; → Obst.

**Beerentang** → Alge.

**Beet** → Rabatte.

**Beete:** rote B. → Salatrübe.

**Beethovenstadt** → Bonn.

**befähigen** → möglich [machen].

**befähigt** → tüchtig.

**Befähigung** → Begabung.

**Befähigungsnachweis,** Referenzen, Zeugnis.

**befahrbar,** passierbar · per Schiff: schiffbar; → fahren.

**befahren** → bereisen.

**befallen,** heimsuchen, verfolgen, beschleichen, ankommen, anwandeln, überfallen, sich jmds. bemächtigen.

**befangen** → ängstlich, → parteiisch, → verlegen.

**Befangenheit:** → Angst, → Schamhaftigkeit, → Vorurteil.

**¹befassen** (sich mit), sich beschäftigen / tragen / abgeben mit, sich jmdm. / einer Sache widmen, sich in etwas hineinknien (ugs.), einer Sache frönen / huldigen, umgehen mit, schwanger gehen mit (ugs., scherzh.); → anfertigen, → anstrengen, → arbeiten, → vollführen.

**²befassen:** jmdn. mit etwas b. → anordnen, → betrauen.

**befehden:** → ankämpfen (gegen etwas), → bekriegen.

**Befehdung** → Bekämpfung.

**Befehl:** → Weisung; B. geben → anordnen; auf B. → befehlsgemäß.

**befehlen,** anordnen, bestimmen, reglementieren, administrieren, jmdn. etwas heißen, lassen (jmdn. etwas tun lassen), verfügen, festlegen, in die Wege leiten, Vorkehrungen / (schweiz.) Vorkehren treffen, veranlassen, jmdn. bringen zu, anweisen, Auftrag / Anweisung / Befehl geben, anschaffen (südd., österr.), schaffen (bayr., österr.), Auflage erteilen, auftragen, auferlegen, jmdm. etwas auf die Seele binden (ugs.), überbinden (schweiz.), aufgeben, beauftragen, jmdn. mit etwas befassen; → abordnen, → anstacheln, → befolgen, → beordern, → bestellen, → designieren, → ernennen, → erwirken, → übertragen, → verleiten, → vorschlagen, → wünschen, → zuraten; → Befehlsgewalt, → Mitbestimmung.

**befehligen** → führen.

**Befehlsempfänger:** B. sein → unselbständig [sein].

**Befehlsform** → Imperativ.

**befehlsgemäß,** weisungsgemäß, auf Befehl / Weisung / Anordnung; → Weisung.

**Befehlsgewalt,** Amtsgewalt, Staatsgewalt, Regierungsgewalt · höchste militärische: Oberbefehl; → Weisung; → anordnen.

**¹Befehlshaber,** Kommandeur, Kommandant, Heerführer · Kapitän, Kommodore, → Anführer, → Arbeitgeber, → Dienstgrad, → Oberhaupt, → Seeoffizier.

**²Befehlshaber** → Oberhaupt.

**¹befestigen,** festmachen, anmachen (ugs.), anbringen, verstäten (schweiz.) · annageln, anbinden, anmachen, anheften, anstecken, annadeln (österr.), aufspendeln (österr.), anschnallen, anschrauben, ankleben, anpicken (österr.), aufkleben, aufpicken (österr.), festnageln, festschrauben, aufschrauben, schrauben an/auf, anmontieren, montieren, aufmontieren, legen, verlegen (fachspr.).

**²befestigen** → festigen.

**Befestigung:** → Befestigungsanlage; operative B. → Operation.

**Befestigungsanlage,** Verteidigungsanlage, Befestigung, Befestigungsbau, Festungsbau, Befestigungssystem, Befestigungswerk, Bastion, Bastei, Bollwerk; → Festung, → Stützpunkt.

**Befestigungsbau** → Befestigungsanlage.

**Befestigungssystem** → Befestigungsanlage.

**Befestigungswerk** → Befestigungsanlage.

**befeuchten:** → naß [machen], → sprengen.

**befeuern** → anstacheln.

**Beffchen** → Kragen.

**¹befinden** (sich), stehen, liegen, sitzen; → existieren, → weilen, → wohnen.

**²befinden:** → weilen; sich -d →befindlich; sich in jmds. Besitz b. → gehören; sich in einer Sackgasse b. → Lösung.

**Befinden:** → Verfassung; gutes B. → Gesundheit; schlechtes B. → Krankheit.

**¹befindlich,** sich befindend, angebracht, gelegen, belegen (jurist.).

**²befindlich:** im/in Umlauf b. → eingeführt.

**befingern** → berühren.

**beflaggen,** bewimpeln, mit Fahnen / Wimpeln schmücken; → flaggen; → Beflaggung, → Fahne.

**Beflaggung,** Fahnenschmuck; → Fahne, → Nationalflagge; → beflaggen.

**beflecken:** → beschmutzen; mit Blut befleckt → blutig.

**Befleckung** → Verunreinigung.

**beflegeln** → schelten.

**befleißen:** sich b. → anstrengen (sich).

**befleißigen:** sich b. → anstrengen (sich).

**beflissen,** eifrig bemüht / beschäftigt, betulich, diensteifrig, pflichteifrig, dienstwillig; → fleißig, → übereifrig; → Beflissenheit.

**Beflissenheit,** Diensteifrigkeit, Übereifer, Übereifrigkeit, Pflichteifrigkeit, Dienstwilligkeit; → beflissen, → übereifrig.

**beflügeln** → anstacheln.

**beflügelt** → beschwingt.

**befolgen,** beherzigen, beachten, einhalten, sich [den Anordnungen] fügen / unterwerfen / beugen / unterordnen/(schweiz.) unterziehen, [den Anordnungen] Folge leisten; → anordnen, → achtgeben, → behalten, → gehorchen, → nachgeben.

**beförderbar** → transportabel.

**beförderlich** → schnell.

**beförderlichst** → schnell.

**¹befördern** (jmdn.), höherstufen, aufrücken lassen; → avancieren.

**²befördern:** → transportieren; befördert werden → avancieren; ins Jenseits b., vom Leben zum Tode b. → töten.

**Beförderung:** → Aufstieg, → Transport.

**Beförderungsfahrzeug** → Verkehrsmittel.

**befrachten** → laden.

**befrackt** → bekleidet (mit).

**befragen** → fragen.

**Befragung:** → Frage, → Umfrage.

**¹befreien** (von), beurlauben, dispensieren, entbinden von, etwas enthebt jmdn. einer Sache (geh.), jmdm. etwas erlassen (ugs.) schenken; → begnadigen, → entledigen (sich jmds. / einer Sache), → lossprechen, → selbständig [machen]; → Befreiung, → Begnadigung.

**²befreien:** → entlasten, → retten; sich aus einer unangenehmen Lage b. → Lage; sich b. von →entledigen (sich jmds. / einer Sache); von den Kernen b. → entkernen; von einer Schuld b. → lossprechen, → verzeihen; jmdn. von seinen Hemmungen b. → enthemmen; von Staub b. → abstauben.

**Befreier** → Retter.

**befreit:** b. sein → aufatmen.

**¹Befreiung,** Beurlaubung, Dispens; → Erlaubnis; → befreien (von).

**²Befreiung** → Rettung.

**befremden,** in Verwunderung / Erstaunen setzen, stutzig machen, zu denken geben, etwas nimmt jmdn. wunder, etwas erstaunt jmdn., Staunen erregen; → beschäftigen; → argwöhnisch, → schwermütig, → überrascht.

**Befremden** → Überraschung.

**befremdend** → seltsam.

**befremdet:** b. sein → überrascht [sein].

**befremdlich** → seltsam.

**Befremdlichkeit** → Seltsamkeit.

**befreunden:** mit jmdm. befreundet sein → vertraut; sich mit etwas b. können, befreundet sein mit → anfreunden (sich mit).

**befrieden** → Frieden [stiften].

**¹befriedigen,** etwas stillen, [einer Forderung] entsprechen, erfüllen, jmdn. zufriedenstellen, jmdn. abfinden, jmdm. eine

Abfindung / jmdm. Schmerzensgeld zahlen, jmdm. Genüge tun; → berücksichtigen, → entgegenkommen, → gehorchen; **befriedigt werden,** zufriedengestellt werden, auf seine Kosten/Rechnung kommen; → Befriedigung.

**²befriedigen:** [eine Frau] b. → koitieren; sich selbst b. → masturbieren.

**befriedigend** → ausreichend.

**befriedigt** → zufrieden.

**Befriedigung,** Zufriedenheit, Erfüllung; → befriedigen.

**befristen,** terminieren, [zeitlich] begrenzen, eine Frist / ein Ziel setzen; → Frist.

**¹befruchten,** besamen; → fortpflanzen (sich), → koitieren; → schwanger.

**²befruchten:** befruchtet werden → schwanger [werden].

**Befruchtung,** Besamung, Insemination, Fekundation, Fertilisation, Kopulation, Imprägnation, Zeugung, Begattung, Schwängerung, Konzeption, Empfängnis · *auf künstlichem Wege:* Insemination, künstliche Befruchtung, Inseminatio artificialis · *von verschiedenen Eizellen aus aufeinanderfolgenden Zyklen:* Superfekundation, Superfetation, Überbefruchtung, Überschwängerung, Nachempfängnis, Superimprägnation; → Fertilität, → Fortpflanzung, → Koitus; → schwanger.

**befugen:** etwas befugt jmdn. → ermächtigen.

**Befugnis:** → Berechtigung; ohne B. → eigenmächtig.

**befugt,** berechtigt, mit Fug und Recht, mit gutem Recht / guten Gründen, in guten Treuen (*schweiz.*), kompetent, maßgebend, verantwortlich, zuständig, ermächtigt, bevollmächtigt, autorisiert; → bejahend, → maßgeblich, → rechtmäßig; **b. sein,** dürfen; → billigen, → ermächtigen, → können; → Vorrecht, → Zuständigkeit.

**befühlen:** → berühren, → tasten.

**befummeln** → berühren.

**Befund** → Diagnose.

**befürchten:** → Angst [haben], → vermuten; b. müssen, daß... → Gefahr [laufen].

**Befürchtung** → Ahnung.

**befürsorgen** → kümmern (sich um jmd.).

**befürworten:** → fördern; etwas b. → zuraten.

**Beg** → Anrede.

**¹begabt,** talentiert, genial, genialisch, begnadet, gottbegnadet · *künstlerisch:* musisch · *in bezug auf schulische Anforderungen:* leistungsstark; → klug → musisch · Ggs. → unbegabt; **b. sein,** etwas können / verstehen / (*ugs.*) los haben / (*salopp*) auf dem Kasten haben; **für etwas b. sein,** etwas liegt jmdm. / liegt jmdm. im Blut / kommt jmds. Neigungen entgegen / entspricht jmds. Fähigkeiten / (*ugs.*) ist jmds. starke Seite, das Zeug zu etwas haben (*ugs.*) · *auf musikalischem Gebiet:* Musik im Blut haben; → Begabung.

**²begabt:** → tüchtig; künstlerisch b. → musisch.

**Begabung,** Fähigkeiten, Befähigung, Ingenium, Anlage, Veranlagung, Gaben, Intelligenz, Auffassungsgabe, Klugheit, Geistesgaben, Talent, Genialität, Genie, Charisma, Berufung, das Berufensein; → Fachmann, → Genie, → Intelligenzquotient, → Klugheit, → Vernunft; → begabt, → klug.

**begaffen** → ansehen.

**begatten** → koitieren.

**Begattung:** → Befruchtung, → Koitus.

**begaunern** → bestehlen.

**begeben:** sich b. → geschehen; sich einer Sache b. → abgeben, → abschreiben; sich auf den Rückweg / Heimweg / Nachhauseweg b., sich nach Hause b. → zurückbegeben (sich); sich in Gefahr b. → Gefahr; sich in die Schußlinie b. → exponieren (sich).

**Begebenheit** → Ereignis.

**Begebnis** → Ereignis.

**¹begegnen:** etwas begegnet / widerfährt jmdm., etwas stößt jmdm. zu / erwartet jmdn. / (*salopp*) blüht jmdm. / wird jmdm. zuteil / kommt auf jmdn. zu / fällt jmdm. in den Schoß, jmd. erlebt etwas; → geschehen, → unterkommen, → vorkommen.

**²begegnen:** → abhelfen, → ankämpfen, → antworten, → finden, → unterkommen.

**Begegnung** → Wiedersehen.

**begehbar,** betretbar, zugänglich; → betreten.

**¹begehen,** feiern, begießen (*ugs.*), auf jmdn. / etwas trinken.

**²begehen:** Betrug b. → betrügen; geistigen Diebstahl / ein Plagiat b. → plagiieren; Ehebruch b. → untreu [sein]; Hausfriedensbruch b. → eindringen; Mißbrauch b. → mißbrauchen.

**Begehr** → Wunsch.

**begehren** → koitieren, → lieben, → verlangen, → wünschen; begehrt sein → angesehen [sein].

**Begehren** → Leidenschaft.

**begehrenswert** → begehrt.

**begehrlich** → begierig.

**Begehrlichkeit** → Leidenschaft.

**begehrt,** gefragt, gesucht, gängig, marktgängig, leicht verkäuflich, erwünscht, wünschenswert, erstrebenswert, begehrenswert, wünschbar (*schweiz.*), verlangt; → angesehen, → anziehend, → marktgerecht, → verkäuflich; → wünschen.

**Begehungsort** → Tatort.

**¹begeistern,** in Begeisterung versetzen, mit Begeisterung erfüllen, entzücken, berauschen, trunken machen (*veraltend*), hinreißen, entflammen, mitreißen, jmdn. mit sich reißen, fesseln, enthusiasmieren (*bildungsspr.*); → anregen, → anschwärmen, → anstacheln, → beseelen, → bezaubern, → erfreuen, → erregen; → begeistert; → Begeisterung.

**²begeistern:** begeistert sein von, sich b. für → anschwärmen; jmdn. zu etwas b. → anstacheln.

**¹begeistert,** leidenschaftlich, glühend, glutvoll, feurig, schwärmerisch, enthusiasmiert (*bildungsspr.*), hingerissen, mitgerissen, entflammt, berauscht, entzückt, trunken (*geh.*), inbrünstig, brünstig (*veraltet*), eifrig, übereifrig, fanatisch; → besessen (von), → lebhaft; → Begeisterung; → begeistern.

**²begeistert:** b. sein → freuen (sich); b. sein von → besessen (von); nicht gerade b. sein von etwas → murren, → notgedrungen [etwas tun müssen].

**Begeisterung,** Enthusiasmus, Leidenschaft, Inbrunst, Glut, Feuer, Überschwang, Gefühlsüberschwang, Überschwenglichkeit, Schwärmerei, Eifer, Übereifer · *rasch verfliegende:* Strohfeuer · *blinde:* Fanatismus; → Beifall, → Erregung, → Heimat, → Jubel, → Leidenschaft, → Lust, → Patriot, → Patriotismus, → Temperament, → Zuneigung; **mit B.,** mit Leib und Seele, mit ganzer Seele; **ohne B.,** lau, mit halbem Herzen, halbherzig, lustlos; → begeistern; → begeistert, → fanatisch.

**Begier** → Leidenschaft.

**Begierde** → Leidenschaft.

**¹begierig,** begehrlich, sinnlich, gierig, lüstern, wollüstig, gieprig, scharf [wie tausend Russen / wie Nachbars Lumpi] *(salopp),* geil *(abwertend);* → anstößig, → brünstig, → lebenshungrig; **b. machen,** jmdm. einen Floh ins Ohr setzen *(ugs.);* → anregen; **b. sein auf / nach,** hungrig sein nach, erpicht / versessen / aussein / *(salopp)* scharf sein auf, sich spitzen auf *(ugs.),* wild sein auf / nach, sich die Finger nach etwas lecken *(ugs.),* jmdm./jmdn. jukken die Finger nach etwas, verrückt sein auf / nach *(ugs.),* sich reißen um, hinter etwas her sein wie der Teufel hinter der armen Seele *(ugs.);* → Effekthascherei; → beharrlich [sein], → haben [wollen], → liebäugeln, → streben, → wünschen; → süchtig.

**²begierig** → erwartungsvoll.

**begießen:** → begehen, → sprengen; sich die Nase b. → betrinken (sich); dastehen wie ein begossener Pudel → verlegen [sein].

**Beginn:** → Entstehung; [am B. sein] → Anfang.

**beginnen:** → anfangen; zu gebrauchen b. → gebrauchen.

**Beginnen** → Tun.

**¹beglaubigen,** bestätigen, bekräftigen, versichern, bezeugen, als wahr / echt bescheinigen; → anerkennen; → bezeugt; → Bekräftigung, → Bevollmächtigung.

**²beglaubigen:** →anerkennen, → bescheinigen.

**beglaubigt:** → bezeugt, → wahr.

**Beglaubigung:** → Bekräftigung, → Bescheinigung, → Bevollmächtigung.

**Beglaubigungsschreiben,** Beglaubigungsurkunde, Akkreditiv; → Diplomat.

**Beglaubigungsurkunde** → Beglaubigungsschreiben.

**¹begleichen,** zahlen, bezahlen, entrichten, erlegen, blechen *(salopp),* in die Tasche greifen, berappen *(salopp),* brennen *(salopp, österr.),* branded *(salopp, österr.),* hinterlegen, hinblättern *(ugs.),* abzahlen, abbezahlen, in Raten zahlen, abstottern *(salopp),* abtragen, seine Schulden bezahlen, sich ehrlich machen, nachzahlen, nachbezahlen, draufzahlen *(ugs.),* zuzahlen, aufzahlen *(österr.),* drauflegen *(ugs.),* ausgeben, ans Bein binden *(ugs.),* verbraten *(salopp),* aufwenden, anlegen, verausgaben, investieren *(ugs.),* Geld in etwas stecken / hineinstecken *(ugs.),* etwas springen lassen *(salopp),* loseisen *(ugs.),* locker machen *(salopp),* ausschütten, ausrichten *(schweiz.),* bestreiten, finanzieren, subventionieren, bezuschussen, [für die Kosten] aufkommen, unterstützen, die Kosten tragen, erstatten, zurückerstatten, zurückzahlen; → ausgeben, → belohnen, → danken, → durchbringen, → einbüßen, → ernähren, → kaufen, → leihen, → stiften, → unterschlagen, → verkaufen, → zuzahlen; → finanziell; → Etat, → Gehalt, → Portemonnaie, → Unkosten.

**²begleichen:** mit jmdm. eine Rechnung zu b. haben→ schelten.

**Begleichung** → Zahlung.

**Begleit** → Geleit.

**¹begleiten,** geleiten, führen, leiten, anführen, das Geleit geben, eskortieren, flankieren, jmdn. [nach Hause] bringen, mitgehen, gehen mit, sich jmdm. beigesellen / zugesellen / anschließen; → Begleiter, → Geleit.

**²begleiten** → musizieren.

**¹Begleiter,** Betreuer, Führer · *auf Reisen:* Reiseleiter, Fremdenführer, Stadtbilderklärer *(DDR),* Cicerone *(scherzh.),* Bärenführer *(scherzh.);* → Stadtrundfahrt; → begleiten.

**²Begleiter:** → Beifahrer, → Ratgeber; ständiger B. → Geliebter.

**Begleiterscheinung** → Umstand.

**Begleithunde** → Hunderassen.

**Begleittext** → Übersetzung.

**Begleitumstand** → Umstand.

**Begleitung:** → Geleit; ohne B. → solo.

**beglotzen** → ansehen.

**beglücken** → erfreuen.

**beglückend** → glücklich.

**beglückt** → glücklich.

**beglückwünschen** → gratulieren.

**Beglückwünschung** → Glückwunsch.

**begnadet** → begabt.

**¹begnadigen,** amnestieren, eine Amnestie erlassen, abolieren *(veraltet),* pardonieren *(veraltet);* → befreien, → lossprechen, → verschonen, → verzeihen; → Begnadigung.

**²begnadigen** → befreien (von).

**Begnadigung,** Gnade, Vergebung, Verzeihung, Absolution, Pardon, Amnestie, Straferlaß; → Duldung → Gunst; → befreien (von), → begnadigen.

**¹begnügen (sich),** sich zufriedengeben, sich behelfen; → arm.

**²begnügen:** sich b. → behelfen (sich); → zufriedengeben (sich); sich mit der Rolle des Zuschauers b. → teilnehmen.

**begossen:** wie ein -er Pudel → verlegen.

**begraben:** → beenden, → bestatten; unter Schnee b. → verschneit.

**Begräbnis,** Beerdigung, Bestattung, Beisetzung, Leichenbegängnis, Leichenfeier, Leich *(ugs., südd., österr.),* Trauerfeier, Einsegnung *(kath.),* Funeralien, Exequien · *einer hochgestellten Persönlichkeit auf Staatskosten:* Staatsbegräbnis; → Feuerbestattung, → Leichenschauhaus, → Leichenschmaus, → Leichenzug, → Totenmesse; → bestatten.

**Begräbnisplatz** → Grab.

¹**Begräbnisstätte** · *altchristliche, unterirdische:* Katakombe, Zömeterium; → Friedhof, → Grab.

²**Begräbnisstätte:** → Friedhof, → Grab.

**begradigen** → kanalisieren.

**Begradigung** → Kanalisierung.

**begrapschen** → berühren.

**begreifen:** → verstehen; in sich b. → einschließen.

**begreiflich** → einleuchtend.

**begreiflicherweise** → verständlicherweise.

¹**begrenzen,** limitieren, einschränken, kontingentieren.

²**begrenzen:** → einengen, → einfassen, → einzäunen, → verringern; [zeitlich] b. → befristen.

**Begrenztheit** → Kleinheit.

**Begrenzung:** → Abgrenzung, → Einfassung.

¹**Begriff,** Terminus, Wort, Vokabel, Ausdruck, Benennung, Bezeichnung; → Ausdrucksweise, → Bedeutung, → Fachausdruck, → Homonym, → Sinnbild.

²**Begriff:** ein B. sein → bekannt [sein]; sich einen B. machen von → vorstellen (sich etwas); etwas übersteigt alle -e → außergewöhnlich [sein]; im B. sein, etwas zu tun → anschicken (sich, etwas zu tun); schwer von B. sein → begriffsstutzig [sein]; zum B. erheben → abstrahieren.

**begriffen:** in etwas b. sein → anschicken (sich, etwas zu tun).

¹**begrifflich,** abstrakt, [nur] gedacht, gedanklich, theoretisch, vom Dinglichen gelöst; → abstrakt; → Abstraktion; → abstrahieren.

²**begrifflich** → theoretisch.

**Begriffsbestimmung** → Auslegung.

**Begriffsbildung** → Abstraktion.

**begriffsstutzig,** begriffsstützig (*österr.*); → dumm; **b.** sein, schwer von Begriff / (*salopp*) von Kapee sein, Mattscheibe / Kurzschluß / Ladehemmung / eine lange Leitung haben (*salopp*), langsam schalten (*salopp*), spät zünden (*salopp*), ein Spätzünder sein (*salopp*), auf der Leitung stehen (*salopp*), bei jmdm. fällt der Groschen langsam / pfennig-

weise (*ugs.*), geistig weggetreten sein (*salopp*); → Beschränktheit.

**begriffsstützig** → begriffsstutzig.

**Begriffsstutzigkeit** → Beschränktheit.

**Begriffssymbol** → Bildsymbol.

¹**begründen,** verdeutlichen, deutlich machen, motivieren, argumentieren, Argumente vorbringen; → auslegen, → erörtern, → nachweisen, → veranschaulichen; → ursächlich.

²**begründen** → gründen.

**begründend** → ursächlich.

**Begründer** → Gründer.

**begründet:** → fundiert, → rechtmäßig, → zurückführbar.

**Begründung** → Argument.

**begrünen:** sich b. → sprießen.

**begrünt** → belaubt.

¹**begrüßen,** grüßen, guten Tag sagen, die Zeit bieten / (*geh.*) entbieten, willkommen heißen, bewillkommnen, die Honneurs machen, empfangen, salutieren, eine Ehrenbezeigung machen, jmdm. die Hand geben / reichen / schütteln /drücken, Pfötchen geben (*ugs., scherzh.*), mit Handschlag / Handkuß begrüßen, jmdm. Reverenz erweisen, seine / die Ehrerbietung erweisen, das Haupt entblößen (*geh.*), den Hut abnehmen / lüften / ziehen; → ansprechen, → knicksen, → trennen (sich), → verneigen (sich); → Empfang, → Gruß, → Knicks, → Kuß, → Salut, → Willkomm.

²**begrüßen:** → billigen, → fragen.

¹**Begrüßung,** Händedruck, Handschlag, Händeschütteln, Shakehands, Handkuß; → Abmachung, → Verbeugung, → Willkomm.

²**Begrüßung:** → Salut, → Willkomm; mit freundlicher B. → hochachtungsvoll.

**Begrüßungsschuß** → Salut.

**begucken,** ansehen, anschauen, anblicken, betrachten, besichtigen, beschauen, beobachten, studieren, in Augenschein nehmen, beaugenscheinigen (*scherzh.*), beaugapfeln (*scherzh.*), beäugeln, beäugen (*ugs., scherzh.*), mustern, fixieren, anstarren, anglotzen (*salopp, abwertend*), anstieren, angaffen

(*salopp, abwertend*), besehen, beglotzen (*salopp, abwertend*), begaffen (*salopp, abwertend*), angucken, blicken auf, den Blick heften auf, den Blick nicht abwenden können, jmdm. einen Blick zuwerfen / schenken / gönnen, einen Blick werfen auf, anglupschen (*abwertend*), jmdn. / etwas mit den Augen verschlingen, Stielaugen machen (*ugs.*), jmdm. gehen die Augen über, jmdm. mit Blicken durchbohren; → begutachten, → blicken, → blinzeln, → forschen, → sehen; → Besichtigung, → Vernissage.

**Beguine** → Tanz.

**begünstigen** → fördern.

**Begünstigung** → Vetternwirtschaft.

¹**begutachten,** beurteilen, ein Urteil fällen / abgeben, urteilen / denken über, werten, bewerten, abschätzen, einschätzen, würdigen, etwas von jmdm. / etwas halten, halten / ansehen / erachten für, stehen zu, eine bestimmte Einstellung haben zu, charakterisieren, beleuchten, durchleuchten, betrachten/empfinden / auffassen / nehmen / verstehen als, etwas in jmdm. (oder:) in etwas sehen / erblicken; → auslegen, → ausrechnen, → bedeuten, → denken, → folgern, → kontrollieren, → schätzen, → vermuten, → werten; → Beurteilung, → Preisgericht.

²**begutachten** → ansehen.

**Begutachtung:** → Beurteilung, → Expertise.

**begütert** → reich.

**begütigen** → beruhigen.

¹**behaart,** haarig, borstig, struppig; → bärtig; → Behaarung.

²**behaart:** -e Schildkröte → Vulva.

**Behaartheit** → Behaarung.

**Behaartsein** → Behaarung.

**Behaarung,** das Behaartsein, Behaartheit; → Fell; → behaart.

**behäbig:** → dick, → reich.

**behaften:** → haftbar [machen]; jmdn. bei etwas b. → festlegen (jmdn. auf etwas).

**behagen:** etwas behagt jmdm. nicht → gefallen.

**Behagen** → Heiterkeit.

¹**behaglich,** bequem, angenehm, komfortabel, wohnlich, heimelig, heimisch, lauschig; → gemütlich; → Bequemlichkeit, → Gemütlichkeit.

²**behaglich:** → gemütlich; sich b. fühlen → wohlfühlen (sich).

**Behaglichkeit:** → Bequemlichkeit, → Gemütlichkeit.

¹**behalten,** beherzigen, sich etwas merken; **etwas b. müssen,** sich etwas hinter die Ohren schreiben müssen (*ugs.*), sich etwas hinter den Spiegel stecken können (*ugs.*), sich etwas ins Stammbuch schreiben können (*ugs.*); → befolgen.

²**behalten:** → aufbewahren, → beibehalten, → zurückhalten; die Oberhand b. → durchsetzen (sich); für sich b. → schweigen; im Auge b. → beobachten; nicht [im Kopf / Gedächtnis] b. → vergessen.

**Behälter,** Behältnis, Gefäß, Röhrchen, Röhre · *großer:* Faß, Tonne, Stande (*schweiz.*), Reservoir, Silo · *für Flüssigkeiten:* Kanister, Hobbock · *röhrenförmiger, biegsamer, dessen Inhalt herausgedrückt wird:* Tube · *für Tabak, Zigaretten:* Tabakdose, Zigarettendose, Tabatiere (*österr.*) · *für Frachtgüter:* Container; → Ampulle, → Büchse, → Faß, → Faßhahn, → Flasche, → Gepäck, → Hülle, → Kanne, → Kochtopf, → Sarg, → Schachtel, → Schubfach, → Schultasche, → Schlüssel, → Steige, → Tabernakel, → Tresor, → Vivarium; → anzapfen.

**Behältnis** → Behälter.

**behämmert:** → dumm; b. sein → geistesgestört [sein].

¹**behandeln,** laborieren an, herumdoktern an (*ugs.*), doktern an (*ugs.*), verarzten (*ugs.*); → gesund [machen], → verbinden; → Behandlung, → Kompresse, → Verband.

²**behandeln:** → aufrollen, → erörtern, → Gegenstand; etwas gut / pfleglich / schonend / sorgsam b. → pflegen; noch nicht b. → verschieben; schlecht b. → schikanieren; sorgsam b. → schonen; stiefmütterlich b. → kümmern (sich um jmdn.); ungerecht / unterschiedlich b. → diskriminieren; ver-

traulich b. → weitererzählen; als Bagatelle b. → bagatellisieren; [jmdn. wie ein rohes Ei] b. → umgehen (mit jmdm.).

**behändigen** → nehmen.

¹**Behandlung,** Heilbehandlung, Krankheitsbehandlung, Krankenbehandlung, Therapie, Methode, Heilmethode · *mit drastischen, groben Mitteln arbeitende:* Pferdekur (*ugs.*), Roßkur (*ugs.*) · *zusätzliche nach der eigentlichen:* Nachbehandlung, Nachsorge, Nachkur, Nachfürsorge (*schweiz.*) · *psychotherapeutische, bei der mehrere Patienten gleichzeitig behandelt werden:* Gruppentherapie · *psychotherapeutische durch sinnvoll gelenkte Beschäftigung:* Beschäftigungstherapie; → Arzt, → Diagnose, → Vorsorgeuntersuchung; → behandeln; → gesund.

²**Behandlung:** physikalische B. → Naturheilverfahren.

**Behandlungsräume** → Sprechzimmer.

**Behandlungsweise** → Handhabung.

**Behang:** → Ohr, → Schmuck.

**behängen:** sich mit Schmuck b. → schönmachen.

**beharken:** → beschießen; sich b. → zanken (sich).

**beharren:** b. auf → bestehen auf.

**beharrend** → rückschrittlich.

¹**beharrlich,** unentwegt, unverdrossen, unbeirrbar, unbeirrt, ausdauernd, hartnäckig, ingrimmig, zäh, verbissen, krampfhaft, verzweifelt; → fleißig, → standhaft, → stark, → unaufhörlich, → unzugänglich, → zielstrebig; **b. sein,** nicht locker lassen, keinen Fingerbreit abweichen, einen langen Atem haben, sich etwas in den Kopf setzen, nicht → nachgeben; **nicht b. sein,** kein Sitzfleisch haben (*ugs.*); → begierig [sein], → bestehen (auf), → warten.

²**beharrlich** → unaufhörlich.

**Beharrlichkeit,** Beharrung, Beharrungsvermögen, Entschiedenheit, Entschlossenheit, Festigkeit, Standhaftigkeit, Unbeugsamkeit, Unerschütterlichkeit, Zielstrebigkeit, Zielbewußtsein, Ausdauer, Geduld, Uner-

müdlichkeit, Unverdrossenheit, Stetigkeit, Zähigkeit, Durchhaltevermögen, Stehvermögen, Konstanz, Konsequenz, Perseveranz; → Demut, → Durchsetzungskraft, → Eigensinn, → Entschlußkraft, → Fähigkeit, → Fleiß, → Selbstbewußtsein, → Tatkraft, → Verharren; → warten; → beharrlich, → tolerant · Ggs → Inkonsequenz, → Ungeduld.

**Beharrung** → Beharrlichkeit.

**Beharrungsvermögen** → Beharrlichkeit.

**behauen,** mit dem Meißel bearbeiten, aus dem Rohen arbeiten; → Bildhauer, → Bildnerei.

¹**behaupten,** felsenfest / steif und fest behaupten, unterstellen, hinstellen als, ausgeben als, eine Behauptung aufstellen; → feststellen; → Behauptung.

²**behaupten:** → äußern (sich), → beibehalten; sich b. → durchsetzen (sich); sich [im Leben] b. → tüchtig [sein]; wie man behauptet → angeblich; das Feld b. → standhalten; sein Recht b. → bestehen (auf).

¹**Behauptung,** Unterstellung, Hypothese, Annahme; → Ansicht, → Feststellung; behaupten.

²**Behauptung:** → Feststellung, → Lehre; eine B. aufstellen → behaupten.

**Behausung** → Wohnsitz.

**behavioristisch** → Erfahrung.

**beheben:** → abheben, → reparieren.

**Behebung** → Abhebung.

**beheimatet** → einheimisch.

**beheizen** → heizen.

**Behelf:** → Ersatz, → Hilfsmittel.

¹**behelfen (sich),** sich forthelfen, sich fretten (*österr.*), fortwursteln, weiterwursteln; → beschwerlich.

²**behelfen:** sich b. → begnügen (sich).

**Behelfs-:** → notdürftig.

**Behelfsheim** → Haus.

**behelfsmäßig** → notdürftig.

**behelligen,** belästigen, jmdm. lästig fallen, insultieren, genieren, sekkieren (*österr.*), inkommodieren (*veraltet*), molestieren (*veraltet*); **jmdn. nicht**

**mehr b.**, jmdn. in Ruhe lassen; → bitten, → herantreten (an), → kommen, → schikanieren, → umwerben, → zusetzen (jmdm.).
**behende** → schnell.
**¹beherbergen**, unterbringen, aufnehmen, Unterkunft gewähren / geben, Asyl / Obdach geben, Unterschlupf gewähren, Quartier geben, kasernieren; → einmieten (sich) → einquartieren, → übernachten, → übersiedeln, weilen.
**²beherbergen:** beherbergt werden → Unterkunft [finden].
**Beherbergung** → Unterbringung.
**¹beherrschen**, herrschen / gebieten über; → beruhigen, → besiegen, → bewältigen, → unterdrücken.
**²beherrschen:** → Einfluß [ausüben]; sich b. → ruhig [bleiben]; sich nicht b. → unbeherrscht [sein]; etwas b. → firm [sein]; das Feld b. → überwiegen; die Szene b. → Mittelpunkt [sein].
**beherrschend** → maßgeblich.
**beherrscht:** → ruhig; b. von → besessen (von).
**Beherrschtheit** → Gelassenheit.
**Beherrschung:** → Gelassenheit; die B. verlieren → ärgerlich [werden].
**beherzigen:** → befolgen, → behalten.
**beherzt** → mutig.
**Beherztheit** → Mut.
**behexen:** → bannen, → bezaubern.
**Behexung** → Faszination.
**behilflich:** b. sein → helfen.
**¹behindern**, hindern, hinderlich sein, aufhalten, obstruieren, hemmen, lähmen, stören, querschießen (ugs.), verzögern, beeinträchtigen, trüben, erschweren, im Wege stehen, ein Handikap haben, etwas ist ein Handikap, gehandikapt sein; **nicht mehr behindert werden**, freie Fahrt / grünes Licht haben; → einschränken, → hindern, → stören, → verhindern; → eingeschränkt.
**²behindern:** den Zugang / die Zufahrt b. → verstellen.
**behindert** → eingeschränkt.
**Behinderung**, Hindernis, Erschwernis, Erschwerung, Fes-

sel, Hemmschuh, Hemmung, Barriere, Handikap · im Produktionsablauf: Engpaß, Flaschenhals; → Beschlagnahme, → Blockierung, → Hürde, → Rückgang, → Sperre, → Unberechenbarkeit, → Vereitelung, → Verhinderung; → eingeschränkt.
**Behmlot** → Lot.
**behobeln** → glätten.
**behorchen** → horchen.
**Behörde** → Amt.
**Behördendeutsch** → Amtsdeutsch.
**Behördensprache** → Amtsdeutsch.
**Behördenstil** → Amtsdeutsch.
**¹behördlich**, amtlich, verwaltungsmäßig, administrativ; → amtlich; → Amt.
**²behördlich:** → amtlich; ohne -e Genehmigung → heimlich.
**behost** → bekleidet (mit).
**Behuf:** zu diesem B. → deshalb.
**behumsen** → betrügen.
**¹behüten**, beschützen, schützen, Schutz gewähren, seine [schützende / helfende] Hand über jmdn. halten, verteidigen, decken, jmdn. den Rücken decken, bewahren, beschirmen; → abhalten, → aufbewahren, → beobachten, → helfen, → kümmern (sich um jmdn.), → wehren (sich); → sicher; → Bewacher, → Fürsprecher.
**²behüten:** → schonen; behüt' dich Gott! → Gruß.
**behütet** → sicher.
**Behütetheit** → Geborgenheit.
**Behütetsein** → Geborgenheit.
**behutsam**, sanft, schonend, schonungsvoll, gnädig, glimpflich, sacht, mild, lind, vorsichtig, sorgsam, pfleglich, sorgfältig, eigen; → allmählich, → ängstlich, → argwöhnisch, → gewissenhaft, → klug, → langsam, → planmäßig, → ruhig; **b. sein müssen** · in seinen Äußerungen: bei jmdm. jedes Wort auf die Goldwaage legen müssen; → Achtsamkeit; → schonen.
**Behutsamkeit** → Achtsamkeit.
**¹bei**, in Untermiete bei · in Briefanschriften: c/o, care of.
**²bei:** → einigermaßen, → während; b. euch/ihnen → dort;

b. sich → Privatleben; b. uns → hier.
**Bei** → Anrede.
**beibehalten**, festhalten an etwas, bei etwas bleiben, bei der Stange bleiben (ugs.), eingeschworen sein auf etwas, erhalten, halten, behalten, bestenlassen, aufrechterhalten, behaupten, nicht → aufgeben; **beibehalten werden**, bestehenbleiben.
**beibenannt** → genannt.
**beibiegen** → vorschlagen.
**Beiblatt** → Zeitungsbeilage.
**Beiboot**, Dingi, Rettungsboot, Rettungszille (österr.), Geleitboot, Barkasse, Schaluppe, Gig, Jolle; → Boot, → Rettungsgerät.
**beibringen:** → beschaffen, → lehren, → vorschlagen; jmdm. etwas b. → schaden; [nicht wissen, wie man jmdm. etwas b. soll] → mitteilen; jmdm. die Flötentöne b. → schelten; eine Wunde b. → verletzen.
**Beibringung** → Beschaffung.
**¹Beichte**, Ohrenbeichte, Generalbeichte, Gewissenserleichterung, Schuldbekenntnis; **die B. abnehmen**, die Beichte hören, beichthören (landsch.).
**²Beichte:** → Bekenntnis; eine B. ablegen → gestehen.
**beichten** → gestehen.
**Beichtgeheimnis** → Geheimnis.
**beichthören** → Beichte.
**Beichtiger** → Beichtvater.
**Beichtvater**, Beichtiger; → Geistlicher, → Klerus.
**beide:** → zwei; auf -n Seiten → beiderseits.
**beiderhalb** → beiderseits.
**beiderlei** → zweierlei.
**beiderseits**, auf beiden Seiten, beiderhalb (schweiz.), beidseits (schweiz.).
**beidseits** → beiderseits.
**¹beieinander**, beisammen, zusammen, vereint; → gemeinsam.
**²beieinander:** eng b. → dicht; gut b. sein → dick [sein].
**beiern** → läuten.
**Beifahrer**, Mitfahrer, Sozius, Begleiter; → Autofahrer, → Motorradfahrer.
**¹Beifall**, Applaus, Beifallsäußerung, Beifallsbezeugung, Beifallsgeschrei (abwertend), das

Klatschen, Ovation, Beifallskundgebung, Beifallsdonner, Beifallssturm, Beifallsorkan, Jubel, Huldigung, Hosiannarufe, Akklamation · *nur aus Achtung:* Achtungsapplaus; → Anerkennung, → Begeisterung, → Ehrerbietung, → Erlaubnis, → Jubel; **B. finden,** Zustimmung finden, gutgeheißen werden, Gegenliebe finden, auf Gegenliebe stoßen, Anklang finden; → applaudieren, → billigen; → anerkennenswert.
²**Beifall:** B. spenden → applaudieren; B. zollen, mit B. überschütten → applaudieren.
**beifällig,** zustimmend, anerkennend, lobend; → anerkennenswert; → loben.
**Beifallsäußerung** → Beifall.
**Beifallsbezeugung** → Beifall.
**Beifallsdonner** → Beifall.
**Beifallsgeschrei** → Beifall.
**Beifallskundgebung** → Beifall.
**Beifallsorkan** → Beifall.
**Beifallssturm** → Beifall.
**Beifilm** → Kinofilm.
¹**beifügen,** beischließen, beilegen, beigeben; → anbei.
²**beifügen** → beimischen.
**Beifuß** → Küchengewürz.
**Beigabe,** Beiwerk, Beilage, Zutat, Zulage; → Beilage, → Zubehör, → Zugabe.
**beige,** beigefarben, falb, sandfarben, drapp (*österr.*), drappfarben (*österr.*), drappfarbig (*österr.*), lehmfarben, bastfarben, cremefarben, creme, elfenbeinfarben, elfenbein, eierschalenfarben, eierschale, chamois; → braun, → bunt, → gelb, → einfarbig, → weiß.
**Beige** → Stapel.
**beigeben:** → beifügen, → beimischen; klein b. → nachgeben.
**beigefarben** → beige.
**Beigel** → Keule.
**beigen** → aufhäufen.
**Beigericht** → Vorgericht.
**beigeschlossen** → anbei.
**Beigeschmack:** übler B. → Anrüchigkeit.
**beigesellen:** sich jmdm. b. → begleiten.
¹**Beihilfe,** Vorschubleistung, Gehilfenschaft (*schweiz.*); → Hilfe; → unterstützen.
²**Beihilfe** → Zuschuß.
**Beiklang** → Bedeutung.

**Beiköchin** → Koch.
¹**beikommen,** ankommen gegen, zu fassen bekommen, einer Sache Herr werden; → bewältigen, → erwirken.
²**beikommen:** jmdm. nicht b. können → schaden.
**Beikost** → Beilage.
**Beil,** Axt, Hacke (*österr.*); → Spitzhacke.
¹**Beilage,** Zukost, Zubrot, Beikost · Gemüse, Salat; → Beigabe, → Gemüse.
²**Beilage:** → Beigabe, → Zeitungsbeilage; als / in der B. → anbei.
**Beilager:** → Koitus, → Vermählung.
**beiläufig:** → nebenbei, → ungefähr.
**beilegen:** → beifügen, → beimessen, → bereinigen.
**Beilegung** → Einigung.
**beileibe:** b. nicht → nein.
¹**Beileid,** Beileidsbezeigung, Anteilnahme, Kondolenz; → Mitgefühl, → Trost.
²**Beileid:** sein B. ausdrücken / aussprechen / bezeigen→ kondolieren.
**Beileidsbezeigung** → Beileid.
**Beileidsbrief** → Schreiben.
¹**Beileidskarte,** Trauerkarte, Kondolenzkarte, Leidkarte (*schweiz.*); → Nachricht.
²**Beileidskarte** → Schreiben.
**Beileidsschreiben** → Schreiben.
**Beileidstelegramm** → Schreiben.
**beiliegend** → anbei.
**beimengen** → beimischen.
**Beimengung** → Vermischung.
**Beimengungen** → Zutaten.
**beimessen,** beilegen; → zuschreiben.
**beimischen,** beimengen, beigeben, beifügen, zusetzen, zugeben, hinzugeben, zufügen, hinzufügen, einrühren, unterrühren, dranrühren (*ugs., landsch.*), ranrühren (*ugs., landsch.*); → mischen, → rühren, → vermischen (mit); → Vermischung.
**Beimischung** → Vermischung.
**Beimischungen** → Zutaten.
**Bein:** → Gliedmaße, → Knochen; kein B. → niemand; sich kein B. ausreißen → anstrengen (sich); es friert Stein und B. → frieren; alles, was -e hat → alle; -e kriegen → reif [sein],

→ verlorengehen; jmdm. -e machen → anstacheln; die -e in die Hand/unter den Arm nehmen → fortbewegen (sich); sich die -e in den Bauch stehen → warten; jmdm. ein B. stellen → umstoßen (jmdn.); die -e unter jmds. Tisch strecken → ernähren; sich die -e vertreten → spazierengehen; jmdm. ein Klotz am B. sein → Last; ans B. binden → zahlen; wieder auf die -e bringen → gesund [machen]; auf die -e fallen → avancieren, → Glück [haben]; sich nicht mehr auf den -en halten können → krank [sein], → müde [sein]; wieder auf die -e kommen → gesund [werden]; früh auf den -en sein → aufstehen; auf eigenen -en stehen → selbständig [sein]; etwas steht auf schwachen -en → unsicher [sein]; etwas auf die -e stellen → verwirklichen; durch Mark und B. gehend → laut; der Storch hat sie ins B. gebissen → schwanger [sein]; mit beiden -en auf der Erde stehen → realistisch [sein]; jmdm. Knüppel / einen Knüppel zwischen die -e werfen → einschränken.
**beinahe,** beinah, fast, etwas droht zu [+ Infinitiv], nahezu, bereits (*bes. schweiz.*), bald, um ein Haar (*ugs.*), um ein kleines, schier (*ugs.*), so gut wie (*ugs.*), praktisch, kaum, knapp; → einigermaßen, → selten, → ungefähr.
**Beiname** → Spitzname.
**Beinbruch:** das ist kein B. → schlimm.
**beinhalten** → einschließen.
**beinhart** → fest.
**Beinkleid**→ Hose.
**Beinvieh** → Vieh.
**Beintastler** → Insekt.
**beiordnen** → verknüpfen.
**beipflichten** → billigen.
**Beirat** → Berater.
**beirren** → verwirren.
**beisammen** → beieinander.
**beisammenhaben:** nicht alle b. → verrückt [sein].
**Beisammensein:** → Wiedersehen; [geselliges] B. → Runde.
**beischießen** → beitragen.
**Beischlaf** → Koitus.

**Beischläfer,** Beschäler, Zuchthengst (*ugs.*); → Koitus.
**Beischlafsunfähigkeit** → Impotenz.
**beischließen** → beifügen.
**beiseite:** b. bringen / legen → aufbewahren; b. bringen / schaffen → wegnehmen; b. lassen → aussparen; b. legen → sparen, → weglegen, → zurücklegen; b. schaffen → entfernen, → töten; b. stehen → teilnehmen; b. stellen → wegstellen.
**Beisel** → Gaststätte.
**beisetzen** → bestatten.
**Beisetzung** → Begräbnis.
**Beisitzer** → Schöffe.
**Beispiel:** → Exempel, → Vorbild; abschreckendes B. → Warnung; sich an jmdm. ein B. nehmen → nachahmen; ohne B. → beispiellos.
**beispielgebend** → vorbildlich.
**beispielhaft** → vorbildlich.
**Beispielhaftigkeit** → Musterhaftigkeit.
**¹beispiellos,** einmalig, einzig, einzigartig, ohne Beispiel, ohnegleichen, sondergleichen, noch nie dagewesen; → außergewöhnlich.
**²beispiellos** → vorbildlich.
**Beispiellosigkeit** → Musterhaftigkeit.
**beispringen** → eintreten (für).
**¹beißen,** zubeißen, zuschnappen (*ugs.*), bissig sein.
**²beißen:** → kauen, → kribbeln; etwas beißt sich → harmonieren; bei jmdm. auf Granit b. → unzugänglich [sein]; in den sauren Apfel b. → tun; ins Gras b. → sterben; ich könnte mir vor Wut in den Hintern b. → ärgerlich [sein]; da beißt sich die Katze / die Schlange in den Schwanz → Teufelskreis.
**beißend:** → durchdringend, scharf, → schmerzhaft, → spöttisch; → würzig.
**Beißer** → Brechstange.
**Beißerchen** → Zahn.
**Beißzange:** → Frau, → Kneifzange.
**Beistand:** → Helfer, → Hilfe, → Stütze; seelischer B. → Lebenshilfe; B. leisten → helfen.
**Beistandspakt** → Abmachung.
**beistehen:** → helfen; jmdm. mit

seinem Rat / mit Rat und Tat b. → beraten.
**Beistellung** → Beschaffung.
**beisteuern** → beitragen.
**beistimmen** → bejahen.
**Beistrich** → Satzzeichen.
**Beitel** → Stemmeisen.
**¹Beitrag,** Betrag, Summe, Spende, Opfer, Scherflein, Obolus, Kontingent; → Abgabe, → Ersatz, → Gabe, → Kollekte, → Vorrat; → beitragen.
**²Beitrag:** → Anteil, → Aufsatz, → Zeitungsartikel, → Zuschuß.
**beitragen,** beisteuern, zugeben, beischießen, hinzutun; → spenden, → vervollständigen; → Beitrag.
**beitreiben** → kassieren.
**Beitreibung** → Eintreibung.
**¹beitreten,** eintreten, Mitglied werden, sich anschließen; → Beitritt.
**²beitreten:** das Beitreten → Beitritt.
**Beitritt,** Eintritt, das Eintreten / Beitreten, Mitgliedschaft; → beitreten.
**Beiwerk** → Beigabe.
**beiwilligen** → billigen.
**beiwohnen:** → koitieren, → teilnehmen.
**Beiwohnung** → Koitus.
**Beiwort** → Wortart.
**Beiz** → Gaststätte.
**Beize** → Gaststätte.
**beizeiten** → früh.
**beizen** → jagen.
**Beizer** → Wirt.
**beiziehen** → heranziehen.
**Beizjagd** → Jagd.
**Bej** → Anrede.
**bejahen,** billigen, gutheißen, akzeptieren, [einen Vorschlag] annehmen, ja sagen zu, sanktionieren, legitimieren, goutieren, Geschmack finden an, anerkennen, zulassen, genehmigen, beistimmen, etwas richtig / nicht falsch finden, etwas für richtig / nicht für falsch halten, beipflichten, beiwilligen (*schweiz.*), zustimmen, belieben (*schweiz.*), seine Zustimmung geben, sein Amen / seinen Segen zu etwas geben (*ugs.*), die Genehmigung erteilen / geben, jmdm. einen Freibrief ausstellen / geben, begrüßen, übereinstimmen / sympathisieren mit, einiggehen, konform gehen,

unterschreiben, einverstanden sein, zu etwas ja und amen sagen (*ugs.*), dafür sein, nichts dagegen / dawider haben, dulden, tolerieren, respektieren, geschehen lassen, erlauben, zubilligen, einräumen, konzedieren, einwilligen, jmdm. etwas freistellen, auf einen Vorschlag eingehen, anbeißen (*ugs.*), die Erlaubnis geben, gestatten, zugeben, verstatten, jmdm. freie Hand lassen, grünes Licht geben für etwas, jmdn. gewähren / schalten und walten lassen, etwas in jmds. Hände legen, etwas ist jmdm. vergönnt / gegeben, nicht → ablehnen, nicht → beanstanden, nicht → verbieten; → Beifall [finden], → ermächtigen, → ertragen, → gewähren, → überlassen (jmdm. etwas), → wünschen; → aufgeklärt, → befugt, → bejahend, → statthaft; → Achtung, → Ansehen, → Erlaubnis, → Übereinstimmung · Ggs. → Nichtachtung.
**bejahend,** bekräftigend, bestätigend, affirmativ; → befugt, → statthaft; → Erlaubnis; → billigen.
**bejahrt** → alt.
**Bejahrtheit,** Betagtheit, Alter; → Lebensabend, → Lebensalter.
**bejammern** → beklagen.
**bejammernswert** → kläglich.
**bekakeln** → erörtern.
**bekämpfen:** → ankämpfen (gegen etwas), → bekriegen, → hindern.
**Bekämpfung,** Bekriegung, Befehdung, Kampf, Streit.
**¹bekannt,** wohlbekannt, namhaft, ausgewiesen, berühmt, prominent, anerkannt, weltbekannt, weltberühmt, von Weltruf / Weltgeltung / Weltrang, nicht → fremd; → angesehen, → anrüchig, → außergewöhnlich, → einheimisch · Ggs. → unbekannt; **b. sein,** ein Begriff sein; **sehr b. sein,** in aller Munde sein, die Spatzen pfeifen es von den Dächern, etwas ist ein offenes Geheimnis; **überall b. sein,** in aller Leute Munde sein, stadtbekannt sein, bekannt sein wie ein bunter Hund (*salopp*); **b. werden,** sich

einen Namen machen, groß herauskommen (ugs.), im Kommen sein; → Bekanntheit, → Mittelpunkt [sein]; → verewigen (sich).

²**bekannt:** b. sein → kennen; nicht b. sein → fremd; etwas ist jmdm. b. → Gedächtnis; mit jmdm. gut b. sein → vertraut; wie b. ist → denn; b. werden → herumsprechen (sich); miteinander b. werden → kennenlernen; b. gemacht werden → kennenlernen; b. machen mit → aussagen.

**Bekanntenkreis** → Freundeskreis.

**Bekannter** → Geliebter.

¹**bekanntermaßen,** erfahrungsgemäß, bekanntlich; → denn.

²**bekanntermaßen** → denn.

**Bekanntgabe** → Mitteilung.

**bekanntgeben** → mitteilen.

¹**Bekanntheit,** Berühmtheit, Weltberühmtheit, Weltruf, Weltgeltung, Weltrang, Namhaftigkeit, Prominenz, Angesehensein; → bekannt.

²**Bekanntheit:** B. [in der Öffentlichkeit] → Offenkundigkeit.

**bekanntlich:** → bekanntermaßen, → denn.

**bekanntmachen:** → mitteilen, → veröffentlichen.

**Bekanntmachung** → Mitteilung.

**Bekanntschaft:** → Freundeskreis; jmds. B. machen → kennenlernen.

**Bekassine** → Vogel.

**bekatern** → erörtern.

**bekaufen:** sich b. → kaufen.

**bekehren:** → überreden; sich b. → bessern (sich), → konvertieren.

**Bekehrter,** Konvertit, Proselyt; → Abtrünniger, → Ketzer; → konvertieren, → überwechseln.

¹**Bekehrung,** Umkehr, Neubeginn; → Konversion, → Läuterung, → Selbstbesinnung.

²**Bekehrung** → Konversion.

**bekennen:** → gestehen; Farbe b. → gestehen; sich b. zu → eintreten (für); sich nicht zu jmdm. / etwas b. → verleugnen.

**Bekenner** → Märtyrer.

¹**Bekenntnis,** Geständnis, Offenbarung, Konfession, Eingeständnis, Beichte · das nicht der inneren Einstellung entspricht: Lippenbekenntnis; → Läuterung, → Lehre, → Zugeständnis; → gestehen.

²**Bekenntnis:** → Glaube, → Steuererklärung.

**Bekenntnisdichtung** → Dichtung.

**Bekenntnisfreiheit** → Freiheit.

**Bekenntnisschule** → Schule.

¹**beklagen,** bedauern, bejammern, betrauern, beweinen, beseufzen, nachtrauern, nachweinen; → mitfühlen; **nicht b.,** jmdm. / einer Sache keine Träne nachweinen (ugs.).

²**beklagen:** sich b. → beanstanden.

**beklagenswert** → kläglich.

**beklagenswürdig** → kläglich.

**Beklagter** → Angeklagter.

**beklatschen** → applaudieren.

**bekleben:** → verbinden, → zukleben.

**bekleckern:** → beschmutzen; sich b. → besudeln (sich).

**beklecksen:** → beschmutzen; sich b. → besudeln (sich).

**bekleiden:** → anziehen, → innehaben.

¹**bekleidet** (mit), angetan (mit) · behost (scherzh.) · beschuht (scherzh.) · bestrumpft (scherzh.) · befrackt (scherzh.) · berockt (scherzh.); → anhaben.

²**bekleidet:** b. sein mit → anhaben.

**Bekleidung** → Kleidung.

**Bekleidungsstrand** → Textilstrand.

**beklemmend** → unheimlich.

**Beklemmung** → Angst.

**beklieren** → beschreiben.

**beklommen** → ängstlich.

**Beklommenheit** → Angst.

**bekloppt:** b. sein → verrückt [sein].

**beknien** → bitten.

**bekochen** → ernähren.

**bekohlen** → lügen.

¹**bekommen,** erhalten, kriegen (ugs.), teilhaftig werden; **nichts b.,** leer ausgehen, das Nachsehen haben, in den Mond / in die Röhre gucken (ugs.), totgeteilt werden (ugs.); **nichts b. können,** ausgeschlossen sein, zusehen müssen · obgleich es in greifbarer Nähe ist: Tantalusqualen leiden; → zurückstehen, → zustehen.

²**bekommen:** → verdienen; etwas [angeboten] b. → Passiv; etwas zu hören bekommen → schelten; Beine b. → verlorengehen; als Draufgabe b. → zubekommen; Farbe b. → gebräunt [werden]; Frost b. → erfrieren; kalte Füße b. → Angst [bekommen]; eine Geschlechtskrankheit b. → Geschlechtskrankheit; ein Gesicht b. → profilieren (sich); Kontakt mit jmdm. b. → Kontakt [mit jmdm. finden]; Kraft b. → kräftigen (sich); eine Krankheit b. → krank [werden]; nichts b. → leer [ausgehen]; Post b. → Nachricht [erhalten]; einen Schreck[en] b. → erschrecken; Unannehmlichkeiten b. → Unannehmlichkeiten; seinen Willen b. → durchsetzen (sich); als Zugabe b. → zubekommen; etwas bekommt jmdm. → bekömmlich [sein]; zu Gesicht b. → sehen; zur Antwort b. → antworten.

¹**bekömmlich,** zuträglich, verträglich, gesund, labend, leicht / gut verdaulich, leicht, nicht schwer; → eßbar, → gesund, → nahrhaft, → nützlich, → ungefährlich · Ggs. → unverdaulich; **schwer b.,** schwer verdaulich, wehrsam (landsch.), mächtig (landsch.); b. **sein,** vertragen, etwas bekommt jmdm.; **schwer b. sein,** schwer / wie Blei im Magen liegen (ugs.); → essen; → Fett, → Unschädlichkeit.

²**bekömmlich:** nicht b. → unverdaulich.

**Bekömmlichkeit** → Unschädlichkeit.

**beköstigen** → ernähren.

**Beköstigung** → Ernährung.

**bekrabbeln:** sich [wieder] b. → gesund [werden].

**bekräftigen** → beglaubigen, → festigen; durch Eid b. → beschwören.

**bekräftigend** → bejahend.

**bekräftigt** → bezeugt.

¹**Bekräftigung,** Bestätigung, Versicherung, Beglaubigung, Bezeugung, das Bescheinigen; → Berechtigung, → Bevollmächtigung, → Erlaubnis; → anerkennen, → beglaubigen.

²**Bekräftigung** → Erlaubnis.

**bekrakeln** → beschreiben.

**bekränzen,** mit Kränzen schmücken, jmdm. einen Kranz aufs Haupt setzen; → schmük-ken.

**bekreuzigen (sich),** das Kreuz schlagen / (ugs.) machen, das Kreuzzeichen machen; → Frömmigkeit.

**bekriegen,** bekämpfen, befehden, Krieg führen gegen, in Fehde liegen mit, das Kriegsbeil ausgraben (scherzh.); → ankämpfen (gegen etwas) · Ggs. → Frieden.

**Bekriegung** → Bekämpfung.

**bekritteln** → beanstanden.

**bekritzeln** → beschreiben.

**Bekrönung** → Aufbau.

**¹bekümmern,** bedrücken, beunruhigen, quälen, betrüben, jmdm. Kummer machen / bereiten, jmdm. Sorge machen / bereiten, jmdm. zu schaffen machen (ugs.), jmdm. [schwer] im Magen liegen (ugs.), jmdm. mit Kummer / Sorge erfüllen, jmdm. Kopfzerbrechen machen/bereiten, ein Nagel zu jmds. Sarg sein (ugs.), etwas bricht jmdm. das Herz / drückt jmdm. [fast] das Herz ab; → Leid.

**²bekümmern:** etwas bekümmert jmdn. → ärgern; sich nicht um etwas b. → vernachlässigen (etwas).

**Bekümmernis** → Trauer.

**¹bekümmert,** schwermütig, trübsinnig, hypochondrisch, depressiv, melancholisch, pessimistisch, schwarzseherisch, nihilistisch, defätistisch, miesepetrig (ugs.), hintersinnig (schweiz.), bregenklüterig (ugs., landsch.), trübselig, wehmütig, wehselig (schweiz.), elegisch, trist, traurig, freudlos, freudelos (schweiz.), elend, unglücklich, todunglücklich, kreuzunglücklich, desolat, betrübt, trübe, bedrückt, gedrückt, unfroh, mauserig (schweiz.), nicht → lustig; → ängstlich; → ernsthaft, → kläglich, → deprimiert, → ruhig · Ggs. → zuversichtlich; **b. sein,** mit der Welt zerfallen sein, Trübsal blasen (ugs.), etwas durch eine schwarze Brille sehen, sich hintersinnen (südd., schweiz.); → erstaunen; → Melancholie, → Pessimist, → Trauer.

**²bekümmert:** b. sein → sorgen (sich).

**Bekümmertheit** → Trauer.

**¹bekunden,** erkennen lassen, an den Tag legen, zeigen, zum Ausdruck bringen, dartun, dokumentieren, kundgeben, offenbaren; → aufweisen, → mitteilen; → Bekundung.

**²bekunden:** Dank b. → danken.

**Bekundung,** Ausdruck, Zeichen, Kundgabe, das Dartun (geh.); → Mitteilung; → bekunden.

**belächeln** → lachen.

**belachen** → lachen.

**¹beladen,** schwerbeladen, [schwer] bepackt (ugs.), schwerbepackt (ugs.), vollbepackt (ugs.), vollgepackt (ugs.), mit Sack und Pack (ugs.); → laden, → tragen.

**²beladen** → laden.

**Beladung** → Verladung.

**¹Belag,** Überzug · durch Oxydieren auf Eisen und Stahl entstehender: Rost · auf Kupfer entstehender: Patina, Edelrost · auf Kupfer und Messing entstehender: Grünspan; → rostig.

**²Belag:** → Brotbelag, → Teppichboden.

**belagern,** einschließen, einkesseln, einkreisen, umzingeln; → Belagerung.

**Belagerung,** Einschließung, Einkesselung, Einkreisung, Umzingelung, Blockade; → Ausnahmezustand; → belagern.

**Belagerungskrieg** → Krieg.

**Belagerungszustand** → Ausnahmezustand.

**Belami** → Frauenheld.

**Belang:** ohne B. → unwichtig.

**Belange,** Angelegenheiten, Interessen.

**belangen,** gerichtlich belangen, eine gerichtliche Untersuchung anordnen, verklagen, zur Rechenschaft / zur Verantwortung ziehen, verantwortlich machen; → anzeigen, → bestrafen, → verraten; **nicht b. können,** selber Dreck am Stecken haben (ugs.), eine gemeinsame Leiche im Keller haben (salopp).

**belanglos** → unwichtig.

**Belanglosigkeit** → Bedeutungslosigkeit.

**belangvoll** → wichtig.

**belassen,** lassen; → ruhenlassen.

**Belastbarkeit** → Durchsetzungskraft.

**belasten** → anlasten.

**belastend:** → gravierend; als b. empfinden → schwernehmen.

**belastet** → schuldig.

**belästigen:** → behelligen; etwas belästigt jmdn. → ärgern.

**¹Belästigung,** Plage, Quälerei, Sekkatur (österr.), Sekkiererei (ugs., österr.); → Mißhandlung.

**²Belästigung** → Zudringlichkeit.

**Belastung:** → Anstrengung, → Beschuldigung.

**Belastungsmaterial** → Nachweis.

**Belastungsprobe** → Anstrengung.

**Belastungszeuge** → Zeuge.

**belatschern** → überreden.

**belaubt,** begrünt, grün, beblättert, blattreich.

**Belaubung** → Laub.

**belauern:** → auflauern, → beobachten.

**belaufen:** sich b. auf → betragen.

**belauschen** → beobachten.

**beleben** → anregen.

**belebend** → anregend.

**¹belebt,** verkehrsreich, lebhaft, bevölkert; → Straßenverkehr, → Verkehrsteilnehmer.

**²belebt** → lebendig.

**¹Beleg,** Quelle, Zitat; → Zitat.

**²Beleg** → Bescheinigung.

**belegbar,** belegt, aktenkundig, urkundlich, nachweisbar, beweisbar; → nachweislich.

**¹belegen** [Anspruch [geltend machen], → koitieren, → nachweisen; eine Vorlesung belegt haben → Unterricht [erhalten]; mit Beschlag b. → beanspruchen; mit Bomben b. → beschießen; mit einer Steuer b. → besteuern; mit einer Strafe b. → bestrafen.

**²belegen** → befindlich.

**belegt:** → belegbar, → besetzt, → bezeugt, → wahr; -es Brot / Brötchen → Sandwich; mit -er Stimme → heiser.

**belehren** → lehren; [jmdn. eines anderen / eines Besseren b.] → berichtigen.

**belehrend** → informativ.

**Belehrung** → Weisung.

**beleibt** → dick.

**Beleibtheit** → Fettleibigkeit.

beleidigen: → kränken; etwas beleidigt den Gaumen → schmecken.

beleidigend, verletzend, kränkend, gehässig, ehrenrührig, unzumutbar; → böse, → ehrlos, → gegnerisch, → schadenfroh, →spöttisch; b. sein: etwas ist beleidigend, etwas ist ein Schlag ins Gesicht.

beleidigt: die -e Leberwurst spielen → gekränkt [sein].

¹Beleidigung, Beschimpfung, Tort, üble / böse Nachrede, Diskriminierung, Verleumdung, Rufmord, Verunglimpfung, Schmähung, Invektive, Erniedrigung, Kränkung, Affront, Injurie, Insult, Insultierung (bes. österr.), Diffamie · durch Worte: Verbalinjurie · Gottes: Gotteslästerung, Blasphemie; → Angriff, → Bloßstellung, → Fluch, → Nichtachtung, → Spitze, → Verstoß; → kränken.

²Beleidigung: eine B. fürs Auge sein → häßlich [aussehen].

Beleidigungsklage → Anklage.

beleihen, eine Beleihung / ein Darlehen/eine Hypothek geben; → Anleihe.

Beleihung: eine B. geben → beleihen.

belemmert: → dumm, → unerfreulich.

belesen: → firm, → gebildet.

Beletage → Geschoß.

beleuchten: → bescheinen, → beurteilen; kritisch b. → überprüfen.

beleuchtet, erleuchtet, erhellt, hell, hellerleuchtet, taghell erleuchtet, lichtdurchflutet, von Licht durchflutet, angestrahlt; → Lampe, → Licht; → leuchten.

Beleuchtung, Licht; → Lampe, → Licht.

Beleuchtungskörper → Lampe.

beleumdet: übel b. → anrüchig.

belfern: → Laut, → schelten.

belieben: → billigen; wie b.? → bitte?

Belieben: nach B. → beliebig.

beliebig, irgendein, nach Wunsch / Wahl / Gutdünken / (schweiz.) Gutfinden / Belieben / jmds. Ermessen, ad libitum, wunschgemäß; → Ansicht.

¹beliebt, umschwärmt, gern gesehen, wohlgelitten; → sympathisch · Ggs. → unbeliebt; b. sein, Hahn im Korb / Persona grata / Persona gratissima / Anziehungspunkt / Mittelpunkt sein, Speck in der Tasche haben (ugs.); → Beliebtheit, → Mittelpunkt.

²beliebt → angenehm.

Beliebtheit, Popularität, Volkstümlichkeit; → Anhänger, → Berühmtheit, → Publikumsliebling; → beliebt.

beliefern → liefern.

Belieferung → Lieferung.

Belle Epoque, die goldenen zwanziger Jahre, die goldenen Zwanziger, the Roaring / Golden Twenties; → Atomzeitalter, → Gegenwart, → Geschichtsepoche, → Gründerzeit, → Vergangenheit.

¹bellen, kläffen (abwertend), anschlagen, Laut geben, blaffen, knurren, winseln, jaulen, heulen; → schelten; → Hund, → Laut.

²bellen: → husten, → schelten.

Belletristik → Literatur.

beloben → loben.

belobigen → loben.

Belobigung → Lob.

Belobung → Lob.

belohnen, lohnen, belöhnen (schweiz.), vergelten, entschädigen, sich erkenntlich zeigen / erweisen, wiedergutmachen, sich revanchieren, ausgleichen, wettmachen (ugs.); → danken, → einstehen (für), → loben, → zahlen; → Belohnung · Ggs. → bestrafen.

belöhnen → belohnen.

¹Belohnung, Lohn, Vergeltung, Erkenntlichkeit, Dank, Anerkennung · für die Aufklärung eines Verbrechens: Auslobung (jurist.); → belohnen.

²Belohnung: → Abfindung; eine B. aussetzen → versprechen.

beluchsen → beobachten.

belüften → lüften.

Belüftung, Lüftung, Luftzufuhr, Luftzuführung, Luftschacht; → Ventilator; → lüften.

belügen → lügen.

¹belustigen: etwas belustigt / amüsiert / (ugs.) lächert jmdn., etwas erregt jmds. Heiterkeit; → erfreuen.

²belustigen → erfreuen.

belustigt: b. sein → lustig [sein].

Belustigung → Unterhaltung.

Belutsch → Orientteppich.

Belzenickel: → Knecht Ruprecht, → Nikolaus.

Belzernickel: → Knecht Ruprecht, → Nikolaus.

Belznickel: → Knecht Ruprecht, → Nikolaus.

bemächtigen: sich jmds. b. → befallen; sich einer Sache b. → nehmen.

bemäkeln → beanstanden.

bemalen → anmalen.

Bemalung → Malerei.

bemängeln → beanstanden.

Bemängelung → Vorwurf.

bemänteln → beschönigen.

Bemäntelung → Beschönigung.

Bembel → Kanne.

Bembelkrug → Kanne.

bemerkbar: sich b. machen → winken.

¹bemerken, feststellen, konstatieren, registrieren, jmdm. etwas anmerken / ansehen, jmdm. etwas an der Nase / Nasenspitze ansehen (ugs.); → beobachten, → erkennen, → sprechen, → unterdrücken.

²bemerken: → achtgeben, wahrnehmen; bemerkt werden → auffallen; einleitend b. → vorausschicken; nebenbei bemerkt → übrigens; nicht b. → übersehen.

bemerkenswert: → interessant, → sehr.

¹Bemerkung, Feststellung, Randbemerkung, Anmerkung, Kommentar, Glossen; → Darlegung, → Feststellung; eine B. zu etwas machen, seinen Kommentar zu etwas geben, etwas kommentieren, überall seinen Senf dazugeben müssen (salopp, abwertend); → äußern (sich).

²Bemerkung: → Darlegung; [spitze / anzügliche / bissige] B. → Spitze.

bemessen → messen.

Bemessung → Zuteilung.

bemitleiden, Mitleid haben/empfinden mit, jmdn. bedauern; → mitfühlen, → trösten.

bemitleidenswert → kläglich.

bemitleidenswürdig → kläglich.

bemittelt → reich.

Bemme → Schnitte.

**bemoost:** -es Haupt → Student.

**¹bemühen (sich um),** sich bewerben um, buhlen um, sich interessieren für, interessiert sein an, Wert legen auf, sich interessiert zeigen · *um die Gunst der Wähler:* auf Stimmenfang gehen; → bitten, → verlangen, → verlieben (sich), → vorfühlen, → wünschen ; → Bewerbungsschreiben, → Wähler.

**²bemühen:** sich b. → anstrengen; eifrig bemüht → beflissen; bemüht sein → bestreben (sich); jmdn. b. → bitten.

**bemühend** → unerfreulich.

**Bemühung** → Anstrengung.

**bemuttern** → kümmern (sich um jmdn.).

**benachbart** → nahe.

**benachrichtigen** → mitteilen.

**Benachrichtigung** → Nachricht.

**benachteiligen:** → diskriminieren; benachteiligt werden → zurückstehen.

**benachteiligt** → vernachlässigt.

**Benachteiligung,** Zurücksetzung, Vernachlässigung, Übervorteilung, Übertölpelung (*abwertend*); → Betrug, → Nichtachtung; → vernachlässigt.

**benamsen** → bezeichnen (als).

**benamst** → genannt.

**benannt** → genannt.

**Bendel** → Schnur.

**benebelt** → betrunken.

**Benediktiner:** → Alkohol, → Mönchsorden.

**Benediktinerorden** → Mönchsorden.

**¹benehmen (sich),** sich verhalten / geben / zeigen / betragen / aufführen / gehaben / gebärden / gebaren / gerieren, auftreten, sein · *gut, richtig:* Lebensart haben / zeigen, Schliff haben (*ugs.*); → höflich · *schlecht, falsch:* keine gute Kinderstube gehabt haben, im D-Zug durch die Kinderstube gefahren / gerast sein (*ugs.*), einen Fauxpas begehen, entgleisen (*ugs.*), aus der Rolle fallen (*ugs.*), sich vorbeibenehmen / danebenbenehmen (*ugs.*), sich im Ton vergreifen, sich benehmen wie die Axt im Walde; → kränken; → tölpelhaft, → unhöf-

lich · *ungeschickt:* Porzellan zerschlagen (*ugs.*); → Benehmen, → Fehler.

**²benehmen:** sich b. wie ein Elefant im Porzellanladen → tölpelhaft [sein].

**¹Benehmen,** Betragen, Konduite (*veraltet*), Allüren, Staralüren, Auftreten, Haltung, Gebaren, Anstand, Lebensart, Erziehung, Kinderstube, Umgangsformen, Manieren, Weltläufigkeit, Wohlverhalten, Verhalten, Benimm (*ugs.*), Schliff, Zucht, Disziplin, Ordnung · *förmliches, vorgeschriebenes:* Etikette, Protokoll, Zeremoniell · *unechtes, geziertes, albernes:* Getue (*abwertend*), Gehabe (*abwertend*) · *sehr auf äußere Wirkung gerichtetes:* Imponiergehabe[n] (*abwertend*) · *vorsichtiges:* Eiertanz (*ugs., abwertend*); → Brauch, → Einordnung, → Lebensweise, → Niveau, → Sitte; → benehmen (sich); → diszipliniert, → formell, → pädagogisch.

**²Benehmen:** kein B. haben → unhöflich [sein]; ohne [jedes] B. → unhöflich.

**beneiden** → neiden.

**benennen:** → anreden, → bezeichnen, → taufen.

**Benennung** → Begriff.

**benetzen:** → naß [machen], → sprengen.

**Bengalenland,** Bangladesch, Ostpakistan (*hist.*), Ost-Bengal (*hist.*).

**bengalisch:** -es Feuer → Feuerwerkskörper.

**Bengalrose** → Rose.

**Bengel:** → Junge, → Penis, → Stock; den B. [zu hoch] werfen →fordern.

**benigne:** → gutartig; -r Tumor → Geschwulst.

**Benimm** → Benehmen.

**Benjamin** → Jüngster.

**Benne** → Schubkarre.

**benommen,** betäubt, dumpf, taumlig, schwindlig, schwumm[e]rig (*ugs., landsch.*), rammdösig (*salopp, landsch.*), sturm (*schweiz.*), zwirbelig (*schweiz.*); → müde, → ohnmächtig; → betäuben.

**Benommenheit,** Schwindel, Betäubtheit, Dumpfheit · *starke:* Sopor; → Bewußtlosigkeit, →

Bewußtseinstrübung, → Schläfrigkeit.

**benoten** → zensurieren.

**benötigen** → brauchen.

**Benotung** → Zensur.

**benummern** → numerieren.

**benutzen:** → anwenden, → gebrauchen, → heranziehen, → verarbeiten; wenig b. → schonen; zum ersten Mal b. → gebrauchen.

**benützen** → heranziehen.

**Benutzung:** in B. haben / nehmen → gebrauchen.

**Benutzungsvorschrift** → Gebrauchsanweisung.

**benzen** → bitten.

**Benzenickel:** → Knecht Ruprecht, → Nikolaus.

**Benzin** → Treibstoff.

**Benzinfaß** → Faß.

**Benzinfeuerzeug** → Feuerzeug.

**Benzinkutsche** → Auto.

**Benzinpumpe** → Tanksäule.

**¹beobachten,** beschatten, bespitzeln, bewachen, überwachen, verfolgen, im Auge behalten, nicht aus den Augen verlieren / lassen, unter Aufsicht stellen, beluchsen (*ugs.*), jmdn. auf die Finger sehen / (*ugs.*) gucken, jmdn. aufs Korn/unter die Lupe nehmen (*ugs.*), jmdn. auf dem Kieker haben (*salopp*) belauern, lauschen, belauschen; → achtgeben, → beaufsichtigen, → behüten, → bemerken, → blicken, → nachforschen, → überwachen, → zuschauen; → Wächter, → Zeuge.

**²beobachten:** → achtgeben, → ansehen, → sehen, → überwachen.

**Beobachter** → Zuschauer.

**Beobachtung** → Überwachung.

**Beobachtungsaufsatz** → Schulaufsatz.

**¹beordern,** berufen, bestellen, rufen, [zu sich] bitten, kommen lassen, [zu sich] bescheiden, laden, vorladen, [vor jmdn.] zitieren, jmdn. zu sich entbieten (*geh.*); → anordnen, → bestellen, → einladen, → ernennen; → Vorladung.

**²beordern** → abordnen.

**bepacken:** → laden; bepackt → beladen.

bepflanzen → bebauen.
Bepflanzung → Bebauung.
bepinseln → anmalen.
bepudern → pudern.
bepummeln → verwöhnen.
bequem: → behaglich, → faul,
→ mühelos; b. sein → nützlich
[sein]; sich's b. machen → ausziehen.
bequemen: sich b. → entgegenkommen (jmdm.).
¹Bequemlichkeit, Annehmlichkeit, Behaglichkeit, Komfort;
→ Gemütlichkeit; → behaglich,
→ gemütlich.
²Bequemlichkeit: → Leichtigkeit; mit B. → mühelos.
berappen → zahlen.
¹beraten, anraten, raten, einen
Rat geben / erteilen, jmdm. mit
seinem Rat / mit Rat und Tat
beistehen; → beratschlagen, →
helfen.
²beraten: [sich b.] → beratschlagen; schlecht b. sein →
irren (sich).
¹Berater, Ratgeber, Mentor,
Tutor, Anleiter, Beirat; →
Ausschuß, → Freund, → Fürsprecher, → Gönner, → Instrukteur; → helfen.
²Berater → Helfer.
beratschlagen, ratschlagen,
[sich] beraten, Kriegsrat halten
(scherzh.), gemeinsam überlegen; → beraten.
Beratschlagung → Gespräch.
Beratung → Tagung.
berauben: → bestehlen, → wegnehmen; der Kleider b. → ausziehen; der Sehkraft b. →
blind [machen]; der Manneskraft b. → kastrieren.
Beraubung → Diebstahl.
berauschen → begeistern.
berauschend: → alkoholhaltig;
nicht b. → mäßig.
berauscht: → begeistert, →
betrunken.
Berauschter → Betrunke-
ner.
Berberaffe → Affe.
Berceuse → Lied.
berechenbar → absehbar.
berechnen: → ausrechnen, →
messen.
berechnend → eigennützig.
Berechnung: → Kalkulation, →
Kalkül, → Selbstsucht; mit
in die / in seine -en einbeziehen
→ mitrechnen.

berechtigen: etwas berechtigt
jmdn. → ermächtigen.
berechtigt: → befugt; b. sein
→ Richtigkeit.
berechtigterweise → füglich.
¹Berechtigung, Befugnis, Vollmacht, Auftrag, Generalvollmacht, Pleinpouvoir, Blankovollmacht, Machtvollkommenheit, Verfügungsgewalt, Bevollmächtigung, Ermächtigung,
Autorisierung, Autorisation,
Recht; → Anspruch, → Aus-
weis, → Bekräftigung, → Bevollmächtigung, → Copyright,
→ Erlaubnis, → Recht, →
Zugeständnis, → Zuständigkeit;
→ ermächtigen; → rechtmä-
ßig.
²Berechtigung: die B. geben →
ermächtigen.
bereden: → erörtern, → überreden, → schlechtmachen.
beredsam → beredt.
Beredsamkeit: [forensische] B.
→ Redegewandtheit.
beredt, beredsam, zungenfertig,
wortgewandt, redegewandt,
sprachgewaltig, redegewaltig,
eloquent, deklamatorisch; →
einleuchtend, → geistreich, →
gesprächig; → Redegewandtheit, → Rhetorik, → Tirade.
beregnen → sprengen.
Beregnung → Berieselung.
¹Bereich, Sparte, Sphäre, Sektor, Sektion, Ressort, Gebiet,
Fachgebiet, Abteilung, Distrikt,
Branche, Geschäftszweig, Wirtschaftszweig · in einer Hochschule: Fakultät, Fachbereich ·
Fachrichtung, Disziplin; → Gebiet.
²Bereich: → Gebiet; etwas liegt
im B. der Möglichkeiten →
möglich [sein].
¹bereichern (sich), sich Vorteile
verschaffen, sich die Taschen
füllen, in die eigene Tasche
arbeiten / wirtschaften, sein
Süppchen am Feuer anderer
kochen; → betrügen, → erübrigen, → Profit [machen].
²bereichern: → anreichern; sich
b. → habgierig [sein].
bereinigen, schlichten, beilegen,
Frieden / einen Burgfrieden
schließen, das Kriegsbeil / den
Zwist begraben (ugs.), die Friedenspfeife rauchen (scherzh.),
Urfehde schwören (geh.), ins

reine / in Ordnung / (ugs.) ins
Lot bringen, etwas kommt in
Ordnung, [einen Streit] aus der
Welt schaffen, aussöhnen, versöhnen, einrenken (ugs.), zurechtrücken (ugs.), geradebiegen (salopp), zurechtbiegen
(salopp), hinbiegen (salopp),
ausbügeln (salopp); → berichtigen, → beruhigen, → be-
werkstelligen, → eingreifen, →
einigen (sich), → übereinkommen; → Frieden.
bereisen, befahren, besuchen,
reisen durch, trampen durch,
durchqueren, durchreisen,
durchkreuzen, durchziehen,
durchwandern; → reisen; →
Reise.
¹bereit, gewillt, geneigt, gesonnen, willig, gutwillig, gefügig,
gefüge, willfährig; → artig, →
bereitwillig, → gefällig, →
willensschwach, → zielstrebig;
b. sein, in der Lage sein, sich
jmdm./einer Sache gewachsen
fühlen, willens / erbötig sein,
wollen, Lust haben; nicht b.
sein, keine Lust mehr haben,
jmdn. ist der Appetit vergangen; → Bereitschaft.
²bereit: → verfügbar; ohne weiteres b. → bereitwillig.
bereiten: → anfertigen, →
kochen; etwas bereitet jmdm.
Kummer / schlaflose Nächte →
sorgen (sich); jmdm. Kummer /
Sorge b. → bekümmern; jmdm.
ein Morgaten b. → besiegen;
Schmerz b. → schmerzen; etwas
bereitet Schwierigkeiten →
schwierig [sein].
bereitliegen → ausliegen.
¹bereits, schon, [schon] längst/
lange; → damals, → vorher.
²bereits → beinahe.
¹Bereitschaft, Bereitwilligkeit,
Willigkeit, Willfährigkeit; →
bereit.
²Bereitschaft: in B. haben →
haben.
Bereitschaftsarzt → Arzt.
Bereitschaftsdienst, Tagesdienst,
Journaldienst (österr.), Nachtdienst, Sonntagsdienst.
Bereitschaftspolizei → Polizeibehörde.
bereitstellen, vorbereiten, anbieten, bieten; → erwähnen,
→ geben, → planen; → ver-
fügbar.

¹**bereitwillig**, ohne Zögern, ohne zu zögern / zu überlegen, gern / ohne weiteres bereit; → bereit.

²**bereitwillig** → anstandslos.

**Bereitwilligkeit** → Bereitschaft.

**Berenice**: Haupthaar der B. → Sternbild.

**berenten** → pensionieren.

¹**bereuen**, Reue empfinden, etwas reut / gereut jmdn., etwas tut / ist jmdm. leid, etwas bedauern; untröstlich / traurig / betrübt sein, daß...; sich an die Brust schlagen, sein Haupt mit Asche bestreuen, sich Asche aufs Haupt streuen; → bessern (sich), → einstehen (für), → entschuldigen; → Entschuldigung.

²**bereuen** → bedauern.

¹**Berg**, Gebirge, Bergmassiv, Bergrücken, Massiv, Hügel, Buckel, Bühel (*oberd.*), Anhöhe, Steigung, Erhebung, Mugel (*ugs., österr.*), Höhe; → Abhang, → Gipfel, → Grat; → bergig.

²**Berg**: feuerspeiender B. → Vulkan; bis dahin fließt noch viel Wasser den B. hinab / hinunter → dauern; mit der Wahrheit nicht hinterm B. halten → aufrichtig [sein]; über alle -e sein → weg [sein]; über den B. bringen → gesund [machen]; überm/übern B. sein → Schwierigkeit, → überstanden; wie der Ochs vorm B. stehen → ratlos [sein]; jmdm. stehen die Haare zu -e → betroffen [sein].

**bergab**: → abwärts; b. gehen / steigen / klettern → hinuntergehen.

**bergabwärts**: b. gehen / steigen / klettern → hinuntergehen.

**Bergahorn** → Ahorn.

**Bergakademie** → Hochschule.

**Bergama** → Orientteppich.

**Bergamasca** → Tanz.

**Bergampfer** → Gemüse.

**bergan**: → aufwärts; b. gehen / steigen / klettern → hinaufgehen.

**bergauf**: → aufwärts; b. gehen / steigen / klettern → hinaufgehen.

**bergaufwärts**: b. gehen / steigen / klettern → hinaufgehen.

**Bergbahn** → Verkehrsmittel.

**Bergbauer** → Bergbewohner.

**Bergbewohner**, Gebirgler, Bergler, Älpler, Bergbauer; → Bauer.

**Bergeidechse** → Eidechse.

**bergen**: → retten; in sich b. → aufweisen.

**Bergendahlbindung** → Schibindung.

**Bergente** → Vogel.

**Bergfest** → Fest.

**Bergfeste** → Burg.

**Bergfink** → Vogel.

**Bergflachslunge** → Staublungenerkrankung.

**Bergfreund** → Bergsteiger.

**Bergfried** → Turm.

**Berggipfel** → Gipfel.

**Berghütte**, Hütte, Baude (*landsch.*), Almhütte; → Alpinistik, → Bergsteiger.

**bergig**, gebirgig, alpin, hüg[e]llig, wellig; → alpin, → buckelig; → Berg.

**Bergkraxler** → Bergsteiger.

**Bergkristall** → Schmuckstein.

**Bergkuppe** → Gipfel.

**Bergler** → Bergbewohner.

**Bergluft** → Luft.

**Bergmann**, Kumpel, Hauer, Häuer, Knappe, Steiger, Mineur; → Bergwerk, → Grubenlampe.

**Bergmannssprache** → Gruppensprache.

**Bergmassiv** → Berg.

**Bergmolch** → Molch.

**Bergpartie** → Spaziergang.

**Bergrücken** → Berg.

**Bergrüster** → Ulme.

**Bergrutsch** → Erdrutsch.

**Bergschlucht** → Schlucht.

**Bergschuh** → Schuh.

**Bergspitze** → Gipfel.

**Bergsteigen** → Alpinistik.

**Bergsteiger**, Bergkraxler (*ugs.*), Gipfelstürmer, Kletterer, Bergfreund, Alpinist, Hochtourist; → Alpinistik, → Berghütte.

**Bergstock** → Spaziergang.

**Bergsturz** → Erdrutsch.

**Bergtour** → Spaziergang.

**Bergübergang** → Paß.

**Bergulme** → Ulme.

**Berg-und-Tal-Bahn**: → Achterbahn, → Karussell.

**Bergung** → Rettung.

**Bergungsschlitten** → Schlitten.

**Bergveilchen** → Veilchen.

**Bergwanderung** → Spaziergang.

**bergwärts** → aufwärts.

**Bergweide** → Bergwiese.

**Bergwerk**, Hütte, Montan-, Grube, Zeche, Mine, Stollen, Gang; → Bergmann.

**Bergwiese**, Bergweide, Alpweide, Stafel (*schweiz.*), Matte (*schweiz.*), Mahd (*österr., schweiz.*) · im Frühling: Maiensäß (*schweiz.*); → Wiese.

**Bergwind** → Wind.

**Beriberi**, Vitamin-B₁-Mangel-Krankheit, Vitamin-B₁-Avitaminose, Avitaminose B₁, Kakke, Inchacao (*selten*), Perneiras (*selten*), Loempe (*selten*); → Avitaminose.

¹**Bericht**, Rapport, Bulletin, Report, Dokumentarbericht, Bericht zur Lage, Lagebericht, Situationsbericht, Reportage, Sportreportage, Sportbericht, Reisereportage, Reisebericht · *unglaubhafter, der abschreckend wirken soll:* Schauergeschichte, Schauermärchen; → Beschreibung, → Chronik, → Darlegung, → Direktsendung, → Fernsehsendung, → Mitteilung, → Niederschrift, → Rundfunksendung, → Zeitungsartikel.

²**Bericht**: → Protokoll; B. erstatten / geben → mitteilen.

**berichten** → mitteilen.

**Berichter**, Berichterstatter, Reporter, Bildreporter, Bildberichterstatter, Zeitungsmann, Journalist, Korrespondent, Auslandskorrespondent, Kommentator, Leitartikler, Lokalreporter, Chefreporter, Publizist, Kolumnist, Zeitungsschreiber, Schmierfink (*abwertend*), Schmock (*abwertend*); → Chronik, → Chronist, → Herausgeber, → Schriftleiter, → Schriftsteller, → Zeitungswesen.

**Berichterstatter**: → Berichter, → Referent.

**berichtigen**, verbessern, korrigieren, korrektionieren (*schweiz.*), richtigstellen, revidieren, emendieren, abklären, klären, klarstellen, jmdn. [eines anderen / eines Besseren] belehren, klarlegen, einer Klärung zuführen, dementieren; → abstreiten, → ändern, → antworten, → bereinigen, → enträtseln, → kontrollieren, → stornieren, → widerrufen.

**Berichtigung** → Korrektur.

**¹beriechen**, beschnuppern, beschnobern, beschnüffeln, riechen / schnuppern / schnobern / schnüffeln an; → wittern; → Witterung.

**²beriechen:** sich b. → kennenlernen.

**berieseln** → sprengen.

**¹Berieselung**, Beregnung, Besprühung, Bewässerung, Bewäßrung; → Bewässerungsanlage; → sprengen.

**²Berieselung** → Beeinflussung.

**Berieselungsanlage** → Bewässerungsanlage.

**Beringmeer** → Pazifik.

**beritten**, zu Pferde, hoch zu Roß; → Gangart, → Reiter, → Rennplatz, → Ritt; → reiten.

**Berlin**, Spreeathen (scherzh.), die geteilte Stadt, Viermächtestadt, Viersektorenstadt, Reichshauptstadt (hist.), Hauptstadt des Deutschen Reiches (hist.) · West-Berlin, Berlin (West), Westsektor, Schaufenster des Westens (veraltet), Inselstadt, Frontstadt (veraltet) · Ost-Berlin, Berlin (Ost), Ostsektor, sowjetischer Sektor, demokratischer Sektor (DDR), Hauptstadt der DDR (DDR); → Stadt.

**Berlin (Ost)** → Berlin.

**Berlin (West)** → Berlin.

**Berline** → Kutsche.

**Berliner:** → Pfannkuchen; die B. Mauer → Grenze; B. Weiße [mit Schuß] → Bier.

**berlinern** → Mundart [sprechen].

**Bermudas:** → Badehose, → Hose.

**Bernhardiner** → Hunderassen.

**Bernstein** → Schmuckstein.

**bernsteinfarben** → gelb.

**bernsteingelb** → gelb.

**Bernsteinkette** → Halskette.

**Bernsteinschnecke** → Schnecke.

**berockt** → bekleidet (mit).

**Berolinismus** → Spracheigentümlichkeit.

**Berserker** → Tobsüchtiger.

**bersten:** → platzen, → zerbrechen; vor Neid b. → neiden; [vor Wut] b. → ärgerlich [werden].

**berüchtigt:** → anrüchig; b. sein als → gelten (als jmd. / etwas).

**berücken** → bezaubern.

**berückend** → hübsch.

**¹berücksichtigen**, einbeziehen, mitberücksichtigen, nicht vorübergehen an, beachten, Rechnung tragen, anrechnen, in Rechnung stellen / setzen, in Anschlag bringen, nicht → mißachten; → achtgeben, → befriedigen, → einschließen, → erwägen; **nicht b.**, unter den Tisch fallen lassen, fallenlassen, zur Tagesordnung übergehen.

**²berücksichtigen:** → einkalkulieren; nicht mehr b. → weglegen; alle Seiten b. → allseitig.

**Berückung** → Faszination.

**¹Beruf**, Arbeit, Arbeitsfeld, Arbeitsgebiet, Arbeitsbereich, Wirkungskreis, Wirkungsbereich, Tätigkeitsbereich, Broterwerb, Metier, Dienst, Gewerbe, Handwerk, Berufung, Job (ugs.), Stellung, Stelle, Anstellung, Engagement, Amt, Beamtung (schweiz.), Posten, Position, Mission, Auftrag, Sendung; → Anstellung, → Anstrengung, → Arbeit, → Aufgabe, → Dienstgrad, → Liebhaberei, → Stellenangebote; → umsatteln; → arbeitslos.

**²Beruf:** einen anderen B. ergreifen, den B. wechseln → umsatteln; einen B. wählen → werden [etwas].

**¹berufen** (sich auf), sich stützen / beziehen auf, appellieren an, geltend machen; → Muster, → Vorlage.

**²berufen** (Verb): → beordern, → Berufung [einlegen], → einstellen, → ernennen; etwas nicht b. → beschreien.

**³berufen** (Adjektiv): → auserwählt, → geeignet.

**Berufensein:** das B. → Begabung.

**beruflich**, berufsmäßig, professionell.

**Berufsausbildung** → Ausbildung.

**Berufsfeuerwehr** → Feuerwehr.

**Berufsfotograf** → Fotograf.

**Berufsgeheimnis** → Geheimnis.

**Berufsgenosse** → Kollege.

**Berufsgenossenschaft** → Genossenschaft.

**Berufskleidung** → Kleidung.

**Berufskollege** → Kollege.

**Berufsmann** → Fachmann.

**berufsmäßig:** → beruflich, → dienstlich.

**Berufsreiter** → Reiter.

**Berufsreiterin** → Reiterin.

**Berufsschule** → Schule.

**Berufssoldat** → Soldat.

**Berufssportler** → Sportler.

**Berufssprache** → Gruppensprache.

**Berufsstand** · Arbeiter, Angestellter, Beamter, Selbständiger, Gewerbetreibender, Handwerker, Freischaffender; → Arbeiter, → Arbeitnehmer, → Handwerker, → Lehrling; → berufstätig.

**berufstätig**, werktätig, tätig; → Berufsstand.

**Berufsverband** → Genossenschaft.

**Berufsverbrecher** → Verbrecher.

**Berufsverkehr** → Straßenverkehr.

**¹Berufung**, Rekurs; → Einspruch; **B. einlegen**, rekurrieren, berufen (österr.); → beanstanden.

**²Berufung:** → Beruf, → Begabung, → Einspruch; B. einlegen → beanstanden.

**beruhen:** b. auf → stammen (von); etwas nicht auf sich b. lassen → unternehmen.

**¹beruhigen**, zur Ruhe bringen, besänftigen, begütigen, beschwichtigen, einlullen, einschläfern, abwiegeln, Öl auf die Wogen gießen, vermitteln, die Wogen glätten; → abregieren (sich), → bändigen, → beherrschen, → bereinigen, → besiegen, → betäuben; → ruhig, → zahm; → Beschwichtigung.

**²beruhigen:** sich b. → abreagieren (sich), → ruhig [werden]; etwas beruhigt sich → abnehmen.

**beruhigend** → tröstlich.

**beruhigt:** → unbesorgt; b. sein → aufatmen.

**Beruhigung:** → Beschwichtigung, → Entspannung.

**¹Beruhigungsmittel**, Beruhigungspille (ugs.), Tranquillans, Tranquilizer, Downer, Ataraktium, Temperans, Temperantium, Sedativ[um], Mitigans, Kalmans, Kalmativum, Quietivum; → Kokainvergiftung, → Medikament, → Opiumvergiftung, → Psychopharmakon, →

Rauschgift · Ggs. → Aufputschmittel.

²Beruhigungsmittel → Linderungsmittel.

Beruhigungspille: → Beruhigungsmittel, → Ersatz.

berühmt: → bekannt; nicht b. → mäßig, → unbekannt.

¹Berühmtheit, Prominenz, VIP, V.I.P. (very important person), Zelebrität, Größe, Star, Shooting Star, Topstar, Stern; → Fachmann, → Fan, → Held, → Oberschicht, → Publikumsliebling, → Schauspieler, → Schauspielerin.

²Berühmtheit: → Fachmann, → Bekanntheit.

¹berühren, anrühren, in die Hand nehmen, hinlangen (ugs., landsch.), an etwas fassen, anfassen, an etwas greifen, angreifen, befühlen, befingern (salopp), antasten, anlangen (ugs., landsch.), betasten, befummeln (salopp), antatschen (salopp, abwertend), betatschen (salopp, abwertend), angrapschen (salopp, abwertend), begrapschen (salopp, abwertend), an etwas fummeln (salopp, abwertend), streifen; → anlehnen, → durchqueren, → rücken (an), → zusammenstoßen.

²berühren: → ansteuern, → erwähnen, →tasten; etwas berührt jmdn. → betreffen.

Berührung → Kontakt.

Berührungspunkt → Gemeinsamkeit.

berüsten → Baugerüst.

besabbern → beschmutzen.

besagen → bedeuten.

besagt → obig.

besamen → befruchten.

besammeln: sich b. → versammeln (sich).

Besamung → Befruchtung.

besänftigen → beruhigen.

Besänftigung → Beschwichtigung.

Besatz, Borte, Bordüre, Paspel, Passepoil (bes. österr.), Einfassung, Bord (schweiz.), Endel (österr.), Rüsche, Volant, Tresse, Litze · aus einzelnen Fäden bestehender: Fransen · an Trachtenkleidern: Goscherl (österr.), Froschgoscherl (österr.); → Quaste, → Jabot, → Posamenter, → Rand, → Verzierung.

Besatzer: → Besatzung, → Soldat.

¹Besatzung, Besatzer (ugs.), Okkupant, Besatzungsmacht, Fremdherrschaft, Feindherrschaft, Okkupationsmacht (schweiz.); → Besitznahme, → Soldat.

²Besatzung: → Personal, → Schiffsbesatzung.

Besatzungskind → Kind.

Besatzungsmacht → Besatzung.

besaufen: sich b. → betrinken (sich).

besäuseln: sich b. → betrinken (sich).

besäuselt → betrunken.

Besäuselter → Betrunkener.

beschädigen, lädieren, ruinieren, ramponieren (ugs.); → abnutzen, → defekt [werden], → verunstalten, → zerstören.

beschädigt → defekt.

Beschädigung, Schaden, Schadhaftigkeit, Defekt, Lädiertheit, Ramponiertheit · von Schiffen und ihrer Ladung: Havarie · eines Grundstücks, Feldes: Flurschaden, Landschaden (schweiz.); → Beule, → Mangel, → Verschleiß; → defekt.

¹beschaffen, besorgen, herbeischaffen, bringen, holen, verhelfen zu etwas, verschaffen, aufbringen, beibringen, zusammenbringen, zusammenkratzen (ugs.), auftreiben (ugs.), haben; → beschlagnahmen, → erwerben, → finden, → kapern, → kaufen; → Beschaffung.

²beschaffen: → veranlagt; sich etwas b. → kaufen.

¹Beschaffenheit, Eigenschaft, Art [und Weise], Form, Bildung, Qualität, Zustand; → Eigenschaft, → Gebilde, → Modalität, → Qualität, → Struktur.

²Beschaffenheit: → Eigenschaft, → Veranlagung.

Beschaffensein → Veranlagung.

Beschaffung, Beibringung, Beistellung (österr.), Vorlage, Besorgung; → beschaffen.

¹beschäftigen: etwas beschäftigt jmdn. / geht jmdm. nach / stimmt (oder:) macht jmdn. nachdenklich / gibt [jmdm.] zu denken; → befremden.

²beschäftigen: → einstellen (jmdn.); sich b. → arbeiten;

sich b. mit → befassen (sich mit).

beschäftigt: eifrig b. → beflissen.

Beschäftigung → Arbeit.

beschäftigungslos → arbeitslos.

Beschäftigungstherapie → Behandlung.

beschälen → koitieren.

Beschäler: → Beischläfer, → Pferd.

beschämen (jmdn.), glühende Kohlen auf jmds. Haupt sammeln; → erniedrigen.

beschämend, schimpflich, demütigend, erniedrigend; → unerhört; → Bloßstellung.

beschämt → verlegen.

Beschämung → Bloßstellung.

beschatten: → beobachten, → überwachen.

beschattet → schattig.

Beschattung → Überwachung.

beschauen, ansehen, anschauen, anblicken, betrachten, besichtigen, beobachten, studieren, in Augenschein nehmen, beaugenscheinigen (scherzh.), beaugapfeln (scherzh.), beäugeln, beäugen (ugs., scherzh.), mustern, fixieren, anstarren, anglotzen (salopp, abwertend), anstieren, angaffen (salopp, abwertend), besehen, beglotzen (salopp, abwertend), begaffen (salopp, abwertend), angucken, begucken, blicken auf, den Blick heften auf, den Blick nicht abwenden können, jmdm. einen Blick zuwerfen / schenken / gönnen, einen Blick werfen auf, anglupschen (abwertend); → begutachten, → blicken, → blinzeln, → forschen, → sehen; → Besichtigung, → Vernissage.

Beschauer → Zuschauer.

beschaulich, besinnlich, erbaulich, erhebend, kontemplativ; → erfreulich, → ruhig, → unbesorgt; → Beschaulichkeit, → Versenkung.

¹Beschaulichkeit, Besinnlichkeit, Ruhe; → Muße, → Versenkung; → beschaulich.

²Beschaulichkeit → Versenkung.

Bescheid: → Nachricht; B. geben → antworten, → mitteilen; jmdm. B. sagen / stoßen → schelten; jmdm. B. tun → zutrinken; B. wissen → wissen.

¹bescheiden, genügsam, bedürfnislos, anspruchslos, einge-

schränkt, einfach, spartanisch;
→ ängstlich, → artig, → einfach, → enthaltsam; **b. sein,**
sich zurückhalten, Zurückhaltung üben; → Bescheidenheit,
→ Untertreibung; **nicht b. sein,**
sein Licht leuchten lassen /
nicht unter den Scheffel stellen; → anspruchsvoll.

**²bescheiden** (Adjektiv): → karg,
→ zufrieden, → zurückhaltend;
b. leben → sparen; b. werden →
zurückstecken.

**³bescheiden** (Verb): sich b. →
zufriedengeben (sich), → zurückstecken; jmdn. [zu sich] b.
→ beordern; [nicht] beschieden
sein] → gewähren; abschlägig
b. → ablehnen.

**Bescheidenheit,** Einfachheit,
Genügsamkeit, Selbstbescheidung, Selbstbeschränkung, Anspruchslosigkeit, Zufriedenheit,
Bedürfnislosigkeit, Eingeschränktheit, Schüchternheit,
Zurückhaltung; → Angst, →
Besitzlosigkeit, → Enthaltsamkeit, → Entsagung, → Passivität, → Verschwiegenheit; →
bescheiden.

**bescheinen,** scheinen über, beleuchten, bestrahlen; → sonnen
(sich); → Sonne, → Sonnenlicht.

**¹bescheinigen,** testieren, attestieren, beglaubigen, bestätigen;
→ unterschreiben; → Bescheinigung.

**²bescheinigen:** als echt / wahr b.
→ beglaubigen; als echt / wahr
bescheinigt → bezeugt; das
Bescheinigen → Bekräftigung.

**Bescheinigung,** Beglaubigung,
Bestätigung, Empfangsbestätigung, Empfangsbescheinigung,
Quittung, Erklärung, Nachweis,
Fähigkeitsnachweis, Fähigkeitsausweis · Steuerbescheinigung,
Zollbescheinigung, Bollette
(österr.) · Schein, Zeugnis, Diplom, Beleg, Testat, Zertifikat ·
*vom Arzt:* Attest · *über eine Garantie:* Garantieschein; → Ausweis, → Erlaubnis, → Expertise,
→ Nachweis, → Rechnung, →
Urkunde, → Zensur, → Zeugnis,
→ Zitat; → bescheinigen.

**bescheißen** → betrügen.

**beschenken** → schenken.

**Bescherung:** da hast du die B.!
→ Folge.

**bescheuert** → dumm.

**beschickert** → betrunken.

**¹beschießen,** schießen auf, anschießen, torpedieren, bombardieren, mit Bomben angreifen /
belegen, Bomben abwerfen, beharken (*ugs.*), bestreichen, unter
Beschuß / Feuer nehmen; →
schießen.

**²beschießen:** jmdn. b. → beanstanden.

**beschildern** → beschriften.

**Beschilderung,** Ausschilderung,
Markierung, Kennzeichnung;
→ Schild, → Verkehrszeichen.

**beschimpfen** → schelten.

**Beschimpfung** → Beleidigung.

**Beschir** → Orientteppich.

**beschirmen** → behüten.

**beschirmt** → sicher.

**Beschirmtsein** → Geborgenheit.

**Beschiß** → Betrug.

**beschissen** → unerfreulich.

**beschlabbern:** sich b. → besudeln (sich).

**beschlafen:** → koitieren; [sich]
etwas b. → erwägen.

**Beschlag:** mit B. belegen → beanspruchen.

**¹beschlagen** (Adjektiv): → firm,
→ matt, → naß.

**²beschlagen** (Verb): → koitieren; etwas beschlägt jmdn.
→ betreffen.

**Beschlagenheit** → Erfahrung.

**¹Beschlagnahme,** Beschlagnahmung, Konfiskation, Konfiszierung, Sicherstellung, Sicherung,
Einziehung, Embargo, Pfändung, Exekution (*österr.*); →
Behinderung.

**²Beschlagnahme:** → Enteignung, → Sequestration.

**¹beschlagnahmen,** einziehen,
konfiszieren, sicherstellen, sichern, pfänden, exekutieren
(*österr.*); → annektieren, → beschaffen, → usurpieren, → wegnehmen.

**²beschlagnahmen** → enteignen.

**Beschlagnahmung** → Beschlagnahme.

**Beschlagschmied** → Schmied.

**¹beschleichen,** umschleichen,
schleichen um; → verfolgen.

**²beschleichen** → befallen.

**beschleunigen:** → verstärken;
das Beschleunigen → Beschleunigung.

**beschleunigt:** -e Verdauung →
Durchfall.

**Beschleunigung,** das Beschleunigen / Schnellerwerden, Temposteigerung, Geschwindigkeitszunahme; → Geschwindigkeit.

**¹beschließen,** beenden, beendigen, abbrechen, aufgeben, aufstecken, begraben (*ugs.*), einstellen, es dabei bewenden lassen, Feierabend / Schluß / ein
Ende machen, aufhören, ein
Ende setzen, ad acta legen,
einen Strich (oder:) Schlußstrich unter etwas ziehen / machen, einen Punkt machen, abschließen, zum Abschluß / unter
Dach und Fach / über die Bühne
bringen, schließen, mit etwas
zu Ende sein / gehen; → abgewöhnen (sich etwas), → abnehmen, → abschreiben, →
aufgeben, → bewältigen, →
enden, → Feierabend [haben],
→ kündigen, → stillegen, →
stecken, → unterbrechen, →
vollenden · Ggs. → anfangen,
→ fortsetzen.

**²beschließen:** → entschließen
(sich); [ein Gesetz] b. → erwirken.

**Beschließerin** → Verwalterin.

**Beschluß:** → Ende, → Entschließung; einen B. fassen →
entschließen (sich).

**beschmieren:** → beschmutzen,
→ beschreiben, → bestreichen.

**¹beschmutzen,** verunreinigen,
beschmieren, vollschmieren
(*ugs.*), besudeln, bekleckern
(*ugs.*), besabbern (*ugs.*), beklecksen (*ugs.*), anpatzen
(*österr.*), antrenzen (*österr.*), beflecken, einen Fleck machen,
sich verewigen (*ugs., scherzh.*),
bespritzen, vollspritzen (*ugs.*),
schmutzig / (*salopp*) dreckig machen, versauen (*derb*), einsauen
(*derb*); → besudeln (sich); →
schmutzig; → Schmutz, →
Verunreinigung · Ggs. → säubern, → waschen; → sauber.

**²beschmutzen:** das eigene / sein
eigenes Nest b. → schlechtmachen.

**Beschmutzung** → Verunreinigung.

**beschnarchen:** etwas b. →
erwägen.

**¹beschneiden,** abschneiden, ausschneiden, lichten, schneiden,
kürzen, zurückschneiden, zurechtstutzen, stutzen · *beim*

*Tier:* scheren, abscheren, trimmen, kupieren; → abmachen, → entfernen, → verringern, → wegnehmen.

**²beschneiden:** → beschränken; jmdm. die Flügel b. → einschränken.

**Beschneidung** → Verminderung.

**beschneit** → verschneit.

**beschnobern** → beriechen.

**beschnüffeln** → beriechen.

**beschnuppern:** → beriechen; sich b. → kennenlernen.

**beschönigen,** schönfärben, ausschmücken, frisieren, bemänteln, verbrämen; → bagatellisieren, → betrügen; **etwas nicht b.,** etwas / das Kind beim [rechten (oder:) richtigen] Namen nennen; → Beschönigung.

**beschönigend,** euphemistisch, abschwächend, verhüllend; → Euphemismus.

**¹Beschönigung,** Verbrämung, Verhüllung, Tarnung, Bemäntelung, Vorwand, Deckmantel; → Mittel; → beschönigen.

**²Beschönigung** → Euphemismus.

**¹beschränken,** einschränken, beschneiden, kürzen, verringern, vermindern; → einengen, → einschränken.

**²beschränken:** → einengen, → verringern.

**beschränkend,** einschränkend, restriktiv; → Einschränkung; → einschränken.

**beschränkt:** → karg, → kurzsichtig, → stumpfsinnig.

**¹Beschränktheit,** Unbedarftheit, Begriffsstutzigkeit, Unbegabtheit, Unverständigkeit, Dummheit, Doofheit (*salopp*), Blödheit (*ugs.*), Borniertheit, Engstirnigkeit, Vernageltheit, Stupidität; → Kirchturmpolitik; → begriffsstutzig, → stumpfsinnig.

**²Beschränktheit** → Kleinheit.

**Beschränkung:** → Einschränkung, → Sperre, → Verminderung.

**¹beschreiben,** vollschreiben, bekritzeln, vollkritzeln, bekrakeln, vollkrakeln, beschmieren (*ugs.*), beklieren (*landsch.*, *salopp*); → beschriften, → schreiben.

**²beschreiben:** → mitteilen, → schildern.

**beschreibend** → deskriptiv.

**¹Beschreibung,** Deskription, Übersicht, Schilderung, Darstellung, Beschrieb (*schweiz.*); → Bericht.

**²Beschreibung:** eine B. geben → mitteilen; etwas spottet jeder B. → minderwertig [sein].

**beschreien:** etwas nicht beschreien / nicht berufen, auf Holz klopfen; → Aberglaube.

**beschreiten:** den zweiten Bildungsweg b. → weiterbilden (sich); den Rechtsweg b. → prozessieren; einen neuen Weg / neue Wege b. → richtungweisend [sein].

**Beschrieb** → Beschreibung.

**beschriften,** beschildern, etikettieren, signieren; → beschreiben, → unterschreiben; → Etikett.

**Beschriftung** → Aufschrift.

**beschuht:** → bekleidet mit; Beschuhte Karmeliten / Karmeliter → Mönchsorden; Beschuhte Karmelitinnen / Karmeliterinnen → Nonnenorden.

**beschuldigen** → verdächtigen.

**Beschuldigter** → Angeklagter.

**Beschuldigung,** Bezichtigung, Verdächtigung, Anschuldigung, Inkriminierung, Belastung, Inzicht (*selten*); → verdächtigen.

**beschummeln** → betrügen.

**beschupsen** → betrügen.

**¹Beschuß,** Bombardierung, Kugelhagel, Kugelregen, Trommelfeuer, Stahlbad; → Schußwechsel.

**²Beschuß:** → Anfeindung; unter B. geraten → beanstanden; unter B. nehmen → beschießen, → besprechen.

**beschützen** → behüten.

**Beschützer** → Gönner.

**Beschütztsein** → Geborgenheit.

**Beschützung** → Schutz.

**beschwatzen** → überreden.

**Beschwer** → Anstrengung.

**Beschwerde:** → Anstrengung, → Einspruch; -n → Krankheit; B. einlegen / einreichen / führen, -n haben / vorbringen → beanstanden.

**beschweren:** sich b. → beanstanden.

**beschwerlich,** aufreibend, nervenaufreibend, aufregend, ermüdend, anstrengend, streng (*schweiz.*), strapaziös, mühevoll, mühsam, strub (*schweiz.*), müh-

selig; → hinderlich, → langweilig, → schwierig · Ggs. → mühelos; **b. sein,** etwas kostet Nerven / bedeutet eine große Anstrengung für jmdn. / greift an / strengt an / spannt an / (*ugs.*) nimmt mit / (*salopp*) schlaucht / (*österr.*) nimmt her; → behelfen (sich), → zehren, → Anstrengung; → kaum.

**Beschwerlichkeit** → Anstrengung.

**Beschwernis** → Anstrengung.

**beschwichtigen** → beruhigen.

**Beschwichtigung,** Besänftigung, Beruhigung, Abwieg[e]lung; → beruhigen · Ggs. → Aufwiegelung; → aufwiegeln.

**beschwindeln** → lügen.

**beschwingt,** beflügelt, leichtfüßig, schwungvoll, voll Schwung; → Temperament.

**beschwipst** → betrunken.

**¹beschwören,** beeiden, vereidigen, durch Eid bekräftigen, versichern.

**²beschwören:** → bannen, → bitten, → versprechen.

**beschwörend** → nachdrücklich.

**Beschwörungsformel** → Zaubermittel.

**beseelen:** etwas beseelt / erfüllt / bewegt jmdn.; → anstacheln, → begeistern, → erheitern.

**beseelt:** → empfindsam; b. von → besessen (von).

**¹besehen,** ansehen, anschauen, anblicken, betrachten, besichtigen, beschauen, beobachten, studieren, in Augenschein nehmen, beaugenscheinigen (*scherzh.*), beaugapfeln (*scherzh.*), beäugeln, beäugen (*ugs.*, *scherzh.*), mustern, fixieren, anstarren, anglotzen (*salopp*, *abwertend*), anstieren, angaffen (*salopp*, *abwertend*), beglotzen (*salopp*, *abwertend*), begaffen (*salopp*, *abwertend*), angucken, begucken, blicken auf, den Blick heften auf, den Blick nicht abwenden können, jmdm. einen Blick zuwerfen / schenken / gönnen, einen Blick werfen auf, anglupschen (*abwertend*); → begutachten, → blicken, → blinzeln, → forschen, → sehen; → Besichtigung, → Vernissage.

**²besehen:** sich die Radieschen von unten b. → tot [sein].

**beseitigen:** → abschaffen, → entfernen, → töten; einen Schaden b. → reparieren.

**¹Beseitigung,** Entfernung, Eliminierung, Fortschaffung, Wegschaffung, Ausräumung, Forträumung, Wegräumung, Fortbringung, Wegbringung, Abtransport; → Abtrennung, → Transport; → entfernen.

**²Beseitigung** → Aufhebung.

**beseligen** → erfreuen.

**¹Besen,** Kehrbesen, Bodenwischer *(schweiz.),* Reisigbesen, Reiserbesen *(landsch.),* Rutenbesen, Strauchbesen, Drahtbesen; → Handfeger, → Mop, → Staubsauger.

**²Besen:** → Penis; ich fresse einen B., daß ... → versprechen; ich fresse einen B., wenn ... → zweifeln; mit eisernem B. auskehren → eingreifen.

**Besenkammer** → Abstellraum.

**Besenstiel:** gehen, als ob man einen B. verschluckt hätte → gerade [gehen].

**Besenwirtschaft** → Gaststätte.

**Beserlpark** → Park.

**¹besessen** (von), erfüllt / beherrscht / beseelt / begeistert von · *von einer fixen Idee:* monoman; → begeistert; → Neigung.

**²besessen** → fanatisch.

**Besessener** → Geistesgestörter.

**Besessenheit:** → Neigung, → Raserei.

**besetzen:** → Anspruch [geltend machen], → erobern, → verstellen; die Leitung ist besetzt → telefonieren (mit jmdm.).

**besetzt,** vollbesetzt, überbesetzt, voll *(ugs.),* belegt, nicht frei; → voll; → Reservierung → reservieren.

**¹Besetzung,** Okkupation; → erobern.

**²Besetzung:** → Eroberung, → Okkupation, → Rollenverteilung; die zweite B. sein → vertreten.

**beseufzen** → beklagen.

**besichtigen,** ansehen, anschauen, anblicken, betrachten, beschauen, beobachten, studieren, in Augenschein nehmen, beaugenscheinigen *(scherzh.),* beaugapfeln *(scherzh.),* beäugeln, beäugen *(ugs., scherzh.),* mustern, fixieren, anstarren, an-

glotzen *(salopp, abwertend),* anstieren, angaffen *(salopp, abwertend),* besehen, beglotzen *(salopp, abwertend),* begaffen *(salopp, abwertend),* angucken, begucken, blicken auf, den Blick heften auf, den Blick nicht abwenden können, jmdm. einen Blick zuwerfen / schenken / gönnen, einen Blick werfen auf, anglupschen *(abwertend);* → begutachten, → blicken, → blinzeln, → forschen, → sehen; → Ausstellung, → Ausstellungsstück, → Besichtigung, → Vernissage.

**Besichtigung,** Inaugenscheinnahme, Musterung; → ansehen.

**Besichtigungsfahrt** → Stadtrundfahrt.

**Besichtigungstour** → Stadtrundfahrt.

**besiedeln,** bevölkern; → wohnen; → bevölkert.

**besiedelt:** → bebaut.

**Besiedelung:** → Bebauung, → Besiedlung.

**Besiedlung,** Besiedelung, Bebauung; → bebaut.

**besiegeln** → festigen.

**¹besiegen,** überwinden, unterwerfen, unterjochen, unter das Joch zwingen, sich jmdn. untertan machen, vernichten, schlagen, bezwingen, überwältigen, niederringen, bodigen *(schweiz.),* baschgen *(schweiz.),* jmdm. ein Morgarten bereiten *(schweiz.),* jmdn. außer Gefecht setzen, jmdn. zur Strecke bringen *(ugs.),* jmdn. kampfunfähig machen, aufreiben, ruinieren, fertigmachen *(salopp),* jmdn. in die Knie zwingen / *(salopp)* in die Pfanne hauen; **sich nicht b. lassen,** sich nicht unterkriegen lassen *(ugs.),* den Nacken steifhalten, nicht umzubringen / totzukriegen / kleinzukriegen / ein Stehaufmännchen sein *(ugs.);* **besiegt werden,** unterliegen, verlieren, eine Niederlage einstecken müssen, eine Niederlage / *(ugs.)* Schlappe erleiden · *im Boxsport:* zu Boden gehen, ausgezählt werden, k. o. gehen; → ausrotten, → beherrschen, → beruhigen, → siegen, → übertreffen, → töten, → unterdrücken, → zerstören · Ggs. → nachgeben.

**²besiegen:** sich b. lassen → nachgeben.

**¹besingen,** in Verse bringen, in einer Dichtung verherrlichen; → dichten.

**²besingen:** im Lied b. → lobpreisen.

**besinnen:** sich b. → denken, → erinnern (sich).

**besinnlich** → beschaulich.

**Besinnlichkeit** → Beschaulichkeit.

**Besinnung:** ohne B. → ohnmächtig; zur B. bringen → aufrütteln.

**Besinnungsaufsatz** → Schulaufsatz.

**besinnungslos** → ohnmächtig.

**¹Besitz,** Besitztum, Vermögen, Gesamtvermögen, Vermögenswerte, Sachwerte, Eigentum, Habe, Habseligkeiten, [Hab und] Gut, Geld und Gut, Haus und Hof, irdische Güter; → Besitzer, → Gemeinbesitz, → Vermögen; → haben.

**²Besitz:** → Besitztum; B. nehmen / ergreifen von → nehmen; sich in jmds. B. befinden, in jmds. B. sein → gehören; in B. haben → haben; in B. nehmen → erobern; etwas geht in jmds. B. über → zufallen; in weltlichen B. umwandeln → säkularisieren.

**besitzen:** → haben; die Dreistigkeit / Vermessenheit / Kühnheit / Frechheit b. → erdreisten (sich); Macht b. → mächtig [sein].

**Besitzer,** Eigentümer, Inhaber, Eigner, Herr, Herrin, Halter, Nutznießer; → Besitz, → Großgrundbesitzer, → Hausbesitzer; → haben.

**Besitzergreifung** → Besitznahme.

**Besitzgier** → Habgier.

**Besitzloser** → Armer.

**Besitzlosigkeit,** Bedürfnislosigkeit, Genügsamkeit; → Armut, → Bescheidenheit.

**Besitznahme,** Inbesitznahme, Okkupation, Besitzergreifung; → Besatzung; → nehmen.

**Besitztitel** → Claim.

**¹Besitztum,** Landbesitz, Ländereien, Latifundien, Besitz, Anwesen; → Gut, → Haus.

**²Besitztum** → Besitz.

Besitzung → Besitztum.
besoffen → betrunken.
Besoffener → Betrunkener.
Besoffenheit → Betrunkenheit.
besohlen, sohlen, doppeln (*südd., österr.*); → Schuh, → Sohle.
besolden → zahlen.
Besoldung → Gehalt (das).
Besoldungsgruppe → Gehaltsstufe.
besondere: das ist nichts Besonderes → schwierig; sich für etwas Besonderes halten → überschätzen (sich).
Besonderheit: → Ereignis, → Exklusivität, → Merkmal.
¹besonders, insbesondere, hauptsächlich, in der Hauptsache, namentlich, vorzugsweise, ausdrücklich, vor allem, in erster Linie, vornehmlich; → ausschließlich, → außergewöhnlich, → jedenfalls, → namentlich; → Exklusivität.
²besonders: → eigens, → sehr; nicht b. → mäßig; b. stark → konzentriert.
besonnen: → ruhig, → umsichtig.
Besonnenheit: → Umsicht; mit B. → umsichtig.
besorgen: → beschaffen, → wegnehmen.
Besorger → Bote.
Besorgnis → Ahnung.
besorgniserregend → schlimm.
besorgt: → ängstlich; b. sein um → bestreben (sich).
Besorgung: → Beschaffung; -en machen → kaufen.
bespannen, auskleiden, ausschlagen, verkleiden, verschalen, auslegen, ausfüttern, füttern.
bespitzeln: → beobachten, → überwachen.
Bespitzelung → Überwachung.
¹besprechen, rezensieren, würdigen, eine Besprechung / Kritik schreiben · *schlecht:* verreißen (*abwertend*), heruntermachen (*abwertend*), verhackstücken (*ugs., abwertend*), durch die Mangel / den Wolf drehen (*ugs., abwertend*), auseinandernehmen (*abwertend*), unter Beschuß nehmen; → beanstanden, → loben; **gut besprochen werden**, eine gute Kritik bekommen / erhalten, gute Kritiken / eine gute Presse haben; → Besprechung.

²besprechen: → bannen, → erörtern, → gesund [machen]; sich b. → übereinkommen.
Besprecher → Kritiker.
¹Besprechung, Buchbesprechung, Rezension, Referat, Autorreferat, Autoreferat, Autorenreferat, Kritik, Filmkritik, Buchkritik, Theaterkritik, Literaturkritik, Kunstkritik, Konzertkritik, Würdigung · *schlechte:* Verriß (*abwertend*); → Kritiker, → Ratgeber, → Werk; → besprechen, → mitteilen.
²Besprechung: → Gespräch, → Tagung; eine B. schreiben → besprechen.
besprengen → sprengen.
bespringen → koitieren.
bespritzen: → beschmutzen, → sprengen.
besprühen → sprengen.
Besprühung → Berieselung.
¹besser: es ist besser / mir ist es lieber / es ist vorteilhafter, wenn ...
²besser: -e Hälfte → Ehefrau, → Ehemann; ein -er Mensch werden → bessern (sich); etwas b. können → übertreffen; in Ermangelung eines Besseren notgedrungen; jmdn. eines Besseren belehren → berichtigen; -e Tage gesehen haben → abgewirtschaftet [haben].
¹bessern (sich), sich läutern / bekehren / wandeln, aus einem Saulus ein Paulus werden, Einkehr halten, umkehren, in sich gehen, ein neues Leben beginnen, ein besserer / neuer Mensch werden, den alten Adam ausziehen / von sich werfen / ablegen; → bessern, → einstehen, → erniedrigen.
²bessern: → lindern; sich b. → gesund [werden].
Besserung: → Läuterung; B. tritt ein → gesund [werden]; auf dem Wege der B. sein, auf dem Wege der B. befinden → gesund [werden].
Besserungsanstalt → Erziehungsanstalt.
Besserwisser, Neunmalkluger, Neunmalschlauer, Alleswisser, Rechthaber, Sprüchemacher, Sprücheklopfer, Klugscheißer (*derb*), Klugschnacker (*ugs., nordd.*), Wichtigtuer, Wichtigmacher, Gschaftlhuber (*südd.,*

österr.); → Angeber, → Nörgler, → Schlaukopf, → Wichtigtuerei.
Besserwisserei → Wichtigtuerei.
bestallen: → einstellen, → ernennen.
Bestallung → Nominierung.
Bestallungsurkunde → Urkunde.
Bestand: → Grundlage, → Miete, → Vorrat; von B. → bleibend.
bestanden → alt.
beständig: → treu, → unaufhörlich.
Beständigkeit: → Fortbestand, → Haltbarkeit, → Treue.
Bestandsaufnahme → Inventur.
Bestandsvertrag → Mietvertrag.
¹Bestandteil, Komponente, Element, Seite, integrierender Teil; → Zutaten.
²Bestandteil: -e → Zutaten; sich in seine -e auflösen → defekt [werden].
bestärken: → festigen; jmdn. in etwas b. → zuraten.
bestätigen: → beglaubigen, bescheinigen, → festigen; [in seinem Amt b.] → anerkennen; sich b. → bewahrheiten.
bestätigend → bejahend.
bestätigt → bezeugt.
Bestätigung: → Bekräftigung, → Bescheinigung, → Bevollmächtigung, → Erlaubnis.
bestatten, beisetzen, begraben, beerdigen, abdanken (*schweiz.*), der Erde übergeben, zur letzten Ruhe betten, zur Grube senken, zu Grabe tragen, jmdm. das letzte Geleit geben, zur letzten Ruhe geleiten, jmdm. die letzte Ehre erweisen · *ohne Feierlichkeit, primitiv, heimlich:* verscharren, einscharren, eingraben, verlochen (*schweiz.*); → einäschern, → vergraben; → Begräbnis, → Bestattungsunternehmen, → Friedhof.
Bestattung → Begräbnis.
Bestattungsinstitut: → Bestattungsunternehmen.
Bestattungsunternehmen, Beerdigungsunternehmen, Beerdigungsinstitut, Bestattungsinstitut; → bestatten.
bestaunen, bewundern, anstaunen, staunen über; → überrascht [sein].

**bestbemittelt** → reich.

**¹beste**, allerbeste, erste, Haupt-, Spitzen-, oberste, Top-, Führungs- • *Vertreter einer Gruppe:* erste Garnitur (*ugs.*) • *Sängerin:* Primadonna • *Tänzerin:* Primaballerina; → erste, → optimal.

**²beste:** -n Dank → danke!; mit den -n Empfehlungen / Grüßen → hochachtungsvoll; nicht die -n Erfahrungen mit jmdm. / etwas gemacht haben → Erfahrung [haben]; im -n Falle → bestenfalls; das kommt in den -n Familien vor → verzeihlich [sein]; das b. Pferd im Stall sein → unersetzlich [sein]; ein Mann in den -n Jahren → älter [sein]; das Beste → Auswahl; das Beste aus etwas machen → bewältigen; sein Bestes tun → anstrengen (sich); zum -n geben → vortragen; zum -n haben / halten → anführen.

**bestechen**, korrumpieren, jmdn. kaufen (*ugs.*), spicken (*ugs.*), schmieren (*salopp*), sein Geld spielen lassen, jmdm. Geld anbieten, jmdm. Geschenke machen, Schweigegeld geben, Handgeld geben; → überreden; → bestechlich; → Bestechung, → Bestechungsgeld.

**bestechend** → einleuchtend.

**bestechlich**, korrupt, verführbar, feil (*abwertend, veraltet*), käuflich; → unredlich, → unzuverlässig; → bestechen.

**Bestechung**, Korruption, Korrumpierung; → Bestechungsgeld, → Betrug; → bestechen.

**Bestechungsgeld**, Schmiergeld (*ugs.*), Bestechungssumme, Schweigegeld, Schmiermittel, Handgeld; → Bestechung; → bestechen.

**Bestechungssumme** → Bestechungsgeld.

**Besteck** → Eßbesteck.

**¹bestehen** (auf), pochen auf, sein Recht geltend machen / erzwingen / behaupten, von seinem Recht Gebrauch machen, beanspruchen, Ansprüche stellen / erheben, Bedingungen stellen, beharren auf, persistieren, insistieren, bleiben bei, verharren auf, nicht locker lassen, sich von etwas nicht abbringen lassen, nicht ablassen, sich versteifen, nicht → nachgeben;

→ beharrlich [sein], → erwirken, → prozessieren, → verlangen, → unzugänglich [sein], → zusetzen (jmdm.); → standhaft.

**²bestehen:** → bewältigen, → ertragen, → existieren, → herrschen; zu Recht b. → Richtigkeit; es besteht die Möglichkeit, daß ... → vielleicht; die Prüfung nicht b. → versagen; b. aus → zusammensetzen (sich aus).

**Bestehen** → Lage.

**bestehenbleiben** → beibehalten.

**bestehend** → wirklich.

**bestehenlassen** → beibehalten.

**¹bestehlen**, berauben, begaunern (*ugs.*), ausrauben, fleddern, erleichtern (*ugs.*); → wegnehmen.

**²bestehlen** → wegnehmen.

**¹besteigen**, einsteigen, zusteigen, aufsteigen; → betreten.

**²besteigen:** → koitieren, steigen (auf); den Pegasus b. → dichten.

**Besteigung**, Ersteigung, Aufstieg, Bezwingung, Erstbesteigung; → steigen (auf) • Ggs. → Abstieg.

**¹bestellen**, in Auftrag geben, jmdm. einen Auftrag geben, kommen lassen, anfordern, anbegehren (*schweiz.*), beziehen • *Bücher vor dem Erscheinen:* vorausbestellen, subskribieren; → anordnen, → kaufen; → Abonnent, → Abonnement, → Bestellung • Ggs. → reservieren.

**²bestellen:** → bebauen, → beordern, → mitteilen.

**¹Bestellung**, Auftrag, Order • *von Büchern vor dem Erscheinen:* Subskription; → Angebot, → Reservierung; → bestellen.

**²Bestellung** → Bebauung.

**bestenfalls**, im besten / günstigsten Falle, wenn's hoch kommt, höchstens.

**bestens** → trefflich.

**besteuern**, mit einer Steuer belegen; → versteuern; → Abgabe.

**bestgehaßt** → unbeliebt.

**Bestialität** → Grausamkeit.

**besticken**, aussticken, mit einer Stickerei versehen; → Stickerei.

**bestimmbar** → zurückführbar.

**¹bestimmen**, anordnen, befehlen, reglementieren, administrie-

ren, jmdn. etwas heißen, lassen (jmdn. etwas tun lassen), verfügen, festlegen, in die Wege leiten, Vorkehrungen / (*schweiz.*) Vorkehren treffen, veranlassen, jmdn. bringen zu, anweisen, Auftrag / Anweisung / Befehl geben, anschaffen (*südd., österr.*), schaffen (*bayr., österr.*), Auflage erteilen, auftragen, erlegen, jmdm. etwas auf die Seele binden (*ugs.*), überbinden (*schweiz.*) aufgeben, beauftragen, jmdn. mit etwas befassen; → abordnen, → anstacheln, → befolgen, → beordern, → bestellen, → designieren, → benennen, → erwirken, → übertragen, → verleiten, → vorschlagen, → wünschen, → zuraten; → Befehlsgewalt, → Mitbestimmung.

**²bestimmen:** b. für ein Amt → designieren.

**bestimmend** → maßgeblich.

**¹bestimmt**, gewiß, unweigerlich, sicher, unfehlbar; → entschieden.

**²bestimmt:** → klar, → streng, → vorgeschrieben, → wahrlich; in -er Folge, in -en Abständen / Intervallen → periodisch; eine -e Methode anwenden, einen -en Weg einschlagen → verfahren.

**Bestimmtheit** → Deutlichkeit.

**Bestimmung:** → Aufgabe, → Auslegung, → Schicksal, → Weisung; B. sein → vorgeschrieben [sein]; seiner B. übergeben → einweihen.

**Bestimmungsbahnhof:** → Bahnhof, → Ziel.

**Bestimmungsgleichung** → Gleichung.

**Bestimmungshafen:** → Hafen, → Ziel.

**Bestimmungsort** → Ziel.

**bestirnt** → gestirnt.

**Bestleistung** → Höchstleistung.

**bestmöglich** → optimal.

**¹bestrafen**, jmdn. zur Verantwortung / zur Rechenschaft ziehen, strafen, mit einer Strafe belegen, jmdm. eine Strafe auferlegen / zudiktieren / (*salopp*) aufbrummen, jmdm. einen Denkzettel verpassen (*salopp*), über jmdn. eine Strafe verhängen / (*schweiz.*) ausfällen, maßregeln, ahnden, züchtigen, rächen, vergelten, Rache üben / nehmen, Vergeltung üben, lynchen, teeren und federn (*hist.*), [mit gleicher Münze] heimzahlen, es jmdm. [gehörig] eintränken (*ugs.*), abrechnen, sich revanchieren, jmdn. beim Kanthaken nehmen / an den Kanthaken kriegen (*ugs.*); → anzeigen, → belangen, → festsetzen, → schikanieren, → schlagen, → töten, → wehren (sich) · Ggs. → belohnen; **bestraft werden**, jmds. Stunde hat geschlagen, sein Fett kriegen / abkriegen / wegbekommen / abbekommen (*salopp*); → Maßregelung, → Rechenschaft, → Strafe, → Vergeltung, → Züchtigung.

²**bestrafen:** nicht bestraft werden → verurteilen; schon einmal bestraft → vorbestraft.

**Bestrafung:** → Strafe, → Vergeltung, → Züchtigung.

**bestrahlen** → bescheinen.

**Bestrahlung** → Radiotherapie.

**bestreben** (sich), bestrebt / bemüht sein, besorgt sein um, sich etwas angelegen sein lassen.

**Bestreben** → Absicht.

**Bestrebung:** -en → Absicht.

¹**bestreichen,** aufstreichen, streichen auf, beschmieren, schmieren auf, raufschmieren (*ugs.*).

²**bestreichen:** → anmalen, → beschießen.

**bestreiken** → streiken.

**bestreiten:** → abstreiten, → zahlen.

**bestreuen:** sein Haupt mit Asche b. → bereuen; mit Zucker b. → zuckern.

**bestricken** → bezaubern.

**bestrickend:** → charmant, → hübsch.

**Bestrickung** → Faszination.

**bestrumpft** → bekleidet (mit).

**Bestseller** → Buch, → Verkaufsschlager.

**bestsituiert** → reich.

**bestücken:** bestückt sein mit → haben.

**Bestückung** → Mobiliar.

**bestürmen** → bitten.

**bestürzend** → schrecklich.

**bestürzt** → betroffen.

**Bestürzung:** → Entsetzen; B. auslösen / hervorrufen → schockieren.

¹**Besuch,** das Kommen, Höflichkeitsbesuch, Anstandsbesuch, Antrittsbesuch · *kurzer:* Stippvisite (*ugs.*) · *des Arztes beim Kranken:* Visite; → besuchen.

²**Besuch:** → Gast; mit einem B. beehren → besuchen; zu B. kommen → besuchen.

¹**besuchen,** Besuch machen / abstatten, jmdn. [mit einem Besuch] beehren, zu Besuch kommen, einkehren, absteigen, vorbeikommen (*ugs.*), vorsprechen, aufsuchen, jmdm. seine Aufwartung machen, hereinschauen, gehen / hingehen zu, Visite machen · *für kurze Zeit:* auf einen Sprung vorbeikommen / kommen, zukehren (*österr.*) · *unverhofft:* hereinschneien (*ugs.*), ins Haus platzen (*ugs., abwertend*) · *in größeren Abständen:* sich selten blicken lassen, sich rar machen (*ugs.*) · *nachts die Geliebte:* fensterln (*bayr., österr.*) · *Lokale:* bummeln, einen Lokalbummel machen (*ugs.*), von Lokal zu Lokal ziehen (*ugs.*), die Gegend unsicher machen (*scherzh.*), einen Gang / Zug durch die Gemeinde machen (*ugs. scherzh.*); → frequentieren, → verkehren (mit); → Besuch, → Visitenkarte.

²**besuchen:** → bereisen; häufig b. → frequentieren; die Schule b. → Schule; die Universität / Hochschule b. → studieren; den Unterricht b. → Unterricht [erhalten]; sich gegenseitig b. → verkehren (mit); du kannst mich am Abend / im Mondschein b.! → unwichtig [sein].

**Besucher:** → Gast, → Publikum.

**Besuchskarte** → Visitenkarte.

**Besuchsritze:** auf der B. schlafen → schlafen.

¹**besudeln** (sich), sich beschlabbern / beklecksen / bekleckern / vollschlabbern / vollmachen / vollkleckern / eindrecken (*ugs.*) / eindreckern (*ugs.*), sich einsauen (*derb*); → beschmutzen.

²**besudeln:** → beschmutzen; mit Blut besudelt → blutig.

**Besudelung** → Verunreinigung.

**Beta** → Buchstabe.

**betagt** → alt.

**Betagtheit** → Bejahrtheit.

**betakeln** → betrügen.

**betamt** → klug.

**betasten** → tasten.

**betätigen:** sich b. → arbeiten; sich sportlich b. → turnen.

**Betätigung** → Arbeit.

**Betätigungsdrang** → Aktivität.

**betatschen** → berühren.

**betasten** → berühren.

**betäuben,** einschläfern, narkotisieren, schmerzunempfindlich machen, chloroformieren, anästhesieren; → beruhigen, → töten; → Betäubung.

**betäubt** → benommen.

**Betäubtheit** → Benommenheit.

**Betäubung,** Narkose, Anästhesie, Ätherrausch · *örtliche:* Lokalanästhesie; → Heilschlaf; → betäuben.

**Betäubungsmittel:** → Medikament, → Rauschgift.

**Betbruder:** ein B. sein → fromm [sein].

**Bete:** rote B. → Salatrübe.

**beteilen** → schenken.

¹**beteiligen** (sich), handeln, mitmischen (*salopp*), die Finger / die Hände im Spiel haben; → aktiv.

²**beteiligen:** sich b. → teilnehmen.

**beteiligt:** b. sein → teilnehmen.

**Beteiligter** → Mitglied.

**Beteiligtsein** → Engagement.

**Beteiligung** → Engagement.

**beten,** die Hände falten, niederknien, auf die Knie fallen / sinken, Gott anrufen, sich im Gebet an Gott wenden, meditieren; → Gebet, → Gotteshaus.

**beteuern** → versprechen.

**Beteuerung** → Zusicherung.

**Bethaus** → Gotteshaus.

**Betise** → Absurdität.

**betiteln** → bezeichnen (als).

**Betitelung** → Anrede.

**Beton,** Zement, Mörtel, Speis (*südd.*), Malter (*ugs., österr.*); → Bindemittel.

**betonen,** hervorheben, [mit Nachdruck] herausstellen, unterstreichen, pointieren, akzentuieren, feststellen, auf die Feststellung Wert legen, ausdrücklich erwähnen, Gewicht legen auf; → hinweisen (auf); **betont werden müssen**, etwas verdient [besondere] Erwähnung / muß im Kalender rot angestrichen werden (*iron.*); → wichtig; → Hervorhebung, → Nachdrücklichkeit.

**121**

Betonmauer → Mauer.

betont: → nachdrücklich, → zugespitzt; nicht b. modisch → zeitlos.

Betonung: → Hervorhebung, → Tonfall.

Betonungszeichen, Akzent, Akut; → Tonfall.

betören: → becircen, → verliebt [machen].

betörend → hübsch.

Betracht: in B. kommen → eignen (sich); erst in zweiter Linie in B. kommen → sekundär [sein]; in B. ziehen → erwägen.

¹betrachten, ansehen, anschauen, anblicken, besichtigen, beschauen, beobachten, studieren, in Augenschein nehmen, beaugenscheinigen (scherzh.), beaugapfeln (scherzh.), beäugeln, beäugen (ugs., scherzh.), mustern, fixieren, anstarren, anglotzen (salopp, abwertend), anstieren, angaffen (salopp, abwertend), besehen, beglotzen (salopp, abwertend), begaffen (salopp, abwertend), angucken, begucken, blicken auf, den Blick heften auf, den Blick nicht abwenden können, jmdm. einen Blick zuwerfen / schenken / gönnen, einen Blick werfen auf, anglupschen (abwertend) · voll Staunen und Begierde: jmdn. / etwas mit den Augen verschlingen, Stielaugen machen (ugs.), jmdm. gehen die Augen über · besonders scharf: jmdn. mit Blicken durchbohren; → begutachten, → besehen, → blicken, → blinzeln, → forschen, → sehen; → Anblick, → Auge, → Besichtigung, → Vernissage. → Zuschauer.

²betrachten: b. als → beurteilen; als erledigt b. → weglegen; als selbstverständlich b. → voraussetzen; mit der Lupe / mit dem Vergrößerungsglas / unter dem Mikroskop b. → vergrößern.

Betrachter → Zuschauer.

beträchtlich: → außergewöhnlich, → sehr.

Betrachtung: → Darlegung, → Versenkung.

Betrachtungsweise → Gesichtspunkt.

Betrag → Beitrag.

¹betragen, sich belaufen auf / beziffern auf, ausmachen, angegeben werden mit.

²betragen: sich b. → benehmen (sich); jmds. Gewicht (oder:) das Gewicht von etwas beträgt... → wiegen.

Betragen → Benehmen.

¹betrauen (jmdn. mit), beauftragen, jmdn. befassen mit; → anordnen, → bitten.

²betrauen: [mit einem Amt] b. → ernennen; [mit einer Arbeit] b. → einstellen.

betrauern → beklagen.

¹betreffen: etwas betrifft / trifft / berührt / tangiert / (schweiz.) beschlägt jmdn. (oder:) etwas, etwas geht jmdn. an, etwas dreht sich um jmdn. / etwas (ugs.), es handelt sich um, etwas hat zu tun mit, etwas hat Bezug zu, etwas bezieht sich auf etwas / hängt zusammen mit; → bezeichnen (als); jmdn. nicht b., jmdn. nichts angehen, das ist nichts für kleine Kinder, das ist nicht mein Bier (salopp), sich nicht betroffen fühlen, sich eine Jacke nicht anziehen, sich etwas nicht zuziehen; → hinsichtlich.

²betreffen: was das betrifft → hinsichtlich; was mich betrifft → ich; Außenstehende nicht -d → intern; die Gemeinde / Stadt -d → kommunal.

betreffend: → einschlägig, → hinsichtlich, → obig.

betreffs → hinsichtlich.

¹betreiben, dafür sorgen, daß...; sich dahinter klemmen (ugs.).

²betreiben: → arbeiten, → kassieren; Zauberei b. → zaubern.

Betreibung → Eintreibung.

betretbar → begehbar.

¹betreten, eintreten, treten in, hereintreten, hereinkommen, hineingehen, gehen in, hineinkommen, hineingelangen, hineinspazieren, hereinspazieren, einziehen, Einzug halten; besteigen, einmarschieren; → begehbar · Ggs. → hinausgehen.

²betreten → verlegen.

betreuen: → kümmern (sich um jmdn.), → managen (jmdn.).

¹Betreuer, Fürsorger, Manager · eines Künstlers: Impresario · eines Sportlers: Trainer, Sport-

lehrer, Coach; → Beauftragter, → Gönner, → Helfer, → Unternehmer; → helfen, → managen.

²Betreuer → Begleiter.

Betreuerin · auf Reisen: Reiseleiterin, Fremdenführerin · auf Ausstellungen: Hostess · auf Flughäfen: Groundhostess; → Bedienung.

Betreuung: → Pflege; seelische B. → Lebenshilfe.

¹Betrieb, Geschäft, Firma, Unternehmen · schlecht geführter: Saftladen (ugs., abwertend); → Büro, → Fabrik, → Laden, → Unternehmen.

²Betrieb: → Büro, → Fabrik; landwirtschaftlicher B. → Bauernhof; in B. sein → funktionieren; in B. nehmen → einweihen.

¹betriebsam, geschäftig, rührig; b. sein, ein Hansdampf in allen Gassen / (ugs.) eine Betriebsnudel/(ugs.) ein Geschäftlhuber (oder:) Gschaftlhuber sein, Gott und die Welt kennen; → aktiv, → fleißig; → Aktivität.

²betriebsam → fleißig.

Betriebsamkeit: → Aktivität, → Fleiß, → Hast.

Betriebsangehörige → Belegschaft.

Betriebsangehöriger → Arbeitnehmer.

Betriebsarzt → Arzt.

Betriebsausflug → Ausflug.

Betriebsferien → Urlaub.

Betriebsfeuerwehr → Feuerwehr.

Betriebskollege → Kollege.

Betriebsleiter → Leiter.

Betriebsnudel → Unterhalter; eine B. sein → betriebsam [sein].

Betriebsprüfung → Buchprüfung.

Betriebsrat → Arbeitnehmervertretung.

Betriebswirtschaft → Wirtschaftswissenschaft.

betrinken (sich), sich bezechen / (ugs.) besäuseln, zu tief ins Glas gucken, einen über den Durst trinken, sich einen antrinken / ankümmeln (ugs.), sich die Nase begießen (ugs.), sich die Hucke vollsaufen (salopp), sich den Kanal vollaufen lassen (salopp), sich einen Affen kaufen (*salopp*), sich einen ansaufen (*derb*), sich besaufen / volllaufen lassen (*derb*); → betrunken, → trinkfest.

**betrocknen** → trocknen.

**¹betroffen,** bestürzt, entsetzt, verstört, verwirrt, konsterniert, erschrocken, entgeistert, starr, fassungslos, verdattert (*ugs.*); → ängstlich, → überrascht, → verlegen; **b. sein,** sich entsetzen / erschrecken, die Fassung verlieren, kopfstehen, wie vor den Kopf geschlagen sein, etwas nicht mit ansehen / mit anhören können, jmdm. stehen die Haare zu Berge, jmdm. dreht sich das Herz im Leibe herum, jmdm. blutet das Herz, jmd. ist wie vom Donner gerührt (*ugs.*), jmd. ist wie vom Schlag gerührt / getroffen (*ugs.*), jmdm. läuft es [heiß und] kalt über den Rücken / den Rücken herunter, die Hände über dem Kopf zusammenschlagen, in die Fraisen fallen (*ugs.*, *südd.*, *österr.*); → erschrecken, → verwirren.

**²betroffen** → obig.

**Betroffener** → Leidtragender.

**betrüben:** → bekümmern; sich b. → sorgen (sich); etwas betrübt jmdn. → ärgern.

**betrüblich** → bedauerlich.

**Betrübnis** → Trauer.

**¹betrübt,** schwermütig, trübsinnig, hypochondrisch, depressiv, melancholisch, pessimistisch, schwarzseherisch, nihilistisch, defätistisch, miesepetrig (*ugs.*), hintersinnig (*schweiz.*), bregenklüterig (*ugs.*, *landsch.*), trübselig, wehmütig, wehselig (*schweiz.*), elegisch, trist, traurig, freudlos, freudelos (*schweiz.*), elend, unglücklich, todunglücklich, kreuzunglücklich, desolat, trübe, bedrückt, gedrückt, bekümmert, unfroh, mauserig (*schweiz.*), nicht → lustig; → ängstlich, → ernsthaft, → kläglich, → deprimiert, → ruhig · Ggs. → zuversichtlich; **b. sein,** mit der Welt zerfallen sein, Trübsal blasen (*ugs.*), etwas durch eine schwarze Brille sehen, sich hintersinnen (*südd.*, *schweiz.*); → erstaunen; → Melancholie, → Pessimist, → Trauer.

**²betrübt:** b. sein → sorgen (sich); b. sein, daß ... → bedauern, → bereuen.

**¹Betrug,** Unregelmäßigkeit, Durchstecherei, Beschiß (*derb*), Gaunerei, Täuschung, Urkundenfälschung, Machenschaft, Schiebung, Manipulation, Machination, Irreführung, Köpenickiade, Hintergehung, Nepp (*abwertend*), Abriß (*schweiz.*), Mogelei (*ugs.*) · *in bezug auf Steuerabgaben:* Steuerhinterziehung, Steuerflucht, Wirtschaftskriminalität, White-collar-crime; → Arglist, → Benachteiligung, → Bestechung, → Diebstahl, → Einbildung, → Fälschung, → Lüge, → Mystifikation, → Schlaukopf, → Schleichhandel, → Selbstbetrug, → Verdrehung.

**²Betrug:** B. begehen → betrügen.

**¹betrügen,** Betrug begehen, prellen, hintergehen, corriger la fortune, jmdn. um etwas bringen, Schmu machen (*ugs.*), tricksen (*ugs.*), anschmieren (*salopp*), andrehen (*salopp*), ausschmieren (*salopp*), bescheißen (*derb*), anscheißen (*derb*), beschummeln, schummeln, betakeln (*österr.*), mogeln, linken, mit jmdm. ein falsches Spiel treiben, mit falschen / gezinkten Karten spielen, hintergehen, hereinlegen (*ugs.*), reinlegen (*ugs.*), überlisten, jmdm. eine Falle stellen, abkochen (*salopp*), einkochen (*salopp*, *österr.*), anmeiern (*salopp*), überfahren, übervorteilen, übernützen (*schweiz.*), übernehmen (*österr.*), übertölpeln (*abwertend*), neppen (*abwertend*), übers Ohr hauen (*salopp*), ums Haxel hauen (*ugs.*, *österr.*), papierln (*ugs.*, *österr.*), einseifen (*ugs.*), einwickeln (*ugs.*), behumsen (*salopp*), beschupsen (*salopp*), bluffen, düpieren, jmdn. hinters Licht / aufs Glatteis führen, jmdm. Sand in die Augen streuen, jmdn. aufs Kreuz legen / über den Löffel balbieren (*salopp*), jmdn. für dumm verkaufen (*ugs.*), jmdm. ein X für ein U vormachen, verschaukeln (*salopp*); → ablisten → anführen, → aufsitzen (jmdm.),

ausbeuten, → beschönigen, → hereinfallen, → lügen, → wegnehmen; → unaufrichtig; → Schlaukopf, → Überlistung.

**²betrügen:** betrogen werden → hereinfallen; [seine Frau, seinen Mann] b. → untreu [sein].

**Betrüger,** Trickbetrüger, Schwindler, Defraudant, Fallott, Schieber, Gauner, Bauernfänger, Roßtäuscher, Bazi (*scherzh.*, *bayr.*, *österr.*), Hochstapler, Fälscher, Urkundenfälscher, Heiratsschwindler, Falschmünzer, Pülcher (*österr.*, *ugs.*), Scharlatan · *der seine Zeche nicht bezahlt:* Zechpreller; → Angeber, → Dieb, → Geck, → Leichtfuß, → Lügner, → Schuft, → Verbrecher, → Wucherer.

**betrügerisch** → unredlich.

**betrunken,** angetrunken, angeheitert, berauscht, trunken, volltrunken, bezecht, kopflastig (*landsch.*, *scherzh.*), alkoholisiert (*österr.*), sternhagelvoll (*salopp*), stockbetrunken (*ugs.*), stockbesoffen (*derb*), stinkbesoffen (*derb*), angesäuselt (*ugs.*), besäuselt (*ugs.*), beschwipst (*ugs.*), benebelt (*ugs.*), beschickert (*ugs.*), betütert (*ugs.*), beduselt (*salopp*), voll (*salopp*), blau (*salopp*), fett, besoffen (*derb*), nicht → nüchtern; → feuchtfröhlich, → trinkfest; **b. sein,** in gehobener Stimmung sein, grottenvoll (*landsch.*), im Tran sein (*ugs.*), selig (*salopp*) dun sein, einen sitzen / hängen / intus / in der Krone haben (*ugs.*), Schlagseite / einen Affen haben (*salopp*), [schwer / schön] geladen haben (*salopp*), mehr als genug haben, voll wie eine Haubitze (oder:) Strandhaubitze / bis an die Kiemen sein (*ugs.*), den Kanal voll haben (*salopp*), im Jum sein (*berlin.*), einen über den Durst getrunken haben, zu tief ins Glas geschaut haben, einen im Tee haben (*ugs.*), blau [wie ein Veilchen] sein (*ugs.*), stockvoll sein (*landsch.*), granatenvoll sein (*salopp*), molum sein (*landsch.*); **b. machen:** etwas macht jmdn. betrunken / steigt jmdm. in den Kopf; → betrinken (sich); → Betrunkener, → Betrunkenheit, → Trinker.

**Betrunkener,** Besoffener (*salopp*), Berauschter (*geh.*), Trunkener (*geh.*), Volltrunkener, Stockbetrunkener (*ugs.*), Schnapsleiche (*salopp*), Bierleiche (*salopp*), Angetrunkener, Angeheiterter, Angesäuselter, Besäuselter, Bezechter (*geh.*); → Trinker; → betrunken.

**Betrunkenheit,** Trunkenheit, Rausch, Schwips (*ugs.*), Besoffenheit (*salopp*), Suff (*salopp*), Dusel (*ugs.*), Alkoholisierung (*österr.*), Fetzen (*salopp, österr.*), Dulliäh (*ugs., österr.*); → betrunken.

**Betschwester:** eine B. sein → fromm [sein].

**¹Bett,** Bettstatt, Lager, Lagerstatt, Liegestatt, Schlafstätte, Schlafgelegenheit, Furzmolle (*derb*), Furzmulde (*derb*), Bettgestell, Feldbett, Klappbett, Wandbett, Schrankbett, Bettstelle, Bettlade (*oberd.*), Lotterbett (*scherzh.*) · *prunkvolles:* Paradebett, Himmelbett, Prunkbett · *primitives:* Pritsche, Notbett · *für Soldaten:* Kavalett (*veraltet*) · *auf dem Schiff:* Koje · *für Kinder:* Wiege, Babykorb, Stubenwagen, Kinderbett, Gitterbett, Stockbett, Etagenbett · *für zwei Personen:* Doppelbett, Ehebett, französisches Bett; → Alkoven, → Liege, → Möbel, → Sitzgelegenheit; → schlafen.

**²Bett:** das B. hüten, ans B. gefesselt sein, im / zu B. liegen → krank [sein]; das B. naß machen → urinieren; Frau Holle schüttelt die -en → schneien; das B. verlassen, aus dem B. kommen → aufstehen; aus dem B. gefallen sein → aufstehen; ins / zu B. gehen → schlafen [gehen]; mit jmdm. ins B. gehen → koitieren; sich ins gemachte B. legen → einheiraten; getrennt von Tisch und B. leben → geschieden [sein]; mit den Hühnern zu B. gehen → schlafen [gehen].

**Bettag:** Buß- und B. → Feiertag, → Kirchenjahr.

**Bettbank** → Liege.

**Bettbezug** → Bezug.

**Bettcouch** → Liege.

**¹Bettdecke,** Zierdecke, Tagesdecke, Überwurf (*österr.*); →

Decke, → Federbett, → Tischtuch.

**²Bettdecke** → Federbett.

**bettelarm** → arm.

**Bettelbrief:** → Gesuch, → Schreiben.

**Bettelei,** das Betteln / Hausieren, Bettlerei (*ugs.*), Gebettel (*abwertend*), Schnorrerei (*salopp, abwertend*), Schnurrerei (*salopp, abwertend*); → Bettler, → Bettlerin; → betteln.

**Bettelkor** → Bettler.

**Bettelkores** → Bettler.

**Bettelleute** → Bettler.

**Bettelmann** → Bettler.

**Bettelmönch** → Mönch.

**Bettelmusikant:** → Bettler, → Straßenmusikant.

**¹betteln,** schnorren (*ugs.*), fechten (*ugs.*), die Klinken putzen (*ugs.*); → bitten, → geben; → Bettelei, → Bettler, → Bettlerin.

**²betteln:** → bitten; das Betteln → Bettelei.

**Bettelorden** → Mönchsorden.

**Bettelstab:** jmdn. an den B. bringen → ausbeuten; an den B. kommen → arm [werden].

**Bettelvolk** → Bettler.

**Bettelweib** → Bettlerin.

**betten:** weich gebettet sein → leben; jmdn. auf Rosen b. → verwöhnen; nicht auf Rosen gebettet sein → leben.

**Bettfedern,** Federn, Daunen, Rupf (*schweiz.*); → Federbett.

**Bettgeher** → Untermieter.

**Bettgenossin** → Geliebte.

**Bettgestell** → Bett.

**Betthase** → Geliebte.

**Bettlade** → Bett.

**bettlägerig:** b. sein → krank [sein].

**Bettlägeriger** → Kranker.

**Bettlägerigkeit** → Krankheit.

**Bettlaken** → Laken.

**Bettlektüre** → Lektüre.

**¹Bettler,** Hausierer, Handwerksbursche (*landsch.*), Bettelmann (*veraltend*), Fechtbruder (*abwertend*), Klinkenputzer (*abwertend*), Schnorrer (*salopp, abwertend*), Schnurrer (*salopp, abwertend*), Bettelmusikant, Schnurrant (*selten*), Bettelvolk, Bettelleute, Bettelkor (*landsch.*), Bettelkores (*landsch.*); → Bettelei, → Bettlerin; → Vagabund; → betteln.

**²Bettler** → Armer.

**Bettlerei** → Bettelei.

**Bettlerin,** Hausiererin, Bettelweib (*veraltet, abwertend*), Schnorrerin (*salopp, abwertend*), Schnurrerin (*salopp, abwertend*); → Bettelei, → Bettler; → betteln.

**Bettlerlatein** → Gaunersprache.

**Bettnässen,** Einnässen, Enurese, Enuresis nocturna, Akonurese, Bettpissen (*derb*), Hosenpissen (*derb*); → urinieren.

**Bettnässer:** B. sein → urinieren.

**Bettnische** → Alkoven.

**Bettpissen** → Bettnässen.

**Bettpisser** → Löwenzahn.

**bettreif** → müde.

**Bettruhe** → Ruhe.

**Bettschisser** → Löwenzahn.

**Bettschwere:** die nötige B. haben → müde [sein].

**Bettstatt** → Bett.

**Bettstelle** → Bett.

**Bettuch** → Laken.

**Bettumrandung** → Teppich.

**Bettvorlage** → Teppich.

**Bettvorleger** → Teppich.

**Bettwanze** → Ungeziefer.

**Bettzieche** → Bezug.

**Bettzipfel:** der B. winkt, nach dem B. schielen → müde [sein].

**betucht** → reich.

**betulich:** → beflissen, → tantenhaft.

**betütert** → betrunken.

**Beugehaft** → Freiheitsentzug.

**Beugel** → Hörnchen.

**Beugemuskel** → Muskel.

**¹beugen** (sich), sich bücken / niederbeugen / ducken / neigen / biegen, sich lehnen über, sich klein / krumm machen, sich krümmen, anwinkeln (Arm, Bein), abwinkeln (Arm, Bein).

**²beugen:** → flektieren; sich b. → nachgeben; sich [den Anordnungen] b. → befolgen; sich einem Joch b. → nachgeben; sich nicht der herrschenden Meinung b. → entgegenstellen (sich).

**Beuger** → Muskel.

**¹Beugung,** Biegung, Abwandlung (*veraltet*), Flexion · *des Substantivs und Adjektivs:* Deklination · *des Verbs:* Konjugation; → Wortart; → flektieren.

**²Beugung** → Flexion.

**Beule,** Schwellung, Delle, Brüsche (*niederd.*), Horn, Tippel (*südd.*, *österr.*), Knutsche (*schles.*); → Abszeß, → Beschädigung, → Geschwulst.

**Beulenpest** → Pest.

**beunruhigen:** → bekümmern, → verwirren; etwas beunruhigt jmdn. → sorgen (sich).

**Beunruhigung** → Spannung.

**beurkunden:** etwas b. → Urkunde.

**beurlauben** → befreien.

**Beurlaubung** → Befreiung.

**¹beurteilen,** ein Urteil fällen / abgeben, urteilen / denken über, werten, bewerten, begutachten, abschätzen, einschätzen, würdigen, etwas von jmdm. / etwas halten, halten / ansehen / erachten für, stehen zu, eine bestimmte Einstellung haben zu, charakterisieren, beleuchten, durchleuchten, betrachten / empfinden / auffassen / nehmen / verstehen als, etwas in jmdm. (oder:) in etwas sehen / erblicken · *die Lage falsch / richtig:* aufs falsche / richtige Pferd setzen (*ugs.*) · *als Preisgericht:* jurieren · *ungerecht:* mit zweierlei Maß messen, parteiisch / nicht unparteiisch sein; → auslegen, → ausrechnen, → bedeuten, → denken, → folgern, → kontrollieren, → schätzen, → vermuten, → werten; **etwas nicht b. können,** sich kein Urteil gebildet haben, kein Urteil haben, keine Meinung zu etwas haben, über etwas nichts zu sagen wissen; → Beurteilung, → Preisgericht.

**²beurteilen:** → prüfen; vergleichsweise b. → vergleichen.

**¹Beurteilung,** Bewertung, Begutachtung, Einschätzung, Auffassung · *falsche:* Fehleinschätzung · *unterschiedliche eines Tatbestandes in moralischer Hinsicht:* doppelte Moral; → beurteilen.

**²Beurteilung** → Diagnose.

**Beuschel** → Lungenhaschee.

**Beute:** → Bienenstock, → Raub.

**Beutel:** → Einkaufstasche, → Papiertüte; die Hand auf den B. halten → geizig [sein].

**Beutelbär** → Bär.

**Beutelmeise** → Vogel.

**Beutelschneider** → Wucherer.

**Beutelschneiderei** → Wucher.

**bevogten** → bevormunden.

**Bevogteter** → Mündel.

**bevölkern** → besiedeln.

**¹bevölkert,** besiedelt, bewohnt · *dicht:* volkreich, dichtbesiedelt, dichtbevölkert · *wenig:* schwachbesiedelt, dünnbevölkert, dünnbesiedelt; → besiedeln, → weilen.

**²bevölkert:** → belebt, → besiedelt.

**Bevölkerung:** → Öffentlichkeit, → Bewohner.

**Bevölkerungsgliederung:** B. nach dem Lebensalter → Altersaufbau.

**Bevölkerungsschicht** → Gesellschaftsschicht.

**Bevölkerungsstufung:** B. nach dem Lebensalter → Altersaufbau.

**Bevölkerungswanderung** → Mobilität.

**bevollmächtigen:** → anerkennen, → ermächtigen.

**bevollmächtigt** → befugt.

**Bevollmächtigter:** → Abgesandter, → Verwalter.

**¹Bevollmächtigung,** Anerkennung, Bestätigung, Beglaubigung, Akkreditierung; → Bekräftigung, → Berechtigung, → Erlaubnis; → anerkennen, → beglaubigen.

**²Bevollmächtigung** → Berechtigung.

**bevormunden** → lenken.

**¹bevorstehen:** etwas steht bevor / naht heran / kommt heran / droht / nähert sich / ist zu erwarten / ist im Anzug / ist im Verzug / liegt in der Luft / wirft seine Schatten voraus / steht ins Haus / steht vor der Tür / kommt auf jmdn. zu, mit etwas ist zu rechnen; → ausstehen, → heraufziehen.

**²bevorstehen:** jmds. Entlassung steht bevor → Entlassung.

**bevorzugen,** vorziehen, den Vorzug / Vorrang geben, den Vorrang haben, höher einschätzen, eine Vorliebe für etwas haben, **bevorzugt werden,** bei jmdm. einen Stein im Brett haben (*ugs.*), jmds. große Liebe sein; → auswählen, → fördern, → mögen (etwas); → bevorzugt, → lieber.

**¹bevorzugt,** präferiert, Lieblings-, Leib-und-Magen- (*ugs.*), heißgeliebt; → bevorzugen.

**²bevorzugt** → üblich.

**bewachen:** → beaufsichtigen, → beobachten.

**Bewacher,** Leibwächter, Gorilla (*ugs.*) · *in einer Gaststätte:* Rausschmeißer · *eines Anwesens bei Nacht:* Nachtwächter; → Gefolgsmann, → Portier; → behüten.

**bewaffnen:** sich b. → rüsten.

**bewaffnet:** → kampfbereit; -e Auseinandersetzung, -er Konflikt → Krieg.

**Bewaffnung** → Aufrüstung.

**bewahren:** → aufbewahren, → behüten; b. vor → abhalten.

**bewähren:** sich b. → tüchtig [sein].

**bewahrheiten (sich),** sich als wahr / richtig herausstellen (oder:) erweisen, sich bestätigen; → erweisen (sich als), → stimmen.

**bewährt:** → erprobt, → probat.

**Bewährungsfrist,** Probezeit (*schweiz.*); **mit B.,** bedingt (*schweiz.*, *österr.*); **ohne B.,** unbedingt (*schweiz.*, *österr.*); → Strafe; → abbüßen.

**Bewährungsprobe,** Feuerprobe, Feuertaufe; → prüfen.

**bewältigen,** meistern, lösen, schaffen, erringen, vollbringen, es bringen (der bringt es; *ugs.*), jmdn. / einer Sache gewachsen sein, fertig werden / zu Rande kommen / (*salopp*) klarkommen mit, eine Schwierigkeit überwinden, eine Hürde nehmen, mit etwas einig werden (*ugs.*), die Vergangenheit bewältigen, das Beste aus etwas machen, sich zu helfen wissen, über die Runden kommen, aus der Not eine Tugend machen, [das Ziel] erreichen; erreichen, daß ...; gelangen zu / an, bestehen, [eine Prüfung mit „gut"] machen (*ugs.*), [mit Rückenwind] durchkommen (*ugs.*), nicht → versagen · *sehr leicht, mühelos:* etwas fliegt jmdm. zu, sich spielen mit etwas (*österr.*); → absolvieren, → beenden, → beherrschen, → beikommen, → bewerkstelligen, → durchsetzen (sich), → ertragen, → erwirken, → können, → verwirklichen, → vollenden, **nicht b.,** etwas wächst jmdm. über den Kopf / schlägt über jmdm. zusammen; → Abitur.

bewandert → firm.

bewässern → sprengen.

Bewässerung → Berieselung.

Bewässerungsanlage, Berieselungsanlage, Rieselfeld, Sprinkleranlage; → Berieselung; → sprengen.

Bewässerungsgraben → Graben.

Bewäßrung → Berieselung.

¹bewegen (sich), sich rühren / regen, herumwuseln (ugs.); → flattern, → fortbewegen (sich).

²bewegen: hin und her b. → schütteln; etwas bewegt jmdn. → beseelen; etwas bewegt jmdn., etwas zu tun → veranlassen; sich im Kreis b. → kreisen; jmdn. zu etwas b. → anstacheln.

Beweggrund → Anlaß.

beweglich: → biegsam, → geschickt, → lebhaft, → transportabel; -e und unbewegliche Feste / Tage → Kirchenjahr.

Beweglichkeit: → Biegsamkeit, → Körperbeherrschung, → Mobilität, → Wendigkeit.

¹bewegt, beeindruckt, gerührt, ergriffen, überwältigt, erschüttert, aufgewühlt; → empfindsam; → erschüttern; → Ergriffenheit.

²bewegt: → aufgeregt; leicht / mäßig -e See → Seegang.

Bewegung: → Handbewegung; gleichmäßig gegliederte B. → Rhythmus; in B. bringen → mobilisieren; in B. kommen → verursachen; etwas in B. setzen → verursachen; alle Hebel in B. setzen → anstrengen (sich); B. von einer Stelle zur andern → Ortsveränderung.

Bewegungsbehandlung → Heilgymnastik.

¹Bewegungsfreiheit, Spielraum, Ell[en]bogenfreiheit, Unabhängigkeit, Freizügigkeit; → Freiheit.

²Bewegungsfreiheit → Freiheit.

Bewegungskrankheit, Kinetose, Reisekrankheit · auf See: Seekrankheit, Nausea marina (Med.) · im Flugzeug: Höhenkrankheit, Luftkrankheit, Flugzeugkrankheit · im Auto: Autokrankheit; → übergeben (sich).

Bewegungskrieg → Krieg.

bewegungslos, regungslos, reglos, unbewegt; → Bewegungslosigkeit.

Bewegungslosigkeit, Reglosigkeit, Regungslosigkeit, Unbewegtheit, Starrheit, Steifheit; → bewegungslos, → ruhig.

Bewegungsnerv → Nerv.

Bewegungstherapie → Heilgymnastik.

beweiben: sich b. → heiraten.

beweihräuchern → loben.

beweinen → beklagen.

Beweis: → Nachweis, → Unterpfand; etwas ist B. für etwas → zeigen; den B. erbringen → nachweisen.

beweisbar: → belegbar, → nachweislich.

beweisen: → nachweisen; etwas beweist etwas → zeigen; das Gegenteil b. → entkräften.

Beweisführung → Argument.

Beweisgrund: → Argument, → Nachweis.

beweiskräftig → stichhaltig.

Beweismaterial → Nachweis.

Beweismittel → Nachweis.

Beweisstück → Nachweis.

bewenden: es dabei b. lassen → beenden.

bewerben: sich b. um → bemühen (sich um); sich um jmdn. b. → umwerben, → werben.

Bewerber → Anwärter.

Bewerbung → Bewerbungsschreiben.

Bewerbungsschreiben, Bewerbung, Stellenbewerbung, Empfehlungsschreiben, → bemühen (sich um).

¹bewerfen, werfen auf, bombardieren (ugs.).

²bewerfen: jmdn. mit Dreck / Schmutz b. → schlechtmachen.

bewerkstelligen, bewirken, etwas in die Hand nehmen, anstellen, [geschickt] anfassen, angattigen (schweiz.), in die Wege leiten, einleiten, einfädeln, arrangieren, deichseln (salopp), hinkriegen (salopp), managen (salopp), [den Laden] schmeißen (salopp), fingern (salopp), drehen (salopp); → bereinigen, → bewältigen, → können, → verwirklichen, → vollführen; → Bewerkstelligung, → Weg.

Bewerkstelligung, Verwirklichung, Arrangierung, Ausführung, Durchführung, Realisierung, Erledigung, Tätigung, Abwick[e]lung, Organisierung, Organisation, Einrichtung, Inszenierung; → Abhaltung; → bewerkstelligen, → verwirklichen.

bewerten: → beurteilen, → werten.

Bewertung: → Beurteilung, → Zensur.

bewiesenermaßen: → nachweislich.

bewilligen → gewähren.

bewillkommnen → begrüßen.

Bewillkommnung → Willkomm.

bewimpeln → beflaggen.

bewirken: → bewerkstelligen, → verursachen; etwas b. → wirken.

bewirten → servieren.

bewirtschaften: → bebauen; bewirtschaftet sein → Gaststätte.

Bewirtschaftung → Bebauung.

bewohnen → wohnen.

¹Bewohner, Bevölkerung, Zivilbevölkerung, Population, Einwohner, Ureinwohner, Bürger, Staatsangehöriger, Landeskind (veraltet), Eingeborener, Einheimischer, Eingesessener, Niedergelassener (schweiz.), Pfahlbürger, Landbewohner, Dorfbewohner · sich nur vorübergehend an einem Ort aufhaltender: Aufenthalter (schweiz.) · des Festlandes: Binnenländer, Landratte (scherzh.); → Anwohner, → Bauer, → Einwanderer, → Hausbewohner, → Landbewohner, → Staatsbürger, → Städter, → Volk; → einheimisch · Ggs. → Gast.

²Bewohner → Hausbewohner.

bewohnt: → bebaut, → besiedelt, → bevölkert.

bewölken: sich, sich verfinstern / verdunkeln / verdüstern / beziehen / eintrüben, wolkig werden; → einnebeln, → verfinstern (sich).

bewölkt, wolkig, bedeckt, bezogen, grau, verhangen, nicht → sonnig; → dunstig, → schattig.

Bewölkung → Wolken.

bewuchern → Wucher.

Bewunderer → Fan.

bewundern: → achten, → bestaunen; auf etwas ist jmd. / etwas zu b. → darstellen.

**bewundernswert** → außergewöhnlich.

**bewundert** → angesehen.

**Bewunderung:** → Achtung, → Anerkennung.

**bewunderungswürdig** → außergewöhnlich.

**Bewurf** → Verputz.

**bewußt:** → absichtlich, → obig; etwas wird jmdm. b. → merken; sich einer Sache b. werden → auffallen; etwas macht jmdm. etwas b. → erhellen; nicht b. → unterbewußt; seiner Schuld b. → schuldbewußt.

**Bewußtheit:** → Absichtlichkeit; ohne B. → unterbewußt.

**bewußtlos** → ohnmächtig.

**¹Bewußtlosigkeit,** Ohnmacht · *todesähnliche:* Koma; → Benommenheit, → Bewußtseinstrübung, → Todeskampf.

**²Bewußtlosigkeit** → Ohnmacht.

**bewußtmachen** → klarwerden.

**Bewußtsein:** sich etwas ins B. bringen → vorstellen (sich etwas); ins B. bringen / rufen → wachrufen; ins B. dringen → auffallen; ohne B. → ohnmächtig; zum B kommen → merken.

**Bewußtseinseinengung** → Bewußtseinstrübung.

**bewußtseinserweiternd** → psychedelisch.

**Bewußtseinsstörung** → Bewußtseinstrübung.

**Bewußtseinstrübung,** Bewußtseinsstörung, Bewußtseinseinengung, Verwirrtheit, Delirium, Delir, deliranter Zustand · Wahnvorstellung, Wahnidee · Verfolgungswahn · Größenwahn, Megalomanie; → Benommenheit, → Bewußtlosigkeit, → Einbildung, → Säuferwahnsinn, → Todeskampf.

**¹bezahlen,** zahlen, begleichen, entrichten, erlegen, blechen (*salopp*), in die Tasche greifen, berappen (*salopp*), brandeln (*salopp, österr.*), hinterlegen, hinblättern (*ugs.*), abzahlen, abbezahlen, in Raten zahlen, abstottern (*salopp*), abtragen, seine Schulden bezahlen, sich ehrlich machen, nachzahlen, nachbezahlen, draufzahlen (*ugs.*), zuzahlen, aufzahlen (*österr.*), drauflegen (*ugs.*), ausgeben, ans Bein binden (*ugs.*),

verbraten (*salopp*), aufwenden, anlegen, verausgaben, investieren, Geld in etwas stecken / reinstecken (*ugs.*), etwas springen lassen (*salopp*), loseisen (*ugs.*), locker machen (*salopp*), ausschütten, ausrichten (*schweiz.*), bestreiten, finanzieren, subventionieren, bezuschussen, [für die Kosten] aufkommen, unterstützen, die Kosten tragen, erstatten, zurückerstatten, zurückzahlen · *etwas selbst:* etwas aus der eigenen / aus eigener Tasche bezahlen · *für jmdn.:* auslegen, vorlegen, verauslagen, in Vorlage bringen, vorstrecken (*ugs.*), vorschießen (*ugs.*) · *für eine Leistung:* entlohnen, entlöhnen (*schweiz.*), besolden, salarieren (*schweiz.*), honorieren, vergüten; **b. müssen,** zur Kasse gebeten werden, eine Zahlungsaufforderung / einen Zahlungsbefehl bekommen, bis aufs Hemd ausgezogen werden; → ausgeben, → belohnen, → danken, → durchbringen, → einbüßen, → ernähren, → kaufen, → leihen, → stiften, → unterschlagen, → verkaufen, → zuzahlen; → finanziell → Etat, → Gehalt, → Portemonnaie, → Unkosten.

**²bezahlen:** nicht zu b. → teuer; sich bezahlt machen → einträglich [sein], → lohnend [sein]; [seine Schulden] b., etwas aus der eigenen / aus eigener Tasche b. → zahlen; Steuer / Zoll b. → versteuern; die Zeche b. müssen → Folge; b. für → einstehen; für alles [im Leben] b. müssen → Opfer [bringen müssen]; nicht mit Geld zu b. sein → unersetzlich [sein].

**Bezahlung:** → Gehalt (das), → Zahlung.

**bezähmen:** → bändigen; sich b. → ruhig [bleiben].

**¹bezaubern,** bestricken, berücken, behexen, verhexen, verzaubern, faszinieren, blenden, umgarnen; → becircen → begeistern, → überreden, → verleiten; → Faszination.

**²bezaubern** → bannen.

**bezaubernd:** → charmant, → hübsch.

**Bezauberung** → Faszination.

**bezechen:** sich b. → betrinken (sich).

**bezecht** → betrunken.

**Bezechter** → Betrunkener.

**¹bezeichnen** (als), apostrophieren als, nennen, benennen, benamsen (*ugs.*), betiteln; → ansprechen, → betreffen, → designieren, → nennen; → genannt.

**²bezeichnen:** → markieren; als unrichtig / unwahr / unzutreffend / falsch b. → abstreiten.

**bezeichnend** → kennzeichnend.

**Bezeichnung:** → Begriff, → Wort.

**Bezeichnungslehre,** Onomasiologie; → Namenkunde, → Sprachwissenschaft, → Wortgeschichte · Ggs. → Wortbedeutungslehre.

**bezeigen:** Dank b. → danken.

**bezeugen:** → beglaubigen; etwas b. → zeugen (für, gegen); Dank b. → danken.

**bezeugt,** belegt, beglaubigt, als wahr / echt bescheinigt, bekräftigt, bestätigt; → beglaubigen.

**Bezeugung** → Bekräftigung.

**bezichtigen:** → verdächtigen; sich selbst b. → stellen (sich).

**Bezichtigung** → Beschuldigung.

**beziehbar** → bezugsfertig.

**¹beziehen,** überziehen, anziehen (*schweiz.*); → Bezug.

**²beziehen:** → bestellen, → einziehen, → verdienen; Arbeitslosenunterstützung b. → arbeitslos [sein]; einen geistigen Standort / Stellung b. → eintreten (für); sich b. → bewölken (sich); sich b. auf → berufen; etwas bezieht sich auf → betreffen.

**Bezieher** → Abonnent.

**¹Beziehung,** Verbindung; → Gönner, → Vetternwirtschaft.

**Beziehungen haben,** Verbindungen / (*scherzh.*) den Papst zum Vetter haben, das richtige Parteibuch / Gesangbuch haben, Vitamin B haben (*scherzh.*).

**²Beziehung:** → Folgerung, → Verhältnis; freundschaftliche B. → Freundschaft; intime -en → Koitus; mitmenschliche / zwischenmenschliche -en → Kontakt; -en anknüpfen → anbahnen (etwas), → Kontakt [aufnehmen]; eine B. herstellen → verknüpfen; durch -en → heimlich; in dieser B. → diesbezüglich; in jeder B. → allseitig, → ganz, → vollinhaltlich.

**beziehungslos** → unzusammenhängend.

**Beziehungslosigkeit** → Zusammenhanglosigkeit.

**beziehungsreich** → komplex.

**beziehungsweise** → oder.

**Beziehungswort** → Wortart.

**beziffern:** → numerieren; sich b. auf → betragen.

**Bezirk:** → Gebiet, → Stadtteil, → Verwaltungsbezirk.

**Bezirksammann** → Oberhaupt.

**Bezirksgrenze** → Grenze.

**Bezirkshauptmann** → Oberhaupt.

**Bezirksschule** → Schule.

**Bezirksstatthalter** → Oberhaupt.

**Bezirkstrottel** → Dummkopf.

**Bezoarziege** → Ziege.

**bezogen** → bewölkt.

**bezug:** in b. auf → hinsichtlich; in b. darauf → diesbezüglich.

**¹Bezug,** Überzug, Bettbezug, Kissenbezug, Anzug (schweiz.), Zieche (südd., österr.), Bettzieche (südd., österr.), Tuchentzieche (österr.), Polsterzieche (österr.); → beziehen.

**²Bezug:** → Folgerung, → Verhältnis; Bezüge → Einkünfte; hierauf B. nehmend, mit B. darauf → diesbezüglich; etwas hat B. zu → betreffen.

**Bezüger** → Abonnent.

**bezüglich** → hinsichtlich.

**bezugsfertig,** schlüsselfertig, beziehbar, fertig, fertiggestellt; → Haus.

**Bezugsquelle,** Quelle (ugs.), Kaufgelegenheit; → Laden.

**Bezugswortsatz** → Satz.

**bezuschussen** → zahlen.

**bezwecken** → vorhaben.

**bezweifeln:** → zweifeln; es kann doch wohl nicht bezweifelt werden, daß... → zweifellos.

**¹bezwingen,** besiegen, überwinden, unterwerfen, unterjochen, unter das Joch zwingen, sich jmdn. untertan machen, vernichten, schlagen, überwältigen, niederringen, bodigen (schweiz.), baschgen (schweiz.), jmdm. ein Morgarten bereiten (schweiz.), jmdn. außer Gefecht setzen,

jmdn. kampfunfähig machen, aufreiben, ruinieren, fertigmachen (salopp), jmdn. in die Knie zwingen / (salopp) in die Pfanne hauen; **sich nicht b. lassen,** sich nicht unterkriegen lassen (ugs.), den Nacken steifhalten, nicht umzubringen / totzukriegen / kleinzukriegen / ein Stehaufmännchen sein (ugs.); **bezwungen werden,** eine Niederlage einstecken, unterliegen · *im Boxsport:* zu Boden gehen, ausgezählt werden, k. o. gehen; → ausrotten, → beherrschen, → beruhigen, → siegen, → übertreffen, → töten, → unterdrücken, → zerstören · Ggs. → nachgeben.

**²bezwingen** → steigen (auf).

**Bezwingung** → Besteigung.

**BGB** → Gesetzessammlung.

**BH** → Büstenhalter.

**Bhang** → Rauschgift.

**Bias** → Verdrehung.

**bibbern:** → frieren, → zittern.

**Bibel,** Heilige Schrift, Schrift, Buch der Bücher, Wort Gottes, Armenbibel, Biblia pauperum, Bilderbibel, Altes Testament, Neues Testament · *nicht anerkannte Schriften:* Apokryphen; → Apokalypse, → Bibelabschnitt, → Bibelübersetzung, → Evangeliar, → Gebetbuch, → Psalter, → Theologie.

**Bibelabschnitt,** Bibeltext, Schrifttext, Schriftwort, Wort, Bibelwort, Predigttext · *zu gottesdienstlicher Verlesung vorgeschriebener:* Perikope; → Abschnitt, → Bibel.

**Bibelauslegung** → Exegese.

**Bibeldeutung** → Exegese.

**Bibelerklärung** → Exegese.

**Bibeleskäs** → Weißkäse.

**Bibelforscher:** Ernste B. → Sekte.

**Bibelforschung** → Theologie.

**Bibelkritik** → Theologie.

**Bibelot** → Nippsache.

**Bibeltext** → Bibelabschnitt.

**Bibelübersetzung** · *griechische:* Septuaginta, Hexapla · *lateinische:* Vetus Latina, Prävulgata, Itala, Vulgata · *syrische:* Peschitta, Harclensis, Syro-Hexaplaris · *gotische:* Ulfilasbibel · *deutsche:* Mentelbibel, Lutherbibel; → Bibel, → Evangeliar.

**Bibelwort** → Bibelabschnitt.

**¹Biber,** Sumpfbiber, [Meister] Bockert; → Nagetier.

**²Biber** → Pelz.

**biberln** → trinken.

**Biberschwanz** → Dachziegel.

**Bibi** → Kopfbedeckung.

**Biblia pauperum** → Bibel.

**Bibliographie** → Verzeichnis.

**Bibliomane** → Bücherfreund.

**bibliophil** → kostbar.

**Bibliophile** → Bücherfreund.

**¹Bibliothek,** Bücherei · Stadtbibliothek, Stadtbücherei, Staatsbibliothek, Landesbibliothek, Universitätsbibliothek, UB, Volksbibliothek, Volksbücherei, Leihbibliothek, Leihbücherei; → Archiv, → Bücherbestand.

**²Bibliothek** → Bücherbestand.

**Bickbeere** → Blaubeere.

**Bickel** → Murmel.

**Bidonville** → Armenviertel.

**Bidschar** → Orientteppich.

**bieder** → ehrenhaft.

**Biederkeit:** → Rechtschaffenheit, → Schlichtheit.

**Biedermeier** → Literaturepochen.

**Biedersinn:** → Rechtschaffenheit, → Schlichtheit.

**Biegel** → Keule.

**biegen:** → falten, → flektieren; sich b. → beugen (sich); lügen, daß sich die Balken b. → lügen; um die Ecke b. → abbiegen; auf Biegen oder Brechen → unbedingt.

**biegsam,** geschmeidig, beweglich, elastisch, federnd, zügig (schweiz.), flexibel, dehnbar; → gefedert, → gelenkig, → schlaff, → weich; **b. sein,** nachgeben, sich dehnen; → federn; → Biegsamkeit.

**¹Biegsamkeit,** Geschmeidigkeit, Beweglichkeit, Elastizität, Federkraft, Flexibilität, Dehnbarkeit; → Körperbeherrschung, → Wendigkeit; → federn; → biegsam.

**²Biegsamkeit** → Körperbeherrschung.

**¹Biegung,** Bogen, Kurve, Krümmung; → Linie, → Rundung.

**²Biegung:** → Beugung, → Falte, → Kurve.

**Bien** → Bienenvolk.

**¹Biene,** Honigbiene, Imme, Imp (bayr., österr.) · Arbeiterin, Arbeitsbiene, Stockbiene,

Trachtbiene · Drohne, Bienenmännchen · Bienenkönigin, Königin, Weisel, Weiser, Stockmutter · Drohnenmütterchen, Afterweisel; → Bienenstock, → Bienenvolk, → Bienenweide, → Bienenzucht, → Honig, → Imker.

**²Biene:** → Hautflügler, → Mädchen.

**Bienenbeute** → Bienenstock.

**Bienenbiete** → Bienenstock.

**Bienenfamilie** → Bienenvolk.

**bienenfleißig** → fleißig.

**Bienenfresser** → Vogel.

**Bienengift** → Gift.

**bienenhaft** → fleißig.

**Bienenhaltung** → Bienenzucht.

**Bienenhaus** → Bienenstand.

**Bienenhonig:** → Brotaufstrich, → Honig.

**Bienenhütte** → Bienenstand.

**Bienenkar** → Bienenstock.

**Bienenkasten** → Bienenstock.

**Bienenkaube** → Bienenstock.

**Bienenkönigin** → Biene.

**Bienenkorb** → Bienenstock.

**Bienenküppe** → Bienenstock.

**Bienenmann** → Imker.

**Bienenmännchen** → Biene.

**Bienenschwarm** → Bienenvolk.

**Bienenstand,** Bienenhaus, Bienenwohnung, Bienenhütte; → Bienenstock.

**Bienenstich** → Gebäck.

**Bienenstock,** Bienenkorb, Bienenbeute, Beute, Klotzbeute (landsch.), Bienenbiete (landsch.), Bienenkasten (landsch.), Bienenkar (landsch.), Bienenkaube (landsch.), Bienenküppe (landsch.); → Biene, Bienenstand, → Bienenvolk, → Bienenweide, → Bienenzucht, → Imker.

**Bienenvater** → Imker.

**Bienenvolk,** Volk, Bienenfamilie, Bienenstaat, Bien (Imkerspr.) · schwärmender Teil: Bienenschwarm, Schwarm; → Biene, → Bienenstock.

**Bienenweide,** Weide, Trachtbezirk; → Biene, → Bienenzucht.

**Bienenwohnung** → Bienenstand.

**Bienenzucht,** Imkerei, Bienenhaltung; → Biene, → Bienenstock, → Bienenweide, → Imker.

**Bienenzüchter** → Imker.

**¹Bier,** Gerstensaft (scherzh.), Bier vom Faß, Faßbier, Schankbier, Flaschenbier, Pils, Pils[e]ner · starkes: Starkbier, Bockbier, Märzen, Märzenbier, Doppelbock· nicht sehr alkoholreiches: Dünnbier · obergäriges, kohlensäurereiches: Weißbier · malzhaltiges dunkles: Malzbier, Braunbier, Ammenbier (scherzh.) · ausgeschenktes: ein Helles / Dunkles / [kühles] Blondes (ugs.), eine Molle (berlin.), [Berliner] Weiße [mit Schuß]; → Alkohol, → Bierbrauer, → Brauerei, → Getränk; ein Glas B. trinken, eine Molle zischen (salopp).

**²Bier:** das ist nicht mein B. → betreffen; etwas wie sauer / saures B. anpreisen → feilhalten.

**Bierarsch** → Gesäß.

**Bierbaß** → Singstimme.

**Bierbauch** → Bauch.

**Bierbrauer,** Brauer, Braumeister; → Bier, → Brauerei.

**Bierbrauerei** → Brauerei.

**Bierbricken** → Untersatz.

**Bierdeckel** → Untersatz.

**bierernst** → humorlos.

**Bierernst** → Humorlosigkeit.

**Bierfaß** → Faß.

**Bierfilz** → Untersatz.

**Biergarten** → Gaststätte.

**Bierglas** → Trinkgefäß.

**Bierhefe:** → Gärstoff, → Schlauchpilz.

**Bierkrug** → Trinkgefäß.

**Bierkrügel** → Trinkgefäß.

**Bierleiche** → Betrunkener.

**Biermer-Anämie** → Perniciosa.

**Biermer-Krankheit**→Perniciosa.

**Bierreise** → Bummel.

**Bierruhe** → Gelassenheit.

**Bierseidel** → Trinkgefäß.

**Bierstange** → Gebäck.

**Biertippler** → Trinker.

**Biet** → Gebiet.

**bieten:** → bereitstellen, → Gebot [machen]; sich etwas b. lassen → ertragen; eine Blöße b. → bloßstellen (sich); jmdm. Gelegenheit b., sich zu äußern → äußern (sich); jmdm. Paroli b. → einschränken; Paroli geboten bekommen → übertreffen; jmdm. die Stirn / Widerpart b. → aufbegehren.

**bifokal:** -e Brille → Brille.

**Bifokalbrille** → Brille.

**Bigamie** → Ehe.

**bigott** → fromm.

**Bigotterie** → Frömmigkeit.

**Bijouterie** → Schmuck.

**Bikini** → Badeanzug.

**Bikuspidatus** → Zahn.

**Bilanz:** → Abrechnung; B. ziehen → überprüfen.

**bilateral,** zweiseitig, zwischenstaatlich, zwei Staaten betreffend, zwischen zwei Staaten; → multilateral.

**¹Bild,** Gemälde, Bildnis, Studie, Skizze, Abbild, Abbildung, Illustration, Figur, Darstellung, Ansicht, Schinken (salopp, abwertend), Helgen (schweiz.), Historienbild, Landschaftsbild, Landschaft, Seestück, Tierbild, Blumenbild, Blumenstück · rundes: Medaillon · aus buntem Papier oder anderem Material geklebtes: Collage · mit Blumen, Früchten, erlegtem Wild: Stilleben · mit Szenen aus dem Alltag: Genrebild · einen Innenraum darstellendes: Interieur · Maria mit dem Leichnam Christi darstellendes: Pieta · Christus als Schmerzensmann darstellendes: Erbärmdebild, Miserikordienbild · die Verklärung eines Menschen darstellendes: Apotheose; → Bilderrahmen → Bildnis, → Malerei, → Zeichnung; → abbilden, → fotografieren.

**²Bild:** → Auftritt, → Ausblick, → Einbildung, → Fotografie, → Malerei, → Sinnbild; ein B. für [die] Götter sein → lächerlich [wirken]; ein B. geben von → aussagen; -er gebrauchen / verwenden, in -ern reden / sprechen → versinnbildlichen; ein B. machen / schießen → fotografieren; sich ein B. machen von → vorstellen (sich etwas); im -e sein → wissen; ins B. setzen → mitteilen; mit -ern versehen → bebildern.

**Bildbeigabe** → Illustration.

**Bildberichterstatter** → Berichter.

**Bildbeschreibung** → Schulaufsatz.

**Bildbruch,** Katachresis, Katachrese; → Satzbruch.

**bilden:** → bedeuten, → erziehen, → formen; sich b. → entstehen; gebildet werden von → zusammensetzen (sich aus);

einen Kontrast b. zu → kontrastieren; Queue b. → warten.
**Bilderausstellung** → Kunstausstellung.
**Bilderbibel** → Bibel.
**Bilderbuch:** wie im B. → ideal.
**Bilderkapitell** → Kapitell.
**Bilderrahmen,** Rahmen, Passepartout; → Bild, → Fotografie.
**Bilderrätsel** → Rätsel.
**bilderreich:** → anschaulich, → ausdrucksvoll, → metaphorisch.
**Bilderschrift** → Schrift.
**Bilderstürmer** → Revolutionär.
**Bildfläche:** auf der B. erscheinen → kommen; von der B. verschwinden → weggehen.
**bildhaft:** → anschaulich, → klar, → metaphorisch.
**Bildhaftigkeit** → Anschaulichkeit.
**Bildhauer,** Bildschnitzer, Steinschneider, Steinmetz, Holzschneider, Elfenbeinschnitzer, Herrgottsschnitzer, Gemmenschneider; → Bildnerei, → Künstler; → behauen.
**Bildhauerei** → Bildnerei.
**Bildhauerkunst** → Bildnerei.
**Bildhauerwerkstatt** → Sternbild.
**bildhübsch** → hübsch.
**Bildkalender** → Kalender.
¹**bildlich,** übertragen, figürlich, figurativ; → metaphorisch, → sinnbildlich.
²**bildlich:** → konkret, → sinnbildlich.
**Bildnerei** ·· Bildhauerkunst · Bildhauerei · Holzschnitzerei · Elfenbeinschnitzerei · Steinschneidekunst, Lithoglyphie, Lithoglyptik, Lithoglyphtik; → Bildhauer, → Relief; → behauen.
¹**Bildnis,** Porträt, Portrait, Selbstbildnis, Ganzporträt, Ganzportrait, Vollporträt, Vollportrait, Porträtstudie, Portraitstudie, Kopfbild, Brustbild, Kniestück ·· *eines nackten Menschen:* Akt, Aktbild, Aktstudie · *zur sexuellen Erregung:* Pornobild; → Bild, → Fotografie, → Malerei.
²**Bildnis** → Bild.
**Bildreporter** → Berichter.
**bildsam** → bildungsfähig.
**Bildschirm** → Fernsehgerät.
**Bildschnitzer** → Bildhauer.

**bildschön** → hübsch.
**Bildstock** → Votivbild.
**Bildsymbol,** Begriffssymbol, Piktogramm; → Schild, → Verkehrszeichen.
**Bildteppich** → Wandteppich.
¹**Bildung,** Gebildetsein, Allgemeinbildung, Gelehrsamkeit, Gelahrtheit (*scherzh.,* · *abwertend*) · *ohne Bezug zur Realität:* Buchgelehrsamkeit, Buchwissen, Buchweisheit · *unzureichende, nur halb verarbeitete:* Halbbildung; → Ausbildung, → Bildungsdrang, → Intellektueller; → gebildet, → klug.
²**Bildung:** → Beschaffenheit, → Entstehung, → Erfahrung.
**Bildungsanstalt:** → Institut, → Schule.
**bildungsbeflissen** → bildungshungrig.
**Bildungsbeflissenheit** → Bildungsdrang.
**Bildungsdichtung** → Dichtung.
**Bildungsdrang,** Bildungshunger, Bildungsbeflissenheit, Lerneifer, Wißbegierde, Wissensdurst; → Bildung; → bildungshungrig.
**bildungseifrig** → bildungshungrig.
**Bildungselement** → Affix.
**bildungsfähig,** bildsam (*geh.*), formbar; → formen.
**Bildungsgrad** → Niveau.
**Bildungshunger** → Bildungsdrang.
**bildungshungrig,** bildungsbeflissen, bildungseifrig, lernbegierig, lernwillig, wißbegierig, wissensdurstig; → Bildung, → Bildungsdrang.
**Bildungslehre** → Didaktik.
**Bildungslücke** → Unkenntnis.
**Bildungsphilister** → Intellektueller.
**Bildungsreise** → Reise.
**Bildungsroman** → Roman.
**Bildungsschicht** → Oberschicht.
**Bildungsstand** → Niveau.
**Bildungsstätte** → Institut.
**Bildungstheorie** → Didaktik.
**Bildungsweg:** zweiter B. → Schule; den zweiten B. beschreiten / wählen → weiterbilden (sich).
**Bildungswesen** → Erziehungswesen.
**Bildwerfer** → Projektionsapparat.

**Bildwerk** → Malerei.
**Bilgerbindung** → Schibindung.
**Bilingualismus** → Zweisprachigkeit.
**Billard,** Billardspiel, Karambolagebillard (*franz.*) · *mit 15 Bällen:* Chasse.
**Billardspiel** → Billard.
**Billardtisch** → Tisch.
**Billetdoux** → Schreiben.
**Billett:** → Eintrittskarte, → Fahrkarte, → Schreiben.
¹**billig,** preiswert, preisgünstig, herabgesetzt, im Preis gesenkt, fast umsonst, [halb] geschenkt, preiswürdig, günstig, zu zivilen Preisen, wohlfeil, spottbillig, nicht → teuer; **b. sein,** wenig kosten; **b. verkaufen,** zu einem Schleuderpreis / zum halben Preis / unter Preis verkaufen; **b. kaufen,** vorteilhaft / für einen Apfel und ein Ei / für einen Pappenstiel / für ein Butterbrot kaufen; → Preis.
²**billig:** → minderwertig, → recht; -er Jakob → Händler; etwas ist recht und b. → recht [sein].
**billigen,** gutheißen, akzeptieren, [einen Vorschlag] annehmen, bejahen, ja sagen zu, sanktionieren, legitimieren, goutieren, Geschmack finden an, anerkennen, zulassen, genehmigen, beistimmen, etwas richtig / nicht falsch finden, etwas für richtig / nicht für falsch halten, beipflichten, beiwilligen (*schweiz.*), zustimmen, belieben (*schweiz.*), seine Zustimmung geben, sein Amen / seinen Segen zu etwas geben (*ugs.*), die Genehmigung erteilen / geben, jmdm. einen Freibrief ausstellen / geben, begrüßen, übereinstimmen / sympathisieren mit, einiggehen, konform gehen, unterschreiben, einverstanden sein, zu etwas ja und amen sagen (*ugs.*), dafür sein, nichts dagegen / dawider haben, dulden, tolerieren, respektieren, geschehen lassen, erlauben, zubilligen, einräumen, konzedieren, einwilligen, jmdm. etwas freistellen, auf einen Vorschlag eingehen, anbeißen (*ugs.*), die Erlaubnis geben, gestatten, zugeben, verstatten, jmdm. freie Hand lassen, grünes

Licht geben für etwas, jmdn. gewähren / schalten und walten lassen, etwas in jmds. Hände legen, nicht → ablehnen, nicht → beanstanden, nicht → verbieten; → Beifall [finden], → ermächtigen, → ertragen, → gewähren, → überlassen (jmdm. etwas), → wünschen; → aufgeklärt, → befugt, → bejahend, → statthaft; → Achtung, → Ansehen, → Erlaubnis, → Übereinstimmung · Ggs. → Nichtachtung.

**Billigung** → Erlaubnis.
**Bimbam:** Heiliger B.! → überrascht [sein].
**Bimmel** → Glocke.
**Bimmelbahn** → Eisenbahnzug.
**bimmeln:** → läuten; das Bimmeln → Gebimmel.
**bimsen** → glätten.
**Bimsstein** → Baustein.
**Binchespitze** → Spitzenstickerei.
**Binde:** → Verband; es fällt jmdm. wie eine B. von den Augen → erkennen; sich einen hinter die B. gießen → trinken.
**Bindegewebsmassage** → Massage.
**¹Bindeglied,** Glied, Band, Verbindendes.
**²Bindeglied** → Gemeinsamkeit.
**Bindegürtel** → Gürtel.
**Bindehautentzündung,** Konjunktivitis; → Auge, → Augenheilkunde.
**Bindekraft** → Kohäsion.
**Bindemittel** · Leim, Kleister, Kleb[e]stoff, Kleber, Alleskleber, Klebe (landsch.), Papp (landsch.), Pick (ugs., österr.), Knochenleim, Tafelleim, Tischlerleim, Papierleim, Lederleim, Malerleim, Tapetenleim, Büroleim, Holzleim, Kaltleim, Warmleim, Fischleim, Harzleim, Kunstharzleim, Glutinleim, Dextrinleim, Gummiarabikum, Gummilösung · Kitt, Porzellankitt, Marmorkitt, Wachskitt, Eisenkitt, Fensterkitt, Glaserkitt, Mauerkitt, Maurerkitt · Gips, Zement; → Beton, → Klebrigkeit; → kleben (etwas) → fest, → klebrig.
**¹binden,** flechten, zusammenflechten, knüpfen, zusammenknüpfen, schnüren, knoten, zusammenknoten; → anbinden,

→ broschieren, → einpacken, → festigen, → verknüpfen; → Geflecht, → Gurt, → Knoten.
**²binden** → bündeln, → eindicken; jmdm. sind die Hände gebunden → machtlos [sein]; gebunden sein an → zusammenhängen (mit); ans Bein b. → zahlen; jmdm. etwas auf die Nase b. → mitteilen; jmdm. etwas auf die Seele b. → anordnen.
**bindend:** → verbindlich; nicht b. → unverbindlich.
**Binder:** → Böttcher, → Krawatte.
**Bindeschuh** → Schuh.
**Bindestrich** → Satzzeichen.
**Bindewort** → Wortart.
**Bindfaden:** → Schnur; es regnet Bindfäden → regnen.
**Bindung:** → Freundschaft, → Schibindung.
**Binkel** → Packen.
**binnen,** innerhalb, in, im Laufe / im Verlauf / in der Zeit von, von Mal zu Mal, innert (schweiz.); → in.
**Binnenfischerei** → Fischerei.
**Binnengewässer** → Gewässer.
**Binnengroden** → Marsch.
**Binnenhafen** → Hafen.
**Binnenhandel** → Handel.
**Binnenländer** → Bewohner.
**binnenländisch** → kontinental.
**Binnenmarkt** → Absatzgebiet.
**Binnenmeer** → Gewässer.
**Binnenreim** → Reim.
**Binnenschiff** → Schiff.
**Binnenschiffahrt** → Schiffahrt.
**Binnenschiffer** → Schiffer.
**Binnensee** → Gewässer.
**Binnenwasser** → Gewässer.
**Binse:** in die -n gehen → defekt [werden].
**Binsenwahrheit** → Plattheit.
**Binsenweisheit** → Plattheit.
**Biograph** → Schriftsteller.
**Biographie,** Memoiren, Lebensgeschichte, Lebensbeschreibung, Lebensbild, Erinnerungen, Lebenserinnerungen, Denkwürdigkeiten; → Laufbahn, → Roman, → Schriftsteller.
**Biologe,** Naturkundler; → Naturkunde.
**Biologie** → Naturkunde.
**biologisch:** -e Waffen → Waffen.
**biquadratisch:** -e Gleichung → Gleichung.
**Birett** → Kopfbedeckung.

**Birke** → Laubbaum.
**Birkenmaus** → Nagetier.
**Birkenoxer** → Hindernis.
**Birkenpilz** → Ständerpilz.
**Birkenreizker** → Ständerpilz.
**Birkenrick** → Hindernis.
**Birkenröhrling** → Ständerpilz.
**Birkenspanner** → Schmetterling.
**Birkenwald** → Wald.
**Birkfuchs** → Fuchs.
**Birkhuhn** → Vogel.
**Birma** → Katzenrassen.
**Birne:** → Glühbirne, → Kopf, → Obst.
**Birnenmuster** → Stoffmuster.
**Birntang** → Alge.
**bis:** b. auf → ausgenommen, → einschließlich; b. dato / heute / zur Stunde / zum heutigen Tage / anhin → bisher; b. hierher und nicht weiter → halt; b. und mit → einschließlich.
**Bisam** → Pelz.
**Bisamratte** → Nagetier.
**Bischof** → Geistlicher.
**Bischofskirche** → Gotteshaus.
**bischofslila** → violett.
**Bischofsmütze** → Kopfbedeckung.
**Bise** → Wind.
**Bisette** → Spitzenstickerei.
**bisexuell** → sexuell.
**bisher,** bislang, bis jetzt / dato / heute / zum heutigen Tage / zur Stunde / b. (veraltend, schweiz.) anhin; → seither.
**Biskotte** → Gebäck.
**Biskuit** → Gebäck.
**Biskuitplätzchen** → Gebäck.
**Biskuitporzellan** → Porzellan.
**Biskuitteig** → Teig.
**bislang** → bisher.
**Bismarckhering** → Hering.
**Bison,** Wisent, Auerochse, Indianerbüffel; → Rind.
**¹bißchen:** ein bißchen, ein bisserl (ugs.), ein wenig, ein Alzerl (ugs., österr.); → klein; **kein b.,** kein Fatz (salopp), nicht die Bohne (salopp).
**²bißchen:** ein b. → etwas; kein b. → nichts.
**Bissen:** keinen B. anrühren → essen; jmdm. keinen B. gönnen → neidisch [sein]; jmdm. die B. in den Mund zählen → geizig [sein].
**bisserl:** ein b. → bißchen.
**bissig:** → spöttisch; -e Bemerkung → Spitze; b. sein → beißen.

**Bissigkeit** → Spitze.
**Bißwunde** → Wunde.
**Bistro** → Gaststätte.
**bisweilen** → manchmal.
**Biswind** → Wind.
**Bittadresse** → Gesuch.
**Bittbrief** → Schreiben.
**¹bitte!**, bitte schön! / sehr!, bittschön! (*ugs.*), darf ich [Sie] bitten...?, dürfte ich [Sie] bitten...?, seien Sie so gut!, haben Sie / hätten Sie die Güte (oder:) dürf [ich] Freundlichkeit!, wären Sie so freundlich...?, würden Sie mir den Gefallen tun?, tun Sie mir den [einen (oder:) einzigen] Gefallen...!; → bitten.
**²bitte!**, wie [bitte]?, was? (*ugs.*), was haben Sie gesagt? (*ugs.*), was meinen Sie? (*ugs.*), wie meinen? (*ugs., scherzh.*), wie belieben? (*ugs., scherzh.*), Pardon?, ich habe [Sie] nicht verstanden, wie war das? (*salopp*), hä? (*salopp*), he? (*salopp*).
**³bitte**: verzeihen Sie / entschuldigen Sie b.! → Verzeihung!
**Bitte**, Wunsch, Anliegen, Ersuchen, Ansuchen; → Anspruch, → Gesuch, → Sehnsucht, → Wunsch; **eine B. haben**, etwas auf dem Herzen haben; → bitten.
**¹bitten**, erbitten, sich etwas ausbitten, ersuchen, ansuchen, nachsuchen, einkommen um, vorstellig werden, jmdm. anliegen [mit etwas], ansprechen um, flehen, erflehen, anflehen, winseln um (*abwertend*), anrufen, jmdn. bemühen, bestürmen, beschwören, betteln, angehen um (*ugs.*), sich wenden an, jmdm. mit etwas kommen, über jmdn. herfallen, anhauen (*salopp*), ankeilen (*salopp*), löchern (*salopp*), bohren (*ugs.*), drängen, bedrängen, jmdm. zusetzen, jmdm. auf der Seele knien (*ugs.*), jmdm. die Hölle heiß machen (*ugs.*), drängeln, dremmeln (*ugs.*), quengeln (*ugs.*), knauen (*ostpr.*), quesen (*nordd.*), keine Ruhe geben, jmdm. keine Ruhe lassen, jmdn. nicht in Ruhe lassen, jmdm. in den Ohren liegen (*salopp*), jmdm. auf die Pelle / auf die Bude rücken (*salopp*),

jmdm. auf der Pelle sitzen (*salopp*), benzen (*österr.*), penzen (*österr.*), jmdn. beknien (*salopp*); → abraten, → ansprechen, → anstacheln, → beeinflussen, → behelligen, → bemühen (sich um), → betrauen, → bettelt, → bitte!, → herantreten (an), → mahnen, → überreden, → verlangen, → verleiten, → wünschen, → zuraten, → zusetzen (jmdn.); → Bitte.
**²bitten**: darf ich / dürfte ich [Sie] b. ...? → bitte!; ich bitte [tausendmal] um Entschuldigung / um Verzeihung → Verzeihung!; um einen / den nächsten Tanz b. → auffordern; b. zu → einladen; [zu sich] b. → beordern; zur Kasse gebeten werden → zahlen [müssen]; das Bitten → Gebet.
**bitter** : → sauer, → sehr, → spöttisch.
**bitterböse** → böse.
**Bitterkeit** → Unzufriedenheit.
**Bitterkresse** → Gemüse.
**Bitterling** → Fisch.
**Bitternis** → Unzufriedenheit.
**bittersüß** → süß.
**bitterwenig** → wenig.
**Bittgebet** → Gebet.
**Bittgesuch** → Gesuch.
**bittschön** → bitte!
**Bittschreiben** → Gesuch.
**Bittschrift** → Gesuch.
**Bittsteller** → Antragsteller.
**bitzeln** → perlen.
**Biwak**: → Campinglager, → Schuft.
**biwakieren** → zelten.
**bizarr**: → launisch, → seltsam.
**Bizarrerie** → Seltsamkeit.
**Blabla** → Gewäsch.
**Blache** → Plane.
**Black-and-tan** → Hunderassen.
**Black-Bottom** → Tanz.
**Blackfoot** → Indianer.
**Black Moslems** → Widerstandsbewegung.
**Black Panther** → Widerstandsbewegung.
**Black Power** → Widerstandsbewegung.
**blad** → dick.
**Blader** → Dicker.
**blädern**: → fortbewegen (sich), → sprechen.
**blaffen** → bellen.
**Blag**: → Kind; die -en → Kinder (die).

**Blahe** → Plane.
**blähen**: sich b. → bauschen (sich).
**Blähsucht**, Flatulenz, Meteorismus · *bei Tieren:* Tympanie, Tympanitis; → Darmwind.
**Blähung** → Darmwind.
**blaken** → rußen.
**Blamage** → Bloßstellung.
**blamieren**: sich b. → bloßstellen (sich); [die ganze Innung b.] → kompromittieren (jmdn.).
**Blanche** → Rauschgift.
**blanchieren**, abbrühen, mit kochendem Wasser übergießen; → sieden.
**¹blank**, spiegelblank, spiegelnd, glänzend · Ggs. → matt.
**²blank**: → abgenutzt → zahlungsunfähig; der -e Hans → Atlantik; b. gehen → Mantel; b. machen / polieren / reiben → polieren.
**blanko** → anstandslos.
**Blankoakzept** → Wechsel.
**Blankoscheck** → Scheck.
**Blankovollmacht** → Berechtigung.
**Blankvers** → Vers.
**Bläschen** → Hautblüte.
**Blase**: → Abschaum, → Harnblase, → Hautblüte; -n werfen → brodeln; sich -n an die Hände arbeiten → arbeiten.
**¹blasen**, pusten, hauchen; → atmen.
**²blasen**: → fauchen, → koitieren, → musizieren, → stürmen, → tuten; Trompete b. → trompeten; Trübsal b. → schwermütig [sein]; jmdm. kann man das Vaterunser durch die Backen b. → abgezehrt [sein]; ins gleiche Horn b. → Ansicht.
**Blasenblutung** → Blutung.
**Blasenheulen**: etwas ist zum B. → unerträglich [sein].
**Blasenkeim** → Leibesfrucht.
**Blasenspiegelung** → Ausspiegelung.
**Blasenspritze** → Spritze.
**Blasenstein** → Harnstein.
**Blasentang** → Alge.
**Blasentee** → Tee.
**Bläser** → Musizierender.
**Bläserensemble** → Orchester.
**blasiert** → dünkelhaft.
**Blasiertheit** → Überheblichkeit.
**Blasinstrument** ·· Blechblasinstrument, Trompete, Baßtrompete, Aida-Trompete, Jazz-

trompete, Fanfare, Kornett, Flügelhorn, Piston, Horn, Tuba, Bombardon, Helikon, Posaune, Trombone ·· Holzblasinstrument, Flöte · Blockflöte, Schnabelflöte · Querflöte, Pikkoloflöte, Hirtenflöte, Pansflöte, Syrinx, Okarina, Oboe [d'amore / da caccia], Heckelphon, Sarrusophon, Fagott, Kontrafagott, Englischhorn, Klarinette, Bassetthorn, Baßklarinette, Saxophon, Schalmei, Sackpfeife, Dudelsack ·· Mundharmonika, Maulorgel (*schweiz.*), Fotzhobel (*bayr.*, *österr.*); → Musikinstrument; → trompeten.

**Blasius** → Nothelfer.
**Blaskapelle** → Orchester.
**Blasmusik** → Musik.
**Blasorchester** → Orchester.
**Blasphemie** → Beleidigung.
**¹blaß**, bläßlich, blaßgesichtig, bleichgesichtig, blaßwangig, blutleer, blutarm, bleichsüchtig, fahl, grau, bleich, käseweiß (*ugs.*), käsig (*ugs.*), weiß, kreidebleich, kreideweiß, kalkweiß, kalkig, wachsbleich, totenblaß, leichenblaß, geisterbleich, totenbleich, grau, aschgrau, aschfahl; → weiß; **b. sein,** weiß wie die Wand sein, wie der Tod [von Basel] / (*salopp*) wie ausgespuckt / (*salopp*) wie Braunbier mit Spucke / (*derb*) wie gekotzt / (*vulgär*) wie ausgeschissen aussehen; **b. werden,** die Farbe wechseln, erblassen (*geh.*), erbleichen (*geh.*); → Blässe.
**²blaß:** → farblos, → gedeckt; keinen blassen Schimmer haben → wissen.
**blaßblau** → blau.
**Blässe,** Blaßsein, Bläßlichkeit, Blaßgesichtigkeit, Blaßwangigkeit, Bleichgesichtigkeit, Bleichsüchtigkeit, Bleichheit, Fahlheit, Durchsichtigkeit, Totenblässe, Leichenblässe; → blaß.
**Bläßgans** → Vogel.
**blaßgesichtig** → blaß.
**Blaßgesichtigkeit** → Blässe.
**blaßgrün** → grün.
**Bläßhuhn** → Vogel.
**bläßlich** → blaß.
**Bläßlichkeit** → Blässe.
**blaßorange** → orange.
**blaßrosa** → rosa.
**blaßrot** → rot.

**Blaßsein** → Blässe.
**Blaßspötter** → Vogel.
**blaßviolett** → violett.
**blaßwangig** → blaß.
**Blaßwangigkeit** → Blässe.
**Blastula** → Leibesfrucht.
**¹Blatt** · Laubblatt, Baumblatt, Blumenblatt, Blütenblatt, Rankenblatt, Hüllblatt, Kelchblatt, Kronblatt, Keimblatt, Hochblatt, Speicherblatt, Oberblatt, Unterblatt, Schuppenblatt, Fiederblatt; → Pflanze.
**²Blatt:** → Seite, → Zeitung; Blätter → Laub; illustriertes B. → Zeitschrift; Wandelndes B. → Heuschrecke; die Blätter fallen / werden gelb → herbsten; ein unbeschriebenes B. sein → unbekannt [sein]; kein unbeschriebenes B. mehr sein → Erfahrung [haben]; bei der Polizei kein unbeschriebenes B. mehr sein → vorbestraft [sein]; die Blätter abwerfen / fallen lassen → entlauben (sich); kein B. vor den Mund nehmen → sprechen.
**Blättchen** → Zeitung.
**Blätterkapitell** → Kapitell.
**Blattern** → Pocken.
**blättern:** in etwas b. → lesen.
**Blätterpilz:** → Pilz, → Ständerpilz.
**Blätterteig** → Teig.
**Blätterteiggebäck** → Gebäck.
**Blätterwald** → Presse.
**Blattgemüse** → Gemüse.
**Blattgewächs** → Blattpflanze.
**Blattkapitell** → Kapitell.
**Blattkohl** → Grünkohl.
**Blattlausausscheidung** → Meltau.
**Blattlaushonig** → Meltau.
**Blattpflanze,** Blattgewächs, nichtblühende Pflanze; → Pflanze.
**blattreich** → belaubt.
**Blattsäge** → Säge.
**Blattschwanzgecko** → Eidechse.
**Blattwerkfries** → Fries.
**Blattwurzel** → Wurzel.
**¹blau,** bläulich, bleu, indigo, indigoblau, azur, azurblau, saphirblau, zyanblau, kobaltblau, ultramarin, ultramarinblau, marineblau, chinablau, königsblau, hellblau, dunkelblau, lichtblau, blaßblau, livid[e], wasserblau, himmelblau, babyblau, vergißmeinnichtblau, veilchen-

blau, enzianblau, lavendelblau, kornblumenblau, pflaumenblau, taubenblau, pfauenblau, graublau, grünblau, tintenblau, preußischblau, nachtblau, tiefblau, schwarzblau, stahlblau, rauchblau; → bunt, → einfarbig, → grün, → violett.
**²blau:** → betrunken; mit einem -en Auge davonkommen → entrinnen; es Blut in den Adern haben → adlig [sein]; -e Bohne → Munition; -er Brief → Schreiben; jmdm. -en Dunst vormachen → lügen; -er Fleck → Bluterguß; -er Husten → Keuchhusten; die -en Jungs → Matrose; der Blaue Peter → Fahne; der -e Planet → Erdball; die -e Stunde → Dämmerstunde; -er Wiener → Kaninchen; sein -es Wunder erleben →überrascht [sein]; der Himmel ist b. → sonnig [sein]; b. [wie ein Veilchen] sein → betrunken [sein]; das Blaue vom Himmel herunter lügen → lügen; ins Blaue → Gewißheit; Fahrt ins Blaue → Reise.
**Blaualge** → Spaltpflanze.
**Blaubart** → Mörder.
**Blaubeere,** Heidelbeere, Bickbeere (*nordd.*), Schwarzbeere (*landsch.*), Zechbeere (*österr.*), Mollbeere (*landsch.*); → Beerenobst.
**Blaublindheit** → Farbenblindheit.
**blaublütig** → adlig.
**Blaubuch** → Dokumentensammlung.
**Blaudruck** → Druckverfahren.
**Blauer** → Polizist.
**Blaufelchen** → Fisch.
**Blaufügelente** → Vogel.
**Blaufuchs** → Fuchs.
**Blaugelbblindheit** → Farbenblindheit.
**blaugrün** → grün.
**Blauhai** → Fisch.
**Blaujacke** → Matrose.
**Blaukehlchen** → Vogel.
**Blaukohl** → Grünkohl.
**Blaukraut** → Rotkohl.
**Blaukreuz** → Giftgas.
**Blaukreuzgas** → Giftgas.
**Blaukreuzler** → Antialkoholiker.
**bläulich** → blau.
**Blaulicht:** → Lichtzeichen, → Signallicht.

Bläuling → Schmetterling.
blaumachen → arbeiten.
Blaumal → Bluterguß.
Blaumeise → Vogel.
Blaumerle → Vogel.
Blaunagel → Nagel.
Blaupapier → Schreibpapier.
Blaupinne → Nagel.
Blauracke → Vogel.
blaurot → rot.
Blausäure → Gift.
Blauschwanz → Vogel.
blauschwarz: → schwarz, → schwarzhaarig.
Blausieb → Schmetterling.
Blaustift → Schreibstift.
Blaustrumpf: → Frau, → Intellektueller.
Blautanne → Nadelhölzer.
Blauveilchen → Milch.
blauviolett → violett.
Blauwal → Wal.
Blazer → Jacke.
Blech: → Backform, → Eßgeschirr, → Geld, → Unsinn.
Blechblasinstrument → Blasinstrument.
Blechbüchse → Büchse.
Blechdose → Büchse.
blechen → zahlen.
Blechgeliebte → Auto.
Blechmusik → Musik.
Blechmusikinstrumentenbauer → Musikinstrumentenbauer.
Blechnapf → Eßgeschirr.
Blechner → Installateur.
Blechschaden → Unfallschaden.
Blechschmied: → Installateur, → Schmied.
blecken: die Zähne b. → fletschen (die Zähne).
Blei: → Fisch, → Lot, → Schreibstift; wie B. im Magen liegen → bekömmlich.
Bleibe → Unterkunft.
bleiben: → weilen; senkrecht b. → fallen; -d → ortsfest; fest -d → standhaft; -der Zahn → Zahn; jmd. ist draußen geblieben → sterben; etwas bleibt erhalten / in der Familie → verlorengehen; zu lange b. → hängenbleiben; sachlich / auf dem Boden der Tatsachen / auf dem Teppich / im Rahmen b. → übertreiben; nicht verschont b., da bleibt kein Auge trocken → verschonen; wach b. → wach [bleiben]; er soll b., wo der Pfeffer wächst → willkommen;

am Leben b. → sterben; jmdm. auf den Fersen b. → verfolgen; auf dem laufenden b. → mitkommen (mit); b. bei → bestehen (auf); bei etwas / bei der Stange b. → beibehalten; etwas bleibt in der Familie / unter uns → weitererzählen; in Form / Übung b. → trainieren (sich); ohne Folgen / Wirkung b. → wirkungslos [bleiben].
¹bleibend, dauerhaft, fest, unvergänglich, von Bestand, wertbeständig, krisenfest, unauflöslich, unauflösbar, unzerstörbar, unwandelbar, für immer, zeitlebens, für Zeit und Ewigkeit, für alle Zeiten, bis in alle Ewigkeit; → außergewöhnlich, → ewig, → gediegen, → langfristig, → unaufhörlich, → unvergessen, → zeitlos; → Haltbarkeit.
²bleibend → ewig.
bleibenlassen: → abschreiben, → unterlassen.
bleich → blaß.
bleichen → tönen.
Bleichgesicht → Weißer.
bleichgesichtig → blaß.
Bleichgesichtigkeit → Blässe.
Bleichheit → Blässe.
Bleichsucht → Blutarmut.
bleichsüchtig → blaß.
Bleichsüchtigkeit → Blässe.
bleiern → schwer.
bleifarben → grau.
Bleifigur → Zinnfigur.
Bleiglas → Glas.
Bleiglasur → Glasur.
bleigrau → grau.
Bleikristall → Glas.
Bleilot → Lot.
bleischwer → schwer.
Bleisoldat → Zinnfigur.
Bleistift → Schreibstift.
Bleivergiftung → Vergiftung.
Bleiweiß → Gift.
blenden: → bezaubern, → blind [machen].
¹blendend, glänzend, hervorragend, prachtvoll, prächtig; → meisterhaft, → trefflich.
²blendend: eine -e Figur machen → auffallen.
Blendgiebel → Giebel.
Blendwerk → Hokuspokus.
Blenheim → Hunderassen.
blessieren → verletzen.
Blessur → Wunde.
bleu → blau.

Blick: → Anblick; jmdm. einen B. gönnen / schenken / zuwerfen, den B. heften auf, einen B. werfen auf, jmdn. mit -en durchbohren → ansehen; alle -e auf sich lenken → auffallen, → exponieren (sich); keines -es würdigen → ignorieren; Liebe auf den ersten B. → Zuneigung; jmdn. mit -en verfolgen, jmdm. mit den -en folgen → nachschauen (jmdm.).
¹blicken, sehen, schauen, gukken, kucken (landsch.), kieken (salopp), starren, spähen, peilen (ugs.), ein Auge riskieren (ugs.), äugen, glotzen (salopp, abwertend), stieren (abwertend), glubschen (abwertend), linsen (ugs.), lugen, luchsen, sperbern (schweiz.) · mit fehlerhafter Augenstellung: schielen, einen Silberblick / (ugs.) einen Knick im Auge / in der Optik haben (scherzh.); → ansehen, → beobachten, → blinzeln, → herausschauen, → sehen; → stier; → Schielen.
²blicken: b. auf → ansehen; b. aus → herausschauen; sich b. lassen → präsentieren (sich); sich selten b. lassen→besuchen; hinter die Kulissen b. → erkennen; jmdm. nicht ins Gesicht b. können → verlegen [sein]; nicht nach rechts und links b. → verwirren.
Blickfang → Köder.
Blickfeld → Gesichtskreis.
Blickpunkt: → Gesichtspunkt; im B. stehen → exponieren (sich).
Blickrichtung→ Gesichtspunkt.
Blickwinkel → Gesichtspunkt.
¹blind, sehbehindert, nachtblind · vorübergehend durch vom Schnee reflektiertes Sonnenlicht: schneeblind; b. werden, das Augenlicht verlieren; b. machen, blenden, der Sehkraft berauben.
²blind: → abgöttisch, → matt; -er Alarm → Erregung; -er Hesse → Hesse; -er Passagier → Passagier; b. für etwas sein → merken.
Blindband → Buch.
Blindboden → Fußboden.
Blinddarm → Darm.
Blindekuh → Fangspiel.
Blindenhund → Hund.

Blindenschrift → Schrift.
Blinder: das sieht doch ein B. mit [dem] Krückstock → klar [sein].
Blindflug → Flug.
Blindgänger →˞Versager.
blindgläubig → fanatisch.
¹Blindheit, Erblindung, Blindsein, Amaurose, Ablepsie (selten), schwarzer Star; → Farbenblindheit, → Fehlsichtigkeit, → Schielen, → Sehstörung.
²Blindheit: [wie] mit B. geschlagen sein → merken.
Blindlandung → Landung.
blindlings → kritiklos.
Blindpackung → Packung.
Blindschleiche → Eidechse.
Blindsein → Blindheit.
¹blindwütig, wild, wütend, fanatisch; → ärgerlich.
²blindwütig → fanatisch.
blinken: →leuchten; -d → glänzend.
Blinklicht: → Lichtzeichen, → Signallicht.
Blinzelbienchen→ Schlafmütze.
blinzeln, zwinkern, kneisten (salopp, landsch.); → ansehen, → blicken, → sehen.
¹Blitz, Blitzstrahl, Blitzschlag · Zickzackblitz, Flammenblitz, Wolkenblitz, Erdblitz, Flächenblitz, Linienblitz, Bandblitz, Perlschnurblitz, Strahlenblitz, Kugelblitz; → Blitzableiter, → Gewitter.
²Blitz: potz B.! → überrascht; wie ein B. aus heiterem Himmel → plötzlich; wie ein geölter B. → schnell; wie vom B. getroffen sein → überrascht [sein].
blitz-: → erz-.
Blitzableiter, Blitzschutzanlage, Blitzschutz; → Blitz, → Gewitter.
blitzartig → schnell.
blitzblank → sauber.
blitzen: → leuchten; es blitzt und donnert → Gewitter.
blitzend → glänzend.
Blitzgespräch → Telefongespräch.
Blitzkaffee → Pulverkaffee.
Blitzkarriere → Aufstieg.
Blitzkrieg → Krieg.
Blitzlichtaufnahme → Fotografie.
blitzrasch → schnell.
blitzsauber → sauber.
Blitzschlag → Blitz.

blitzschnell → schnell.
Blitzschutz → Blitzableiter.
Blitzschutzanlage → Blitzableiter.
Blitzstar → Katarakt.
Blitzstrahl → Blitz.
Blizzard → Wind.
Bloch → Stamm.
blochen → bohnern.
Blocher → Bohnerbesen.
Block, Brocken, Klotz; → Klumpen, → Pfahl.
Blockade: → Belagerung, → Blockierung.
Block-Antiqua → Schrift.
blocken → bohnern.
Blocker → Bohnerbesen.
Blockflöte → Blasinstrument.
blockfrei → neutral.
Blockhaus → Haus.
blockieren: → verhindern, → verstellen; die Leitung ist blockiert → telefonieren (mit jmdm.).
¹Blockierung, Blockade, Sperre; → Absperrung, → Behinderung, → Einschränkung, → Hürde, → Sperre.
²Blockierung → Vereitelung.
Blockschrift → Schrift.
Blockwagen → Wagen.
blöd: → abgenutzt, → dumm, → unerfreulich; -er Heini → Dummkopf.
blöde → geistesgestört.
blödeln → sprechen.
Blödhammel → Dummkopf.
Blödheit → Beschränktheit.
Blödian → Dummkopf.
Blöding → Dummkopf.
Blödmann → Dummkopf.
Blödsinn → Absurdität, → Geistesgestörtheit, → Unsinn.
blödsinnig: → dumm, → lächerlich, → unsinnig.
Blödsinnigkeit → Absurdität.
blöken: → Laut, → schreien.
¹blond, blondhaarig, dunkelblond, mittelblond, aschblond, hellblond, flachsblond, strohblond, rotblond, goldblond, semmelblond, silberblond, blondgefärbt, erblondet, platinblond, wasserstoffblond (ugs.), drogerieblond (ugs.), aufgenordet (scherzh.), industrieblond (scherzh.), gewaltblond (scherzh.); → rothaarig; → Haar.
²blond: ein [kühles] Blondes → Bier.

Blonde → Spitzenstickerei.
blondgefärbt → blond.
blondhaarig → blond.
blondieren → tönen.
Blondine → Frau.
bloß: → ausschließlich, → nackt; mit -en Füßen → barfüßig.
¹Blöße, Nacktheit, Nudität.
²Blöße: eine B. bieten, sich eine B. geben → bloßstellen (sich).
bloßfüßig → barfüßig.
bloßlegen → aufdecken.
¹bloßstellen (sich), sich eine Blöße geben, eine Blöße bieten, zum Gespött werden, keine gute Figur machen, sich dekolletieren, sich kompromittieren, seinen Namen / seinen Ruf / sein Ansehen aufs Spiel setzen, sich lächerlich machen, sich blamieren, seinem Namen keine Ehre machen, sich ein Armutszeugnis ausstellen; → erniedrigen, → kompromittieren (jmdn.); → Bloßstellung, → Entblößung.
²bloßstellen: → entlarven, → kompromittieren (jmdn.).
Bloßstellung, Blamage, Schande, Beschämung, Desavouierung, Kompromittierung, Schmach, Unehre, Schimpf, Reinfall, Pleite (ugs.); → Aufsehen, → Beleidigung; → bloßstellen, → kompromittieren; → anständig, → beschämend, → ehrlos, → gemein.
Blouson: → Anorak, → Bluse.
blubbern → brodeln.
Blücher: rangehen wie B. → zielstrebig [sein].
Blue jeans → Hose.
Blue Laws → Gesetzessammlung.
Blues → Tanz.
Bluff → Lüge.
bluffen, betrügen, Betrug begehen, prellen, hintergehen, corriger la fortune, jmdn. um etwas bringen, Schmu machen (ugs.), tricksen (ugs.), anschmieren (salopp), andrehen (salopp), ausschmieren (salopp), bescheißen (derb), anscheißen (derb), beschummeln, schummeln, betakeln (österr.), mogeln, täuschen, mit jmdm. ein falsches Spiel treiben, mit falschen / gezinkten Karten spielen, hintergehen, hereinlegen (ugs.), rein-

legen (*ugs.*), überlisten, abkochen (*salopp*), einkochen (*salopp, österr.*), anmeiern (*salopp*), überfahren (*ugs.*), übervorteilen, übernützen (*schweiz.*), übernehmen (*österr.*), übertölpeln (*abwertend*), neppen (*abwertend*), übers Ohr hauen (*salopp*), ums Haxel hauen (*ugs., österr.*), papierln (*ugs., österr.*), einseifen (*ugs.*), einwickeln (*ugs.*), behumsen (*salopp*), beschupsen (*salopp*), düpieren, jmdn. hinters Licht / aufs Glatteis führen, jmdm. Sand in die Augen streuen, jmdn. aufs Kreuz legen / über den Löffel balbieren (*salopp*), jmdm. für dumm verkaufen (*ugs.*), jmdm. ein X für ein U vormachen, verschaukeln (*salopp*); → ablisten, → anführen, → aufsitzen (jmdm.), → ausbeuten, → beschönigen, → hereinfallen, → lügen, → wegnehmen; → unaufrichtig; → Schlaukopf, → Überlistung.

**¹blühen**, in [voller] Blüte sein / stehen, aufgeblüht sein, Blüten haben / tragen; → Baumblüte, → Blüte.

**²blühen**: b. [und gedeihen] → gedeihen; [wachsen] b. und gedeihen → florieren; aussehen wie das -de Leben → gesund [aussehen]; jmds. Weizen blüht → Erfolg [haben]; etwas blüht jmdm. → begegnen; -de Pflanze → Blume.

**Blühet** → Baumblüte.

**Blümchenkaffee** → Kaffee.

**¹Blume**, blühende Pflanze · Waldblume, Gebirgsblume, Wiesenblume, Feldblume, Gartenblume · Frühlingsblume, Frühjahrsblume, Frühjahrsbote · Sommerblume, Herbstblume; → Alpenrose, → Anemone, → Blumenbinderin, → Flieder, → Gartentulpe, → Kornblume, → Kunstblume, → Heidekraut, → Liliengewächs, → Löwenzahn, → Maßliebchen, → Mohn, → Nelke, → Orchidee, → Pfingstrose, → Rose, → Schlüsselblume, → Stiefmütterchen, →Storchschnabelgewächs, → Thymian, → Veilchen.

**²Blume**: → Blüte, → Geruch, → Pflanze, → Schwanz; gebackene/künstliche B. → Kunstblume; Königin der -n → Rose;

jmdm. etwas durch die B. sagen → Hinweis; vielen Dank für die -n! → danke!; ein Meer von -n → Blumenflor.

**Blumenarrangement** → Blumenstrauß.

**Blumenbeet** → Rabatte.

**Blumenbild** → Bild.

**Blumenbinderin**, Blumenverkäuferin, Floristin; → Blume.

**Blumenblatt** → Blatt.

**Blumenbukett** → Blumenstrauß.

**Blumendraht** → Draht.

**Blumenerde** → Erde.

**Blumenfenster** → Fenster.

**Blumenflor**, Blumenpracht, Blumenmeer, Blütenmeer, Blütenflor, Blütenpracht, ein Meer von Blumen; → Blumenstrauß.

**Blumengarten** → Garten.

**Blumengefäß** → Blumenvase.

**Blumengewinde** → Blumenstrauß.

**Blumengruß** → Blumenstrauß.

**Blumenkalender** → Kalender.

**Blumenkind** → Gammler.

**Blumenkohl**, Karfiol (*südd., österr.*), Spargelkohl; → Gemüse, → Grünkohl, → Kohl, → Rosenkohl, → Rotkohl, → Wirsing.

**Blumenkranz** → Blumenstrauß.

**Blumenkübel** → Blumentopf.

**Blumenmaler** → Kunstmaler.

**Blumenmarkt** → Markt.

**Blumenmeer** → Blumenflor.

**Blumenpracht** → Blumenflor.

**Blumenrabatte** → Rabatte.

**blumenreich** → geziert.

**Blumensamen** → Samen.

**Blumenschale** → Blumentopf.

**Blumenstrauß**, Strauß, Blumensträußchen, Sträußchen, Buschen (*südd., österr.*), Blumenbukett, Bukett, Bouquet (*österr.*), Gebinde (*geh.*), Blumengruß, Blumenarrangement, Gesteck, Steckschale, Maien (*schweiz.*) · Blumenkranz, Blumengewinde (*geh.*); → Blumenflor, → Blumentopf, → Blüte.

**Blumensträußchen** → Blumenstrauß.

**Blumenstück** → Bild.

**¹Blumentopf**, Blumenschale, Blumenkübel, Scherbe (*landsch.*), Scherben (*landsch.*); → Blumenstrauß, → Blumenvase, → Topfpflanze.

**²Blumentopf**: mit etwas ist kein B. zu gewinnen → Erfolg.

**Blumenvase**, Vase, Blumengefäß, Porzellanvase, Glasvase, Kristallvase · *große, auf dem Boden stehende:* Bodenvase · *an die Wand zu hängende:* Wandvase · *in die Erde zu steckende:* Steckvase; → Blumentopf.

**Blumenverkäuferin** → Blumenbinderin.

**Blumenzüchterei** → Baumschule.

**blümerant**: jmdm. ist / wird b. → unwohl.

**blumig** → würzig.

**Blunze**: → Frau, → Wurst.

**Bluse**, Hemdbluse, Damenbluse, Dirndlbluse, Spitzenbluse, Seidenbluse, Baumwollbluse, Flanellbluse, Polobluse, Matrosenbluse, Russenkittel, Blouson, Kasack; → Kleidung, → Oberhemd.

**Blust** → Baumblüte.

**¹Blut**, Sanguis (*selten*), Lebenssaft (*geh.*), roter Saft (*scherzh.*), rote Tinte (*scherzh.*) ·· *geronnenes:* Blutgerinnsel, Gerinnsel, Blutkoagulum, Koagulum · Cruor, Blutkuchen, Blutklumpen · Thrombus, Blutpfropf; **jmdm. B. abnehmen**, jmdm. Blut abzapfen, jmdn. zur Ader lassen (*veraltet*); → bluten; → blutig; → Ader, → Blutarmut, → Blutbank, → Blutkörperchen, → Blutübertragung, →Blutuntersuchung, → Hämoglobin.

**²Blut**: das eigene / sein eigen Fleisch und B. → Sohn, → Tochter; rot wie B. → rot; Leib und B. [des Herrn] → Abendmahl; an jmds. Händen klebt B. → Mörder; aussehen wie Milch und B. → gesund [aussehen]; nur ruhig B., kaltes B. bewahren → ruhig [bleiben]; das B. in Wallung bringen → erregen; das B. in Wallung bringen, böses B. machen → ärgern; blaues B. in den Adern haben → adlig [sein]; jmd. hat B. geleckt → gefallen; B. und Wasser schwitzen → Angst [haben]; sein B. vergießen für → einstehen (für); B. verlieren → bluten; jmdn. bis aufs B. aussaugen → ausbeuten; bis aufs B. peinigen / quälen / reizen → ärgern; Musik im B. haben, etwas liegt jmdm. im B. → begabt; in Fleisch und B. übergehen → üblich [werden]; mit B. bedeckt / befleckt / besudelt, voll B. → blutig.

blut-: → erz-.

Blutader → Ader.

Blutandrang, Blutwallung, Blutfülle, vermehrte Durchblutung, Hyperämie, Hyperämisierung, Fluxion, Kongestion · *im ersten Stadium einer Entzündung:* Anschoppung, Engouement · *auf die Gesamtblutmenge im Körper bezogen:* Polyämie, Vollblütigkeit, Plethora · Ggs. → Blutleere.

Blutapfelsine → Apfelsine.

blutarm → blaß.

Blutarmut, Anämie, Oligämie, Oligohämie, Hyphämie, Spanämie · *bei Hämoglobinmangel:* hypochrome Anämie, Eisenmangelanämie, Hypochromämie, Oligochromämie · *bes. bei jungen Mädchen:* Chlorose, Bleichsucht · *bes. bei Frauen:* Chloranämie · *in Verbindung mit Leukämie:* Leukanämie; → Blut, → Blutkörperchen, → Blutübertragung, → Blutuntersuchung, → Krankheit, → Leukämie, → Perniziosa.

Blutaussauger → Erpresser.

Blutbad, Massaker, Blutvergießen, Schlächterei (*abwertend*), Metzelei (*abwertend*), Gemetzel (*abwertend*); → Kampf, → Schlachtfeld, → Streit, → Verfolgung.

Blutbahn → Ader.

Blutbank, Blutzentrale, Blutspendezentrale, Blutkonservendepot, Blutkonservenlager; → Blut, → Blutübertragung.

Blutbeule → Bluterguß.

Blutbild → Blutuntersuchung.

Blutblättchen → Blutkörperchen.

Blutbruch → Bluterguß.

Blutdurst → Grausamkeit.

¹Blüte, Kelch, Blume; → Blumenstrauß, → Blütenstand; → blühen.

²Blüte: → Aufschwung, → Baumblüte, → Geld, → Kelch; -n tragen, in [voller] B. sein / stehen → blühen; zur B. kommen → aufblühen.

Blutegel → Wurm.

¹bluten, Blut verlieren; **zu Ende b.**, ausbluten; → sterben; → Blut.

²bluten: b. für → einstehen (für); -d → blutig; jmdm. blutet das Herz → betroffen [sein].

Blütenblatt → Blatt.

Blütenflor → Blumenflor.

Blütenhonig → Honig.

Blütenkapitell → Kapitell.

Blütenlese → Exzerpt.

Blütenmeer → Blumenflor.

Blütenpracht → Blumenflor.

Blütenstand · Ähre, Kolben, Körbchen, Köpfchen, Traube, Doldentraube, Dolde, Rispe, Doldenrispe, Dichasium, Wikkel, Schraubel, zusammengesetzte Dolde / Ähre · *Teil einer zusammengesetzten Ähre:* Ährchen; → Blüte.

Blütenstar → Katarakt.

blütenweiß → weiß.

Blütenwickler → Schmetterling.

Bluterguß, Erguß, Blutgeschwulst, Blutbeule, blauer Fleck, Blaumal (*landsch.*), Hämatom, Hämatozele, Blutbruch, Ekchymose, Blutunterlaufung, Purpura, Petechien (Plural); → Blutgefäßgeschwulst, → Blutung, → Verrenkung; → verstauchen (sich etwas).

Bluterkrankheit, Hämophilie, Haemophilia, Hämatophilie; → Krankheit.

Blütezeit → Baumblüte.

Blutfarbstoff: [roter] B. → Hämoglobin.

Blutfülle → Blutandrang.

Blutgefäß → Ader.

Blutgefäßgeschwulst, Blutschwamm, Hämangiom (*Med.*), Kavernom (*Med.*); → Bluterguß, → Muttermal.

Blutgerinnsel → Blut.

Blutgeschwulst → Bluterguß.

Blutgruppe: nicht die richtige B. haben → adlig.

Bluthund → Rohling.

¹blutig, blutend, blutüberströmt, bluttriefend, blutverschmiert, mit Blut bedeckt / befleckt / (*abwertend*) besudelt, voll Blut; → Blut.

²blutig: -er Anfänger / Laie sein → Nichtfachmann [sein].

blutjung → jung.

Blutklumpen → Blut.

Blutkoagulum → Blut.

Blutkonservendepot → Blutbank.

Blutkonservenlager → Blutbank.

Blutkörperchen, Blutzellen, Hämozyten, Hämatozyten ·· rote Blutkörperchen, Erythrozyten, Normozyten · *als unreife Vorstufe:* Erythroblasten, Proerythroblasten, Erythrozytoblasten, Erythrozytenstammzellen, Stammzellen, Erythrogonien, Normoblasten ·· weiße Blutkörperchen, Leukozyten, Phagozyten, Freßzellen, Granulozyten, Monozyten, Lymphozyten · *als unreife Vorstufe:* Leukoblasten, Myelozyten, Myeloblasten, Promyelozyten, Lymphoblasten ·· Blutblättchen, Thrombozyten; → Blut, → Blutarmut, → Hämoglobin.

Blutkrebs → Leukämie.

Blutkuchen → Blut.

¹blutleer, abgestorben, eingeschlafen, empfindungslos, gefühllos, fühllos (*geh.*), taub; → absterben.

²blutleer → blaß.

Blutleere, örtliche Blutleere, verminderte Durchblutung, Ischämie, Spanämie · Ggs. → Blutandrang.

Blutorange → Apfelsine.

Blutpfropf → Blut.

Blutrausch → Grausamkeit.

blutrot → rot.

Blutsauger: → Erpresser, → Vampir.

Blutschande → Inzest.

Blutschwamm → Blutgefäßgeschwulst.

Blutschwitzen → Transpiration.

Blutspendezentrale → Blutbank.

Blutstatus → Blutuntersuchung.

Blutstoff: immunisierender B. → Antikörper.

Blutstropfen: bis zum letzten B. kämpfen → verteidigen (sich).

Blutsturz → Blutung.

blutsverwandt → verwandt.

Blutsverwandter: → Angehöriger, → Verwandter.

Bluttat: → Tötung, → Verbrechen.

Bluttransfusion → Blutübertragung.

bluttriefend → blutig.

blutüberströmt → blutig.

**Blutübertragung,** Bluttransfusion, Transfusion · *als weitgehend vollständiger Ersatz der Gesamtblutmenge durch Spenderblut:* Austauschtransfusion, Exsanguinotransfusion, Exsanguinationstransfusion, Substitutionstransfusion · *als Wiedereinbringung körpereigenen Blutes:* Autotransfusion, Retransfusion, Reinfusion, Autohämotransfusion, Eigenblutübertragung; → Blut, → Blutarmut, → Blutbank, → Blutuntersuchung, → Verabreichung.

**¹Blutung,** Hämorrhagie, Extravasation, Hämatorrhö, Blutsturz ·· Arterienblutung, Schlagaderblutung, Arteriorrhagie · Venenblutung, Phleborrhagie · Kapillarblutung ·· Hirnblutung, Gehirnblutung, Enzephalorrhagie · Augenblutung, Ophthalmorrhagie, Ophthalmorrhö · Nasenbluten, Epistaxis, Rhinorrhagie · Ohrbluten, Ohrenbluten, Otorrhagie · Mundblutung, Stomatorrhagie · Zahnblutung, Odontorrhagie · Zahnfleischbluten, Ulorrhagie · Herzblutung, Kardiorrhagie · Lungenblutung, Pneumorrhagie · Magenblutung, Gastrorrhagie · Darmblutung, Enterorrhagie · Leberblutung, Hepatorrhagie · Milzblutung, Splenorrhagie · Nierenblutung, Nephrorrhagie · Blasenblutung, Zystorrhagie · Rückenmarksblutung, Hämatomyelie, Hämatorrhachis; → Bluterguß.

**²Blutung:** monatliche B. → Menstruation.

**Blutunterlaufung** → Bluterguß.
**Blutuntersuchung,** Blutstatus, Blutbild, Hämatogramm, Hämogramm; → Blut, → Blutarmut, → Blutübertragung.
**Blutvergießen** → Blutbad.
**Blutvergiftung,** Sepsis, Sept[h]ämie, Septik[h]ämie, Saprämie, Tox[h]ämie, Toxik[h]ämie, Toxinämie · *weniger stark ausgeprägte:* Bakteriämie, Bazillämie; → Vergiftung.
**blutverschmiert** → blutig.
**blutvoll** → lebhaft.
**Blutwallung** → Blutandrang.
**blutwenig** → wenig.
**Blutwurst** → Wurst.
**Blutzelle:** -n → Blutkörperchen.

**Blutzentrale** → Blutbank.
**Blutzeuge** → Märtyrer.
**BND** → Geheimpolizei.
**Bö** → Wind.
**Boa:** [B. constrictor] → Schlange.
**Bob** → Schlitten.
**Bobby** → Polizist.
**Bobsleigh** → Schlitten.
**Boche** → Deutscher.
**Bock:** → Aktenständer, → Frauenheld, → Garbenstand, → Gemse, → Holzbock, → Kaninchen, → Reh, → Schaf, → Sportgerät, → Untergestell, → Ziege; stur wie ein B. sein → unzugänglich [sein]; den B. zum Gärtner machen → einstellen (jmdn.); den B. melken → tun; einen B. schießen → unterlaufen.
**bockbeinig** → unzugänglich.
**Bockbeinigkeit** → Eigensinn.
**Bockbier** → Bier.
**böckeln** → riechen.
**bocken** → gekränkt [sein].
**Bockert** → Biber.
**bockig** → unzugänglich.
**Bockigkeit** → Eigensinn.
**Bockkitz** → Gemse.
**Bockmist** → Unsinn.
**Bocksbart** → Gemüse.
**Bockshorn:** jmdn. ins B. jagen → einschüchtern.
**Bockwurst** → Würstchen.
**Boddenküste** → Ufer.
**¹Boden,** Speicher (*südd.*), Estrich (*landsch.*), Dachboden, Heuboden, Bühne (*schwäb., schweiz.*); → Abstellraum.
**²Boden:** → Erde, → Fußboden; [Grund und Boden] → Feld; Grund und B. → Immobilien; jmdm. brennt der B. unter den Füßen → beeilen (sich); jmdm. brennt der B. unter den Füßen / wird der B. zu heiß → gefährlich [werden]; B. gutmachen → aufholen; [einem Verdacht] den B. entziehen → widerlegen; B. verlieren → Rückgang; den B. unter den Füßen verlieren → abrutschen; Verbesserung des -s → Bodenverbesserung; am B. zerstört sein → erschöpft [sein]; an B. gewinnen → ausbreiten (sich); auf dem B. der Tatsachen bleiben → übertreiben; auf fruchtbaren B. fallen → wirken; auf dem B. der Tat-

sachen stehen → realistisch [sein]; sich auf den B. werfen → knien; auf den B. der Wirklichkeit zurückbringen → ernüchtern; wie Pilze aus dem B. schießen → entstehen; aus dem B. stampfen → erschaffen; wie aus dem B. gewachsen → plötzlich; durch alle Böden, in Grund und B. → ganz; ein Faß ohne B. sein → teuer [sein]; zu B. gehen → besiegen; bei hundert zu B. gehen → überrascht [sein]; zu B. sinken → sinken, → umfallen.
**Bodenakrobat** → Artist.
**Bodenbelag** → Teppichboden.
**Bodenentwässerung** → Dränage.
**Bodenfenster** → Dachfenster.
**Bodenfrost** → Kälte.
**Bodenfund,** Ausgrabung, Ausgrabungsfund, Vorgeschichtsfund, vorgeschichtlicher / archäologischer Fund, Grabfund, Grabbeigabe; → Archäologe, → Archäologie.
**Bodenkultur** → Landwirtschaft.
**bodenlos:** → tief, → unerhört.
**Bodenluke** → Dachfenster.
**Bodenpersonal** → Personal.
**Bodenrenke** → Fisch.
**¹Bodensatz,** Satz, Rückstand, Sediment, Ablagerung; → ablagern (sich).
**²Bodensatz** → Abschaum.
**¹bodenständig,** autochthon, erdgebunden; → einheimisch.
**²bodenständig** → echt.
**Bodentreppe** → Treppe.
**Bodenvase** → Blumenvase.
**Bodenverbesserung,** Verbesserung [des Bodens], Amelioration, Melioration; → Feld.
**Bodenwichse** → Bohnerwachs.
**Bodenwischer** → Besen.
**bodigen** → besiegen.
**Bodybuilding,** Körperbildung, Muskeltraining; → Selbstverteidigung, → Sport.
**Bodycheck:** B. an der Bande → Regelverstoß.
**Bodystocking** → Mieder.
**Bofist** → Ständerpilz.
**¹Bogen,** Fensterbogen, Türbogen · Arkade, Säulenbogen · Rundbogen, Flachbogen, Parabelbogen, Hufeisenbogen, Spitzbogen, Dreipaßbogen, Konvexbogen, Vorhangbogen, Kielbogen, Tudorbogen, Halbkreisbogen, gestelzter Rundbogen, [einhüfti-

ger] Korbbogen, gleichseitiger / gedrückter / überhöhter Spitzbogen, Lanzettbogen, Kleeblattbogen, Zackenbogen, Schulterbogen, Karniesbogen, Eselsrücken, Schwanenhals; → Baukunst, → Säule.

²**Bogen:** → Biegung, → Seite; Pfeil und B. → Schußwaffe; den B. heraushaben / raushaben → geschickt [sein]; einen B. machen → abbiegen; einen B. machen um → entziehen (sich); den B. überspannen → fordern; im hohen B. hinausfliegen / rausfliegen, jmdn. in hohem B. hinauswerfen / rauswerfen → hinauswerfen.

**Bogenachter** → Eislauf.
**Bogenfries** → Fries.
**Bogenpeitsche** → Peitsche.
**Bohea** → Tee.
**Boheme** → Lebensweise.
**Bohle** → Brett.
**Böhmak** → Tscheche.
**böhmakeln** → sprechen.
**Böhme** → Tscheche.
**Böhmen** → Tschechoslowakei.
**böhmisch:** → tschechisch; das sind mir / für mich -e Dörfer → verstehen; Böhmische Kappe → Kuppel; -e Spitze → Spitzenstickerei; b. einkaufen → wegnehmen.
**Bohne:** blaue B. → Munition; grüne B. → Gemüse; nicht die B. → bißchen, → nein, → nichts.
**bohnen** → bohnern.
**Bohnenkaffee** → Kaffee.
**Bohnenkraut** → Küchengewürz.
**Bohnenstange:** → Mädchen, → Riese.
**Bohnensuppe** → Suppe.
**Bohnenvergiftung** → Lebensmittelvergiftung.
**Bohner** → Bohnerbesen.
**Bohnerbesen,** Bohner (*landsch.*), Blocker (*landsch.*), Blocher (*schweiz.*); → bohnern, → wachsen.
**bohnern,** bohnen (*landsch.*), blocken (*landsch.*), blochen (*schweiz.*), wachsen, wichsen (*landsch.*), raschen (*landsch.*); → polieren, → wachsen; → Bohnerbesen.
¹**Bohnerwachs,** Bodenwichse; → Bohnerbesen.
²**Bohnerwachs** → Wachs.
**bohren:** → bitten, → fragen, → stochern, → zusetzen

(jmdm.); das Brett an der dünnsten Stelle b. → entziehen (sich); in der Nase b. → popeln.
**bohrend** → schmerzhaft.
**Bohrer:** → Handwerkszeug, → Sprung.
**Bohrmuschel** → Muschel.
**Bohrschwamm** → Schwamm.
**Bohrwurmmuschel** → Muschel.
**böig** → luftig.
**Boiler** → Heißwasserbereiter.
**Boje** → Warnzeichen.
**Bolero** → Tanz.
**Bolid** → Auto.
**Bolivar** → Zahlungsmittel.
**Bolle:** → Gemüse, → Schöpfkelle, → Zwiebel; Räuber und B. → Versteckspiel.
**Bölle** → Zwiebel.
**böllern** → krachen.
**Böllerschuß** → Salut.
**Bollerwagen** → Wagen.
**Bollette** → Bescheinigung.
**Bollwerk** → Befestigungsanlage.
**Bolschewik** → Sozialist.
**Bolschewiki** → Russe.
**Bolschewismus** → Marxismus.
**Bolschewist** → Sozialist.
**bolschewistisch** → kommunistisch.
**Bolzano** → Bozen.
**bolzen** → Fußballspiel.
**Bolzen:** → Munition, → Nagel.
**Bolzenplätte** → Bügeleisen.
**Bolzenplätteisen** → Bügeleisen.
**Bombardement** → Luftangriff.
**bombardieren:** → beschießen, → bewerfen.
**Bombardierung:** → Beschuß, → Luftangriff.
**Bombardon** → Blasinstrument.
**bombastisch** → hochtrabend.
¹**Bombe,** Fliegerbombe, Brandbombe, Sprengbombe, Phosphorbrandbombe, Kernbombe, Wasserstoffbombe, H-Bombe, Atombombe, Napalmbombe; → Munition.
²**Bombe:** → Eis, → Sprengkörper; Liegnitzer B. → Gebäck; wie eine B. einschlagen → wirken; -n abwerfen → angreifen / belegen → beschießen.
**bombed:** b. sein → Rausch.
**bomben** → Fußball.
**bomben-:** → erz-.
**Bomben-:** → Erz-.
**Bombenangriff** → Luftangriff.

**Bombenerfolg** → Erfolg.
**Bombenrolle** → Rolle.
**bombensicher:** b. sein → gewiß [sein].
**Bombenstimmung** → Stimmung.
**Bombs** → Bonbon.
**Bommel** → Quaste.
**bommelig** → schlaff.
**bommlig** → schlaff.
¹**Bon,** Marke, Chip, Jeton, Gutschein, Kupon, Coupon, Abschnitt, Gut (*schweiz.*); → Vergütung.
²**Bon** → Vergütung.
**bona fide** → gutgläubig.
**Bonapartemöwe** → Vogel.
**Bonbon,** Zuckerzeug, Zuckerwerk, Klümpchen (*landsch.*), Zuckerstein (*landsch.*), Zeltlein (*landsch.*), Bombs (*landsch.*), Gutsel (*südd.*), Guetzli (*schweiz.*), Zeltli (*schweiz.*), Zuckerl (*österr.*) · Fruchtbonbon, Drops · *auf einem Stäbchen:* Luts her · *mit Zusatz von Milch:* Toffee, Sahnebonbon, Karamellbonbon; → Süßigkeiten, → Zucker; → lutschen.
**Bonbonniere,** Pralinenpackung, Konfektschachtel, Konfektkasten, ein Kasten Konfekt, eine Packung [mit] Pralinen / Konfekt; → Praline.
**Bongos** → Schlaginstrument.
**Bonhomie** → Rechtschaffenheit.
**Bonifikation** → Vergütung.
**Bonität** → Zahlungsfähigkeit.
**Bonn,** Bundeshauptstadt, Bundesdorf (*scherzh.*), Beethovenstadt; → Stadt.
**Bonne** → Kindermädchen.
**Bonneterie** → Laden.
**Bonus** → Vergütung.
**Bonvivant** → Frauenheld.
**Bonze** → Beauftragter.
**Bonzenheber** → Aufzug.
**Bonzenherrschaft** → Herrschaft.
**Bonzokratie** → Herrschaft.
**Boogie-Woogie** → Tanz.
**Boom** → Aufschwung.
¹**Boot,** Kahn, Ruderboot, Schinakel (*österr.*), Paddelboot, Einer, Zweier, Motorboot, Elektroboot, Tretboot, Nachen, Nauen (*schweiz.*), Barke (*dichter.*), Zille (*landsch.*), Gondel, Kanu, Kanadier, Kajak, Faltboot, Einbaum, Schaluppe, Schute, Gig, Jolle, Barkasse,

Barkarole, Nußschale · Floß;
→ Beiboot, → Kajak, → Regatta, → Segelboot, → Schiff,
→ Segelschiff; **B. fahren,** rudern, paddeln, pullen, wriggen,
staken, rennen, rojen, segeln;
→ fahren, → fortbewegen (sich).
²**Boot:** in einem B. sitzen → Lage.
**Bootlegger** → Händler.
**Boots** → Schuh.
**Bootsfahrt** → Fahrt.
**Bootshafen** → Hafen.
**Bootsmann:** → Dienstgrad, →
Matrose.
**Bootsrennen** → Regatta.
**Bootssteg** → Anlegebrücke.
**Bootswettfahrt** → Regatta.
**Bootswettkampf** → Regatta.
**Bora** → Fallwind.
**Borch** → Schwein.
**Bord:** → Abhang, → Besatz,
→ Brett, → Bücherbord, →
Einfassung, → Gestell; an B.
bringen / gehen → einschiffen;
von B. bringen/gehen → ausschiffen.
**Bordcase** → Gepäck.
**Bordeaux** → Wein.
**bordeauxrot** → rot.
**Bordell,** Eros-Center, Etablissement, Freudenhaus, öffentliches Haus, Liebessilo (*scherzh.*),
Massageinstitut (*verhüllend*),
Hurenhaus (*salopp*), Knallhütte
(*salopp*), Puff (*derb*); → Prostituierte → Prostitution; →
prostituieren (sich).
**Bordkante** → Rinnstein.
**Bordschwelle** → Rinnstein.
**Bordstein** → Rinnstein.
**Bordüre** → Besatz.
**Borg:** → Anleihe, → Schwein;
auf B. → leihweise; auf B.
geben → anschreiben; auf B.
nehmen → leihen.
**borgen** → leihen.
**Borgis** → Schriftgrad.
**Bork** → Schwein.
**Borke:** → Hautblüte, → Schale,
→ Schorf.
**Born:** → Bach, → Quelle.
**borniert:** → kurzsichtig, →
stumpfsinnig.
**Borniertheit** → Beschränktheit.
**Borosilicatglas** → Glas.
**Borretsch** → Küchengewürz.
**Borschtsch** → Suppe.
¹**Börse,** Wertpapierbörse, Aktienbörse, Effektenbörse; →
Börsenkurs → Börsenmakler;
→ spekulieren.

²**Börse** → Portemonnaie.
**Börsenjobber** → Börsenmakler.
**Börsenkurs,** Kurs, Aktienkurs,
Effektenkurs, Emissionskurs,
Ausgabekurs; → Börse.
**Börsenmacher** → Täschner.
**Börsenmakler,** Börsenjobber,
Jobber, Börsenspekulant, Spekulant, Haussier, Agioteur; →
Börse, → Vermittler; → spekulieren.
**Börsenspekulant** → Börsenmakler.
**Borstenschwanz** → Insekt.
**Borstentier** → Schwein.
**Borstenvieh** → Schwein.
**Borstenwurm** → Wurm.
**borstig** → behaart.
**Borstwisch** → Handfeger.
**Borte:** → Besatz; mit einer B.
besetzen / vernähen → nähen.
**Bortenmacher** → Posamenter.
**Borzelbock** → Purzelbaum.
**bösartig** → böse.
**Bösartigkeit** → Bosheit.
**Boschhorn** → Hupe.
**Böschung** → Abhang.
¹**böse,** bitterböse, boshaft,
maliziös, übelgesinnt, übelwollend, bösartig, gemeingefährlich, schlimm, übel,
garstig, unausstehlich, unleidlich, wüst (*schweiz.*), widrig, haarig (*ugs.*) · *vom Krankheitsverlauf:* perniziös, maligne,
nicht → gutartig; → abscheulich, → beleidigend, → böswillig, → ekelhaft, → frech,
→ gefährlich, → gemein, →
schadenfroh, → schlau, → spöttisch, → unaufrichtig, → unbarmherzig, → unbeliebt, →
unerfreulich; **b. sein,** nicht mit
Mostrich zu genießen sein
(*salopp*), den Teufel im Leib /
eine schwarze Seele haben, mit
jmdm. ist schwer auszukommen / nicht gut Kirschen essen /
nicht zu spaßen → zanken
(sich).
²**böse:** → ärgerlich; b. Absicht,
-r Wille → Übelwollen; in -r
Absicht → böswillig; -s Blut
machen → ärgern; b. Fee →
Zauberin; der -e Mann →
Schreckgestalt; b. Zungen →
Lästerer; jmdm. b. sein →
ärgerlich [sein]; Böses ahnend
→ ahnungsvoll; nichts Böses
ahnend → ahnungslos.
**Böse:** der B. → Teufel.

**Bösewicht** → Schuft.
**boshaft** → böse.
**Boshaftigkeit** → Bosheit.
**Bosheit,** Bösartigkeit, Garstigkeit, Niedertracht, Boshaftigkeit, Gemeinheit, Schurkerei,
Hundsfötterei (*veraltet*), Infamie, Unverschämtheit, Schadenfreude, Gehässigkeit, Übelwollen, Rachsucht, Ranküne;
→ Abneigung, → Frechheit, →
Neid, → Übeltat, → Untreue; →
intrigieren.
**Boskoop** → Apfel.
**Bosniak** → Brötchen.
**Bosnickel** → Junge.
**Boß:** → Leiter, → Manager.
**Bossa Nova** → Tanz.
**bosseln,** herumbasteln, priemen
(*ugs.*), herumpriemen (*ugs.*),
rumpriemen (*salopp*); → anfertigen.
**Bossenmauer** → Mauer.
**Boston** → Kartenspiel.
**böswillig,** mutwillig, absichtlich,
in böser Absicht; → böse.
**Böswilligkeit** → Übelwollen.
**Bot** → Tagung.
**Botanik** → Pflanzenkunde.
**Bote,** Lieferant, Laufbursche,
Botenjunge, Besorger, Austräger, Verträger (*schweiz.*), Ausläufer, Ausfahrer, Ausgeher,
Überbringer, Kurier, Herold
(*hist.*) · Gerichtsbote, Büttel
(*veraltet*); → Abgeordneter, →
Abgesandter, → Diplomat, →
Zusteller; → austragen.
**Botel:** → Fahrgastschiff, →
Hotel.
**Botenjunge** → Bote.
**Botokude:** → Indianer, → Ungebildeter.
¹**Botschaft,** Gesandtschaft, Konsulat, Wahlkonsulat, Handelsmission; → Diplomat.
²**Botschaft:** → Gesuch, → Nachricht.
**Botschafter** → Diplomat.
**Bott** → Tagung.
**Böttcher** (*nordd.*), Kübler (*südwestd.*), Küfer (*westd.*, *südwestd.*), Schäffler (*südd.*), Weißbinder (*südostd.*), Binder (*südd.*,
*österr.*), Faßbinder (*landsch.*).
**Botten** → Schuh.
**Bottich** → Gefäß.
**Bottle-Party** → Fest.
**Botulismus** → Lebensmittelvergiftung.
**Bouclé** → Stoff.

**Boudoir** → Raum.
**Bouillon** → Suppe.
**Bouillonreis** → Getreide.
**Bouillontasse** → Tasse.
**Boulevard** → Straße.
**Boulevardblatt** → Zeitung.
**Boulevardpresse** → Presse.
**Boulevardstück** → Schauspiel.
**Bouquet:** → Blumenstrauß, → Geruch.
**Bouquinist** → Buchhändler.
**Bourbonrose** → Rose.
**Bouretteseide** → Seide.
**bourgeois** → konservativ.
**Bourgeois** → Konservativer.
**Bourgeoisie** → Bürgertum.
**Bourrée** → Tanz.
**Bouteille** → Flasche.
**Boutique** → Laden.
**Bovist** → Ständerpilz.
**Bowle** → Gewürzwein.
**Bowler** → Kopfbedeckung.
**Bowling:** → Kegelspiel; B. spielen → kegeln.
**Bowlingbahn** → Kegelbahn.
**Box:** → Fotoapparat, → Schließfach.
**boxen:** → kämpfen, → schlagen.
**Boxen**, Boxkampf, Faustkampf, Pugilistik, Fight · *als Training:* Sparring, Schattenboxen, Spiegelboxen; → Boxer, → Fausthieb, → Judo, → Ringen; → kämpfen.
**[1]Boxer**, Faustkämpfer, Pugilist, Fighter, Puncher, Preisboxer · *der sich rechts verteidigt, links schlägt:* Rechtsausleger, Southpaw (ugs) · *der sich links verteidigt, rechts schlägt:* Linksausleger · *bis zu 48 kg Körpergewicht:* Papiergewichtler · *bis zu 51 kg Körpergewicht:* Fliegengewichtler · *bis zu 54 kg Körpergewicht:* Bantamgewichtler · *bis zu 57 kg Körpergewicht:* Federgewichtler · *bis zu 60 kg Körpergewicht:* Leichtgewichtler · *bis zu 63,5 kg Körpergewicht:* Halbweltergewichtler · *bis zu 67 kg Körpergewicht:* Weltergewichtler · *bis zu 71 kg Körpergewicht:* Halbmittelgewichtler · *bis zu 75 kg Körpergewicht:* Halbschwergewichtler · *über 81 kg Körpergewicht:* Schwergewichtler; → Boxen, → Fausthieb.
**[2]Boxer:** → Faustschlag, → Hunderassen.

**Boxhieb** → Fausthieb.
**Boxkalf** → Leder.
**Boxkamera** → Fotoapparat.
**Boxkampf** → Boxen.
**Boy:** → Diener, → Jüngling.
**Boykott** → Vergeltungsmaßnahmen.
**boykottieren** → verhindern.
**Boykottierung** → Vereitelung.
**Boy-Scout** → Pfadfinder.
**Bozen**, Bolzano (ital.); → Stadt.
**Brabant:** -er Kreuz → Kreuzzeichen.
**brabbeln:** → beanstanden, → sprechen.
**Brabbelwasser:** B. getrunken haben → sprechen.
**Brachacker** → Brache.
**Brache**, Brachland, Brachfeld, Brachacker, Brachflur, brachliegendes Land, Egart (bayr., österr.); → Wiese; → brachliegen.
**Brachet** → Juni.
**Brachfeld** → Brache.
**Brachflur** → Brache.
**Brachialgewalt** → Gewalt.
**Brachland** → Brache.
**[1]brachliegen**, nicht bebaut / unbebaut / ungenutzt sein; → urbar; → Brache.
**[2]brachliegen:** -des Land → Brache.
**Brachmonat** → Juni.
**Brachmond** → Juni.
**Brachpieper** → Vogel.
**Brachschwalbe** → Vogel.
**Brachsen** → Fisch.
**Brachvogel** → Vogel.
**Brachydaktylie** → Kleinwuchs.
**Brachygnathie** → Kleinwuchs.
**Bracke** → Hunderassen.
**Brackmarsch** → Marsch.
**Bradykardie** → Pulsschlag.
**Bradypodida** → Faultier.
**Bradypus** → Faultier.
**Bradypus cuculliger** → Faultier.
**Bradypus torquatus** → Faultier.
**Bradypus tridactylus** → Faultier.
**brägeln** → braten.
**Brägen:** → Gehirn, → Hirn.
**Brailleschrift** → Schrift.
**Brain-Trust** → Mannschaft.
**bramarbasieren** → prahlen.
**Bramburi** → Kartoffeln.
**Branche** → Bereich.
**[1]Brand**, Feuer, Feuersbrunst, Feuersturm, Feuermeer, Flammenmeer; → Brandstifter, → Brandstiftung, → Feuerlöscher,

→ Feuerwehr, → Feuerwehrauto, → Feuerwehrmann, → Flamme, → Funkenflug, → Schadenfeuer; → löschen; → feuergefährlich.
**[2]Brand:** → Durst, → Schadenfeuer; den B. unter Kontrolle bringen → löschen; in B. setzen / stecken → anzünden.
**brand-:** → erz-.
**Brandaltar** → Opferstätte.
**Brandbombe** → Bombe.
**Brandbrief** → Schreiben.
**brandeln:** → riechen, → zahlen.
**branden** → fließen.
**Brandfuchs** → Fuchs.
**Brandgans** → Vogel.
**Brandgrab** → Grab.
**Brandkatastrophe** → Schadenfeuer.
**Brandleger** → Brandstifter.
**Brandlegung** → Brandstiftung.
**Brandleiter** → Leiter (die).
**brandmarken**, ächten, verfemen, verpönen, in Acht und Bann tun, verfluchen, verwünschen, verdammen, verurteilen, etwas / das Kind beim [rechten (oder:) richtigen] Namen nennen, den Stab brechen über, geißeln, anprangern, an den Pranger stellen; → ausschließen, → ausweisen, → beanstanden, → verurteilen; → Bann, → Gesellschaftskritik.
**Brandmauer** → Mauer.
**Brandmeister** → Feuerwehrmann.
**brandneu** → neu.
**brandrot:** → rot, → rothaarig.
**brandschatzen** → wegnehmen.
**Brandstifter**, Brandleger (österr.), Zundelfrieder (ugs., landsch.), Feuerteufel (ugs.); → Brand; → anzünden.
**Brandstiftung**, Brandlegung (österr.); → Brand; → anzünden.
**Brandstiftungszwang** → Anankasmus.
**Brandteig** → Teig.
**[1]Brandung**, Brandungswelle, Gischt, Gäscht (landsch.), Feim (landsch.), Seeschaum, Schaum, Schaumkrone; → Woge.
**[2]Brandung** → Welle.
**Brandungswelle** → Brandung.
**Brandversicherung** → Versicherung.
**Brandwunde** → Wunde.
**Branntwein** → Alkohol.

Branntweiner → Wirt.
Brasil → Zigarre.
Brasiltabak → Tabak.
Brasilzigarre → Zigarre.
Brasselett → Handschelle.
Brästling → Erdbeere.
Bratapfel → Apfel.
¹braten, rösten, schmoren, schmurgeln (ugs.), brägeln (landsch.), bregeln (landsch.), brutzeln (ugs.), grillen, backen, kücheln (schweiz.), toasten, bähen (südd., österr.), dämpfen, dünsten, garen; → kochen, → sieden, → würzen; → Grill.
²braten: eine Extrawurst gebraten haben wollen → eingliedern; da brat' mir einer einen Storch → überrascht [sein]; in der Sonne b., sich in der Sonne / von der Sonne b. lassen → sonnen (sich).
Braten: [faschierter B.] → Fleischgericht; den B. riechen → merken.
Bratenschmalz → Fett.
Bratensoße → Soße.
Bratenwein → Wein.
Brater → Uhr.
Bräter → Kochtopf.
Brathähnchen → Huhn.
Brathendl → Huhn.
Bratkartoffeln → Kartoffeln.
Bratkartoffelverhältnis → Liebelei.
Bratklops → Fleischkloß.
Brätling → Ständerpilz.
Bratpfanne, Pfanne, → Kochtopf.
Bratröhre → Backofen.
Bratrost → Grill.
Bratsche → Streichinstrument.
Bratscher → Musizierender.
Bratschist → Musizierender.
Bratwurst → Würstchen.
Bräu → Gaststätte.
Brauch, Sitte, Regel, Brauchtum, Gebräuche, Althergebrachtes, Herkommen, Mode, Übung, Tradition, Konvention, Zeremonie, Zeremoniell, Protokoll, Vorschrift, Etikette, Förmlichkeit, Form, Angewohnheit, Gewohnheit, Gepflogenheit, Usance, Usus · kirchlicher: Ritus, Ritual · studentischer: Komment · schlechter: Unart; → Anpassung, → Benehmen, → Lebensweise, → Tradition.
brauchbar: → anstellig, → lohnend, → zweckmäßig.

Brauchbarkeit, Geeignetsein, Eignung, Verwendbarkeit; → zweckmäßig.
¹brauchen, nötig haben, bedürfen, benötigen, gebrauchen, können, nicht entbehren / nicht missen können · dringend: etwas nötig haben wie das tägliche Brot; → anwenden, → erfordern, → mangeln; etwas nicht b., etwas nicht nötig haben, etwas entbehren / auf etwas verzichten können, nicht auf etwas angewiesen sein, auf etwas nicht zu warten brauchen; → nutzlos [sein]; → Bedarf.
²brauchen: → müssen; eine feste Hand b. → übermütig [sein]; jmds. Rat b. → Schwierigkeit.
Brauchtum → Brauch.
brauen: → produzieren; die Füchse b. → nebeln.
Brauer → Bierbrauer.
Brauerei, Bierbrauerei, Brauhaus; → Bier, → Bierbrauer.
Braumeister → Bierbrauer.
¹braun, bräunlich, ocker, umbra, siena, khakifarben, hellbraun, dunkelbraun, kaffeebraun, schokolade[n]braun, schokolade[n]-farben, nußbraun, rehbraun, erdfarben, rotbraun, ziegelbraun, kastanienbraun, terrakottafarben, teakholzfarben, mahagonibraun, mahagonifarben, schwarzbraun · auf Haare und Haut bezogen: brünett; → beige, → bunt, → einfarbig, → gelb.
²braun: → braunhaarig, → gebräunt; Brauner Bär → Schmetterling; -e Kuchen → Lebkuchen; b. Mehl → Mehlschwitze.
Braunalge → Alge.
Braunbär → Bär.
Braunbier: → Bier; wie B. mit Spucke aussehen → blaß [sein].
Bräune: häutige B. → Diphtherie.
Braunelle → Vogel.
bräunen: in der Sonne b., sich [in der Sonne, von der Sonne] b. lassen → sonnen (sich).
Brauner: → Kaffee, → Pferd.
braunhaarig, braun, bräunlich, hellbraun, dunkelbraun, schwarzbraun, rotbraun, kastanienbraun, mittelbraun, brünett; → rothaarig, → schwarzhaarig; → Haar.

Braunhemd → Nationalsozialist.
Braunholzpappe → Pappe.
Braunkehlchen → Vogel.
Braunkohl → Grünkohl.
Braunkohle → Kohle.
bräunlich: → braun, → braunhaarig, → gebräunt.
braunorange → orange.
braunrot → rot.
Braunschimmel → Algenpilz.
braunschwarz → schwarz.
Braunschweig, die Stadt Heinrichs des Löwen; → Stadt.
Braunsenf → Senf.
braunverbrannt → gebräunt.
Braus: in Saus und B. leben → leben.
Brause: → Limonade; sich unter die B. stellen, unter die B. treten → baden.
Brausekopf → Choleriker.
Brauselimonade → Limonade.
¹brausen, toben, wüten, tosen.
²brausen: → rauschen, → stürmen; sich b. → baden; einen unter das Jackett b. → trinken.
Brausewind: → Choleriker, → Wind.
Bräustüberl → Gaststätte.
¹Braut, Verlobte, Zukünftige; → Bräutigam, → Brautjungfer, → Verlobung.
²Braut: B. Christi → Nonne.
Bräuterich → Bräutigam.
Bräutigam, Verlobter, Heiratskandidat (scherzh.), Freier (veraltet), Zukünftiger (ugs.), Hochzeiter (oberd.), Bräuterich (landsch., scherzh.); → Braut, → Geliebter; → Verlobung.
Brautjungfer, Kranzjungfer (veraltend), Kranzeljungfer (bayr., österr.); → Braut.
Brautkleid → Kleid.
Brautschau: B. halten → werben; auf B. gehen → werben.
brav: → artig, → ehrenhaft.
Bravheit → Gehorsam.
bravissimo → bravo!
¹bravo!, bravissimo!, à la bonne heure!, vortrefflich!, ausgezeichnet!; → trefflich.
²bravo: b. rufen → applaudieren.
Bravo → Mörder.
Bravour: → Meisterhaftigkeit, → Mut.
bravourös → meisterhaft.

BRD → Deutschland.
brechbar → zerbrechlich.
Brechbohne → Gemüse.
Brecheisen → Brechstange.
¹brechen (mit jmdm.), jmdm. die Freundschaft aufkündigen / kündigen, mit jmdm. Schluß machen (ugs.), jmdm. den Laufpaß geben (ugs.), sitzenlassen (ugs.); → sitzenlassen, → trennen (sich), → verfeindet [sein].
²brechen: → falten, → fließen, → übergeben (sich), → zerbrechen; das Auge bricht → sterben; -d voll → voll; einer Sache Bahn b. → unterstützen (etwas); den Bann b. → Scheu [nehmen], → tun; die Ehe b. → untreu [sein]; etwas bricht jmdm. das Genick → Unglück; jmdm. die Gräten b. → schikanieren; Herzen b. → verliebt [machen]; etwas bricht jmdm. das Herz → bekümmern; jmdm. das Rückgrat b. → unterdrücken; das Schweigen b. → Schweigen; den Stab b. über → verurteilen; jmds. Widerstandskraft b. → zermürben; mit jmdm. / etwas b. → abwenden (sich); mit einer Gewohnheit b. → abgewöhnen (sich etwas); übers Knie b. → übereilen; einen Streit vom Zaun b. → Streit; auf Biegen oder Brechen → unbedingt.
Brecher → Welle.
Brechstange, Brecheisen, Beißer (österr.).
Bredouille → Not.
Breeches → Hose.
Breecheshose → Hose.
Breedertulpe → Gartentulpe.
bregeln → braten.
Bregen: → Gehirn, → Hirn.
bregenklüterig → schwermütig.
¹Brei, Püree, Koch (südd., österr.), Mus, Papp (landsch.), Paps (ugs., abwertend), Pamps (ugs., abwertend), Pamp (landsch.), Pampf (landsch.), Stock (schweiz.) · Grießbrei, Grießkoch (südd., österr.) · Haferflockenbrei, Haferbrei, Haferschleim · Reisbrei, Milchbrei · Mehlbrei · Hirsebrei · dünnflüssiger: Schleim; → Pflaumenmus, → Suppe.
²Brei: → Schlamm; B. um den Mund schmieren → schmei-

cheln; um den B. herumreden, wie die Katze um den heißen B. herumgehen / herumschleichen → sprechen; zu B. machen → zermalmen; jmdn. zu B. schlagen → schlagen.
breiig: → flüssig, → weich.
Breiigkeit → Flüssigsein.
Brein → Getreide.
breit: → ausführlich, → dick, → geräumig, → plump; -e Masse → Menge; -e Öffentlichkeit → Öffentlichkeit; eine -e Palette von → viele; einen -en Rücken haben → dickfellig [sein]; -e Streuung habend → weitverzweigt; zu b. sein → überstehen; -er werden → dick [werden]; b. ausgewalzt → gedehnt; weit und b. → überall, → weitum; des langen und -en → ausführlich.
breitblättrig: -e Endivie → Gemüse.
breitdrücken → zermalmen.
Breite: → Ausmaß; in die B. gehen → dick [werden].
breiten: den Schleier des Vergessens / der Vergessenheit über etwas b. → vertuschen.
breitmachen: sich b. → einnisten (sich).
Breitnase → Affe.
breitquetschen → zermalmen.
breitschlagen → überreden.
Breitschwanz → Pelz.
breittreten → verbreiten.
breitwalzen → zermalmen.
Breitwandfilm → Kinofilm.
Breiumschlag → Wickel.
¹Bremse, Handbremse, Fußbremse, Vorderradbremse, Hinterradbremse, Vierradbremse, Auflaufbremse, Öldruckbremse, Luftdruckbremse, Differentialbremse, Kardanbremse, Scheibenbremse, Backenbremse, Felgenbremse, Doppelbackenbremse, Innenbackenbremse, Außenbackenbremse, Motorbremse, Reibungsbremse, Kupplungsbremse, Flüssigkeitsbremse, Luftbremse; → bremsen.
²Bremse: die B. bedienen, auf die B. latschen / treten → bremsen.
¹bremsen, abbremsen, auf die Bremse treten/(salopp) latschen, die Bremse bedienen, den Motor abwürgen (ugs.); → anhalten, → halten; → Bremse.

²bremsen: → einschränken, → halten.
Bremslicht → Signallicht.
brennbar: leicht b. → feuergefährlich.
Brennbarkeit: leichte B. → Feuergefährlichkeit.
¹brennen, schmoren, sengen, schwelen, glühen, glimmen, glosen (landsch.), glosten (schweiz.), aufflammen, aufbrennen, in Flammen aufgehen / stehen, lodern, auflodern, lohen, wabern, flackern, aufflackern, versengen, verbrennen, ein Raub der Flammen werden, verglimmen, verglühen, verkohlen; → aufleuchten, → einäschern, → leuchten, → rußen, → verbrennen; → Flamme, → Wärme.
²brennen: → begleichen, → kribbeln, → produzieren, → scheinen; sich die Sonne auf den Bauch b. lassen → sonnen (sich); etwas brennt jmdm. auf den Nägeln → dringend [sein]; jmdm. brennt der Boden unter den Füßen → beeilen (sich), → gefährlich [werden].
brennend: → brisant, → schmerzhaft.
Brenngas → Brennstoff.
Brennholz: → Brennstoff, → Kleinholz.
Brennmaterial → Brennstoff.
Brennöl → Brennstoff.
¹Brennpunkt, Fokus; → Linse.
²Brennpunkt → Mittelpunkt.
Brennsuppe → Suppe.
Brennstoff, fester / flüssiger / gasförmiger Brennstoff, Brennmaterial, Feuerung; Heizmaterial, Brenngas, Brennöl, Brennholz, Heizstoff, Heizöl, Heizgas; → Heizung, → Kleinholz, → Kohle; → heizen.
Brente → Gefäß.
brenzlig → gefährlich.
Bresche: einer Sache eine B. schlagen → unterstützen (etwas); für jmdn. in die B. springen → vertreten.
Breslau, Wrocław (poln.); → Stadt.
Bresling → Erdbeere.
Bresthaftigkeit → Krankheit.
Brestli → Erdbeere.
Bretonne → Spitzenstickerei.
¹Brett, Planke, Bohle, Diele, Riemen, Leiste, Latte, Bord,

Brett

Daube, Sparren, Scheit, Träger, Balken; → Pfahl, → Span.

²**Brett:** -er → Bühne, → Schi; Schwarzes B. → Anschlagbrett; die -er, die die Welt bedeuten → Theater; das B. an der dünnsten Stelle bohren → entziehen (sich); ein B. vor dem Kopf haben → dumm [sein]; bei jmdm. einen Stein im B. haben → bevorzugen; dort ist die Welt mit -ern vernagelt → abgelegen [sein]; über die -er gehen → aufführen.

**Brettchen** → Frühstücksbrett.

**Bretteln** → Schi.

**Bretterboden** → Fußboden.

**Bretterbude** → Haus.

**Bretterbühne** → Bühne.

**Bretterwand** → Mauer.

**Bretterzaun** → Zaun.

**Brettl** → Kabarett

**Brettspiel** · Halma · Puff, Tricktrack · Salta · Go · Mühle, Zwickmühle (landsch.) · Dame · Schach, das königliche Spiel; → Kartenspiel, → Schachfigur, → Würfelspiel.

**Brevier:** → Auswahl, → Gebetbuch.

**Breze** → Gebäck.

**Brezel** → Gebäck.

**Bricken** → Frühstücksbrett.

**Bridge** → Kartenspiel.

**Brief:** → Postsendung, → Schreiben; anonymer / blauer B. → Schreiben; jmdm. B. und Siegel darauf geben, daß ... → zweifeln; einen B. schreiben, -e wechseln → korrespondieren.

**Briefablage** → Ablage.

**Briefadel** → Adel.

**Briefaustausch** → Schriftwechsel.

**Briefbogen** → Briefpapier.

**Briefbote** → Zusteller.

**Brieffreundschaft** → Schriftwechsel.

**Briefgeheimnis,** Schriftgeheimnis (schweiz.); → Schreiben.

**Briefkarte:** → Briefpapier, → Schreiben.

**Briefkasten:** in den B. werfen, zum B. tragen → einwerfen.

**brieflich:** b. verkehren → korrespondieren.

¹**Briefmarke,** Freimarke, Marke, Postwertzeichen, Wertzeichen, Wohlfahrtsmarke, Sonder-

marke · im voraus vom Absender entwertete: Precancel; → frankieren.

²**Briefmarke:** platt sein wie eine B. → überrascht [sein]; eine B. aufkleben → frankieren.

**Briefmarkenalbum** → Album.

**Briefmarkensammler,** Philatelist, Markensammler, Briefmärkler (schweiz.).

**Briefmärkler** → Briefmarkensammler.

**Briefordner** → Aktenordner.

¹**Briefpapier,** Schreibpapier, Schreibbogen, Briefbogen, Briefkarte, Luftpostpapier, Florpostpapier, Florpost, Trauerpapier; → Schreiben, → Schreibpapier.

²**Briefpapier** → Schreibpapier.

**Briefpartner** → Briefschreiben.

**Briefroman** → Roman.

**Briefschreiber,** Schreiber, Absender, Korrespondent, Briefpartner, Partner; → Absender, → Empfänger, → Schreiben.

**Briefsiegel** → Siegel.

**Brieftasche** → Portemonnaie.

**Brieftaschenmacher** → Täschner.

**Brieftaube,** Reisetaube; → Geflügel, → Vogel.

**Briefträger** → Zusteller.

**Briefumschlag** → Umschlag.

**Briefverbindung** → Schriftwechsel.

**Briefverkehr:** → Schriftwechsel; in B. stehen → korrespondieren.

**Briefwaage** → Waage.

**Briefwechsel:** → Schriftwechsel; mit jmdm. einen B. führen, in B. stehen → korrespondieren (mit).

**Briefzusteller** → Zusteller.

**Briekäse** → Käse.

**Bries** → Innereien.

**Brieschen** → Innereien.

**Briesel** → Innereien.

**Brigade:** → Heeresverband, → Mannschaft.

**Brigadegeneral** → Dienstgrad.

**Brigg** → Segelschiff.

**Brikett** → Kohle.

**brillant** → außergewöhnlich.

**Brillantine** → Haarpflegemittel.

**Brillantkollier** → Halskette.

**Brillantring** → Ring.

¹**Brille,** Augengläser, Gläser, Nasenfahrrad (ugs., scherzh.), Fahrrad (ugs., scherzh.), Speku-

liereisen (scherzh.), Intelligenzprothese (scherzh.) · Hornbrille, Lesebrille, Fernbrille · mit eingebautem Hörapparat: Hörbrille · zum Schutz gegen Sonnenlicht: Sonnenbrille · mit Stiel: Stielbrille, Lorgnon, Lorgnette · deren Gläser zwei verschiedene Linsen für Nah- und Fernsicht haben: Bifokalbrille, bifokale Brille; → Einglas, → Fehlsichtigkeit, → Kneifer, → Kontaktlinse.

²**Brille:** → Toilette; etwas durch eine rosa B. sehen → zuversichtlich [sein]; etwas durch eine schwarze B. sehen → schwermütig [sein].

**Brillenbär** → Bär.

**Brillenente** → Vogel.

**Brillenschlange** → Schlange.

**brillieren,** glänzen, [glänzend] in Form sein, in Hochform sein; → Erfolg [haben].

**Brimborium:** → Nebenumstände; ohne viel B. → einfach.

**Brimsen** → Schafkäse.

**Brimsenkäse** → Schafkäse.

¹**bringen,** herbringen, herbeibringen, daherbringen (südd., österr.), verbringen, schaffen, einliefern.

²**bringen:** → begleiten, → beschaffen, → bewältigen, → einweisen, → liefern; etwas hinter sich gebracht haben → überstanden; beiseite b. → wegnehmen; beiseite / um die Ecke b. → aufbewahren; heimlich über die Grenze b. → einschmuggeln; sich nicht aus dem Gleichgewicht b. lassen → ruhig [bleiben]; [den Beweis] b. → nachweisen; das Blut in Wallung b. → ärgern, → erregen; einen bestimmten Ertrag b. → ergeben; das bringt es → einträglich [sein]; es über sich / übers Herz b. → überwinden (sich); es zu etwas b. → avancieren, → Erfolg [haben]; ein bestimmtes Gewicht auf die Waage b. → wiegen; Leben in die Bude b. → erheitern; den Stein ins Rollen b. → anregen; eine Strecke hinter sich b. → Strecke; [Truppen an einen Ort] b. → stationieren; an sich b. → kaufen; an Bord b. → einschiffen; an Land / von Bord b. → ausschif-

144

fen; an den Mann b. → verheiraten, → verkaufen; [an einen bestimmten Platz] b. → placieren; auf andere Gedanken b. → erheitern; auf den Scheiterhaufen b. → töten; auf Vordermann b. → lenken; auf den Tisch b. → servieren; aufs Tapet / zur Sprache b. → erörtern, → vorschlagen; aus der Fassung / aus dem Gleichgewicht / aus dem Konzept/aus dem Text b. → verwirren; aus der Form b. → deformieren; hinter sich b. → absolvieren; hinter Schloß und Riegel b. → festsetzen; b. in → hineinbringen; in Bewegung / Schwung b. → mobilisieren; in Einklang / Übereinstimmung b. → abstimmen; in Erinnerung / ins Bewußtsein b. → wachrufen; in eine Fluchtlinie b. → ausrichten; in Gang b. → anstacheln; in Gefahr b. → Gefahr; in Harnisch / in Wut b. → ärgern; jmdn. / sich in eine unangenehme Lage (oder:) Situation b. → hineinmanövrieren (jmdn. / sich in etwas); in Mißkredit / Verruf b. → schlechtmachen; in eine abeceliche / alphabetische Ordnung b. → alphabetisieren; in Rage b. → ärgerlich; in Verse b. → besingen; in Vorschlag b. → vorschlagen; ins Geschäft b. → fördern; etwas ins Lot b. → Ordnung; ins Wanken b. → untergraben; über die Bühne b. → verwirklichen; nicht über die Lippen b. → mitteilen; jmdn. um etwas b. → betrügen; um die Ecke b. → durchbringen; etwas bringt jmdn. um den Schlaf → sorgen (sich); unter Dach und Fach b. → beenden; unter den Hammer b. → versteigern; unter den Hammer / zur Versteigerung b. → Versteigerung; unter einen Hut b. → vereinigen; unter die Leute b. → popularisieren, → veröffentlichen; vor Gericht b. → prozessieren; jmdn. zu etwas b. → anordnen, → anstacheln; jmdn. zu Fall b. → umstoßen (jmdn); zu Gehör bringen → singen; zum Ausdruck b. → bekunden; zum Ausdruck / zur Darstellung b. → aussagen; zum Einsatz

b. → anwenden; zum Erlöschen b. → löschen; zum Kochen / Sieden b. → sieden; zum Versand b. → schicken; zur Anerkennung b. → Anerkennung [erzwingen]; zur Besinnung / Einsicht / Vernunft b. → aufrütteln; zur Erstaufführung / Uraufführung b. → aufführen; zur Post b. → einliefern, → einwerfen; zur Ruhe b. → beruhigen; zur Verlesung b. → sprechen; zur Verzweiflung b. → Verzweiflung; zur Wache b. → abführen; zur Weißglut b. → ärgern.

¹**brisant**, explosiv, hochexplosiv, heiß, hochaktuell, brennend, drängend; → schwierig; **b. sein:** etwas ist brisant, etwas enthält Zündstoff / Brisanz / Sprengkraft.

²**brisant** → aktuell.

**Brisanz:** → Bedeutsamkeit; etwas enthält B. → brisant [sein].

**Brise:** → Wind; frische / leichte / mäßige / schwache B. → Windstärke.

**Brissago** → Zigarre.

**Brite** → Engländer.

**Britschka** → Kutsche.

**Bröckchen** → Krümel.

**brocken** → pflücken.

**Brocken:** → Block, → Dicker, → Klumpen, → Krümel; der größte B. → Anteil; etwas ist ein harter B. → schwierig [sein]; mit gelehrten B. um sich werfen → prahlen.

**brockenweise** → diskontinuierlich.

**Bröckerl** → Dicker.

**bröcklig** → mürbe.

¹**brodeln**, blubbern, Blasen werfen, kochen, wallen, aufwallen, aufkochen; → perlen, → sieden, → überkochen.

²**brodeln:** → langsam [arbeiten], → perlen.

**Brodem** → Nebel.

**Broiler** → Huhn.

**Brokat** → Seide.

**Brom:** → Gas, → Gift.

**Brombeerblättertee** → Tee.

**Brombeere**, Moldbeere (landsch.), Multbeere (landsch.), Torfbeere, Zwergbrombeere; → Beerenobst.

**Brombeerhecke** → Hecke.

**Brominismus** → Vergiftung.

**Bromismus** → Vergiftung.

**Bromvergiftung** → Vergiftung.

**Bronchogramm** → Röntgenogramm.

**Bronchographie** → Röntgenographie.

**Bronchoskopie** → Ausspiegelung.

**Bronze** → Mischung.

**Bronzefuchs** → Pferd.

**bronzen** → gebräunt.

**bronzerot** → rot.

**Brosame** → Krümel.

**Brosche**, Nadel, Anstecknadel, Spange, Agraffe, Schmuckspange, Busennadel, Vorstecknadel; → Schmuck.

**Bröschen** → Innereien.

**broschieren**, heften, holländern, lumbecken; → binden; → Buch.

**Broschur** → Buch.

**Broschüre** → Buch.

**Brösel:** → Krümel, → Paniermehl.

¹**Brot** · *rundes:* Rundbrot, Brotlaib (*bes. südd., österr.*), Laib [Brot] (*bes. südd., österr.*) · *längliches:* Langbrot, Brotwecken (*bes. österr.*), Wecken (*bes. österr.*), Brotlaib (*mitteld.*), Laib [Brot] (*mitteld.*) · *aus Roggenmehl:* Roggenbrot, Schwarzbrot, Bauernbrot, Landbrot, Ruchbrot (*schweiz.*), Kornbrot (*südd.*), Vollkornbrot, Pumpernickel · *aus Weizenmehl:* Weizenbrot, Weizenschrotbrot, Grahambrot, Weißbrot, Rosinenbrot, Stuten (*niederd.*), Klöben (*niederd.*), Semmelwecken (*österr.*) · *aus Roggen- und Weizenmehl:* Mischbrot · *in flachen Scheiben gebackenes aus Roggen- oder Weizenvollkornschrot:* Knäckebrot · *mit getrockneten Früchten:* Früchtebrot, Früchtenbrot (*österr.*), Kletzenbrot (*österr.*) · *mit Leinsamen:* Leinsamenbrot · *ungesäuertes der Juden:* Matze[n]; → Brötchen, → Brotende, → Gebäck, → Kaviarbrot, → Schnitte.

²**Brot:** → Schnitte; belegtes B. → Sandwich; Russisch B. → Gebäck; B. und Wein → Abendmahl; ein hartes B. haben, sein B. sauer verdienen → verdienen; etwas nötig haben wie das tägliche B. → brauchen; bei Wasser und B.

sitzen → abbüßen; in Lohn und B. nehmen / stehen → einstellen; sich nicht die Butter vom B. nehmen lassen → wehren (sich).

**Brotaufstrich·**Marmelade, Konfitüre, Gelee, Jam, Pflaumenmus, Rübenkraut *(landsch.)*, Apfelkraut, Zwetschenkraut, Mus, Powidl *(österr.)*, Gesälz *(bes. schwäb.)*, Latwerge *(landsch.)*, Sirup, Kreude *(nordd.)* · Honig, Bienenhonig, Kunsthonig · Butter, Margarine, Fett, Schmalz; → Brotbelag, → Honig, → Käse, → Weißkäse, → Wurst; → gelieren.

**Brotbelag,** Belag, Wurstaufschnitt, Käseaufschnitt, Aufschnitt; → Brotaufstrich, → Wurst.

**¹Brötchen,** Semmel *(landsch.)*, Schrippe *(berlin.)*, Weck *(südd.)*, Wecken *(südd.)*, Weggen *(schweiz.)*, Weggli *(schweiz.)*, Laibchen *(österr.)*, Laberl *(mundartl., österr.)* · *mehr längliches:* Knüppel *(berlin.)*, Weckerl *(bayr., österr.)*, Baunzerl *(österr.)*, Bosniak *(österr.)* · *großes, rundes:* Rundstück *(nordd.)*, Schusterlaibchen *(österr.)*, Wachauer *(österr.)* · *mit mehreren Einschnitten an der Oberseite:* Kaiserbrötchen, Kaisersemmel *(österr.)*, Franzbrötchen, Rosenbrötchen *(bes. nordd.)*, Rosensemmel, Brötchen *(berlin.)* · *langes, mit Salz bestreutes:* Salzstange, Salzstangerl *(österr.)*, Salzkuchen *(nordd.)* · *aus Roggen- und Weizenmehl:* Salzkuchen *(berlin.)*, Schusterjunge *(berlin.)* · *salziges aus Hefeteig, das vor dem Backen in kochende Sodalauge getaucht wird:* Laugenbrötchen *(südd.)* · *gebogenes:* Hörnchen, Kipfel *(südd., österr.)*, Kipferl *(südd., österr.)*, Kipf *(südd.)*, Gipfel *(schweiz.)*, Beugel *(österr.)* · *mit Rosinen:* Rosinenbrötchen, Stutenweck *(rhein.)*; → Brot, → Gebäck, → Sandwich, → Schnitte.

**²Brötchen:** belegtes B. → Sandwich; kleine / kleinere B. backen → zurückstecken.

**Brötchengeber** → Arbeitgeber.

**Brotende,** Brotkanten, Kanten *(landsch.)*, Knust *(niederd.)*,

Knörzel *(südd.)*, Knaus *(schwäb.)*, Ranft *(südd.)*, Kruste *(westd.)*, Krüstchen *(westd.)*, Kappe *(ostfries.)*, Kapel *(ostfries.)*, Korste *(westf.)*, Scherz *(österr.)*, Scherzel *(österr.)*; → Brot, → Brotkruste, → Schnitte.

**¹Broterwerb,** Lebenserwerb, Verdienst, Einkommen; → Ertrag, → Lohn.

**²Broterwerb** → Beruf.

**Brotherr** → Arbeitgeber.

**Brotkanten** → Brotende.

**Brotkorb:** jmdm. den B. höher hängen → einschränken.

**Brotkrume** → Krümel.

**Brotkruste,** Kruste, Kürste *(nordd.)*, Brotrinde, Rinde; → Brotende.

**Brotlaib** → Brot.

**brotlos** → arbeitslos.

**Brotmesser** → Messer.

**Brotneid:** → Konkurrenz, → Neid.

**Brotpilz** → Ständerchampignon.

**Brotrinde** → Brotkruste.

**Brotschimmel** → Schlauchpilz.

**Brotschnitte** → Schnitte.

**Brotteller** → Teller.

**Brotwecken** → Brot.

**Brotzeit** → Zwischenmahlzeit.

**Brouillon** → Entwurf.

**Browning** → Schußwaffe.

**brubbeln** → sprechen.

**¹Bruch,** Hernie, Prolaps, Protrusion · Eingeweidebruch, Eingeweidevorfall, Enterozele, Darmbruch, Dünndarmbruch, Mastdarmbruch, Mastdarmvorfall, Rektozele, Proktozele · Leistenbruch, Hernia inguinalis, Bubonozele · Hodensackbruch, Oscheozele, Hernia scrotalis · Netzbruch, Epiplozele, Hernia omentalis · Zwerchfellbruch, Diaphragmatozele, Hiatushernie · Bauchbruch, Bauchwandbruch, Laparozele, Hernia abdominalis, Oberbauchbruch, Eventration, Nabelbruch, Omphalozele, Paromphalozele; → Eingeweidesenkung.

**²Bruch (der):** → Abkehr, → Bügelfalte, → Einschnitt, → Knochenbruch, → Untreue, → Zahl; sich einen B. lachen → lachen; in die Brüche gehen → scheitern.

**³Bruch (das):** → Sumpf.

**Bruchbude** → Raum.

**brüchig** → morsch.

**Bruchlandung** → Landung.

**Bruchrechnung** → Mathematik.

**Bruchstein** → Baustein.

**Bruchsteinmauer** → Mauer.

**Bruchstück** → Fragment.

**bruchstückhaft** → unvollständig.

**Bruchstückhaftigkeit** → Unvollständigkeit.

**Bruchzahl** → Zahl.

**¹Brücke,** Hängebrücke, Kettenbrücke, Pfeilerbrücke, Bogenbrücke, Seilbrücke, Balkenbrücke, Holzbrücke, Pontonbrücke, Schiffbrücke, Zugbrücke, Drehbrücke, Notbrücke, Straßenbrücke, Autobahnbrücke, Eisenbahnbrücke · Viadukt, Steg, Übergang, Passerelle, Überweg, Überführung; → Anlegebrücke, → Brückenpfeiler, → Straße · Ggs. → Unterführung.

**²Brücke:** → Teppich, → Zahnersatz; alle -n hinter sich abbrechen → abwenden (sich); jmdm. eine goldene B. / goldene -n bauen → entgegenkommen (jmdm.).

**Brückenangst** → Phobie.

**Brückengeländer** → Geländer.

**Brückenpfeiler,** Pfeiler, Pylon; → Brücke.

**Brückenschlag** → Kontakt.

**Brückenwaage** → Waage.

**¹Bruder,** der leibliche / eigene Bruder, Bruderherz, Keule *(ugs.)*, Atze *(ugs., berlin.)*; → Verwandter.

**²Bruder:** → Mann, → Mönch; Brüder → Bande; Ehrwürdiger B. → Anrede; lustiger B. → Mensch (der); warmer B. → Homosexueller; B. und Schwester → Geschwister; unter Brüdern → Entgegenkommen.

**Bruderherz** → Bruder.

**Bruderkind** → Verwandter.

**Bruderkrieg** → Krieg.

**Bruderkuß** → Kuß.

**brüderlich:** → einträchtig, → freundschaftlich.

**Brüderlichkeit** → Übereinstimmung.

**Bruderliebe** → Familienanhänglichkeit.

**Brudermord** → Tötung.

**Bruderpartei** → Partei.

**Bruderschaft:** → Kongregation, → Mannschaft.

**Brüderschaft:** mit jmdm. B. getrunken haben → duzen.

**Brügger:** B. Spitze → Spitzenstickerei.

**Brühe:** → Flüssigkeit, → Getränk, → Nebel, → Suppe.

**brühen** → sieden.

**Brühl** → Sumpf.

**brühwarm:** etwas b. weitererzählen → gleich, → mitteilen.

**Brüllaffe** → Affe.

**brüllen** → schreien.

**Brummbär:** → Bär, → Griesgram.

**Brumme** → Fliege.

**brummeln** → flüstern.

**brummen:** → abbüßen, → flüstern, → murren, → singen, → surren; das Brummen → Geräusch.

**Brummer** → Fliege.

**brummig,** ärgerlich, böse, aufgebracht, verärgert, entrüstet, empört, peinlich / unangenehm berührt, unwillig, ungehalten, unwirsch, fünsch (*niederd.*), indigniert, erbost, erzürnt, erbittert, zornig, fuchtig (*ugs.*), wütend, rabiat, wutentbrannt, wutschäumend, wutschnaubend (*ugs.*), fuchsteufelswild, zähneknirschend, grimmig, ingrimmig, tücksch (*ugs.*), mürrisch, verdrossen, bärbeißig, grämlich, verdrießlich, griesgrämig, hässig (*schweiz.*), mauserig (*schweiz.*), sauertöpfisch, mißmutig, mißvergnügt, mißgestimmt, mißlaunig, mißgelaunt, gereizt, übellaunig, muffig, grantig, leid (*schweiz.*), maßleidig (*südd.*); → aufgelegt, → aufgeregt, → geharnischt, → gekränkt, → launisch → unerfreulich, → unzufrieden, → widerwillig; **b. sein,** jmdm. ist eine Laus über die Leber gelaufen, mit dem linken Fuß aufgestanden sein, das Barometer steht auf Sturm, auf jmdn. einen Rochus haben (*ugs.*), zürnen, sich alterieren / aufregen / erregen, ich könnte mir vor Wut in den Hintern beißen (*salopp*), sich schwarz ärgern, sich fuchsen / giften (*ugs.*), sich etwas antun (*österr.*), rotsehen (*ugs.*), geladen / sauer sein (*salopp*), auf jmdn. böse / nicht gut zu sprechen sein, jmdm. böse / (*ugs., bayr., österr.*)

harb sein, wüten, toben, rasen, sich entladen, den wilden Mann spielen; → anstoßen (bei jmdm.), → grollen, → kränken, → lärmen, → schockieren; → Griesgram, → Stimmung, → Überraschung, → Unannehmlichkeiten.

**Brummigkeit** → Launenhaftigkeit.

**Brummschädel** → Kopfschmerz.

**Brunch** → Essen.

**brünett:** → braun, → braunhaarig.

**Brünette** → Frau.

**brunftig** → brünstig.

**¹Brunnen,** Zisterne, Reservoir, Ziehbrunnen, Sod (*schweiz.*); → Quelle.

**²Brunnen** → Heilquelle.

**Brunnenkresse** → Gemüse.

**Brunnenlebermoos** → Moos.

**Brunnenvergifter** → Hetzer.

**Brunnenvergiftung** → Propaganda.

**Brunnenwasser** → Wasser.

**Brunst** → Geschlechtstrieb.

**¹brünstig,** brunftig (*Jägerspr.*), läufig, heiß; → begierig; **b. sein,** stieren.

**²brünstig** → begeistert.

**Brunzdippe** → Nachtgeschirr.

**brunzen** → urinieren.

**Brunzkachel** → Nachtgeschirr.

**Brüsch** → Heidekraut.

**Brüsche** → Beule.

**brüsk,** unhöflich, unfreundlich, abweisend, rüde, barsch, raß (*oberd.*), bärbeißig (*ugs.*), hantig (*ugs., bayr., österr.*), schroff, grob, saugrob (*derb*), grobschlächtig (*abwertend*), kurz [angebunden], unverbindlich, unliebenswürdig, taktlos, plump, ungeschliffen, ungehobelt (*abwertend*), geschert (*bayr., österr.*), bäurisch (*abwertend*), unkultiviert, unritterlich, flegelig (*abwertend*), flegelhaft (*abwertend*), rüpelig (*abwertend*), rüpelhaft (*abwertend*), lümmelhaft (*abwertend*), ruppig (*abwertend*), ohne [jedes] Benehmen, schnöselig (*abwertend*), stieselig (*salopp, abwertend*), nicht → höflich; → anstößig, → aufdringlich, → böse, → frech, → gewöhnlich, → spöttisch, → taktlos, → unbarmherzig.

**brüskieren** → kompromittieren.

**Brüskierung** → Herausforderung.

**Brüssel,** Bruxelles (*franz.*); → Stadt.

**Brüsseler:** B. Spitze → Spitzenstickerei.

**Brüsselerkohl** → Rosenkohl.

**¹Brust,** Brustkorb, Thorax, Brustkasten (*ugs.*); → Busen.

**²Brust:** → Busen, → Seele; Brüste → Busen; die B. geben → stillen; jmds. B. entringt sich ein Seufzer → stöhnen; sich an die B. schlagen → bereuen; etwas liegt jmdm. wie ein Alp auf der B. → schwernehmen; schwach auf der B. sein → arm [sein]; jmdm. die Pistole auf die B. setzen → nötigen; zwei Seelen in seiner B. haben → zwiespältig [sein]; sich in die B. werfen → prahlen.

**Brustbeutel** → Portemonnaie.

**Brustbild:** → Bildnis, → Fotografie.

**Brustbräune** → Angina pectoris.

**brüsten:** sich b. → prahlen.

**Brustfellentzündung,** Rippenfellentzündung, Pleuritis, Pleuresie · *in Verbindung mit einer Lungenentzündung:* Pleuropneumonie, Pneumopleuritis; → Krankheit.

**Brustgefieder** → Gefieder.

**Brustkasten** → Brust.

**Brustkorb** → Brust.

**Brustlatz** → Jabot.

**Brustorden** → Orden.

**Brustschwimmen** → Schwimmen.

**Bruststimme** → Stimme.

**Brusttee** → Tee.

**Brüstung** → Geländer.

**Brustwarze,** Mamille, Knospe, Mamilla, Papille; → Busen, → Zitze.

**Brustwirbel** → Wirbelknochen.

**Brut** → Abschaum.

**brutal** → unbarmherzig.

**brutalisieren,** verrohen; → unbarmherzig.

**Brutalität** → Unbarmherzigkeit.

**Brutanstalt** → Geflügelfarm.

**¹brüten,** hecken, glucken, sitzen, nisten, horsten; → gebären, → schlüpfen.

**²brüten:** → denken; b. über → anfertigen.

**Bruthitze** → Wärme.

**Brutplatz** → Vogelnest.

**Brutstelle** → Vogelnest.

Bruttolohn → Lohn.

Bruttopreis → Preis.

brutzeln → braten.

Bruxelles → Brüssel.

Bruyèrepfeife → Tabakspfeife.

Bub → Junge.

Bübchen → Junge.

Bube → Junge.

Bübel → Junge.

Bubenstück → Übeltat.

Büberei → Übeltat.

Bubi → Junge.

Bubikopf → Frisur.

Bubonenpest → Pest.

Bubonozele → Bruch.

¹Buch, Band, Einzelband, Titel, Schmöker (ugs.), Wälzer (ugs.), Schwarte (salopp), Schinken (ugs.), Scharteke (abwertend), Foliant, Druckerzeugnis, Werk, Schrift · nicht gebundenes: Broschur, Taschenbuch, Paperback, Broschüre · das harmonikaartig gefaltet ist: Leporello, Leporellobuch · das nur zu Ausstellungszwecken dient: Blindband · gebundenes: Hardcover · mit großem Absatz: Bestseller, Longseller, Steadyseller, Seller, Erfolgsbuch; → Album, → Bücherei, → Druck, → Lektüre, → Literatur, → Ratgeber, → Verkaufsschlager, → Zeitschrift, → Zeitung; → broschieren.

²Buch: Bücher → Geschäftsbücher; Goldenes B. → Album; B. der Bücher → Bibel; B. der Psalmen → Psalter; ein Buch mit sieben Siegeln sein → verschlossen [sein]; etwas ist jmdm. / für jmdn. ein B. mit sieben Siegeln → verstehen; etwas ist für jmdn. ein B. mit sieben Siegeln → unzugänglich; reden wie ein B. → sprechen; über etwas B. führen → aufschreiben, → buchen; sich mit etwas in das B. der Geschichte eintragen → verewigen (sich); zu B. schlagen → wichtig [sein].

Buchara → Orientteppich.

Buchbesprechung → Besprechung.

Buchdrama → Drama.

¹Buche, Heister (landsch.) Hagebuche, Hainbuche · Rotbuche, Blutbuche · Weißbuche · Hängebuche · Süntelbuche · Hahnenkammbuche · Säulenbuche; → Laubhölzer.

²Buche → Laubbaum.

buchen, verbuchen, über etwas Buch führen, registrieren, verzeichnen, erfassen, sammeln, dokumentieren, aufnehmen, fortschreiben, laufend ergänzen, kodifizieren, archivieren, in Evidenz halten (österr.); → aufschreiben, → erwähnen, → zusammenkommen.

Buchenhecke → Hecke.

Buchenwald → Wald.

Bücherbestand, Büchersammlung, Bücherschatz, Bibliothek, Bücherei · Fachbibliothek, Handbibliothek, Seminarbibliothek, Präsenzbibliothek, Schulbibliothek, Werksbibliothek · zu einem bestimmten Zweck zusammengestellter: Apparat; → Bibliothek, → Buch.

Bücherbord, Bücherregal, Bord, Regal, Bücherbrett, Bücherschrank, Bücherkasten (österr.), Bücherschaft (schweiz.), Bücherwand; → Gestell, → Möbel.

Bücherbrett → Bücherbord.

Bücherei: → Bibliothek, → Bücherbestand.

¹Bücherfreund, Büchernarr, Bibliomane · von kostbaren und schönen Büchern: Bibliophile; → Buch, → Bücherei, → Leser.

²Bücherfreund → Liebhaber.

Bücherkasten → Bücherbord.

Bücherladen → Buchhandlung.

Büchernarr → Bücherfreund.

Bücherregal → Bücherbord.

Büchersammlung → Bücherbestand.

Bücherschaft → Bücherbord.

Bücherschatz → Bücherbestand.

Bücherschrank: → Bücherbord, → Schrank.

Bücherverbrennung, Autodafé; → Vernichtung; → zerstören.

Bücherverzeichnis → Verzeichnis.

Bücherwand → Bücherbord.

Bücherwurm → Leser.

Buchfink → Vogel.

¹Buchführung, kameralistische Buchführung, einfache / doppelte Buchführung, Doppik.

²Buchführung → Geschäftsführung.

Buchführungskontrolle → Buchprüfung.

Buchgelehrsamkeit → Bildung.

Buchhändler, Sortimenter ·· der gebrauchte Bücher verkauft:

Antiquar · am Seineufer in Paris: Bouquinist; → Buchhandlung.

Buchhandlung, Buchladen, Bücherladen, Sortiment · für antiquarische Bücher: Antiquariat, Bahnhofsbuchhandlung · mit einem Café kombinierte: Libresso; → Buchhändler, → Laden.

Buchhülle → Umschlag.

Buchkartei → Kartei.

Buchkritik → Besprechung.

Buchladen → Buchhandlung.

Buchmesse → Messe.

Buchprüfer → Wirtschaftsprüfer.

Buchprüfung, Buchführungskontrolle, Betriebsprüfung, Gebarungskontrolle (österr.); → Geschäftsführung, → Kontrolle.

Buchsbaum → Laubhölzer.

Buchsbaumhecke → Hecke.

¹Büchse, Dose, Konserve, Konservenbüchse, Konservendose, Blechdose, Blechbüchse; → Behälter, → Einmachglas, → Konserve.

²Büchse: → Schußwaffe, → Vagina.

Büchsengemüse → Gemüse.

Büchsenlauf → Gewehrlauf.

Büchsenmilch → Milch.

Büchsenöffner → Penis.

¹Buchstabe, Letter, Schriftzeichen, Charaktere (Plural) · kleiner: Minuskel · großer: Majuskel · großer [am Wortanfang]: Versal · großer in der Größe der kleinen Buchstaben: Kapitälchen · kunstvoller am Anfang eines Textes: Initiale · aus einer anderen Schrift oder einem anderen Schriftgrad als der übrige Satz fehlerhaft gesetzter: Zwiebelfisch · auf dem Kopf stehender, fehlerhaft gesetzter: Fliegenkopf · griechischer: Alpha (α), Beta (β), Gamma (γ), Delta (δ), Epsilon (ε), Zeta (ζ), Eta (η), Theta (ϑ), Jota (ι), Kappa (ϰ), Lambda (λ), My (μ), Ny (ν), Xi (ξ), Omikron (o), Pi (π), Rho (ϱ), Sigma (σ, ς), Tau (τ), Ypsilon (υ), Phi (φ), Chi (χ), Psi (ψ), Omega (ω); → Diphthong, → Dehnungs-h, → Eszett, → Konsonant, → Schrift, → Schriftgrad, → Vokal.

²**Buchstabe:** die vier -n → Gesäß.

**Buchstabenblindheit** → Aphasie.

**Buchstabenflagge** → Fahne.

**Buchstabenfolge:** → Alphabet; nach der B. → alphabetisch.

**buchstabengetreu:** → bürokratisch, → wortwörtlich.

**Buchstabenmensch** → Pedant.

**Buchstabenrätsel** → Rätsel.

**Buchstabenrechnung** → Mathematik.

**Buchstabenreihe:** → Alphabet; nach der B. → alphabetisch.

**Buchstabensatz** → Schriftsatz.

**Buchstabenschrift** → Schrift.

**buchstäblich:** → erwartungsgemäß, → regelrecht, → wortwörtlich.

**Bucht** → Meerbusen.

**Buchtel** → Gebäck.

**Buchweisheit** → Bildung.

**Buchweizenhonig** → Honig.

**Buchwissen** → Bildung.

**Buck** → Zahlungsmittel.

**Buckel:** → Berg, → Höcker, → Krüppel, → Rücken; einen B. haben → verwachsen [sein]; den B. voll Schulden haben → schulden (jmdm.etwas); jmdm. die Katze den B. hinaufjagen → Angst; den B. hinhalten [müssen] → einstehen (für); vor jmdm. einen krummen B. machen → unterwürfig [sein]; rutsch mir den B. runter! → unwichtig [sein]; schon viele Jahre auf dem B. haben → alt [sein].

**buckelig** → bergig.

**Buckelkraxe** → Tragekorb.

**buckelkraxen:** b. nehmen / tragen → tragen.

**buckeln** → tragen.

**bücken:** sich b. → beugen (sich).

**Buckerl :** → Verbeugung; ein B. machen → verneigen (sich).

**Buckingham Palace** → Regierung.

**Buckinghamshirespitze** → Spitzenstickerei.

**bucklig:** → bergig, → verwachsen.

**Bückling** → Verbeugung.

**Buddel** → Flasche.

¹**buddeln**, im Sand spielen, sandeln (*landsch.*).

²**buddeln** → ausmachen (Kartoffeln).

**Buddhismus** → Weltreligion.

**Bude:** → Haus, → Raum, → Verkaufsstand; eine sturmfreie B. haben → wohnen; die B. dichtmachen → zumachen; jmdm. die B. einlaufen / einrennen → frequentieren; jmdm. auf die B. rücken → bitten; mit jmdm. auf die B. gehen → koitieren; Leben in die B. bringen → erheitern.

**Budel** → Ladentisch.

**Budenzauber** → Fest.

**Budget** → Etat.

**Budo** → Selbstverteidigung.

**Büfett:** → Möbel, → Schanktisch.

**Büffel** → Grobian.

**Büffelhaut:** eine B. haben → dickfellig [sein].

**Büffelleder** → Leder.

**büffeln** → lernen.

**Buffet:** → Möbel, → Schanktisch.

**Büffetdame** → Bardame.

**Buffetwagen:** → Eisenbahnwagen, → Gaststätte.

**Bug** → Vorderteil.

**Bügel** → Kleiderbügel.

**Bügelbrett**, Plättbrett, Bügelladen (*österr.*) · *kleines zum Bügeln von Ärmeln:* Ärmelplättbrett, Ärmelbrett; → Bügeleisen.

**Bügeleisen**, Plätteisen, Plätte (*nordd.*), Holzkohlenbügeleisen, Bolzenplätte, Bolzenplätteisen (*veraltet*), Gasbügeleisen, elektrisches Bügeleisen, Schneiderbügeleisen, Dampfbügeleisen, Glätteisen (*schweiz.*) · *besonders kleines und leichtes:* Reisebügeleisen; → Bügelbrett, → Bügelmaschine; → bügeln.

**Bügelfalte**, Bruch (*landsch.*); → Falte; → falten.

**bügelfrei** → arbeitserleichternd.

**Bügelladen** → Bügelbrett.

**Bügelmaschine**, Mangel, Mange, Rolle, Wäscherolle; → Bügeleisen; → bügeln.

**bügeln**, aufbügeln, plätten, glätten (*landsch.*) · mangeln, mangen (*landsch.*), rollen (*landsch.*); → Bügeleisen, → Bügelmaschine.

**Bügelsäge** → Säge.

**Bugger** → Murmel.

**Buggy** → Kutsche.

**Buh:** B. rufen → auspfeifen.

**Bühel** → Berg.

**buhen** → auspfeifen.

**buhlen:** b. um → bemühen (sich um), → umwerben.

**Buhmann** → Schreckgestalt.

**Buhne** → Wehr.

¹**Bühne**, Bretterbühne, Bretter (*ugs.*), Schiebebühne, Drehbühne, Drehzylinderbühne, Versenkbühne, Dekorationsbühne, Kulissenbühne, Doppelstockbühne · *im 15. Jahrhundert ausgebildete, als flaches Podium mit Andeutung von Hausfassaden an der Rückwand:* Terenzbühne, Badezellenbühne · *seit Beginn des 16. Jahrhunderts bekannte, bei der die Vorderbühne als Spielort benutzt wurde:* Winkelrahmenbühne, Telaribühne · *seit dem 16./17. Jahrhundert in England, mit drei Spielebenen:* Shakespearebühne · *mit gerahmter Bühnenöffnung:* Guckkastenbühne; → Theater.

²**Bühne:** → Boden, → Plattform, → Theater; an der B. sein → schauspielern; auf die B. bringen, über die B. gehen → aufführen; über die B. bringen → beenden, → verwirklichen; über die B. gehen → geschehen; von der B. abtreten → sterben.

**Bühnenbearbeitung**, Bühnenfassung, Bearbeitung, Fassung; → Theater.

**Bühnendekoration**, Dekorationen, Kulisse, Versatzstück, Versatz; → Zubehör.

**Bühnendichtung:** → Dichtung, → Schauspiel.

**Bühnenfassung** → Bühnenbearbeitung.

**Bühnenloge** → Loge.

**Bühnenmusik** → Musik.

**Bühnensprache** → Hochsprache.

**Bühnenstück** → Schauspiel.

**Bühnenwerk** → Schauspiel.

**Bukanier** → Seeräuber.

**Bukardie** → Herzhypertrophie.

**Bukett:** → Blumenstrauß, → Geruch.

**bukkal**, sublingual; → oral, → rektal; → einnehmen.

**Bukolik** → Dichtung.

**bukolisch:** -e Dichtung → Dichtung.

**Bukranienfries** → Fries.

**Bulette:** → Fleischkloß; rangehen wie Hektor an die -n → zielstrebig [sein].

**Bull:** John B. → Engländer.
**Bulla** → Hautblüte.
**Bullauge:** → Fenster, → Rundfenster.
**Bulldozer** → Traktor.
**Bulle:** → Bann, → Polizist, → Rind.
**Bullenbeißer** → Mann.
**bullenheiß** → warm.
**Bullenhitze** → Wärme.
**Bulletin:** → Bericht, → Mitteilung.
**bullig** → untersetzt.
**Bulligkeit** → Stämmigkeit.
**Bullterrier** → Hunderassen.
**¹Bummel,** Streifzug, Abendbummel, Stadtbummel, Schaufensterbummel, Einkaufsbummel, Window-Shopping, Lokalbummel, ein Gang / Zug durch die Gemeinde (*ugs., scherzh.*), Bierreise (*ugs., scherzh.*); → Spaziergang, → Trinkgelage; → spazierengehen.
**²Bummel:** einen B. machen → spazierengehen.
**Bummelei:** → Langsamkeit, → Unpünktlichkeit.
**bummeln:** → besuchen, → langsam [arbeiten], → spazierengehen.
**Bummelstreik** → Streik.
**Bummelzug** → Eisenbahnzug.
**Bums** → Gaststätte.
**bumsen:** → koitieren, → lärmen.
**Bumser** → Extremist.
**Bumslandung** → Landung.
**Bumslokal** → Gaststätte.
**Bum-Trip** → Rausch.
**¹Bund,** Bündnis, Schutz- und Trutzbündnis, Verbindung, Liaison, Vereinigung, Koalition, Allianz, Entente [cordiale], Achse, Föderation, Konföderation, Zusammenschluß, Fusion, Kartell; → Abmachung, → Abschaum, → Freundschaft, → Kongregation, → Kontakt, → Vereinigung, → Zweckverband; → verbünden (sich).
**²Bund:** → Garbe, → Packen; der Bund → Staat; B. fürs Leben → Ehe; den B. fürs Leben schließen → heiraten.
**Bündel:** → Garbe, → Packen; ein B. machen → bündeln; sein B. schnüren müssen → entlassen [werden].
**bündeln,** zusammenbinden, binden, zusammenfassen;

büscheln (*schweiz.*), ein Bündel / einen Strauß / ein Büschel machen.
**Bündelpfeiler** → Säule.
**Bundesanwalt** → Jurist.
**Bundesarbeitsgericht** → Gericht.
**Bundesbahner** → Bahnbeamter.
**Bundesbank** → Geldinstitut.
**Bundesbruder,** Kommilitone; → Student.
**Bundesdorf** → Bonn.
**Bundesfahne** → Nationalflagge.
**Bundesfilmprämie** → Filmpreis.
**Bundesfilmpreis** → Filmpreis.
**Bundesfinanzhof** → Gericht.
**Bundesgenosse,** Verbündeter, Alliierter; → Komplice, → Westmächte (die).
**Bundesgerichtshof** → Gericht.
**Bundesgrenze** → Grenze.
**Bundeshauptstadt** → Bonn.
**Bundesheer** → Militär.
**Bundeskanzler** → Ministerpräsident.
**¹Bundesland** · *in Bayern:* Freistaat · *in der Schweiz:* Kanton, Staat, Stand; → Verwaltungsbezirk.
**²Bundesland** → Verwaltungsbezirk.
**Bundesminister** → Minister.
**Bundesnachrichtendienst** → Geheimpolizei.
**Bundespost** → Post.
**Bundespräsident** → Ministerpräsident.
**Bundesrat:** → Abgeordneter, → Minister, → Volksvertretung; Mitglied des -s → Abgeordneter.
**Bundesregierung** → Regierung.
**Bundesrepublik** → Deutschland.
**Bundesrichter** → Jurist.
**Bundessozialgericht** → Gericht.
**Bundesstaat** → Staat.
**Bundestag:** → Volksvertretung; Mitglied des -s → Abgeordneter.
**Bundestagsabgeordneter** → Abgeordneter.
**Bundestagswahl** → Wahl.
**Bundesverdienstkreuz** → Orden.
**Bundesverfassungsgericht** → Gericht.
**Bundesversammlung** → Volksvertretung.
**Bundesverwaltungsgericht** → Gericht.
**Bundeswehr** → Militär.
**bündig:** → stichhaltig; kurz und b. → kurz.

**bündisch:** -e Jugend → Jugendbewegung.
**Bündnerfleisch** → Schinken.
**Bündnis** → Bund.
**Bundsäge** → Säge.
**Bundschuh** → Schuh.
**Bungalow** → Haus.
**¹Bunker,** Unterstand · Luftschutzbunker, Luftschutzkeller, Luftschutzraum, Schutzraum, Atombunker.
**²Bunker** → Strafanstalt.
**¹bunt,** in Farbe, mehrfarbig, buntscheckig, scheckig, farbig, farbenfroh, farbenfreudig, farbenprächtig, leuchtend, lebhaft, poppig, kräftig, satt, grell, knallig (*ugs., abwertend*), schreiend (*ugs., abwertend*), nicht → einfarbig; → beige, → blau, → braun, → gelb, → grau, → grün, → orange, → rosa, → rot, → schwarz, → violett, → weiß.
**²bunt:** -er Abend → Fest; b. durcheinander → durcheinander; bekannt sein wie ein -er Hund → bekannt; -er Rock → Kleidung; es wird jmdm. zu b. [mit etwas] → überhandnehmen; es wird jmdm. zu b. → unerhört [sein].
**Buntbuch** → Dokumentensammlung.
**Buntdruck** → Druckverfahren.
**Buntfeuer** → Feuerwerkskörper.
**Buntheit** → Vielfalt.
**Buntpapier,** Glanzpapier, Goldpapier, Silberpapier, Kreppapier, Dekorationspapier, Marmorpapier; → Papier.
**buntscheckig** → bunt.
**Buntspecht** → Vogel.
**Buntstift** → Zeichenstift.
**Burano** → Spitzenstickerei.
**Bürde** → Last.
**Burenwurst** → Würstchen.
**¹Burg,** Feste · Höhenburg, Niederburg, Wasserburg, Bergfeste, Abschnittsburg, Ganerbenburg, Ordensburg, Klosterburg, Zwingburg, Reichsburg, Reichsfeste, Kaiserburg, Königsburg, Ritterburg; → Festung, → Fluchtburg.
**²Burg** → Festung.
**Bürge,** Haftpflichtiger, Garant, Sponsor; → Sicherheit.
**bürgen:** b. für → einstehen (für), → gewährleisten.

Bürger: → Bewohner, → Staatsbürger; B. in Uniform → Soldat.
Bürgeradel → Adel.
Bürgerheer → Militär.
Bürgerinitiative → Selbsthilfe.
Bürgerkrieg → Krieg.
bürgerlich: → etabliert, → konservativ; -e Ehrenfähigkeit / Ehrenrechte → Ehrenrechte; -e Gesellschaft → Bürgertum, → Gesellschaft; Bürgerliches Gesetzbuch → Gesetzessammlung; -es Jahr → Kalenderjahr; die -e Lebensweise aufgeben → Lebensweise; -es Recht → Rechtsgebiet; -es Trauerspiel → Tragödie; b. werden → verbürgerlichen.
¹Bürgermeister, Gemeindevorsteher, Stadtoberhaupt · in Stadtkreisen: Oberbürgermeister · in West-Berlin: Regierender Bürgermeister · in der Schweiz: Gemeindepräsident, Gemeindeammann, Stadtpräsident, Präsi (ugs.); → Gemeindevertretung, → Oberhaupt.
²Bürgermeister → Minister.
Bürgermiliz → Militär.
Bürgerschaft → Volksvertretung.
Bürgerschreck → Revolutionär.
Bürgerschule → Schule.
Bürgersteig → Gehsteig.
Bürgertum, bürgerliche Gesellschaft, Establishment, Großbürgertum, Bourgeoisie, Kleinbürgertum, Mittelstand, Mittelschicht; → Gesellschaftsschicht, → Konservativer, → Oberschicht; → etabliert, → konservativ.
Bürgerwehr → Militär.
Burgfriede: einen -n schließen → bereinigen.
Burggraben → Graben.
Burgkapelle → Gotteshaus.
Burgrose → Rose.
Bürgschaft: → Sicherheit; B. leisten / stellen / übernehmen → einstehen (für).
Burgunder: [weißer B.] → Wein.
burgunderrot → rot.
burgundisch: -es Kreuz → Kreuzzeichen.
burlesk → spaßig.
Burleske → Komödie.
Burmakatze → Katzenrassen.
Burnus → Mantel.

¹Büro, Kanzlei, Kontor, Office (schweiz.), Amtsstube, Amtszimmer, Schreibstube, Großraumbüro, Anwaltsbüro, Anwaltskanzlei; → Amt, → Betrieb, → Büroangestellter, → Unternehmen, → Vorzimmer.
²Büro: aus dem B. [nach Hause] kommen → Feierabend [haben].
Büroangestellter, kaufmännischer Angestellter, Bürokaufmann, Industriekaufmann, Exportkaufmann, Werbekaufmann, Finanzkaufmann, Bankkaufmann, Versicherungskaufmann, Verwaltungskaufmann, Kaufmann, Kontorist; → Büro, → Führungskraft, → Stenotypistin.
Büroarbeit → Arbeit.
Bürokaufmann → Büroangestellter.
Bürokraft → Stenotypistin.
Bürokrat → Pedant.
Bürokratie, Bürokratismus, Verwaltungsbürokratie, Beamtenbürokratie, Beamtenherrschaft, Amtsschimmel (abwertend); Amtsstube (abwertend); → Erledigung, → Pedanterie; → bürokratisch.
bürokratisch, buchstabengetreu, [streng] nach Vorschrift, keine Abweichung zulassend; → schematisch; b. sein, den Amtsschimmel reiten (abwertend); → Bürokratie, → Erledigung, → Pedant.
Bürokratismus → Bürokratie.
Büroleim → Bindemittel.
Büroschluß → Feierabend.
burren → surren.
Bursa → Orientteppich.
Bursch → Jüngling.
Bürschchen → Junge.
Bursche → Diener, → Jüngling, → Mann.
Burschenschaft → Verbindung.
Burschenschaftler → Student.
burschikos → ungezwungen.
Burschikosität → Ungezwungenheit.
Bürste → Bart.
bürsten: → frisieren, → koitieren, → säubern.
Bürstenabzug → Probedruck.
Bürstenschnitt → Frisur.
Bürzel → Schwanz.
Bus: → Verkehrsmittel; [doppelstöckiger B.] → Omnibus.

Busbahnhof → Haltestelle.
¹Busch, Strauch, Staude; → Dickicht, → Kornelkirsche, → Pflanze.
²Busch: → Urwald; auf den B. klopfen → fragen; sich [seitwärts] in die Büsche schlagen → weggehen.
Buschbohne → Gemüse.
Büschel: ein B. machen → bündeln.
büschelig: Büscheliger Schwefelkopf → Ständerpilz.
büscheln → bündeln.
Buschen → Blumenstrauß.
Buschenschenke → Straußwirtschaft.
Buschrose → Rose.
Buschwald → Wald.
Buschwerk → Dickicht.
Buschwindröschen → Anemone.
¹Busen, Brust, Brüste, Büste, Nuggel (schweiz.), Kurven (salopp), Titte (vulgär), Gspaßlaberln (salopp, österr.) · üppiger: Atombusen (salopp), Holz vor der Hütte (salopp), Vorbau (salopp), Balkon (salopp); → Brust, → Brustwarze.
²Busen → Meerbusen.
busenfrei → nackt.
Busenfreund → Freund.
Busennadel → Brosche.
Busfahrt → Fahrt.
Büsi → Katze.
Businessman → Geschäftsmann.
busper: b. sein → gesund [sein].
Bussard → Vogel.
Buße → Strafe, → Sühne.
Bussel → Kuß.
busseln → küssen.
büßen: b. für → einstehen (für).
Bußenzettel → Strafzettel.
Busserl: → Gebäck, → Kuß.
Büßerschnee → Schnee.
bußfertig → schuldbewußt.
Bußgebet → Gebet.
Bussi → Kuß.
Bußsakrament → Sakrament.
Bußtag: → Kirchenjahr; Buß- und Bettag → Feiertag.
Büste → Busen.
Büstenhalter, BH; → Mieder.
Busverbindung → Verkehrsverbindung.
Butan → Gas.
Butler → Diener.
Butt → Fisch.
Butte → Tragekorb.
Bütte → Gefäß, → Tragekorb.

Büttel → Bote.
Bütten → Papier.
Büttenpapier → Papier.
Büttenrede → Rede.
Butter: → Fett; B. auf dem Kopf haben → verlegen [sein]; sich nicht die B. vom Brot nehmen lassen → wehren (sich); bei jmdm. liegt der Kamm bei der B. → ungeordnet [sein]; es ist alles in B. → Ordnung.
Butterbrot: → Schnitte; jmdm. etwas aufs B. schmieren → vorwerfen (jmdm. etwas); für ein B. arbeiten → arbeiten; für ein B. hergeben / verkaufen → verkaufen; für ein B. kaufen → billig [kaufen].
Butterbrotpapier → Einwickelpapier.
Butterfly → Eislauf.
buttergelb → gelb.
Butterkäse → Käse.
Butterkremtorte → Gebäck.
Butterkuchen → Gebäck.
Buttermesser → Messer.
Buttermilch → Milch.
buttern, Butter rühren (veraltend), anken (schweiz.); → Fett.
Butterpilz → Ständerpilz.
Buttersachse → Sachse.
Butterschmalz → Fett.
butterweich → weich.
bützen → küssen.
Butzenscheibe → Fensterscheibe.
Butzenscheibenfenster → Fenster.
Butzenscheibenlyrik → Lyrik.
Buxe → Hose.
bye-bye → Gruß.
Byssinose → Staublungenerkrankung.
byzantinisch: -er Stil → Baustil.
Byzantinismus → Unterwürfigkeit.
byzantinistisch → unterwürfig.
Byzanz → Istanbul.

# C

C → Rauschgift.
ca. → ungefähr.
Caballero → Herr.
Caboclo → Mischling.
Cachenez → Halstuch.
Cachua → Tanz.

Cadaverin → Gift.
Caddie: → Golfspiel, → Junge.
Caenspitze → Spitzenstickerei.
Café, Kaffeehaus (österr.), Cafeteria, Espresso, Gartenlokal, Estaminet, Eisdiele, Eissalon (bes. österr.), Milchbar, Teestube, Tearoom (schweiz.); → Eis, → Gaststätte; **ins C. gehen**, Kaffee trinken gehen, konditern gehen (ugs.).
Cafeteria → Café.
Cafetier → Wirt.
Cafuso → Mischling.
Cakewalk → Tanz.
calando → Lautstärke.
Calculus felleus → Gallenstein.
Calembour → Witz.
Call-Girl → Prostituierte.
Callositas → Schwiele.
Calvities → Haarlosigkeit.
Calypso → Tanz.
Camembert → Käse.
Camera obscura → Fotoapparat.
Camion → Auto.
Camouflage → Tarnung.
Camp → Campinglager.
campen → zelten.
Camper, Zeltler (landsch.), Campeur (schweiz.); → Campinglager, → Campingplatz; → campen.
Campeur → Camper.
campieren → zelten.
¹Camping, das Zelten; → Campinglager, → Campingplatz; → zelten.
²Camping: C. machen → zelten.
Campingbeutel → Tornister.
Campinghemd → Oberhemd.
Campinglager, Camp, Zeltlager, Biwak; → Camper, → Camping, → Campingplatz, → Wohnwagen.
Campingliege → Luftmatratze.
Campingplatz, Zeltplatz, Rheumawiese (scherzh.), Gichtwiese (scherzh.); → Camping, → Campinglager, → Camper, → Wohnwagen.
Campingzelt → Zelt.
Campmeeting → Gottesdienst.
Campus → Universitätsgelände.
Canasta → Kartenspiel.
Cancan → Tanz.
Canneloni → Teigwaren.
Canossa: einen Gang nach C. antreten → erniedrigen (sich).
Cant → Ausdrucksweise.
Cape → Umhang.

Capuccino → Kaffee.
Car → Omnibus.
Caravan → Wohnwagen.
care of → bei.
CARE-Paket → Gabe.
Caritas → Nächstenliebe.
Cartoon → Zeichnung.
Cartoonist → Zeichner.
Casanova → Frauenheld.
Cäsar → Oberhaupt.
Cäsarenwahn → Selbsteinschätzung.
Cassata → Eis.
Cassiopeia → Sternbild.
Castize → Mischling.
Castle → Palast.
Casus belli → Anlaß.
Cataracta → Katarakt.
Catch → Lied.
Catch-as-catch-can → Ringen.
catchen: → kämpfen, → ringen.
Catcher → Ringer.
Catchup → Soße.
Caudillo → Oberhaupt.
Causerie → Gespräch.
Cayennepfeffer → Gewürz.
Cedrat → Zitronat.
Celesta → Tasteninstrument.
Cellist → Musizierender.
Cello → Streichinstrument.
Cellophan → Folie.
Cellophanpapier → Folie.
Cellosonate → Sonate.
Celsius → Temperaturskala.
Cembalo → Tasteninstrument.
Cembalosonate → Sonate.
Cent → Zahlungsmittel.
Centavo → Zahlungsmittel.
Center → Mittelpunkt.
Centesimo → Zahlungsmittel.
Centifolie → Rose.
Centime → Zahlungsmittel.
Céntimo → Zahlungsmittel.
Cepheus → Sternbild.
Cerebellum → Gehirn.
Ceres → Göttin.
cerise → rot.
Cerrelossalz → Salz.
Cervix → Hals.
Ceylon-Rupie → Zahlungsmittel.
Chablis → Wein.
Cha-Cha-Cha → Tanz.
Chagrin: → Leid, → Verstimmung.
Chairman → Vorsitzender.
Chaise: → Auto, → Kinderwagen, → Kutsche.
Chaiselongue → Liege.
Chalet → Haus.

Chalikose → Staublungenerkrankung.

Chalodermie, Cholodermie, Faltenhaut, Schlaffhaut, Dermatochalase, Dermatolyse, Dermatozele, Dermatomegalie, Anetodermie · Kautschukhaut, Gummihaut, Dackelhaut, Cutis laxa, Cutis hyperelastica; → Runzel, → Zerfurchtheit; → faltig.

Chamäleon: → Opportunist, → Sternbild.

Chambre séparée → Raum.

chamois → beige.

champagner → weiß.

Champagner → Wein.

champagnerfarben → weiß.

Champignon → Ständerpilz.

Champion → Sieger.

Chamsin → Wind.

Chance: → Möglichkeit; keine -n haben → Erfolg.

Chandoo → Rauschgift.

Chanson → Lied.

Chansonette → Vortragskünstlerin.

Chansonnier: → Moritatensänger, → Vortragskünstler.

Chansonniere → Vortragskünstlerin.

Chansonsängerin → Vortragskünstlerin.

Chantillyspitze → Spitzenstickerei.

Chanukkaleuchter → Kerzenleuchter.

Chaos: → Anarchie, → Verwirrung.

chaotisch: → anarchisch, → durcheinander.

Chapeau claque → Kopfbedeckung.

Charakter: → Titel, → Wesen; -e → Buchstabe.

Charakterbariton → Sänger.

Charakterbeschreibung: → Charakteristik, → Schulaufsatz.

Charakterdrama → Drama.

charakterfest → ehrenhaft.

¹charakterisieren, darstellen, gestalten · als Typ: typisieren.

²charakterisieren: → bedeuten, → beurteilen.

charakterisierend → kennzeichnend.

Charakterisierung → Charakteristik.

Charakteristik, Charakterisierung, Charakterbeschreibung, Personenbeschreibung · in graphischer Darstellung: Psychogramm.

Charakteristikum → Merkmal.

charakteristisch → kennzeichnend.

Charakterkopf → Kopf.

Charakterkunde, Charakterologie; → Menschenkunde.

charakterlos → ehrlos.

Charakterlosigkeit → Untreue.

Charakterologie → Charakterkunde.

Charakterrolle → Rolle.

Charcot-Krankheit → Entmarkungskrankheit.

Charge: → Dienstgrad, → Nebenrolle.

Chargébrief → Postsendung.

Chargenrolle → Nebenrolle.

Chargenspieler → Schauspieler.

Charisma → Begabung.

Charleston → Tanz.

Charley → Rauschgift.

¹charmant, entzückend, freundlich, liebenswürdig, gewinnend, zauberhaft, bezaubernd, unterhaltend, anregend, bestrickend; c. sein, alle seine Reize / alle seine Künste / seinen ganzen Charme spielen lassen.

²charmant: → anziehend, → hübsch.

Charme: → Anmut; seinen ganzen C. spielen lassen → charmant [sein].

Charmeur: → Frauenheld, → Schmeichler.

Charmeuse → Stoff.

Chartermaschine → Flugzeug.

chartern → einstellen.

Chartreuse → Alkohol.

Charybdis: zwischen Scylla und C. sein → Lage.

Chasse → Billard.

Chassis, Fahrgestell; → Auto, → Karosserie.

Chasuble → Strickweste.

Chateaubriand → Fleischgericht.

Chaudeau → Soße.

Chauffeur → Fahrer.

chauffieren → steuern.

Chaussee → Straße.

Chausseewanze → Auto.

Chauvinismus → Patriotismus.

Chauvinist → Patriot.

chauvinistisch → national.

checken → kontrollieren.

Checkpoint → Grenzstation.

cheerio: → Gruß, → prost.

cheers → prost.

Chef → Leiter.

Chefarzt → Arzt.

Chefdirigent → Dirigent.

Chefkoch → Koch.

Chefredaktion → Leitung.

Chefreporter → Berichter.

Chefsekretariat → Vorzimmer.

Chefsekretärin → Sekretärin.

Cheiloschisis → Hasenscharte.

Cheiromegalie → Großwuchs.

Chemie → Wissenschaft.

¹Chemiefaser, Kunstfaser ·· Rhowyl Ⓦ · Vestan Ⓦ ·· Dralon Ⓦ · Orlon Ⓦ · Redon Ⓦ ·· Nylon Ⓦ · Perlon Ⓦ ·· Diolen Ⓦ · Trevira Ⓦ · Dederon (DDR) · Acetat Ⓦ · Cuprama Ⓦ · Helanca Ⓦ; → Stoff.

²Chemiefaser → Faser.

Chemin de fer → Glücksspiel.

Cheminée → Kamin.

chemisch: Chemischer Ofen → Sternbild; -e Reinigung → Reinigungsanstalt; -e Waffen → Waffen; c. reinigen → säubern.

Chemisett → Jabot.

Chemisette → Jabot.

Chemnitz → Karl-Marx-Stadt.

Cherem → Bann.

Cherokee → Indianer.

Cherry Brandy → Alkohol.

Cherub → Engel.

Chesterfield → Mantel.

Chevreauleder → Leder.

Cheyenne → Indianer.

Chi → Buchstabe.

Chianti → Wein.

Chiastolith → Schmuckstein.

Chicago → Jazz.

Chicorée → Gemüse.

Chiffon → Stoff.

Chiffonniere → Schrank.

Chiffre: → Zahl, → Zeichen.

Chiffreschrift → Geheimschrift.

chiffrieren, verschlüsseln, codieren, kodieren, encodieren, enkodieren, in Geheimschrift / Geheimsprache abfassen; → Geheimschrift, → Zeichen · Ggs. → dechiffrieren; → Klartext.

Chignon → Dutt.

chilenisch: -er Escudo → Zahlungsmittel.

Chimäre, Einbildung, Einbildungskraft, Vorstellung, Vorstellungskraft, Spekulation, Abstraktion, Theorie, Fiktion, Erdichtung, Irrealität, Unwirklichkeit, Phantasie, Auswüchse / (abwertend) Ausgeburt der Phantasie, Schimäre, Halluzination, Imagination, Täuschung, Sinnestäuschung, Bild, Vision, Gesicht, Fata Morgana, Wahn, Trugbild, Gaukelei, Gaukelspiel, Gaukelwerk, Phantom, Utopie, Hirngespinst (*abwertend*), Phantasmagorie, Illusion, Wunschtraum, Seifenblase (*ugs.*), Wolkenkuckucksheim, Luftschloß, leerer Dunst; → Ansicht, → Betrug, → Bewußtseinstrübung, → Fata Morgana, → Gespenst, → Hokuspokus, → Lüge, → Muster, → Säuferwahnsinn, → Träumer; → unwirklich.

**China,** Reich der Mitte · Rotchina, Volksrepublik China, Festlandchina, Chung-Hua Jen-Min Kung-Ho Kuo · Nationalchina, Republik China, Taiwan, Formosa, Ta Chung-hua Minkuo; → Chinese, → Tibet.

**chinablau** → blau.

**Chinakohl** → Gemüse.

**Chinapapier** → Papier.

**chinarot** → rot.

**Chinatee** → Tee.

**Chinchilla** → Pelz.

**Chinchillakaninchen** → Kaninchen.

**chin-chin** → prost.

**Chinese,** Schlitzchinese (*scherzh., ugs.*); → China, → Japaner.

**chinesisch:** Chinesische Mauer → Grenze; -er Tee → Tee; etwas ist für jmdn. c. → verstehen.

**chinesischrot** → rot.

**Chintz** → Stoff.

**Chip** → Bon.

**¹Chips,** Kartoffelchips, Paprikachips.

**²Chips** → Kartoffeln.

**Chiragra** → Arthritis.

**Chirognomie** → Handlesekunst.

**Chirologie** → Handlesekunst.

**Chiromantie** → Handlesekunst.

**Chiromegalie** → Großwuchs.

**Chirurg** → Arzt.

**Chirurgie** → Heilkunde.

**chirurgisch:** -er Eingriff → Operation; -e Verkochung → Verätzung.

**Chiton** → Kleidung.

**Chiwa** → Orientteppich.

**Chlamys** → Mantel.

**Chlor:** → Gas, → Gift.

**Chloranämie** → Blutarmut.

**chloroformieren** → betäuben.

**Chlorose** → Blutarmut.

**Chlucker** → Murmel.

**Choledocholith** → Gallenstein.

**Choledochoskopie** → Ausspiegelung.

**Cholelith** → Gallenstein.

**Cholelithiasis** → Gallenerkrankung.

**Choleopus hoffmani** → Faultier.

**Choleriker,** Hitzkopf, Himmelsstürmer, Heißsporn, Stürmi (*schweiz.*), Feuerkopf (*ugs.*), Brausekopf (*ugs.*), Brausewind (ugs.); → aufgeregt.

**cholerisch** → unbeherrscht.

**Cholezystitis** → Gallenerkrankung.

**Cholezystogramm** → Röntgenogramm.

**Cholezystographie** → Röntgenographie.

**Cholezystolith** → Gallenstein.

**Cholezystopathie** → Gallenerkrankung.

**Cholezystose** → Gallenerkrankung.

**Cholodermie** → Chalodermie.

**Choloepus** → Faultier.

**Choloepus didactylus** → Faultier.

**Chor,** Singgemeinschaft, Chorgemeinschaft, Singverein, Gesangverein, Singkreis, Kurrende, Frauenchor, Männerchor, Knabenchor, Jugendchor, Kinderchor, Schülerchor, Schulchor, Kirchenchor; → Singstimme; → singen.

**Choral** → Lied.

**Choralnotation** → Notenschrift.

**Choralnote** → Notenzeichen.

**Chordirigent** → Dirigent.

**Choreograph** → Regisseur.

**Chorgemeinschaft** → Chor.

**Chorkonzert** → Musikveranstaltung.

**Chorleiter** → Dirigent.

**Chormusik** → Musik.

**Chorturmkirche** → Gotteshaus.

**Chose** → Angelegenheit.

**Chotan** → Orientteppich.

**Chow-Chow** → Hunderassen.

**Chrestomathie** → Auswahl.

**Christabend** → Weihnachtsabend.

**Christbaum** → Weihnachtsbaum.

**Christbaumkerze** → Kerze.

**¹Christentum** · Urchristentum, Urgemeinde; → Glaube, → Theologie.

**²Christentum** → Weltreligion.

**Christfest** → Weihnachten.

**Christian Science** → Sekte.

**Christkind:** → Heiland, → Weihnachtsgeschenk, → Weihnachtsmann.

**Christkindchen:** → Heiland, → Schlafmütze, → Weihnachtsgeschenk, → Weihnachtsmann.

**Christkindl** → Weihnachtsmann.

**Christkindle** → Weihnachtsgeschenk.

**Christkindlein** → Heiland.

**Christkindlmarkt** → Jahrmarkt.

**christlich:** jmdn. in die -e Gemeinschaft aufnehmen → taufen; -e Kirche → Kirche; mit dem Mantel der -en Nächstenliebe bedecken / zudecken → vertuschen; -e Religion → Weltreligion; Christliche Wissenschaft → Sekte.

**Christmas-Carol** → Lied.

**Christmas-Tree** → Rauschgift.

**Christmette** → Gottesdienst.

**Christmond** → Dezember.

**Christophorus** → Nothelfer.

**Christstollen** → Gebäck.

**Christtag:** 1./2. C. → Weihnachten.

**Christus:** → Heiland; Fest der Auferstehung Christi → Ostern; Braut Christi → Nonne; Fest der Erscheinung Christi → Epiphanias; ...nach / vor Christi Geburt, ...vor / nach C. → Jahr; Christi Himmelfahrt → Feiertag, → Himmelfahrt; Kirche Christi → Kirche; wie das Leiden Christi aussehen → krank [aussehen]; Stellvertreter Christi [auf Erden] → Oberhaupt.

**Christuskind** → Heiland.

**Chromatodysopsie** → Farbenblindheit.

**Chromhidrose** → Transpiration.

**Chromhidrosis** → Transpiration.

**Chromidrose** → Transpiration.

**Chromidrosis** → Transpiration.

**Chromleder** → Leder.

**Chromopapier** → Druckpapier.

**chromorange** → orange.

**Chromziegenleder** → Leder.

**Chronik,** Annalen, Familienchronik, Kirchenchronik, Stadtchronik; → Bericht, → Bericht, → Genealogie.

**chronisch:** → lange; -e Tachinose → Faulheit.

Chronist, Annalist, Geschichtsschreiber; → Berichter.

Chronometer → Uhr.

Chrysanthemenhochzeit → Hochzeitstag.

Chrysoberyll → Schmuckstein.

Chrysokoll → Schmuckstein.

Chrysolith → Schmuckstein.

Chrysopras → Schmuckstein.

Chung-Hua Jen-Min Kung-Ho Kuo → China.

Chutneysoße → Soße.

Chuzpe → Frechheit.

CIA → Geheimpolizei.

Cicero → Schriftgrad.

Cicerone → Begleiter.

Cicisbeo → Geliebter.

Cigan → Zigeuner.

Cigány → Zigeuner.

Cinemascopefilm → Kinofilm.

Cinemathek → Archiv.

Circe: → Vamp, → Zauberin.

Circulus vitiosus → Teufelskreis.

City → Innenstadt.

Claim, Anspruch, Anteil, Besitztitel; → Aktie.

Clairette → Wein.

Clairobscurschnitt → Holzschnitt.

Clan → Familie.

Claustrum virginale → Hymen.

Clavicembalo → Tasteninstrument.

Clerk → Handelsgehilfe.

¹clever, schlau, findig, diplomatisch, taktisch, geschickt, pädagogisch, pfiffig, listig, geschäftstüchtig, lebenstüchtig, verschmitzt, gnitz (*schwäb.*), bauernschlau, gewitzt, alert, smart, raffiniert, jesuitisch (*abwertend*), durchtrieben, gerissen (*ugs.*), verschlagen (*ugs.*), ausgefuchst (*ugs.*), gerieben (*salopp*), ausgekocht (*salopp, abwertend*), abgefeimt, ausgepicht (*ugs.*), ausgebufft (*salopp*), gewiegt (*ugs.*), gewieft (*ugs.*), gefinkelt (*österr.*), gehaut (*ugs., österr.*), vigilant (*landsch.*), helle (*ugs., landsch.*), nicht → dumm, nicht → unklug; → böse, → gewandt, → klug, → oberschlau, → tüchtig; c. sein, auf Draht / nicht von gestern / mit allen Wassern gewaschen / mit allen Hunden gehetzt / (*österr.*) hell auf der Platte sein (*ugs.*), es faustdick hinter den Ohren haben, sich nichts erzählen / vormachen / weismachen lassen, sich nicht für dumm verkaufen lassen, sich kein X für ein U vormachen lassen.

²clever → lebenstüchtig.

Cleverness → Klugheit.

Clique, Gruppe, Klüngel (*abwertend*), Phalanx, geschlossene Front; → Bande, → Freundschaft, → Personenkreis.

Clochard: → Armer, → Vagabund.

Clou → Glanzpunkt.

Clown: → Artist, → Spaßmacher, → Spaßvogel.

Clownerie → Albernheit.

c/o → bei.

Coach → Betreuer.

Coast → Rausch.

Cobbler → Mixgetränk.

COBOL → Sprache.

Cochonnerie → Unflat.

Cockerspaniel → Hunderassen.

Cockney → Mundart.

Cockpit → Raum.

Cocktail → Mixgetränk.

Cocktailkleid → Kleid.

Cocktailparty → Fest.

Cocktailschürze → Schürze.

Coco → Rauschgift.

Code: → Geheimschrift, → Zeichen.

Code Napoléon → Gesetzessammlung.

codieren → chiffrieren.

Coemetrialkirche→Gotteshaus.

Coeur → Spielkarte.

Coffein → Koffein.

Cognac → Weinbrand.

Coiffeur → Friseur.

Coiffeuse → Friseur.

Coincidentia oppositorum → Zusammenfall.

Coitus → Koitus.

Coke → Rauschgift.

Col → Paß.

Colinde → Lied.

Collage → Bild.

Collie → Hunderassen.

Collum → Hals.

Colonia Agrippina → Köln.

Coloniakübel → Abfalleimer.

Colorfilm → Film.

Colourpoint-Langhaar → Katzenrassen.

Colt → Schußwaffe.

Comanche → Indianer.

Combo → Orchester.

Comeback: → Auftreten, → Neubelebung.

Comestibles → Feinkost.

Commedia dell'arte → Komödie.

comme il faut → korrekt.

Common sense → Klugheit.

Commonwealth → Großbritannien.

Communis opinio → Ansicht.

Compiler → Dolmetscher.

Computer, Computeranlage, Rechenanlage, Hollerithmaschine, Lochkartenmaschine, Nachrichtenverarbeitungsmaschine, Rechner, Horter, Elektronengehirn, Datenverarbeitungsmaschine, [elektronische] Datenverarbeitungsanlage, EDVA, Analogrechner, Digitalrechner · *dessen apparative Bestandteile:* Hardware · *dessen nichtapparative Funktionsbestandteile:* Software, Einsatzanweisung, Programm.

Computeranlage → Computer.

Conamen → Selbstmordversuch.

Conatus → Selbstmordversuch.

Concierge → Hausmeister.

Conditio sine qua non → Bedingung.

Conférencier → Ansager.

Confoederatio Helvetica → Schweiz.

Conga → Schlaginstrument.

Consommé → Suppe.

Consonataorgel → Elektroorgel.

Contactlinse → Kontaktlinse.

Container → Behälter.

Containerbahnhof → Bahnhof.

Containerschiff → Schiff.

Container-Terminal → Bahnhof.

Cooler → Mixgetränk.

Cool Jazz → Jazz.

Cop → Polizist.

Co-Pilot → Rauschgift.

Copyright, Urheberrecht; → Berechtigung.

Coquero → Rauschgiftsüchtiger.

Cor → Herz.

Coralino → Spitzenstickerei.

Coram publico → öffentlich.

Cord: → Kord, → Stoff.

Cordierit → Schmuckstein.

Cordon bleu → Fleischgericht.

Cor mobile → Herzsenkung.

Corner → Eckball.

Corn-flakes: → Getreideflocken, → Mais.

Cornichon → Gurke.

Corps → Verbindung.

Corpus delicti → Nachweis.

corriger la fortune → betrügen.
Cottage → Stadtteil.
Couch → Liege.
Couchdecke → Decke.
Couchtisch → Tisch.
Couleur: → Art, → Farbe; [Menschen] jeder C., aller C. → alle.
Couleurmütze → Kopfbedeckung.
Couleurstudent → Student.
Couloir → Schlucht.
Coup: einen C. landen → Verbrechen.
Coupé: → Auto, → Eisenbahnabteil, → Kutsche.
Couplet → Lied.
Coupon → Bon.
Cour: → Empfang; jmdm. die C. machen / schneiden → umwerben.
Courage → Mut.
couragiert → mutig.
Courante → Tanz.
Courmacher → Frauenheld.
Courtoisie → Höflichkeit.
Cousin, Vetter; → Verwandter.
Cousine → Kusine.
Covercoat → Mantel.
Cowboy: → Hirt; C. [und Indianer] → Versteckspiel.
Cox' Orange → Apfel.
Crack → Sportler.
Cracker → Gebäck.
Creek → Indianer.
creme → beige.
Creme: → Sahne, → Salbe, → Oberschicht.
cremefarben → beige.
cremen → einreiben.
Crêpe de Chine → Seide.
Crêpe Georgette → Seide.
Crêpe marocain → Seide.
Crêpe Satin → Seide.
crescendo → Lautstärke.
Crew: → Mannschaft, → Personal, → Schiffsbesatzung.
Crochet lace → Spitzenstickerei.
Crosscheck → Regelverstoß.
Cruor → Blut.
Crusta: → Mixgetränk; C. [lamellosa] → Hautblüte.
Crux → Not.
Cruzeira → Zahlungsmittel.
Csárdás → Tanz.
C-Schlüssel → Notenschlüssel.
ČSR → Tschechoslowakei.
ČSSR → Tschechoslowakei.
Cumberlandsoße → Soße.

cum grano salis → vorbehaltlich.
Cunnilingus: → Koitus, → Liebesspiel.
[1]Cupido, Amor, Amorette · Engel, Putte; → Plastik, → Säule.
[2]Cupido → Gott.
Cuprama → Chemiefaser.
Curaçao → Alkohol.
Curare → Gift.
Curettage → Kürettage.
Curettement → Kürettage.
Curling → Eisschießen.
Curriculum → Lehrplan.
Curriculum vitae → Laufbahn.
Curry → Gewürz.
Custodian → Treuhänder.
Cut → Anzug.
Cutaway → Anzug.
Cutis anserina → Gänsehaut.
Cutis hyperelastica → Chalodermie.
Cutis laxa → Chalodermie.
Cyanhidrosis → Transpiration.
Cyanidrosis → Transpiration.
Cyanit → Schmuckstein.
Cymbal → Saiteninstrument.
Cyriakus → Nothelfer.

# D

da: → als, → damals, → weil; der da → jener; hie / hier und da → manchmal; als da sind → nämlich.
dabei: → aber, → hierbei; nichts d. finden → Bedenken.
dabeibleiben → fortsetzen.
dabeisein: → anwesend, → teilnehmen; d., etwas zu tun → anschicken (sich, etwas zu tun); mit Lust und Liebe d. → Arbeitseifer [zeigen]; das Dabeisein → Anwesenheit.
dabeistehen: tatenlos / untätig d. → zögern; mit verschränkten Armen d. → faulenzen.
da capo: → nieder; da c. rufen → applaudieren.
[1]Dach ··· Hausdach ·· Pultdach, Halbdach, Ringpultdach · Satteldach, Giebeldach, Paralleldach · Walmdach, Halbwalmdach, Krüppelwalmdach, Schopfwalmdach, Fußwalmdach · Sägedach, Sheddach · Mansardendach, Mansardgiebeldach, Mansardwalmdach, Mansarddach mit Schopf / Fuß-

walm · Zeltdach · Tonnendach · Grabendach · Schindeldach · Schilfdach · Strohdach · Ziegeldach · *dessen First quer zum First des Hauptdachs verläuft:* Querdach, Zwerchdach · *das über einen Anbau herabgezogen ist:* Schleppdach · *über die Trauflinie des Hauptdaches vorstehendes:* Kragdach, Konsoldach · *durchhängendes:* Seildach, Hängedach ·· Turmdach · Kreuzdach · Rhombendach, Rautendach · Faltdach · Pyramidendach, Zeltdach · Kegeldach · Zwiebeldach, Kaiserdach · Kuppeldach · Haubendach, Welsche Haube, Glockendach; → Bedachung, → Gewölbe, → Giebel.
[2]Dach: → Bedachung, → Giebel, → Kopf, → Schirm; das D. der Welt → Tibet; bei jmdm. sitzt der Pleitegeier auf dem D. → zahlungsunfähig [werden]; eins aufs D. bekommen / kriegen, jmdm. aufs D. steigen → schelten; mit einem D. versehen → bedachen; unter D. und Fach bringen → beenden; unter D. und Fach sein → fertig [sein]; mit jmdm. unter einem D. wohnen → wohnen; die Spatzen pfeifen es von den Dächern → bekannt.
Dachantenne → Antenne.
Dachboden → Boden.
Dachfenster, Dachgaube, Gaube, Gaupe, Gauke, Dachluke, Bodenluke, Bodenfenster, Giebelfenster; → Fenster, → Fensterscheibe, → Rundfenster.
Dachfirst, First; → Giebel.
Dachgarten → Veranda.
Dachgaube → Dachfenster.
Dachgesellschaft → Unternehmen.
Dachgiebel → Giebel.
Dachgleiche → Richtfest.
Dachhase → Katze.
Dachjuchhe: unterm D. wohnen → wohnen.
Dachkandel → Regenrinne.
Dachluke → Dachfenster.
Dachorganisation: → Genossenschaft, → Unternehmen.
Dachpappe → Pappe.
Dachpfanne → Dachziegel.
Dachrinne → Regenrinne.
[1]Dachs, Grimbart; → Raubtier, → Wild.

²**Dachs:** junger D. → Jüngling.
**Dachsbau** → Höhle.
**Dachschaden:** einen D. haben → geistesgestört [sein], → verrückt [sein].
**Dachschiefer** → Dachziegel.
**Dachschindel** → Dachziegel.
**dachsen** → schlafen.
**Dachshund:** -e → Hunderassen.
**Dachstuhlbrand** → Schadenfeuer.
**Dachtel** → Ohrfeige.
**dachteln:** jmdm. eine d. → schlagen.
**Dachtraufe** → Regenrinne.
**Dachverband** → Genossenschaft.
**Dachziegel,** Dachpfanne, Ziegel, Dachschiefer, Schiefer, Biberschwanz, Hohlpfanne, Falzpfanne, Flachdachpfanne, Mönch, Nonne, Gratziegel, Walmziegel, Firstziegel · *aus Holz:* Schindel, Dachschindel, Holzpfanne.
**Dackel** → Hunderassen.
**Dackelhaut** → Chalodermie.
**Dadaismus:** → Literaturepochen, → Malerei.
**Dädl** → Mann.
**dadurch:** → deshalb, → hierdurch; d. daß → indem.
**Daffke:** aus D. → absichtlich.
**dafür:** → anstatt, → hierfür; d. sein → billigen.
**dafürhalten** → meinen; nach jmds. Dafürhalten → Ansicht.
**dafürkönnen:** nichts d. → schuldlos [sein].
**dafürstehen** → einträglich [sein].
**dagegen:** → aber, → hiergegen; nichts d. haben → billigen; ich habe nichts d. [einzuwenden] → ja.
**dagegenhalten** → antworten.
**Dagestan** → Orientteppich.
**Daguerreotypie** → Fotografie.
¹**daheim** (*bes. südd.*), zu Hause, am häuslichen Herd, in seinen vier Wänden / Pfählen, im trauten Heim, im Schoß der Familie, in der Heimat, im eigenen Land; → anwesend, → heim.
²**daheim** → Privatleben.
**Daheim** → Wohnsitz.
**daher:** → deshalb, → hierher.
**daherbringen** → bringen.
**daherein** → her.
**daherkommen** → kommen.
**daherreden** → sprechen.

¹**dahin,** dorthin, an diese / jene Stelle, an diesen / jenen Ort (oder:) Platz.
²**dahin:** d. sein → verloren [sein].
**dahingegen** → aber.
**dahingehen** → vergehen.
**dahingestellt:** es bleibt d., ob; man muß es d. sein lassen, ob → ungewiß [sein]; d. sein lassen → offenlassen.
**dahinscheiden** → sterben.
**dahinschwinden,** abnehmen, nachlassen, schwinden, im Schwinden begriffen sein, aussterben, abklingen, zurückgehen, sinken, absinken, sich verringern / vermindern / verkleinern, zusammenschrumpfen, abflauen, abebben, verebben, erkalten, einschlafen, schwächer / weniger / geringer werden, etwas beruhigt sich, sich dem Ende zuneigen, ausgehen, zu Ende / zur Neige / (*dichter.*) zur Rüste gehen, zu Ende / (*ugs.*) alle sein (oder:) werden; → beenden, → nachlassen, → schlank [werden], → verringern; → Abwandlung · Ggs. → vermehren, → zunehmen.
**dahinsiechen:** → krank [sein], → verkümmern.
**dahinstehen:** etwas steht dahin → ungewiß [sein].
**dahinter:** sich d. klemmen → betreiben.
**dahinterkommen:** → enträtseln, → erkennen.
**Daisy** → Mixgetränk.
**Dakapo** → Zugabe.
**Dakota** → Indianer.
**Daktylo** → Stenotypistin.
**Daktylographin** → Stenotypistin.
**Daktylomegalie** → Großwuchs.
**Daktyloskript** → Skript.
**Daktylus** → Versfuß.
**dalbern** → albern.
**daliegen** → liegen.
**Dalk** → Dummkopf.
**Dalke** → Gebäck.
**dalkert:** d. sein → geistesgestört [sein].
**dalli:** [d. d.!] → beeilen (sich).
**Dalmatiner** → Hunderassen.
**Daltel** → Nachschlüssel.
**Daltonismus** → Farbenblindheit.
¹**damals,** früher, seinerzeit, in / zu der (oder:) jener Zeit, in jenen Tagen, da, dazumal,

einst, einstens, einmal, ehemals, einstmals, derzeit, vormals, vordem, ehedem, weiland (*veraltet*), zu Olims Zeiten, Anno dazumal / (*ugs.*) dunnemals / (*ugs.*) Tobak, im Jahre / anno Schnee (*österr.*), vor Zeiten, vor alters, nicht → jetzt, nicht → später; → bereits, → vorher; → Jahr.
²**damals:** d., als man nichts zu essen hatte → Nachkriegszeit; seit d. → seither.
**Damast** → Stoff.
**Dambock** → Hirsch.
¹**Dame** (als Anrede), gnädige Frau, meine Dame · *in England:* Madam, Mistreß, Mylady (*veraltet*) · *in Frankreich:* Madame · *in Italien:* Signora · *in Spanien:* Señora · *in Portugal:* Senhora; → Fräulein · Ggs. → Herr.
²**Dame:** → Brettspiel, → Frau, → Kegel, → Schachfigur; alte D. → Mutter; Erste D. → First Lady.
**Dämel** → Dummkopf.
**Damenbadeanzug** → Badeanzug.
**Damenbekleidung** → Kleidung.
**Damenbluse** → Bluse.
**Damenfahrrad** → Fahrrad.
**Damenfriseur** → Friseur.
**damenhaft,** ladylike, damig (*schweiz.*); → höflich.
**Damenhandtasche** → Tasche.
**Damenkapelle** → Orchester.
**Damenkleid** → Kleid.
**Damenkleidung** → Kleidung.
**Damenkränzchen** → Kränzchen.
**Damenmantel** → Mantel.
**Damenpferd** → Pferd.
**Damenpulli** → Pullover.
**Damenpullover** → Pullover.
**Damenrad** → Fahrrad.
**Damenrock** → Rock.
**Damenschirm** → Schirm.
**Damenschneider** → Schneider.
**Damenschuh** → Schuh.
**Damenstrumpf** → Strumpf.
**Damentaschentuch** → Taschentuch.
**Damentoilette** → Toilette.
**Damenuhr** → Uhr.
**Damenwein** → Wein.
**Damenwelt** → Frauen (die).
**Damenweste** → Strickweste.
**Damenwinker** → Haarlocke.
**Damgeiß** → Hirsch.
**Damhirsch** → Hirsch.
**Damian** → Dummkopf.

damig → damenhaft.

damisch → dumm.

damit, auf daß, um + Infinitiv + zu + können.

Damkitz → Hirsch.

Dämlack → Dummkopf.

dämlich → dumm.

¹Damm, Hafendamm, Pier, Mole, Molo (österr.), Kai, Deich; → Anlegebrücke, → Hafen; → ankern.

²Damm → Fahrbahn, → Staudamm; nicht auf dem D. sein → krank [sein]; wieder auf dem D. sein → gesund [sein].

dämmen → abschwächen.

Dämmer → Schlaf.

Dämmerdunkel → Dämmerung.

dämmergrau → grau.

Dämmergrau → Dämmerung.

dämmerig → dunkel.

Dämmerlicht → Dämmerung.

dämmern → dunkel [werden]; es dämmert jmdm. → erinnern (sich), → erkennen.

Dämmerschlaf: → Heilschlaf, → Schlaf.

Dämmerschoppen → Umtrunk.

Dämmerstündchen → Abendruhe.

Dämmerstunde, Dämmerung, die blaue Stunde, Dämmerungszeit; → Abend, → Mitternacht, → Tageszeit.

¹Dämmerung, Dämmerlicht, Dämmergrau, Dämmerdunkel, Halbdunkel, Halblicht, Schummer (ugs.), Schatten, Zwielicht, Dunkel, Dunkelheit, Düsternis, [ägyptische] Finsternis, Finstere (schweiz.); → Abendlicht, → Abendruhe, → Morgengrauen; → dunkel.

²Dämmerung → Dämmerstunde.

Dämmerungsblindheit → Sehstörung.

Dämmerungszeit → Dämmerstunde.

Dämmerzustand: → Schlaf, → Trancezustand.

dämmrig → dunkel.

dämonisch → anziehend, → gespenstisch, → teuflisch.

Dampf → Nebel; D. ablassen → abreagieren (sich); jmdm. D. machen → anstacheln; D. hinter etwas machen / setzen → ankurbeln; unter D. stehen → beeilen (sich).

Dampfbad → Sauna.

Dampfbügeleisen → Bügeleisen.

dämpfen: → abschwächen, → braten; den Schmerz d. → lindern.

Dampfer: → Schiff; auf dem falschen D. sitzen → irren (sich).

Dämpfer: jmdm. einen D. geben → ernüchtern.

Dampfheizung → Heizung.

Dampfkartoffeln → Kartoffeln.

Dampfkur → Hydrotherapie.

Dampflok → Lokomotive.

Dampflokomotive → Lokomotive.

Dampfnudel: aufgehen wie eine D. → dick [werden].

Dampfroß → Lokomotive.

Dampfschiff → Schiff.

Damspießer → Hirsch.

Damtier → Hirsch.

Damwild → Wild.

danach → also, → hinterher.

Danaergeschenk → Gabe.

Danaide: das Faß der -n füllen → tun.

Dancing → Gaststätte.

Dandy → Geck.

daneben → außerdem.

danebenbenehmen: sich d. → benehmen (sich).

danebengehen: etwas geht daneben → scheitern.

danebengreifen: → verspielen (sich), → treffen.

danebenhauen: → irren (sich), → treffen.

danebenschießen → treffen.

danebenschlagen → treffen.

danebentreffen → treffen.

danebenzielen → treffen.

Danebrog → Nationalflagge.

Dänemark: etwas ist faul im Staate D. → Ordnung.

daniederliegen → krank.

Daniel → Prophet.

dänisch: -e Krone → Zahlungsmittel.

dank → wegen.

¹Dank, Dankbarkeit, Dankesschuld, Anerkennung, Gratias, Dankgebet, Danksagung, Verdankung (schweiz.).

²Dank: → Belohnung; Gott / dem Himmel sei D.! → glücklicherweise; herzlichen / meinen D.!, hab / habt / haben Sie D.!, vielen D. für die Blumen! → danke!; D. abstatten / ausdrücken / aussprechen / bekun-

den / bezeigen / bezeugen / sagen / wissen / zollen → danken; D. schulden, zu D. verpflichtet fühlen → verdanken.

dankbar: → nützlich; d. sein, sich d. erweisen → danken; froh und d. sein → aufatmen.

Dankbarkeit: seine D. zeigen / zum Ausdruck bringen → danken; in D. → hochachtungsvoll.

Dankbrief → Schreiben.

danke!, danke schön!, danke sehr!, ich danke Ihnen!, danke vielmals!, herzlichen / schönen / vielen / besten / aufrichtigen / innigsten / wärmsten / tausend Dank!, hab / habt / haben Sie Dank!, meinen Dank!, man dankt! (ugs.), ich danke [auch] schön, ich bin Ihnen sehr verbunden!, ich bedanke mich! (gespreizt), vergelt's Gott! (veraltend) · als Antwort auf die Frage nach dem Befinden: danke der [gütigen] Nachfrage! · als ironische Antwort auf eine kränkende Äußerung o. ä.: vielen Dank für die Blumen!; → danken.

¹danken, sich bedanken, Dank wissen / sagen / abstatten / bezeigen / bezeugen / aussprechen / ausdrücken (geh.) zollen / bekunden, dankbar sein, sich dankbar erweisen, jmdm. verbunden / verpflichtet sein, seine Dankbarkeit zeigen / zum Ausdruck bringen, jmdn. / etwas verdanken (schweiz.), jmdn. / etwas bedanken (südd. / österr.); → belohnen, → danke!, → loben, → verdanken, → zahlen; → glücklicherweise.

²danken: jmdm. etwas d. → honorieren; jmdm. etwas d. / zu d. haben → verdanken; danke schön / sehr / vielmals!, ich danke [auch] schön!, man dankt!, ich danke Ihnen!, danke der [gütigen] Nachfrage! → danke!, Gott / dem Himmel / dem Schöpfer sei's gedankt! → glücklicherweise.

Dankgebet: → Dank, → Gebet.

Danksagung → Dank.

Dankschreiben → Schreiben.

dann: → hinterher; d. und wann → manchmal.

**dannen:** von d. gehen → weggehen; von d. gegangen sein → weg [sein].

**dannzumalig** → später.

**Danzig,** Freie Stadt Danzig (*hist.*), Gdansk (*poln.*); → Stadt.

**daran,** hieran, darauf, hierauf; → hinterher, → nacheinander.

**darauf** → daran.

**darauffolgend** → nacheinander.

**darben** → Hunger [leiden].

**darbieten** → geben.

**Darbietung:** → Aufführung, → Darlegung.

**darlegen** → erörtern.

**Darlegung,** Darstellung, Demonstration, Demonstrierung, Illustration, Illustrierung, Darbietung, Ausführungen, Auslassungen, Einlassungen (*Rechtsw.*), Aussage, Äußerung, Bemerkung, Überlegung, Betrachtung; → Angabe, → Anmerkung, → Auslegung, → Bemerkung, → Bericht, → Nachricht, → Sammlung, → Veranschaulichung, → Verarbeitung, → Versenkung; → erörtern; → unsachlich.

**Darlehen:** → Anleihe; ein D. aufnehmen → leihen; ein D. geben → beleihen.

**Darlehenskasse** → Geldinstitut.

**Darlehn** → Anleihe.

**Darlehnskasse** → Geldinstitut.

**darleihen:** → leihen; das Darleihen → Anleihe.

**Darleiher** → Verleiher.

**Darling** → Liebling.

¹**Darm,** Darmkanal, Darmtrakt, Enteron, Gedärm[e] ·· Dünndarm · Zwölffingerdarm, Duodenum · Leerdarm, Jejunum · Krummdarm, Ileum ·· Dickdarm, Enddarm · Blinddarm, Wurmfortsatz, Appendix · Grimmdarm, Kolon · Mastdarm, Rektum, Proktos; → Eingeweide.

²**Darm:** Därme → Eingeweide.

**Darmausgang,** After, Anus, Kimme (*vulgär*) · *wegen Krankheit an eine andere Stelle verlegter:* Anus praeter, Anus praeternaturalis; → Gesäß; → rektal.

**Darmblutung** → Blutung.

**Darmbruch** → Bruch.

**Darmeinlauf** → Einlauf.

**Darmkanal** → Darm.

**Darmkatarrh** → Durchfall.

**Darmsausen** → Darmwind.

**Darmsenkung** → Eingeweidesenkung.

**Darmspiegelung** → Ausspiegelung.

**Darmspülung** → Einlauf.

**Darmträgheit** → Stuhlverstopfung.

**Darmtrakt** → Darm.

**Darmverschluß** → Stuhlverstopfung.

**Darmwind,** Blähung, Flatus, Windchen (*ugs.*), Wind (*ugs.*), Pups (*salopp*), Pup (*salopp*), Puh (*Kindersprache, österr.*), Schas (*derb, österr.*), Furz (*derb*), Fist (*derb*), Aftersausen (*scherzh.*), Darmsausen (*scherzh.*); → Blähsucht; **D. entweichen lassen,** sich unanständig aufführen, einen fahren / streichen / ziehen / fliegen / gehen lassen (*salopp*), pup[s]en (*salopp*), furzen (*derb*), scheißen (*vulgär*); → austreten.

**darreichen** → geben.

¹**darstellen:** etwas (z. B. ein Bild) stellt jmdn. (oder:) etwas dar / gibt jmdn. (oder:) etwas wieder / zeigt jmdn. (oder:) etwas, auf etwas (z. B. auf einem Bild) ist jmd. (oder:) etwas dargestellt / abgebildet / zu sehen / zu bewundern.

²**darstellen:** → abbilden, → aussagen, → bedeuten, → charakterisieren, → erörtern, → figurieren (als), → mitteilen, → schildern, → spielen; -d → konkret; als annehmbar d. → annehmbar; filmisch d. → verfilmen.

**Darsteller** → Schauspieler.

**Darstellerin** → Schauspielerin.

**Darstellung:** → Beschreibung, Bild, → Darlegung, → Gestaltung; graphische Darstellung → Graph, → Schautafel; eine D. geben von → aussagen; zur D. bringen → aussagen, → mitteilen.

**Darstellungsweise** → Ausdrucksweise.

**dartun** → bekunden; das Dartun → Bekundung.

**darum** → deshalb.

**darunter** → unterhalb.

**daruntersetzen:** seinen [Friedrich] Wilhelm / seinen Servus d. → unterschreiben.

**Darwintulpe** → Gartentulpe.

**dasein:** → anwesend; etwas ist dazu da ... → dienen; noch nie dagewesen sein → beispiellos.

**Dasein:** → Lage, → Leben; sein D. fristen, ein D. führen → leben.

**Daseinsberechtigung** → Anlaß.

**Daseinsform** → Eigenschaft.

**Daseinsfreude** → Lust.

**daseinshungrig** → lebenshungrig.

**Daseinszustand** → Eigenschaft.

**dasig:** → ängstlich; d. machen → einschüchtern, → verwirren.

**dastehen:** → erweisen (sich als); d. und glotzen → zuschauen; d. wie ein Ölgötze → dumm [sein]; d. wie Pik-Sieben → überrascht [sein]; d. wie ein begossener Pudel → verlegen [sein].

**Date** → Verabredung.

**Datei** → Datenbank.

**Daten** → Angaben.

**Datenbank,** Datei; → Computer.

**Datentypistin** → Stenotypistin.

**Datenverarbeitungsanlage:** [elektronische D.] → Computer.

**Datenverarbeitungsmaschine** → Computer.

**datieren:** d. von → stammen (von).

**Dating:** → Liebesspiel, → Verabredung.

**Dativ,** dritter Fall, Wemfall; → Kasus.

**dato:** bis d. → bisher.

**Datscha** → Haus.

**Datsche** → Haus.

**Dattel** → Südfrucht.

**Dattelpalme** → Palme.

**Datumstempel** → Stempel.

**Daube** → Brett.

**Daubel** → Fischnetz.

¹**Dauer,** Länge, Zeitdauer.

²**Dauer:** → Fortbestand, → Weile; einer Sache D. verleihen → festigen; auf die D. → allmählich; etwas ist ohne / von kurzer / nicht von langer D. → kurzlebig [sein]; nicht von [langer] D. sein → vorübergehend.

**Dauerapfel** → Apfel.

**Dauerbrenner** → Kuß.

**dauerhaft** → bleibend.

**Dauerhaftigkeit:** → Haltbarkeit, → Lebensdauer.

**Dauerkarte** → Fahrkarte.

**Dauerkonserve** → Konserve.

**Dauerkrause** → Frisur.

**Dauermiete** → Abonnement.

**Dauermieter** → Mieter.

**¹dauern,** sich hinziehen; **noch lange d.,** bis dahin vergeht noch einige Zeit, das ist noch eine Weile hin, bis dahin fließt noch viel Wasser den Berg (oder:) den Rhein hinunter / hinab.

**²dauern:** → andauern; etwas dauert seine Zeit → vorangehen.

**¹dauernd,** unaufhörlich, immer, immerzu, seit je / jeher, von je / jeher, seit eh und je, seit alters, von alters [her], solange ich denken kann, schon / noch immer, immer noch, nach wie vor, wie eh und je, immer wieder, oft und oft, in einem fort, immerfort; tagaus, tagein; jahraus, jahrein; beständig, stet[s], stetig, andauernd, fortdauernd, fortgesetzt, unausgesetzt, unaufhaltsam, anhaltend, kontinuierlich, konstant, permanent, gleichbleibend, beharrlich, ununterbrochen, pausenlos, in einer Tour (*ugs.*), stetsfort (*schweiz.*), fortwährend, immerwährend, ständig, allerwege, allweil, allweil, allezeit, allzeit, laufend (*ugs.*), am laufenden Band (*ugs*), alle Nase lang (*ugs.*), in steter Folge, unablässig, ewig (*ugs.*), endlos, ohne Unterlaß / Ende / Pause / Unterbrechung, ad infinitum, in drei Schichten, Tag und Nacht, rund um die Uhr, alsfort (*landsch.*), fortweg (*ugs., landsch.*), egalweg (*ugs., landsch.*), egal (*ugs., landsch.*); → beharrlich, → bleibend, → ewig, → fleißig, → kursorisch, → lange, → langfristig, → oft, → unendlich; → Tag.

**²dauernd:** nicht für d. → vorübergehend.

**Dauerregen** → Niederschlag.

**Dauerstellung** → Anstellung.

**Dauerwelle** → Frisur.

**Dauerwurst** → Wurst.

**Däumchen:** D. drehen → faulenzen → langweilen (sich).

**Daumen:** → Finger; dort wo der D. links ist → rechts; dort wo der D. rechts ist → links; D. drehen → faulenzen, →

langweilen (sich); den D. drücken / halten → mitfühlen; auf etwas den D. haben / halten → zurückhalten; Brot belegt mit D. und Zeigefinger → Schnitte; über den D. peilen → schätzen; über den D. gepeilt → ungefähr.

**Daumennagel** → Fingernagel.

**Daumenschraube:** -n ansetzen → nötigen.

**Däumling** → Zwerg.

**Daune:** → Feder; -n → Bettfedern.

**Daunendecke** → Federbett.

**Dauphin** → Thronfolger.

**Dausch** → Schwein.

**David:** Sohn -s → Heiland; König D. → Nachschlüssel.

**Davidschild** → Davidsstern.

**Davidsstern,** Davidstern, Davidschild, Judenstern (*abwertend*); → Sinnbild, → Zeichen.

**Davidstern** → Davidsstern.

**davon:** → hiervon; auf und d. sein → weg [sein].

**davongehen** → weggehen.

**davonjagen** → entlassen.

**davonkommen:** [noch einmal d.] → sterben; [mit einem blauen Auge / mit heiler Haut d.] → entrinnen.

**davonlaufen:** → weggehen; planloses Davonlaufen → Anankasmus; etwas ist zum Davonlaufen → unerträglich [sein].

**davonmachen:** sich d. → weggehen.

**davonstehlen:** sich d. → weggehen.

**davor** → vorher.

**dawider:** nichts d. haben → billigen.

**dazu:** → außerdem, → diesbezüglich.

**dazugeben:** überall seinen Senf d. müssen → Bemerkung.

**dazugehören:** → teilnehmen; nicht d. → überflüssig [sein].

**dazugehörend:** → einschlägig, → zugehörig.

**dazugehörig** → einschlägig.

**dazuhalten:** sich d. → beeilen (sich).

**dazumal:** [Anno d.] → damals; von Anno d. sein → altmodisch [sein], → überlebt [sein].

**dazuschauen** → beeilen (sich).

**Dazutun:** ohne jmds. D. → Hilfe.

**dazwischenfunken** → eingreifen.

**dazwischenreden,** jmdm. ins Wort fallen / das Wort abschneiden / (*ugs.*) über den Mund fahren, jmdn. nicht ausreden lassen, jmdn. unterbrechen.

**dazwischentreten** → eingreifen.

**DDR:** → Deutschland; Hauptstadt der DDR → Berlin.

**Dealer** → Händler.

**Debakel,** Zusammenbruch, Niederlage, Schlappe (*ugs.*); → Unglück.

**Debatte:** → Gespräch; zur D. stehen / stellen → erörtern.

**debattieren,** erörtern, abhandeln, verhandeln, behandeln, auseinandersetzen, darstellen, darlegen, untersuchen, diskutieren, disputieren, die Klingen kreuzen, sich streiten über, zur Debatte / Diskussion stellen, zur Sprache bringen / kommen, polemisieren, beraten, bereden, besprechen, sprechen über, durchsprechen, kakeln über (*ugs.*), bekakeln (*ugs.*), bekatern (*ugs.*), durchkauen (*ugs.*), nicht → ruhenlassen; **debattiert werden;** zur Debatte / Diskussion stehen; → anfangen, → beanstanden, → begründen, → erwähnen, → mitteilen, → tagen, → zanken (sich); → unsachlich; → Darlegung, → Gespräch, → Kampf, → Streit.

**Debauche** → Ausschweifung.

**Debet** → Fehlbetrag.

**debil** → geistesgestört.

**Debiler** → Geistesgestörter.

**Debilitas:** [D. mentalis] → Geistesgestörtheit.

**Debilität** → Geistesgestörtheit.

**Debüt:** → Auftreten, → erste.

**Debütant** → Anfänger.

**Dechant:** → Dekan, → Geistlicher.

**Dechantei** → Verwaltungsbezirk.

**Decher** → Stück.

**¹dechiffrieren,** entschlüsseln, aufschlüsseln, auflösen, entziffern, decodieren, dekodieren; → enträtseln; Zeichen · Ggs. → chiffrieren; → Geheimschrift.

**²dechiffrieren** → enträtseln; dechiffrierter Text → Klartext.

**Deck** → Geschoß.

**Deckbett** → Federbett.

¹Decke, Wolldecke, Couchdek-
ke, Kamelhaardecke, Reisedecke, Plaid · Schlafsack ·
Pferdedecke, Woilach; → Bettdecke, → Federbett.

²Decke: → Fell, → Zimmer-
decke; jmdm. fällt die D. auf
den Kopf → deprimiert [sein];
an die D. gehen → ärgerlich
[werden]; vor Freude [fast] an
die D. springen → freuen (sich);
sich nach der D. strecken
müssen → sparen [müssen];
unter einer D. stecken → konspirieren.

Deckel: → Kopfbedeckung, →
Verschluß; eins auf den D.
bekommen / kriegen → schelten,
→ schlagen; jmdm. eins auf den
D. geben → schelten.

Deckelkorb → Korb.

deckeln → schelten.

Deckelschnecke → Schnecke.

¹decken (Defizit), bedecken
(österr.); → Fehlbetrag.

²decken: → bedecken, → koitieren; sich d. → gleichen; sich
-d → kongruent; der Bedarf
ist gedeckt → ausreichen;
[jmdm. den Rücken] d. →
behüten.

Deckenbeleuchtung → Lampe.

Deckengemälde → Malerei.

Deckenheizung → Heizung.

Deckenlampe → Lampe.

Deckenleuchte → Lampe.

Deckenlicht → Lampe.

Deckfeder → Feder.

Deckmantel → Beschönigung.

Deckname → Pseudonym.

Deckung: → Schutz, → Schützengraben.

Deckungsauflage → Auflage.

deckungsgleich → kongruent.

Deckungsgleichheit → Kon-
gruenz.

decodieren → dechiffrieren.

Décollement → Verletzung.

decouragiert → deprimiert.

decrescendo → Lautstärke.

Dederon → Chemiefaser.

Dedikation → Zuneigung.

dedizieren → widmen.

Deduktion → Folgerung.

deduktiv → theoretisch.

deduzieren → folgern.

de facto → wirklich.

defäkieren, Stuhlgang / Stuhl
haben, koten, abführen, sich
entleeren, groß machen (ugs.),
Aa machen (Kinderspr.), ab-

protzen (derb), kacken (derb),
einen Haufen machen (derb),
ein Ei legen (vulgär), scheißen
(vulgär) · unfreiwillig: sich einkoten; → austreten, →
urinieren; → Abführmittel, →
Exkrement, → Stuhlverstopfung, → Toilette.

Defätismus → Pessimismus.

Defätist → Pessimist.

defätistisch, schwarzseherisch,
pessimistisch, nihilistisch, verzagt; → schwermütig.

defekt, beschädigt, schadhaft,
angeschlagen, angestoßen, abgestoßen, angehauen, lädiert,
ramponiert, havariert, mitgenommen, zerrissen, zerbrochen,
durchlöchert, wurmstichig, kaputt (ugs.), kapores (ugs.), futsch
(ugs.), futschikato (ugs.), aus
dem Leim gegangen (ugs.),
nicht → heil; → abgenutzt, →
abgewirtschaftet, → geteilt, →
lose; d. sein, einen Sprung / ein
Loch haben, durchgebrannt
sein, entzwei sein, hinsein (ugs.),
hinüber sein (ugs.), im Eimer sein
(salopp); d. werden, entzweigehen, kaputtgehen (ugs.), aus
dem Leim gehen (ugs.), auseinanderbrechen, in die Binsen
gehen (ugs.), draufgehen (ugs.),
tscharigehen (salopp, österr.),
das Zeitliche segnen (scherzh.),
aus den Fugen gehen / geraten,
sich in seine Bestandteile /
(ugs.) sich in Wohlgefallen auflösen, dran glauben müssen
(ugs.); → beschädigen, → zerlegen, → zerstören; → Beschädigung.

Defekt: → Beschädigung, →
Mangel.

defensiv: -es Fahren → Fahrverhalten.

Defensive → Abwehr.

Defensivkrieg → Krieg.

Defilee → Parade.

Definition → Auslegung.

definitiv: → unabänderlich, →
verbindlich.

Definitivum → Endgültigkeit.

Defizit → Fehlbetrag.

defizitär → Fehlbetrag.

Deflation → Einschränkung.

Deflexionslage → Kindslage.

deflorieren, entjungfern, entehren (geh.), jmdm. die Ehre
nehmen (geh.), jmdm. die Jungfräulichkeit / die Unschuld

rauben; → koitieren, → schwängern, → vergewaltigen; →
jungfräulich; → Hymen, →
Koitus, → Virginität.

Deformation → Mißbildung.

deformieren, verformen, aus der
Form bringen; → Deformation.

¹Deformierung, Verformung; →
deformieren.

²Deformierung → Mißbildung.

Defraudant → Betrüger.

Defraudation → Diebstahl.

deftig → nahrhaft.

Degen → Hiebwaffe.

Degeneration → Rückgang.

Degenschlucker → Artist.

Degout → Abneigung.

¹degradieren, im Dienstgrad /
Rang herabsetzen; → Dienstgrad.

²degradieren → demütigen.

Degression → Verminderung.

degressiv → nachlassend.

degustieren → kosten.

dehnbar → biegsam.

Dehnbarkeit → Biegsamkeit.

dehnen; sich d. → biegsam [sein],
→ recken (sich).

Dehnungs-h, stummes h (bes.
österr.); → Buchstabe.

Dei → Anrede.

Deich → Damm.

Deichhufendorf → Dorf.

Deichselkreuz → Kreuzzeichen.

deichseln → bewerkstelligen.

Deismus, Freidenkertum · Hei-
dentum · Materialismus; →
Atheismus, → Pantheismus, →
Rationalismus, → Theismus.

Dejeuner → Frühstück.

de jure → rechtmäßig.

Deka → Gewichtseinheit.

Dekadenz → Rückgang.

Dekagramm → Gewichtsein-
heit.

¹Dekan, Fachbereichssprecher ·
in der Anrede: Spektabilität ·
stellvertretender: Prodekan;
→ Hochschullehrer.

²Dekan → Geistlicher.

Dekanat → Verwaltungsbezirk.

Deklamator → Vortragskünstler.

deklamatorisch → beredt.

deklamieren → vortragen.

Deklination → Beugung.

deklinieren → flektieren.

dekodieren → dechiffrieren.

Dekolleté → Ausschnitt.

dekolletieren: sich d. → bloßstellen (sich).

dekolletiert → ausgeschnitten.
dekomponieren → zerlegen.
Dekomposition → Zerlegung.
Dekorateur: → Raumausstatter, → Schaufenstergestalter.
Dekoration: → Orden, → Schaufensterdekoration; -en → Bühnendekoration.
Dekorationsbühne → Bühne.
Dekorationspapier → Buntpapier.
dekorieren: → schmücken; jmdn. d., dekoriert werden → Orden.
Dekort → Preisnachlaß.
Dekret → Weisung.
dekuvrieren → aufdecken.
Dekuvrierung → Enthüllung.
Delegat → Abgesandter.
Delegation: → Abordnung, → Delegation.
Delegationschef → Diplomat.
delegieren: → abordnen, → übertragen.
Delegierter → Abgeordneter.
Delegierung, Delegation, Übertragung, Weitergabe, Ermächtigung; → Abtretung; → übertragen.
delektieren: sich d. an → freuen (sich).
deletär → todbringend.
delikat → appetitlich.
Delikatesse → Leckerbissen.
Delikatessen → Feinkost.
Delikt: → Verbrechen, → Verstoß.
deliktisch → gesetzwidrig.
Delinquent → Verbrecher.
delinquieren → sündigen.
Delir → Bewußtseinstrübung.
delirant: -er Zustand → Bewußtseinstrübung.
Delirium: → Bewußtseinstrübung; [D. tremens] → Geistesgestörtheit, → Säuferwahnsinn.
deliziös → appetitlich.
Delle → Beule.
delogieren → nötigen.
Delphin: → Sternbild, → Wal.
Delphinschwimmen → Schwimmen.
delphisch → rätselhaft.
Delta: → Buchstabe, → Mündung.
Deltaküste → Ufer.
de Luxe → kostbar.
Demagoge: → Hetzer, → Redner.
demagogisch → aufhetzerisch.

Demantoid → Schmuckstein.
Demarche → Einspruch.
Demarkationslinie → Grenze.
demaskieren: → aufdecken, → entlarven; sich d. → erkennen.
Demaskierung → Enthüllung.
dement → geistesgestört.
Dementi → Widerruf.
Dementia: D. praecox / senilis → Geistesgestörtheit.
dementieren: → abstreiten, → berichtigen, → widerrufen.
dementsprechend → also.
Demenz → Geistesgestörtheit.
Demeter → Göttin.
demgegenüber → aber.
demgemäß → also.
Demimonde → Unterwelt.
Deminutiv → Verkleinerungsform.
Demission → Kündigung.
demissionieren → kündigen.
Demi-vierge → Mädchen.
demnach → also.
demnächst → später.
demobilisieren → abrüsten.
Demobilisierung → Abrüstung.
Demoiselle → Fräulein.
Demokratie → Herrschaft.
demokratisch: -er Sektor → Berlin.
¹demolieren, zerstören, vernichten, zugrunde richten, destruieren, ruinieren, verwüsten, verheeren, wie die Hunnen / Vandalen hausen, zerschlagen, zerbrechen, zerteppern (ugs.), zerschmeißen (salopp), zerschmettern, zertreten, zerstampfen, zertrampeln (ugs.), eintreten, dem Erdboden gleichmachen, keinen Stein auf dem anderen lassen, ausradieren, mit Stumpf und Stiel ausrotten (ugs.), niedermähen, niederwalzen, hinmachen (ugs.), [in die Luft] sprengen, zertrümmern, einschlagen, kaputtmachen (ugs.), einer Sache den Rest geben (ugs.), Kleinholz machen (ugs.), alles kurz und klein schlagen (ugs.); → ausrotten, → beschädigen, → besiegen, → defekt [werden], → niederreißen, → verunstalten, → zerlegen, → zermahlen, zermalmen; → Bücherverbrennung, → Vernichtung.
²demolieren → niederreißen.
Demolierung: → Abbruch, → Vernichtung.

Demonstrant, Protestierer (abwertend), Manifestant (schweiz.); → Demonstration; → demonstrieren.
¹Demonstration, Protest, Protestaktion, Sitzstreik, Sit-in, Go-in, Protestmarsch, Fackelzug, Massenkundgebung, Kundgebung, Manifestation (schweiz.), Massenversammlung, [politische] Versammlung, Umzug · in Verbindung mit Diskussionen: Teach-in · deren Teilnehmer sich durch sexuelle Handlungen in der Öffentlichkeit gegen die bürgerliche Moral wenden: Love-in · der Atomwaffengegner in Deutschland: Ostermarsch; → Ansammlung, → Demonstrant, → Streik, → Verschwörung; → aufbegehren, → demonstrieren.
²Demonstration: → Darlegung, → Veranschaulichung.
demonstrativ: → anschaulich, → provozierend, → nachdrücklich, → zugespitzt.
¹demonstrieren, protestieren, manifestieren (schweiz.), auf die Straße gehen, vor das Haus treten (schweiz.); → aufbegehren; → Demonstrant, → Demonstration.
²demonstrieren: → aufweisen; ad oculos d. → anschaulich [machen].
Demonstrierung: → Darlegung, → Veranschaulichung.
Demontage → Zerlegung.
demontieren → zerlegen.
demoralisiert → zermürbt.
Demoskopie, Meinungsforschung, Meinungsbefragung; → Marktforscher, → Marktforschung, → Umfrage.
demoskopisch: -e Untersuchung → Umfrage.
Demulzens → Linderungsmittel.
demungeachtet → dennoch.
Demut, Ergebung, Hingabe, Opfermut, Opferbereitschaft, Unterwürfigkeit; → Beharrlichkeit, → Selbstlosigkeit.
demütig → unterwürfig.
¹demütigen (jmdn.), erniedrigen, herabsetzen, herabwürdigen, entwürdigen, degradieren, diffamieren, diskreditieren, diskriminieren; → schlechtmachen.

²**demütigen:** sich d. → erniedrigen (sich).

**demütigend** → beschämend.

**Demütigkeit** → Unterwürfigkeit.

**Demütigung** → Nichtachtung.

**demzufolge** → also.

**denaturieren,** vergällen, ungenießbar machen

**Dene** → Indianer.

**Denkakt** → Denkvorgang.

**Denkanstoß** → Impuls.

**Denkarbeit** → Denkvorgang.

**denkbar:** → möglich, → sehr; es ist d. → anscheinend, → vielleicht; kaum d. → unwahrscheinlich.

¹**denken,** überlegen, nachdenken, reflektieren, durchdenken, sich fragen / Gedanken machen, einem Gedanken / seinen Gedanken nachhängen, sich besinnen / bedenken, mit sich zu Rate gehen, seine Gedanken zusammennehmen, nachsinnen, nachgrübeln, sinnen, grübeln, staunen (*schweiz.*), werweißen (*schweiz.*), tüfteln, sinnieren, brüten, rätseln, herumrätseln, sich den Kopf zerbrechen, sich das Hirn zermartern, knobeln (*ugs.*), meditieren, philosophieren, den Verstand gebrauchen, seinen Geist anstrengen · *dasselbe:* denselben Gedanken haben, zwei Seelen und ein Gedanke; → ausdenken, → beurteilen, → entwerfen, → erwägen, → folgern, → versenken (sich); → ausgewogen; → Denker, → Denkvorgang, → Einfall, → Gedankengang, → Vernunft.

²**denken:** → meinen; denkste!, typischer Fall von denkste → irren (sich); es läßt sich d. → vielleicht; zu d. geben → befremden; etwas gibt jmdm. zu d. → beschäftigen; solange ich d. kann → unaufhörlich; d. [zu tun] → vorhaben; als Wirklichkeit d. → hypostasieren; sich etwas d. → vorstellen (sich etwas); sich etwas d. [können] → Ahnung, → voraussehen; ich denke, mich laust der Affe → überrascht [sein]; d. an → erinnern (sich); es ist daran gedacht, daran ist nicht gedacht → vorhaben; nicht d. an → vergessen; etwas läßt d.

an → gemahnen; auch einmal an sich selber / selbst d. → gönnen (sich etwas); an seine Gesundheit d. → Gesundheit; nicht im Traum daran d. → tun; daran ist nicht zu d., denkste!, das hast du dir so gedacht → nein; ohne zu d. → schematisch; d. über → beurteilen.

**Denken:** → Denkvorgang; kaufmännisches D. → Geschäftssinn.

**Denker,** Philosoph, Weiser, Gefühlsdenker; → denken.

¹**Denkmal,** Monument, Ehrenmal, Gedenkstein, Memorial, Denkstein; → Grabstein.

²**Denkmal:** → Plastik; sich ein D. setzen → verewigen (sich).

**Denkmodell** → Entwurf.

**Denkmünze** → Gedenkmünze.

**Denkschrift** → Mitteilung.

**Denkspruch** → Ausspruch.

**Denkstein** → Denkmal.

**Denkvermögen** → Vernunft.

**Denkvorgang,** Denkakt, Denken, Denkarbeit, Gedankenarbeit, das Nachdenken, Überlegung; → denken.

**Denkweise,** Denkart, Denkungsart, Denkungsweise, Mentalität, Gesinnung, Einstellung, Weltanschauung, Lebensanschauung, Ideologie, Sinnesart · *einer Epoche:* Zeitgeist; → Ansicht, → Gesichtspunkt, → Weltbild, → Wesen.

**denkwürdig** → unvergessen.

**Denkwürdigkeiten** → Biographie.

**Denkzettel:** → Erinnerung; jmdm. einen D. verpassen → bestrafen.

**Denkzwang** → Anankasmus.

**denn,** nämlich, bekanntermaßen, bekanntlich, wie bekannt ist, wie man weiß, du mußt / ihr müßt / Sie müssen wissen; → auch, → bekanntermaßen.

**dennoch,** doch, trotzdem, gleichwohl, nichtsdestoweniger, dessenungeachtet, demungeachtet, jedenfalls, trotz allem, nichtsdestotrotz (*ugs., scherzh.*); → aber, → obgleich.

**Denotation:** → Auslegung, → Wortbedeutung.

**Dens** → Zahn.

**Dentist** → Arzt.

**Denunziant,** Judas (*abwertend*), Petzer (*abwertend*), Zuträger,

Zwischenträger; → Hetzer, → Verleumder.

**denunzieren** → verraten.

**Deodorant** → Desodorans.

**Deodorantspray** → Desodorans.

**Deodorantstift** → Desodorans.

**Departement:** → Ministerium, → Verwaltungsbezirk; Vorsteher eines -s → Minister.

**Departure** → Start.

**Dependance** → Hotel.

**Dependenzgrammatik** → Grammatik.

**Depesche** → Telegramm.

**depeschieren** → telegrafieren.

**deplaciert:** → taktlos, → unerfreulich.

**Deplaciertheit** → Taktlosigkeit.

**deplorabel** → kläglich.

**Deponie** → Müllabladeplatz.

**deponieren:** → hinstellen, → lagern.

**Deportation,** Verschleppung, Zwangsverschickung, Aussiedlung; → Verbannung; → verschleppen.

**Deportationslager** → Gefangenenlager.

**deportieren** → verschleppen.

**Depot:** → Remise, → Warenlager.

**Depp** → Dummkopf.

**deppert:** d. sein → geistesgestört [sein].

**Deprekation** → Entschuldigung.

**Depression:** → Melancholie, → Trauer.

¹**depressiv,** schwermütig, trübsinnig, hypochondrisch, melancholisch, pessimistisch, schwarzseherisch, nihilistisch, miesepetrig (*ugs.*), hintersinnig (*schweiz.*), bregenklüterig (*ugs., landsch.*), trübselig, wehmütig, wehselig (*schweiz.*), elegisch, trist, traurig, freudlos, freudelos (*schweiz.*), elend, unglücklich, todunglücklich, kreuzunglücklich, desolat, betrübt, trübe, bedrückt, gedrückt, bekümmert, unfroh, mauserig (*schweiz.*), nicht → lustig; → ängstlich; → ernsthaft, → kläglich, → deprimiert, → ruhig · Ggs. → zuversichtlich.

**d. sein,** mit der Welt zerfallen sein, Trübsal blasen (*ugs.*), etwas durch eine schwarze Brille sehen, sich hintersinnen (*südd., schweiz.*); → erstaunen; → Melancholie, → Pessimist, → Trauer.

²**depressiv** → gemütskrank.
**Depressor** → Muskel.
**deprezieren:** → entschuldigen (sich).
¹**deprimiert,** niedergeschlagen, gedrückt, niedergedrückt, down (*ugs.*), resigniert, decouragiert, geknickt (*ugs.*), mutlos, flügellahm (*ugs.*), entmutigt, verzagt, kleinmütig, verzweifelt, gebrochen, lebensmüde, niedergeschmettert (*ugs.*); → ängstlich, → schwermütig, → unzufrieden; **d. sein,** Weltschmerz haben, in Weltuntergangsstimmung sein, den Kopf / die Flügel hängenlassen (*ugs.*), jmdm. fällt die Decke auf den Kopf, jmdm. ist die Petersilie / die ganze Ernte verhagelt (*ugs.*); **d. werden,** das heulende Elend / einen Moralischen kriegen (*ugs.*); → Angst [haben]; → Katerstimmung, → Verzweiflung.
²**deprimiert:** etwas d. jmdn. → ärgern.
**Deputation** → Abordnung.
**deputieren** → abordnen.
**Deputierter** → Abgeordneter.
**der:** d. da / dort → dieser, → jener; d. gleiche / nämliche, eben d. → derselbe.
**derangieren** → verwirren.
**derart** → so.
**derartige** → solche.
**derb:** d. komisch → spaßig; -es Wort → Vulgärausdruck.
**Derbent** → Orientteppich.
**Derby** → Rennen.
**Derbyhut** → Kopfbedeckung.
**Derbyrennen** → Rennen.
**dereinst** → später.
**dergestalt** → so.
**Derivation:** → Ableitung, → Abweichung.
**dermaleinst** → später.
**dermalen** → jetzt.
**dermaßen** → so.
**Dermatochalase** → Chalodermie.
**Dermatologe** → Arzt.
**Dermatologie** → Heilkunde.
**Dermatolyse** → Chalodermie.
**Dermatomegalie** → Chalodermie.
**Dermatomykose** → Hautpilzkrankheit.
**Dermatophytie** → Hautpilzkrankheit.
**Dermatose** → Hautkrankheit.
**Dermatospasmus** → Gänsehaut.

**Dermatozele** → Chalodermie.
**Dernier cri:** das ist der D. c. → modern [sein].
¹**derselbe,** der gleiche / nämliche, eben der, eben derselbe, der vorher Genannte, der Obengenannte.
²**derselbe** → auch [so einer].
**derweil** → inzwischen.
**derweise** → so.
**Derwischerles** → Fangspiel.
**derzeit:** → damals, → jetzt.
**derzeitig** → jetzig.
**Desaster** → Unglück.
¹**desavouieren,** ablehnen, zurückweisen, ausschlagen, abweisen, abwimmeln (*ugs., abwertend*), [kurz] abfertigen, verschmähen, jmdn. abschlägig bescheiden, aus Abschied und Traktanden fallen lassen (*schweiz.*), abschlagen, etwas verweigern, versagen, abwinken, eine Abfuhr erteilen, abfahren / abblitzen / ablaufen lassen (*salopp*), jmdm. einen Korb geben / die kalte Schulter zeigen, jmdm. die Tür vor der Nase zuschlagen, verachten, jmd. / etwas kann jmdm. gestohlen bleiben (*ugs.*), jmdm. etwas husten / niesen (*salopp*), nicht → billigen; → beanstanden, → entledigen (sich jmds. / einer Sache), → ignorieren, → mißachten, → verabscheuen, → verbieten, → verweigern (sich jmdm.); → Ablehnung; → nein.
²**desavouieren** → kompromittieren (jmdn.).
**Desavouierung** → Bloßstellung.
**Deserteur,** Fahnenflüchtiger, Überläufer; → Abtrünniger, → Ketzer; → überwechseln.
**desertieren** → überwechseln.
**desgleichen** → auch.
**Déshabillé** → Morgenrock.
**deshalb,** deswegen, daher, darum, dadurch, dieserhalb, aus diesem Grunde, zu diesem Zweck / (*veraltet*) Behuf, insofern; → also, → wegen, → wenn.
**Desiderat** → Mangel.
**Design** → Form.
**Designation** → Nominierung.
**Designer** → Zeichner.
**designieren,** bestimmen / vorsehen für ein Amt; → anordnen, → bezeichnen, → ernennen.

**designiert:** -er Amtsnachfolger → Nachfolger.
**Desillusion** → Enttäuschung.
**desillusionieren** → ernüchtern.
**Desillusionierung** → Enttäuschung.
**Desinfektion,** Entkeimung, Keimtötung, Entseuchung, Vernichtung von Krankheitserregern; → desinfizieren; → keimfrei.
**desinfizieren,** sterilisieren, keimfrei machen, auskochen, entseuchen; → keimfrei; → Desinfektion.
**Desinteresse** → Teilnahmslosigkeit.
**desinteressieren:** sich d. → langweilen (sich).
**desinteressiert** → träge.
**Deskription** → Beschreibung.
**deskriptiv,** beschreibend; → gleichzeitig.
**Desodorans,** Deodorant, Deodorantspray, Deodorantstift · Körperspray, Intimspray, Fußspray; → Seife, → Spray; → duftend.
**Desodorantspray** → Spray.
¹**desolat,** schwermütig, trübsinnig, hypochondrisch, depressiv, melancholisch, pessimistisch, schwarzseherisch, nihilistisch, defätistisch, miesepetrig (*ugs.*), hintersinnig (*schweiz.*), bregenklüterig (*ugs., landsch.*), trübselig, wehmütig, wehselig (*schweiz.*), elegisch, trist, traurig, freudlos, freudelos (*schweiz.*), elend, unglücklich, todunglücklich, kreuzunglücklich, betrübt, trübe, bedrückt, gedrückt, bekümmert, unfroh, mauserig (*schweiz.*), nicht → lustig; → ängstlich, → ernsthaft, → kläglich, → deprimiert, → ruhig · Ggs. → zuversichtlich.
²**desolat** → schlecht.
**despektierlich** → abschätzig.
**Despektierlichkeit** → Nichtachtung.
**Desperado** → Kämpfer.
**Despot** → Gewaltherrscher.
**Despotie** → Herrschaft.
**despotisch** → tyrannisch.
**dessenungeachtet** → dennoch.
**Dessert,** Süßspeise, Speise, Nachspeise, Nachtisch, Pudding, Kompott, Panaschee, Gelee, Flammeri, Götterspeise, Glibberpudding (*scherzh.*), Wak-

kelpeter (*scherzh.*); → Eis, → Essen, → Nahrung · Ggs. → Vorgericht.

**Dessertlöffel** → Löffel.

**Dessertmesser** → Messer.

**Dessertteller** → Teller.

**Dessertwein** → Wein.

**Dessin:** → Stoffmuster, → Zeichnung.

**Dessous** → Unterwäsche.

**Destillat** → Extrakt.

**Destille** → Gaststätte.

**destillieren** → produzieren.

**destilliert:** -es Wasser → Wasser.

**Destination** → Aufgabe.

**destruieren** → zerstören.

**Destruktion:** → Vernichtung, → Zerstörung.

**destruktiv** → umstürzlerisch.

**deswegen** → deshalb.

**Deszendent** → Angehöriger.

**Deszensus** → Eingeweidesenkung.

**detachieren** → abordnen.

**Detail,** Einzelheit, Ausschnitt, Teilstück; → einzeln.

**Detailhandel** → Einzelhandel.

**Detaillist** → Einzelhändler.

**Detektei,** Auskunftei, Detektivbüro, Detektivinstitut, Ermittlungsbüro; → Auskunfter; → auskundschaften; → überwachen.

**Detektiv** → Kriminalbeamter.

**Detektivbüro** → Detektei.

**Detektivinstitut** → Detektei.

**Detektivroman** → Roman.

**Determinante** → Hilfsmittel.

**Detonation** → Explosion.

**detonieren** → platzen.

**Detsche** → Ohrfeige.

**detto** → auch.

**Deus ex machina** → Lösung.

**deutbar** → erklärbar.

**deuteln** → auslegen; daran ist nichts zu drehen und zu d. → klar [sein].

**deuten:** → auslegen; falsch d. → mißverstehen; die Zukunft d. → voraussehen.

**Deuter:** → Gebärde, → Interpret.

**Deuteranopie** → Farbenblindheit.

**Deuteroanopie** → Farbenblindheit.

**Deuteroplasma** → Protoplasma.

**Deuteroskopie** → Hellsehen.

**deutlich:** → anschaulich, → klar, → offenbar, → nachdrücklich, → verständlich; d. machen

→ begründen; etwas wird d. aus → erhellen.

**[1]Deutlichkeit,** Klarheit, Eindeutigkeit, Genauigkeit, Exaktheit, Präzision, Bestimmtheit, Unmißverständlichkeit, Unverblümtheit, Ungeschminktheit; → Aufrichtigkeit; → klar.

**[2]Deutlichkeit:** → Anschaulichkeit, → Nachdrücklichkeit.

**Deutoplasma** → Protoplasma.

**deutsch:** → gesamtdeutsch; -es Band → Fries; -es Beefsteak → Fleischkloß; Tag der -en Einheit → Feiertag; d. Kurzhaar / Langhaar / Stockhaar, er Schäferhund → Hunderassen; Deutsche Mark → Zahlungsmittel; -er Michel → Deutschland; Deutscher Orden → Ritterorden; Hauptstadt des Deutschen Reiches → Berlin; Deutsche Demokratische Republik → Deutschland; -e Schrift → Schrift; -e Sprache → Deutsch; in die -e Sprache übernehmen → eindeutschen; mit jmdm. d. reden → schelten.

**[1]Deutsch,** deutsche Sprache · *in verschiedenen sprachgeschichtlichen Epochen:* Althochdeutsch, Mittelhochdeutsch, Frühneuhochdeutsch, Neuhochdeutsch, Gegenwartsdeutsch, Gegenwartssprache; → Gruppensprache, → Hochsprache, → Mischsprache, → Muttersprache, → Sprache; → gesamtdeutsch.

**[2]Deutsch:** dem -en angleichen, ins -e übernehmen → eindeutschen.

**Deutscher,** Michel (*abwertend*), Teutone (*abwertend*), Boche (*abwertend; in Frankreich*), Fritz (*abwertend; in England*), Hunne (*abwertend; in England*), Kraut (*abwertend; in Amerika*), Fritzki (*abwertend; in Rußland*), Mof (*abwertend; in Holland*), Piefkinese (*abwertend; in Österreich*), Piefke (*abwertend; in Österreich*); → Bayer, → Deutschland, → Elsässer, → Hesse, → Pfälzer, → Preuße, → Sachse, → Schlesier, → Schwabe.

**[1]Deutschland,** deutscher Michel (*iron.*), Gesamtdeutschland, der andere Teil Deutschlands · BRD, Bundesrepublik [Deutschland], Westdeutschland, Wirtschaftswunderland (*scherzh.*) · DDR,

Deutsche Demokratische Republik, Ostdeutschland (*veraltend*), Mitteldeutschland (*veraltend*), das andere Deutschland, SBZ (*veraltet*), sowjetische Besatzungszone (*veraltet*), [sowjetische] Zone (*veraltet*), Sowjetzone (*veraltet*), Ostzone (*veraltend*); → Deutscher; → gesamtdeutsch.

**[2]Deutschland:** Junges D. → Literaturepochen.

**Deutung** → Auslegung.

**Deux-pièces** → Kleid.

**Deviation** → Abweichung.

**Deviationist** → Ketzer.

**Devise** → Ausspruch.

**Devisen,** ausländische Zahlungsmittel, ausländisches Geld, ausländische Währung, Geldsorten, Sorten; → Geld, → Geldinstitut, → Zahlungsmittel.

**Devon** → Erdzeitalter.

**devot** → unterwürfig.

**Devotion** → Unterwürfigkeit.

**Dextrinleim** → Bindemittel.

**Dextropur** → Traubenzucker.

**Dextrose** → Traubenzucker.

**Dey** → Anrede.

**Dez** → Kopf.

**[1]Dezember,** Heiligmond, Heilmond, Christmond, Wintermonat, Wintermond, Julmond; → Monat, → Zeitraum.

**[2]Dezember:** 31. D. → Silvester.

**Dezennium** → Zeitraum.

**[1]dezent,** verschwiegen, taktvoll, diskret; nicht → aufdringlich.

**[2]dezent** → zurückhaltend.

**Dezenz** → Verschwiegenheit.

**Dezernat,** Geschäftsbereich; → Amt.

**Dezernent** → Referent.

**Dezi** → Hohlmaß.

**dezidiert** → entschieden.

**Deziliter** → Hohlmaß.

**Dezimalwaage** → Waage.

**Dezimalzahl** → Zahl.

**Dezime** → Tonabstand.

**Dezimeter** → Längenmaß.

**dezimieren** → verringern.

**Dezimierung** → Einschränkung.

**Dia** → Fotografie.

**Diabetologe** → Arzt.

**diabolisch** → teuflisch.

**Diabolus** → Teufel.

**diachronisch** → geschichtlich.

**[1]Diagnose,** Befund, Feststellung, Erkennung, das Erkennen, Beurteilung; → Arzt, → Behandlung, → Punktion, →

Elektrogramm, → Röntgenogramm, → Röntgenographie.

²**Diagnose:** die D. stellen → erkennen, → untersuchen.

**diagnostizieren:** → erkennen, → untersuchen.

**diagonal:** d. lesen → lesen.

**Diagonale** → Linie.

**Diagramm** → Graph.

**Diakonie** → Sozialhilfe.

**Dialekt** → Mundart.

**Dialektausdruck** → Provinzialismus.

**Dialektdichtung** → Dichtung.

**dialektisch:** -er Materialismus → Marxismus.

**Dialektwort** → Provinzialismus.

**Dialog** → Gespräch.

**Diamant:** → Schmuckstein, → Schriftgrad.

**diamanten:** -e Hochzeit → Hochzeitstag.

**Diamantfries** → Fries.

**Diamantspitze** → Spitzenstikkerei.

**Diamat** → Marxismus.

**diametral:** d. entgegengesetzt → gegensätzlich.

**Diana** → Göttin.

**Dianameerkatze** → Affe.

**Diaphorese** → Transpiration.

**Diaphragmatozele** → Bruch.

**Diapositiv** → Fotografie.

**Diarium:** → Heft, → Tagebuch.

**Diarrhö** → Durchfall.

**Diaskop** → Projektionsapparat.

**Diaspora** → Minderheit.

**Diät,** Schonkost, Krankenkost · *zur Abmagerung:* Abmagerungsdiät, Schlankheitsdiät, Punktdiät; → Essen, → Nahrung, → Schlankheitskur.

**Diäten** → Tagegeld.

**Diathermie** → Elektrotherapie.

**Diathermotherapie** → Elektrotherapie.

**Diätköchin** → Koch.

**Diavortrag** → Lichtbildervortrag.

**Dichasium** → Blütenstand.

**dichotomisch** → gegensätzlich.

¹**dicht,** eng beieinander / nebeneinander, Substantiv + an + gleiches Substantiv (Wand an Wand, Buch an Buch); → undurchlässig, → voll.

²**dicht:** → undurchdringlich, → undurchlässig; nicht [ganz] d. sein → verrückt [sein]; d. am / ans Wasser gebaut haben →

weinen; d. an / bei → nahe; d. bei d. → voll.

**dichtbesiedelt** → bevölkert.

**dichtbevölkert** → bevölkert.

**Dichte** → Ausmaß.

**dichten,** schreiben, reimen, Verse schmieden / machen, Reime schmieden, fabulieren, den Pegasus reiten / besteigen (*scherzh.*), schriftstellern; → aufschreiben, → besingen, → edieren; **d. können,** von der Muse geküßt sein (*scherzh.*); → Dichtung, → Epigramm, → Erzählung, → Gedicht, → Schriftsteller → Versmaß.

**Dichter** → Schriftsteller.

**dichterisch** → ausdrucksvoll.

**Dichterling:** → Schriftsteller, → Stümper.

**Dichtersmann** → Schriftsteller.

**dichtgedrängt** → voll.

**dichthalten:** → schweigen; nicht d. → mitteilen.

**Dichtkunst** → Dichtung.

**dichtmachen** → zumachen.

¹**Dichtung,** Dichtkunst, Poesie · *verschiedener Gattung:* Lyrik, Dramatik, Epik, Versdichtung, Prosadichtung, Bühnendichtung · *in bezug auf Inhalt und Form:* geistliche Dichtung, Bauerndichtung, Arbeiterdichtung, Freiheitsdichtung, Kriegsdichtung, Tendenzdichtung, Bildungsdichtung, Dialektdichtung, Mundartdichtung, Bekenntnisdichtung, Erlebnisdichtung, Spielmannsdichtung, Kreuzzugsdichtung, Schäferdichtung, Hirtendichtung, arkadische Poesie, Bukolik, bukolische Dichtung, Epigonendichtung; → Epigramm, → Erzählung, → Gedicht, → Literatur, → Schriftsteller, → Versmaß; → dichten.

²**Dichtung:** frühmittelhochdeutsche / mittelhochdeutsche / spätmittelhochdeutsche D. → Literaturepochen; lyrische D. → Lyrik; D. und Wahrheit → Lüge; reine D. sein → unwahrscheinlich [sein]; in einer D. verherrlichen → besingen.

**Dichtungswissenschaft** → Literaturwissenschaft.

¹**dick,** wohlbeleibt, beleibt, stark, korpulent, vollschlank, fest (*schweiz.*), breit, behäbig, füllig, dicklich, mollig, mollert

(*ugs., österr.*), wuzeldick (*Kinderspr., österr.*), rundlich, rund, kugelrund, üppig, drall, knubbelig, wohlgenährt, voluminös, umfangreich, pummelig, fett, feist, feiß (*südwestd., schweiz.*), fleischig, blad (*ugs., österr.*), dickwanstig, dickleibig, fettleibig · *vom Gesicht:* pausbäckig; → athletisch, → aufgedunsen, → untersetzt · Ggs. → schlank; **d. sein,** gut im Futter / gut bei Sache / gut beeinander / gut gepolstert sein (*ugs.*); **zu d. sein,** zuviel wiegen, Übergewicht haben, aus allen Nähten platzen (*salopp*); **d. werden,** zunehmen, auslegen, breiter werden, in die Breite / aus dem Leim gehen (*salopp*), auseinandergehen (*salopp*), [Fett / Speck] ansetzen (*ugs.*), aufgehen wie eine Dampfnudel / wie ein Pfannkuchen / wie ein Hefekloß (*ugs.*) · *leicht:* zur Fülle neigen, ein guter Futterverwerter sein (*ugs.*); → Dicker, → Fettleibigkeit, → Gedunsenheit, → Wohlgenährtsein; → zunehmen.

²**dick:** -e Eier haben → Geschlechtskrankheit; das -e Ende → Schwierigkeit; das -e Ende kommt nach / kommt noch → ausstehen; ein -es Fell haben → dickfellig [sein]; -e Freunde sein → vertraut [sein]; etwas ist ein -er Hund → unerhört; eine -e Lippe riskieren → aufbegehren; es herrscht -e Luft → Stimmung; -e Milch → Milch; über den -en Onkel gehen → fortbewegen (sich); einen -en Schädel haben → unzugänglich [sein]; -e Suppe → Suppe; etwas ist klar wie -e Tinte → klar [sein]; ach, du -er Vater! → überrascht [sein]; d.auftragen → prahlen; etwas ist nicht d. gesät → selten [sein]; jmdn. d. haben → hassen; etwas d. haben, etwas / die Faxen -e haben → angeekelt [sein]; d. machen → schwängern; d. sein → schwanger [sein]; d. werden → sauer [werden]; mit jmdm. durch d. und dünn gehen → treu [sein].

**Dick** → Fisch.

**Dickbauch** → Dicker.

**Dickdarm** → Darm.

**Dickdarmgekröse** → Eingeweide.

**Dickdarmsenkung** → Eingeweidesenkung.

**dicke** → allemal.

**dicken** → eindicken.

**Dicker,** Dickerchen, Fettsack (*abwertend*), Fettwanst (*abwertend*), Marzipanschweinchen (*scherzh.*), Mops (*scherzh.*), Fettmops (*scherzh.*), Dickwanst (*abwertend*), Dickbauch (*abwertend*), Brocken (*ugs.*), Bröckerl (*ugs., österr.*), Blader (*abwertend, österr.*); → Bauch, → Mann; → dick.

**Dickerchen** → Dicker.

**dicketun:** sich d. → prahlen.

**¹dickfellig,** dickhäutig, robust, unempfindlich; → ruhig, → träge, → unempfindlich; **d. sein,** ein dickes Fell / eine Elefantenhaut / eine Büffelhaut / einen breiten Rücken haben (*ugs.*), nicht empfindlich sein, nicht leicht / durch nichts zu erschüttern sein, gute Nerven haben, Nerven haben wie Drahtseile / wie Stricke (*ugs.*), hart im Nehmen sein (*ugs.*), viel vertragen [können], aus hartem Holz geschnitzt sein (*ugs.*), die Ruhe weghaben (*ugs.*), etwas macht jmdm. nichts aus; → Dickfelligkeit, → Gelassenheit.

**²dickfellig** → träge.

**Dickfelligkeit,** Dickhäutigkeit, Unempfindlichkeit; → Gelassenheit; → dickfellig, → ruhig, → träge.

**dickflüssig** → flüssig.

**Dickflüssigkeit** → Flüssigsein.

**Dickfuß:** Lila D. → Ständerpilz.

**Dickfußröhrling** → Ständerpilz.

**Dickglas** → Glas.

**dickhäutig** → dickfellig.

**Dickhäutigkeit** → Dickfelligkeit.

**Dickicht,** Dickung, Gebüsch, Buschwerk, Unterholz, Gesträuch, Geäst, Gestrüpp; → Busch, → Urwald, → Wald.

**Dickkopf:** → Trotzkopf; einen D. haben / aufsetzen → unzugänglich [sein].

**Dickkopffalter** → Schmetterling.

**dickköpfig,** unzugänglich, verschlossen, finster, trotzig, aufsässig, widersetzlich, unbotmäßig, aufmüpfig, widerspenstig, widerborstig, kratzbürstig, störrisch, renitent, fest, unnachgiebig, unversöhnlich, intransigent, radikal, kompromißlos, unerbittlich, eigensinnig, starrsinnig, starrköpfig, halsstarrig, rechthaberisch, verbohrt, orthodox, doktrinär, obstinat, steifnackig, dickschädelig, unbequem, hartgesotten, unbelehrbar, ungehorsam, unfolgsam, bockbeinig (*ugs.*), bockig (*ugs.*), eisern, verstockt, stur (*ugs., abwertend*), sturheil (*ugs., abwertend*), stützig (*veraltet, südd., österr.*); → ängstlich, → aufrührerisch, → beharrlich, → frech, → gefühlskalt, → herrisch, → passiv, → selbständig, → streng, → unbarmherzig, → verschlossen · Ggs. → artig, → menschlich; **d. sein,** sich nichts sagen lassen, sich einer Sache / gegen etwas verschließen, seine Ohren verschließen, sich gegen etwas sperren, einer Sache widerstreben, einen Dickkopf haben / aufsetzen, einen dicken / harten Schädel haben, stur wie ein Bock / Panzer sein (*salopp*), mit dem Kopf durch die Wand wollen, Mais machen (*schweiz.*) · *in bezug auf ein Anliegen:* bei jmdm. auf Granit beißen, jmdn. am steifen Arm verhungern lassen (*ugs.*).

**Dickköpfigkeit** → Eigensinn.

**dickleibig** → dick.

**Dickleibigkeit** → Fettleibigkeit.

**dicklich** → dick.

**Dicklichkeit** → Wohlgenährtsein.

**Dickmilch:** → Milch; zu D. werden → sauer [werden].

**Dickrübe** → Rübe.

**Dickschädel** → Trotzkopf.

**dickschädelig** → unzugänglich.

**Dickschädeligkeit** → Eigensinn.

**Dickung** → Dickicht.

**Dickwanst** → Dicker.

**dickwanstig** → dick.

**Dickwanstigkeit** → Fettleibigkeit.

**Dickwurz** → Rübe.

**Dickwurzel** → Rübe.

**Dicranus** → Mißgeburt.

**Didaktik,** Unterrichtslehre, Unterrichtstheorie, Bildungslehre, Bildungstheorie; → Pädagogik.

**didaktisch** → pädagogisch.

**Didymus** → Hoden.

**¹Dieb,** Räuber, Wegelagerer, Strauchdieb, Strauchritter, Einbrecher, Fassadenkletterer, Klettermaxe (*ugs., scherzh.*), Bandit (*abwertend*), Spitzbube, ... knacker (Autoknacker, Geldschrankknacker, Automatenknacker), ... marder (Automarder, Holzmarder), Langfinger, Taschendieb, Taschelzieher (*ugs., österr.*); → Betrüger, → Mörder, → Schuft, → Seeräuber, → Plünderer, → Verbrecher, → Wilderer; → einbrechen.

**²Dieb:** Gelegenheit macht -e → verleiten.

**Diebesgut** → Raub.

**Diebessprache** → Gaunersprache.

**diebisch** → sehr.

**Diebshaken** → Nachschlüssel.

**Diebsschlüssel** → Nachschlüssel.

**Diebssprache** → Gaunersprache.

**¹Diebstahl,** Einbruch[s]diebstahl, Entwendung, Eigentumsdelikt, Eigentumsvergehen, widerrechtliche Aneignung, Raub, Beraubung, Unterschlagung, Defraudation, Veruntreuung, Hinterziehung, Unterschleif, Mundraub · *geistigen Eigentums:* Plagiat; → Betrug, → Lüge, → Raub; → plagieren, → unterschlagen, → wegnehmen; → unoriginell.

**²Diebstahl:** D. begehen → wegnehmen; geistigen D. begehen → plagieren.

**¹Diele,** Flur, Vorraum, Vorzimmer (*österr.*), Entree, Gang, Korridor, Windfang, Vorhalle, Halle, Vorhaus (*bes. österr.*), Vestibül; → Foyer, → Hausflur, → Treppenhaus, → Tür.

**²Diele:** → Brett, → Fußboden.

**Diencephalon** → Gehirn.

**dienen:** etwas dient dazu ... / erfüllt die Aufgabe ... / hat den Zweck ... / ist dazu da ...; → Aufgabe.

**¹Diener,** Bedienter, Butler, Lakai, Groom, Page, Boy, Bursche, Hausdiener, Lohndiener, Dienstbote, Domestik, Faktotum, Kalfaktor (*ugs.*), Kalfakter (*ugs.*), Mädchen für alles, dienstbarer Geist; → Arbeitnehmer, → Dienstmann, → Helfer, → Knecht.

²**Diener:** → Verbeugung; gehorsamster / ergebenster D.! → Gruß; stummer D. → Anrichtetisch, → Kleiderbügel, → Speiseplatte; einen D. machen → verneigen (sich).

**dienern** → unterwürfig [sein].

**Dienerschaft** → Personal.

**dienlich:** d. sein → nützlich [sein].

¹**Dienst,** Dienstleistung, Gefälligkeit, Gefallen, Liebesdienst, Freundschaftsdienst, Hilfe, Mithilfe, Unterstützung; → Höflichkeit, → Kundendienst; **jmdm. einen D. erweisen,** jmdm. einen Gefallen tun / eine Gefälligkeit erweisen; → helfen; → dienstlich.

²**Dienst:** → Beruf, → Säule; [D. am Kunden] → Kundendienst; D. nach Vorschrift → Streik; jmdm. mit etwas keinen guten / einen schlechten D. erweisen → schaden; gute -e leisten → nützlich [sein]; den D. quittieren → abdanken; D. tun als → innehaben; aus dem / vom D. [nach Hause] kommen → Feierabend [haben].

**Dienstabteil** → Eisenbahnabteil.

**Dienstadel** → Adel.

**Dienstag:** an jedem D. , jeden D., immer am D., alle -e → dienstags.

**dienstags,** an jedem Dienstag, jeden Dienstag, immer am Dienstag, alle Dienstage; → wochentags.

**Dienstältester** → Primus inter pares.

**dienstbar:** -er Geist → Diener; sich etwas d. machen → anwenden.

**dienstbeflissen** → gefällig.

**Dienstbolzen** → Hausangestellte.

**Dienstbote** → Diener.

**diensteifrig:** → beflissen, → gefällig.

**Diensteifrigkeit** → Beflissenheit.

**dienstfertig** → gefällig.

**Dienstgeber** → Arbeitgeber.

**Dienstgeheimnis** → Geheimnis.

¹**Dienstgrad,** Grad, Rangstufe, Stufe, Charge ··· *bei Heer und Luftwaffe* ·· *von Mannschaften* · Schütze, Flieger, Funker, Panzerfunker, Pionier, Panzerpionier, Kanonier, Panzerkanonier, Grenadier, Jäger, Panzerschütze, Panzergrenadier, Panzerjäger, Gemeiner (*ugs.*), Schütze Arsch (*scherzh., derb*) · Gefreiter, Schnäpser (*ugs.*) · Obergefreiter, Oberschnäpser (*ugs.*), Oberbremser (*ugs.*) · Stabsgefreiter · Hauptgefreiter ·· *von Unteroffizieren ohne Portepee* · Unteroffizier, Sergeant, Korporal, Kapo (*ugs.*) · Stabsunteroffizier · Fahnenjunker, Offiziersanwärter ·· *Unteroffiziere mit Portepee* · Feldwebel, Spieß (*ugs.*), Mutter der Kompanie (*scherzh.*) · Oberfeldwebel · Hauptfeldwebel, Hauptfeld (*ugs.*) · Stabsfeldwebel · Oberstabsfeldwebel · Fähnrich, Kornett (*hist.*) ·· *von Leutnanten* · Leutnant · Oberleutnant ·· *von Hauptleuten* · Stabsingenieur · Hauptmann ·· *von Stabsoffizieren* · Major · Oberstleutnant · Oberst, Obrist (*veraltet*) ·· *von Generälen* · Brigadegeneral · Generalmajor · Generalleutnant · General · Generalfeldmarschall · Feldmarschall · Marschall ··· *bei der Marine* ·· *von Mannschaften* · Matrose · Gefreiter, Obergefreiter · Hauptgefreiter ·· *von Unteroffizieren ohne Portepee* · Maat · Obermaat · Seekadett ·· *von Unteroffizieren mit Portepee* · Bootsmann · Oberbootsmann · Hauptbootsmann, Stabsbootsmann · Oberstabsbootsmann · Fähnrich zur See ·· *von Leutnanten* · Leutnant zur See · Oberleutnant zur See ·· *von Hauptleuten* · Stabsingenieur · Kapitänleutnant ·· *von Stabsoffizieren* · Korvettenkapitän · Fregattenkapitän · Kapitän zur See ·· *von Generalen* · Flottillenadmiral · Konteradmiral · Vizeadmiral · Admiral; → Befehlshaber, → Beruf, → Leitung; → Matrose, → Offizier, → Seeoffizier, → Soldat, → Titel, → Waffengattung; → degradieren.

²**Dienstgrad:** im D. herabsetzen → degradieren.

**Dienstherr** → Arbeitgeber.

**Dienstleistung** → Dienst.

**dienstlich,** geschäftlich, berufsmäßig, von Amts wegen; → Dienst.

**Dienstmädchen** → Hausangestellte.

**Dienstmann,** Gepäckträger, Träger; → Diener, → Gepäck.

**Dienstnehmer** → Arbeitnehmer.

**Dienstordnung** → Beamtenlaufbahn.

**Dienstpragmatik** → Beamtenlaufbahn.

**Dienstreise** → Reise.

**Dienstschluß** → Feierabend.

**Dienstsiegel** → Siegel.

**Dienstspritze** → Hausangestellte.

**Dienststelle** → Amt.

**Dienststempel** → Siegel.

**Dienststrafverfahren** → Gerichtsverfahren.

**Dienststunden** → Amtsstunden.

**dienstwillig:** → beflissen, → gefällig.

**Dienstwilligkeit** → Beflissenheit.

**Die - Pferde - sind - gesattelt - Rolle** → Nebenrolle.

**Dies ater** → Unglückstag.

**diesbezüglich,** hierzu, hiezu (*oberd.*), dazu, in / zu diesem Punkt, in dieser Beziehung, hierauf Bezug nehmend, in bezug / mit Bezug darauf.

**diese:** → solche; in -m Land, an -m Ort, an -r Stelle → hier.

**Diesel** → Treibstoff.

**Dieselkadett** → Identität.

**Dieselkraftstoff** → Treibstoff.

**Diesellok** → Lokomotive.

**Diesellokomotive** → Lokomotive.

**Dieselöl** → Treibstoff.

**Diesenkalb** → Rind.

**dieser,** dieser da / dort, der da / dort; → jener, → welch.

**dieserart** → so.

**dieserhalb** → deshalb.

**diesig** → dunstig.

**diesjährig,** heurig (*oberd.*); → Jahr.

**diesseitig** → weltlich.

**Diesseitigkeit** → Weltlichkeit.

**diesseits,** auf dieser Seite, herüben (*südd., österr.*) · Ggs. → jenseits.

**Diesseits:** das D. → Welt.

**Dietrich** → Nachschlüssel.

**dieweil** → inzwischen.

**Diffamie** → Beleidigung.

**diffamieren:** → demütigen (jmdn.), → schlechtmachen.

**Differentialbremse** → Bremse.

**Differentialgleichung** → Gleichung.

**Differentialrechnung** → Mathematik.

**Differenz:** → Abweichung, Meinungsverschiedenheit, → Saldo; -en → Streit.

**differenzieren:** → gliedern, → nuancieren.

**differenziert,** nuanciert, schattiert, abschattiert, getönt, abgetönt, gestuft, abgestuft; → gegliedert; → nuancieren.

**Differenzierung** → Gliederung.

**diffizil** → schwierig.

**Digest** → Auswahl.

**Digestion** → Verdauung.

**Digitalrechner** → Computer.

**Diktat** → Weisung.

**Diktator:** → Gewaltherrscher, → Oberhaupt.

**diktatorisch:** → totalitär, → tyrannisch.

**Diktatur** → Herrschaft.

**Diktion** → Ausdrucksweise.

**Diktionär** → Nachschlagewerk.

**Diktum** → Ausspruch.

**Dilatator** → Muskel.

**dilatorisch** → hinhaltend.

**Dilemma** → Not.

**Dilettant** → Nichtfachmann.

**dilettantisch,** laienhaft, stümperhaft, nicht → fachmännisch; → mäßig, → oberflächlich, → unzulänglich; → Nichtfachmann · Ggs. → Fachmann.

**Diligence** → Kutsche.

**¹Dill,** Dille (*österr.*), Dillenkraut (*österr.*).

**²Dill** → Küchengewürz.

**Dille** → Dill.

**Dillenkraut** → Dill.

**Dime** → Zahlungsmittel.

**Dimension** → Ausmaß.

**diminuendo** → Lautstärke.

**diminutiv:** -es Verb → Verb.

**Diminutiv** → Verkleinerungsform.

**Diminutivform** → Verkleinerungsform.

**Diminutivum** → Verkleinerungsform.

**Dinar:** [algerischer / jugoslawischer / tunesischer D.] → Zahlungsmittel.

**Diner** → Festmahl.

**¹Ding,** Sache, Gegenstand, Objekt · *nicht näher bezeichnetes:* Dings (*salopp*), Dingsda (*salopp*), Dingsbums (*salopp*).

**²Ding:** → Angelegenheit, → Mädchen, → Penis, → Vagina; gut D. will Weile haben →

vorangehen; wie die -e liegen, nach Lage / Stand der -e → Lage; etwas ist ein D. der Unmöglichkeit → unausführbar [sein]; ein D. drehen → Verbrechen; jmdm. ein D. verpassen → schlagen; guter -e sein → aufgelegt, → zuversichtlich [sein]; etwas geht nicht mit rechten -en zu → unfaßbar [sein].

**dingen** → einstellen.

**Dingerich** → Mann.

**dingfest:** d. machen → verhaften.

**Dingi** → Beiboot.

**dinglich:** vom Dinglichen gelöst → begrifflich.

**Dings:** → Ding, → Mensch (der).

**Dingsbums:** → Ding, → Mensch (der).

**Dingsda:** → Ding, → Mensch (der).

**Dingwort** → Wortart.

**Dinner** → Abendessen.

**Dinnerjacket** → Anzug.

**Dinophobie** → Phobie.

**Diolen** → Chemiefaser.

**Dionysius** → Nothelfer.

**Dionysos** → Gott.

**Dioptas** → Schmuckstein.

**Diözese** → Verwaltungsbezirk.

**Dipagus** → Mißgeburt.

**Diparese** → Lähmung.

**Diphtherie,** Diphtheritis (*veraltend*), häutige Bräune, Halsbräune, Rachenbräune; → Krankheit.

**Diphtheritis** → Diphtherie.

**Diphthong,** Doppellaut, Zwielaut; → Buchstabe, → Vokal.

**Diplegie** → Lähmung.

**Diplom** → Bescheinigung.

**Diplomarbeit** → Prüfungsarbeit.

**Diplomat,** Botschafter, Gesandter, Missionschef, Ambassadeur (*veraltet*), Delegationschef, Regierungsvertreter, Geschäftsträger, Resident, Doyen, Nuntius, Legat, Attaché, Konsul, Wahlkonsul · *gegen dessen Aufenthalt in einem fremden Staat von seiten der betreffenden Regierung keine Einwände erhoben werden:* Persona grata · *dessen Aufenthalt von der Regierung des betreffenden Staates nicht mehr erwünscht ist:* Persona ingrata; → Abgeordneter, → Abgesandter, →

Beauftragter, → Beglaubigungsschreiben, → Bote, → Botschaft.

**Diplomatenköfferchen** → Aktentasche.

**Diplomatenloge** → Loge.

**Diplomatentasche** → Aktentasche.

**diplomatisch:** → schlau; d. vorgehen → lavieren; die -e Grippe nehmen → kommen.

**Diplomingenieur** → Ingenieur.

**Diplomlandwirt** → Bauer.

**Diplopagus** → Mißgeburt.

**Diploprosopus** → Mißgeburt.

**Diplosomie** → Mißgeburt.

**Diplozephalie** → Mißgeburt.

**Diplozephalus** → Mißgeburt.

**Dippelbalkendecke** → Zimmerdecke.

**Diprosopie** → Mißgeburt.

**Diprosopus** → Mißgeburt.

**Dipsomane** → Trinker.

**Dipsomanie:** → Anankasmus, → Trunksucht.

**Diptychon** → Altarbild.

**Dipygus** → Mißgeburt.

**dir:** mir nichts, d. nichts → kurzerhand.

**direkt:** → geradewegs, → regelrecht, → rundheraus; -e Steuer → Abgabe.

**Direktion:** → Leitung, → Ministerium.

**Direktionsloge** → Loge.

**Direktive** → Weisung.

**Direktor:** → Leiter, → Schulleiter.

**Direktorium** → Leitung.

**Direktsendung,** Direktübertragung, Originalübertragung, Live-Sendung; → Aufzeichnung, → Bericht, → Nachricht, → Sendung; → aufzeichnen.

**Direktübertragung** → Direktsendung.

**Direktwahlrecht** → Wahlrecht.

**Dirham** → Zahlungsmittel.

**Dirigent,** Kapellmeister, Orchesterleiter, Orchesterchef, Chefdirigent, Gastdirigent, Generalmusikdirektor, Musikdirektor, Chordirigent, Chorleiter, Bandleader; → Kantor, → Orchester; → dirigieren.

**dirigieren,** leiten, taktieren, den Takt schlagen, den Taktstock schwingen (*scherzh.*), den Stab führen; → beeinflussen; → Dirigent, → Orchester.

²dirigieren → vorstehen.

Dirigismus → Zwang.

Dirimentien → Scheidungsgrund.

dirimieren → ausschließen.

Dirn: → Mädchen, → Magd.

Dirndl: → Kleid, → Kornelkirsche, → Mädchen.

Dirndlbaum → Kornelkirsche.

Dirndlbluse → Bluse.

Dirndlkleid → Kleid.

Dirndlstrauch → Kornelkirsche.

Dirne → Prostituierte.

Dirnenwelt, Strich, Halbseide, Galerie (*wiener.*), Milieu (*schweiz.*); → Prostituierte, → Unterwelt.

Dirt-Track-Rennen → Rennen.

Discounter → Kaufmann.

Discountgeschäft → Laden.

Discountladen → Laden.

Disengagement → Entspannung.

Diseur → Vortragskünstler.

Diseuse → Vortragskünstlerin.

Disharmonie: → Mißklang, → Unausgeglichenheit.

disharmonisch → mißtönend.

disjunktiv → gegensätzlich.

Diskjockey → Ansager.

Diskont → Preisnachlaß.

diskontieren → kaufen.

diskontinuierlich, unterbrochen, mit Unterbrechungen, zusammenhanglos, abgehackt, brokkenweise (*ugs.*), stückweise, tröpfchenweise (*ugs.*), häppchenweise, kleckerweise (*salopp*); → unzusammenhängend · Ggs. → nacheinander.

Diskontsatz → Zinssatz.

Diskordanz → Mißklang.

Diskothek → Gaststätte.

diskreditieren: → demütigen (jmdn.), → schlechtmachen.

Diskrepanz → Abweichung.

diskret → dezent.

Diskretion → Verschwiegenheit.

¹diskriminieren, benachteiligen, zurücksetzen, unterschiedlich / ungerecht behandeln, bedienen (*ugs., österr.*); → kränken, → mißachten; → verschieden.

²diskriminieren → demütigen (jmdn.), → schlechtmachen.

Diskriminierung → Beleidigung.

Diskurs → Gespräch.

diskursiv → Erfahrung.

Diskus → Sportgerät.

Diskusbruch → Bandscheibenschaden.

Diskushernie → Bandscheibenschaden.

Diskussion: → Gespräch; zur D. stehen / stellen → erörtern.

Diskussionsfrage → Frage.

Diskussionspartner → Gesprächsteilnehmer.

Diskussionsteilnehmer → Gesprächsteilnehmer.

Diskuswerfen: → Fünfkampf, → Leichtathletik, → Zehnkampf.

Diskutant → Gesprächsteilnehmer.

diskutieren, erörtern, abhandeln, verhandeln, behandeln, auseinandersetzen, darstellen, darlegen, untersuchen, disputieren, die Klingen kreuzen, sich streiten über, debattieren, zur Debatte / Diskussion stellen, zur Sprache bringen / kommen, polemisieren, beraten, bereden, besprechen, sprechen über, durchsprechen, kakeln über (*ugs.*), bekakeln (*ugs.*), bekatern (*ugs.*), durchkauen (*ugs.*), nicht → ruhenlassen; **diskutiert werden**, zur Debatte / Diskussion stehen; → anfangen, → beanstanden, → begründen, → erwähnen, → mitteilen, → tagen, → zanken (sich); → unsachlich; → Darlegung, → Gespräch, → Kampf, → Streit.

Disomie → Mißgeburt.

disparat → gegensätzlich.

Disparität → Gegensätzlichkeit.

Dispens → Befreiung.

dispensieren → befreien.

disponieren → einteilen.

disponiert → aufgeschlossen.

Disposition: → Anlage, → Entwurf, → Gliederung.

Disproportion → Abweichung.

Disput → Streit.

disputieren → erörtern.

disqualifizieren → ausschließen.

disseminiert: -e Herdsklerose → Entmarkungskrankheit.

Dissens → Meinungsverschiedenheit.

Dissertation: → Doktorarbeit; an der D. schreiben / arbeiten, eine D. schreiben → dissertieren.

dissertieren, an der Doktorarbeit / Dissertation schreiben (oder:) arbeiten, eine Doktorarbeit / Dissertation schreiben →

promovieren; → Doktorarbeit.

Dissident → Freidenker.

Dissolution → Ausschweifung.

dissonant → mißtönend.

Dissonanz → Mißklang.

Distanz: → Abstand, → Strecke.

distanzieren: sich d. von → abrücken (von jmdm.), → zurückziehen (sich).

distanziert → unzugänglich.

Distanziertheit → Verschlossenheit.

Distanzritt → Ritt.

Distelfalter → Schmetterling.

Distichon: → Epigramm, → Strophe.

distinguiert → geschmackvoll.

Distinktion: → Abzeichen, → Vornehmheit.

Distorsion → Verrenkung.

Distributivzahl → Zahl.

Distrikt: → Bereich, → Verwaltungsbezirk.

¹Disziplin, Zucht, Drill, Ordnung, Moral.

²Disziplin → Bereich.

Disziplinarverfahren → Gerichtsverfahren.

diszipliniert, zuchtvoll, ordentlich, gesittet; → Benehmen.

Dithyrambe → Lobrede.

Dithyrambus → Gedicht.

dito → auch.

Diurna → Schmetterling.

Diurnum → Spesen.

Diva → Schauspielerin.

divergent → verschieden.

Divergenz: → Abweichung, → Kontrast, → Nichtübereinstimmung.

Divergenzschielen → Schielen.

divergieren → kontrastieren.

divergierend → ungleich.

divers: -e → einige.

Diversant → Spion.

Diversifikation → Vielfalt.

Dividende → Gewinnanteil.

dividieren, teilen; → Rechenverfahren.

divinatorisch → prophetisch.

Divis → Satzzeichen.

Division: → Heeresverband, → Rechenverfahren.

Diwan → Liege.

Dixieland → Jazz.

Dizephalie → Mißgeburt.

Dizephalus → Mißgeburt.

DM → Zahlungsmittel.

D-Mark → Zahlungsmittel.

Döbel → Fisch.

Dobermann → Hunderassen.
doch: → aber, → dennoch.
Dockarbeiter → Schauermann.
Docke: → Puppe, → Schwein.
Dockhafen → Hafen.
Dodel → Dummkopf.
Dogcart → Kutsche.
Dogge → Hunderassen.
Dogma → Lehre.
Dogmatik → Theologie.
Dogmengeschichte → Theologie.
Dohle → Vogel.
doktern → behandeln.
Doktor: → Arzt; den D. machen → promovieren.
¹Doktorarbeit, Inauguraldissertation, Dissertation; → Prüfung, → Prüfungsarbeit, → Werk; → dissertieren.
²Doktorarbeit: eine / an der D. schreiben → dissertieren.
Doktorgrad: den D. erlangen → promovieren.
doktorieren → promovieren.
Doktorprüfung → Prüfung.
Doktorwürde: die D. erlangen → promovieren.
Doktrin → Lehre.
doktrinär → unzugänglich.
Dokument → Urkunde.
Dokumentarbericht → Bericht.
Dokumentarfilm → Kinofilm.
Dokumentation: → Fernsehsendung, → Sammlung.
¹Dokumentensammlung, Urkundensammlung ·· *von der Regierung herausgegebene mit diplomatischem Material:* Farbbuch, Buntbuch · *in der Bundesrepublik:* Weißbuch · *in Österreich:* Rotbuch · *in Großbritannien:* Blaubuch · *in Frankreich:* Gelbbuch · *in Italien:* Grünbuch; → Archiv, → Mitteilung, → Veröffentlichung.
²Dokumentensammlung → Archiv.
dokumentieren: → bekunden, → buchen.
Dolantin → Rauschgift.
dolcamente → langsam.
dolce → langsam.
Dolcefarniente → Muße.
Dolce vita → Lebensweise.
Dolch → Stichwaffe.
Dolde → Blütenstand.
Doldenkapitell → Kapitell.
Doldenrispe → Blütenstand.
Doldentraube → Blütenstand.

doll: → anziehend; -e Mina → Frauenrechtlerin; das ist ja d. → unerhört [sein]; nicht d. → mäßig.
Dollar: [kanadischer D.] → Zahlungsmittel.
Dolmen → Grab.
dolmetschen → übersetzen.
Dolmetscher, Übersetzer, Simultandolmetscher, Konferenzdolmetscher, Konsekutivdolmetscher · *im Nahen Osten:* Dragoman · *maschineller, der Programmiersprachen übersetzt:* Compiler, Assembler, Interpreter; → auslegen, → übersetzen; → polyglott.
Dolor → Schmerz.
Dolores → Geburtswehen.
Dolus → Absicht.
Dom: → Gewölbe, → Gotteshaus, → Jahrmarkt.
Domäne: → Gut, → Vorrecht.
Domestik: → Diener; die -en → Personal.
Domestikation, Zähmung, das Zähmen, Domestizierung; zähmen.
domestizieren → zähmen.
domestiziert → zahm.
Domestizierung → Domestikation.
Dominanz → Vorherrschaft.
dominieren: → überwiegen; das Dominieren → Prävalenz.
Dominikalgewölbe → Gewölbe.
Dominikaner → Mönchsorden.
Dominikanerinnen → Nonnenorden.
Dominikanerorden: → Mönchsorden, → Nonnenorden.
Dominostein → Gebäck.
Domizil → Wohnsitz.
Domkirche → Gotteshaus.
Domplatz → Platz.
Dompteur → Tierbändiger.
Donar → Gott.
Donaumetropole → Wien.
Donaumonarchie → Österreich.
Donaustadt → Wien.
Donja → Geliebte.
Don Juan → Frauenheld.
Donna → Hausangestellte.
Donner: wie vom D. gerührt sein → betroffen [sein], → überrascht [sein].
Donnerbalken → Toilette.
Donnerbüchse → Schußwaffe.
Donnerkeil → verflucht!
donnern:→ krachen,→ schelten; es blitzt und donnert→Gewitter.

Donnerschlag → verflucht!
Donnerstag: D. vor Ostern → Gründonnerstag; an jedem D., jeden D., immer am D., alle -e → donnerstags.
donnerstags, an jedem Donnerstag, jeden Donnerstag, immer am Donnerstag, alle Donnerstage; → wochentags.
Donnerwetter: → Aufsehen; da soll doch das D. dreinschlagen!, zum D. noch mal! → verflucht!; ein D. loslassen → schelten.
doof: → dumm; -e Nuß → Dummkopf.
Doofheit → Beschränktheit.
Doofkopp → Dummkopf.
dopen → anregen.
Doppel → Abschrift.
Doppelbackenbremse → Bremse.
Doppelbett → Bett.
Doppelbock → Bier.
doppelbödig → hintergründig.
Doppelbödigkeit, Hintergründigkeit, Abgründigkeit; → Tiefsinn; → hintergründig.
Doppelcicero → Schriftgrad.
Doppeldecker: → Flugzeug, → Omnibus.
doppeldeutig; → mehrdeutig, → rätselhaft.
Doppeldreier → Eislauf.
Doppelehe → Ehe.
Doppelfalte → Falte.
Doppelfenster → Fenster.
¹Doppelgänger, Double, Zwilling (*scherzh.*); → Double.
²Doppelgänger → Double.
doppelgeschlechtig → zwittrig.
Doppelgeschlechtlichkeit → Zwittertum.
Doppelgesicht → Mißgeburt.
Doppelgesichtigkeit → Mißgeburt.
Doppelhochzeit → Vermählung.
Doppelkinn, Fettkinn, Goder (*bayr., österr.*), Goderl (*bayr., österr.*), Kader (*niederd.*).
Doppelkopf: → Kartenspiel, → Mißgeburt.
Doppelkreuz → Kreuzzeichen.
Doppellasso → Eislauf.
Doppellauf → Gewehrlauf.
Doppellaut → Diphthong.
Doppelmißbildung → Mißgeburt.
Doppelmißgeburt → Mißgeburt.
Doppelmittel → Schriftgrad.
Doppelmonstrum → Mißgeburt.
doppeln: → besohlen, → verdoppeln.

Doppelrick → Hindernis.
Doppelsalchow → Eislauf.
Doppelschnepfe → Vogel.
Doppelschwanz → Insekt.
Doppelsinn → Mehrdeutigkeit.
doppelsinnig: → mehrdeutig, → rätselhaft.
Doppelsinnigkeit → Mehrdeutigkeit.
Doppelspiel → Arglist.
Doppelsteiß → Mißgeburt.
Doppelstockbühne → Bühne.
doppelstöckig: -er Bus → Omnibus.
Doppelstockomnibus → Omnibus.
Doppelstück → Dublette.
doppelt: d. gemoppelt → pleonastisch; -e Buchführung → Buchführung; -e Moral → Beurteilung.
doppelwertig → mehrdeutig.
Doppelwertigkeit → Mehrdeutigkeit.
Doppelwürfelkapitell → Kapitell.
Doppelzaun → Hindernis.
Doppelzentner → Gewichtseinheit.
doppelzüngig → unaufrichtig.
Doppik → Buchführung.
Doppler → Sohle.
Dorado: → Fabelland, → Tummelplatz.
¹Dorf, Bauerndorf, Kuhdorf (*salopp, abwertend*), Weiler · *in Form einer kleinen Ansammlung von Häusern um ein urbar gemachtes Wald- oder Heidestück:* Eschflurdorf, Drubbel · *nicht nach einem bestimmten Plan angelegtes:* Haufendorf, Gewanndorf, Etterdorf (*südd.*) · *entlang einer Leitlinie angelegtes:* Reihendorf, Zeilendorf, Gassendorf, Sackgassendorf, Straßendorf, Angerdorf, Hufendorf, Waldhufendorf, Deichhufendorf, Moorhufendorf, Marschhufendorf · *radial um den Dorfplatz angeordnetes:* Runddorf, Rundling, Platzdorf, Rundplatzdorf, Rundweiler; → Ort.
²Dorf: → Ort; das sind mir / für mich böhmische Dörfer → verstehen; die Kirche im D. lassen → übertreiben.
Dorfbewohner: → Bewohner, → Dorfgemeinschaft, → Landbewohner.

Dörfergemeinschaftsschule → Schule.
Dorfgemeinde → Dorfgemeinschaft.
Dorfgemeinschaft, Dorfgemeinde, Dorfbewohner, Dorfschaft (*schweiz.*), Dorfsame (*schweiz.*).
Dorfkapelle → Gotteshaus.
Dorfkirche → Gotteshaus.
Dorflehrer → Lehrer.
dörflich → ländlich.
Dorflinde → Linde.
Dorfsame → Dorfgemeinschaft.
Dorfschaft → Dorfgemeinschaft.
Dorfschullehrer → Lehrer.
Dorfstraße → Straße.
Dorftrottel → Dummkopf.
dorisch: -es Kapitell → Kapitell; -er Stil → Baustil.
¹Dorn, Stachel, Spitze, Piker (*salopp*).
²Dorn: jmdm. ein D. im Auge sein → unbeliebt [sein].
Dornbusch → Hecke.
Dornenhecke → Hecke.
Dornenstrauch → Hecke.
Dornsavanne → Steppe.
Dornschwanz → Eidechse.
Doromanie → Anankasmus.
dorren → eingehen.
Dörrfleisch → Fett.
Dörrgemüse → Gemüse.
Dörrobst → Obst.
Dorsch → Fisch.
Dorschfisch → Fisch.
Dorschöl → Speiseöl.
¹dort, an jenem Ort, an jener Stelle, in jenem Land, bei ihnen / euch · Ggs. → hier.
²dort: der d. → jener.
dorthin: → dahin, → hin.
Dose: → Büchse, → Vagina.
dösen → schlafen.
Dosenmilch → Milch.
dosieren: → einteilen, → messen.
dösig → müde.
Dosis, Quantum, Quantität, Menge · *zu große:* Überdosis; → Anteil, → Anzahl.
Döskopp → Dummkopf.
Dossier → Aktenbündel.
dotieren → stiften.
Dotter, Eidotter, Eigelb, Gelbei (*ugs., landsch.*); → Eiweiß.
dottergelb → gelb.
doubeln → spielen.
¹Double, Doppelgänger, Ersatzmann · *das berufsmäßig gefähr-*

*liche und akrobatische Szenen für den Hauptdarsteller spielt:* Stuntman; → Artist, → Doppelgänger, → Strohmann.
²Double → Doppelgänger.
doucement → langsam.
Douceur → Trinkgeld.
Douglasfichte → Nadelhölzer.
Douglasie → Nadelhölzer.
Douglasoskopie → Ausspiegelung.
Douglasskopie → Ausspiegelung.
down → deprimiert.
Downer → Beruhigungsmittel.
Downing Street → Regierung.
Doyen → Diplomat.
Dozent → Hochschullehrer.
dozieren → lehren.
Drache: → Sternbild, → Ungeheuer.
Drachen: → Ehefrau, → Frau, → Segelboot.
Drachenballon → Luftschiff.
Drachenboot → Segelboot.
Drachenburg → Heim.
Drachenschiff → Kriegsschiff.
Drachme: → Gewichtseinheit, → Zahlungsmittel.
Dragée → Medikament.
Dragoman → Dolmetscher.
Dragoner: → Frau, → Soldat.
Drahdiwaberl → Frau.
Draherei → Trinkgelage.
drahn → feiern.
¹Draht, Maschendraht, Stacheldraht, Kupferdraht, Kabeldraht, Glühdraht, Blumendraht, Telefondraht; → Drahtseil, → Geflecht, → Seil, → Zaun.
²Draht: → Geld; heißer D. → Telefonverbindung; auf D. sein → schlau [sein].
Drahtbesen → Besen.
Drahtbinder → Kesselflicker.
drahten → telegraphieren.
Drahtesel → Fahrrad.
Drahtglas → Glas.
drahtig → sportlich.
Drahtkäfig → Käfig.
Drahtkommode → Tasteninstrument.
Drahtkorb → Korb.
drahtlos: d. übermitteln → funken.
Drahtnagel → Nagel.
Drahtpuppe → Marionette.
Drahtschere → Schere.
¹Drahtseil, Kabel, Stahltrosse; → Draht, → Seil.

²**Drahtseil:** Nerven haben wie -e → dickfellig [sein].

**Drahtseilbahn** → Seilbahn.

**Drahtstift** → Nagel.

**Drahtverhau** → Zaun.

**Drahtzaun** → Zaun.

**Drahtzieher,** Hintermann, Dunkelmann, Obskurant, graue Eminenz, Hinterbänkler (*abwertend*), Kanalarbeiter (*salopp, abwertend*); → Schlüsselfigur; → intrigieren.

**drall** → dick.

**Drallheit** → Wohlgenährtsein.

**Dralon** → Chemiefaser.

¹**Drama** · Zieldrama, analytisches Drama · Ideendrama, Tendenzdrama, Schicksalsdrama, Charakterdrama, historisches Drama, Geschichtsdrama, Milieudrama, Künstlerdrama · geistliches Drama, Osterspiel, Passionsspiel, Fronleichnamsspiel, Weihnachtsspiel, Krippenspiel, Hirtenspiel · Schuldrama, Jesuitendrama, Barockdrama, Märtyrerdrama · Einakter, Dreiakter, Fünfakter · Buchdrama, Lesedrama · episches Theater · absurdes Drama / Theater; → Literaturepochen, → Schauspiel.

²**Drama** → Schauspiel.

**Dramatik** → Dichtung.

**Dramatiker** → Schriftsteller.

**dramatisch:** -er Sopran → Sängerin.

**dramatisieren** → übertreiben.

**Dramensatz** → Schriftsatz.

**Dramolett** → Schauspiel.

**dran:** d. glauben müssen → Reihe; gut d. sein → Glück [haben]; spät d. sein → spät [sein]; an jmdm. ist nichts d. → schlank [sein].

**Dran:** das [ganze] Drum und D. → Nebenumstände.

**Dränage,** Dränierung, Dränung, Bodenentwässerung, Entwässerung; → dränieren.

**dränen** → dränieren.

**Drang:** → Neigung; Sturm und D. → Literaturepochen.

**Drangabe** → Entäußerung.

**drangeben** → opfern.

**Drängelei** → Unleidlichkeit.

**drängeln:** → bitten, → drücken.

**drängelnd** → unleidlich.

**drängen:** → bitten, → drücken, → zusetzen (jmdm.); etwas drängt → eilen.

**drängend** → brisant.

**Drangsal** → Leid.

**drangsalieren:** → schikanieren, → unterdrücken.

**Drangsalierung** → Unfreiheit.

**dränieren,** dränen, entwässern; → Dränage · Ggs. → sprengen.

**Dränierung** → Dränage.

**drankommen** → Reihe.

**Dranktonne** → Abfalleimer.

**dranrühren** → beimischen.

**dransein:** → menstruieren; → Reihe.

**Dränung** → Dränage.

**drapp** → beige.

**drappfarben** → beige.

**drappfarbig** → beige.

**Drastik** → Nachdrücklichkeit.

**Drastikum** → Abführmittel.

**drastisch:** → anschaulich, → nachdrücklich, → streng.

**dräuen:** etwas dräut → heraufziehen.

**drauf:** einen d. machen → feiern.

**draufbekommen:** eins d. → schelten, → schlagen.

**Draufgabe:** → Handgeld, → Zugabe; als D. bekommen → zubekommen.

¹**Draufgänger,** Tausendsassa, Teufelskerl, Malefizkerl (*südd.*); → Kämpfer, → Mann, → Schlaukopf; → mutig.

²**Draufgänger** → Kämpfer.

**draufgängerisch** → mutig.

**Draufgängertum:** → Ausgelassenheit, → Mut.

**draufgehen:** → defekt [werden], → sterben.

**Draufgeld** → Handgeld.

**draufkommen** → merken.

**draufkriegen:** eines d. → schelten, → schlagen.

**drauflegen:** → zahlen, → zuzahlen.

**drauflosgehen:** → exponieren (sich).

**drauflosreden** → sprechen.

**draufsetzen** → sitzenlassen.

**draufzahlen:** → einbüßen, → zahlen, → zuzahlen.

**drausbringen** → verwirren.

**Drauskommen:** sein D. haben → auskommen.

¹**draußen,** im Freien, herauβen (*südd., österr.*), auβen (*veraltend, österr.*) · Ggs. → drinnen.

²**draußen:** nach d. gehen → hinausgehen.

**drechseln:** gedrechselt → verziert.

**Dreck:** → Kram, → Schmutz; der letzte D. → Schleuderware; jmdn. wie [den letzten] D. behandeln → umgehen (mit jmdm.); Geld wie D. haben → reich [sein]; D. am Stecken haben → ehrenhaft; selber D. am Stecken haben → belangen; sich einen D. daraus machen → mißachten; einen D. wert sein → wertlos [sein]; voller D. und Speck sein → schmutzig [sein]; die Karre aus dem D. ziehen → Ordnung; im D. sitzen / stecken → Not; die Karre in den D. fahren → verderben; in den D. ziehen, mit D. bewerfen → schlechtmachen; mit D. und Speck → schmutzig; sich um jeden D. kümmern → neugierig [sein].

¹**Dreck-** (*derb*; Drecknest), Drecks- (*derb*; Dreckskerl), Scheiß- (*derb*; Scheißarbeit), Mist- (*derb*; Mistaufsatz), Sau- (*derb*; Sauwetter); → erz-.

²**Dreck-:** → Erz-.

**Dreckarbeit** → Anstrengung.

**Dreckfink** → Schmutzfink.

**dreckig:** → schmutzig; d. grinsen → schadenfroh [sein]; d. machen → beschmutzen.

**Drecks-:** → Dreck-.

**Drecksarbeit** → Anstrengung.

**Drecksau** → Schmutzfink.

**Dreckschaufel** → Müllschaufel.

**Dreckschleuder:** → Lästerer, → Mund.

**Dreckschwein** → Schmutzfink.

**Dreckspatz** → Schmutzfink.

**Dreckwetter** → Wetter.

**Dreh:** → Trick; den D. heraushaben / raushaben → geschickt [sein].

**drehbar:** -e Platte → Speiseplatte.

**Drehbleistift** → Schreibstift.

**Drehbrücke** → Brücke.

**Drehbuchautor** → Schriftsteller.

**Drehbühne** → Bühne.

¹**drehen,** kurbeln, leiern (*ugs.*), nuddeln (*salopp*); → aufwickeln, → kreisen, → rollen.

²**drehen:** → bewerkstelligen, → filmen; sich d. → kreisen, → rollen, → weggehen; gedreht verziert; daran ist nicht zu d. und zu deuten → klar [sein]; Däumchen / Daumen d. → faulenzen, → langweilen (sich); ein Ding d. →

Verbrechen; einen Film d. → filmen; einen Film d. über → verfilmen; jmdm. eine Nase d. → schadenfroh [sein]; Tüten d. → abbüßen; durch den Fleischwolf / Wolf d. → Fleischwolf; durch die Mangel / den Wolf d. → besprechen; sich im Kreis d. → kreisen; etwas dreht sich um jmdn. / etwas → betreffen.

**Dreher** → Muskel.

**Drehflügelflugzeug** → Hubschrauber.

**Drehflügler** → Hubschrauber.

**Drehmuskel** → Muskel.

**¹Drehorgel,** Leierkasten, Karussellorgel; → Musikinstrument.

**²Drehorgel** → Leierkasten.

**Drehorgelspieler** → Leierkastenmann.

**Drehpunkt** → Pol.

**Drehstrom** → Elektrizität.

**Drehstuhl** → Stuhl.

**Drehtür** → Tür.

**Drehzylinderbühne** → Bühne.

**drei:** Heilige Drei Könige → Feiertag; Heilige Drei Könige, Fest der Heiligen Drei Könige → Epiphanias; d. Kreuze machen → aufatmen; in d. Schichten → unaufhörlich; die d. tollen Tage → Fastnacht; nicht bis d. zählen können → dumm [sein].

**Dreiachteltakt** → Takt.

**Dreiakter** → Drama.

**Drei-D-Film** → Kinofilm.

**dreidimensional:** -er Film → Kinofilm.

**Dreieck:** [Südliches D.] → Sternbild.

**Dreiecksgeschichte** → Ehebruch.

**Dreieckstuch** → Umhang.

**Dreiecksverhältnis** → Ehebruch.

**Dreieinigkeit** → Trinität.

**Dreier** → Eislauf.

**dreifach:** -e Kombination; → Hindernis.

**Dreifaltigkeit:** → Trinität, Trinitatis.

**Dreifaltigkeitsfest:** → Kirchenjahr, → Trinitatis.

**Dreifaltigkeitssonntag:** → Kirchenjahr, → Trinitatis.

**Dreifarbentiefdruck** → Druckverfahren.

**Dreifingerfaultier** → Faultier.

**Dreifuß** → Untergestell.

**Dreigespann** → Mannschaft.

**Dreigliederung** → Dreiheit.

**Dreihalbetakt** → Takt.

**Dreiheit,** Dreigliederung, Dreiteilung, Trias, Dreiklang, Triade.

**Dreikäsehoch** → Kind.

**Dreiklang:** → Akkord, →Dreiheit.

**Dreiklassenwahlrecht** → Wahlrecht.

**Dreikönige** → Epiphanias.

**Dreikönigsfest:** → Epiphanias; die Zeit zwischen Weihnachten und D. → Rauhnächte.

**Dreikönigstag** → Epiphanias.

**dreinblicken** → aussehen.

**Dreingabe** → Zugabe.

**dreinreden** → eingreifen.

**dreinschauen** → aussehen.

**dreinschlagen:** da soll doch das Donnerwetter dreinschlagen! → verflucht!

**Dreipaßbogen** → Bogen.

**Dreiphasenstrom** → Elektrizität.

**Dreipunktgurt** → Sicherheitsgurt.

**Dreirad** → Fahrrad.

**Dreisatzrechnung** → Mathematik.

**Dreispitz** → Kopfbedeckung.

**Dreisprung** → Leichtathletik.

**dreist:** → frech; so d. sein → erdreisten (sich).

**Dreistigkeit:** → Frechheit; die D. haben / besitzen → erdreisten (sich).

**Dreistrahlgewölbe** → Gewölbe.

**Dreiteilung** → Dreiheit.

**Dreivierteltakt** → Takt.

**Dreizehenmöwe** → Vogel.

**Dreizehenspecht** → Vogel.

**dreizehn:** jetzt schlägt's aber d. → unerhört [sein].

**Drell** → Stoff.

**dremmeln** → bitten.

**Dresche** → Schläge.

**dreschen:** → schlagen; Phrasen / leeres Stroh d. → sprechen.

**Dreschflegel,** Drischel (oberd.); → Getreide.

**Dresden,** Elbflorenz; → Stadt.

**Dresdner:** D. Stollen → Gebäck.

**Dreß** → Anzug.

**Dresseur** → Tierbändiger.

**dressieren:** → erziehen, → garnieren.

**Dressing** → Soße.

**Dressman** → Mannequin.

**Dressur** → Erziehung.

**Dressurpferd** → Pferd.

**Dressurreiter** → Reiter.

**Dressurreiterin** → Reiterin.

**Drift:** → Neigung, → Wirbel.

**Drilch** → Leinen.

**Drill:** → Affe, → Erziehung, → Disziplin.

**drillen** → erziehen.

**Drillich:** → Leinen, → Stoff.

**Drillinge** → Geschwister.

**Drillingslilie** → Liliengewächs.

**drin:** [hier] d. → drinnen; das ist nicht d. → möglich; es ist noch alles d. → ungewiß [sein].

**dringen:** ins Bewußtsein d. → auffallen.

**¹dringend,** eilig, keinen Aufschub duldend; → nötig, → schnell; **d. sein,** etwas brennt jmdm. auf den Nägeln; → eilen; → Erfordernis.

**²dringend:** -es Gespräch → Telefongespräch; etwas ist d. → eilen.

**dringlich** → nötig.

**Dringlichkeit:** etwas ist von großer D. → eilen.

**Drink** → Getränk.

**drinnen,** [hier] drin, herinnen (südd., österr.); → innen · Ggs. → draußen.

**drinsein:** etwas ist nicht drin → möglich.

**drinsitzen:** man sitzt nicht drin → Einfluß.

**drinstecken:** man steckt nicht drin → Einfluß.

**drippeln** → regnen.

**Drischel** → Dreschflegel.

**dritte:** -r Advent → Kirchenjahr; -r Fall → Dativ; das d. Geschlecht → Homosexueller; d. Vergangenheit → Tempus; die d. Welt → Entwicklungsländer; d. Zähne → Zahnersatz; der lachende Dritte → Nutznießer.

**Drittenabschlagen** → Fangspiel.

**Dritter,** Drittperson (schweiz.), Unbeteiligter, Außenstehender.

**Drittperson** → Dritter.

**Drive-in-Filmtheater** → Kino.

**Drive-in-Kino** → Kino.

**droben** → oberhalb.

**Droge:** → Medikament; [harte / weiche D.] → Rauschgift; unter -n stehen → Rausch.

**dröge** → lebensfremd.

**drogenabhängig** → süchtig.

**Drogenabhängiger** → Rauschgiftsüchtiger.

drogerieblond → blond.
Drohbrief → Schreiben.
¹drohen, bedrohen, mit dem Säbel rasseln; → androhen, → nötigen; → wehe!
²drohen: etwas droht → bevorstehen, → heraufziehen; etwas droht zu [+ Infinitiv] → beinahe; mit etwas d. → androhen (jmdm. etwas).
Drohne: → Biene; eine D. sein → faulenzen.
dröhnen: → schallen; mit -der Stimme → laut.
Dröhnen: das D. → Lärm.
Drohnendasein: ein D. führen → faulenzen.
Drohnenmütterchen → Biene.
Drohung: → Fluch, → Zwang.
Drohwort → Fluch.
Drolerie → Komik.
drollig → spaßig.
Drolligkeit → Komik.
Dromedar → Kamel.
Dromomanie → Anankasmus.
Dromone → Kriegsschiff.
Drontheim, Trondheim (norw.), Trondhjem (norw.); → Stadt.
Drop-out: → Außenseiter, → Student.
Drops → Bonbon.
Droschke: → Kutsche, → Taxe.
Drossel → Vogel.
Drosselgrube → Hals.
Drosselkehle → Hals.
drosseln → verringern.
Drosselung → Verminderung.
Droßlung → Verminderung.
Drubbel → Dorf.
drüben: → jenseits; die Kameraden von d. → Russe.
¹Druck, Abdruck · erster: Erstdruck · zweiter: Zweitdruck · früher: Inkunabel, Wiegendruck, Frühdruck; → Auflage, → Buch, → Druckverfahren, → Imprimatur, → Nachdruck, → Probedruck, → Reproduktion, → Sonderdruck; → edieren, → reproduzieren.
²Druck: → Auflage, → Druckverfahren, → Kunstdruck, → Vergeltungsmaßnahmen, → Zwang; D. ausüben, → nötigen; in D. geben → edieren; jmdn. unter D. setzen → einschüchtern, → nötigen.
Druckauflage → Auflage.
Druckbewilligung → Imprimatur.
Drückeberger → Feigling.

drucken: → edieren; lügen wie gedruckt → lügen.
¹drücken, stoßen (schweiz.), drängen, drängeln, schieben, antauchen (österr.), sich durchzwängen / (ugs., österr.) durchwuzeln / (ugs., österr.) wuzeln, schliefen (südd., österr.).
²drücken: → quetschen, → rauchen, → umfassen; jmdm. die Hand d. → begrüßen, → gratulieren; den Preis d. → handeln; die Schulbank d. → Schule; auf die Tube d. → Geschwindigkeit, → verstärken; in die Hand d. → geben; sich d. vor → entziehen (sich).
drückend: → schwer, → schwül.
Drücker: → Handelsvertreter; am D. sein, die Hand am D. haben → mächtig; auf den letzten D. kommen → spät [kommen].
Druckerlaubnis → Imprimatur.
Druckerzeichen → Warenzeichen.
Druckerzeugnis → Buch.
Druckfehler → Fehler.
Druckgraphik, Gebrauchsgraphik, Werbegraphik, Modegraphik; → Graphik, → Zeichner.
Druckmine → Mine.
Druckmittel → Vergeltungsmaßnahmen.
Druckpapier, Werkdruckpapier, Zeitungsdruckpapier, Kunstdruckpapier, Illustrationsdruckpapier, Lithographiepapier, Chromopapier, Offsetpapier, Flachdruckpapier, Pigmentpapier, Umdruckpapier, Kreideumdruckpapier, Rotationspapier, Durchschußpapier, Dünndruckpapier; → Papier.
Druckpuls → Pulsschlag.
Druckpumpe → Wasserpumpe.
Drucksache → Postsendung.
Druckschrift → Schrift.
drucksen → sprechen.
Drucksorten → Formular.
Druckspritze → Spritze.
Druckverband → Verband.
Druckverfahren, Druck, Tiefdruck, Flachdruck, Reliefdruck, Offsetdruck, Blaudruck, Buntdruck, Farbdruck, Golddruck, Mehrfarbendruck, Vierfarbendruck, Dreifarbentiefdruck; → Druck, → Raster, → Schrift, → Schriftgrad, → Schriftsatz, → Schriftsetzer.

Druckwaage → Waage.
Drude → Zauberin.
Drudel → Zeichnung.
Drudenfuß → Zaubermittel.
Drugstore → Laden.
drum: sei's d. → ja.
Drum: das [ganze] D. und Dran → Nebenumstände; mit allem D. und Dran → Zubehör.
Drummer → Schlagzeuger.
drunten → unterhalb.
druntersetzen: seinen [Friedrich] Wilhelm / seinen Servus d. → unterschreiben.
Druschel → Stachelbeere.
druseln → schlafen.
Drüsenpest → Pest.
Dschami → Gotteshaus.
Dschebrail → Orientteppich.
Dschungel → Urwald.
Dschunke → Segelschiff.
Dschuschegan → Orientteppich.
du: du sagen, [mit jmdm.] per du sein → duzen; mit jmdm. auf du und du stehen → vertraut.
dualisieren → verdoppeln.
Dübel → Nagel.
dubios → anrüchig.
Dublette, Doppelstück; → Abschrift, → Reproduktion.
dublieren → verdoppeln.
Dublone → Münze.
Duce → Oberhaupt.
Duchesse: → Adlige, → Stoff.
ducken: → lenken; sich d. → beugen (sich), → gehorchen.
Duckmäuser: → Feigling, → Heimlichtuer, → Heuchler, → Schmeichler.
dudeln: → musizieren, → tuten.
Dudelsack → Blasinstrument.
Duden → Nachschlagewerk.
Duell → Zweikampf.
Dufflecoat → Mantel.
Duft: → Geruch, → Parfum; D. ausströmend → duftend.
dufte: → hübsch, → trefflich.
duften → riechen.
duftend, wohlriechend, Duft ausströmend, balsamisch, aromatisch, parfümiert; → würzig; → Geruch, → Geschmack, → Rasierwasser.
Duftessenz → Parfum.
duftig, fein, zart, hauchzart, hauchfein.
Duftstoff → Parfum.
Duftwasser → Parfum.
Dukaten → Münze.
Duktus, Linienführung, Schriftzüge; → Handschrift.

**¹dulden,** ertragen, erdulden, leiden, erleiden, auf sich nehmen, sich in etwas schicken / ergeben / finden / fügen, sein Kreuz tragen / auf sich nehmen, durchmachen, mitmachen, durchstehen, bestehen, aushalten, ausstehen, überstehen, überwinden, überleben, vertragen, verkraften, verarbeiten, tragen, hinnehmen, in Kauf nehmen, auffangen, verschmerzen, verdauen (*ugs.*), fertig werden mit, sich etwas gefallen / bieten lassen, sich abfinden mit, sich in seine Rolle finden, etwas über sich ergehen lassen, jmdm. bleibt nichts erspart, etwas einstecken / schlucken müssen (*ugs.*) · *gleiche Unannehmlichkeiten:* Leidensgenossen sein; → bewältigen, → billigen, → durchsetzen (sich), → erleben, → nachgeben, → standhalten, → überdauern; → Duldung.

**²dulden** → billigen; nicht geduldet werden können → statthaft; keinen Aufschub -d → dringend.

**duldsam** → tolerant.

**Duldsamkeit,** Toleranz, Nachgiebigkeit, Großzügigkeit, Großmut, Hochherzigkeit, Liberalität, weiche Welle · *bemängelte:* Laxheit (*abwertend*) · *als Mittel der politischen Unterdrückung angewandte:* repressive Toleranz; → Duldung, → Erfahrung, → Freundlichkeit; → aufgeklärt · Ggs. → Unduldsamkeit.

**Duldung,** Geduld, Nachsicht, Milde, Einsehen, Langmut, Engelsgeduld, Indulgenz, Konnivenz; Laisser-faire, Laisseraller; Gewährenlassen, Treibenlassen, Hinnahme; → Begnadigung, → Duldsamkeit; → Erfahrung, → Verständnis; → ertragen; → tolerant.

**dulliäh** → lustig.

**Dulliäh** → Betrunkenheit.

**Dult** → Jahrmarkt.

**Dulzinea** → Geliebte.

**¹dumm,** unbedarft, unerfahren, unbedeutend, strohdumm (*abwertend*), dumm wie Bohnenstroh (*abwertend*), unintelligent, unverständig, töricht, idiotisch (*abwertend*), dümmlich, däm-

lich (*salopp, abwertend*), doof (*salopp, abwertend*), dußlig (*salopp, abwertend*), bescheuert (*salopp*), behämmert (*salopp*), damisch (*salopp, südd., österr.*), unterbelichtet (*salopp*), blödsinnig (*salopp*), blöde (*salopp, abwertend*), blöd (*salopp, abwertend*), saudumm (*derb, abwertend*), saublöd (*derb, abwertend*), tappert (*abwertend, österr.*), tappicht (*abwertend, landsch.*), tappich (*abwertend, landsch.*), nicht → klug; → arglos, → begriffsstutzig, → geistesgestört, → gutgläubig, → stumpfsinnig, → überspannt, → unbegabt, → unklug; **d. sein,** nicht bis drei zählen können, aus / von Dummsdorf sein (oder:) stammen (*ugs.*), zu heiß gebadet worden sein (*salopp*), mit dem Klammerbeutel gepudert sein (*salopp*); dümmer sein, als die Polizei erlaubt (*ugs., scherzh.*); die Weisheit nicht mit Löffeln gegessen / (*salopp*) gefressen haben, ein Brett vor dem Kopf / ein Spatzenhirn haben (*abwertend*), jmd. hat das Pulver [auch] nicht [gerade] erfunden (*ugs.*); **nicht d. sein,** nicht auf den Kopf gefallen sein; **d. dastehen,** dastehen wie ein Ölgötze (*abwertend*); **für d. halten,** für dumm verkaufen (*ugs.*); **d. machen,** verdummen; → Spleen.

**²dumm:** → unerfreulich; **-er** August → Artist, → Spaßmacher; -e Gans / Kuh / Ziege, -er Kerl / Sack, -es Huhn / Luder → Dummkopf; -es Gör → Mädchen; -es Zeug → Unsinn; d. aus der Wäsche / dem Anzug gucken → überrascht [sein]; jmdm. d. kommen → frech [werden]; für d. verkaufen → betrügen; sich nicht für d. verkaufen lassen → schlau [sein]; der Dumme sein → hereinfallen.

**Dummenfang** → Überlistung.

**Dummerjan** → Dummkopf.

**dummerweise** → schade.

**Dummheit:** → Absurdität, → Beschränktheit, → Unkenntnis; **-en** → Unsinn; eine D. machen → anrichten; **-en** machen → albern.

**Dummian** → Dummkopf.

**Dummkopf,** Idiot, Vollidiot, Kretin (*abwertend*), armer Irrer (*salopp*), Blödling, Blödian, Dummrian, Dummian (*landsch., österr.*), Dummerjan, dummer Kerl (*salopp*), Doofkopp (*salopp, nordd.*), Dämel (*salopp, landsch.*), Damian (*salopp*), Dussel (*salopp*), Holzkopf (*ugs.*), Kohlkopf (*ugs.*), Quatschkopf (*salopp*), Kaffer, Zulukaffer (*salopp*), Gipskopf (*ugs.*), Knallkopp (*salopp*), Döskopp (*salopp, nordd.*), Depp (*ugs., oberd.*), Tepp (*ugs., oberd.*), Dodel (*ugs., oberd.*), Löli (*schweiz.*), Schwachkopf, trübe Tasse (*salopp*), doofe Nuß (*salopp*), Gescherter (*salopp, südd., österr.*), Hirnöderl (*salopp, österr.*), Tocker (*österr.*), Kineser (*österr.*), Trottel, Dorftrottel, Bezirkstrottel (*österr.*), Dalk (*südd., österr.*), Karpf (*österr.*), Fetzenschädel (*derb, österr.*), Gauch (*veraltet*), Dümmling, Schaf (*ugs.*), Schafsnase (*ugs.*), Schafskopf (*derb*), Rindvieh (*derb*), Esel (*derb*), Hammel (*derb*), Armleuchter (*salopp*), Pinscher (*ugs.*), Arschloch (*vulgär*), blöder Heini (*salopp*), Saftsack (*derb*), Saftneger (*derb*), Saftheini (*derb*), Piesepampel (*derb*), Weihnachtsmann (*ugs.*), dummer Sack (*derb*), Hornochse (*derb*), Hornvieh (*derb*), Heuochse (*derb*), Ochse (*derb*), Kamel (*derb*), Kamuffel (*ugs.*), Mondkalb (*derb*), Blödmann (*salopp*), Blödhammel (*derb*), Dämlack (*derb*), Rhinozeros (*derb*), Hohlkopf (*derb*), Strohkopf (*derb*), dummes Luder (*derb*), dummes Huhn (*ugs.*), dumme Ziege / Kuh / Gans (*salopp*); → Frau, → Mädchen, → Mann, → Narr, → Nichtfachmann, → Schimpfwort, → Spaßvogel.

**dümmlich** → dumm.

**Dümmling** → Dummkopf.

**Dummrian** → Dummkopf.

**Dummsdorf:** aus / von D. sein (oder:) stammen → dumm [sein].

**Dummy** → Packung.

**dumpf:** → benommen, → unempfindlich.

**Dumpfheit:** → Abgestumpftheit, → Benommenheit.

**Dumping** → Preisunterbietung.

**dun:** d. sein → betrunken [sein].

**Dune** → Feder.

**Dung** → Dünger.

**Düngemittel** → Dünger.

**düngen,** Mist streuen · *mit Jauche:* jauchen, güllen (*südwestd., schweiz.*), adeln (*mundartl., österr.*); → bebauen; → Dünger.

**Dünger,** Düngemittel, Naturdünger, Fäkaldünger, Mineraldünger, Kunstdünger, Dung, Düngung, Stalldung, Stalldünger, Stallmist, Mist, Kuhmist, Pferdemist, Hühnermist, Guano · *pflanzlicher:* Kompost, Gründung · *flüssiger:* Jauche, Pfuhl (*westmitteld.*), Gülle (*südd., schweiz.*), Mistgülle, Adel (*bayr., österr. mundartl.*), Odel (*bayr., österr. mundartl.*), Pudel (*westd.*), Puddel (*westd.*), Suter (*hess.*), Sutter (*hess.*); → Jauchegrube, → Misthaufen; → düngen.

**Düngung** → Dünger.

**¹dunkel,** finster, halbdunkel, dämm[e]rig, zwielichtig, düster, trübe, schumm[e]rig, duster (*landsch., salopp*), zappenduster (*landsch., salopp*), stockdunkel, stockfinster, nicht → hell; → dunstig, → nachts, → undurchsichtig; **d. werden,** dämmern, eindämmern (*schweiz.*), sich verdunkeln, eindunkeln (*schweiz.*), nachten (*dichter.*), die Nacht sinkt herab / senkt sich auf die Erde / bricht herein (*dichter.*), einnachten (*schweiz.*), zunachten (*schweiz.*); **d. sein:** es ist dunkel, man kann die Hand nicht vor [den] Augen sehen; → Dämmerung.

**²dunkel:** → rätselhaft, → undurchsichtig, → unklar, → verworren; d. machen → verdunkeln; ein Dunkles → Bier; im -n liegen → rätselhaft [sein]; im -n tappen → wissen.

**Dunkel:** → Dämmerung; im D., im -n → nachts; etwas mit der linken Hand im -n machen → mühelos [schaffen].

**Dünkel:** → Überheblichkeit, → Standesbewußtsein; einen D. haben → dünkelhaft [sein].

**dunkelblau** → blau.

**dunkelblond** → blond.

**dunkelbraun:** → braun, → braunhaarig.

**dunkelgrau** → grau.

**dunkelgrün** → grün.

**dünkelhaft,** eingebildet (*abwertend*), stolz, selbstbewußt, selbstsicher, selbstüberzeugt, selbstüberzogen (*ugs., abwertend*), wichtigtuerisch (*abwertend*), aufgeblasen (*abwertend*), selbstgefällig (*abwertend*), überheblich, hybrid, anmaßend, präpotent (*österr.*), arrogant, süffisant, hochmütig, hoffärtig, hochfahrend, blasiert (*abwertend*), herablassend, gnädig, snobistisch, spleenig, hochnäsig (*ugs.*); → aufdringlich, → eitel, → protzig, → selbstbewußt, → selbstbezogen, → selbstsüchtig; **d. sein,** die Nase hoch tragen, einen Dünkel haben, sich als Halbgott fühlen, jmd. kennt sich kaum selbst vor Stolz, jmdm. schwillt der Kamm; auf dem hohen Roß sitzen; **d. werden,** etwas steigt jmdm. zu Kopf / in die Krone (*ugs.*); → prahlen, → überschätzen (sich); → Standesbewußtsein, → Überheblichkeit.

**Dunkelheit:** → Dämmerung; im Schutze der D. → heimlich; bei D. → nachts.

**Dunkelmann** → Drahtzieher.

**dunkelorange** → orange.

**dunkelrot** → rot.

**dunkelrubin** → rot.

**dunkelviolett** → violett.

**Dunkelziffer** → Anzahl.

**dünken:** es dünkt jmdm. / jmdn. → vermuten.

**dünn:** → abgenutzt, → durchsichtig, → schlank, → schütter; das Brett an der -sten Stelle bohren → entziehen (sich); -er werden → schlank [werden]; mit jmdm. durch dick und d. gehen → treu [sein]; etwas ist d. gesät → selten [sein].

**dünnbesiedelt** → bevölkert.

**dünnbevölkert** → bevölkert.

**Dünnbier** → Bier.

**Dünndarm** → Darm.

**Dünndarmbruch** → Bruch.

**Dünndarmgekröse** → Eingeweide.

**Dünndruckausgabe** → Edition.

**Dünndruckpapier** → Druckpapier.

**dunnemals:** Anno d. → damals.

**Dünnglas** → Glas.

**dünnhäutig** → empfindlich.

**dünnmachen:** sich d. → weggehen.

**Dünnpfiff** → Durchfall.

**Dünnschiß** → Durchfall.

**Dünnschnabelmöwe** → Vogel.

**Dunst:** → Nebel, → Rauch; leerer D. → Einbildung; jmdm. blauen D. vormachen → lügen.

**dünsten:** → braten, → riechen.

**Dunstglocke** → Umweltverschmutzung.

**¹dunstig,** diesig, neblig; → bewölkt, → dunkel; → Nebel; → nebeln.

**²dunstig** → stickig.

**Dunstkiepe** → Kopfbedeckung.

**Dünung** → Seegang.

**Duo** → Mannschaft.

**Duodenum** → Darm.

**düpieren** → betrügen.

**Duplexkarton** → Karton.

**Duplicitas** → Mißgeburt.

**duplieren** → verdoppeln.

**Duplikat** → Abschrift.

**duplizieren** → verdoppeln.

**Duplizität** → Zusammentreffen.

**Duplum** → Abschrift.

**Dupont-Lerche** → Vogel.

**Dura** → Meninx.

**Durakkord** → Akkord.

**Dura mater** → Meninx.

**durativ:** -es Verb → Verb.

**durch:** → gar, → vermittels, → wegen; d. sich → per se; nicht d. → halbgar.

**durchaus:** → ganz, → ja, → unbedingt; d. nicht → keineswegs, → nein.

**durchbeißen:** sich d. → durchsetzen (sich).

**durchbleuen** → schlagen.

**durchblicken:** → verstehen; d. lassen → mitteilen; durch etwas nicht mehr d. → verstehen.

**Durchblutung:** vermehrte D. → Blutandrang; verminderte D. → Blutleere.

**durchbohren:** → durchlöchern; jmdn. mit Blicken d. → ansehen.

**durchboxen:** → erwirken; sich d. → durchsetzen (sich).

**durchbrechen:** → durchschimmern.

**durchbrennen:** → weggehen; etwas ist durchgebrannt → defekt [sein]; jmdm. brennen

177

die Sicherungen durch → aufgeregt [sein].

**¹durchbringen,** verbrauchen, aufbrauchen, vertun, verwirtschaften, verbringen, um die Ecke bringen (*ugs.*), verprassen, verplempern (*ugs.*), verläppern (*ugs.*), verjubeln (*ugs.*), verjuxen (*ugs.*), verpulvern (*ugs.*), das Geld auf den Kopf hauen / kloppen (*salopp*), das Geld zum Fenster hinauswerfen / (*salopp*) hinausschmeißen, verbumfiedeln (*salopp*), verklötern (*salopp, nordd.*); → verschwenden, → zahlen.

**²durchbringen:** → erwirken; sich d. → durchsetzen (sich).

**Durchbruch:** → Erfolg; zum D. verhelfen → unterstützen (etwas).

**Durchbruchsschlacht** → Kampf.

**durchdacht:** → ausgewogen, → planmäßig.

**Durchdachtheit** → Ausgereiftheit.

**¹durchdenken,** denken, überlegen, nachdenken, sich fragen / Gedanken machen, einem Gedanken nachhängen, sich besinnen / bedenken, mit sich zu Rate gehen, seine Gedanken zusammennehmen, nachsinnen, nachgrübeln, sinnen, grübeln, staunen (*schweiz.*), werweißen (*schweiz.*), tüfteln, sinnieren, brüten, rätseln, herumrätseln, sich den Kopf zerbrechen, sich das Hirn zermartern, knobeln (*ugs.*), meditieren, philosophieren, den Verstand gebrauchen, seinen Geist anstrengen; → ausdenken, → beurteilen, → entwerfen, → erwägen, → folgern, → versenken (sich); → ausgewogen, → Denker, → Denkvorgang, → Einfall, → Gedankengang, → Vernunft.

**²durchdenken:** etwas muß durchdacht werden → Bedenkzeit [erfordern].

**durchdrehen:** → aufgeregt [sein], → Fleischwolf.

**durchdringen:** → durchschimmern, → herumsprechen (sich).

**¹durchdringend** (Geruch), stechend, beißend, streng, scharf, stark, intensiv, penetrant; → laut.

**²durchdringend** → laut.

**durchdrücken:** → erwirken; seinen Willen d. → durchsetzen (sich).

**¹durcheinander,** ungeordnet, wirr, chaotisch, bunt / (*ugs.*) kunterbunt durcheinander, vermischt, vermengt, wie Kraut und Rüben (*ugs., abwertend*).

**²durcheinander:** etwas ist d. → ungeordnet [sein].

**Durcheinander:** → Mischung, → Verwirrung.

**durcheinanderbringen:** → verquicken, → verwechseln, → verwirren.

**durcheinanderwerfen** → verquicken.

**durchexerzieren:** → lernen, → probieren.

**¹Durchfahrt,** Passage, Meerenge, Straße (z. B. von Gibraltar); → Reise, → Straße.

**²Durchfahrt** → Transit.

**¹Durchfall,** Darmkatarrh, Diarrhö, überschnelle / beschleunigte Verdauung (*scherzh.*), Ruhr, Dysenterie, Enteritis, Renneritis (*scherzh.*), Durchmarsch (*salopp*), Dünnpfiff (*derb*), Dünnschiß (*vulgär*), Scheißerei (*vulgär*), Scheißeritis (*vulgär*), flotter Heinrich (*scherzh.*), schnelle Kathrin (*scherzh.*), Flitzeritis (*scherzh.*); → Verdauungsstörung · Ggs. → Stuhlverstopfung; **D. haben,** laufen müssen.

**²Durchfall** → Mißerfolg.

**durchfallen:** → Mißerfolg [haben], → versagen.

**durchfechten** → erwirken.

**durchfeiern:** die Nacht d. → feiern.

**durchfliegen** → versagen.

**durchfluten:** von Licht durchflutet → beleuchtet.

**durchforsten** → prüfen.

**durchfretten:** sich d. → durchsetzen (sich).

**Durchfuhr** → Transit.

**durchführbar** → möglich.

**durchführen:** → veranstalten, → verwirklichen; eine Impfung d. → impfen.

**Durchfuhrhandel** → Transithandel.

**Durchführung:** → Abhaltung, → Bewerkstelligung; zur D. gelangen → verwirklichen.

**durchfüttern** → ernähren.

**Durchgang,** Passage; → Straße, → Weg.

**¹durchgängig,** durchgehend, ausnahmslos; → alle, → allgemein.

**²durchgängig** → generell.

**Durchgangsstraße** → Straße.

**Durchgangsverkehr** → Straßenverkehr.

**durchgebacken** → gar.

**durchgeben:** einen Funkspruch d. → funken.

**durchgehen:** → kontrollieren, → weggehen; mit jmdm. gehen die Nerven durch, jmdm. gehen die Sicherungen durch → aufgeregt [sein].

**durchgehend** → durchgängig.

**durchgeknobelt** → ausgewogen.

**durchgeschwitzt** → verschwitzt.

**durchgreifen** → eingreifen.

**durchgreifend** → einschneidend.

**durchgucken** → verstehen.

**¹durchhalten,** aushalten, standhalten, ausharren, nicht aufgeben / nachgeben / schlappmachen.

**²durchhalten** → standhalten.

**Durchhaltevermögen** → Beharrlichkeit.

**durchhauen:** → schlagen; den gordischen Knoten d. → Lösung.

**Durchhaus** → Haus.

**durchhecheln** → reden (über jmdn. / etwas).

**durchkämmen** → durchsuchen.

**durchkämpfen:** sich d. → durchsetzen (sich).

**durchkauen** → erörtern.

**durchkommen:** → einsickern; nicht d. → telefonieren (mit jmdm.); [mit Rückenwind d.] → bewältigen.

**durchkosten** → genießen.

**durchkreuzen:** → bereisen, → hindern, → verhindern.

**Durchkreuzung** → Vereitelung.

**durchkriegen** → erwirken.

**durchlassen:** etwas läßt den Regen durch → durchlässig [sein].

**durchlässig,** porös, löcherig, durchlöchert, leck, undicht; → luftdurchlässig · Ggs. → undurchlässig; **d. sein,** etwas läßt den Regen durch, es regnet durch; → durchlöchern, → durchschimmern.

**Durchlaucht:** Euer / Eure D. → Anrede.

durchlaufen: → absolvieren; eine Ausbildung / Lehre d. → Ausbildung.

**Durchlauferhitzer** → Heißwasserbereiter.

durchlesen → lesen.

durchleuchten: → beurteilen, → durchschimmern, → röntgen.

**Durchleuchtung** → Röntgenographie.

durchlöchern, perforieren, lochen, durchbohren; → durchlässig.

durchlöchert: → defekt, → durchlässig.

durchlüften → lüften.

durchmachen: → ertragen; eine Ausbildung / Lehre d. → Ausbildung; die Nacht d. → feiern; eine Verwandlung d. → Passiv.

**Durchmarsch** → Durchfall.

**Durchmesser** → Linie.

durchmustern → durchsuchen.

durchnäßt: [bis auf die Haut d.] → naß.

durchnumerieren → numerieren.

durchpauken → erwirken.

durchpausen → vervielfältigen.

durchpeitschen → erwirken.

durchplumpsen → versagen.

durchprobieren → probieren.

durchprügeln → schlagen.

durchqueren: → bereisen, → passieren.

durchrasseln → versagen.

durchregnen: es regnet durch → durchlässig [sein].

durchreisen: → bereisen, → passieren.

durchreitern → filtern.

durchrühren → rühren.

**Durchrüttelung** → Massage.

durchsäuert → sauer.

durchsausen → versagen.

durchschaubar: → vordergründig; schwer d. → hintergründig.

**Durchschaubarkeit,** Durchsichtigkeit, Transparenz, Vordergründigkeit, Fadenscheinigkeit (*abwertend*); → vordergründig.

durchschauen: → aufdecken, → entlarven (jmdn.), → erkennen, → lesen, → verstehen.

durchscheinen → durchschimmern.

durchscheinend → durchsichtig.

durchschimmern, durchscheinen, durchleuchten, durchbrechen, durchdringen; → durchlässig.

**Durchschlafmittel** → Schlafmittel.

**Durchschlag:** → Abschrift, → Reproduktion; einen D. machen → vervielfältigen.

durchschlagen: sich d. → durchsetzen (sich), → leben.

**Durchschlagpapier** → Schreibpapier.

durchschleusen, [der Reihe nach] bedienen / abfertigen, abchecken, einchecken; → einliefern, → prüfen.

durchschmecken → vorschmecken.

¹durchschneiden, zerschneiden, durchtrennen, trennen, kappen.

²durchschneiden: die Nabelschnur d. → selbständig [werden].

durchschnittlich → mäßig.

**Durchschnitts-:** → Allerwelts-.

**Durchschnittsbürger,** Durchschnittsmensch, der gemeine / kleine / einfache Mann, der Mann auf der Straße, Menschen wie du und ich, der gewöhnliche Sterbliche, Lieschen Müller, Otto Normalverbraucher · *der sich durch höhere geistige Ansprüche von der Masse abzuheben glaubt:* Dr. Lieschen Müller; → Allerwelts-, → Allgemeingeschmack, → Alltagsmensch, → Mensch.

**Durchschnittsernte** → Ernte.

**Durchschnittsgeschmack** → Allgemeingeschmack.

**Durchschnittslohn** → Lohn.

**Durchschnittsmensch:** → Alltagsmensch, → Durchschnittsbürger.

**Durchschreibepapier** → Schreibpapier.

**Durchschrift** → Abschrift.

**Durchschußpapier** → Druckpapier.

durchschütteln: es durchschüttelt jmdn. → zittern.

**Durchschüttelung** → Massage.

durchsehen: → kontrollieren, → nachschlagen (in); durch etwas nicht mehr d. → verstehen.

durchseihen → filtern.

durchsein → reif [sein].

¹durchsetzen (sich), sich behaupten / durchkämpfen / durchbringen / (*ugs.*) durchbeißen / (*ugs.*) durchboxen / (*ugs.*) durchschlagen / (*österr.*)

durchfretten / durchs Leben schlagen, seinen Willen durchsetzen / durchdrücken / bekommen / haben, die Oberhand gewinnen / behalten · *rücksichtslos:* die Ellenbogen gebrauchen; → bewältigen, → ertragen, → erwirken, → siegen, → standhalten; → Durchsetzungskraft.

²durchsetzen: → erwirken, → infiltrieren; sich d. → ausbreiten (sich).

¹**Durchsetzungskraft,** Stehvermögen, Belastbarkeit, Widerstandsfähigkeit, Widerstandskraft; → Beharrlichkeit, → Widerstandsfähigkeit; → durchsetzen (sich).

²**Durchsetzungskraft** → Selbstbewußtsein.

**Durchsetzungsvermögen** → Selbstbewußtsein.

**Durchsicht** → Kontrolle.

¹durchsichtig, durchscheinend, dünn, transparent, transluzent (*veraltet*), transluzid (*veraltet*).

²durchsichtig → vordergründig.

**Durchsichtigkeit:** → Blässe, → Durchschaubarkeit.

durchsickern: → einsickern, → herumsprechen (sich).

durchsieben → filtern.

durchsprechen → erörtern.

durchstarten → ankurbeln.

**Durchstecherei** → Betrug.

durchstehen → ertragen.

durchstöbern: → absuchen, → durchsuchen.

durchstreichen: → absuchen, → ausstreichen.

durchstreifen → absuchen.

¹durchsuchen, aussuchen (*landsch.*), nachsuchen, absuchen, abtasten, durchstöbern, durchwühlen, durchmustern, durchkämmen, mustern, filzen (*salopp*), lustrieren (*veraltet*), perlustrieren (*bes. österr.*), eine Haussuchung / (*österr.*) Hausdurchsuchung machen (oder:) vornehmen; → absuchen, → berühren, → kontrollieren, → nachforschen, → suchen; → Durchsuchung.

²durchsuchen: → absuchen; etwas nach etwas d. → suchen.

**Durchsuchung,** Haussuchung, Hausdurchsuchung (*österr.*) · *durch eine Polizeistreife (nach verdächtigen Personen):* Razzia,

Perlustrierung (*österr.*), Perlustration (*österr.*); → Polizeistreife; → durchsuchen.

durchsumpfen: die Nacht d. → feiern.

durchtrennen: → durchschneiden; die Nabelschnur d. → selbständig [werden].

durchtrieben → schlau.

Durchtriebenheit → List.

durchtrinken: die Nacht d. → feiern.

durchwachsen: → mäßig; -er Speck → Fett.

durchwalken → schlagen.

durchwandern → bereisen.

durchwaschen → waschen.

durchweg → generell.

durchwegs → generell.

durchweichen: [bis auf die Haut] durchweicht → naß.

durchwetzen: durchgewetzt → abgenutzt.

durchwichsen → schlagen.

durchwühlen → durchsuchen.

durchwuzeln: sich d. → drücken.

durchzählen → zählen.

durchzechen: die Nacht d. → feiern.

¹durchziehen, einfädeln, einziehen; → auffädeln.

²durchziehen: → bereisen, → verwirklichen, → waschen; einen Joint d. → rauchen.

Durchzug, Zug, Zugluft, Luftzug; **es herrscht D.,** es zieht, es zieht wie Hechtsuppe (*salopp*); → luftig.

durchzwängen: sich d. → drücken.

Dürerstadt → Nürnberg.

dürfen: → befugt [sein], → müssen; das darf nicht sein → nein; das darf doch nicht wahr sein! → überrascht [sein]; von etwas darf nicht gesprochen werden, an etwas darf man nicht rühren → tabu; darf ich / dürfte ich Sie bitten ...? → bitte!

dürftig → karg.

Dürftigkeit → Armut.

Duritis → Gehirnhautentzündung.

dürr: → geräuchert, → schlank, → trocken, → unfruchtbar.

Dürre: → Kargheit, → Trockenheit.

Dürrfleisch → Fett.

Dürrobst → Obst.

¹Durst, Brand (*ugs.*), Riesendurst, Mordsdurst (*salopp*); **D. haben,** durstig sein, jmdn. durstet / dürstet (*geh.*), jmdm. klebt die Zunge am Gaumen, eine trockene Kehle haben (*ugs.*); → trinken.

²Durst: einen über den D. trinken → betrinken (sich); einen über den D. getrunken haben → betrunken [sein].

dursten: jmdn. durstet → Durst [haben].

dürsten: [d. nach] → streben; jmdn. dürstet → Durst [haben].

durstig: -e Seele → Trinker; d. sein → Durst [haben].

Durststrecke → Wartezeit.

Dusche: kalte D. → Enttäuschung; wie eine kalte D. wirken → ernüchtern.

duschen: sich d. → baden.

Dusel: → Betrunkenheit; D. haben → Glück [haben].

Düsenflugzeug → Flugzeug.

Düsenjäger → Flugzeug.

Düsenklipper → Flugzeug.

Düsenlärm → Lärm.

Düsenmaschine → Flugzeug.

Düsentreibstoff → Treibstoff.

Dussel → Dummkopf.

Düsseldorf, Rhein-Ruhr-Metropole, Klein-Paris, Landeshauptstadt [von Nordrhein-Westfalen]; → Stadt.

dußlig → dumm.

duster: → dunkel, → makaber.

düster: → dunkel, → makaber; etwas in den -sten Farben malen → schildern.

Düsternis → Dämmerung.

Dutchman → Holländer.

Dutt, Knoten, Nest, Chignon, Portierzwiebel (*salopp, scherz.*), Zwiebel (*salopp, scherz.*); → Frisur, → Haar.

Dutte → Zitze.

Duty-free-Shop → Laden.

Dutzend → Stück.

Dutzend-: → Allerwelts-.

Dutzendgeschmack → Allgemeingeschmack.

Dutzendmensch → Alltagsmensch.

Dutzendware → Ware.

Duvet → Federbett.

Duvetine → Stoff.

duzen, du sagen, mit jmdm. per du sein; **sich d.,** per du sein, mit jmdm. auf [dem] Duzfuß

stehen (*ugs.*), mit jmdm. Brüderschaft getrunken haben, sich nicht mehr siezen; → kennen.

Duzfreund → Freund.

Duzfreundin → Freundin.

Duzfuß: mit jmdm. auf [dem] D. stehen → duzen.

Dynamik → Lautstärke.

dynamisch → lebhaft.

dynamisieren → anpassen.

Dynast → Oberhaupt.

Dynastie, Herrschergeschlecht, Herrscherhaus, Herrscherfamilie, Geschlecht, Haus; → Oberhaupt.

Dysakusis → Gehörstörung.

Dysanagnosie → Aphasie.

Dysbulie → Antriebsschwäche.

Dyschromatopsie → Farbenblindheit.

Dysenterie → Durchfall.

Dysfunktion → Funktionsstörung.

Dyslexie → Aphasie.

Dysmelie → Gliedmaßenmißbildung.

Dysmenorrhö → Menstruation.

Dysmimie → Aphasie.

Dysmnesie → Gedächtnisstörung.

Dysnomie → Aphasie.

Dysopie → Sehstörung.

Dysopsie → Sehstörung.

Dyspepsie → Verdauungsstörung.

Dysphasie → Aphasie.

Dysphrasie → Aphasie.

Dysplastiker → Körperbautyp.

Dysregulation → Funktionsstörung.

Dystrophie → Ernährungsstörung.

dystropisch: -er Zahnbettschwund → Parodontose.

Dysurie → Harnentleerung.

D-Zug: → Eisenbahnzug; ein alter Mann ist [doch] kein D.1 → ruhig; im D. durch die Kinderstube gefahren / gerast sein → benehmen (sich).

D-Zug-Wagen → Eisenbahnwagen.

# E

E 605 → Gift.

East-Coast-Jazz → Jazz.

Eau de Cologne → Parfum.

Eau de toilette → Parfum.

¹**Ebbe**, Tiefwasser, Niedrigwasser, Hollebbe; → Gezeiten, → Wattenmeer · Ggs. → Flut.

²**Ebbe**: → Mangel; E. und Flut → Gezeiten.

¹**eben**, nun einmal, halt (*oberd.*), aber eben (*schweiz.*), man (*berlin.*)

²**eben**: → jetzt; e. der / derselbe → derselbe; zu -er Erde → parterre; e. erst / noch → kürzlich; e. noch → kaum; [gerade] e. → kaum, → soeben.

**Ebenbild**: E. Gottes → Mensch.

**ebenbürtig**: → geistesverwandt; jmdm. e. sein → erreichen.

**Ebene**: schiefe E. → Gefälle; auf die schiefe E. kommen → abrutschen, → verwahrlosen.

**ebenerdig**: → niedrig, → parterre.

**ebenfalls** → auch.

**Ebenholz**: schwarz wie E. → schwarz.

**Ebenmaß** → Ebenmäßigkeit.

¹**ebenmäßig**, gleichmäßig, symmetrisch, regelmäßig, harmonisch, ausgewogen, proportioniert, wohlproportioniert, wohlgeformt; → abgestimmt, → ausgewogen, → schön, → symmetrisch; → Wohlgestaltetheit.

²**ebenmäßig** → schön.

¹**Ebenmäßigkeit**, Ebenmaß, Gleichmäßigkeit, Gleichmaß, Regelmäßigkeit, Harmonie, Ausgewogenheit, Proportioniertheit, Wohlproportioniertheit, Wohlgeformtheit; → Herrlichkeit, → Wohlgestaltetheit.

²**Ebenmäßigkeit** → Wohlgestaltetheit.

**ebenso**: → auch; e. wie → à la...; e. alt sein wie... → gleichaltrig [sein]; e. ein → auch [so ein].

**Eber** → Schwein.

**ebereschenrot** → rot.

**Eberraute** → Küchengewürz.

**ebnen**: jmdm. die Bahn / die Wege e. → fördern.

**Echarpe** → Halstuch.

**echauffiert** → erhitzt.

**Echo** → Widerhall.

**echoen** → nachsprechen.

**Echolot** → Lot.

¹**echt**, natürlich, ungekünstelt, rein, ursprünglich, genuin, originell, urwüchsig, urchig (*schweiz.*), unverfälscht, [wie]

aus dem Leben gegriffen, waschecht, in Reinkultur (*ugs.*), nicht → unecht; → aufrichtig, → organisch, → rein, → ursprünglich; → Ursprünglichkeit.

²**echt**: → gediegen, → verbürgt; -e Grippe → Grippe; -e Motte, -er Spinner / Zünsler → Schmetterling; -e Perle → Perle; -e Pocken → Pocken; Echter Rebenmehltau → Schlauchpilz; Echter Reizker → Ständerpilz; -er Rocken → Fisch; -er Teppich → Orientteppich; -es reflexives Verb → Verb; als e. bescheinigen → beglaubigen; als e. bescheinigt → bezeugt.

**Echthaarperücke** → Perücke.

**Echtheit**: → Authentizität, → Ursprünglichkeit.

**Eck**: → Rand; im E. sein → Verfassung.

**Eckball**, Ecke, Eckstoß, Corner (*bes. österr.*); → Fußballspiel.

**Eckbank** → Sitzbank.

**Ecke**: → Eckball, → Rand, → Stelle, → Zipfel; das ist eine ganze E. → fern [sein]; an allen -n und Enden → überall; [gleich] um die E. → nahebei; um die E. biegen / schwenken → abbiegen; um die E. bringen → aufbewahren, → durchbringen, → töten; um die E. [herum] / um sieben -n verwandt → verwandt.

**eckig**: → kantig, → linkisch.

**Ecklohn** → Lohn.

**Eckpfeiler** → Säule.

**Eckschrank** → Schrank.

**Eckstein** → Spielkarte.

**Eckstoß** → Eckball.

**Eckstück** → Zipfel.

**Eckzahn** → Zahn.

**Eclair** → Gebäck.

**Edamer**: E. Käse → Käse.

**edel**: → kostbar; von edler Abkunft / Geburt sein → adlig [sein]; edler Spender → Gönner.

**Edelfalter** → Schmetterling.

**Edelfreßwelle** → Verbrauch.

¹**Edelgas** · Neon, Argon, Radon, Xenon, Helium, Krypton.

²**Edelgas** → Gas.

**Edelhirsch** → Hirsch.

**Edeling** → Adliger.

**Edeljacquard** → Stoff.

**Edelkastanie** → Kastanie.

**Edelkoralle** → Hohltier.

**Edelmann** → Adliger.

¹**Edelmetall** · Gold · Silber · Quecksilber · Platin, Ruthenium, Rhodium, Palladium, Osmium, Iridium; → Metall.

²**Edelmetall** → Metall.

**Edelmetallschmied**, Goldschmied, Silberschmied, Gold- und Silberschmied, Juwelengoldschmied, Juwelier, Silberbesteckschmied; → Künstler, → Schmied.

**Edelmut** → Selbstlosigkeit.

**edelmütig** → selbstlos.

**Edelnutte** → Prostituierte.

**Edelobst** → Obst.

**Edelopal** → Schmuckstein.

**Edelpilz**: → Pilz, → Steinpilz.

**Edelpilzkäse** → Käse.

**Edelreizker** → Ständerpilz.

**Edelrose** → Rose.

**Edelrost** → Belag.

**Edelsinn** → Selbstlosigkeit.

**Edelskapolith** → Schmuckstein.

**Edelstein** → Schmuckstein.

**Edeltanne** → Nadelhölzer.

**Edeltier** → Hirsch.

**Edeltopas** → Schmuckstein.

**Edelwein** → Wein.

**Edelwestern** → Wildwestfilm.

**Eden** → Paradies.

**edieren**, herausgeben, herausbringen, verlegen, drucken, in Satz / Druck geben, veröffentlichen, publizieren, abdrucken; → dichten, → erscheinen; → Druck, → Edition.

**Edikt** → Weisung.

¹**Edition**, Ausgabe · Erstausgabe, Originalausgabe · Gesamtausgabe, historisch-kritische Ausgabe, Ausgabe letzter Hand · Auswahlausgabe, Festausgabe, Jubiläumsausgabe, Einzelausgabe, Taschenausgabe · Schulausgabe · Ausgabe ad usum Delphini · Volksausgabe, Lizenzausgabe · Dünndruckausgabe, Miniaturausgabe, Folioausgabe · Loseblattausgabe; → Auflage, → Druck, → Nachdruck, → Sonderdruck; → edieren.

²**Edition** → Veröffentlichung.

**Editor** → Herausgeber.

**Edle** → Adlige.

**Edler** → Adliger.

**Edukation** → Erziehung.

**EDVA** → Computer.

**Eeg** → Elektrogramm.

**EEG** → Elektrogramm.

**Efendi** → Herr.

efeugrün → grün.

Efeulaube → Laube.

Effeff: etwas aus dem E. können → firm [sein].

Effekt: → Erfolg; einen E. erzielen / haben → wirken.

Effekten → Wertpapier.

Effektenbörse → Börse.

Effektenkurs → Börsenkurs.

Effekthascherei, Effektmacherei, Wirkungssucht, das Bedachtsein / Aussein auf Wirkung; → Übertreibung; → begierig.

effektiv: → nachhaltig, → wirklich.

Effektivlohn → Lohn.

Effektmacherei → Effekthascherei.

effektvoll → kunstvoll.

Effemination → Zwittertum.

Efficiency → Wirtschaftlichkeit.

Effilierschere → Schere.

effizient: → nachhaltig, → zugkräftig.

Effizienz → Wirtschaftlichkeit.

Efflation → Eruktation.

Effloreszenz → Hautblüte.

egal: → gleichviel, → unaufhörlich; etwas ist e. → einerlei; jmdm. ist etwas e. → unwichtig [sein].

egalweg → unaufhörlich.

Egart → Brache.

Egel → Wurm.

eggen → pflügen.

Egghead → Intellektueller.

egoistisch → selbstsüchtig.

egozentrisch → selbstsüchtig.

egressiv: -es Verb → Verb.

Egyptienne → Schrift.

eh: → ohnehin; seit / wie eh und je → unaufhörlich.

¹Ehe, Ehebund, Verbindung, Zweisamkeit, Bund fürs Leben, Heirat, Mariage, Liebesheirat, Neigungsehe, Liebesehe, Monogamie · durch elektronische Datenverarbeitung zustande gekommene: Computerehe · auf gutem Verständnis beruhende: Kameradschaftsehe · vorbildliche: Musterehe, Idealehe · standesgemäße: Standesheirat, Standesehe · die auf Vernunftgründen basiert: Vernunftheirat, Vernunftehe, Verstandesehe, Versorgungsehe · aus materiellen Erwägungen geschlossene: Geldheirat · zum Schein aufrecht-

erhaltene: Scheinehe · zwischen Kindern (bei Naturvölkern): Kinderehe · zwischen Studenten: Studentenehe · von Angehörigen verschiedener Konfessionen: Mischehe · nur vor dem Standesamt, nicht kirchlich geschlossene: Zivilehe · nicht standesgemäße: Mißheirat, Mesalliance, morganatische Ehe, Ehe zur linken Hand, Kebsehe · die geschlossen worden ist, weil ein Kind erwartet wurde: Mußehe · innerhalb eines Stammes, einer Kaste: Endogamie · außerhalb eines Stammes, einer Kaste: Exogamie · auf Probe: Volambite (bei den Madagassen) · mit zwei Partnern: Doppelehe, Bigamie · mit mehreren Partnern: Gruppenehe, Gemeinschaftsehe, Mehrehe, Vielehe · mit mehreren Frauen: Polygamie, Vielweiberei (ugs.) · mit mehreren Männern: Polyandrie · nicht legalisierte: Lebensgemeinschaft, wilde Ehe, Ehe ohne Trauschein, Konkubinat, Onkelehe; → Eheanbahnungsinstitut, → Ehebruch, → Ehepaar, → Flitterwochen, → Hochzeit, → Koitus, → Kommune, → Misogamie, → Vermählung; → heiraten.

²Ehe: die E. auflösen → scheiden (jmdn.), → trennen (sich); die E. brechen → untreu [sein]; eine E. eingehen / schließen → heiraten; eine [glückliche] E. führen → verheiratet; eine E. stiften → verkuppeln; jmdm. die E. versprechen → verloben (sich); zur E. geben → verheiraten.

Eheanbahnungsinstitut, Ehevermittlungsinstitut, Kuppelbörse (ugs., scherzh.); → Ehe; → verkuppeln, → vermitteln.

ehebaldig → früh.

ehebaldigst → früh.

Ehebett → Bett.

Ehebrecher → Ehemann.

Ehebrecherin → Ehefrau.

¹Ehebruch, Seitensprung, Dreiecksverhältnis, Dreiecksgeschichte; → Ehe, → Untreue.

²Ehebruch: → Untreue; E. begehen → untreu [sein].

Ehebund → Ehe.

ehedem → damals.

Ehefrau, Frau, Gattin, Gemahlin, Ehepartner, Angetraute, Lebensgefährtin, Weggefährtin, Lebenskamerad, Lebenskameradin, Weib, Eheliebste, Ehegespons (ugs.), Ehegenossin, bessere / schönere Hälfte (ugs.), Hauszierde (scherzh.), Alte (salopp), Olle (derb), Drachen (abwertend), Xanthippe (abwertend) · deren Mann verreist ist: Strohwitwe · tagsüber in ihrer Wohnung am Stadtrand sich allein fühlende: grüne Witwe · untreue: Ehebrecherin; → Ehegemeinschaft, → Ehepaar, → Frau, → Mädchen, → Witwe; → untreu · Ggs. → Ehemann.

Ehegemeinschaft · in der das Gesamtgut von dem Ehemann, von der Ehefrau oder von beiden gemeinschaftlich verwaltet wird: Gütergemeinschaft · in der das in der Ehe hinzugewonnene Gut gemeinschaftlicher Besitz ist: Zugewinngemeinschaft · in der die Ehepartner nicht in güterrechtliche Beziehungen treten: Gütertrennung; → Ehefrau, → Ehemann.

Ehegenosse → Ehemann.

Ehegenossin → Ehefrau.

Ehegespann → Ehepaar.

Ehegespons: → Ehefrau, → Ehemann.

Ehehindernis → Scheidungsgrund.

Ehekrüppel → Ehemann.

Eheleute → Ehepaar.

ehelich: -er Akt → Koitus; die -en Pflichten erfüllen → koitieren.

ehelichen → heiraten.

Eheliebste → Ehefrau.

Eheliebster → Ehemann.

Ehelosigkeit, Zölibat · in der Tierwelt: Ungepaartheit, Azygie.

ehemalig → gewesen.

ehemals → damals.

Ehemann, Mann, Gatte, Gemahl, Ehepartner, Angetrauter, Lebensgefährte, Weggefährte, Lebenskamerad, Herr und Gebieter (scherzh.), Ehewirt (veraltet), Eheliebster, Ehegenosse, Ehegespons (ugs), bessere Hälfte (ugs.), Göttergatte (ugs.), Gatterich (ugs., scherzh.), Alter (salopp), Oller (derb), Ehekrüppel (abwertend),

Pantoffelheld (*abwertend*), Simandl (*abwertend, österr.*), Tyrann (*abwertend*), Haustyrann (*abwertend*) · *vorbildlicher:* Mustergatte · *betrogener:* Hahnrei · *untreuer:* Ehebrecher; → untreu · *der erst kurze Zeit verheiratet ist:* Flitterwöchner (*scherzh.*) · *dessen Frau verreist ist:* Strohwitwer · *einer regierenden Fürstin:* Prinzgemahl; → Ehegemeinschaft, → Ehepaar, → Junggeselle, → Mann, → Witwer · Ggs. → Ehefrau.

**Ehepaar,** Eheleute, Paar, Mann und Frau, Vermählte, Verheiratete, Ehegespann; → Ehe, → Ehefrau, → Ehemann.

**Ehepartner:** → Ehefrau, → Ehemann.

**eher:** → vielmehr; nicht e. als → frühestens.

**Ehering** → Ring.

**Ehesakrament** → Sakrament.

**Ehescheidung,** Scheidung, Trennung, Auflösung · *zeitweilige:* Saodranto (bei den Madagassen); → Scheidungsgrund; → scheiden, → trennen (sich); → geschieden.

**Ehescheu** → Misogamie.

**Eheschließung** → Vermählung.

**ehest:** → früh, → frühestens.

**Ehestand:** in den E. treten → heiraten.

**Ehestandslokomotive** → Kinderwagen.

**ehestens:** → früh, → frühestens.

**ehetunlichst** → früh.

**Ehevermittlungsinstitut** → Eheanbahnungsinstitut.

**Ehewirt** → Ehemann.

**Ehnel** → Großvater.

**Ehrabschneider** → Denunziant.

**ehrbar** → ehrenhaft.

**Ehrbarkeit** → Rechtschaffenheit.

**Ehre:** → Ansehen, → Gunst, → Lob; jmdm. die E. abschneiden → schlechtmachen; die E. bewahren → anständig [bleiben]; die letzte E. erweisen → bestatten; jmdm. E. erweisen / erzeigen, in -n halten → achten; jmdm. eine E. erweisen / zuteil werden lassen → Gunst; sich die E. geben → beehren (sich); der Wahrheit die E. geben → aufrichtig [sein]; habe die E.! → Gruß; seinem Namen keine E. machen → bloßstellen (sich);

jmdm. die E. nehmen → deflorieren; auf dem Feld der E. → Schlachtfeld; auf dem Feld der E. fallen, den Tod auf dem Feld der E. finden → sterben; auf E. und Gewissen → wahrlich; etwas gereicht jmdm. zur E. → anerkennenswert [sein].

**ehren:** → achten, → loben.

**Ehrenbezeigung** → begrüßen.

**Ehrenbuch** → Album.

**Ehrenbürgerbrief** → Urkunde.

**Ehrenbürgerurkunde** → Urkunde.

**Ehrenfähigkeit:** [bürgerliche E.] → Ehrenrechte.

**ehrenfest** → ehrenhaft.

**Ehrenfriedhof** → Friedhof.

**Ehrengeleit** → Geleit.

**Ehrengruß** → Salut.

**ehrenhaft,** ehrenwert, honorabel (*veraltet*), rühmenswert, achtbar, reputierlich, reputabel, ordentlich, rechtschaffen, loyal, unbestechlich, honett, gentlemanlike, fair, sauber, hochanständig, honorig, wacker, brav, bieder, charakterfest, ehrenfest, aufrecht, senkrecht (*schweiz.*), ehrbar, ehrsam, redlich, nicht → ehrlos, nicht → unfair, nicht → unredlich; → angesehen, → anständig, nicht arglos, → erhaben, → lauter, → menschlich, → trefflich, → unverdächtig; **e. sein,** eine weiße / reine Weste haben (*ugs.*); **nicht e. sein,** Dreck am Stecken haben (*salopp*), etwas auf dem Kerbholz haben (*ugs.*); → glauben (jmdm.); → Ansehen, → Gunst, → Ehrenrechte, → Rechtschaffenheit, → Treue.

**Ehrenkreuz** → Orden.

**Ehrenmal** → Denkmal.

**Ehrennadel** → Orden.

**Ehrenplakette** → Orden.

**Ehrenpräsidium:** → Schirmherrschaft, → Vorsitz.

**Ehrenpredigt** → Rede.

**Ehrenrechte,** bürgerliche Ehrenrechte, [bürgerliche] Ehrenfähigkeit (*schweiz.*); → ehrenhaft.

**Ehrenrettung** → Wiederherstellung.

**ehrenrührig** → beleidigend.

**Ehrensalut** → Salut.

**Ehrensalve** → Salut.

**Ehrenschuß** → Salut.

**Ehrentag** → Geburtstag.

**Ehrenurkunde** → Urkunde.

**ehrenvoll** → anerkennenswert.

**Ehrenvorsitz:** → Schirmherrschaft, → Vorsitz.

**Ehrenvorsitzender** → Vorsitzender.

**ehrenwert** → ehrenhaft.

**Ehrenwort:** → Zusicherung; sein E. geben → versprechen.

**Ehrenzeichen** → Orden.

**ehrerbietig** → unterwürfig.

**[1]Ehrerbietung,** Huldigung, Hommage; → Beifall, → Lob.

**[2]Ehrerbietung:** → Achtung; seine E. erweisen → begrüßen.

**Ehrfurcht** → Achtung.

**ehrfürchtig,** ehrfurchtsvoll, respektvoll; → unterwürfig.

**ehrfurchtsvoll** → ehrfürchtig.

**Ehrgeiz,** Streben, Ambition, Profilneurose, Ruhmsucht, Ehrsucht; → Absicht, → Fleiß, → Geltungsdrang; → Machtgier, → Neigung, → Tatkraft.

**[1]ehrgeizig,** ehrsüchtig, ruhmsüchtig, streberhaft (*abwertend*); → fleißig; **e. sein,** ein Streber sein (*abwertend*), hoch hinauswollen (*iron.*).

**[2]ehrgeizig** → fleißig.

**ehrlich:** → aufrichtig; eine -e Haut sein → aufrichtig [sein]; sich e. machen → zahlen; [e. wahr] → wahrlich.

**Ehrlichkeit** → Aufrichtigkeit.

**ehrlos,** charakterlos, verächtlich, nichtswürdig, würdelos, ehrvergessen, nicht → ehrenhaft; → abschätzig, → beleidigend, → gemein, → unfair, → unredlich; → Bloßstellung, → Untreue.

**Ehrlosigkeit** → Untreue.

**ehrpusselig** → engherzig.

**ehrpußlig** → engherzig.

**ehrsam** → ehrenhaft.

**Ehrsamkeit** → Rechtschaffenheit.

**Ehrsucht** → Ehrgeiz.

**ehrsüchtig:** → ehrgeizig, → geltungssüchtig.

**Ehrung** → Lob.

**ehrvergessen:** → ehrlos, → unzuverlässig.

**Ehrvergessenheit** → Pflichtvergessenheit.

**Ehrwürden** → Anrede.

**ehrwürdig:** → erhaben, → herkömmlich; Ehrwürdiger Bruder → Anrede.

ei: ei, ei machen → liebkosen.
Ei: → Hühnerei, → Keimzelle;
-er → Geld, → Hoden; Nürnbergisch Ei → Uhr; pochierte /
verlorene -er → Eierspeise; das
Ei des Kolumbus → Lösung;
etwas ist ein faules Ei → seltsam [sein]; das sind ungelegte
-er → aktuell; sich gleichen wie
ein Ei dem andern → ähneln,
→ gleichen; jmdn. wie ein
rohes Ei behandeln → umgehen
(mit jmdm.); dicke -er haben →
Geschlechtskrankheit; ein Ei
legen → defäkieren; jmdm. die
-er polieren → schlagen; wie
auf -ern gehen → fortbewegen
(sich), → Geschlechtskrankheit; wie aus dem Ei gepellt →
adrett; für einen Apfel und ein
Ei kaufen → billig [kaufen].
Eibe → Nadelhölzer.
Eiche → Laubhölzer.
Eichel → Glans.
Eichelhäher → Vogel.
Eichenprozessionsspinner →
Schmetterling.
Eichensarg → Sarg.
Eichenseidenspinner → Schmetterling.
Eichenspinner → Schmetterling.
Eichenwald → Wald.
Eichert → Eichhörnchen.
¹Eichhörnchen, Eichkätzchen,
Eichkatzl (südd.), Eichkater,
Eichert (landsch.); → Nagetier.
²Eichhörnchen: mühsam baut
sich das E. sein Nest, mühsam
nährt sich das E. → vorangehen.
Eichkater → Eichhörnchen.
Eichkätzchen → Eichhörnchen.
Eichkatzl → Eichhörnchen.
Eichpilz → Steinpilz.
¹Eid, Schwur, Gelübde · falscher: Meineid.
²Eid: einen E. leisten, an -es
Statt erklären → versprechen;
auf seinen E. nehmen → versprechen; durch E. bekräftigen
→ beschwören; durch E. verpflichten → vereidigen; unter
E. nehmen → vereidigen.
Eidam → Schwiegersohn.
¹Eidechse, Zauneidechse, Bergeidechse, Mauereidechse, Perleidechse, Smaragdeidechse,
Blindschleiche, Apothekerskink, Erzschleiche, Dornschwanz, Waran, Leguan,

Kammeidechse, Gilatier,
Scheltopusik, Krötenechse,
Flugdrache, Gecko, Blattschwanzgecko, Mauergecko,
Taggecko, Tokee; → Kriechtiere.
²Eidechse → Sternbild.
Eiderdaune → Feder.
Eiderente → Vogel.
eidetisch → anschaulich.
Eidgenosse → Schweizer.
Eidgenossenschaft → Schweiz.
eidgenössisch → schweizerisch.
Eidotter → Dotter.
Eier → Kohle.
Eierflechte → Flechte.
Eierfrucht → Aubergine.
Eierklar → Eiweiß.
Eierkohle → Kohle.
Eierkopf → Intellektueller.
Eierkuchen → Omelett.
Eierlikör → Alkohol.
Eierlöffel → Löffel.
eiern → schwingen.
Eierpampe → Schlamm.
Eierpusch → Löwenzahn.
eierschale → beige.
Eierschale: noch die -n hinter
den Ohren haben → erwachsen,
→ jung [sein].
eierschalenfarben → beige.
Eierschmalz → Rührei.
Eierschmarren → Omelett.
Eierschwamm → Pfifferling.
Eierschwammerl → Pfifferling.
Eierspeis → Rührei.
¹Eierspeise → Rührei, Eierspeis[e] (österr.), Omelett (landsch.), aufgeschlagene / eingeschlagene Eier (bes. bayr.) ··
Spiegelei, Setzei (bes. nordd.),
Ochsenauge, Stierenauge
(schweiz.) ·· Omelett, Omelette
(fachspr. und österr.), Eierkuchen (bes. nordd.), Pfannkuchen (bes. südd.), Plinse (nordostd.), Plinze (nordostd.), Flinse
(nordostd.), Palatschinke
(österr.), Eierschmalz (südd.,
österr.), Schmarren (bayr.,
österr.), Eierschmarren (südd.),
Kaiserschmarren (österr.), Sterz
(österr.).
²Eierspeise → Rührei.
Eiertanz → Benehmen.
Eiertätsch → Omelett.
Eieruhr → Uhr.
Eifer: → Begeisterung, →
Fleiß.
Eiferer, Fanatiker, Zelot, Streiter / Fechter / Kämpfer für,

Verfechter [einer Idee], Schwärmer, Schwarmgeist (abwertend);
→ fanatisch.
Eifersucht → Neid.
Eifersüchtelei → Neid.
eiförmig → oval.
eifrig: → begeistert, → fleißig;
e. bemüht → beflissen.
Eigelb → Dotter.
eigen: → behutsam, → gewissenhaft, → ordnungsliebend,
→ seltsam; der -e Bruder →
Bruder; nach -em Ermessen /
Gutdünken → eigenmächtig;
das -e / sein e. Fleisch und Blut
→ Sohn, → Tochter; auf -en
Füßen stehen → erwachsen
[sein]; sich sein -es Grab
schaufeln → schaden; sein -er
Herr sein → selbständig; im
-en Land → daheim; auf den
-en Vorteil bedacht →
eigennützig; jmds. e. sein →
gehören; sein e. nennen →
haben; sich etwas zu e. machen
→ anverwandeln (sich etwas),
→ lernen.
Eigenart: → Seltsamkeit,
Wesen.
eigenartig → seltsam.
Eigenartigkeit → Seltsamkeit.
Eigenbau: → Tabak, → Zigarette.
Eigenbericht → Zeitungsartikel.
Eigenblutübertragung → Blutübertragung.
Eigenbrötelei: → Einzelgängertum, → Individualismus, →
Seltsamkeit.
Eigenbrötler → Außenseiter.
eigenbrötlerisch: → individuell,
→ seltsam.
eigengeschlechtlich → gleichgeschlechtlich.
Eigengesetzlichkeit → Autonomie.
Eigengewicht → Gewicht.
Eigengoal → Tor (das).
eigenhändig → persönlich.
Eigenheim → Haus.
Eigenheit → Seltsamkeit.
eigenlebig → selbständig.
¹eigenmächtig, unberechtigt,
unbefugt, ohne Auftrag / Befugnis, angemaßt, nach eigenem
Ermessen / Gutdünken, auf
eigene Faust; → arbiträr, →
gesetzwidrig, → selbständig.
²eigenmächtig → selbständig.
Eigenname → Familienname.
Eigennutz → Selbstsucht.

¹**eigennützig**, berechnend, auf den eigenen Vorteil bedacht; → selbstsüchtig; → Selbstsucht.

²**eigennützig** → selbstsüchtig.

¹**eigens**, extra, speziell, exklusiv, besonders, in jedem Einzelfall, von Fall zu Fall, fallweise (*österr.*), gesondert, gegebenenfalls; → allgemein, → manchmal.

²**eigens:** e. zu diesem Zweck → hierfür.

¹**Eigenschaft**, Merkmal, Attribut, Beschaffenheit, Daseinszustand, Daseinsform, Erscheinungszustand, Erscheinungsform; → Beschaffenheit, → Gotteseigenschaften, → Merkmal.

²**Eigenschaft:** → Beschaffenheit; göttliche -en, -en Gottes → Gotteseigenschaften.

**Eigenschaftswort** → Wortart.

**Eigensinn**, Eigensinnigkeit, Halsstarrigkeit, Starrsinn, Starrsinnigkeit, Rechthaberei, Unnachgiebigkeit, Intransigenz, Starrköpfigkeit, Dickschädeligkeit, Steifnackigkeit, Unbelehrbarkeit, Störrischkeit, Sturheit, Bockbeinigkeit (*ugs.*), Bockigkeit (*ugs.*), Kratzbürstigkeit, Aufsässigkeit, Aufmüpfigkeit, Unbotmäßigkeit, Trotz, Widersetzlichkeit, Widerspenstigkeit, Renitenz, Protesthaltung, Widerborstigkeit, Ungehorsam, Unlenksamkeit, Eigenwilligkeit, Verbohrtheit, Hartgesottenheit, Hartnäckigkeit, Verstocktheit, Uneinsichtigkeit, Dickköpfigkeit, Obstination; → Beharrlichkeit, → Trotzkopf, → Unduldsamkeit, → Verschlossenheit, → Widerstand.

**eigensinnig** → unzugänglich.

**Eigensinnigkeit** → Eigensinn.

**eigenständig** → selbständig.

**eigentlich:** → alias, → gewissermaßen, → ursprünglich; im -en Sinne → schlechthin.

**Eigentor** → Tor (das).

**Eigentum:** → Besitz; sein E. nennen → haben; jmds. E. sein → gehören.

**Eigentümer** → Besitzer.

**eigentümlich:** → seltsam; etwas ist jmdm. e. → aufweisen.

**Eigentümlichkeit** → Seltsamkeit.

**Eigentumsdelikt** → Diebstahl.

**Eigentumsvergehen** → Diebstahl.

**Eigentumswohnung** → Wohnung.

**eigenwillig** → selbständig.

**Eigenwilligkeit** → Eigensinn.

¹**eignen (sich)**, geeignet sein für, passen, in Betracht / Frage kommen, zu gebrauchen sein; → passen.

²**eignen:** etwas eignet jmdm. → aufweisen.

**Eigner:** → Besitzer, → Reeder.

**Eignung** → Brauchbarkeit.

**Eiklar** → Eiweiß.

**Eiland** → Insel.

**Eilbote** → Zusteller.

**Eilbrief** → Postsendung.

**Eile:** → Geschwindigkeit; übergroße E. → Überstürzung; etwas hat keine E. → eilen; [in aller] E. → Hast; in [fliegender / größter / höchster / rasender] E. → schnell.

**Eileiterschwangerschaft** → Schwangerschaft.

¹**eilen:** etwas eilt / ist eilig / hat Eile / (*ugs.*) pressiert / drängt / ist dringend / ist von großer Dringlichkeit; **nicht e.:** etwas eilt nicht / hat noch Zeit / hat keine Eile, damit hat es keine Not, mit etwas hat es noch gute Weile / Wege; → beeilen (sich), → spät [sein]; → dringend, → schnell; → Geschwindigkeit.

²**eilen:** → fortbewegen (sich); sich e. → beeilen (sich); eile mit Weile → ruhig.

**eilends** → schnell.

**eilfertig** → gefällig.

**Eilgüterzug** → Eisenbahnzug.

**eilig:** → dringend, → schnell, → Hast; es e. haben → beeilen (sich).

**Eiligkeit:** übergroße E. → Überstürzung.

**Eilmarsch** → Marsch (der).

**Eilpäckchen** → Postsendung.

**Eilpaket** → Postsendung.

**Eilsendung** → Postsendung.

**Eiltriebwagen** → Eisenbahnzug.

**Eilzug** → Eisenbahnzug.

**Eimer:** → Gefäß; im E. sein → defekt [sein]; vom E. fallen → überrascht [sein].

**ein:** e. oder das andere Mal → manchmal; e. für allemal → unabänderlich; mit -em Mal →

plötzlich; unter -em → zugleich.

**eina** → her.

**Einakter** → Drama.

**einantworten** → überantworten.

**Einantwortung** → Aushändigung.

¹**einarbeiten**, anlernen, einweisen, einführen, anleiten; → lehren, → lernen.

²**einarbeiten:** → aufholen, → einfügen.

¹**einäschern**, verbrennen, kremieren; → bestatten, → brennen, → verbrennen; → Feuerbestattung.

²**einäschern** → verbrennen.

**Einäscherung** → Feuerbestattung.

**einatmen:** → atmen, → inhalieren.

**Einatmung** → Verabreichung.

**Einbahnstraße** → Straße.

**einbalsamieren:** → einreiben, → mumifizieren.

**Einband** → Umschlag.

**einbauen** → einfügen.

**Einbaum** → Boot.

**Einbauschrank** → Schrank.

**einbegriffen:** → einschließlich; nicht e. → ausgenommen.

**einbehalten** → zurückhalten.

**einbekennen** → gestehen.

¹**einberufen**, einziehen, ausheben, rekrutieren (*veraltet*), zu den Fahnen / Waffen rufen, mobil machen; → Einberufung, → Musterung, → Soldat.

²**einberufen** → anberaumen.

**Einberufung**, Einziehung, Aushebung, Rekrutierung (*veraltet*); → Musterung; → einberufen.

**einbetten** → einfügen.

**einbeziehen:** → berücksichtigen, → eingliedern, → einkalkulieren, → einschließen; mit in die / in seine Berechnungen e. → mitrechnen.

**einbiegen** → abbiegen.

**einbilden:** sich etwas e. → überschätzen (sich), → vermuten; bilde dir nur keine Schwachheiten ein! → Hoffnung.

¹**Einbildung**, Einbildungskraft, Vorstellung, Vorstellungskraft, Spekulation, Abstraktion, Theorie, Fiktion, Erdichtung, Irrealität, Unwirklichkeit, Phantasie, Auswüchse, / (*abwertend*) Ausgeburt der Phan-

tasie, Schimäre, Chimäre, Halluzination, Imagination, Täuschung, Sinnestäuschung, Bild, Vision, Gesicht, Fata Morgana, Wahn, Trugbild, Gaukelei, Gaukelspiel, Gaukelwerk, Phantom, Utopie, Hirngespinst (*abwertend*), Phantasmagorie, Illusion, Wunschtraum, Seifenblase (*ugs.*), Wolkenkuckucksheim, Luftschloß, leerer Dunst; → Ansicht, → Betrug, → Bewußtseinstrübung, → Fata Morgana, → Gespenst, → Hokuspokus, → Lüge, → Muster, → Säuferwahnsinn, → Träumer; **in der E.**, in der Vorstellung, idealiter; → unwirklich.

**²Einbildung** → Überheblichkeit.

**Einbildungskraft** → Einbildung.

**einbinden:** → schenken, → verbinden.

**einblasen** → vorsagen.

**Einblasung** → Verabreichung.

**einblenden** → einfügen.

**einbleuen** → einprägen.

**Einblick:** → Erfahrung; E. gewinnen [in] → wissen.

**einbohnern** → wachsen.

**einbrechen,** einen Einbruch begehen / ausführen / verüben, einsteigen in; → eindringen, → einmarschieren; → Dieb.

**Einbrecher** → Dieb.

**Einbrenn** → Mehlschwitze.

**Einbrenne** → Mehlschwitze.

**Einbrennsuppe** → Suppe.

**einbringen:** → einträglich [sein], → ernten, → vorschlagen.

**einbrocken:** jmdm. / sich eine schöne Suppe e. → hineinmanövrieren (jmdn. / sich in etwas); die Suppe auslöffeln [müssen], die man sich eingebrockt hat → einstehen [für].

**Einbruch:** einen E. begehen → einbrechen.

**Einbruchdiebstahl** → Diebstahl.

**Einbruchfalz** → Falte.

**Einbruchsdiebstahl** → Diebstahl.

**einbuchten** → festsetzen.

**Einbuchtung** → Rundung.

**Einbund** → Gabe.

**einbunkern** → festsetzen.

**einbürgern:** → naturalisieren; sich e. → üblich [werden].

**Einbuße:** → Mangel; E. erleiden → einbüßen.

**einbüßen,** zusetzen, reinbuttern (*salopp*), zubuttern (*salopp*), zuschustern (*salopp*), verunschicken (*schweiz.*), Haare / Federn lassen müssen (*ugs.*), draufzahlen (*ugs.*), Einbuße / Schaden / Nachteile erleiden, zum Handkuß kommen (*österr.*); → verlieren; → Mangel.

**einchecken:** → durchschleusen, → kontrollieren.

**eincremen** → einreiben.

**eindämmen:** → abschwächen, → einschränken.

**eindämmern** → dunkel [werden].

**eindecken:** → einschneien; sich e. mit → kaufen.

**Eindellung** → Verletzung.

**eindeutig** → klar.

**Eindeutigkeit** → Deutlichkeit.

**eindeutschen,** in die deutsche Sprache / ins Deutsche übernehmen, dem Deutschen angleichen; → Wort.

**¹eindicken,** andicken, dicken, binden, abbinden, legieren; → legiert.

**²eindicken** → konservieren.

**eindimensional:** -e Gesellschaft → Gesellschaft.

**eindösen** → einschlafen.

**eindrecken:** sich e. → besudeln (sich).

**eindreckern:** sich e. → besudeln (sich).

**¹eindringen,** sich Zutritt / Zugang verschaffen, Hausfriedensbruch begehen; → einbrechen, → einmarschieren.

**²eindringen:** → einmarschieren, → einsickern.

**Eindringen** (das): → Okkupation.

**eindringlich** → nachdrücklich.

**Eindringlichkeit** → Nachdrücklichkeit.

**Eindringling** → Störenfried.

**Eindruck:** → Impression, → Wahrnehmung; einen E. geben von → aussagen; E. machen / schinden → auffallen.

**eindrucksvoll:** → außergewöhnlich, → nachhaltig.

**Eindruckswort** → Wortart.

**eindruseln** → einschlafen.

**eindrusseln** → einschlafen.

**eindunkeln** → dunkel [werden].

**einebnen** → nivellieren.

**einen** → vereinigen.

**¹einengen,** beengen, einschnüren, einschränken, beschränken, begrenzen; → beschränken.

**²einengen:** → frustrieren; -d → repressiv.

**Einengung:** → Beengung, → Zwang.

**einenweg** → obgleich.

**Einer:** → Boot, → Kajak.

**Einerkajak** → Kajak.

**¹einerlei:** etwas ist einerlei, etwas ist egal / gleich / (*österr.*) Powidl, das ist Jacke wie Hose (*salopp*), das ist gehupft / gehopst wie gesprungen (*ugs.*); → unwichtig.

**²einerlei:** → gleichviel; jmdm. ist etwas e. → unwichtig [sein].

**¹einfach,** schlicht, kunstlos, schmucklos, unauffällig, unscheinbar, farblos, primitiv, ohne großen Aufwand, ohne viel Brimborium (*ugs.*) · *vom Essen:* frugal; → arglos, → bescheiden · Ggs. → üppig; **e. sein,** eine graue Maus sein (*ugs., abwertend*); → Unauffälligkeit.

**²einfach:** → bescheiden, → kurzerhand, → mühelos, → rundheraus; -e Buchführung → Buchführung; der -e Mann → Durchschnittsbürger; ganz e. → schlechthin.

**Einfachheit:** → Bescheidenheit, → Schlichtheit, → Unauffälligkeit.

**einfädeln:** → bewerkstelligen, → durchziehen; sich e. → fahren.

**einfahren** → ernten.

**Einfahrt:** → Ankunft, → Tür.

**¹Einfall,** Gedanke, Idee, Eingebung, Erleuchtung, Intuition, Inspiration, Geistesblitz (*ugs.*) · *witziger:* Gag, Slapstick · *eigenartiger, verrückter:* Schnapsidee (*salopp*), Kateridee (*salopp*), Schnurrpfeiferei (*veraltet*); **einen [guten] E. haben,** auf eine Idee / auf einen Gedanken kommen, einen Gedanken / eine Idee haben, jmdm. fällt etwas ein, sich etwas einfallen lassen, erfinderisch sein, einen lichten Moment haben (*scherzh.*); **einen verrückten E. bekommen,** einen Rappel bekommen / kriegen (*salopp*); **verrückte Einfälle haben,** Einfälle haben wie ein altes Haus (*ugs.*); → Absicht, → Ausspruch, → Entwurf, → Eskapade, → Pointe; → denken, → entwerfen.

²**Einfall:** → Laune, → Okkupation; närrischer E. → Ausgefallenheit; schöpferischer E. → Erfindung.

**einfallen:** → einmarschieren, → einstürzen; sich etwas e. lassen, jmdm. fällt etwas ein → Einfall; sich etwas nicht im Traum e. lassen → tun; etwas fällt jmdm. ein → erinnern (sich).

**einfallslos** → unoriginell.

**Einfallslosigkeit,** Phantasielosigkeit, Unoriginalität, Gedankenarmut, Eklektizismus; → unoriginell · Ggs. → Einfallsreichtum.

**einfallsreich** → schöpferisch.

**Einfallsreichtum,** Ideenreichtum, Phantasie, Originalität, Ingeniosität, Erfindungsgabe, schöpferischer Geist, Kreativität, Produktivität; → schöpferisch · Ggs. → Einfallslosigkeit.

**Einfallstraße** → Straße.

**Einfalt:** → Arglosigkeit, → Schlichtheit.

**einfältig:** → arglos, → stumpfsinnig, → tölpelhaft.

**Einfältigkeit** → Arglosigkeit.

**Einfaltspinsel** → Narr.

**Einfamilienhaus** → Haus.

**einfangen** → fangen.

**einfärben** → anmalen.

**einfarbig,** einfärbig (österr.), farbig, färbig (österr.), uni, monochrom, nicht → bunt; → beige, → blau, → braun, → gelb, → grau, → grün, → orange, → rosa, → rot, → schwarz, → violett, → weiß · Ggs. → gemustert.

**einfärbig** → einfarbig.

**einfaschen** → verbinden.

¹**einfassen,** einrahmen, umrahmen, umranden, säumen, umsäumen, einsäumen, umgürten, umschließen, einschließen, begrenzen, umgeben; → abstecken, → einzäunen; → Einfassung, → Rand.

²**einfassen** → nähen.

¹**Einfassung,** Rahmung, Einrahmung, Umrahmung, Begrenzung · einer Wiese, eines Ackers: Rain, Bord (schweiz.) · des Billardtisches, der Reitbahn: Bande; → Abgrenzung, → Rand, → Zaun; → einfassen.

²**Einfassung** → Besatz.

**Einfassungsmauer** → Mauer.

**einfetten** → einreiben.

**einfinden:** sich e. → kommen.

**einflößen:** → beeinflussen, → trinken.

¹**Einfluß,** Macht, Geltung, Gewicht, Einwirkung, Wirkung; → Ansehen, → Autorität, → Beeinflussung, → Machtposition, → Wirken; **E. ausüben,** [entscheidend] beeinflussen, etwas zu sagen haben (ugs.), seinen Einfluß geltend machen, sein ganzes Gewicht in die Waagschale werfen, etwas / jmdn. in der Gewalt haben, beherrschen, kontrollieren; **keinen E. haben,** nichts zu melden / zu sagen haben (ugs.); **jmdm. jeden E. nehmen,** jmdn. entmachten, jmdn. unterbuttern (salopp), jmdn. aus seiner Stellung verdrängen, jmdn. aus dem Sattel heben, jmdn. an die Wand spielen (ugs.); → entlassen; **seinen E. verloren haben,** nichts mehr zu sagen haben, [seine Rolle] ausgespielt haben, es ist still um jmdn. geworden, in den Hintergrund treten, nicht mehr beachtet werden; **unter jmds. E. geraten,** in jmds. Fahrwasser geraten (ugs.); **bei etwas von E. gewesen sein,** bei etwas Pate gestanden haben; **auf etwas keinen E. haben,** etwas nicht in der Hand haben, etwas steckt nicht in jmds. Macht, man steckt / sitzt nicht drin (ugs.); → expandieren; → mächtig.

²**Einfluß:** → Ansehen, → Macht; ausschlaggebender / entscheidender / maßgeblicher E. → Autorität; E. gewinnen / haben / nehmen auf → beeinflussen.

**Einflußbereich:** seinen E. vergrößern / erweitern → expandieren.

**Einflußlosigkeit** → Machtlosigkeit.

**einflußreich** → mächtig.

**einförmig** → langweilig.

**einfrieden** → einzäunen.

**einfriedigen** → einzäunen.

**Einfriedung** → Zaun.

**einfrieren** → tiefkühlen.

**einfrosten** → tiefkühlen.

¹**einfügen,** einbetten, einpassen, einarbeiten, einschieben, einbauen, integrieren · in ein Programm: einblenden, einspielen;

→ vervollständigen; → Eingemeindung.

²**einfügen:** sich e. → anpassen.

**einfühlen (sich),** sich hineinversetzen in, sich in jmds. Rolle versetzen, sich hineindenken in, sich einleben in, etwas anempfinden / nachvollziehen/nachempfinden; → empfindlich.

**einfühlend** → rücksichtsvoll.

**Einfühlungsgabe** → Verständnis.

**Einfühlungsvermögen** → Verständnis.

**Einfuhr** → Import.

**einführen:** → einarbeiten; heimlich e. → einschmuggeln.

**einführend:** -e Worte → Einleitung.

**Einfuhrhafen** → Hafen.

**Einführung:** → Einleitung, → Ratgeber.

**Einfuhrzoll** → Abgabe.

**einfüllen** → füllen.

**Eingabe** → Gesuch.

**Eingang:** → Tür; E. finden → Aufnahme [finden].

**eingangs** → Anfang.

**eingeärmelt** → untergehakt.

**eingearmt** → untergehakt.

**eingeben** → beeinflussen.

**eingebildet:** → dünkelhaft, → unwirklich; -e Schwangerschaft → Scheinschwangerschaft.

**Eingebildetheit** → Überheblichkeit.

**Eingebinde** → Gabe.

**eingeboren:** → angeboren, → einheimisch.

**Eingeborener** → Bewohner.

**Eingebrachtes** → Aussteuer.

**eingebürgert** → einheimisch.

**Eingebung** → Einfall.

**eingedickt** → legiert.

**eingeengt** → bedrängt.

**eingefallen** → abgezehrt.

**eingefleischt,** überzeugt, unbekehrbar, unverbesserlich; → übereifrig.

**eingefrieren** → tiefkühlen.

**eingefroren** → gekühlt.

**eingefuchst** → fachmännisch.

**eingeführt,** alteingeführt, anerkannt, gültig, geltend, im / in Umlauf befindlich; → üblich.

**eingegeben** → gefühlsmäßig.

**eingehäkelt** → untergehakt.

**eingehakt** → untergehakt.

**eingehängt** → untergehakt.

¹**eingehen,** absterben, verdorren, dorren, vertrocknen, kaputtgehen (*salopp*), nicht anwachsen, nicht angehen, nicht weitergehen; → sterben, → welken; → Pflanze.

²**eingehen:** → einlaufen, → sterben; etwas will jmdm. nicht e. → verstehen; [Geld] geht ein → zusammenkommen; eine Fusion / eine Koalition e. → verbünden (sich); eine Verbindung e. mit → verschmelzen (mit); Verbindlichkeiten e. → leihen; e. auf → antworten, → überreden; auf jmds. Forderungen / Wünsche e. → entgegenkommen (jmdm.), → nachgeben; auf einen Vorschlag e. → billigen; bei jmdm. ein- und ausgehen → verkehren (mit); e. in → Aufnahme [finden]; in die Geschichte / Unsterblichkeit e. → verewigen (sich); vor Angst e. → Angst [haben]; zum ewigen Frieden / zur ewigen Ruhe e. → sterben.

**eingehend** → ausführlich.

**eingehenkelt** → untergehakt.

**Eingekochtes** → Eingemachtes.

**eingeladen** → gebeten.

**Eingemachtes,** Eingekochtes, Eingewecktes, Konserviertes, Haltbargemachtes; → Büchse, → Einmachglas, → Konserve; → konservieren.

**eingemeindet** → zugehörig.

**Eingemeindung,** Eingliederung, Rückgliederung, Rückführung, Einverleibung, Integration; → Okkupation; → einfügen; → zugehörig.

**eingepackt** → abgepackt.

**eingerostet:** → linkisch, → rostig.

**Eingesandt** → Leserzuschrift.

**eingeschlafen** → blutleer.

**eingeschnappt** → gekränkt.

**eingeschneit** → verschneit.

¹**eingeschränkt,** behindert, gehandikapt, → behindern, → einschränken; → Behinderung, → Hürde.

²**eingeschränkt:** → bescheiden, → vorbehaltlich.

**Eingeschränktheit** → Bescheidenheit.

**eingeschrieben:** -e Sendung → Postsendung.

**eingeschüchtert** → ängstlich.

**eingesessen** → einheimisch.

**Eingesessener** → Bewohner.

**eingespannt:** den ganzen Tag e. sein → arbeiten.

**Eingeständnis** → Bekenntnis.

**eingestehen** → gestehen.

**eingewachsen:** -er Nagel → Nagelkrankheit.

**Eingewecktes** → Eingemachtes.

¹**Eingeweide,** Baucheingeweide, Innereien, Gedärm[e], Därme (*ugs.*), Gekröse, Dünndarmgekröse, Dickdarmgekröse, Magengekröse; → Bauchspeicheldrüse, → Darm, → Innereien.

²**Eingeweide:** eßbare E. → Innereien.

**Eingeweidebruch** → Bruch.

**Eingeweidenervensystem** → Nervensystem.

**Eingeweidesenkung,** Senkung, Deszensus, Ptosis, Enteroptose, Splanchnoptose, Viszeroptose, Darmsenkung · Magensenkung, Gastroptose, Gastroenteroptose · Lebersenkung, Hepatoptose, Senkleber, Wanderleber · Nierensenkung, Nephroptose, Senkniere, Wanderniere · Milzsenkung, Splenoptose, Wandermilz · Dickdarmsenkung, Koloptose · Mastdarmvorfall, Aftervorfall, Rektozele, Proktozele · Gebärmuttersenkung, Gebärmuttervorfall, Hysteroptose, Metroptose; → Bruch.

**Eingeweidevorfall** → Bruch.

**eingeweiht** → aufgeklärt.

**Eingeweihter** → Fachmann, → Komplice.

**eingewickelt** → abgepackt.

**eingewöhnen** → anpassen.

**Eingewöhnung** → Anpassung.

**eingewurzelt** → üblich.

**eingezogen** → zurückgezogen.

**eingezwängt** → bedrängt.

**eingießen** → schütten.

**Eingießung** → Verabreichung.

**Einglas,** Monokel; → Brille, → Kneifer.

**eingleisig** → einseitig.

¹**eingliedern,** einordnen, einbeziehen, angleichen, resozialisieren; → anpassen; **sich nicht e.,** aus der Reihe tanzen (*ugs., abwertend*), eine Extrawurst gebraten haben wollen (*ugs., abwertend*); → Eingliederung.

²**eingliedern** → einstufen.

¹**Eingliederung,** Angleichung, Resozialisierung; → Anpassung, → Institution; → eingliedern.

²**Eingliederung:** → Eingemeindung, → Einordnung, → Einstufung.

**eingraben:** → einschneiden, → vergraben.

**eingravieren,** gravieren in, einmeißeln, meißeln in, einhauen, hauen in, einschleifen, schleifen in, einritzen, ritzen in, ziselieren; → einschneiden.

**eingreifen,** durchgreifen, einschreiten, dazwischentreten, ein Machtwort sprechen, mit der Faust auf den Tisch schlagen / (*ugs.*) hauen, dazwischenfunken (*ugs.*), sich einmischen (*ugs.*) einmengen, sich mischen / (*ugs.*) mengen in, dreinreden, andere Maßnahmen ergreifen, andere Register ziehen, andere Saiten aufziehen, strenger werden / vorgehen, einen anderen Ton anschlagen, aufräumen (*ugs.*), reinen Tisch / Tabula rasa machen, Ordnung schaffen, [gewaltsam] aufräumen / Schluß machen mit etwas, zuschlagen, kurzen Prozeß machen, nicht lange fackeln (*ugs.*), mit eisernem Besen auskehren · *in ein Gespräch:* einhaken (*ugs.*); → abhalten, → anhalten, → bereinigen, → einschreiten, → helfen, → verhindern, → vermitteln, → zanken (sich); → streng; → Maßnahme · Ggs. → zögern.

**eingrenzen:** → einzäunen, → verringern.

**Eingriff:** → Operation; einen E. machen / vornehmen → operieren.

**einhagen** → einzäunen.

**einhaken:** → eingreifen; sich bei jmdm. e. → unterhaken.

**Einhalt:** E. gebieten → verhindern.

**einhalten:** → befolgen, → unterbrechen; nicht e. → übertreten.

**einhämmern** → einprägen.

**einhandeln** (sich etwas), sich etwas zuziehen / (*ugs., landsch.*) anholen / (*ugs.*) aufsacken.

**einhändigen** → abgeben.

**einhängen** → unterhaken.

**einhauen** → eingravieren.

**einheben** → kassieren.

**Einhebung** → Eintreibung.

**Einhebungsbeamter** → Kassierer.

**einhegen** → einzäunen.

einheimisch, ansässig, ortsansässig, heimisch, beheimatet, zu Hause, alteingesessen, eingesessen, eingeboren, wohnhaft, niedergelassen, heimatberechtigt, heimatgenössisch (*schweiz.*), eingebürgert, verbürgert (*schweiz.*), zuständig nach (*österr.*), nicht → fremdländisch; → bekannt, → bodenständig, → heimatlich; → Bewohner; → wohnen.

**Einheimischer:** → Bewohner; kein E. → Fremder.

**einheimsen:** → kassieren, → nehmen.

**einheiraten,** sich ins warme / ins gemachte Nest setzen (*ugs.*), ins gemachte Bett legen (*ugs.*); → heiraten.

**Einheit:** → Abteilung, → Gotteseigenschaften, → Heeresverband, → Struktur; astronomische E. → Längenmaß; Tag der deutschen E. → Feiertag.

**einheitlich:** → organisch, → übereinstimmend.

**Einheitskielyacht:** 25-m²-E. → Segelboot.

**Einheitspartei** → Partei.

**Einheitsschule** → Schule.

**einheizen:** → heizen; jmdm. e. → anstacheln.

**einhellig:** → einmütig, → übereinstimmend.

**einhenkeln:** sich e. → unterhaken.

**einhenken:** sich e. → unterhaken.

**¹einholen** (jmdn.), erreichen, ereilen, einkriegen (*ugs.*); → fangen.

**²einholen:** → aufholen, → kaufen.

**Einholtasche** → Einkaufstasche.

**Einhorn:** → Fabelwesen, → Sternbild.

**einhüftig:** -er Korbbogen → Bogen.

**¹einhüllen** (sich), sich einmummen, sich einmummeln, sich einwickeln / verpacken (*ugs., scherzh.*), sich gut zudecken, sich warm anziehen; → anziehen, → umhüllen.

**²einhüllen:** → einnebeln, → umhüllen.

**eini** → hin.

**einig:** → einträchtig, → handelseinig; sich e. werden → übereinkommen; mit etwas e. werden → bewältigen.

**einige,** etliche, verschiedene, ein paar, mehrere, diverse, eine Anzahl / Reihe; → allerlei, → reichlich, → verschieden, → viele; → Anzahl.

**einigeln:** sich e. → abkapseln (sich).

**¹einigen** (sich), [mit jmdm.] einen Vergleich schließen, sich vergleichen / versöhnen / aussöhnen / [wieder] vertragen, jmdm. die Hand [zur Versöhnung] reichen, einen Schritt zur Versöhnung tun; → bereinigen → übereinkommen.

**²einigen:** sich e. → übereinkommen.

**einigermaßen,** annähernd, etwelchermaßen (*schweiz.*), angenähert, approximativ, ungefähr, bei / gegen / an die [100 Personen], ziemlich, erheblich, halbwegs (*ugs.*), mittel (*ugs.*); → ausreichend, → beinahe, → mäßig, → notdürftig, → sehr.

**einiggehen** → billigen.

**Einigkeit** → Übereinstimmung.

**¹Einigung,** Versöhnung, Vergleich, Schlichtung, Beilegung; → Abmachung, → Übereinstimmung.

**²Einigung:** eine E. erzielen → übereinkommen.

**einimpfen** → einprägen.

**Einjähriges,** mittlere Reife, Primareife; → Prüfung.

**¹einkalkulieren,** [bei seinen Überlegungen] berücksichtigen, [in seine Überlegungen] einbeziehen, einplanen · *den Einfluß eines Ereignisses auf den Börsenkurs:* eskomptieren.

**²einkalkulieren:** → vermuten.

**einkassieren:** → kassieren.

**Einkassierung** → Eintreibung.

**einkasteln** → festsetzen.

**Einkauf:** → Kauf; Einkäufe machen → kaufen.

**einkaufen:** → kaufen; böhmisch e. → wegnehmen.

**Einkaufsbeutel** → Einkaufstasche.

**Einkaufsbummel** → Bummel.

**Einkaufsnetz** → Einkaufstasche.

**Einkaufspreis** → Preis.

**Einkaufstasche,** Einkaufsnetz, Einkaufsbeutel, Einholtasche (*landsch.*), Marktasche, Netz,

Beutel, Plastikbeutel, Tasche; → Tasche.

**Einkaufszentrum** → Geschäftsviertel.

**Einkehr:** → Selbstbesinnung; E. halten → bessern (sich), → Pause [machen].

**einkehren:** → besuchen, → Pause [machen].

**einkerben** → einschneiden.

**einkerkern** → festsetzen.

**einkesseln:** → belagern, → einkreisen.

**Einkesselung** → Belagerung.

**einklagen:** etwas e. → prozessieren.

**Einklang:** in E. bringen → abstimmen (auf etwas).

**Einklassenschule** → Schule.

**einkleiden,** einpuppen (*ugs., berlin.*) · *dienstmäßig:* adjustieren (*österr.*); → anziehen; → Kleid, → Kleidung.

**einklinken** → schließen.

**einklopfen** → einrammen.

**einkochen:** → betrügen, → konservieren.

**einkommen:** e. um → bitten, → einreichen; [Geld] kommt ein → zusammenkommen.

**Einkommen:** → Broterwerb, → Einkünfte.

**einkommensschwach,** finanzschwach, sozial schwächer, schlechter gestellt, ärmer, nicht vermögend; → arm; → verdienen.

**Einkommensteuer** → Abgabe.

**Einkommenssteuer** → Abgabe.

**Einkommensteuererklärung** → Steuererklärung.

**einkoten:** sich e. → defäkieren.

**einkrachen** → einstürzen.

**einkratzen** → einschneiden.

**¹einkreisen,** umzingeln, einschließen, einkesseln, umstellen, umgeben, umringen, zernieren; → abkapseln (sich).

**²einkreisen** → belagern.

**Einkreisung** → Belagerung.

**Einkriege** → Fangspiel.

**einkriegen** → einholen.

**Einkriegezeck** → Fangspiel.

**Einkunft:** Einkünfte haben → verdienen.

**Einkünfte,** Einkommen, Bezüge, Einnahmen, Honorar, Erträge, Rente, Pension, Revenuen, Rendite · *nichtregierender Angehöriger regierender Fürsten:* Apanage, Jahrgeld;

→ Gehalt (das), → Wehrsold.

**Einlad** → Verladung.

¹**einladen** (jmdn.), laden / bitten zu; → beordern.

²**einladen:** → laden; jmdn. e. → spendieren; jmdn. zu etwas e. → zuraten.

**Einladung** → Verladung.

**einlagern** → lagern.

**Einlagerung** → Lagerung.

**einlangen** → kommen.

**Einlaß:** E. gewähren → einlassen.

¹**einlassen** (jmdn.), jmdn. öffnen / (*ugs.*) aufmachen, hereinkommen lassen, Einlaß gewähren.

²**einlassen:** → polieren, → wachsen; sich e. auf → teilnehmen, → überreden; sich mit jmdm. e. → koitieren.

**Einlaßkarte** → Eintrittskarte.

**einläßlich** → minuziös.

**Einlassung:** -en → Darlegung.

**Einlauf,** Klistier, Spülung, Klysma, Darmspülung, Darmeinlauf, Irrigation, Enema; → Spritze.

¹**einlaufen,** eingehen (*ugs.*), [beim Waschen (oder:) bei der Wäsche] zusammenschrumpfen / schrumpfen / kürzer / enger / kleiner werden, zusammenschnurren.

²**einlaufen:** → kommen; jmdm. die Bude e. → frequentieren; das Einlaufen → Ankunft.

**einleben:** sich e. → anpassen (sich); sich e. in → einfühlen (sich).

**Einlegearbeit,** Intarsia, Intarsie, Intarsien, Marketerie.

**einlegen:** → abgeben, → frisieren, → hineinbringen, → konservieren; Berufung e. → Berufung; Berufung / Beschwerde e. → beanstanden; eine Pause e. → unterbrechen; eine Erholungspause / Ruhepause / Zigarettenpause e. → Pause [machen]; Protest e. → aufbegehren; ein gutes Wort e. für → fördern.

**Einlegetisch** → Tisch.

**einleiten:** → anbahnen (etwas), → bewerkstelligen.

**Einleitung,** Einführung, vorangestellte / einführende Worte, Vorbemerkung · *eines Buches o. ä.:* Vorwort, Geleitwort, zum Geleit, Vorrede; → Motto ·

*eines Theaterstückes:* Vorspiel, Vorspruch, Prolog, Exposition · *eines musikalischen Werkes:* Ouvertüre, Präludium, Intrada, Introduktion, Vorspiel · *eines Films:* Vorspann; **keine lange E. machen,** geradewegs auf sein Ziel losgehen, zum Thema kommen, sich nicht lange mit der Vorrede aufhalten, zur Sache kommen, in medias res gehen; → kurzerhand.

**Einleitungswissenschaft** → Theologie.

**einlenken** → nachgeben.

**einleuchtend,** glaubhaft, augenfällig, evident, überzeugend, bestechend, einsichtig, verständlich, verstehbar (*schweiz.*), begreiflich, faßlich, faßbar, plausibel (*ugs.*); → beredt, → erklärlich, → klar, → stichhaltig, → verständlicherweise, → zugkräftig, → zweifellos.

¹**einliefern,** hinbringen, zur Post bringen, aufliefern, aufgeben, abliefern, hinschaffen, verbringen (*schweiz.*); → durchschleusen, → einwerfen, → schicken.

²**einliefern:** → bringen, → einweisen.

**Einlieger** → Mieter.

**Einliegerwohnung** → Wohnung.

**einlochen** → festsetzen.

**einlogieren:** sich e. → einmieten (sich).

**einlullen** → beruhigen.

**Einmach** → Mehlschwitze.

**Einmache** → Mehlschwitze.

**einmachen** → konservieren.

**Einmachglas,** Einsiedeglas (*südd., österr.*), Weckglas, Rexglas (*österr.*); → Büchse, → Eingemachtes, → Konserve; → konservieren.

**Einmachsuppe** → Suppe.

**einmal:** → damals, → später; auf e. → plötzlich; für e. → zunächst; noch e. → wieder; nun e. → eben.

**einmalig:** → beispiellos, unersetzlich.

**Einmaligkeit:** → Ereignis, → Unentbehrlichkeit.

**Einmarsch** → Okkupation.

**einmarschieren,** einrücken, einziehen, eindringen, einfallen; → betreten, → eindringen, → einbrechen.

**einmeißeln** → eingravieren.

**einmengen:** sich e. → eingreifen.

¹**einmieten** (sich), einwohnen, eine Wohnung nehmen, sich einquartieren / einlogieren / einnisten; → beherbergen, → einziehen, → niederlassen (sich), → übernachten, → übersiedeln, → wohnen; → Unterkunft.

²**einmieten:** → übersiedeln; sich e. → mieten.

**einmischen** → eingreifen.

**einmotten** → verschieben.

**einmummeln:** → anziehen; sich e. → einhüllen (sich).

**einmummen:** sich e. → einhüllen (sich).

**Einmündung** → Mündung.

¹**einmütig,** einstimmig, einhellig, einvernehmlich (*österr.*), einverständlich (*österr.*), im Einvernehmen mit, in gegenseitigem Einverständnis; → einträchtig, → übereinstimmend.

²**einmütig** → einträchtig.

**Einmütigkeit** → Übereinstimmung.

**einnachten:** → dunkel [werden].

**Einnahme:** → Eroberung; -n → Einkünfte.

**einnässen:** sich e. → urinieren.

**Einnässen** → Bettnässen.

**einnebeln,** unsichtbar machen, einhüllen, tarnen; → bewölken (sich).

¹**einnehmen** (Medizin), nehmen, schlucken (*ugs.*), futtern (*salopp*); → spritzen; → bukkal, → oral, → rektal; → Medikament.

²**einnehmen:** → erobern, → innehaben, → kassieren, → trinken, → verdienen; [das Essen] e. → essen; stramme Haltung e. → strammstehen; die erste Stelle / den ersten Platz e. → Höchstleistung [erzielen].

**einnehmend** → sympathisch.

**einnicken** → einschlafen.

¹**einnisten** (sich), sich breitmachen, sich nicht vertreiben lassen, nicht → weggehen.

²**einnisten:** sich e. → einmieten (sich), → einschleichen (sich).

**Einöd** → Bauernhof.

**Einöde,** Öde, Einschicht (*südd., österr.*), Ödland, Wüste, Wüstenei; → Einsamkeit, → Kargheit, → Steppe.

**Einödhof** → Bauernhof.

**einölen** → einreiben.

¹**einordnen,** einräumen, hineinlegen, hineinstellen, einrichten,

justieren, einstellen, einreihen, an seinen Platz stellen; → ablegen.

²**einordnen:** → ablegen, → eingliedern, → einstufen, → subsumieren; sich e. → anpassen, → fahren; abecelich / alphabetisch / nach dem Abc (oder:) Abece (oder:) Alphabet e. → alphabetisieren.

¹**Einordnung,** Unterordnung, Subsumtion, Subsumption, Zusammenfassung, Eingliederung, Sozialisation; → Anpassung, → Benehmen; → erziehen, → subsumieren.

²**Einordnung:** → Anpassung, → Einstufung.

**einpacken,** verpacken, einwikkeln, einrollen, einschlagen, in Papier wickeln / hüllen / rollen; → binden, → einschnüren; → Packung, → Verpackung.

**Einpackung** → Wickel.

**Einparteienregierung** → Regierung.

**einpassen** → einfügen.

**einpauken** → lehren.

**einpennen** → einschlafen.

**Einpflanzung** → Implantation.

**einplanen** → einkalkulieren.

**einpökeln:** → konservieren, → pökeln.

**einprägen,** einschärfen (*ugs.*), einhämmern (*ugs.*), einimpfen (*ugs.*), einbleuen (*salopp*), anhalten zu; → lehren, → lernen.

**einprägsam** → anschaulich.

**Einprägsamkeit** → Bildhaftigkeit.

**einpudern** → pudern.

**einpuppen:** → abkapseln (sich), → einkleiden.

¹**einquartieren** (jmdn.), einweisen, Quartier zuweisen, unterbringen; → beherbergen, → einweisen.

²**einquartieren:** sich e. → einmieten (sich).

**Einquartierung** → Unterbringung.

**einrahmen** → einfassen.

**Einrahmung** → Einfassung.

**einrammen,** rammen in, einschlagen, schlagen in, einklopfen, klopfen in, hineinstoßen, stoßen in, hineintreiben, treiben in, pilotieren; → Rammpfahl.

**einrangieren** → einstufen.

**einräumen:** → billigen, → einordnen, → gestehen.

¹**einreden** (jmdm. etwas), weismachen (*abwertend*), jmdm. ein Kind in den Bauch reden (*salopp*); → vortäuschen.

²**einreden** → zuraten.

¹**einreiben,** einfetten, einschmieren, eincremen, cremen, salben, einsalben, ölen, einölen, balsamieren, einbalsamieren; → abschmieren.

²**einreiben:** mit Wachs e. → wachsen.

**Einreibung:** → Massage, → Verabreichung.

¹**einreichen,** einkommen um, ein Gesuch stellen, beantragen; → abgeben.

²**einreichen:** → vorlegen; Beschwerde e. → beanstanden.

**einreihen:** → einordnen, → einstufen; abecelich / alphabetisch / nach dem Abc (oder:) Abece (oder:) Alphabet e. → alphabetisieren.

**Einreihung** → Einstufung.

**einreisen** → einwandern.

**einreißen:** → einschleichen (sich), → niederreißen.

**einrenken** → bereinigen.

**einrennen:** jmdm. die Bude e. → frequentieren; offene Türen e. → ankämpfen (gegen etwas).

**einrexen** → konservieren.

¹**einrichten,** möblieren, ausstatten, mit Möbeln vollstopfen (*ugs., abwertend*); → Mobiliar.

²**einrichten:** → einordnen, gründen, → verwirklichen; sich e. müssen → sparen [müssen]; es so e., daß... → verursachen.

**Einrichtung:** → Bewerkstelligung, → Institution, → Mobiliar.

**Einrichtungsgegenstand** → Möbel.

**Einrichtungsgegenstände** → Mobiliar.

**einritzen:** → eingravieren, → einschneiden.

**einrollen** → einpacken.

**einrosten:** → unbeweglich [werden]; nicht e. → trainieren (sich).

**einrücken:** → einmarschieren, → Soldat [werden].

**einrühren** → beimischen.

**einrüsten** → Baugerüst.

**eins:** zehn gegen e. wetten, daß... → zweifeln.

**einsacken** → wegnehmen.

**einsagen:** → vorsagen, → vorsprechen.

**Einsager** → Souffleur.

**Einsagerin** → Souffleur.

**einsalben** → einreiben.

**Einsalbung** → Verabreichung.

**einsalzen** → pökeln.

¹**einsam,** allein, verlassen, mutterseelenallein, vereinsamt; → abgelegen, → allein, → einzeln, → solo.

²**einsam:** → abgelegen, → zurückgezogen; etwas ist -e Klasse → trefflich [sein].

**Einsamkeit,** Alleinsein, Vereinsamung, Zurückgezogenheit, Abgeschiedenheit, Isolierung, Verlassenheit; → Einöde, → Einsiedelei, → Kloster; → abkapseln (sich).

**einsammeln:** → kassieren, → sammeln.

**Einsatz:** → Anwendung; zum E. bringen → anwenden; zum E. kommen → Anwendung [finden].

**Einsatzanweisung** → Computer.

**einsatzbereit,** einsatzfähig, startbereit, startklar.

**einsatzfähig:** → aktionsfähig, → einsatzbereit.

**einsauen:** → beschmutzen; sich e. → besudeln (sich). ·

**einsaugen:** → aufsaugen; etwas mit der Muttermilch eingesogen haben → firm [sein].

**Einsaugung** → Absorption.

**einsäumen:** → einfassen, → nähen.

**einschalten:** → anstellen; sich e. → vermitteln.

**einschärfen** → einprägen.

**einscharren** → bestatten.

**einschätzen:** → beurteilen; zu gering e. → unterschätzen; höher e. → bevorzugen.

**Einschätzung:** → Beurteilung.

**Einscheibensicherheitsglas** → Glas.

**einschenken:** →schütten; jmdm. reinen Wein e. → mitteilen.

**Einschicht** → Einöde.

**Einschichthof** → Bauernhof.

**einschichtig:** → abgelegen, → einzeln.

**einschieben:** → einfügen, → vervollständigen.

**Einschiebung** → Ergänzung.

**Einschienenbahn** → Eisenbahnzug.

[1]**einschiffen**, verschiffen, an Bord bringen, aufs Schiff verladen · Ggs. → ausschiffen; **sich e.**, an Bord gehen, eine Schiffsreise antreten; → Schiff.
[2]**einschiffen** → laden.

[1]**einschlafen**, in Schlaf sinken, einschlummern, entschlummern, vom Schlaf übermannt werden, einnicken *(fam.)*, eindrus[s]eln *(ugs., nordd.)*, eindösen *(ugs.)*, einpennen *(derb)*; → schlafen · Ggs. → wach [werden].
[2]**einschlafen**: → abnehmen, → absterben; → sterben; fast e. bei etwas → langweilen (sich).

**einschläfern**: → beruhigen, → betäuben, → töten.

**einschläfernd** → langweilig.

**Einschläferung** → Euthanasie.

**Einschlafmittel** → Schlafmittel.

**Einschlag** → Neigung.

**einschlagen**: → einpacken, → einrammen, → zerstören; einen bestimmten Weg e. → verfahren; einen neuen Weg / neue Wege e. → richtungweisend [sein]; auf jmdn. e. → schlagen; wie eine Bombe e. → wirken.

**einschlägig**, betreffend, entsprechend, dazugehörend, dazugehörig; → gemäß.

**Einschlagpapier** → Einwickelpapier.

[1]**einschleichen (sich)**, sich einnisten / festsetzen, einreißen; → überhandnehmen.
[2]**einschleichen** → steigern.

**einschleifen** → eingravieren.

**einschleusen**: → einschmuggeln, → infiltrieren.

[1]**einschließen**: etwas schließt etwas ein / enthält etwas / begreift etwas in sich / hat etwas zum Inhalt / beinhaltet etwas / involviert etwas / impliziert etwas / bezieht etwas ein; → anhaften, → berücksichtigen; → einschließlich.
[2]**einschließen**: → belagern, → einfassen, → einkreisen.

**einschließlich**, inklusive, einbegriffen, inbegriffen, plus, zuzüglich, bis auf, mit *(bayr.)*, bis und mit *(schweiz.)*; → alle; → einschließen · Ggs. → ausgenommen, → ausschließlich.

**Einschließung**: → Belagerung, → Freiheitsentzug.

**einschlummern** → einschlafen.

**Einschlußthermometer** → Thermometer.

**einschmeicheln**: sich e. → nähern (sich jmdm.).

**einschmieren** → einreiben.

**einschmuggeln**, einschleusen, heimlich einführen / über die Grenze bringen.

**einschneiden** (seinen Namen o. ä.), eingraben, einritzen, einkerben, einkratzen, sich verewigen *(ugs.)*; → eingravieren.

**einschneidend**, fühlbar, merklich, empfindlich, spürbar, nachhaltig, durchgreifend, scharf, streng; → gravierend, → offenbar, → streng.

**einschneien**, verschneien, zuschneien, zudecken, eindecken; → schneien.

[1]**Einschnitt**, Schnitt, Zäsur, Bruch, Unterbrechung, Aufenthalt; → Unterbrechung; → unterbrechen.
[2]**Einschnitt**: [operativer E.] → Operation.

**einschnüren** → einengen.

[1]**einschränken**, eindämmen, bremsen *(ugs.)*, zurückpfeifen *(ugs.)*, zurückrufen, zurückholen, zurückkommandieren, wehren, hemmen, jmdm. Steine in den Weg legen, jmdm. Knüppel / einen Knüppel zwischen die Beine werfen, jmdm. die Flügel stutzen / beschneiden, jmdm. Paroli bieten; dafür sorgen, daß die Bäume nicht in den Himmel wachsen; → behindern, → beschränken, → verhindern, → verringern · *in finanzieller Hinsicht:* jmdn. knapphalten, jmdm. den Brotkorb höher hängen; **nicht e.**, freien Lauf lassen, keine Zügel anlegen, jmdm. keinen Stein in den Weg legen; → beschränkend, → eingeschränkt.
[2]**einschränken**: → begrenzen, → beschränken, → einengen, → verringern; sich e. → sparen; nicht eingeschränkt sein → selbständig [sein].

**einschränkend** → beschränkend.

[1]**Einschränkung**, Beschränkung, Restriktion, Rezession, Einsparung, Dezimierung, Streichung, Verringerung, Verminderung, Reduzierung · *des Geldumlaufs:* Deflation; → Blockierung, → Geldentwertung, → Sperre, → Verminderung; → beschränkend.
[2]**Einschränkung**: → Klausel, → Verminderung, → Vorbehalt; mit -en → vorbehaltlich; ohne E. → vorbehaltlos.

**Einschreibebrief** → Postsendung.

**einschreiben**: sich e. → anmelden (sich); sich e., sich in die Matrikel e. lassen → immatrikulieren (sich).

**Einschreiben** → Postsendung.

**Einschreibung** → Anmeldung.

[1]**einschreiten**, vorgehen gegen · *unter Anwendung von Gewalt:* Gewalt anwenden, mit Gewalt gegen jmdn. vorgehen, zu Paaren treiben *(ugs.)*, in die Flucht schlagen; → ankämpfen, → nötigen, → vertreiben.
[2]**einschreiten** → eingreifen.

**Einschrieb** → Postsendung.

**einschrumpeln** → schrumpfen.

**einschrumpfen** → schrumpfen.

**Einschub** → Ergänzung.

**einschüchtern**, verschüchtern, unter Druck setzen, jmdn. ins Bockshorn jagen, verwirren, dasig machen *(südd., österr.)*; → Angst [machen], → entmutigen, → verwirren; **sich nicht e. lassen**, du kannst mich nicht einschüchtern, bange machen gilt nicht *(ugs.)*.

**einschütten** → schütten.

**einschwenken** → abbiegen.

**einsegnen** → weihen.

**Einsegnung**: → Begräbnis, → Konfirmation.

**einsehen**: → erkennen, → kontrollieren, → prüfen, → verstehen; nicht e. → verstehen.

**Einsehen**: → Duldung; ein E. haben → tolerant [sein].

**einseifen**: → betrügen, → schmeicheln.

[1]**einseitig**, eingleisig, einsträngig, einspurig; → parteiisch.
[2]**einseitig**: → gefärbt, → parteiisch.

**Einseitigkeit** → Vorurteil.

**einsenken**, senken in, eintauchen, versenken; → tauchen.

**einsetzen**: → anwenden, → ausfüllen, → einstellen, → hineinbringen; etwas setzt ein → anfangen; sein Leben e. → wagen;

sich e. für → annehmen (sich einer Sache), → eintreten (für).
**Einsicht:** → Erfahrung, → Selbsteinschätzung; zur E. bringen → aufrütteln; zur E. kommen → Vernunft [annehmen].
**einsichtig:** → einleuchtend, → tolerant.
**einsickern,** eindringen, durchsickern, durchkommen (ugs.).
**Einsiedeglas** → Einmachglas.
**Einsiedelei,** Klause, Eremitei, Eremitage; → Einsamkeit, → Kloster.
**einsieden** → konservieren.
**¹Einsiedler,** Eremit, Klausner, Anachoret; → Asket.
**²Einsiedler** → Einzelgänger.
**einsiedlerisch** → zurückgezogen.
**Einsiedlerkrebs:** → Einzelgänger, → Krebs.
**Einsiedlerorden** → Mönchsorden.
**einsilbig** → wortkarg.
**Einsilbigkeit** → Wortkargheit.
**einsitzen** → abbüßen.
**Einspänner:** → Einzelgänger, → Junggeselle, → Kutsche, → Würstchen.
**einsparen:** → erübrigen, → sparen.
**¹Einsparung,** Ersparung, Ersparnis; → sparen; → sparsam.
**²Einsparung** → Einschränkung.
**einsperren:** → ausschließen, → festsetzen.
**¹einspielen (sich):** etwas spielt sich ein / kommt in Gang; → anfangen; → reibungslos.
**²einspielen:** → einfügen, → einträglich [sein].
**einspinnen** → abkapseln.
**Einsprache** → Einspruch.
**einsprengen** → sprengen.
**einspringen:** → helfen, → vertreten.
**einspritzen:** → sprengen, → spritzen.
**¹Einspritzung,** Injektion, Injizierung, Spritze (ugs.) · von Drogen: Schuß (salopp), Mainlining, Hypo (salopp), Junk (salopp), Fix (salopp); → Einlauf, → Rauschgift, → Rauschgiftsüchtiger, → Spritze; → spritzen.
**²Einspritzung** → Verabreichung.
**¹Einspruch,** Beschwerde, Klage, Reklamation, Mängelrüge, Beanstandung, Einwand, Ein-

wendung, Einsprache, Protest, Gegenstimme, Veto · im Rechtswesen: Rekurs, Berufung · diplomatischer: Demarche; → Ärger, → Herausforderung, → Hinderungsgrund, → Verbot, → Verhinderung, → Veto · Ggs. → Erlaubnis.
**²Einspruch:** E. erheben → beanstanden.
**Einspruchsrecht** → Veto.
**einspurig** → einseitig.
**einst:** → damals, → später.
**einstampfen** → zerstören.
**Einstand** → Trinkgelage.
**einstauben** → pudern.
**einstäuben** → pudern.
**einstecken:** → einwerfen, → kassieren, → wegnehmen; etwas e. müssen → ertragen; eine Niederlage e. müssen → besiegen.
**Einsteckschloß** → Schloß.
**Einstecktuch** → Taschentuch.
**einstehen (für),** verantworten, die Verantwortung tragen / übernehmen, auf seine Kappe nehmen (ugs.), stehen zu, büßen / zahlen / bezahlen / aufkommen / geradestehen / bluten für, sich opfern / ein Opfer bringen / sein Blut vergießen für, seine Haut zu Markte tragen, den Kopf / den Buckel hinhalten [müssen] (ugs.), die Folgen tragen [müssen]; die Suppe auslöffeln [die man sich eingebrockt hat]; sich die Haxen abhauen lassen (salopp, österr.), sich die Hand abschlagen / abhacken lassen (ugs.), ausbaden (ugs.), für jmdn. die Kastanien aus dem Feuer holen, herhalten müssen (salopp), ersetzen, erstatten, abgelten, bürgen / haften / garantieren / sich verbürgen / gutsagen / die Hand ins Feuer legen für, Bürgschaft leisten / stellen, die Bürgschaft / Garantie übernehmen, Garantie leisten, entschädigen, Schadenersatz leisten, sühnen, gutmachen, wiedergutmachen, eine Scharte [wieder] auswetzen (ugs.); → belohnen, → bereuen, → bessern (sich), → eintreten (für), → reparieren; **jmdn. e. lassen für,** etwas auf jmds. Verantwortung tun; → Prügelknabe, → Sicherheit.

**einsteigen:** → anfangen, → besteigen, → einbrechen; [in ein Geschäft] e. → Geschäft; [groß] ins Geschäft e. → Profit [machen].
**¹einstellen (jmdn.),** anstellen, in Lohn und Brot nehmen, beschäftigen, aufnehmen (österr.), anwerben, dingen, bestallen, einsetzen, chartern, [mit einer Arbeit] betrauen · einen Ungeeigneten: den Bock zum Gärtner machen (ugs.) · in bezug auf Seeleute: heuern, anheuern · in bezug auf Künstler: engagieren, verpflichten · in ein hohes Amt: berufen · in ein festes Beamtenverhältnis: pragmatisieren (österr.); **eingestellt sein,** in Lohn und Brot stehen; **eingestellt werden,** eine Anstellung / Stellung / Stelle finden; → ernennen; → Nominierung.
**²einstellen:** → aberkennen, → abgewöhnen (sich etwas), → abschaffen, → anstellen, → beenden, → einordnen, → entlassen; sich e. → kommen; sich auf etwas e. → wappnen (sich); aufeinander e. → abstimmen (auf etwas); [ein Fahrzeug] → garagieren; die Feindseligkeiten e. → Frieden [schließen].
**Einstellung:** → Aufhebung, → Denkweise, → Entwöhnung; E. der Feindseligkeiten → Waffenstillstand; eine bestimmte E. haben zu → beurteilen.
**einstens** → damals.
**Einstieg:** → Anlaß, → Tür; keinen E. in etwas finden → unzugänglich.
**einstimmig** → einmütig.
**Einstimmigkeit** → Übereinstimmung.
**einstippen** → tauchen.
**einstmals** → damals.
**einstoßen** → ablegen.
**einsträngig** → einseitig.
**einstreichen** → kassieren.
**einstudieren,** studieren, einüben, proben, probieren; → lernen.
**einstufen,** einordnen, rubrizieren, eingliedern, einreihen, einrangieren; → einteilen, → gliedern; → Einstufung.
**Einstufung,** Einordnung, Rubrizierung, Eingliederung, Ein-

reihung; → Gliederung; → einstufen.

**einstuppen** → pudern.

**einstürzen,** einfallen, zusammenstürzen, zusammenfallen, einkrachen (*salopp*), zusammenkrachen (*salopp*); → zusammensinken.

**einstweilen** → inzwischen.

**einsuren** → pökeln.

**einswerden** → koitieren.

**Eintagsfieber,** Entzündungsfieber, ephemeres Fieber, Ephemera, Febricula, Synocha (*veraltet*), Tagesfieber (*veraltet*); → Fieber, → Krankheit.

**Eintagsfliege:** → Insekt; etwas ist eine E. → kurzlebig [sein].

**Eintänzer,** Gigolo; → Tanz, → Tanzvergnügen; → tanzen.

**eintauchen:** → einsenken, → tauchen.

**eintauschen:** → einwechseln, → tauschen.

**¹einteilen,** zuteilen, rationieren, zumessen, zuhalten (*schweiz.*), abmessen, dosieren, disponieren, verplanen, planen, zuweisen, zusprechen; → abwiegen, → ausrechnen, → einstufen, → gliedern, → messen.

**²einteilen:** → gliedern, → haushalten, → teilen, → unterteilen.

**eintönig** → langweilig.

**Eintönigkeit,** Öde, Trostlosigkeit, Tristheit, Fadheit, Gleichförmigkeit, Lang[e]weile; → langweilig.

**Eintopf,** Eintopfgericht · Labskaus, Irish-Stew, Pichelsteiner Fleisch, Risi-Pisi, Rumfordsuppe, Olla podrida; → Mischung, → Suppe.

**Eintopfgericht** → Eintopf.

**Eintracht** → Übereinstimmung.

**einträchtig,** brüderlich, einig, einmütig, harmonisch, friedlich · *nach einem Streitfall o.ä.:* schiedlich-friedlich; → einmütig, → friedfertig, → übereinstimmend; → Übereinstimmung.

**eintragen:** → aufschreiben, → ausfüllen; → einträglich [sein], → ergeben; sich e. → anmelden (sich); sich in die Matrikel e. lassen → immatrikulieren (sich); sich in das Buch der Geschichte e. → verewigen (sich).

**einträglich,** gewinnbringend, rentabel, lukrativ; → zugkräftig; **e. sein,** sich bezahlt machen / lohnen / rentieren / auszahlen, etwas einbringen / erbringen / eintragen / abwerfen, dafürstehen (*österr.*), reiche Frucht / Früchte tragen, etwas kommt heraus / (*landsch.*) schaut heraus / springt heraus (*ugs.*), etwas fällt dabei ab (*salopp*), das bringt es (*salopp*) · *von Theaterstücken und Filmen:* [Unkosten] einspielen; → lohnend; → ergeben, → profitieren.

**Eintragung** → Anmeldung.

**eintränken:** es jmdm. [gehörig] e. → bestrafen.

**Einträufelung** → Verabreichung.

**¹eintreffen:** etwas trifft ein / wird wahr / geht in Erfüllung, etwas verwirklicht / realisiert / erfüllt sich; **nicht e.,** ausbleiben, flachfallen (*salopp*), etwas gibt es nicht, sich in Luft auflösen; → geschehen, → verwirklichen, → wegfallen.

**²eintreffen:** → kommen; etwas ist noch nicht eingetroffen → ausstehen; das Eintreffen → Ankunft.

**eintreiben** → kassieren.

**Eintreiber** → Kassierer.

**Eintreibung,** Einkassierung, Inkasso, Einziehung, Einhebung (*oberd.*) · *zwangsweise, gerichtlich:* Beitreibung, Betreibung (*schweiz.*), Pfändung; → Kassierer, → Vorauszahlung, → Zahlung; → kassieren.

**¹eintreten** (für), sich einsetzen / stark machen für, sich bekennen zu, sich engagieren / Stellung / einen geistigen Standort beziehen, plädieren für, Partei ergreifen / nehmen für, kämpfen für / um, einen Kampf führen, sich zerreißen für (*salopp*), sich zerspragen (*ugs., österr.*), ringen um, etwas verteidigen / vertreten, jmdn. in Schutz nehmen, eine Lanze brechen für, für jmdn. in die Schranken treten, jmdm. beispringen, sich vor jmdn. stellen, jmdm. den Rücken stärken, jmdm. die Stange halten; → annehmen (sich einer Sache), → einstehen (für), → erwirken, → fördern,

→ helfen, → identifizieren (sich mit etwas / jmdm.); → streitbar; → Engagement, → Tauziehen.

**²eintreten:** → beitreten, → betreten, → geschehen, → zerstören; das Eintreten → Beitritt; etwas ist noch nicht getreten → ausstehen; Besserung tritt ein → gesund [werden]; Stille tritt ein → still [werden]; ein Stillstand ist eingetreten → vorangehen; für jmdn. e. → vertreten; in ein Geschäft e. → Geschäft; in die / in eine Versicherung e. → versichern (sich); ins Kloster e. → Mönch [werden], → Nonne [werden].

**eintrichtern** → lehren.

**Eintritt:** → Anfang, → Beitritt; kostenloser E. → Gebührenfreiheit.

**Eintrittskarte,** Karte, Einlaßkarte, Billett · *gratis ausgegebene:* Freikarte.

**eintrocknen** → trocknen.

**eintrüben:** sich e. → bewölken (sich).

**eintrudeln** → kommen.

**eintunken** → tauchen.

**einüben** → einstudieren.

**einunddreißig:** 31. Dezember → Silvester.

**einundfünfzig:** Paragraph 51 haben → geistesgestört [sein].

**Einundfünfziger:** den E. haben → geistesgestört [sein].

**einverleiben:** → annektieren; sich etwas e. → essen.

**Einverleibung** → Eingemeindung.

**Einvernahme** → Verhör.

**einvernehmen** → vernehmen.

**Einvernehmen:** im E. mit → einmütig, → Erlaubnis.

**einvernehmlich** → einmütig.

**einverstanden:** → okay; e. sein → billigen.

**einverständlich** → einmütig.

**Einverständnis:** → Erlaubnis; in gegenseitigem E. → einmütig.

**einwachsen** → wachsen.

**Einwand:** → Einspruch, → Hinderungsgrund; hier muß E. erhoben werden, daß ... → ungewiß [sein]; Einwände erheben / machen → antworten; ich habe keine Einwände → ja.

Einwanderer, Immigrant, Siedler, Kolonist, Ansiedler; → Bewohner; → einwandern · Ggs. → Auswanderer; → auswandern.

einwandern, immigrieren, zuziehen, einreisen; → Einwanderer · Ggs. → auswandern; → Auswanderer.

einwandfrei: → abgestimmt, → eßbar, → richtig, → vollkommen.

Einwärts → Jahreszeit.

Einwärtsdreher → Muskel.

Einwärtsschielen → Schielen.

einwechseln, eintauschen, wechseln.

einwecken → konservieren.

Einwegflasche → Flasche.

¹einweihen, seiner Bestimmung übergeben, aus der Taufe heben, eröffnen, in Betrieb nehmen; → Einweihung.

²einweihen: eingeweiht sein → wissen.

Einweihung, Inbetriebnahme, Indienststellung; → einweihen.

¹einweisen, einliefern, hospitalisieren (schweiz.), bringen, versorgen (schweiz.); → einquartieren.

²einweisen: → einarbeiten, → einquartieren.

einwenden → antworten; ich habe nichts dagegen einzuwenden → ja.

Einwendung → Einspruch.

¹einwerfen (Post), einstecken, zur Post bringen, zum Briefkasten tragen, in den Briefkasten werfen; → einliefern, → schicken.

²einwerfen → antworten.

einwickeln: → betrügen, → einpacken; sich e. → einhüllen (sich); jmdn. e. → becircen.

Einwickelpapier, Packpapier, Einschlagpapier, Umschlagpapier, Geschenkpapier, Weihnachtspapier, Seidenpapier, Wachspapier, Butterbrotpapier · minderwertiges: Schrenzpapier; → Folie, → Papier.

einwiegen → abwiegen.

einwilligen → billigen

Einwilligung → Erlaubnis.

einwirken: → beeinflussen, → wirken; e. lassen → wirken [lassen].

Einwirkung: → Einfluß; zur E. kommen lassen → wirken.

einwohnen → einmieten (sich).

Einwohner: → Bewohner, → Hausbewohner.

Einwohnermeldeamt, Meldestelle, Einwohnermeldestelle, Meldeamt; → Adreßbuch, → Anmeldebestätigung.

Einwohnermeldestelle → Einwohnermeldeamt.

Einwohnerverzeichnis → Adreßbuch.

Einzahl, Singular · Ggs. → Mehrzahl.

Einzahlung: → Anzahlung, → Zahlung.

Einzahlungsschein → Zahlkarte.

einzäunen, umzäunen, abzäunen, mit einem Zaun versehen, einfriedigen, einfrieden, umfrieden, umfriedigen, begrenzen, eingrenzen, umgrenzen, umhecken, einhegen, einhagen (schweiz.); → abstecken, → einfassen; → Zaun.

Einzäunung → Zaun.

einzeichnen: → markieren, → zeichnen.

Einzel → Spiel.

Einzelausgabe → Edition.

Einzelband → Buch.

Einzelfall: → Ausnahmefall; in jedem E. → eigens.

¹Einzelgänger, Einsiedler (scherzh.), Einspänner (ugs.), Einsiedlerkrebs (ugs.); → Außenseiter.

²Einzelgänger → Außenseiter.

einzelgängerisch → individuell.

¹Einzelgängertum, Eigenbrötelei, Außenseitertum; → Abkapselung.

²Einzelgängertum → Individualismus.

¹Einzelhandel, Kleinhandel, Detailhandel (veraltend), ambulantes Gewerbe; → Einzelhändler, → Handel, → Händler, → Transithandel · Ggs. → Großhandel.

²Einzelhandel: im E. → en détail.

Einzelhandelsgeschäft → Laden.

Einzelhandelspreis → Preis.

Einzelhandelsunternehmer → Einzelhändler.

Einzelhändler, Kleinhändler, Wiederverkäufer, Detaillist (veraltend), Einzelhandelsunternehmer; → Einzelhandel, → Geschäftsmann, → Händler, →

Kaufmann, → Laden, → Trödler · Ggs. → Großhändler.

Einzelheit → Detail.

Einzelkind → Kind.

Einzeller, Protozoon, Infusorium, Infusionstierchen, Urtierchen, Wechseltierchen, Amöbe, Aufgußtierchen, Wimpertierchen, Geißeltierchen, Flagellat, Sonnentierchen, Strahlentierchen, Pantoffeltierchen, Glockentierchen, Trompetentierchen, Augentierchen.

¹einzeln, gesondert, abgesondert, vereinzelt, einzelweis (ugs., österr.), getrennt, abgetrennt, apart, isoliert, separat, extra, für sich · als Teil eines Paares: einschichtig (südd., österr.); → allein, → einsam, → solo; → Detail.

²einzeln: der -e → Mensch; im -en → namentlich.

Einzelspiel → Spiel.

einzelweis → einzeln.

¹einziehen, beziehen, seine Zelte aufschlagen (ugs.); → einmieten (sich), → wohnen; → Wohnung.

²einziehen: → beschlagnahmen, → betreten, → durchziehen, → einberufen → einmarschieren, → kassieren; Erkundigungen e. → fragen; den Schwanz e. → nachgeben.

Einzieher → Kassierer.

Einziehung: → Beschlagnahme, → Einberufung, → Eintreibung, → Enteignung.

einzig: → beispiellos, → göttlich, → unersetzlich.

einzigartig: → außergewöhnlich, → beispiellos.

Einzimmerwohnung → Wohnung.

Einzug: E. halten → betreten.

Einzüger → Kassierer.

Einzugsgebiet → Vorort.

eirund → oval.

¹Eis, Speiseeis, Eiskrem, Gefror[e]nes (südd., österr.), Glace (schweiz.) · Halbgefrorenes · Fruchteis, Milcheis, Soft-Eis, Eistorte, Eisbombe, Bombe, Eisbecher, Panasche, Cassata, Fürst-Pückler-Eis; → Café, → Dessert, → Gefrierpunkt.

²Eis.: ewiges / arktisches / antarktisches E. → Polareis; auf E. legen → verschieben.

Eisbahn, Schlitterbahn, Schlidderbahn (landsch.), Schlidder

Eisbär

(landsch.), Klenner (landsch.), Glenne (landsch.); → Rutschbahn; → gleiten, → schlittern.
**Eisbär** → Bär.
**Eisbecher** → Eis.
**¹Eisbein** (bes. nordd.), Schweinsfüße (westd., südwestd.), Schweinebein[chen] (westd.), Schweinshaxe (südd.), Schweinsknochen (bes. sächs.), Schweinsstelze (österr.), Stelze (österr.), Wädli (schweiz.); → kippchen.
**²Eisbein** → Fleischgericht.
**Eisbeine:** E. haben → frieren.
**Eisberg** → Eisscholle.
**Eisbombe** → Eis.
**Eisboßeln** → Eisschießen.
**Eisdecke** → Polareis.
**Eisdiele** → Café.
**Eisen:** mehrere E. im Feuer haben → verlassen (sich auf etwas); zum alten E. werfen → entlassen, → wegwerfen.
**Eisenbahn:** → Eisenbahnzug, → Verkehrsmittel; es ist höchste E. → spät.
**Eisenbahnabteil,** Abteil, Coupé · für Raucher: Raucherabteil, Raucher · für Nichtraucher: Nichtraucherabteil, Nichtraucher · der ersten Wagenklasse: Erster-Klasse-Abteil · der zweiten Wagenklasse: Zweiter-Klasse-Abteil · mit Liege- oder Schlafmöglichkeit: Liegewagenabteil, Schlafwagenabteil · für den Aufenthalt des Zugpersonals: Dienstabteil; → Eisenbahnwagen.
**Eisenbahnbrücke** → Brücke.
**Eisenbahner** → Bahnbeamter.
**Eisenbahnfahrt** → Fahrt.
**Eisenbahngleis** → Gleis.
**Eisenbahnlinie** → Bahnlinie.
**Eisenbahnschaffner** → Schaffner.
**Eisenbahnschiene** → Gleis.
**Eisenbahnschranke** → Hindernis.
**Eisenbahnstrecke** → Bahnlinie.
**Eisenbahnwagen,** Waggon · Personenzugwagen, D-Zug-Wagen, Erster-Klasse-Wagen, Zweiter-Klasse-Wagen, Aussichtswagen · mit Restaurantbetrieb: Speisewagen, Buffetwagen, Restaurationswagen · mit Liege- oder Schlafmöglichkeit: Liegewagen, Schlafwagen · luxuriös ausgestatteter: Salon-

wagen · der, um seinen Zielort zu erreichen, an andere Züge angehängt wird: Kurswagen · für die Beförderung von Gepäck: Gepäckwagen · für die Beförderung von Gütern: Güterwagen · für die Beförderung von flüssigen Gütern: Kesselwagen · mit Kühleinrichtungen für leichtverderbliche Güter: Kühlwagen; → Eisenbahnabteil, → Eisenbahnzug, → Gleis, → Gleisanlage.
**Eisenbahnzug,** Eisenbahn, Zug, Schienenzepp (scherzh.) · Personenzug, Bimmelbahn (ugs.), Bummelzug (ugs.) · Eilzug, Schnellzug, D-Zug, Fernschnellzug, F-Zug · Trans-Europ-Express, TEE, Expreßzug, durchgehender Zug · Nahverkehrszug, Vorortzug, Städteschnellverkehrszug, Intercityzug, IC, Lokalzug, Arbeiterzug · Sonderzug, Extrazug · Frühzug, Nachtzug, Abendzug · Autoreisezug · Güterzug, Eilgüterzug, Postzug · Entlastungszug, Vorzug · Triebwagen, Eiltriebwagen, Schienenbus · Einschienenbahn, Alwegbahn; → Eisenbahnwagen, → Gleis, → Gleisanlage, → Lokomotive, → Prellbock, → Verkehrsmittel; → entgleisen.
**Eisendrahtstift** → Nagel.
**Eisenkitt** → Bindemittel.
**Eisenlunge** → Staublungenerkrankung.
**Eisenmangelanämie** → Blutarmut.
**Eisennagel** → Nagel.
**Eisenradierung** → Kunstdruck.
**Eisenstaublunge** → Staublungenerkrankung.
**Eisente** → Vogel.
**eisern:** → unzugänglich; mit -em Besen auskehren → eingreifen; -e Hochzeit → Hochzeitstag; -e Ration → Proviant; -er Schaffner → Stempeluhr; Eiserner Vorhang → Grenze; Länder hinter dem Eisernen Vorhang → Osten.
**Eiseskälte** → Kälte.
**Eisfeld** → Eisscholle.
**Eisflarr** → Eisscholle.
**Eisheilige,** Mamertus, Pankratius, Servatius, Eismänner (südd., österr.), Kalte Sophie; → Wetter.
**Eishockey** → Hockey.

**Eishockeyschläger** → Sportgerät.
**Eishockeyschlittschuh** → Schlittschuh.
**eisig** → kalt.
**eiskalt** → kalt.
**Eiskappe** → Polareis.
**Eiskasten** → Kühlschrank.
**Eisklima:** -te → Klimazone.
**Eiskristall** → Hagelkorn.
**Eiskunstlauf** → Eislauf.
**Eiskunstläufer** → Schlittschuhläufer.
**Eislauf,** Eiskunstlauf, Kunstlauf, das Figurenlaufen, Eistanz ·· in bezug auf Figuren und Sprünge · bei der Pflicht auszuführende: Bogenachter, Schlangenbogen, Dreier, Doppeldreier, Schlinge, Gegendreier, Wende, Gegenwende · bei der Kür auszuführende: Axel, Butterfly, Flip, Lasso, Salchow, Waage, Mond · bei der Pflichtkür auszuführende: Doppellasso, Doppelsalchow, Waagepirouette, Todesspirale, Sitzpirouette; → Schlittschuhläufer.
**Eisläufer** → Schlittschuhläufer.
**Eislawine** → Lawine.
**Eismänner** → Eisheilige.
**Eismeer:** Nördliches / Südliches E. → Weltmeer.
**Eismond** → Januar.
**Eismöwe** → Vogel.
**Eissprung** → Ovulation.
**Eissalon** → Café.
**Eisschießen,** Eisstockschießen, Eisboßeln (niederd.), Curling · dessen Mannschaft: Moarschaft (südd.); → Sport.
**Eisschnelläufer** → Schlittschuhläufer.
**Eisscholle,** Treibeis, Packeis · Eisflarr, Flarr, Eisfeld · Eisberg; → Gletscher, → Polareis, → Schneewehe.
**Eisschrank** → Kühlschrank.
**Eisstockschießen** → Eisschießen.
**Eissturmvogel** → Vogel.
**Eistanz** → Eislauf.
**Eistänzer** → Schlittschuhläufer.
**Eistaucher** → Vogel.
**Eistorte** → Eis.
**Eisvogel** → Vogel.
**Eiswein** → Wein.
**¹eitel,** kokett, geckenhaft, stutzerhaft, putzsüchtig (abwertend), gefallsüchtig (abwertend),

affig (*ugs.*, *abwertend*); → dünkelhaft, → hübsch; → Gefallsucht; →überschätzen (sich).

²**eitel**: eitler Affe → Geck.

**Eitelkeit** → Gefallsucht.

**Eiterbläschen** → Hautblüte.

**Eiterflechte** → Impetigo.

**Eitergrind** → Impetigo.

**Eiterpustel**: -n → Impetigo.

**Eiweiß, Eiklar** (*österr.*), **Eierklar** (*österr.*, *selten*), Klar (*österr.*), Weißei (*ugs.*, *landsch.*); → Dotter.

**Eizelle**: → Keimzelle, → Körperzelle.

**Ejakulat** → Sperma.

**Ejakulation** → Samenerguß.

**Ekarté** → Kartenspiel.

**Ekchymose** → Bluterguß.

**ekel** → ekelhaft.

**Ekel**: → Abneigung, → Überdruß; E. erregen → anwidern.

**ekelerregend** → ekelhaft.

**ekelhaft**, widerlich, eklig, ekelerregend, widerwärtig, ekel, abstoßend, räudig, aussätzig, grauslich (*österr.*), unappetitlich, ungustiös (*österr.*); → abscheulich, → böse; → Abscheulichkeit.

**Ekg** → Elektrogramm.

**EKG** → Elektrogramm.

**Eklat** → Aufsehen.

**eklatant** → offenbar.

**eklektisch** → unoriginell.

**Eklektizismus** → Einfallslosigkeit.

**eklig**: → ekelhaft, → sehr.

**Ekossaise** → Tanz.

**Ekstase**: → Lust, → Rausch.

**Ekthym** → Impetigo.

**Ektomie** → Operation.

**ektopisch**: -e Schwangerschaft → Schwangerschaft.

**Ektoplasma** → Protoplasma.

**Ektrodaktylie** → Gliedmaßenmißbildung.

**Ektromelie** → Gliedmaßenmißbildung.

¹**Ekzem**, Juckflechte; → Hautblüte.

²**Ekzem** → Hautausschlag.

**Elaborat**: → Aufsatz, → Werk.

**Elan** → Temperament.

**Eläolith** → Schmuckstein.

**elastisch** → biegsam.

**Elastizität**: → Biegsamkeit, → Tatkraft.

**Elativ**: → Kasus, → Superlativ.

**Elbe**: Hamburg an der E. → Hamburg.

**Elben** → Fisch.

**Elbflorenz** → Dresden.

**Elchwild** → Wild.

**Eldorado**: → Fabelland, → Tummelplatz.

**Electronic-Video-Recording** → Kassettenfernsehen.

**Elefant**: sich benehmen wie ein E. im Porzellanladen → tölpelhaft [sein].

**Elefantenbaby** → Mädchen.

**Elefantenhaut**: eine E. haben → dickfellig [sein].

**elegant**: → geschmackvoll, → schnittig.

**Elegant** → Geck.

**Elegie**: → Gedicht, → Klage, → Lied.

**elegisch**, schwermütig, trübsinnig, hypochondrisch, depressiv, melancholisch, pessimistisch, schwarzseherisch, nihilistisch, defätistisch, miesepetrig (*ugs.*), hintersinnig (*schweiz.*), bregenklüt[e]rig (*ugs.*, *landsch.*), trübselig, wehmütig, wehselig (*schweiz.*), trist, traurig, freudlos, freudenlos (*schweiz.*), elend, unglücklich, todunglücklich, kreuzunglücklich, desolat, betrübt, trübe, bedrückt, gedrückt, bekümmert, unfroh, mauserig (*schweiz.*), nicht → lustig; → ängstlich, → deprimiert, → ernsthaft, → kläglich, → ruhig · Ggs. → zuversichtlich; **e. sein**, mit der Welt zerfallen sein, Trübsal blasen (*ugs.*), etwas durch eine schwarze Brille sehen, sich hintersinnen (*südd.*, *schweiz.*); → erstaunen; → Melancholie, → Pessimist, → Trauer.

**elektrisch**: -es Bügeleisen → Bügeleisen; -es Licht → Licht; -e Verkochung → Verätzung.

**Elektrische** → Straßenbahn.

**Elektrizität**, elektrischer Strom, Strom · Gleichstrom, Wechselstrom, Starkstrom, Schwachstrom, Normalstrom, Allstrom, Drehstrom, Induktionsstrom, Dreiphasenstrom, Zweiphasenstrom, Heizstrom, Batteriestrom; → Stromspeicher.

**Elektrizitätsbehandlung** → Elektrotherapie.

**Elektroboot** → Boot.

**Elektrodermatogramm** → Elektrogramm.

**Elektrodermogramm** → Elektrogramm.

**Elektrodiagnose** → Elektrogramm.

**Elektroenzephalogramm** → Elektrogramm.

**Elektrogramm** · Elektrodiagnose ·· *des Herzens:* Elektrokardiogramm, EKG, Ekg, Kardiogramm, Herzstromkurve · *der Herzrandbewegungen:* Elektrokymogramm ·· *des Gehirns:* Elektroenzephalogramm, EEG, Eeg · Wachelektroenzephalogramm, Wach-EEG, Wach-Eeg · Schlafelektroenzephalogramm, Schlaf-EEG, Schlaf-Eeg, Elektrohypnogramm (*selten*) · *mit Ableitung an der freigelegten Hirnrinde:* Elektrokortigogramm · *eines Muskels:* Elektromyogramm, EMG, Emg · *während eines Bewegungsablaufs:* Elektromyokinesigramm · *der Haut:* Elektrodermatogramm, Elektrodermogramm ·· *des Auges:* Elektrookulogramm, EOG · *des belichteten Auges:* Elektroretinogramm, ERG ·· *des Riechepithels:* Elektroolfaktogramm; → Diagnose, → Röntgenogramm.

**Elektroherd** → Herd.

**Elektrohypnogramm** → Elektrogramm.

**Elektrokardiogramm** → Elektrogramm.

**Elektrokaustik** → Verätzung.

**Elektrokauterisation** → Verätzung.

**Elektrokoagulation** → Verätzung.

**Elektrokortigogramm** → Elektrogramm.

**Elektrokution** → Hinrichtung.

**Elektrokymogramm** → Elektrogramm.

**Elektrolokomotive** → Lokomotive.

**Elektromassage** → Massage.

**Elektromyogramm** → Elektrogramm.

**Elektromyokinesigramm** → Elektrogramm.

**Elektronengehirn** → Computer.

**Elektronenorgel** → Elektroorgel.

**elektronisch**: -e Datenverarbeitungsanlage → Computer; -e Musik → Musik; -e Orgel → Elektroorgel.

**Elektrookulogramm** → Elektrogramm.

**Elektroolfaktogramm** → Elektrogramm.

**Elektroorgel,** elektronische Orgel, Elektronenorgel, Hammondorgel, Kinoorgel, Consonataorgel, Polychordorgel, Wurlitzer-Orgel, Welte-Lichtton-Orgel; → Tasteninstrument.

**Elektropunktur** → Verätzung.

**Elektrorasierer** → Rasierapparat.

**Elektrorasur** → Rasur.

**Elektroretinogramm** → Elektrogramm.

**Elektrotherapeutik** → Elektrotherapie.

**Elektrotherapie,** Elektrotherapeutik, Elektrizitätsbehandlung, Reizstromtherapie · *mittels Gleichstroms:* Galvanotherapie, Galvanisation, Galvanotherapeutik, Gleichstrombehandlung · *mittels faradischen Stroms:* Faradotherapie, Faradisation, Faradismus · *mittels Hochfrequenzstroms:* Diathermie, Diathermotherapie; → Naturheilverfahren.

**Element:** etwas ist ein ausgleichendes E. / stellt ein ausgleichendes E. dar → Korrektiv.

**Elementar-:** → grundsätzlich.

**Elementarlehrer** → Lehrer.

**Elementarschule** → Schule.

**elend:** → hinfällig, → kläglich, → schlecht, → schwermütig; e. aussehen → krank [aussehen].

**Elend:** → Armut; langes E. → Riese; das heulende E. kriegen → deprimiert [werden].

**Elendsviertel** → Armenviertel.

**Eleonorenfalke** → Vogel.

**Elephantiasis graecorum** → Aussatz.

**Elevator** → Winde.

**Eleve** → Schüler.

**¹Elf** (der): → Elfe.

**²Elf** (die): → Mannschaft.

**Elfe,** Elf, Sylphide, Sylphe; → Fabelwesen.

**elfenbein** → beige.

**elfenbeinfarben** → beige.

**Elfenbeinmöwe** → Vogel.

**Elfenbeinschnitzer** → Bildhauer.

**Elfenbeinschnitzerei** → Bildnerei.

**elfenbeinschwarz** → schwarz.

**Elfenbeinturm:** im E. leben → abkapseln (sich).

**Elfer** → Elfmeter.

**Elfmeter,** Strafstoß, · Elfer, Penalty (*bes. österr.*); → Fußballspiel.

**Elfsilbler** → Vers.

**elfte:** der e. Finger → Penis.

**eliminieren** → entfernen.

**Eliminierung** → Beseitigung.

**Elisenlebkuchen** → Gebäck.

**elitär** → auserwählt,

**Elite:** [geistige E.] → Oberschicht.

**Ellbogen:** seine E. brauchen / gebrauchen → rücksichtslos [sein].

**Ellbogencheck** → Regelverstoß.

**Elle:** → Längenmaß, → Metermaß.

**Ellenbogen:** die E. gebrauchen → durchsetzen (sich); bis zum E. reinlangen → prahlen.

**Ellenbogenfreiheit** → Bewegungsfreiheit.

**Ellenbogengelenk** → Gelenk.

**Ellennerv,** Musikantenknochen (*ugs., scherzh.*), Judenknöchelchen (*ugs.*), Mäuschen (*ugs.*), Nervus ulnaris (*Med.*).

**ellipsenförmig** → oval.

**Eloge** → Lobrede.

**E-Lok** → Lokomotive.

**eloquent** → beredt.

**Eloquenz** → Redegewandtheit.

**Elritze** → Fisch.

**Elsässer,** Schangel (*scherzh.*), Wackes (*abwertend*); → Deutscher.

**Elster** → Vogel.

**Elter** → Eltern.

**¹Eltern,** Vater und Mutter, die Alten (*ugs.*), die alten Herrschaften · *schlechte:* Rabeneltern · *einer von beiden:* Elternteil, Erziehungsberechtigter, Elter (*das und der; fachspr.*); → Adoptiveltern, → Angehöriger, → Elterngeneration, → Mutter, → Vater, → Verwandter.

**²Eltern:** in der Wahl seiner E. vorsichtig gewesen sein → reich [sein]; nicht von schlechten E. sein → unterschätzen.

**Elterngeneration,** Parentalgeneration, Paternalgeneration; → Eltern.

**Elternhaus** → Umwelt.

**Elternliebe** → Familienanhänglichkeit.

**Elternteil** → Eltern.

**Elysee-Palast** → Regierung.

**Elysium** → Paradies.

**Emaillmalerei** → Maltechnik.

**Emanzipation,** Selbstbefreiung, Gleichstellung; → Frauenrechtlerin, → Gleichberechtigung; → selbständig.

**emanzipieren** → selbständig [machen].

**emanzipiert** → selbständig; Emanzipierte → Frauenrechtlerin.

**Emaskulation** → Kastration.

**Emballage** → Verpackung.

**Embargo** → Beschlagnahme.

**Emblem:** → Abzeichen, → Sinnbild.

**¹Embolie,** Gefäßverstopfung, Gefäßverschluß, Embolismus · *durch einen Thrombus:* Thromb[o]embolie, Thrombembolismus · *durch Luft- oder Gasbläschen:* Luftembolie, Aerembolie, Gasembolie · *durch Fetttröpfchen in der Blutbahn:* Fettembolie · *im Bereich der Lungenarterie:* Lungenembolie; → Ader, → Arterienerkrankung, → Gefäßverstopfung, → Venenentzündung.

**²Embolie** → Gefäßverstopfung.

**Embolismus** → Embolie.

**Embonpoint** → Bauch.

**Embryo** → Leibesfrucht.

**Emd** → Heu.

**Emdet** → Ernte.

**emendieren** → berichtigen.

**emeritieren** → pensionieren.

**Emeritus** → Hochschullehrer.

**Emesis** → Erbrechen.

**Emeute** → Verschwörung.

**Emg** → Elektrogramm.

**EMG** → Elektrogramm.

**Emigrant** → Auswanderer.

**Emigrantenliteratur** → Literatur.

**emigrieren** → auswandern.

**Emil:** ich will E. heißen, wenn ... → versprechen.

**eminent** → außergewöhnlich.

**Eminenz:** Eure E. → Anrede; graue E. → Drahtzieher.

**Emissär** → Abgesandter.

**Emission** → Abgas.

**Emissionskurs** → Börsenkurs.

**Emmentaler** → Käse.

**Emotion:** → Erregung; frei von -en → sachlich.

**emotional** → gefühlsbetont.

**emotionell** → gefühlsbetont.

¹**Empfang**, Staatsempfang, Neujahrsempfang, Audienz, Privataudienz, Cour, Gratulationscour; → begrüßen.
²**Empfang:** → Aufnahme, → Entgegennahme, → Essen, → Rezeption, → Willkomm; in E. nehmen → entgegennehmen.
¹**empfangen** · *Rundfunk:* hören · *Fernsehen:* sehen, Fernsehen gucken / (*nordd.*) kucken (*ugs.*) · Ggs. → ausstrahlen; → Antenne.
²**empfangen:** → begrüßen, → erwerben, → schwanger [werden]; das Abendmahl / die Kommunion e. → Abendmahl.
¹**Empfänger**, Adressat; → Briefschreiber · Ggs. → Absender.
²**Empfänger** → Radio.
**empfänglich** → aufgeschlossen.
**Empfänglichkeit** → Anlage.
**Empfängnis:** Mariä E. → Marienfest.
**Empfängnisverhütung**, Kontrazeption; → Geburtenregelung, → Präservativ.
**Empfängnisverhütungsmittel**, Präventivmittel, antikonzeptionelle Mittel ·· Pessar · Okklusivpessar, Intrauterinpessar; → Ovulationshemmer, → Präservativ.
**Empfangsbescheinigung** → Bescheinigung.
**Empfangsbestätigung** → Bescheinigung.
**Empfangsbüro** → Rezeption.
**Empfangsgerät:** → Fernsehgerät, → Radio.
**Empfangshalle** → Rezeption.
**Empfangsraum** → Rezeption.
**Empfangsschalter** → Rezeption.
**empfehlen:** → vorschlagen; sich e. → trennen (sich); empfohlener Richtpreis → Preis; sich auf französisch e. → weggehen; es empfiehlt sich → zweckmäßig [sein]; ich empfehle mich → Gruß.
**empfehlenswert:** e. sein → zweckmäßig [sein].
**Empfehlung:** → Empfehlungsschreiben, → Förderung, → Vorschlag; mit freundlicher E. → hochachtungsvoll.
**Empfehlungsbrief** → Schreiben.
¹**Empfehlungsschreiben**, Empfehlung, Referenzen; → Bewerbungsschreiben; → vorschlagen.

²**Empfehlungsschreiben** → Schreiben.
**empfinden:** → fühlen; e. als → beurteilen; fein -d → feinsinnig; Reue -d → schuldbewußt.
**Empfinden** → Gefühl.
¹**empfindlich**, empfindsam, dünnhäutig, überempfindlich, zartbesaitet, feinbesaitet, verletzbar, verletzlich, feinfühlig, sensibel, allergisch, sensitiv, suszeptibel, reizbar, schwierig, übelnehmerisch, nachtragend, mimosenhaft; → aufgeregt, → empfindsam, → gekränkt, → humorlos, → reizbar, → wählerisch, → wehleidig, → zart; → Empfindsamkeit, → Überempfindlichkeit; → einfühlen (sich).
²**empfindlich:** → einschneidend, → wehleidig; -er Punkt, -e Stelle → Achillesferse; nicht·e. sein → dickfellig [sein]; gegen Wetter e. → wetterfühlig.
**Empfindlichkeit:** → Empfindsamkeit, → Überempfindlichkeit, → Verwundbarkeit, → Zimperlichkeit.
¹**empfindsam**, sentimental, gemütvoll, gemüthaft, sinnenhaft, gefühlstief, gefühlvoll, innerlich, verinnerlicht, beseelt, seelenvoll, überschwenglich, schwärmerisch, exaltiert (*abwertend*), überspannt (*abwertend*), gefühlsselig, rührselig, tränenselig, gefühlsduselig (*salopp, abwertend*), schmalzig (*abwertend*), lyrisch, romantisch; → bewegt, → empfindlich, → gedankenvoll → gefühlsbetont, → reizbar → weinerlich; → Empfindsamkeit, → Gefühlsleben, → Rührseligkeit.
²**empfindsam** → empfindlich.
¹**Empfindsamkeit**, Sensibilität, Innerlichkeit, Gemütstiefe, Gemüthaftigkeit, Sensitivität, Überempfindlichkeit, Verletzlichkeit, Verletzbarkeit, Empfindlichkeit, Feinfühligkeit; → Achillesferse, → Rührseligkeit, → Verwundbarkeit, → Zimperlichkeit; → empfindlich, → empfindsam.
²**Empfindsamkeit** → Literaturepochen.
**Empfindung:** → Gefühl, → Impression.
**empfindungslos** → blutleer.

**Empfindungslosigkeit** → Gefühlskälte.
**Empfindungsnerv** → Nerv.
**Empfindungswort** → Wortart.
**Emphase:** → Nachdruck, → Nachdrücklichkeit; mit E. → nachdrücklich.
**emphatisch** → nachdrücklich.
**Empirekleid** → Kleid.
**empirisch** → Erfahrung.
**Empirismus** → Pragmatismus.
**empor:** → aufwärts, → hin, → hoch.
**Empore**, Galerie, Rang, Olymp (*scherzh.*), Juchhe (*ugs., bes. österr.*), Heuboden (*salopp, scherzh.*), Hahnenbalken (*salopp*); → Tribüne, → Veranda.
**empören:** sich e. → aufbegehren; etwas empört jmdn. → ärgern.
**Emporenbasilika** → Gotteshaus.
**empörend** → unerhört.
**Emporenkirche** → Gotteshaus.
**Empörer** → Revolutionär.
**emporgehen** → hinaufgehen.
**emporklettern** → hinaufgehen, → steigen (auf).
**emporklimmen** → steigen (auf).
**emporkommen** → avancieren.
**Emporkömmling**, Neureicher, Parvenü, Raffke (*landsch., abwertend*), Wirtschaftswunderknabe (*abwertend*), Konjunkturritter (*abwertend*), Moneymaker, Selfmademan; → Karrieremacher.
**emporragend** → hoch.
**emporranken:** sich e. → ranken.
**emporsteigen:** → avancieren, → hinaufgehen, → steigen (auf).
**empört**, ärgerlich, böse, aufgebracht, verärgert, entrüstet, peinlich / unangenehm berührt, unwillig, ungehalten, unwirsch, fünsch (*niederd.*), indigniert, erbost, erzürnt, erbittert, zornig, fuchtig (*ugs.*), wütend, rabiat, wutentbrannt, wutschäumend, wutschnaubend (*ugs.*), fuchsteufelswild, zähneknirschend, grimmig, ingrimmig, tücksch (*ugs.*); → aufgelegt, → aufgeregt, → geharnischt, → gekränkt, → launisch, → unerfreulich, → unzufrieden, widerwillig; **e. sein**, das Barometer steht auf Sturm, auf jmdn. einen Rochus haben (*ugs.*), zürnen, sich alterieren / aufregen / erregen, ich könnte

mir vor Wut in den Hintern beißen (*salopp*), sich schwarz ärgern, sich fuchsen / giften (*ugs.*), sich etwas antun (*österr.*), rotsehen (*ugs.*), geladen / sauer sein (*salopp*), auf jmdn. böse / nicht gut zu sprechen sein, jmdm. böse / (*ugs., bayr., österr.*) harb sein, wüten, toben, rasen, sich entladen, den wilden Mann spielen; → anstoßen (bei jmdm.), → grollen, → kränken, → lärmen, → schokkieren; → Griesgram, → Stimmung, → Überraschung, → Unannehmlichkeiten.

**Empörung** → Verschwörung.

**emsig** → fleißig.

**Emsigkeit:** → Arbeitseifer, → Fleiß.

**Emton** → Mann.

**Emu** → Vogel.

**Emulsion** → Mischung.

**E-Musik** → Musik.

**Enanthem** → Hautausschlag.

**en bloc** → ungefähr.

**en canaille** → abschätzig.

**encanaillieren** → verbrüdern (sich).

**encodieren** → chiffrieren.

**End-:** → letzte.

**Endarteriitis** → Arterienerkrankung.

**Endarteritis** → Arterienerkrankung.

**Endbetrag** → Summe.

**Enddarm** → Darm.

**[1]Ende,** Ausgang, Schlußpunkt, Schluß, Abschluß, Beschluß (*veraltend*), Rüste (*dichter.*), Neige (*dichter.*), Ausklang, Beendigung, Finale · *glückliches:* Happy-End · *eines Alarmzustandes:* Entwarnung; → Ertrag, → Exitus, → Nachwort, → Pointe; → fertig.

**[2]Ende:** → Exitus, → Zipfel; das dicke E. → Schwierigkeit; das dicke E. kommt nach / kommt noch → ausstehen; langes E. → Riese; kein E. finden → beenden; ein E. haben / machen / setzen, zu E. gehen, zu einem E. kommen → enden; seinem L. ein E. setzen → entleiben (sich); letzten -s → letztlich; am E. → spät; am E. sein → erschöpft [sein]; am E. der Welt → abgelegen [sein]; mit seiner Kunst am E. sein → Lösung; an allen Ecken und -n

→ überall; ohne E. → unaufhörlich, → unendlich; zu E. → vorüber; zu welchem E. → warum; zu E. führen → vollenden; nicht zu E. geführt → unerledigt; zu E. gehen → abnehmen; mit jmdm. geht es zu E. → sterben; zu E. sein → fertig [sein]; jmds. Geduld ist zu E. → ärgerlich [werden].

**Endeffekt:** im E. → letztlich.

**Endel** → Besatz.

**endeln:** → einfassen, → nähen.

**[1]enden,** endigen, ausgehen, auf etwas hinauslaufen, herauskommen (*schweiz.*), ein Ende / Ergebnis haben, zu einem Ende / Ergebnis kommen, zu Ende sein / gehen, aufhören, zum Erliegen kommen; → beenden.

**[2]enden:** → beenden, → sterben; in der Gosse e. → verwahrlosen.

**Endergebnis** → Ergebnis.

**en détail,** im kleinen, im Einzelhandel; → Laden · Ggs. → en gros.

**endgültig:** → unabänderlich, → verbindlich.

**Endgültigkeit,** Unabänderlichkeit, Unumstößlichkeit, Unwiderruflichkeit, Definitivum; → unabänderlich.

**Endhaltestelle** → Haltestelle.

**Endhirn** → Gehirn.

**endigen** → enden.

**Endivie** → Gemüse.

**Endkampf,** Endspurt, Finish, Finale.

**endlich:** → spät, → vergänglich; schließlich und e. → letztlich.

**Endlichkeit** → Vergänglichkeit.

**endlos:** → ewig, → unaufhörlich, → unendlich.

**Endlosigkeit:** → Ewigkeit, → Unbegrenztheit.

**Endogamie** → Ehe.

**endogen:** -e Toxikose → Vergiftung.

**Endoplasma** → Protoplasma.

**Endoskopie** → Ausspiegelung.

**Endpreis** → Preis.

**Endreim** → Reim.

**Endsilbe** → Silbe.

**Endspurt** → Endkampf.

**Endstation:** → Haltestelle, → Ziel.

**Endverbraucher** → Konsument.

**Endverbraucherpreis** → Preis.

**Enema** → Einlauf.

**Energie** → Tatkraft.

**energielos** → willensschwach.

**Energielosigkeit:** → Antriebsschwäche, → Willenlosigkeit.

**energisch:** → streng, → zielstrebig.

**Enervation** → Kräfteverschleiß.

**enervieren** → entkräften.

**Enervierung** → Kräfteverschleiß.

**en face** → frontal.

**[1]eng,** schmal, knapp, fipsig (*ugs.*), stramm, knalleng (*ugs.*), hauteng · Ggs. → geräumig.

**[2]eng:** → banausisch, → kurzsichtig; e. beieinander / nebeneinander → dicht; einen -en Horizont haben → stumpfsinnig [sein]; beim Waschen / bei der Wäsche -er werden → einlaufen.

**[1]Engagement,** Beteiligung, Beteiligtsein, Teilnahme Anteilnahme; → eintreten (für).

**[2]Engagement** → Beruf.

**engagieren:** → auffordern, → einstellen; sich e. → eintreten (für).

**engagiert** → streitbar.

**Enge:** in die E. treiben → fragen.

**[1]Engel,** Erzengel, Seraph, Cherub, himmlische Heerscharen · *der jmdn. beschützt:* Schutzengel; → Erzengel, → Gott, → Gottheit, → Trinität.

**[2]Engel:** → Cupido, → Sinnbild; die gelben E. → Straßenwacht; die E. im Himmel singen hören → Schmerz.

**Engelmacher,** Zweihundertachtzehner (*ugs.*), Engelmacherin; → Abtreibung, → Fehlgeburt, → Hebamme, → Kürettage.

**Engelmacherin** → Engelmacher.

**Engelsgeduld** → Duldung.

**Engelszungen:** mit E. reden → zuraten.

**Engerling** → Larve.

**engherzig,** kleinlich, unduldsam, intolerant, spießbürgerlich (*abwertend*), kleinbürgerlich kleinstädtisch, spießig, provinziell, hinterwäldlerisch, krähwinklig, ehrpusselig, ehrpußlig, muckerhaft, muffig (*abwertend*), plüschen, philiströs, pedantisch, kleinkariert (*abwertend*), pinslig (*ugs.*), pingelig (*ugs., landsch.*), übergenau, nicht → entgegenkommend, nicht →

tolerant · *in sexueller Hinsicht:* zimperlich, spröde, prüde · *in finanzieller Hinsicht:* → geizig, → sparsam; → banausisch, → gewissenhaft, → lehrhaft, → spitzfindig, → tantenhaft; **e. sein,** päpstlicher als der Papst sein; → Pedant, → Pedanterie, → Spießer, → Vorurteil.

**Engherzigkeit** → Vorurteil.

**England** → Großbritannien.

**Engländer,** Brite, Englischmann, Tommy (*ugs.*), Jonny, John Bull (*scherzh.*); → Großbritannien.

**englisch:** -es Gewürz → Piment; Englische Fräulein → Nonnenorden; Englischer Gruß → Gebet; -e Krankheit → Rachitis; -er Pointer → Hunderassen; Englisch Tüll → Stoff.

**Englischfangen** → Fangspiel.

**Englischhorn** → Blasinstrument.

**Englischmann** → Engländer.

**englischrot** → rot.

**Engouement** → Blutandrang.

**Engpaß** → Behinderung.

**en gros,** im großen, in großen Mengen · im Großhandel; → Laden · Ggs. → en détail.

**Engroshandel** → Großhandel.

**Engrospreis** → Preis.

**Engrossist** → Großhändler.

**engstirnig:** → kurzsichtig, → stumpfsinnig.

**Engstirnigkeit:** → Beschränktheit, → Unkenntnis.

**enigmatisch** → rätselhaft.

**Enkaustik** → Maltechnik.

**Enkel** → Enkelkind.

**Enkelin** → Enkelkind.

**Enkelkind,** Kindeskind · *männliches:* Enkelsohn, Enkel · *weibliches:* Enkeltochter, Enkelin; → Verwandter.

**Enkelsohn** → Enkelkind.

**Enkeltochter** → Enkelkind.

**Enklave** → Gebiet.

**enkodieren** → chiffrieren.

**en masse** → reichlich.

**ennet** → jenseits.

**Ennui** → Überdruß.

**ennuyant** → langweilig.

**ennuyieren:** sich e. → langweilen (sich).

**enorm:** → außergewöhnlich, → gewaltig.

**en passant** → nebenbei.

**Enquete:** → Nachforschung, → Umfrage.

**enragieren:** sich e. → ärgerlich [sein].

**Ensemble:** → Kostüm, → Mannschaft.

**Ensembletänzer** → Ballettänzer.

**Ensembletänzerin** → Ballettänzerin.

**entäußern:** sich einer Sache e. → abgeben.

**Entäußerung,** Preisgabe, Aufgabe, Ausverkauf, Abtretung, Weggabe, Hergabe, Hingabe, Drangabe, Verzicht, Überlassung, Auslieferung; → Entsagung; → opfern.

**entbehren:** → mangeln; etwas [nicht] e. können → brauchen; etwas entbehrt jeder Grundlage → erfunden [sein].

**entbehrlich:** → nutzlos, → überflüssig.

**entbieten:** die Zeit e. → begrüßen; jmdn. zu sich e. → beordern.

**entbinden:** → entlasten, → gebären; seiner Amtspflicht e. → pensionieren; e. von → befreien (von).

**Entbindung** → Geburt.

**Entbindungsabteilung** → Krankenhaus.

**Entbindungsheim** → Krankenhaus.

**Entbindungsstation** → Krankenhaus.

**entblättern** → ausziehen.

**entblöden:** sich nicht e. → erdreisten (sich).

**entblößen:** → ausziehen; das Haupt e. → begrüßen.

**entblößt:** → nackt; mit -em Haupt → barhäuptig.

**Entblößung,** Exhibition, Zurschaustellung; → Perversität; → bloßstellen.

**entbrennen:** entbrannt → verliebt; in Liebe e. → verlieben (sich).

**Entchen:** ein häßliches E. sein → häßlich [aussehen].

**¹entdecken,** finden, stoßen auf, sehen, antreffen, auffinden, vorfinden, treffen [auf], begegnen, wiedersehen, aufspüren, orten, den Standort bestimmen, ausfindig machen, ausfinden, ausmachen, ermitteln, in Erfahrung bringen, feststellen, auf die Spur kommen, herausfinden, heraus-

bekommen, herausbringen (*ugs.*), herauskriegen (*salopp*), rausbringen (*salopp*), ausklamüsern (*ugs.*), aufstöbern, auftreiben (*ugs.*), auflesen (*ugs.*), aufgabeln (*salopp*), auffischen (*salopp*); → beschaffen, → erfahren, → erfinden, → fragen, → sehen, → wahrnehmen; **entdeckt werden,** jmdm. in die Arme / Beine / über den Weg laufen (*ugs.*), etwas findet sich an; → Auskundschafter, → Fundbüro · Ggs. → suchen.

**²entdecken:** entdeckt werden → herumsprechen (sich); jmdm. etwas e. → gestehen.

**Entdecker** → Erfinder.

**Entdeckung** → Erfindung.

**¹Ente · *männliche:*** Erpel, Enterich; → Geflügel, → Wild.

**²Ente:** → Falschmeldung, → Nachtgeschirr, → Vogel; kalte E. → Gewürzwein; eine lahme E. sein → temperamentlos [sein].

**entehren:** → deflorieren, → vergewaltigen.

**enteignen,** beschlagnahmen, verstaatlichen, nationalisieren, vergesellschaften, in Volkseigentum überführen · *von geistlichen Gütern:* säkularisieren, verweltlichen; → Enteignung, → Sequestration.

**Enteignung,** Verstaatlichung, Kollektivierung, Nationalisierung, Beschlagnahme, Einziehung · *von geistlichen Gütern:* Säkularisation; → Sequestration; → enteignen.

**Entente** → Bund.

**Entente cordiale** → Bund.

**enterben,** vom Erbe / von der Erbschaft ausschließen; → Erbe (das), → Erbe (der).

**Enterich** → Ente.

**Enteritis** → Durchfall.

**entern** → kapern.

**Enterogastritis** → Gastritis.

**Enteron** → Darm.

**Enteroptose** → Eingeweidesenkung.

**Enterorrhagie** → Blutung.

**Enteroskopie** → Ausspiegelung.

**Enterotyphus** → Typhus.

**Enterozele** → Bruch.

**Entertainer** → Unterhalter.

**entfachen** → anzünden.

**entfallen:** jmdm. entfällt etwas → vergessen; etwas entfällt auf jmdn. → zufallen.

**entfalten:** sich e. → entstehen; die Knospe entfaltet sich → aufblühen; Pracht e. → prunken.
**Entfaltung** → Entwicklung.
**entfärbt** → farblos.
**¹entfernen,** fortbringen, wegbringen, fortschaffen, wegschaffen, ausräumen, aus dem Weg räumen, forträumen, wegräumen, transportieren, abtransportieren, ferggen (schweiz.), beiseite / aus den Augen schaffen, zum Verschwinden bringen, beseitigen, eliminieren · in bezug auf Krampfadern: veröden; → abgehen, → abhalten, → abrücken, → absaugen, → auspacken, → ausschließen, → beschneiden, → entlassen, → herausholen, → kündigen, → mitnehmen, → reparieren, → töten, → verlagern, → vertreiben, → wegnehmen, → wegwerfen; → Abtrennung → Beseitigung.
**²entfernen:** → abkneifen, → abmachen, → entlassen, → herausholen, → herausreißen; sich e. → weggehen; operativ e. → operieren; die Keimdrüsen e. → kastrieren; die Kerne e. → entkernen; sich innerlich e. von → zurückziehen (sich).
**entfernt** → fern; e. verwandt → verwandt; nur einen Katzensprung / eine Sekunde e. → nahe, → nahebei; weit e. → nein.
**Entfernung:** → Abstand, → Abtrennung, → Ausschluß, → Beseitigung, → Entlassung, → Strecke, → Weite; operative E. → Operation.
**entfesseln** → verursachen.
**Entfettungskur** → Schlankheitskur.
**entflammbar:** leicht e. → feuergefährlich.
**Entflammbarkeit:** leichte E. → Feuergefährlichkeit.
**entflammen:** → begeistern, → reizen.
**entflammt:** → begeistert, → verliebt.
**entflechten,** aufgliedern, zergliedern, teilen, aufteilen; → gliedern, → unterteilen.
**entfliehen** → fliehen.
**entfließen** → ausfließen.
**entfremden** (sich), sich auseinanderleben, sich fremd werden, sich nichts mehr zu sagen haben, nebeneinanderher leben; → Streit [anfangen]; → Entfremdung.
**Entfremdung,** Abkühlung, das Sichauseinanderleben, das Sichfremdwerden; → entfremden (sich).
**entführen** → verschleppen.
**Entführer,** Kidnapper, Kindesentführer · eines Flugzeugs: Luftpirat, Hijacker, Highjacker, Skyjacker; → Kidnapping.
**Entführung:** [gewaltsame E.] → Kidnapping.
**entgegen,** wider, gegen, im Widerspruch / Gegensatz zu; → Abweichung, → Gegensätzlichkeit.
**entgegenarbeiten** → ankämpfen (gegen etwas).
**entgegengesetzt** → gegensätzlich.
**entgegenhalten** → antworten.
**¹entgegenkommen** (jmdm.), mit sich reden lassen, kein Unmensch sein (ugs.), nicht so sein (ugs.), auf jmds. Forderungen / Wünsche eingehen, Verständnis zeigen für, jmdm. etwas erleichtern / ermöglichen, jmdm. goldene Brücken / eine goldene Brücke bauen, konzessionsbereit / verhandlungsbereit sein, geruhen, sich herbeilassen / herablassen / bequemen; → aufgeschlossen [sein], → befriedigen, → möglich [machen], → nachgeben; → Entgegenkommen.
**²entgegenkommen:** etwas kommt jmds. Neigungen entgegen → begabt; sich auf halbem Weg e. → übereinkommen; jmdm. [auf halbem Wege] e. → nachgeben.
**¹Entgegenkommen,** Konzilianz, Freundlichkeit, Gefälligkeit; → Zugeständnis; **als E.,** entgegenkommenderweise, freundlicherweise · in bezug auf einen Kaufpreis: unter Brüdern (ugs.); **E. zeigen,** jmdm. Hoffnungen / Avancen machen; → entgegenkommen; → Konzessionsbereitschaft.
**²Entgegenkommen** → Zugeständnis.
**entgegenkommend,** verbindlich, freundlich, liebenswürdig, nett, anständig, tak (ugs., österr.), großzügig, konziliant, großmütig, leutselig, gönnerhaft, wohlwollend, wohlgesinnt, gutgesinnt, wohlsinnig (schweiz.), huldvoll, huldreich, jovial, wohlmeinend, kulant, nicht → engherzig; → freigebig, → gefällig, → gesellig, → gütig, → höflich, → lustig, → sympathisch, → tolerant; **e. sein,** ein offenes Ohr haben für; → vertuschen; → Helfer, → Höflichkeit.
**entgegenkommenderweise** → Entgegenkommen.
**Entgegennahme,** Annahme, Empfang, Erhalt; → entgegennehmen.
**¹entgegennehmen,** annehmen, in Empfang nehmen; → Entgegennahme.
**²entgegennehmen** → nehmen.
**entgegenschlagen:** jmdm. schlagen alle Herzen entgegen → sympathisch [sein].
**entgegensehen:** → hoffen; Mutterfreuden e. → schwanger [sein]; Vaterfreuden e. → schwängern; einer Sache voll Spannung e. → erwartungsvoll [sein].
**entgegenstehen,** zuwiderlaufen, etwas ist jmdm. unangenehm / kommt jmdm. ungelegen / (ugs.) geht jmdm. gegen den Strich / (ugs.) paßt jmdm. nicht [in den Kram] / (ugs.) kommt jmdm. verquer / (ugs.) schmeckt jmdm. nicht, etwas widerspricht einer Sache / steht in Widerspruch zu etwas; → passen, → unzugänglich [sein].
**entgegenstellen** (sich), gegen den Strom schwimmen, sich nicht der herrschenden Meinung beugen / anschließen, sich absetzen gegen, sich abheben von, nicht alles mitmachen, nicht mit den Wölfen heulen; → aufbegehren.
**entgegentreten** → verhindern.
**entgegenwirken** → ankämpfen (gegen etwas).
**entgegnen,** antworten, zur Antwort geben / bekommen, Bescheid geben, beantworten, erwidern, versetzen, zurückgeben, eingehen auf, reagieren, dagegenhalten, widersprechen, Widerspruch erheben, jmdm. in die Parade fahren, einwenden, einwerfen, entgegenhalten, be-

gegnen, Einwände erheben / machen, replizieren, nichts / keine Antwort schuldig bleiben, kontern, Kontra geben · *barsch oder schnippisch:* jmdm. über den Mund fahren (*ugs.*) · *gleich:* wie aus der Pistole geschossen antworten · *mit Heftigkeit, zornig:* aufflammen, aufbegehren; → abstreiten, → ausfüllen, → äußern (sich), → berichtigen → mitteilen, → widerlegen, → widerrufen, → zweifeln; → Antwort, → Reaktion · Ggs. → fragen.

**Entgegnung** → Antwort.

**entgehen:** → entkommen, → entrinnen; sich etwas e. lassen → versäumen; etwas entgeht jmdm. → übersehen; etwas entgeht jmdm. / jmds. Aufmerksamkeit → merken; jmdm. entgeht nichts → sehen.

**entgeistert,** betroffen, bestürzt, entsetzt, verstört, verwirrt, konsterniert, erschrocken, starr, fassungslos, verdattert (*ugs.*); → ängstlich, → überrascht, → verlegen; **e. sein,** sich entsetzen / erschrecken, die Fassung verlieren, wie vom Donner gerührt sein (*ugs.*), wie vom Schlag gerührt / getroffen sein (*ugs.*), kopfstehen, wie vor den Kopf geschlagen sein, jmdm. stehen die Haare zu Berge, jmdm. läuft es [heiß und] kalt über den Rücken / den Rücken herunter, die Hände über dem Kopf zusammenschlagen, in die Fraisen fallen (*ugs., südd., österr.*); → erschrecken, → verwirren.

**Entgelt,** Vergütung, Provision; → Gehalt, → Lohn, → Spesen.

¹**entgleisen,** aus dem Gleis / den Geleisen / den Schienen springen; → Eisenbahnzug, → Gleis, → Gleisanlage, → Unglück.

²**entgleisen** → benehmen (sich).

**Entgleisung** → Fehler.

**enthalten:** → einschließen; sich einer Sache e. → abgewöhnen (sich etwas); sich der Stimme e. → wählen.

**Enthaltener** → Gefangener.

**enthaltsam,** abstinent, mäßig, maßvoll, gemäßigt, entsagend, asketisch; → bescheiden, → nüchtern, → zurückhaltend; →

Antialkoholika, → Enthaltsamkeit.

**Enthaltsamkeit,** Enthaltung, Abstinenz, Askese; → Antialkoholiker, → Bescheidenheit, → Entsagung, → Entwöhnung, → Prohibition; → alkoholfrei, → enthaltsam.

**Enthaltung:** → Enthaltsamkeit, → Entwöhnung.

**enthaupten** → töten.

**enthäuten** → abziehen.

**entheben:** des Amtes e. → entlassen; etwas enthebt jmdn. einer Sache → befreien (von).

**Enthebung** → Entlassung.

**entheiligen** → entweihen.

**enthemmen:** etwas enthemmt jmdn., jmdm. seine Hemmungen nehmen, jmdn. von seinen Hemmungen befreien, etwas läßt jmdn. seine Hemmungen / jede Hemmung verlieren.

**enthüllen:** → aufdecken, → auspacken, → ausziehen; sich e. → offenbar [werden]; enthüllt → nackt.

**Enthüllung,** Aufdeckung, Entschleierung, Dekuvrierung, Demaskierung; → aufdecken.

**enthusiasmieren** → begeistern.

**enthusiasmiert** → begeistert.

**Enthusiasmus** → Begeisterung.

**entjungfern:** → deflorieren.

**Entkeimung** → Desinfektion.

**entkernen,** kernen, entsteinen, die Kerne entfernen, von den Kernen befreien; → Kern, → Kerngehäuse.

**entkleiden:** → ausziehen; entkleidet → nackt; des Amtes e. → entlassen.

**Entkleidungskünstlerin** → Stripteasetänzerin.

**Entkleidungsnummer** → Striptease.

**Entkleidungstanz** → Striptease.

¹**entkommen,** entwischen, auskommen (*südd., österr.*), entschlüpfen, entgehen, entrinnen, das Weite gewinnen, jmdm. durch die Lappen gehen (*salopp*), jmdm. durch die Finger schlüpfen (*ugs.*); → fliehen, → weggehen.

²**entkommen** → entrinnen.

¹**entkräften,** entnerven, enervieren, verschleißen, verbrauchen, abnutzen, abnützen; → Kräfteverschleiß.

²**entkräften:** → widerlegen; etwas entkräftet → zehren.

**entkräftet** → kraftlos.

**Entkräftung** → Kraftlosigkeit.

**Entkrampfung** → Entspannung.

**Entlad** → Verladung.

**entladen:** → ausladen; sich e. → ärgerlich [sein], → platzen.

**Entladung:** → Explosion, → Verladung.

¹**entlarven** (jmdn.), bloßstellen, demaskieren, jmdm. die Maske abreißen / vom Gesicht reißen, durchschauen, jmdm. auf die Schliche kommen (*ugs.*); → erkennen.

²**entlarven:** → aufdecken; sich e. → erkennen.

¹**entlassen,** jmdm. kündigen, jmdn. fristlos entlassen, fortschicken, abservieren (*ugs.*), jmdm. den Laufpaß geben, abhängen (*ugs.*), abschieben (*ugs.*), kaltstellen (*ugs.*), jmdm. den Stuhl vor die Tür setzen, jmdn. auf die Straße setzen / werfen, davonjagen, schassen (*ugs.*), ablösen, hinauswerfen (*ugs.*), rauswerfen (*ugs.*), hinausschmeißen (*ugs.*), rausschmeißen (*salopp*), hinauskatapultieren (*salopp*), rauspfeffern (*salopp*), feuern (*salopp*), rausfeuern (*salopp*), absetzen, entsetzen (*schweiz.*), abhalftern (*salopp*), absägen (*salopp*), des Amtes entheben / entkleiden, suspendieren, einstellen (*schweiz.*), stürzen, entthronen, entmachten, entfernen, abbauen, ausbooten (*ugs.*), abschießen (*salopp*), über die Klinge springen lassen (*ugs.*), in die Wüste schicken, aufs Abstellgleis schieben (*ugs.*), zum alten Eisen werfen (*ugs.*) · *in feierlicher Form:* verabschieden; **e. werden,** gegangen werden (*ugs., scherzh.*), fliegen (*salopp*), seinen Hut nehmen / gehen / zurücktreten / sein Bündel schnüren / seine Koffer packen müssen, den Abschied bekommen; → ausschließen, → entfernen, → entmündigen, → hinauswerfen; → kündigen, → trennen (sich), → vertreiben; → arbeitslos, → pensionieren; → Aberkennung, → Einfluß, → Entlassung, → Kündigung · Ggs. → einstellen.

²**entlassen:** → freilassen, → pensioniert.

**Entlaßschüler** → Schüler.

**Entlassung,** Kündigung, Hinauswurf (*ugs.*), Rauswurf (*ugs.*), Rausschmiß (*salopp*), Abservierung (*ugs.*), Abschiebung (*ugs.*), Abhalfterung (*salopp*), Ablösung, Entfernung, Amtsenthebung, Amtsentsetzung (*schweiz.*), Enthebung, Entsetzung (*schweiz.*), Suspendierung, Entthronung, Ausbootung (*ugs.*), Kaltstellung, Entmachtung, Absetzung, Zwangspensionierung, Zwangsbeurlaubung, Kassation (*veraltet*), Sturz, Fall; → Aberkennung, → Kündigung; **zur E. vorgesehen sein,** jmds. Entlassung steht bevor, auf der Abschußliste stehen (*ugs.*); → entlassen, → kündigen.

**entlasten,** befreien, entpflichten, entbinden; → pensionieren.

**Entlastungsmaterial** → Nachweis.

**Entlastungszeuge:** → Nachweis, → Zeuge.

**Entlastungszeugnis** → Freibrief.

**Entlastungszug** → Eisenbahnzug.

**entlauben** (sich), das Laub / die Blätter abwerfen, die Blätter fallen lassen; → nadeln; → Laub.

**entledigen** (sich jmds. / einer Sache), sich befreien von, die Fesseln abstreifen, loskommen / freikommen von, loswerden, von sich tun / abtun, sich jmdn. / etwas vom Halse schaffen (*salopp*); → ablehnen, → befreien (von).

**entleeren:** → ausladen, → leeren; sich e. → defäkieren.

**entlegen** → abgelegen.

**entleiben** (sich), Selbstmord (oder:) Suizid begehen/verüben, suizidieren, sich das Leben nehmen, [freiwillig] aus dem Leben scheiden, seinem Leben ein Ende setzen, Schluß machen (*ugs.*), sich umbringen, sich töten, sich ums Leben bringen, sich etwas / ein Leid antun, Hand an sich legen, den Freitod wählen, den Gashahn aufdrehen, sich die Pulsader[n] aufschneiden · *nach einer meist schweren kriminellen Handlung:* sich

selbst richten, sich dem irdischen Richter entziehen · *im Wasser:* sich ertränken, ins Wasser gehen · *durch Gift:* sich vergiften, Schlaftabletten / Tabletten nehmen, eine Überdosis nehmen · *durch Schießen:* sich erschießen, sich eine Kugel durch den Kopf jagen · *durch Hängen:* sich aufhängen, sich erhängen, sich aufknüpfen, sich aufbammeln (*salopp*), sich aufbaumeln (*salopp*); → sterben, → töten; → Exitus, → Selbstmord, → Selbstmörder, → Toter, → Tötung.

**entleihen** → leihen.

**entlocken** (jmdm. etwas), etwas aus jmdm. herauslocken / herausbringen, jmdm. etwas ablocken / abringen / abtrotzen; → ablisten (jmdm. etwas), → erwirken.

**entlohnen** → zahlen.

**entlöhnen** → zahlen.

**Entlohnung** → Gehalt (das).

**entmachten:** → entlassen; jmdn. e. → Einfluß.

**Entmachtung** → Entlassung.

**entmannen** → kastrieren.

**entmannt** → kastriert.

**Entmannter** → Kastrat.

**Entmannung** → Kastration.

**Entmarkungsenzephalomyelitis** → Entmarkungskrankheit.

**Entmarkungskrankheit,** Entmarkungsenzephalomyelitis, multiple Sklerose, MS, Polysklerose, Charcot-Krankheit, disseminierte Herdsklerose; → Krankheit.

**Entmaterialisation** → Verfeinerung.

**entmaterialisieren** → verfeinern.

**Entmaterialisierung** → Verfeinerung.

**entmenscht** → unbarmherzig.

**entmündigen,** für unzurechnungsfähig / unmündig erklären, unter Aufsicht / Kuratel stellen; → entlassen.

¹**entmutigen,** verängstigen, jmdm. den Mut / das Selbstvertrauen nehmen, jmdm. alle Hoffnung nehmen / rauben, jmdm. bange machen, schrecken; → abraten, → Angst [machen], → einschüchtern.

²**entmutigen:** → mutlos [machen]; sich nicht e. lassen → Mut.

**entmutigt,** deprimiert, niedergeschlagen, gedrückt, niedergedrückt, down (*ugs.*), resigniert, decouragiert, geknickt (*ugs.*), mutlos, verzagt, kleinmütig, verzweifelt, gebrochen, lebensmüde, niedergeschmettert (*ugs.*); → ängstlich, → schwermütig, → unzufrieden; **e. sein,** Weltschmerz haben, in Weltuntergangsstimmung sein, den Kopf / die Flügel hängenlassen (*ugs.*), jmdm. fällt die Decke auf den Kopf, jmdm. ist die Petersilie / die ganze Ernte verhagelt (*ugs.*); → Angst [haben]; → Katerstimmung, → Verzweiflung.

¹**entnehmen,** herausnehmen, wegnehmen, nehmen aus / von; abheben, → auspacken.

²**entnehmen:** e. aus → erkennen.

**entnerven** → entkräften.

**entnervt** → zermürbt.

**Entomologie** → Insektenkunde.

**Entoskopie** → Ausspiegelung.

**entpflichten:** → entlasten, → pensionieren.

**entpuppen:** sich e. → offenbar [werden]; sich e. als → erweisen (sich als).

**entquellen** → ausfließen.

**entrahmen,** abrahmen, entsahnen, absahnen, die Milch abschöpfen, den Rahm / die Sahne abschöpfen; → Sahne.

**entraten** (einer Sache), abschreiben, abstreichen, Abstriche machen, abtun, fallenlassen, verzichten, Verzicht leisten, verloren geben, nicht mehr rechnen mit, sich trennen von, sich einer Sache begeben, einer Sache entsagen / abschwören, absagen, zurücktreten / absehen / lassen / ablassen / abgehen / abkommen / abstehen / Abstand nehmen von, Umgang nehmen von (*schweiz.*), sich etwas versagen / aus dem Kopf (oder:) Sinn schlagen, etwas zu Grabe tragen, an den Nagel hängen (*ugs.*), in den Mond / in den Kamin / in den Schornstein / in die Esse / in den Wind schreiben (*ugs.*), fahrenlassen (*ugs.*), bleibenlassen (*ugs.*), lassen, schießenlassen (*salopp*); → abgewöhnen (sich etwas), → amortisieren, → beenden, → ermäßigen, → sitzenlassen, →

unterdrücken, → unterlassen, → verzagen; → Entsagung · Ggs. → zuraten.

**enträtseln,** entwirren, entschlüsseln, entziffern, dechiffrieren, auflösen, lösen, dahinterkommen (*ugs.*), abklären (*schweiz.*), entscheiden, klarstellen; → aufdecken, → auslegen, → dechiffrieren; → Aufklärung.

**Entrechteter** → Außenseiter.

**Entrecote** → Steak.

**Entree:** → Diele, → Vorgericht.

**Entrefilet** → Zeitungsartikel.

**entreißen** → wegnehmen.

**entrichten:** → zahlen; Steuer / Zoll. e. → versteuern; jmd. hat der Natur seinen Tribut entrichtet → tot [sein].

**entringen:** jmds. Brust entringt sich ein Seufzer → stöhnen.

**¹entrinnen** (einer Sache), entkommen, entgehen, sich retten können, [noch einmal Glück haben, [mit einem blauen Auge / mit heiler Haut] davonkommen; → Glück [haben].

**²entrinnen** → entkommen.

**entrisch** → unheimlich.

**entrückt** → gedankenvoll.

**entrußen** → säubern.

**entrüsten:** sich e. über → reden (über jmdn. / etwas).

**entrüstet,** ärgerlich, böse, aufgebracht, verärgert, empört, unwillig, ungehalten, unwirsch, fünsch (*niederd.*), indigniert, erbost, erzürnt, erbittert, zornig, fuchtig (*ugs.*), wütend, rabiat, wutentbrannt, wutschäumend, wutschnaubend (*ugs.*), fuchsteufelswild, zähneknirschend, grimmig, ingrimmig, tücksch (*ugs.*); → aufgelegt, → aufgeregt, → geharnischt, → gekränkt, → launisch, → unerfreulich, → unzufrieden, → widerwillig.

**Entrüstung:** E. verursachen, in [sittliche] E. versetzen → schockieren.

**entsaften** → auspressen.

**Entsafter** → Saftpresse.

**entsagen:** -d → enthaltsam; einer Sache e. → abschreiben; der Welt e. → abkapseln (sich), → Mönch [werden], → Nonne [werden].

**Entsagung,** Verzicht, Preisgabe, Resignation, Askese; → Be-

scheidenheit, → Entäußerung; → abschreiben.

**entsahnen** → entrahmen.

**Entsatz** → Rettung.

**entschädigen:** → belohnen, → einstehen.

**Entschädigung:** → Abfindung, → Ersatz, → Spesen.

**entschärfen** → Gefahr.

**Entscheid** → Urteil.

**entscheiden:** → enträtseln; sich e. → entschließen (sich); noch nicht e. → offenlassen; das Los e. lassen → losen; jmdn. selbst e. lassen → überlassen (jmdm. etwas); etwas ist noch zu e. → ungewiß [sein]; sich e. für → auswählen.

**entscheidend:** → maßgeblich, → nachhaltig; -er Einfluß → Autorität.

**¹Entscheidung,** Alternative, Entweder-Oder; **vor einer E. stehen,** am Kreuzweg / Scheideweg stehen; **an einer E. beteiligt sein,** gefragt werden müssen, ein Wörtchen mitzureden haben (*ugs.*); → entschließen (sich), → überwinden (sich).

**²Entscheidung** → Urteil; die E. ist gefallen, eine E. fällen → entschließen (sich).

**Entscheidungsfrage** → Frage.

**Entscheidungsschlacht** → Kampf.

**Entscheidungsträger** → Führungskraft.

**¹entschieden,** bestimmt, dezidiert; → bestimmt.

**²entschieden** → streng.

**Entschiedenheit** → Beharrlichkeit.

**entschlafen,** sterben, versterben, ableben, einschlafen, hinüberschlummern, entschlummern (*selten*), der Tod holt jmdn. heim, vom Tode ereilt werden, sein Leben aushauchen, den Geist aufgeben / aushauchen, die Seele aushauchen, heimgehen, dahinscheiden, hinscheiden, aus dem Leben scheiden, die Augen zumachen / [für immer] schließen, das Auge bricht (*dichter.*), vom Schauplatz / von der Bühne abtreten, sein Leben / Dasein vollenden, die sterbliche Hülle ablegen, zu Staub werden, die Feder aus der Hand legen, enden, das Zeitliche segnen, den Weg allen

/ alles Fleisches gehen, abfahren (*salopp*), ins Grab sinken, in die / zur Grube fahren, zugrunde gehen, [für immer] von jmdm. gehen, aus dieser Welt gehen, jmdn. verlassen (er hat uns [zu früh] verlassen), [in die Ewigkeit] abgerufen werden, verscheiden, dahingerafft werden, das letzte Stündlein ist gekommen / hat geschlagen, jmds. Uhr ist abgelaufen, von hinnen scheiden, abscheiden, erlöst werden, nicht mehr aufstehen, tot hinsinken, zu seinen Vätern versammelt werden, sich zu den Vätern versammeln, zur großen Armee abberufen werden, jmdm. passiert etwas / stößt etwas zu (*verhüllend*), seinen Verletzungen erliegen, seine letzte Reise / seinen letzten Weg antreten, in die ewigen Jagdgründe / zum ewigen Frieden / zur ewigen Ruhe eingehen, aus unserer (oder:) ihrer Mitte / aus dem Leben gerissen werden, umkommen, ums Leben / zu Tode kommen, den Tod finden, mit jmdm. ist es aus (*ugs.*), mit dem Tode ringen, im Sterben liegen, in den letzten Zügen liegen (*ugs.*), mit jmdm. geht es zu Ende, dran glauben müssen (*ugs.*), abkratzen (*salopp*), abschnappen (*salopp*), abnibbeln (*salopp*), hopsgehen (*salopp*), draufgehen (*salopp*), vor die Hunde gehen (*ugs.*), ins Gras beißen (*salopp*), den Löffel wegschmeißen (*salopp*), Sterbchen machen (*salopp*), ein Bankerl reißen (*salopp, österr.*), die Patschen aufstellen (*salopp, österr.*), den Arsch zukneifen (*vulgär*).

**Entschlafener** → Toter.

**entschlagen:** sich einer Sache e. → abschreiben.

**entschleiern** → aufdecken.

**Entschleierung** → Enthüllung.

**entschließen** (sich), sich schlüssig werden / entscheiden, einen Entschluß / Beschluß fassen, zu einem Entschluß kommen, eine Entscheidung treffen / fällen, beschließen, sich etwas vornehmen · *zu etwas Riskantem:* den Sprung wagen; **sich e. müssen,** nicht auf zwei Hochzeiten tanzen können; **sich nicht e.,** sich zwischen zwei Stühle setzen; **sich nicht e. können,** hin- und hergerissen sein (ugs.); **sich entschlossen haben,** die Entscheidung ist / die Würfel sind gefallen, alea iacta est; → auswählen, → erwirken, → offenlassen, → planen, → überwinden (sich), → vorhaben, → wagen, → wählen; → Entscheidung, → Entschließung.

**Entschließung,** Entschluß, Beschluß, Resolution, Willenserklärung, Willensäußerung, Willensbestimmung · *als Ergebnis einer langen Überlegung:* der Weisheit letzter Schluß; → Urteil; → entschließen (sich), → überwinden (sich).

**entschlossen:** → zielstrebig; kurz e. → kurzerhand.

**Entschlossenheit:** → Beharrlichkeit, → Entschlußkraft.

**entschlummern:** → einschlafen, → sterben.

**entschlüpfen** → entkommen.

**Entschluß:** → Entschließung; einen E. fassen → entschließen (sich); zu einem E. kommen → entschließen (sich).

**entschlüsseln:** → dechiffrieren, → enträtseln.

**Entschlußfähigkeit** → Entschlußkraft.

**Entschlußfreudigkeit** → Entschlußkraft.

**¹Entschlußkraft,** Entschlußfähigkeit, Entschlossenheit, Entschlußfreudigkeit, Unternehmungsgeist, Initiative; → Abenteuerlust, → Aktivität, → Beharrlichkeit, → Fleiß, → Tatkraft, → Wille; → aktiv.

**²Entschlußkraft** → Geistesgegenwart.

**entschlußlos** → unentschlossen.

**entschuldbar:** etwas ist e. → verzeihlich [sein].

**¹entschuldigen (sich),** um Entschuldigung / Verzeihung bitten, jmdm. etwas abbitten, Abbitte tun / leisten, deprezieren; → bedauern, → bereuen; → Entschuldigung, → Verzeihung!

**²entschuldigen:** → lossprechen, → verzeihen; e. Sie bitte! → Verzeihung!

**¹Entschuldigung,** Verzeihung, Vergebung, Pardon, Nachsicht, Abbitte, Deprekation, Bedauern; → Verzeihung!; → bedauern, → bereuen, → entschuldigen (sich); → schade.

**²Entschuldigung:** ich bitte [tausendmal] um E.! → Verzeihung!

**entseelt** → tot.

**Entseelter** → Toter.

**entsenden** → abordnen.

**Entsendung** → Abordnung.

**entsetzen:** → entlassen, → retten; sich e. → betroffen [sein].

**Entsetzen,** Horror, Grausen, Grauen, Schauder, Schreck, Schrecken, Schock, Bestürzung; → Abneigung, → Angst, → Schrecklähmung; → schrecklich.

**entsetzlich** → schrecklich.

**entsetzt,** betroffen, bestürzt, verstört, verwirrt, konsterniert, erschrocken, entgeistert, starr, fassungslos, verdattert (ugs.); → ängstlich, → überrascht, → verlegen; **e. sein,** sich entsetzen / erschrecken, die Fassung verlieren, wie vom Donner gerührt sein (ugs.), wie vom Schlag gerührt / getroffen sein (ugs.), kopfstehen, wie vor den Kopf geschlagen sein, jmdm. stehen die Haare zu Berge, jmdm. läuft es [heiß und] kalt über den Rücken / den Rücken herunter, die Hände über dem Kopf zusammenschlagen, in die Fraisen fallen (ugs., südd., österr.); → erschrecken, → verwirren.

**Entsetzung** → Entlassung.

**entseuchen** → desinfizieren.

**Entseuchung** → Desinfektion.

**entsinnen:** sich e. → erinnern (sich).

**entspannen:** sich e. → ruhen.

**entspannt:** → aufgelockert, → schlaff.

**¹Entspannung,** Entkrampfung, Beruhigung · *zwischen politischen Machtblöcken:* Disengagement; → Abrüstung; → ruhen.

**²Entspannung:** männliche E. → Samenerguß.

**Entspannungsübung,** Meditationsübung, autogenes / isometrisches Training, Jogaübung, Yogaübung; → Gymnastik, → Versenkung.

**entspinnen:** sich e. → entstehen.

**entsprechen:** → befriedigen, → gleichen, → passen; -d, von -dem Wert → gleichwertig; sich / einander -d → gleichartig; sich / einander genau -d → kongruent; etwas hat jmds. Erwartungen entsprochen → Erfahrung; etwas entspricht jmds. Fähigkeiten → begabt; den Tatsachen -d → wahr; einem Wunsch e. → billigen, → gewähren.

**entsprechend:** → einschlägig, gemäß, → passend, → prozentual.

**Entsprechung:** → Gegenstück, → Gleichartigkeit, → Parallele; genaue E. → Kongruenz.

**entspringen:** → fliehen, → stammen (von).

**entstammen** → stammen (von).

**entstauben** → abstauben.

**¹entstehen,** werden, sich entfalten / erheben / entwickeln / bilden / anspinnen / entspinnen / regen, erwachsen, aufkommen, erscheinen, sich zeigen, zum Vorschein kommen, hervorgerufen werden, auftauchen (ugs.), herauskommen, in Schwang kommen (ugs.), wie Pilze aus dem Boden / der Erde schießen, üblich werden, in Gebrauch kommen, etwas bahnt sich an; → edieren, → gedeihen, → geraten, → zusammensetzen (sich aus); → offenbar.

**²entstehen** → stammen (von).

**Entstehung,** Entwicklung, Bildung, Aufkommen, Beginn, Anfang · *einer Krankheit:* Pathogenese, Pathogenie (selten), Nosogenese, Nosogenie (selten), Ätiologie; → Anlaß, → Krankheitsentstehung; → ursächlich.

**entsteinen** → entkernen.

**entstellen:** → verfälschen, → verunstalten; durch nichts entstellt → ungetrübt.

**entstellt:** → häßlich, → verschandelt.

**¹Entstellung,** Verunstaltung, Verschandelung, Verunzierung, Verstümmelung, Verhunzung (abwertend); → verunstalten; → verschandelt.

**²Entstellung:** → Verdrehung, → Verfälschung, → Zerrbild.

**entströmen** → ausfließen.

enttäuschen: → frustrieren; enttäuscht sein → unzufrieden [sein].

enttäuscht → unzufrieden.

Enttäuschung, Desillusion, Desillusionierung, Ernüchterung, kalte Dusche (ugs.), Katzenjammer (ugs.), Versagung, Frustration; → Überraschung; → ernüchtern, → versagen; → unzufrieden.

entthronen → entlassen.

Entthronung → Entlassung.

entvölkert → menschenleer.

entwachsen: den Kinderschuhen e. sein → erwachsen [sein].

entwaffnen → widerlegen.

entwaffnend → außergewöhnlich.

Entwaffnung → Abrüstung.

Entwarnung → Ende.

entwässern → dränieren.

Entwässerung → Dränage.

Entwässerungsgraben → Graben.

Entweder-Oder → Entscheidung.

entweichen: → fliehen; Darmwind e. lassen → Darmwind.

entweihen, entheiligen, schänden, entwürdigen; → vergewaltigen.

entwenden → wegnehmen.

Entwendung → Diebstahl.

¹entwerfen, anlegen, planen, erarbeiten, erstellen, ausarbeiten, skizzieren, umreißen, konzipieren; → ausdenken, → ausdehnen, → denken, → planen, → vorhaben; → Absicht, → Einfall, → Entwurf.

²entwerfen → aufschreiben.

entwerten (Fahrschein), stempeln, lochen, knipsen (ugs.), zwicken (ugs., österr.), wertlos machen; → abwerten; → Fahrkarte, → Schaffner.

Entwerter → Stempeluhr.

¹entwickeln (sich), reifen, heranreifen, heranwachsen, sich mausern / (ugs.) herausmachen / wandeln / [zu seinem Vorteil] verändern, aufblühen, aufleben, wachsen; → florieren, → frech [werden].

²entwickeln: → erfinden; sich e. → entstehen, → wandeln (sich); sich e. zu → auswachsen (sich zu). Ruß e. → rußen.

¹Entwicklung, Entwicklungsprozeß, Entfaltung, Reife, Wachs-

tum · beschleunigte des Jugendlichen: Akzeleration · verzögerte des Jugendlichen: Spätentwicklung; → Entwicklungsphase, → Fortschritt, → Pubertät; eine E. nicht aufhalten können, das Rad der Geschichte läßt sich nicht zurückdrehen; → gedeihen, → verstärken, → wandeln (sich); → unkindlich.

²Entwicklung: → Ausdehnung, → Entstehung, → Kultur, → Neigung; in der E. sein → wandeln (sich).

Entwicklungsgang → Laufbahn.

Entwicklungsgeschichte → Laufbahn.

entwicklungsgeschichtlich → geschichtlich.

Entwicklungshilfe → Zuschuß.

Entwicklungsjahre → Pubertät.

Entwicklungsländer, junge Völker, unterentwickelte Länder, die dritte Welt; → Hilfe, → Zuschuß · Ggs. → Industrienation.

Entwicklungsphase, Entwicklungsstadium · von der Geburt bis zum Ende des ersten Lebensjahres durch Lustgewinn im Bereich der Mundzone gekennzeichnete: orale Phase · im zweiten und dritten Lebensjahr durch Lustgewinn im Bereich der Afterregion gekennzeichnete: anale Phase · im Alter von zwei bis drei Jahren durch Beziehung zum gegengeschlechtlichen Elternteil gekennzeichnete: ödipale Phase · um das vierte Lebensjahr beginnende, durch gesteigertes Interesse an den Genitalien gekennzeichnete: phallische Phase · als Endstadium der sexuellen Entwicklung durch das Interesse am anderen Geschlecht gekennzeichnete: genitale Phase; → Entwicklung, → Pubertät, → Trotzalter.

Entwicklungspsychologie → Psychologie.

Entwicklungsroman → Roman.

Entwicklungsstadium → Entwicklungsphase.

Entwicklungszeit → Pubertät.

entwinden → wegnehmen.

entwirren: → enträtseln, → zergliedern.

entwischen → entkommen.

¹entwöhnen, jmdm. etwas abgewöhnen, abbringen von · ein

Kind der Mutterbrust: abstillen · ein Kalb der Muttermilch: absetzen, abspänen (südd., österr.); → abgewöhnen (sich etwas); → Entwöhnung.

²entwöhnen: sich einer Sache e. → abgewöhnen (sich etwas).

Entwöhnung, Abgewöhnung, Einstellung, Abbruch, Aufgabe, Enthaltung · von der Muttermilch: das Abstillen, Ablaktation; → Enthaltsamkeit; → abgewöhnen (sich etwas), → entwöhnen.

entwürdigen: → demütigen (jmdn.), → entweihen, → schlechtmachen.

Entwürdigung → Nichtachtung.

Entwurf, Konzept, Denkmodell, Konzeption, Plan, Schlachtplan (ugs.), Disposition, Exposé, Treatment, Skizze, Brouillon, Kladde (nordd.), Sudel (schweiz.) · Organisationsplan, Organigramm · von Text- und Bildgestaltung: Layout; → Absicht, → Einfall, → Erzählung, → Gliederung, → Grundriß, → Herstellung, → Werk; → entwerfen.

¹entziehen (sich), meiden, fliehen (geh.), vermeiden, ausweichen, umgehen, aus dem Weg gehen, einen Bogen machen um (ugs.), sich drücken vor (ugs.), kneifen (ugs.), den Kopf in den Sand stecken, Vogel-Strauß-Politik treiben, scheuen · einer Schwierigkeit: den Weg des geringsten Widerstandes gehen, das Brett an der dünnsten Stelle bohren; → Angst [haben], → ausweichen, → fliehen; → feige; → Feigling · Ggs. → teilnehmen.

²entziehen: → aberkennen; sich e. → ausweichen; [einem Verdacht] den Boden e. → widerlegen; sich dem irdischen Richter e. → entleiben (sich); etwas entzieht sich jmds. Kenntnis → wissen.

Entziehung → Aberkennung.

Entziehungskur → Kur.

entziffern: → dechiffrieren, → enträtseln, → lesen.

entzücken → begeistern.

Entzücken → Lust.

entzückend: → charmant, → hübsch.

entzückt → begeistert.

Entzug → Aberkennung.

entzündbar: leicht e. → feuergefährlich.

Entzündbarkeit: leichte E. → Feuergefährlichkeit.

entzünden → anzünden.

entzündet → wund.

entzündlich: leicht e. → feuergefährlich.

Entzündlichkeit: leichte E. → Feuergefährlichkeit.

Entzündungsfieber → Eintagsfieber.

entzwei: e. sein → defekt [sein].

entzweibrechen → zerbrechen.

entzweien (sich), sich vereinigen / verfeinden / überwerfen / verzanken / zerstreiten, uneins werden; → entfremden (sich); → verfeindet; → Streit.

entzweigehen → defekt [werden].

entzweihacken → spalten.

entzweihauen → spalten.

entzweit → verfeindet.

Entzweiung → Streit.

Enurese → Bettnässen.

Enuresis nocturna → Bettnässen.

en vogue: en v. sein → modern [sein].

Enzephaloarteriogramm → Röntgenogramm.

Enzephaloarteriographie → Röntgenographie.

Enzephalogramm → Röntgenogramm.

Enzephalographie → Röntgenographie.

Enzephalon → Gehirn.

Enzephalorraghie → Blutung.

Enzian → Alkohol.

enzianblau → blau.

Enzyklika → Rundschreiben.

Enzyklopädie → Nachschlagewerk.

Enzym → Gärstoff.

EOG → Elektrogramm.

Eos → Göttin.

Epaulette → Achselklappe.

Ephebophiler: → Homosexueller, → Kinderschänder.

Epheliden → Sommersprossen.

ephemer: → kurzlebig, → vorübergehend; -es Fieber → Eintagsfieber.

Ephemera → Eintagsfieber.

Ephidrose → Transpiration.

Ephidrosis → Transpiration.

Ephorus → Geistlicher.

Epidemie → Krankheit.

epidemisch: -es Fleckfieber → Fleckfieber; -e Gelbsucht / Hepatitis → Leberkrankheit; -e Grippe → Grippe.

Epidermis, Oberhaut, Haut, Korium, Lederhaut, Pelle (ugs., landsch.), Teint; → Fell, → Schönheitspflegemittel, → Sinnesorgan, → Speckschwarte, → Zellulitis.

Epidermophytie → Hautpilzkrankheit.

Epidermykose → Hautpilzkrankheit.

Epidiaskop → Projektionsapparat.

Epigastrium → Magengrube.

Epigone → Nachahmer.

Epigonendichtung → Dichtung.

Epigramm, Sinngedicht, Distichon, Zweizeiler, Xenion, Sinnspruch, Spruch; → Ausspruch, → Dichtung, → Erzählung, → Gedicht, → Schriftsteller, → Versmaß; → dichten.

Epigraph → Aufschrift.

Epik → Dichtung.

Epikureer → Genußmensch.

Epilepsie, Fallsucht, hinfallende Krankheit (südd., österr.), Morbus sacer (Med.); → Krankheit.

Epilog → Nachwort.

Epinglé → Stoff.

¹Epiphanias (am 6. Januar), Epiphanienfest, Dreikönigsfest, Dreikönige, Heilige Drei Könige, Fest der Heiligen Drei Könige, Dreikönigstag, Fest der Erscheinung [Christi], Fest der Erscheinung des Herrn; → Kirchenfest, → Kirchenjahr.

²Epiphanias: [1.-6. Sonntag nach E.] → Kirchenjahr.

Epiphanienfest → Epiphanias.

Epiplozele → Bruch.

episch: -es Theater → Drama.

Episkop → Projektionsapparat.

Episode: → Ereignis, → Liebelei, → Nebenrolle, → Zwischenspiel.

Episodendarsteller → Schauspieler.

Episodenfilm → Kinofilm.

Episodenrolle → Nebenrolle.

Episodenspieler → Schauspieler.

episodisch → nebenbei.

Epistaxis → Blutung.

Epistel → Schreiben.

Epitaph: → Aufschrift, → Denkmal.

Epitasis → Höhepunkt.

Epithema → Wickel.

epochal → außergewöhnlich.

Epoche → Zeitraum.

epochemachend → außergewöhnlich.

Epopöe → Erzählung.

Epos → Erzählung.

Eprouvette → Ampulle.

Epsilon → Buchstabe.

Equinismus → Fußdeformität.

Equinovarus → Fußdeformität.

Equinus → Fußdeformität.

Equipage → Kutsche.

Equipe → Mannschaft.

Er → Mann.

erachten: e. für → beurteilen.

Erachten: meines -s → Ansicht.

erarbeiten → entwerfen.

Erarbeitung → Herstellung.

Erasmus → Nothelfer.

Erato → Muse.

eräugen → sehen (jmdn. / etwas).

Erbadel → Adel.

Erbärmdebild → Bild.

erbarmen: jmd. erbarmt jmdn. → mitfühlen.

Erbarmen → Mitgefühl.

erbärmlich → kläglich.

erbarmungslos → unbarmherzig.

Erbarmungslosigkeit → Unbarmherzigkeit.

erbauen → bauen.

Erbauer → Architekt.

erbaulich → beschaulich.

Erbauungsliteratur → Literatur.

Erbbegräbnis → Grab.

Erbberechtigter → Erbe (der).

¹Erbe (der), Erbberechtigter, Haupterbe, Alleinerbe, Universalerbe, Anerbe, Miterbe, Vorerbe, Nacherbe · der sich eine Erbschaft erschleicht: Erbschleicher; → Erbe (das); → enterben.

²Erbe (das), Erbteil, Pflichtteil, Erbschaft, Schenkung, Hinterlassenschaft, Nachlaß, Verlassenschaft (österr.), Vermächtnis, Legat, Vergabung (schweiz.); → Anteil, → Erbe (der), → Testament; → enterben, → hinterlassen.

³Erbe (das): vom E. ausschließen → enterben.

erbeben → zittern.

erbetteln: sich etwas e. → geben.

erbeuten → kapern.

Erbfeind: → Feind, → Teufel.

Erbfolge → Nachfolge.

Erbgang → Nachfolge.

erbieten: sich e. → anbieten.

erbitten → bitten.

erbittern: etwas erbittert jmdn. → ärgern.

erbittert → ärgerlich.

Erbitterung → Verstimmtheit.

erblassen → blaß [werden].

erbleichen → blaß [werden].

erblich → angeboren.

erblicken: → sehen; etwas in jmdm. / etwas e. → beurteilen.

Erblindung → Blindheit.

erblondet → blond.

erblühen → aufblühen.

erborgen → leihen.

erbosen: etwas erbost jmdn. → ärgern.

erbost → ärgerlich.

erbötig: e. sein → bereit [sein].

Erbprinz → Thronfolger.

erbrechen: → öffnen; [sich e.] → übergeben (sich).

Erbrechen, Übelkeit, Vomitio, Vomitus, Emesis; → übergeben (sich).

erbringen: → erträglich [sein], → ergeben; [den Beweis / Nachweis e.] → nachweisen.

Erbschaft: → Erbe (das); von der E. ausschließen → enterben.

Erbschaftssteuer → Abgabe.

Erbschaftsteuer → Abgabe.

Erbschleicher → Erbe (der).

Erbschleichersendung → Wunschsendung.

erbsengrün → grün.

Erbsensuppe → Suppe.

Erbstüll → Stoff.

Erbteil → Erbe (das).

Erbwort → Wort.

erdacht → erfunden.

Erdaltertum → Erdzeitalter.

Erdapfel: Erdäpfel [in der Montur] → Kartoffeln.

Erdäpfelknödel → Kloß.

Erdäpfelkoch → Kartoffelpüree.

Erdäpfelpüree → Kartoffelpüree.

erdauern → kontrollieren.

¹Erdball, Erde, Erdkugel, Weltkugel, Globus, Mutter Erde (dichter.), der blaue Planet; → Erdoberfläche, → Mond, → Planet, → Welt.

²Erdball → Welt.

Erdbeben, Beben, Erdstoß, Erschütterung; → Unglück.

Erdbeere, Monatserdbeere, Walderdbeere, Rotbeere (oberd.), Brestli (oberd.), Bresling (oberd.), Brästling (oberd.); → Beerenobst.

erdbeerrot → rot.

Erdbevölkerung → Menschheit.

Erdbiberli → Zwerg.

Erdblitz → Blitz.

Erdboden: → Erde; wie vom E. verschluckt sein → sehen.

¹Erde, Boden, Erdboden, Grund, Scholle, Erdreich, Krume · Sand, Mergel, Schlier (bayr., österr.), Schliersand (bayr., österr.) ·· besonders nährstoffreiche: Humus, Humuserde, Komposterde, Mutterboden, Muttererde, Gartenerde, Blumenerde · Lehm, Leim (südd.), Laimen (oberd.), Letten (südd.), Löß, Lößlehm, Geschiebelehm, Hanglehm, Auelehm, Ton, Tonerde; → Feld, → Fußboden.

²Erde: → Erdball, → Planet, → Welt; die Völker der E. → Volk; Stellvertreter Christi auf -n → Oberhaupt; den Himmel auf -n haben → Glück [haben]; die Nacht senkt sich auf die E. → dunkel [werden]; mit beiden Beinen auf der E. stehen → realistisch [sein]; wie Pilze aus der E. schießen → entstehen; zu ebener E. → parterre; kein Apfel kann zur E. fallen → voll [sein].

Erdenbürger: → Mensch; junger / kleiner E. → Kind.

erdenken → ausdenken.

erdenklich → möglich.

Erdenrund → Welt.

Erdenwurm → Mensch.

erdfarben → braun.

Erdfrühzeit → Erdzeitalter.

Erdgas → Gas.

erdgebunden → bodenständig.

Erdgeschoß: → Geschoß; im E. → parterre.

Erdhunde → Hunderassen.

erdichten: → ausdenken (sich etwas), → lügen; erdichtet → erfunden.

Erdichtung: → Einbildung, → Verdrehung.

Erdkreis → Welt.

Erdkröte → Frosch.

Erdkruste → Erdoberfläche.

Erdkugel → Erdball.

Erdkunde, Geographie, Länderkunde; → Erdzeitalter, → Gesteinskunde, → Landkarte.

Erdmännchen → Zwerg.

Erdmarder → Raubtier.

Erdmittelalter → Erdzeitalter.

Erdneuzeit → Erdzeitalter.

Erdnuß → Nuß.

Erdnußfett → Fett.

Erdnußöl → Speiseöl.

Erdoberfläche, Erdkruste, Erdrinde; → Erdball.

Erdöl, Mineralöl, Naphtha, Heizöl, Öl, Petroleum, Petrol (schweiz.); → Treibstoff.

erdolchen → töten.

Erdölleitung → Rohrleitung.

Erdreich → Erde.

¹erdreisten (sich), sich vermessen / erkühnen / erfrechen, die Dreistigkeit / Vermessenheit / Kühnheit / Stirn / Frechheit haben (oder:) besitzen, so dreist / vermessen / kühn sein, sich etwas erlauben / anmaßen, sich nicht scheuen / (abwertend) entblöden, nicht zurückschrecken / haltmachen / zurückscheuen vor: → anwenden, → beehren (sich) · in bezug auf ein Urteil über andere: sich ein Urteil anmaßen, sich zum Richter aufwerfen; → frech.

²erdreisten: sich e. → wagen.

Erdrinde → Erdoberfläche.

erdröhnen → schallen.

erdrosseln → töten.

erdrückend → überladen.

Erdrutsch, Bergrutsch, Felsrutsch, Abrutsch, Rutsch, Bergsturz, Felssturz, Steinschlag, Erdschlipf (schweiz.), Schlipf (schweiz.), Steinlawine · durch Wasser verursachter: Rüfe (schweiz.), Mure; → Lawine.

Erdschlipf → Erdrutsch.

Erdstern → Ständerpilz.

Erdstoß → Erdbeben.

Erdteil: → Kontinent; Schwarzer E. → Afrika.

Erdtrabant → Mond.

erdulden → ertragen.

erdumfassend → allgemein.

Erdurzeit → Erdzeitalter.

Erdvermessung → Geodäsie.

Erdwall → Wall.

Erdwichtel → Zwerg.

Erdzeitalter ·· Erdurzeit, Sternzeitalter ·· Erdfrühzeit, Präkambrium · Archaikum ·

Algonkium ·· Erdaltertum, Paläozoikum · Kambrium · Ordovizium · Silur · Devon ·Karbon· Perm ·· Erdmittelalter, Mesozoikum · Trias · Jura · Kreide ·· Erdneuzeit, Känozoikum · Tertiär · Quartär; → Erdkunde.

**Erebos** → Hölle.

**ereignen:** sich e. → geschehen.

**¹Ereignis,** Begebenheit, Begebnis, Geschehen, Geschehnis, Vorkommnis, Vorfall, Zufall, Erlebnis, Abenteuer, Sensation, Nervenkitzel (*ugs.*), Wirbel, Phänomen, Einmaligkeit, Kuriosum, Besonderheit, Zwischenspiel, Episode, Zwischenfall, Intermezzo · *ärgerliches*, *aufsehenerregendes:* Ärgernis, Skandal; → Angelegenheit, → Aufsehen, → Liebelei, → Schock, → Tatsache, → Unglück, → Vorgang; → erleben, → geschehen; → vorübergehend.

**²Ereignis:** freudiges E. → Geburt.

**ereilen** → einholen.

**Erektion:** eine E. haben → steif [werden].

**Erektor** → Muskel.

**Eremit** → Einsiedler.

**Eremitage** → Einsiedelei.

**Eremitei** → Einsiedelei.

**Eren** → Hausflur.

**ererbt:** → angeboren, → herkömmlich.

**¹erfahren,** in Erfahrung bringen, hören, jmdm. kommt / gelangt etwas zu Ohren, Kenntnis / (*salopp*) Wind bekommen von; → finden, → wahrnehmen, → wissen.

**²erfahren** (Verb): → erleben; eine [gründliche] Ausbildung e. → Ausbildung; Bestätigung e. → Passiv; erfahren haben von → wissen.

**³erfahren** (Adjektiv): → aufgeklärt, → firm.

**Erfahrenheit** → Kunstfertigkeit.

**¹Erfahrung,** Einsicht, Einblick, Wissen, Bildung, Kenntnis, Vertrautheit, Überblick, Weitblick, Weitsicht, Beschlagenheit, Praxis, Know-how, Erkenntnis, Weisheit, Lebenserfahrung, Menschenkenntnis, Weltkenntnis, Weltläufigkeit, Weltgewandtheit; → Duldsamkeit, → Duldung, → Erkennt-

nislehre, → Erziehung, → Fachmann, → Heiterkeit, → Pragmatismus, → Umsicht, → Vernunft, → Weltgewandtheit, → Wendigkeit; **E. haben,** gewitzigt / kein unbeschriebenes Blatt mehr sein, nichts Menschliches ist jmdm. fremd, keine guten Erfahrungen / schlechte Erfahrungen / nicht die besten Erfahrungen mit jmdm. (oder:) etwas gemacht haben; **mit etwas gute Erfahrungen gemacht haben,** mit etwas gut gefahren sein / gut bedient gewesen sein / zufrieden gewesen sein / gut zurecht gekommen sein, etwas hat jmds. Erwartungen erfüllt, etwas hat jmds. Erwartungen entsprochen; **auf E. beruhend,** empirisch, pragmatisch, induktiv, diskursiv, behavioristisch, nicht → gefühlsmäßig; → scharfsinnig, → schlau, → weitblickend; → wirklich · Ggs. → theoretisch.

**²Erfahrung:** → Kunstfertigkeit; in E. bringen → erfahren, → finden; -en sammeln → erleben.

**erfahrungsgemäß** → bekanntermaßen.

**erfallen** → fallen.

**erfassen:** → buchen, → verstehen; etwas erfaßt jmdn. → überkommen; das Erfassen → Wahrnehmung.

**Erfassung** → Sammlung.

**¹erfinden,** entwickeln, verbessern; → ausdenken, → finden; → Erfinder, → Erfindung.

**²erfinden:** → ausdenken (sich etwas), → lügen.

**Erfinder,** Entdecker; → Erfindung, → Gründer; → erfinden.

**erfinderisch:** → schöpferisch; e. sein → Einfall.

**¹Erfindung,** Entdeckung, schöpferischer Einfall; → erfinden.

**²Erfindung** → Lüge.

**Erfindungsgabe** → Einfallsreichtum.

**Erfindungsschutz** → Patent.

**erflehen** → bitten.

**erfließen:** etwas erfließt → ausgehen.

**¹Erfolg,** Durchbruch, Wirksamkeit, Auswirkung, Folge, Effekt, Ergebnis, Resultat, Fazit ·

*großer:* Bombenerfolg (*ugs.*) · *dreimaliger im Sport:* Hat-Trick, Hattrick; → Ergebnis, → Folge, → Glück, → Reaktion · Ggs. → Mißerfolg; **E. haben,** ein Kassenschlager / erfolgreich sein, brillieren, glänzen, die Kurve kriegen (*ugs.*), reüssieren, jmds. Weizen blüht, zum Handkuß kommen (*schweiz.*), seinen Weg machen, es zu etwas bringen, etwas hat / zeitigt ein gutes Ergebnis, etwas trägt Frucht / Früchte, etwas ist von Erfolg gekrönt; → angesehen [sein], → avancieren, → brillieren, → erwirken, → gelingen, → verursachen; **keinen E. haben,** erfolglos sein, unverrichteterdinge weggehen, einen Metzgergang / (*schweiz.*) Narrengang machen, etwas verfängt nicht, mit etwas ist kein Blumentopf zu gewinnen (*ugs.*), bei jmdm. Pech haben (*ugs.*), nicht ankommen (*ugs.*), kein Glück / keine Chancen haben, erfolglos / ohne Resonanz bleiben; → nutzlos, → wirkungslos.

**²Erfolg:** → Sieg, → Verkaufsschlager; keinen E. zeitigen → wirkungslos [bleiben].

**erfolgen** → geschehen.

**erfolglos** → wirkungslos; e. sein / bleiben → Erfolg, → Mißerfolg [haben].

**Erfolglosigkeit** → Unwirksamkeit.

**erfolgreich:** e. abschließen / beenden → absolvieren; e. sein → Erfolg [haben].

**Erfolgsbuch** → Buch.

**Erfolgsmeldung** → Nachricht.

**Erfolgsmensch** → Karrieremacher.

**erfolgversprechend** → aussichtsreich.

**erforderlich:** → nötig; unbedingt e. → unveräußerlich.

**¹erfordern:** etwas erfordert / verlangt / beansprucht / kostet etwas, etwas setzt etwas voraus / bedarf einer Sache; → brauchen.

**²erfordern:** etwas erfordert Bedenkzeit / [genaues] Nachdenken / Überlegung → Bedenkzeit [erfordern]; einen Krankenhausaufenthalt / eine Krankenhausbehandlung -d → stationär.

**Erfordernis,** Notwendigkeit, Unentbehrlichkeit, Unumgänglichkeit, notwendiges Übel, Unerläßlichkeit; → Zwang; → dringend, → nötig.

**erforschen** → forschen.

**Erforschung**, Forschung, Ermittlung, Untersuchung, Sondierung, Erkundung; → Nachforschung, → Verhör; → forschen.

**erfragen** → auskundschaften.

**erfrechen:** sich e. → erdreisten (sich).

¹**erfreuen:** etwas erfreut / freut / beglückt / belustigt / beseligt / amüsiert jmdn., etwas macht jmdn. glücklich / froh, etwas macht jmdm. Spaß / Freude, Freude / Spaß an etwas haben; → begeistern, → belustigen, → freuen (sich), → gefallen; → Lust.

²**erfreuen:** sich e. → freuen (sich).

**erfreulich**, angenehm, günstig, vorteilhaft, willkommen, gut, gefreut (schweiz.), nicht → unerfreulich; → beschaulich, → glücklich, → lustig, → nützlich, → zweckmäßig; **e. sein**, etwas ist für jmdn. erfreulich, etwas ist Musik / klingt wie Musik in jmds. Ohren; → lohnend; → Vorteil.

**erfrieren**, verfrieren, Frost bekommen / abbekommen / (ugs.) abkriegen, auswintern; → Erfrierung; → Kälte.

**Erfrierung**, Frostschaden, Kongelation, Perniose, Frostbeule, Pernionen (Plural); → erfrieren.

**Erfrierungstod**, Kältetod, der Weiße Tod; → Unterkühlung.

**erfrischen:** → erquicken; sich e. → baden, → schwimmen, → waschen (sich / jmdn.).

**Erfrischungsbude** → Verkaufsstand.

**Erfrischungsstand** → Verkaufsstand.

**erfüllen:** → befriedigen, → beseelen; etwas erfüllt sich → eintreffen; etwas erfüllt jmdn. → überkommen; etwas hat sich jmds. Erwartungen erfüllt → Erfahrung; etwas erfüllt die Aufgabe → dienen; jmdn. mit Kummer / Sorge e. → bekümmern; die Luft mit üblem Geruch erfüllen → verpesten; erfüllt von → besessen (von).

**Erfüllung:** → Befriedigung; etwas geht in E. → eintreffen.

**Erfüllungsgehilfe** → Jasager.

**Erfüllungspolitiker** → Jasager.

**erfunden**, erdichtet, erdacht, ausgedacht, vorgetäuscht, angenommen, vorausgesetzt, fingiert, fiktiv, hypothetisch, erstunken und erlogen (salopp, abwertend); → falsch, → grundlos; **e. sein:** etwas ist erfunden / entbehrt jeder Grundlage / ist nicht wahr / ist reine Phantasie / ist reine Fiktion / schlägt der Wahrheit ins Gesicht, an etwas ist kein wahres Wort; → Lüge.

**ERG** → Elektrogramm.

**ergänzen:** → tanken, → vervollständigen; laufend e. → buchen.

**ergänzend**, supplementär; → vervollständigen.

¹**Ergänzung**, Abrundung, Aufrundung, Auffüllung, Hinzufügung, Einschiebung, Einschub, Nachtragung, Nachtrag, Komplettierung, Vervollständigung, Perfektionierung, Vervollkommnung; → Vermehrung; → vervollständigen.

²**Ergänzung** → Novelle.

**ergattern** → erwerben.

¹**ergeben:** hervorbringen, eintragen, machen (ugs.), einen bestimmten Ertrag bringen; → einträglich [sein].

²**ergeben** (Verb): → bedeuten; sich e. → nachgeben; sich e. aus → erhellen, → stammen (von); sich in etwas e. → ertragen.

³**ergeben** (Adjektiv): → folgsam, → geduldig; → treu; jmdm. bedingungslos e. sein → folgsam [sein]; Ihr [sehr] -er → hochachtungsvoll.

**ergebenst** → hochachtungsvoll.

¹**Ergebnis**, Endergebnis, Resultat, Gesamtergebnis · Teilergebnis, Zwischenergebnis · Zufallsergebnis.

²**Ergebnis:** → Erfolg, → Folge; ein E. haben, zu einem E. kommen → enden; etwas hat / zeitigt ein gutes E. → Erfolg [haben].

**ergebnislos** → wirkungslos.

**Ergebung** → Demut.

**ergehen:** sich e. → spazierengehen; sich e. in / über → äußern (sich); etwas über sich e. lassen → ertragen.

**ergiebig:** nicht e. sein → nützlich.

**Ergiebigkeit**, Fruchtbarkeit, Produktivität, Häufigkeit; → Häufigkeit.

**ergießen:** sich e. → fließen.

**erglühen:** in Liebe e. → verlieben (sich).

**ergo** → also.

**ergötzen:** sich e. → freuen (sich).

**Ergötzen** → Lust.

**ergrauen** → altern.

**ergraut** → grauhaarig.

¹**ergreifen** (jmdn.), aufgreifen, abfassen, fassen, habhaft werden, erwischen, [auf frischer Tat] ertappen, anpacken, packen, fassen, [beim Wickel / am Schlafittchen / zu fassen] kriegen (ugs.), schnappen (salopp), ausheben, hochnehmen, hochgehen / aufliegen lassen (ugs.), hoppnehmen (salopp); → abführen, → fangen, → festsetzen, → nehmen, → verhaften; → Freiheitsentzug, → Verhaftung.

²**ergreifen:** etwas ergreift jmdn. → erschüttern; einen Beruf e. → werden (etwas); einen anderen Beruf e. → umsatteln; die Flucht / das Hasenpanier e. → fliehen; die Initiative e. → unternehmen; andere Maßnahmen e. → eingreifen; das Wort e. → vortragen.

**ergreifend:** → interessant, → nachdrücklich, → rührend.

**Ergreifung** → Verhaftung.

**ergriffen** → bewegt.

**Ergriffenheit**, Rührung, Erschütterung; → Ergriffenheit, → Feierlichkeit; → erschüttern; bewegt.

**ergrimmen** → ärgerlich [werden].

**ergrübeln** → ausdenken.

**ergründen** → forschen.

**Erguß:** → Bluterguß, → Gerede, → Samenerguß.

¹**erhaben**, hehr, sublim, verfeinert, erlaucht, honorig, achtunggebietend, festlich, feierlich, solenn, würdig, ehrwürdig, altehrwürdig, altväterlich, patriarchalisch; → altmodisch, → ehrenhaft; → Feierlichkeit; → verfeinern.

²**erhaben:** etwas ist über jeden Verdacht / Zweifel e. → wahr [sein].

**Erhabenheit:** → Feierlichkeit, → Herrlichkeit, → Vornehmheit.

**Erhalt** → Entgegennahme.

**erhalten:** → beibehalten, → bekommen, → ernähren, → konservieren, → verdienen; etwas bleibt e. → verlorengehen; etwas [angeboten] e. → Passiv; die Art e. — fortpflanzen (sich); eine [gründliche] Ausbildung e. → Ausbildung; Unterricht e. → Unterricht [erhalten]; Kontakt mit jmdm. e. → Kontakt [mit jmdm. finden].

**Erhalter** → Gott.

**Erhaltung:** → Instandhaltung, → Lebensunterhalt.

**erhängen:** → töten; sich e. → entleiben (sich).

**erhärten** → festigen.

**erhaschen** → fangen, → nehmen.

**erhausen:** sich etwas e. → sparen.

**¹erheben** (sich), sich von den Plätzen erheben, aufstehen, sich aufrichten / aufrecken, aufstreben, aufspringen, aufschnellen; → aufstehen, → steif [werden] · Ggs. → setzen (sich).

**²erheben:** → heben, → kassieren, → nachforschen; sich e. → anfragen, → aufbegehren, → aufstehen, → entstehen; erhobenen Hauptes → selbstbewußt; mit erhobenem Zeigefinger → streng; Anklage e. → prozessieren; Ansprüche e. → bestehen (auf); Anspruch e. auf → Anspruch [geltend machen]; zum Begriff e. → abstrahieren; Einspruch e. → beanstanden; die Hand e. → Handzeichen [geben]; Protest e. → aufbegehren; in die zweite / dritte Potenz e. → potenzieren; ins Geistige e. → verfeinern; ins Quadrat e. → quadrieren.

**erhebend** → beschaulich.

**erheblich:** → außergewöhnlich, → einigermaßen, → sehr.

**Erhebung:** → Berg, → Nachforschung, → Umfrage, → Verschwörung.

**erheischen** → verlangen.

**erheitern,** aufheitern, aufmuntern, zerstreuen, ablenken, auf andere Gedanken bringen, Stimmung machen, Leben in die Bude bringen (*salopp*); → anregen, → anstacheln, → beseelen.

**¹erhellen:** etwas erhellt / geht hervor / wird deutlich / ergibt sich aus, etwas macht jmdm. etwas bewußt.

**²erhellen:** erhellt → beleuchtet; von Sternen erhellt → gestirnt.

**erhitzen:** [im Wasserbad e.] → aufwärmen.

**erhitzt,** echauffiert, warm, heiß.

**erhoffen:** → hoffen, → wünschen.

**erhöhen:** → aufbessern, → heraufsetzen, → steigern, → verfeinern.

**erhöht:** -e Temperatur → Fieber; -e Temperatur haben → fiebern.

**Erhöhung:** → Heraufsetzung, → Podium, → Preisanstieg, → Steigerung, → Verfeinerung, → Zuschlag.

**erholen** (sich), wieder zu Kräften kommen, auftanken (*ugs.*), sich regenerieren, ausspannen, Ferien / Urlaub machen; → faulenzen, → gesund [werden], → ruhen; → Urlaub.

**¹Erholung,** Ausspannung, Regeneration, Verschnaufpause (*ugs.*), Atempause; → erholen (sich).

**²Erholung** → Urlaub.

**erholungsbedürftig** → erschöpft.

**Erholungsheim:** → Sanatorium, → Strafanstalt.

**Erholungspause:** eine E. einlegen → Pause [machen].

**Erholungsreise** → Reise.

**Erholungsuchender** → Urlauber.

**Erholungszentrum** → Sportfeld.

**erhören** → nachgeben.

**Eridanus:** Fluß E. → Sternbild.

**erigieren** → steif [werden].

**Erika** → Heidekraut.

**Erikahonig** → Honig.

**erinnerlich:** etwas ist jmdm. e. → Gedächtnis.

**¹erinnern** (sich), sich entsinnen / besinnen / zurückerinnern, es dämmert jmdm. (*ugs.*), sich etwas ins Gedächtnis zurückrufen / rufen, jmds. / einer Sache gedenken, denken an, etwas fällt jmdm. ein / kommt jmdm. in den Sinn, etwas geht /

fährt jmdm. durch den Sinn, zehren von, zurückdenken, zurückblicken, zurückschauen, Rückschau halten · *deutlich:* etwas steht jmdm. noch klar vor Augen; → gemahnen, → mahnen, → überprüfen; → Erinnerung.

**²erinnern:** → mahnen; sich nicht e. können → vergessen; etwas erinnert an → gemahnen; sich [gut] an etwas e. [können] → Gedächtnis.

**¹Erinnerung,** Gedächtnisauffrischung, Rückschau, Rückblick, Reminiszenz · *unangenehme:* Denkzettel; → Gedächtnis; → erinnern (sich).

**²Erinnerung:** → Erinnerungsvermögen, → Ermahnung; -en → Biographie; keine E. [mehr] an etwas haben → vergessen; in E. bringen / rufen → wachrufen; etwas [noch] in [guter] / gut in E. haben → Gedächtnis.

**Erinnerungsalbum** → Album.

**Erinnerungsfähigkeit** → Erinnerungsvermögen.

**Erinnerungsfälschung** → Gedächtnisstörung.

**Erinnerungslücke** → Gedächtnisstörung.

**Erinnerungsstück** → Andenken.

**Erinnerungstäuschung** → Gedächtnisstörung.

**¹Erinnerungsvermögen,** Erinnerungsfähigkeit, Erinnerung, Gedächtnis, Gedächtniskraft, Mneme (*fachspr.*) · *besonders für Personen:* Personengedächtnis · *besonders für Zahlen:* Zahlengedächtnis · *besonders für Namen:* Namengedächtnis; → Gedächtnisstütze; → Mnemotechnik.

**²Erinnerungsvermögen:** krankhaft / pathologisch gesteigertes E. → Gedächtnisstörung.

**Erinnye** → Rachegöttin.

**Eriwan** → Orientteppich.

**erkalten** → abnehmen.

**erkälten** (sich), sich verkühlen (*bes. österr.*), sich verkälten (*südd.*), sich eine Erkältung zuziehen; → kalt; → Erkältung.

**¹Erkältung,** Verkühlung (*österr.*), Schnupfen, Husten, Strauchen (*österr.*), Strauken (*österr.*); → Grippe, → Schnupfen; → erkälten (sich).

²**Erkältung:** sich eine E. zuziehen → erkälten (sich).

**Erkältungskatarrh** → Schnupfen.

**Erkanntnis** → Urteil.

¹**erkennbar,** ersichtlich, ablesbar; → absehbar, → kenntlich, → offenbar; **e. machen,** → markieren.

²**erkennbar:** → absehbar, → kenntlich.

¹**erkennen,** feststellen, identifizieren, agnoszieren (österr.), einsehen, sehen, ersehen / entnehmen aus, zu der Erkenntnis kommen / gelangen, dahinterkommen (ugs.), hinter etwas kommen, hinter die Kulissen blicken (ugs.), es dämmert jmdm. (ugs.), etwas / ein Licht / ein Seifensieder geht jmdm. auf (ugs.), es fällt jmdm. wie Schuppen / (veraltet) wie eine Binde von den Augen, jmdm. gehen die Augen auf, durchschauen; sehen, was mit jmdm. los ist (ugs.), apperzipieren, der Groschen fällt (salopp), es hat gefunkt / geschnakkelt (salopp), es hat gezündet · eine Krankheit: diagnostizieren, die Diagnose stellen, prognostizieren; **nicht e.,** keine Augen im Kopf haben (ugs.), den Wald vor [lauter] Bäumen nicht sehen (ugs.); **nicht e. wollen,** etwas nicht wahrhaben wollen, vor etwas die Augen verschließen; **sich zu e. geben,** sein wahres Gesicht zeigen, die Maske fallen lassen, sich demaskieren / entlarven; → bemerken, → entlarven, → klarwerden (sich über), → merken, → untersuchen, → verstehen, → vorstellen (sich etwas).

²**erkennen:** → koitieren, → sehen; zu e. geben → mitteilen; e. lassen → bekunden; das Erkennen → Diagnose.

**erkenntlich:** sich e. zeigen → belohnen.

**Erkenntlichkeit** → Belohnung.

**Erkenntnis:** → Erfahrung, → Urteil.

**Erkenntnisdrang** → Neugier.

**Erkenntnislehre,** Erkenntnistheorie, Gnoseologie; → Erfahrung.

**Erkenntnistheorie** → Erkenntnislehre.

**Erkennung** → Diagnose.

**Erkennungsmarke** → Erkennungszeichen.

**Erkennungsmelodie** → Pausenzeichen.

¹**Erkennungszeichen,** Schibboleth, Erkennungsmarke, Marke, Merkmal; → Zeichen.

²**Erkennungszeichen:** → Losung, → Pausenzeichen.

**Erker** → Veranda.

**Erkerfenster** → Fenster.

**erklesen** → erwählen.

**erklärbar** → erklärlich.

**erklären:** → auslegen, → äußern, → zergliedern; sich solidarisch e. → teilnehmen, → verbrüdern (sich); an Eides Statt e. → versprechen; für unmündig e. → entmündigen; für vogelfrei e. → ausschließen.

**Erklärer** → Interpret.

**erklärlich,** erklärbar, deutbar; → einleuchten, → klar, → verständlicherweise, → zurückführbar.

**Erklärung:** → Argument, → Aufklärung, → Auslegung, → Bescheinigung.

**erklecklich** → außergewöhnlich.

**erklettern** → steigen (auf).

**erklimmen** → steigen (auf).

**erklingen** → schallen.

**erkranken** → krank [werden].

**Erkrankung** → Krankheit.

**erkühnen:** sich e. → erdreisten (sich), → wagen.

**erkunden:** → auskundschaften, → nachforschen.

**erkundigen:** sich e. → fragen.

**Erkundigung:** → Frage; -en einziehen → fragen.

**Erkundung** → Erforschung.

**Erkundungsflug** → Flug.

**erkünstelt** → geziert.

**erküren** → erwählen.

**Erlag** → Hinterlegung.

**Erlagschein** → Zahlkarte.

**erlahmen** → stocken.

**erlangen:** → erwerben; den Doktorgrad / die Doktorwürde e. → promovieren; die Lehrberechtigung / Venia legendi e. → habilitieren (sich).

**Erlaß** → Weisung.

**erlassen:** → anordnen; eine Amnestie e. → begnadigen; jmdm. etwas e. — befreien (von).

**erlauben:** → billigen; sich e. → beehren (sich); sich etwas e. → erdreisten (sich).

¹**Erlaubnis,** Genehmigung, Billigung, Zustimmung, Einwilligung, Bestätigung, Bekräftigung, Einverständnis, Sondergenehmigung, Extrawurst (salopp), Lizenz, Permiß, Option, Sanktion, Konsens, Plazet, Ratifizierung, Ratifikation; → Abmachung, → Anerkennung, → Befreiung, → Beifall, → Bekräftigung, → Berechtigung, → Bescheinigung, → Bevollmächtigung, → Freibrief, → Lehrberechtigung, → Unterzeichnung, → Vorrecht, → Zugeständnis, → Zusicherung · Ggs. → Einspruch; **mit E. von,** im Einvernehmen / nach Übereinkunft / nach Vereinbarung / in Übereinstimmung / im Einverständnis / nach Absprache mit, mit Zustimmung von; → ermächtigen; → bejahend; → gemäß, → statthaft.

²**Erlaubnis:** E. geben → billigen.

**erlaubt:** bis zur Grenze des Erlaubten → ganz; [über das Maß des Erlaubten hinausgehen] → statthaft.

**erlaucht** → erhaben.

**Erlaucht:** Euer / Eure E. → Anrede.

**erläutern** → auslegen.

**Erläuterung** → Auslegung.

**Erle** → Laubbaum.

¹**erleben,** erfahren, kennenlernen, Erfahrungen sammeln, sich die Hörner abstoßen (ugs.), sich den Wind um die Nase wehen lassen (ugs.), die Erfahrung machen; → ertragen, → haben, → weilen; → Ereignis.

²**erleben:** → begegnen; sein blaues Wunder e. → überrascht [sein].

**Erlebnis:** → Ereignis, → Liebelei.

**Erlebnisbericht** → Schulaufsatz.

**Erlebnisdichtung** → Dichtung.

**Erlebnisgier** → Abenteuerlust.

**Erlebnishunger** → Abenteuerlust.

**erlebnishungrig** → lebenshungrig.

**Erlebnislyrik** → Lyrik. [rig.

**erledigen:** → töten, → verwirklichen; etwas erledigt sich → Ordnung.

erledigt: → fertig; e. sein → erschöpft [sein]; als e. betrachten → weglegen; der ist für mich e. → verfeindet [sein]; etwas e. sich → Ordnung.

¹Erledigung, Bearbeitung · *durch zuviel Formulare oder lange Korrespondenz erschwerte:* Papierkrieg; → Bürokratie; → bürokratisch.

²Erledigung: → Bewerkstelligung; auf E. warten → vormerken.

erlegen: → töten, → zahlen.

erleichtern: → bestehen, → lindern, → wegnehmen; jmdm. etwas e. → entgegenkommen (jmdm.); sich / sein Herz e. → mitteilen; sein Gewissen e. → gestehen.

erleichtert: e. sein → aufatmen.

Erleichterungsmittel → Linderungsmittel.

¹erleiden, ertragen, erdulden, dulden, leiden, auf sich nehmen, sich in etwas schicken / ergeben / finden / fügen, sein Kreuz tragen / auf sich nehmen, durchmachen, mitmachen, durchstehen, bestehen, aushalten, ausstehen, überstehen, überwinden, überleben, vertragen, verkraften, verarbeiten, tragen, hinnehmen, in Kauf nehmen, auffangen, verschmerzen, verdauen (*ugs.*), fertig werden mit, sich etwas gefallen / bieten lassen, sich abfinden mit, sich in seine Rolle finden, etwas über sich ergehen lassen, jmdm. bleibt nichts erspart, etwas einstecken / schlucken müssen (*ugs.*) · *gleiche Unannehmlichkeiten:* Leidensgenossen sein; → bewältigen, → billigen, → durchsetzen (sich), → erleben, → nachgeben, → standhalten, → überdauern; → Duldung.

²erleiden: Einbuße / Nachteile / Schaden e. → einbüßen; eine Niederlage / Schlappe e. → besiegen; Schiffbruch e. → Mißerfolg; → scheitern; eine Veränderung e. → Passiv.

erlernen: → einstudieren, → lernen; einen Beruf e. → werden (etwas).

erlesen → kostbar.

Erlesenheit → Kostbarkeit.

erleuchten: [taghell] erleuchtet → beleuchtet.

Erleuchtung → Einfall.

erliegen: seinen Verletzungen e. → sterben; zum Erliegen bringen → lahmlegen; zum Erliegen kommen → enden.

Erlkönig → Auto.

erlogen: → unredlich; erstunken und e. → erfunden.

Erlös → Ertrag.

erlöschen: zum Erlöschen bringen → löschen.

erlösen: → retten; erlöst werden → sterben.

Erlöser: → Heiland, → Retter.

erlöst: e. sein → aufatmen.

¹ermächtigen, bevollmächtigen, autorisieren, Vollmacht erteilen / verleihen, die Berechtigung geben, etwas berechtigt / befugt jmdn; → billigen, → ernennen, → übertragen; → befugt; → Berechtigung, → Erlaubnis.

²ermächtigen: ermächtigt → befugt.

Ermächtigung: → Berechtigung, → Delegierung.

ermahnen → mahnen.

Ermahnung, Mahnung, Anmahnung, Erinnerung; → mahnen.

ermangeln → mangeln.

Ermangelung: in E. eines Besseren → notgedrungen.

ermannen: sich e. → überwinden (sich).

ermäßigen, verringern, nachlassen, verbilligen, herabsetzen, heruntersetzen, [mit dem Preis] heruntergehen, die Preise senken, absenken (*schweiz.*), Rabatt / Prozente geben; → abschreiben; → Preisnachlaß.

Ermäßigung → Preisnachlaß.

ermattet → kraftlos.

Ermattung: → Erschöpfung, → Kraftlosigkeit.

Ermessen: nach eigenem E. → eigenmächtig; nach jmds. E. → beliebig.

¹ermitteln, finden, aufspüren, orten, den Standort bestimmen, ausfindig machen, ausfinden, ausmachen, in Erfahrung bringen, feststellen, auf die Spur kommen, herausfinden, herausbekommen, herausbringen (*ugs.*), herauskriegen (*salopp*), rausbrin-

gen (*salopp*), ausklamüsern (*ugs.*), aufstöbern, auftreiben (*ugs.*), auflesen (*ugs.*), aufgabeln (*salopp*), auffischen (*salopp*); → beschaffen, → erfahren, → erfinden, → fragen, → sehen, → wahrnehmen; → Auskundschafter, → Fundbüro · Ggs. → suchen.

²ermitteln: → ausrechnen, → nachforschen.

Ermittlung: → Erforschung, → Nachforschung, → Verhör; -en anstellen → nachforschen.

Ermittlungsbüro → Detektei.

Ermittlungsverfahren → Nachforschung.

ermöglichen: → möglich [machen]; jmdm. etwas e. → entgegenkommen (jmdm.).

ermorden → töten.

Ermordung → Tötung.

ermüdend: → beschwerlich, → langweilig.

ermüdet → müde.

Ermüdung → Erschöpfung.

ermuntern → zuraten.

Ermunterung → Impuls.

ermutigen → zuraten.

ermutigend → tröstlich.

Ern: → Hausflur, → Treppenhaus.

ernähren, nähren, für jmdn. sorgen, für jmds. Lebensunterhalt sorgen / aufkommen, unterhalten, erhalten, aushalten, durchfüttern (*ugs.*), zu essen geben, beköstigen, verköstigen, in Kost haben, verkostgelden (*schweiz.*), bekochen (*scherzh.*), verpflegen, ausspeisen (*österr.*), herausfüttern (*ugs.*), abfüttern (*ugs.*), überfüttern (*ugs.*), sättigen, satt machen, den Hunger stillen · *von Tieren:* zu fressen geben, füttern, Futter geben, atzen, mästen, nudeln, schoppen (*bayr., österr.*); → essen, → servieren, → stillen, → zahlen; **ernährt werden,** die Beine unter jmds. Tisch strecken; **sich selbst e. müssen,** auf sich gestellt sein; → satt; → Ernährung, → Mast, → Nahrung.

¹Ernährung, Verköstigung, Beköstigung · *bei Tieren:* Fütterung, Atzung; → Essen, → Nahrung; → ernähren.

²Ernährung: → Lebensunterhalt; Anhänger der pflanzlichen E. → Vegetarier.

**¹Ernährungsstörung,** Dystrophie, Ansatzstörung, Fehlernährung · *auf Grund mangelnder Ernährung:* Unterernährung, Hypotrophie, Oligotrophie, Atrophie, Organschwund; → Verdauungsstörung.

**²Ernährungsstörung** → Verdauungsstörung.

**Ernährungswissenschaft:** Hauswirtschaft und E. →Ökotrophologie.

**ernennen,** nominieren, berufen, [mit einem Amt] betrauen, einsetzen, bestallen; → anordnen, → auswählen, → beordern, → designieren, → einstellen, → ermächtigen; → Nominierung.

**Ernennung** → Nominierung.

**Ernennungsurkunde** → Urkunde.

**erneuen** → erneuern.

**¹erneuern,** erneuen, auffrischen, renovieren, wiederherstellen, restaurieren, modernisieren, auswechseln; → aufarbeiten, → austauschen, → mobilisieren, → reparieren, → verbessern.

**²erneuern** → reparieren.

**Erneuerung:** Neubelebung, → Reform, → Renovierung, → Umgestaltung, → Wiederherstellung.

**erneut** → wieder.

**¹erniedrigen** (sich), sich demütigen, Kotau machen, zu Kreuze kriechen, einen Gang nach Canossa antreten; → beschämen, → bessern (sich), → bloßstellen (sich), → unterwürfig [sein], → verbrüdern (sich); **sich nicht e.,** sich nichts vergeben, jmdm. fällt kein Stein / bricht kein Zacken aus der Krone.

**²erniedrigen** → demütigen (jmdn.).

**erniedrigend** → beschämend.

**Erniedrigung** → Beleidigung.

**¹ernst,** kritisch, bedrohlich, folgenschwer; → gefährlich; **e. sein:** etwas (die Lage) ist ernst, es kriselt / knistert im Gebälk (*ugs.*), mit etwas ist nicht zu spaßen; **e. werden:** es wird ernst, es geht hart auf hart / ums Letzte / (*salopp*) um die Wurst.

**²ernst:** → ernsthaft; Ernste Bibelforscher → Sekte; -e Musik → Musik; es e. meinen →

heiraten [wollen]; nicht e. nehmen → mißachten.

**¹Ernst,** Ernsthaftigkeit, Feierlichkeit, Würde; → Humorlosigkeit; → ernsthaft.

**²Ernst:** tierischer E. → Humorlosigkeit; E. machen → verwirklichen; mit feierlichem E. → majestätisch.

**ernsthaft,** seriös, ernst, ernstlich; → ernst, → humorlos, → schwermütig; → Ernst, → Trauer.

**Ernsthaftigkeit** → Ernst.

**ernstlich** → ernsthaft.

**¹Ernte** · Obsternte · Beerenernte · Traubenernte, Weinlese, Lese, Wimmet (*schweiz.*) · Getreideernte, Getreideschnitt, Schnitt · Heuernte, Grasschnitt, Heumahd, Heuet (*südd., schweiz.*) · Grünmahd, Grummet, Grumt, Grummeternte, Öhmernte (*südwestd.*), Emdet (*schweiz.*) · Haupternte, Rekordernte, Durchschnittsernte, Mißernte; → Weinlese; → ernten, → mähen.

**²Ernte:** → Ertrag; jmdm. ist die ganze E. verhagelt → deprimiert [sein].

**¹Erntedankfest,** Laubhüttenfest (*jüd.*), Hüttenfest (*jüd.*), Sukkoth (*jüd.*); → Kirchenjahr.

**²Erntedankfest** → Kirchenjahr.

**Erntemonat** → August.

**Erntemond** → August.

**¹ernten,** abernten, einbringen, einfahren, pflücken (Obst), abpflücken (Obst), lesen (Wein); → ausmachen (Kartoffeln), → mähen; → Ernte.

**²ernten:** Lorbeeren e. → Erfolg [haben].

**Erntewetter** → Wetter.

**Ernting** → August.

**¹ernüchtern,** desillusionieren, wie eine kalte Dusche wirken, jmdm. den Zahn ziehen (*salopp*), jmdn. auf den Boden der Wirklichkeit zurückbringen, einen Dämpfer geben (*ugs.*), Wasser in den Wein gießen; **ernüchtert sein,** geheilt sein von, durch Schaden wird man klug; → Enttäuschung.

**²ernüchtern** → nüchtern [machen].

**Ernüchterung** → Enttäuschung.

**¹erobern,** einnehmen, stürmen, besetzen, okkupieren, nehmen, in Besitz nehmen, Besitz ergreifen von; → nehmen; **erobert werden,** fallen; → Besetzung, → Eroberung.

**²erobern:** alle Herzen im Sturm e. → sympathisch [sein].

**Eroberung,** Einnahme, Besetzung, Okkupation; → erobern.

**Eroberungskrieg** → Krieg.

**¹eröffnen** (Laden), aufmachen (*ugs.*), ein Geschäft / eine Firma gründen.

**²eröffnen:** → anfangen, → einweihen; ein Geschäft e. → niederlassen (sich); jmdm. etwas e. → gestehen.

**Eröffnung:** → Anfang, → Mitteilung, → Vernissage; [operative E.] → Operation.

**erörtern,** abhandeln, verhandeln, behandeln, auseinandersetzen, darstellen, darlegen, untersuchen, diskutieren, disputieren, die Klingen kreuzen, sich streiten über, debattieren, zur Debatte / Diskussion stellen, zur Sprache bringen / kommen, polemisieren, beraten, bereden, [am Konferenztisch / Verhandlungstisch] besprechen, sprechen über, durchsprechen, kakeln über (*ugs.*), bekakeln (*ugs.*), bekatern (*ugs.*), durchkauen (*ugs.*), nicht → ruhenlassen · *mißliche private Angelegenheiten:* seine schmutzige Wäsche [vor anderen Leuten] waschen; **erörtert werden,** zur Debatte / Diskussion stehen; → anfangen, → beanstanden, → begründen, → erwähnen, → mitteilen, → tagen, → zanken (sich); → unsachlich; → Darlegung, → Gespräch, → Kampf, → Streit.

**Erörterung** → Gespräch.

**Eros:** → Gott, → Liebe.

**Eros-Center** → Bordell.

**Erosion** → Zerstörung.

**Erotik** → Liebe.

**erotisch** → sexuell.

**Erotomanie** → Geschlechtstrieb.

**Erpel** → Ente.

**erpicht:** e. sein auf → begierig [sein].

**erpressen** → nötigen.
**Erpresser,** Blutsauger (*abwertend*), Blutaussauger (*abwertend*), Ausbeuter; → Wucherer.
**Erpresserbrief** → Schreiben.
**erproben** → prüfen.
**¹erprobt,** bewährt, alterprobt, altbewährt, anerkannt, zuverlässig, verläßlich, geeignet, fähig; → angemessen, → geeignet, → gewissenhaft, → pünktlich, → verbürgt; → → können.
**²erprobt** → probat.
**erquicken,** erfrischen, laben, letzen (*dichter.*); → essen, → trinken.
**Erquickung:** → Labsal, → Trost.
**errechnen** → ausrechnen.
**erregbar:** leicht e. → reizbar.
**¹erregen,** aufregen, das Blut in Wallung bringen; → anregen, → begeistern, → reizen.
**²erregen:** → aufschrecken; sich e. → ärgerlich [sein]; Anstoß / Ärgernis / Mißbilligung / Mißfallen e. → anstoßen; Ekel e. → anwidern; etwas erregt jmds. Heiterkeit → belustigen; eine Krankheit -d → virulent.
**erregt,** aufgeregt, nervös, neurasthenisch, nervenschwach, gereizt, ruhelos, unruhig, ungeduldig, unstet, bewegt, fahrig, tumultuarisch, turbulent, hektisch, fiebrig, zapplig (*ugs.*), kribblig (*ugs.*), fickrig (*ugs., landsch.*), nicht → ruhig; → ängstlich, → ärgerlich, → bewegt, → empfindlich, → erwartungsvoll, → fleißig, → lebhaft, → unaufmerksam, → unbeherrscht · Ggs. → geistesgegenwärtig; **e. sein,** außer sich / aufgelöst, außer Fassung / (*ugs.*) ganz aus dem Häuschen / ein Nervenbündel sein, Herzklopfen / Lampenfieber haben, jmdm. schlägt das Herz bis zum Hals, den Kopf / die Nerven verlieren, kopflos sein, durchdrehen (*ugs.*), mit jmdm. gehen die Nerven durch, jmdm. brennen / gehen die Sicherungen durch (*salopp*); → Angst [haben], → pfuschen; → Choleriker, → Nervenbündel · Unrast.
**Erregung,** Aufregung, Gemütsbewegung, Aufgeregtheit, Emotion, Affekt, Exaltation, Überreizung, Überspannung, Überspanntheit, Hysterie, Aufruhr, die kochende Volksseele, Stimulierung, Stimulation, Irritation · *unnötige:* blinder Alarm · *über etwas Geringfügiges:* Sturm im Wasserglas · *vor einer Reise:* Reisefieber; → Ärger, → Begeisterung, → Getue, → Lampenfieber, → Leidenschaft, → Lust, → Temperament, → Unrast; → gefühlsbetont, → unbesonnen.
**erreichbar:** leicht e. sein → abgelegen.
**¹erreichen** (jmds. Leistung), an jmds. Leistung heranreichen / herankommen, jmdm. gleichkommen / ebenbürtig sein, es mit jmdm. aufnehmen [können], jmdm. an etwas / in etwas nicht nachstehen; **jmds. Leistung nicht e.,** sich mit jmdm. nicht messen können, unterlegen sein, ein / der reine / der reinste Waisenknabe gegen jmdn. sein (*ugs.*), jmdm. das Wasser nicht reichen können.
**²erreichen:** → einholen, → erwirken; leicht zu e. sein → abgelegen; zu e. suchen → streben; e., daß... → bewältigen; der Sättigungsgrad ist erreicht → ausreichen; den Gipfel / Höhepunkt / Kulminationspunkt / Zenit e. → gipfeln; den Teilnehmer nicht e. → telefonieren (mit jmdm.); das Klassenziel e. → versetzen; das Ziel e. → treffen.
**erretten** → retten.
**Erretter** → Retter.
**Errettung** → Rettung.
**Errhina** → Medikament.
**Errhinum** → Medikament.
**errichten:** → bauen, → gründen; ein Testament e. → Testament [machen].
**Errichtung** → Herstellung.
**erringen:** → bewältigen, → erwirken; den Sieg / die Siegespalme e. → siegen.
**erröten** → schämen (sich).
**Errungenschaft** → Kauf.
**¹Ersatz,** Gegenwart, Gegendienst, Gegenleistung, Entschädigung, Trostpflaster (*scherzh.*), Trostpreis, Beruhigungspille (*ugs.*), Äquivalent, Wiedergutmachung, Reparationen, Kriegsentschädigung, Ausgleich, Lösegeld, Ausgleichszahlung, Lastenausgleich, Schadenersatz, Schmerzensgeld, Abfindung, Abgeltung, Abstand, Abstandszahlung, Rekompens, Rekompenz (*österr.*), Behelf; → Abfindung, → Abzahlung, → Beitrag, → Gabe, → Sühne, → Surrogat, → Verwechslung, → Vorrat; → gleichwertig.
**²Ersatz:** → Substitution, → Zahnersatz; E. schaffen → austauschen.
**Ersatzbefriedigung** → Selbstbefriedigung.
**Ersatzdienst:** E. leisten → Wehrdienstverweigerer [sein].
**Ersatzkaffee** → Kaffee.
**Ersatzmann:** → Double, → Stellvertreter.
**Ersatzmittel** → Surrogat.
**ersatzpflichtig** → haftbar.
**Ersatzrad** → Rad.
**Ersatzreifen** → Autoreifen.
**Ersatzstoff:** → Kunststoff, → Surrogat.
**ersatzweise** → anstatt.
**ersaufen** → ertrinken.
**ersäufen** → töten.
**erschaffen,** schöpfen, schaffen, ins Leben rufen, kreieren · *aus dem Nichts:* aus dem Boden stampfen; → produzieren; → Herstellung.
**Erschaffung** → Herstellung.
**erschallen** → schallen.
**erscheinen:** → kommen, → vorkommen; etwas erscheint jmdm. → vermuten; e. als → erweisen (sich als), → figurieren (als), → spielen; auf der Bildfläche e. → kommen; das läßt die Sache in anderem Licht e. → Gesichtspunkt; in gutem Licht e. → auffallen.
**Erscheinung:** → Anzeichen, → Gespenst; Fest der E. [Christi / des Herrn] → Epiphanias; in E. treten → auffallen.
**Erscheinungsform** → Eigenschaft.
**Erscheinungszustand** → Eigenschaft.
**erschießen:** → töten; sich e. → entleiben (sich).
**Erschlaffung** → Erschöpfung.
**¹erschlagen** (Verb): → töten.
**²erschlagen** (Adjektiv): e. sein → erschöpft [sein].

erschlossen → baureif.

**erschöpft,** abgespannt, angegriffen, mitgenommen, angeschlagen (*ugs.*), ausgelaugt, ausgepumpt, abgehetzt, abgearbeitet, kreuzlahm, abgeschafft (*ugs., landsch.*), erholungsbedürftig, urlaubsreif (*ugs.*), abgeschlafft (*ugs.*); → abgezehrt, → krank, → müde, → überanstrengt, → zermürbt; **e. sein,** am Ende / schachmatt / zerschlagen / abgeschlagen sein, [wie] gerädert / gliederlahm sein (*ugs.*), absein (*ugs.*), erledigt / groggy / kaputt / erschossen / [fix und] fertig / erschlagen / geschafft / k. o. sein (*ugs.*), mit den Nerven runtersein (*salopp*), am Boden zerstört sein (*ugs.*), am Sand sein (*salopp, österr.*), auf dem Zahnfleisch gehen (*ugs.*); → Erschöpfung.

**Erschöpfung,** Erschöpfungszustand, Ermüdung, Müdigkeit, Müde (*schweiz.*), Übermüdung, Ruhebedürfnis, Mattheit, Mattigkeit, Abgespanntheit, Zerschlagenheit, Abgeschlagenheit, Schlappheit, Ermattung, Erschlaffung, Abspannung, Schwächung, Schwäche, Schwächeanfall, Schwächezustand; → erschöpft, → müde.

**Erschöpfungszustand** → Erschöpfung.

**erschossen:** e. sein → erschöpft [sein], → überrascht [sein].

**¹erschrecken,** sich erschrecken, einen Schreck / Schrecken bekommen (oder:) kriegen, zusammenfahren, zusammenzucken, sich verfieren (*ugs., niederd.*); → betroffen.

**²erschrecken:** → Angst [machen]; sich e. → betroffen [sein].

**erschreckend** → schrecklich.

**erschrocken** → betroffen.

**¹erschüttern:** etwas erschüttert/ ergreift / packt / schockt / etwas rührt jmdn., wühlt / rüttelt jmdn. auf, etwas geht zu Herzen / unter die Haut / an die Nieren, etwas versetzt jmdn. einen Schock; → fühlen, → schockieren, → überkommen; → bewegt; → Ergriffenheit.

**²erschüttern:** → untergraben; nicht leicht / durch nichts zu e. sein → dickfellig [sein].

**erschütternd** → rührend.

**erschüttert** → bewegt.

**Erschütterung:** → Erdbeben, → Ergriffenheit, → Schock, → Verletzung.

**erschweren** → behindern.

**erschwerend** → gravierend.

**Erschwernis** → Behinderung.

**Erschwerung** → Behinderung.

**ersehen:** e. aus → erkennen.

**ersehnen** → wünschen.

**ersehnt,** gewünscht, Traum-(Traumreise), erträumt.

**ersetzen:** → austauschen, → einstehen (für).

**Ersetzung** → Substitution.

**ersichtlich:** → erkennbar; e. sein → offenbar [werden].

**ersinnen** → ausdenken.

**erspähen** → sehen.

**ersparen:** sich etwas e. → sparen; jmdm. bleibt nichts erspart → ertragen.

**Ersparnis:** → Einsparung; -se machen → sparen.

**Ersparniskasse** → Geldinstitut.

**Ersparnisse,** Sparguthaben, Bankeinlage, Spargeld, Spargroschen; → Geld, → Guthaben.

**Ersparung** → Einsparung.

**ersprießlich** → nützlich.

**erst:** e. einmal abwarten! → abwarten; e. noch → außerdem; e. recht → absichtlich; eben e. → kürzlich.

**erstarken** → kräftigen (sich).

**erstarren** → steif [werden].

**erstatten:** → einstehen (für), → zahlen; Anzeige / Strafanzeige e. → anzeigen.

**erstaufführen** → aufführen.

**Erstaufführung:** → Aufführung; zur E. bringen → aufführen.

**erstaunen:** etwas erstaunt jmdn. → befremden.

**Erstaunen:** → Überraschung; in E. setzen → befremden.

**erstaunlich** → außergewöhnlich.

**erstaunt** → überrascht.

**Erstausgabe** → Edition.

**Erstausstrahlung** → Sendung.

**Erstbesteigung** → Besteigung.

**Erstdruck** → Druck.

**¹erste,** allererste, ur- · *erste Fahrt eines Schiffes:* Jungfernfahrt · *erste Rede eines Parlamentariers:* Jungfernrede · *erste*

*Aufführung:* Premiere · *erstes Auftreten:* Debüt, Rollendebüt · *erste Messe eines neugeweihten Priesters:* Primiz; → beste · Ggs. → letzte.

**²erste:** → beste; 1. Advent → Kirchenjahr; 1. Christtag / Feiertag / Festtag / Weihnachtsfeiertag / Weihnachtsfesttag / Weihnachtstag → Weihnachten; Erste Dame → First Lady; e. Etage, -er Stock → Geschoß; -r Fall → Nominativ; e. Fassung → Original; -s Futur, e. Vergangenheit → Tempus; e. Garnitur → beste; die e. Geige spielen → maßgeblich [sein]; -r Geiger → Musizierender; -r Hahnenschrei → Morgengrauen; beim -n Hahnenschrei → morgens; -r Handabzug — Probedruck; 1. Januar → Jahresbeginn; e. Liebe → Zuneigung; 1. Mai → Feiertag; Passahfest -r Tag → Feiertag; in -r Linie → besonders; zum -n Mal benutzen → eröffnen; 1. Ostertag → Ostern; 1. Pfingsttag → Pfingsten; den -n Platz / die e. Stelle einnehmen, an -r Stelle stehen → Höchstleistung [erzielen]; -r Preis → Hauptgewinn; -n Ranges → außergewöhnlich; -r Schritt → Anfang; e. Tageshälfte → Morgen; -es Viertel → Mond; Erster unter Ranggleichen → Primus inter pares; als -s, fürs e. → zunächst.

**erstechen** → töten.

**erstehen** → kaufen.

**ersteigen** → steigen (auf).

**Ersteigung** → Besteigung.

**erstellen:** → bauen, → entwerfen.

**Erstellung** → Herstellung.

**ersterben** → verhallen.

**Erster-Klasse-Abteil** → Eisenbahnabteil.

**Erster-Klasse-Wagen** → Eisenbahnwagen.

**Erstgeborener** → Ältester.

**Erstgeburt** → Ältester.

**Erstgeburtsrecht** → Recht.

**ersticken:** → töten, → unterdrücken; die Flammen / das Feuer e. → löschen; im Geld fast e. → reich [sein]; im Keim e. → lahmlegen.

**Erstklässer** → Schulanfänger.

**erstklassig** → trefflich.
**Erstklaßler** → Schulanfänger.
**Erstkläßler** → Schulanfänger.
**Erstkommunion** → Konfirmation.
**Erstling:** → Ältester, → Werk.
**Erstlingswerk** → Werk.
**erstrahlen:** im Sternenglanz -d → gestirnt.
**Erstrangigkeit** → Vorrang.
**erstreben** → streben.
**erstrebenswert** → begehrt.
**Erstrecht** → Vorrecht.
**¹erstrecken** (sich), sich ausdehnen / hinziehen, reichen, gehen (ugs.); → Ausmaß, → Strecke.
**²erstrecken:** [eine Frist] e. → stunden.
**Erstreckung** → Ausmaß.
**Erstsendung** → Sendung.
**erstunken:** e. und erlogen → erfunden.
**ersuchen** → bitten.
**Ersuchen** → Bitte.
**ertappen:** → ergreifen; auf frischer Tat e. → ergreifen (jmdn.); sich e. bei → merken.
**ertäuben** → ärgern.
**erteilen:** → mitteilen; das Abendmahl e. → Abendmahl; Absolution e. → lossprechen; Auskunft e. → antworten; einen Rat e. → beraten; Unterricht e. → lehren; Vollmacht e. → ermächtigen.
**ertönen** → schallen.
**¹Ertrag,** Gewinn, Profit, Ausbeute, Ernte, Erlös, Losung (österr.) · an Milchprodukten: Mulchen (schweiz.) · bei Lotterien, Kegeln o.ä.: Gabe (schweiz.); → Broterwerb, → Ende, → Fruchtbarkeit, → Gewinnspanne, → Möglichkeit, → Vorteil.
**²Ertrag:** Erträge → Einkünfte; einen bestimmten E. bringen → ergeben.
**¹ertragen,** erdulden, dulden, leiden, erleiden, auf sich nehmen, sich in etwas schicken / ergeben / finden / fügen, sein Kreuz tragen / auf sich nehmen, durchmachen, mitmachen, durchstehen, bestehen, aushalten, stillhalten, ausstehen, überstehen, überwinden, verwinden, überleben, vertragen, verkraften, verarbeiten, tragen, hinnehmen, in Kauf nehmen, auffangen, verschmerzen, hinwegkommen

über, verdauen (ugs.), fertig werden mit, sich etwas gefallen / bieten lassen, sich abfinden mit, sich in seine Rolle finden, etwas über sich ergehen lassen, jmdm. bleibt nichts erspart, etwas einstecken / schlucken müssen (ugs) · gleiche Unannehmlichkeiten: Leidensgenossen / Leidensgefährten / Schicksalsgenossen / Schicksalsgefährten sein; → bewältigen, → billigen, → durchsetzen (sich), → erleben, → nachgeben, → standhalten, → überdauern; **etwas nicht e. können,** etwas nicht abkönnen; → hassen; → überstanden; → Duldung.
**²ertragen:** etwas ist nicht zu e. → unerträglich [sein].
**Ertragenheit** → Fruchtbarkeit.
**erträglich:** → annehmbar; -er machen → lindern.
**ertragsarm** → unfruchtbar.
**Ertragsarmut** → Kargheit.
**Ertragsfähigkeit** → Fruchtbarkeit.
**ertränken:** → töten; sich e. → entleiben (sich).
**erträumen:** → wünschen; erträumt → ersehnt.
**ertrinken,** ersaufen (derb), versaufen (derb), absaufen (derb), auf See bleiben, mit Mann und Maus umkommen / untergehen, sein Grab in den Wellen finden, ein feuchtes / nasses Grab finden; → sterben, → untergehen.
**ertrotzen** → erwirken.
**ertüchtigen:** sich [körperlich] e. → turnen.
**ertüfteln** → ausdenken.
**¹erübrigen,** abzweigen, abzwacken (ugs.), abknappen (ugs.), abknapsen (ugs.), einsparen, sich etwas [am / vom Munde] absparen / abdarben · unbemerkt und nicht ganz rechtmäßig: Schmu machen; → bereichern, → sparen, → sparsam [sein].
**²erübrigen** → zurücklegen.
**eruieren** → forschen.
**Eruktation,** Efflation, Aufstoßen (ugs.), Rülpsen (salopp); → eruktieren.
**eruktieren,** aufstoßen, rülpsen (salopp) · beim Baby: Bäuerchen machen (fam.); → Eruktation.

**Eruption:** → Hautausschlag, → Vulkanausbruch.
**Eruptivgestein** → Gestein.
**erwachen:** → Ohnmacht, → wach [werden].
**¹erwachsen,** herangewachsen, groß (fam.), flügge, selbständig; → geschlechtsreif, → jung, → volljährig; **e. sein,** auf eigenen Füßen stehen, kein Kind / (abwertend) kein Wickelkind mehr sein; alt genug sein, um...; den Kinderschuhen entwachsen sein; **noch nicht e. sein,** noch ein [halbes] Kind sein; noch zu jung sein, um...; zu jung sein, zu...; noch feucht / noch nicht trocken hinter den Ohren sein (ugs.), noch die Eierschalen hinter den Ohren haben (ugs.), noch ein grüner Junge sein (ugs.), noch zum jungen Gemüse gehören (ugs.), der Mutter an der Schürze hängen; → Erwachsene.
**²erwachsen** (Verb): → entstehen.
**³erwachsen** (Adjektiv): -er Mensch → Erwachsener; noch nicht e. → minderjährig; e. sein → groß [sein].
**Erwachsenenbildung:** → Erziehung, → Fortbildung.
**Erwachsener,** erwachsener / ausgewachsener Mensch, die Älteren (ugs.), die Großen (fam.); → erwachsen.
**erwägen,** ventilieren, etwas geht jmdm. durch den Kopf, etwas geistert / spukt in jmds. Kopf herum (ugs.), in Erwägung / Betracht ziehen, mit dem Gedanken spielen / umgehen, bedenken, überdenken, nachdenken über, ins Auge fassen, mit sich zu Rate gehen, wägen, überlegen, prüfen, sich etwas durch den Kopf gehen lassen, [sich] etwas beschlafen (ugs.), etwas überschlafen / (salopp) beschnarchen; → achtgeben, → berücksichtigen, → denken, → liebäugeln (mit), → vorhaben; → Bedenkzeit.
**Erwägung:** in E. ziehen → erwägen.
**erwählen,** wählen, auserwählen, küren (geh.), erküren (geh.), erkiesen (veraltet), ausersehen, stimmen / sich entscheiden für, jmdm. seine Stimme geben; → auswählen, → wählen.

erwählt → auserwählt.

¹erwähnen, berühren, anschneiden, antippen (ugs.), anführen, ins Treffen / Feld führen, zitieren, aufführen, aufzählen, nennen, angeben · etwas Unangenehmes: an eine alte Wunde rühren; → bereitstellen, → buchen, → erörtern, → vorschlagen.

²erwähnen: ausdrücklich e. → betonen.

erwähnenswert: → interessant; nicht e. → unwichtig.

Erwähnung: ausdrückliche E. → Hervorhebung; etwas verdient besondere E. → betonen.

erwärmen: → heizen; sich e. für → anschwärmen.

¹erwarten, warten auf, rechnen mit, spekulieren auf, reflektieren auf; Bezahlung e., die Hand aufhalten (ugs.), etwas haben wollen; → warten; → Gehalt.

²erwarten: → hoffen, → vermuten, → warten; etwas erwartet jmdn. → begegnen; etwas ist zu e. → bevorstehen; etwas ist noch zu e. → ausstehen.

Erwartung: -en → Aussichten; etwas hat jmds. -en erfüllt / entsprochen → Erfahrung.

Erwartungsangst → Phobie.

erwartungsgemäß, tatsächlich, natürlich, naturgemäß, gesetzmäßig, buchstäblich, denn auch; → auch, → gleich, → verständlicherweise, → wahrlich, → wirklich.

erwartungsvoll, gespannt, interessiert, begierig, ungeduldig, fieberhaft, fiebrig, mit verhaltenem Atem, in atemloser Spannung; → aufgeregt, → aufmerksam; → überrascht; e. sein, einer Sache voll Spannung entgegensehen.

erwecken: → aufwecken, → verursachen.

erweichen: → überreden; sich e. lassen → nachgeben; weinen, daß es einen Stein e. könnte → weinen.

¹erweisen (sich als), erscheinen / dastehen / sich herausstellen / sich entpuppen als, sein; → bewahrheiten (sich), → offenbar [werden].

²erweisen: sich dankbar e. → danken; jmdm. mit etwas einen

Bärendienst / keinen guten Dienst / einen schlechten Dienst e. → schaden; jmdm. einen Dienst / eine Gefälligkeit e. → Dienst; jmdm. Ehre e. → achten; jmdm. eine Ehre e. → Gunst; die letzte Ehre e. → bestatten; jmdm. Reverenz e. → begrüßen; sich als Nachteil e. → ungünstig [sein]; sich als richtig / wahr e. → bewahrheiten (sich).

erweislich → nachweislich.

Erweiterer → Muskel.

¹erweitern, vergrößern, verbreitern, ausbauen; → Ausdehnung.

²erweitern: -der Muskel → Muskel; seinen Einflußbereich e. → expandieren.

Erweiterung → Ausdehnung.

Erwerb → Kauf.

¹erwerben, gewinnen, erlangen, gelangen zu, empfangen, erwischen, ergattern; → beschaffen, → erwirken, → fangen, → geben, → gelingen, → verdienen, → zufallen.

²erwerben: [käuflich e.] → kaufen; Kenntnisse e. → lernen; die Lehrberechtigung / Venia legendi e. → habilitieren (sich); sich Meriten / Verdienste e. → verdient.

Erwerbskampf → Konkurrenz.

erwerbslos → arbeitslos.

Erwerbung: → Kauf, → Neuerwerbung.

erwidern → antworten.

Erwiderung → Antwort.

erweisen → offenbar.

erwiesenermaßen → nachweislich.

erwirken, durchsetzen, durchbringen, zum Durchbruch verhelfen, einer Sache Bahn brechen, [ein Gesetz] verabschieden / beschließen, durchkriegen (ugs.), durchdrücken (ugs.), erreichen; schaffen, daß...; erzielen, erringen, ertrotzen, aufstecken (ugs., südd., österr.), durchpeitschen, erzwingen, durchfechten (ugs.), durchpauken (ugs.), durchboxen (ugs.), ausrichten, können, vermögen, herausholen (ugs.), herausschlagen (salopp), herausschinden (salopp), bei jmdm. landen (salopp); → annehmen (sich einer Sache), → anordnen, → ausnutzen, →

beikommen, → bestehen (auf), → bewältigen, → durchsetzen (sich), → eintreten (für), → entlocken (jmdm. etwas), → entschließen (sich), → erwerben, → können, → streben; → Beauftragter, → Erfolg.

erwerben: → ergreifen, → erwerben; sich e. bei → merken.

erworben → anerzogen.

erwünscht: → begehrt, → willkommen.

erwürgen → töten.

Erythridrose → Transpiration.

Erythroblasten → Blutkörperchen.

Erythrochloropie → Farbenblindheit.

Erythrogonien → Blutkörperchen.

Erythrohidrose → Transpiration.

Erythrozyten → Blutkörperchen.

Erythrozytenstammzelle: -n → Blutkörperchen.

Erythrozytoblasten → Blutkörperchen.

erz- (erzfaul), ur- (urgemütlich), hoch- (hochanständig), höchst- (höchstpersönlich), bären- (bärenstark), himmel- (himmelangst), tief- (tiefbetrübt), grund- (grundehrlich), kreuz- (kreuzfidel), abgrund- (abgrundtief), stock- (stockfinster), brand- (brandneu), knall- (ugs.; knallheiß), stein- (steinalt), blitz- (blitzgescheit), blut- (blutjung), tod- (todunglücklich), mords- (salopp; mordsstark), hunde- (salopp; hundeelend), sau- (derb; saukalt), bomben- (ugs.; bombensicher), stink- (salopp; stinkvornehm), scheiß- (derb; scheißegal); → Dreck-, → Erz-.

Erz- (Erzfeind), Bären- (Bärenhunger), Höllen- (Höllenspektakel), Mords- (salopp; Mordsdurst), Hunde- (salopp; Hundekälte), Sau- (derb; Saukälte), Mammut- (Mammutprogramm), Riesen- (Riesenskandal), Bomben- (ugs.; Bombenerfolg), Heiden- (Heidenangst), Affen- (salopp; Affenhitze); → Dreck-, → erz-.

erzählen: → mitteilen; der erzählt auch, im Himmel ist Jahrmarkt! → glauben; Romane e. → lügen; sich nichts e. lassen → schlau [sein].

**Erzähler** → Schriftsteller.

**Erzählung,** Roman, Novelle, Rahmenerzählung, Kurzgeschichte, Short story, Humoreske, Fabel, Legende, Anekdote, Sage, Märchen, Geschichte, Mythos, Versroman, Verserzählung, Epos, Epopöe, Volksepos, Kunstepos, Götterepos, Heldenepos, höfisches Epos; → Dichtung, → Entwurf, → Epigramm, → Fabel, → Fabelwesen, → Gedicht, → Legende, → Literatur, → Lüge, → Märchen, → Roman, → Sage, → Versmaß, → Witz; → dichten.

**erzeigen:** jmdm. Ehre e. → achten.

**¹Erzengel** · Michael, Gabriel, Raphael, Uriel.

**²Erzengel** → Engel.

**erzeugen:** → produzieren; Laute e. → artikulieren.

**Erzeuger:** → Unternehmer, → Vater.

**Erzeugerpreis** → Preis.

**Erzeugnis:** → Hervorbringung, → Ware.

**Erzeugung** → Herstellung.

**Erzeugungsgrammatik** → Grammatik.

**Erzfeind** → Feind.

**¹erziehen,** bilden, schulen, ausbilden, drillen, trainieren, stählen · *von Tieren:* abrichten, dressieren; → aufwachsen, → aufziehen, → einordnen, → festigen, → lehren, → lernen; → Ausbildung, → Erziehung, → Erziehungsanstalt.

**²erziehen** → lenken.

**Erzieher** → Lehrer.

**Erzieherin** → Kindermädchen.

**erzieherisch** → pädagogisch.

**erziehlich** → pädagogisch.

**¹Erziehung,** Ausbildung, Schulung, Drill, innere Führung (Militär), Edukation (*veraltet*) · *gemeinschaftliche von Knaben und Mädchen:* Koedukation · *von Erwachsenen:* Erwachsenenbildung · *von Tieren:* Abrichtung, Dressur; → Ausbildung, → Erfahrung, → Erziehungsanstalt, → Erziehungswesen; → erziehen.

**²Erziehung:** → Ausbildung, → Benehmen.

**Erziehungsanstalt,** Erziehungsheim, Heim für Schwererziehbare, Besserungsanstalt, Fürsorgeheim; → Erziehung; → erziehen.

**Erziehungsberechtigter** → Eltern.

**Erziehungsheim** → Erziehungsanstalt.

**Erziehungswesen,** Bildungswesen, Schulwesen, Schule; → Erziehung.

**Erziehungswissenschaft** → Pädagogik.

**erzielen:** → erwirken; eine Einigung e. → übereinkommen; einen Effekt / eine Wirkung e. → wirken; Gewinn e. → verdienen.

**erzittern** → zittern.

**Erzschleiche** → Eidechse.

**erzürnen:** etwas erzürnt jmdn. → ärgern.

**erzürnt** → ärgerlich.

**erzwingen:** → erwirken; Anerkennung e. → Anerkennung [erzwingen]; sein Recht e. → bestehen (auf).

**Es:** → Kind, → Schilling.

**Eschflurdorf** → Dorf.

**Escudo** → Zahlungsmittel.

**¹Esel,** Grautier, Langohr · *Kreuzung von Eselhengst und Pferdestute:* Maultier, Mulus, Muli (*österr.*) · *Kreuzung von Pferdehengst und Eselstute:* Maulesel.

**²Esel** → Dummkopf.

**Eselsbrücke** → Gedächtnisstütze.

**Eselsbrückenliteratur** → Nachschlagewerk.

**Eselsrücken** → Bogen.

**Eskalation** → Steigerung.

**eskalieren:** → steigern, → zunehmen.

**Eskalierung** → Steigerung.

**Eskamoteur** → Zauberkünstler.

**Eskapade,** Unternehmung, Abenteuer, Seitensprung; → Einfall.

**Eskariol** → Gemüse.

**Eskimokajak** → Kajak.

**Eskompte** → Preisnachlaß.

**eskomptieren:** → einkalkulieren, → kaufen.

**Eskorte** → Geleit.

**eskortieren** → begleiten.

**Esmeralda** → Orchidee.

**Esoteriker** → Fachmann.

**esoterisch** → aufgeklärt.

**Espada** → Stierkämpfer.

**Espenlaub:** wie Espenlaub zittern → zittern.

**Esperanto** → Sprache.

**Esplanade** → Platz.

**Espresso:** → Café, → Kaffee.

**Espressomaschine** → Kaffeemaschine.

**Esprit** → Vernunft.

**Eßapfel** → Apfel.

**Essai** → Aufsatz.

**Essay:** → Aufsatz, → Rundfunksendung.

**Essayist** → Schriftsteller.

**¹eßbar,** genießbar, einwandfrei, koscher (*ugs.*), nicht → verdorben; → bekömmlich, → nahrhaft, → schmackhaft, → ungefährlich.

**²eßbar:** -e Eingeweide → Innereien; -er Pilz → Pilz.

**Eßbesteck,** Besteck, Eßgerät, Tafelbesteck, Silberbesteck, Fischbesteck, Kinderbesteck; Messer, Gabel und Löffel; Messer und Gabel; → Gabel, → Löffel, → Messer.

**Eßblech** → Eßgeschirr.

**Esse:** → Schornstein; in die E. schreiben → abschreiben.

**¹essen,** speisen, sich stärken, tafeln, Tafel halten (*geh.*), schmausen, futtern (*ugs.*), schnabulieren (*ugs.*), löffeln, schwelgen, schlemmen, prassen, [in Saus und Braus / gut] leben, sich den Bauch / den Wanst vollschlagen (*salopp*), sich vollfressen (*derb*), essen (oder:) fressen wie ein Scheunendrescher / (*österr.*) wie ein Halter (*salopp*), reinhauen (*salopp*), herfallen über, spachteln (*ugs.*), stopfen (*ugs.*), präpeln (*ugs., landsch.*), acheln (*ugs., landsch.*), mampfen, pampfen (*österr.*), habern (*salopp, österr.*), schlingen, sich überessen / (*ugs.*) überfuttern / (*salopp*) überfressen, des Guten zuviel tun, verzehren, das Essen einnehmen, etwas [zu sich] nehmen, genießen, knabbern, sich verlustieren, sich gütlich tun an, naschen, schlecken (*landsch.*), sich etwas zu Gemüte führen / einverleiben · *mit Widerwillen:* hinunterwürgen · *von Tieren:* fressen, äsen, weiden, grasen · *morgens:* frühstücken, Kaffee trinken · *am

*Vormittag oder Nachmittag:*
frühstücken, Brotzeit machen
*(bayr.),* vespern *(bes. südwestd.),*
jausen *(österr.),* jausnen *(österr.),*
Kaffee / Tee trinken · *mittags:*
Mittag essen *(bes. nordostd.),*
Mittagbrot essen *(bes. ostd.),* zu
Mittag essen, mittagmahlen
*(österr.),* lunchen, dinieren ·
*abends:* Abendbrot essen
*(nordd.),* zu Abend / *(bes. süd-*
*westd., schweiz.)* zu Nacht
essen, nachtmahlen *(österr.),*
soupieren · *im Freien:* Picknick halten / *(ugs.)* machen,
picknicken; **wenig e.,** wie ein
Spatz essen; **nichts e.,** das
Essen stehenlassen, keinen Bissen anrühren *(ugs.);* **noch**
**nichts gegessen haben,** nüchtern / *(ugs.)* ungefrühstückt
sein, einen leeren Magen / noch
nichts im Magen haben; → abgrasen, → aufessen, → ernähren, → erquicken, → kauen, →
schmecken, → servieren; →
bekömmlich, → eßlustig, →
genießerisch, → naschhaft; →
Essen, → Feinschmecker.
²**essen:** ratzekahl e. → aufessen; zu e. geben → ernähren;
nichts zu e. haben → Hunger
[leiden]; damals, als man nichts
zu e. hatte → Nachkriegszeit;
es wird nichts so heiß gegessen,
wie es gekocht wird → ab-
warten; die Weisheit nicht mit
Löffeln gegessen haben →
dumm [sein]; mit jmdm. ist
nicht gut Kirschen e. →
böse [sein]; ohne etwas
gegessen zu haben → Magen.
¹**Essen,** Nahrungsaufnahme,
Mahlzeit, Mahl, Gericht, Speise ·
*reichliches:* Schmaus, Gelage,
Freßgelage *(salopp)* · *schlechtes:*
Fraß *(derb, abwertend),* Schlangenfraß *(derb, abwertend),*
Schweinefraß *(derb, abwertend),*
Saufraß *(derb, abwertend),* Saufutter *(derb, abwertend)* · *fest-*
*liches:* Festmahl, Festessen,
Bankett, Empfang, Gala-
empfang, Frühstück, Diner,
Galadiner, Tafel · *in bestimmter*
*Folge zusammengestelltes:* Menü,
Gedeck, Speisenfolge, Gang ·
*kleines:* Imbiß, Snack, Kleinig-
keit, Gabelbissen · *im Freien:*
Picknick · *während dem Ver-*
*handlungspartner geschäftliche*

*o. ä. Gespräche führen:* Arbeits-
essen ·· *am Morgen:* Frühstück,
Kaffee, Morgenkaffee, Morgenessen *(schweiz.),* Zmorgen
*(schweiz.)* · *am Vormittag:*
[zweites] Frühstück, Gabelfrühstück, Brotzeit *(bayr.),*
Jause, Zehnerjause *(österr.),*
Marende *(tirol.),* Znüni
*(schweiz.),* Brunch, Sektfrühstück · *zu Mittag:* Mittagessen, Mittagbrot *(bes. ostd.),*
Mittag *(bes. nordostd.),* Mittags-
mahl, Mittagmahl, Zmittag
*(schweiz.),* Lunch · *am Nach-*
*mittag:* Vesper *(bes. südwestd.),*
Jause *(österr.),* Zvieri *(schweiz.),*
Zfünfi *(schweiz.),* Kaffee, Nachmittagskaffee, Tee, Fünfuhrtee,
Five o'clock · *am Abend:*
Abendessen, Abendmahlzeit,
Abendmahl *(landsch., veral-*
*tet),* Abendbrot *(nordd.),*
Nachtessen *(südwestd., schweiz.),*
Zabig *(schweiz.),* Znacht
*(schweiz.),* Nachtmahl *(österr.),*
Souper, Dinner; · Dessert,
→ Diät, → Ernährung, →
Kaffeekränzchen, → Nahrung,
→ Sandwich, → Vorgericht;
→ ernähren, → essen, →
schmecken.
²**Essen:** E. [und Trinken] →
Nahrung; E. machen, das E.
zubereiten → kochen; das E.
stehenlassen → essen; jmdm.
fällt das E. aus dem Gesicht
→ übergeben (sich).
**Essenfeger** → Schornstein-
feger.
**Essenkehrer** → Schornstein-
feger.
**essentiell** → wichtig.
**Essenz:** → Bedeutung,
Extrakt.
**Eßgerät** → Eßbesteck.
**Eßgeschirr,** Kochgeschirr, Eß-
napf, Blechnapf, Paartopf, Me-
nage, Blech *(landsch.),* Eßblech
*(landsch.),* Henkelmann
*(landsch.),* Gamelle *(schweiz.).*
**Essig:** etwas wird zu E. →
scheitern.
**Essigälchen** → Wurm.
**Essiggemüse** → Gemüse.
**Essiggurke** → Gurke.
**Essigrose** → Rose.
**essigsauer** → sauer.
**Eßkastanie** → Kastanie.
**Eßlöffel** → Löffel.
**Eßlust** → Appetit.

¹**eßlustig,** gefräßig *(abwertend),*
verfressen *(salopp);* → genieße-
risch; **e. sein,** einen gesegne-
ten / gesunden / guten Appetit
haben; → essen; → Appetit.
²**eßlustig** → unersättlich.
**Eßmantel** → Serviette.
**Eßnapf** → Eßgeschirr.
**Eßtisch** → Tisch.
**Eßwaren** → Lebensmittel.
**Eßzwang** → Anankasmus.
**Establishment:** → Bürgertum,
→ Oberschicht; zum E. gehö-
rend → etabliert.
**Estaminet** → Café.
**Estomihi** → Kirchenjahr.
**Estragon** → Küchengewürz.
**Estrich:** → Boden, → Fuß-
boden.
**Eszett,** ß, scharfes s *(bes.*
*österr.),* Schleifen-s *(schweiz.);*
→ Buchstabe.
**Eta** → Buchstabe.
**etablieren:** → gründen; sich e.
→ niederlassen (sich), → ver-
bürgerlichen.
**etabliert,** angepaßt, zum Esta-
blishment gehörend, verbürger-
licht, bürgerlich; → Bürgertum;
→ verbürgerlichen · Ggs. →
Subkultur.
**Etablissement:** → Bordell, →
Unternehmen.
**Etage:** [erste E.] → Geschoß.
**Etagenbett** → Bett.
**Etagenheizung** → Heizung.
**Etagenmoos** → Moos.
**Etagere** → Gestell.
¹**Etappe,** Heimat · Ggs. →
Front; **in der E.,** hinter der
Front.
²**Etappe:** → Teilstrecke; in -n
→ stufenweise.
**Etappenhengst** → Soldat.
**Etappenschwein** → Soldat.
**etappenweise** → stufenweise.
**Etat,** Budget, Haushaltsplan,
Staatshaushaltsplan, Haushalt,
Staatshaushalt, Finanzplan,
Voranschlag; → Unkosten, →
Vermögen; → zahlen.
**etepetete** → tantenhaft.
**Ethik:** → Sitte, → Theologie.
**ethisch** → sittlich.
**Ethnologie** → Völkerkunde.
**Ethologie** → Verhaltensfor-
schung.
**Ethos** → Pflichtbewußtsein.
**Etikett,** Aufklebezettel, Schild-
chen, Schild, Aufkleb[e]etikett,
Aufkleber *(ugs.);* → Abzeichen,

→ Plakette; → beschriften.
**Etikette:** → Benehmen, →
Brauch.
**etikettieren** → beschriften.
**etliche** → einige.
**Etterdorf** → Dorf.
**Etui** → Hülle.
**Etuimacher** → Täschner.
**¹etwa,** vielleicht, gar, leicht
(*bayr., österr.*).
**²etwa:** in e. → ungefähr.
**etwaig,** allfällig (*österr.,
schweiz.*); → plötzlich, → vielleicht.
**etwas,** ein wenig, ein bißchen,
ein [ganz] klein wenig, eine
Winzigkeit / Kleinigkeit / Spur,
ein geringes, ein kleines · Ggs.
→ nichts.
**Etwas:** das gewisse E. → An-
mut.
**etwelchermaßen** → einiger-
maßen.
**Etymologie** → Wortgeschichte.
**etymologisch:** -es Wörterbuch
→ Nachschlagewerk.
**Etymon** → Wortstamm.
**Eucharistie** → Abendmahl.
**Eukalyptustee** → Tee.
**Euklas** → Schmuckstein.
**Eukodal** → Rauschgift.
**Eule:** → Handfeger, → Kauz,
→ Schmetterling, → Vogel;
-n nach Athen tragen → tun.
**Eulenfalter** → Schmetterling.
**Eulenspiegelei** → Scherz.
**Eulenspiegelstreich** → Scherz.
**Eumenide** → Rachegöttin.
**Eumenorrhö** → Menstruation.
**Eunuch:** → Kastrat, → Wäch-
ter; -en → Geld.
**Eunuchoidismus** → Kleinwuchs.
**Euphemismus,** Hüllwort, Be-
schönigung, Abschwächung,
Verhüllung; → beschönigend.
**euphemistisch** → beschönigend.
**Euphonie** → Wohlklang.
**euphonisch** → wohlklingend.
**Euphorie** → Rausch.
**Euphorikum** → Psychopharma-
kon.
**euphorisch** → psychedelisch.
**¹Europa,** Abendland, Okzident,
die Alte Welt, Hesperien
(*dichter.*); → Kontinent; →
abendländisch · Ggs. → Orient.
**²Europa:** → Abendland, →
Kontinent.
**Europäer** → Weißer.
**Europaflagge** → Nationalflagge.

**europäisch:** → abendländisch;
-es Fleckfieber, -er Typhus →
Fleckfieber; Europäisch Kurz-
haar → Katzenrassen.
**Europameister** → Sieger.
**Euroscheck** → Scheck.
**Eustachius** → Nothelfer.
**Euterpe** → Muse.
**Euthanasie,** Gnadentod, Ein-
schläferung; → Exitus.
**Eutokie** → Geburt.
**eutroph** → nahrhaft.
**Eva:** → Frau; bei Adam und
E. anfangen → äußern (sich);
etwas stammt von Adam und
E. → altmodisch [sein].
**evakuieren** → verlagern.
**Evakuierung** → Verlagerung.
**Evangeliar,** Evangeliarium,
Evangelienbuch · Evangelien-
harmonie; → Bibel, → Bibel-
übersetzung.
**Evangeliarium** → Evangeliar.
**Evangelienbuch** → Evangeliar.
**Evangelienharmonie** → Evan-
geliar.
**evangelisch:** -e Kirche → Kir-
che; -e Verbindung → Ver-
bindung.
**Evangelist** · Matthäus (Symbol:
Engel) · Markus (Symbol: ge-
flügelter Löwe) · Lukas (Symbol: Stier) · Johannes (Symbol:
Adler); → Apostel.
**Evakostüm:** im E. sein →
nackt [sein].
**Evastochter** → Frau.
**Eventration** → Bauch.
**eventuell** → vielleicht.
**Everglaze** → Stoff.
**Evergreen** → Schlager.
**Evidement** → Kürettage.
**evident** → einleuchtend.
**Evidenz:** → Verzeichnis; in E.
halten → buchen.
**evozieren** → verursachen.
**EVR** → Kasettenfernsehen.
**¹ewig,** unvergänglich, unzerstörbar, unwandelbar, unveränderlich, bleibend, zeitlos,
raum- und zeitlos, jenseits von
Raum und Zeit, unendlich, endlos, immerdar (*geh.*); → bleibend, → unaufhörlich; →
Ewigkeit, → Unbegrenztheit.
**²ewig:** → göttlich; → unaufhörlich; -es Eis → Polareis;
zum -en Frieden / zur -en
Ruhe eingehen → sterben; e.
Gestriger → Konservativer;
in die -en Jagdgründe eingehen

→ sterben; der Ewige Jude
→ Umherirrender; -e Seligkeit
→ Himmel; die Ewige Stadt
→ Rom.
**Ewige:** der E. → Gott.
**¹Ewigkeit,** Unvergänglichkeit,
Unzerstörbarkeit, Unwandelbarkeit, Unveränderlichkeit,
Zeitlosigkeit, Raum- und Zeitlosigkeit, Unendlichkeit, Endlosigkeit; → Unbegrenztheit;
→ ewig.
**²Ewigkeit:** → Gotteseigenschaften; für Zeit und E. → bleibend; bis in alle E. → bleibend; in die E. abgerufen
werden → sterben.
**Ewigkeitssonntag** → Kirchenjahr.
**ex:** ex sein → tot [sein]; ex
trinken → austrinken.
**Exaggeration** → Steigerung.
**exakt** → klar.
**Exaktheit** → Deutlichkeit.
**Exaltation** → Erregung.
**exaltiert** → empfindsam.
**Examen** → Prüfung.
**Examensarbeit** → Prüfungsarbeit.
**Examenskandidat** → Prüfling.
**Examinand** → Prüfling.
**examinieren:** → abhören, →
prüfen.
**Exanthem** → Hautausschlag.
**Exartikulation** → Operation.
**Exaudi** → Kirchenjahr.
**Exchange** → Wechselstube.
**¹Exegese,** Bibelauslegung, Bibeldeutung, Bibelerklärung; →
Auslegung, → Theologie.
**²Exegese** → Theologie.
**exekutieren:** → beschlagnahmen, → töten.
**Exekution:** → Beschlagnahme,
→ Hinrichtung.
**Exekutive** → Polizeibehörde.
**Exekutor** → Vollziehungsbeamter.
**¹Exempel,** Beispiel, Paradebeispiel, Musterbeispiel, Schulbeispiel; → Muster.
**²Exempel:** die Probe aufs E.
machen → probieren.
**Exemplar,** Muster, Stück · *besonders großes, schönes:* Prachtexemplar, Prachtstück, Kaventsmann (*ugs.*), Apparat
(*ugs.*); → Art, → Modell, →
Muster.
**exemplarisch** → vorbildlich.
**exemplifizieren** → auslegen.

**Exequien:** → Begräbnis, → Trauerfeier.

**exerzieren** → lernen.

**exhibieren** → aufdecken.

**Exhibition** → Entblößung.

**Exhibitionismus** → Perversität.

**Exil** → Verbannung.

**Exilliteratur** → Literaturepochen.

**existent** → wirklich.

**Existenz:** → Lage, → Leben, → Vorkommen; verkrachte E. → Versager; eine E. aufbauen → niederlassen (sich).

**¹Existenzberechtigung,** Daseinsberechtigung, Daseinsrecht, Lebensberechtigung.

**²Existenzberechtigung** → Anlaß.

**Existenzkampf** → Konkurrenz.

**Existenzpsychologie** → Psychologie.

**¹existieren,** bestehen, vorhanden sein, vorkommen, herrschen, sein, es gibt / (salopp, landsch.) hat [hier keine Bäume]; → anwesend [sein], → befinden (sich).

**²existieren** → leben.

**Exitus,** [natürlicher] Tod, gewaltsamer Tod, Ableben, das Sterben, das Hinscheiden, Hinschied (schweiz.), Sterbet (schweiz.), Heimgang, Ende, Abschied, Todesfall; → Ende, → Euthanasie, → Tod, → Toter, → Tötung; → entleiben (sich), → sterben, → töten; → tot.

**Exklave** → Gebiet.

**exklusiv** → eigens.

**exklusive:** → ausgenommen, → abzüglich.

**Exklusivität,** Besonderheit, Abgeschlossenheit, Vornehmheit; → besonders.

**Exkommunikation** → Bann.

**exkommunizieren** → ausschließen.

**Exkoriation** → Verletzung.

**Exkrement,** Fäkalien, Fäzes, Ausscheidung, Stuhlgang, Stuhl, Kot, Aa (Kinderspr.), Schiet (salopp), Kacke (derb), Scheiße (vulgär) · von Hund und Wild: Losung; → Absonderung, → Urin; → austreten, → defäkieren, → urinieren.

**Exkret** → Absonderung.

**Exkretion** → Absonderung.

**exkulpieren:** → lossprechen, → verzeihen.

**Exkurs** → Abschweifung.

**Exkursion** → Reise.

**¹exmatrikulieren,** aus der Matrikel streichen · Ggs. → immatrikulieren (sich).

**²exmatrikulieren** → abmelden (sich).

**exmittieren** → hinauswerfen.

**Emittierung** → Zwangsräumung.

**Exodus** → Abwanderung.

**Exogamie** → Ehe.

**exogen:** -e Toxikose → Vergiftung.

**exorbitant** → gewaltig.

**Exorzist** → Teufelsbeschwörer.

**Exoteriker** → Nichtfachmann.

**exotisch** → fremd.

**Expander** → Sportgerät.

**expandieren,** sich ausdehnen / ausweiten, seinen Einflußbereich vergrößern / erweitern; → Einfluß.

**Expansion** → Ausdehnung.

**Expansionsstreben** → Imperialismus.

**expatriieren** → ausweisen.

**expedieren** → transportieren.

**Expedierung** → Transport.

**Expedit** → Versandabteilung.

**Expedition:** → Reise, → Transport, → Versandabteilung.

**Expektoration** → Gefühlsäußerung.

**¹Experiment,** Versuch, Test, Probe, Versuchsballon, Ballon d'essai, Untersuchung, Pilotstudy, Pilot-survey, Pilottest, Pilotstudie, Probebefragung; → Versuch, → Versuchsleiter, → Wagnis.

**²Experiment:** → Wagnis; keine -e machen → wagen.

**Experte** → Fachmann.

**Expertise,** Gutachten, Begutachtung, Parere; → Ansicht, → Bescheinigung.

**Explantation,** Auspflanzung, Gewebsauspflanzung, Organauspflanzung; → Transplantation · Ggs. → Implantation.

**Explikation** → Auslegung.

**explizieren** → auslegen.

**explizit** → namentlich.

**explizite** → namentlich.

**explodieren:** → ärgerlich [werden], → platzen.

**exploitieren** → auswerten.

**Exploration** → Umfrage.

**explorieren** → forschen.

**¹Explosion,** Implosion, Detonation, Entladung; → platzen.

**²Explosion** → Streit.

**explosiv:** → brisant, → spannungsgeladen.

**Exponat** → Ausstellungsstück.

**Exponent,** Vertreter; → Muster.

**Exponentialgleichung** → Gleichung.

**exponieren** (sich), sich aussetzen / stellen / hervorwagen / in den Vordergrund schieben / in die Schußlinie begeben, hervortreten, ins Licht der Öffentlichkeit / ins Rampenlicht / ins Scheinwerferlicht treten, die Aufmerksamkeit auf sich ziehen, alle Blicke auf sich lenken, drauflosgehen (ugs.); → wagen; **exponiert sein,** im Rampenlicht / im Licht der Öffentlichkeit / im Scheinwerferlicht / im Blickpunkt stehen; **sich nicht e.,** das Rampenlicht scheuen.

**Export,** Ausfuhr; → Absatzgebiet, → Außenhandel · Ggs. → Import.

**Exportartikel** → Ware.

**Exportkaufmann** → Büroangestellter.

**Exportware** → Ware.

**Exposé** → Entwurf.

**Exposition:** → Ausstellung, → Einleitung.

**Expositur** → Zweigstelle.

**expreß** → namentlich.

**Expreßbrief** → Postsendung.

**Expressionismus:** → Literaturepochen, → Malerei.

**expressis verbis** → namentlich.

**expressiv:** → ausdrucksvoll, → gefühlsbetont.

**Expreßkaffee** → Pulverkaffee.

**Expreßsendung** → Postsendung.

**Expreßzug** → Eisenbahnzug.

**exquisit** → kostbar.

**Exsanguinationstransfusion** → Blutübertragung.

**Exsanguinotransfusion** → Blutübertragung.

**Exsekretion** → Bann.

**Exspektant** → Anwärter.

**Exstirpation** → Operation.

**Extemporale** → Klassenarbeit.

**ex tempore** → improviert.

**¹extemporieren,** aus dem Stegreif reden / schreiben; → vortragen; → Gedächtnis.

**²extemporieren** → musizieren.

**Extensor** → Muskel.

**exterminieren** → vertreiben.

**Externist** → Schüler.

**extra:** → eigens, → einzeln,
→ wählerisch; etwas e. kriegen
→ zubekommen.

**Extra** → Zubehör.

**Extra-:** → zusätzlich.

**Extraausgabe** → Zeitung.

**Extrablatt** → Zeitung.

**¹Extrakt,** Essenz, Auszug, Absud, Destillat.

**²Extrakt** → Zusammenfassung.

**extraordinär** → außergewöhnlich.

**Extraordinarius** → Hochschullehrer.

**Extrapost** → Kutsche.

**Extrauteringravidität** →
Schwangerschaft.

**extravagant** → überspannt.

**Extravaganz** → Ausgefallenheit.

**Extravasation** → Blutung.

**extravertiert** → gesellig.

**Extrawurst:** → Erlaubnis, →
Wurst; eine E. gebraten haben
wollen → eingliedern.

**Extrazimmer** → Raum.

**Extrazug** → Eisenbahnzug.

**¹extrem,** extremistisch, radikal,
radikalistisch, übersteigert,
maßlos, scharf, rücksichtslos.

**²extrem** → ausgeprägt.

**Extrem:** von einem E. ins
andere fallen → labil [sein].

**Extremer** → Extremist.

**Extremfall** → Ausnahmefall.

**Extremist,** Extremer, Radikaler, Rechtsradikaler, Rechtsextremist, Linksradikaler,
Linksextremist, Vertreter des
Radikalismus, Radikalist, Radikalinski *(abwertend)* · *in Südtirol:* Bumser *(ugs., österr.)*; →
Konservativer, → Sozialist; →
rechtsradikal.

**extremistisch** → extrem.

**Extremität** → Gliedmaße.

**extrovertiert** → gesellig.

**Ex-und-hopp-Flasche** → Flasche.

**Exvoto** → Votivbild.

**exzellent** → trefflich.

**Exzellenz:** [Eure E.] → Anrede.

**exzentrisch** → launisch.

**exzeptionell** → außergewöhnlich.

**Exzerpt,** Auszug, Lesefrucht,
Blütenlese, Florilegium; → Auswahl.

**Exzeß:** → Ausschweifung; alkoholischer E. → Alkoholvergiftung.

**Exzision** → Operation.

**Exzitans** → Aufputschmittel.

**Ezzes** → Vorschlag.


# F

**¹Fabel,** Handlung, Stoff, Idee,
Inhalt, Handlungsgerüst; →
Erzählung.

**²Fabel:** → Erzählung; ins Reich
der F. gehören → unwahrscheinlich [sein].

**fabelhaft** → außergewöhnlich.

**Fabelland,** Wunderland, Märchenland, Utopia, Utopien,
Dorado, Eldorado, Arkadien,
Schlaraffenland; das Land, wo
Milch und Honig fließt; Thule,
Atlantis, Orplid; → Paradies.

**fabeln** → lügen.

**Fabelwesen** · *weibliches:* Meduse,
Gorgo, Sphinx, Harpyie, Elfe,
Nixe, Sylphide, Sylphe, Sirene ·
*männliches:* Kentaur, Zentaur,
Elf, Riese, Zwerg · *in Gestalt
eines Reptils:* Drache, Lindwurm, Tatzelwurm, Basilisk,
Leviathan, Hydra · *in Gestalt
eines Vogels:* Greif, Phönix,
Roch, Rok · *in Gestalt eines
Pferdes:* Einhorn, Pegasus; →
Erzählung.

**Fabismus** → Lebensmittelvergiftung.

**Fabrik,** Werk, Werkstätte, Betrieb, Fabrikationsstätte, Manufaktur · *kleinere:* Gewerbebetrieb, Handwerksbetrieb,
Kleinbetrieb; → Betrieb, →
Unternehmen, → Wirtschaft,
→ Zweigstelle.

**Fabrikant** → Unternehmer.

**Fabrikarbeit** → Arbeit.

**Fabrikarbeiter** → Arbeiter.

**Fabrikarbeiterin** → Arbeiterin.

**Fabrikat** → Ware.

**Fabrikation** → Herstellung.

**Fabrikationsstätte** → Fabrik.

**Fabrikbesitzer** → Unternehmer.

**Fabrikdirektor** → Unternehmer.

**Fabrikherr** → Unternehmer.

**Fabrikmädchen** → Arbeiterin.

**fabrikneu** → neu.

**Fabriksarbeiter** → Arbeiter.

**Fabriksbesitzer** → Unternehmer.

**Fabriksdirektor** → Unternehmer.

**Fabriksherr** → Unternehmer.

**fabriksneu** → neu.

**Fabrikzigarette** → Zigarette.

**fabrizieren** → anfertigen.

**fabulieren:** → dichten, → lügen.

**¹Fach,** Lade, Kasten · Schubfach, Schublade, Schubkasten,
Schiebfach, Schieblade, Schiebkasten; → Behälter, → Möbel.

**²Fach:** → Fachrichtung,
Schließfach, → Schublade;
unter Dach und F. sein
→ fertig [sein]; unter
Dach und F. bringen → beenden.

**Facharbeiter** → Arbeiter.

**Facharbeiterin** → Arbeiterin.

**Facharzt** → Arzt.

**Fachausdruck,** Fachwort,
Fachbegriff, Fachbezeichnung,
Fachterminus, Kunstwort, Terminus technicus; → Begriff.

**Fachbau** → Fachwerkbau.

**Fachbegriff** → Fachausdruck.

**Fachbereich:** → Bereich, →
Fachrichtung.

**Fachbereichssprecher** → Dekan.

**Fachbezeichnung** → Fachausdruck.

**Fachbibliothek** → Bücherbestand.

**Fachblatt** → Zeitschrift.

**Fachbuch** → Literatur.

**fächeln** → wehen.

**Fächer** → Feuerwerkskörper.

**Fächerflügler** → Insekt.

**Fächergewölbe** → Gewölbe.

**Fächerpalme** → Palme.

**Fachgebiet** → Bereich.

**Fachgenosse** → Kollege.

**fachgerecht** → fachmännisch.

**Fachgeschäft** → Laden.

**Fachgröße** → Fachmann.

**Fachidiot** → Fachmann.

**Fachjargon** → Gruppensprache.

**Fachkollege** → Kollege.

**Fachlehrer** → Lehrer.

**Fachlexikon** → Nachschlagewerk.

**Fachmann,** Sachverständiger,
Sachkenner, Sachkundiger,
Kenner, Kundiger, Eingeweihter, Esoteriker, Fachidiot *(abwertend)*, Experte, Könner, Berufsmann *(schweiz.)*, Professionist *(bes. österr.)*, Meister,
Routinier, Praktiker, As *(ugs.)*,
Kanone *(ugs.)*, alter Fuchs /
Hase *(ugs.)*, Koryphäe, Kapa-

zität, Berühmtheit, Fachgröße, Größe, Autorität, Spezialist; → Begabung, → Berühmtheit, → Gelehrter, → Helfer, → Sportler, → Talent; → Erfahrung [haben]; → anspruchsvoll, → fachmännisch · Ggs. → Nichtfachmann; → dilettantisch.

**fachmännisch,** fachgerecht, sachgerecht, sachgemäß, kunstgerecht, gekonnt, routiniert, sachverständig, sachkundig, kundig, eingefuchst (ugs.), kennerisch (schweiz.), gut, qualifiziert, zünftig, nicht → dilettantisch; → firm, → gebildet, → meisterhaft; → Fachmann · Ggs. → Nichtfachmann.

**Fachmesse** → Messe.

**Fachorgan** → Zeitschrift.

**Fachpresse** → Presse.

**¹Fachrichtung,** Fach, Schulfach, Gegenstand (österr.), Fachschaft, Wissenszweig, Disziplin · Fakultät, Fachbereich; → Hochschule.

**²Fachrichtung** → Bereich.

**Fachschaft** → Fachrichtung.

**Fachschule** → Schule.

**Fachsprache:** → Ausdrucksweise, → Gruppensprache.

**Fachterminus** → Fachausdruck.

**Fachwerk,** Fachwerkbauweise, Rahmenbau, Riegelbau (schweiz.); → Fachwerkbau.

**Fachwerkbau,** Fachwerkhaus, Fachbau (veraltet), Riegelhaus (schweiz.); → Fachwerk.

**Fachwerkbauweise** → Fachwerk.

**Fachwerkhaus** → Fachwerkbau.

**Fachwerkmauer** → Mauer.

**Fachwissenschaftler** → Gelehrter.

**fachwissenschaftlich** → wissenschaftlich.

**Fachwort** → Fachausdruck.

**Fachzeitschrift** → Zeitschrift.

**Fachzeitung** → Zeitschrift.

**Fackel,** Pechfackel, Kienfackel, Kienspan; → Lampion.

**fackeln:** nicht lange f. → eingreifen; ohne lange zu f. → kurzerhand.

**Fackelzug** → Demonstration.

**Facultas docendi** → Lehrberechtigung.

**fad:** → abgestanden, → langweilig, → ungewürzt.

**Fädchen** → Fluse.

**¹fade,** geschmacklos, ungewürzt, wäßrig, ohne Geschmack, ohne Saft und Kraft, kraftlos, nüchtern; → abgestanden.

**²fade:** → abgestanden, → langweilig.

**¹Faden,** Nähfaden, Reihfaden, Seidenfaden, Nähseide, Garn, Nähgarn, Stopfgarn, Stickgarn, Zwirn; → Schnur; → nähen.

**²Faden:** → Faser, → Längenmaß; der rote F. → Leitgedanke; da beißt die Maus keinen F. ab → unabänderlich [sein]; keinen trockenen F. mehr am Leibe haben → naß [sein]; alle Fäden in der Hand haben / halten → führen; an jmdm. keinen guten F. lassen → schlechtmachen; den F. verlieren → abschweifen; etwas hängt an einem seidenen F. → ungewiß [sein]; mit Nadel und F. umgehen können → nähen [können]; nach Strich und F. → gehörig; → sehr.

**Fadenalge** → Alge.

**fadenförmig:** -er Puls → Pulsschlag.

**Fadenmolch** → Molch.

**Fadennudeln** → Teigwaren.

**fadenscheinig:** → abgenutzt, → vordergründig.

**Fadenscheinigkeit** → Durchschaubarkeit.

**Fadenschlag** → Naht.

**Fadensommer** → Altweibersommer.

**Fadenwurm** → Wurm.

**Fadheit** → Eintönigkeit.

**Fadian** → Muffel.

**fadisieren** → langweilen (sich).

**Fado** → Lied.

**Fagott** → Blasinstrument.

**Fagottist** → Musizierender.

**fähig:** → erprobt, → tüchtig; -er Kopf → Talent; f. sein zu → können.

**-fähig:** etwas ist tragfähig → können.

**¹Fähigkeit,** Kraft, Macht, Gewalt, Stärke, das Können, das Vermögen, Tüchtigkeit, Tauglichkeit, Qualifikation · sexuelle: Manneskraft, Zeugungsfähigkeit, Zeugungskraft, Liebeskraft, Liebesfähigkeit, Potenz; → Ansehen, → Beharrlichkeit, → Fertilität, → Höchstleistung, → Kraftprobe, → Kunst-

fertigkeit; → geschlechtsreif · Ggs. → Unfähigkeit.

**²Fähigkeit:** -en → Begabung; an jmds. F. glauben → zutrauen (jmdm. etwas); etwas entspricht jmds. -en → begabt.

**Fähigkeitsausweis** → Bescheinigung.

**Fähigkeitsnachweis** → Bescheinigung.

**fahl:** → blaß, → farblos.

**Fahlheit** → Blässe.

**Fahlsegler** → Vogel.

**Fähnchen:** → Kleid; sein F. nach dem Wind hängen → Opportunist [sein].

**fahnden** → suchen.

**Fahndung** → Nachforschung.

**Fahndungsstreife** → Polizeistreife.

**¹Fahne,** Flagge, Banner, Standarte, Stander, Wimpel, Gösch ·· Olympiaflagge ·· Friedensfahne, die weiße Fahne ·· Signalflagge, Buchstabenflagge · der Blaue Peter (scherzh.), Abfahrtsflagge · die gelbe Fahne, Quarantäneflagge · Seuchenflagge · Zahlenwimpel · Zollflagge · Pulverflagge · der kommunistischen Partei: die rote Fahne; → Abzeichen, → Beflaggung, → Merkmal, → Nationalflagge, → Sinnbild; → beflaggen, → flaggen.

**²Fahne:** → Probedruck, → Schwanz, → Taschentuch; eine F. haben → riechen; die F. nach dem Wind hängen → Opportunist [sein]; die weiße F. hissen → nachgeben; die Fahne raushängen → flaggen; etwas auf seine F. schreiben → Programm; mit -n schmücken → beflaggen; mit fliegenden / wehenden -n zum Gegner (oder:) in das andere Lager übergehen → umschwenken; unter der F. stehen → Soldat [sein]; zu den -n eilen → Soldat [werden]; zu den -n rufen → einberufen.

**fahnenflüchtig:** f. werden → überwechseln.

**Fahnenflüchtiger** → Deserteur.

**Fahnenjunker** → Dienstgrad.

**Fahnenschmuck** → Beflaggung.

**Fahnenwort** → Leitwort.

**Fähnrich:** [F. zur See] → Dienstgrad.

**Fahrausweis** → Fahrkarte.

**Fahrbahn,** Fahrdamm, Damm (*landsch.*); → Straße.

**fahrbar:** → transportabel; -er Untersatz → Auto.

**Fahrdamm** → Fahrbahn.

**Fähre,** Rollfähre, Überfuhr (*österr.*); → Schiff.

**¹fahren** · *langsam:* [im] Schritt fahren, schleichen (*ugs.*) · *langsam und dicht hintereinander:* Kolonne / in Schlange fahren · *schnell:* einen [guten] Zahn draufhaben (*salopp*) · *ohne Ziel:* spazierenfahren, herumkutschieren (*ugs.*), herumkariolen (*ugs.*) · *in die richtige Spur:* sich einordnen / einfädeln · *ohne Führerschein:* schwarzfahren · *mit der Straßenbahn:* Straßenbahn / mit der Linie X fahren · *mit dem Autobus:* Autobus / mit der Linie X fahren · *mit dem Schiff:* schiffen, kreuzen, auf Kreuzfahrt / auf großer Fahrt sein; → ansteuern, → fortbewegen (sich), → radfahren; → befahrbar; → Boot, → Fahrer, → Fahrt, → Geschwindigkeit, → Steuer, → Strecke.

**²fahren:** → reisen, → steuern, → verwirklichen; heimwärts / nach Hause f. → zurückbegeben (sich); -der Sänger Minnesänger; -der Schüler Vagabund; einen f. lassen → Darmwind [entweichen lassen]; Schlitten f. → rodeln; eine Strecke f. → Strecke; Velo f. → radfahren; f. auf → zusammenstoßen; sich durch das Haar / die Haare f. → frisieren; im D-Zug durch die Kinderstube gefahren sein → benehmen (sich); in die / zur Grube f. → sterben; in die Kleider f. → anziehen; jmdm. in die Parade f. → antworten; mit etwas gut gefahren sein → Erfahrung; [mit dem Schiff] f. → fahren; per Anhalter / Autostop f. → mitfahren; über den Haufen f. → überfahren; über den Mund f. → antworten; → dazwischenreden; zur See f. → Seemann [sein].

**Fahren:** [aggressives / defensives F.] → Fahrverhalten.

**Fahrenheit** → Temperaturskala.

**fahrenlassen:** → abschreiben; alle Hoffnung f. → Mut.

**Fahrensmann** → Seemann.

**¹Fahrer,** Chauffeur, Schofför, Lenker, Führer · *eines Fuhrwerks:* Fuhrwerker (*landsch.*) · *eines Taxis:* Taxifahrer, Taxler (*ugs., österr.*); → Schaffner, → Steuer; → fahren.

**²Fahrer** → Autofahrer.

**Fahrerflucht,** Unfallflucht, Führerflucht (*schweiz.*); → Verkehrsteilnehmer.

**Fahrerlaubnis** → Ausweis.

**Fahrgast** → Passagier.

**Fahrgastschiff,** Passagierschiff, Passagierdampfer, Personendampfer, Linienschiff, Schnelldampfer, Riverboat, Musikdampfer, Vergnügungsdampfer, Ausflugsdampfer, Kreuzfahrtschiff, Salondampfer, Salonschiff, Luxusdampfer, Luxusschiff, schwimmendes Hotel, Botel; → Schiff.

**Fahrgestell:** → Chassis, → Fahrwerk, → Gliedmaße.

**Fährhafen** → Hafen.

**fahrig** → aufgeregt.

**¹Fahrkarte,** Karte, Fahrausweis, Fahrtausweis, Fahrschein, Billett · *für einen Flug:* Ticket, Flugkarte · *für einen bestimmten Zeitraum:* Zeitkarte, Dauerkarte, Sichtkarte, Tagesrückfahrkarte, Wochenkarte, Monatskarte, Jahreskarte · *für mehrere Fahrten:* Rückfahrkarte, Retourfahrkarte (*österr.*), Retourkarte (*österr.*), Sechserkarte · *für Reisen innerhalb eines bestimmten Gebietes:* Netzkarte; → Ausweis, → Schaffner; → entwerten.

**²Fahrkarte:** eine F. schießen → schießen.

**Fahrkunst:** Fahrkünste → Fahrverhalten.

**fahrlässig:** → unbesonnen; -e Krida → Mißerfolg.

**Fahrpeitsche** → Peitsche.

**¹Fahrrad,** Rad, Damenfahrrad, Damenrad, Herrenfahrrad, Herrenrad, Kinderfahrrad, Kinderrad, Dreirad, Klapprad, Stahlroß (*ugs., scherzh.*), Drahtesel (*ugs., scherzh.*), Velo (*schweiz.*) · *mit Motor:* Mofa, Motorfahrrad · *für Rennen:* Rennrad, Tourenrad, Sportrad · *mit zwei Sitzen:* Tandem; →

Auto, →Motorrad, → Radfahrer.

**²Fahrrad** → Brille.

**Fahrradfahrer** → Radfahrer.

**Fahrradlampe** → Lampe.

**Fahrradlenker** → Steuer.

**Fahrradweg** → Weg.

**Fahrschein** → Fahrkarte.

**Fahrscheinentwerter** → Stempeluhr.

**Fährschiff** → Schiff.

**Fahrstraße** → Straße.

**Fahrstuhl:** → Aufzug, → Rollstuhl.

**¹Fahrt,** Hinfahrt, Herfahrt, Rückfahrt, Heimfahrt, Anfahrt, Weiterfahrt, Probefahrt, Gratisfahrt, Tagfahrt, Nachtfahrt, Spazierfahrt, Vergnügungsfahrt, Lustfahrt, Rundfahrt, Überlandfahrt, Geländefahrt, Querfeldeinfahrt, Irrfahrt, Wagenfahrt, Autofahrt, Taxifahrt, Omnibusfahrt, Busfahrt, Straßenbahnfahrt, Eisenbahnfahrt, Bahnfahrt, Motorradfahrt, Schlittenfahrt, Kahnfahrt, Bootsfahrt, Schiffsfahrt · *erste eines Schiffes:* Jungfernfahrt; → Ausflug, → Reise, → Rennen, → Stadtrundfahrt; → fahren; → erste.

**²Fahrt:** [F. ins Blaue] → Reise; seine F. mit etwas fortsetzen → umsteigen; freie F. haben → behindern; auf großer F. sein → fahren; in F. kommen → ärgerlich [werden]; in F. geraten / kommen / sein → Stimmung.

**Fahrtausweis** → Fahrkarte.

**Fährte:** → Spur; die F. aufnehmen → wittern; auf der falschen / richtigen F. sein → vermuten.

**Fahrtenmesser** → Taschenmesser.

**Fahrtreppe** → Treppe.

**¹Fahrtunterbrechung,** Aufenthalt, Halt, Unterbrechung, Anhalt (*schweiz.*) · *im Flugverkehr:* Zwischenlandung · **ohne F.,** Nonstop-.

**²Fahrtunterbrechung** → Unterbrechung.

**Fahrverhalten,** [defensives / aggressives] Fahren, Fahrkünste (*abwertend*) · *unkontrolliertes eines Autos auf einer aufgestauten Wasserschicht:* Aquaplaning.

**Fahrwasser:** in jmds. F. geraten → Einfluß.

**Fahrweg:** → Straße, → Weg.

**Fahrwerk,** Fahrgestell; → Flugzeug.

**Fahrzeug** → Auto.

**Fahrzeuginsasse** → Passagier.

**Faible:** → Zuneigung; ein F. haben für → mögen (etwas).

**fair** → ehrenhaft.

**Fairneß** → Anständigkeit.

**Fair play** → Anständigkeit.

**Fait accompli** → Tatsache.

**Fäkaldünger** → Dünger.

**Fäkalien** → Exkrement.

**Fakir** → Artist.

**Faksimile:** → Nachahmung, → Reproduktion.

**Fakt** → Tatsache.

**Fakten** → Angaben.

**faktisch** → wirklich.

**Faktizität** → Tatsache.

**Faktor** → Umstand.

**Faktotum** → Diener.

**Faktum** → Tatsache.

**Faktur** → Rechnung.

**Faktura** → Rechnung.

**Fakturist** → Wirtschaftsprüfer.

**Fakultas** → Lehrberechtigung.

**Fakultät:** → Bereich, → Fachrichtung; von der anderen F. [sein] → gleichgeschlechtlich [sein].

**fakultativ** → freiwillig.

**Falangist** → Nationalsozialist.

**falb** → beige.

**Falbe** → Pferd.

**Falke:** → Vogel; kein F. sein → Pazifist [sein].

**Falkenauge** → Scharfsichtigkeit.

**Fall:** → Angelegenheit, → Entlassung, → Kasus; erster F. → Nominativ; zweiter F. → Genitiv; dritter F. → Dativ; vierter F. → Akkusativ; typischer F. von denkste → irren (sich); vergleichbarer F. → Parallele; jmd. / etwas ist jmds. F. → gefallen; ein hoffnungsloser F. sein → nutzlos [sein], → unheilbar [krank sein]; etwas ist ein klarer F. → klar [sein]; einen F. tun, zu F. kommen → fallen; auf jeden F. → allemal, → ja, → ohnehin; auf keinen F. → keineswegs, → nein; für alle Fälle → vorsichtshalber; für den F., daß... → wenn; im andern F. → oder; im besten / günstigsten

-e → bestenfalls; in jedem -e → jedenfalls; von· F. zu F. → eigens; zu F. bringen → scheitern, → verhindern; jmdn. zu F. bringen → umstoßen (jmdn.); zu F. kommen → scheitern.

**Falläpfel** → Obst.

**Fallbaum** → Bahnschranke.

**Fallbeil,** Guillotine; → töten.

**¹Falle,** Fallgrube, Wildfalle, Mausefalle, Mäusefalle, Mausfalle *(österr.),* Rattenfalle, Fuchsfalle, Wolfsfalle, Kaninchenfalle, Vogelfalle; → Fischnetz, → Wilderer.

**²Falle:** → Hinterhalt; jmdm. eine F. stellen → betrügen; in die F. gehen → hereinfallen; in die F. gehen, sich in die F. hauen → schlafen [gehen].

**¹fallen,** hinstürzen, stürzen, hinfallen, zusammenfallen *(bes. österr.),* einen Fall tun, zu Fall kommen, erfallen *(oberd.),* sinken, hinsinken, hinschlagen, schlagen auf etwas, hinpurzeln *(ugs.),* purzeln *(ugs.),* hinplumpsen *(ugs.),* plumpsen auf etwas *(ugs.),* hinfliegen *(salopp),* fliegen auf etwas *(salopp),* hinknallen *(salopp),* knallen auf etwas *(salopp),* hinsausen *(salopp),* sausen auf etwas *(salopp),* hinsegeln *(salopp),* segeln auf etwas *(salopp),* einen Stern reißen *(ugs., österr.);* **nicht f.,** senkrecht bleiben; → fliegen, → gleiten, → hinunterfallen, → schwanken, → stolpern, → umfallen, → umstoßen (jmdn.).

**²fallen:** → abnehmen, → erobern, → sterben; gefallenes Mädchen → Mädchen; jmdm. lästig f. → behelligen; die Hüllen f. lassen → ausziehen; die Blätter f. → herbsten; die Blätter f. lassen → entlauben (sich); die Entscheidung ist / die Würfel sind gefallen → entschließen (sich); der Nebel fällt → nebeln; etwas fällt an jmdn. → zufallen; auf fruchtbaren Boden f. → wirken; auf dem Feld der Ehre f. → sterben; auf die Knie f. → beten; jmdm. fällt die Decke auf den Kopf → deprimiert [sein]; nicht auf den Kopf gefallen sein → dumm; nicht auf den Mund ge-

fallen sein → geistreich [sein]; jmdm. auf die Nerven / auf den Wecker f. → ärgern; aus Abschied und Traktanden f. lassen → ablehnen; aus dem Bett gefallen sein → aufstehen; jmdm. fällt das Essen aus dem Gesicht → übergeben (sich); aus allen Himmeln / Wolken f., aus dem Stengel / Eimer f. → überrascht [sein]; aus den Kleidern f. → schlank [werden]; jmdm. fällt kein Stein aus der Krone → erniedrigen (sich); aus der Wertung f. → werten; jmdm. in den Arm f. → verhindern; in die Augen f. → auffallen; in die Fraisen f. → betroffen [sein]; mit der Tür ins Haus f. → mitteilen; jmdm. fällt das Herz in die Hose / Hosen → Angst [bekommen], → Mut; jmdm. in den Rücken f. → helfen; etwas fällt jmdm. in den Schoß → mühelos [erringen]; in die Tiefe f. → hinunterfallen; etwas fällt ins Wasser → ausfallen, → scheitern; jmdm. um den Hals f. → umfassen; unter den Tisch f. → wegfallen; vom Fleisch f. → schlank [werden]; jmdm. fällt ein Stein vom Herzen → aufatmen; es fällt jmdm. wie Schuppen von den Augen → erkennen; von einem Extrem ins andere f. → labil [sein]; zum Opfer f. → opfern; kein Apfel kann zur Erde f. → voll [sein]; zur Last f. → Last.

**fällen:** → abholzen; eine Entscheidung f. → entscheiden (sich); ein Urteil f. → beurteilen; das Urteil / einen Spruch f. → verurteilen.

**fallenlassen:** → abschreiben, → berücksichtigen, → weglegen.

**Fallgrube** → Falle.

**fallieren** → zahlungsunfähig [werden].

**fällig:** f. werden → ablaufen.

**Fälligkeitstag** → Zahltag.

**Fallmasche** → Masche.

**Fallmeister** → Abdecker.

**Fallobst** → Obst.

**Fallott** → Betrüger.

**Fall-out** → Müll.

**Fallreep** → Treppe.

**Fallreepsknoten** → Knoten.

**falls** → wenn.

**Fallstrick** → Arglist.

**Fallsucht** → Epilepsie.
**Falltreppe** → Treppe.
**Falltür** → Tür.
**fallweise:** → eigens, → manchmal.
**Fallwind,** Föhn, Jauk (*österr.*), Tauwind, Südwind, Lahnwind (*bayr.*, *österr.*), Frühlingswind · *an der dalmatinischen Küste:* Bora · *im Rhonetal:* Mistral; → Wind, → Wirbelwind.
**¹falsch,** unrichtig, unwahr, unzutreffend, irrig, fehlerhaft, verfehlt, grundfalsch, grundverkehrt (*ugs.*), verkehrt (*ugs.*), letz (*schweiz.*), nicht → richtig, nicht → wahr; **etwas f. machen,** Mist bauen (*salopp*); → abwegig, → erfunden, → versehentlich; → lügen; → Lüge.
**²falsch:** → mißtönend, → unaufrichtig, → unecht, → unredlich, → verkehrt; auf dem -en Dampfer sitzen → irren (sich); auf der -en Fährte / Spur sein → vermuten; der Fuffziger / Fünfziger → Mann; -es Gebiß, -e Zähne → Zahnersatz; -e Haare → Perücke; etwas in den -en Hals / die -e Kehle bekommen → übelnehmen; -er Hase → Fleischgericht; mit -en Karten spielen → betrügen; Falscher Mehltau — Algenpilz; aufs -e Pferd setzen → beurteilen; Falscher Pfifferling → Ständerpilz; -er Prophet → Hetzer; mit jmdm. ein -es Spiel treiben → betrügen; -er Wilhelm / Zopf → Haarzopf; -er Zungenschlag → Versprecher; etwas f. anfassen / machen → verkehrt [machen]; f. auffassen / auslegen / deuten / verstehen, etwas in den -en Hals / die -e Kehle bekommen → mißverstehen; als f. bezeichnen → abstreiten; etwas nicht f. finden / nicht für f. halten → billigen; jmd. liegt f. → irren (sich); f. machen → ausfressen; f. rechnen → verrechnen (sich).
**Falsch:** ohne F. → arglos, → aufrichtig [sein].
**fälschen,** falsifizieren, eine Fälschung herstellen; → Fälschung.
**Fälscher** → Betrüger.
**Falschgeld** → Geld.
**Falschheit** → Arglist.

**falschherum** → verkehrt.
**fälschlich** → versehentlich.
**Falschmeldung,** Ente (*ugs.*); → Lüge.
**Falschmünzer** → Betrüger.
**falschrum** → verkehrt.
**Falschschreibung** → Fehler.
**¹Fälschung,** Falsifikat, Falsifikation; → Betrug, → Geld, → Zahlungsmittel; → fälschen.
**²Fälschung:** eine F. herstellen → fälschen.
**Falsett** → Kopfstimme.
**Falsettstimme** → Kopfstimme.
**Falsifikat** → Fälschung.
**Falsifikation** → Fälschung.
**falsifizieren** → fälschen.
**Falt** → Falte.
**Faltboot** → Boot.
**Faltdach** → Dach.
**¹Falte,** Falt (*schweiz.*), Knick, Kniff, Stoffbruch, Biegung, Falz, Doppelfalte, Quetschfalte · Plisseefalte, Preßfalte, Waffelplissee, Rosenplissee, Sonnenplissee · *bei Papier:* Einbruchfalz, Parallelfalz, Wickelfalz, Leporellofalz, Zickzackfalz, Kreuzfalz; → Bügelfalte; → falten.
**²Falte** → Runzel.
**fälteln** → falten.
**¹falten** · *von Stoff:* fälteln, plissieren · *von Papier:* falzen, knicken, kniffen, biegen, brechen, umbiegen; → zerknittern, → zusammenfalten; → Bügelfalte, → Falte.
**²falten:** → zusammenfalten; die Hände f. → beten.
**Faltenhaut** → Chalodermie.
**Faltenkapitell** → Kapitell.
**Faltenrock** → Rock.
**Faltenschnecke** → Schnecke.
**Falter** → Schmetterling.
**faltig,** runz[e]lig, zerknittert, zerfurcht, nicht glatt, zerklüftet, knitt[e]rig, schlaff, welk; → trocken, → verschrumpelt; → Chalodermie, → Runzel, → Zerfurchtheit.
**Faltigkeit** → Zerfurchtheit.
**Faltkuppel** → Kuppel.
**Faltschachtelkarton** → Karton.
**Faltstuhl** → Stuhl.
**Falz** → Falte.
**falzen** → falten.
**Falzpfanne** → Dachziegel.
**Fama** → Gerücht.
**familiär** → vertraut.

**¹Familie,** Verwandtschaft, Anhang, Sippe, die Meinen, Sippschaft (*abwertend*), Weib und Kind (*scherzh.*), Parentel, Mischpoke (*salopp, abwertend*) · *weitverzweigte:* Clan, Geschlecht, Großfamilie; → Abkunft, → Angehöriger, → Bande, → Eltern, → Kommune, → Sohn.
**²Familie:** im Schoß der F. → daheim; etwas bleibt in der F. → verlorengehen, → weitererzählen; das liegt in der F. → kennzeichnend [sein für jmdn.]; das kommt in den besten -n vor → verzeihlich [sein]; zur F. gehörend → verwandt.
**Familienangehöriger** → Angehöriger.
**Familienanhänglichkeit** · Elternliebe, Kindesliebe, Gattenliebe, Geschwisterliebe, Vaterliebe, Mutterliebe, Bruderliebe, Schwesterliebe, Sohnesliebe, Tochterliebe; → Verwandter, → Zuneigung; → lieben.
**Familienausflug** → Ausflug.
**Familienchronik** → Chronik.
**Familienforschung** → Genealogie.
**Familienfoto** → Fotografie.
**Familiengrab** → Grab.
**Familienmitglied** → Angehöriger.
**Familienname,** Zuname, Nachname, Eigenname, Vatersname, Name · *früherer einer verheirateten Frau:* Mädchenname, Geburtsname; → Spitzname, → Vorname; → namens.
**Familienoberhaupt** → Vater.
**Familienplanung** → Geburtenregelung.
**Familienrezept** → Kochrezept.
**Familienroman** → Roman.
**Familienstand** → Personenstand.
**famos** → meisterhaft.
**Famulus:** → Arzt, → Helfer.
**¹Fan,** Anhänger, Bewunderer, Autogrammjäger · *weiblicher:* Groupie; → Berühmtheit; → achten.
**²Fan** → Anhänger.
**Fanatiker** → Eiferer.
**¹fanatisch,** besessen, blindgläubig, blindwütig; → übereifrig; → Begeisterung; → Eiferer.
**²fanatisch:** → begeistert, → blindwütig.

fanatisieren → aufwiegeln.
**Fanatisierung** → Aufwiegelung.
**Fanatismus** → Begeisterung.
**Fandango** → Tanz.
**Fanfare:** → Blasinstrument, → Signal.
**Fanfarenstoß** → Signal.
**Fang** → Raub.
**Fangball:** mit jmdm. F. spielen → umgehen (mit jmdm.).
**Fangemandl** → Fangspiel.
**Fangemann** → Fangspiel.
**¹fangen,** einfangen, haschen, erhaschen · *Fische:* fischen, angeln, den Wurm baden (*ugs., scherzh.*); → einholen, → ergreifen, → erwerben, → fischen.
**²fangen:** Fang den Hut → Würfelspiel; eine Ohrfeige / ein paar / eine Watsche / eine f. → schlagen; etwas f. → krank [werden]; Feuer f. → verlieben (sich).
**Fangen** → Fangspiel.
**Fangerl** → Fangspiel.
**Fangerle** → Fangspiel.
**Fangerlspiel** → Fangspiel.
**Fangfrage** → Frage.
**Fanggebiet** → Fischwasser.
**Fanggründe** → Fischwasser.
**Fangheuschrecke** → Heuschrecke.
**Fangis** → Fangspiel.
**Fangplatz** → Fischwasser.
**Fangschiff** → Fischereischiff.
**Fangschrecke** → Insekt.
**Fangschuß:** den F. geben → töten.
**Fangspiel,** Fangen, Nachlaufen, Greifen, Greifchen (*ostniederd.*), Kriegen (*ugs.*), Jagen (*ostmitteld.*), Haschen (*mitteld.*), Kregen (*niedersächsisch*), Fangemann (*landsch.*), Haschemann (*mitteld.*), Fangerle (*südd.*), Nachläuferles (*südd.*), Fangemandl. (*bayr.*), Derwischerles (*österr.*), Tapperln (*österr.*), Fangerlspiel (*österr.*), Fangerl (*österr.*), Fangis (*schweiz.*), Einkriegezeck (*berlin.*), Einkriege (*berlin.*), Kriegezeck (*berlin.*), Zeck (*berlin.*), Greifzeck (*berlin.*), Greife (*berlin.*) · Englischfangen · Drittenabschlagen · Bäumchenwechseln · *mit verbundenen Augen:* Blindekuh; → Geländespiel, → Hüpfspiel, → Kinderspiel, → Kippel-Kappel, → Spiel, → Versteckspiel.
**Fant:** → Geck, → Jüngling.

**Faradisation** → Elektrotherapie.
**Faradismus** → Elektrotherapie.
**Faradotherapie** → Elektrotherapie.
**Farbaufnahme** → Fotografie.
**Farbbuch** → Dokumentensammlung.
**Farbdruck** → Druckverfahren.
**¹Farbe,** Färbung, Couleur, Kolorit, Kolorierung, Schattierung, Nuance, Tönung, Farbton, Ton, Schimmer.
**²Farbe:** F. auflegen / auftragen → schminken; F. bekennen → gestehen; F. bekommen / kriegen → gebräunt [werden]; F. verlieren / abgeben → abfärben; die F. wechseln → blaß [werden]; in F. → bunt; etwas in den düstersten / in schwarzen / in den schwärzesten -n malen → schildern; ohne F. → farblos.
**¹farbecht,** waschecht, lichtecht, indanthrenfarben; → kochecht; → abfärben.
**²farbecht:** nicht f. sein → abfärben.
**färben:** → anmalen, → lügen, → tönen; in der Wolle gefärbt → verbürgt.
**Farbenblindheit,** Chromatodysopsie, Dyschromatopsie, Daltonismus ·· *totale:* Zapfenblindheit, Achromatopsie, Monochromatopsie, Achromasie, Monochromasie ·· *partielle:* Dichromasie, Dichromatopsie, Dyschromatopsie · *für Rot:* Rotblindheit, Protanopsie, Anerythropsie · *für Grün:* Grünblindheit, Deuteranopie, Deuteranopsie, Achloropsie · *für Violett:* Violettblindheit, Blaublindheit, Tritanopie, Azyanopsie · *für Rot und Grün:* Rotgrünblindheit, Xanthozyanopie · *für Blau und Gelb:* Blaugelbblindheit, Erythrochloropie; → Blindheit, → Fehlsichtigkeit, → Schielen, → Sehstörung.
**farbenfreudig** → bunt.
**farbenfroh** → bunt.
**Farbenholzschnitt** → Holzschnitt.
**Farbenkasten** → Farbkasten.
**Farbenkleckser** → Kunstmaler.
**farbenprächtig** → bunt.
**farbentragend:** -e Verbindung → Verbindung.

**Farbentragender** → Student.
**Farbfernsehempfänger** → Fernsehgerät.
**Farbfernseher** → Fernsehgerät.
**Farbfernsehkamera** → Kamera.
**Farbfilm** → Film.
**Farbfoto** → Fotografie.
**Farbfotografie** → Fotografie.
**Farbglas** → Glas.
**farbig:** → anschaulich, → bunt, → einfarbig.
**färbig** → einfarbig.
**Farbiger** → Neger.
**Farbigkeit** → Anschaulichkeit.
**Farbkasten,** Farbenkasten, Malkasten, Palette; → Malerei.
**Farblichtbildervortrag** → Lichtbildervortrag.
**Farblitho** → Kunstdruck.
**Farblithographie** → Kunstdruck.
**¹farblos,** ohne Farbe, achromatisch (Optik), ungefärbt, unbemalt, entfärbt, matt, blaß, fahl; → abgeblaßt.
**²farblos** → einfach.
**Farblosigkeit** → Unauffälligkeit.
**Farbstich** → Kunstdruck.
**Farbstift** → Zeichenstift.
**Farbton** → Farbe.
**Färbung:** → Farbe, → Neigung.
**Farce:** → Füllung, → Komödie.
**Farm** → Gut.
**Farmer** → Bauer.
**¹Farn,** Farnkraut, Farnpflanze · Adlerfarn, Wurmfarn, Tüpfelfarn, Rippenfarn, Königsfarn, Natterzunge, Mondraute, Mauerraute, Hirschzunge · Zierfarn, Haarfarn, Frauenhaar, Hautfarn, Krullfarn, Venushaar, Vogelnestfarn, Geweihfarn · Baumfarn, Kletterfarn · Wasserfarn, Schwimmfarngewächs, Schwimmfarn, Schwimmblatt, Kleefarn, Pillenfarn; → Farnpflanze.
**²Farn** → Farnpflanze.
**farnartig:** -e Pflanze → Farnpflanze.
**Farnkraut** → Farn.
**¹Farnpflanze,** farnartige Pflanze · Bärlappgewächs · Schachtelhalmgewächs, Schachtelhalm · Farn; → Bärlappgewächs, → Farn, → Schachtelhalm.
**²Farnpflanze** → Farn.
**Farre** → Rind.

Farren → Rind.

Färse → Rind.

Fasan: → Vogel, → Wild.

Fasche → Verband.

faschen → verbinden.

faschieren → Fleischwolf.

Faschiermaschiene → Fleischwolf.

faschiert: -e Laibchen → Fleischkloß; -er Braten → Fleischgericht.

Faschiertes → Hackfleisch.

Fasching → Fastnacht.

Faschingsball → Maskerade.

Faschingskrapfen → Gebäck.

Faschingsprinz → Faschingszug.

Faschingsprinzessin → Faschingszug.

Faschingsumzug → Faschingszug.

Faschingszeit → Fastnacht.

Faschingszug, Fastnachtszug, Faschingsumzug, Fastnachtsumzug, Karnevalszug · dazu gehörende Figuren: Karnevalsprinz, Faschingsprinz, Prinz Karneval, Seine Tollität · Karnevalsprinzessin, Faschingsprinzessin, Ihre Lieblichkeit · Funkenmariechen · Prinzengarde; → Fastnacht.

Faschismus, Neofaschismus, Nationalsozialismus, Nazismus (abwertend), Antikommunismus; → Nationalsozialist.

Faschist → Nationalsozialist.

faschistisch → rechtsradikal.

faschistoid → rechtsradikal.

Faselhans: → Angeber, → Schwätzer.

Faselhengst → Pferd.

faseln → sprechen.

¹Faser, Fiber, Faden · Kunstfaser, Chemiefaser, Naturfaser, Baumwollfaser, Wollfaser; → Fluse, → Gewebe.

²Faser: → Fluse; -n verlieren → fusseln.

Fäserchen → Fluse.

fasern → fusseln.

¹Faß, Tonne · Bierfaß, Weinfaß, Ölfaß, Benzinfaß, Heringsfaß, Krautfaß; → Behälter.

²Faß: → Behälter; ein F. ohne Boden sein → teuer [sein]; ein F. aufmachen → feiern; das F. der Danaiden füllen → tun; das schlägt dem F. den Boden aus / die Krone ins Gesicht → unerhört [sein]; Bier vom F. → Bier.

Fassade → Vorderseite.

Fassadenkletterer → Dieb.

faßbar → einleuchtend.

Faßbier → Bier.

Faßbinder → Böttcher.

fassen → ergreifen (jmdn.), → greifen, → verstehen; nicht zu f.! → überrascht [sein]; zu f. bekommen → beikommen; zu f. kriegen → ergreifen (jmdn.), → Gewalt; etwas faßt jmdn. → überkommen; einen Beschluß / Entschluß f. → entschließen (sich); Fuß f. → niederlassen (sich); den Stier bei den Hörnern f. → anfangen; ein Ziel ins Auge f. → zielen; an etwas f. → berühren; sich an den Kopf f. → verstehen; sich in Geduld f. → abwarten; in Worte f. → formulieren; ins Auge f. → ansetzen; jmdn. scharf ins Auge f. → ansehen.

Faßhahn, Hahn, Pipe; → Behälter.

Fassion → Steuererklärung.

faßlich → einleuchtend.

Fasson → Machart.

Fassonschnitt → Frisur.

Fassung: → Auflage, → Bühnenbearbeitung, → Gelassenheit, → Wortlaut; erste F. → Original; gekürzte F. → Kurzfassung; die F. verlieren → betroffen [sein]; außer F. sein → aufgeregt [sein]; aus der F. bringen → verwirren.

Fassungskraft → Fassungsvermögen.

fassungslos, betroffen, bestürzt, entsetzt, verstört, verwirrt, konsterniert, erschrocken, entgeistert, starr, verdattert (ugs.); → ängstlich, → überrascht; verlegen; f. sein, sich entsetzen / erschrecken, die Fassung verlieren, wie vom Donner gerührt sein (ugs.), wie vom Schlag gerührt / getroffen sein (ugs.), kopfstehen, wie vor den Kopf geschlagen sein, etwas nicht mit ansehen / mit anhören können, jmdm. stehen die Haare zu Berge, jmdm. dreht sich das Herz im Leibe herum, jmdm. blutet das Herz, jmdm. läuft es [heiß und] kalt über den Rücken / den Rücken herunter, die Hände über dem Kopf zu-

sammenschlagen, in die Fraisen fallen (ugs., südd., österr.); → erschrecken, → verwirren.

Fassungslosigkeit → Überraschung.

Fassungsvermögen, Kapazität, Aufnahmefähigkeit, Volumen, Fassungskraft; → Vorrat.

fast: → beinahe; f. immer → generell; vor Freude f. an die Decke springen → freuen (sich).

Fastback → Autoheck.

Fastelabend → Fastnacht.

fasten → Hunger [leiden].

Fastenkur → Schlankheitskur.

Fastensonntag: 1.—6. F. → Kirchenjahr.

Fastenzeit → Passionszeit.

fastidiös → langweilig.

Fastnacht, Karneval (rhein.), Fasching (südd.), Fastelabend (rhein.), die drei tollen Tage · Fastnachtszeit, Faschingszeit, die närrische Zeit · Rosenmontag, Güdelmontag (schweiz.), Güdismändig (schweiz.) · Fastnachtsdienstag, Fastnacht · Aschermittwoch; → Faschingszug.

Fastnachter, Fastnachtsnarr, Fastnachtsgeck, Jeck; → Maske, → Maskerade; → verkleiden (sich).

Fastnachtsdienstag → Fastnacht.

Fastnachtsgeck → Fastnachter.

Fastnachtsgesicht → Maske.

Fastnachtskräppel → Pfannkuchen.

Fastnachtsküchlein → Gebäck.

Fastnachtsnarr → Fastnachter.

Fastnachtsspiel → Schauspiel.

Fastnachtsumzug → Faschingszug.

Fastnachtszeit → Fastnacht.

Fastnachtszug → Faschingszug.

Fasttag, Obsttag, Safttag, Reistag; → Schlankheitskur, → Tag.

Faszikel → Aktenbündel.

Faszination, Bezauberung, Verzauberung, Bestrickung, Berückung, Behexung, Verhexung, Geblendetsein, Umgarnung; → bezaubern.

faszinieren → bezaubern.

fatal → unerfreulich.

Fatalismus → Pessimismus.

Fatalist → Pessimist.

¹**Fata Morgana,** Luftspiegelung, Gaukelbild (*dichter.*); → Einbildung.

²**Fata Morgana** → Einbildung.

**fatieren** → Steuererklärung [abgeben].

**Fatierung** → Steuererklärung.

**fatigant** → langweilig.

**fatschen** → verbinden.

**Fatum** → Schicksal.

**Fatz:** kein F. → bißchen.

**Fatzke** → Geck.

**fauchen,** pfauchen (*südd., österr.*), schnauben, schnoben, zischen, blasen; → Laut.

¹**faul,** arbeitsscheu, tatenlos, untätig, müßig, bequem, stinkfaul (*salopp, abwertend*), nicht → fleißig; → träge; **f. sein,** vor Faulheit stinken (*salopp, abwertend*); → faulenzen; → Faulenzer.

²**faul:** → ungenießbar; etwas ist ein -es Ei / eine -e Sache → seltsam [sein]; -er Zauber → Hokuspokus; etwas ist f. [im Staate Dänemark] → Ordnung.

**faulen,** verfaulen, abfaulen, modern, vermodern, verwesen, sich zersetzen, verrotten, schimmeln, verschimmeln, schlecht werden, umkommen, verderben, vergammeln (*ugs.*), etwas (z. B. gekochter Schinken) hält sich nicht / darf nicht lange liegen, möpseln, in Fäulnis übergehen, den Weg alles Irdischen gehen (*scherzh.*); → umschlagen; → ungenießbar; → Fäulnis.

**faulenzen,** nichts tun, auf der faulen Haut / auf der Bärenhaut liegen (*salopp*), ein Arbeiterdenkmal machen (*ugs., scherzh.*), mit verschränkten Armen zusehen / dabeistehen, Daumen / Däumchen drehen (*ugs.*), die Hände in den Schoß legen, ein Drohnendasein führen (*abwertend*), eine Drohne sein (*abwertend*), keinen Strich tun (*ugs.*), krankfeiern (*ugs.*), dem lieben Gott die Zeit / den Tag stehlen, die Zeit totschlagen (*ugs., abwertend*), keine / eine schlechte Arbeitsmoral haben; → abwesend [sein], → erholen (sich), → langsam [arbeiten], → ruhen; → faul; → Faulenzer, → Faulheit.

¹**Faulenzer** (*abwertend*), Faulpelz (*abwertend*), Faultier (*abwertend*), Faulsack (*abwertend*), Nichtstuer (*abwertend*), Müßiggänger, Tagedieb (*abwertend*), Tagdieb (*oberd.*), Tachinierer (*österr.*); → Faulheit, → Mensch, → Versager; → faulenzen; → faul.

²**Faulenzer** → Linienblatt.

**Faulenzerei** → Faulheit.

¹**Faulheit,** Faulenzerei (*abwertend*), Trägheit, Müßiggang, Arbeitsscheu, mangelnde Arbeitsmoral, chronische Tachinose (*scherzh., österr.*); → Faulenzer; → faulenzen.

²**Faulheit:** vor F. stinken → faul [sein].

**Faulholzmotte** → Schmetterling.

**faulig** → ungenießbar.

¹**Fäulnis,** Schimmel, Moder; → Verwesung.

²**Fäulnis:** → Verfall, → Verwesung; in F. übergehen → faulen.

**Faulpelz** → Faulenzer.

**Faulsack** → Faulenzer.

¹**Faultier,** Bradypodida ·· Zweifingerfaultier, Choloepus Unau, Choloepus didactylus · Choloepus hoffmani ·· Dreifingerfaultier, Bradypus · Ai, Bradypus tridactylus · Kapuzenfaultier, Bradypus cuculliger · Kragenfaultier, Bradypus torquatus.

²**Faultier** → Faulenzer.

**Faun** → Mann.

**Fauna** → Tierreich.

**Faust:** etwas paßt wie die F. aufs Auge → harmonieren, → passen; die F. ballen → unzufrieden [sein]; auf eigene F. → eigenmächtig; mit der F. auf den Tisch hauen / schlagen → eingreifen, streng [werden].

**Faustball,** Volleyball; → Ballspiel.

**Fäustchen:** sich ins F. lachen → schadenfroh [sein].

**faustdick:** → schwer; es f. hinter den Ohren haben → schlau [sein].

**Fäustel** → Handschuhe.

**Fauster** → Handschuh.

**Fausthandschuh** → Handschuh.

**Fausthieb,** Faustschlag, Boxer, Boxhieb, Kinnhaken · *im Box-* sport: Schwinger, rechte Gerade, Rechte, linke Gerade, Linke, Aufwärtshaken, Uppercut, Jab, Leberhaken, Heuholer (*ugs.*) · *unerlaubter:* Tiefschlag; → Boxen, → Boxer; → unfair.

**faustisch:** → neugierig; -es Streben → Neugier.

**Faustkampf** → Boxen.

**Faustkämpfer** → Boxer.

**Fäustling** → Handschuh.

**Faustpfand** → Pfand.

**Faustrecht,** Recht des Stärkeren, rohe Gewalt; → Gewaltherrschaft.

**Faustregel** → Regel.

**Faustschlag** → Fausthieb.

**Fauteuil** → Sessel.

**Fauvismus** → Malerei.

**Fauxpas:** → Fehler; einen F. begehen → benehmen (sich).

**Favismus** → Lebensmittelvergiftung.

**Favoris** → Bart.

**favorisieren** → fördern.

**Favorit:** → Günstling, → Sieger.

**Favoritin** → Geliebte.

**Faxen:** → Unsinn; die F. dicke haben → angeekelt [sein].

**Fayence** → Steingut.

**Fäzes** → Exkrement.

**Fazit** → Erfolg.

**Feature:** → Bericht, → Fernsehsendung.

**Feber** → Februar.

**Febricula** → Eintagsfieber.

**febril** → fieberhaft.

**Februar,** Hornung, Feber (*österr.*), Sporkel (*landsch.*); → Monat, → Zeitraum.

**Fechtbruder** → Bettler.

**fechten:** → betteln, → kämpfen.

**Fechten** → Fünfkampf.

**Fechter:** F. für → Eiferer.

**Fechterflanke** → Turnübung.

**Fechterkehre** → Turnübung.

**Fechterwende** → Turnübung.

¹**Feder,** Schwungfeder, Schwanzfeder, Deckfeder · *unter dem äußeren Gefieder sitzend:* Daune, Flaum, Dune (*niederd.*), Eiderdaune; → Gefieder.

²**Feder:** → Ausdrucksweise, → Schreibstift; -n → Bettfedern, → Gefieder; Mann der F. → Schriftsteller; -n lassen müssen → einbüßen; die -n verlieren / wechseln → mausern (sich); aus den -n kommen / kriechen

→ aufstehen; aus den -n sein → aufsein; aus der F. von → von; sich mit fremden -n schmücken → plagiieren; zur F. greifen → aufschreiben.

**Federball:** → Federballspiel; zum F. gehen → schlafen [gehen].

**Federballspiel,** Federball, Badminton; → Tennisspiel.

**Federbett,** Deckbett, Oberbett, Überbett, Federdecke (landsch.), Federdeckbett, Bettdecke, Steppdecke, Daunendecke, Flaumdecke (schweiz.), Zudeck (landsch.), Tuchent (österr.), Duvet (schweiz.) · meist kleineres: Plumeau; → Bettdecke, → Bettfedern, → Decke.

**Federbüchse** → Federtasche.

**Federdeckbett** → Federbett.

**Federdecke** → Federbett.

**Federfuchser:** → Pedant, → Schriftsteller, → Stümper.

**federführend** → maßgeblich.

**Federgeistchen** → Schmetterling.

**Federgewicht** → Ringen.

**Federgewichtler** → Boxer.

**Federhalter** → Schreibstift.

**Federkasten** → Federtasche.

**Federkissen** → Kissen.

**Federkleid** → Gefieder.

**Federkohl** → Gemüse.

**Federkraft** → Biegsamkeit.

**federkräftig** → gefedert.

**federleicht,** leicht, ohne Gewicht, gewicht[s]los, nicht → schwer.

**Federlesen:** ohne viel -s zu machen → kurzerhand.

**Federmappe** → Federtasche.

**Federmesser** → Taschenmesser.

**Federmotte** → Schmetterling.

**¹federn,** abfedern, abfangen (einen Stoß o.ä.), abprallen, zurückprallen, zurückschnellen, zurückspringen, rikoschettieren (veraltet); → biegsam; → Biegsamkeit.

**²federn:** teeren und f. → bestrafen.

**federnd:** → biegsam, → gefedert.

**Federpennal** → Federtasche.

**Federschachtel** → Federtasche.

**Federstiel** → Schreibstift.

**Federtasche,** Federmappe, Federkasten (veraltend), Federschachtel (veraltend), Federbüchse, Federpennal (österr.),

Pennal (österr.); → Schreibstift, → Schultasche.

**Federung:** mit einer F. versehen / ausgestattet → gefedert.

**Federvieh** → Geflügel.

**Federwaage** → Waage.

**Federweißer** → Wein.

**Federwolke:** -n → Wolken.

**Fee:** böse F. → Zauberin.

**Feenmärchen** → Märchen.

**Fegefeuer,** Purgatorium, Vorhölle; → Hölle, → Paradies.

**fegen:** → fortbewegen (sich), → säubern.

**Feh** → Pelz.

**Fehde:** → Kampf; in F. liegen mit → bekriegen.

**Fehdehandschuh:** jmdm. den F. hinwerfen → provozieren.

**fehl:** f. am Platze → unerfreulich; f. am Platze sein → passen.

**fehlbar** → schuldig.

**Fehlbetrag,** Defizit, Manko, Schulden, Soll, Mindereinnahme, Mindererlös, Minderertrag, Rückschlag (schweiz.), Abgang (bes. österr.), Debet; → Mangel; **einen F. ergebend,** defizitär; **einen F. haben,** in den roten Zahlen sein / stecken; → decken · Ggs. → Guthaben.

**Fehleinschätzung** → Beurteilung.

**fehlen:** → abwesend [sein], → sündigen; etwas fehlt noch → ausstehen; das / der hat mir [gerade] noch gefehlt!, der fehlt mir noch in meiner Raupensammlung / zu meinem Glück! → ärgerlich [sein]; jmdm. fehlt etwas → krank [sein], → mangeln; etwas fehlt einer Sache → kranken; es fehlt an → hapern; jmdm. fehlt es am Notwendigsten → arm [sein]; jmdm. fehlt die Übung → Verfassung.

**Fehlentscheidung** → Fehlurteil.

**¹Fehler,** Versehen, Fehlgriff, Mißgriff, Mißverständnis, Irrtum, Milchmädchenrechnung (ugs., abwertend), Lapsus, Schnitzer, Patzer, Unterlassungssünde · ärztlicher: Kunstfehler · im Benehmen: Fauxpas, Entgleisung ·· beim Schreiben: Falschschreibung, Fehlschreibung, Verschrieb (schweiz.), Rechtschreibfehler

·· beim Schriftsatz: Druckfehler, Satzfehler · in Gestalt einer Drucktype aus einer anderen Schrift oder einem anderen Schriftgrad als der übrige Satz: Zwiebelfisch · in Gestalt einer auf dem Kopf stehenden Drucktype: Fliegenkopf · in Gestalt eines doppelten Wortes oder Schriftzeichens: Hochzeit · in Gestalt von fehlenden Wörtern: Leiche · in Gestalt von mitdruckenden Wortzwischenräumen: Spieß; → Mangel, → Taktlosigkeit, → Versprecher, → Verstoß, → Zeile; → benehmen (sich), → unterlaufen; → verkehrt, → versehentlich.

**²Fehler:** → Mangel; einen F. machen → irren (sich), → unterlaufen.

**fehlerfrei** → richtig.

**fehlerhaft** → falsch.

**Fehlerhaftigkeit** → Unvollständigkeit.

**fehlerlos** → vollkommen.

**Fehlerlosigkeit** → Untadeligkeit.

**Fehlernährung** → Ernährungsstörung.

**fehlgebären** → abortieren.

**¹Fehlgeburt,** Abort, Abortus, Partus immaturus · medizinisch indizierte: Schwangerschaftsunterbrechung, Schwangerschaftsabbruch, Interruptio (graviditatis); → Abtreibung, → Engelmacher, → Kürettage, → Leibesfrucht; → abortieren, → gebären.

**²Fehlgeburt:** eine F. haben → abortieren.

**fehlgehen:** → verirren (sich); f. in → irren (sich); man geht wohl nicht fehl in der Annahme, daß ... → Recht.

**fehlgeschlagen** → verfehlt.

**Fehlgriff** → Fehler.

**fehlhaft** → schuldig.

**Fehlregulation** → Funktionsstörung.

**Fehlschlag:** → Mißerfolg, → Pech.

**fehlschlagen:** fehlgeschlagen → verfehlt; etwas schlägt fehl → scheitern.

**Fehlschreibung** → Fehler.

**Fehlsichtigkeit,** Ametropie ·· Stabsichtigkeit, Astigmatismus, Astigmie (selten) ·· Kurzsichtigkeit, Myopie ·· Weitsichtigkeit, Hypermetropie, Hyperopie · *altersbedingte:* Altersweitsichtigkeit, Alterssichtigkeit, Presbyopie; → Blindheit, → Brille, → Farbenblindheit, → Schielen, → Sehstörung, → Star.

**Fehlsteuerung** → Funktionsstörung.

**Fehltritt:** einen F. begehen / tun → sündigen.

**Fehlurteil,** Fehlentscheidung, Justizirrtum; → Jurist, → Justiz; → verurteilen.

**feien** → bannen.

**¹Feier,** Feierstunde, Festakt, Festveranstaltung, Festsitzung, Festabend.

**²Feier** → Fest.

**¹Feierabend,** Dienstschluß, Geschäftsschluß, Büroschluß; → Muße; **F. haben,** von der Arbeit / vom Dienst / aus dem Dienst / aus dem Büro / aus dem Geschäft [nach Hause] kommen; → beenden.

**²Feierabend:** F. machen → beenden.

**Feierabendheim** → Altersheim.

**Feierabendlektüre** → Lektüre.

**feierlich:** → erhaben, → majestätisch.

**¹Feierlichkeit,** Erhabenheit, Pathos; → Ergriffenheit; → erhaben.

**²Feierlichkeit** → Ernst.

**¹feiern,** festen (*schweiz.*), eine Party / ein Fest / eine Gesellschaft geben, eine Fete / eine Sause machen (*ugs.*), auf die Pauke hauen (*ugs.*), die Nacht durchfeiern / durchtrinken / durchzechen / durchsumpfen / durchmachen (*ugs.*), ein Faß aufmachen (*ugs.*), das Haus auf den Kopf stellen, drahn (*ugs., österr.*), mulattieren (*österr.*), lumpen (*ugs.*), sumpfen (*ugs.*), einen drauf machen (*salopp*), auf den Putz hauen (*salopp*); → trinken; → Fest, → Trinkgelage.

**²feiern:** → arbeiten, → begehen; ein Jubiläum f. → Jahrestag.

**Feierschicht:** → Kurzarbeit, → Schicht.

**Feierstunde** → Feier.

**¹Feiertag,** Festtag ·· *gesetzlicher:* Neujahr (1.1.) · Heilige Drei Könige (6.1., nur in einigen Ländern) · Karfreitag · Ostern ·

1. Mai, Maifeiertag · Christi Himmelfahrt · Pfingsten · Fronleichnam (nur in einigen Ländern) · Tag der deutschen Einheit, Nationaler Gedenktag (17.6.) · Friedensfest (8.8., nur im Stadtkreis Augsburg / Bayern) · Mariä Himmelfahrt (15.8., nur in einigen Ländern) · Tag der Republik (*DDR*, 7.10.) · Allerheiligen (1.11., nur in einigen Ländern) · Buß- und Bettag (in Bayern nur in Gemeinden mit überwiegend evangelischer Bevölkerung) · Weihnachten (25. / 26.12.) ·· *jüdischer:* Passahfest erster Tag · Passahfest achter Tag · Wochenfest · Neujahr · Jom Kippur, Versöhnungstag, Versöhnungsfest · Laubhüttenfest · Laubhüttenende · Gesetzesfreude · Purim.

**²Feiertag:** → Ruhetag; 1. / 2. F. → Weihnachten; kirchlicher F. → Kirchenfest.

**Feiertagskleid** → Kleid.

**¹feige,** memmenhaft (*abwertend*), feigherzig, hasenherzig, hasenfüßig, nicht → mutig; → ängstlich, → mutlos, → willensschwach; **f. sein,** kein Held sein; → entziehen (sich); → Feigheit, → Feigling · Ggs. → Mut.

**²feige** → gemein.

**Feige:** → Südfrucht, → Vagina.

**Feigenkaffee** → Kaffee.

**Feigheit,** Furchtsamkeit, Bangigkeit, Zaghaftigkeit, Mutlosigkeit; → Angst, → Feigling; → feige.

**feigherzig** → feige.

**Feigling,** Drückeberger, Duckmäuser (*ugs., abwertend*), Angsthase, Hasenfuß, Memme (*veraltet*), Hasenherz, Bangbüx (*nordd.*), Waschlappen (*ugs., abwertend*), Flasche (*salopp, abwertend*), Schlappschwanz (*abwertend*), Scheißkerl (*vulgär*), Scheißer (*vulgär*), Hosenscheißer (*vulgär*), Traumined (*ugs., österr.*); → Feigheit, → Mann; → Schimpfwort; → entziehen (sich); → feige.

**feil** → verkäuflich.

**feilbieten** → feilhalten.

**¹feilhalten,** feilbieten, ausbieten, ausschreien, [zum Kauf] anbieten, anpreisen · *in bezug auf*

*etwas schwer Verkäufliches:* etwas wie sauer / saures Bier anpreisen (*ugs.*); → handeln, → überreden, → verkaufen.

**²feilhalten:** Maulaffen f. → zuschauen.

**feilschen** → handeln.

**Feim** → Brandung.

**Feimen** → Schober.

**fein:** → appetitlich, → duftig, → kostbar, → trefflich; [f. empfindend] → feinsinnig; einen -en Gaumen haben → Feinschmecker [sein]; -er Pinkel → Geck; f. raus sein → Glück [haben].

**Feinbäcker** → Bäcker.

**Feinbäckerei** → Bäckerei.

**feinbesaitet** → empfindlich.

**feind:** einer Sache f. sein → mögen (etwas).

**¹Feind,** Todfeind, Erzfeind, Urfeind, Erbfeind, Hauptfeind, Landesfeind, Staatsfeind; → Gegner.

**²Feind:** → Gegner; ein F. sein von → mögen (etwas).

**Feindherrschaft** → Besatzung.

**feindlich** → gegnerisch.

**Feindschaft** → Abneigung.

**feindschaftlich** → gegnerisch.

**feindselig** → gegnerisch.

**Feindseligkeit:** → Abneigung, → Anfeindung; -en → Kampf; die -en beenden → Frieden [schließen]; Einstellung der -en → Waffenstillstand.

**feinfühlig:** → empfindlich, feinsinnig.

**Feinfühligkeit** → Empfindsamkeit.

**Feingefühl:** → Höflichkeit; Mangel an F. → Taktlosigkeit; ohne F. → taktlos.

**feingliedrig** → zart.

**Feinheit** → Kostbarkeit.

**¹Feinkost,** Delikatessen, Komestibilien, Comestibles (*schweiz.*); → Leckerbissen.

**²Feinkost** → Leckerbissen.

**Feinkostgeschäft** → Laden.

**Feinkosthandlung** → Laden.

**feinmachen** → schönmachen.

**Feinsalz** → Salz.

**Feinschmecker,** Gourmet, Schlemmer, Gourmand, Genießer, Schwelger, Leckermaul (*ugs.*), Genußspecht (*österr.*), Weinkenner, Weinbeißer (*österr.*); → Genußmensch; **ein F. sein,** einen feinen

Gaumen haben; → essen; → naschhaft.

**Feinschnitt** → Tabak.

**Feinseife** → Seife.

**feinsinnig,** feinfühlig, fein [empfindend].

**Feintäschner** → Täschner.

**feiß:** → dick, → reich.

**feist:** → dick, → fett.

**feixen** → lachen.

**Fekundation** → Befruchtung.

**¹Feld,** Ackerland, Land, Grund, [Grund und] Boden, Flur; → Acker, → Bauer, → Bodenverbesserung, → Erde, → Flurbereinigung, → Gut, → Land, → Rabatte.

**²Feld:** → Acker, → Gebiet, → Sportfeld; das F. behaupten → standhalten; das F. beherrschen → überwiegen; das F. räumen → standhalten; auf dem F. der Ehre → Schlachtfeld; auf dem F. der Ehre fallen, den Tod auf dem F. der Ehre finden → sterben; aus dem -e schlagen → übertreffen; in F. und Wald → Natur; ins F. führen → erwähnen; zu -e ziehen gegen → ankämpfen (gegen etwas).

**Feldahorn** → Ahorn.

**Feldaltar** → Altar.

**Feldarbeit** → Umfrage.

**Feldbau** → Landwirtschaft.

**Feldbereinigung** → Flurbereinigung.

**Feldbestellung** → Bebauung.

**Feldbett** → Bett.

**Feldblume** → Blume.

**Feldbohne** → Saubohne.

**Feldchampignon** → Ständerpilz.

**Feldforschung** → Umfrage.

**Feldgendarmerie** → Polizeibehörde.

**feldgrau** → grau.

**Feldhandball** → Handball.

**Feldhase:** → Hase, → Kaninchen.

**Feldheuschrecke** → Heuschrecke.

**Feldhockey** → Hockey.

**Feldhuhn** → Vogel.

**Feldhüter** → Flurwächter.

**Feldjäger** → Polizist.

**Feldjägertruppe** → Waffengattung.

**Feldküche,** Gulaschkanone (scherzh.); → Koch.

**Feldkurat** → Geistlicher.

**Feldlazarett** → Lazarett.

**Feldlerche** → Vogel.

**Feldmarschall** → Dienstgrad.

**Feldmaus** → Maus.

**Feldmesse** → Gottesdienst.

**Feldmohn** → Mohn.

**Feldmusik** → Musik.

**Feldpolizei** → Polizeibehörde.

**Feldpostnummer:** die Kameraden von der anderen F. → Russe.

**Feldrose** → Rose.

**Feldsalat,** Rapunzel, Rapünzchen, Ackersalat, Schafmaul, Lämmersalat, Vogerlsalat (österr.), Nüßlisalat (schweiz.), Mausohr (landsch.), Mausöhrchen (landsch.); → Gemüse, → Kopfsalat.

**Feldscher** → Arzt.

**Feldscherer** → Arzt.

**Feldschlacht** → Kampf.

**Feldschütz** → Flurwächter.

**Feldsperling** → Sperling.

**Feldstecher** → Fernglas.

**Feldsteinmauer** → Mauer.

**Feldstück** → Acker.

**Feldtyphus** → Fleckfieber.

**Feldvermesser** → Landvermesser.

**Feldwächter** → Flurwächter.

**Feld-Wald-und-Wiesen-:** → Allerwelts-.

**Feldwebel** → Dienstgrad.

**Feldweg** → Weg.

**¹Feldzug,** Kriegszug, Kampagne (veraltet), Sommerfeldzug, Winterfeldzug; → Krieg, → Kampf.

**²Feldzug** → Vorstoß.

**Felgenbremse** → Bremse.

**Felgumschwung** → Turnübung.

**¹Fell,** Pelz, Decke, Balg, Haarkleid (geh.), Vlies (dichter.); → Behaarung, → Epidermis.

**²Fell:** ein dickes F. haben → dickfellig [sein]; jmdm. schwimmen die -e weg → Mißerfolg [haben]; jmdm. das F. über die Ohren ziehen → ausbeuten.

**Fellache** → Bauer.

**Fellatio** → Koitus.

**Felleisen** → Tornister.

**fellieren** → koitieren.

**Felonie** → Untreue.

**Fels:** → Felswand, → Gestein.

**Felsabhang** → Felswand.

**Felsen** → Gestein.

**felsenfest:** f. von etwas überzeugt sein → gewiß [sein].

**Felsenhuhn** → Vogel.

**Felsenkirche** → Gotteshaus.

**Felsenlandschaft** → Landschaft.

**Felsenmauer** → Hindernis.

**Felsenschlange** → Schlange.

**Felsenschlucht** → Schlucht.

**Felsenschwalbe** → Vogel.

**Felsentaube** → Vogel.

**Felsentempel** → Gotteshaus.

**Felslandschaft** → Landschaft.

**Felsrutsch** → Erdrutsch.

**Felsschlucht** → Schlucht.

**Felsspalte** → Schlucht.

**Felswand,** Fels, Steilwand, Fluh (schweiz.), Felsabhang, Gewände (österr.); → Schlucht.

**Felszeichnung,** Höhlenmalerei, Wandmalerei · eingemeißelte: Petroglyphen (Plural) · gemalte: Petrogramm; → Malerei, → Zeichnung.

**Feminilismus** → Zwittertum.

**feminin:** → unmännlich, → weiblich.

**Feminisation** → Zwittertum.

**Feminisierung** → Zwittertum.

**Feminismus** → Zwittertum.

**Femme fatale** → Vamp.

**Fenchel** → Gewürz.

**Fencheltee** → Tee.

**Fendant** → Wein.

**Fenn** → Sumpf.

**¹Fenster,** Luke, Fliegenfenster, Gazefenster, Schiebefenster, Doppelfenster, Klappfenster, Kippfenster, Blumenfenster, Erkerfenster, Atelierfenster, Butzenscheibenfenster · an Schiffen: Bullauge; → Dachfenster, → Fenstereinfassung, → Fenstergriff, → Fensterscheibe, → Rundfenster.

**²Fenster:** → Schaufenster; die F. aufreißen / öffnen → lüften; weg vom F. sein → angesehen; [sein Geld] zum F. hinauswerfen → verschwenden.

**Fensterbank,** Fensterbrett, Fensterbord (landsch.), Fensterstock (ostmitteld.), Latteibrett (landsch.) · an der Außenwand: Sims, Fenstersims; → Fenstereinfassung, → Fensterscheibe.

**Fensterbogen** → Bogen.

**Fensterbord** → Fensterbank.

**Fensterbrett** → Fensterbank.

**Fenstereinfassung,** Fensterstock (österr.) · Fensterrahmen, Fensterverkleidung · oberer waagerechter Teil: Fenstersturz · seitlicher senkrechter Teil: Fensterlaibung, Fensterleibung ·· *unterer waagerechter Teil:* Fensterbrett, Fensterbank, Fensterbord (*landsch.*), Fensterstock (*ostmitteld.*), Latteibrett (*landsch.*) · *an der Außenwand:* Sims, Fenstersims; → Fenster, → Türrahmen.

**Fensterglas** → Glas.

**Fenstergriff,** Fensterschnalle (*österr.*); → Fenster, → Griff.

**Fensterkitt** → Bindemittel.

**Fensterladen,** Jalousie, Jalousette, Markise, Rolladen, Laden, Rollo, Rouleau, Rollbalken (*österr.*), Spaletti (*österr.*), Spalettladen (*österr.*).

**Fensterlaibung** → Fenstereinfassung.

**Fensterleibung** → Fenstereinfassung.

**fensterln:** → besuchen; das Fensterln → Verabredung.

**Fensterrahmen** → Fenstereinfassung.

**Fensterrose** → Rundfenster.

**Fensterscheibe,** Scheibe, Butzenscheibe, Rundscheibe; → Dachfenster, → Fenster, → Fensterbank.

**Fensterschnalle** → Fenstergriff.

**Fenstersims** → Fensterbank.

**Fensterstock:** → Fensterbank, → Fenstereinfassung.

**Fenstersturz** → Fenstereinfassung.

**Fensterverkleidung** → Fenstereinfassung.

**fergI,** → Spediteur.

**Ferialtag** → Ruhetag.

**Ferialzeit** → Urlaub.

¹**Ferien,** Schulferien, große / kleine Ferien, Semesterferien, Parlamentsferien, Winterferien, Sommerferien, Herbstferien, Kartoffelferien (*landsch.*), Hitzeferien, Kälteferien, Weihnachtsferien, Osterferien, Pfingstferien; → Ferienheim, → Urlaub.

²**Ferien:** → Urlaub; F. machen → erholen (sich).

**Feriengast** → Urlauber.

**Feriengruß** → Kartengruß.

**Ferienhaus** → Haus.

**Ferienheim,** Landschulheim, Landheim, Schülerheim, Schulheim; → Ferien.

**Ferienlektüre** → Lektüre.

**Ferienreise** → Reise.

**Ferientag** → Ruhetag.

**Ferienzeit** → Urlaub.

**Ferkel:** → Schmutzfink, → Schwein.

**Ferkelei** → Unflat.

**ferkeln** → gebären.

**Ferment** → Gärstoff.

**Fermentation** → Verwesung.

¹**fern,** weit, himmelweit, abseits, entfernt, fernliegend; → abgelegen, → aussichtslos, → weg; **f. sein,** fernab / weitab / weit weg sein, in der Ferne liegen, das ist das nächste Ende von hier (*ugs., scherzh.*), das ist eine ganze Ecke (*ugs.*), nicht → nahe; → nahebei.

²**fern:** Ferner Orient / Osten → Orient; etwas liegt jmdm. f. → tun; von f. und nah → überallher.

**fernab:** f. sein → fern [sein].

**fernbleiben:** → kommen; ferngeblieben sein: → abwesend [sein].

**Fernblick** → Ausblick.

**Fernbrille** → Brille.

¹**Ferne,** Weite, Entfernung; → Strecke.

²**Ferne:** in der F. [liegen] → fern [sein].

**ferner** → außerdem.

**Ferner** → Gletscher.

**fernerhin** → außerdem.

**Fernfahrer** → Autofahrer.

**Fernfühlen** → Telepathie.

**Ferngespräch** → Telefongespräch.

**Fernglas,** Fernrohr, Sehrohr, Feldstecher, Opernglas, Theaterglas, Refraktor, Teleskop · *kleines:* Perspektiv · *winkelförmiges zum Entfernungmessen:* Scherenfernrohr · *für Unterseeboote:* Periskop · *das als Visiergerät an Gewehren angebracht ist:* Zielfernrohr; → Lupe.

**fernhalten** → abhalten.

**Fernheizung** → Heizung.

**Fernkursus** → Unterricht.

**Fernlastfahrer** → Autofahrer.

**fernliegen:** etwas liegt jmdm. fern → tun.

**fernliegend** → fern.

**Fernmeldetruppe** → Waffengattung.

**fernöstlich** → orientalisch.

**Fernrohr:** → Fernglas, → Sternbild.

**Fernruf** → Telefongespräch.

**Fernschnellzug** → Eisenbahnzug.

**Fernschreiben** → Telegramm.

**Fernhansager** → Sprecher.

**Fernsehantenne** → Antenne.

**Fernsehapparat** → Fernsehgerät.

**Fernsehempfänger** → Fernsehgerät.

**fernsehen,** glotzen (*salopp*), in die Röhre schauen / (*ugs.*) gucken / (*ugs.*) kucken / (*salopp*) glotzen, Fernsehen gucken / (*nordd.*) kucken (*ugs.*), schwarzsehen.

¹**Fernsehen,** Television; → Fernsehgerät, → Kassettenfernsehen, → Massenmedien, → Rundfunk, → Sendung.

²**Fernsehen:** F. gucken / kucken → fernsehen, → empfangen.

**Fernseher:** → Fernsehen, → Fernsehgerät.

**Fernsehgerät,** Gerät, Fernsehapparat, Fernseher, Fernsehempfänger, Empfangsgerät, Kasten (*ugs., abwertend*), Schwarzweißempfänger, Schwarzweißgerät, Farbfernsehempfänger, Farbfernseher, Fernsehen, Flimmerkiste (*scherzh.*), Heimkino (*scherzh.*), Bildschirm, Mattscheibe (*ugs.*), Pantoffelkino (*salopp, scherzh.*), Glotze (*berlin., salopp*) · *tragbares:* Portable; → Fernsehen, → Massenmedien, → Radio; → fernsehen.

**Fernsehkamera** → Kamera.

**Fernsehkassette** → Aufzeichnung.

¹**Fernsehsendung,** Dokumentation, Nachrichten, Feature, Magazinsendung, Unterhaltungssendung, Show, Fernsehspiel; → Bericht, → Nachricht, → Ratesendung, → Rundfunksendung, → Sendung.

²**Fernsehsendung** → Sendung.

**Fernsehsessel** → Sitzgelegenheit.

**Fernsehspiel** → Fernsehsendung.

**Fernsehspot** → Anpreisung.

**Fernsprecher** → Sprecher.

**Fernsehturm** → Turm.

**Fernsicht** → Ausblick.

**Fernsprechbuch** → Telefonbuch.

¹**Fernsprecher,** Telefon, Telephon, Apparat, Quasselstrippe (*salopp*) · *im Auto:* Autotelefon · *im Zug:* Zugtelefon; → Telefonanschluß, → Telefonge-

spräch, → Telefonbuch, → Telefonzelle; **am F. sein**, am Apparat sein, an der Strippe sein (*salopp*); → anrufen.

**²Fernsprecher:** öffentlicher F. → Telefonzelle.

**Fernsprechnummer** → Telefonnummer.

**Fernsprechvermittlung** → Telefonzentrale.

**Fernsprechzelle** → Telefonzelle.

**Fernsprechzentrale** → Telefonzentrale.

**fernstehen:** jmdm. f. → fremd.

**Fernstraße** → Straße.

**Fernstudium** → Unterricht.

**Ferntransport** → Transport.

**ferntrauen:** sich f. lassen → heiraten.

**Ferntrauung** → Vermählung.

**Fernverkehr** → Straßenverkehr.

**Fernverkehrsstraße** → Straße.

**Fernweh:** → Reiselust, → Sehnsucht.

**Fernziel** → Absicht.

**ferrarirot** → rot.

**¹Ferse,** Hacke, Hacken.

**²Ferse:** jmdm. auf den -n bleiben → verfolgen.

**Fersengeld:** F. geben → weggehen.

**¹fertig,** fix und fertig, fixfertig (*schweiz.*), beendet, erledigt, abgeschlossen, ausgeführt; → aktuell, → bereit · Ggs. → unerledigt; **f. sein,** zu Ende sein, unter Dach und Fach sein, vom Tisch sein, aussein, gar sein (*ugs., südd., österr.*); **f. werden,** zum Abschluß kommen / gelangen, zu Stuhle kommen (*ugs.*), vor dem Abschluß stehen; → weglegen; → vorüber; → Ende.

**²fertig:** → bezugsfertig, → komplett, → verfügbar; f. sein → erschöpft [sein]; mit jmdm. f. sein → verfeindet [sein]; f. werden mit → bewältigen, → ertragen.

**fertigbringen** → verwirklichen.

**fertigen** → anfertigen.

**Fertigkeit** → Kunstfertigkeit.

**Fertigkleidung** → Kleidung.

**fertiglesen** → lesen.

**fertigmachen:** → bedienen, → besiegen, → schelten, → schikanieren, → vollenden; sich f., etwas zu tun → anschicken (sich, etwas zu tun).

**fertigstellen** → vollenden; fertiggestellt → bezugsfertig.

**Fertigstellung** → Herstellung.

**Fertigung** → Herstellung.

**fertil** → fruchtbar.

**Fertilisation** → Befruchtung.

**Fertilität,** Fruchtbarkeit, Fekundität, Fortpflanzungsfähigkeit, Vermehrungsfähigkeit, Zeugungsfähigkeit; → Befruchtung, → Fähigkeit, → Fortpflanzung, → Schwangerschaft; → fruchtbar.

**Fes** → Kopfbedeckung.

**fesch** → geschmackvoll.

**Feschak** → Adonis.

**Fessel:** →Behinderung,→Handschelle; die -n abstreifen → entledigen (sich jmds. / einer Sache).

**Fesselballon** → Luftschiff.

**fesseln:** → anbinden, → begeistern; ans Bett / Zimmer gefesselt sein → krank [sein].

**fesselnd** → interessant.

**¹fest,** hart, steinhart, knochenhart, beinhart (*südd., österr.*), glashart, nicht → schlaff, nicht → weich; → knorrig, → knusprig, → steif; **f. sein,** festkleben, kleben, zusammenkleben, zusammenpappen (*ugs.*), festbacken (*landsch.*), backen (*landsch.*), festsitzen, halten, haften, picken (*österr.*), pappen (*ugs.*), heben (*südd.*); → kleben (etwas); → klebrig; **f. werden,** sich verfestigen; → Bindemittel, → Verklebung.

**²fest:** → bleibend, → dick, → firm, → unvergänglich; f. bleibend → standhaft; -er Brennstoff → Brennstoff; eine -e Hand brauchen → übermütig [sein]; in -en Händen sein, ein -es Verhältnis haben → gebunden [sein], → ledig; ohne -en Sitz → ambulant; nicht f. stehend → wacklig; f. umrissen → klar; [f. verbunden] → unzertrennlich; -er Wechselkurs → Wechselkurs; -e Wendung → Redewendung; steif und f. behaupten → behaupten; es jmdm. -e geben → schlagen; nicht f. → lose, → unverbindlich.

**¹Fest,** Feier, Festlichkeit, Festivität, Festveranstaltung, bunter Abend, Veranstaltung, Anlaß (*schweiz.*), Vergnügen, Party, Budenzauber (*ugs.*), Sause (*salopp*), Cocktailparty, Gesellschaft, Gesellschaftsabend, Fete (*ugs.*), Gartenfest, Garden-Party, Remmidemmi (*ugs.*), Ringelpiez (*salopp*) · *zu dem die geladenen Gäste die alkoholischen Getränke selbst mitbringen:* Bottle-Party · *das gefeiert wird, nachdem die halbe Zeit von etwas verbracht ist:* Bergfest · *bei dem ganze Tiere am Spieß gebraten werden:* Barbecue (bes. in Amerika) · *der Wiederkehr des Gründungstages einer studentischen Vereinigung o. ä.:* Stiftungsfest; → Abendgesellschaft, → Feier, → Festival, → Runde; → feiern.

**²Fest:** bewegliche und unbewegliche -e → Kirchenjahr; F. der Auferstehung Christi → Ostern; F. der Ausgießung des Heiligen Geistes → Pfingsten; F. der Erscheinung [Christi / des Herrn], F. der Heiligen Drei Könige → Epiphanias; ein F. geben → feiern.

**Festabend** → Feier.

**Festakt** → Feier.

**Festausgabe** → Edition.

**festbacken** → fest [sein].

**Festball** → Ball.

**Festbankett** → Festmahl.

**festbinden** → anbinden.

**Feste:** → Burg, → Festung.

**festen** → feiern.

**Festessen** → Festmahl.

**festfahren:** etwas ist festgefahren → stocken.

**festhalten:** → aufschreiben, → beibehalten, → festigen; das Festhalten an → Verharren.

**festigen,** bestärken, stärken, einer Sache Dauer verleihen, bekräftigen, kräftigen, konsolidieren, erhärten, stabilisieren, stabil machen, bestätigen, besiegeln, unterstützen, stützen, festhalten, halten, heben (*südd.*), steifen, befestigen, vertiefen, verankern, festlegen, zementieren; → binden, → erziehen, → stützen, → versprechen; → Festigung.

**Festigkeit:** → Beharrlichkeit, → Unerbittlichkeit.

**¹Festigung,** Sicherung, Konsolidierung; → festigen.

**²Festigung** → Abhärtung.

**Festival,** Festspiel, Festwochen; → Fest.

Festivität → Fest.

**festkleben** → fest [sein].

**Festkleid** → Kleid.

**Festland** → Kontinent.

**Festlandchina** → China.

**festländisch** → kontinental.

¹**festlegen** (jmdn. auf etwas), jmdn. beim Wort nehmen, festnageln (ugs.), jmdn. bei etwas behaften (schweiz.).

²**festlegen:** → anordnen, → festigen, → festschreiben, → normen; festgelegt → vorgeschrieben; sich nicht f. → offenlassen; im voraus f. → planen.

**Festlegung** → Normung.

**festlich** → erhaben.

**Festlichkeit** → Fest.

**festmachen** → befestigen.

¹**Festmahl,** Festessen, Festbankett, Bankett, Frühstück, Diner, Tafel, Galadiner; → Essen.

²**Festmahl** → Essen.

**Festmeter** → Raummaß.

**festnageln:** → befestigen, → festlegen.

**festnehmen** → verhaften.

**festonieren** → nähen.

**Festplatz** → Jahrmarktsplatz.

**Festpredigt** → Rede.

**Festpreis** → Preis.

**Festrede** → Rede.

**Festsaal** → Saal.

**festschrauben** → befestigen.

**festschreiben,** festlegen, festsetzen; → anordnen, → normen.

¹**festsetzen** (jmdn.), gefangenhalten, in Arrest / Haft halten, einkerkern, in Gewahrsam nehmen, internieren, ins Gefängnis / in den Kerker werfen, hinter Schloß und Riegel bringen, unschädlich machen, einsperren (ugs.), jmdn. in etwas sperren, ins Loch stecken / stoßen (salopp), einlochen (salopp), einbunkern (salopp), einkasteln (ugs.), einbuchten (salopp); → ausschließen, → bestrafen, → ergreifen, → verhaften; → Strafanstalt, → Strafe · Ggs. → freilassen.

²**festsetzen:** → anberaumen, → normen; sich f. → einschleichen (sich); festgesetzt → vorgeschrieben.

**Festsetzung:** → Abmachung, → Verhaftung.

**festsitzen:** → fest [sein], → ratlos [sein].

**Festsitzung** → Feier.

**Festspiel:** → Festival, → Schauspiel.

**Festspielhaus** → Theatergebäude.

**Festspielstadt** → Salzburg.

**feststecken** → ratlos [sein].

¹**feststehend,** stehend, unveränderlich, stereotyp, erstarrt; → formelhaft.

²**feststehend** → verbindlich.

**feststellen:** → bemerken, → betonen, → erkennen, → finden, → nachforschen; sein Gewicht f. → Gewicht.

¹**Feststellung,** Behauptung, Statement, Assertion; → Behauptung, → Bemerkung.

²**Feststellung:** → Bemerkung, → Diagnose; ausdrückliche F. → Hervorhebung; auf die F. Wert legen → betonen.

**Feststellungsklage** → Anklage.

**Feststiege** → Treppe.

**Festtag:** → Feiertag, → Ruhe-Tag; 1. / 2. F. → Weihnachten.

**Festung,** Burg, Fort, Bastille, Kastell, Zitadelle, Feste (veraltet); → Befestigungsanlage, → Burg, → Palast, → Stützpunkt.

**Festungsbau** → Befestigungsanlage.

**Festungshaft** → Freiheitsentzug.

**Festungswall** → Wall.

**Festveranstaltung:** → Feier, → Fest.

**festverzinslich:** -e Renten → Wertpapier.

**Festwiese** → Jahrmarktsplatz.

**Festwoche:** -n → Festival.

**Fete:** → Fest; eine F. machen → feiern.

**Fetisch** → Amulett.

**Fetischismus** → Perversität.

**fett:** → betrunken, → dick; das macht den Kohl nicht f. → nutzlos [sein], → wirkungslos [sein].

¹**Fett,** Speisefett, Pflanzenfett, Kokosfett, Erdnußfett, Schweinefett, Nierenfett, Gänsefett, Schmalz, Bratenschmalz, Griebenschmalz, Grammelschmalz (österr.), Schinkenschmalz, Schweineschmalz, Gänseschmalz, Butterschmalz, Schmer (landsch.), Schmutz (südwestd., schweiz.), Talg, [durchwachsener] Speck, Dörrfleisch, Dürrfleisch (landsch.), Flomen (landsch.), Flom (landsch.), Filz (österr.) · Butter, Markenbutter, Molkereibutter, Grasbutter, Kräuterbutter, Teebutter (österr.), Anken (schweiz.) · Margarine · Öl; → Brotaufstrich, → Fettgewebe, → Speiseöl; → buttern; → bekömmlich.

²**Fett:** sein F. abbekommen / kriegen → bestrafen; F. ansetzen → dick [werden].

**Fettembolie** → Embolie.

**fetten:** → abschmieren, → einreiben.

**Fettgas** → Gas.

**Fettgerber** → Gerber.

**Fettgeschwulst** → Fettgewebe.

**Fettgewebe** · der Unterhaut: Fettpolster · als geschwulstartige Neubildung: Fettgeschwulst, Lipom; → Fett.

**fettig** → schmutzig.

**Fettkinn** → Doppelkinn.

**Fettkreide** → Kreide.

**fettleibig** → dick.

**Fettleibigkeit,** Dickleibigkeit, Obesität, Polypionie, Pimelose, Dickwanstigkeit (ugs.), Fettsucht, Beleibtheit, Leibesfülle, Korpulenz, Feistheit, Kummerspeck (ugs., scherzh.), Babyspeck (ugs., scherzh.); → Gedunsenheit, → Wohlgenährtsein; → aufgedunsen, → dick.

**Fettmops** → Dicker.

**Fettnäpfchen:** ins F. treten → kränken.

**Fettpolster** → Fettgewebe.

**Fettsack** → Dicker.

**Fettsucht** → Fettleibigkeit.

**Fettwanst** → Dicker.

**Fettwerden:** das ist nicht zum F. → wenig.

**Fettzelle** → Körperzelle.

**Fetus** → Leibesfrucht.

**Fetzen:** → Betrunkenheit, → Flicken, → Putzlappen; F. [Papier] → Papierschnitzel.

**Fetzenball** → Maskerade.

**Fetzenschädel** → Dummkopf.

**feucht:** → naß; f. werden → versumpfen; noch f. hinter den Ohren sein → jung [sein].

**Feuchte** → Feuchtigkeit.

**feuchtfröhlich,** heiter, fidel, mopsfidel (ugs., landsch.); →

betrunken, → lustig; → Trinkgelage.

**Feuchtigkeit**, Feuchte, Naß, Nässe; → Nebel, → Niederschlag, → Wasser.

**Feuchtigkeitscreme** → Schönheitspflegemittel.

**Feuchtsavanne** → Steppe.

**feuchtwarm** → schwül.

**feudal** → üppig.

**Feudaladel** → Adel.

**Feudalaristokratie** → Adel.

**Feudalgesellschaft** → Gesellschaft.

**Feudalherr** → Großgrundbesitzer.

**Feudalherrschaft** → Herrschaft.

**Feudalismus** → Herrschaft.

**Feudalität** → Lebensweise.

**Feudalkapitalismus** → Kapitalismus.

**Feudel** → Putzlappen.

**feudeln** → säubern.

**¹Feuer** · offenes Feuer, Kohleneuer, Holzfeuer, Herdfeuer, Kaminfeuer, Lagerfeuer, Hirtenfeuer, Wachfeuer; → Flamme.

**²Feuer:** → Begeisterung, → Brand,→ Schußwechsel,→ Temperament; bengalisches F. → Feuerwerkskörper; offenes F. → Kamin; F. und Flamme sein → anschwärmen; F. anmachen / machen → heizen; F. anmachen / legen / machen → anzünden; das F. unter Kontrolle bringen → löschen; das F. ersticken → löschen; F. fangen → verlieben (sich); F. geben → schießen; sein Süppchen am F. anderer kochen → bereichern (sich); für jmdn. die Kastanien aus dem F. holen → einstehen (für); mehrere Eisen im F. haben → verlassen (sich auf etwas); Öl ins F. gießen → aufwiegeln, → verschärfen; für jmdn die Hand ins F. legen → einstehen (für); etwas ist ein Spiel mit dem F. → gefährlich [sein]; mit dem F. spielen → unbesonnen [sein]; unter F. nehmen → beschießen.

**Feueralarm** → Alarm.

**Feuerbake** → Warnzeichen.

**Feuerbauch** → Salamander.

**Feuerbestattung**, Verbrennung, Einäscherung, Kremierung, Kremation; → Begräbnis, → Krematorium; → bestatten, → einäschern, → verbrennen.

**Feuerblume** → Mohn.

**Feuerbohne** → Gemüse.

**Feuerfresser** → Artist.

**Feuergas** → Gas.

**feuergefährlich**, leicht brennbar / entzündbar / entflammbar / entzündlich; → Brand, → Feuergefährlichkeit, → Flamme, → Schadenfeuer.

**Feuergefährlichkeit**, leichte Brennbarkeit / Entzündbarkeit / Entflammbarkeit / Entzündlichkeit; → feuergefährlich.

**Feuergefecht** → Kampf, → Schußwechsel.

**Feuerhaken**, Schürhaken; → Ofen; → heizen.

**Feuerkatastrophe** → Schadenfeuer.

**Feuerkopf** → Choleriker.

**Feuerleiter** → Leiter (die).

**Feuerlilie** → Liliengewächs.

**Feuerlöscher**, Feuerlöschgerät, Handfeuerlöscher · Autofeuerlöscher · Wasserlöscher, Naßlöscher · Trockenlöscher, Schaumlöscher; → Brand, → Feuerwehr, → Feuerwehrauto, → Feuerwehrmann; → löschen.

**Feuerlöschgerät** → Feuerlöscher.

**Feuermal** → Muttermal.

**Feuermauer** → Mauer.

**Feuermeer** → Brand.

**Feuermelder:** ein Gesicht wie ein F. → Gesicht.

**feuern:** → entlassen, → heizen, → schießen, → werfen.

**Feueropal** → Schmuckstein.

**Feuerprobe** → Bewährungsprobe.

**Feuerrad** → Feuerwerkskörper.

**feuerrot:** → rot, → rothaarig.

**Feuersalamander** → Salamander.

**Feuersbrunst** → Brand.

**Feuerschiff** → Leuchtfeuer.

**Feuerschlucker** → Artist.

**feuerspeiend:** -er Berg → Vulkan.

**Feuerstar** → Katarakt.

**Feuerstelle:** → Herd; [offene F.] → Kamin.

**Feuerstoß** → Salut.

**Feuerstuhl** → Motorrad.

**Feuersturm** → Brand.

**Feuertaufe** → Bewährungsprobe.

**Feuerteufel** → Brandstifter.

**Feuerturm** → Leuchtfeuer.

**Feuerüberfall** → Kampf.

**Feuerung** → Brennstoff.

**Feuerversicherung** → Versicherung.

**Feuerwaffe** → Schußwaffe.

**Feuerwasser** → Alkohol.

**Feuerwechsel** → Schußwechsel.

**¹Feuerwehr** · öffentliche: Berufsfeuerwehr, freiwillige Feuerwehr, Pflichtfeuerwehr, Hilfsfeuerwehr · private: Werkfeuerwehr, Betriebsfeuerwehr; → Brand, → Feuerlöscher, → Feuerwehrauto, → Feuerwehrmann; → löschen.

**²Feuerwehr:** → Feuerwehrauto; wie die F. → schnell.

**Feuerwehrauto**, Feuerwehr, Löschzug, Spritzenwagen (veraltet); → Brand, → Feuerwehr, → Feuerlöscher, → Feuerwehrmann; → löschen.

**Feuerwehrhauptmann** → Feuerwehrmann.

**Feuerwehrleiter** → Leiter (die).

**Feuerwehrmann** · der die Löscharbeiten leitet: Brandmeister, Spritzenmeister (veraltet), Feuerwehrhauptmann (veraltend); → Brand, → Feuerwehr, → Feuerwehrauto, → Feuerlöscher; → löschen.

**Feuerwerkerei** → Pyrotechnik.

**Feuerwerkskörper**, pyrotechnischer Körper · Knallkörper, Kanonenschlag, Knallfrosch, Frosch, Knallbonbon, Knallerbse, Zündblättchen, Amorces (Plural), Judenfurz (derb), Schwärmer, Heuler, Luftheuler, Rakete, Leuchtkugel, Wunderkerze, Feuerrad, Sputnik, Sonne, Fächer, Wasserfall, bengalisches Feuer, Buntfeuer, Flammenfeuer; → Pyrotechnik.

**Feuerwerkskunst** → Pyrotechnik.

**Feuerzangenbowle** → Gewürzwein.

**Feuerzeichen** → Lichtzeichen.

**Feuerzeug**, Taschenfeuerzeug, Tischfeuerzeug, Gasfeuerzeug, Benzinfeuerzeug, Flammenwerfer (scherzh.) · das nur ab und zu funktioniert: Peut-être (scherzh.); → Streichholz.

**Feuilleton**, Unterhaltungsteil, Kulturteil; → Zeitung, → Zeitungsbeilage.

**Feuilletonist** → Schriftsteller.

**feurig:** → begeistert, → lebhaft, → würzig.

Fez → Unsinn.
Fiaker → Kutsche.
Fiasko → Mißerfolg.
Fiber → Faser.
Fibrom → Geschwulst.
Fichte → Nadelhölzer.
Fichtenprozessionsspinner → Schmetterling.
Fichtenwald → Wald.
Fichtenzapfen → Tannenzapfen.
Fichu → Halstuch.
Fick → Koitus.
ficken → koitieren.
Fickfack → Ausflucht.
fickrig → aufgeregt.
Fiction → Literatur.
fidel: → feuchtfröhlich, → lustig; -es Haus →Mensch (der).
Fiduz: kein F. haben → wagen.
¹Fieber, Pyrexie · leichtes (37,4° bis 38°): Temperatur, erhöhte / subfebrile Temperatur · starkes (über 38°): hohes Fieber, Hyperthermie, Hyperpyrexie; → Eintagsfieber, → Krankheit; → fiebern; → fieberhaft · Ggs. → Untertemperatur.
²Fieber: ephemeres F. → Eintagsfieber; F. haben → fiebern.
Fieberbläschen, Herpes, Reizbläschen; → Hautausschlag.
¹fieberhaft, fiebrig, febril (Med.); noch nicht f., subfebril (37,4° bis 38°; Med.); → krank; → Fieber; → fiebern.
²fieberhaft → erwartungsvoll.
fiebern, fiebrig sein, Fieber haben · leicht: [erhöhte] Temperatur haben; → krank [sein]; → fieberhaft; → Fieber, → Krankheit.
Fiebertherapie → Thermotherapie.
Fieberthermometer → Thermometer.
Fiebertraum → Traum.
Fieberwahn → Traum.
fiebrig: → aufgeregt, → erwartungsvoll, → fieberhaft, → krank; f. sein → fiebern.
Fiedel → Streichinstrument.
fiedeln → musizieren.
Fiederblatt → Blatt.
Fiederpalme → Palme.
fies: -er Kerl → Mann.
Fieselregen → Niederschlag.
fifty-fifty: f. machen → teilen.
Figaro → Friseur.
Fight → Boxen.
fighten → kämpfen.

Fighter → Boxer.
Figur: → Bild, → Gestalt, → Mensch, → Plastik, → Schachfigur; lustige F. → Spaßmacher; eine blendende / glänzende F. machen → auffallen; keine gute F. machen → bloßstellen (sich).
Figurant → Schauspieler.
figurativ: → bildlich, → konkret.
Figurenkapitell → Kapitell.
Figurenlaufen → Eislauf.
¹figurieren (als), sein, erscheinen / auftreten / fungieren als, darstellen, machen (ugs.), mimen (ugs., abwertend); → spielen.
²figurieren: f. als → spielen.
figürlich: → bildlich, → konkret.
Fiktion: → Einbildung; etwas ist reine F. → erfunden [sein].
fiktiv → erfunden.
Fil-à-fil → Stoffmuster.
Filet → Rinderbraten.
Filetbraten → Rinderbraten.
Filet mignon → Fleischgericht.
Filetspitze → Spitzenstickerei.
Filetsteak → Steak.
Filia → Tochter.
Filiale → Zweigstelle.
Filius → Sohn.
Filler → Zahlungsmittel.
¹Film, Rollfilm, Kassettenfilm, Umkehrfilm, Farbfilm, Colorfilm, Schwarzweißfilm, Kleinfilm, Mikrofilm, Schmalfilm, Negativfilm, Positivfilm; → filmen, → fotografieren.
²Film: → Kinofilm; einen F. drehen / machen → filmen; einen F. machen über → verfilmen; Welt des -s → Traumfabrik.
Filmarchiv → Archiv.
Filmatelier, Filmstudio, Studio, Traumfabrik (scherzh.); → Kinofilm.
Filmball → Ball.
Filmdiva → Schauspielerin.
filmen, einen Film drehen / (ugs.) machen, drehen · bis zum Ende: abdrehen; → fotografieren, → verfilmen; → Film, → Filmatelier, → Kino, → Kinofilm, → Lichtbildervortrag.
Filmgroteske → Kinofilm.
filmisch: f. darstellen / gestalten / umsetzen → verfilmen.
Filmkamera → Kamera.

Filmkömödie → Kinofilm.
Filmkritik → Besprechung.
Filmkritiker → Kritiker.
Filmkünstler → Schauspieler.
Filmlet → Kinofilm.
Filmlustspiel → Kinofilm.
Filmmusik → Musik.
Filmothek → Archiv.
Filmpalast → Kino.
Filmplakat → Plakat.
Filmpreis · in Hollywood: Oscar · in Venedig bis 1968: Goldener Löwe · in Cannes: Goldene Palme, Großer Preis von Cannes · in der Bundesrepublik: Bundesfilmpreis, Deutscher Filmpreis, Bundesfilmprämie, Bambi, Großer Preis von Mannheim · in West-Berlin: Goldener/ Silberner Bär · in Leipzig: Goldene Taube.
Filmriß: einen F. haben → vergessen.
Filmrolle → Rolle.
Filmschauspieler → Schauspieler.
Filmschauspielerin → Schauspielerin.
Filmstar: → Schauspieler, → Schauspielerin.
Filmsternchen → Schauspielerin.
Filmstudio → Filmatelier.
Filmtheater → Kino.
Filmvorführgerät → Projektionsapparat.
Filmvortrag → Lichtbildervortrag.
Filou → Schlaukopf.
Fils → Zahlungsmittel.
Filter → Sieb.
Filterkaffee → Kaffee.
filtern, filtrieren, sieben, durchsieben, seihen, durchseihen, klären, reitern (österr.), durchreitern (österr.); → Sieb.
Filterzigarette → Zigarette.
filtrieren → filtern.
Filz: → Fett, → Stoff, → Untersatz.
filzen: → durchsuchen, → schlafen, → wegnehmen.
Filzhut → Kopfbedeckung.
filzig → geizig.
Filzstift: → Schreibstift, → Zeichenstift.
Fimmel → Spleen.
Finale: → Ende, → Endkampf.
Finalsatz → Satz.
Finanzen → Vermögen.
Finanzer → Zöllner.

Finanzgericht → Gericht.
Finanzhyäne → Wucherer.
¹finanziell, pekuniär, geldlich, geldmäßig, geschäftlich, wirtschaftlich; → Geld, → Vermögen, → Zahlungsmittel; → zahlen.
²finanziell: in -en Schwierigkeiten sein → arm [sein].
finanzieren → zahlen.
Finanzkaufmann → Büroangestellter.
Finanzplan → Etat.
finanzschwach → einkommensschwach.
Findelhaus → Heim.
Findelkind → Waise.
¹finden, stoßen auf, entdecken, sehen, antreffen, auffinden, vorfinden, treffen [auf], begegnen, wiedersehen, aufspüren, orten, den Standort bestimmen, ausfindig machen, ausfinden, ausmachen, lokalisieren, ermitteln, in Erfahrung bringen, feststellen, auf die Spur kommen, herausbekommen, herausbekommen, herausbringen (ugs.), herauskriegen (salopp), rausbringen (salopp), ausklamüsern (ugs.), aufstöbern, auftreiben (ugs.), auflesen (ugs.), aufgabeln (salopp), auffischen (salopp); → antreffen, → beschaffen, → erfahren, → erfinden, → fragen, → sehen, → wahrnehmen; **gefunden werden,** jmdm. in die Arme / Beine / über den Weg laufen (ugs.), etwas findet sich an; → Auskundschafter, → Fundbüro · Ggs. → suchen.
²finden: → auswählen, → meinen; ein gefundenes Fressen sein → willkommen [sein]; zu f. sein → vorkommen; nicht zu f. sein → sehen; abscheulich / verabscheuenswert / verabscheuenswürdig / widerwärtig f. → verabscheuen; etwas nicht falsch / etwas richtig f. → billigen; schön f., Gefallen / Geschmack f. an, nichts f. können an → gefallen; unmöglich f. → beanstanden; reißenden Absatz f. → verkaufen; Anerkennung / Anklang f. → Anerkennung [finden]; Anklang f. → angesehen [sein], → gefallen; Anschluß f. → Kontakt [finden]; eine Anstellung / Stellung /

Stelle f. → einstellen; Anwendung / Verwendung f. → Anwendung [finden]; Aufnahme / Eingang f. in → Aufnahme [finden]; Aufnahme / Obdach / Unterkunft f. → Unterkunft [finden]; Beachtung f. → auffallen; Beifall / Zustimmung f. → Beifall [finden]; keine Frau f. → heiraten; Gegenliebe f. → Beifall [finden]; ein Haar in etwas / in der Suppe f. → beanstanden; Kontakt mit jmdm. f. → Kontakt [mit jmdm. finden]; seinen Meister f. → übertreffen; nichts dabei f. → Bedenken; Verständnis f. → Verständnis; Vollendung f. → Passiv; keine Worte f. [können] → überrascht [sein]; sich in etwas f. → ertragen; sich in seine Rolle f. → ertragen.
Fin de siècle → Gründerzeit.
findig → schlau.
Findigkeit → Klugheit.
Findling → Waise.
Finesse → Trick.
¹Finger, Griffel (ugs., landsch.) ·· Daumen, Zeigefinger, Mittelfinger · Ringfinger, Goldfinger ·· kleiner Finger; → Fingernagel, → Gliedmaße.
²Finger: der elfte F. → Penis; jmdm. / jmdn. jucken die F. nach etwas → begierig [sein nach]; mein kleiner F. sagt mir das → Ahnung; die F. im Spiel haben → beteiligen (sich); die F. lassen von, sich die F. schmutzig machen / verbrennen → heraushalten (sich); sich die F. nach etwas lecken → begierig [sein auf / nach]; den F. auf die Wunde legen → hinweisen (auf); krumme / lange F. machen → wegnehmen; keinen F. krumm machen / rühren → träge [sein]; den F. strecken → Handzeichen [geben]; sich die F. verbrennen → schaden; das kann man sich an fünf / zehn -n abzählen → klar [sein]; jmdm. auf die F. gucken / sehen → beobachten; jmdm. auf die F. klopfen → schelten; etwas aus den -n saugen → lügen; sich etwas durch die F. gehen lassen → versäumen; jmdm. durch die F. sehen → nachsichtig [sein]; jmdm. durch die F. schlüpfen → entkom-

men; etwas im kleinen F. haben → firm [sein]; sich in den F. schneiden → irren (sich); etwas mit dem kleinen F. machen → mühelos [schaffen]; mit dem F. auf jmdn. zeigen → schlechtmachen; jmdn. um den F. wickeln → becircen; jmdm. unter die F. kommen → Gewalt.
Fingerbreit: keinen F. abweichen → beharrlich [sein].
fingerfertig → anstellig.
Fingerfertigkeit → Kunstfertigkeit.
Fingergelenk → Gelenk.
Fingergicht → Arthritis.
Fingerhandschuh → Handschuh.
Fingerling → Handschuh.
fingern → bewerkstelligen.
Fingernagel, Nagel, Daumennagel, Kralle (ugs., abwertend); → Finger.
Fingerreif → Ring.
Fingerring → Ring.
Fingerspitzengefühl → Achtsamkeit.
Fingersprache → Zeichensprache.
Fingerzeig → Hinweis.
fingieren → vortäuschen.
fingiert → erfunden.
Finish → Endkampf.
Fink → Vogel.
Finken → Schuh.
Finn-Dinghi → Segelboot.
Finn-Dingi → Segelboot.
Finnen → Akne.
Finnenausschlag → Akne.
Finnland, Suomen Tasavalta, Suomi, das Land der tausend Seen.
Finnmark → Zahlungsmittel.
Finnougristik → Philologie.
Finnwal → Wal.
finster: → dunkel, → unzugänglich; f. werden → verfinstern (sich).
Finstere → Dämmerung.
Finsternis: → Dämmerung; Ort der F. → Hölle.
Finte: → Ausflucht, → Fisch.
fipsig: → eng, → klein.
Firenze → Florenz.
Firlefanz: → Flitter, → Unsinn.
firm, sicher, fest, belesen, sattelfest, bewandert, erfahren, versiert, beschlagen; → fachmännisch; **f. sein,** etwas be-

herrschen / aus dem Effeff können / (*ugs.*) im kleinen Finger haben / mit der Muttermilch eingesogen haben, einer Sache mächtig sein, seine Sache verstehen, Kenntnisse haben in, etwas gelernt haben; **in etwas nicht f. sein,** kein Held / schwach in etwas sein (*ugs.*), etwas ist jmds. schwache Seite, mit etwas auf [dem] Kriegsfuß stehen; → auskennen (sich).

**Firma:** → Betrieb, → Unternehmen; eine F. gründen → eröffnen.

**Firmament,** Himmel, Horizont, Himmelsgewölbe, Sternenhimmel, Sternenzelt (*dichter.*); → Luft.

**Firmpate** → Pate.
**Firmpatin** → Patin.
**Firn** → Schnee.
**Firner** → Gletscher.
**Firnis** → Politur.
**Firnschnee** → Schnee.
**First** → Dachfirst.
**Firstfeier** → Richtfest.
**First Lady,** Erste Dame; → Frau, → Oberhaupt.
**Firstziegel** → Dachziegel.

**¹Fisch** · Speisefisch · Zierfisch ·· Neunauge · Seeneunauge, Lamprete, Flußneunauge, Bachneunauge ·· Stör · Hausen, Waxdick, Glattdick, Dick, Sterlet, Sternhausen ·· Hering · Maifisch, Finte, Elben, Sprotte, Sardine ·· Lachs · Salm, Rheinlachs, Lachsforelle, Meerforelle, Forelle, Seeforelle, Bachforelle, Huchen, Wandersaibling ··Renke, Renken · Maräne, Kilch, Bodenrenke, Balchen, Sandfelchen, Blaufelchen, Schnäpel, Gangfisch, Weißlachs ·· Äsche · Stint ·· Karpfenfisch, Weißfisch · Plötze, Rotauge, Frauenfisch, Frauennerfling, Perlfisch, Moderlieschen, Hasel, Döbel, Aitel, Strömer, Orfe, Aland, Stumpfelritze, Elritze, Rotfeder, Rapfen, Schied, Schlei, Schleie, Lau, Gründling, Steingreßling, Barbe, Ukelei, Laube, Blei, Brachsen, Güster, Zobel, Pleinzen, Zope, Zährte, Ziege, Sichling, Bitterling, Karausche, Goldfisch, Moorkarpfen, Giebel, Karpfen ·· Schmerle · Bachschmerle, Wetterfisch, Schlammbeißer, Steinbeißer · Wels ·

Waller, Wallerfisch, Aal, Flußaal ·· Hundsfisch ·· Hecht ·· Kärpfling · Zebrakärpfling, Spanienkärpfling, Valenciakärpfling ·· Ährenfisch ·· Meeräsche · Goldäsche, Großkopfmeeräsche, Springmeeräsche ·· Sägebarsch · Seebarsch, Wolfsbarsch, Flußbarsch, Barsch, Zander, Schill, Fogosch (*österr.*), Sandart, Kaulbarsch, Schratz, Schrätzer, Streber, Zingel, Schützenfisch ·· Grundel ·· Schleimfisch ·· Groppe, Kaulkopf ·· Stichling · Zwergstichling, Neunstachler ·· Scholle · Flunder, Butt ·· Dorschfisch · Dorsch, Kabeljau, Schellfisch, Quapp, Rutte, Trüsche ·· Seenadel ·· Holostei · Kaimanfisch, Knochenhecht, Kahlhecht ·· Flösselhecht, Flösselaal ·· Hai, Haifisch, Menschenhai, Blauhai ·· Rochen · Sägefisch, Stechfisch, Teufelsfisch, Zitterrochen · Echter Rochen, Glattrochen, Nagelrochen, Sternrochen ·· Seedrachen, Meerdrachen, Meerkatze, Seeratte, Chimäre; → Hering, → Wal.

**²Fisch:** -e → Tierkreiszeichen; -e, Fliegender / Südlicher F. → Sternbild; das sind kleine -e → mühelos; stumm wie ein F. → wortlos; sich fühlen wie der F. im Wasser → wohl fühlen (sich); munter wie ein F. im Wasser sein → gesund [sein].

**Fischadler** → Vogel.
**Fischbesteck** → Eßbesteck.
**fischblütig** → gefühlskalt.
**Fischbrühe** → Suppe.
**Fischdampfer** → Fischereischiff.
**fischeln** → riechen.
**¹fischen,** auf Fischfang / auf Heringsfang gehen, die Netze auswerfen; → Fischwasser.
**²fischen** → fangen.
**¹Fischer,** Fischersmann (*selten*) · Flußfischer, Küstenfischer, Hochseefischer, Seefischer · Heringsfischer, Aalfischer · Netzfischer; → Fischerei.
**²Fischer** → Angler.
**Fischerbarke** → Fischerboot.
**Fischerboot,** Fischerkahn, Fischernachen, Fischerbarke (*geh.*); → Fischereischiff.

**Fischerei,** Fischfang · Binnenfischerei, Flußfischerei, Küstenfischerei, Hochseefischerei, Meeresfischerei, Seefischerei, Flottillenfischerei, Netzfischerei, Angelfischerei, Fliegenfischerei, Reusenfischerei; → Angler, → Fischer.
**Fischereihafen** → Hafen.
**Fischereischiff,** Fischdampfer, Fischkutter, Hochseekutter, Trawler, Walfangschiff, Fangschiff, Fischverarbeitungsschiff; → Fischerboot.
**Fischerkahn** → Fischerboot.
**Fischernachen** → Fischerboot.
**Fischersmann** → Fischer.
**Fischfang:** → Fischerei; auf F. gehen → fischen.
**Fischgabel** → Gabel.
**Fischgrätenmuster** → Stoffmuster.
**Fischgründe** → Fischwasser.
**Fischkonserve** → Konserve.
**Fischkraftbrühe** → Suppe.
**Fischkutter** → Fischereischiff.
**Fischleim** → Bindemittel.
**Fischmesser** → Messer.
**Fischnetz,** Netz, Daubel (*österr.*) · Reuse, Fischreuse; → Falle.
**Fischotter** → Raubtier.
**Fischplatz** → Fischwasser.
**Fischreiher** → Vogel.
**Fischreuse** → Fischnetz.
**Fischsuppe** → Suppe.
**Fischverarbeitungsschiff** → Fischereischiff.
**Fischvergiftung** → Lebensmittelvergiftung.
**¹Fischwasser,** Fischgründe, Fanggründe, Fanggebiet, Fischplatz, Fangplatz; → fischen.
**²Fischwasser** → Jagdgebiet.
**Fisimatenten** → Ausflucht.
**Fiskus:** → Staat, → Staatskasse.
**Fisole** → Gemüse.
**fispeln** → flüstern.
**fispern** → flüstern.
**Fisselregen** → Niederschlag.
**Fissur:** → Hautblüte, → Knochenbruch.
**Fissura** → Hautblüte.
**Fist** → Darmwind.
**Fistel:** → Abszeß, → Kopfstimme.
**Fistelstimme** → Kopfstimme.
**¹fit,** topfit, in Form, in guter körperlicher Verfassung, leistungsfähig; → gesund; **f. sein,**

in Kondition sein, Kondition haben.

**²fit:** f. sein → gesund [sein]; [nicht] f. sein → Verfassung; sich f. halten → trainieren (sich).

**Fitis** → Vogel.

**Fitness:** → Temperament, → Verfassung.

**Fittich:** → Flügel; jmdn. unter seine -e nehmen → kümmern (sich um jmdn.).

**Five o'clock** → Zwischenmahlzeit.

**fix:** → schnell, → verflucht!; f. machen → beeilen (sich); -e Idee → Spleen; f. und fertig → fertig; f. und fertig sein → erschöpft [sein].

**Fix** → Einspritzung.

**Fixation** → Operation.

**Fixe** → Spritze.

**fixen** → spritzen.

**Fixer** → Rauschgiftsüchtiger.

**fixfertig** → fertig.

**fixieren:** → ansehen, → befestigen.

**Fixigkeit** → Geschwindigkeit.

**Fixlaudon** → verflucht!

**Fixstern** → Himmelskörper.

**Fixum** → Gehalt (das).

**Fizz** → Mixgetränk.

**Fjordküste** → Ufer.

**Fjordpferd** → Pferd.

**FKK** → Freikörperkultur.

**FKK-Anhänger** → Nudist.

**FKK-Gelände** → Nacktbadestrand.

**FKKler** → Nudist.

**FKK-Strand** → Nacktbadestrand.

**flach:** → niedrig, → oberflächlich, → seicht; -er Teller → Teller.

**Flachbogen** → Bogen.

**Flachdachpfanne** → Dachziegel.

**Flachdruck** → Druckverfahren.

**Flachdruckpapier** → Druckpapier.

**Fläche** → Gebiet.

**Flächenalge** → Alge.

**Flächenblitz** → Blitz.

**Flächenmaß** · Quadratmeter, Ar, Hektar, Quadratkilometer · *nichtmetrisches:* Fuß, Rute, Morgen, Joch *(österr.),* Juchart *(südwestd.),* Jucharte *(schweiz.),* Acker *(sächs.);* → Gewichtseinheit, → Hohlmaß, → Längenmaß, → Raummaß, → Stück; → messen.

**flachfallen:** → eintreffen, → wegfallen.

**¹Flachheit,** Seichtheit, Untiefe; → niedrig, → seicht.

**²Flachheit** → Trivialität.

**Flachkartei** → Kartei.

**Flachkuppel** → Kuppel.

**Flachküste** → Ufer.

**Flachleibmotte** → Schmetterling.

**Flachmeer** → Wattenmeer.

**Flachmoor** → Sumpf.

**Flachrelief** → Relief.

**flachsblond** → blond.

**flachsen** → aufziehen.

**Flachtonne** → Gewölbe.

**flackern** → brennen.

**fladern** → wegnehmen.

**Flagellant** → Asket.

**Flagellantismus** → Perversität.

**Flagellat** → Einzeller.

**Flagellomanie** → Perversität.

**Flagge** → Fahne.

**flaggen,** hissen, heißen, aufhissen, aufheißen, die Fahne raushängen *(salopp)* · *bei Staatstrauer u.ä.:* halbmast flaggen; → beflaggen; → Fahne.

**flagrant** → offenbar.

**Flair:** → Fluidum, → Gefühl.

**Flajani-Krankheit** → Schilddrüsenüberfunktion.

**Flakon** → Flasche.

**Flambeau** → Kerzenleuchter.

**Flamenco** → Tanz.

**Flamingo** → Vogel.

**Flamingoblume** → Anthurie.

**flamingorosa** → rosa.

**flamingorot** → rot.

**¹Flamme,** Lohe, Stichflamme; → Brand, → Feuer; → brennen; → feuergefährlich.

**²Flamme:** → Geliebte; Feuer und F. sein → anschwärmen; die -n ersticken → löschen; ein Raub der -n werden → brennen; in -n aufgehen / stehen → brennen; in -n aufgehen lassen → verbrennen.

**Flammenblitz** → Blitz.

**flammendrot:** → rot, → rothaarig.

**Flammenfeuer** → Feuerwerkskörper.

**Flammenmeer** → Brand.

**Flammenmuster** → Stoffmuster.

**Flammentod:** dem F. übergeben → töten.

**Flammeri** → Dessert.

**flandrisch:** -e Spitze → Spitzenstickerei.

**Flanell** → Stoff.

**Flanellbluse** → Bluse.

**flanieren** → spazierengehen.

**¹Flanke,** Weiche, Seite; → Hüften, → Taille.

**²Flanke** → Turnübung.

**flankieren** → begleiten.

**Flappe** → Mund.

**flapsig** → frech.

**Flarr** → Eisscholle.

**Fläschchen** → Säuglingsflasche.

**¹Flasche,** Flakon, Korbflasche, Bouteille, Buddel *(ugs.),* Pulle *(ugs.)* · *zum Wegwerfen nach dem Gebrauch:* Einwegflasche, Wegwerfflasche, Ex-und-hopp-Flasche; → Behälter, → Gefäß, →Kanne.

**²Flasche:** → Feigling, → Nachtgeschirr, → Versager.

**Flaschenbier** → Bier.

**Flaschenbofist** → Ständerpilz.

**Flaschenglas** → Glas.

**flaschengrün** → grün.

**Flaschenhals** → Behinderung.

**Flaschenöffner,** Korkenzieher, Stopfenzieher *(landsch.),* Pfropfenzieher, Zapfenzieher *(schweiz.),* Stoppelzieher *(österr.).*

**Flaschenpfand** → Leihgebühr.

**Flaschenstäubling** → Ständerpilz.

**Flaschenzug** → Winde.

**Flaschner** → Installateur.

**Flash** → Rausch.

**Flat** → Wohnung.

**flatterhaft** → untreu.

**Flatterhaftigkeit:** → Untreue, → Zerfahrenheit.

**Flattermine** → Mine.

**¹flattern,** knattern, wehen, bewegen (sich).

**²flattern:** → fliegen, → wehen.

**Flattersatz** → Schriftsatz.

**flattieren** → schmeicheln.

**Flatulenz** → Blähsucht.

**Flatus** → Darmwind.

**flau:** → abgestanden; jmdm. ist f. [im Magen] → Hunger [haben].

**Flaum:** → Bart, → Feder, → Haar.

**flaumbärtig** → bärtig.

**Flaumdecke** → Federbett.

**flaumen** → säubern.

**Flaumer** → Mop.

**flaumig** → flaumweich.

**flaumweich,** flauschig, flaumig (*österr.*); → weich.

**flauschig** → flaumweich.

**Flausen** → Laune.

**Flaute:** → Mangel, → Ruhe, → Windstärke, → Windstille.

**Fläz** → Mensch.

**fläzen:** sich f. → räkeln (sich).

**fläzig** → unhöflich.

**Flechtarbeit** → Handarbeit.

**Flechtband** → Fries.

**[1]Flechte,** Laubflechte, Moosflechte, Krustenflechte, Rindenflechte, Bartflechte, Isländisch Moos, Becherflechte, Lackmusflechte, Rentierflechte; → Lagerpflanze.

**[2]Flechte:** → Haarzopf, → Impetigo, → Lagerpflanze.

**flechten:** → binden, → handarbeiten; aufs Rad f. → töten.

**Flechtschuh** → Schuh.

**Flechtwerk** → Geflecht.

**[1]Fleck,** Flecken, Klecks, Spritzer, Patzen (*bayr., österr.*); → Fleckentferner.

**[2]Fleck:** → Hautblüte; blauer F. → Bluterguß; einen F. machen → beschmutzen; das Herz auf dem rechten F. haben → lebenstüchtig [sein], → mutig [sein]; mit -en übersät / bedeckt → schmutzig; vom F. kommen → vorangehen; vom F. weg → gleich.

**Flecke** → Innereien.

**flecken:** etwas fleckt → vorangehen.

**Flecken:** → Fleck, → Ort.

**Fleckenentferner** → Fleckentferner.

**Fleckenentfernungsmittel** → Fleckentferner.

**Fleckenfalter** → Schmetterling.

**fleckenlos** → sauber.

**Fleckenlosigkeit** → Sauberkeit.

**Fleckentferner,** Fleckenentferner, Fleck[en]entfernungsmittel, Fleck[en]wasser; →Fleck; → säubern.

**Fleckentfernungsmittel** → Fleckentferner.

**Fleckenwasser** → Fleckentferner.

**Fleckerlteppich** → Teppich.

**[1]Fleckfieber,** epidemisches / klassisches / europäisches Fleckfieber, europäischer Typhus, Petechialfieber, Petechialtyphus, Läusefleckfieber, Läusetyphus, Kriegstyphus, Hungertyphus, Feldtyphus, Lagertyphus, Lagerfieber, Hospitalfieber, Kriegsfieber, Gefangenentyphus, Gefangenenfieber, ungarische Krankheit; → Krankheit, → Typhus.

**[2]Fleckfieber:** das reinste F. sein → lebhaft [sein]; er ist das reinste F. → kommen.

**fleckig** → schmutzig.

**Fleckwasser** → Fleckentferner.

**fleddern:** → bestehlen, → wegnehmen.

**Fledermausohren** → Ohr.

**Flederwisch** → Mop.

**[1]Flegel,** Rüpel, Lümmel, Schnösel (*salopp, norddd.*), Stiesel (*salopp, norddd., ostd.*), Strolch, Baubudenrülps (*derb, landsch.*), Gfrast (*ugs., österr., abwertend*), Lackel (*südd., österr.*); → Mann, → Raufbold; → unhöflich.

**[2]Flegel** → Mensch.

**Flegelalter** → Lebensalter.

**Flegelei** → Unhöflichkeit.

**flegelhaft** → unhöflich.

**Flegelhaftigkeit** → Unhöflichkeit.

**flegelig** → unhöflich.

**Flegeljahre:** → Lebensalter, → Pubertät.

**flegeln:** sich f. → räkeln (sich).

**flehen** → bitten.

**flehend** → nachdrücklich.

**flehentlich** → nachdrücklich.

**[1]Fleisch,** Geschlachtetes • Hackfleisch, Kochfleisch, Suppenfleisch, Gefrierfleisch, Freibankfleisch • Kalbfleisch, Kälbernes (*südd., österr.*), Rindfleisch, Ochsenfleisch, Schweinefleisch, Schweinernes (*österr.*), Pferdefleisch, Hammelfleisch, Schaffleisch, Ziegenfleisch, Lammfleisch, Lämmernes (*österr.*), Schöpsernes (*österr.*) •• *geräuchertes:* Rauchfleisch, Räucherfleisch, Selchfleisch (*bayr., österr.*), Geselchtes (*bayr., österr.*) • Schweinebauch, Kaiserfleisch (*österr.*); → Fleischer, → Fleischgericht, → Hackfleisch, → Keule, → Pökelfleisch, → Schinken.

**[2]Fleisch:** gemahlenes F. → Hackfleisch; das eigene / sein eigen F. und Blut → Sohn, → Tochter; Pfahl im -e → Leid; den Weg allen / alles -es gehen → sterben; in F.

und Blut übergehen → üblich [werden]; sich ins eigene F. schneiden → schaden; vom -e fallen → schlank [werden].

**Fleischbank** → Fleischerei.

**Fleischbrötel** → Fleischkloß.

**Fleischbrühe** → Suppe.

**Fleischer,** Schlachter (*nordd.*), Schlächter (*nordd.*), Metzger (*südd., schweiz., westd.*), Metzler (*mittelrhein.*), Selcher (*bayr., österr.*), Fleischselcher (*bayr., österr.*), Wurster (*südd.*), Katzoff (*landsch.*), Knochenhauer (*veraltet*), Fleischhauer (*österr.*), Fleischhacker (*ugs., österr.*); → Fleisch, → Fleischerei, → Schlachtbank.

**Fleischerei,** Schlachterei (*nordd.*), Schlächterei (*nordd.*), Metzgerei (*südd., schweiz., westd.*), Selcherei (*bayr., österr.*), Fleischhauerei (*österr.*), Fleischbank (*österr., veraltet*), Fleischerladen, Metzgerladen (*südd.*), Schlächterladen (*nordd.*), Schlachterladen (*nordd.*) • Wursterei; → Fleischer.

**Fleischerladen** → Fleischerei.

**Fleischeslust** → Geschlechtstrieb.

**Fleischgang** → Fleischgericht.

**Fleischgemüse** → Gemüse.

**Fleischgericht,** Fleischgang • Braten, Ragout, Voressen (*schweiz.*), Gulasch, Gulyas, Haschee, Kotelett, Karbonade (*landsch.*), Schnitzel • Fleischkloß, [deutsches] Beefsteak, Bulette (*berlin.*), Frikadelle (*nordd.*), Karbonade (*mitteld.*), Fleischklößchen (*mitteld.*), Fleischküchlein (*schwäb.*), Bratklops (*nordd.*), Klops (*nordd.*), Bällchen (*westf.*), Königsberger Klops, Hackbraten, falscher Hase, faschierter Braten (*österr.*), bayerische Leberknödel • Geflügelklein, Gänseklein, Hasenpfeffer, Schaschlik, Rehrücken ••• *vom Rind:* Rinderbraten, Rindsbraten, Filetbraten, Rostbraten, Rinderschmorbraten, Sauerbraten, Rinderroulade, Rindsroulade, Rindsvögerl (*österr.*), spanisches Vögerl (*österr.*), Fleischvogel (*schweiz.*), Tatarbeefsteak •• Steak, Beefsteak • *vom Rücken:* Rumpsteak • *Lendenstück:* Filetsteak • *Mittellendenstück:* Cha-

teaubriand · *Lendenschnitte:*
Tournedos · *Lendenspitze:* Filet
mignon · *Zwischenrippenstück
mit Filet und Knochen:* Porterhousesteak ···· *vom Kalb:*
Kalbsbraten, Kalbsrollbraten,
Kalbsnierenbraten, Kalbs-
hachse, Kalbshaxe, gefüllte
Kalbsbrust, Kalbsfrikandeau,
Kalbsfrikassee, Kalbsmedaillon,
eingemachtes Kalbsfleisch
(*schwäb.*) ··· Kalbsschnitzel ··
Paprikaschnitzel, Zigeuner-
schnitzel, Wiener Schnitzel,
Rahmschnitzel, Jägerschnitzel ·
*mit Käse und Schinken:* Cordon
bleu ···· *vom Schwein:* Schwei-
nebraten, Schweinerollbraten,
Schweinefilet, Schweinebauch,
Schweinehachse, Schweinehaxe,
Schweinshaxe, Eisbein, Kasse-
ler, Kaßler, Kasseler Rippen-
speer; → Fleisch, → Fleisch-
kloß, → Hackfleisch, → Keule,
→ Kotelett, → Lendenbraten,
→ Lungenhaschee, → Rinderbraten, → Steak.
**Fleischhacker:** → Fleischer, →
Fußballspieler.
**Fleischhauer** → Fleischer.
**Fleischhauerei** → Fleischerei.
**fleischig** → dick.
**Fleischkloß** · *gebratener:* deut-
sches Beefsteak, Bulette (*berlin.*),
Frikadelle (*nordd.*), Bällchen
(*westfäl.*), Bratklops (*nordd.*),
Klops (*nordd.*), Karbonade
(*mitteld.*), Fleischklößchen (*mit-
teld.*), Fleischküchlein (*schwäb.*),
Fleischbrötel (*schwäb.*), Fleisch-
laibchen (*österr.*), faschierte
Laibchen (*österr.*), Fleischlaberl
(*ugs., österr.*) · *gekochter:* [Kö-
nigsberger] Klops; → Fleisch-
gericht, → Hackfleisch, →
Kloß.
**Fleischklößchen** → Kloß.
**Fleischkonserve** → Konserve.
**Fleischküchlein** → Fleischkloß.
**Fleischlaberl** → Fleischkloß.
**Fleischlaibchen** → Fleischkloß.
**fleischlich** → weltlich.
**fleischlos** → vegetarisch.
**Fleischmaschine** → Fleischwolf.
**Fleischmesser** → Messer.
**fleischrot** → rot.
**Fleischsalat** → Salat.
**Fleischschaf** → Schaf.
**Fleischschnitte** → Steak.
**Fleischselcher** → Fleischer.
**Fleischsuppe** → Suppe.

**Fleischvergiftung** → Lebensmittelvergiftung.
**Fleischvogel** → Rinderbraten.
**Fleischwolf,** Wolf, Fleischmaschine (*südd., österr.*), Faschier-
maschine (*österr.*); → Hackfleisch; **durch den F. drehen,**
durch den Wolf drehen, durchdrehen, faschieren (*österr.*).
¹**Fleiß,** Eifer, Emsigkeit, Strebsamkeit, Betriebsamkeit, Geschäftigkeit, Rastlosigkeit, Unermüdlichkeit; → Aktivität, →
Arbeitseifer, → Beharrlichkeit,
→ Ehrgeiz, → Entschlußkraft,
→ Tatkraft; → fleißig.
²**Fleiß:** mit F. → absichtlich.
¹**fleißig,** arbeitsam, tätig, tüchtig, arbeitswillig, strebsam, ehrgeizig, ambitioniert (*österr.*),
eifrig, emsig, bienenhaft, bienenfleißig, geschäftig, betriebsam, schaffig (*schweiz.*), rastlos,
unermüdlich, nimmermüde,
nicht → faul; → aktiv, → aufgeregt, → beflissen, → beharrlich, → ehrgeizig, → lebhaft, →
übereifrig, → unaufhörlich, →
vollbeschäftigt; → Fleiß.
²**fleißig:** f. sein → arbeiten.
**flektieren,** beugen, biegen, abwandeln (*veraltet*) · *von Substantiv und Adjektiv:* deklinieren · *vom Verb:* konjugieren; →
Beugung, → Wortart.
**flennen** → weinen.
**fletschen** (die Zähne), die Zähne
blecken / zeigen.
**fletschern** → kauen.
**Fletz** → Hausflur.
**flexibel:** → anpassungsfähig, →
biegsam; flexibler Wechselkurs → Wechselkurs.
**Flexibilität:** → Biegsamkeit, →
Wendigkeit.
**Flexion** → Beugung.
**Flexionslage** → Kindslage.
**Flexor** → Muskel.
**Flibustier** → Seeräuber.
**Flic** → Polizist.
**flicken** → reparieren; jmdm.
etwas am Zeug f. → beanstan-
den.
**Flicken,** Fetzen, Stück, Lum-
pen, Flicklappen, Lappen,
Schnipsel, Schnippel (*ugs.*).
**Flicklappen** → Flicken.
**Flickschneider** → Schneider.
**Flickschuster** → Schuhmacher.
**Flickwerk** → Pfuscherei.
**Flickwort** → Wort.

**flieder** → violett.
¹**Flieder,** Syringe, Zirene (*landsch.*), Nagelblume (*landsch.*),
Nägelchen (*landsch.*); → Blume.
²**Flieder** → Holunder.
**fliederfarben** → violett.
**Fliedermotte** → Schmetterling.
**Fliedertee** → Tee.
¹**Fliege,** Mücke (*südwestd.*) ·
*große:* Brummer (*ugs.*), Brumme
(*ugs.*); → Insektenkunde, →
Mücke, → Stechmücke.
²**Fliege:** → Bart, → Insekt, →
Krawatte, → Sternbild; jmdn.
ärgert / stört die F. an der
Wand → ärgerlich [sein]; wie
die -n sterben → sterben; wie
die -n umfallen → ohnmächtig
[werden]; zwei -n mit einer
Klappe schlagen → schlau
[handeln]; keiner F. etwas zuleide tun [können] → friedfertig [sein].
¹**fliegen,** flattern, schweben,
segeln, schwirren, flirren, gaukeln (*dichter.*); → fallen, →
gleiten.
²**fliegen:** → entlassen [werden],
→ fallen, → reisen; -de Banane
→ Hubschrauber; mit -den
Fahnen in das andere Lager /
zum Gegner übergehen → umschwenken; Fliegender Fisch →
Sternbild; -der Händler → Händler; -des Personal → Personal;
-de Untertasse → Flugkörper;
einen f. lassen → Darmwind
[entweichen lassen]; auf jmdn.
f. → verlieben (sich).
**Fliegenfenster** → Fenster.
**Fliegenfischerei** → Fischerei.
**Fliegengewicht** → Ringen.
**Fliegengewichtler** → Boxer.
**Fliegenkopf:** → Buchstabe, →
Fehler.
**Fliegenmücke** → Mücke.
**Fliegenpilz** → Ständerpilz.
**Fliegenschimmel** → Algenpilz.
**Flieger:** → Dienstgrad, → Flug-
zeug, → Flugzeugführer.
**Fliegeralarm** → Alarm.
**Fliegerangriff:** → Angriff, →
Luftangriff.
**Fliegerbombe** → Bombe.
**Fliegerei** → Luftfahrt.
**Fliegerhorst** → Flugplatz.
**Fliehburg** → Fluchtburg.
¹**fliehen,** die Flucht ergreifen,
sein Heil in der Flucht suchen,
flüchten, entfliehen, entwei-
chen, retirieren (*scherzh.*), aus-

brechen, ausrücken (*ugs.*), ausreißen (*ugs.*), Reißaus nehmen, entspringen, das Hasenpanier ergreifen (*salopp*), abhauen (*salopp*), türmen (*salopp*); → entziehen (sich), → weggehen.

**²fliehen:** → entziehen (sich); das Leben f. → abkapseln (sich).

**¹Fliese,** Kachel, Platte, Plättchen (*südd.*); → Fliesenleger.

**²Fliese:** -n → Fußboden.

**Fliesenleger,** Plattenleger, Mosaikleger, Mosaikplattenleger; → Fliese.

**Fließblatt** → Löschpapier.

**Fließei** → Hühnerei.

**¹fließen,** herausströmen, strömen, treiben, schwimmen, wogen, wallen, fluten, branden, heranbrechen, sich ergießen, herausschießen, schießen, laufen, herausrinnen, rinnen, herausquellen, quellen, plätschern, gluckern, glucksen, gurgeln, sickern, heraustropfen, tropfen, tröpfeln, triefen, rieseln, wegfließen, versickern, heraussprudeln, sprudeln, etwas leckt/ist leck / hat ein Leck; → abfließen, → ausfließen, → ausströmen, → perlen, → prasseln, → schmelzen, → träufeln; → Bach, → Fluß, → Laut.

**²fließen:** f. aus → ausfließen; das Land, wo Milch und Honig fließt → Fabelland.

**fließend,** geläufig, flüssig, ohne Unterbrechung, ohne steckenzubleiben, ohne zu stocken, nicht → abgehackt; → sprechen.

**Fließheck** → Autoheck.

**Fließpapier** → Löschpapier.

**Fließsatz** → Schriftsatz.

**Flimmerkiste:** → Fernsehgerät, → Kino.

**flimmern** → leuchten.

**flink** → schnell.

**Flinse:** → Kartoffelpuffer, → Omelett.

**Flinte:** → Schußwaffe; die F. ins Korn werfen → Mut [verlieren], → nachgeben.

**Flintenlauf** → Gewehrlauf.

**Flintenschuß** → Schuß.

**Flip** → Eislauf.

**Flipp** → Mixgetränk.

**flirren** → fliegen, → leuchten.

**Flirt** → Liebelei.

**flirten,** jmdm. schöne Augen machen, poussieren, liebeln,

kokettieren · *vom Federwild:* balzen; → schmeicheln, → umwerben, → werben; → Liebelei.

**Flitscherl** → Prostituierte.

**Flittchen** → Prostituierte.

**Flitter,** Flitterkram (*abwertend*), Pailletten, Tand (*abwertend*), Tandwerk (*veraltet*), Talmi, Zierat, Firlefanz (*abwertend*), Kinkerlitzchen (*abwertend*); → Stickerei, → Unsinn.

**Flitterkram** → Flitter.

**Flitterwochen,** Honigmond, Honigwochen, Honeymoon; → Ehe; → heiraten.

**Flitterwöchner** → Ehemann.

**Flitz** → Spleen.

**Flitzbogen** → Schußwaffe.

**flitzen** → fortbewegen (sich).

**Flitzer:** → Auto, → Soldat.

**Flitzeritis** → Durchfall.

**Floating** → Wechselkurs.

**flockenstielig:** Flockenstieliger Röhrling → Ständerpilz.

**flockig:** f. werden → gerinnen.

**Floh:** → Insekt, → Ungeziefer; Flöhe → Geld; die Flöhe husten hören → wissen; jmdm. einen F. ins Ohr setzen → begierig [machen].

**Flohkiste** → Kino.

**Flohmarkt** → Markt.

**Flohmuster** → Stoffmuster.

**Flom** → Fett.

**Flomen** → Fett.

**Flor** → Stoff.

**Flora** → Vegetation.

**Florentiner:** → Gebäck, → Kopfbedeckung; F. Salat → Gemüse.

**Florentinertüll** → Stoff.

**Florenz,** Firenze (*ital.*); → Stadt.

**Florett** → Stichwaffe.

**florieren,** gedeihen, blühen, gut gehen (*ugs.*), [wachsen] blühen und gedeihen, in Schwung sein; → entwickeln (sich).

**Florileg** → Exzerpt.

**Florilegium** → Exzerpt.

**Floristin** → Blumenbinderin.

**Florpost:** → Briefpapier, → Schreibpapier.

**Florpostpapier:** → Briefpapier, → Schreibpapier.

**Floskel** → Redensart.

**Floß** → Boot.

**Flosse** → Gliedmaße.

**Flösselaal** → Fisch.

**Flösselhecht** → Fisch.

**Flöte:** → Blasinstrument, → Penis.

**¹flöten,** pfeifen; → tuten.

**²flöten:** → singen, → sprechen; f. sein → verloren [sein].

**flötengehen** → verlorengehen.

**Flötentöne:** jmdm. die F. beibringen → schelten.

**Flötist** → Musizierender.

**flott:** → geschmackvoll, → schwungvoll; f. leben → üppig [leben]; -er Heinrich → Durchfall.

**Flott** → Sahne.

**Flotte** · Geschwader, Kriegsflotte, Flottenverband, Flottille · Handelsflotte; → Kriegsschiff, → Schiff.

**Flottenarzt** → Arzt.

**Flottenverband** → Flotte.

**Flottille** → Flotte.

**Flottillenadmiral:** → Dienstgrad, → Seeoffizier.

**Flottillenarzt** → Arzt.

**Flottillenfischerei** → Fischerei.

**Flowery-Orange-Pekoe** → Tee.

**¹Fluch,** Verwünschung, Drohwort, Drohung, Gotteslästerung; → Beleidigung, → Schimpfwort.

**²Fluch** → Bann.

**fluchen** → schelten.

**Flucht:** die F. nach vorn[e] antreten → attackieren; die F. ergreifen → fliehen; in die F. schlagen → einschreiten; sein Heil in der F. suchen → fliehen.

**Fluchtburg,** Fliehburg, Kirchenburg, Wehrkirche; → Burg.

**flüchten:** → fliehen; sich f. in / unter → unterstellen (sich).

**flüchtig:** → nachlässig, → vorübergehend.

**Flüchtigkeit:** → Nachlässigkeit, → Unzulänglichkeit, → Vergänglichkeit.

**Flüchtling** → Auswanderer.

**Flüchtlingsstrom** → Flüchtlingszug.

**Flüchtlingstreck** → Flüchtlingszug.

**Flüchtlingszug,** Flüchtlingsstrom, Flüchtlingstreck, Treck; → Auswanderer.

**¹Flug,** Gleitflug, Segelflug, Sturzflug, Blindflug, Kunstflug, Looping, Schauflug, Rückenflug, Normalflug, Zielflug, Tiefflug, Überschallflug, Unterschallflug, Schlechtwetterflug, Nonstopflug, Ohnehaltflug,

Flug

Nachtflug, Langstreckenflug, Transozeanflug, Ozeanflug, Überlandflug, Aufklärungsflug, Erkundungsflug, Übungsflug, Werkstattflug · erster eines *Flugzeugs:* Jungfernflug; → Flugplatz, → Flugzeug, → Flugzeugführer.
²**Flug** → Herde.
**Flugangelei** → Angelsport.
**Flugbenzin** → Treibstoff.
**Flugblatt** → Flugschrift.
**Flugdrache** → Eidechse.
¹**Flügel**, Schwinge (*geh.*), Fittich (*geh.*); → Vogel.
²**Flügel** → Fußballspieler, → Seitentrakt, → Tasteninstrument; die F. hängenlassen → deprimiert [sein]; jmdm. die F. beschneiden / stutzen → einschränken.
**Flügelaltar:** → Altar, → Altarbild.
**flügellahm** → deprimiert.
**Flügelmann:**→Mann,→Pianist.
**Flügelpumpe** → Wasserpumpe.
**Flügelschnecke** → Schnecke.
**Flügelstürmer** → Fußballspieler.
**Flügeltür** → Tür.
**flügge:** → erwachsen; kaum f. sein → jung.
**Flughafen** → Flugplatz.
**Flughuhn** → Vogel.
**Flugkapitän** → Flugzeugführer.
**Flugkarte** → Fahrkarte.
**Flugkörper**, Flugobjekt · *unbekannter:* unbekanntes Flugobjekt, UFO, fliegende Untertasse.
**Flugobjekt:** [unbekanntes] F. → Flugkörper.
**Flugplatz**, Flughafen, Airport, Lufthafen, Landeplatz, Verkehrsflughafen, Zivilflughafen, Militärflughafen, Militärflugplatz, Fliegerhorst; → Abfertigungsgebäude, → Flug, → Flugzeug, → Flugzeugführer, → Rollbahn.
**Flugreise** → Reise.
**flugs** → schnell.
**Flugschrauber** → Hubschrauber.
**Flugschrift**, Flugblatt, Handzettel, Streitschrift, Flugzettel (*österr.*), Schmähschrift, Pamphlet; → Plakat, → Satire.
**Flugsicherungsturm** → Kontrollturm.

**Flugverbindung** → Verkehrsverbindung.
**Flugzettel** → Flugschrift.
¹**Flugzeug**, Aeroplan (*veraltet*), Maschine, Flieger (*ugs.*), Kiste (*ugs.*), Mühle (*salopp, abwertend*), Kurzstreckenflugzeug, Mittelstreckenflugzeug, Langstreckenflugzeug, Propellerflugzeug, Turbopropflugzeug, Propellermaschine, Düsenflugzeug, Düsenjäger, Düsenklipper, Düsenmaschine, Überschallflugzeug, Raketenflugzeug, Jet, Senkrechtstarter, Großflugzeug, Jumbojet, Amphibienflugzeug, Sportflugzeug, Schulflugzeug, Jagdflugzeug, Jäger, Transportflugzeug, Verkehrsflugzeug, Verkehrsmaschine, Passagierflugzeug, Passagiermaschine, Chartermaschine, Militärflugzeug, Militärmaschine, Aufklärungsflugzeug, Aufklärungsmaschine, Aufklärer, Intruder, Kampfflugzeug, Sturzkampfflugzeug, Stuka, Segelflugzeug, Gleitflugzeug, Gleiter, Segelflieger (*ugs.*), Doppeldecker, Lufttaxi, Lufttaxe, Aerotaxi, Aerotaxe, Airbus, Kabinenflugzeug; → Fahrwerk, → Flug, → Flugplatz, → Flugzeugführer, → Hubschrauber, → Luftfahrt, → Luftschiff, → Verkehrsmittel; → reisen.
²**Flugzeug** → Verkehrsmittel.
**Flugzeugabsturz** → Unglück.
**Flugzeugbesatzung** → Personal.
**Flugzeugentführung** → Kidnapping.
**Flugzeugführer**, Pilot, Verkehrspilot, Flugkapitän, Flieger · *zweiter:* Kopilot · *der neue Flugzeugtypen einfliegt:* Testpilot; → Flug, → Flugplatz, → Flugzeug.
**Flugzeugkatastrophe** → Unglück.
**Flugzeugkrankheit** → Bewegungskrankheit.
**Flugzeugträger** → Kriegsschiff.
**Flugzeugtreibstoff** → Treibstoff.
**Fluh** → Felswand.
¹**Fluidum**, Flair, Atmosphäre; → Ausstrahlungskraft.
²**Fluidum** → Ausstrahlungskraft.
**Fluktuation** → Veränderung.

**fluktuieren**, schwanken, wechseln; → abwechseln; → veränderlich; → Veränderung.
**Flunder:** → Fisch; platt sein wie eine F. →überrascht [sein].
**Flunkerei** → Lüge.
**flunkern** → lügen.
**Fluor** → Gas.
**Fluoreszenzlampe** → Glühbirne.
**fluoreszieren** → aufleuchten.
**Flur:** → Diele, → Feld, → Hausflur, → Treppenhaus.
**Flurbereinigung**, Feldbereinigung, Zusammenlegung; → Feld, → Geometer.
**Flurbuch** → Grundbuch.
**Flurgarderobe** → Garderobe.
**Flurhüter** → Flurwächter.
**Flurlampe** → Lampe.
**Flurleuchte** → Lampe.
**Flurlicht** → Lampe.
**Flurschaden** → Beschädigung.
**Flurschütz** → Flurwächter.
**Flurwächter**, Feldhüter, Flurhüter, Feldwächter, Flurschütz, Schütz, Feldschütz.
**Fluse**, Wollfluse, Fussel, Wollfussel, Faser, Fäserchen, Fädchen, Wollfädchen, Zaser (*landsch.*), Zasel (*landsch.*), Zase (*landsch.*); → Faser, → Staubflocke; → fusseln.
¹**Fluß**, Wasserlauf, Flußlauf, Strom, Wasserarm, Flußarm, Seitenarm, Nebenarm, Nebenfluß, Grenzfluß, Quellfluß, Bach, Rinnsal; → Bach, → Kanal, → Meer, → Pfütze, → See, → Ufer; → fließen.
²**Fluß:** im F. sein → wandeln (sich); in F. kommen → verursachen.
**Flußaal** → Fisch.
**flußabwärts** → abwärts.
**Flußangelei** → Angelsport.
**Flußarm** → Fluß.
**flußaufwärts** → aufwärts.
**Flußbarsch** → Fisch.
**Flußfischer** → Fischer.
**Flußfischerei** → Fischerei.
**Flußhafen** → Hafen.
¹**flüssig**, dickflüssig, zähflüssig, viskos, viskös, leimartig, breiig, schleimig, seimig, sämig (Suppe), geschmolzen, verflüssigt, aufgetaut, getaut; → klebrig, → legiert; → Flüssigkeit, → Flüssigsein.
²**flüssig:** → fließend, → zahlungsfähig; -er Brennstoff → Brennstoff; f. machen → zer-

lassen; -er Zustand → Flüssigsein.

**¹Flüssigkeit,** Lösung, Lauge,
Tinktur, Sud, Brühe, Lotion; →
Flüssigsein, → Getränk; →
flüssig.

**²Flüssigkeit:** → Flüssigsein; F.
zu sich nehmen → trinken.

**Flüssigkeitsbremse** → Bremse.

**flüssigmachen:** sich f. → weggehen.

**Flüssigsein,** Flüssigkeit (*selten*),
flüssiger Zustand, Dickflüssigkeit, Zähflüssigkeit, Viskosität,
Breiigkeit, Schleimigkeit, Seimigkeit, Sämigkeit (Suppe); →
Flüssigkeit, → Klebrigkeit; →
flüssig, → legiert.

**Flußkies** → Splitt.

**Flußkrebs** → Krebs.

**Flußlandschaft** → Landschaft.

**Flußlauf** → Fluß.

**Flußlotse** → Lotse.

**Flußmarsch** → Marsch.

**Flußmündung** → Mündung.

**Flußmuschel** → Muschel.

**Flußneunauge** → Fisch.

**Flußperlmuschel** → Muschel.

**Flußschiff** → Schiff.

**Flußschiffahrt** → Schiffahrt.

**Flußschiffer** → Schiffer.

**Flußschotter** → Splitt.

**Flußwasser** → Wasser.

**¹flüstern,** wispern, pispern, pispeln, fispern, fispeln, lispeln,
zischeln, zischen, tuscheln, hauchen, murmeln, munkeln, raunen, brummeln, brummen; →
mitteilen, → sprechen, →
stottern; → abgehackt, →
heiser, → leise, → unartikuliert;
→ Laut.

**²flüstern:** jmdm. was f. →
schelten; -d → leise.

**Flüsterpropaganda** → Gerücht.

**Flüsterstimme** → Stimme.

**Flüsterton:** im F. → leise.

**Flüstertüte** → Lautsprecher.

**¹Flut,** auflaufendes Wasser,
Hochwasser · *mit dem
geringsten Hub:* taube Flut,
Nipptide · *mit mittlerem Hub:*
mittlere Tide · *mit großem Hub:*
Springflut, Springtide; → Gezeiten · Ggs. → Ebbe.

**²Flut:** Ebbe und F. → Gezeiten;
taube F. → Flut.

**fluten** → fließen.

**Fluthafen** → Hafen.

**Flutlicht** → Scheinwerferlicht.

**flutschen:** etwas flutscht →
vorangehen.

**Flutwelle** → Welle.

**Fluxion** → Blutandrang.

**Flying Dutchman** → Segelboot.

**Fly-over** → Straße.

**Föderation:** → Bund, → Staat.

**Fog** → Nebel.

**Fogosch** → Fisch.

**fohlen** → gebären.

**Fohlen:** → Pelz, → Pferd.

**Föhn** → Fallwind.

**föhnempfindlich** → wetterfühlig.

**Föhnempfindlichkeit** → Wetterfühligkeit.

**föhnig** → schwül.

**Föhnkrankheit** → Wetterfühl-
ligkeit.

**Föhre** → Nadelhölzer.

**Fokus** → Brennpunkt.

**¹Folge,** Wirkung, Ergebnis,
Auswirkung, Konsequenz, Folgerung, Weiterung, Tragweite;
→ Erfolg; **die F. von etwas
sein:** etwas ist die Folge von
etwas, das ist die Quittung /
die Antwort / die Strafe, da
hast du die Bescherung / den
Salat! (*ugs.*), das kommt davon! (*ugs.*); siehst du, da hast
du's!; ätsch! (*Kinderspr.*); **die
Folgen tragen müssen,** die
Zeche bezahlen müssen (*ugs.*);
**unangenehme Folgen haben,**
etwas rächt sich / (*ugs.*) stößt
jmdm. sauer auf.

**²Folge:** → Erfolg, → Reihenfolge, → Zyklus; eine [endlose]
F. → viele; [den Anordnungen]
F. leisten → befolgen; die -n
tragen [müssen] → einstehen
(für); in rascher F. → schnell;
in steter F. → unaufhörlich; in
bestimmter / regelmäßiger F. →
periodisch; ohne -n bleiben →
wirkungslos [bleiben]; das Verhältnis blieb nicht ohne -n →
schwanger [sein]; zur F. haben
→ verursachen.

**folgen:** → gehorchen, → nachfolgen, → nachgehen, → nachkommen; [geistig] f. können →
verstehen; jmdm. mit den
Blicken f. → nachschauen
(jmdn.); der Stimme der Natur f. → koitieren.

**folgend** → nacheinander.

**folgendermaßen** → so.

**folgenreich** → wichtig.

**folgenschwer:** → ernst, →
wichtig.

**folgerichtig** → planmäßig.

**folgern,** schließen, zurückführen
auf, urteilen, den Schluß ziehen,
zu dem Schluß kommen, schlußfolgern, die Schlußfolgerung
ziehen, seine Schlüsse ziehen,
resümieren, ableiten, herleiten,
deduzieren; → auslegen, →
beurteilen, → denken, → stammen (von); → abschließend, →
irreduktibel, → zurückführbar;
→ Folgerung.

**¹Folgerung,** Schlußfolgerung,
Schluß, Konklusion, Zurückführung, Zuweisung, Bezug,
Beziehung, Ableitung, Herleitung, Deduktion; → Ableitung,
→ Folge; → folgern, → stammen (von); → zurückführbar.

**²Folgerung** → Folge.

**Folgesatz** → Satz.

**Folgetonhorn** → Hupe.

**folgewidrig,** außerplanmäßig,
unvorschriftsmäßig, inkonsequent; → gegensätzlich; → Inkonsequenz · Ggs. → plan-
mäßig.

**folglich** → also.

**¹folgsam,** fügsam, ergeben; →
anlehnungsbedürftig, → artig,
→ treu; **f. sein,** jmdm. aus der
Hand fressen (*ugs.*), jmdm.
bedingungslos ergeben sein.

**²folgsam** → artig.

**Folgsamkeit** → Gehorsam.

**Foliant** → Buch.

**¹Folie,** Kunststoffolie, Plastikfolie, Cellophanpapier ⓦ, Cellophan ⓦ, Klarsichtfolie, Metallfolie, Metallpapier, Goldfolie, Silberfolie, Silberpapier,
Alufolie, Aluminiumfolie, Zinnfolie, Stanniolpapier, Perfol
(*DDR*); → Einwickelpapier, →
Papier.

**²Folie** → Hintergrund.

**Folioausgabe** → Edition.

**Folkeviser** → Lied.

**Folklore:** → Musik, → Volkskunde.

**folkloristisch:** -e Musik → Musik.

**Folliculitis** → Haarbalgentzündung.

**Folliculitis barbae** → Haarbalgentzündung.

**Folliculitis decalvans** → Haarbalgentzündung.

**Follikelhormon** → Hormon.

**Follikelsprung** → Ovulation.

**follikelstimulierend:** -es Hormon
→ Hormon.

Follikulitis

**Follikulitis** → Haarbalgentzündung.

**Folter:** → Mißhandlung; jmdn. auf die F. spannen → neugierig [machen].

**foltern:** → mißhandeln, → schikanieren.

**Fomentation** → Wickel.

**Fomentum** → Wickel.

**Fön,** Haartrockner, Heißlufttrockner, Fönkamm; → Haarwäsche; → fönen.

**Fond** → Hintergrund.

**Fondant** → Praline.

**Fonds** → Vorrat.

**fönen,** die Haare trocknen; → Fön, → Haarwäsche.

**Fönkamm** → Fön.

**Fontäne** → Springbrunnen.

**foppen:** → anführen, → aufziehen.

**Fopper** → Schnuller.

**forcieren** → verstärken.

**Förde** → Meerbusen.

**Förderer** → Gönner.

**förderlich** → nützlich.

**¹fordern,** Forderungen / Ansprüche stellen, den Bengel [zu hoch] werfen (schweiz.), postulieren, ein Postulat aufstellen · zuviel: den Bogen überspannen, jmdn. überfordern; → verlangen.

**²fordern:** → verlangen, → vorschreiben; sich f. → anstrengen (sich).

**¹fördern,** begünstigen, protegieren, favorisieren, lancieren, aufbauen, herausstellen, herausbringen, ins Geschäft bringen (ugs.), Königsmacher sein (Politik), jmdn. in den Sattel helfen, jmdn. in den Sattel heben, jmdm. den Steigbügel halten, sich verwenden für, jmdm. die Bahn / die Wege ebnen, befürworten, ein gutes Wort einlegen für; → bevorzugen, → eintreten (für), → helfen, → steigern, → unterstützen (etwas), → vermehren, → verstärken; → Förderung, → Gönner, → Helfer, → Steigerung, → Vetternwirtschaft; → nützlich.

**²fördern** → unterstützen (etwas).

**Forderung:** → Anspruch, → Rechnung; -en stellen → fordern; auf jmds. -en eingehen → nachgeben; in seinen -en zurückgehen → zurückstecken.

**¹Förderung,** Empfehlung, Fürsprache, Gönnerschaft, Protektion; → Gönner, → Vetternwirtschaft; → fördern.

**²Förderung** → Hilfe.

**Forelle** → Fisch.

**forensisch:** -e Beredsamkeit → Redegewandtheit; -e Medizin → Gerichtsmedizin.

**Forint** → Zahlungsmittel.

**Forke** (nordd.), Heuforke (nordd.), Mistforke (nordd.), Heugabel, Mistgabel; → Harke.

**Forleule** → Schmetterling.

**¹Form,** Zuschnitt, Schnitt, Muster, Design, Styling; → formen.

**²Form:** → Backform, → Beschaffenheit, → Brauch, → Gebilde, → Manier; gekürzte F. → Kurzfassung; [nur] der F. halber → wirklich; aus der F. bringen → deformieren; außer / [nicht] in F. sein → Verfassung; in F. → fit; in F. bleiben → trainieren (sich); in F. sein → gesund [sein]; [glänzend] in F. sein → brillieren.

**Formans** → Affix.

**¹Format,** Niveau, Qualität, Rang.

**²Format** → Ansehen.

**Formation** → Heeresverband.

**formbar** → bildungsfähig.

**Formblatt** → Formular.

**Formel:** → Redensart; magische F. → Zaubermittel.

**Formelbruch,** Aprosdokese; → Ausdrucksweise, → Satzbruch.

**formelhaft,** stereotyp, ständig, [immer] wiederkehrend, gleichbleibend, sich wiederholend; → feststehend.

**formell,** förmlich, steif, zeremoniell, zeremoniös, konventionell; → herkömmlich, → höflich; → Benehmen.

**Formelsatz** → Schriftsatz.

**formen,** gestalten, bilden, nachbilden; → anfertigen, → bearbeiten, → lenken, → verbessern; → bildungsfähig; → Form.

**Formgeber** → Zeichner.

**Formgestalter** → Zeichner.

**formidabel:** → außergewöhnlich, → schrecklich.

**formieren:** sich f. → aufstellen (sich).

**förmlich:** → formell, → namentlich, → regelrecht.

**Förmlichkeit** → Brauch.

**formlos:** → amorph, → ungezwungen.

**Formosa** → China.

**formrein** → schön.

**formschön** → schön.

**Formschönheit** → Wohlgestaltetheit.

**Formular,** Vordruck, Formblatt, Fragebogen, Drucksorten (österr.) · für Personalangaben: Nationale (österr.).

**¹formulieren** (ein Anliegen o. ä.), artikulieren, ausdrücken, aussprechen, in Worte fassen / (geh.) kleiden · nicht exakt: ins unreine sprechen (scherzh.); → mitteilen.

**²formulieren** → aufschreiben.

**Formulierung** → Wortlaut.

**Formung** → Gestaltung.

**Formwort** → Wortart.

**forsch** → schnell.

**forschen,** ergründen, erforschen, eruieren, explorieren, studieren, sondieren; → ansehen, → auskundschaften, → nachforschen, → zergliedern; → Erforschung.

**Forscher** → Gelehrter.

**Forschergeist** → Neugier.

**Forschung** → Erforschung.

**Forschungsanstalt** → Institut.

**Forschungseifer** → Neugier.

**Forschungsinstitut** → Institut.

**Forschungsreise** → Reise.

**Forschungstrieb** → Neugier.

**Forst** → Wald.

**Förster,** Forstmann, Wildschütz (veraltet), Wildhüter; → Jäger.

**Forstgeometer** → Landvermesser.

**Forstmann** → Förster.

**fort:** → unterwegs, → weg; f. sein → verloren [sein]; in einem f. → unaufhörlich; weit f. mit den Gedanken sein → unaufmerksam [sein].

**Fort** → Festung.

**fortab** → später.

**fortan** → später.

**fortbegeben:** sich f. → weggehen.

**Fortbestand,** Fortdauer, Weiterbestehen, Dauer, Beständigkeit; → Fortsetzung.

**fortbestehen** → andauern.

**fortbewegen:** (sich), gehen, laufen (landsch.), zu Fuß gehen, marschieren, schreiten, wandeln, wallen, stolzieren, stelzen, stöckeln, tänzeln, tippeln (ugs.), tappeln (ugs.), trippeln, trotten,

248

zotteln, zuckeln, zockeln, schwärmen, stak[s]en, gehen wie ein Storch im Salat (*ugs.*), stapfen, tappen, waten, stiefeln, latschen (*abwertend*), schlurfen, schlurren (*ugs., nordd.*), hatschen (*ugs., österr.*), watscheln · *leise:* schleichen, auf Zehen / Zehenspitzen / Fußspitzen gehen · *mit einwärts gerichteten Fußspitzen:* über den [großen / dicken] Onkel gehen (*ugs.*), onkeln (*ugs.*) · *schnell:* rennen, springen (*landsch.*), spurten, sprinten, eilen, hasten, huschen, jagen, stieben, stürmen, stürzen (*ugs.*), rasen, sausen, fegen, pesen (*ugs.*), wetzen (*ugs.*), presten, blädern (*ugs., österr.*), pledern (*ugs., österr.*), flitzen, spritzen, die Beine in die Hand / unter den Arm nehmen, laufen wie eine gesengte Sau (*derb*) · *vorsichtig:* wie auf Eiern gehen (*ugs.*) · *in einer Stadt:* Pflaster treten (*ugs.*); → beeilen (sich), → bewegen (sich), → Boot [fahren], → fahren, → herumtreiben (sich), → hinken, → kommen, → kriechen, → pilgern, → spazierengehen, → treten, → weggehen; → Fortbewegung, → Fußgänger, → Marschroute, → Ortsveränderung, → Strecke.

¹**Fortbewegung,** Gang, Gangart; → Ortsveränderung; → fortbewegen (sich).

²**Fortbewegung** → Ortsveränderung.

**fortbilden:** sich f. → weiterbilden (sich).

**Fortbildung,** Weiterbildung, Erwachsenenbildung; → Schule, → Volkshochschule; → weiterbilden (sich).

**fortbringen:** → entfernen; von hier bringen mich keine zehn Pferde fort → weilen.

**Fortbringung** → Beseitigung.

**Fortdauer** → Fortbestand.

**fortdauern:** → andauern; -d → unaufhörlich; unvermindert -d → ungetrübt.

**forte** → Lautstärke.

**Fortentwicklung** → Fortschritt.

**fortfahren** → fortsetzen.

**Fortfall:** in F. kommen → wegfallen.

**fortfallen** → wegfallen.

**fortführen** → fortsetzen.

**Fortführung** → Fortsetzung.

**Fortgang** → Fortschritt.

**fortgesetzt** → unaufhörlich.

**forthelfen:** sich f. → behelfen (sich).

**fortissimo:** → laut, → Lautstärke.

**fortjagen** → vertreiben.

**Fortkommen:** sein F. finden → avancieren.

**fortlassen** → aussparen.

**fortlaufend:** → kursorisch, → unaufhörlich.

**fortmachen:** sich f. → weggehen.

**fortpflanzen** (sich), sich vermehren, die Art erhalten; → befruchten, → gebären, → koitieren; → Fortpflanzung.

**Fortpflanzung,** Vermehrung, Arterhaltung · ungeschlechtliche Fortpflanzung, Jungfernzeugung, Parthenogenese, Parthenogenesis, Monogenese, Monogenesis, Monogenismus, Monogonie, Schizogonie; → Befruchtung, → Fertilität, → Koitus; → fortpflanzen (sich).

**fortpflanzungsfähig** → fruchtbar.

**Fortpflanzungsfähigkeit** → Fertilität.

**Fortpflanzungstrieb** → Geschlechtstrieb.

**FORTRAN** → Sprache.

**forträumen** → entfernen.

**Forträumung** → Beseitigung.

**fortschaffen** → entfernen.

**Fortschaffung** → Beseitigung.

**fortscheren:** sich f. → weggehen.

**fortschicken** → entlassen.

**fortschleichen:** sich f. → weggehen.

**fortschreiben** → buchen.

**fortschreiten:** das Fortschreiten → Steigerung.

¹**Fortschritt,** Progreß, Fortentwicklung, Fortgang; → Entwicklung, → Steigerung, → Vorgang · Ggs. → Rückschritt; → rückschrittlich.

²**Fortschritt:** → Kultur; -e machen → vorangehen.

**fortschrittlich,** progressiv, avantgardistisch, vorkämpferisch, zeitgemäß, lebensnah, gegenwartsbezogen, gegenwartsnah, nicht → altmodisch, nicht → rückschrittlich; **f. sein,** mit der Zeit

gehen / Schritt halten; → Rückschritt; → Schrittmacher.

**fortschrittsfeindlich** → rückschrittlich.

**Fortschrittsfeindlichkeit** → Rückschritt.

**fortschrittsgläubig** → zuversichtlich.

**Fortschrittsgläubigkeit** → Optimismus.

¹**fortsetzen,** fortfahren, weitermachen, fortführen, weiterführen, weiterfahren (*schweiz.*), dabeibleiben, weiterverfolgen, am Ball bleiben (*ugs.*), nicht → beenden; → wachhalten; → Fortsetzung · Ggs. → unterbrechen.

²**fortsetzen:** seine Fahrt mit etwas f. → umsteigen.

**Fortsetzung,** Fortführung, Weiterführung; → Fortbestand; → fortsetzen.

**Fortsetzungsroman** → Roman.

**fortstehlen:** sich f. → weggehen.

**forttragen:** das kann eine Katze auf dem Schwanz f. → wenig.

**Fortuna:** F. lächelt / lacht jmdm. → Glück [haben].

**fortwährend** → unaufhörlich.

**fortweg** → unaufhörlich.

**fortwerfen** → wegwerfen.

**fortwursteln:** sich f. → behelfen (sich).

**fortziehen** → übersiedeln.

**Forum** → Platz.

**Forward** → Fußballspieler.

**Fose** → Prostituierte.

**Fossil** → Versteinerung.

**Foto:** → Fotografie; ein F. schießen → fotografieren.

**Fotoalbum** → Album.

**Fotoapparat,** Photoapparat, fotografischer / photographischer Apparat, Apparat, Kamera, Stehbildkamera, Kasten (*ugs.*), Fotokasten (*ugs.*) · Lochkamera, Camera obscura, Boxkamera, Box, Spiegelreflexkamera, Mattscheibenkamera, Sucherkamera · Großbildkamera, Studiokamera, Atelierkamera, Laufbodenkamera · Kleinbildkamera, Kleinstbildkamera, Miniaturkamera · Unterwasserkamera, Luftbildkamera, Panoramakamera, Superweitwinkelkamera, Stereokamera · Fotografie, Kamera; → Projektionsapparat; → fotografieren.

**Fotograf,** Photograph, Lichtbildner, Porträtfotograf, Landschaftsfotograf, Modefotograf, Werbefotograf, Pressefotograf, Berufsfotograf · *nicht berufsmäßig fotografierender:* Amateurfotograf, Amateur, Liebhaberfotograf; → Fotografie; → fotografieren.

**Fotografie,** Photographie, Lichtbild, Aufnahme, Foto, Photo, Bild, Schnappschuß, Porträtaufnahme, Porträt, Konterfei, Daguerreotypie, Schwarzweißfotografie, Schwarzweißfoto, Schwarzweißaufnahme, Farbfotografie, Farbfoto, Farbaufnahme, Freilichtaufnahme, Blitzlichtaufnahme, Großaufnahme, Nahaufnahme, Nachtaufnahme, Amateurfoto, Landschaftsaufnahme, Gruppenbild' Gruppenaufnahme, Gruppenfoto, Familienfoto, Klassenfoto, Klassenbild, Paßfoto, Ganzfoto, Brustbild · *mittels Laserstrahlen aufgenommene:* Holographie · *mit kurzer Belichtungszeit:* Momentaufnahme · *mit längerer Belichtungszeit:* Zeitaufnahme · *eines nackten menschlichen Körpers:* Aktfotografie, Aktfoto, Aktaufnahme · *zur sexuellen Erregung:* Pornobild · *vergrößerte:* Vergrößerung · *nicht abgezogene:* Negativ · *auf einer Diapositivplatte:* Diapositiv, Dia; → Bilderrahmen, → Bildnis, → Fotoapparat, → Fotograf, → Raster; → fotografieren.

**fotografieren,** photographieren, aufnehmen, eine Aufnahme / ein Bild machen, knipsen (*ugs.*), abnehmen, ein Bild / Foto schießen (*salopp*); → filmen; → unscharf; → Bild, → Film, → Fotoapparat, → Fotograf, → Fotografie.

**fotografisch:** -er Apparat → Fotoapparat.

**Fotokasten** → Fotoapparat.

**Fotokopie** → Reproduktion.

**fotokopieren** → ablichten.

**fotomechanisch:** -er Nachdruck → Reproduktion.

**Fotomodell,** Photomodell, Modell · Malermodell, Aktmodell; → Glamourgirl, → Mannequin.

**Fotosafari** → Reise.

**Fötus** → Leibesfrucht.

**Fotze:** → Mund, → Ohrfeige, → Vagina.

**Fotzhobel** → Blasinstrument.

**Foul** → Regelverstoß.

**Fourgon** → Auto.

**Fox** → Hunderassen.

**Foxterrier** → Hunderassen.

**Foxtrott** → Tanz.

**Foyer,** Wandelhalle, Wandelgang, Vestibül; → Diele.

**Fra** → Mönch.

**Fracht** → Ladung.

**Frachtbahnhof** → Bahnhof.

**Frachtdampfer** → Schiff.

**Frachtenbahnhof** → Bahnhof.

**Frachter** → Schiff.

**Frachtgut** → Ladung.

**Frachtschiff** → Schiff.

**Frachtschiffahrt** → Schiffahrt.

**Frachtschiffer** → Schiffer.

**Frachtstück** → Packen.

**Frack:** → Anzug; jmdm. den F. vollhauen / vollschlagen → schlagen.

**Frackhemd** → Oberhemd.

**Fracksausen:** F. haben → Angst [haben vor].

**Frackschoß:** an jmds. Frackschößen hängen → verwöhnt [sein].

**Frackschoßsausen:** F. haben → Angst [haben vor].

**¹Frage,** Erkundigung, Anfrage, Nachfrage, Befragung, Gegenfrage, Rückfrage, Zwischenfrage, Querfrage, Teilfrage, Nebenfrage, Diskussionsfrage, Entscheidungsfrage, Alternativfrage, Prüfungsfrage, Intelligenzfrage, Rätselfrage, Scherzfrage, Konsultation, Interview · *die dem Befragten die Antwort bereits durch die Art der Frage in den Mund legt:* Suggestivfrage · *mit der man etwas herauszubekommen versucht:* Fangfrage, Gretchenfrage · *auf die es nur eine Antwort gibt, die durch Erfahrung nicht kontrolliert werden kann:* Scheinfrage (*Philos.*); → Umfrage; → fragen · Ggs. → Antwort.

**²Frage:** → Schwierigkeit; es gibt noch viele -n → offenbleiben; eine F. richten an / stellen / vorbringen / vorlegen, mit -n überschütten → fragen; in F. kommen → eignen [sich]; in F. stellen → zweifeln; man muß sehr in F. stellen, ob... → ungewiß [sein]; in F. kommend →

potentiell; kommt nicht in F. → nein; etwas kommt nicht in F. → tun.

**Fragebogen** → Formular.

**frägeln** → fragen.

**Fragelust** → Neugier.

**fragelustig** → neugierig.

**¹fragen,** eine Frage richten an / stellen / vorlegen / vorbringen, jmdn. mit Fragen überschütten, ausfragen, jmdm. ein Loch in den Bauch fragen (*ugs.*), jmdm. die Seele aus dem Leib fragen (*ugs.*), bohren (*ugs.*), aushorchen, ausforschen, ausförscheln (*schweiz.*), frägeln (*schweiz.*), fratscheln (*ugs., österr.*), ausfratscheln (*ugs., österr.*), auf den Busch klopfen (*ugs.*), ausholen (*ugs.*), das Letzte aus jmdm. herausholen (*ugs.*), ausquetschen (*salopp*), ausknautschen (*salopp*), ausnehmen (*salopp*), befragen, interviewen, umfragen, herumfragen, eine Umfrage halten / veranstalten, sich erkundigen / informieren / orientieren / unterrichten / (*ugs.*) umhören / umtun, Erkundigungen einziehen, konsultieren, um Rat fragen, begrüßen (*Amtsspr., schweiz.*), anfragen, nachfragen · *vorsichtig:* antippen (*ugs.*) · *hartnäckig:* jmdn. in die Enge treiben, insistieren; → auskundschaften, → bitte?, → finden, → nachforschen, → prüfen, → zusetzen (jmdm.); → Frage, → Gespräch, → Umfrage · Ggs. → antworten.

**²fragen:** sich f. → denken; gefragt werden müssen → Entscheidung; danach fragt niemand → unwichtig [sein]; wenn Sie mich f. → ich.

**Fragerei** → Neugier.

**Fragesatz** → Satz.

**Fragezeichen** → Satzzeichen.

**fragil:** → zart, → zerbrechlich.

**fraglich:** → obig, → ungewiß.

**Fraglichkeit** → Ungewißheit.

**fraglos** → zweifellos.

**Fragment,** Bruchstück, Rest, Überrest; → Unvollständigkeit; → unvollständig.

**fragmentarisch** → unvollständig.

**Fragner** → Kaufmann.

**fragwürdig** → anrüchig.

**Frais:** in die -en fallen → betroffen [sein].

fraise → rot.

Fraktion → Partei.

Fraktur: → Knochenbruch; F. reden → schelten.

Frakturschrift → Schrift.

Franc: [belgischer / luxemburgischer F.] → Zahlungsmittel.

Française → Tanz.

Français élémentaire → Grundwortschatz.

Français fondamental → Grundwortschatz.

frank: f. und frei → aufrichtig.

¹Franken, Schweizerfranken, Fränkli · Frankenstück, Fränkler, Stein (salopp), Stutz (salopp) · Zweifrankenstück, Zweifränkler · Fünffrankenstück, Fünfliber, Liber (selten); → Münze, → Zahlungsmittel.

²Franken: Schweizer F. → Zahlungsmittel.

Frankenstück → Franken.

Frankfurt, Frankfurt am Main, Mainmetropole, Goethestadt, Messestadt; → Stadt.

Frankfurter: F. Kranz → Gebäck; [F. Würstchen] → Würstchen.

frankfurterisch: f. sprechen → Mundart [sprechen].

frankieren, freimachen, eine Briefmarke aufkleben; → Briefmarke.

fränkisch: f. sprechen → Mundart [sprechen].

Fränkler → Franken.

Fränkli → Franken.

franko → kostenlos.

Frankosendung → Postsendung.

¹Frankreich, Marianne (scherzh.); → Franzose.

²Frankreich: wie Gott in F. leben → leben.

Franktireur → Partisan.

Franse: -n → Besatz, → Ponys.

Franzbrötchen → Brötchen.

Franziskaner → Mönchsorden.

Franziskanerorden → Mönchsorden.

Franzmann → Franzose.

Franzose, Franzmann (ugs.), Poilu (Spitzname); → Frankreich.

Franzosenkrankheit → Geschlechtskrankheit.

Franzosensuppe → Suppe.

französisch: -es Bett → Bett; -er Kuß → Kuß; -er Pfeffer-

schinken → Schinken; -e Suppe → Suppe; -es Weißbrot → Kaviarbrot; f. lieben → koitieren; sich auf f. empfehlen → weggehen.

frappant: → außergewöhnlich, → treffend.

Frappé → Mixgetränk.

Fräse → Bart.

fräsen → glätten.

Fraß → Essen.

Frater → Mönch.

Fraternisation → Verbrüderung.

fraternisieren → verbrüdern (sich).

fratscheln → fragen.

Fratz: → Kind, → Mädchen.

Fratze: → Gesicht, → Miene, → Zerrbild.

¹Frau, Sie, Dame, Lady, Eva (scherzh.), Evastochter (scherzh.), Weib, weibliches Wesen, Weibchen, Hausfrau, Heimchen am Herd (abwertend), Pusselchen (abwertend), Glucke (abwertend) · negativ beurteilte: Weibsbild (derb), Weibstück (derb), Miststück (derb), Frauenzimmer, das Mensch (salopp), Frauensperson (abwertend), Person (salopp), Giftspritze (salopp), Klatschweib (salopp), Waschweib (derb), Gewitterziege (salopp, abwertend), Giftnudel (salopp), Blunze (salopp, österr.), Bißgurn (bayr., österr.), Waberl (salopp, österr.), Drahdiwaberl (salopp, österr.), Kepplerin (österr.), Keppelweib (österr.), Urschel (bayr., österr.), Fuchtel (österr.), alte Schachtel (salopp), Schreckschraube (ugs.), Schrapnell (derb), Witzfigur (abwertend), Schraubendampfer (ugs.), Fregatte (ugs.), Spinatwachtel (ugs.), Vogelscheuche (ugs.), Zimtziege (salopp), Zimtzicke (salopp), Zicke (abwertend), Schlampe, Schlampen (bes. österr.), Schrulle (salopp) · aufdringlich lachende: Meckerziege (salopp, abwertend) · in bezug auf das Verhältnis zu ihrem Hund: Frauchen · zänkische: Beißzange, Drachen (abwertend), Dragoner (abwertend), große, starke, männlich wirkende: Mannweib (abwertend), Walküre, Hünenweib, Riesin, Riesenweib · intellektuelle, unfrauliche: Blaustrumpf (ab-

wertend) · im Beruf erfolgreiche: Karrierefrau · zu sehr geschminkte: Tuschkasten · schöne: Schönheit, Beauté, Beauty · besonders attraktiv wirkende: Rasseweib, Klassefrau, Klasseweib · dicke: Maschine (salopp) · ältere: Matrone, Scharteke (abwertend), Oma (ugs.), Mütterchen, Muttchen (ugs.) · unverheiratete: Fräulein, Jungfer, altes / spätes Mädchen · die noch nicht geboren hat: Nullipara · die mehrmals geboren hat: Multipara, Gebärmaschine (salopp, abwertend) · braunhaarige: Brünette · blonde: Blondine; → Dummkopf, → Ehefrau, → First Lady, → Frauenrechtlerin, → Lesbierin, → Mädchen, → Mensch, → Mutter, → Vamp; → gebären · Ggs. → Mann.

²Frau: → Ehefrau; gnädige F. → Dame; Unsere Liebe F. → Madonna; weise F. → Hebamme; F. Welt → Welt; Mann und F. → Ehepaar; Mann und F. sein → verheiratet; jmds. F. sein → verheiratet; keine F. finden → heiraten; sich eine F. suchen, sich nach einer F. umsehen → werben; an die F. bringen → verkuppeln; zur F. geben → verheiraten.

Frauchen → Frau.

Frauen (die), Weibsleute, Weibsen (scherzh.), Frauensleute, Damenwelt, das schöne / schwache Geschlecht, die [holde] Weiblichkeit; → Frau · Ggs. → Männer (die).

Frauenarzt → Arzt.

Frauenbad → Badeort.

Frauenbeilage → Zeitungsbeilage.

Frauenchor → Chor.

Frauenfisch → Fisch.

Frauenhaar: → Farn; Goldenes F. → Moor.

Frauenhasser → Weiberfeind.

Frauenheilkunde → Heilkunde.

Frauenheld, Frauenliebling, Frauenmann, Belami, Lebemann, Playboy, Suitier (veraltend), Salonlöwe, Bonvivant, Luftikus, Verführer, Charmeur, Ladykiller, Poussierstengel (ugs.), Windhund, Bock (derb), He-man, Hurenbock (derb), Lüstling, Lustmolch (ugs.), Wüstling, Roué, Schürzenjäger,

**Frauenkleid**

Witwentröster, Schmachtlappen (ugs.), Schwerenöter, Weiberheld (abwertend), Herzensbrecher, Casanova, Don Juan, Sexprotz (ugs.), Courmacher (veraltet); → Adonis, → Junggeselle, → Leichtfuß, → Mann, → Schmeichler; **ein F. sein**, ein Schürzenjäger / (ugs.) Poussierstengel sein, allen Mädchen nachlaufen, hinter jeder Schürze herlaufen.
**Frauenkleid** → Kleid.
**Frauenklinik** → Krankenhaus.
**Frauenliebling** → Frauenheld.
**Frauenmann** → Frauenheld.
**Frauenmörder** → Mörder.
**Frauennerfling** → Fisch.
**Frauenorden** → Nonnenorden.
**Frauenrechtlerin**, Emanzipierte, dolle Mina, Suffragette (abwertend); → Emanzipation, → Frau; → selbständig.
**Frauenroman** → Roman.
**Frauenschlüssel** → Schlüsselblume.
**Frauenschuh** → Orchidee.
**Frauensleute** → Frauen (die).
**Frauensperson** → Frau.
**Frauenstimmrecht** → Wahlrecht.
**Frauenwahlrecht** → Wahlrecht.
**Frauenzimmer:** → Frau, → Fräulein.
**Frau Holle:** F. H. schüttelt die Betten → schneien.
**¹Fräulein** (Anrede), Frauenzimmer (veraltet), Mamsell (veraltet) · in England: Miß · in Frankreich: Mademoiselle, Demoiselle · in Italien: Signorina · in Spanien: Señorita · in Portugal: Senhorita; → Dame · Ggs. → Herr.
**²Fräulein:** → Frau; Englische F. → Nonnenorden.
**fraulich** → weiblich.
**Freak-out** → Rausch.
**frech**, keck, vorlaut, vorwitzig, naseweis, dreist, keß, ungezogen, unartig, ungesittet, unmanierlich, unverfroren, unverschämt, pampig (salopp), rotzfrech (salopp), rotzig (salopp), flapsig (abwertend), geschert (salopp, österr.), naßforsch (ugs.), ausverschämt, impertinent, frivol, schamlos, kiebig (landsch.), nicht → artig; → anstößig, → böse, → gewöhn-

lich, → mutig, → spöttisch, → unhöflich, → unzugänglich; **f. sein**, mit dem Mund vorneweg sein (ugs.), frech wie Oskar / Rotz sein (ugs.); **f. werden**, sich mausig machen (ugs.), jmdm. dumm kommen (ugs.); → erdreisten (sich); → Frechheit.
**Frechdachs** → Junge.
**¹Frechheit**, Unverschämtheit, Dreistigkeit, Arroganz, Impertinenz, Insolenz, Vorwitz, Ungezogenheit, Chuzpe (jidd.), Unverfrorenheit, Kaltschnäuzigkeit; → Bosheit, → Überheblichkeit; → frech.
**²Frechheit:** die F. haben / besitzen → erdreisten (sich); etwas ist eine F. → unerhört [sein].
**Fregatte** → Frau, → Kriegsschiff, → Segelschiff.
**Fregattenkapitän:** → Dienstgrad, → Seeoffizier.
**frei:** → kostenlos, → nackt, → selbständig, → ungezwungen; -en Abzug / -es Geleit gewähren → freilassen; -e Antiqua → Schrift; -e Bahn / Hand haben → selbständig [sein]; -e Fahrt haben → behindern; auf -en Fuß setzen → freilassen; f. konvertierbare Währung → Zahlungsmittel; -en Lauf lassen → einschränken; -er Mann → Fußballspieler; in Gottes -er Natur → Natur; -e Rhythmen → Vers; Freie Stadt Danzig → Danzig; Freie und Hansestadt Hamburg → Hamburg; die freie Welt → Westmächte (die); [sich] f. machen → ausziehen; f. von Alkohol → alkoholfrei; f. von der Leber weg reden → sprechen; frank und f. → aufrichtig; im Freien → draußen; nicht f. → besetzt.
**-frei** → ohne.
**Freibad** → Bad.
**Freiballon** → Luftschiff.
**Freibankfleisch** → Fleisch.
**Freibeuter** → Seeräuber.
**Freibeuterausgabe** → Nachdruck.
**¹Freibrief**, Entlastungszeugnis, Persilschein (ugs.); → Erlaubnis; **einen F. haben**, Narrenfreiheit haben.
**²Freibrief:** jmdm. einen F. ausstellen / geben → billigen.
**Freidenker**, Freigeist, Religionsverächter, Glaubensloser, Kon-

fessionsloser, Dissident; → Atheist, → Ketzer; → religionslos.
**freidenkerisch** → religionslos.
**Freidenkertum** → Deismus.
**Freideutsch:** -e Jugend → Jugendbewegung.
**Freie:** im -n → Natur; ins F. treten → hinausgehen.
**freien:** → heiraten, → werben.
**Freier** → Bräutigam.
**Freiersfüße:** auf -n gehen → werben.
**Freifrau** → Adlige.
**Freifräulein** → Adlige.
**freigeben:** → freilassen, → zurückhalten.
**freigebig**, großzügig, generös, hochherzig, large (schweiz.), nobel, honorig, splendid, gebefreudig, weitherzig, verschwenderisch, verschwendungssüchtig (abwertend), spendabel (ugs.), nicht → geizig, nicht → sparsam; → entgegenkommend, → üppig; **f. sein**, sich nicht lumpen lassen (ugs.), eine milde / offene Hand haben; → verschwenden; → Gastfreundschaft, → Großzügigkeit.
**Freigebigkeit** → Großzügigkeit.
**¹Freigehege**, Wildgehege, Gehege, Zwinger, Bärenzwinger, Löwenzwinger; → Käfig, → Tiergarten.
**²Freigehege** → Naturschutzgebiet.
**Freigeist** → Freidenker.
**freigeistig** → religionslos.
**freigemacht** → kostenlos.
**Freigericht** → Gericht.
**freigestellt** → freiwillig.
**Freihafen** → Hafen.
**freihalten:** → reservieren; jmdn. f. → spendieren.
**¹Freiheit**, Unabhängigkeit, Ungebundenheit, Bewegungsfreiheit, Ungezwungenheit, Selbstbestimmung, Zwanglosigkeit, Meinungsfreiheit, Gedankenfreiheit · in bezug auf Informationen: Redefreiheit, Pressefreiheit · im religiösen Bereich: Bekenntnisfreiheit, Glaubensfreiheit; → Autonomie, → Bewegungsfreiheit; → freiheitlich, → ungezwungen · Ggs. → Zwang.
**²Freiheit:** → Ungezwungenheit; jmdm. die F. geben / schenken → freilassen.

252

freiheitlich, liberal, antiautoritär, repressionsfrei, ohne Zwang; nicht → repressiv; → ungezwungen; → Freiheit.

**Freiheitsberaubung** → Freiheitsentzug.

**Freiheitsdichtung** → Dichtung.

**Freiheitsentzug**, Haft, Arrest, [polizeilicher] Gewahrsam, Hausarrest, Stubenarrest, Zimmerarrest, [lebenslange / lebenslängliche] Freiheitsstrafe, Gefängnisstrafe, Zuchthausstrafe, Einschließung, Sicherungsverwahrung, Zet (salopp) · *nicht entehrender bei politischen Vergehen:* Festungshaft · *um Gewalttaten gegen den Häftling zu verhindern:* Schutzhaft · *vorläufiger:* Untersuchungshaft, U-Haft (ugs.), Schubhaft (österr.) · *für kurze Zeit, um einen Zeugen zur Aussage oder zur Abgabe eines Eides zu zwingen:* Beugehaft · *vor der Aburteilung, um weiteren Straftaten vorzubeugen:* Vorbeugungshaft · *widerrechtlicher:* Freiheitsberaubung; → Strafanstalt; → ergreifen, → festsetzen.

**Freiheitsstrafe:** → Freiheitsentzug; [lebenslange / lebenslängliche F.] → Freiheitsentzug.

**freiheraus** → rundheraus.

**Freiherr** → Adliger.

**Freiin** → Adlige.

**Freikarte** → Eintrittskarte.

**freikaufen** (sich / jmdn.), loskaufen, Lösegeld zahlen; → retten.

**freikommen:** f. von → entledigen (sich jmds. / einer Sache).

**Freikörperkultur,** FKK, Nacktkultur, Nudismus, Naturismus; → Nacktbadestrand, → Nudist.

**Freilandgemüse** → Gemüse.

**freilassen,** freigeben, loslassen, auslassen (südd., österr.), entlassen, freisetzen, auf freien Fuß setzen, jmdm. die Freiheit schenken / geben, gehen / laufen / springen lassen, freies Geleit / freien Abzug gewähren · Ggs. → festsetzen.

**freilich:** → aber, → ja, → zwar.

**Freilichtaufnahme** → Fotografie.

**Freilichtkino** → Kino.

**Freilichtmalerei** → Malerei.

**Freiluftgymnastik** → Gymnastik.

**freimachen** → frankieren.

**Freimarke** → Briefmarke.

**Freimut** → Aufrichtigkeit.

**freimütig** → aufrichtig.

**Freisamrose** → Pfingstrose.

**Freischaffender** → Berufsstand.

**Freischärler** → Partisan.

**freischwimmen:** sich f. → selbständig [werden].

**freisetzen** → freilassen.

**freisinnig** → aufgeklärt.

**freisprechen:** → lossprechen; freigesprochen werden → verurteilen.

**Freistaat** → Bundesland.

**Freistatt** → Zuflucht.

**freistehen:** etwas steht jmdm. frei / ist jmdm. unbenommen, jmd. kann ungehindert etwas tun, niemand hindert jmdn. daran; → ungezwungen · Ggs. → hindern.

**freistellen:** jmdm. etwas f. → billigen, → überlassen (jmdm. etwas).

**Freistilringen** → Ringen.

**Freistilringkampf** → Ringen.

**Freistunde,** Springstunde, unterrichtsfreie Stunde; → Pause.

**Freitag:** schwarzer F. → Unglückstag; Stiller F. → Karfreitag; an jedem F., jeden F., immer am F., alle -e → freitags.

**freitags,** an jedem Freitag, jeden Freitag, immer am Freitag, alle Freitage; → wochentags.

**Freite:** auf die F. gehen → werben.

**Freitod:** → Selbstmord; den F. wählen → entleiben (sich).

**Freitreppe** → Treppe.

**Freiübung:** -en → Gymnastik.

**freiweg** → rundheraus.

**Freiwild:** F. sein → schutzlos [sein].

¹**freiwillig,** fakultativ, spontan, von selbst, von sich aus, aus sich heraus, von allein (ugs.), unaufgefordert, ungeheißen, ohne Aufforderung, aus eigenem Antrieb, aus freiem Willen, aus freien Stücken, etwas ist freigestellt, nicht → verbindlich; → absichtlich.

²**freiwillig:** -e Feuerwehr → Feuerwehr; f. aus dem Leben scheiden → entleiben (sich).

**Freizeit** → Muße.

**Freizeitbeschäftigung** → Liebhaberei.

**Freizeithemd** → Oberhemd.

**Freizeitkleidung** → Kleidung.

**freizügig** → tolerant.

**Freizügigkeit** → Bewegungsfreiheit.

¹**fremd,** fremdländisch, fremdartig, wildfremd, unbekannt, ausländisch, exotisch, nicht → bekannt, nicht → einheimisch; **jmdm. f. sein,** jmdm. unbekannt / nicht bekannt sein, jmdm. fernstehen, jmdn. nicht kennen; → Gast · Ggs. → kennen.

²**fremd:** sich f. werden → entfremden (sich); sich mit -en Federn schmücken → plagiieren.

**Fremdarbeiter** → Gastarbeiter.

**Fremdarbeiterheim** → Heim.

**fremdartig** → fremd.

**Fremde** → Ausland.

**fremdeln,** fremden (schweiz.), schüchtern / scheu / ängstlich sein; → Angst [haben].

**fremden** → fremdeln.

**Fremdenführer** → Begleiter.

**Fremdenführerin** → Betreuerin.

**Fremdenheim** → Heim.

**Fremdenlegionär** → Soldat.

**Fremdenzimmer** → Raum.

**Fremder,** Fremdling, Pimock (rhein., abwertend), Ausländer, Staatenloser, Zugereister (ugs.), kein Einheimischer / (ugs.) Hiesiger, Ortsunkundiger, Tschusch (österr., abwertend) · *in Südamerika:* Gringo; → Ausland, → Gast.

**fremdgehen** → untreu [sein].

**Fremdherrschaft** → Besatzung.

**fremdländisch** → fremd.

**Fremdling** → Fremder.

**Fremdsprachensatz** → Schriftsatz.

**Fremdtümelei** → Nachahmung.

**Fremdwort** → Wort.

**Fremdwörterbuch** → Nachschlagewerk.

**Fremdwortjagd** → Sprachpflege.

**Fremdwortjäger** → Sprachpfleger.

**Fremdwortjägerei** → Sprachpflege.

**frequentieren,** häufig besuchen, jmdm. die Bude einlaufen / einrennen (salopp); **frequentiert werden,** Zulauf haben.

Frequenz → Häufigkeit.
Freske → Malerei.
Fresko: → Malerei, → Stoff.
Freskomalerei → Maltechnik.
Fressalien: → Lebensmittel, → Nahrung.
Freßbarren → Gefäß.
Fresse: → Gesicht; ach du meine F.! → überrascht [sein]; in die F. knallen, jmdm. eine in die F. geben, jmdm. die F. polieren → schlagen.
fressen: → essen; zu f. geben → ernähren; leer f. → abgrasen; ratzekahl f. → abfressen; ich fresse einen Besen, daß ... → versprechen → zweifeln; jmdm. aus der Hand f. → folgsam [sein]; was der Bauer nicht kennt, das frißt er nicht → wählerisch [sein]; die Weisheit nicht mit Löffeln gefressen haben → dumm [sein]; f. wie ein Scheunendrescher → essen; jmdn. zum Fressen gern haben→ lieben; zum Fressen sein → adrett [sein].
Fressen: → Essen, → Nahrung; ein gefundenes F. sein → willkommen [sein].
Freßgelage → Essen.
Freßgier → Gefräßigkeit.
Freßlust → Appetit.
Freßpaket: → Gabe, → Nahrung.
Freßwelle → Verbrauch.
Freßwerkzeuge → Mund.
Freßzellen → Blutkörperchen.
Freteur → Reeder.
fretten: sich f. → behelfen (sich).
¹Freude, Wonne, Seligkeit, Glückseligkeit, Glück · die eine junge Mutter empfindet: Mutterglück; → Lust; → freuen (sich).
²Freude: → Lust; jmd. hat F. an etwas → erfreuen; jmdm. die F. verderben → ärgern; jmdm. die F. an etwas verderben → verleiden; mit -n → ja; jmdm. hüpft das Herz vor F., vor F. [fast] an die Decke springen → freuen (sich).
freudelos → schwermütig.
Freudengeheul: → Jubel, → Lache.
Freudengeschrei → Jubel.
Freudenhaus → Bordell.
Freudenmädchen → Prostituierte.
Freudenpfriem → Penis.

Freudenruf: einen F. ausstoßen → jubeln.
Freudenschrei: einen F. ausstoßen → jubeln.
Freudensprung → Sprung.
Freudentag → Jahrestag.
Freudentanz: Freudentänze aufführen → freuen (sich).
Freudentaumel → Jubel.
Freudenträne → Träne.
freudestrahlend → glücklich.
freudig: → lustig; in -er Erregung sein → Vorfreude.
freudlos → schwermütig.
Freudlosigkeit → Trauer.
¹freuen (sich), sich erfreuen / ergötzen, genießen, Freude / Wohlgefallen haben, Freude empfinden an, Gefallen finden an, sich delektieren / weiden an, das Herz geht jmdm. auf, hurra schreien (ugs.), begeistert sein, etwas nicht erwarten können, vor Freude [fast] an die Decke springen, Freudentänze / Indianertänze aufführen (ugs.), sich freuen wie ein Schneekönig, jmdm. hüpft das Herz vor Freude / lacht das Herz im Leibe; → erfreuen, → genießen, → vergnügen (sich); → Freude, → Lust, → Vorfreude, → Zuneigung.
²freuen: etwas freut jmdn. → erfreuen; sich f. [über] → lachen; sich des Lebens f. → leben; sich f. auf → Vorfreude.
¹Freund, Schulfreund, Jugendfreund, Jugendgespiele, Duzfreund, Herzensfreund (dichter.), Herzensbruder (dichter.), Studienfreund, Kamerad, Schulkamerad, Spezi (oberd.), Bazi (wiener.), Geschäftsfreund, Parteifreund, Weggefährte, Weggenosse, Gefährte, Getreuer, Intimus, Vertrauter, Busenfreund, Konfident, Gespan (oberd.), Kumpel (ugs.), Haberer (salopp, österr.), Kampl (bayr., österr.), Gespiele; → Berater, → Freundeskreis, → Freundin, → Freundschaft, → Gesinnungsgenosse, → Helfer, → Kamerad, → Kollege, → Komplice, → Zecher; → anfreunden (sich mit).
²Freund: → Geliebter, → Liebhaber; F. Hein → Tod; F. und Feind → alle; als F. → freund-

schaftlich; -e / jmds. F. / dicke -e sein → vertraut.
Freundeskreis, Bekanntenkreis, Bekanntschaft, Anhang; → Freund, → Freundschaft; → freundschaftlich.
¹Freundin, Schulfreundin, Jugendfreundin, Jugendgespielin, Gespielin, Duzfreundin, Vertraute, Herzensfreundin (dichter.), Studienfreundin, Kamerad, Kameradin, Schulkameradin, Kumpel (ugs.); → Freund, → Kamerad; → anfreunden (sich mit).
²Freundin → Geliebte.
freundlich: → charmant, → entgegenkommend; mit -er Empfehlung, mit -en Grüßen → hochachtungsvoll; wären Sie so f.? → bitte!
freundlicherweise → Entgegenkommen.
¹Freundlichkeit, Liebenswürdigkeit, Verbindlichkeit, Nettigkeit, Herzlichkeit, Kordialität (veraltet), Warmherzigkeit, Wärme; → Duldsamkeit, → Höflichkeit; → gütig.
²Freundlichkeit: → Entgegenkommen; haben / hätten Sie die F. ... ? → bitte!
freundnachbarlich → freundschaftlich.
¹Freundschaft, Kameradschaft, Philia, Bindung, freundschaftliche Beziehung, Kameraderie (abwertend); → Bund, → Clique, → Freund, → Freundeskreis, → Mitgefühl, → Zuneigung; → freundschaftlich.
²Freundschaft: jmdm. die F. aufkündigen / kündigen → brechen (mit jmdm.); F. schließen → anfreunden (sich mit); in aller F. → freundschaftlich.
¹freundschaftlich, brüderlich, als Freund, in aller Freundschaft, freundnachbarlich, kameradschaftlich, partnerschaftlich; → gefällig; → Freundeskreis, → Freundschaft.
²freundschaftlich: mit jmdm. auf -em Fuß stehen → vertraut.
Freundschaftsabkommen → Abmachung.
Freundschaftsdienst → Dienst.
Freundschaftspreis → Preis.
Freundschaftsring → Ring.

Frevel → Verstoß.
frevelhaft → lästerlich.
freveln → sündigen.
Freveltat → Verstoß.
Frevler → Verbrecher.
Freyja → Göttin.
Friede → Frieden.
¹Frieden, Friede, Friedenszustand, Friedenszeit; → Friedenssymbol, → Waffenstillstand; F. stiften, befrieden, eine Verständigung / Versöhnung anbahnen; F. schließen, den Kriegszustand beenden, die Feindseligkeiten einstellen (geh.), die Waffen ruhen lassen (geh.), das Schwert in die Scheide stecken (geh., veraltend), die Friedenspfeife rauchen (scherzh.); → bereinigen · Ggs. → bekriegen.
²Frieden: → Stille, → Waffenstillstand; F. schließen → bereinigen; dem F. nicht trauen → argwöhnisch [sein]; laß mich in F.! → unwichtig [sein]; mit jmdm. in F. leben → vertragen (sich); um des lieben -s willen → Streit; voll F. → friedlich; zum ewigen F. eingehen → sterben.
Friedensbereitschaft → Verhandlungsbereitschaft.
Friedensengel → Friedenssymbol.
Friedensfahne → Fahne.
Friedensfest → Feiertag.
Friedensfreund → Pazifist.
Friedenspalme → Friedenssymbol.
Friedenspfeife: die F. rauchen → bereinigen, → Frieden [schließen].
Friedensschluß → Waffenstillstand.
Friedenssymbol · Friedenstaube, Friedenspalme, Friedensengel; → Frieden, → Pazifist, → Waffenstillstand; → nachgeben.
Friedenstaube → Friedenssymbol.
Friedenszeit → Frieden.
Friedenszustand → Frieden.
friedevoll: → friedlich, → ruhig.
friedfertig, verträglich, friedliebend, friedlich, friedsam (geh., veraltend); f. sein, keiner Fliege etwas zuleide tun [können], niemandem ein Haar krümmen

[können]; → arglos, → einträchtig, → friedlich, → gesellig, → gütig; → vertragen (sich); → Gelassenheit, → Pazifismus, → Übereinstimmung.
Friedhof, Begräbnisstätte, Kirchhof, Gottesacker, Totenacker, Gräberfeld, Nekropole, Zömeterium, Soldatenfriedhof, Ehrenfriedhof, Waldfriedhof, Urnenfriedhof; → Begräbnisstätte; → bestatten, → sterben.
Friedhofskapelle → Gotteshaus.
Friedhofsmauer → Mauer.
¹friedlich, fried[e]voll (geh.), friedsam (geh., veraltend), voll Frieden, ruhig, still; → friedfertig, → ruhig, → still.
²friedlich: → einträchtig, → friedfertig, → harmlos.
friedliebend → friedfertig.
Friedrich: seinen F. Wilhelm d[a]runter setzen → unterschreiben.
friedsam: → friedfertig, friedlich, → ruhig.
friedvoll: → friedlich, → ruhig.
frieren, unter der Kälte leiden, frösteln, schaudern, schauern, bibbern (ugs.), schlottern, mit den Zähnen klappern, jmdm. schlagen die Zähne aufeinander, jmdm. ist → kalt, jmdm. ist schuckrig (bes. berlin.), jmdn. schuddert (bes. nordd.), eine Gänsehaut haben / bekommen / (ugs.) kriegen, wie ein Schneider / wie ein junger Hund frieren (ugs.), es kalt haben, kalte Füße / (ugs.) Eisbeine haben, an den Ohren o. ä. frieren, jmdm. / jmdn. frieren die Füße o. ä. · leicht: eine Frostbeule sein (ugs.); es friert, es herrscht Frost, es friert Stein und Bein, die Temperatur sinkt unter Null; → erfrieren, → wärmen (sich), → zittern; → Gänsehaut, → Kälte.
Fries, Bogenfries, Kreuzbogenfries, Spitzbogenfries, Blattwerkfries, Lilienfries, deutsches Band, Scheibenfries, Kugelfries, Plattenfries, Hundszahn, Wolkenornament, Sägezahnfries, Rautenfries, Diamantfries, Würfelfries, Rollenfries, Schuppenfries, Zickzackfries, Zinnenfries, Flechtband, Zangenfries, laufender Hund, Mäander, Anthemion, Akanthus-

fries, Bukranienfries; → Baustil.
Frieselausschlag → Frieseln.
Frieselfieber → Frieseln.
Frieseln, Miliaria, Sudamina, Schweißfrieseln, Schweißdrüsenfrieseln, Frieselausschlag, Frieselfieber; → Hautausschlag.
friesisch: f. sprechen → Mundart [sprechen].
Friesisch → Mundart.
Frigg → Göttin.
frigid → gefühlskalt.
Frigidaire → Kühlschrank.
Frigidität → Gefühlskälte.
Frigotherapie → Kryotherapie.
Frikadelle → Fleischkloß.
Friktion → Massage.
frisch: → adrett, → gesund, → kalt, → neu; -e Brise → Windstärke; wieder f. → verjüngt; -e Luft → Luft; -e Luft hereinlassen → lüften; -e Luft schnappen → atmen; -e Luft schnappen gehen → spazierengehen; an der -en Luft → Natur; an die -e Luft setzen → hinauswerfen; auf -er Tat ertappen → ergreifen (jmdn.); f. von der Leber weg reden → sprechen; nicht f. → schmutzig, → ungenießbar, → verwelkt; nicht [mehr] f. → altbacken.
Frische → Kälte.
Frischei → Hühnerei.
frischen → gebären.
Frischgemüse → Gemüse.
Frischkäse → Käse.
Frischling → Schwein.
Frischluft → Luft.
Frischobst → Obst.
Friseur, Frisör, Coiffeur, Haarkünstler, Damenfriseur, Herrenfriseur, Figaro (scherzh.), Haarschneider (ugs.), Haarkräusler (veraltet), · Barbier (veraltet), Bartscher (veraltet), Bartscherer (veraltet), Barbutsch (ugs.), Barbutz (ugs.), Bader (veraltet) · weiblicher: Friseuse, Friseurin (bes. österr.), Coiffeuse (schweiz.); → Frisur, → Haar, → Kamm, → Perückenmacher.
Friseurin → Friseur.
Friseuse → Friseur.
Frisiercreme → Haarpflegemittel.
¹frisieren, kämmen, bürsten, strählen (geh.), das Haar ordnen / machen, sich durch das Haar / die Haare fahren · ein-

**frisieren**

legen, ondulieren, wellen, [Wellen] legen; → zerzausen; → lockig, → strubbelig; → Friseur, → Frisur, → Kamm.

**²frisieren** → beschönigen.

**Frisierkamm** → Kamm.

**Frisiertisch** → Ankleidetisch.

**Frisiertoilette** → Ankleidetisch.

**Frisör** → Friseur.

**¹Frist,** Zeit, Ziel, Zeitpunkt, Stichtag, Termin · *die jmdm. bleibt vor einer unangenehmen Angelegenheit:* Galgenfrist, Gnadenfrist; → Bedenkzeit, → Weile, → Zeitraum; → befristen.

**²Frist:** → Bedenkzeit; eine F. setzen → befristen.

**fristlos:** f. kündigen → entlassen.

**Frisur,** Haarfrisur, Haartracht, Haarschnitt · Pagenkopf, Bubikopf *(veraltend, scherzh.),* Ponyfrisur · Herrenschnitt, Kurzhaarschnitt, Bürstenschnitt, Stiftenkopf, Stoppelkopf · Zöpfe, Mozartzopf, Pferdeschwanz, Roßschwanz · Affenschaukeln, Schnecken · Kranz, Gretchenfrisur · Dauerwelle, Dauerkrause, Kaltwelle, Wasserwelle, Ondulation; → Dutt, → Friseur, → Haar, → Haarschleife, → Perückenmacher, → Ponys; → tönen; → lockig.

**Frittatensuppe** → Suppe.

**Frittenporzellan** → Porzellan.

**Fritz** → Deutscher.

**Fritze** → Mann.

**-fritze** → Kaufmann.

**Fritzki** → Deutscher.

**frivol** → frech.

**Frnak** → Nase.

**froh:** → lustig; etwas macht jmdn. f. → erfreuen; f. und dankbar sein → aufatmen; -en Herzens → unbesorgt.

**frohgemut** → lustig.

**fröhlich:** → lustig; [miteinander] f. sein → vergnügen (sich).

**Fröhlichkeit** → Lust.

**frohlocken** → schadenfroh [sein].

**Frohlocken** → Lust.

**Frohnatur** → Optimist.

**Frohsinn** → Lust.

**frohsinnig** → lustig.

**¹fromm,** kirchlich, religiös, gottesfürchtig, gottgläubig, gläubig, strenggläubig, orthodox ·

*nur äußerlich:* frömmelnd, frömmlerisch, bigott; **f. sein,** in die Kirche gehen · *nur äußerlich:* frömmeln, ein Betbruder / eine Betschwester sein *(abwertend);* → Frömmigkeit, → Glaube, → Glaubensbekenntnis.

**²fromm** → zahm.

**Frömmelei** → Frömmigkeit.

**frömmeln** → fromm [sein].

**frömmelnd** → fromm.

**frommen** → nützlich [sein].

**Frömmigkeit,** Religiosität, Gottesfürchtigkeit, Gläubigkeit, Gottesglaube, Glauben · *nur äußerliche:* Bigotterie, Frömmelei; → Glaube, → Glaubensbekenntnis; → bekreuzigen (sich); → fromm.

**Frömmler** → Heuchler.

**frömmlerisch** → fromm.

**Fron:** → Arbeit, → Zwangsarbeit.

**Fronaltar** → Altar.

**Fronarbeit:** → Arbeit, → Zwangsarbeit.

**Frondeur** → Gegner.

**Frondienst:** → Arbeit, → Zwangsarbeit.

**frönen:** einer Sache f. → befassen (sich mit); dem Mammon f. → habgierig [sein].

**¹Fronleichnam,** Fronleichnamstag, Fronleichnamsfest, Herrgottstag *(schweiz.),* Prangtag *(landsch.),* Herrleichnamstag *(landsch., veraltet),* Leichnamstag *(landsch., veraltet);* → Kirchenfest, → Kirchenjahr.

**²Fronleichnam:** → Feiertag, → Kirchenjahr.

**Fronleichnamsfest** → Fronleichnam.

**Fronleichnamsspiel** → Drama.

**Fronleichnamstag** → Fronleichnam.

**¹Front,** Frontlinie, Kampfzone, Frontabschnitt, Hauptkampffeld, Kampflinie, Hauptkampflinie, vorderste Linie; → Kampf, → Kriegsschauplatz, → Schützengraben · Ggs. → Etappe, **an der F. sein,** bei der Truppe sein, im Schützengraben liegen.

**²Front:** → Vorderseite; geschlossene F. → Clique; F. machen → ankämpfen (gegen etwas); hinter der F. → Etappe.

**Frontabschnitt** → Front.

**frontal,** von vorne, en face, frontseitig; → vorn; → Vorderseite.

**Frontalzusammenstoß** → Zusammenstoß.

**Frontgiebel** → Giebel.

**Frontispiz** → Giebel.

**Frontlinie** → Front.

**frontseitig** → frontal.

**Frontstadt** → Berlin.

**Frontwechsel** → Gesinnungswandel.

**¹Frosch,** Froschlurch, Kröte, Unke, Pogg *(niederd.),* Pogge *(niederd.),* Padde *(berlin.),* Hütschke *(landsch.),* Hetschke *(landsch.),* Hetsche *(landsch.),* Gecke *(landsch.),* Kecke *(landsch.),* Lork[e] *(landsch.),* Ütze *(landsch.),* Krot *(bayr., österr.),* Krott[e] *(pfälz.)* · Wasserfrosch, Seefrosch, Moorfrosch, Grasfrosch, Laubfrosch, Springfrosch, Goliathfrosch, Ochsenfrosch, Schmuckhornfrosch · Erdkröte, Kreuzkröte, Wechselkröte, Geburtshelferkröte, Knoblauchkröte, Riesenkröte · Gelbbauchunke, Rotbauchunke; → Lurch.

**²Frosch:** → Feuerwerkskörper, → Lurch; einen F. im Hals haben → heiser [sein].

**Froschgescherl** → Besatz.

**Froschlaichalge** → Alge.

**Froschlurch** → Frosch.

**Frost:** → Kälte; es herrscht F. → frieren; F. abbekommen / abkriegen / bekommen → erfrieren; Väterchen F. → Weihnachtsmann.

**Frostbeule:** → Erfrierung; eine F. sein → frieren.

**frösteln** → frieren.

**frosten** → tiefkühlen.

**frostig:** → kalt, → unzugänglich.

**Frostigkeit** → Verschlossenheit.

**frostklar** → kalt.

**Frostklima** → Klimazone.

**frostklirrend** → kalt.

**Frostschaden** → Erfrierung.

**Frostspanner** → Schmetterling.

**froststarr** → kalt.

**Frostwetter:** → Kälte, → Wetter.

**Frottee** → Stoff.

**Frotteetuch** → Handtuch.

**frottieren** → reiben.

**Frottierhandtuch** → Handtuch.

**Frottola** → Lied.

frotzeln → aufziehen.

Frucht: → Getreide, → Leibesfrucht; Früchte → Obst; reiche F. / Früchte tragen → einträglich [sein]; etwas trägt F. / Früchte → Erfolg [haben].

¹fruchtbar, fertil, fortpflanzungsfähig, vermehrungsfähig, zeugungsfähig; → geschlechtsreif; → Fertilität · Ggs. → impotent; → kastrieren.

²fruchtbar: → nützlich, → urbar; auf -en Boden fallen → wirken.

¹Fruchtbarkeit, Ertragsfähigkeit, Ertragenheit (schweiz.), Halt (schweiz.), Tragbarkeit (schweiz.); → Ertrag.

²Fruchtbarkeit: → Ergiebigkeit, → Fertilität.

Fruchtbaum → Obstbaum.

Fruchtbonbon → Bonbon.

Früchtchen → Junge.

¹Früchtebrot, Früchtenbrot (österr.), Kletzenbrot (österr.), Hutzelbrot (südd.); → Brot.

²Früchtebrot: → Brot, → Gebäck.

Fruchteis → Eis.

fruchten: nicht f. → nützlich.

Früchtenbrot: → Brot, → Früchtebrot.

Fruchtjoghurt → Milch.

fruchtlos: f. sein → nutzlos [sein].

Fruchtpresse → Saftpresse.

Fruchtsaft, Saft, Juice, Obstsaft · Himbeersaft, Johannisbeersaft, Ribiselsaft (österr.), Kirschsaft, Apfelsaft, Traubensaft, Ananasjuice, Grapefruitjuice, Orangeade · eingedickter: Sirup; → Obst, → Südfrucht.

Fruchtschimmel → Schlauchpilz.

Fruchtschimmelpilz → Schlauchpilz.

Fruchtzucker → Traubenzucker.

Fruchtzünsler → Schmetterling.

Fru-Fru → Milch.

frugal → einfach.

¹früh, zeitig, bald, frühzeitig, rechtzeitig, beizeiten, zur rechten Zeit, zur Zeit, so bald wie / als möglich, möglichst bald, lieber heute als morgen (ugs.), baldigst, ehetunlichst (veraltet), ehebaldig (österr.), ehebaldigst (österr.), ehest (österr.), ehestens (österr.), nicht → spät; → pünktlich, → vorzeitig.

²früh: seit -ester Jugend → klein; -e Kindheit → Lebensalter; der -e Morgen / Tag → Tagesanbruch; am -en Morgen / f. [am Tag] → morgens; f. aufsein / auf den Beinen sein → aufstehen; von f. bis spät → Tag; nicht zu f. und nicht zu spät → pünktlich.

Frühaufsteher: [ein] F. sein → aufstehen.

Frühbeet, Mistbeet; → Treibhaus.

frühchristlich: -e Musik → Musik; -er Stil → Baustil.

Frühdruck → Druck.

Frühe: → Tagesanbruch; in der / in aller F. (oder:) Früh → morgens.

Frühehe, Kinderehe; → Jüngling; → heiraten.

früher: → damals; -e Tage, -e Zeit / Zeiten → Vergangenheit; nicht f. als → frühestens.

frühestens, ehestens, ehest, nicht vor, nicht eher / nicht früher als; → jetzt.

Frühgebet → Gebet.

Frühgeburt → Geburt.

Frühgemüse → Gemüse.

Frühgeschichte → Geschichte.

Frühgymnastik → Gymnastik.

Frühjahr → Frühling.

Frühjahrsblume → Blume.

Frühjahrsbote → Blume.

Frühjahrskleid → Kleid.

Frühjahrskostüm → Kostüm.

Frühjahrsmantel → Mantel.

Frühjahrsmesse → Messe.

Frühjahrsputz → Hausputz.

Frühjahrssonne → Sonnenlicht.

Frühkapitalismus → Kapitalismus.

Frühkartoffeln → Kartoffeln.

Frühlicht → Morgengrauen.

¹Frühling, Frühjahr, Lenz (dichter.), Ausmärz (landsch.), Langes (landsch.), Lanzing (landsch.), Lassing (landsch.), Langis (landsch.), Austage (landsch.), Auswärts (landsch.), Vorjahr (landsch.); → Jahreszeit; F. werden: es wird Frühling, es lenzt (dichter.).

²Frühling: später / zweiter F. → Geschlechtstrieb.

Frühlingsblume → Blume.

Frühlingsgefühl: -e → Zuneigung.

Frühlingsluft → Luft.

Frühlingsmonat → März.

Frühlingsregen → Niederschlag.

Frühlingssonne → Sonnenlicht.

Frühlingstag → Tag.

Frühlingswetter → Wetter.

Frühlingswind → Fallwind.

Frühmittelalter → Geschichtsepoche.

frühmittelhochdeutsch: -e Dichtung → Literaturepochen.

frühmorgens → morgens.

Frühnebel → Nebel.

frühneuhochdeutsch → Deutsch.

frühreif → unkindlich.

Frühreife → Altklugheit.

Frührot → Morgengrauen.

Frühschicht → Schicht.

Frühschoppen → Umtrunk.

Frühsommer → Jahreszeit.

Frühsommertag → Tag.

¹Frühstück, Dejeuner (veraltet), Kaffee, Morgenessen (schweiz.), Zmorgen (schweiz.); → Essen; das F. einnehmen, frühstücken, Kaffee trinken; → essen.

²Frühstück: → Festmahl, → Zwischenmahlzeit.

frühstücken: → Frühstück, → Zwischenmahlzeit.

Frühstücksbrett, Frühstücksbrettchen, Holzbrettchen, Brettchen, Holzteller, Bricken (nordd.); → Schüssel.

Frühstücksbrettchen → Frühstücksbrett.

Frühstücksteller → Teller.

Frühsymptom → Symptom.

Frühwerk → Werk.

frühzeitig → früh.

Frühzug → Eisenbahnzug.

Fruktose → Traubenzucker.

Frustration → Enttäuschung.

¹frustrieren, enttäuschen, verprellen, vor den Kopf stoßen, einengen; → repressiv.

²frustrieren: -d → repressiv.

F-Schlüssel → Notenschlüssel.

Fu → Rauschgift.

¹Fuchs, Rotfuchs, Birkfuchs, Brandfuchs, Kohlfuchs, Kreuzfuchs, Blaufuchs, Silberfuchs, Polarfuchs, Steppenfuchs, Korsak, Reineke Fuchs (dichter.) · weiblicher: Füchsin; → Wild.

²Fuchs: → Pelz, → Pferd, → Raubtier, → Schlaukopf, → Sternbild; alter F. → Fachmann; Großer / Kleiner F. → Schmetterling; die Füchse brauen → nebeln; dort sagen sich F. und Hase gute Nacht → abgelegen [sein].

**Fuchsbau** → Höhle.

**fuchsen:** sich f. → ärgerlich [sein]; etwas fuchst jmdn. → ärgern.

**Fuchsfalle** → Falle.

**Füchsin** → Fuchs.

**Fuchsloch** → Höhle.

**fuchsrot:** → rot, → rothaarig.

**Fuchsschwanz** → Säge.

**fuchsteufelswild** → ärgerlich.

**Fuchtel:** → Frau; unter jmds. F. stehen → unterdrückt [werden].

**fuchteln:** mit den Armen / Händen f. → gestikulieren.

**fuchtig** → ärgerlich.

**fudeln:** → pfuschen, → säubern.

**Fuder:** → Hohlmaß, → Ladung.

**fuffzehn:** Fuffzehn machen → unterbrechen.

**Fuffziger:** falscher F. → Mann.

**Fug:** mit F. und Recht → befugt, → füglich.

**Fuge:** → Riß; aus den -n gehen / geraten → defekt [werden].

**fügen:** sich f. → anpassen, → nachgeben; sich [den Anordnungen] f. → befolgen; sich in etwas f. → ertragen.

**fugenlos,** nahtlos, [wie] aus einem Guß; → passend, → übereinstimmend.

**Fügewort** → Wortart.

**Fuggerstadt** → Augsburg.

**füglich,** mit / zu Recht, mit Fug und Recht, berechtigterweise, richtigerweise; → recht.

**fügsam:** → artig, → folgsam.

**Fügsamkeit** → Gehorsam.

**Fügung** → Schicksal.

**fühlbar** → einschneidend.

**[1]fühlen,** empfinden, spüren, verspüren, ergriffen werden von, zu spüren bekommen; → erschüttern, → merken, → überkommen.

**[2]fühlen:** → tasten; sich behaglich / heimisch / pudelwohl / wie zu Hause f. → wohl fühlen (sich); sich nicht betroffen f. → betreffen; sich jmdm. / einer Sache gewachsen f. → bereit sein; sich selbständig f. → selbständig; sich sicher f. → sicher; sich verletzt f. → unzufrieden [sein]; sich in seiner Haut wohl f. → zufrieden [sein]; sich in seiner Haut nicht wohl f. → unzufrieden [sein]; sich als Halbgott f. → dünkel-

haft [sein]; jmdm. auf den Zahn f. → prüfen.

**Fühler:** die F. ausstrecken → vorfühlen.

**fühllos** → blutleer.

**Fühllosigkeit** → Gefühlskälte.

**Fühlung:** F. nehmen → anbahnen (etwas), → Kontakt [aufnehmen].

**Fühlungnahme** → Kontakt.

**Fuhrbetrieb** → Spedition.

**Fuhre** → Ladung.

**[1]führen** (einen Betrieb o. ä.), lenken, verwalten, gebieten über, befehligen, herrschen über, an der Spitze stehen, alle Fäden in der Hand halten / haben, das Heft / das Steuer / die Zügel / fest in der Hand haben; → mächtig [sein].

**[2]führen:** → begleiten, → Höchstleistung [erzielen], → lenken, → vorstehen; ad absurdum f. → widerlegen; Beschwerde f. → beanstanden; mit jmdm. einen Briefwechsel f. → korrespondieren (mit); über etwas Buch f. → aufschreiben, → buchen; eine [glückliche] Ehe f. → verheiratet; ein großes Haus / ein Wohlleben f. → leben; ein offenes Haus f. → gastfrei [sein]; einen Kampf f. → eintreten (für); Krieg f. gegen → bekriegen; den Nachweis f. → nachweisen; das Regiment f. → maßgeblich [sein]; einen Schmäh f. → spaßen; den Vorsitz f. → vorstehen; jmdn. aufs Glatteis f. → verwirren; bei sich / mit sich f. → mitführen; ins Feld / Treffen f. → erwähnen; deutlich vor Augen f. → anschaulich [machen]; zu weit f. → statthaft; nicht zu Ende geführt → unerledigt.

**führend:** f. sein → Höchstleistung [erzielen]; die -en Kreise → Oberschicht.

**[1]Führer,** Leiter, Anführer, Leithammel (*abwertend*), Lenker, Spiritus rector; → Führungskraft, → Leiter.

**[2]Führer:** → Begleiter, → Fahrer, → Oberhaupt, → Ratgeber.

**Führerflucht** → Fahrerflucht.

**Führerschein** → Ausweis.

**Fuhrgeschäft** → Spedition.

**Fuhrhalter** → Spediteur.

**Fuhrherr** → Spediteur.

**Fuhrknecht** → Fuhrmann.

**[1]Fuhrmann,** Kutscher, Fuhrknecht, Kärrner (*veraltend*), Karrer (*schweiz.*), Pferdelenker, Schwager (*veraltet*), Rosselenker (*hist.*); → Kutsche.

**[2]Fuhrmann:** → Spediteur, → Sternbild.

**Führung:** → Leitung, → Regie; innere F. → Erziehung; in F. liegen → Höchstleistung [erzielen].

**Führungs-:** → beste.

**Führungsgremium** → Leitung.

**Führungsinstanz** → Leitung.

**Führungskraft,** Manager, Kader, leitender Angestellter, Entscheidungsträger, Macher (*ugs*), Wirtschaftsführer; → Arbeitgeber, → Büroangestellter, → Führer, → Leiter, → Nachwuchskraft.

**Führungsrolle** → Machtposition.

**Führungsstab** → Leitung.

**Fuhrunternehmer** → Spediteur.

**fuhrwerken** → hantieren.

**Fuhrwerker** → Fahrer.

**Fulbe** → Neger.

**Füllbleistift** → Schreibstift.

**Full-dress** → Anzug.

**Fülle:** → Ausmaß, → Füllung; eine F. von → Anzahl; in Hülle und F. → reichlich; zur F. neigen → dick [werden].

**[1]füllen,** abfüllen, einfüllen · *eine Spritze:* aufziehen; → tanken; → abgepackt.

**[2]füllen:** gefüllte Kalbsbrust → Fleischgericht; das Faß der Danaiden f. → tun; sich die Taschen f. → bereichern (sich); f. mit → anreichern; mit Gas / mit Luft f. → aufblasen.

**Füllen:** → Pferd, → Sternbild.

**Füllfeder** → Schreibstift.

**Füllfederhalter** → Schreibstift.

**Füllhalter** → Schreibstift.

**füllig** → dick.

**Fülligkeit** → Wohlgenährtsein.

**Füllmauer** → Mauer.

**Füllsel:** → Füllung, → Wort.

**[1]Füllung** (von Kuchen usw.), Fülle (*landsch.*), Füllsel (*landsch.*), Farce (*Kochk.*), Nußfüllung, Nußfülle, Topfenfülle (*bayr., österr.*).

**[2]Füllung** → Zahnersatz.

**Füllwort** → Wort.

**fulminant** → meisterhaft.

**Fulminanz** → Meisterhaftigkeit.

Fummel → Kleid.

fummeln: an etwas f. → berühren.

Fummeltrine → Homosexueller.

Fund: → Fundsache; archäologischer / vorgeschichtlicher F. → Bodenfund.

¹Fundament, Basis, Unterbau, Grundfeste, Grundmauer; → Sockel · Ggs. → Überbau.

²Fundament → Grundlage.

fundamental: → grundlegend, → grundsätzlich.

Fundamentmauer → Mauer.

Fundamt → Fundbüro.

Fundbüro, Fundamt (österr); → Leihaus; → finden.

Fundgrube → Grundlage.

fundieren → begründen.

fundiert, begründet, gesichert, hieb- und stichfest, unangreifbar.

Fundsache, Fund, herrenloses Gut; → Treibgut, → Versteigerung.

Fundus → Grundlage.

Funeralien → Begräbnis.

fünf: das kann man sich an den f. Fingern abzählen → klar [sein]; es ist f. Minuten vor zwölf → spät; f. grade sein lassen → nachlässig [sein].

Fünfakter → Drama.

Fünfer → Münze.

Fünffrankenstück → Franken.

Fünfkampf ·· für Frauen: 100-m-Hürdenlauf, Kugelstoßen, Hochsprung, Weitsprung, 200-m-Lauf ·· für Männer: Weitsprung, Speerwerfen, 200-m-Lauf, Diskuswerfen, 1500-m-Lauf · moderner: Reiten, Fechten, Schießen, Schwimmen, Laufen; → Zehnkampf.

Fünfklang → Akkord.

Fünfliber → Franken.

Fünflinge → Geschwister.

Fünfmarkstück → Münze.

Fünfminutenbrenner → Kuß.

Fünfpfennigstück → Münze.

Fünftausendmeterlauf: 5000-m-Lauf → Lauf.

fünfte: die f. Kolonne → Abteilung; das f. Rad am Wagen sein → überflüssig [sein].

Fünfuhrtee → Zwischenmahlzeit.

Fünfvierteltakt → Takt.

Fünfzehnhundertmeterlauf: 1500-m-Lauf → Fünfkampf, → Lauf, → Zehnkampf.

Fünfziger: falscher F. → Mann.

Fünfzigpfennigroman → Roman.

Fünfzigpfennigstück → Münze.

fungieren: f. als → figurieren (als).

Funk: → Radio; durch F. übermitteln → funken.

Funke: der F. ist übergesprungen → vertraut.

funkeln: → leuchten; -d → glänzend.

funkelnagelneu → neu.

¹funken, einen Funkspruch durchgeben, durch Funk / drahtlos übermitteln; → Sprechfunkgerät, → Telegramm.

²funken: → ausstrahlen; es hat gefunkt → erkennen.

Funkenflug, Funkenwurf (schweiz.); → Brand.

Funkenmariechen → Faschingszug.

Funkenwurf → Funkenflug.

Funker → Dienstgrad.

Funkerzählung → Rundfunksendung.

Funkgymnastik → Gymnastik.

Funkspruch: → Telegramm; einen F. durchgeben → funken.

Funksprechgerät → Sprechfunkgerät.

Funktaxe → Taxe.

Funktaxi → Taxe.

Funktion: → Anstellung, → Aufgabe; eine wichtige F. haben → maßgeblich [sein].

funktional: -e Grammatik → Grammatik.

Funktionär: → Beauftragter; staatsanwaltlicher F. → Jurist.

funktionell: -e Angina pectoris / Herzbeschwerden / Stenokardie → Herzbeschwerden.

funktionieren: etwas funktioniert / ist in Betrieb / ist in [vollem] Gange / ist angestellt / (ugs.) ist an / arbeitet / (ugs.) geht / läuft [auf vollen Touren], etwas tut es noch / wieder (ugs.); → anstrengen, → arbeiten; nicht f., es ist Sand im Getriebe (ugs.), etwas streikt / fällt aus / hat [seine] Mucken (ugs.).

Funktionsschwäche → Funktionsstörung.

Funktionsstörung, Dysfunktion, Regulationsstörung, Fehlregulation, Fehlsteuerung, Dys-

regulation · Überfunktion, Hyperfunktion · Unterfunktion, Hypofunktion, Insuffizienz, Funktionsschwäche, ungenügende Organleistung; → Krankheit, → Unfähigkeit.

Funktionsverb → Verb.

Funkturm → Turm.

fünsch → ärgerlich.

Funzel → Lampe.

für: → anstatt; f. einmal → zunächst; f. mich → meinetwegen; f. sich → allein; f. sich [lebend] → zurückgezogen; an und f. sich → gewissermaßen; f. naß / nichts → kostenlos; Substantiv + f. + gleiches Substantiv → nacheinander; das Für und Wider → Vorteil.

füra → her.

fürbaß → weiter.

Fürbitte → Gebet.

Furche: → Riß, → Runzel.

Furcht: → Angst; ohne F. und Tadel sein → mutig [sein].

furchtbar: → schrecklich, → sehr; das ist ja f. → unerträglich [sein].

furchteinflößend → schrecklich.

fürchten: → Angst [haben], → vermuten; weder Tod noch Teufel f. → mutig [sein]; sich vor seinem eigenen Schatten f. → ängstlich [sein].

fürchterlich: → schrecklich, → sehr.

furcherregend → schrecklich.

furchtlos → mutig.

Furchtlosigkeit → Mut.

furchtsam → ängstlich.

Furchtsamkeit → Angst.

fürder → später.

fürderhin → später.

füri → hin.

Furie → Rachegöttin.

furios → streitbar.

fürliebnehmen: f. mit → zufriedengeben (sich).

Furor → Ärger.

Furore: F. machen → auffallen.

¹Fürsorge, Sorge, Sorgfalt, Fürsorglichkeit, Obsorge, Obhut; → Pflege; → kümmern (sich um jmdn.).

²Fürsorge → Sozialhilfe.

Fürsorgeheim → Erziehungsanstalt.

Fürsorger → Betreuer.

Fürsorgerin, Sozialfürsorgerin, Pflegerin, Altenpflegerin; → Krankenschwester.

**Fürsorglichkeit** → Fürsorge.

**Fürsprache** → Förderung.

**Fürsprech:** → Fürsprecher, → Jurist.

**[1]Fürsprecher,** Fürsprech (selten), Anwalt, Advokat, Verteidiger · der die Meinung der Gegenpartei zur Belebung der Diskussion vertritt, ohne innerlich selbst diese Ansicht zu vertreten: Advocatus Diaboli; → Berater, → Helfer, → Vertrauensmann.

**[2]Fürsprecher** → Jurist.

**Fürst:** → Adliger, → Oberhaupt; F. dieser Welt → Teufel.

**Fürstengeschlecht** → Adelsgeschlecht.

**Fürstenhaus** → Adelsgeschlecht.

**Fürstenkrone** → Krone.

**Fürstenstand** → Adel.

**Fürstin** → Adlige.

**fürstlich:** → adlig, → üppig.

**Fürstlichkeit** → Adliger.

**Fürst-Pückler-Eis** → Eis.

**Fürtuch** → Schürze.

**Furunkel** → Abszeß.

**fürwahr:** [traun f.] → wahrlich.

**Fürwort** → Wortart.

**Furz** → Darmwind.

**furzen** → Darmwind [entweichen lassen].

**Furzmolle** → Bett.

**Furzmulde** → Bett.

**Fusel** → Alkohol.

**füsilieren** → töten.

**Fusion:** → Bund; eine F. eingehen → verbünden (sich).

**fusionieren** → verbünden (sich).

**[1]Fuß,** Quadratlatschen (salopp, abwertend), Quanten (salopp, abwertend), Mauken (salopp, abwertend), Schweißfüße, Käsefüße (salopp) · deformierter: Senkfuß, Plattfuß, Spreizfuß, Knickfuß, Hohlfuß, Spitzfuß, Pferdefuß, Hackenfuß, Klumpfuß, Teufelsfuß; → Fußdeformität, → Gliedmaße, → Spann, → Zeh.

**[2]Fuß:** → Gliedmaße, → Flächenmaß, → Längenmaß; kalte Füße bekommen → Angst [bekommen]; F. fassen → niederlassen (sich); kalte Füße haben → frieren; Hand und F. haben → stimmen; sich die Füße in den Bauch stehen, von einem F. auf den anderen treten → warten; sich die Füße vertreten → spazierengehen; stehenden -es → gleich;

immer wieder auf die Füße fallen → Glück [haben]; auf großem F. leben → leben, → üppig [leben]; jmdn. auf freien F. setzen → freilassen; auf eigenen Füßen stehen → erwachsen [sein], → selbständig [sein]; mit jmdm. auf freundschaftlichem F. stehen → vertraut; etwas steht auf schwachen / schwankenden / tönernen / wackligen Füßen → glaubwürdig, → unsicher [sein]; von Kopf bis F. → ganz; sich von Kopf bis F. waschen → waschen (sich / jmdn.); mit bloßen / nackten Füßen → barfüßig; jmd. ist mit dem linken F. aufgestanden → ärgerlich [sein], → aufgelegt; mit jmdm. auf gespanntem F. leben / stehen → vertragen (sich); mit einem F. im Grab stehen → krank [sein]; mit Füßen treten → mißachten; mit dem F. umknicken → stolpern; sich mit Händen und Füßen sträuben / wehren → aufbegehren; den Boden unter den Füßen verlieren → abrutschen; jmdm. brennt der Boden unter den Füßen → beeilen (sich); jmdm. wird der Boden unter den Füßen zu heiß, jmdm. brennt der Boden unter den Füßen → gefährlich [sein]; jmdm. den ganzen Kram / Krempel vor die Füße werfen → kündigen; dort sein, wo [auch] der Kaiser zu F. hingeht → Toilette; zu F. kommen → kommen; jmdm. etwas zu Füßen legen → schenken; jmdm. zu Füßen liegen → achten; gut zu F. sein → marschfähig [sein]; sich jmdm. zu Füßen werfen → knien.

**Fußabdruck** → Spur.

**Fußabstreifer,** Abstreifer, Fußabtreter, Fußmatte, Matte, Türvorleger, Vorleger, Türvorlage (schweiz.); → säubern.

**Fußabtreter** → Fußabstreifer.

**Fußangel** → Arglist.

**Fußball,** Ball, Leder, Pille (salopp), Wuchtel (salopp, österr.); → Balljunge, → Fußballspiel, → Spielball; **den F. schlagen,** schießen, bomben (ugs.) · mit dem Kopf: köpfen, köpfeln (schweiz., österr.) · so

daß der Ball über den Kopf nach rückwärts fliegt: einen Rückzieher machen; → Tor.

**Fußballer** → Fußballspieler.

**Fußballplatz** → Sportfeld.

**Fußballschuh** → Schuh.

**Fußballspiel,** Fußball · Rugby, [American] Football · Soccer · Wasserball; → Ballspiel, → Corner, → Elfmeter, → Fußball, → Fußballspieler; **das F. betreiben,** Fußball spielen, kikken, knödeln (ugs.), ballestern (ugs., österr.) · in unfairer Weise: holzen, klotzen, hacken, bolzen.

**Fußballspieler,** Fußballer, Kikker (ugs.), Ballkünstler (ugs.), Balltreter (ugs.), Ballesterer (ugs., österr.) · unfairer: Holzer, Holzhacker, Knüppler (landsch., bes. nordwestd.), Fleischhacker (österr.), Hacker (österr.) ·· im Tor: Torwart, Torsteher, Torhüter, Torwächter, Tormann, Goalkeeper (schweiz., österr.), Keeper, Goalmann (bes. schweiz., österr.), Goaler (landsch.), Goali (schweiz.), Schlußmann, der Mann zwischen den Pfosten (ugs.), elfter Mann (ugs.), Nummer Eins (ugs.) ·· in der Verteidigung: Verteidiger, Abwehrspieler, Stopper, Back (veraltend), Libero, Ausputzer, freier Mann ·· im Mittelfeld: Mittelfeldspieler, Läufer, Half (veraltend) · Mittelläufer (veraltend), Zenterhalf (veraltet) ·· im Sturm: Stürmer, Forward, Angriffsspitze, Sturmspitze · Mittelstürmer, Zenterstürmer (veraltet) · Verbinder, Verbindungsstürmer, Halblinker, Halbrechter · Außenstürmer, Linksaußen, Rechtsaußen, Flügelstürmer, Flügel ·· der ein Tor geschossen hat: Torschütze, Goalgetter, Torjäger; → Fußball, → Sportler, → Tor (das).

**Fußballstiefel** → Schuh.

**[1]Fußballtor,** Tor, Kasten, Gehäuse; → Tor (das).

**[2]Fußballtor** → Tor (das).

**Fußbank,** Fußschemel, Hitsche (landsch.), Hutsche (landsch.), Rutsche (landsch.); → Sitzgelegenheit.

**Fußboden,** Boden, Unterboden, Blindboden, Estrich · Holzfußboden, Bretterboden, Dielen,

Parkettboden, Parkett, Tafelparkett, Stabfußboden · Steinfußboden, Steinboden, Zementboden, Fliesen, Terrazzoboden, Terrazzo · Kunstharzspachtelboden · Linoleum; → Erde, → Teppichboden.
**Fußbodenheizung** → Heizung.
**Fußbodenwachs** → Wachs.
**Fußbremse** → Bremse.
**Fußdeformierung** → Fußdeformität.
**Fußdeformität,** Fußdeformierung ·· *mit Abflachung des Fußgewölbes:* Plattfuß, Plattfüßigkeit, Senkfuß, Pes planus, Platypodie · *mit gleichzeitiger Verbreiterung des Vorfußes:* Spreizfuß, Platt-Spreiz-Fuß, Pes transversoplanus ·· *mit abnorm hohem Längsgewölbe:* Hohlfuß, Pes exavatus · *mit gleichzeitiger Ausbildung eines Spitzfußes:* Hohl-Spitz-Fuß, Pes equinocavus ·· *mit Biegung des Fußes nach der Sohle zu, so daß nur Ballen und Zehen den Boden berühren:* Spitzfuß, Pferdefuß, Pes equinus, Equinus, Equinismus, Strephopodie · *mit gleichzeitiger Ausbildung eines Klumpfußes:* Spitz-Klump-Fuß, Pes equinovarus, Equinovarus ·· *mit Abknickung der Ferse nach außen:* Knickfuß, Pes valgus, Strephexopodie ·· *Verkrümmung des Vorfußes, wobei die Sohle nach innen und der äußere Fußrand nach unten gekehrt ist:* Klumpfuß, Teufelsfuß, Pes varus, Talipes, Strephenopodie ·· *mit Biegung des Vorfußes nach dem Fußrücken zu, so daß nur die Ferse den Boden berührt:* Hackenfuß, Pes calcaneus · *mit gleichzeitiger Ausbildung eines Knickfußes:* Knick-Hacken-Fuß, Pes calcaneovalgus; → Fuß, → Gliedmaßenmißbildung.
**Fussel:** → Fluse, → Staubflocke; -n verlieren → fusseln.
**fusselig:** → ausgefranst; sich den Mund f. reden → sprechen.
**fusseln,** fasern, haaren, Fusseln / Fasern / Haare verlieren; → Fluse, → Staubflocke.
**fußen:** f. auf → stammen (von).
**fußfällig** → unterwürfig.
**fußfrei:** -er Sitz → Sitzplatz.
**¹Fußgänger,** Passant, Fußgeher

(österr.); → fortbewegen (sich).
**²Fußgänger** → Passant.
**Fußgängersteig** → Gehsteig.
**Fußgängerübergang,** Fußgängerüberweg, Zebrastreifen, Schutzweg (*bes. österr.*); → Straße.
**Fußgängerüberweg** → Fußgängerübergang.
**Fußgängerweg** → Gehsteig.
**Fußgängerzone** → Straße.
**Fußgeher** → Fußgänger.
**Fußgelenk** → Gelenk.
**Fußgestell:** → Sockel, → Untergestell.
**Fußgicht** → Arthritis.
**fußhoch** → niedrig.
**Fußlage** → Kindslage.
**Fußleiste,** Scheuerleiste, Lambrie (*landsch.*), Lamperie (*südd.*).
**fußlig:** → ausgefranst; sich den Mund f. reden → sprechen.
**Fußmarsch** → Spaziergang.
**Fußmatte** → Fußabstreifer.
**Fußnagelpflege:** → Kosmetik, → Pediküre.
**Fußnote** → Anmerkung.
**Fußpflege:** → Kosmetik, → Pediküre.
**¹Fußpilz,** Mykose; → Hautpilzkrankheit, → Krankheit.
**²Fußpilz** → Hautpilzkrankheit.
**Fußpuder** → Puder.
**Fußreise** → Spaziergang.
**Fußschemel** → Fußbank.
**Fußsoldat** → Soldat.
**Fußspitze:** auf -n gehen → fortbewegen (sich).
**Fußspray** → Desodorans.
**Fußsprung** → Sprung.
**Fußspur** → Spur.
**Fußstapfe:** → Spur; in jmds. -n treten → nachfolgen.
**Fußstapfen** → Spur.
**Fußsteig** → Gehsteig.
**Fußtapfe** → Spur.
**Fußtapfen** → Spur.
**Fußtour** → Spaziergang.
**Fußvolk** → Anhänger.
**Fußwalm:** Mansarddach mit F. → Dach.
**Fußwalmdach** → Dach.
**Fußwanderung** → Spaziergang.
**Fußweg** → Gehsteig.
**Fusti** → Preisnachlaß.
**Fut** → Vagina.
**futsch:** → defekt; f. sein → verloren [sein].
**futschikato:** → defekt; f. sein → verloren [sein].
**Futter** → Nahrung.

**Futterage** → Nahrung.
**Futteral** → Hülle.
**Futteralmotte** → Schmetterling.
**Futterbarren** → Gefäß.
**Futtergetreide** → Getreide.
**Futterluke** → Mund.
**Futtermauer** → Mauer.
**futtern:** → einnehmen, → essen.
**füttern:** → bespannen, → ernähren; die Fische f. → übergeben (sich).
**Futternapf** → Gefäß.
**Futterneid** → Neid.
**futterneidisch** → neidisch.
**Futterrübe** → Rübe.
**Futtertrog** → Gefäß.
**Fütterung** → Ernährung.
**Futterverwerter:** ein guter F. sein → dick [werden].
**Futur:** [zweites F.] → Tempus.
**Futurismus** → Malerei.
**Futurologie** → Wissenschaft.
**Futurum exactum** → Tempus.
**Fuzel** → Staubflocke.
**fuzeln** → schreiben.
**Fyng** → Zahlungsmittel.
**F-Zug** → Eisenbahnzug.

# G

**Gabardine** → Stoff.
**Gabardinemantel** → Mantel.
**¹Gabe,** Geschenk, Präsent, Angebinde, Aufmerksamkeit, Mitbringsel, Liebesgabe, Liebesgabenpäckchen, CARE-Paket, Freßpaket (*salopp*), Geschenksendung, Almosen · *des Paten für den Täufling:* Patengeschenk, Eingebinde (*schweiz.*), Einbund (*schweiz.*) · *unwillkommene:* Danaergeschenk, Trojanisches Pferd, Basiliskenei; → Andenken, → Aussteuer, → Beitrag, → Blumenstrauß, → Ersatz; → schenken.
**²Gabe** → Gewinn.
**¹Gabel,** Vorlegegabel, Fischgabel, Kuchengabel; → Eßbesteck, → Löffel, → Messer.
**²Gabel:** → Astgabel; Messer und G.; Messer, G. und Löffel → Eßbesteck.
**Gabelbissen** → Imbiß.
**Gabelfrühstück** → Zwischenmahlzeit.
**Gabelgelenk** → Gelenk.
**Gabelkreuz** → Kreuzzeichen.

gabeln (sich), sich verzweigen / teilen / (*landsch.*) zwieseln, abzweigen, abgehen; → Astgabel, → Gabelung.

Gabelschwanz → Schmetterling.

¹Gabelung, Weggabelung, Verzweigung, Abzweigung, Scheideweg, Wegscheid; → Kreuzung, → Kurve; → gabeln (sich).

²Gabelung → Astgabel.

Gaben → Begabung.

Gabriel → Erzengel.

gackern: → krächzen, → lachen.

gacksen: -d → abgehackt.

gaffen → zuschauen.

Gaffer → Zuschauer.

Gag: → Einfall; das ist der G. [bei] der Sache → Hauptsache.

Gagat → Schmuckstein.

Gage: → Gehalt (das), → Rauschgift.

Gähling → Pifferling.

gähnen: → offen [sein]; -de Leere → Leere.

Gaillarde → Tanz.

Gala: → Anzug; sich in G. schmeißen / werfen → schönmachen.

Galadiner → Festmahl.

Galaempfang → Essen.

Galan → Geliebter.

galant → höflich.

Galanterie → Höflichkeit.

Galanterietäschner → Täschner.

Galeere → Kriegsschiff.

Galeone → Kriegsschiff.

Galerie: → Dirnenwelt, → Empore, → Museum, → Orientteppich.

Galeriebesitzer → Kunsthändler.

Galeriegrab → Grab.

Galeriewald → Urwald.

Galerist → Kunsthändler.

Galgenfrist → Frist.

Galgenhumor → Humor.

Galgenstrick → Junge.

Galgenvogel → Junge.

Galimathias → Unsinn.

Galle: jmdm. läuft die G. über → ärgerlich [werden]; Gift und G. speien / spucken → schelten.

gallebitter → sauer.

gallenbitter → sauer.

Gallenblasenentzündung → Gallenerkrankung.

Gallenblasenerkrankung → Gallenerkrankung.

Gallenblasenkonkrement → Gallenstein.

Gallenblasenleiden → Gallenerkrankung.

Gallenerkrankung, Gallenblasenerkrankung, Gallenblasenleiden, Cholezystopathie · *entzündliche:* Cholezystitis, Gallenblasenentzündung · *degenerative:* Cholezystose · *durch Gallensteine verursachte:* Cholelithiasis, Gallensteinerkrankung, Gallensteinleiden, Gallensteinkolik, Gallenkolik (*ugs.*); → Gallenstein, → Gelbsucht, → Krankheit, → Leberkrankheit.

Gallengangsspiegelung → Ausspiegelung.

Gallengangsstein → Gallenstein.

Gallenkolik → Gallenerkrankung.

Gallenkonkrement → Gallenstein.

Gallenröhrling → Ständerpilz.

Gallenstein, Gallenkonkrement, Gallenblasenkonkrement, Cholelith, Calculus felleus, Cholezystolith, Gallengangsstein, Choledocholith; → Gallenerkrankung, → Harnstein, → Krankheit.

Gallensteinerkrankung → Gallenerkrankung.

Gallensteinkolik → Gallenerkrankung.

Gallensteinleiden → Gallenerkrankung.

Gallert: zu G. werden→gelieren.

Gallerte: zu G. werden→gelieren.

gallig → spöttisch.

Gallizismus → Spracheigentümlichkeit.

Galluschel → Pfifferling.

Galopp: → Tanz; [versammelter G.] → Gangart; G. reiten → reiten.

galoppieren → reiten.

Galopprennen → Rennen.

Galosche → Schuh.

Galvieh → Vieh.

Galvanisation → Elektrotherapie.

Galvanokaustik → Verätzung.

Galvanokauterisation → Verätzung.

Galvanokoagulation → Verätzung.

Galvanotherapeutik → Elektrotherapie.

Galvanotherapie → Elektrotherapie.

Gambe → Streichinstrument.

Gamelle → Eßgeschirr.

Gamellenriemliinspizient → Pedant.

Gamet → Keimzelle.

Gamma → Buchstabe.

Gammaeule → Schmetterling.

gammelig → altbacken.

Gammler, Beatle, Beatnik, Provo, Hippie, Blumenkind, Langhaariger (*abwertend*), Langmähniger (*abwertend*); → Halbstarker, → Rauschgift, → Vagabund.

Gamophobie → Misogamie.

Gampiroß → Schaukelpferd.

Gams → Gemse.

Gamswild → Wild.

Ganeff → Verbrecher.

Ganerbenburg → Burg.

gang: g. und gäbe sein → üblich [sein].

¹Gang (der): → Bergwerk, → Diele, → Essen, → Fortbewegung, → Hausflur, → Spaziergang, → Vorgang; ein G. durch die Gemeinde → Bummel; einen G. durch die Gemeinde machen → besuchen; einen G. nach Canossa antreten → erniedrigen (sich); im G. sein → wandeln (sich); in G. bringen → ankurbeln, → anstacheln; in G. kommen → verursachen; etwas kommt in G. → einspielen (sich); etwas ist in [vollem] G. → funktionieren; in G. setzen → verursachen.

²Gang (die) → Bande.

¹Gangart · *langsame:* Schritt · *beschleunigte:* Tölt, Trab, Galopp, Mittelgalopp, versammelter Galopp · *bei der beide Beine einer Seite gleichzeitig vorgesetzt werden:* Paßgang · *gemächlich trabende:* Zotteltrab; → Pferd, → Reiter, → Reiterin, → Rennplatz, → Ritt; → reiten; → beritten.

²Gangart → Fortbewegung.

gangbar: → möglich; -er Weg → Abmachung.

Gängelband: jmdn. am G. führen / haben → lenken.

gängeln → lenken.

Gangesgavial → Krokodil.

Gangfisch → Fisch.

Ganggrab → Grab.

gängig: → begehrt, → marschfähig, → üblich.

Gängigkeit → Üblichkeit.

Gangleader → Anführer.

Ganglienblocker → Psychopharmakon.

Ganglienzelle → Körperzelle.

Ganglioplegikum → Psychopharmakon.

Gangspill → Winde.

Gangsteig → Gehsteig.

Gangster → Verbrecher.

Gangsterfilm → Kinofilm.

Gangway → Treppe.

Ganove → Verbrecher.

Ganovensprache → Gaunersprache.

Ganoventrick → Trick.

¹Gans · *männliche:* Ganter, Gänserich, Ganser (*österr.*); → Geflügel, → Wild.

²Gans: → Vogel; dumme G. → Dummkopf.

Gänschen → Mädchen.

Gänseblümchen → Maßliebchen.

Gänsefett → Fett.

Gänsefüßchen → Satzzeichen.

Gänsegeier → Vogel.

¹Gänsehaut, Hühnerhaut (*österr., schweiz.*), Cutis anserina (*Med.*), Dermatospasmus (*Med.*), Horripilatio (*Med.*); → frieren.

²Gänsehaut: G. bekommen / haben / kriegen → frieren; eine G. bekommen / kriegen → Angst [bekommen].

Gänsekeule → Keule.

Gänseklein → Fleischgericht.

Gänsemarsch: im G. → nacheinander.

Ganser → Gans.

Gänserich → Gans.

Gänsesäger → Vogel.

Gänseschmalz → Fett.

Gänsewein → Wasser.

Gant: → Versteigerung; auf die G. kommen, → zahlungsunfähig [werden].

Ganter → Gans.

Ganymed → Bedienung.

¹ganz, ganz und gar, gänzlich, zur Gänze (*österr.*), völlig, voll, voll und ganz, vollkommen, hundertprozentig, lückenlos, vollständig, in extenso, in Grund und Boden, vollauf, komplett, restlos, total, in toto, pauschal, in jeder Hinsicht /

Beziehung, an Haupt und Gliedern, über und über, von oben bis unten, mit Stumpf und Stiel, mit Haut und Haar / Haaren, von Kopf bis Fuß, vom Scheitel bis zur Sohle, vom Wirbel bis zur Zehe, voll und ganz, bis zum äußersten / letzten / Tezetm, bis aufs Messer, bis an die Grenze des Erlaubten, durch alle Böden (*schweiz.*), von Grund auf / aus, überhaupt, schlechterdings, platterdings, schlechtweg, durchaus, geradezu, nachgerade; → A (von A bis Z), → allgemein, → ausführlich → insgesamt, → meisterhaft, → regelrecht, → schlechthin, → unbedingt, → wirklich; → Ganzheit; → vervollständigen · Ggs. → unvollständig, → vollinhaltlich.

²ganz: → heil; g. allgemein / einfach → schlechthin; nicht g. dicht sein → verrückt [sein]; im -en Gäu → weitum; die -e Innung blamieren → kompromittieren (jmdn.); -e Note, Ganze → Notenzeichen; den -en Tag → Tag; -e Zahl → Zahl; g. jmd. sein → gleichen; etwas wieder g. machen → reparieren; g. Ohr sein → achtgeben, → hören; g. und gar → ganz, → regelrecht; g. und gar nicht → keineswegs, → nein; das Ganze → Totalität; im -en → insgesamt; im großen -en → generell.

Gänze: → Ganzheit; zur G. → ganz.

Ganzfoto → Fotografie.

¹Ganzheit, Gesamtheit, Gänze; → Totalität, → Vollständigkeit; → ganz, → insgesamt.

²Ganzheit → Totalität.

Ganzheitspsychologie → Psychologie.

gänzlich → ganz.

Ganzmassage → Massage.

Ganzperücke → Perücke.

Ganzportrait → Bildnis.

Ganzporträt → Bildnis.

Ganztagsschule → Schule.

¹gar, gargekocht, durchgebacken, durch (*ugs.*); nicht g., halbgar, klitschig (*landsch.*), klinschig (*landsch.*), speckig (*landsch.*).

²gar: → etwa, → sehr; g. nichts → nichts; g. niemand → nie-

mand; g. sein → fertig [sein]; g. kochen / machen → sieden; ganz und g. → ganz, → regelrecht; ganz und g. nicht → keineswegs; nicht g. → halbgar.

Garage → Parkhaus; in die G. bringen / fahren / stellen → garagieren.

garagieren (*österr., schweiz.*), in die Garage fahren / stellen / bringen, [ein Fahrzeug] einstellen; → parken.

Garant → Bürge.

Garantie: → Gewißheit, → Sicherheit; G. leisten / übernehmen → einstehen (für).

garantieren: → einstehen (für); garantiert → verbrieft, → verbürgt.

Garantieschein → Bescheinigung.

Garaus: den G. machen → töten.

Garbe, Getreidegarbe, Strohgarbe, Garbenbündel, Strohbündel, Strohbund, Bündel, Bund; → Garbenstand.

Garbenbündel → Garbe.

Garbenstand, Puppe, Hocke (*nordd.*), Kasten (*südwestd.*), Kornkasten (*südwestd.*), Hausten (*südwestd.*), Klobm (*südwestd.*), Hücker (*südwestd.*), Hückel (*südwestd.*), Ritter (*südwestd.*), Bock (*südwestd.*), Haufen (*westd.*), Gast (*westd.*), Kupp (*westd.*), Häuchel (*westd.*); → Garbe, → Schober.

Garçon → Bedienung.

Garçonniere → Wohnung.

Garde → Leibwache.

Gardeducorps → Leibwache.

Garden-Party → Fest.

¹Garderobe, Flurgarderobe, Kleiderablage, Kleiderständer, Garderobenständer, Kleiderhaken, Haken, Kleiderrechen (*schweiz.*), Vorzimmerwand (*österr.*); → Garderobiere, → Kleiderbügel.

²Garderobe: → Kleidung, → Umkleideraum.

Garderobenfrau → Garderobiere.

Garderobenschrank → Schrank.

Garderobenständer → Garderobe.

Garderobiere, Garderobenfrau; → Garderobe.

¹Gardine, Vorhang, Store ·· Übergardine, Rideau (*schweiz.*) · *seitlicher Teil:* Schal · querver-

*laufender Teil:* Querbehang, Schabracke ·· *unmittelbar am Fenster:* Spanngardine, Scheibengardine ·· *vor der Türöffnung:* Türvorhang, Portiere; → Gardinenleiste.

²**Gardine:** hinter schwedischen -n sitzen → abbüßen.

**Gardinenleiste,** Karniese (*österr.*), Karnische (*österr.*) · Gardinenstange, Vorhangstange; → Gardine.

**Gardinenmull** → Stoff.

**Gardinenpredigt:** eine G. halten → schelten.

**Gardinenstange** → Gardinenleiste.

**Gardinenstoff** → Stoff.

**Gardist** → Soldat.

**garen:** → braten, → sieden.

**gären,** säuern, in Gärung übergehen / geraten, übergehen (*ugs.*), sauer werden; → ungenießbar; → Gärstoff.

**gargekocht** → gar.

**gärig** → ungenießbar.

**Garküche** → Gaststätte.

**Garmond** → Schriftgrad.

**Garn:** → Faden; ins G. gehen → hereinfallen; G. spinnen → lügen.

**Garnele** → Krebs.

¹**garnieren,** verzieren, dressieren (*Kochk.*); → kochen.

²**garnieren** → schmücken.

**Garnierung** → Verzierung.

**Garnison,** Truppenstandort; → Militär.

**Garnisonkirche** → Gotteshaus.

**Garnitur:** erste G. → beste; zweite G. → Stellvertreter; die zweite G. sein → vertreten.

**Garnsträhne** → Strähne.

**garstig** → böse.

**Garstigkeit** → Bosheit.

**Gärstoff,** Hefe, Bierhefe, Weinhefe, Germ (*bayr., österr.*), Gest (*landsch.*), Ferment, Enzym, Katalysator, Zyma, Bärme (*nordd.*), Sauerteig; → Treibmittel; → gären.

¹**Garten,** Schrebergarten, Hausgarten, Gemüsegarten, Obstgarten, Grundstück, Nutzgarten · Ziergarten, Blumengarten, Vorgarten, Schanigarten (*österr.*), Steingarten, Grotte; → Grundstück, → Treibhaus.

²**Garten:** → Park; G. Eden → Paradies.

**Gartenampfer** → Gemüse.

**Gartenamt** → Gartenbauamt.

**Gartenbank** → Sitzbank.

**Gartenbauamt,** Gartenamt, Grünflächenamt.

**Gartenblume** → Blume.

**Gartenbohne** → Gemüse.

**Gartenerde** → Erde.

**Gartenfest** → Fest.

**Gartengemüse** → Gemüse.

**Gartenhaus** → Haus.

**Gartenkalender** → Kalender.

**Gartenkresse** → Gemüse.

**Gartenlaube** → Haus, → Laube.

**Gartenlokal** → Café.

**Gartenmauer** → Mauer.

**Gartenmelde** → Gemüse.

**Gartenportulak** → Gemüse.

**Gartenrettich** → Rettich.

**Gartenrose** → Rose.

**Gartenschere,** Rosenschere, Heckenschere, Zaunschere, Baumschere; → Schere.

**Gartenschirm** → Schirm.

**Gartenschlauch** → Schlauch.

**Gartenschnecke** → Schnecke.

**Gartenseite** → Hinterseite.

**Gartenstuhl** → Stuhl.

**Gartentisch** → Tisch.

**Gartentulpe,** Tulpe · Darwintulpe, Breedertulpe, Rembrandttulpe, Mendeltulpe, Triumphtulpe, Papageientulpe; → Blume.

**Gartenwirtschaft** → Gaststätte.

**Gartenzaun:** → Hindernis, → Zaun.

**Gartenzwerg** → Mann.

**Gartenzwiebel** → Zwiebel.

**Gärtner:** den Bock zum G. machen → einstellen (jmdn.).

**Gärtnerei** → Baumschule.

**Gärung:** in G. geraten / übergehen → gären.

¹**Gas** ·· Sauerstoff, Ozon, Wasserstoff, Stickstoff, Stickgas, Kohlenoxyd, Kohlendioxyd, Kohlenmonoxyd, Kohlenwasserstoff, Schwefelwasserstoff, Azetylen, Ammoniak, Chlor, Fluor, Brom, Jod · Naturgas, Erdgas, Sumpfgas, Grubengas, Methan, Methangas, Rauchgas, Feuergas · Industriegas, Generatorgas, Wassergas, Luftgas, Holzgas, Ölgas, Fettgas · Leuchtgas, Heizgas, Stadtgas, Kohlengas, Mondgas, Propan, Butan, Äthan · Gasgemisch, Gasgemenge, Mischgas, Knallgas · Edelgas, Helium, Neon, Argon, Krypton, Xenon, Radon; → Abgas, → Giftgas, → Lachgas, → Luft.

²**Gas:** jmdm. das G. abdrehen → ausbeuten, → töten; G. geben → ankurbeln, → Geschwindigkeit; mit G. füllen → aufblasen.

**Gasableser** → Gasmann.

**Gasbügeleisen** → Bügeleisen.

**Gäscht** → Brandung.

**Gasel** → Gedicht.

**Gasembolie** → Embolie.

**Gaserer** → Gasmann.

**Gasfeuerzeug** → Feuerzeug.

**gasförmig:** -er Brennstoff → Brennstoff.

**Gasgemenge** → Gas.

**Gasgemisch** → Gas.

**Gashahn:** den G. aufdrehen → entleiben (sich).

**Gasheizung** → Heizung.

**Gasherd** → Herd.

**Gaskampfstoff** → Giftgas.

**Gaskrieg** → Krieg.

**Gaslaterne** → Straßenbeleuchtung.

**Gaslicht** → Licht.

**Gasmann,** Gasableser, Ableser, Gaserer (*wiener.*).

**Gasse:** → Straße; Hansdampf in allen -n sein → aktiv [sein], → betriebsam [sein].

**Gassenbub** → Junge.

**Gassendorf** → Dorf.

**Gassenhauer** → Schlager.

**Gassenjunge** → Junge.

¹**Gast,** Besuch, Besucher · *häufiger in Gaststätten:* Stammgast, Habitué (*bes. österr.*); → Auswanderer, → Fremder, → Gastarbeiter, → Publikum · Ggs. → Bewohner; **G. sein,** Gastrecht genießen; → fremd.

²**Gast:** → Garbenstand, → Hospitant, → Schauspieler, → Urlauber.

**Gastarbeiter,** ausländischer Arbeitnehmer, Fremdarbeiter; → Arbeitnehmer, → Gast.

**Gastarbeiterheim** → Heim.

**Gastdirigent** → Dirigent.

**Gästebuch** → Album.

**Gästehandtuch** → Handtuch.

**Gästehaus** → Hotel.

**Gaster** → Magen.

**Gästezimmer** → Raum.

**gastfrei,** gastfreundlich, gastlich; **g. sein,** ein offenes Haus haben / führen; → Gastgeber.

**gastfreundlich** → gastfrei.

**Gastfreundlichkeit** → Gastfreundschaft.

**Gastfreundschaft,** Gastlichkeit, Gastfreundlichkeit; → Großzügigkeit; → freigebig.

**Gastgeber,** Wirt, Hausherr; → gastfrei.

**Gasthaus:** → Gaststätte, → Hotel.

**Gasthof** → Hotel.

**Gasthörer** → Hospitant.

**gastlich** → gastfrei.

**Gastlichkeit** → Gastfreundschaft.

**Gastradenitis** → Gastritis.

**Gastrecht:** G. genießen → Gast [sein].

**Gastrektomie** → Operation.

**Gastritis,** Magenschleimhautentzündung, Magenkatarrh · *in bezug auf die Magendrüsen:* Gastroadenitis, Gastradenitis, Magendrüsenentzündung · *mit Entzündung des Zwölffingerdarms:* Gastroduodenitis · *mit Entzündung des Dünndarms:* Gastroenteritis, Enterogastritis, Magen-Darm-Entzündung · *mit Entzündung des Dickdarms:* Gastrokolotis, Gastroenterokolitis; → Magen, → Magengeschwür.

**Gastroadenitis** → Gastritis.

**Gastroduodenitis** → Gastritis.

**Gastroenteritis** → Gastritis.

**Gastroenterokolitis** → Gastritis.

**Gastroenterologe** → Arzt.

**Gastroenterologie** → Heilkunde.

**Gastroenteroptose** → Eingeweidesenkung.

**Gastrokolitis** → Gastritis.

**Gastrolle:** → Auftreten, → Rolle; eine G. geben → teilnehmen.

**Gastronom** → Koch.

**Gastroptose** → Eingeweidesenkung.

**Gastrorrhagie** → Blutung.

**Gastroskopie** → Ausspiegelung.

**Gastspiel** → Auftreten.

**Gastspielreise** → Reise.

**Gaststätte,** Lokal, Restaurant, Speiserestaurant, Grillrestaurant, Rotisserie, Restauration (*veraltend*), Gasthaus, Gastwirtschaft, Beisel (*abwertend*), Wirtschaft, Wirtshaus, Krug (*nordd.*), Bar · Weinstube, Schenke, Straußwirtschaft, Besenwirtschaft (*landsch.*), Hekkenwirtschaft (*landsch.*), Bu-

schenschenke (*österr.*), Heuriger (*österr.*) · Stehbierhalle, Bräu (*bayr.*), Bräustüberl (*bayr.*), Gartenwirtschaft, Biergarten, Taverne, Schwemme (*ugs.*), Pinte (*ugs.*), Kneipe (*salopp*), Schuppen (*abwertend*), Destille (*salopp*), Beize (*landsch.*), Beiz (*schweiz.*), Kretscham (*ostmitteld.*), Tschecherl (*wiener.*), Speisehaus, Speisewirtschaft, Garküche (*selten*), Schnellgaststätte, Schnellbüffet (*österr.*), Backhendlstation (*bes. österr.*), Hähnchengrill, Jausenstation (*österr.*), Imbißstube, Snackbar, Pizzeria, Pub · *nicht gute, üble:* Stampe (*ugs.*), Kaschemme (*salopp*), Spelunke (*salopp*) · *mit Tanz:* Tanzlokal, Tanzdiele, Tanzbar, Dancing, Tingeltangel (*abwertend*), Bums (*ugs., abwertend*), Bumslokal (*ugs., abwertend*), Beatschuppen (*salopp*), Schüttelschuppen (*salopp*), Preßluftschuppen (*salopp*), Diskothek, Saloon · *im Zug:* Speisewagen, Buffetwagen · *im Bahnhof:* Bahnhofsbüffet · *an der Autobahn:* Autobahnraststätte, Raststätte, Rasthaus · *in der Hochschule:* Mensa · *im Betrieb:* Kantine · *in der kein Alkohol ausgeschenkt wird* (in der Schweiz): alkoholfreies Restaurant, Schwachstrombeiz (*scherzh.*); → Café, → Hotel, → Nachtlokal, → Speiseraum, → Wirt, → Wohnung; **als G. geöffnet sein,** bewirtschaftet sein.

**Gastvorstellung** → Auftreten.

**Gastwirt** → Wirt.

**Gastwirtschaft** → Gaststätte.

**Gaszähler** → Zähler.

**Gate** → Unterhose.

**Gatehose** → Unterhose.

**Gatinger** → Unterhose.

**Gatte** → Ehemann.

**Gattenliebe** → Familienanhänglichkeit.

**Gatter:** → Hindernis, → Zaun.

**Gatterich** → Ehemann.

**Gattin** → Ehefrau.

**Gattung:** → Art, → Klasse.

**Gau** → Stelle.

**Gäu:** das G. hinauf und hinab, im ganzen G. → weitum; jmdm. ins G. kommen → Rivale.

**Gaube** → Dachfenster.

**Gauch** → Dummkopf.

**Gaucho** → Hirt.

**Gauchohose** → Hose.

**Gaudee** → Unterhaltung.

**Gaudi** → Unterhaltung.

**Gaudibursch** → Unterhalter.

**Gaudium** → Unterhaltung.

**Gauke** → Dachfenster.

**Gaukelbild** → Fata Morgana.

**Gaukelei:** → Einbildung, → Hokuspokus.

**gaukeln** → fliegen.

**Gaukelspiel** → Einbildung.

**Gaukelwerk** → Einbildung.

**Gaukler** → Artist.

**Gauklerbude** → Jahrmarktsbude.

**Gaul** → Pferd.

**gaumen** → beaufsichtigen.

**Gaumen:** den G. kitzeln, dem G. schmeicheln, etwas beleidigt den G. → schmecken; einen feinen G. haben → Feinschmecker [sein]; etwas für einen verwöhnten G. sein → schmecken; jmdm. klebt die Zunge am G. → Durst.

**Gaumenfreude** → Leckerbissen.

**Gaumenkitzel** → Leckerbissen.

**Gaumenreiz** → Leckerbissen.

**Gauner:** → Betrüger, → Schuft.

**Gaunerei** → Betrug.

**Gaunersprache,** Verbrechersprache, Ganovensprache, Diebssprache, Diebessprache, Spitzbubensprache, Rotwelsch, Krämerlatein, Bettlerlatein, Kundensprache, Jenisch; → Ausdrucksweise.

**Gaupe** → Dachfenster.

**gautschen:** gegautschter Karton → Karton.

**Gavial** → Krokodil.

**Gavotte** → Tanz.

**Gaze** → Stoff.

**Gazefenster** → Fenster.

**Gazette** → Zeitung.

**Gdansk** → Danzig.

**geachtet** → angesehen.

**Geächteter** → Außenseiter.

**Gealbere** → Albernheit.

**geartet** → veranlagt.

**Geartetheit** → Veranlagung.

**Geartetsein** → Veranlagung.

**Geäst:** → Dickicht, → Zweig.

**Gebäck,** Backware, Backwerk · Brezel, Breze (*bes. österr.*), Laugenbrezel (*südd.*), Striezel (*landsch.*), Strutzel (*landsch.*), Straube (*bayr., österr.*),

Zwieback, Anisbrot, Bierstange, Laugenstange (*südd.*), Salzstange · Kuchen, Torte, Mehlspeise (*österr.*), Obstkuchen, Apfelkuchen, Pflaumenkuchen, Kirschkuchen, Streuselkuchen, Butterkuchen, Zukkerkuchen, Quarkkuchen, Hefe[n]kranz, Hefe[n]zopf, Frankfurter Kranz, Haselnußkranz, Mohnstriezel, Napfkuchen, Gugelhupf (*südd.*), Bäbe (*landsch.*), Aschkuchen (*landsch.*), Marmorkuchen, Königskuchen, Reindling (*österr.*), Sandkuchen, Mohnkuchen, Baumkuchen, Butterkremtorte, Schwarzwälder Kirschtorte, Käsekremtorte, Käsesahnetorte, Linzer Torte, Sandtorte, Sachertorte, Obsttorte · Kleingebäck, Patisserie, Petits fours, Teegebäck, Konfekt (*oberd.*), Plätzchen, kleine Kuchen (*landsch.*), Bäkkerei (*österr.*), Teebäckerei (*österr.*), Keks, Waffel, Schnitten (*österr.*), Busserl (*österr.*), Kokusbusserl (*österr.*), Makrone, Biskuit, Löffelbiskuit, Biskotten (*österr.*), Weinbeißer (*österr.*), Biskuitplätzchen, Russisch Brot, Käsegebäck, Cracker, Salzstange · Amerikaner, Florentiner, Nußknacker, Baiser, Meringe, Schnecke, Schneckennudel, Buchtel (*österr.*), Dalke (*österr.*), Kolatsche (*österr.*), Eclair, Liebesknochen, Plundergebäck, Blätterteiggebäck, Schweinsohr (*nordd.*), Schweinsohr (*südd.*), Schweinsöhrchen (*südd.*), Schuhsohle (*landsch.*), Apfel im Schlafrock, Schinkenhörnchen, Schinkenröllchen · Strudel (*oberd.*), Apfelstrudel, Quarkstrudel · Früchtebrot, Hutzelbrot (*südd.*), Schnitzbrot (*südd.*, *bes. schwäb.*) · *mit Schmalz gebackenes:* Pfannkuchen (*berlin.*), Berliner [Pfannkuchen / Ballen] (*bes. südd.*), Fastnachtsküchlein (*landsch.*), Fastnachtskräppel (*landsch.*), Kräppel (*landsch.*), Faschingskrapfen, Krapfen, Raderkuchen (*landsch.*), Nonnenfürzchen (*landsch.*), Liebesschleife (*landsch.*), Spritzkuchen · *mit Sahne, Pudding oder Krem gefülltes:* Mohrenkopf, Windbeutel, Schillerlocke, Bienenstich,

Sahnebaiser · *als Gericht gegessenes:* Pizza, Zwiebelkuchen (*südd., bes. schwäb.*) ·· *zu Weihnachten:* Weihnachtsgebäck, Weihnachtsbäckerei (*österr.*) · Lebkuchen, Nürnberger Lebkuchen, Elisenlebkuchen, Aachener Printe, Lebzelten (*bayr., österr.*), Pfefferkuchen (*bes. nordd.*), Pfeffernuß, Honigkuchen (*nordd.*), braune Kuchen (*nordd.*), Liegnitzer Bombe, Zimtstern, Spekulatius, Dominostein, Spitzbube (*schwäb.*), Springerle (*schwäb.*), Ausstecherle (*schwäb.*), Vanillekipferl (*österr.*) · Christstollen, Quarkstollen, Dresdner Stollen, Stolle[n], ·· *nicht durchgebackenes:* Klitsch (*landsch.*), Klinsch (*landsch.*); → Bäcker, → Bäckerei, → Backform, → Brot, → Brötchen, → Guß, → Napfkuchen, → Pfannkuchen, → Teig.
**Gebälk:** → Balkenwerk; es knistert im G. → ernst [sein].
**Gebälkträger** → Säule.
**geballt** → konzentriert.
**Gebärde,** Geste, Pantomime, Zeichen, Wink, Handzeichen, Deuter (*österr.*); → Handzeichen, → Hinweis; → winken.
**gebärden:** sich g. → benehmen (sich).
**Gebärdensprache** → Zeichensprache.
**gebaren** → benehmen (sich).
**Gebaren:** → Benehmen, → Geschäftsführung.
**gebären,** ein Kind bekommen / (*ugs.*) kriegen / in die Welt setzen / zur Welt bringen, einem Kind das Leben schenken, niederkommen, ein Kind ist angekommen, der Klapperstorch ist gekommen, kreißen, entbinden, eines Kindes genesen, Mutter werden · *von Säugetieren:* hecken, werfen, jungen, Junge bekommen / (*ugs.*) kriegen, setzen (Haarwild), schütten (Hund, Wolf), kalben (Kuh), abkalben (Kuh), kälbern (*österr.*, Kuh), fohlen (Pferd), abfohlen (Pferd), ferkeln (Schwein), abferkeln (Schwein), frischen (Wildschwein), lammen (Schaf), kitzen (Reh u. a.),

wölfen (Wolf u. a.) · *von Fischen:* laichen, ablaichen; → abortieren, → brüten → fortpflanzen (sich), → koitieren, → schwängern; → geboren, → schwanger; → Fehlgeburt, → Frau, → Geburt, → Hebamme.
**Gebärklinik** → Krankenhaus.
**Gebärmutterauskratzung** → Kürettage.
**Gebärmutterausschabung** → Kürettage.
**Gebärmuttersenkung** → Eingeweidesenkung.
**Gebärmutterspiegelung** → Ausspiegelung.
**Gebärmuttervorfall** → Eingeweidesenkung.
**Gebarung** → Geschäftsführung.
**Gebarungsbericht** → Geschäftsbericht.
**Gebarungsjahr** → Geschäftsjahr.
**Gebarungskontrolle** → Buchprüfung.
**gebauchpinselt:** sich g. fühlen → schmeicheln.
**gebaucht** → gebogen.
**Gebäude** → Haus.
**gebaut:** gut g. → sportlich.
**gebefreudig** → freigebig.
**Gebefreudigkeit** → Großzügigkeit.
**¹Gebeine,** Totengebeine, Totenskelett, Skelett, Gerippe, Knochen (Plural); → Knochen, → Knochengerüst.
**²Gebeine** → Toter.
**¹geben,** darreichen, reichen, darbieten, jmdm. etwas hinreichen / (*ugs.*) langen, versehen / versorgen / ausrüsten / ausstatten mit, an / in die Hand geben, übergeben, nicht → zurückhalten (mit) · *unauffällig:* zustecken, in die Hand drücken; → abgeben, → bereitstellen, → erwerben, → haben, → kümmern (sich um jmdn.), → schenken, → stiften, → verabreichen, → vergeben, → verleihen, → zubekommen; **sich etwas g. lassen,** etwas schnorren (*salopp*), etwas schnurren (*salopp*), sich etwas abbetteln / erbetteln; → betteln, → zuschieben; → Zuteilung.
**²geben:** → abgeben, → geschehen, → passieren, → servieren, → spenden, → verabreichen, → veranstalten, →

verleihen; sich g. → benehmen (sich); heimlich g. → zuspielen; verloren g. → abschreiben; es gibt → existieren; etwas gibt es nicht → eintreffen; es gibt jmdn. noch → tot; sich den Anstrich g. → vortäuschen; es gibt Ärger → Unannehmlichkeiten [bekommen]; jmdm. einen Auftrag g. → bestellen; Auskunft / Bescheid / Nachricht g. → mitteilen; eine Beleihung / ein Darlehen / eine Hypothek g. → beleihen; Bescheid g. → antworten; ein Bild / eine Darstellung / einen Eindruck / eine Vorstellung g. von → aussagen; sich eine Blöße g. → bloßstellen (sich); jmdm. Brief und Siegel darauf g., daß ... → zweifeln; das gibt es nicht → möglich; sich die Ehre g. → beehren (sich); der Wahrheit die Ehre g. → aufrichtig [sein]; jmdm. eine [in die Schnauze] g., es jmdm. [ordentlich / tüchtig / feste] g., es gibt Prügel / Schläge / Senge → schlagen; jmdm. eins auf den Deckel g., es jmdm. g. → schelten; gleich gibt es etwas / gibt es Schläge → aufhören; Feuer g. → schießen; jmdm. einen Freibrief g. → billigen; Gas g. → Geschwindigkeit; den Genickschuß g. → töten; jmdm. das Jawort g. → heiraten; Kredit / auf Borg g. → anschreiben; jmdm. den Laufpaß g. → brechen (mit jmdm.); grünes Licht g. für etwas → billigen; den Namen g. → nennen; eine Note g. → zensieren; kein Pardon g. → verschonen; Pfötchen g. → begrüßen; einen Platz g. → placieren; jmdm. einen Rat g. → beraten; Sachen gibt's, die gibt's gar nicht → überrascht [sein]; den letzten Schliff g. → vollenden; es gibt Schnee → schneien; den Segen g. → segnen; jmdm. Starthilfe g. → helfen; jmdm. seine Stimme g. → erwählen; [ein Stück g.] → aufführen; ein Zeichen g. → winken; jmdm. den Zuschlag g. → vergeben; jmdm. etwas an die Hand g. → zuschieben (jmdm. etwas); aus der Hand g. →

abgeben; in Druck / Satz g. → edieren; etwas von sich g. → äußern (sich); zu bedenken g. → abraten; zu verstehen g. → Hinweis; zur Ehe / Frau g. → verheiraten.

**Geberlaune:** in G. sein → spendieren.

**¹Gebet,** Bittgebet, Dankgebet, Bußgebet, Frühgebet, Morgengebet, Abendgebet, Nachtgebet, Tischgebet, Stoßgebet, Anrufung Gottes, Fürbitte, Bitten · Rosenkranz · Vaterunser, Paternoster, Gebet des Herrn · Ave-Maria · Englischer Gruß, Angelus; → Klagelaut; → beten.

**²Gebet:** sich im G. an Gott wenden → beten; ins G. nehmen → schelten.

**Gebetbuch,** Brevier; → Bibel.

**gebeten,** geladen, eingeladen, willkommen, gern gesehen; → willkommen · Ggs. → ungeladen.

**Gebetläuten** → Angelusläuten.

**Gebetsstätte** → Kultstätte.

**Gebetsteppich** → Orientteppich.

**Gebettel** → Bettelei.

**¹Gebiet,** Land, Bereich, Bezirk, Biet (*schweiz.*), Feld, Fläche, Areal, Raum, Komplex, Rayon (*bes. österr.*), Gemarkung, Region, Revier, Terrain, Territorium, Zone · *vom eigenen Staatsgebiet eingeschlossenes eines fremden Staates:* Enklave · *von fremdem Staatsgebiet eingeschlossenes des eigenen Staates:* Exklave · *das sich in einer politischen, wirtschaftlichen Krise befindet:* Krisengebiet, Krisenherd · *das von mehreren Staaten beherrscht wird:* Kondominium · *durch einen fremden Staat verwaltetes:* Treuhandgebiet, Mandatsgebiet, Mandat; → Bereich, → Industriegebiet, → Staat, → Stelle; → regional.

**²Gebiet** → Bereich.

**gebieten:** g. über → beherrschen, → führen, → regieren.

**Gebieter:** → Oberhaupt; Herr und G. → Ehemann.

**gebieterisch** → herrisch.

**gebietsweise** → regional.

**Gebilde,** Form, Gestalt; → Beschaffenheit, → Struktur.

**¹gebildet,** studiert, gelehrt, kenntnisreich, belesen; → fach-

männisch, → geistreich, → gewandt, → lebensfremd, → wissenschaftlich; → Bildung.

**²gebildet:** die Gebildeten → Oberschicht.

**Gebildetsein** → Bildung.

**Gebimmel,** das Bimmeln, Geläute, das Läuten, Geklingel, das Klingeln; → Glocke; → läuten.

**Gebinde** → Blumenstrauß.

**Gebirge** → Berg.

**gebirgig:** → bergig, → steil.

**Gebirgler** → Bergbewohner.

**gebirgs-:** → alpin.

**Gebirgsbahn:** → Achterbahn, → Verkehrsmittel.

**Gebirgsblume** → Blume.

**Gebirgslandschaft** → Landschaft.

**Gebirgsluft** → Luft.

**Gebirgsschlucht** → Schlucht.

**Gebirgsschweißhund:** bayrischer G. → Hunderassen.

**Gebirgsstelze** → Vogel.

**Gebirgsstraße** → Straße.

**Gebiß:** → Kauwerkzeuge, → Zahn, → Zahnersatz.

**Geblendetsein** → Faszination.

**geblümt:** → gemustert, → geziert.

**gebogen,** krumm, geschwungen, geschweift, halbrund, gekrümmt, verkrümmt, verbogen, gewölbt, bauchig, ausgebaucht, ausladend, nicht gerade; → rund.

**¹geboren,** gebürtig; **g. werden,** zur Welt / auf die Welt kommen, das Licht der Welt erblicken, ankommen; → gebären.

**²geboren:** wohl im Neubau g. sein → schließen; mit einem silbernen Löffel im Mund g. sein → reich [sein]; unter einem guten / glücklichen / günstigen Stern g. sein → Glück [haben].

**geborgen** → sicher.

**¹Geborgenheit,** Sicherheit, Gesichertsein, Gesichertsein, Behütetheit, Behütetsein, Beschütztsein, Beschirmtsein; → sicher · Ggs. → Ungesichertheit, → Ungeborgenheit, → ungeborgen, → unsicher.

**²Geborgenheit** → Schutz.

**¹Gebot,** Angebot, Höchstgebot; **ein G. machen,** bieten, ausbieten, ein Angebot machen; → Versteigerung.

²**Gebot** → Weisung.
**geboten** → nötig.
**Gebotsschild** → Schild.
**Gebräu** → Getränk.
**Gebrauch:** → Anwendung; Gebräuche → Brauch; für den G. nicht mehr zulassen → gebrauchen; in G. kommen → entstehen; in G. nehmen → anwenden, → gebrauchen; G. machen von → anwenden; von seinem Recht G. machen → bestehen (auf); von seinem Züchtigungsrecht G. machen → schlagen.
¹**gebrauchen**, benutzen, in Benutzung haben / nehmen, verwenden, nutzen, nützen; → anwenden; **zu g. beginnen**, anbrechen, anbrauchen (*ugs.*), in Gebrauch / (*österr.*) Verwendung nehmen, zum ersten Mal benutzen; **nicht gebraucht werden**, unnütz sein, etwas steht nur herum / (*ugs.*) rum; **nicht mehr g.**, aus dem Verkehr ziehen, für den Gebrauch nicht mehr zulassen; → anfangen; → nutzlos; → Nippsache.
²**gebrauchen:** → anwenden; g. können → brauchen; zu g. sein → eignen (sich); kaum gebraucht → neu; jmdn. zu etwas g. → ausnutzen; Bilder / Gleichnisse / Metaphern g. → versinnbildlichen; ein Wort nicht g. → aussprechen.
**gebräuchlich** → üblich.
**Gebräuchlichkeit** → Üblichkeit.
**Gebrauchsanleitung:** → Gebrauchsanweisung, → Ratgeber.
**Gebrauchsanweisung**, Gebrauchsanleitung, Benutzungsvorschrift, Anweisung, Anleitung, Bedienungsvorschrift; → Ratgeber; → anwenden.
**Gebrauchsgegenstand** → Bedarfsartikel.
**Gebrauchsgraphik** → Druckgraphik.
**Gebrauchsgraphiker** → Zeichner.
**Gebrauchsgüter** → Bedarfsartikel.
**Gebrauchsmusik** → Musik.
**gebraucht** → antiquarisch.
**Gebrauchtwarenhändler** → Trödler.
**Gebrauchtwarenladen** → Laden.

**gebräunt**, braun, bräunlich, braunverbrannt, sonn[en]verbrannt, abgebrannt (*österr.*), bronzen; **g. werden**, braun werden, Farbe bekommen / (*ugs.*) kriegen; → sonnen (sich).
**gebrechen:** etwas gebricht jmdm. → mangeln.
**Gebrechen:** → Krankheit, → Unzulänglichkeit.
**gebrechlich** → hinfällig.
**Gebrechlichkeit** → Altersschwäche, → Unzulänglichkeit.
**Gebrest** → Krankheit.
**gebrochen:** → deprimiert; -er Akkord → Akkord; -e Zahl → Zahl.
**Gebrüder** → Geschwister.
**Gebrumm** → Geräusch.
**Gebrumme** → Geräusch.
**gebügelt:** g. sein → überrascht [sein]; geschniegelt und g. → aufgeputzt.
**Gebühr:** → Abgabe, → Leihgebühr.
**gebühren:** etwas gebührt jmdm. → zustehen.
**gebührend** → angemessen, → gehörig.
**gebührenfrei** → kostenlos.
**Gebührenfreiheit**, kostenloser Eintritt, Nulltarif; → kostenlos · Ggs. → Abgabe.
**Gebührenmarke**, Stempelmarke (*österr.*); → Abgabe; → gebührenpflichtig.
¹**gebührenpflichtig**, stempelpflichtig (*österr.*), nicht → kostenlos; → Gebührenmarke.
²**gebührenpflichtig:** -e Verwarnung → Strafzettel.
**gebührlich** → angemessen.
**gebündelt** → abgepackt.
¹**gebunden**, verpflichtet; **g. sein**, liiert / versprochen / verlobt sein, ein festes Verhältnis haben, in festen Händen sein.
²**gebunden:** → legiert; -e Suppe → Suppe.
**Gebundenheit** → Zwang.
¹**Geburt**, Niederkunft, Entbindung, freudiges Ereignis, Ankunft, Partus, Parturitio, Accouchement · *weit vor dem errechneten Termin:* Frühgeburt, Partus praematurus · *erheblich nach dem errechneten Termin:* Spätgeburt, Partus serotinus · *sehr schnelle:* Sturzgeburt · *leichte:* Eutokie · *mit Hilfe der Geburtszange:* Zangengeburt ·

*operative:* Schnittgeburt, Kaiserschnitt; → Geburtswehen, → Hebamme, → Kindslage, → Schwangerschaft; → gebären.
²**Geburt:** → Abkunft; von edler / hoher G. sein → adlig [sein]; Mariä G. → Marienfest.
**Geburtenbeschränkung** → Geburtenregelung.
**Geburtenkontrolle** → Geburtenregelung.
**Geburtenregelung**, Geburtenkontrolle, Familienplanung, Geburtenbeschränkung, → Empfängnisverhütung.
**gebürtig** → geboren.
**Geburtsadel** → Adel.
**Geburtsanzeige** → Nachricht.
**Geburtsaristokratie** → Adel.
**Geburtshelfer** → Arzt.
**Geburtshelferin** → Hebamme.
**Geburtshelferkröte** → Frosch.
**Geburtslage** → Kindslage.
**Geburtsland** → Heimat.
**Geburtsmal** → Muttermal.
**Geburtsname** → Familienname.
**Geburtsort** → Heimatort.
**Geburtsstadt** → Heimatort.
**Geburtsstätte** → Heimatort.
**Geburtstag**, Wiegenfest, Ehrentag; **G. haben**, ein Jahr älter werden, nullen (wenn je-mand 30, 40, 50 usw. Jahre wird; *ugs.*).
**Geburtstagsgruß** → Kartengruß.
**Geburtsurkunde** → Urkunde.
**Geburtswehen**, Wehen, Dolores (*Med.*), Labores (*Med.*); → Geburt, → Schmerz; → gebären.
**Gebüsch** → Dickicht.
**Geck**, Laffe (*abwertend*), Fant, Stutzer, Gent (*abwertend, veraltend*), Zierbengel (*veraltet*), Fatzke (*abwertend*), eitler Affe (*abwertend*), feiner Pinkel (*abwertend*), Dandy, Snob, Elegant, Stenz, Lackaffe (*abwertend*), Geschwuf (*wiener.*), Zieraffe, Grasaffe (*abwertend*), Gigerl (*österr., abwertend*); → Angeber.
**Gecke** → Frosch.
**geckenhaft** → eitel.
**Gecko** → Eidechse.
¹**gedacht**, vorgestellt, gedanklich, ideell, immateriell, nicht → materiell; → immateriell; → vorstellen (sich etwas).
²**gedacht:** → theoretisch; [nur g.] → begrifflich.

**¹Gedächtnis**, Gedenken, Andenken, Angedenken, Jubiläum, Gedenktag; → Erinnerung; **im G. haben**, im Kopf / gegenwärtig haben, etwas aus dem Gedächtnis sagen können, auswendig wissen, etwas ist jmdm. bekannt / erinnerlich / gegenwärtig / präsent, sich [gut] an etwas erinnern [können], etwas [noch] in [guter] Erinnerung / gut in Erinnerung haben; → extemporieren.

**²Gedächtnis:** → Erinnerungsvermögen; jmds. G. auffrischen, jmdm. etwas ins G. rufen → mahnen; ein kurzes / schlechtes G. haben, ein G. wie ein Sieb haben, aus dem G. verlieren → vergessen; nicht im G. behalten → vergessen, → versäumen; etwas ruft jmdm. etwas ins G. → gemahnen.

**Gedächtnisauffrischung** → Erinnerung.

**Gedächtnisbrücke** → Gedächtnisstütze.

**Gedächtnishilfe** → Gedächtnisstütze.

**Gedächtnisillusion** → Gedächtnisstörung.

**Gedächtniskraft** → Erinnerungsvermögen.

**Gedächtnislücke:** → Gedächtnisschwäche, → Gedächtnisstörung.

**Gedächtnisrede** → Nachruf.

**Gedächtnisschulung** → Mnemotechnik.

**¹Gedächtnisschwäche**, Vergeßlichkeit, Vergessen, Gedächtnisschwund; → Gedächtnisstörung, Gedächtnislücke; → Verkalkung; → vergessen.

**²Gedächtnisschwäche** → Gedächtnisstörung.

**Gedächtnisschwund:** → Gedächtnisschwäche, → Gedächtnisstörung.

**¹Gedächtnisstörung,** Dysmnesie · Gedächtnisschwäche, Gedächtnisschwund, Hypomnesie, Gedächtnisverlust, Gedächtnislücke, Erinnerungslücke, Amnesie · pathologisch / krankhaft gesteigertes Erinnerungsvermögen, Hypermnesie, Kalendergedächtnis · Gedächtnisillusion, Erinnerungsfälschung, Erinnerungstäuschung, Paramnesie, Pseudomnesie, Allomnesie.

**²Gedächtnisstörung** → Gedächtnisschwäche.

**Gedächtnisstütze**, Gedächtnishilfe, Gedächtnisbrücke, Lernhilfe, Merkhilfe, Anhaltspunkt, Eselsbrücke (*ugs.*) · *gereimte:* Merkspruch, Merkvers, Versus memoriales · *für Schauspieler o. ä.:* Stichwort, Merkwort; → Erinnerungsvermögen, → Mnemotechnik.

**Gedächtnistraining** → Mnemotechnik.

**Gedächtnisübung** → Mnemotechnik.

**Gedächtnisverlust** → Gedächtnisstörung.

**gedämpft**, halblaut, mit verhaltener Stimme, in Zimmerlautstärke; → leise.

**Gedanke:** → Einfall; zwei Seelen und ein G. → denken; kein G. [daran] → nein; über etwas -n austauschen → unterhalten (sich); einen -n haben, auf einen -n kommen → Einfall; -n lesen → voraussehen; sich -n machen → sorgen (sich); seine -n sammeln / zusammennehmen → achtgeben; seine -n zusammennehmen, sich -n machen, einem / seinen -n nachhängen → denken; sich wegen etwas -n machen → schwernehmen; seine -n zu Sachen machen → hypostasieren; auf andere -n bringen → erheitern; ganz in -n / mit den -n weit fort sein, in -en verloren / versunken / vertieft sein → unaufmerksam [sein]; in -n versunken → gedankenvoll; mit den -n spielen / umgehen → erwägen; sich mit dem -n tragen → liebäugeln (mit), → vorhaben.

**Gedankenarbeit** → Denkvorgang.

**Gedankenarmut** → Einfallslosigkeit.

**Gedankenaustausch** → Gespräch.

**Gedankenblitz** → Ausspruch.

**Gedankenfolge** → Gedankengang.

**Gedankenfreiheit** → Freiheit.

**Gedankenfülle** → Tiefsinn.

**Gedankengang**, Gedankenreihe, Gedankenfolge, Ideenfolge, Gedankenkette, Ideenkette, Gedankenverbindung, Gedankenverknüpfung, Assoziation, Vorstellungsablauf; → Denkvorgang; → denken.

**Gedankenkette** → Gedankengang.

**Gedankenlesen** → Hellsehen.

**Gedankenleser** → Artist.

**gedankenlos:** → unachtsam, → unbesonnen.

**¹Gedankenlosigkeit**, Schusseligkeit (*ugs.*), Schußligkeit (*ugs.*), Vergeßlichkeit; → Unbesonnenheit, → Zerfahrenheit, → Zerstreutheit · Ggs. → gewissenhaft.

**²Gedankenlosigkeit** → Unachtsamkeit.

**Gedankenlyrik** → Lyrik.

**Gedankenreihe** → Gedankengang.

**Gedankensammler** → Kopfbedeckung.

**Gedankensplitter** → Ausspruch.

**Gedankensprung** → Abschweifung.

**Gedankenstrich** → Satzzeichen.

**Gedankentiefe** → Tiefsinn.

**Gedankenübertragung** → Telepathie.

**Gedankenverbindung** → Gedankengang.

**Gedankenverknüpfung** → Gedankengang.

**gedankenverloren** → gedankenvoll.

**gedankenvoll**, nachdenklich, versonnen, vertieft, [in Gedanken] versunken, gedankenverloren, selbstvergessen, entrückt, verträumt, träumerisch; → empfindsam, → unrealistisch.

**Gedankenwelt** → Gesichtskreis.

**gedanklich:** → begrifflich, → gedacht, → theoretisch.

**Gedärm:** → Darm, → Eingeweide; -e → Darm, → Eingeweide.

**Gedeck:** → Essen, → Geschirr.

**gedeckt** (von Farben), blaß, matt, nicht leuchtend, nicht → hell.

**gedehnt**, zerdehnt, breit ausgewalzt, in die Länge gezogen; → langweilig.

**Gedeih:** auf G. und Verderb → vorbehaltlos.

**¹gedeihen**, wachsen, blühen, blühen und gedeihen; → entstehen, → ranken, → wuchern; → wieder; → Entwicklung, → Vegetation.

²**gedeihen:** [wachsen, blühen und g.] → florieren.

**gedeihlich** → nützlich.

**Gedenkbuch** → Album.

**gedenken:** jmds. / einer Sache g. → erinnern (sich); g. [zu tun] → vorhaben.

**Gedenken** → Gedächtnis.

**Gedenkmünze,** Denkmünze, Schaumünze, Medaille; → Münze.

**Gedenkstein** → Denkmal.

**Gedenktag:** → Jahrestag; Nationaler G. → Feiertag.

¹**Gedicht,** Poem, Vers, Verschen, Lied · Scherzgedicht, Gelegenheitsgedicht, Stegreifgedicht · *von bestimmter Form:* Triolett, Rondeau, Kanzone, Sestine, Ballade, Romanze, Rhapsodie, Dithyrambus, Hymnus, Ode, Elegie, Sonett · *aus drei bis zehn Verspaaren, wobei der Reim des ersten Paares in allen geraden Zeilen wiederholt wird:* G[h]asel · *bei dem die Anfangsbuchstaben der Zeilen ein Wort oder einen Satz ergeben:* Akrostichon · *bei dem die an bestimmter Stelle der Zeilenmitte stehenden Buchstaben, von oben nach unten gelesen, ein Wort oder einen Satz ergeben:* Mesostichon · *bei dem die Endbuchstaben der Zeilen ein Wort oder einen Satz ergeben:* Telestichon · *englisches von grotesk-komischem Inhalt:* Limerick; → Dichtung, → Epigramm, → Erzählung, → Schriftsteller, → Vers, → Versmaß; → dichten.

²**Gedicht:** etwas ist ein G. → trefflich [sein].

**Gedichtinterpretation** → Schulaufsatz.

**Gedichtsatz** → Schriftsatz.

**gedickt** → legiert.

**gediegen,** solide, solid, echt, wertbeständig, ordentlich, währschaft (*schweiz.*), reell; → angesehen, → bleibend.

**Gedöns:** → Gerede, → Getue.

**Gedränge** → Ansammlung.

**gedrängt:** → kurz; dicht g. → voll.

**Gedrängtheit** → Kleinheit.

**gedrechselt** → verziert.

**gedreht** → verziert.

**Gedröhn** → Lärm.

**gedrückt:** → deprimiert, → schwermütig; -er Spitzbogen → Bogen.

**Gedrücktheit** → Trauer.

**gedrungen** → untersetzt.

**Gedrungenheit** → Stämmigkeit.

**Gedudel** → Lärm.

**Geduld:** → Beharrlichkeit, → Duldung; jmds. G. ist zu Ende → ärgerlich [werden]; G. haben → warten; die G. verlieren → ärgerlich [werden]; sich in G. fassen / üben → abwarten; sich mit G. wappnen → warten [können].

**gedulden:** sich g. → warten.

¹**geduldig,** gottergeben, ergeben, quietistisch; → tolerant.

²**geduldig:** → nachsichtig, → tolerant; g. sein → abwarten, → warten.

**Geduldsfaden:** jmdm. reißt der G. → ärgerlich [werden].

**Geduldsspiel,** Geduldsspiel, Zusammensetzspiel, Puzzlespiel, Puzzle; → Rätsel.

**Geduldsspiel** → Geduldsspiel.

**gedunsen** → aufgedunsen.

**Gedunsenheit,** Aufgedunsenheit, Aufgequollenheit, Verquollenheit, Verschwollenheit, Aufgeschwemmtheit, Schwammigkeit; → Fettleibigkeit, → Wohlgenährtsein; → aufgedunsen, → dick.

¹**geehrt,** angesehen, geachtet, bewundert, verehrt, verdient, hochgeschätzt, geschätzt, beliebt, geliebt, angebetet, vergöttert, gefeiert, populär, volkstümlich, volksverbunden, renommiert; → anerkennenswert, → anständig, → außergewöhnlich, → begehrt, → bekannt, → ehrenhaft, → gediegen, → modern · Ggs. → anrüchig; g. sein, einen Namen / guten Ruf haben, anerkannt sein, Zulauf / Zuspruch haben, willkommen sein, gut angeschrieben sein (*ugs.*), einen Stein bei jmdm. im Brett haben (*ugs.*), Anklang finden, gut ankommen (*ugs.*), wohlgelitten / gut gelitten sein bei jmdm., bei jmdm. in hohen Gnaden stehen (*iron.*), begehrt sein, hoch im Kurs bei jmdm. stehen (*ugs.*);

→ Erfolg [haben], → Glück [haben].

²**geehrt:** [sehr g.] → verehrt.

¹**geeignet,** passend, gegeben, berufen, ideal, wie geschaffen für, richtig, recht, goldrichtig (*ugs.*); → angemessen, → auserwählt, → erprobt, → ideal, → zweckmäßig.

²**geeignet:** → erprobt; g. sein für → eignen (sich).

**Geeignetsein** → Brauchbarkeit.

**geeist** → gekühlt.

¹**Gefahr,** Gefährlichkeit, Gefährdung, Bedrohung, Unsicherheit; → Not; **sich / jmdn. / etwas in G. bringen,** sich in Gefahr begeben, gefährden, aufs Spiel setzen, einer Gefahr aussetzen; **in G. kommen,** in Gefahr geraten, gefährdet werden; **G. laufen,** damit rechnen müssen, daß …; befürchten müssen, daß …; **in G. sein,** gefährdet / bedroht sein, auf dem / einem Pulverfaß sitzen; **eine G. bannen,** entschärfen; → wagen.

²**Gefahr:** die G. verachten, der G. nicht achten / ins Auge schauen (oder:) trotzen → mutig [sein]; außer G. sein → sicher [sein].

**gefährden:** → Gefahr; etwas ist gefährdet → ungewiß [sein].

**Gefährdung** → Gefahr.

**Gefahrenherd** → Krisenherd.

**Gefahrenzone** → Krisenherd.

¹**gefährlich,** gewagt, kritisch, brenzlig, riskant, gefahrvoll, abenteuerlich, halsbrecherisch, lebensgefährlich, selbstmörderisch, tödlich, nicht → ungefährlich; → böse, → ernst; **g. sein:** etwas ist gefährlich / ist ein Spiel mit dem Feuer / (*ugs.*) ist der reine (oder:) reinste Mord, jmd. lebt gefährlich; **g. werden,** etwas wird für jmdn. gefährlich, jmdm. brennt der Boden unter den Füßen, jmdm. wird der Boden unter den Füßen zu heiß.

²**gefährlich:** → schwierig; -es Alter → Lebensalter; das ist nicht [weiter] g. → schlimm.

**Gefährlichkeit** → Gefahr.

**gefahrlos** → ungefährlich.

**Gefährt** → Wagen.

**Gefährte** → Freund.

**gefahrvoll** → gefährlich.

¹**Gefälle,** Abfall, Neigungswinkel, Steigungswinkel, schiefe Ebene; → Abhang, → Schräge, → Steilabfall.

²**Gefälle:** ein gutes G. haben → trinkfest [sein].

¹**gefallen,** zusagen, behagen, imponieren, Gefallen / Geschmack finden an, auf den Geschmack kommen (*ugs.*), das Blut geleckt (*ugs.*), schön finden, jmdm. sympathisch / angenehm / genehm sein, jmds. Typ sein, jmd. / etwas ist jmds. Fall (*ugs.*), nach jmds. Herzen sein, auf jmdn. / etwas stehen (*salopp*), Anklang finden, konvenieren (*veraltet*), bei jmdm. [gut] ankommen (*ugs.*), es jmdm. angetan haben, jmd. liegt jmdm., nicht → unbeliebt [sein]; **nicht g.,** mißfallen, etwas läßt jmdn. kalt, etwas behagt / (*ugs.*) schmeckt jmdm. nicht, einer Sache keinen Geschmack / keinen Gefallen / nichts abgewinnen können, nichts finden können an, sich nichts aus etwas machen (*ugs.*), vor jmds. Auge / vor jmdm. keine Gnade finden, jmd. / etwas ist nicht jmds. Kragenweite (*salopp*); → auffallen, → erfreuen, → lieben, → mögen, → passen, → schmecken, → verliebt [machen]; → geschmacklos.

²**gefallen:** → wohltun (jmdm.); sich etwas g. lassen → ertragen; sich etwas nicht g. lassen → aufbegehren; sich nichts g. lassen → wehren (sich); jmdm. gefällt jmds. Nase nicht → hassen; sich g. in, sich in seiner Rolle g. → prahlen.

**Gefallen:** → Zuneigung; G. finden an, eine Sache keinen G. abgewinnen können → gefallen; [jmdm. einen G. tun] → Dienst; tun Sie mir den G. / den einen (oder:) einzigen G. . . .!, würden Sie mir den G. tun . . . ? → bitte!

**Gefallener** → Toter.

¹**gefällig,** hilfsbereit, hilfreich, diensteifrig, eilfertig, dienstfertig, dienstbeflissen, dienstwillig; → bereit, → entgegenkommend, → freundschaftlich, → menschlich; → Höflichkeit.

²**gefällig** → geschmackvoll.

**Gefälligkeit:** → Entgegenkommen; jmdm. eine G. erweisen → Dienst.

**gefälligst** → tunlichst.

**Gefallsucht,** Eitelkeit, Putzsucht, Koketterie; → eitel.

**gefallsüchtig** → eitel.

**gefälscht** → unecht.

**Gefangenenaufseher** → Wächter.

**Gefangenenauto** → Gefängniswagen.

**Gefangenenfieber** → Fleckfieber.

**Gefangenenhaus** → Strafanstalt.

**Gefangenenlager,** Arbeitslager, Konzentrationslager, KZ, Massenvernichtungslager, Deportationslager, Straflager; → Gefangenschaft, → Strafanstalt.

**Gefangenentyphus** → Fleckfieber.

**Gefangenenwärter** → Wächter.

**Gefangener,** Strafgefangener, Kriegsgefangener, Häftling, Inhaftierter, Gefängnisinsasse, Knastologe (*scherzh.*), Machulke (*Gaunerspr.*), Häfenbruder (*salopp, österr.*), der Enthaltene (*schweiz.*), Arrestant, Zuchthäusler (*veraltet*) · als Pfand für die Erfüllung bestimmter Forderungen: Geisel; → Gefangenschaft, → Strafanstalt, → Verbrecher.

**gefangenhalten** → festsetzen.

**Gefangenhaus** → Strafanstalt.

**Gefangennahme** → Verhaftung.

**gefangennehmen** → verhaften.

**Gefangenschaft,** Kriegsgefangenschaft; → Freiheitsentzug, → Gefangenenlager, → Gefangener.

**gefangensitzen** → abbüßen.

**Gefängnis:** → Strafanstalt; im G. sitzen → abbüßen; ins G. werfen → festsetzen.

**Gefängnisaufseher** → Wächter.

**Gefängnisinsasse** → Gefangener.

**Gefängniskrankenhaus** → Krankenhaus.

**Gefängnisstrafe** → Freiheitsentzug.

**Gefängniswagen,** Gefangenenauto, Arrestantenwagen, grüne Minna (*ugs.*), grüner Heinrich (*ugs., österr.*), Affenkasten (*ugs., schweiz.*).

**Gefängniswärter** → Wächter.

**gefärbt,** tendenziös, einseitig;

→ parteiisch, → planmäßig.

**Gefasel** → Gewäsch.

¹**Gefäß** · für Flüssigkeiten: Kübel, Eimer, Tank, Zuber, Bottich, Bütte (*landsch.*), Brente (*schweiz.*), Tansé (*schweiz.*), Melchter (*schweiz.*), Schaff (*südd., österr.*), Sechter (*österr.*) · längliches, ovales oder rechteckiges: Trog, Wanne, Backtrog, Mulde (*landsch.*), Futtertrog, Napf, Futternapf, Barren (*südd., österr.*), Futterbarren (*südd., österr.*), Freßbarren (*südd., österr.*), Grand (*bayr., österr.*) · für Blumen: Vase; → Flasche, → Kanne, → Trinkgefäß.

²**Gefäß** → Behälter.

**Gefäßmal** → Muttermal.

**gefaßt:** → ruhig; g. sein / sich g. machen auf → gewärtigen, → vermuten.

**Gefaßtheit** → Gelassenheit.

**Gefäßverschluß:** → Embolie, → Gefäßverstopfung.

¹**Gefäßverstopfung,** Gefäßverschluß, Obturation, Embolie, Thrombose, Infarkt; → Ader, → Arterienerkrankung, → Venenentzündung.

²**Gefäßverstopfung** → Embolie.

**Gefecht:** [sich ein G. liefern] → Kampf; jmdn. außer G. setzen → besiegen.

**Gefechtsübung** → Manöver.

**gefedert,** abgefedert, federnd, federkräftig (*selten*), mit einer Federung versehen / ausgestattet; → biegsam.

**gefehlt** → verfehlt.

**gefeiert** → angesehen.

**gefeit** → widerstandsfähig.

**Gefeitsein** → Widerstandsfähigkeit.

**Gefieder,** Federkleid, Federn, Bauchgefieder, Brustgefieder, Schwanzgefieder; → Feder.

**Gefilde:** G. der Seligen → Paradies.

**gefinkelt** → schlau.

**Geflecht,** Flechtwerk, Netz, Maschenwerk; → Draht, → Gewebe; → binden.

**gefleckt** → gemustert.

**Geflimmer** → Schein.

**geflissentlich:** → absichtlich, → angelegentlich.

¹**Geflügel,** Federvieh, Nutzvögel; → Brieftaube, → Ente, →

Gans, → Geflügelfarm, → Huhn, → Hühnerhof.

²Geflügel → Kleinvieh.

Geflügelfarm, Hühnerfarm, Brutanstalt; → Hühnerhof, → Geflügel.

Geflügelhof → Hühnerhof.

Geflügelklein → Fleischgericht.

Geflügelkraftbrühe → Suppe.

Geflügelsalat → Salat.

Geflügelsuppe → Suppe.

geflügelt: -er Löwe → Sinnbild; -e Worte → Nachschlagewerk; -es Wort → Ausspruch.

Geflunker → Lüge.

Geflüster → Klatsch.

Gefolge → Geleit.

Gefolgschaft → Anhänger.

Gefolgsmann, Satellit, Statthalter, Satrap, Paladin, Lehnsmann, Vasall, Trabant, Leibwächter; → Bewacher.

Gefrage → Neugier.

gefragt: → begehrt; nicht mehr g. sein → angesehen.

gefräßig → eßlustig.

Gefräßigkeit, Freßgier (ugs.), Verfressenheit (salopp); → Appetit; → eßlustig.

Gefreiter → Dienstgrad.

gefressen: g. haben → hassen.

Gefrett → Anstrengung.

gefreut → erfreulich.

Gefrierbehandlung → Kryotherapie.

gefrieren → tiefkühlen.

Gefrierfleisch → Fleisch.

Gefrierobst → Obst.

Gefrierpunkt, Nullpunkt, null Grad, 0° C; → Eis, → Temperaturskala; → gekühlt.

Gefrierschrank → Kühlschrank.

Gefriertruhe → Kühlschrank.

Gefrieß → Gesicht.

gefroren → gekühlt.

Gefrorenes → Eis.

Gefrornes → Eis.

gefüge → bereit.

Gefüge → Struktur.

gefügig: → bereit; g. machen → lenken.

Gefügigkeit → Gehorsam.

¹Gefühl, Empfindung, Empfinden, Spürsinn, Flair, Instinkt, Organ, Gespür, Witterung (geh.), Riecher (salopp); → Ahnung, → Gefühlsäußerung, → Gefühlsleben, → Seele; → merken.

²Gefühl: → Ahnung; für jmdn. zärtliche -e hegen → lieben.

Gefühligkeit → Rührseligkeit.

gefühllos: → blutleer, → gefühlskalt, → unbarmherzig; g. werden → absterben.

Gefühllosigkeit: → Gefühlskälte, → Ungerührtheit.

Gefühlsausbruch → Gefühlsäußerung.

Gefühlsausdruck → Gefühlsäußerung.

Gefühlsäußerung, Gefühlsausdruck, Expektoration (veraltet) · plötzliche ungehemmte: Gefühlsausbruch, Gefühlserguß, Gefühlswallung; → Gefühl; → gefühlsbetont.

gefühlsbetont, emotional, emotionell, affektiv, expressiv, irrational; → ausdrucksvoll, → empfindsam, → gefühlsmäßig; → Erregung, → Gefühlsäußerung.

Gefühlsdenker → Denker.

Gefühlsduselei → Rührseligkeit.

gefühlsduselig → empfindsam.

Gefühlseindruck → Impression.

Gefühlserguß → Gefühlsäußerung.

gefühlskalt, gefühllos, hartherzig, kaltherzig, kaltsinnig, verhärtet, fischblütig · im Sexuellen: frigid · g. sein, Fischblut haben, ein Herz von Stein haben; → impotent, → unbarmherzig, → unempfindlich, → ungerührt, → unzugänglich; → Gefühlskälte, → Unbarmherzigkeit.

Gefühlskälte, Kälte, Gefühllosigkeit, Fühllosigkeit, Empfindungslosigkeit, Herzlosigkeit, Mitleidlosigkeit, Herzensverhärtung, Kaltherzigkeit, Lieblosigkeit, Härte · im sexuellen Bereich: Frigidität; → Grausamkeit, → Impotenz, → Unbarmherzigkeit, → Ungerührtheit; → gefühlskalt, unbarmherzig.

Gefühlsleben, Innenleben, Seelenleben; → Gefühl; → empfindsam.

gefühlsmäßig, triebmäßig, eingegeben, intuitiv, instinktiv; → angeboren, → gefühlsbetont.

Gefühlsroheit → Unbarmherzigkeit.

gefühlsselig → empfindsam.

Gefühlsseligkeit → Rührseligkeit.

Gefühlsüberschwang → Begeisterung.

gefühlstief → empfindsam.

Gefühlswallung → Gefühlsäußerung.

gefühlvoll → empfindsam.

Gefunkel → Schein.

gefürstet → adlig.

gegeben: → geeignet, → zweckmäßig; zu -er Zeit → Augenblick.

gegebenenfalls: → eigens, → vielleicht.

Gegebenheit → Tatsache.

gegen: → entgegnen, → ungefähr; g. [100 Personen] → einigermaßen.

Gegenaktion → Tat.

Gegenangriff → Angriff.

Gegenantrag → Gesuch.

Gegenargument → Hinderungsgrund.

Gegenbesuch → Besuch.

Gegenbewegung → Reaktion.

¹Gegend, Landstrich, Landschaft, Gau; → Gebiet, → Landschaft, → Stelle.

²Gegend: → Stadtteil; die G. unsicher machen → besuchen.

Gegendarstellung → Korrektur.

Gegendienst → Ersatz.

Gegendreier → Eislauf.

Gegenfrage → Frage.

gegengeschlechtlich → andersgeschlechtlich.

Gegengewicht → Kontrast.

Gegengift → Gegenmittel.

Gegengrund → Hinderungsgrund.

Gegenklage → Anklage.

Gegenkläger → Ankläger.

Gegenleistung → Ersatz.

Gegenliebe: G. finden, auf G. stoßen → Beifall [finden].

Gegenmaßnahme: -n → Vergeltungsmaßnahmen.

Gegenmittel, Gegengift, Giftgegenmittel, Antidot, Antidoton, Antipharmakon (selten), Kontravenenum (selten); → Gift, → Medikament.

Gegenpartei → Opposition.

Gegenpol → Kontrast.

Gegenrede → Antwort.

¹Gegensatz, Gegenwort, Antonym, Opposition; → Konkurrenz · Ggs. → synonym.

²Gegensatz: → Kontrast; im G. dazu → aber; im G. zu → entgegen; in G. stehen zu → kontrastieren.

gegensätzlich, widerspruchsvoll, widersprüchlich, widersprechend, einander ausschließend, paradox, widersinnig, unlogisch, disjunktiv, [diametral] entgegengesetzt, gegenteilig, umgekehrt, oppositionell, dichotomisch, unvereinbar, ungleichartig, disparat, konträr, polar, kontradiktorisch, komplementär, korrelativ, antithetisch, antinomisch, adversativ; → folgewidrig, → verschieden; → wechselseitig; → Gegensätzlichkeit; → aber, → allerlei • Ggs. → gleichen.

**Gegensätzlichkeit,** Widersprüchlichkeit, Widerspruch, Gegenteiligkeit, Ungleichartigkeit, Unvereinbarkeit, Polarisierung, Disparität, Polarität, Antinomie; → Abweichung, → Kontrast; → entgegen, → gegensätzlich.

**Gegenschlag** → Vergeltung.

**Gegenseite** → Opposition.

**gegenseitig:** → wechselseitig; in -em Einverständnis → einmütig.

**Gegenseitigkeit** → Wechselseitigkeit.

**Gegenspieler** → Gegner.

**¹Gegenstand,** Objekt, Sujet, Thema, Thematik, Themenstellung, Aufgabenstellung, Stoff; **zum G. haben,** zum Inhalt / Thema haben, handeln von, behandeln; → Angelegenheit, → Ausspruch.

**²Gegenstand:** → Ding, → Fachrichtung; alter / altertümlicher / antiker / antiquarischer G. → Antiquität; G. des Streites → Streitobjekt.

**gegenständlich:** → konkret, → wirklich; g. machen → veranschaulichen.

**gegenstandsfrei:** -e Kunst • Malerei.

**gegenstandslos:** → abstrakt, → grundlos; -e Kunst → Malerei.

**Gegenstimme** → Einspruch.

**Gegenstoß** → Vergeltungsmaßnahmen.

**Gegenstrom** → Verkehrsstrom.

**¹Gegenstück,** Pendant, Entsprechung, Korrelat; → Übereinstimmung; → gleichen; → übereinstimmend.

**²Gegenstück:** → Gegenteil, → Parallele.

**¹Gegenteil,** Gegenstück, Antithese; → gegensätzlich.

**²Gegenteil:** das G. beweisen → entkräften; im G. → vielmehr.

**gegenteilig** → gegensätzlich.

**Gegenteiligkeit** → Gegensätzlichkeit.

**¹gegenüber,** vis-à-vis, auf der anderen / andern / gegenüberliegenden Seite; → jenseits; → Anwohner.

**²gegenüber** → verhältnismäßig.

**gegenüberliegend:** auf der -en Seite → gegenüber.

**gegenüberstellen:** → konfrontieren, → vergleichen.

**Gegenüberstellung** → Vergleich.

**Gegenvorschlag,** Alternative, Zweitmöglichkeit, andere Möglichkeit; → Vorschlag.

**¹Gegenwart,** gegenwärtige / unsere Zeit, Augenblick, Jetztzeit, das Hier und Heute / Hier und Jetzt / (bildungsspr.) Hic et nunc, Moderne; → Atomzeitalter, → Belle Epoque, → Gründerzeit • Ggs. → Vergangenheit.

**²Gegenwart:** → Tempus; [in G. von] → Anwesenheit.

**gegenwärtig:** → jetzig, → jetzt, → zeitgenössisch; -e Zeit → Gegenwart; g. sein → anwesend [sein]; g. haben, etwas ist jmdm. g. → Gedächtnis.

**Gegenwarts-:** → zeitgenössisch.

**gegenwartsbezogen** → fortschrittlich.

**Gegenwartsdeutsch** → Deutsch.

**Gegenwartsfrage** → Schwierigkeit.

**Gegenwartskunde** → Geschichtsunterricht.

**gegenwartsnah** → fortschrittlich.

**Gegenwartsproblem** → Schwierigkeit.

**Gegenwartssprache** → Deutsch.

**Gegenwehr:** → Abwehr; ohne G. → widerstandslos.

**Gegenwende** → Eislauf.

**Gegenwert** → Ersatz.

**Gegenwind** → Wind.

**Gegenwirkung:** → Reaktion; G. zeigen → reagieren.

**Gegenwort** → Gegensatz.

**gegenzeichnen** → unterschreiben.

**Gegenzeichnung** → Unterzeichnung.

**¹gegliedert,** aufgegliedert, untergliedert, unterteilt, aufgeteilt, klassifiziert, gestaffelt, aufgefächert, segmentiert, strukturiert, systematisiert, geordnet, angeordnet; → differenziert; → Gliederung, → Struktur; gliedern • Ggs. → amorph.

**²gegliedert:** nicht g. → amorph.

**Geglitzer** → Schein.

**¹Gegner,** Kontrahent, Widersacher, Antagonist, Antipode, Gegenspieler, Feind, Opponent, Frondeur, die andere Seite • *sich gefährlich gebärdender, aber nicht wirklich ernst zu nehmender:* Papiertiger (*abwertend*), Gummilöwe (*abwertend*) • *des Faschismus:* Antifaschist • *des Kommunismus:* Antikommunist, kalter Krieger (*ugs.*), Kommunistenfresser (*ugs., abwertend*); → Abneigung; → Angreifer, → Feind, → Kämpfer, → Konkurrenz, → Querulant, → Rivale, → Störenfried; → gegnerisch • Ggs. → Freund, → Kollaborateur.

**²Gegner:** mit fliegenden / wehenden Fahnen zum G. übergehen → umschwenken.

**gegnerisch,** feindlich, feindselig, feindschaftlich, animos, haßerfüllt; → beleidigend; → Abneigung, → Gegner.

**Gegnerschaft** → Konkurrenz.

**Gegrinse** → Lächeln (das).

**Gegröle** → Geschrei.

**Gehabe:** → Benehmen, → Ziererei.

**gehaben:** sich g. → benehmen (sich); g. Sie sich wohl! → Gruß.

**Gehacktes** → Hackfleisch.

**¹Gehalt** (das), Besoldung, Bezahlung, Entlohnung, Lohn, Verdienst, Salär (*schweiz.*) • *festes:* Fixum • *vorläufiges:* Adjutum (*schweiz.*) • *des Künstlers:* Gage (*schweiz.*) • **sein G. schon ausgegeben haben,** bei jmdm. ist Matthäi am letzten (*ugs.*); → Entgelt, → Gehaltsstufe, → Lohn, → Spesen, → Wehrsold; → aufbessern; → erwarten, → zahlen.

**²Gehalt** (der) → Bedeutung.

**gehalten:** → zurückhalten; g. sein → müssen.

**gehaltlos** → oberflächlich.

**Gehaltlosigkeit** → Trivialität.

**Gehaltserhöhung** → Heraufsetzung.

**Gehaltskonto** → Bankkonto.

**Gehaltssperre** → Sperre.

**Gehaltsstufe,** Besoldungsgruppe, Tarif; → Arbeitnehmer, → Arbeitnehmervertretung, → Gehalt.

**Gehaltsvorrückung** → Heraufsetzung.

**gehaltvoll:** → inhaltsreich, → nahrhaft.

**gehandikapt** → eingeschränkt.

**Gehänge** → Lampe.

**geharnischt,** polemisch, scharf, gepfeffert (*salopp*), gesalzen (*salopp*); → ärgerlich, → spöttisch.

**gehässig:** → beleidigend, → schadenfroh.

**Gehässigkeit** → Bosheit.

**gehäuft** → konzentriert.

**Gehäuse** → Fußballtor.

**gehaut** → schlau.

**Gehbahn** → Gehsteig.

**gehbehindert** → lahm.

**Gehege** → Freigehege; jmdm. ins G. kommen → Rivale.

**geheiligt** → sakral.

**geheim:** → heimlich, → intern; Geheime Staatspolizei → Geheimpolizei; im -en → unbemerkt.

**Geheimabkommen** → Abmachung.

**Geheimabsprache** → Abmachung.

**Geheimagent** → Geheimpolizist.

**Geheimauftrag** → Weisung.

**Geheimbefehl** → Weisung.

**Geheimbund,** Geheimorganisation, Untergrundorganisation, Terrororganisation; → Verschwörung, → Widerstandsbewegung, → umstürzlerisch.

**Geheimcode** → Geheimschrift.

**Geheimdienst** → Geheimpolizei.

**Geheimdienstler** → Geheimpolizist.

**Geheimer** → Geheimpolizist.

**Geheimfach** → Tresor.

**geheimhalten** → schweigen.

**Geheimhaltung,** Verheimlichung, Geheimniskrämerei (*abwertend*), Geheimnistuerei (*abwertend*); → Geheimnis; → schweigen.

**Geheimkonferenz,** Geheimversammlung, Geheimsitzung; → Gipfeltreffen, → Tagung; → tagen.

**Geheimlehre,** Geheimwissenschaft · Rosenkreuzertum · Kabbala; →Geisterbeschwörung.

**¹Geheimnis,** Amtsgeheimnis, Berufsgeheimnis, Dienstgeheimnis, Bankgeheimnis, Beichtgeheimnis, Postgeheimnis, Staatsgeheimnis; → Geheimhaltung; → schweigen.

**²Geheimnis:** → Mysterium; etwas ist ein offenes G. → bekannt; ein süßes G. haben → schwanger [sein]; ins G. gezogen sein → wissen.

**Geheimniskrämer** → Heimlichtuer.

**Geheimniskrämerei** → Geheimhaltung.

**Geheimnistuerei** → Geheimhaltung.

**geheimnisumwittert** → unfaßbar.

**geheimnisvoll:** → hintergründig, → rätselhaft, → unfaßbar.

**Geheimorganisation** → Geheimbund.

**Geheimpolizei,** Geheimdienst, Spionageabwehr, Abwehr, politische Polizei · *in den Vereinigten Staaten:* CIA · *in Großbritannien:* Secret Service · *im Iran:* SAVAK · *in der Sowjetunion:* GPU (bis 1934), NKWD, KGB, GRU · *während der Zeit der nationalsozialistischen Herrschaft in Deutschland:* Geheime Staatspolizei, Gestapo · *in der DDR:* Staatssicherheitsdienst, SSD, Stasi · *in der BRD:* Bundesnachrichtendienst, BND, Militärischer Abschirmdienst, MAD; → Geheimpolizist, → Polizeibehörde.

**Geheimpolizist,** Geheimagent, Geheimdienstler (*ugs.*), Geheimer (*ugs.*); → Geheimpolizei, → Gewährsmann, → Spion.

**Geheimratsecken:** G. bekommen → Glatze.

**¹Geheimschrift,** Chiffreschrift, Geheimcode, Code; → chiffrieren · Ggs. → Klartext; → dechiffrieren.

**²Geheimschrift:** in G. abfassen → chiffrieren.

**Geheimsender** → Rundfunksender.

**Geheimsitzung** → Geheimkonferenz.

**Geheimsprache:** → Ausdrucksweise; in G. abfassen → chiffrieren.

**Geheimtip** → Hinweis.

**Geheimtür** → Tür.

**Geheimversammlung** → Geheimkonferenz.

**Geheimwissenschaft** → Geheimlehre.

**Geheimzeichen** → Zeichen.

**Geheiß** → Weisung.

**gehemmt** → ängstlich.

**Gehemmtheit** → Verlegenheit.

**gehen:** → erstrecken (sich), → fortbewegen (sich), → geschehen, → kündigen, → weggehen; etwas geht → funktionieren; gegangen kommen → kommen; mit jmdm. geht g. → florieren, → verkaufen; es geht hart auf hart / um die Wurst / ums Letzte → ernst werden; heidi g. → verlorengehen; heimwärts / nach Hause g. → zurückbegeben (sich); etwas geht nicht so schnell → vorangehen; stempeln g. → arbeitslos sein; g. lassen → freilassen; einen g. lassen → Darmwind [entweichen lassen]; sich g. lassen → unbeherrscht sein; g. müssen, gegangen werden → entlassen [werden]; bis nicht mehr geht → Überdruß; das geht nicht → möglich; es geht wie nach Noten → vorangehen; eine Abkürzung / den kürzeren Weg g. → abkürzen; den Weg alles Irdischen g. → faulen; etwas geht wie am Schnürchen → einspielen (sich); an etwas g. → wegnehmen; etwas geht an jmdn. → zufallen; an Bord g. → einschiffen; an Land / von Bord g. → ausschiffen; an die Decke g. → ärgerlich [werden]; etwas geht auf / gegen jmdn. → münzen; auf die Anschaffe / den Strich g. → prostituieren (sich); mit jmdm. auf die Bude / Stube g. → koitieren; wie auf Eiern g. → Geschlechtskrankheit; auf Fischfang / auf Heringsfang g. → fischen; auf Fußspitzen / Zehen / Zehenspitzen g. → fortbewegen (sich); einer Sache auf den Grund g. → nachforschen; jmdm. auf den Leim g. → hereinfallen; auf Lepschi g. → spazierengehen; jmdm. auf die Nerven /

auf den Wecker g. → ärgern; auf die Reise g. → Rausch; auf die Straße g. → demonstrieren; aufs Töpfchen g. → austreten [gehen]; auf die Trebe g. → herumtreiben (sich); auf Tuchfühlung g. → rücken (an); g. aus → hinausgehen; aus den Fugen / aus dem Leim / in die Binsen g. → defekt [werden]; etwas geht jmdm. durch den Kopf, sich etwas durch den Kopf g. lassen → erwägen; jmdm. durch die Lappen g. → fliehen; durch Mark und Bein -d → laut; g. in → betreten; in sich g. → bessern (sich); in die Brüche g. → scheitern; in die Knie g. → nachgeben; etwas geht jmdm. nicht in den Kopf → verstehen; in die Lehre g. → Ausbildung; in die Luft g. → platzen; in Pension g. → pensionieren; in die Pilze g. → Pilze [sammeln]; in die Sauna g. → saunieren; in die Schule g. → Schule; in Schwarz g. → Trauerkleidung [tragen]; in die / in eine Versicherung g. → versichern (sich); in eine Vorlesung g. → Unterricht [erhalten]; ins Geld g. → teuer [sein]; ins Kloster g. → abkapseln (sich), → Mönch [werden], → Nonne [werden]; ins Land g. → vergehen; ins Warme g. → wärmen (sich); ins Wasser g. → entleiben (sich); g. mit → begleiten, → lieben; nach draußen g. → hinausgehen; per Arm / Arm in Arm / untergefaßt g. → unterhaken; über die Bühne g. → geschehen; etwas geht über jmds. Horizont → verstehen; über Leichen g. → rücksichtslos [sein]; über den dicken / großen Onkel g. → fortbewegen (sich); etwas geht unter die Haut → erschüttern; von dannen / hinnen g. → weggehen; von Mund zu Mund g. → herumsprechen (sich); vor Anker g. → ankern; vor die Hunde g. → sterben, → verwahrlosen; g. zu → besuchen; bei hundert zu Boden g. → überrascht [sein]; zu Ende g. → enden; mit jmdm. geht es zu Ende → sterben; mit sich zu Rate g. → denken; zu weit

g. → statthaft; zum Abendmahl / zur Kommunion g. → Abendmahl; zum Federball g. → schlafen [gehen]; zur Polizei g. → anzeigen.

**Gehen** → Leichtathletik.
**geheuer:** nicht g. → unheimlich.
**Geheul** → Klagelaut.
**Gehilfe:** → Helfer, → Handelsgehilfe.
**Gehilfenschaft** → Beihilfe.
**Gehirn,** Zerebrum, Hirn, Bregen (*landsch.*), Brägen (*landsch.*), Großhirn, Enzephalon ·· Vorderhirn, Prosencephalon · Zwischenhirn, Diencephalon, Thalamushirn, Sehhügelhirn · Endhirn, Telencephalon, Akrenzephalon ·· Mittelhirn, Mesencephalon ·· Rautenhirn, Rhombencephalon · Hinterhirn, Metencephalon, Cerebellum, Kleinhirn · Nachhirn, Myelencephalon, Medulla, Markhirn, verlängertes Rückenmark / Mark; → Gehirnhautentzündung, → Gehirnrinde, → Hirn, → Hypophyse, → Kopf, → Meninx.
**Gehirnakrobat** → Intellektueller.
**Gehirnanhang** → Hypophyse.
**Gehirnanhangsdrüse** → Hypophyse.
**Gehirnblutung** → Blutung.
**Gehirnerschütterung,** Hirnerschütterung (*bes. schweiz.*), Kommotio, Kommotion.
**Gehirnhautentzündung,** Hirnhautentzündung, Meningitis, Perienzephalitis · *auf die harte Hirnhaut beschränkte:* Pachymeningitis, Duritis · *auf die weiche Hirnhaut beschränkte:* Leptomeningitis, Piitis · *auf die Spinngewebshaut beschränkte:* Arachnitis, Arachnoiditis · *auf das Hirn übergreifende:* Meningoenzephalitis · *auf das Rückenmark fortgeleitete:* Meningomyelitis; → Gehirn, → Meninx.
**Gehirnmantel** → Gehirnrinde.
**Gehirnrinde,** Hirnrinde, Gehirnmantel, Hirnmantel, Pallium, Großhirnrinde, Kleinhirnrinde; → Gehirn, → Hypophyse, → Meninx.
**Gehirnschlag** → Schlaganfall.
**Gehirnwäsche:** jmdn. einer G. unterziehen → lenken.

**Gehling** → Pfifferling.
**gehoben:** → gewählt; in -er Stimmung sein → betrunken [sein].
**Gehöft** → Bauernhof.
**Gehölz** → Wald.
**¹Gehör,** Gehörsinn, Hörvermögen; → Ohr.
**²Gehör:** bei jmdm. kein G. finden → sprechen; jmdm. G. schenken → horchen; zu G. bringen → singen; etwas zu G. bringen → vortragen.
**¹gehorchen,** gehorsam sein, folgen, nachkommen, Folge leisten, auf jmdn. hören, parieren (*ugs.*), kuschen (*ugs.*), sich ducken (*ugs.*), nach jmds. Pfeife tanzen (*ugs.*), spuren (*salopp*); → achtgeben, → befolgen, → befriedigen; → artig.
**²gehorchen:** der Not -d → notgedrungen.
**¹gehören,** in jmds. Besitz sein / sich befinden, jmds. eigen / Eigentum sein, jmdm. sein (*ugs., landsch.*; das Buch ist mir), jmdm. zur Verfügung stehen; → haben.
**²gehören:** → angehören, → haben; jmd. / etwas gehört + 2. partizip → müssen; nicht wissen, was sich gehört → unhöflich [sein]; wie es sich gehört → höflich; einander g. → koitieren; etwas gehört sich → ziemen (sich); dazu gehört nicht viel → schwierig.
**Gehörfehler** → Gehörstörung.
**Gehörgebrechlicher** → Schwerhöriger.
**¹gehörig,** gründlich (*ugs.*), gebührend (*ugs.*), ordentlich (*ugs.*), tüchtig (*ugs.*), nach Strich und Faden (*ugs.*), ausreichend, nicht zu knapp; → sehr.
**²gehörig** → angemessen.
**gehörlos** → taub.
**Gehörloser** → Schwerhöriger.
**Gehörlosigkeit** → Gehörstörung.
**Gehörn** → Geweih.
**Gehörnte:** der G. → Teufel.
**Gehörorgan:** → Ohr, → Sinnesorgan.
**gehorsam** → artig.
**Gehorsam,** Folgsamkeit, Bravheit, Fügsamkeit, Unterordnung, Gefügigkeit, Willfährigkeit, Unterwürfigkeit, Subordination, Kadavergehorsam (*ab-*

*wertend)* · *eines Geistlichen gegenüber einer höheren Instanz:* Obedienz; → artig.

**Gehorsamsverweigerung** → Widerstand.

**Gehörsinn** → Gehör.

**gehörsmäßig** → akustisch.

**Gehörstörung,** Hörstörung, Gehörfehler, Schwerhörigkeit, Dysakusis · *mit vollständigem Verlust des Hörvermögens:* Gehörlosigkeit, Taubheit, Anakusis · *in Verbindung mit dem Verlust des Sprechvermögens* · Taubstummheit, Surdomutitas; → Schwerhöriger; → taub.

**Gehrock** → Anzug.

**Gehsteig,** Bürgersteig, Gehweg, Fußgängerweg, Fußweg, Fußgängersteig, Fußsteig, Gangsteig *(südd., österr.),* Gehbahn, Trottoir; → Straße.

**gehupft:** das ist g. wie gesprungen → einerlei.

**Gehweg:** → Gehsteig, → Weg.

**Geier:** → Vogel; hol's der G.! → verflucht!

**Geierauge** → Scharfsichtigkeit.

**Geierblick** → Scharfsichtigkeit.

**Geifer** → Speichel.

**geifern** → spucken.

**Geige:** → Streichinstrument; die erste G. spielen → maßgeblich [sein]; jmdm. hängt der Himmel voller -n → glücklich [sein]; ein Aas auf der G. sein → Schlaukopf.

**geigen:** → koitieren, → musizieren.

**Geigenbauer** → Musikinstrumentenbauer.

**Geiger:** [erster / zweiter G.] → Musizierender.

**geil:** → begierig; g. werden → wuchern.

**Geilheit** → Geschlechtstrieb.

**Geiltrieb** → Schößling.

**Geisel** → Gefangener.

**Geisha** → Bardame.

**Geiß:** → Gemse, → Reh, → Ziege.

**Geißbart** → Bart.

**Geißblattlaube** → Laube.

**Geißbock** → Ziege.

**Geißel** → Peitsche.

**Geißelalge** → Alge.

**Geißelbruder** → Asket.

**geißeln:** → brandmarken; sich g. → kasteien (sich).

**Geißeltierchen** → Einzeller.

**Geißkitz** → Gemse.

**Geißler** → Asket.

**Geißrehling** → Pfifferling.

**Geist:** → Gespenst, → Vernunft; dienstbarer G. → Diener; großer G. → Talent; Vater, Sohn und Heiliger G. → Trinität; schöpferischer G. → Einfallsreichtum; der G., der stets verneint → Querulant; Fest der Ausgießung des Heiligen -es → Pfingsten; von allen guten -ern verlassen sein → verrückt [sein].

**-geist** → Medikament.

**Geistchen** → Schmetterling.

**Geisterbahn** → Karussell.

**Geisterbeschwörer** → Spiritist.

**Geisterbeschwörung,** Spiritismus, Okkultismus, Parapsychologie, Xenologie, Spökenkiekerei *(nordd., scherzh.),* Tischrücken, Telekinese, Psychokinese, Nekromantie; → Aberglaube; → Hellsehen, → Séance, → Spiritist, → Telepathie, → Trancezustand, → Wahrsager; → okkult.

**geisterbleich** → blaß.

**Geistererscheinung** → Gespenst.

**Geisterglaube** → Aberglaube.

**geisterhaft** → gespenstisch.

**geistern** → spuken.

**Geisterseher** → Spiritist.

**Geisterstunde:** → Mitternacht; in der / zur G. → mitternachts.

**geistesabwesend** → unaufmerksam.

**Geistesabwesenheit:** → Teilnahmslosigkeit, → Zerstreutheit.

**Geistesarbeiter** → Intellektueller.

**Geistesblitz** → Einfall.

**Geistesgaben** → Begabung.

**Geistesgegenwart,** Reaktionsvermögen, Reaktionsschnelligkeit, Entschlußkraft; → Gelassenheit; → geistesgegenwärtig.

**geistesgegenwärtig,** reaktionsschnell, kaltblütig; → ruhig; →· Geistesgegenwart, → Gelassenheit · Ggs. → aufgeregt.

**geistesgestört,** geisteskrank, geistesschwach, wahnsinnig, umnachtet, irr[e], irrsinnig, schwachsinnig, debil, imbezil[l], paranoid, schizophren, kretinoid, mongoloid, idiotisch, dement, verblödet, blöde, monoman, verrückt *(salopp)*; →

dumm, → überspannt; **g. sein,** an einer Geisteskrankheit leiden, nicht zurechnungsfähig sein, [geistig] unzurechnungsfähig sein, Paragraph 51 haben *(ugs.),* den Einundfünziger haben *(salopp),* geistig anomal sein, einen Dachschaden / einen Webfehler haben *(salopp);* → gemütskrank; → Geistesgestörter, → Geistesgestörtheit, → Gemütskrankheit.

**Geistesgestörter,** Geisteskranker, Wahnsinniger, Schwachsinniger, Idiot, Besessener, Monomane, Debiler, Kretin, Paranoiker, Psychopath, Irrer, Verrückter *(ugs.);* → Geistesgestörtheit, → Gemütskrankheit; → geistesgestört, → gemütskrank.

**Geistesgestörtheit,** Geisteskrankheit, Wahnsinn, Paranoia, Irresein, geistige Umnachtung, Schwachsinn, Idiotie, Idiotismus, Blödsinn, Verblödung, Geistesschwäche, Oligophrenie, Phrenasthenie, Imbezillität, Debilität, Debilitas [mentalis], Mongolismus, Kretinismus, kretinoide Idiotie, Idiotia cretinoidea, Schizophrenie, Monomanie, Demenz, Jugendirresein, Dementia praecox, Altersblödsinn, Dementia senilis, Säuferwahnsinn, Delirium tremens; → Geistesgestörter, → Gemütskrankheit; → geistesgestört, → gemütskrank.

**geisteskrank** → geistesgestört.

**Geisteskranker** → Geistesgestörter.

**Geisteskrankheit:** → Geistesgestörtheit; an einer G. leiden → geistesgestört [sein].

**geistesschwach** → geistesgestört.

**Geistesschwäche** → Geistesgestörtheit.

**geistesverwandt,** ebenbürtig, wesensgleich, kongenial; → gleichrangig, → übereinstimmend; → ähneln.

**Geistesverwandtschaft** → Gemeinsamkeit.

**Geisteswissenschaft** → Wissenschaft.

**Geisteswissenschaftler** → Gelehrter.

**geistig:** → psychisch; g. anomal sein → geistesgestört [sein];

an seinem -en Auge vorüberziehen lassen → vorstellen (sich etwas); -en Diebstahl begehen → plagiieren; -e Elite / Oberschicht → Oberschicht; -es Getränk → Alkohol; g. minderbemittelt / zurückgeblieben → stumpfsinnig; g. rege → lebhaft; -e Umnachtung → Geistesgestörtheit; sich in -e Unkosten stürzen → anstrengen (sich); g. unzurechnungsfähig sein → geistesgestört [sein]; -er Vater → Gründer; g. verkommen → stumpfsinnig [werden]; g. weggetreten sein → begriffsstutzig [sein], → unaufmerksam [sein]; → g. folgen können → verstehen; ins Geistige erheben → verfeinern.

**geistig-seelisch:** rein g. → platonisch.

**geistlich:** → sakral, → seelsorgerisch; -e Dichtung → Dichtung; -es Drama → Drama; -er Herr → Geistlicher; -e Lyrik → Lyrik; -e Musik → Musik; -er Stand → Klerus.

**Geistlicher,** Pfarrer, geistlicher Würdenträger, Pastor, Prediger, Priester, Kleriker, Theologe, Pfaffe (*abwertend*), Seelsorger, Seelenhirt[e], Pfarrherr, geistlicher Herr, Vikar, Pfarrvikar, Kaplan, Kooperator (*bayr., österr.*), Pfarrgeistlicher, Militärseelsorger, Militärgeistlicher, Feldkurat (*österr.*), Kirchenmann, Gottesmann, Schwarzrock (*abwertend*), Pater, Gemeindepfarrer, Stadtpfarrer, Prälat, Missionar · *der einen Pfarrer o.ä. vertritt:* Provisor (*österr.*) · *höherer:* Dekan, Ephorus, Superintendent, Dechant, Präses, Bischof, Kardinal · *des jüdischen Glaubens:* Rabbiner, Rabbi, Rebbe · *des griechisch-orthodoxen Glaubens:* Pope; → Amtseinführung, → Beichtvater, → Klerus, → Oberhaupt, → Seelsorge; → seelsorgerisch.

**Geistlichkeit** → Klerus.

**geistlos** → oberflächlich.

**Geistlosigkeit:** → Stumpfsinn, → Trivialität.

**geistreich,** geistvoll, sprühend, spritzig, launig, witzig, schlagfertig; → gebildet, → geziert, → klug, → spaßig, → spöttisch, → wissenschaftlich; **g. sein,** geistreicheln (*abwertend*), nicht auf den Mund gefallen sein; **nicht g. sein:** etwas ist nicht geistreich, es fehlt das Salz an der Suppe (*ugs.*), einer Sache fehlt die rechte Würze.

**geistreicheln** → geistreich [sein].

**geisttötend,** stumpfsinnig, mechanisch, automatisch, stupid; → langweilig; → Stumpfsinn.

**geistvoll** → geistreich.

**Geiz,** Sparsamkeit, Knauserei (*abwertend*), Knickrigkeit (*abwertend*), Pfennigfuchserei (*abwertend*); → Geizhals, → Habgier; → sparsam.

**geizen:** → geizig [sein], → sparen.

**Geizhals,** Geizkragen (*ugs.*), Knauser (*ugs.*), Knicker (*ugs.*), Knickstiebel (*ugs., bes. berlin.*), Pfennigfuchser (*ugs.*), Rappenspalter (*schweiz.*); → Geiz, → Mann; → sparen; → geizig, sparsam.

**geizig,** filzig (*ugs.*), knauserig (*ugs.*), knick[e]rig (*ugs.*), knickig (*ugs., landsch.*), knickstiebelig (*salopp*), kniepig (*ugs., landsch.*), schäbig (*abwertend*), pop[e]lig (*ugs., abwertend*), schofel (*ugs., abwertend*), netig (*ugs., landsch.*), gnietschig (*ugs., landsch.*), hartleibig (*veraltend*), schmafu (*ugs., österr.*), sparsam, nicht → freigebig; → engherzig, → habgierig, → sparsam; **g. sein,** den Pfennig dreimal / zehnmal herumdrehen (oder:) umdrehen (oder:) rumdrehen (*ugs.*), die Hand auf die Tasche / den Beutel halten (*ugs.*), nichts rausrücken (*ugs.*), geizen, am Geld hängen (*ugs.*), am Geld kleben (*salopp, abwertend*), auf dem Geld / auf seinem Geldsack sitzen (*salopp, abwertend*), ein Knickstiebel / Pfennigfuchser sein (*salopp, abwertend*), der ist krumm [wenn er sich bückt] (*ugs., berlin.*) · *in bezug auf Essen:* jmdm. die Bissen in den Mund zählen; → Geiz, → Geizhals.

**Geizkragen** → Geizhals.

**Gejammer** → Klage.

**Gejaule** → Klagelaut.

**Gejohle** → Geschrei.

**Gekichere** → Gelächter.

**Geklatsche** → Klatsch.

**Geklimper** → Lärm.

**Geklingel** → Gebimmel.

**geknickt** → deprimiert.

**geknüppelt:** g. voll → voll.

**gekonnt** → fachmännisch.

**Gekrakel** → Kritzelei.

**gekränkt,** beleidigt, verletzt, verstimmt, pikiert, verschnupft (*ugs.*), eingeschnappt (*ugs.*), mucksch (*nordd.*); → ärgerlich, → empfindlich, → unzufrieden; **g. sein,** schmollen, bokken, sich in den Schmollwinkel zurückziehen, nicht wollen, den Beleidigten / (*ugs.*) die beleidigte (oder:) gekränkte Leberwurst spielen; → aufbegehren, → grollen, → kränken.

**gekräuselt** → lockig.

**Gekreische** → Geschrei.

**Gekreuzigte:** der G. → Heiland.

**Gekritzel** → Kritzelei.

**Gekröse:** → Eingeweide, → Innereien.

**gekrümmt** → gebogen.

**gekühlt,** abgekühlt, tiefgekühlt, gefroren, eingefroren, geeist; → Gefrierpunkt, → Kühlhaus, → Kühlschrank; → tiefkühlen.

**gekünstelt** → geziert.

**Gekünsteltheit** → Geziertheit.

**¹Gelächter,** Lachsalve, das Lachen, die Lache, Gewieher (*salopp*), Heiterkeitsausbruch, Gekichere, das Kichern · *laut schallendes:* homerisches Gelächter · *hämisches:* sardonisches Gelächter; → Lache, → Lächeln; → lachen.

**¹Gelächter:** → Lache; jmdn. dem G. preisgeben → aufziehen; in G. ausbrechen → lachen.

**geladen:** → gebeten; g. sein → ärgerlich [sein].

**Gelage** → Essen.

**gelähmt** → lahm.

**Gelahrtheit** → Bildung.

**Gelände** → Land.

**Geländefahrt** → Fahrt.

**Geländer,** Brüstung, Balustrade, Treppengeländer, Stiegengeländer (*landsch.*), Brückengeländer · *auf Schiffen:* Reling.

**Geländerennen** → Rennen.

**Geländeritt** → Ritt.

**Geländespiel,** Schnitzeljagd, Verfolgungsjagd, Verfolgungsspiel; → Fangspiel, → Kinderspiel, → Versteckspiel.

**gelangen:** g. an → herantreten (an); g. zu → bewältigen, →

erwerben; zum Abschluß g.
→ fertig [werden]; zur Durchführung g. → verwirklichen.
**gelangweilt:** g. sein → angeekelt [sein].
**Gelasma** → Anankasmus.
**Gelaß** → Raum.
**gelassen** → ruhig.
**Gelassenheit,** Fassung, Gefaßtheit, Haltung, Selbstbeherrschung, Beherrschung, Be-
herrschtheit, Gleichmut, Kaltblütigkeit, Unempfindlichkeit,
Ausgeglichenheit, [stoische ]Ru-
he, Seelenruhe, Gemütsruhe,
Bierruhe (*salopp*), Kontenance;
→ Dickfelligkeit, → Geistesgegenwart, → Übereinstim-
mung; → dickfellig, → friedfertig, → geistesgegenwärtig,
→ ruhig · Ggs. → Unausge-
glichenheit.
**Gelatine** → Stärke.
**geläufig** → fließend.
**gelaunt:** → aufgelegt; gut g.
sein → lustig [sein].
**Geläute** → Gebimmel.
**¹gelb,** gelblich, hellgelb, lichtgelb, zartgelb, teegelb, zitronengelb, safrangelb, sonnengelb,
strohgelb, goldgelb, bernsteingelb, bernsteinfarben, honiggelb, honigfarben, dottergelb,
buttergelb, bananengelb, sonnenblumengelb, postgelb, kanariengelb, quitte[n]gelb, senfgelb, schwefelgelb, maisgelb;
→ beige, → braun, → bunt,
→ einfarbig, → orange.
**²gelb:** die -en Engel → Straßenwacht; die -e Fahne →
Fahne; Gelber Knollenblätterpilz, Gelber Ziegenbart →
Ständerpilz; -e Rasse → Rasse;
-e Rübe → Mohrrübe; grün
und g. sein vor Neid → neiden;
die Blätter werden g. →
herbsten.
**Gelbbauchunke** → Frosch.
**Gelbbuch** → Dokumentensammlung.
**Gelbei** → Dotter.
**Gelberling** → Pfifferling.
**gelberübenfarben** → orange.
**gelbgrün** → grün.
**Gelbhähnel** → Pfifferling.
**Gelbkreuz** → Giftgas.
**Gelbkreuzgas** → Giftgas.
**Gelblauch** → Liliengewächs.
**gelblich** → gelb.
**gelblichweiß** → weiß.

**Gelbling** → Pfifferling.
**gelborange** → orange.
**gelbrot** → rot.
**Gelbrübe** → Mohrrübe.
**Gelbschenkel** → Vogel.
**Gelbschnabelkuckuck** → Vogel.
**Gelbschwämmchen** → Pfifferling.
**Gelbschwämmerl** → Pfifferling.
**Gelbsenf** → Senf.
**Gelbspötter** → Vogel.
**¹Gelbsucht,** Ikterus; → Gallenerkrankung, → Leberkrankheit.
**²Gelbsucht:** epidemische G. →
Leberkrankheit.
**¹Geld,** Geldmittel, Bargeld,
Mittel, Kleingeld, Pimperlinge
(*ugs.*), Marie (*ugs.*), Pinkepinke (*ugs.*), Pinke (*ugs.*),
Steine (*schweiz.*), Kies (*salopp*),
Zaster (*salopp*), Moneten (*salopp*), Moos (*salopp*), Penunzen
(*salopp*), Mücken (*salopp*), Krö-
ten (*salopp*), Mäuse (*salopp*),
Flöhe (*salopp*), Möpse (*salopp*),
Lappen (*salopp*), Pulver (*salopp*), Eier (*salopp*), Piepen
(*salopp*), Kohlen (*salopp*),
Emmchen (*ugs.*), Blech (*salopp*), Draht (*salopp*), Zwirn
(*salopp*), Zunder (*salopp*), Koks
(*salopp*), Knöpfe (*salopp*), Mammon (*abwertend*), schnöder Mammon (*scherzh.*), Maxen (*salopp,
österr.*) · *falsches:* Falschgeld,
Blüte; → Bargeld, → Devisen,
→ Ersparnisse, → Fälschung,
→ Ressourcen, → Scheck, →
Staatskasse, → Vermögen, →
Wirtschaftsgeld, → Zahlungsmittel; → finanziell, → monetär.
**²Geld:** → Vermögen; ausländisches G. → Devisen; bares G.
→ Bargeld; G. und Gut →
Besitz; jmdm. G. anbieten →
bestechen; G. aufnehmen →
leihen; das G. betreffend →
monetär; sein G. unter die
Leute bringen → ausgeben;
G. [wie Dreck / Heu / Mist]
haben, im G. schwimmen / fast
ersticken, nach G. stinken →
reich [sein]; kein G. haben →
arm [sein]; sein G. zum Fenster hinauswerfen → verschwenden; etwas kostet eine schöne
Stange G. → teuer [sein]; G.
machen, an das große G.
herankommen → verdienen; G.
aus etwas machen / schlagen,

G. mit etwas machen → kommerzialisieren; viel G. nehmen
→ Preis; zuviel G. für etwas
nehmen → Wucher; G. in etwas
reinstecken / stecken → zahlen;
G. scheffeln → verdienen; etwas
schluckt viel G. → teuer [sein];
sein G. spielen lassen → bestechen; am G. hängen / kleben, auf dem G. sitzen →
geizig [sein]; nicht für G. und
gute Worte → nein; hinter
dem G. her sein → habgierig
[sein]; ins G. gehen / laufen
→ teuer [sein]; nicht mit G.
zu bezahlen sein → unersetzlich
[sein]; ohne G. → kostenlos.
**Geldadel** → Oberschicht.
**Geldanlage** → Investition.
**Geldaristokrat** → Reicher.
**Geldbeutel** → Portemonnaie.
**Geldbörse** → Portemonnaie.
**Geldbrief** → Postsendung.
**Geldbriefträger** → Zusteller.
**Geldbuße** → Strafe.
**Geldentwertung,** Abwertung,
Inflation; → Einschränkung,
→ Preisanstieg; → abwerten.
**Geldgeber:** → Gönner, → Ver-
leiher.
**Geldgier** → Habgier.
**geldgierig** → habgierig.
**Geldheirat** → Ehe.
**geldig** → reich.
**Geldinstitut,** Kreditinstitut,
Kreditanstalt, Bank, Bank-
haus, Großbank, Privatbank,
Hypothekenbank, Kreditbank,
Girobank, Notenbank · Bundes-
bank, Staatsbank, National-
bank · Sparkasse, Darle-
h[e]nskasse, Girokasse, Kas-
se, Ersparniskasse; → Ban-
kier, → Bankkonto, →
Devisen, → Wechselstube; →
sparen.
**Geldkatze** → Portemonnaie.
**geldlich:** → finanziell, →
monetär.
**Geldlohn** → Lohn.
**Geldmangel** → Armut.
**geldmäßig** → finanziell.
**Geldmittel:** → Geld, → Res-
sourcen.
**Geldnot** → Armut.
**Geldsack:** → Reicher; auf sei-
nem G. sitzen → geizig [sein].
**Geldschein** → Papiergeld.
**Geldschneiderei** → Wucher.
**Geldschrank** → Tresor.
**Geldschrankknacker** → Dieb.

**Geldsendung** → Postsendung.

**Geldsorgen:** in G. sein → arm [sein].

**Geldsorte:** -n → Devisen.

**Geldstrafe** → Strafe.

**Geldstück** → Münze.

**Geldtasche** → Portemonnaie.

**Geldverlegenheit:** in G. sein → arm [sein].

**Geldwechselstelle** → Wechselstube.

**geleckt:** wie g. → aufgeputzt, → sauber.

**Gelee:** → Brotaufstrich, → Dessert; zu G. werden → gelieren.

**gelegen:** → befindlich, → willkommen; günstig / verkehrsgünstig g. sein → abgelegen; g. kommen → passen.

**Gelegenheit:** → Anlaß, → Möglichkeit; G. macht Diebe → verleiten; jmdm. G. bieten / geben, sich zu äußern / keine G. erhalten, sich zu äußern → äußern (sich); die G. beim Schopfe fassen / greifen / nehmen / packen → ausnutzen; die G. wahrnehmen → ausnutzen, → auswerten.

**Gelegenheits-:** → improvisiert, → selten.

**Gelegenheitsarbeiter** → Hilfskraft.

**Gelgenheitsgedicht** → Gedicht.

**Gelegenheitskauf** → Kauf.

**Gelegenheitsraucher** → Raucher.

**gelegentlich** → manchmal.

**gelehrig** → anstellig.

**Gelehrsamkeit** → Bildung.

**gelehrt:** → gebildet, → wissenschaftlich; mit -en Brocken um sich werfen → prahlen; -es Haus → Gelehrter.

**Gelehrte:** darüber sind sich die -n noch nicht einig → ungewiß [sein].

**Gelehrter,** Wissenschaftler, Wissenschafter (veraltend, schweiz., österr.), Fachwissenschaftler, Naturwissenschaftler, Geisteswissenschaftler, Forscher, Stubengelehrter (abwertend), Studierter, Akademiker, Mann der Wissenschaft, Privatgelehrter, gelehrtes Haus (scherzh.) · der sein Wissen durch Selbststudium erworben hat: Autodidakt; → Fachmann, → Nestor.

**Geleis:** → Gleis; die -e → Gleisanlage; aus den -en springen → entgleisen.

¹**Geleit,** Ehrengeleit, Schutzgeleit, Begleitung, Begleit (schweiz.), Gefolge, Eskorte, Polizeieskorte, Bedeckung (milit.), Geleitzug, Konvoi; → Schutz; → begleiten.

²**Geleit:** freies G. gewähren → freilassen; zum G. → Einleitung.

**Geleitboot:** → Beiboot, → Kriegsschiff.

**geleiten:** → begleiten; zur letzten Ruhe g. → bestatten.

**Geleitwort** → Einleitung.

**Geleitzug** → Geleit.

**Gelenk,** Scharnier, Scharniergelenk, Kugelgelenk · an Maschinen: Gabelgelenk, Kardangelenk, Kreuzgelenk · am menschlichen Körper: Armgelenk, Ellenbogengelenk, Fingergelenk, Handgelenk, Fußgelenk, Hüftgelenk, Kniegelenk, Schultergelenk, Sprunggelenk.

**Gelenkgicht** → Arthritis.

¹**gelenkig,** graziös, leichtfüßig, gewandt; → biegsam, → schnell.

²**gelenkig** → biegsam.

**Gelenkigkeit** → Körperbeherrschung.

**Gelenkpuppe** → Marionette.

**Gelenkrheumatismus** → Arthritis.

**Gelenksgicht** → Arthritis.

**Gelenksrheumatismus** → Arthritis.

**Gelichter** → Abschaum.

**geliebt** → angesehen.

**Geliebte,** Liebchen (abwertend), Liebste, Angebetete, Dulzinea, Flamme (ugs.), Freundin, Ärmelkusine (ugs., scherzh.), Verhältnis (ugs.), Bettgenossin, Betthase, Konkubine, Mätresse, Kurtisane, Favoritin, Donja, Zahn (salopp), Stammzahn (salopp), Jugendliebe · während der Kur: Kurschatten; → Abgott, → Geliebter, → Liebling, → Prostituierte; → lieben.

**Geliebter,** Liebhaber, Liebster, Freund, Haberer (salopp, österr.), Partner, Bekannter, Amant, Romeo, Verehrer, Anbeter, Seladon (veraltet), Kavalier, Galan, Hausfreund, Cicisbeo, ständiger Begleiter, Gspusi

(ugs., scherzh.), Gschwuf (wiener.), Scheich (salopp), Macker (salopp), Verhältnis (ugs.), Jugendliebe · während der Kur: Kurschatten; → Abgott, → Bräutigam, → Geliebte, → Liebling, → Strichjunge; → lieben.

**geliefert:** g. sein → abgewirtschaftet [haben].

**geliehen** → leihweise.

¹**gelieren,** zu Gelee / zu Gallert[e] werden, steif werden; → Brotaufstrich.

²**gelieren** → gerinnen.

**gelinde** → sehr.

¹**gelingen,** glücken, gutgehen, wunschgemäß verlaufen, nach Wunsch gehen, glattgehen, hinhauen (ugs.), klappen (ugs.); → erwerben, → können; **nicht g.,** schiefgehen (ugs.), über etwas waltet ein Verhängnis, nicht gelingen wollen, das ist [doch rein] wie verhext! (ugs.); → Glück, → Erfolg.

²**gelingen** → geraten.

**gellen** → schallen.

**gellend** → laut.

**geloben** → versprechen.

**Gelöbnis** → Zusicherung.

**gelobt:** das Gelobte Land → Israel.

**Gelock** → Locken.

**gelockert** → aufgelockert.

**gelockt** → lockig.

**Gelolepsie** → Schrecklähmung.

**Geloplegie** → Schrecklähmung.

**gelöst:** → aufgelockert, → ungezwungen.

**Gelöstheit** → Ungezwungenheit.

**Gelotripsie** → Massage.

**Gelse** → Stechmücke.

**gelt:** -e Geiß → Gemse.

¹**gelten** (als jmd. / etwas), angesehen werden als, in einem ... Ruf stehen, verrufen / verschrien / berüchtigt sein als; → angesehen, → anrüchig.

²**gelten:** -d → eingeführt; -d machen → berufen (sich auf); Ansprüche / sein Recht -d machen auf → Anspruch; seinen Einfluß -d machen → Einfluß [ausüben]; sein Recht -d machen → bestehen (auf); etwas g. → Anerkennung [finden].

**Geltstag** → Mißerfolg.

¹**Geltung,** Gültigkeit; **G. haben**, gültig sein; **keine G. mehr ha-**

**ben,** keine Gültigkeit mehr haben, wertlos [geworden] sein, verfallen / außer Kurs gesetzt sein; → ablaufen.

²**Geltung:** → Ansehen, → Autorität, → Einfluß, → Geltungsdauer; [allgemeine G.] → Allgemeingültigkeit; von gleicher G. → gleichwertig.

**Geltungsbedürfnis** → Geltungsdrang.

**Geltungsdauer,** Geltung, Gültigkeit, Laufzeit.

**Geltungsdrang,** Geltungsbedürfnis, Geltungsstreben, Ruhmsucht; → Ehrgeiz.

**Geltungsstreben** → Geltungsdrang.

**geltungssüchtig,** ruhmsüchtig, ehrsüchtig; **g. sein,** gern eine Rolle spielen wollen.

**Gelübde:** → Eid; das / die G. ablegen → Mönch [werden], → Nonne [werden].

**gelungen** → spaßig.

**Gelüste** → Leidenschaft.

**gelüsten:** es gelüstet jmdn. nach → streben.

**gemach:** → langsam, → ruhig.

**Gemach** → Raum.

**gemächlich:** → langsam, → ruhig.

**Gemächlichkeit** → Langsamkeit.

**gemacht:** → geziert, → okay; ein -er Mann sein → Profit [machen].

**Gemächt** → Penis.

**Gemahl** → Ehemann.

**Gemahlin** → Ehefrau.

¹**gemahnen:** etwas gemahnt / erinnert / läßt denken an / ruft jmdm. etwas in Gedächtnis / ruft etwas in jmdn. wach; → erinnern (sich), → mahnen.

²**gemahnen** → mahnen.

**Gemälde** → Bild, → Malerei.

**Gemäldeausstellung** → Kunstausstellung.

**Gemäldegalerie** → Museum.

**Gemarkung** → Gebiet.

**gemäß,** laut, nach, zufolge, entsprechend; → einschlägig, → übereinstimmend, → Erlaubnis.

¹**gemäßigt,** maßvoll, ausgeglichen; → bescheiden, → zurückhaltend.

²**gemäßigt** → enthaltsam.

**Gemäuer** → Mauerwerk.

¹**gemein,** niederträchtig, schurkisch (*abwertend*), hundsföttisch (*abwertend*), hundsgemein (*ugs., abwertend*), infam, niedrig, schäbig, schmutzig, feige, schimpflich, schnöde, schändlich, schmählich, schmachvoll; → anstößig, → böse, → ehrlos, → schadenfroh, → unbarmherzig, → unfair; → Bloßstellung.

²**gemein:** → gewöhnlich; der -e Mann → Durchschnittsbürger; etwas mit jmdm. g. haben → Gemeinsamkeit; sich mit jmdm. g. machen → verbrüdern (sich).

**Gemeinbesitz,** Gemeineigentum, Gemeingut, Allgemeingut, Allgemeinbesitz, Gemeinschaftseigentum, Gemeinschaftsbesitz, Gütergemeinschaft · *in bezug auf die auf den einer Dorfgemeinschaft gehörenden Grundbesitz:* Allmende; → Besitz, → Gemeinwohl; → gemeinsam.

¹**Gemeinde,** Gemeinwesen, Kommune · Katastralgemeinde (*österr.*); → Ort, → Stadt; → kommunal.

²**Gemeinde:** die G. betreffend → kommunal; ein Gang / Zug durch die G. → Bummel; einen Gang / Zug durch die G. machen → besuchen.

**Gemeindeammann** → Bürgermeister.

**Gemeindeanleihe** → Wertpapier.

**Gemeindedienst** → Sozialhilfe.

**Gemeindepfarrer** → Geistlicher.

**Gemeindepräsident** → Bürgermeister.

**Gemeinderat** → Gemeindevertretung.

**gemeindeutsch** → gesamtdeutsch.

**Gemeindevertretung,** Gemeindevorstand, Gemeinderat, Stadtrat, Stadtverordnetenversammlung, Stadtväter, Senat; → Bürgermeister.

**Gemeindevorstand** → Gemeindevertretung.

**Gemeindevorsteher** → Bürgermeister.

**Gemeindewald** → Wald.

**gemeindlich** → kommunal.

**Gemeineigentum** → Gemeinbesitz.

**Gemeiner** → Dienstgrad.

**gemeingefährlich** → böse.

**Gemeingeist** → Gemeinsinn.

**Gemeingut** → Gemeinbesitz.

**Gemeinheit** → Bosheit.

**gemeinhin** → generell.

**gemeiniglich** → generell.

**Gemeinnutz** → Gemeinwohl.

**gemeinnützig,** sozial, wohltätig; → menschlich; → Sozialhilfe · Ggs. → asozial.

**Gemeinnützigkeit** → Gemeinwohl.

**Gemeinplatz** → Plattheit.

¹**gemeinsam,** gemeinschaftlich, kooperativ, zusammen, Hand in Hand, Seite an Seite, im Verein mit, in Zusammenarbeit mit, vereint, genossenschaftlich, gesamthaft (*schweiz.*); → beieinander, → und; → Gemeinbesitz, → Gemeinsamkeit.

²**gemeinsam:** -e Sache machen mit → konspirieren, → paktieren; etwas g. haben → ähneln, → gleichen; g. überlegen → beratschlagen.

**Gemeinsamkeit,** Ähnlichkeit, Verwandtschaft, Geistesverwandtschaft, Affinität, Berührungspunkt, Bindeglied, Verbindung; → Übereinstimmung; **mit jmdm. Gemeinsamkeiten haben,** etwas mit jmdm. gemein haben, etwas verbindet jmdn. mit jmdm.; → gemeinsam.

**Gemeinschaft:** → Mannschaft, → Religionsgemeinschaft; jmdn. in die christliche G. aufnehmen → taufen.

**gemeinschaftlich** → gemeinsam.

**Gemeinschaftsantenne** → Antenne.

**Gemeinschaftsarbeit** → Arbeit.

**Gemeinschaftsbesitz** → Gemeinbesitz.

**Gemeinschaftsehe** → Ehe.

**Gemeinschaftseigentum** → Gemeinbesitz.

**gemeinschaftsfeindlich** → asozial.

**Gemeinschaftskunde** → Geschichtsunterricht.

**gemeinschaftsschädigend** → asozial.

**Gemeinschaftsschule** → Schule.

**Gemeinschaftssiedlung** · *in Israel:* Kibbuz; → Kommune, → Ort.

¹**Gemeinschuldner,** Konkursschuldner, Kridar (*österr.*), Kridatar (*österr.*); → Mißerfolg.

²Gemeinschuldner → Schuldner.

Gemeinsinn, Solidarität, Gemeingeist, Gemeinwohl, Verbundenheit, Zusammengehörigkeit, Zusammengehörigkeitsgefühl; → Gemeinsamkeit, → Verbrüderung; → verbrüdern (sich), → verbünden (sich).

Gemeinsprache → Ausdrucksweise.

gemeinverständlich: → populär; g. machen → popularisieren.

Gemeinwesen → Gemeinde.

Gemeinwohl, Gemeinnutz, Gemeinnützigkeit; → Gemeinbesitz, → Gemeinsinn.

Gemenge → Mischung.

gemessen: → majestätisch; -en Schrittes → langsam.

Gemetzel → Blutbad.

Gemisch: → Mischung, → Treibstoff.

gemischt: -e Zahl → Zahl.

Gemischtwarenhändler → Kaufmann.

Gemischtwarenhandlung → Laden.

gemoppelt: doppelt g. → pleonastisch.

Gemsbock → Gemse.

Gemse, Gams (fachspr. u. landsch.) ·· männliche: Bock, Gemsbock, Gamsbock ·· weibliche: Geiß · dreijährige, die noch nicht gesetzt hat: Schmalgeiß · die kein Junges hat: gelte Geiß · die ein Junges führt: Kitzgeiß ·· junge: Kitz · männliche: Bockkitz · weibliche: Geißkitz; → Hirsch, → Reh.

Gemsleder → Leder.

Gemunkel → Klatsch.

¹Gemüse, Freilandgemüse, Gartengemüse, Frühgemüse, Trokkengemüse, Dörrgemüse, Büchsengemüse, Frischgemüse, ·· Blattgemüse · Rhabarber, Sauerampfer, Gewürzampfer, Gartenampfer, Bergampfer, Mangold, Spinat, Gartenmelde, Gartenportulak, Kohlportulak, Kardone ·· Kohlgemüse · Weißkraut (oberd., mitteld.), Kraut (oberd., mitteld.), [Weißer] Kappes (westd.), Weißkabis (schweiz.), Kabis (schweiz.), Weißkohl (nordd.), Kohl (nordd.) · klein geschnittenes und eingelegtes: Sauerkraut, Sauerkohl (nordd.), Weinkraut, Weinsauerkraut · Rotkraut

(bes. südd.), Rotkohl (bes. nordd., mitteld.), Rotkabis (schweiz.), roter Kappes (westd.), Blaukraut (bes. bayr., österr.) · Wirsing, Welschkohl, Wirsingkohl, Kohl (südd., österr.), Herzkohl · Winterkohl, Blattkohl, Krauskohl, Grünkohl, Braunkohl, Blaukohl, Federkohl (schweiz.) · Palmkohl · Rosenkohl, Sprossenkohl (österr.), Kohlsprossen (österr.), Brüsselerkohl · Blumenkohl, Karfiol (südd., österr.), Spargelkohl · Chinakohl · Kohlrabi, Kohlrübe (selten), Rüb[en]kohl (schweiz.), Rübkohl (schweiz.) ·· Salatgemüse · Gartenkresse · Brunnenkresse · Bitterkresse · Feldsalat, Rapunzel, Rapünzchen, Ackersalat, Vogerlsalat (österr.), Nüßlisalat (schweiz.), Mausöhr (landsch.), Mäuseöhrchen (landsch.) · Kopfsalat, Häuptelsalat (österr.) · Pflücksalat, Lattichsalat, Lattich · Schnittsalat, Stechsalat, Rupfsalat · römischer Salat, Florentiner Salat, Sommerendivie · Eskariol, breitblättrige Endivie · Endivie, Winterendivie · Salatzichorie, Chicorée, Kapuzinerbart · Löwenzahn ·· Wurzelgemüse · Spargel · Rote Rübe, Rote Bete / Beete (nordd.), Rahne (südd.), Rohne (österr.), Rande (schweiz.), Salatrübe · Meerrettich, Kren (südd., österr.) · Kohlrübe, Steckrübe, Wruke (nordd.), Wasserrübe, Herbstrübe, Räbe (schweiz.) · Rettich, Gartenrettich, Radi (ugs., bayr., österr.) · Radieschen, Monatsrettich, kleiner Rettich · Oxalisrübe, roter Sauerklee · Pastinak, Pastinake, Hammelmöhre (nordd.) · Möhre, Mohrrübe, Karotte, gelbe Rübe (südd.), Gelbrübe (südd.), Wurzel (nordd.), Würzelchen (landsch.), Rübli (schweiz.) · Petersilie · Sellerie, Zeller (ugs., österr.) · Kerbelrübe · Stachysknöllchen · Schwarzwurzel · Haferwurzel, Bocksbart · Topinambur · Fleischgemüse · Tomate, Paradeiser (österr.), Paradiesapfel (veraltet, landsch.), Liebesapfel (veraltet) · Paprika, spanischer

Pfeffer, Peperoni, Pfefferoni (österr.) · Aubergine, Melanzane, Melanzani (österr.), Eierfrucht · Artischoke · Kürbis, Melone, Honigmelone, Zitrulle, Wassermelone, Zuckermelone, Netzmelone, Schlangenmelone, Klettermelone, Kantalupmelone · Gurke · Hülsenfruchtgemüse · Buschbohne, Stangenbohne, Gartenbohne, grüne Bohne, Fisole (österr.), Brechbohne, Schnittbohne · Feuerbohne · Puffbohne · Pflückerbse, Palerbse · Markerbse · Zuckererbse · Linse · Schnittlauch · Zwiebel, Bolle (nordd.) · Winterzwiebel, welsche Zwiebel · Schalotte, syrische Zwiebel · Knoblauch · Schlangenlauch, wilde Rockenbolle · Rockenbolle, Rokambole, Schlangenknoblauch, Perllauch, Lauch, Porree, Perlzwiebel · in Essig eingelegtes: Mixed Pickles, Mixpickles, Essiggemüse; → Beilage, → Gurke, → Kohlkopf, → Pflanze, → Rübe, → Salat, → Salatkopf, → Saubohne, → Suppengemüse.

²Gemüse: → Beilage; noch zum jungen G. gehören → erwachsen.

Gemüsegarten → Garten.

Gemüsekonserve → Konserve.

Gemüselöffel → Löffel.

Gemüsemarkt → Markt.

Gemüsesalat → Salat.

Gemüsesuppe → Suppe.

gemustert, gefleckt, gescheckt, getigert, kariert, gestreift, streifig, gepunktet, getupft, gesprenkelt, meliert, geblümt; → bunt; → Stoffmuster · Ggs. → einfarbig.

Gemüt: → Seele; ein sonniges G. haben → Ansicht; sich etwas zu -e führen → essen; sich einen zu -e führen → trinken.

gemüthaft → empfindsam.

Gemüthaftigkeit → Empfindsamkeit.

gemütlich, behaglich, wohnlich, heimelig, wohltuend, wohlig, angenehm, anheimelnd, traulich, traut, lauschig, idyllisch; → behaglich, → genießerisch; → Bequemlichkeit, → Gemütlichkeit.

¹Gemütlichkeit, Behaglichkeit, Wohnlichkeit, Heimeligkeit,

Traulichkeit, Trautheit, Lauschigkeit; → Bequemlichkeit; → behaglich, → gemütlich.

²**Gemütlichkeit:** da hört die G. auf → unerhört [sein].

**Gemütsart** → Wesen.

**Gemütsbewegung** → Erregung.

**gemütskrank,** nervenkrank, psychopathisch, manisch, depressiv, manisch-depressiv, schwermütig, neurotisch, psychotisch, hysterisch; → geistesgestört; → Geistesgestörter, → Geistesgestörtheit, → Gemütskrankheit, → Komplex.

**Gemütskrankheit,** psychische Störung, Psychose, Neurose, Aktualneurose, Zwangsneurose; → Geistesgestörter, → Geistesgestörtheit, → geistesgestört, → gemütskrank.

**Gemütsruhe:** → Gelassenheit; in aller G. → ruhig.

**Gemütstiefe** → Empfindsamkeit.

**gemütvoll** → empfindsam.

¹**genannt,** benannt, geheißen, benamst, des Namens, sogenannt, beibenannt, zubenannt; → alias; → bezeichnen (als), → nennen.

²**genannt:** → obig; [auch ... g.], außerdem / sonst ... g. → alias.

**genant:** g. sein → schämen (sich).

**genäschig** → naschhaft.

¹**genau** (Uhrzeit), pünktlich, Schlag, schlag (*österr., schweiz.*), Punkt, punkt (*österr., schweiz.*), Glock (*nordd.*).

²**genau:** → klar; -e Entsprechung → Kongruenz; mit -er Not → kaum; g. wie → à la ... ; sich / einander g. entsprechend → kongruent; g. richtig → treffend; [peinlich g.], g. sein bis aufs I-Tüpfel → gewissenhaft; es nicht so g. nehmen → nachlässig [sein].

**Genauigkeit:** → Deutlichkeit, → Sorgfalt.

**genauso:** → auch; g. ein → auch [so ein]; g. alt sein wie ... → gleichaltrig [sein], g. schlau sein wie vorher → wissen.

**Gendarm:** → Polizist; Räuber und G. → Versteckspiel.

**Gendarmerie** → Polizeibehörde.

**Gendarmerieposten** → Polizeirevier.

**Genealogie,** Stammbaumkunde, Familienforschung; → Chronik, → Heraldik.

**genehm:** jmdm. g. sein → gefallen.

**genehmigen:** → billigen; genehmigt → ja; sich etwas g. → gönnen (sich etwas); sich einen g. → trinken.

**Genehmigung:** → Erlaubnis; ohne amtliche / behördliche G. → heimlich.

**geneigt:** → aufgeschlossen, → bereit, → schräg; jmdm. g. sein → lieben.

¹**Geneigtheit,** Gunst, Jovialität, Leutseligkeit; → Achtung, → Ehre, → Zuneigung.

²**Geneigtheit** → Neigung.

**General** → Dienstgrad.

**Generalagent** → Handelsvertreter.

**Generalanwalt** → Jurist.

**Generalarzt** → Arzt.

**Generalbeichte** → Beichte.

**Generalbundesanwalt** → Jurist.

**Generaldirektor** → Leiter (der).

**Generalfeldmarschall** → Dienstgrad.

**generalisieren:** → abstrahieren, → verallgemeinern.

**Generalisierung** → Abstraktion.

**Generalkarte** → Landkarte.

**Generalleutnant** → Dienstgrad.

**Generalmajor** → Dienstgrad.

**Generalmusikdirektor** → Dirigent.

**Generaloberin** → Anrede.

**Generaloberstabsarzt** → Arzt.

**Generalprokurator** → Jurist.

**Generalrepräsentanz** → Zweigstelle.

**Generalstab** → Leitung.

**Generalstabsarzt** → Arzt.

**Generalstabskarte** → Landkarte.

**Generalstreik** → Streik.

**Generalversammlung** → Tagung.

**Generalvertreter** → Handelsvertreter.

**Generalvertretung** → Zweigstelle.

**Generalvollmacht** → Berechtigung.

¹**Generation,** Altersklasse, Altersstufe, Jahrgang · *jüngere:* Jugend · *ältere:* Alter; → Abkunft, → Altersgenosse, → Lebensalter, → Lost generation, → Menschheit.

²**Generation:** kommende / nachfolgende -en → Nachwelt; skeptische / verlorene G. → Lost generation.

**Generationskonflikt** → Streit.

**generativ:** -e Grammatik / Transformationsgrammatik → Grammatik.

**generativ-transformationell:** -e Grammatik → Grammatik.

**Generatorgas** → Gas.

**Genera verbi,** Aktiv und Passiv; → Aktiv, → Passiv.

**generell,** im allgemeinen, im großen [und] ganzen, mehr oder weniger, mehr oder minder, mehr-weniger (*österr.*), durchweg, durchwegs (*österr.*), gemeinhin, weithin, weitgehend, durchgängig, fast immer, durch die Bank (*ugs.*), durchs Band [weg] (*schweiz.*), [für] gewöhnlich, gemeiniglich (*veraltet*); → allgemein, → oft.

**generieren** → produzieren.

**generös** → freigebig.

**Generosität** → Großzügigkeit.

**genesen:** → gesund [werden]; eines Kindes g. → gebären.

**Genesender,** Rekonvaleszent; → Gesundheit, → Krankheit.

**Genesung** → Wiederherstellung.

**Genesungsheim** → Sanatorium.

**Genetiv** → Genitiv.

**Genève** → Genf.

**Genever** → Alkohol.

**Genf,** Genève (*franz.*); → Stadt.

**genial:** → bahnbrechend, → begabt.

**genialisch** → begabt.

**Genialität** → Begabung.

**Genick:** → Nacken; etwas bricht jmdm. das G. → Unglück.

**Genickschuß:** den G. geben → töten.

¹**Genie,** Genius · *das auf mehreren Gebieten begabt ist:* Universalgenie; → Begabung, → Talent; → schöpferisch.

²**Genie:** → Begabung, → Talent.

**genieren:** → behelligen; sich g. → schämen (sich).

**Genierer** → Scheu.

**genierlich:** g. sein → schämen (sich).

**geniert** → unerfreulich.

**genießbar** → eßbar.

¹**genießen,** zu schätzen wissen, ein Genießer / Lebensgenießer /

(*ugs.*) kein Kostverächter sein, den Becher bis zur Neige leeren, durchkosten, auskosten; → freuen (sich).

²**genießen:** → essen; Achtung g. → Achtung; eine [gründliche] Achtung g.→Ausbildung; Gastrecht g. → Gast [sein]; Vertrauen g. → glaubwürdig [sein]; Vorrechte g. → Vorrecht; nicht mit Mostrich zu g. sein → böse [sein]; jmd. ist nur mit Vorsicht zu g. → vorsehen (sich).

**Genießer:** → Feinschmecker, → Genußmensch; ein G. sein → genießen.

**genießerisch,** genüßlich, genußvoll, geschmäcklerisch, gennßfreudig, sinnenfreudig, hedonistisch, genußfroh, genußreich, genußsüchtig (*abwertend*), schwelgerisch; → Genuß; → essen.

**genital:** -e Phase → Entwicklungsphase.

**Genitalien,** Geschlechtsorgane, Schamteile; → Geschlechtskrankheiten, → Hoden, → Klitoris, → Koitus, → Penis, → Prostata, → Skrotum, → Vagina, → Vulva.

**Genitiv,** Genetiv (*veraltend*), zweiter Fall, Wesfall; → Kasus.

**Genius** → Genie.

**Genosse** → Gesinnungsgenosse.

**Genossengemeinde** → Genossenschaft.

¹**Genossenschaft,** Berufsgenossenschaft, Berufsverband, Verband, Dachverband, Dachorganisation, Organisation, Genossengemeinde (*schweiz.*), Genoßsame (*schweiz.*), Innung, Gilde, Zunft.

²**Genossenschaft** → Produktionsgenossenschaft.

**genossenschaftlich**→gemeinsam.

**Genoßsame** → Genossenschaft.

**genötigt:** g. sein, sich g. sehen → müssen.

**Genova** → Genua.

**Genozid** → Austilgung.

**Genre** → Art.

**Genrebild** → Bild.

**Genremaler** → Kunstmaler.

**Gent** → Geck.

**Gentilhomme** → Gentleman.

¹**Gentleman,** Grandseigneur, Gentilhomme, Kavalier, Mann von Welt, Weltmann, Ge-

sellschafter; → Höflichkeit, → Mann; → geschmackvoll, → gewandt, → höflich.

²**Gentleman:** G.'s Agreement → Abmachung.

**gentlemanlike:** → ehrenhaft, → höflich.

**Genua,** Genova (*ital.*); → Stadt.

**Genuakord** → Stoff.

**genug:** → ausreichend; sich g. sein lassen an → zufriedengeben (sich); nicht g. bekommen / kriegen können → unersättlich [sein]; g. haben → angeekelt [sein], → satt [sein]; mehr als g.haben → betrunken [sein]; [mehr als g.] → reichlich; nicht g. → wenig.

**Genüge:** G. tun → befriedigen; zur G. → sattsam; etwas zur G. haben → ausreichen.

**genügen:** → ausreichen; sich g. lassen an → zufriedengeben (sich).

**genügend:** → ausreichend; etwas nicht g. gehabt / getan haben → Nachholbedarf [haben]; etwas nicht g. überlegt haben → übereilen; nicht g. → wenig.

**genügsam:** → bescheiden, → zufrieden.

**Genügsamkeit:** → Bescheidenheit, → Besitzlosigkeit.

**Genugtuung** → Sühne.

**genuin:** → echt; -e Anämie → Perniziosa.

**Genus** → Wortart.

¹**Genuß,** Genußfreude, Schwelgerei, Völlerei (*abwertend*), Genußsucht (*abwertend*), Genußgier (*abwertend*); → Labsal, → Lust; → genießerisch.

²**Genuß** → Labsal.

**Genußfreude** → Genuß.

**genußfreudig** → genießerisch.

**genußfroh** → genießerisch.

**Genußgier** → Genuß.

**genüßlich** → genießerisch.

**Genußmensch,** Genießer, Epikureer, Sybarit, Phäake; → Feinschmecker.

**Genußmittel** → Lebensmittel.

**genußreich** → genießerisch.

**Genußspecht** → Feinschmecker.

**Genußsucht** → Genuß.

**genußsüchtig** → genießerisch.

**Geodäsie,** Landvermessung, Erdmessung; → Landvermesser.

**Geodät** → Landvermesser.

¹**geöffnet,** offen, auf, verkaufsoffen; **g. sein,** aufsein, geöffnet / auf / offen haben, offen sein.

²**geöffnet** → offen.

**Geographie** → Erdkunde.

**Geologe** → Mineraloge.

**Geologie** → Wissenschaft.

**geölt:** wie ein -er Blitz → schnell.

**Geometer** → Landvermesser.

**Geometrie:** analytische / synthetische G. → Mathematik.

**geordnet:** → gegliedert; -er Zustand → Ordnung.

**Georg** → Nothelfer.

**Gepäck,** Reisegepäck, Handgepäck, Luftreisegepäck, Bordcase, Koffer, Reisekoffer, Reisetasche, Reisekorb, Reisesack, Handkoffer, Valise (*veraltet*), Kabinenkoffer, Überseekoffer, Schrankkoffer, Autokoffer, Luftkoffer, Stoffkoffer, Lederkoffer, Strohkoffer, Packung (*schweiz.*); → Behälter, → Dienstmann.

**Gepäckmarsch** → Marsch (der).

**Gepäckträger** → Dienstmann.

**Gepäckwagen** → Eisenbahnwagen.

**gepanzert:** → kampfbereit, → undurchlässig.

**Gepard** → Raubtier.

**gepfeffert:** → geharnischt, → scharf, → teuer.

**gepflegt:** → adrett, → gewählt.

**Gepflegtheit** → Gewähltheit.

**Gepflogenheit** → Brauch.

**Geplänkel** → Kampf.

**geplättet:** g. sein → überrascht [sein].

**Geplauder** → Gespräch.

**Gepökeltes** → Pökelfleisch.

**Gepolter** → Lärm.

**Gepräge:** → Veranlagung, → Wesen.

**Geprägtsein** → Veranlagung.

**Gepränge** → Prunk.

**gepunktet** → gemustert.

**gequält** → geziert.

**Ger** → Wurfwaffe.

¹**gerade,** aufrecht, kerzengerade, stocksteif (*abwertend*); **g. gehen;** gehen, als ob man einen Stock / einen Besenstiel verschluckt hätte (*ugs.*); eine stramme Haltung haben.

²**gerade:** → aufrichtig, → jetzt; g. [eben] → kaum, → soeben; g. noch → kaum; g. Zahl →

Zahl; g. tun → tun; nicht g. → gebogen; nun g. → absichtlich.
Gerade: → Linie; linke / rechte G. → Fausthieb.
geradeaus, immer in einer Richtung, immer der Nase nach (ugs.).
geradebiegen → bereinigen.
geradeheraus → rundheraus.
geradenwegs → geradewegs.
geraderichten → ausrichten.
gerädert: [wie] g. sein → erschöpft [sein].
geradestehen: g. für → einstehen (für).
¹geradewegs, geradenwegs, schnurstracks, direkt; → gleich.
²geradewegs → rundheraus.
geradezu: → ganz, → regelrecht, → rundheraus.
Geradheit: → Aufrichtigkeit, → Schlichtheit.
Geradlage → Kindslage.
geradlinig: → aufrichtig, → linear.
Geradlinigkeit → Aufrichtigkeit.
gerammelt: g. voll → voll.
Geranie → Storchschnabelgewächs.
Geranium → Storchschnabelgewächs.
Geraschel → Geräusch.
Gerät: → Apparat, → Fernsehgerät, → Gerätschaft.
¹geraten, werden, ausfallen, gelingen; → entstehen.
²geraten: auf Abwege g. → verwahrlosen; auf die schiefe Bahn g. → abrutschen; aus den Fugen g. → defekt [werden]; g. in → hineinkommen (in); in Fahrt g. → Stimmung; in jmds. Fahrwasser g. → Einfluß; in Gärung g. → gären; in Gefahr g. → Gefahr; sich in die Haare g. → kämpfen; sich in die Haare g., in Streit g. → zanken (sich); bei jmdm. in Mißkredit g. sein → unbeliebt [sein]; in Verdacht g. → Verdacht; in Verlust / Verstoß g. → verlorengehen; ins Hintertreffen g. → zurückstehen; ins Kreuzfeuer g. → attackieren; ins Schleudern g. → schleudern; ins Stocken g. → stocken; ins Wanken g. → untergraben; nach jmdm. g. → ähneln, → gleichen; zu kurz g. → klein.

Geratewohl: aufs G. → Gewißheit.
Gerätschaft, Gerät, Werkzeug, Instrument; → Apparat.
geräuchert, geselcht (bayr., österr.), dürr (schweiz.); → räuchern.
geraum → lange.
geräumig, groß, breit, weit, großräumig, großflächig, ausgedehnt, nicht → eng, nicht → klein; → Größe.
Geräumigkeit → Größe.
Geraune → Klatsch.
Geräusch, Geraschel, das Rascheln, das Knistern, das Summen, Gesumm, Gesumme (abwertend), Gesums[e] (abwertend), das Rieseln, Geriesel, das Brummen, Gebrumm, Gebrumme (abwertend); → Klang, → Laut.
geräuschlos → leise.
Geräuschlosigkeit → Stille.
Geräuschmine → Mine.
geräuschvoll → laut.
Gerber, Sämischgerber, Lohgerber, Alaungerber, Fettgerber, Rotgerber, Weißgerber, Lederer (österr.); → Leder.
Gerebelter → Wein.
¹gerecht, rechtdenkend, unparteiisch; **g. sein**, jmdm. Gerechtigkeit widerfahren lassen; → Gerechtigkeitssinn.
²gerecht: → göttlich, → recht; jmdm. / einer Sache nicht g. werden → mißachten; den Schlaf des Gerechten schlafen → schlafen.
gerechtfertigt → recht.
Gerechtigkeit: → Gotteseigenschaften; die G. → Gerechtigkeitssinn; jmdm. G. widerfahren lassen → gerecht [sein]; Sinn für G. → Gerechtigkeitssinn.
Gerechtigkeitssinn, Sinn für Gerechtigkeit, Rechtsempfinden, Rechtsgefühl, Rechtssinn, die Gerechtigkeit; → Redlichkeit; → gerecht.
Gerechtsame → Gerichtsbezirk.
¹Gerede (abwertend), Gedöns (ugs., abwertend), Geschwätz (abwertend), Larifari (ugs.), Wortschwall, Erguß (abwertend), Sermon (abwertend), Salm (ugs., abwertend); → Getue, → Gewäsch, → Klatsch, → Redseligkeit, → Tirade; → übertreiben.

²Gerede: → Klatsch; leeres G. → Gewäsch.
gereichen: etwas gereicht jmdm. zur Ehre → anerkennenswert [sein]; zum Vorteil g. → nützlich [sein].
gereift → reif.
¹gereinigt, absolut, unvermischt, rein, unverfälscht.
²gereinigt → sauber.
¹gereizt, ärgerlich, böse, aufgebracht, verärgert, entrüstet, empört, peinlich / unangenehm berührt, unwillig, ungehalten, unwirsch, fünsch (niederd.), indigniert, erbost, erzürnt, erbittert, zornig, fuchtig (ugs.), wütend, rabiat, wutentbrannt, wutschäumend, wutschnaubend (ugs.), fuchsteufelswild, zähneknirschend, grimmig, ingrimmig, tückisch (ugs.), mürrisch, verdrossen, bärbeißig, grämlich, verdrießlich, griesgrämig, hässig (schweiz.), mauserig (schweiz.), sauertöpfisch, brummig, mißmutig, mißvergnügt, mißgestimmt, mißlaunig, mißgelaunt, übellaunig, muffig, grantig, leid (schweiz.), maßleidig (südd.); → aufgelegt, → aufgeregt, → geharnischt, → gekränkt, → launisch, → unerfreulich, → unzufrieden, → widerwillig; **g. sein**, jmdm. ist eine Laus über die Leber gelaufen, jmd. ist mit dem linken Fuß aufgestanden, das Barometer steht auf Sturm, auf jmdn. einen Rochus haben (ugs.), zürnen, sich alterieren / aufregen / erregen, ich könnte mir vor Wut in den Hintern beißen (salopp), sich schwarz ärgern, sich fuchsen / giften (ugs.), sich etwas antun (österr.), rotsehen (ugs.), geladen / sauer sein (salopp), auf jmdn. böse / nicht gut zu sprechen sein, jmdm. böse / (ugs., bayr., österr.) harb sein, sich entladen, den wilden Mann spielen; → anstoßen (bei jmdm.), → grollen, → kränken, → lärmen, → schockieren; → Griesgram, → Überraschung, → Unannehmlichkeiten, → Stimmung.
²gereizt: → aufgeregt; -e Stimmung → Verstimmung.
Gereiztheit → Verstimmung.

**gereuen:** etwas gereut jmdn. → bereuen.

**Gerfalke** → Vogel.

**Geriater** → Arzt.

**Geriatrie** → Heilkunde.

**¹Gericht,** Gerichtshof, Tribunal, Gerichtsbehörde, Strafkammer, Zivilkammer, Kammer, Strafsenat, Zivilsenat, Senat, Schöffengericht, Schwurgericht, Rechtsmittelgericht, Schiedsgericht · Bundesverfassungsgericht, Bundesgerichtshof, Bundesverwaltungsgericht, Bundesfinanzhof, Bundesarbeitsgericht, Bundessozialgericht · Amtsgericht, Landgericht, Oberlandesgericht · Verwaltungsgericht, Oberverwaltungsgericht, Verwaltungsgerichtshof · Finanzgericht · Arbeitsgericht, Landesarbeitsgericht · Sozialgericht, Landessozialgericht · Jugendgericht, Vormundschaftsgericht · *geheimes illegales:* Feme, Femegericht, Freigericht; → Jurist, → Justiz, → Rechtsgebiet, → Schöffe.

**²Gericht:** → Essen; das G. / die -e anrufen, sich an das G. wenden, sein Recht bei G. / vor G. suchen, vor G. bringen / gehen / stellen → prozessieren; mit jmdm. [scharf] ins G. gehen → attackieren, → beanstanden.

**gerichtlich:** -e Medizin → Gerichtsmedizin; eine -e Untersuchung anordnen, g. belangen → belangen.

**Gerichtsame** → Gerichtsbezirk.

**Gerichtsbarkeit** → Justiz.

**Gerichtsbehörde** → Gericht.

**Gerichtsbezirk,** Gerechtsame *(schweiz.),* Gerichtsame *(veraltet, schweiz.);* → Justiz.

**Gerichtsbote** → Bote.

**Gerichtsdiener** → Amtsdiener.

**Gerichtshof** → Gericht.

**Gerichtsmedizin,** gerichtliche / forensische Medizin; → Kriminalistik, → Rechtsgebiet.

**Gerichtsmediziner** → Arzt.

**Gerichtstermin** → Gerichtsverhandlung.

**Gerichtsverfahren,** Prozeß, Verfahren, Strafprozeß, Strafverfahren, Rechtsverfahren, Mordprozeß, Zivilprozeß, Zivilverfahren, Skandalprozeß, Sensa-

tionsprozeß · *in dem ein Konkurs abgewendet werden soll:* Vergleichsverfahren · *zur Schlichtung in arbeitsrechtlichen Streitfällen:* Güteverfahren · *zur Beilegung von Streitigkeiten zwischen Tarifpartnern:* Schlichtungsverfahren, Schlichtung ·*zur Durchsetzung der Disziplinargewalt bei Dienstvergehen von Beamten:* Disziplinarverfahren, Dienststrafverfahren · *politisch motiviertes, das den Angeklagten vor der Öffentlichkeit verdammen will:* Schauprozeß, Säuberungsprozeß; → Gerichtsverhandlung.

**Gerichtsverhandlung,** Gerichtstermin, Verhandlung, Tagsatzung *(österr.)* · *am Tatort:* Lokaltermin, Lokalaugenschein *(österr.);* → Gerichtsverfahren, → Justiz, → Tatort.

**Gerichtsvollzieher** → Vollziehungsbeamter.

**Gerichtswesen** → Justiz.

**gerieben:** → schlau; -es Gerstel → Teigwaren.

**gerieren:** sich g. → benehmen (sich).

**Geriesel** → Geräusch.

**gering:** → klein, → minimal, → wenig; -er Hirsch → Hirsch; von -er Höhe → niedrig; der -ere Teil → Minderheit; -er werden → abnehmen; zu g. einschätzen → unterschätzen; nicht das -ste → nichts; ein -es → etwas; nicht im -sten → keineswegs, → nein.

**geringachten** → mißachten.

**geringelt** → lockig.

**geringfügig:** → klein, → verzeihlich; als g. hinstellen → bagatellisieren.

**Geringfügigkeit** → Kleinheit.

**geringschätzen** → mißachten.

**geringschätzig** → abschätzig.

**Geringschätzigkeit** → Nichtachtung.

**Geringschätzung** → Nichtachtung.

**gerinnen** (von Milch), flockig / *(ugs.)* krisselig werden, zusammenlaufen *(landsch.),* zusammenfahren *(landsch.),* zusammengehen *(landsch.);* → Milch.

**Gerinnsel** → Blut.

**Gerippe** → Gebeine, → Knochengerüst, → Struktur.

**Geriß** → Zustrom.

**gerissen** → schlau.

**Gerissenheit:** → Klugheit, → List.

**geritzt:** ist g. → okay.

**Germ** → Gärstoff.

**Germanistik** → Philologie.

**Germteig** → Teig.

**gern:** → anstandslos, → ja; g. bereit → bereitwillig; g. gesehen → beliebt, → gebeten; nicht g. gesehen → unerfreulich; nicht g. gesehen sein → unbeliebt [sein]; g. haben / mögen → mögen (etwas); du kannst mich g. haben! → unwichtig [sein]; [jmdn. zum Fressen] g. haben → lieben; g. tanzend → tanzlustig; gut und g. → wenigstens.

**gerne** → ja.

**Gernegroß** → Angeber.

**Geröll** → Gestein.

**Gerontologe** → Arzt.

**Gerontologie:** → Altersforschung, → Heilkunde.

**Gerontophilie** → Perversität.

**geröstet:** -e Erdäpfel → Kartoffeln.

**Geröstete** → Kartoffeln.

**Gerste** → Getreide.

**Gerstel:** geriebenes G. → Teigwaren.

**Gerstelsuppe** → Suppe.

**Gerstensaft** → Bier.

**Gerte** → Stock.

**gertenschlank** → schlank.

**¹Geruch,** Duft, Odeur, Aroma, Arom *(dichter.),* Ruch *(dichter.),* Wohlgeruch, alle Wohlgerüche Arabiens, Gestank *(abwertend)* · *von Wein:* Bukett, Bouquet *(österr.),* Blume; → Körpergeruch, → Parfum; → atmen, → riechen; → duftend, → würzig.

**²Geruch:** → Körpergeruch, Witterung; einen merkwürdigen / üblen / unangenehmen G. ausströmen (oder:) haben → riechen; in den G. geraten / kommen → Verdacht; in üblem G. stehend → anrüchig; die Luft mit üblem G. erfüllen → verpesten.

**Geruchsorgan:** → Nase, → Sinnesorgan.

**Geruchssinn:** → Nase, → Witterung.

**¹Gerücht,** Ondit, Fama, Sage, Flüsterpropaganda, Latrinenparole *(derb),* Scheißhausparole (*vulgär*); → Klatsch, → Mitteilung, → Propaganda; → gerüchtweise.

²**Gerücht:** ein G. in die Welt setzen → verbreiten.

**Gerüchtemacherei** → Klatsch.

**gerüchtweise, vom Hörensagen;** → Gerücht.

**geruhen** → entgegenkommen (jmdm.).

**geruhig** → ruhig.

**gerührt:** → bewegt; leicht g. sein → überrascht [sein].

**geruhsam** → ruhig.

**Gerümpel** → Kram.

**gerundet** → rund.

**Gerüst:** → Baugerüst, → Struktur.

**gerüstet** → kampfbereit.

**Gerüstetsein** → Kampfbereitschaft.

**gerüttelt:** ein g. Maß → reichlich.

**Gervais** → Käse.

**gesagt:** kurz g. → kurzum.

**Gesälz** → Brotaufstrich.

**gesalzen:** → geharnischt, → sauer, → teuer.

**gesamt:** → allgemein, → insgesamt.

**Gesamt:** das G. → Totalität.

**Gesamtausgabe** → Edition.

**Gesamtbetrag** → Summe.

**gesamtdeutsch,** gemeindeutsch, deutsch; → Deutsch, → Deutschland.

**Gesamtdeutschland** → Deutschland.

**Gesamtergebnis** → Ergebnis.

**gesamthaft:** → gemeinsam, → insgesamt.

**Gesamtheit:** → Ganzheit, → Totalität.

**Gesamthochschule:** integrierte G. → Hochschule.

**Gesamtœuvre** → Werk.

**Gesamtschuldner** → Schuldner.

**Gesamtschule** → Schule.

**Gesamtsumme** → Summe.

**Gesamtvermögen** → Besitz.

**Gesamtwerk** → Werk.

**Gesandter** → Diplomat.

**Gesandtschaft** → Botschaft.

¹**Gesang,** Singen, Singerei (*abwertend*), Singsang (*abwertend*), Gesinge (*abwertend*); → Lied; → singen.

²**Gesang** → Lied.

¹**Gesangbuch,** Gesangsbuch (*österr.*), Liederbuch; → lobpreisen, → singen.

²**Gesangbuch:** das richtige G. haben → Beziehungen [haben].

**Gesangsbuch:** → Gesangbuch.

**Gesangverein** → Chor.

¹**Gesäß,** Nates, Hintern (*salopp*), Hinterteil (*ugs.*), Allerwertester (*ugs., scherzh.*), Popo (*ugs.*), Po (*ugs.*), jmds. vier Buchstaben (*ugs.*), Podex (*ugs.*), Pöker (*ugs.*), Tokus (*ugs.*), verlängerter Rücken (*ugs., scherzh.*), Sterz (*ugs.*), Stert (*landsch., ugs.*), Posteriora, Kiste (*salopp*), Stinker (*salopp*), Arsch (*derb*), Bierarsch (*derb*); → Darmausgang; → rektal.

²**Gesäß:** Himmel, G. und Nähgarn! → verflucht!

**gesättigt** → satt.

**gesäubert** → sauber.

**gesäuert** → sauer.

**geschaffen:** wie g. → geeignet; etwas ist für jmdn. wie g. → passen.

**geschafft:** g. sein → erschöpft [sein].

¹**Geschäft,** Handel, Transaktion, Transitgeschäft; → Absatz; **mit jmdm. ins G. kommen,** jmdn. als Geschäftspartner gewinnen; **in ein G. eintreten,** [in ein Geschäft] einsteigen (*ugs.*); **aus einem G. austreten,** [aus einem Geschäft] aussteigen (*ugs.*); → kaufen, → verkaufen.

²**Geschäft:** → Betrieb, → Laden; ein G. eröffnen → niederlassen (sich); sein G. erledigen / machen → austreten; ein G. gründen → eröffnen; ein [gutes] G. machen → Profit [machen]; aus dem G. [nach Hause] kommen → Feierabend [haben]; ins G. bringen → fördern; [groß] ins G. einsteigen / kommen / steigen → Profit [machen].

**Geschäftemacher** → Geschäftsmann.

**geschäftig:** → betriebsam, → fleißig; g. sein → hantieren.

**Geschäftigkeit:** → Fleiß, → Hast.

**Geschäflhuber:** ein G. sein → betriebsam [sein].

**geschäftlich:** → dienstlich, → finanziell, → kommerziell.

**Geschäftsbeauftragter** → Geschäftsvermittler.

**Geschäftsbereich** → Dezernat.

**Geschäftsbericht,** Jahresbericht, Rechenschaftsbericht, Kassabericht (*österr.*), Gebarungsbericht (*österr.*); → Geschäftsbücher, → Geschäftsführung.

**Geschäftsbrief** → Schreiben.

**Geschäftsbücher,** Bücher, Hauptbuch, Kontobuch, Kassenbuch; → Geschäftsbericht, → Geschäftsführung, → Geschäftsjahr, → Steuererklärung, → Wirtschaftsprüfer.

**Geschäftsfreund** → Freund.

**Geschäftsführer** → Leiter.

**Geschäftsführung,** Buchführung, Gebaren, Geschäftsgebaren, Gebarung (*österr.*), Kassagebarung (*österr.*); → Buchführung, → Buchprüfung, → Geschäftsbericht, → Geschäftsbücher, → Geschäftsjahr.

**Geschäftsgebaren** → Geschäftsführung.

**Geschäftsjahr,** Wirtschaftsjahr, Rechnungsjahr, Gebarungsjahr (*österr.*); → Geschäftsbücher, → Geschäftsführung.

**Geschäftskarte** → Visitenkarte.

**Geschäftslage:** eine günstige / gute G. haben → abgelegen.

**Geschäftsliste** → Tagesordnung.

**Geschäftslokal** → Laden.

**Geschäftsmann,** Kaufmann, Koofmich (*salopp, abwertend*), Businessman, Krämer, Pfeffersack (*ugs.*), Geschäftemacher (*ugs.*) · *der am Krieg verdient:* Kriegsgewinnler; → Einzelhändler, → Großhändler, → Händler, → Unternehmer.

**Geschäftsnebenstelle** → Zweigstelle.

**Geschäftsordnung** → Tagesordnung.

**Geschäftspartner:** jmdn. als G. gewinnen → Geschäft.

**Geschäftsreise** → Reise.

**Geschäftsschluß** → Feierabend.

**Geschäftssinn,** Geschäftstüchtigkeit, kaufmännisches Denken; → Klugheit → Scharfsinn.

**Geschäftsstelle:** → Redaktion, → Hauptgeschäftsstelle, → Zweigstelle.

**Geschäftsstraße:** → Geschäftsviertel, → Straße.

**Geschäftsträger** → Diplomat.

**geschäftstüchtig:** → lebenstüchtig, → schlau.

**Geschäftstüchtigkeit:** → Geschäftssinn, → Klugheit.

**Geschäftsvermittler,** Vertragsvermittler, Geschäftsbeauftragter, Vermittler, Beauftragter, Agent; → Beauftragter, → Vermittler, → Vermittlungsstelle, → Zweigstelle.

**Geschäftsviertel,** Einkaufszentrum, Shopping-Center, Geschäftszentrum, Hauptgeschäftsstraße, Geschäftsstraße, Ladenstraße; → Markt.

**Geschäftszentrum** → Geschäftsviertel.

**Geschäftszweig** → Bereich.

**geschärft,** scharf, geschliffen, angespitzt; → kantig, → spitz; **g. sein,** [gut] schneiden.

**geschätzt** → angesehen.

**gescheckt** → gemustert.

**¹geschehen,** erfolgen, stattfinden, vonstatten gehen, verlaufen, über die Bühne gehen (*ugs.*), vor sich gehen, eintreten, sich ereignen / zutragen / begeben / abspielen, zustande kommen, vorfallen, vorgehen, passieren, zugange sein (*landsch.*), gehen (*schweiz.*), es gibt etwas; → begegnen, → geschehen, → verwirklichen (sich), → vorkommen · Ggs. → ausfallen; **nicht g.,** unterbleiben; → Ereignis, → Vorgang.

**²geschehen:** g. lassen → billigen.

**Geschehen** → Ereignis.

**Geschehnis** → Ereignis.

**gescheit:** → klug; wie nicht g. → sehr; nicht g. sein → verrückt [sein].

**gescheitert,** verkracht (*ugs.*), zusammengebrochen.

**Gescheitheit** → Klugheit.

**Geschenk:** → Gabe; jmdm. -e machen → bestehlen.

**Geschenkpackung** → Packung.

**Geschenkpapier** → Einwickelpapier.

**Geschenksendung** → Gabe.

**geschenkt** → kostenlos.

**geschert** → unhöflich.

**Gescherter:** → Dummkopf, → Landbewohner.

**¹Geschichte,** Historie (*veraltet*), Geschichtswissenschaft, Historik · Vorgeschichte, Prähistorie, Frühgeschichte, Urgeschichte, Weltgeschichte, Welthistorie (*veraltet*), Zeitgeschichte; → Geschichtsepoche, → Wissenschaft.

**²Geschichte:** → Angelegenheit, → Erzählung, → Menstruation, → Tradition; sich in das Buch der G. eintragen → verewigen (sich); das Rad der G. läßt sich nicht zurückdrehen → Entwicklung; in die G. eingehen → verewigen (sich).

**geschichtlich,** historisch, diachronisch, entwicklungsgeschichtlich, nicht synchronisch; → herkömmlich · Ggs. gleichzeitig.

**Geschichtsatlas** → Atlas.

**Geschichtsdrama** → Drama.

**Geschichtsepoche** ·· Altertum · Mittelalter, Frühmittelalter, Hochmittelalter, Spätmittelalter · Neuzeit; → Atomzeitalter, → Belle Epoque, → Geschichte, → Gründerzeit.

**Geschichtskalender** → Kalender.

**Geschichtsschreiber** → Chronist.

**Geschichtsunterricht,** Gegenwartskunde, Gemeinschaftskunde, Staatsbürgerkunde, Sozialkunde; → Geschichte, → Gesellschaftswissenschaft.

**Geschichtswissenschaft** → Geschichte.

**Geschick:** → Kunstfertigkeit, → Schicksal, → Wendigkeit.

**Geschicklichkeit:** → Körperbeherrschung, → Kunstfertigkeit, → Wendigkeit.

**Geschicklichkeitskünstler** → Artist.

**¹geschickt,** gewandt, wendig, agil, beweglich, habil (*veraltet*); → gewandt; **g. sein,** den Dreh / Bogen heraushaben (oder:) raushaben (*salopp*); wissen, wie man's macht (*ugs.*); → Wendigkeit.

**²geschickt:** → anstellig, → schlau.

**Geschicktheit** → Wendigkeit.

**Geschiebelehm** → Erde.

**geschieden,** aufgelöst, getrennt; **g. sein,** getrennt [von Tisch und Bett] leben, in Scheidung leben / liegen; → Ehescheidung.

**¹Geschirr,** Porzellangeschirr, Porzellan, Service · *für eine Person:* Gedeck; → Tasse, → Teller.

**²Geschirr:** sich ins G. legen → anstrengen (sich).

**Geschirrhandtuch** → Handtuch.

**Geschirrschrank:** → Möbel, → Schrank.

**Geschirrtuch:** → Handtuch, → Putzlappen.

**Geschlecht:** → Abkunft, → Dynastie, → Familie, → Penis, → Wortart; das dritte G. → Homosexueller; das schöne / schwache G. → Frauen (die); nachfolgende -er → Nachwelt; das starke G. → Männer (die).

**geschlechtlich** → sexuell.

**Geschlechtsakt** → Koitus.

**geschlechtskrank:** g. sein / werden → Geschlechtskrankheit.

**Geschlechtskrankheit,** venerische Krankheit, Pauken und Trompeten, Türkische Musik, Syphilis, Lues, harter Schanker, Lustseuche, Franzosenkrankheit · Gonorrhö, Tripper, Trio (*salopp*), Kavaliersschnupfen (*scherzh.*), Kavalierskrankheit (*scherzh.*); **Untersuchung auf G.,** Schwanzappell (*vulgär*), Schwanzparade (*vulgär*); **eine G. bekommen,** sich eine Geschlechtskrankheit zuziehen, sich etwas holen (*salopp*), sich etwas aufsacken (*salopp*), sich die Musik holen (*ugs.*), geschlechtskrank werden, zum Handkuß kommen (*österr.*) · *vom Mann:* sich die Gießkanne verbiegen (*vulgär*), sich den Lauf verstopfen (*salopp*), sich den Schwanz verbrennen (*vulgär*); **eine G. haben,** geschlechtskrank sein · *vom Mann:* wie auf Eiern gehen (*salopp*), dicke Eier haben (*vulgär*); → koitieren.

**Geschlechtsorgan:** -e → Genitalien.

**geschlechtsreif,** heiratsfähig, mannbar, zeugungsfähig, potent; → erwachsen, → fruchtbar, → männlich, → reif, → volljährig; → Fähigkeit · Ggs. → impotent.

**Geschlechtsteil** → Penis.

**Geschlechtstrieb,** Fortpflanzungstrieb, Libido, Nisus sexualis, Fleischeslust, Sinnengenuß, Sinnlichkeit, Sünde, Lüsternheit, Brunst, Geilheit (*abwertend*) · *krankhaft gesteigerter:* Erotomanie, Hyperaphrodisie (*fachspr.*), Aphrodisie (*fachspr.*),

Hyperhedonie (*fachspr.*), Salazität · *im reiferen, ,,gefährlichen" Alter*: Johannistrieb, später / zweiter Frühling; → Leidenschaft, → Mannstollheit, → Weibstollheit.

**Geschlechtsverkehr:** → Koitus; G. haben → koitieren.

**Geschlechtswort** → Wortart.

**Geschlechtszelle** → Keimzelle.

**geschliffen** → gewandt.

**Geschliffenheit** → Weltgewandtheit.

**¹geschlossen,** verschlossen, versperrt, zugeschlossen, zugesperrt (*bes. südd., österr.*), abgeschlossen, abgesperrt (*bes. südd., österr.*); **g. sein,** verriegelt / (*ugs.*) zu / (*ugs.*) verrammelt sein · Ggs. → offen.

**²geschlossen:** → komplett, → undurchlässig; -e Gesellschaft → Strafanstalt; g. wie ein Mann → alle.

**Geschlossenheit** → Vollständigkeit.

**Geschlücht** → Abschaum.

**¹Geschmack,** Aroma, Würze; → vorschmecken, → würzen; → duftend, → ungewürzt, → würzig.

**²Geschmack:** → Zuneigung; [guter G.] → Kunstverständnis; einer Sache keinen G. abgewinnen können, auf den G. kommen → gefallen; G. finden an → billigen, → gefallen; keinen [guten] G. haben, etwas verrät keinen guten G. → geschmacklos [sein]; hast du [da] noch G.! → überrascht [sein]; im G. vorherrschen → vorschmecken; ohne G. → fade, → ungewürzt.

**geschmackig:** → geschmackvoll, → schmackhaft.

**geschmäcklerisch** → genießerisch.

**¹geschmacklos,** geschmackswidrig, stillos, stilwidrig, kitschig, nicht → geschmackvoll, nicht → hübsch; → abscheulich; **g. sein:** etwas ist geschmacklos / verrät keinen guten Geschmack / zeugt von Geschmacklosigkeit, keinen [guten] Geschmack haben, an Geschmacksverirrung leiden (*abwertend*); → gefallen; → Geschmacklosigkeit, → Kitsch.

**²geschmacklos:** → fade, → taktlos, → ungewürzt.

**¹Geschmacklosigkeit,** Geschmackswidrigkeit, Stillosigkeit, Stilwidrigkeit; → geschmacklos.

**²Geschmacklosigkeit:** → Kitsch, → Taktlosigkeit; etwas zeugt von G. → geschmacklos [sein].

**Geschmacksknospe** → Sinnesorgan.

**Geschmacksorgan** → Sinnesorgan.

**Geschmackspapille: -n** → Sinnesorgan.

**Geschmacksverirrung:** → Kitsch; an G. leiden → geschmacklos [sein].

**geschmackswidrig** → geschmacklos.

**Geschmackswidrigkeit** → Geschmacklosigkeit.

**¹geschmackvoll,** vornehm, nobel, kultiviert, distinguiert, adrett, elegant, schick, apart, fesch, flott, kleidsam, mondän, gut angezogen, schmuck, gefällig, geschmackig (*ugs., österr.*), nicht → geschmacklos; → anziehend, → auserwählt, → hübsch, → kostbar, → schön; → Adonis, → Gentleman; → anziehen.

**²geschmackvoll** → abgestimmt.

**Geschmeide** → Schmuck.

**geschmeidig:** → anpassungsfähig, → biegsam.

**Geschmeidigkeit** → Biegsamkeit.

**Geschmeiß** → Abschaum.

**Geschmier** → Kritzelei.

**geschmolzen** → flüssig.

**geschniegelt:** g. und gebügelt → aufgeputzt.

**geschnitten** → zensiert.

**¹Geschöpf,** Kreatur, Lebewesen, Wesen; → Mensch; → leben; → kreatürlich.

**²Geschöpf:** dem G. eigen → kreatürlich.

**¹Geschoß,** Obergeschoß, Stockwerk, Etage · *zu ebener Erde:* Erdgeschoß, Parterre, Rez-de-chaussee (*veraltet*) · *über einem Kellergeschoß eine halbe Treppe hoch gelegenes:* Hochparterre · *zwischen Geschossen, meist zwischen Erdgeschoß und erstem Stock:* Zwischengeschoß, Halbstock (*österr.*), Mezzanin (*österr. und Kunstw.*) · *über dem Erd-*

*geschoß:* Beletage, erster Stock, erste Etage, Hauptgeschoß · *unter Straßenhöhe:* Kellergeschoß, Souterrain, Basement (im Kaufhaus) · *auf dem Schiff:* Deck, Zwischendeck; → parterre.

**²Geschoß** → Munition.

**geschraubt** → geziert.

**Geschraubtheit** → Geziertheit.

**Geschrei,** das Schreien, Gejohle, Gegröle, Gekreische, Gezeter; → Lärm, → Laut; → lärmen, → schreien.

**¹Geschütz,** Kanone, Strandkanone, Haubitze, Strandhaubitze; → Munition, → Schußwaffe.

**²Geschütz:** grobes / schweres G. auffahren → attackieren.

**geschützt:** → sicher, → windstill.

**geschwächt** → kraftlos.

**Geschwader:** → Abteilung, → Flotte.

**Geschwafel** → Gewäsch.

**Geschwätz:** → Gerede, → Gewäsch, → Klatsch.

**geschwätzig** → gesprächig.

**Geschwätzigkeit** → Redseligkeit.

**geschweift:** → gebogen, → verziert.

**geschwind** → schnell.

**¹Geschwindigkeit,** Schnelligkeit, Fixigkeit, Eile, Tempo, Rasanz; → Beschleunigung, → Hast, → Tachometer, → Überstürzung; **die G. beschleunigen,** Gas geben, aufs Pedal treten (*ugs.*), auf die Tube drücken (*salopp*); → eilen, → fahren; → schnell.

**²Geschwindigkeit:** G. ist keine Hexerei → schwierig; mit affenartiger G. → schnell.

**Geschwindigkeitsmesser** → Tachometer.

**Geschwindigkeitszunahme** → Beschleunigung.

**Geschwindmarsch** → Marsch (der).

**Geschwister,** Brüder, Schwestern, Bruder und Schwester · *männlichen Geschlechts, die gemeinsam ein Unternehmen leiten:* Gebrüder · *zwei zu gleicher Zeit geborene:* Zwillinge · *drei zu gleicher Zeit geborene:* Drillinge · *vier zu gleicher Zeit geborene:* Vierlinge · *fünf zu gleicher Zeit* *geborene:* Fünflinge; → Kind, → Verwandter.

**Geschwisterkind** → Verwandter.

**Geschwisterliebe** → Familienanhänglichkeit.

**geschwitzt:** naß g. → verschwitzt.

**geschwollen** → geziert.

**Geschwollenheit** → Geziertheit.

**Geschworener** → Schöffe.

**¹Geschwulst,** Gewächs, Tumor ·· *an den Schleimhäuten:* Polyp, Nasenwucherung ·· *gutartige:* benigner Tumor, Myom, Fibrom, Zyste ·· *bösartige:* maligner Tumor, Krebs, Karzinom, Sarkom, Neoplasma · *sich sekundär, vom Ursprungsort entfernt bildende:* Tochtergeschwulst, Metastase, Absied[e]-lung; → Beule, → Krankheit.

**²Geschwulst** → Geschwür.

**geschwungen** → gebogen.

**Geschwür** → Abszeß.

**gesegnet:** einen -en Appetit haben → eßlustig [sein]; in Leibes sein → schwanger [sein]; mit etwas g. sein — haben.

**Geseire** → Gewäsch.

**geselcht** → geräuchert.

**Geselchtes** → Fleisch, → Pökelfleisch.

**Gesell** → Vagabund.

**Geselle:** → Handelsgehilfe, → Handwerker.

**gesellen:** sich g. zu → zugesellen (sich).

**Gesellenbrief** → Urkunde.

**¹gesellig,** soziabel, kontaktfähig, kontaktfreudig, kommunikationsfreudig, kommunikationsfähig, umgänglich, extrovertiert, extravertiert, nicht → selbstbezogen, nicht → unzugänglich; → entgegenkommend, → friedfertig, → menschlich; → Geselligkeit; → herausgehen (aus sich).

**²gesellig:** -es Beisammensein → Runde.

**¹Geselligkeit,** Soziabilität, Umgänglichkeit; → Nächstenliebe; → gesellig.

**²Geselligkeit** → Runde.

**¹Gesellschaft** · Urgesellschaft, klassenlose Gesellschaft · [primitive] Klassengesellschaft · Feudalgesellschaft, ständische Gesellschaft · bürgerliche Gesellschaft, Industriegesellschaft,

kapitalistische / spätkapitalistische Gesellschaft (oder:) Klassengesellschaft, eindimensionale / pluralistische Gesellschaft, Leistungsgesellschaft, Konsumgesellschaft; → Gesellschaftsschicht, → Gesellschaftswissenschaft.

**²Gesellschaft:** → Bande, → Fest, → Oberschicht, → Öffentlichkeit, → Unternehmen; bürgerliche G. → Bürgertum; geschlossene G. → Strafanstalt; menschliche G. → Menschheit; vaterlose G. → Lost generation; eine G. geben → feiern; die Stützen der G. → Oberschicht; G. zur Rettung Schiffbrüchiger → Lebensrettungsgesellschaft.

**Gesellschafter:** → Gentleman, → Teilhaber.

**Gesellschaftsabend** → Fest.

**Gesellschaftsanzug** → Anzug.

**gesellschaftsfähig** → korrekt.

**Gesellschaftskleid** → Kleid.

**Gesellschaftskraftwagen** → Omnibus.

**Gesellschaftskritik,** Sozialkritik, Ideologiekritik, soziale Anklage; → brandmarken.

**Gesellschaftslehre** → Gesellschaftswissenschaft.

**Gesellschaftslyrik** → Lyrik.

**Gesellschaftsraum,** Unterhaltungsraum, Kasino; → Raum.

**Gesellschaftsreise** → Reise.

**Gesellschaftsroman** → Roman.

**Gesellschaftsschicht,** Bevölkerungsschicht, Schicht; → Bürgertum, → Gesellschaft, → Kaste, → Oberschicht, → Personenkreis.

**Gesellschaftstanz** → Tanz.

**Gesellschaftswissenschaft,** Soziologie, Gesellschaftslehre, Sozialwissenschaft; → Geschichtsunterricht, → Gesellschaft; → Politologie, → Wissenschaft.

**Gesenkschmied** → Schmied.

**Gesetz:** → Regel, → Weisung; ein G. beschließen / verabschieden → erwirken; durch die Maschen des -es schlüpfen → verurteilen; Gleichheit vor dem G. → Gleichberechtigung.

**Gesetzbuch:** Bürgerliches G. → Gesetzessammlung.

**Gesetzentwurf** → Weisung.

**Gesetzesbrecher** → Verbrecher.

**Gesetzesfreude** → Feiertag.

**Gesetzeshüter** → Polizist.

**Gesetzessammlung,** BGB, Bürgerliches Gesetzbuch · *österreichische:* ABGB · *französische:* Code Napoléon · *jüdische:* Thora · *puritanisch-amerikanische:* Blue Laws · *im Alten Testament:* Pentateuch.

**Gesetzesvorlage** → Weisung.

**Gesetzgebung** → Legislative.

**gesetzlich** → rechtmäßig.

**Gesetzlichkeit** → Rechtmäßigkeit.

**gesetzlos** → anarchisch.

**Gesetzlosigkeit** → Anarchie.

**gesetzmäßig** → erwartungsgemäß.

**Gesetzmäßigkeit** → Regel.

**gesetzt:** → ruhig; -es Recht → Recht.

**Gesetztheit,** Abgeklärtheit, Altersweisheit, Alterswürde; → Ruhe; → ruhig.

**gesetzwidrig,** ungesetzlich, illegitim, illegal, kriminell, unzulässig, unstatthaft, unerlaubt, verboten, untersagt, unrechtmäßig, auf ungesetzlichem Wege, auf Schleichwegen, strafbar, außerhalb der Legalität, deliktisch *(schweiz.),* nicht → rechtmäßig, nicht → statthaft; → eigenmächtig, → heimlich, → unehelich; → Gesetzwidrigkeit.

**Gesetzwidrigkeit,** Ungesetzlichkeit, Illegalität, Unzulässigkeit, Unstatthaftigkeit, Unrechtmäßigkeit, Strafbarkeit; → gesetzwidrig.

**Geseufze** → Klagelaut.

**gesichert:** → fundiert; in -en Verhältnissen leben → leben.

**Gesichertheit:** → Authentizität, → Geborgenheit.

**Gesichertsein** → Geborgenheit.

**¹Gesicht,** Angesicht, Antlitz *(dichter.),* Physiognomie · *unsympathisches:* Ohrfeigengesicht *(abwertend),* Watschengesicht *(abwertend, österr.),* Watschenpappen *(derb, österr.),* ein Gesicht wie ein Feuermelder *(salopp, landsch.),* Visage *(abwertend),* Fratze *(abwertend),* Gefrieß *(abwertend, südd., österr.),* Gfrieß *(abwertend, südd., österr.),* Ponem *(abwertend, österr.),* Ponim *(abwertend, österr.),* Fresse *(derb, abwertend)* · *verzerrtes:* Grimasse; → Miene, → Wange.

²Gesicht: ein G. machen / ziehen → aussehen; ein langes G. machen → unzufrieden [sein]; das G. verlieren / wahren → Ansehen; das G. wahren → unterdrücken; sein wahres G. zeigen → erkennen.

Gesichtsausdruck → Miene.

Gesichtserker → Nase.

Gesichtsfeld → Gesichtskreis.

Gesichtskosmetik → Ansehen.

Gesichtskreis, Blickfeld, Gesichtsfeld, Horizont, Gedankenwelt; → Gesichtspunkt, → Niveau.

Gesichtslage → Kindslage.

Gesichtsmaske → Schönheitspflegemittel.

Gesichtsmassage → Massage.

Gesichtsmilch → Schönheitspflegemittel.

Gesichtsorgan → Sinnesorgan.

Gesichtspuder → Puder.

Gesichtspunkt, Blickpunkt, Blickwinkel, Blickrichtung, Perspektive, Anblick, Aspekt, Betrachtungsweise; → Ansicht, → Argument, → Ausblick, → Denkweise, → Gesichtskreis, → Hinderungsgrund; **ein neuer G. sein:** das ist ein neuer Gesichtspunkt, das läßt die Sache in anderem Licht erscheinen / gibt der Sache ein anderes Gesicht / wirft ein neues Licht auf die Sache.

Gesichtsröte → Röte.

Gesichtsverfärbung → Verfärbung.

Gesichtswasser → Schönheitspflegemittel.

gesiebt: -e Luft atmen → abbüßen.

Gesinde → Personal.

Gesindel → Abschaum.

Gesindestube → Raum.

Gesinge → Gesang.

Gesinnung: → Denkweise; die G. wechseln → umschwenken; seine G. [wie das / sein Hemd] wechseln → Opportunist [sein], → umschwenken.

Gesinnungsfreund → Gesinnungsgenosse.

Gesinnungsgenosse, Gesinnungsfreund, Genosse, Parteifreund, Sympathisant; → Freund.

Gesinnungslosigkeit → Gesinnungswandel.

Gesinnungslump → Opportunist.

Gesinnungslumperei → Gesinnungswandel.

Gesinnungstäter → Attentäter.

Gesinnungswandel, Gesinnungswechsel, Frontwechsel (ugs.), Gesinnungslosigkeit, Gesinnungslumperei (abwertend); → Anpassung, → Zugeständnis; → umschwenken.

Gesinnungswechsel → Gesinnungswandel.

gesittet: → artig, → diszipliniert.

Gesittung → Sitte.

Gesocks → Abschaum.

Gesöff → Getränk.

gesondert: → eigens, → einzeln.

gesonnen → bereit.

gespalten → zwiespältig.

Gespan → Freund.

gespannt: → aufmerksam, → erwartungsvoll, → spannungsgeladen; mit jmdm. auf -em Fuß leben / stehen → vertragen (sich); -er Puls → Pulsschlag.

¹Gespenst, Geist, Phantom, Geistererscheinung, Astralwesen, Erscheinung, Spuk, Nachtgespenst, Nachtmahr; → Einbildung, → Traum, → Vampir; → spuken; → gespenstisch.

²Gespenst: -er sehen → sorgen (sich).

Gespensterglaube → Aberglaube.

gespensterhaft → gespenstisch.

Gespenstheuschrecke → Heuschrecke.

¹gespenstisch, gespensterhaft, geisterhaft, spukhaft, koboldhaft, koboldartig, irrlichternd, dämonisch; → makaber, → unheimlich; → Gespenst; → spuken.

²gespenstisch → makaber.

Gespiele → Freund.

Gespielin → Freundin.

Gespinst → Gewebe.

Gespinstmotte → Schmetterling.

gespornt: gestiefelt und g. → verfügbar.

Gespött: jmdn. zum G. machen → kompromittieren (jmdn.); zum G. werden → bloßstellen (sich).

¹Gespräch, Unterhaltung, Meinungsaustausch, Gedankenaustausch, Unterredung, Ausspra-

che, Beratschlagung, Interview, Konversation, Dialog, Debatte, Diskussion, Podiumsdiskussion, Teach-in, Podiumsgespräch, Streitgespräch, Redeschlacht, Hickhack (ugs.), Holzerei (ugs., abwertend), Diskurs, Erörterung, Verhandlung, Kolloquium, Gespräch am runden Tisch, Round-table-Gespräch, Besprechung, Geplauder, Plauderei, Causerie (veraltet), Smalltalk, Plausch (oberd.), Plauscherl (fam., österr.) · mit sich selbst: Selbstgespräch, Monolog; → Gesprächsteilnehmer, → Rede, → Streit, → Tagung, → Umfrage, → Wortmeldung; → erörtern, → fragen, → unterhalten (sich); → gesprächig.

²Gespräch: [dringendes G.] → Telefongespräch; das G. kommt nicht zustande, ein G. führen → telefonieren (mit jmdm.); ein G. anknüpfen → anbandeln; ein G. beginnen → ansprechen.

gesprächig, mitteilsam, redefreudig, redelustig, redselig, geschwätzig (abwertend), quatschig (salopp, abwertend), klatschsüchtig (abwertend), tratschsüchtig (abwertend), schwatzhaft (abwertend); → beredt; **g. sein,** Quasselwasser getrunken haben (ugs., abwertend), eine Quasselstrippe sein (ugs.), das Herz auf der Zunge haben; → mitteilen; → Gespräch, → Redseligkeit.

Gesprächigkeit → Redseligkeit.

Gesprächspartner → Gesprächsteilnehmer.

Gesprächsteilnehmer, Diskussionsteilnehmer, Diskussionspartner, Gesprächspartner, Diskutant; → Gespräch.

gesprächsweise → nebenbei.

gespreizt → geziert.

Gespreiztheit → Geziertheit.

gesprengt: -er Giebel → Giebel.

gesprenkelt → gemustert.

Gespritzter → Wein.

Gespür → Gefühl.

Gest → Gärstoff.

Gestade → Ufer.

gestaffelt → gegliedert.

Gestagen → Hormon.

gestählt → widerstandsfähig.

Gestähltsein → Widerstandsfähigkeit.

¹Gestalt, Figur, Wuchs, Statur, Körper, Korpus (scherzh.), Leib, Konstitution, Habitus; → Körperbautyp, → Wesen.

²Gestalt → Gebilde.

gestalten: → charakterisieren, → formen; filmisch g. → verfilmen; menschlicher g. → humanisieren.

gestaltend → schöpferisch.

gestalterisch → schöpferisch.

gestaltlos → amorph.

Gestaltpsychologie → Psychologie.

Gestaltung, Formung, Ausformung, Darstellung; → Verarbeitung.

gestanden: -es Mannsbild → Mann; → e Milch → Milch.

geständig: g. sein → gestehen.

Geständnis: → Bekenntnis; ein G. ablegen → gestehen.

Gestänge → Geweih.

Gestank: → Geruch; G. verbreiten → verpesten.

Gestapo → Geheimpolizei.

gestärkt: g. sein → satt [sein].

Gestation → Schwangerschaft.

gestatten → billigen.

gestattet → statthaft.

Geste: → Gebärde; -n machen → gestikulieren.

Gesteck → Blumenstrauß.

gestehen, bekennen, Farbe bekennen (ugs.), sein Gewissen erleichtern, einbekennen (österr.), eingestehen, mit der Sprache herausrücken (ugs.), auspacken (ugs.), singen (salopp), einräumen, zugeben, beichten, eine Beichte ablegen, offenbaren, aussagen, eine Aussage machen, ein Geständnis ablegen / machen, jmdm. etwas entdecken / eröffnen, geständig sein, die Karten aufdecken / offen auf den Tisch legen, die Hosen runterlassen (salopp); → sprechen, → stellen (sich), → verraten; → Bekenntnis, → Läuterung.

gesteigert: krankhaft / pathologisch -es Erinnerungsvermögen → Gedächtnisstörung.

Gestein, Fels, Felsen, Stein, Geröll, Felsblock, Felsbrocken · vulkanisches: Eruptivgestein · durch Ablagerung entstandenes: Sedimentgestein, Sediment; →

Gesteinskunde, → Kalkstein, → Mineraloge, → Split.

Gesteinskunde, Lithologie, Petrographie, Mineralogie; → Erdkunde, → Gestein, → Mineraloge, → Versteinerung.

Gesteinskundler → Mineraloge.

¹Gestell, Regal, Etagere, Ablage, Bord, Stellage; → Bücherbord.

²Gestell → Untergestell.

gestelzt: → geziert; -er Rundbogen → Bogen.

Gestelztheit → Geziertheit.

Gestensprache → Zeichensprache.

gestern: nicht von g. sein → schlau [sein].

gestiefelt: g. und gespornt → verfügbar.

gestikulieren, Gesten machen, mit den Armen / Händen fuchteln (ugs.), herumfuchteln (ugs.), die Arme / Hände verwerfen (schweiz.).

gestimmt: → aufgelegt, → aufgeschlossen.

Gestirn → Himmelskörper.

gestirnt, bestirnt, mit Sternen bedeckt / übersät, sternenbedeckt, im Sternenglanz erstrahlend (dichter.), stern[en]hell, stern[en]klar, von Sternen erhellt (geh.); → Planet, → Sternwarte.

Gestöhn → Klagelaut.

gestopft: g. voll → voll.

gestorben → tot.

Gesträuch → Dickicht.

gestreift → gemustert.

gestreng → herrisch.

Gestrick → Gewebe.

gestriegelt → aufgeputzt.

gestrig: → altmodisch; ewig Gestriger → Konservativer.

Gestrüpp → Dickicht.

gestuft → differenziert.

Gestüt, Pferdezüchterei, Pferdezucht, Pferdezuchtanstalt; → Pferd, → Züchtung; → züchten.

¹Gesuch, Antrag, Anfrage, Eingabe, Botschaft (schweiz.), Anzug (österr.), Ansuchen (österr.), Petition, Bittschrift, Bittgesuch, Bittschreiben, Bittadresse, Supplik, Bettelbrief (abwertend) · im Parlament: Motion (schweiz.), Gegenantrag; → Angebot, → Bitte, → Mittei-

lung, → Schreiben, → Weisung.

²Gesuch: ein G. stellen → einreichen.

gesucht: → begehrt, → geziert.

Gesulztes → Sülze.

Gesumm → Geräusch.

Gesumme → Geräusch.

Gesums: → Geräusch, → Kram.

Gesumse → Geräusch.

¹gesund, [gesund und] munter, kraftstrotzend, gesundheitsstrotzend, frisch, kerngesund, kregel (landsch.), pumperlgesund (ugs., österr.), nicht → krank; → fit, → heil; g. machen, heilen, wiederherstellen, [aus]kurieren, nicht verschleppen, besprechen, Hand auflegen, in Ordnung / in die Reihe / über den Berg / wieder auf die Beine bringen (ugs.), jmdn. wieder hinkriegen (salopp), aufhelfen, retten; → behandeln, → helfen, → lindern; g. werden, heilen, ausheilen, genesen, gesunden, sich bessern, auf dem Wege der Besserung sein, sich auf dem Wege der Besserung befinden, Besserung tritt ein, aufkommen, wieder auf die Beine / auf den Damm kommen (ugs.), sich [wieder] bekrabbeln (ugs.), sich aufrappeln (ugs.); → erholen (sich); g. sein, wohlauf / wohl / fit / (ugs.) mobil / in Form / (ugs.), auf dem Posten / wieder auf dem Damm / (süddwestd.) busper sein, munter wie ein Fisch im Wasser / springlebendig sein, jmdm. geht es gesundheitlich gut; g. aussehen, aussehen wie das blühende Leben / wie Milch und Blut, vor Gesundheit strotzen; → Arzt, → Behandlung, → Gesundheit, → Verfassung.

²gesund: → bekömmlich, → nahrhaft; einen → Appetit haben → eßlustig sein; -er Menschenverstand → Klugheit.

gesunden → gesund [werden].

¹Gesundheit, Wohlbefinden, Wohlsein, Rüstigkeit, gutes Befinden, Gesundheitszustand; → Rekonvaleszent · Ggs. → Krankheit; an seine G. denken, keinen Raubbau mit seiner

Gesundheit treiben, sich schonen; → gesund.

²**Gesundheit:** mit seiner G. Raubbau treiben → übernehmen (sich); vor G. strotzen → gesund [sein].

**gesundheitlich:** jmdm. geht es g. gut → gesund [sein].

**Gesundheitskalender** → Kalender.

**Gesundheitspolizei** → Polizeibehörde.

**gesundheitsstrotzend** → gesund.

**Gesundheitstee** → Tee.

**Gesundheitszustand** → Gesundheit.

**gesundschrumpfen** → verringern.

**Gesundschrumpfung** → Verminderung.

**gesundstoßen:** sich g. → Profit [machen].

**Gesundung** → Wiederherstellung.

**gesüßt** → süß.

**Getäfel** → Täfelung.

**Getäfer** → Täfelung.

¹**geteilt,** zweigeteilt, auseinander, getrennt; → defekt; Abtrennung; → teilen.

²**geteilt:** die -e Stadt → Berlin.

**getigert** → gemustert.

**getönt** → differenziert.

¹**Getöse** → Lärm.

¹**Getränk,** Trank, Trunk, Drink, Trinkbares (*ugs.*), Tranksame (*schweiz.*), Gebräu, Gesöff (*derb, abwertend*), Plörre (*salopp, abwertend*), Plempe (*salopp, abwertend*), Brühe (*salopp, abwertend*); → Bier, → Flüssigkeit, → Kaffee, → Mixgetränk, → Wein; → trinken; → trunksüchtig.

²**Getränk:** alkoholisches / geistiges G. → Alkohol; scharfe -e → Alkohol.

**Getränkebude** → Verkaufsstand.

**Getränkekiosk** → Verkaufsstand.

**Getränkestand** → Verkaufsstand.

**Getränkesteuer** → Abgabe.

**getrauen:** sich g. → wagen.

**Getreide,** Körnerfrucht, Feldfrucht, Korn, Frucht · Weizen · Hafer · Gerste · Roggen, Korn · Grünkern, Grünkorn · Hirse, Brein (*österr.*) → Reis, Milchreis, Tafelreis, Suppenreis, Bouillonreis · Mais, Welsch-korn, indianisches Korn, türkischer Weizen, Kukuruz (*österr.*) · Futtergetreide; → Dreschflegel, → Getreideflocken, → Kleie.

**Getreideboden** → Silo.

**Getreideernte** → Ernte.

**Getreideflocken,** Zerealien · Maisflocken, Corn-flakes, Popcorn, Puffmais, Röstmais, Haferflocken · Weizenflocken; → Getreide, → Mais.

**Getreidegarbe** → Garbe.

**Getreidekammer** → Silo.

**Getreidelagerhaus** → Silo.

**Getreidemehltau** → Schlauchpilz.

**Getreidemotte** → Schmetterling.

**Getreidemühle** → Windmühle.

**Getreideschnitt** → Ernte.

**Getreidesilo** → Silo.

**Getreidespeicher** → Silo.

**getrennt:** → einzeln, → geteilt; g. [von Tisch und Bett] leben → geschieden [sein]; g. schreiben → schreiben.

**getreu** → treu.

**Getreuer** → Freund.

**getreulich** → treu.

**Getriebe:** → Hast; es ist Sand im G. → funktionieren.

**getrieben:** → lebhaft, → ruhelos.

**Getriebener** → Umherirrender.

**Getriebensein** → Unrast.

**getrost** → zuversichtlich.

**getrübt** → spannungsgeladen.

**Getto** → Stadtteil.

¹**Getue** (*abwertend*), Gedöns (*ugs., abwertend*), Gewese (*ugs., abwertend*), Theater (*abwertend*), Affentheater (*salopp, abwertend*), Affenzirkus (*salopp*), Pflanz (*ugs., österr.*), Wirbel (*abwertend*), Tamtam (*ugs., abwertend*), Zirkus (*abwertend*), Sturm im Wasserglas, viel Lärm um nichts; → Erregung, → Gerede.

²**Getue:** → Benehmen, → Ziererei.

**Getümmel** → Ansammlung.

**getupft** → gemustert.

**Geübtheit** → Kunstfertigkeit.

**Gevatter:** → Pate; G. Tod → Tod.

**Gevatterin** → Patin.

**Gevatterschaft** → Patenschaft.

**Gevattersmann** → Pate.

**Gewächs:** → Geschwulst, → Pflanze, → Wein.

**gewachsen:** → organisch; sich jmdm. / einer Sache g. fühlen → bereit [sein]; jmdm. / einer Sache g. sein → bewältigen.

**Gewächshaus:** → Orangerie, → Treibhaus.

**gewagt** → gefährlich.

**gewählt,** gepflegt, gehoben, vornehm; → geschmackvoll.

**Gewähltheit,** Ausgesuchtheit, Gepflegtheit, Geschliffenheit, Ausgefeiltheit, Ausgewogenheit; → Ausgereiftheit, → Geziertheit.

**gewahr:** g. werden → wahrnehmen; etwas nicht g. werden → merken.

**Gewähr:** [ohne G.] → Sicherheit.

**gewahren** → wahrnehmen.

¹**gewähren,** [einem Wunsch] entsprechen, [einer Bitte] stattgeben, zugestehen, bewilligen, zuteil werden lassen; → billigen; **gewährt werden,** zuteil werden, vergönnt / (*geh.*) beschieden sein; **nicht g.,** versagen; **nicht gewährt werden,** versagt bleiben, nicht beschieden / vergönnt sein.

²**gewähren:** freien Abzug / freies Geleit g. → freilassen; Einlaß g. → einlassen; jmdm. eine Gunst g. → Gunst; Schutz g. → behüten.

**Gewährenlassen** → Duldung.

¹**gewährleisten,** verbürgen, bürgen für, verbriefen.

²**gewährleisten:** gewährleistet → verbürgt.

**Gewährleistetsein** → Authentizität.

**Gewahrsam:** → Aufbewahrung; polizeilicher G. → Freiheitsentzug; in G. nehmen → festsetzen, → verhaften.

**Gewährsmann,** Informant, Quelle, Verbindungsmann, V-Mann, Kontaktmann, Hintermann; → Geheimpolizist, → Spion, → Vermittler; → mitteilen, → wissen.

¹**Gewalt,** Zwang, Willkür, Brachialgewalt, Militärgewalt, Waffengewalt; → Macht; **jmdn. in seine G. bekommen,** jmdn. zu fassen kriegen (*ugs.*); **in jmds. G. geraten,** jmdm. unter die Finger kommen (*ugs.*); → unbarmherzig.

²**Gewalt:** → Fähigkeit; höhere G. → Schicksal; rohe G. → Faustrecht; jmdm. G. antun

→ vergewaltigen; G. anwenden → einschreiten; jmdn. / etwas in der G. haben → Einfluß [ausüben]; sich in der G. haben → ruhig [bleiben]; mit [aller] G. → unbedingt; mit G. gegen jmdn. vorgehen → einschreiten.

**Gewaltakt** → Verschwörung.
**gewaltblond** → blond.
**Gewalthaber** → Oberhaupt.
**Gewaltherrschaft** → Herrschaft.
**Gewaltherrscher,** Tyrann, Despot, Unterdrücker, Diktator, Alleinherrscher; → Faustrecht, → Herrschaft, → Oberhaupt; → tyrannisch.
**¹gewaltig,** mächtig, enorm, ungeheuer, kolossalisch, kolossal, titanisch, monströs, voluminös, exorbitant, schwerwiegend, schwergründig (schweiz.), gigantisch, monumental, groß, massiv, schwer, stark, grob; → außergewöhnlich, → böse, → groß, → lebhaft, → umfangreich, → unsagbar.
**²gewaltig:** → sehr; g. schwere See → Seegang.
**Gewaltlosigkeit** → Pazifismus.
**Gewaltmarsch:** → Marsch (der), → Spaziergang.
**gewaltsam:** -er Tod → Exitus.
**Gewaltstreich** → Überfall.
**Gewalttat** → Verbrechen.
**Gewalttäter** → Verbrecher.
**gewalttätig** → handgreiflich.
**Gewalttätigkeit** → Grausamkeit.
**Gewaltverbrechen** → Verbrechen.
**Gewaltverzicht** → Pazifismus.
**Gewaltverzichtsabkommen** → Nichtangriffspakt.
**Gewaltverzichtserklärung** → Nichtangriffspakt.
**Gewand:** → Kleid; liturgisches G. → Parament.
**Gewände** → Felswand.
**Gewandlaus** → Mann.
**¹gewandt,** weltgewandt, weltläufig, weltmännisch, urban, sicher, geschliffen; → gebildet, → geschickt, → schlau, → städtisch; → Gentleman, → Weltgewandtheit, → Wendigkeit.
**²gewandt:** → gelenkig, → geschickt.
**Gewandtheit:** → Kunstfertigkeit, → Weltgewandtheit, → Wendigkeit.

**Gewandung** → Kleidung.
**Gewanndorf** → Dorf.
**gewappnet** → kampfbereit.
**Gewappnetsein** → Kampfbereitschaft.
**gewärtig:** g. sein → gewärtigen.
**gewärtigen,** gewärtig sein, gefaßt sein / sich gefaßt machen auf; → hoffen, → vermuten.
**Gewäsch** (abwertend), Blabla (abwertend), Geschwätz, Gefasel (abwertend), Bafel, Geschwafel (abwertend), Geseire (abwertend), leeres Gerede / Stroh (abwertend), Wischiwaschi (ugs.), Wischwasch (ugs.), Schmus, Schmonzes (ugs.); → Gerede, → Klatsch, → Redseligkeit.
**Gewässer,** Wasser, Binnengewässer, Binnenwasser, Binnenmeer, Binnensee; → Meer, → Mündung, → Pfütze, → See.
**¹Gewebe,** Gespinst, Gestrick, Gewirk, Stoff, Netz; → Faser, → Geflecht, → Seide, → Textilien, → Wolle; → weben.
**²Gewebe** → Stoff.
**Gewebsauspflanzung** → Explantation.
**Gewebseinpflanzung** → Implantation.
**Gewebsrückverpflanzung** → Transplantation.
**Gewebsübertragung** → Transplantation.
**Gewebsverpflanzung** → Transplantation.
**Gewebswiedereinpflanzung** → Implantation.
**geweckt** → aufgeschlossen.
**Gewehr** → Schußwaffe.
**Gewehrfeuer** → Schußwechsel.
**Gewehrkugel** → Munition.
**Gewehrlauf,** Büchsenlauf, Flintenlauf, Doppellauf, Lauf; → Schußwaffe.
**Gewehrsalve** → Schuß.
**Gewehrschuß** → Schuß.
**Gewehrüber:** mit G. nach Hause gehen → steif [sein].
**¹Geweih** (Hirsch, Rentier), Gehörn (Rehbock), Schaufeln (Hirsch), Hörner (Gemswild), Krickel (Gemswild), Krucken (Gemswild), Gestänge, Stangen, Spieße.
**²Geweih:** [dem Mann] ein G. aufsetzen → untreu [sein].
**Geweihfarn** → Farn.
**geweiht** → sakral.
**gewellt** → lockig.

**Gewerbe:** → Bauernhof, → Beruf; ambulantes G. → Einzelhandel, → Prostitution; das älteste G. der Welt, horizontales G. → Prostitution.
**Gewerbebetrieb** → Fabrik.
**Gewerbeschule** → Schule.
**Gewerbesteuer** → Abgabe.
**Gewerbetreibender** → Berufsstand.
**Gewerkschaft** → Arbeitnehmervertretung.
**Gewese** → Getue.
**¹gewesen,** vergangen, vormalig, ehemalig, verflossen (ugs.), alt (schweiz., z.B. alt Bundesrat); → damals.
**²gewesen:** -e Tage / Zeit / Zeiten → Vergangenheit.
**¹Gewicht,** Körpergewicht, Eigengewicht, Schwere; → Gewichtseinheit, → Lebendgewicht, → Waage; **sein G. feststellen,** sein G. prüfen, auf die Waage steigen / klettern (ugs.), sich wiegen, sich auf die Waage stellen; → abwiegen, → wiegen.
**²Gewicht:** → Ansehen, → Einfluß, → Lebendgewicht, → Nachdrücklichkeit; G. haben → schwer [sein]; → wichtig [sein]; jmds. G. (oder:) das G. von etwas beträgt / ist ..., ein bestimmtes G. haben / auf die Waage bringen → wiegen; das G. feststellen → abwiegen; G. legen auf → betonen; sein ganzes G. in die Waagschale werfen → Einfluß [ausüben]; mit G. → nachdrücklich; ohne G. → federleicht.
**Gewichtheben** → Schwerathletik.
**gewichtig:** → hochtrabend, → nachdrücklich, → wichtig.
**Gewichtigkeit:** → Bedeutsamkeit, → Nachdrücklichkeit.
**gewichtlos** → federleicht.
**Gewichtsabnahme** → Abmagerung.
**Gewichtseinheit,** Milligramm, Zentigramm, Dekagramm (österr.), Deka (österr.), Gramm, Kilogramm, Kilo, Pfund, Zentner, Doppelzentner, Meterzentner (österr.), Tonne · alte: Lot, Quentchen · für Edelsteine: Karat · als altes Apothekergewicht: Unze, Drachme, Skrupel, Gran; → Flächenmaß, → Gewicht,

→ Hohlmaß, → Längenmaß, → Raummaß, → Stück, → Waage; → abwiegen, → wiegen.

gewichtslos → federleicht.

Gewichtsverlust → Abmagerung.

Gewichtwerfen → Schwerathletik.

gewieft → schlau.

gewiegt → schlau.

Gewieher: → Gelächter, → Lache.

gewillt → bereit.

Gewimmel → Ansammlung.

Gewimmer → Klagelaut.

Gewinde, Schraubengewinde, Windung.

Gewinn: → Ertrag, → Hauptgewinn, → Profit, → Sieg; G. erzielen → verdienen; G. haben → profitieren; G. ziehen aus → Profit [machen]; G. aus etwas ziehen → kommerzialisieren; auf G. bedacht → habgierig.

Gewinnanteil, Dividende, Reingewinn, Tantieme.

gewinnbringend → einträglich.

¹gewinnen (jmdn. für etwas), jmdn. für etwas werben /interessieren; jmds. Mitarbeit / Unterstützung sichern; → verleiten.

²gewinnen: → erwerben, → siegen; mit etwas ist kein Blumentopf zu g. → Erfolg; Einblick g. [in] → wissen; Einfluß g. → beeinflussen; die Oberhand g. → durchsetzen (sich); das Weite g. → entkommen; an Boden g. → ausbreiten (sich); [an] Profil g. → profilieren (sich); es über sich g. → überwinden (sich).

gewinnend: → charmant, → hübsch, → sympathisch.

Gewinner: → Held, → Nutznießer, → Sieger.

Gewinnlos → Los.

Gewinnspanne, Handelsspanne, Reinertrag, Reinerlös, Reinverdienst; → Ertrag, → Vorteil.

Gewinnsucht → Habgier.

gewinnsüchtig → habgierig.

Gewinsel → Klagelaut.

Gewirk → Gewebe.

Gewirr → Verwirrung.

¹gewiß, überzeugt, sicher; g. sein, seiner Sache sicher sein, keine Zweifel haben, bomben-

sicher sein (ugs.), felsenfest von etwas überzeugt sein.

²gewiß: → bestimmt, → ja, → wahr, → wahrlich, → zwar, → zweifellos.

Gewissen: sein G. erleichtern → gestehen; ein schlechtes G. haben → verlegen [sein]; auf Ehre und G. → wahrlich; auf dem G. haben → schuldig [sein]; ins G. reden → schelten; mit gutem G. → unbesorgt.

gewissenhaft, [peinlich] genau, peinlich, pedantisch (abwertend), penibel, sorgfältig, akkurat, gründlich, eigen; → behutsam, → engherzig, → erprobt, → minuziös, → pünktlich; g. sein, sich nichts schenken, es sich nicht leicht machen, genau sein bis aufs I-Tüpfel (ugs., österr.) · Ggs. → Gedankenlosigkeit.

Gewissenhaftigkeit → Pflichtbewußtsein.

gewissenlos → rücksichtslos.

Gewissenlosigkeit, Skrupellosigkeit, Rücksichtslosigkeit, Bedenkenlosigkeit; → Pflichtvergessenheit; → rücksichtslos · Ggs. → Schuldgefühl.

Gewissensangst → Schuldgefühl.

Gewissensbisse: → Schuldgefühl; G. haben, sich G. machen → Schuldgefühl.

Gewissenserleichterung → Beichte.

Gewissenslast → Schuldgefühl.

Gewissensnot → Schuldgefühl.

Gewissenspein → Schuldgefühl.

Gewissensqual → Schuldgefühl.

Gewissensskrupel → Schuldgefühl.

Gewissenswurm → Schuldgefühl.

¹gewissermaßen, an und für sich, sozusagen, eigentlich, so gut wie, quasi (ugs.); → schlechthin.

²gewissermaßen → gleichsam.

Gewißheit, Sicherheit, Garantie; ohne G. zu haben, auf gut Glück, aufs Geratewohl, ins Blaue, auf Verdacht.

¹Gewitter, Wetterleuchten, Gewittertätigkeit; ein G. zieht auf, ein Gewitter zieht herauf, es gewittert / ist gewittrig / blitzt und donnert / (ugs.) grum-

melt; → Blitz, → Blitzableiter, → Wetter.

²Gewitter: wie's G. → schnell.

Gewittercharge → Schauspieler.

Gewitterfront → Wetterfront.

gewittern: es gewittert → Gewitter.

Gewitterregen → Niederschlag.

Gewittertätigkeit → Gewitter.

Gewitterverteiler → Schirm.

Gewitterwolke: -n → Wolken.

Gewitterziege → Frau.

gewittrig: → schwül; es ist g. → Gewitter.

gewitzigt: g. sein → Erfahrung [haben].

gewitzt → schlau.

Gewitztheit → Klugheit.

gewogen: jmdm. g. sein → lieben.

Gewogenheit → Zuneigung.

gewöhnen: an den Menschen g. → zähmen; sich g. an · → anpassen; sich an etwas nicht g. können → anfreunden (sich mit).

Gewohnheit: → Brauch; eine G. ablegen, mit einer G. brechen, von einer G. abgehen → abgewöhnen (sich etwas); zur G. werden → üblich [werden].

Gewohnheitsrecht → Anspruch.

Gewohnheitstrinker → Trinker.

Gewohnheitsverbrecher → Verbrecher.

¹gewöhnlich, gemein, unflätig, ausfallend, primitiv, ordinär, vulgär, skatologisch; pöbelhaft (abwertend), proletenhaft (abwertend); → anrüchig, → anstößig, → frech, → gemein, → unhöflich.

²gewöhnlich: → üblich; der -e Sterbliche → Durchschnittsbürger; [für g.] → generell.

gewohnt → üblich.

Gewohntsein → Üblichkeit.

Gewöhnung → Anpassung, → Sucht.

¹Gewölbe, Kuppel, Dom (dichter.), Wölbung · Tonnengewölbe, Rundtonne, Halbtonne, Flachtonne, Parabeltonne, Spitztonne, steigende Tonne, Ringtonne, Horngewölbe, Schneckengewölbe, Domikalgewölbe, Dreistrahlgewölbe, Kegelgewölbe, Fächergewölbe, Zellengewölbe, Stalaktitengewölbe, Klostergewölbe, Kreuzgewölbe, Kreuzgratgewölbe,

Kreuzrippengewölbe, Kreuzkappengewölbe, Sterngewölbe, Netzgewölbe, Muldengewölbe, Spiegelgewölbe; → Dach, → Kuppel.

²Gewölbe → Laden.

Gewölbepfeiler → Säule.

gewölbt → gebogen.

Gewölk → Wolken.

gewollt → absichtlich.

Gewühl → Ansammlung.

gewünscht → ersehnt.

¹Gewürz, Würze, Aroma · *aus Samen oder Früchten von Pflanzen gewonnenes:* [schwarzer / weißer] Pfeffer, Cayennepfeffer · Paprika, Rosenpaprika · Piment, Nelkenpfeffer, Neugewürz · Kardamom · Koriander · Anis · Kümmel · Senfkorn · Wacholderbeere, Machandelbeere, Krammetsbeere (*oberd.*), Kaddigbeere (*landsch.*) · Fenchel · Vanille · *aus Blüten:* Gewürznelke, Nelke, Näglein (*landsch.*) · Safran · Kapern · *aus Blättern:* Lorbeer · Majoran, Oregano · Thymian, Quendel · *aus Rinden und Wurzeln:* Zimt, Kaneel · Ingwer · Kalmus · Kurkuma · *gemischtes:* Curry · *als G. für Bowle verwendete Pflanze:* Waldmeister; → Küchengewürz, → → Salz, → Senf.

²Gewürz: englisches G. → Piment.

Gewürzampfer → Gemüse.

Gewürzgurke → Gurke.

Gewürzkorn: Gewürzkörner → Piment.

Gewürzmühle → Mühle.

Gewürznelke → Gewürz.

Gewürzpflanze → Küchengewürz.

Gewürzwein, Glühwein, Punsch, Schwedenpunsch, Bowle, Maibowle, Feuerzangenbowle, kalte Ente; → Wein.

gezackt, gezähnt, gezahnt, gezähnelt; → kantig, → spitz.

gezähmt → zahm.

gezähnelt → gezackt.

gezahnt → gezackt.

gezähnt → gezackt.

Gezänk → Streit.

Gezanke → Streit.

Gezeit → Gezeiten.

Gezeiten, Gezeitenwechsel, Gezeit, Tide, Ebbe und Flut; → Ebbe, → Flut.

Gezeitenwechsel → Gezeiten.

Gezeter → Geschrei.

gezielt → planmäßig.

geziemend → angemessen.

geziemlich → angemessen.

geziert, gequält, gezwungen, gesucht, affektiert, gemacht, unecht, unnatürlich, gespreizt, gestelzt, geschraubt, geschwollen, phrasenhaft, theatralisch, manieriert, gekünstelt, erkünstelt, geblümt, blumenreich; → ausdrucksvoll, → geistreich; → Geziertheit.

Geziertheit, Ziererei, Gespreiztheit, Gestelztheit, Geschraubtheit, Affektiertheit, Gekünsteltheit, Künstelei, Manieriertheit, Gezwungenheit, Steifheit, Unnatürlichkeit, Geschwollenheit; → Gewähltheit; → geziert.

Gezücht → Abschaum.

gezügelt → ruhig.

Gezweig → Zweig.

gezwungen: → geziert, → nolens volens, → notgedrungen.

gezwungenermaßen: → nolens volens, → notgedrungen.

Gezwungenheit → Geziertheit.

Gfrast: → Flegel, → Staubflocke.

Gfrett → Anstrengung.

Gfrieß → Gesicht.

Gfrött → Anstrengung.

Ghasel → Gedicht.

Ghetto → Stadtteil.

Ghom → Orientteppich.

Ghostwriter → Schriftsteller.

G.I. → Soldat.

Giaur → Andersgläubiger.

Gibbon → Affe.

Gibli → Wind.

Gicht → Arthritis.

Gichtkraut → Schlüsselblume.

Gichtmorchel → Ständerpilz.

Gichtwiese → Campingplatz.

Gickel → Hahn.

gickeln → lachen.

gicksen → stechen.

¹Giebel, Dachgiebel · Blendgiebel, Ziergiebel, Treppengiebel, Staffelgiebel, Zwerchgiebel, Knickgiebel, Volutengiebel, Maßwerkgiebel, gesprengter Giebel, Frontgiebel, Frontispiz; → Dachfirst, → Haus, → Mauer.

²Giebel: → Aufbau, → Fisch.

Giebelaufsatz → Aufbau.

Giebeldach → Dach.

Giebelfenster → Dachfenster.

Giebelmauer → Mauer.

Giebelstube → Raum.

Giebelwand → Mauer.

Giebelzimmer → Raum.

Gieper → Leidenschaft.

Gier → Leidenschaft.

gieren: [g. nach] → streben.

gierig → begierig.

Gießbach → Bach.

gießen: → schütten, → sprengen; es gießt [wie mit Kübeln] → regnen; Öl auf die Wogen g. → beruhigen; einen auf die Lampe g., einen hinter die Binde g. → trinken; Wasser in den Wein g. → ernüchtern; Öl ins Feuer g. → aufwiegeln, → verschärfen.

Gießerstar → Katarakt.

¹Gießkanne, Spritzkanne (*schweiz.*), Spritzkrug (*oberd.*).

²Gießkanne: → Penis; sich die G. verbiegen → Geschlechtskrankheit.

Gießkannenschimmel → Schlauchpilz.

¹Gift, Giftstoff, Toxikum, Venenum ·· *organisches:* Toxin, Toxoprotein · *pflanzliches:* Phytotoxin, Pflanzengift, Pfeilgift, Kurare, Curare, Upas · *tierisches:* Zootoxin, Tiergift, Schlangengift, Insektengift, Bienengift · *bakterielles:* Bakteriotoxin, Bakteriengift · Leichengift, Ptomain, Cadaverin, Putrescin ·· *chemisches:* Arsenik, Blausäure, Strychnin, Zyankali, Bleiweiß, Brom, Chlor, Grünspan, Kupfervitriol, Kohlenoxyd, Rattengift · Pflanzenschutzmittel, E 605; → Gegenmittel, → Rauschgift.

²Gift: etwas ist G. für jmdn. → verderblich [sein]; G. darauf nehmen, daß... → zweifeln; darauf kannst du G. nehmen → versprechen; G. und Galle speien / spucken → schelten.

giften: sich g. → ärgerlich [sein].

Giftgas, Kampfgas, Tränengas, Gaskampfstoff, Giftgaskampfstoff, Senfgas, Lost, Gelbkreuzgas, Gelbkreuz, Grünkreuzgas, Grünkreuz, Blaukreuzgas, Blaukreuz; → Abgas, → Gas.

Giftgaskampfstoff → Giftgas.

Giftgegenmittel → Gegenmittel.

giftgrün → grün.

giftig: → virulent; -er Pilz → Pilz.

Giftmord → Tötung.

Giftnatter → Schlange.

Giftnickel → Mann.

Giftnudel: → Frau, → Zigarre.

Giftpfeil: -e abschießen → spöttisch [sein].

Giftpilz → Pilz.

Giftschlange → Schlange.

Giftschrank → Schrank.

Giftspritze → Frau.

Giftstoff → Gift.

Giftzwerg → Mann.

Gig: → Boot, → Beiboot.

gigampfen → schaukeln.

Gigampfi → Schaukel.

Gigant: → Held, → Riese.

gigantisch → gewaltig.

Gigantismus → Großwuchs.

Gigantosomie → Großwuchs.

Gigerl → Geck.

Gigolo: → Eintänzer, → Jüngling.

Gigue → Tanz.

Gilatier → Eidechse.

Gilbhart → Oktober.

Gilde: → Genossenschaft, → Zweckverband.

Gilet → Weste.

Gimpel: → Narr, → Vogel.

Gin → Alkohol.

¹Gipfel, Spitze, Spitz (oberd.), Kuppe, Berggipfel, Bergkuppe, Bergspitze, Gupf (oberd.), Horn, Zacken, Zinne, Joch, Schober (oberd.), Schrofen (oberd.), Nock (bayr., österr.), Kogel (oberd.), Kofel (bayr., Tirol) · Monte [Marmolata] (ital.), Mont [Cervin] (franz.), Mount [Everest] (engl.), Piz [Buin] (rätoromanisch), Pizzo [Stella] (ital.), Pic [d'Orky] (franz.), Peak (engl.), Ras [en Naqb] (arab.); → Berg, → Grat.

²Gipfel: → Gipfeltreffen, → Höhepunkt, → Hörnchen; das ist der G.! → unerhört [sein]; den G. erreichen → gipfeln.

Gipfelkonferenz: → Gipfeltreffen, → Tagung.

Gipfelleistung → Höchstleistung.

gipfeln: etwas gipfelt / kulminiert in etwas, den Höhepunkt / Kulminationspunkt / Gipfel / Zenit erreichen; → Höhepunkt.

Gipfelstürmer → Bergsteiger.

¹Gipfeltreffen, Gipfelkonferenz, Gipfel (ugs.), Vierertreffen; → Geheimkonferenz, → Tagung.

²Gipfeltreffen → Tagung.

Gipferl → Brötchen.

Gips → Bindemittel.

Gipsabdruck → Abguß.

Gipsabguß → Abguß.

Gipser → Maler.

Gipskopf → Dummkopf.

Gipsstar → Katarakt.

Gipsverband → Verband.

Giraffe → Sternbild.

Girardihut → Kopfbedeckung.

Girl → Mädchen.

Girlitz → Vogel.

Girobank → Geldinstitut.

Girokasse → Geldinstitut.

Girokonto → Bankkonto.

girren → Laut.

Gischt: → Brandung, → Welle.

Gispel → Nervenbündel.

Gitarre → Zupfinstrument.

Gitarrespieler → Musizierender.

Gitarrist → Musizierender.

¹Gitter, Vergitterung, Tralje (landsch.), Gitterstäbe.

²Gitter: → Zaun; hinter -n sitzen → abbüßen.

Gitterbett → Bett.

Gitterschlange → Schlange.

Gitterstab: Gitterstäbe → Gitter.

Gitterzaun → Zaun.

Glace → Eis.

Glacé → Leder.

Glacéhandschuh: jmdn. mit -en anfassen → umgehen (mit jmdm.).

Glacéleder → Leder.

Glamourgirl, Reklameschönheit, Werbeschönheit; → Fotomodell.

Glans, Eichel (beim Penis); → Penis, → Vorhaut.

Glanz: → Herrlichkeit, → Schein; mit G. und Gloria durchfallen → versagen.

glänzen: → leuchten, → prunken; durch Abwesenheit g. → abwesend [sein].

¹glänzend, leuchtend, funkelnd, schimmernd, gleißend, blinkend, blitzend, glitzernd, schillernd, opalisierend; → leuchten.

²glänzend: → blank, → blendend, → meisterhaft; eine -e Figur machen → auffallen; g. in Form sein → brillieren.

Glanzleistung → Höchstleistung.

Glanzlicht → Glanzpunkt.

glanzlos → matt.

Glanznummer → Glanzpunkt.

Glanzpapier → Buntpapier.

Glanzpunkt, Glanznummer, Glanzlicht, Glanzstück, Stern, Star, Prachtstück, Paradenummer, Zugstück, Zugnummer, Zugpferd, Attraktion, Clou, Schlager; → Höhepunkt, → Köder.

Glanzstück → Glanzpunkt.

¹Glas · Quarzglas, Kieselglas, Borosilicatglas, Kristallglas, Bleiglas, Bleikristall, Drahtglas, Verbundsicherheitsglas, Einscheibensicherheitsglas, Preßglas, Gußglas, Tafelglas, Spiegelglas, Bauglas, Dickglas, Dünnglas, Schleifglas, Fensterglas · Thermopane ⓦ, Isolierglas · Sicherheitsglas, Sekurit ⓦ · Flaschenglas, Rohglas, Jenaer Glas ⓦ · Farbglas, Trübglas, Opakglas, Opalglas, Rauchglas; → Baumaterial, → Baustein.

²Glas: → Trinkgefäß; Gläser → Brille; kein leeres G. sehen können → trinken; zu tief ins G. geschaut haben → betrunken [sein].

Glasbaustein → Baustein.

Glasbläserstar → Katarakt.

Glasbruchversicherung → Versicherung.

Glaserkitt → Bindemittel.

gläsern: → stier, → zerbrechlich.

Gläsertuch → Handtuch.

Glasflügler → Schmetterling.

Glasglocke, Glassturz (bes.südd., österr.), Sturzglas (österr.), Sturz (österr.).

glashart → fest.

Glashaus → Treibhaus.

glasig → stier.

Glaskäfig → Käfig.

Glaskirsche → Obst.

glasklar: → hell, → klar.

Glasmaler → Kunstmaler.

Glasmalerei → Maltechnik.

Glaspapier → Schmirgelpapier.

Glasperle → Perle.

Glasröhrchen → Ampulle.

Glassturz → Glasglocke.

Glast → Schein.

¹Glasur, Lasur, Schmelz, Bleiglasur, Mattglasur, Porzellanglasur, Steingutglasur; → Steingut.

²Glasur → Guß.

Glasvase → Blumenvase.

Glaswand → Mauer.

¹**glatt,** spiegelglatt, rutschig, schlüpfrig, glitschig; → Rutschbahn, → Straßenglätte.

²**glatt:** → höflich, → kurzerhand, → rundheraus, → spaßig; -er Satz → Schriftsatz; vollkommen -e See → Seegang; nicht g. → faltig, → lockig, → rauh.

**glattbärtig** → bartlos.

**Glattdick** → Fisch.

**Glätte:** → Glatteis, → Straßenglätte.

¹**Glatteis,** Schneeglätte, Eisglätte, Glätte, Straßenglätte, Vereisung, Rutschgefahr; → Kälte.

²**Glatteis:** → Straßenglätte; aufs G. führen → betrügen, → verwirren.

**Glätteisen** → Bügeleisen.

¹**glätten,** schleifen, abschleifen, glattschleifen, abreiben, glattreiben, feilen, abfeilen, glattfeilen, schmirgeln, abschmirgeln, abziehen, fräsen, hobeln, abhobeln, glatthobeln, behobeln, abschaben, glattschaben, bimsen, abkratzen; → polieren.

²**glätten:** → bügeln, → nivellieren, → polieren; die Wogen g. sich → abreagieren (sich); die Wogen g. → beruhigen.

**glattfeilen** → glätten.

**glattgehen:** → gelingen; etwas geht glatt → reibungslos [verlaufen].

**glatthobeln** → glätten.

**glattmachen** → nivellieren.

**Glattnatter** → Schlange.

**glattrasiert** → bartlos.

**glattreiben** → glätten.

**Glattrochen** → Fisch.

**glattschaben** → glätten.

**glattschleifen** → glätten.

**glattstielig:** Glattstieliger Röhrling → Ständerpilz.

**glattweg:** → kurzerhand, → rundheraus.

**Glatze,** Glatzkopf, Kahlkopf, Tonsur, Platte (*ugs.*), Spielwiese (*scherzh.*), Kahlschlag (*scherzh.*), Landeplatz (*scherzh.*); → Haar, → Haarausfall, → Haarlosigkeit; **eine G. bekommen,** die Haare verlieren, kahl werden, jmdm. gehen / fallen die Haare aus (*scherzh., verhüllend*), Geheimratsecken bekommen (*scherzh.*), jmdm. kommt das

Knie durchs Haar (*scherzh.*); → kahlköpfig.

**Glatzenbildung** → Haarausfall.

**glatzert** → kahlköpfig.

**Glatzkopf** → Glatze.

**glatzköpfig** → kahlköpfig.

**Glaube,** Glaubensbekenntnis, Bekenntnis, Konfession, Religion · *dem der Staat besondere Vorrechte einräumt:* Staatsreligion; → Christentum, → Frömmigkeit, → Glaubensbekenntnis, → Theologie, → Weltreligion.

¹**glauben** (jmdm.), sich auf jmdn. verlassen, bauen / zählen auf, rechnen auf / mit, Glauben / Vertrauen schenken, Vertrauen haben, vertrauen, trauen, glaubwürdig sein, Vertrauen genießen; **jmdm. nicht g.,** jmdm. etwas nicht abnehmen / nicht abkaufen (*salopp*), zu jmdm. das Vertrauen verlieren, an jmdm. irre werden (*ugs.*); der erzählt auch, im Himmel ist Jahrmarkt! (*ugs., abwertend*); → ehrenhaft · Ggs. → verdächtigen.

²**glauben:** → meinen, → möglich; → dran g. müssen → defekt [werden], → sterben; zu [können] g. → angeblich; nicht zu g.! → überrascht [sein]; an jmdm. / an jmds. Fähigkeit g. → zutrauen (jmdm. etwas).

**Glauben:** → Frömmigkeit; den G. wechseln → konvertieren; guten -s, auf Treu und G. → gutgläubig; etwas in gutem G. tun → arglos [tun].

**Glaubensbekenntnis,** Kredo; → Frömmigkeit, → Glaube; → fromm.

**Glaubensfreiheit** → Freiheit.

**Glaubensgemeinschaft** → Religionsgemeinschaft.

**Glaubenskrieg** → Krieg.

**Glaubenslehre** → Theologie.

**glaubenslos:** → religionslos, → ungläubig.

**Glaubensloser** → Freidenker.

**Glaubenslosigkeit** → Atheismus.

**Glaubenssatz** → Lehre.

**Glaubenswechsel** → Konversion.

**glaubhaft:** → einleuchtend, → wahr.

**Glaubhaftigkeit** → Glaubwürdigkeit.

**gläubig:** → fromm, → gutgläubig.

**Gläubiger,** Kreditor, Konkursgläubiger, Hauptgläubiger, Mitgläubiger · Ggs. → Schuldner; → schulden.

**Gläubigkeit:** → Arglosigkeit, → Frömmigkeit.

**glaublich:** kaum g. → unwahrscheinlich.

¹**glaubwürdig,** überzeugend, zuverlässig, vertrauenerweckend; → Glaubwürdigkeit; **g. sein,** überzeugen, Vertrauen genießen; **nicht g. sein,** etwas steht auf schwachen / schwankenden / tönernen / (*ugs.*) wackligen Füßen.

²**glaubwürdig:** → verbürgt, → wahr.

¹**Glaubwürdigkeit,** Vertrauenswürdigkeit, Glaubhaftigkeit → Authentizität, → Pflichtbewußtsein; → glaubwürdig.

²**Glaubwürdigkeit** → Authentizität.

**Glaukom** → Star.

¹**gleich,** sogleich, sofort, brühwarm (*ugs.*), unverzüglich, ohne Aufschub, spornstreichs, stracks, stante pede, stehenden Fußes, vom Fleck weg, alsbald, unmittelbar, auf der Stelle, hier und jetzt, hic et nunc, umgehend, prompt, auf Anhieb (*ugs.*), postwendend, brühwarm (z.B. weitererzählen), wie aus der Pistole geschossen (z.B. antworten; *ugs.*); → erwartungsgemäß, → geradewegs, → schnell.

²**gleich:** → gleichrangig, → homo-, → kongruent, → übereinstimmend; das -e → auch [so ein]; der -e → derselbe; das -e Alter haben, im -en Alter sein → gleichaltrig [sein]; -en Alters → gleichaltrig; Person -en Alters → Altergenosse; von -er Art, [annähernd g.] → gleichartig; von -er Geltung, von -em Wert → gleichwertig; in -em Maße → auch; mit -er Münze heimzahlen → bestrafen; in -er Weise → auch; g. sein → gleichen; etwas ist g. → einerlei; jmdm. ist etwas g. → unwichtig [sein]; bis g. → Gruß; g. um die Ecke → nahebei.

**gleichaltrig,** gleichen Alters, im Alter übereinstimmend; **g. sein,** das gleiche Alter haben, im gleichen Alter sein, in jmds. Alter sein, ebenso / genauso alt sein wie ...; → Altersgenosse.

**Gleichaltriger** → Altersgenosse.

**¹gleichartig,** ähnlich, vergleichbar, von gleicher / ähnlicher Art, [annähernd] gleich, verwandt, sich (oder:) einander gleichend / ähnelnd / entsprechend, analog; → kongruent, → übereinstimmend; → Gleichartigkeit; → gleichen.

**²gleichartig** → übereinstimmend.

**Gleichartigkeit,** Ähnlichkeit, Vergleichbarkeit, Verwandtschaft, Verwandtsein, Entsprechung, Analogie, Übereinstimmung; → Kongruenz, → Parallele, → Übereinstimmung; → gleichartig, → übereinstimmend.

**gleichbedeutend** → synonym.

**gleichberechtigt:** → gleichrangig; g. stellen → selbständig [machen].

**Gleichberechtigung,** Gleichheit [vor dem Gesetz], Gleichrangigkeit, Gleichstellung, → Emanzipation, → Recht; → gleichrangig.

**gleichbleibend:** → formelhaft, → unaufhörlich.

**Gleiche** → Richtfest.

**¹gleichen,** übereinstimmen, sich decken, kongruieren, korrespondieren, sich / einander entsprechen, gleich sein, ähneln, ähnlich sein / sehen, sich / einander gleichen wie ein Ei dem andern, einer Sache aufs Haar gleichen, einander entsprechen, etwas gemeinsam haben, gleichkommen, etwas grenzt an etwas; → harmonieren, → stammen von, → übereinstimmen (mit jmdm.); → gleichartig, → übereinstimmend; → Abweichung, → Gegenstück, → Gleichartigkeit · Ggs. → gegensätzlich.

**²gleichen:** sich / einander -d → gleichartig; jmdm. [aufs Haar] g., sich / einander g. wie ein Ei dem andern → gleichen.

**Gleichenfeier** → Richtfest.

**gleichermaßen** → auch.

**gleicherweise** → auch.

**gleichfalls** → auch.

**gleichförmig** → langweilig.

**Gleichförmigkeit** → Eintönigkeit.

**gleichgerichtet** → gleichgeschaltet.

**gleichgeschaltet,** gleichgerichtet, nivelliert; → Gleichmacherei.

**¹gleichgeschlechtlich,** eigengeschlechtlich, homosexuell, invertiert, homophil, homoerotisch, schwul *(derb.),* warm *(ugs.) · von Frauen:* lesbisch, sapphisch, nicht → andersgeschlechtlich; → pervers, → sexuell, → zwittrig; **g. sein,** *(salopp)* andersherum / *(salopp)* verkehrtherum / *(ugs.)* am 17. 5. (oder:) 17. Mai geboren / *(ugs.)* von der anderen Fakultät / vom anderen Ufer sein; → Homosexueller, → Lesbierin, → Perversität.

**²gleichgeschlechtlich** → sexuell.

**gleichgesinnt:** g. sein → übereinstimmen (mit jmdm.).

**gleichgestellt** → gleichrangig.

**gleichgestimmt:** g. sein → übereinstimmen (mit jmdm.).

**Gleichgewicht:** das G. herstellen → aufholen; aus dem G. bringen → verwirren; sich nicht aus dem G. bringen lassen → ruhig [bleiben].

**gleichgültig:** → gleichviel, → träge, → unachtsam, → ungerührt; jmdm. ist etwas g. → unwichtig [sein].

**Gleichgültigkeit:** → Teilnahmslosigkeit, → Unachtsamkeit, → Ungerührtheit.

**Gleichheit:** → Identität, → Kongruenz; [G. vor dem Gesetz] → Gleichberechtigung.

**Gleichklang** → Übereinstimmung.

**gleichklingend** → homonym.

**gleichkommen:** → gleichen; jmdm. g. → erreichen.

**gleichlautend** → homonym.

**gleichmachen** → nivellieren.

**¹Gleichmacherei** *(abwertend),* Nivellierung, Vermassung, Gleichschaltung, Gleichstellung; → Verflachung; → gleichgeschaltet.

**²Gleichmacherei** → Verflachung.

**Gleichmaß:** → Ebenmäßigkeit, → Rhythmus.

**gleichmäßig:** → ebenmäßig; g. verlaufend → prozentual.

**Gleichmäßigkeit** → Ebenmäßigkeit.

**Gleichmut** → Gelassenheit.

**gleichmütig** → ruhig.

**gleichnamig** → homonym.

**Gleichnis:** → Sinnbild; -se gebrauchen / verwenden, in -sen reden / sprechen → versinnbildlichen.

**gleichnishaft** → sinnbildlich.

**Gleichpasch** → Würfelspiel.

**gleichrangig,** gleichgestellt, gleichstehend, gleichberechtigt, gleich; → geistesverwandt; → Gleichberechtigung.

**Gleichrangigkeit** → Gleichberechtigung.

**gleichsam,** gewissermaßen, sozusagen, als ob, als sei, wie wenn.

**Gleichschaltung** → Gleichmacherei.

**Gleichschritt** → Paradeschritt.

**gleichseitig:** -er Spitzbogen → Bogen.

**¹gleichsetzen,** gleichstellen, angleichen, nicht → unterscheiden.

**²gleichsetzen:** sich mit etwas / jmdm. g. → identifizieren (sich mit etwas / jmdm.).

**Gleichsetzungssatz** → Satz.

**gleichstehend** → gleichrangig.

**gleichstellen** → gleichsetzen.

**Gleichstellung:** → Emanzipation, → Gleichberechtigung, → Gleichmacherei.

**Gleichstrom** → Elektrizität.

**Gleichstrombehandlung** → Elektrotherapie.

**Gleichtakt** → Übereinstimmung.

**Gleichung** ··· identische Gleichung ·· Bestimmungsgleichung · algebraische Gleichung · Gleichung 1. Grades, lineare Gleichung · Gleichung 2. Grades, quadratische Gleichung · Gleichung 3. Grades, kubische Gleichung · Gleichung 4. Grades, biquadratische Gleichung · Gleichung mit einer Unbekannten · Gleichung mit zwei Unbekannten · Gleichung mit mehreren Unbekannten ·· transzendentale Gleichung · Exponentialgleichung · logarithmische Gleichung · goniometrische Gleichung · Differentialgleichung; → Mathematik, → Rechenverfahren.

**gleichviel,** wie dem auch sei, wie auch immer, gleichwie, einerlei, egal, gleichgültig; → unwichtig.

gleichwertig, wertentsprechend, entsprechend, angemessen, äquivalent, von gleichem / entsprechendem Wert, von gleicher Geltung; → Ersatz.

gleichwie → gleichviel.

gleichwohl → dennoch.

¹gleichzeitig, simultan, zeitgleich, synchron, synchronisch; → deskriptiv, → und; → Zusammentreffen.

²gleichzeitig → zugleich.

Gleichzeitigkeit → Zusammentreffen.

gleichziehen → aufholen.

¹Gleis, Geleis (veraltend), Schiene, Eisenbahngleis, Eisenbahngleis, Bahngleis, Straßenbahnschiene; → Eisenbahnwagen, → Eisenbahnzug, → Gleisanlage; → entgleisen.

²Gleis: → Bahnsteig; aufs tote G. geschoben sein → angesehen; aus dem G. springen → entgleisen; etwas wieder ins rechte G. bringen → Ordnung.

¹Gleisanlage, Gleiskörper, die Geleise (veraltend), Bahnkörper, Abstellgleis, Nebengleis, Rangiergleis, → Eisenbahnwagen, → Eisenbahnzug, → Gleis; → entgleisen.

²Gleisanlage → Bahnkörper.

Gleiskörper → Gleisanlage.

Gleisnerei → Verstellung.

gleisnerisch → unredlich.

gleißen → leuchten.

gleißend → glänzend.

Gleitaar → Vogel.

gleiten, rutschen, schurren, ausgleiten, ausrutschen, ausglitschen (ugs.), abrutschen, abgleiten, den Halt verlieren, schlittern, schlipfen (schweiz.), ausschlipfen (schweiz.); → fallen, → fliegen, → schlittern, → schwanken, → stolpern; → Eisbahn, → Rutschbahn.

Gleiter → Flugzeug.

Gleitflug → Flug.

Gleitflugzeug → Flugzeug.

Gleitwachs → Wachs.

Glencheck → Stoffmuster.

Glenne → Eisbahn.

glennen → schlittern.

Gletscher, Ferner (oberd.), Firner (oberd.), Kees (oberd.); → Eisscholle, → Gletscherbach.

¹Gletscherbach, Keeswasser (bayr., österr.); → Gletscher.

²Gletscherbach → Bach.

Gletscherbrand → Sonnenbrand.

Gletscherlawine → Lawine.

Gletscherspalte → Schlucht.

Glibberpudding → Dessert.

Glied: → Bindeglied, → Mitglied; -er → Gliedmaße; männliches G. → Penis; an Haupt und -ern → ganz.

Gliedabsetzung → Operation.

Gliedabtragung → Operation.

Gliederkette → Halskette.

gliederlahm → erschöpft [sein].

¹gliedern, aufgliedern, untergliedern, klassifizieren, unterteilen, segmentieren, staffeln, auffächern, differenzieren, anordnen, ordnen, systematisieren; → einstufen, → einteilen, → entflechten, → nuancieren, → unterteilen; → gegliedert; → Gliederung.

²gliedern: nicht gegliedert → amorph.

Gliederpuppe → Marionette.

Gliederreißen → Schmerz.

¹Gliederung, Aufgliederung, Untergliederung, Klassifizierung, Klassifikation, Unterteilung, Aufteilung, Segmentierung, Staffelung, Stufung, Auffächerung, Aufschlüsselung, Differenzierung, Systematisierung, Anordnung, Disposition; → Altersaufbau, → Einstufung, → Entwurf, → Struktur; → gliedern; → gegliedert.

²Gliederung: ohne G. → amorph.

Gliederwurm → Wurm.

Gliedmaße (meist Plural), Glieder (Plural), Extremität (meist Plural) · künstliche: Prothese · obere: Arm · Teil der oberen: Hand, Patsche (Kinderspr.), Patschhand (Kinderspr.) · untere: Bein, Fuß (oberd.), Fahrgestell (salopp, scherzh.), Stelze (salopp, abwertend), Haxe (salopp, abwertend), Kackstelze (derb) · Teil der unteren: Fuß, Quadratlatschen (salopp, abwertend), Quanten (salopp, abwertend) · bei Tieren: Flosse (Fisch), Huf (Pferd, Esel), Pfote (Hund, Katze), Klaue (Wiederkäuer, Schwein), Pranke (Löwe), Pratze (Bär), Tatze (Bär); → Finger, → Fuß, → Spann.

Gliedmaßenmißbildung, Dysmelie ·· mit Verstümmelung der Extremitäten: Ektromelie · der Finger oder Zehen: Ektrodaktylie, Oligodaktylie, Hypodaktylie · mit stummelartigen Extremitäten: Peromelie, Peromelus, Hemimelie, Perobrachie (Arme), Perochirie (Hände), Perodaktylie (Finger), Peropodie (Füße) · mit Ansetzen von Händen oder Füßen unmittelbar am Rumpf: Robbengliedrigkeit, Phokomelie, Phokomelus ·· mit vollständigem Fehlen der Extremitäten: Amelie, Amelus · mit Fehlen der Arme: Abrachie, Abrachius · mit Fehlen der Hände: Achirie, Acheirie · mit Fehlen der Finger oder Zehen: Adaktylie · mit Fehlen der Beine: Aknemie · mit Fehlen der Füße: Apodie, Apus; → Fußdeformität, → Mißbildung, → Mißgebilde, → Mißgeburt.

Gliedsatz → Satz.

Gliedstaat → Staat.

Glima → Schwerathletik.

glimmen → brennen.

Glimmerraupe → Leuchtkäfer.

Glimmerwurm → Leuchtkäfer.

Glimmraupe → Leuchtkäfer.

Glimmstengel → Zigarette.

Glimmwurm → Leuchtkäfer.

glimpflich → behutsam.

Glisson-Krankheit → Rachitis.

glitschen → schlittern.

glitschig → glatt.

glitzern → leuchten.

global → allgemein.

Globetrotter → Weltreisender.

Globus → Erdball.

Glock → genau.

¹Glocke, Klingel, Schelle, Bimmel, Gong; → Gebimmel, → Glockenzug; → läuten.

²Glocke: → Kopfbedeckung; wissen, was die G. geschlagen hat → wissen; an die große G. hängen → verbreiten.

Glockenapfel → Apfel.

glockenblumenviolett → violett.

Glockendach → Dach.

Glockenheide → Heidekraut.

glockenhell → hell.

glockenrein → hell.

Glockenrock → Rock.

Glockenschlag: mit dem G. → pünktlich.

Glockenschnur → Glockenzug.

Glockenseil → Glockenzug.

Glockenstrang → Glockenzug.

Glockentierchen → Einzeller.

Glockenton → Hörzeichen.

Glockenturm → Turm.

Glockenzug, Glockenstrang, Glockenseil, Glockenschnur; → Glocke.

Gloria: mit Glanz und G. durchfallen → versagen.

Glorienschein → Heiligenschein.

glorifizieren → loben.

Glorifizierung|→Verherrlichung.

Gloriole → Heiligenschein.

glorreich → anerkennenswert.

glosen → brennen.

Glossar → Nachschlagewerk.

Glosse: → Anmerkung, → Zeitungsartikel; -n → Bemerkung.

Glossologie → Wortbedeutungslehre.

glosten → brennen.

Glotzaugenkrankheit → Schilddrüsenüberfunktion.

Glotze → Fernsehgerät.

glotzen: → blicken, → fernsehen; [dastehen und g.] → zuschauen.

glubschen → blicken.

¹Glück, Segen, Heil, Wohl, Glücksfall; → Erfolg · Ggs. → Pech; **G. haben,** ein Glückspilz / Glückskind / Sonntagskind sein, unter einem guten / glücklichen / günstigen Stern geboren sein, Fortuna lächelt / lacht jmdm., Schwein / Dusel / Massel haben (*salopp*), von Glück sagen können (*ugs.*), einen Schutzengel bei sich haben, mehr Glück als Verstand haben (*ugs.*), Glück im Unglück haben, fein raus sein (*ugs.*), es gut haben, den Himmel auf Erden haben, gut dran sein (*ugs.*), immer wieder auf die Füße fallen [sein], → angesehen [sein], → entrinnen, → Erfolg [haben]; → Gelingen, → Glückspilz.

²Glück: → Freude, → Lust; G. ab / auf! → Gruß; viel G. im neuen Jahr → Neujahr; kein G. haben → Erfolg; noch einmal G. haben → entrinnen; sein G. versuchen → probieren; G. wünschen → gratulieren; auf gut G. → Gewißheit; Hans im G. → Glückspilz; [noch gar] nichts von seinem G. wissen → wissen; zum G. → glücklicherweise; der fehlt mir noch zu meinem G.! → ärgerlich [sein].

Glucke: → Huhn, → Schmetterling; Krause G. → Ständerpilz.

glucken: → brüten, → krächzen.

glücken → gelingen.

Gluckente → Vogel.

gluckern → fließen.

glückhaft → glücklich.

¹glücklich, selig, glückhaft, beglückend, beglückt, hochbeglückt, glückselig, glückstrahlend, freudestrahlend, zufrieden; **g. sein,** im siebten / siebenten Himmel sein, jmdm. hängt der Himmel voller Geigen, den Himmel offen sehen (*geh.*); → erfreulich, → lustig, → unbesorgt, → zufrieden; → aufatmen.

²glücklich: keine -e Hand haben → Mißerfolg [haben]; unter einem -en Stern geboren sein → Glück [haben]; etwas macht jmdn. g. → erfreuen; wunschlos g. → zufrieden.

glücklicherweise, zum Glück, Gott sei Dank!, gottlob!, dem Himmel sei Dank!, Gott / dem Himmel / dem Schöpfer sei's gedankt!, Gott sei gelobt!, Gott sei's getrommelt und gepfiffen (*salopp*); → danken.

Glücksbringer → Amulett.

Glücksbude→ Jahrmarktsbude.

Glücksbudenbesitzer → Schausteller.

glückselig → glücklich.

Glückseligkeit: → Freude, → Lust.

glucksen: → fließen, → krächzen.

Gluckser → Schluckauf.

Glücksfall → Glück.

Glücksgüter: mit -n gesegnet → reich.

Glückshafen → Glücksspiel.

Glücksjäger → Abenteurer.

Glückskäfer → Marienkäfer.

Glückskind: → Glückspilz, → Mann; ein G. sein → Glück [haben].

Glückslos → Los.

¹Glückspilz, Glückskind, Sonntagskind, Liebling / Schoßkind des Glücks / der Götter, Hans im Glück; → Glück · Ggs. → Pechvogel.

²Glückspilz: ein G. sein → Glück [haben].

Glücksritter → Abenteurer.

Glücksspiel, Spiel, Hasardspiel, Roulett, Wette, Toto, Lotto, Lotterie, Klassenlotterie, Zahlenlotterie, Tombola, Glückshafen (*österr.*) · das Würfeln / (*veraltet*) Knobeln / (*veraltet*) Knöcheln, Poker, Bakkarat, Rouge et Noir, Chemin de fer, Poch, Siebzehnundvier; → Abenteurer, → Hauptgewinn, → Kartenspiel, → Preisausschreiben, → Spieler, → Würfelspiel; → losen, → pokern, → wetten.

Glücksspieler → Spieler.

Glückstopf: in den G. gegriffen haben → Glück [haben].

glückstrahlend → glücklich.

¹Glückwunsch, Gratulation, Beglückwünschung, Segenswünsche; → gratulieren.

²Glückwunsch: Glückwünsche übermitteln → gratulieren.

Glückwunschbrief → Schreiben.

Glückwunschkarte → Schreiben.

Glückwunschtelegramm → Schreiben.

Glucose → Traubenzucker.

Glühbirne, Birne (*ugs.*), Glühlampe, Lampe (*ugs.*) · Neonröhre, Leuchtröhre, Leuchtstoffröhre, Fluoreszenzlampe (*schweiz.*); → Lampe.

Glühdraht → Draht.

glühen: → brennen, → scheinen; -de Kohlen auf jmds. Haupt sammeln → beschämen; wie auf -den Kohlen sitzen → warten.

glühend → begeistert.

Glühlampe → Glühbirne.

Glühwein → Gewürzwein.

¹Glühwürmchen, Leuchtkäfer, Johanniswürmchen, Sonnenwendkäfer (*österr.*); → Insekt, → Marienkäfer.

²Glühwürmchen → Leuchtkäfer.

Glumse → Weißkäse.

gluschtig → verlockend.

glustig → verlockend.

Glut: → Begeisterung, → Wärme.

Glutinleim → Bindemittel.

glutvoll → begeistert.

Glykose → Traubenzucker.

Glyptothek → Museum.

Glyzerinseife → Seife.

Gnade: → Begnadigung, → Gotteseigenschaften, → Gunst; Euer -n → Anrede; G. vor / für Recht ergehen lassen → nachsichtig [sein]; vor jmdm. / vor jmds. Augen keine G. finden → gefallen; bei jmdm. in hohen -n stehen → angesehen [sein].

Gnadenbild → Andachtsbild.

Gnadenfrist → Frist.

Gnadenhochzeit → Hochzeitstag.

Gnadenkirche → Gotteshaus.

gnadenlos → unbarmherzig.

Gnadenlosigkeit → Unbarmherzigkeit.

Gnadenmutter → Madonna.

Gnadenschuß: den G. geben → töten.

Gnadenstoß: den G. geben / versetzen → töten.

Gnadentod → Euthanasie.

gnädig: → behutsam, → dünkelhaft, → göttlich, → gütig, verehrt; -e Frau → Dame.

Gnagi → Knochen.

gnatzig → ärgerlich.

gneisen → merken.

gnietschig → geizig.

gnitz → schlau.

Gnom → Zwerg.

Gnome → Ausspruch.

Gnoseologie → Erkenntnislehre.

Go → Brettspiel.

Goal: [ein G. schießen] → Tor (das).

Goaler → Torwart.

Goalgetter → Fußballspieler.

Goali → Torwart.

Goalkeeper → Torwart.

Goalmann → Torwart.

Gobelin → Wandteppich.

Go-cart → Auto.

Gockel: → Hahn, → Huhn.

Gockelhahn → Hahn.

Göd → Pate.

Goden → Patin.

Goder → Doppelkinn.

Goderl: → Doppelkinn; jmdm. das G. kratzen → schmeicheln.

Godl → Patin.

Goethestadt → Frankfurt.

Gof → Kind.

Go-go-Girl, Vortänzerin, Tanzmädchen; → Bardame, → Mädchen.

Goi → Andersgläubiger.

Go-in → Demonstration.

Goiserer → Schuh.

Gojim → Andersgläubiger.

gokeln → anzünden.

Gold: → Edelmetall; G. in der Kehle haben → singen; nicht mit G. aufzuwiegen sein → unersetzlich [sein].

Goldafter → Schmetterling.

Goldammer → Vogel.

Goldäsche → Fisch.

Goldberyll → Schmuckstein.

goldblond → blond.

Goldbroiler → Huhn.

Golddruck → Druckverfahren.

golden: Goldener Bär, Goldene Taube → Filmpreis; jmdm. eine -e Brücke / -e Brücken bauen → entgegenkommen (jmdm.); Goldenes Buch → Album; Goldenes Frauenhaar → Moos; -e Hochzeit → Hochzeitstag; das Goldene Kalb anbeten → habgierig [sein]; Tanz um das Goldene Kalb → Habgier; das -e Mainz → Mainz; Goldener Sonntag → Adventssonntag; die Goldene Stadt → Prag; das -e Tor → Tor (das); die -en Zwanziger / zwanziger Jahre → Belle Epoque.

Golden Delicious → Apfel.

Golden Twenties: die G. T. → Belle Epoque.

Goldfinger → Finger.

Goldfisch: → Fisch; sich einen G. angeln → heiraten.

Goldfolie → Folie.

Goldfüllung → Zahnersatz.

goldgelb → gelb.

Goldhamster → Nagetier.

goldig → hübsch.

Goldjunge → Junge.

Goldkatze → Raubtier.

Goldkette → Halskette.

Goldkind → Liebling.

Goldkrone: → Krone, → Zahnersatz.

Goldlamé → Stoff.

Goldlauch → Liliengewächs.

Goldmünze → Münze.

Goldpapier → Buntpapier.

Goldparmäne → Apfel.

Goldplombe → Zahnersatz.

goldrichtig → geeignet.

Goldröhrling → Ständerpilz.

Goldschmied: Gold- und Silberschmied → Edelmetallschmied.

Goldschwämmchen → Pfifferling.

Goldsiegel → Liliengewächs.

Goldstück → Münze.

Goldwaage: → Waage; bei jmdm. jedes Wort auf die G.

legen müssen → behutsam.

Goldwaren → Schmuck.

Goldzahn → Zahn.

Golf: → Golfspiel, → Meerbusen; G. von Kalifornien → Pazifik.

Golfball → Sportgerät.

Golfer → Golfspiel.

Golfspiel, Golf, Krocketspiel, Krocket •• Teilnehmer am G. • als Spieler: Golfspieler, Golfer • als Hilfskraft, die im G. die Golfschläger trägt: Caddie; → Minigolf.

Golfspieler → Golfspiel.

Goliath → Mann.

Goliathfrosch → Frosch.

Göller → Kragen.

Gommer → Gurke.

Gomorrha → Stadt.

Gonagra → Arthritis.

Gondel → Boot.

Gondelbahn → Seilbahn.

Gondolierestadt → Venedig.

Gong: → Glocke, → Hörzeichen.

gongen → läuten.

goniometrisch: -e Gleichung → Gleichung.

¹gönnen (sich etwas), sich etwas leisten / genehmigen, auch einmal an sich selbst / selber denken, zu sich selbst gut sein.

²gönnen: nicht g. → neiden; jmdm. keinen Bissen g. → neidisch [sein]; sich Ruhe g. → ruhen; jmdm. nicht das Salz in der Suppe / das Schwarze unter dem Nagel g. → neiden.

Gönner, Schützer, Beschützer, Förderer, Sponsor, Geldgeber, edler Spender (scherzh.), Mäzen, Musaget (veraltet), Schutzherr, Schirmherr, Protektor; → Beauftragter, → Berater, → Betreuer, → Beziehung, → Förderung, → Helfer, → Schirmherrschaft, → Schrittmacher, → Vetternwirtschaft; → fördern.

gönnerhaft → entgegenkommend.

Gönnerschaft → Förderung.

Gonorrhö → Geschlechtskrankheit.

Goodwilltour → Reise.

Gör: → Kind; dummes G. → Mädchen.

gordisch: den -en Knoten durchhauen → Lösung.

Göre → Kind.

Gorgo → Meduse.

Gorgonzola → Käse.
Gorilla: → Affe, → Bewacher.
Gösch → Fahne.
Gosche → Mund.
Goscherl → Besatz.
goschert → frech.
Go-slow → Streik.
Gospel → Lied.
Gospelsong → Lied.
Gospodin → Herr.
Gosse: → Abflußrinne; jmdn. durch die G. ziehen → schlechtmachen; in der G. enden / landen → verwahrlosen.
Gossenausdruck → Vulgärausdruck.
Gossensprache → Ausdrucksweise.
Gossenwort → Vulgärausdruck.
Gotha → Adelskalender.
gothaisch: Gothaischer Kalender / Hofkalender → Adelskalender.
Gotik → Baustil.
gotisch: Gotisch → Schrift; -e Malerei → Malerei.
¹Gott, Herr, Herrgott, himmlischer Vater, Allvater, Gottvater, Herr Zebaoth, der Allmächtige / Allwissende / Allgütige / Allerbarmer / Ewige, Herr der Heerscharen, Jehova, Jahwe, Adonai, Vater im Himmel, der liebe Gott, Schöpfer, Erhalter; → Abgott, → Engel, → Gottheit, → Gottesdienst, → Heiland, → Trinität •• *in der antiken Mythologie • der höchste Gott:* Zeus (bei den Griechen), Jup[p]iter, Jovis (bei den Römern) • *des Lichtes:* Phoebos Apollon, Apoll (bei den Griechen), Apollo (bei den Römern) • *der Sonne:* Helios (bei den Griechen), Sol (bei den Römern) • *des Krieges:* Ares (bei den Griechen), Mars (bei den Römern) • *des Meeres:* Poseidon (bei den Griechen), Neptun (bei den Römern) • *der Liebe:* Eros (bei den Griechen), Amor, Cupido (bei den Römern) • *des Handels:* Hermes (bei den Griechen), Merkur (bei den Römern) • *des Weins:* Dionysos, Bakchos (bei den Griechen), Bacchus (bei den Römern) • *der Unterwelt:* Hades (bei den Griechen), Pluto (bei den Römern) • *des Feuers und der Schmiedekunst:* Hephaistos

(bei den Griechen), Vulcanus (bei den Römern) •• *in der germanischen Mythologie • der höchste Gott:* Wodan, Wotan, Odin • *des Lichtes:* Baldur • *des Donners:* Donar, Thor • *des Todes:* Loki • *des Krieges:* Ziu, Tyr; → Gotteseigenschaften, → Göttin, → Halbgott, → Hausgötter, → Theologie.
²Gott: → Schicksal; ach du lieber G.! → überrascht [sein]; grüß G.!, behüt dich G., grüezi G.!, grüezi G.!, G. zum Gruße! → Gruß; wie G. in Frankreich leben → leben; G. sei gelobt, G. sei Dank, G. sei's gedankt, G. sei's getrommelt und gepfiffen → glücklicherweise; G. sei's geklagt → leider; [nackt] wie G. ihn schuf → nackt; vergelt's G.! → danke; weiß G., bei G. → wahrlich; weiß G., was ... → wissen; das wissen die Götter → ungewiß [sein]; G. anrufen, sich im Gebet an G. wenden → beten; G. und die Welt kennen → betriebsam [sein]; den lieben G. einen guten Mann sein lassen → leben; dem lieben G. die Zeit / den Tag stehlen → faulenzen; Anrufung -es → Gebet; Attribute / Eigenschaften -es → Gotteseigenschaften; Kind -es → Mensch; Lamm / Sohn -es → Heiland; leider -es → schade; Liebling / Schoßkind der Götter → Glückspilz; Mutter -es → Madonna; in -es Namen → ja; in -es freier Natur → Natur; Reich -es → Himmel; das ruht noch im Schoß der Götter → ungewiß [sein]; das Wort -es verkünden / verkündigen → predigen; ein Bild für Götter sein → lächerlich [wirken]; über G. und die Welt reden / sprechen → unterhalten (sich).
gottbegnadet → begabt.
Gottchen → Patenkind.
Gotte → Patin.
Götterepos → Erzählung.
Göttergatte → Ehemann.
gottergeben → geduldig.
Gottergebenheit → Unterwürfigkeit.
Gottergebung → Unterwürfigkeit.
Göttersage → Sage.
Götterspeise → Dessert.

Gottesacker → Friedhof.
Gottesanbeterin → Heuschrecke.
Gottesbraut → Nonne.
¹Gottesdienst, [heilige] Messe, Meßfeier, Meßopfer, Abendmahlsfeier, Abendmahl, Amt, Hochamt, Andacht, Segen, Segensandacht •• *vom Bischof gehaltener:* Pontifikalamt, Pontifikalmesse •• *am Nachmittag:* Vesper •• *in der Nacht • zu Weihnachten:* Mette, Mitternachtsmette, Christmette • *in der Ostkirche:* Pannychis •• *am Vortag eines Festes:* Vigil, Vigilien •• *auf freiem Feld:* Feldmesse, Campmeeting; → Abendmahl, → Gott, → Kirchgang, → Theologie.
²Gottesdienst: Teilnahme am G. → Kirchgang.
Gottesdienstbesuch → Kirchgang.
gottesdienstlich → sakral.
Gotteseigenschaften, Attribute / Eigenschaften Gottes, göttliche Eigenschaften • Einheit, Unendlichkeit, Ewigkeit, Unveränderlichkeit, Absolutheit, Aseität, Vollkommenheit, Allmacht, Omnipotenz, Allwissenheit, Allgegenwart, Omnipräsenz, Ubiquität, Heiligkeit, Majestät, Herrlichkeit, Weisheit, Wahrheit, Gerechtigkeit, Liebe, Güte, Gnade, Barmherzigkeit; → Eigenschaft, → Gott, → Theologie, → Trinität; → göttlich.
gottesfürchtig → fromm.
Gottesfürchtigkeit → Frömmigkeit.
Gottesgelahrtheit → Theologie.
Gottesgelehrtheit → Theologie.
Gottesglaube → Frömmigkeit.
Gotteshaus, Kirche, Dom, Domkirche, Münster, Kathedrale, Basilika, Synagoge, Tempel, Moschee, Pagode, Dschami, Bethaus, Andachtsort, Heiligtum • Taufkirche, Baptisterium • Stiftskirche, Kollegiatkirche, Kollegienkirche • Bischofskirche, Kaiserdom, Pfarrkirche, Stadtkirche, Klosterkirche, Abteikirche, Dorfkirche, Schloßkirche, Garnisonkirche • Kapelle, Burgkapelle, Schloßkapelle, Dorfkapelle, Friedhofskapelle, Grabkapelle, Taufkapelle • Wallfahrtskirche, Gnadenkirche • Stabkirche, Masten-

kirche, Holzkirche, Staffelkirche, Staffelbasilika, Säulenbasilika, Wandpfeilerkirche, Emporenkirche, Emporenbasilika, Hallenkirche, Saalkirche, Rundkirche, Kreuzkuppelkirche, Chorturmkirche · *nahe oder über einem Märtyrergrab errichtetes:* Memorialkirche · Martyria, Memoria, Coemetrialkirche · *in anstehenden Fels gehauenes:* Felsenkirche, Höhlenkirche, Felsentempel, Höhlentempel · *befestigtes [mit einem Wehrgang versehenes]:* Wehrkirche, Kirchenburg; → Altar, → Kirche, → Kultstätte; → beten.

**gotteslästerlich** → lästerlich.

**Gotteslästerung:** → Beleidigung, → Fluch, → Sakrileg.

**Gotteslehre** → Theologie.

**Gottesleugner** → Atheist.

**gottesleugnerisch** → ungläubig.

**Gottesleugnung** → Atheismus.

**Gotteslohn:** um G. → kostenlos.

**Gottesmann** → Geistlicher.

**Gottesmutter** → Madonna.

**Gottessohn** → Heiland.

**gottgläubig** → fromm.

**Gottheit,** Numen, das Numinose, Mysterium tremendum, höchstes Wesen; → Engel, → Gott, → Trinität.

**Götti** → Pate.

**Göttikind** → Patenkind.

**Göttin** · *der Schönheit:* Aphrodite (bei den Griechen), Venus (bei den Römern), Freyja (bei den Germanen) · *der Weisheit:* Athene (bei den Griechen), Pallas [Athene] (bei den Griechen), Minerva (bei den Römern) · *der Jagd:* Artemis (bei den Griechen), Diana (bei den Römern) · *des Sieges:* Nike (bei den Griechen), Victoria (bei den Römern) · *Schwester und Gemahlin des Zeus:* Hera · *Schwester und Gemahlin des Jupiter:* Juno · *Gemahlin des Wodan:* Frigg · *der Fruchtbarkeit:* Demeter (bei den Griechen), Ceres (bei den Römern) · *der Vegetation:* Persephone (bei den Griechen), Proserpina (bei den Römern) · *des Mondes:* Selene (bei den Griechen), Luna (bei den Römern) · *der Morgenröte:* Eos (bei den Griechen), Aurora (bei den Römern); → Gott, →

Halbgott, → Hausgötter, → Muse, → Schicksalsgöttin.

¹**göttlich,** numinos, heilig, himmlisch · einzig, ewig, unendlich, vollkommen, unveränderlich, allmächtig, omnipotent, allwissend, allweise, allsehend, allgegenwärtig, allgütig, allerbarmend, barmherzig, gnädig, gerecht; → übernatürlich; → Gott, → Gotteseigenschaften.

²**göttlich:** -e Eigenschaften → Gotteseigenschaften.

**gottlob** → glücklicherweise.

**gottlos:** → lästerlich, → ungläubig.

**Gottlosigkeit** → Atheismus.

**Gottseibeiuns** → Teufel.

**Gottvater** → Gott.

**gottverdammt** → verdammt.

**gottverflucht** → verdammt.

**gottverhaßt** → verdammt.

**gottverlassen** → abgelegen.

**Götze** → Abgott.

**Götzenbild:** → Abgott, → Amulett.

**Gouache** → Malerei.

**Gouachemalerei** → Maltechnik.

**Gouda** → Käse.

**Gourmand** → Feinschmecker.

**Gourmet** → Feinschmecker.

**Gout** → Zuneigung.

**goutieren** → billigen.

**Gouvernante** → Kindermädchen.

**Gouvernement** → Verwaltungsbezirk.

**Gouverneur** → Oberhaupt.

**Gox** → Kopfbedeckung.

**GPU** → Geheimpolizei.

¹**Grab,** Grube, Totengruft, Krypta, Grabgewölbe, Gruft, Grabhügel, Hügel, Ruhestatt, Ruhestätte, Grabstätte, Begräbnisplatz, Begräbnisstätte, Urnengrab, Stelle · Dolmen, Hünengrab, Großsteingrab, Megalithgrab, Ganggrab, Galeriegrab, Kuppelgrab, Steinkistengrab, Hockergrab, Brandgrab, Hinkelstein (*oberd.*) · Familiengrab, Erbbegräbnis · Mausoleum, Grabkammer; → Begräbnisstätte, → Grabstein.

²**Grab:** Pulvermanns G. → Hindernis; verschwiegen sein wie ein G. → schweigen; sein G. in den Wellen finden → ertrinken; ein frühes G. finden

→ sterben; sich sein eigenes G. schaufeln → schaden; am Rande des -es stehen → krank; mit einem Fuß im G. stehen → krank [sein]; etwas mit ins G. nehmen → mitteilen; ins G. sinken → sterben; zu -e tragen → bestatten; etwas zu -e tragen → abschreiben.

**Grabbeigabe** → Bodenfund.

¹**Graben** · Straßengraben, Bewässerungsgraben, Entwässerungsgraben, Abzugsgraben, Abflußgraben, Sickergraben, Wassergraben, Burggraben.

²**Graben:** → Grube, → Hindernis, → Schützengraben.

**Grabendach** → Dach.

**Grabenkrieg** → Krieg.

**Gräberfeld** → Friedhof.

**Grabesstille** → Stille.

**Grabfund** → Bodenfund.

**Grabgesang** → Klage.

**Grabgewölbe** → Grab.

**Grabhügel** → Grab.

**Grabkammer** → Grab.

**Grabkapelle** → Gotteshaus.

**Grabmal** → Grabstein.

**Grabrede** → Nachruf.

**Grabscheit** → Spaten.

**Grabschrift** → Aufschrift.

**Grabstätte** → Grab.

**Grabstein,** Grabmal · *mit Inschrift:* Epitaph · *zur Erinnerung an einen Toten, der aber nicht dort begraben ist:* Zenotaph, Zenotaphion, Zenotaphium; → Denkmal, → Grab.

**Grabstichel** → Sternbild.

**Gracht** → Kanal.

**Grad:** → Ausmaß, → Dienstgrad; Gleichung 1. / 2. / 3. / 4. -es → Gleichung; in höchstem G. → sehr; null G. → Gefrierpunkt.

**Gradation** → Steigerung.

**grade:** fünf[e] g. sein lassen → nachlässig [sein].

**Graf** → Adliger.

**Grafenkrone** → Krone.

**Graffelwerk** → Kram.

**Gräfin** → Adlige.

**gräflich** → adlig.

**Grahambrot** → Brot.

**Gram** → Leid.

**grämen:** sich g. → sorgen (sich).

**gramerfüllt** → sorgenvoll.

**grambgebeugt** → sorgenvoll.

**grämlich** → ärgerlich.

**Gramm** → Gewichtseinheit.

¹**Grammatik,** Sprachlehre ··· historische / historisch-vergleichende Grammatik ·· inhaltbezogene Grammatik ·· funktionale Grammatik ·· strukturelle Grammatik · Konstituentenstrukturgrammatik, KS-Grammatik · Phrasenstrukturgrammatik, PS-Grammatik · Dependenzgrammatik, Abhängigkeitsgrammatik · generative Grammatik, Erzeugungsgrammatik, Produktionsgrammatik, [generative] Transformationsgrammatik, GTG, generativtransformationelle / transformationelle Grammatik, · stratifikationelle Grammatik, Stratifikationsgrammatik ·· komparativistische / komparativistische / konfrontative / kontrastive Grammatik.

²**Grammatik** → Sprachwissenschaft.

**Grammel** → Griebe.

**Grammelschmalz** → Fett.

**Grammo** → Plattenspieler.

**Grammophon** → Plattenspieler.

**Grammophonplatte** → Schallplatte.

**gramvoll** → sorgenvoll.

**Gran** → Gewichtseinheit.

**Granate** → Sprengkörper.

**granatenvoll:** g. sein → betrunken [sein].

**Grand** → Gefäß.

**Grandezza** → Vornehmheit.

**grandios** → außergewöhnlich.

**Grand Prix** → Rennen.

**Grandseigneur** → Gentleman.

**Granit:** bei jmdm. auf G. beißen → unzugänglich [sein].

**Granitseide** → Seide.

**Grant** → Verstimmung.

**grantig** → ärgerlich.

**Granulozyten** → Blutkörperchen.

**Grapefruit** → Pampelmuse.

**Grapefruitjuice** → Fruchtsaft.

**Graph,** graphische Darstellung, Schaubild · *errechneter Werte in einem Koordinatensystem:* Diagramm · *von Fähigkeiten und Eigenschaften einer Persönlichkeit:* Psychogramm · *sozialer Verhältnisse innerhalb einer Gruppe:* Soziogramm.

**Graphem** → Spracheinheit.

¹**Graphik,** die graphischen Künste · Holzschnitt, Xylographie, Holzschneidekunst · Kupfer-

stich, Kupferstechkunst · Radierung, Ätzkunst, Schabkunst, Mezzotinto, Kaltnadelradierung, Aquatinta · Stahlstich · Lithographie, Steindruck; → Druckgraphik, → Holzschnitt, → Kunstdruck, → Zeichnung.

²**Graphik** → Kunstdruck.

**Graphiker** → Zeichner.

**graphisch:** -e Darstellung → Graph, → Schautafel; die -en Künste → Graphik.

**graphitgrau** → grau.

**grapschen** → nehmen.

**grapsen** → wegnehmen.

**Gras:** → Rasen; über etwas ist G. gewachsen → vergessen; das G. wachsen hören → wissen; über etwas G. wachsen lassen → vertuschen; ins G. beißen → sterben.

**Grasaffe** → Geck.

**Grasbutter** → Fett.

**Grasdecke** → Rasen.

**grasen** → essen.

**Grasfrosch** → Frosch.

**grasgrün** → grün.

**Grashüpfer** → Heuschrecke.

**Grasland** → Wiese.

**Grasläufer** → Vogel.

**Grasmücke** → Vogel.

**Grasnarbe** → Rasen.

**Graspferd** → Heuschrecke.

**Grass** → Rauschgift.

**Grasschnitt** → Ernte.

**grassieren** → überhandnehmen.

**gräßlich** → schrecklich.

**Grassteppe** → Steppe.

**Grasstück** → Wiese.

**Graszünsler** → Schmetterling.

¹**Grat,** Kamm, Rücken; → Berg, → Gipfel.

²**Grat** → Gipfel.

**Gräte:** → Knochen; jmdm. die -n brechen → schikanieren.

**Gratias** → Dank.

**Gratifikation,** Zuwendung, Zulage, Sonderzulage, Remuneration (*bes. österr.*), Weihnachtsgeld, Urlaubsgeld, Prämie, Jahresprämie, Treueprämie; → Vergütung, → Zuschuß.

**gratis:** [g. und franko] → kostenlos.

**Gratisfahrt** → Fahrt.

**Grätsche** → Turnübung.

**Gratulation** → Glückwunsch.

**Gratulationscour** → Empfang.

**Gratulationskarte** → Schreiben.

**gratulieren,** beglückwünschen, Glück wünschen, Glückwünsche

übermitteln / überbringen / darbringen, einem Wunsch Ausdruck verleihen, jmdm. die Hand drücken; → Glückwunsch.

**Grätzel** → Stadtteil.

**Gratziegel** → Dachziegel.

¹**grau,** gräulich, taupe, sepia, anthrazit, hellgrau, dunkelgrau, mittelgrau, schwarzgrau, maulwurfsgrau, mausgrau, feldgrau, steingrau, schiefergrau, graphitgrau, bleigrau, bleifarben, zementgrau, aluminiumfarben, aschgrau, rauchgrau, rauchfarben, dämmergrau, nebelgrau, perlgrau, silbergrau; → bunt, → einfarbig, → schwarz, → weiß.

²**grau:** → bewölkt, → blaß, → grauhaarig; -e Eminenz → Drahtzieher; sich über / wegen etwas keine -en Haare wachsen lassen → sorgen (sich); -er Markt → Schleichhandel; eine -e Maus sein → einfach [sein]; ein Herr mit -en Schläfen sein → älter [sein]; -er Star → Katarakt; aus -er Vorzeit → altmodisch; g. werden → altern; g. in g. → langweilig.

**Grauammer** → Vogel.

**Graubär** → Bär.

**graubärtig** → bärtig.

**graublau** → blau.

**grauen:** es graut jmdm. → Angst [haben].

**Grauen** → Entsetzen.

**grauenerregend:** → makaber, → schrecklich.

**grauenvoll** → makaber.

**Graugans** → Vogel.

**graugrün** → grün.

**grauhaarig,** grau, ergraut, graumeliert, meliert, grauköpfig, mit grauen Schläfen; → weißhaarig; → Haar.

**grauköpfig** → grauhaarig.

**graulen:** sich g. → Angst [haben].

**gräulich** → grau.

**Graumännchen** → Zwerg.

**graumeliert** → grauhaarig.

**Graupappe** → Pappe.

**Graupel** → Hagelkorn.

**graupeln** → hageln.

**Graupensuppe** → Suppe.

**grausam** → unbarmherzig.

**Grausamkeit,** Roheit, Gewalttätigkeit, Bestialität, Mordlust, Mordgier, Blutdurst, Blutrausch, Ruchlosigkeit (geh.), Inhumanität; → Gefühlskälte, → Mißhandlung, → Rohling, → Unbarmherzigkeit, → Zerstörungswut.

**Grauschimmel** → Schlauchpilz.

**grauschwarz** → schwarz.

**grausen:** es graust jmdm. → Angst [haben], → schmecken.

**Grausen** → Entsetzen.

**grauslich** → ekelhaft.

**Grauspecht** → Vogel.

**Grautier** → Esel.

**grauweiß** → weiß.

**grave** → langsam.

**Gravedo** → Schnupfen.

**Gravensteiner** → Apfel.

**Graves-Krankheit** → Schilddrüsenüberfunktion.

**gravid** → schwanger.

**Graviditas** → Schwangerschaft.

**Graviditas abdominalis** → Schwangerschaft.

**Graviditas extrauterina** → Schwangerschaft.

**Graviditas imaginata** → Scheinschwangerschaft.

**Graviditas nervosa** → Scheinschwangerschaft.

**Graviditas ovarica** → Schwangerschaft.

**Graviditas tubarica** → Schwangerschaft.

**Gravidität** → Schwangerschaft.

**gravieren:** g. in → eingravieren.

**gravierend,** belastend, erschwerend; → einschneidend, → streng.

**gravitätisch** → majestätisch.

**Gravur** → Zeichnung.

**Gravüre,** Stich, Schnitt, Radierung; → Zeichnung.

**Grazie** → Anmut; die -n haben nicht an jmds. Wiege gestanden → anziehend.

**grazil:** → schlank, → zart.

**Grazilität** → Zartheit.

**grazlös:** → gelenkig, → hübsch.

**Gräzismus** → Spracheigentümlichkeit.

**Greenhorn** → Anfänger.

**gregorianisch:** Gregorianisches Jahr → Zeitraum.

**Greif** → Fabelwesen.

**greifbar:** → anwesend, → klar; nicht g. → abwesend.

**Greifchen** → Fangspiel.

**Greife** → Fangspiel.

**¹greifen,** ergreifen, erfassen, fassen, anfassen, zufassen, in die Hand nehmen; → Handbewegung.

**²greifen:** → nehmen; Platz g. → zunehmen; an etwas g. → berühren; sich an den Kopf g. → verstehen; ans Herz -d → rührend; [wie] aus dem Leben gegriffen → echt; etwas aus der Luft g. → lügen; in die Kasse g. → wegnehmen; in die Tasche g. → zahlen; etwas ist mit Händen zu g. → offenbar [sein]; g. nach → hervorziehen; um sich g. → überhandnehmen; zur Feder g. → aufschreiben.

**Greifen** → Fangspiel.

**Greifvogel** → Vogel.

**Greifzeck** → Fangspiel.

**greinen** → weinen.

**greis:** → alt.

**Greis,** alter Mann, Zittergreis (ugs.), Tattergreis (salopp, abwertend), Tapergreis (salopp, abwertend), Tatl (salopp, abwertend, österr.), alter Knacker (salopp, abwertend), Zausel (salopp, abwertend), Krauter[er] (salopp, abwertend), Stubben (salopp, abwertend), Mummelgreis (salopp, abwertend), Mümmelgreis (salopp, abwertend), Jubelgreis · sexuell sehr interessierter: Lustgreis, Lebegreis; → Mann; → altern; → alt.

**Greisenalter** → Lebensalter.

**Greisenliebe** → Perversität.

**Greißler** → Kaufmann.

**Greißlerei** → Laden.

**grell:** → bunt, → laut.

**Gremium** → Ausschuß.

**Grenadier:** → Dienstgrad, → Soldat.

**Grenzbach** → Abgrenzung.

**Grenzbahnhof** → Bahnhof.

**Grenzbefestigung,** Grenzwall · mittelalterliche: Letzi (schweiz.); → Grenze, → Wall.

**¹Grenze,** Grenzlinie, March (schweiz.) · Staatsgrenze, Reichsgrenze, Bundesgrenze, Landesgrenze · Kreisgrenze, Bezirksgrenze, Provinzialgrenze, Stadtgrenze · vorläufige: Demarkationslinie · zwischen kommunistischen und nichtkommunistischen Ländern: Eiserner Vorhang · zwischen West-Berlin und Ost-Berlin: die [Berliner] Mauer · zwischen DDR und BRD: Interzonengrenze, Zonengrenze · um das kommuni-

stische China: Bambusvorhang · im 3. Jh. um das chinesische Reich errichtete: chinesische / Große Mauer · von den Römern gegen die Germanen errichtete: Limes; → Grenzbefestigung, → Grenzstation, → Wall.

**²Grenze:** → Abgrenzung; die G. des Möglichen überschreiten → statthaft; bis zur G. des Erlaubten → ganz; heimlich über die G. bringen → einschmuggeln.

**grenzen:** an etwas g. → gleichen.

**grenzenlos:** → sehr, → unendlich.

**Grenzenlosigkeit** → Unbegrenztheit.

**Grenzer** → Grenzwache.

**Grenzfluß:** → Abgrenzung, → Fluß.

**Grenzlinie:** → Abgrenzung, → Grenze.

**Grenzmauer** → Mauer.

**Grenzpolizei:** → Grenzwache, → Polizeibehörde.

**Grenzposten** → Grenzwache.

**Grenzscheide** → Abgrenzung.

**Grenzstation,** Grenzübergang, Kontrollstation, Kontrollpunkt, Checkpoint; → Grenze, → Grenzwache.

**Grenzübergang** → Grenzstation.

**Grenzwache,** Grenzposten, Grenzwachtposten, Grenzer (ugs.), Grenzpolizei; → Grenzstation, → Zöllner.

**Grenzwachtposten** → Grenzwache.

**Grenzwall:** → Abgrenzung, → Grenzbefestigung, → Wall.

**Gretchenfrage** → Frage.

**Gretchenfrisur** → Frisur.

**Greube** → Griebe.

**greulich** → abscheulich.

**Greyhound:** → Hunderassen, → Omnibus.

**¹Griebe,** Speckgriebe, Grammel (bayr., österr.), Griefe (mitteld.), Greube (schweiz.).

**²Griebe** → Hautausschlag.

**Griebenschmalz** → Fett.

**Griebenwurst** → Wurst.

**Griebs** → Kerngehäuse.

**griechisch:** -es Kreuz → Kreuzzeichen.

**griechisch-katholisch:** -e Kirche → Kirche.

**griechisch-orthodox:** -e Kirche → Kirche.

griechisch-römisch → antik.

griechisch-uniert: -e Kirche → Kirche.

Griefe → Griebe.

griemeln → lachen.

grienen: → lachen; das Grienen → Lächeln (das).

Griesgram, Brummbär, Knurrhahn, Murrkopf, Raunzer, Knasterbart; → Mann; → ärgerlich.

griesgrämig → ärgerlich.

Grießbrei → Brei.

Grießkloß → Kloß.

Grießkoch → Brei.

¹Griff, Handgriff, Henkel, Stiel, Schaft, Handhabe, Knauf, Halter, Heft, Helm, Holm, Klinke, Schnalle (österr.); → Fenstergriff, → Pfahl, → Stange, → Stock, → Türklinke.

²Griff: → Handbewegung; einen guten / glücklichen G. tun → auswählen.

Griffbrett → Tastatur.

Griffel: → Finger, → Schreibstift.

Griffon → Hunderassen.

Griffs → Rauschgift.

Grill, Bratrost, Rost, Barbecue; → braten.

¹Grille, Hausgrille, Heimchen; → Heuschrecke.

²Grille: → Laune; -n haben → launisch [sein].

grillen → braten.

grillenhaft → launisch.

Grillrestaurant → Gaststätte.

Grimasse: → Gesicht, → Miene.

Grimbart → Dachs.

Grimm → Ärger.

Grimmdarm → Darm.

grimmig: → ärgerlich, → streitbar.

Grind → Schorf.

Grindflechte → Impetigo.

Gringo: → Fremder, → Südamerikaner.

grinsen: dreckig g. → schadenfroh [sein]; [g. wie ein Honigkuchenpferd] → lachen; das Grinsen → Lächeln (das).

¹Grippe, Influenza, echte Grippe, epidemische Grippe, asiatische Grippe, Hongkonggrippe; → Erkältung, → Krankheit.

²Grippe: seine G. nehmen → arbeiten; die diplomatische / politische G. nehmen → kommen.

Grips → Vernunft.

Grisaillemalerei → Maltechnik.

Grislybär → Bär.

¹grob, ungefüge, ungattlich (schweiz.).

²grob: → gewaltig, → unhöflich; -es Geschütz auffahren → attackieren; [ziemlich] -e See → Seegang; in -en Zügen → kurz; aus dem Gröbsten heraus sein → Schwierigkeit.

Grobheit → Unhöflichkeit.

Grobian, Holzkopf (ugs.), Büffel (ugs.); → Rohling.

gröblich → sehr.

Grobsalz → Salz.

grobschlächtig: → plump, → unhöflich.

Grobschlächtigkeit → Unhöflichkeit.

Grobschmied → Schmied.

Grobschnitt → Tabak.

Grobschotter → Splitt.

Grobtüll → Stoff.

Grobzeug → Abschaum.

Grog → Alkohol.

groggy: g. sein → erschöpft [sein].

grölen: → schreien, → singen.

Groll: → Verstimmung; G. hegen → grollen.

¹grollen, Groll hegen, zürnen, einen Zorn haben; → ärgerlich [sein], → gekränkt [sein].

²grollen → krachen.

Grönlandeis → Polareis.

Grönlandwal → Wal.

Groom → Diener.

Groppe → Fisch.

Gros → Stück.

Groschen: → Münze, → Vermögen, → Zahlungsmittel; der G. fällt → erkennen; bei jmdm. fällt der G. langsam / pfennigweise → begriffsstutzig [sein]; nicht bei G. sein → verrückt [sein].

Groschenblatt → Zeitung.

Groschenroman → Roman.

¹groß, hochgewachsen, hochwüchsig, von hohem Wuchs, stattlich, hochaufgeschossen, lang, baumgroß, baumlang, riesenhaft, riesig, zyklopisch, mannshoch, hünenhaft; → außergewöhnlich, → gewaltig, → hoch, → sehr · Ggs. → klein; g. werden, groß und stark werden (fam.), wachsen; g. sein, erwachsen sein; → Körpergröße.

²groß: → außergewöhnlich, → erwachsen, → gewaltig, → geräumig → umfangreich; -e Augen machen → überrascht [sein]; -er Backenzahn → Zahn; Großer Bär / Hund / Wagen → Sternbild; der größte Brocken, die größere Hälfte, das größte Stück [vom Kuchen] → Anteil; -e Ferien → Ferien; Großer Fuchs → Schmetterling; auf -em Fuß leben → leben; im -en [und ganzen] → generell; -er Geist → Talent; Großes Haus → Theatergebäude; das -e Licht → Lampe; kein -es Licht sein → dumm [sein]; Großes Los → Hauptgewinn; Große Mauer → Grenze; ein -es Maul haben, -e Reden schwingen → prahlen; in -en Mengen, in -er Zahl → reichlich, → viele; über den -en Onkel gehen → fortbewegen (sich); -er Puls → Pulsschlag; -e Rosinen im Kopf haben → vorhaben; Großer Schirmpilz / Schmierling → Ständerpilz; -e Stücke auf jmdn. halten → achten; der -e Teich → Meer; jenseits des -en Teiches → Amerika; in -er Toilette→ aufgeputzt; Großer Zapfenstreich → Signal; -er Zeh / Onkel → Zeh; in -en Zügen → kurz; g. werden → aufwachsen; g. herausbringen → managen; g. herauskommen → bekannt [werden]; g. machen → defäkieren; g. schreiben → schreiben; g. und klein → alle; die Großen → Erwachsener; ziemlich g. → ansehnlich; im -en → en gros.

Großagrarier → Bauer.

großartig → außergewöhnlich.

Großaufnahme → Fotografie.

Großbank → Geldinstitut.

Großbauer → Bauer.

Großbildkamera → Fotoapparat.

Großbrand → Schadenfeuer.

Großbritannien, England, Albion (dichter.), United Kingdom · zusammen mit den Staaten der britischen Völkergemeinschaft: Commonwealth; → Engländer.

Großbürgertum → Bürgertum.

Großdirn → Magd.

Große → Älteste.

¹**Größe**, Geräumigkeit, Großräumigkeit, Großflächigkeit, Weite; → Ausmaß; → geräumig.

²**Größe:** → Ansehen, → Ausmaß, → Berühmtheit, → Fachmann, → Körpergröße; veränderliche G. → Variable; unveränderliche G. → Konstante.

**Großeltern** → Verwandter.

**Größenordnung** → Ausmaß.

**Größenwahn:** → Bewußtseinstrübung, → Selbsteinschätzung.

**Großer** → Ältester.

**Grossesse nerveuse** → Scheinschwangerschaft.

**Großfamilie:** → Familie, → Kommune.

**Großfeuer** → Schadenfeuer.

**großflächig** → geräumig.

**Großflächigkeit** → Größe.

**Großflugzeug** → Flugzeug.

**Großgarage** → Parkhaus.

**Großgoscherter** → Angeber.

**Großgrundbesitzer**, Gutsbesitzer, Gutsherr, Grundherr (*veraltet*), Rittergutsbesitzer, Junker (*abwertend*), Krautjunker (*abwertend*), Feudalherr, Magnat; → Bauer, → Besitzer.

¹**Großhandel**, Zwischenhandel, Aufkaufhandel, Engroshandel (*veraltend*) · *mit Waren zur Weiterverarbeitung:* Produktionszwischenhandel; → Großhändler, → Handel, → Transithandel · Ggs. → Einzelhandel.

²**Großhandel:** im G. → en gros.

**Großhandelspreis** → Preis.

**Großhandelsunternehmer** → Großhändler.

**Großhändler**, Zwischenhändler, Grossist, Engrossist (*veraltend*), Großhandelsunternehmer; → Geschäftsmann, → Großhandel, → Händler, → Kaufmann · Ggs. → Einzelhändler.

**Großhandlung** → Laden.

**großherzig** → selbstlos.

**Großhirn** → Gehirn.

**Großhirnrinde** → Gehirnrinde.

**Großindustrieller**, Industriekapitän, Schlotbaron (*abwertend*).

**Grossist** → Großhändler.

**großjährig** → volljährig.

**Großkampfschiff** → Kriegsschiff.

**Großkapitalismus** → Kapitalismus.

**Großkapitalist** → Kapitalist.

**Großkaufhaus** → Laden.

**Großklima** → Klima.

**Großkopfmeeräsche** → Fisch.

**großkotzig** → protzig.

**Großkotzigkeit** → Großspurigkeit.

**Großmacht** → Weltmacht.

**Großmannssucht:** → Großspurigkeit, → Übertreibung.

**Großmarkt:** → Laden, → Markt.

**Großmaul** → Angeber.

**Großmäuligkeit** → Übertreibung.

**Großmut** → Duldsamkeit.

**großmütig** → entgegenkommend.

¹**Großmutter**, Oma, Omama, Omi, Ahnl (*mundartl., österr.*); → Verwandter.

²**Großmutter:** aus -s Zeiten sein → überlebt [sein].

**Großputz** → Hausputz.

**Großraumbüro** → Büro.

**großräumig** → geräumig.

**Großräumigkeit** → Größe.

**Großreinemachen** → Hausputz.

**großschreiben:** etwas wird großgeschrieben → selten [sein], → wichtig [sein].

**Großsprecher** → Angeber.

**Großsprecherei** → Übertreibung.

**großsprecherisch** → protzig.

**großspurig** → protzig.

**Großspurigkeit**, Protzigkeit, Großkotzigkeit (*salopp*), Angebertum, Protzentum, Großmannssucht; → Übertreibung; → protzig.

**Großstadt** → Stadt.

**Großstädter** → Städter.

**großstädtisch** → städtisch.

**Großstadtmensch** → Städter.

**Großsteingrab** → Grab.

**Großtat** → Verdienst.

**Größte** → Älteste.

**Größter** → Ältester.

**größtmöglich** → optimal.

**Großtuer** → Angeber.

**großtuerisch** → protzig.

**großtun** → prahlen.

**Grossular** → Schmuckstein.

¹**Großvater**, Opa, Opapa, Opi, Ehnel (*mundartl., österr.*); → Verwandter.

²**Großvater:** aus -s Zeiten sein → überlebt [sein].

**Großvaterstuhl** → Sessel.

**Großvieh** → Vieh.

**Großwetterlage** → Wetter.

**Großwildjagd** → Jagd.

**Großwuchs**, krankhafter Großwuchs, Riesenwuchs, Hypersomie, Makrosomie, Makrosomatie, Somatomegalie, Gigantismus, Gigantosomie, Makromelie · *der gipfelnden Körperteile* (*z. B. Nase, Kinn, Extremitäten*): Akromegalie, Pachyakrie, Marie-Krankheit · *der Hände:* Makrocheirie, Makrochirie, Megalocheirie, Megalochirie, Cheiromegalie, Chiromegalie · *der Füße:* Makropodie, Megalopodie, Pachypodie · *der Finger oder Zehen:* Makrodaktylie, Megalodaktylie, Daktylomegalie, Pachyakrie, Akropachie, Pachydaktylie · *der Nase:* Makrorhinie, Rhinomegalie · *der Ohren:* Makrotie, Pachyotie, Megalotie · *der Lippen:* Makrocheilie ·· *der Geschlechtsorgane:* Hypergenitalismus · *der weiblichen Brust:* Makromastie, Hypermastie · Ggs. → Kleinwuchs.

**großziehen**, aufziehen, hochpäppeln, aufpäppeln; → aufwachsen, → erziehen.

**großzügig:** → entgegenkommend, → freigebig.

¹**Großzügigkeit**, Generosität, Hochherzigkeit, Gebefreudigkeit, Spendenfreudigkeit, Freigebigkeit; → Gastfreundschaft; → spendieren; → freigebig.

²**Großzügigkeit** → Duldsamkeit.

**Grosz** → Zahlungsmittel.

**grotesk** → lächerlich.

**Grotesk** → Schrift.

**Grotte** → Garten.

**Grottenolm** → Salamander.

**grottenvoll** → betrunken.

**Groundhostess** → Betreuerin.

**Groupie:** → Anhänger, → Fan.

**GRU** → Geheimpolizei.

¹**Grube**, Loch, Kute (*nordd.*), Kuhle, Vertiefung, Graben.

²**Grube:** → Bergwerk, → Grab; in die G. senken → bestatten; in die / zur G. fahren → sterben.

**grübeln** → denken.

**Grübelnuß** → Nuß.

**Grubenbrand** → Schadenfeuer.

**Grubengas** → Gas.

**Grubenlampe,** Karbidlampe, Acetylenlampe; → Bergmann.

**grüezi:** [g. Gott] → Gruß.

**Gruft** → Grab.

**grummeln:** es grummelt → Gewitter.

**Grummet:** → Ernte, → Heu.

**Grummeternte** → Ernte.

**Grumt** → Ernte.

**¹grün,** grünlich, smaragd, smaragdgrün, oliv, olivgrün, türkis, türkisgrün, türkisfarben, jadegrün, hellgrün, dunkelgrün, gelbgrün, blaugrün, graugrün, blaßgrün, mattgrün, tiefgrün, giftgrün, seegrün, meergrün, flaschengrün, grasgrün, moosgrün, erbsengrün, tannengrün, efeugrün, resedagrün, spinatgrün, lindgrün, apfelgrün; → blau, → bunt, → einfarbig.

**²grün:** → belaubt, → jung, → schneefrei, → unreif; -e Bohne → Gemüse; -er Heinrich, -e Minna → Gefängniswagen; -er Hering → Hering; -e Hochzeit → Hochzeit; noch ein -er Junge sein → erwachsen; -er Korallenblätterpilz → Ständerpilz; -es Licht geben → ankurbeln; für etwas -es Licht geben → billigen; -es Licht haben → behindern; -er Tee → Tee; -e Lunge → Park; ach du -e Neune! → überrascht [sein]; -e Nudeln → Teigwaren; -er Rasen → Sportfeld; vom -en Tisch aus → theoretisch; -e Witwe → Ehefrau; auf keinen -en Zweig kommen → Erfolg [haben]; g. werden → sprießen; jmdm. nicht g. sein → hassen; g. und gelb sein vor Neid → neiden; bei Mutter Grün schlafen → übernachten; im Grünen → Natur.

**Grünalge** → Alge.

**Grünanlage** → Park.

**grünblättrig:** Grünblättriger Schwefelkopf → Ständerpilz.

**grünblau** → blau.

**Grünblindheit** → Farbenblindheit.

**Grünbuch** → Dokumentensammlung.

**Grund:** → Anlaß, → Argument, → Erde, → Grundstück, → Mittel; G. und Boden → Feld, → Immobilien; einer Sache auf den G. gehen →

nachforschen; aus diesem G. → deshalb; aus naheliegenden / verständlichen Gründen → verständlicherweise; aus welchem G. → warum; im -e → letztlich; in G. und Boden → ganz; mit guten Gründen → befugt; von G. auf / aus → ganz, → grundlegend.

**grund-:** → erz-.

**Grundakkord** → Akkord.

**Grundangelei** → Angelsport.

**Grundbegriff:** -e → Universalien.

**Grundbesitz** → Immobilien.

**Grundbirne:** -n → Kartoffeln.

**Grundbuch,** Flurbuch, Kataster, Grundkataster, amtliches Grundstücksverzeichnis; → Immobilien.

**Grunddeutsch** → Grundwortschatz.

**Grundeigentum** → Immobilien.

**Grundel** → Fisch.

**¹gründen,** begründen, konstituieren, einrichten, etablieren, errichten, instituieren, stiften, ins Leben rufen, aus der Taufe heben, [neu] schaffen.

**²gründen:** ein Geschäft / eine Firma g. → eröffnen; ein Geschäft g. → niederlassen (sich); etwas gründet auf / in etwas → Grundlage.

**Gründer,** Begründer, Mitbegründer, Initiator, [geistiger] Vater, Schöpfer, Urheber, Anreger, Anstifter (abwertend); → Erfinder, → Schrittmacher.

**Gründerjahre** → Gründerzeit.

**Gründerzeit,** Gründerjahre, Fin de siècle, die gute alte Zeit; → Atomzeitalter, → Belle Epoque, → Gegenwart, → Geschichtsepoche, → Vergangenheit.

**grundfalsch** → falsch.

**Grundfeste** → Fundament.

**Grundgedanke** → Leitgedanke.

**grundgütig** → gütig.

**grundieren** → streichen.

**Grundkataster** → Grundbuch.

**¹Grundlage,** Quelle, Vorlage, Original, Bedingung, Voraussetzung, Ursprung, Vorstufe, Ausgangspunkt, Plattform, Unterlage, Unterbau, Fundament, Substrat, Bestand, Mittel, Grundstock, Fundus, Basis, Fundgrube (ugs.); → Anfang, → Anlaß; **seine G. haben in:**

etwas hat seine Grundlage in etwas, etwas gründet in / auf etwas.

**²Grundlage:** -n → Universalien; etwas entbehrt jeder G. → erfunden [sein].

**Grundlawine** → Lawine.

**grundlegend,** fundamental, von Grund auf / aus, vollkommen, völlig, absolut; → grundsätzlich.

**gründlich:** → gehörig, → gewissenhaft.

**Gründling** → Fisch.

**¹grundlos,** unbegründet, haltlos, gegenstandslos, ungerechtfertigt, wesenlos, hinfällig, unmotiviert, aus der Luft gegriffen; → erfunden; → nutzlos, → unwichtig, → unwirklich.

**²grundlos** → tief.

**Grundmauer:** → Fundament, → Mauer.

**Grundmine** → Mine.

**Grundmotiv** → Leitgedanke.

**Gründonnerstag,** Ablaßtag (landsch.), Donnerstag vor Ostern; → Kirchenfest, → Kirchenjahr.

**Grundplasma** → Protoplasma.

**Grundproblem** → Schwierigkeit.

**¹Grundriß,** Aufriß, Plan, Entwurf; → Bauplan, → Entwurf.

**²Grundriß** → Ratgeber.

**Grundsatz:** Grundsätze → Prinzipien, → Regel.

**Grundsatzerklärung** → Programm.

**¹grundsätzlich,** fundamental, Elementar-, Haupt-, Kardinal-; → grundlegend, → prinzipiell.

**²grundsätzlich** → prinzipiell.

**Grundschuld** → Hypothek.

**Grundschule** → Schule.

**Grundschullehrer** → Lehrer.

**Grundsteuer** → Abgabe.

**Grundstock** → Grundlage.

**¹Grundstück,** Baugrundstück, Baugrund, Grund (österr.), Bauland, Bauplatz, Baustelle, Baustätte (geh.), Baufläche, Baugelände, Parzelle; → Garten.

**²Grundstück** → Garten.

**Grundstücksmakler** → Vermittler.

**Grundstücksverzeichnis:** amtliches G. → Grundbuch.

**Grundstufe** → Positiv.

**Gründung** → Dünger.

**grundverkehrt** → falsch.

Grundvermögen → Immobilien.
grundverschieden → verschieden.
Grundwasser → Wasser.
Grundwelle → Welle.
Grundwort → Leitwort.
Grundwortschatz · im Deutschen: Grunddeutsch · im Englischen: Basic English · im Französischen: Français fondamental, Français elémentaire (veraltet).
Grundzahl: → Wortart, → Zahl.
Grundzytoplasma → Protoplasma.
grünen → sprießen.
Grüner → Polizist.
Grünes → Suppengemüse.
Grünfläche: → Park, → Rasen.
Grünflächenamt → Gartenbauamt.
Grüngürtel → Vorort.
Grünkern → Getreide.
Grünkohl, Winterkohl, Blattkohl, Krauskohl, Braunkohl, Blaukohl; → Blumenkohl, → Gemüse, → Kohl, → Rosenkohl, → Rotkohl, → Wirsing.
Grünkorn → Getreide.
Grünkreuz → Giftgas.
Grünkreuzgas → Giftgas.
grünlich → grün.
Grünling: → Ständerpilz, → Vogel.
Grünmahd → Ernte.
Grünschenkel → Vogel.
Grünschnabel → Anfänger.
Grünspan: → Belag, → Gift.
Grünspecht → Vogel.
Grünstift → Schreibstift.
Grünstreifen, Mittelstreifen, Rasenstreifen.
grunzen → Laut.
Grünzeug → Suppengemüse.
¹Gruppe, Kreis, Runde, Korona (ugs.), Schar, Horde (ugs.), Haufen, Sauhaufen (abwertend); → Bande.
²Gruppe: → Clique, → Kaste, → Klasse, → Mannschaft, → Personenkreis.
Gruppenarbeit → Arbeit.
Gruppenaufnahme → Fotografie.
Gruppenbild → Fotografie.
Gruppenehe → Ehe.
Gruppenfoto → Fotografie.
Gruppenführer → Leiter (der).
Gruppensex → Koitus.

Gruppensprache, Soziolekt, Standessprache, Berufssprache, Fachsprache, Fachjargon (abwertend) · Handwerkersprache · Kaufmannssprache, Kaufmannsdeutsch · Soldatensprache, Kasernensprache, Militärsprache · Studentensprache, Schülersprache, Pennälersprache · Teenagersprache, Halbwüchsigensprache, Halbstarkensprache · Jägersprache, Weidmannssprache, Waidmannssprache · Seemannssprache, Bergmannssprache; → Deutsch, → Hochsprache, → Mundart.
Gruppentherapie → Behandlung.
Gruppierung → Lage.
Grüsch → Kleie.
Gruselfilm, Horrorfilm, Grusical, Thriller, Psycho-Thriller, Schocker; → Kinofilm, → Kriminalstück, → Wildwestfilm.
gruselig → unheimlich.
gruseln: es gruselt jmdm. → Angst [haben].
Grusical → Gruselfilm.
¹Gruß, Grußformel · allgemein: guten Tag!, Gott zum Gruße!, grüß Gott! (bayr., österr.), grüß dich!, Servus! (österr.), küß die Hand! (österr.), hallo! (engl.), salut! (franz.), hi! (amerik.) · morgens: guten Morgen! · mittags: Mahlzeit! · abends: guten Abend! · bei der Ankunft von Gästen: herzlich willkommen! ·· beim Abschied: auf Wiedersehen!, gute Nacht!, bis bald!, bis gleich!, adieu!, ade!, gehaben Sie sich wohl!, gehorsamster / ergebenster Diener!, habe die Ehre! (österr.), ich empfehle mich!, mach's gut! (ugs.), tschüs! (nordd.), behüt' dich Gott! (südd.), pfüeti [Gott]! (bayr., österr.), alla Wiedersehn! (mannheimerisch), grüezi! (schweiz.), grüezi Gott! (schweiz.), bye-bye! (engl.), cherio! (engl.), arrivederci! (ital.), tschau! (ital.: ciao), adiós! (span.), papa! (österr.) · am Telefon: auf Wiederhören! · der Bergleute: Glück auf! · der Flieger: Glück ab! · der Schwimmer: Gut Naß! · der Angler: Petri Heil! · der Kegler: Gut Holz! · der Jäger:

Weidmannsheil! · der Turner: Gut Heil!; → begrüßen.
²Gruß: → Kartengruß, → Lebenszeichen; Englischer G. → Gebet; mit G. von Haus zu Haus, mit besten / freundlichen / herzlichen Grüßen → hochachtungsvoll.
grüßen: → begrüßen; grüß dich!, grüß Gott! → Gruß; es grüßt Sie → hochachtungsvoll.
Grußformel → Gruß.
grußlos → wortlos.
Grütze: → Vernunft; G. im Kopf haben → klug [sein].
Grützmühle → Mühle.
Gryllteiste → Vogel.
Gschaftlhuber: → Besserwisser; ein G. sein → aktiv [sein], → betriebsam [sein].
Gschaftlhuberei → Aktivität.
Gscherter → Landbewohner.
Gschlader → Kaffee.
G-Schlüssel → Notenschlüssel.
Gschnas → Maskerade.
Gschnasfest → Maskerade.
gschupft → überspannt.
Gschwuf: → Geck, → Geliebter.
Gspaß → Scherz.
gspaßig → spaßig.
Gspaßlaberln → Busen.
Gspusi: → Geliebter, → Liebelei.
Gstanzl → Lied.
Gstätten → Wiese.
gstatzt → aufgeputzt.
GTG → Grammatik.
Guaicurú → Indianer.
Guano → Dünger.
Guarani → Indianer.
Guaraní → Zahlungsmittel.
Guarneri → Streichinstrument.
Guasch → Malerei.
Guck → Papiertüte.
Gucke → Papiertüte.
gucken: → blicken; sich nicht in die Karten g. lassen → schweigen; Fernsehen g. → empfangen, → fernsehen; jmdm. auf die Finger g. → beobachten; g. aus → herausschauen; dumm aus dem Anzug / der Wäsche g. → überrascht [sein]; in den Mond / in die Röhre g. → bekommen; in die Röhre g. → fernsehen.
Guckerschecken → Sommersprossen.
guckerscheckert → sommersprossig.
Guckkastenbühne → Bühne.

**Güdelmontag** → Fastnacht.

**Güdismändig** → Fastnacht.

**Guereza** → Affe.

**Guerilla** → Partisan.

**Guerillakrieg** → Krieg.

**Guerrigliero** → Partisan.

**Guetzli** → Bonbon.

**Gufe** → Stecknadel.

**Gugelhupf** → Napfkuchen.

**Güggel:** → Hahn, → Huhn.

**güggelhaft** → unbeherrscht.

**Güggeli** → Huhn.

**Güggelifriedhof** → Bauch.

**Guide** → Ratgeber.

**Guignol** → Kasper.

**Gülle** → Jauchegrube.

**Guillotine** → Fallbeil.

**guillotinieren** → töten.

**Guinee** → Münze.

**Gulasch** → Ragout.

**Gulaschkanone** → Feldküche.

**Gulaschkommunismus** → Kommunismus.

**Gulaschsuppe** → Suppe.

**Gulden:** → Münze, → Zahlungsmittel.

**Gülle** → Dünger.

**güllen** → düngen.

**Gully** → Abwasserkanal.

**gültig:** → eingeführt; g. sein → Geltung [haben].

**Gültigkeit:** → Geltungsdauer; keine G. mehr haben → Geltung.

**Gulyas** → Fleischgericht.

**Gummer** → Gurke.

**Gummi** → Radiergummi.

**Gummiarabikum** → Bindemittel.

**Gummiball** → Spielball.

**Gummihaut** → Chalodermie.

**Gummiknüppel,** Schlagstock, Migränestift (*berlin., scherzh.*), Haslinger (*österr., veraltet*); → Schußwaffe.

**Gummilösung** → Bindemittel.

**Gummilöwe** → Gegner.

**Gummimantel** → Mantel.

**Gummisauger** → Schnuller.

**Gummischlauch** → Schlauch.

**Gummischutzmittel** → Präservativ.

**Gun** → Spritze.

**¹Gunst,** Gnade, Huld, Auszeichnung, Ehre; **jmdm. eine G. gewähren,** jmdm. eine Ehre erweisen / zuteil werden lassen, beehren mit, auszeichnen mit; → Achtung, → Anerkennung, → Ansehen, → Begnadigung, → Lob; → ehrenhaft.

**²Gunst:** → Geneigtheit; jmds. G. verscherzt haben → unbeliebt [sein]; jmdm. seine G. schenken → koitieren.

**Gunstgewerbe** → Prostitution.

**Gunstgewerblerin** → Prostituierte.

**günstig:** → aussichtsreich, → billig, → erfreulich; im -sten Falle → bestenfalls; unter einem -en Stern geboren sein → Glück [haben]; g. gelegen sein → abgelegen.

**Günstling,** Favorit, Protegé, Schützling; → Liebling.

**Günstlingswirtschaft** → Vetternwirtschaft.

**Gupf** → Gipfel.

**Güresch** → Schwerathletik.

**Gurgel** → Hals, → Rachen; die G. ausspülen / schmieren → trinken; jmdm. die G. zudrücken / zuschnüren → ausbeuten; durch die G. jagen → verschwenden; [sein Geld] durch die G. jagen → ausgeben.

**¹gurgeln,** spülen, ausspülen / den Mund ausspülen.

**²gurgeln** → fließen.

**¹Gurke,** Salatgurke, Schlangengurke, Gummer (*landsch.*), Gommer (*landsch.*), Omorke (*landsch.*), Umurke (*landsch.*), Augurke (*landsch.*), Küm[m]erling (*landsch.*), Kukum[m]er (*landsch.*), Kukumber (*landsch.*) · *eingelegte:* saure Gurke, Gewürzgurke, Essiggurke, Cornichon, Senfgurke, Salzgurke, Zuckergurke; → Gemüse.

**²Gurke:** → Gemüse, → Nase, → Penis.

**Gurkenhachtel** → Küchenhobel.

**Gurkenhobel** → Küchenhobel.

**Gurkenkraut** → Küchengewürz.

**gurren** → krächzen.

**Gurt,** Riemen, Traggurt, Ledergurt, Sattelgurt, Patronengurt, Band; → Gürtel, → Sicherheitsgurt; → binden.

**¹Gürtel,** Bindegürtel, Leibriemen, Bauchriemen (*ugs.*), Koppel; → Gurt, → Schließe.

**²Gürtel:** den G. enger schnallen → sparen.

**Gürtellinie:** → Taille; etwas ist ein Schlag unter die G. → unfair [sein]; unterhalb der G. → sexuell.

**Gürtelreifen** → Autoreifen.

**Gusche** → Mund.

**Guschel** → Kuß.

**¹Guß,** Tortenguß, Glasur, Schokoladenguß, Zuckerguß; → Gebäck.

**²Guß:** → Kurmittel, → Niederschlag; aus einem G. → fugenlos.

**Gußfüllung** → Zahnersatz.

**Gußglas** → Glas.

**Güster** → Fisch.

**gustieren** → kosten.

**gustiös** → appetitlich.

**Gusto** → Appetit, → Neigung.

**Gustostückerl** → Leckerbissen.

**gut:** → ausreichend, → erfreulich, → fachmännisch, → gütig, → ja, → lohnend, → okay, → schmackhaft, → trefflich; bei jmdm. nicht g. angeschrieben sein → unbeliebt [sein]; einen -en Appetit haben → eßlustig [sein]; -e Augen haben, g. sehen → scharfsichtig [sein]; g. aussehend → hübsch; mit jmdm. bekannt sein → vertraut; jmdm. mit etwas keinen -en Dienst erweisen → schaden; -er Dinge sein → lustig, → zuversichtlich [sein]; g. dran sein → Glück [haben]; g. zu lesen → lesbar; keine -en Erfahrungen mit jmdm. / etwas gemacht haben → Erfahrungen [haben]; keine -e Figur machen → bloßstellen (sich); g. gebaut → sportlich; g. gelaunt sein → lustig [sein]; -er Geschmack → Kunstverständnis; g. gewachsen, von -em Wuchs → sportlich; mit -em Gewissen → unbesorgt; etwas in -em Glauben tun → arglos [tun]; auf g. Glück → Gewißheit; kein -es Haar an jmdm. lassen → beanstanden; an jmdm. kein -es Haar lassen, nichts Gutes über jmdn. sagen / sprechen → schlechtmachen; Gut Heil / Holz / Naß! → Gruß; -er Hoffnung sein → schwanger [sein]; -es neues Jahr → Neujahr; keine -e Kinderstube gehabt haben → benehmen (sich); zu -er Letzt → spät; in -em Licht erscheinen → auffallen; den lieben Gott einen -en Mann sein lassen → leben; -en Mutes sein → zuversichtlich [sein]; -er Onkel → Kinderschänder; eine -e Partie machen → heiraten; etwas ist jmds. -es Recht → zustehen; einen -en

Ruf haben → angesehen [sein]; einen -en Sitz haben → Paßform; unter einem -en Stern geboren sein → Glück [haben]; unter keinem -en Stern stehen → unerfreulich [verlaufen]; -en Tag sagen → begrüßen; in -en Treuen, mit -en Gründen / -em Recht → befugt; etwas in -en Treuen tun → arglos; die -e alte Zeit → Gründerzeit; jmdm. g. sein → lieben; nicht mehr g. sein → verdorben [sein]; jmdm. ist nicht g. → unwohl; seien Sie so g.! → bitte!; zu sich selbst g. sein → gönnen (sich etwas); sich zu g. sein für → tun; bei jmdm. g. ankommen → gefallen; g. ankommen / gelitten sein bei jmdm. → angesehen [sein]; sich g. benehmen → benehmen (sich); mit jmdm. ist nicht g. Kirschen essen → böse; g. gehen → florieren; es g. haben → Glück [haben]; g. mit jmdm. können → vertraut; g. lachen haben / können, g. reden haben → Lage; sich g. stehen → reich [sein]; sich g. verkaufen → verkaufen; g. zu verstehen → verständlich; [g. und gern] → wenigstens; sehr g. → optimal; nichts Gutes ahnend → ahnungsvoll; des Guten zuviel tun → essen; g. zu Fuß sein → marschfähig [sein].

¹**Gut,** Gutshof, Hof, Landgut, Landsitz, Bauerngut, Bauernhof, Anwesen, Klitsche (ugs., abwertend), Heimwesen (schweiz.), Heimen (schweiz.), Heimet (schweiz.), Hofstatt (schweiz.), Gewerbe (schweiz.), Umschwung (schweiz.), Liegenschaft (schweiz.), Hofreite (südd., schweiz.), Gehöft, Landwirtschaft, landwirtschaftlicher Betrieb, Ökonomie (österr.), Aussiedlerhof, Pachthof, Rittergut · in der Einöde: Einschichthof (südd., österr.), Einödhof (südd., österr.) · staatliches: Domäne, Staatsgut · in Amerika, Afrika: Farm, Ranch, Pflanzung, Plantage · in Südamerika: Hazienda; → Bauer, → Besitztum, → Landwirtschaft.

²**Gut:** → Bon; Güter → Produktionsmittel (die); [irdische Güter, Geld und G., Hab und

G.] → Besitz; herrenloses G. → Fundsache.
**Gutachten** → Expertise.
**Gutachter** → Referent.
**gutartig,** benigne, nicht → böse.
**Gutdünken:** nach G. → beliebig; nach eigenem G. → eigenmächtig.
**Gute:** alles G. → hochachtungsvoll.
¹**Güte,** Gutheit, Gutherzigkeit, Gutmütigkeit, Weichherzigkeit, Herzensgüte, Seelengüte, Engelsgüte; → Arglosigkeit, → Rechtschaffenheit; → gütig.
²**Güte:** → Gotteseigenschaften, → Güteklasse, → Qualität; ach du meine G.! → überrascht [sein]; haben / hätten Sie die G....! → bitte!
**Güteklasse,** Handelsklasse, Qualität, Güte; → Ware.
**Gutenbergstadt** → Mainz.
**Güterausstoß** → Produktionsmittel (die).
**Güterbahnhof** → Bahnhof.
**Gütergemeinschaft:** → Ehegemeinschaft, → Gemeinbesitz.
**Gütersendung** → Postsendung.
**Gütertrennung** → Ehegemeinschaft.
**Güterwagen** → Eisenbahnwagen.
**Güterzug** → Eisenbahnzug.
**Güterzuglokomotive** → Lokomotive.
**Güteverfahren** → Gerichtsverfahren.
**Gutfinden:** nach G. → beliebig.
**gutgehen:** etwas geht gut → reibungslos [verlaufen]; es sich g. lassen → leben; jmdm. geht es gesundheitlich gut → gesund [sein].
**gutgesinnt** → entgegenkommend.
**gutgläubig,** vertrauensselig, leichtgläubig, gläubig, unkritisch, auf Treu und Glauben, vertrauensvoll, guten Glaubens, bona fide; → arglos, → dumm, → zuversichtlich; → Arglosigkeit.
**Gutgläubigkeit** → Arglosigkeit.
**Guthaben,** Haben, Konto, Kredit; → Anleihe, → Bankkonto, → Ersparnisse, → Saldo · Ggs. → Fehlbetrag, → Mangel.
¹**gutheißen,** billigen, akzeptieren, [einen Vorschlag] anneh-

men, bejahen, ja sagen zu, sanktionieren, legitimieren, goutieren, Geschmack finden an, anerkennen, zulassen, genehmigen, beistimmen, etwas richtig / nicht falsch finden, etwas für richtig / nicht für falsch halten, beipflichten, beiwilligen (schweiz.), zustimmen, belieben (schweiz.), seine Zustimmung geben, sein Amen / seinen Segen zu etwas geben (ugs.), die Genehmigung erteilen / geben, jmdm. einen Freibrief ausstellen / geben, begrüßen, übereinstimmen / sympathisieren mit, einiggehen, konform gehen, unterschreiben, einverstanden sein, zu etwas ja und amen sagen (ugs.), dafür sein, nichts dagegen / dawider haben, dulden, tolerieren, respektieren, geschehen lassen, erlauben, zubilligen, einräumen, konzedieren, einwilligen, jmdm. etwas freistellen, auf einen Vorschlag eingehen, anbeißen (ugs.), die Erlaubnis geben, gestatten, zugeben, verstatten, jmdm. freie Hand lassen, grünes Licht geben für etwas, jmdm. gewähren / schalten und walten lassen, etwas in jmds. Hände legen, etwas ist jmdm. vergönnt / gegeben, nicht → ablehnen, nicht → beanstanden, nicht → verbieten; → Beifall [finden], → ermächtigen, → ertragen, → gewähren, → überlassen (jmdm. etwas), → wünschen; → aufgeklärt, → befugt, → bejahend, → statthaft; → Achtung, → Ansehen, → Erlaubnis, → Übereinstimmung · Ggs. → Nichtachtung.
²**gutheißen:** gutgeheißen werden → Beifall [finden].
**Gutheit** → Güte.
**gutherzig** → gütig.
**Gutherzigkeit** → Güte.
¹**gütig,** grundgütig, herzlich, kordial (veraltet), warmherzig, gut, seelengut, herzensgut, gutherzig, gutmütig, sanftmütig, weichherzig, barmherzig, gnädig, mild, lindernd; → entgegenkommend, → friedfertig, → menschlich, → selbstlos, → tolerant, → willensschwach; **g. sein,** eine Seele von Mensch / von einem Menschen sein / (salopp,

311

*scherzh.*) von [einem] Kamel sein, nicht nein sagen können; → Freundlichkeit, → Güte.

²**gütig:** danke der -en Nachfrage → danke!

**gütlich:** sich g. tun an → essen.

**gutmachen:** → einstehen; [Boden g.] → aufholen.

**gutmütig** → gütig.

**Gutmütigkeit** → Güte.

**gutsagen** → einstehen (für).

**Gutsbesitzer** → Großgrundbesitzer.

**Gutsch** → Niederschlag.

**Gutschein:** → Bon, → Vergütung.

**Gutschrift** → Vergütung.

**Gutsel** → Bonbon.

**Gutsherr** → Großgrundbesitzer.

**Gutshof** → Gut.

**gutsituiert** → reich.

**Gutstor** → Hindernis.

**Gutta** → Arthritis.

**Guttempler** → Antialkoholiker.

**guttun** → wohltun (jmdm.).

**gutwillig** → bereit.

**Gwirkst** → Umstände.

**Gymnasiallehrer** → Lehrer.

**Gymnasialprofessor** → Lehrer.

**Gymnasiast** → Schüler.

**Gymnasium:** → Strafanstalt; [altsprachliches / humanistisches / neusprachliches G.] → Schule.

¹**Gymnastik,** gymnastische Übungen, Lockerungsübungen, Freiübungen, tänzerische Gymnastik, Freiluftgymnastik, Frühgymnastik, Morgengymnastik, Funkgymnastik, Körpertraining; → Entspannungsübung, → Sport, → Tanz; → turnen.

²**Gymnastik:** G. machen → turnen.

**gymnastisch:** -e Übungen → Gymnastik.

**Gynäkologe** → Arzt.

**Gynäkologie** → Heilkunde.

**Gynäkomanie** → Weibstollheit.

**Gynäkophobie:** → Abneigung, → Misophobie.

**Gynandrie** → Zwittertum.

**Gynandrismus** → Zwittertum.

**Gynandromorphismus** → Zwittertum.

**Gynanthropie** → Zwittertum.

**Gynanthropismus** → Zwittertum.

**Gyniatrie** → Heilkunde.

# H

**h:** stummes h → Dehnungs-h.

**H** → Rauschgift.

**hä:** h.? → bitte?

¹**Haar,** Haare, Haarschopf, Schopf, [lange] Mähne (*ugs.*), Löwenmähne (*ugs.*), Zottelhaar (*ugs., abwertend*), Loden (*salopp, abwertend*), Strähnen, Locken ·· *zartes, feines von einem Neugeborenen:* Flaum · *krauses:* Kraushaar, Krollhaar, Kräuselhaar, Naturkrause, Naturlocken, Naturhaar (*selten*), Negerkopf (*ugs., scherzh.*), Negerkrause (*ugs.*), Wuschelkopf (*ugs.*), Wuschelhaar (*ugs.*) ·· *künstliches:* Perücke, Toupet, Haarteil · *beim Tier:* Mähne; → Dutt, → Friseur, → Frisur, → Glatze, → Haarlocke, → Haarzopf, → Locken, → Perücke, → Perückenmacher; → tönen; → blond, → braunhaarig, → grauhaarig, → lockig, → rothaarig, → schwarzhaarig, → weißhaarig.

²**Haar:** jmdm. stehen die -e zu Berge → betroffen [sein]; ein H. in der Suppe / in etwas finden → beanstanden; -e auf den Zähnen haben → unhöflich [sein]; niemandem ein H. krümmen [können] → friedfertig [sein]; -e lassen müssen → einbüßen; kein gutes H. an jmdm. lassen → beanstanden, → schlechtmachen; die H. machen / ordnen → frisieren; die -e trocknen → fönen; -e verlieren → fusseln; die -e verlieren, jmdm. gehen / fallen die -e aus, jmdm. kommt das Knie durchs H. → Glatze; sich wegen etwas / über etwas keine grauen -e wachsen lassen → sorgen (sich); etwas hängt an einem H. → ungewiß [sein]; jmdm. aufs H. gleichen → ähneln; einer Sache aufs H. gleichen → gleichen; sich durch das H. / die -e fahren → frisieren; sich in die -e geraten / kriegen, sich in den -en liegen → zanken (sich); mit Haut und -en → ganz.

**Haaraufsatz** → Perücke.

**Haarausfall,** Glatzenbildung, Haarschwund, Kreishaar-

schwund, Pelade; → Glatze, → Haarlosigkeit.

**Haarbalgentzündung,** Haartaschenentzündung, Follikulitis, Folliculitis, Adenotrichie · *im Bereich des Kinns und Gesichts:* Bartflechte, Kinnflechte, Folliculitis barbae, Sykose, Sycosis [barbae], Acne mentagra, Mentagra · *bes. im Bereich der behaarten Kopfhaut:* Quinquand-Krankheit, Folliculitis decalvans, Acne decalvans; → Impetigo.

**Haarbeutelperücke** → Perücke.

**Haare** → Haar.

**haaren** → fusseln.

**Haarersatz** → Perücke.

**Haarersatzstück** → Perücke.

**Haarfarn** → Farn.

**Haarflechte** → Haarzopf.

**Haarfrisur** → Frisur.

**haargenau** → minuziös.

**haarig:** → behaart, → böse.

**Haarkamm** → Kamm.

**Haarkleid** → Fell.

**haarklein** → minuziös.

**Haarkräusler** → Friseur.

**Haarkünstler** → Friseur.

**Haarlocke,** Locke, Stirnlocke, Schmachtlocke (*scherzh.*), Korkenzieherlocke, Korkzieherlocke, Damenwinker (*scherzh.*), Herrenwinker (*scherzh.*); → Haar, → Locke; → lockig.

**Haarlosigkeit,** Atrichie, Atrichose, Kahlheit, Kahlköpfigkeit, Alopezie, Psilose, Psilosis, Calvities; → Glatze, → Haarausfall.

**Haarmasche** → Haarschleife.

**Haarnadelkurve** → Kurve.

**Haarpflegemittel** · *flüssiges:* Haarwasser, Haarspray, Haaröl · *in Cremeform:* Frisiercreme, Pomade, Brillantine; → Spray; → tönen.

**Haaröl** → Haarpflegemittel.

**Haarschleife,** Schleife, Band, Haarmasche (*österr.*), Masche (*österr.*); → Frisur, → Schnur.

**Haarschneider** → Friseur.

**Haarschneideschere** → Schere.

**Haarschnitt** → Frisur.

**Haarschopf** → Haar.

**Haarschwund** → Haarausfall.

**Haarspalter** → Pedant.

**Haarspalterei** → Pedanterie.

**haarspalterisch** → spitzfindig.

**Haarspray:** → Haarpflegemittel, → Spray.

**Haarstern:** → Komet, → Stachelhäuter.
**haarsträubend** → unerhört.
**Haartaschenentzündung** → Haarbalgentzündung.
**Haarteil:** → Haar, → Perücke.
**Haartracht** → Frisur.
**Haartrockner** → Fön.
**Haarwäsche,** Kopfwäsche · *mit Trockenshampoo:* Trockenwäsche; → Fön; → fönen.
**Haarwaschmittel,** Shampoo, Shampoon; → Seife.
**Haarwasser** → Haarpflegemittel.
**Haarzopf,** Zopf, Flechte, Haarflechte, falscher Zopf / *(scherzh.)* Wilhelm / *(österr.)* Pepi, Rattenschwänzchen, Schwänzchen; → Haar.
**Hab:** H. und Gut → Besitz.
**Habakuk** → Prophet.
**Habanera** → Tanz.
**Habe:** → Besitz; bewegliche H. → Mobiliar.
**¹haben,** besitzen, in Besitz haben, im Besitz von etwas sein, verfügen über, versehen / ausgestattet / ausgerüstet / bestückt sein mit, sein eigen / Eigentum nennen, zur Hand / parat / in petto / *(ugs.)* auf Lager / zur Verfügung / in Bereitschaft haben · *überreichlich:* mit etwas gesegnet sein *(ugs.)*, mit etwas die Straße pflastern können *(ugs.)*; → aufweisen, → erleben, → geben, → gehören, → innehaben, → wissen; **h. wollen;** → begierig [sein auf / nach]; → Besitz, → Besitzer.
**²haben:** → beschaffen / existieren; sich h. → schämen (sich); etwas nicht h. → mangeln; schwarz auf weiß h. → nachweisen [können]; noch zu h. sein → ledig [sein]; zu h. sein für → aufgeschlossen [sein]; h. wollen → wünschen; etwas h. wollen → erwarten; einen Auftritt h. mit → zanken (sich); ein Auge h. auf, es mit jmdm. h., eine Schwäche h. für → lieben; kein Benehmen / keine Manieren h. → unhöflich [sein]; Beziehung h. zu, Beziehungen h. → Beziehung [haben]; Blüten h. → blühen; hab / habt / haben Sie Dank!

→ danke!; die Dreistigkeit / Frechheit / Kühnheit / Vermessenheit h. → erdreisten (sich); einen Effekt / eine Wirkung h. → wirken; ein Ende / Ergebnis h. → enden; du kannst mich gern h.! → unwichtig [sein]; es h. auf / mit → krank [sein]; es mit jmdm. h. → koitieren; die Motten / Tuberkulose h. → Tuberkulose; den Namen / Titel h. → lauten; Post h. → Nachricht [erhalten]; h. Sie / hätten Sie die Güte (oder:) die Freundlichkeit...! → bitte!; siehst du, da hast du's! → Folge; Überfluß / zuviel h. → Überfluß [haben]; seinen Willen h. → durchsetzen (sich); zum Leben zuwenig, zum Sterben zuviel h. → leben; etwas auf dem Kasten h. → begabt [sein]; bei sich h. → mitführen; h. + zu + Infinitiv → müssen; haste was kannste → schnell.
**Haben** → Guthaben.
**Habenichts** → Armer.
**Haberer:** → Freund, → Geliebter.
**habern** → essen.
**Habgier,** Habsucht, Unersättlichkeit, Raffgier, Gewinnsucht, Geldgier, Tanz um das Goldene Kalb, Besitzgier, Pleonexie; → Geiz; → habgierig.
**habgierig,** habsüchtig, raffgierig, materialistisch, materiell, auf Gewinn bedacht, gewinnsüchtig, geldgierig, rappenspalterisch *(schweiz.)*; → geizig; **h. sein,** das Goldene Kalb anbeten, dem Mammon frönen, hinter dem Geld her sein *(ugs.)*, Wucher treiben, wuchern, raffen, sich bereichern, den Hals nicht voll [genug] kriegen *(ugs., abwertend)*, vom Stamme Nimm sein *(ugs., abwertend)*; → Habgier, → Wucher.
**habhaft:** jmds. h. werden → ergreifen.
**Habicht** → Vogel.
**Habichtsadler** → Vogel.
**Habichtskauz** → Vogel.
**Habichtspilz** → Ständerpilz.
**Habichtsschwamm** → Ständerpilz.
**habil** → geschickt.
**habilitieren** (sich), die Venia legendi / Lehrberechtigung er-

langen (oder:) erwerben; → promovieren; → Lehrberechtigung.
**Habit** → Kleidung.
**Habitué** → Gast.
**Habitus** → Gestalt.
**hablich** → reich.
**Habseligkeiten** → Besitz.
**Habsucht** → Habgier.
**habsüchtig** → habgierig.
**Habtachtstellung:** in H. stehen → strammstehen.
**Hachel** → Küchenhobel.
**hacheln** → hobeln.
**Hackbraten** → Fleischgericht.
**Hackbrett** → Saiteninstrument.
**¹Hacke,** Haue *(oberd.)*, Häunel *(oberd.)*; → Schaufel, → Spitzhacke.
**²Hacke:** → Beil, → Ferse; die -n zusammenschlagen → strammstehen.
**hacken** → Fußballspiel.
**Hacken** → Ferse.
**Hackenfuß:** → Fuß, → Fußdeformität.
**Hackepeter** → Hackfleisch.
**Hacker** → Fußballspieler.
**Häcker** → Schluckauf.
**Hackerchen** → Zahn.
**Hackerle** → Zahn.
**hackern** → schlittern.
**¹Hackfleisch,** Gehacktes *(ugs.)*, gemahlenes Fleisch *(landsch.)*, Faschiertes *(österr.)*, Hackepeter *(ugs.)*, Tatar, Mett *(landsch.)*, Schweinemett *(landsch.)*; → Fleisch, → Fleischgericht, → Fleischkloß, → Fleischwolf.
**²Hackfleisch:** → Fleisch; jmdn. zu H. machen → schlagen.
**Hackklotz,** Hauklotz, Holzstock, Hackstock *(österr.)*, Scheitstock *(schweiz.)*.
**Hackmesser** → Messer.
**Hackordnung** → Rangordnung.
**Hacksch** → Schwein.
**Hackstock** → Hackklotz.
**Hader,** Streit, Unzuträglichkeit, Reiberei, Streiterei, Unfriede, Zwietracht, Zwist, Zerwürfnis, Entzweiung, Tätlichkeit, Handgreiflichkeit, Handgemenge, Saalschlacht, Auseinandersetzung, Knatsch *(salopp)*, Disput, Wortwechsel, Wortgefecht, Wortstreit, Kontroverse, Zwistigkeit, Streitigkeiten, Differenzen, Spannungen, kalter Krieg, Konflikt, Generationskonflikt, Polemik,

Zusammenstoß, Krawall, Strauß, Zank, Händel, Gezänk, Gezanke (*abwertend*), Zankerei (*abwertend*), Krach (*abwertend*), Knies (*salopp, landsch.*), Stunk (*salopp*), Zoff (*salopp, landsch.*), Explosion · *um Zuständigkeit:* Kompetenzstreitigkeit, Kompetenzkonflikt · *überflüssiger:* Streit um des Kaisers Bart; → Ärger, → Aufsehen, → Blutbad, → Gespräch, → Kampf, → Lärm, → Streitobjekt, → Streitsucht.

**Haderlump** → Leichtfuß.

**hadern** → unzufrieden [sein].

**Hadernpapier** → Papier.

**Hades:** → Gott, → Hölle.

**Haemophilia** → Bluterkrankheit.

**¹Hafen,** Port (*dichter.*) · Seehafen, Binnenhafen, Handelshafen, Umschlaghafen, Ausfuhrhafen, Einfuhrhafen, Überseehafen, Fischereihafen, Ölhafen, Kriegshafen, Fährhafen, Heimathafen, Mutterhafen, Winterhafen, Zufluchtshafen, Schutzhafen, Dockschleusenhafen, Außenhafen, Fluthafen, Tidehafen, Flußhafen, Kanalhafen, Bootshafen, Jachthafen, Naturhafen · Bestimmungshafen, Zielhafen · *nicht unter Zollkontrolle stehender:* Freihafen · *unter Zollkontrolle stehender:* Zollhafen; → Anlegebrücke, → Damm, → Schiffahrt, → Schiffer; → ankern.

**²Hafen:** → Kochtopf, → Nachtgeschirr.

**Häfen:** → Kochtopf, → Strafanstalt.

**Hafenarbeiter** → Schauermann.

**Häfenbruder** → Gefangener.

**Hafendamm** → Damm.

**Hafenlotse** → Lotse.

**Hafenpolizei** → Polizeibehörde.

**Hafenstadt** → Stadt.

**Hafer:** → Getreide; jmdn. sticht der H. → übermütig [sein].

**Haferbock** → Heuschrecke.

**Haferbrei** → Brei.

**Haferflocken** → Getreideflocken.

**Haferflockenbrei** → Brei.

**Häferl:** → Tasse, → Trinkgefäß.

**Häferlkaffee** → Kaffee.

**Haferlokomotive** → Pferd.

**Haferlschuh** → Schuh.

**Hafermotor** → Pferd.

**Haferschleim** → Brei.

**Haferwurzel** → Gemüse.

**Haffküste** → Ufer.

**Haff-Nehrungsküste** → Ufer.

**Haflinger** → Pferd.

**Hafner** → Keramiker.

**Häfner** → Keramiker.

**Hafnerei** → Töpferei.

**Haft:** → Freiheitsentzug; in H. nehmen → verhaften, in H. sitzen → abbüßen.

**Haftanstalt** → Strafanstalt.

**haftbar,** schadenersatzpflichtig, ersatzpflichtig, haftpflichtig, verantwortlich; **h. machen** behaften (*schweiz.*).

**Haftel** → Heftel.

**Haftelmacher:** aufpassen wie ein H. → achtgeben.

**haften:** → einstehen, → fest [sein]; an der Scholle h. → heimatverbunden [sein].

**haftend** → klebrig.

**Haftfähigkeit** → Adhäsion.

**Häftling** → Gefangener.

**haftpflichtig** → haftbar.

**Haftpflichtiger** → Bürge.

**Haftpflichtversicherung** → Versicherung.

**Haftschale** → Kontaktlinse.

**Haftung:** → Schuld, → Sicherheit.

**Hag** → Zaun.

**Hagebuche** → Buche.

**Hagebutte,** Hiefe (*fränk.*), Hetschepetsch (*bayr., österr.*), Hetscherl (*mundartl., österr.*).

**Hagebuttentee** → Tee.

**Hagel,** Schauer (*bayr., österr.*) · → Hagelkorn, → Niederschlag; → hageln.

**Hagelkorn,** Schloße (*landsch.*), Graupel, Eiskristall; → Hagel; → hageln.

**hageln,** graupeln, schloßen (*landsch.*), schauern (*bayr., österr.*); → regnen, → schneien; → Hagel, → Hagelkorn, → Niederschlag.

**Hagelschauer** → Niederschlag.

**Hagen** → Rind.

**hager** → schlank.

**Hagerkeit** → Schlankheit.

**Hagestolz** → Junggeselle.

**Haggai** → Prophet.

**Hagionym** → Pseudonym.

**Häher** → Vogel.

**Häherkuckuck** → Vogel.

**¹Hahn,** Gockel (*landsch.*), Gikkel (*landsch.*), Güggel (*schweiz.*), Gockelhahn (*Kinderspr.*), Kikeriki (*Kinderspr.*) · *verschnittener:* Kapaun, Kapphahn (*selten*); → Huhn.

**²Hahn:** → Faßhahn, → Huhn; H. im Korb sein → beliebt [sein], → Mittelpunkt [sein]; danach kräht kein H. → unwichtig [sein]; wenn die Hähne krähn, aufstehen → aufstehen.

**Hähnchen** → Huhn.

**Hähnchengrill** → Gaststätte.

**Hahnenbalken** → Empore.

**Hahnenkamm** → Ständerpilz.

**Hahnenkammbuche** → Buche.

**hahnenkammrot** → rot.

**Hahnenschrei:** erster H. → Morgengrauen; beim ersten H. → morgens; beim ersten H. aufstehen → aufstehen.

**Hahnentrittmuster** → Stoffmuster.

**Hahnenwasser** → Wasser.

**Hahnrei:** → Ehemann; zum H. machen → untreu [sein].

**Hai** → Fisch.

**Haifisch** → Fisch.

**Hain** → Wald.

**Hainbuche** → Buche.

**Hainschnecke** → Schnecke.

**Häkelarbeit** → Handarbeit.

**Häkelei** → Handarbeit.

**Häkelhaken** → Häkelnadel.

**häkeln** → handarbeiten.

**Häkelnadel,** Häkelhaken; → Nadel, → Stricknadel; → handarbeiten.

**Häkelpulli** → Pullover.

**Häkelpullover** → Pullover.

**Häkelspitze** → Spitzenstickerei.

**Häkeltüll** → Stoff.

**Haken:** → Garderobe, → Kleiderbügel, → Niete; H. und Öse → Heftel.

**Hakenkreuz** → Kreuzzeichen.

**Hakennagel** → Nagel.

**Hakennase** → Nase.

**Hakenzahn** → Zahn.

**halb:** → unvollständig; mit -em Herzen → Begeisterung; noch ein -es Kind sein → erwachsen; -e Note → Notenzeichen; mit -em Ohr hinhören / zuhören → zuhören; nur eine -e Portion sein → schmächtig [sein]; zum -en Preis verkaufen → billig [verkaufen]; sich auf -em Weg entgegenkommen → übereinkommen;

jmdm. auf -em Wege entgegenkommen → nachgeben.
**Halbaffe** → Affe.
**halbamtlich** → amtlich.
**halbbacken:** → halbgar, → unzulänglich.
**halbbatzig** → unzulänglich.
**Halbbildung** → Bildung.
**Halbblut** → Pferd.
**Halbblüter** → Pferd.
**Halbdach** → Dach.
**halbdunkel** → dunkel.
**Halbdunkel** → Dämmerung.
**Halbe:** → Hohlmaß, → Notenzeichen.
**Halbedelmetall** → Metall.
**Halbedelstein** → Edelstein.
**halbe-halbe:** h. machen → teilen.
**halber** → wegen.
**Halbfayence** → Steingut.
**halbfertig** → unvollständig.
¹**halbgar**, halbbacken (schweiz.), nicht gar, nicht durch (ugs.).
²**halbgar** → gar.
**Halbgefrorenes** → Gebäck.
¹**Halbgott**, Heros; → Gott, → Göttin.
²**Halbgott:** → Mensch; sich als H. fühlen → dünkelhaft [sein].
**halbherzig** → Begeisterung.
**halbieren**, zweiteilen, zweiteln (schweiz.); → teilen.
**Halbjahr** → Zeitraum.
**Halbkonserve** → Konserve.
**Halbkreisbogen** → Bogen.
**Halbkuppel** → Kuppel.
**halblang:** mach mal h. → übertreiben.
**halblaut** → gedämpft.
**Halbleinen** → Stoff.
**Halblicht** → Dämmerung.
**Halblinker** → Fußballspieler.
**halbmast:** h. flaggen → flaggen; Hose auf h. → Hose.
**Halbmasthose** → Hose.
**Halbmetall** → Metall.
**Halbmittelgewicht** → Ringen.
**Halbmittelgewichtler** → Boxer.
**Halbmond:** → Mond, → Nationalflagge.
**halbpart:** h. machen → teilen.
**Halbpfeiler** → Säule.
**Halbrechter** → Fußballspieler.
**halbreif** → reif.
**Halbrelief** → Relief.
**Halbrock** → Unterkleid.
**halbrund** → gebogen.
**Halbsäule** → Säule.
**Halbschatten** → Schatten.
**Halbschlaf** → Schlaf.

**Halbschuh** → Schuh.
**Halbschwergewicht** → Ringen.
**Halbschwergewichtler** → Boxer.
**Halbseide** → Dirnenwelt.
**halbseiden:** → anrüchig, → unmännlich.
**Halbseidener** → Homosexueller.
**Halbseitenlähmung** → Lähmung.
**Halbstarkenalter** → Lebensalter.
**Halbstarkensprache** → Gruppensprache.
¹**Halbstarker**, Teddy-Boy, Provo, Rocker; → Gammler, → Jüngling.
²**Halbstarker** → Jüngling.
**Halbstock** → Geschoß.
**Halbstrumpf** → Strumpf.
**Halbtagsarbeit** → Arbeit.
**Halbtonne** → Gewölbe.
**halbwach** → müde.
**Halbwaise** → Waise.
**Halbwalmdach** → Dach.
**halbwegs:** → einigermaßen, → mäßig.
**Halbwelt** → Unterwelt.
**Halbweltergewichtler** → Boxer.
**halbwertig** → unzulänglich.
**halbwüchsig** → jung.
**Halbwüchsigensprache** → Gruppensprache.
**Halbwüchsiger** → Jüngling.
**Halbzarte** → Mädchen.
**Halbzeit:** [H. machen] → Pause.
**Halde** → Abhang.
**Haleř** → Zahlungsmittel.
**Half** → Fußballspieler.
**Halfblood** → Pferd.
**Half Dollar** → Zahlungsmittel.
**Hälfte:** → Anteil; bessere H. → Ehefrau, → Ehemann; die größere H. → Anteil; über / mehr als die H. → Mehrheit; weniger als die H. → Minderheit.
**Hall:** → Klang, → Nachhall.
**Halle:** → Diele, → Remise, → Rezeption; [heilige -n] → Raum.
**hallen** → schallen.
**Hallenbad** → Bad.
**Hallenhandball** → Handball.
**Hallenhockey** → Ballspiel.
**Hallenkirche** → Gotteshaus.
**Hallentennis** → Tennisspiel.
**Hallig** → Insel.
**Hallimasch** → Ständerpilz.
**hallo** → Gruß.
**Hallo** → Aufsehen.

**Halluzination**, Einbildung, Einbildungskraft, Vorstellung, Vorstellungskraft, Spekulation, Abstraktion, Theorie, Fiktion, Erdichtung, Irrealität, Unwirklichkeit, Phantasie, Auswüchse / (abwertend) Ausgeburt der Phantasie, Schimäre, Chimäre, Imagination, Täuschung, Sinnestäuschung, Bild, Vision, Gesicht, Fata Morgana, Wahn, Trugbild, Gaukelei, Gaukelspiel, Gaukelwerk, Phantom, Utopie, Hirngespinst (abwertend), Phantasmagorie, Illusion, Wunschtraum, Seifenblase (ugs.), Wolkenkuckucksheim, Luftschloß, leerer Dunst; → Ansicht, → Betrug, → Bewußtseinstrübung, → Fata Morgana, → Gespenst, → Hokuspokus, → Lüge, → Muster, → Säuferwahnsinn, → Träumer; → unwirklich.
**Halluzinogen:** → Psychopharmakon, → Rauschgift.
**Halluzinogenikum** → Psychopharmakon.
**Halm** → Stamm.
**Halma** → Brettspiel.
**Halogenscheinwerfer** → Scheinwerfer.
¹**Hals**, Collum (fachspr.), Cervix (fachspr.), Kehle, Gurgel • Teil zwischen Halsmuskeln und Schlüsselbein: Drosselgrube, Drosselkehle, Jugulum (fachspr.); → Nacken.
²**Hals:** → Rachen; H. über Kopf → schnell; jmdm. den H. abschneiden → ausbeuten; den H. nicht voll [genug] kriegen → habgierig [sein]; sich nach jmdm. / nach etwas den H. verrenken → suchen; viel am / auf dem H. haben → arbeiten; barfuß bis an den H. → nackt; jmdm. einen Prozeß an den H. hängen → prozessieren; sich den Teufel auf den H. laden → Unannehmlichkeiten [bekommen]; sich die Kehle / die Lunge aus dem H. schreien → schreien; aus vollem H. → laut; es im H. haben → Halsschmerzen [haben]; einen Frosch / eine Kröte / einen Kloß im H. haben → heiser [sein]; etwas in den falschen H. bekommen → übelnehmen; etwas in den

315

falschen / unrechten / verkehrten H. bekommen → mißverstehen; bis über den H. in Schulden stecken → schulden (jmdm. etwas); jmdm. um den H. fallen → umfassen; sich jmdn. / etwas vom -e schaffen → entledigen (sich jmds. / einer Sache); jmdm. schlägt das Herz bis zum H. → aufgeregt [sein]; das Wasser steht jmdm. bis zum H. → schulden (jmdm. etwas).

**Halsabschneider** → Wucherer.
**Halsausschnitt** → Ausschnitt.
**Halsbräune** → Diphtherie.
**halsbrecherisch** → gefährlich.
**Halsentzündung,** Angina · *im Bereich der Gaumenmandeln:* Mandelentzündung, Tonsillitis · *im Bereich der Rachenschleimhaut:* Rachenkatarrh, Pharyngitis; → Halsschmerzen, → Krankheit.
**Halskette,** Kette, Kollier, Perlenkollier, Brillantkollier, Perlenkette, Gliederkette, Goldkette, Korallenkette, Bernsteinkette; → Perle, → Schmuck.
**Halskragen** → Kragen.
**Halskrause** → Kragen.
**Hals - Nasen - Ohren - Arzt** → Arzt.
**Hals-Nasen-Ohren-Heilkunde** → Heilkunde.
**Hals-Nasen-Ohren-Klinik** → Krankenhaus.
**Halsorden** → Orden.
**Halsschmerzen,** Halsweh, Schluckbeschwerden; **H. haben,** es im Hals haben (*ugs.*); → Halsentzündung, → Krankheit.
**halsstarrig,** unzugänglich, verschlossen, finster, trotzig, aufsässig, widersetzlich, unbotmäßig, aufmüpfig, widerspenstig, widerborstig, kratzbürstig, störrisch, renitent, fest, unnachgiebig, unversöhnlich, intransigent, radikal, kompromißlos, unerbittlich, eigensinnig, starrsinnig, starrköpfig, rechthaberisch, verbohrt, orthodox, doktrinär, obstinat, steifnackig, dickköpfig, dickschädelig, unbequem, hartgesotten, unbelehrbar, ungehorsam, unfolgsam, bockbeinig (*ugs.*), bockig (*ugs.*), eisern, verstockt, stur (*ugs., abwertend*), sturheil

(*ugs., abwertend*), stützig (*veraltet, südd., österr.*), zugeknöpft, unaufgeschlossen, verständnislos, nicht → gesellig; → ängstlich, → aufrührerisch, → beharrlich, → frech, → gefühlskalt, → herrisch, → passiv, → selbständig, → streng, → unbarmherzig, → verschlossen · Ggs. → artig, → menschlich; **h. sein,** sich nichts sagen lassen, sich einer Sache / gegen etwas verschließen, seine Ohren verschließen, sich gegen etwas sperren, einer Sache widerstreben, einen Dickkopf haben / aufsetzen, einen dicken / harten Schädel haben, stur wie ein Bock / Panzer sein (*salopp*), mit dem Kopf durch die Wand wollen, Mais machen (*schweiz.*) · *in bezug auf ein Anliegen:* bei jmdm. auf Granit beißen, jmdn. am steifen Arm verhungern lassen (*ugs.*).
**Halsstarrigkeit** → Eigensinn.
**Halstuch,** Tuch, Seidentuch, Shawl, Wollschal, Seidenschal, Schal, Fichu, Langschal, Cachenez, Echarpe; → Umhang.
**Halsweh** → Halsschmerzen.
**Halswirbel** → Wirbelknochen.
**¹halt,** stop, stoi (*russ.*), bis hierher und nicht weiter; → halten.
**²halt** → eben.
**Halt:** → Fahrtunterbrechung, → Fruchtbarkeit, → Haltestelle, → Stütze; den H. verlieren → abrutschen, → gleiten.
**¹haltbar,** strapazierfähig, strapazfähig (*österr.*), unverwüstlich, währschaft (*schweiz.*), durabel, beständig; → Haltbarkeit.
**²haltbar:** h. machen → konservieren, → präparieren.
**Haltbargemachtes** → Eingemachtes.
**¹Haltbarkeit,** Dauerhaftigkeit, Unvergänglichkeit, Unverwüstlichkeit, Beständigkeit, Strapazierfähigkeit; → Lebensdauer; → bleibend, → haltbar.
**²Haltbarkeit** → Lebensdauer.
**Haltekraft** → Kohäsion.
**¹halten,** haltmachen, stehenbleiben, anhalten, zum Stehen / Stillstand kommen, bremsen, stoppen; → anhalten (etwas / jmdn.), → bremsen; → halt.
**²halten:** → beaufsichtigen, →

beibehalten, → festigen, → fest [sein], → parken, → veranstalten; gehalten werden von → aufruhen; sich abseits h. → teilnehmen; sich fit h. → trainieren (sich); sich wach h. → wach [bleiben]; sich nicht h. können → konkurrenzfähig; etwas Verderbliches hält sich nicht → faulen; was das Zeug hält → sehr; Einkehr h. → bessern (sich), → Pause [machen]; Einzug h. → betreten; alle Fäden in der Hand h. → führen; einen Klönschnack h. → unterhalten (sich); Kriegsrat h. → beratschlagen; seinen Mund h. → schweigen; eine Predigt h. → predigen; Rückschau h. → überprüfen; Schritt h. mit → mitkommen (mit); Siesta h. → schlafen; jmdm. die Stange h. → aufbegehren, → helfen; Wache h. → Wache [haben]; Zwiesprache h. → unterhalten (sich); sich nicht an etwas h. → übertreten; etwas hält sich nicht an das gewohnte Maß → überschreiten; an sich h. → ruhig [bleiben]; sich auf dem laufenden h. → weiterbilden (sich); jmdn. auf dem laufenden h. → mitteilen; auf Ordnung -d → ordnungsliebend; h. für / von → beurteilen; sich für etwas Besonderes / sich für wer weiß was (oder:) wen / für unwiderstehlich h. → überschätzen (sich); etwas für richtig / nicht für falsch h. → billigen; mit der Wahrheit nicht hinter dem Berg h. → aufrichtig [sein]; in Atem / Spannung h. → Spannung; in Ehren h. → achten; in Schranken h. → bändigen; sich über Wasser h. → leben; sich jmdn. vom Leibe h. → abrücken; nicht mehr zu jmdm. h. → abrücken (von jmdm.).
**Haltepunkt** → Haltestelle.
**Halter:** → Besitzer, → Griff, → Hirt; essen / fressen wie ein H. → essen.
**Halterbub** → Hirt.
**Haltestelle,** Haltepunkt, Halt, Station · *letzte:* Endhaltestelle, Endstation, Terminal, Busbahnhof; → Bahnhof, → Bahnsteig.

haltlos: → grundlos, → willensschwach.

**Haltlosigkeit** → Willenlosigkeit.

**haltmachen:** → halten; nicht h. vor → erdreisten (sich).

**Haltung:** → Benehmen, → Gelassenheit, → Stellung; ablehnende H. → Ablehnung; stramme H. annehmen / einnehmen → strammstehen; eine stramme H. haben → gerade [gehen].

**Halunke** → Schuft.

**Hamadan** → Orientteppich.

**Hämangiom** → Blutgefäßgeschwulst.

**Hämathidrose** → Transpiration.

**Hämathidrosis** → Transpiration.

**Hämatidrose** → Transpiration.

**Hämatidrosis** → Transpiration.

**Hämatit** → Schmuckstein.

**Hämatoglobin** → Hämoglobin.

**Hämatogramm** → Blutuntersuchung.

**Hämatologe** → Arzt.

**Hämatologie** → Heilkunde.

**Hämatom** → Bluterguß.

**Hämatomyelie** → Blutung.

**Hämatophilie** → Bluterkrankheit.

**Hämatorrhachis** → Blutung.

**Hämatorrhö** → Blutung.

**Hämatozele** → Bluterguß.

**Hämatozyten** → Blutkörperchen.

**Hamburg,** Hamburg an der Elbe, Freie und Hansestadt Hamburg, das Tor zur Welt; → Stadt.

**Hamburger** → Sandwich.

**Hämhidrose** → Transpiration.

**Hämhidrosis** → Transpiration.

**Hämidrose** → Transpiration.

**Hämidrosis** → Transpiration.

**hämisch** → schadenfroh.

**Hammel:** → Dummkopf, → Schaf.

**Hammelbein:** jmdm. die -e langziehen → schelten.

**Hammelfleisch** → Fleisch.

**Hammelkeule** → Keule.

**Hammelmöhre** → Gemüse.

**Hammelsprung** → Wahl.

**Hammer:** → Handwerkszeug; H. und Sichel → Nationalflagge; unter den H. kommen / bringen → Versteigerung; unter den H. bringen → versteigern.

**Hammerklavier** → Tasteninstrument.

**hämmern** → klopfen.

**Hammerschmied** → Schmied.

**Hammerschmidt:** Villa H. → Regierung.

**Hammerwerfen:** → Leichtathletik, → Schwerathletik.

**Hammondorgel** → Elektroorgel.

**Hämochrom** → Hämoglobin.

**Hämoglobin,** Hb, [roter] Blutfarbstoff, Hämochrom, Hämatoglobin (*selten*); → Blut, → Blutkörperchen.

**Hämogramm** → Blutuntersuchung.

**Hämophilie** → Bluterkrankheit.

**Hämorrhagie** → Blutung.

**Hämozyten** → Blutkörperchen.

**hamstern** → aufbewahren.

**Hanake** → Mensch.

**Hand:** → Gliedmaße, → Handschrift; die öffentliche H. → Staatskasse; die rechte H. → Stellvertreter; jmdm. sind die Hände gebunden → machtlos [sein]; H. aufs Herz! → wahrlich; sich die H. abhacken / abschlagen lassen → einstehen (für); die / seine H. von jmdm. abziehen → helfen; H. anlegen, an die / zur H. gehen → helfen; letzte H. anlegen, letzte H. an etwas legen → vollenden; die H. aufhalten → erwarten; die H. aufheben / erheben / heben / hochheben → Handzeichen [geben]; H. auflegen → gesund [machen]; eine feste H. brauchen → übermütig [sein]; jmdm. die H. drücken → gratulieren; die Hände falten → beten; die H. geben / reichen / schütteln → begrüßen; die H. darauf g. → versprechen; freie H. haben → selbständig [sein]; keine glückliche H. haben → Mißerfolg [haben]; zwei linke Hände haben → unpraktisch [sein]; eine milde / offene H. haben → freigebig [sein]; H. und Fuß haben → ausgewogen [sein]; die Hände im Spiel haben → beteiligen (sich); alle Hände voll zu tun haben → arbeiten; die H. auf den Beutel / auf die Tasche halten → geizig [sein]; seine [helfende / schützende] H. über jmdn. halten → behüten; H. an sich legen → entleiben (sich); die Hände

an die Hosennaht legen → strammstehen; für jmdn. die H. ins Feuer legen → einstehen (für); die Hände in den Schoß legen → faulenzen; sich die Hände reiben → schadenfroh [sein]; jmdm. die H. reichen → einigen (sich); jmdm. die H. fürs Leben reichen → heiraten; die Hände ringen → klagen; man kann die H. nicht vor [den] Augen sehen → dunkel [sein]; die Hände verwerfen, mit den Händen fuchteln → gestikulieren; sich die Hände waschen → waschen (sich, jmdn.); seine Hände in Unschuld waschen → schuldlos; die Hände über dem Kopf zusammenschlagen → betroffen [sein]; Ausgabe letzter H. → Edition; linker H. → links; rechter H. → rechts; schlankerhand → kurzerhand; an / in die H. geben → geben; jmdm. etwas an die H. geben → zuschieben (jmdm. etwas); an jmds. Händen klebt Blut → Mörder; an H. von → vermittels; auf der H. liegen, es ist mit Händen zu greifen → offenbar [sein]; jmdn. auf Händen tragen → verwöhnen; aus erster H. → verbürgt; aus zweiter H. → antiquarisch; jmdm. aus der H. fressen → folgsam [sein]; aus der H. geben → abgeben; etwas ist durch viele Hände gegangen → abgenutzt [sein]; hinter vorgehaltener H. → Verschwiegenheit; H. in H. → gemeinsam; jmdm. in die Hände arbeiten → helfen; in die H. drücken → geben; sich in der H. haben → ruhig [bleiben]; alle Fäden in der H. haben / halten, die Heft / das Steuer / die Zügel fest in der H. haben, → führen; alle Trümpfe in der H. (oder:) in [den] Händen haben / halten → Vorteil; etwas nicht in der H. haben → Einfluß; in die H. nehmen → berühren, → greifen; etwas in die H. nehmen → bewerkstelligen, → unternehmen (etwas); sein Herz in die H. / in beide Hände nehmen → mutig [sein]; in festen Händen sein → gebunden [sein], → ledig; in andere

Hände übergehen → wechseln; mit der / von H. → manuell; [sein Geld] mit vollen Händen ausgeben → verschwenden; etwas mit der linken H. machen → mühelos [schaffen]; sich mit Händen und Füßen sträuben / wehren → aufbegehren; unter der H. → unbemerkt; von langer H. → längst; von der H. in den Mund leben → arm [sein]; etwas ist nicht von der H. zu weisen → mißachten; zur H. haben → haben.

**Hand-:** → manuell.

**Handabzug:** erster H. → Probedruck.

**¹Handarbeit,** Nadelarbeit, Strickarbeit, Häkelarbeit, Häkelei, Stickarbeit, Stickerei, Webarbeit, Knüpfarbeit, Klöppelarbeit, Klöppelei, Flechtarbeit; → Spitzenstickerei; → handarbeiten.

**²Handarbeit:** eine H. machen → handarbeiten.

**handarbeiten,** eine Handarbeit machen · stricken · häkeln · sticken · weben · knüpfen · klöppeln · flechten; → nähen; → Häkelnadel, → Handarbeit, → Spitzenstickerei, → Stricknadel.

**Handatlas** → Atlas.

**Handauflegen:** durch H. heilen → gesund [machen].

**¹Handball,** Feldhandball, Hallenhandball; → Ballspiel.

**²Handball** → Spielball.

**Handbesen** → Handfeger.

**Handbewegung,** Handgriff, Griff, Bewegung; → greifen.

**Handbibliothek** → Bücherbestand.

**Handbremse** → Bremse.

**Handbuch:** → Ratgeber, → Verzeichnis.

**Händedruck** → Begrüßung.

**¹Handel** · innerhalb eines Landes: Binnenhandel · mit anderen Ländern: → Außenhandel · auf der Grundlage internationaler Wirtschaftsbeziehungen: Welthandel; → Einzelhandel, → Großhandel, → Import, → Transithandel, → Wirtschaft.

**²Handel:** → Geschäft; H. treiben → verkaufen; H. und Wandel → Wirtschaft.

**Händel** → Streit.

**¹handeln,** herunterhandeln, den Preis herunterdrücken / drükken, markten (geh.), feilschen (abwertend), schachern (abwertend); → abhandeln, → ablisten, → feilhalten, → kaufen, → spekulieren, → tauschen, → verkaufen.

**²handeln:** → agieren, → beteiligen (sich), → unternehmen; unüberlegt h. → übereilen; gegen seine eigene Überzeugung h. → verleugnen; h. mit → verkaufen; es handelt sich um → betreffen; h. von → Gegenstand.

**Handeln** → Tun.

**Handelsabkommen** → Abmachung.

**Handelsbeziehung:** in H. stehen → verkaufen.

**¹handelseinig,** handelseins, einig; → Abmachung.

**²handelseinig:** h. werden → übereinkommen.

**handelseins** → handelseinig.

**Handelsflotte** → Flotte.

**Handelsgehilfe,** Gehilfe, Kommis, Verkäufer, Clerk, Geselle, Lehrling, Stift (ugs.), Ladenschwengel (ugs., abwertend); → Arbeitnehmer, → Lehrling.

**Handelsgesellschaft** → Unternehmer.

**Handelsgut** → Ware.

**Handelshafen** → Hafen.

**Handelshochschule** → Hochschule.

**Handelsklasse** → Güteklasse.

**Handelsmarke** → Warenzeichen.

**Handelsmission** → Botschaft.

**Handelsneid** → Neid.

**Handelsrecht** → Rechtsgebiet.

**Handelsschiff** → Schiff.

**Handelsschiffahrt** → Schiffahrt.

**Handelsspanne** → Gewinnspanne.

**handelsüblich** → marktgerecht.

**Händelsucht** → Streitsucht.

**händelsüchtig** → streitbar.

**Händelsüchtigkeit** → Streitsucht.

**Handelsvertrag** → Abmachung.

**Handelsvertreter,** Vertreter, Reisender, Agent, Generalvertreter, Generalagent, Handlungsreisender, Klinkenputzer (abwertend), Drücker (abwertend); → verkaufen.

**Handelsware** → Ware.

**Handelszeichen** → Warenzeichen.

**Händeschütteln** → Begrüßung.

**Handeule** → Handfeger.

**Handfeger** (nordd.), Handbesen, Handwischer (schweiz.), Handstäuber (nordwestd.), Borstwisch (mitteld.), Bartwisch (bayr., österr.),Kehrwisch (bes.schwäb.), Handeule (nordd.), Eule (nordd.); → Besen, → Kehrschaufel, → Mop, → Schrubber, → Staubsauger; → säubern.

**handfest** → klar.

**Handfeuerlöscher** → Feuerlöscher.

**¹Handgeld,** Angeld, Aufgeld, Draufgeld (landsch., ugs.), Draufgabe (landsch., ugs.).

**²Handgeld:** → Anzahlung; → Bestechungsgeld; H. geben → bestechen.

**Handgelenk:** → Gelenk; aus dem H. → improvisiert; etwas aus dem H. schütteln → mühelos [schaffen].

**handgemein:** → handgreiflich; h. werden → schlagen.

**Handgemenge** → Streit.

**Handgepäck** → Gepäck.

**handgeschrieben** → handschriftlich.

**Handgicht** → Arthritis.

**Handgranate** → Sprengkörper.

**¹handgreiflich,** tätlich, gewalttätig, handgemein; → unbarmherzig.

**²handgreiflich** → offenbar.

**Handgreiflichkeit** → Streit.

**Handgriff:** → Griff, → Handbewegung.

**Handhabe:** → Anlaß, → Griff.

**¹handhaben,** praktizieren, ausüben; → verwirklichen.

**²handhaben:** leicht zu h. → mühelos.

**Handhabung,** Bedienung, Technik, Manipulation, Manöver, Operation, Prozedur, Behandlungsweise, Verfahrensweise; → Kunstfertigkeit, → Strategie, → Verfahren.

**Handharmonika** → Tasteninstrument.

**Handikap:** → Behinderung; etwas ist ein H., ein H. haben → behindern.

**handikapen:** gehandikapt sein → behindern.

**Handikapper** → Beauftragter.
**händisch** → manuell.
**Handkäse** (*bes. westd.*), Harzer [Käse], Harzer Roller, [Olmützer] Stinkkäse, [Olmützer] Quargel (*österr.*), Kuhkäse (*nordd., veraltet*) · *mit Kümmel:* Kümmelkäse · *angemacht mit Essig, Öl und Zwiebeln:* Handkäse mit Musik (*landsch., bes. hess.*); → Käse.
**Handkehrum:** im H. → schnell.
**Handkoffer** → Gepäck.
**Handkorb** → Korb.
**Handkuß:** → Begrüßung; mit H. begrüßen → begrüßen; zum H. kommen → einbüßen, → Erfolg [haben], → Geschlechtskrankheit.
**Handlanger** → Hilfskraft.
**Handlangerdienst:** -e leisten → helfen.
**Händler** · *der Waren aufkauft:* Aufkäufer, Ankäufer · *ohne Laden:* Straßenhändler, fliegender Händler, billiger Jakob (*ugs.*), Marktschreier (*abwertend*), Hausierer · *ohne behördliche Genehmigung:* Schleichhändler, Schwarzhändler, Schieber (*ugs.*) · *an der Börse:* Jobber · *mit Rauschgift:* Dealer, Pusher, Peddler, Bootlegger · *eine Truppe begleitender:* Marketender (*hist.*), Marketenderin (*hist.*); → Einzelhandel, → Einzelhändler, → Geschäftsmann, → Großhändler, → Laden, → Rauschgift, → Trödler.
**Handlesekunst,** Chiromantie, Chirologie, Chirognomie (*selten*); → Aberglaube.
**handlich:** → aktiv, → zweckmäßig.
**Handlung:** → Fabel, → Tat; heilige H. → Sakrament; kriegerische H. → Kampf; Ort der H. → Schauplatz.
**Handlungsgerüst** → Fabel.
**handlungsfähig,** aktionsfähig, einsatzfähig · Ggs. → handlungsunfähig.
**Handlungsreisender** → Handelsvertreter.
**handlungsunfähig,** aktionsunfähig · *beim Schach:* patt, zugunfähig · Ggs. → handlungsfähig.
**Handlungsverb** → Verb.
**Handlungsweise** → Maßnahme.
**Handmühle** → Mühle.

**Handout** → Manuskript.
**Handpflege:** → Kosmetik, → Maniküre.
**Handpumpe** → Wasserpumpe.
**Handpuppe,** Kasperlepuppe, Kasperpuppe; → Marionette.
**Handreichung:** → Ratgeber; -en machen → helfen.
**Handsäge** → Säge.
**Handsatz** → Schriftsatz.
**Handschelle,** Fessel, Brasselett (*Gaunerspr.*), Barsel (*Gaunerspr.*).
**Handschlag** → Begrüßung.
**¹Handschrift,** Schrift, Klaue (*salopp, abwertend*), Sauklaue (*derb, abwertend*), Pfote (*salopp, abwertend*), Hand (*geh.*); → Duktus, → Orthographie, → Schrift; → handschriftlich.
**²Handschrift:** → Ausdrucksweise, → Skript, → Text.
**handschriftlich,** handgeschrieben; → Handschrift.
**Handschuh,** Fingerhandschuh · *bei dem außer dem Daumen kein Finger ausgearbeitet ist:* Fausthandschuh, Fäustling, Fäustel (*landsch.*), Fauster (*ostmitteld.*) · *Teil für einen einzelnen Finger:* Fingerling · *aus feinem Leder:* Kids (Plural); → Pulswärmer.
**Handsetzer** → Schriftsetzer.
**Handstand** → Turnübung.
**Handstäuber** → Handfeger.
**Handstreich** → Überfall.
**Handtasche** → Tasche.
**¹Handtuch,** Frottierhandtuch, Frotteetuch, Badetuch, Badehandtuch, Badelaken, Gästehandtuch · *das in der Küche verwendet wird:* Küchenhandtuch, Geschirrhandtuch, Geschirrtuch, Trockentuch, Abtrockentuch, Gläsertuch; → reiben, → trocken [machen].
**²Handtuch:** das H. werfen → beenden; schmal wie ein H. sein → schlank [sein].
**Handumdrehen:** im H. → schnell.
**Handwagen** → Wagen.
**handwarm** → warm.
**Handwerk:** → Beruf; jmdm. das H. legen → verhindern; jmdm. ins H. pfuschen → Konkurrenz [machen]; sein H. verstehen → tüchtig [sein].
**Handwerker,** Meister, Geselle, Lehrling; → Berufsstand.

**Handwerkersprache** → Gruppensprache.
**Handwerksbetrieb** → Fabrik.
**Handwerksbursche** → Bettler.
**Handwerksmesse** → Messe.
**¹Handwerkszeug** · Hammer, Zange, Bohrer, Hobel, Meißel, Säge; → Kneifzange, ↳ Säge.
**²Handwerkszeug** → Rüstzeug.
**Handwischer** → Handfeger.
**¹Handzeichen,** Abstimmungskennzeichen (*DDR*); → Gebärde; **H. geben,** die Hand heben / erheben / hochheben / aufheben, sich melden, den Finger strecken.
**²Handzeichen:** → Gebärde, → Unterschrift.
**Handzettel:** → Flugschrift, → Prospekt.
**hanebüchen** → unerhört.
**Hanf** → Rauschgift.
**Hänfling:** → Vogel; ein H. sein → schmächtig [sein].
**Hanfsamen:** wie der Vogel im H. leben → leben.
**Hang:** → Abhang, → Neigung, → Piste.
**Hangar** → Remise.
**Hängebrücke** → Brücke.
**Hängebuche** → Buche.
**Hängedach** → Dach.
**Hängekuppel** → Kuppel.
**Hängelampe** → Lampe.
**Hängematte** → Liegestuhl.
**¹hängen,** baumeln (*ugs.*), bammeln (*salopp*); → schwanken, → schwingen.
**²hängen:** → töten; einen h. haben → betrunken; hier hängt er / sie → anwesend [sein]; der Haussegen hängt schief → Streit; jmdm. den Brotkorb höher h. → einschränken; [wie eine Klette] an jmdm. h. → lieben; [wie Kletten] aneinander h. → unzertrennlich [sein]; sein Herz an etwas h. → wünschen; etwas hängt an einem seidenen Faden / an einem Haar; → ungeknüpft [sein]; jmdm. einen Prozeß an den Hals h. → prozessieren; an jmds. Lippen h. → zuhören; sich alles an / auf den Leib h. → ausgeben; an jmds. Mund h. → achtgeben; an jmds. Schürze / Schürzenband / Schürzenzipfel h., jmdm. an der Kittelfalte h. → verwöhnt [sein]; der Mutter an

der Schürze h. → erwachsen; an der Strippe h. → telefonieren (mit jmdm.); sich an die Strippe h. → anrufen; mit Hängen und Würgen → kaum; den Mantel nach dem Wind h. → Opportunist [sein]; [sich] über die Schulter h.→ schultern.

**¹hängenbleiben** (*ugs.*), nicht wegkommen (*ugs.*), zu lange bleiben, pickenbleiben (*österr.*); → dauern.

**²hängenbleiben** → versetzen.

**hängenlassen:** jmdn. h. → helfen; die Flügel den Kopf h. → deprimiert [sein]; das Maul h. → murren.

**Hänger:** → Kleid, → Mantel.

**Hangerl** → Serviette.

**Hängeschrank** → Schrank.

**hängig** → anhängig.

**Hanglehm** → Erde.

**Hang-over** → Katerstimmung.

**Hangsatz** → Satz.

**Hangwaage** → Turnübung.

**Hannover,** Messestadt, Landeshauptstadt [von Niedersachsen]; → Stadt.

**Hannoveraner** → Pferd.

**hannoversch:** -er Schweißhund → Hunderassen.

**Hans:** der blanke H. → Atlantik; H. Muff, H. Trepp → Knecht Ruprecht; H. Guckindieluft → Träumer; H. im Glück → Glückspilz.

**Hansdampf:** H. in allen Gassen sein → aktiv [sein], → betriebsam [sein].

**Hanse:** das Haupt / die Königin der H. → Lübeck.

**hänseln** → aufziehen.

**Hansen-Krankheit** → Aussatz.

**Hansestadt:** Freie und H. Hamburg → Hamburg.

**Hansom** → Kutsche.

**Hansomcab** → Kutsche.

**Hanswurst** → Spaßmacher.

**¹hantieren,** herumhantieren (*ugs.*), wirtschaften, herumwirtschaften (*ugs.*), fuhrwerken (*ugs., abwertend*), herumfuhrwerken (*ugs., abwertend*), geschäftig sein; → arbeiten.

**²hantieren** → arbeiten.

**hantig:** → sauer, → unhöflich.

**hapern,** es hapert an / in / mit, es fehlt / mangelt an, es steht schlecht mit, nicht → ausreichen.

**häppchenweise** → diskontinuierlich.

**Happy-End:** → Ende; mit einem H. enden → heiraten.

**Harakiri** → Selbstmord.

**Haraß** → Steige.

**harb:** jmdm. h. sein → ärgerlich [sein].

**Harclensis** → Bibelübersetzung.

**Hardcover** → Buch.

**Hardedge** → Malerei.

**Hardtop** → Autodach.

**Hardware** → Computer.

**Haremswächter** → Wächter.

**Häresie** → Ketzerei.

**Häretiker** → Ketzer.

**häretisch** → ketzerisch.

**Harfe:** → Heureiter, → Zupfinstrument.

**Harfenist** → Musizierender.

**Harfenmacher** → Musikinstrumentenbauer.

**¹Harke** (*nordd.*), Rechen (*oberd., westd.*); → Forke.

**²Harke:** jmdm. zeigen, was eine H. ist → rankriegen.

**Harlekin** → Spaßmacher.

**Harm** → Leid.

**Harmattan** → Wind.

**härmen:** sich h. → sorgen (sich).

**¹harmlos,** friedlich, ungefährlich; → arglos, → schuldlos; **h. aussehen;** jmd. sieht aus, als ob er kein Wässerchen trüben könnte.

**²harmlos:** → arglos, → ungefährlich.

**Harmlosigkeit:** → Arglosigkeit, → Unschädlichkeit.

**Harmonie:** → Ebenmäßigkeit, → Heiterkeit, → Übereinstimmung.

**harmonieren** (von Farben o. ä.), zusammenpassen, passen, zusammenstimmen, stimmen; → gleichen, → kleiden; **nicht h.,** etwas beißt sich / (*ugs.*) paßt wie die Faust aufs Auge; → abgestimmt, → passend.

**Harmonikahose** → Hose.

**harmonisch:** → abgestimmt, → ebenmäßig, → einträchtig, → ruhig.

**harmonisieren** → anpassen.

**Harmonisierung** → Anpassung.

**Harmonium** → Tasteninstrument.

**Harmoniumbauer** → Musikinstrumentenbauer.

**Harn** → Urin.

**Harnblase,** Blase; → Harnentleerung, → Harnstein, → Harnvergiftung, → Urin; → urinieren.

**harnen** → urinieren.

**Harnentleerung,** Miktion · *erschwerte:* Dysurie · *häufige geringe:* Pollakisurie · *vermehrte nächtliche:* Nykturie · *krankhaft vermehrte:* Polyurie · *relativ oder absolut unmögliche:* Harnverhaltung, Retention, Retentio urinae; → Harnblase, → Harnvergiftung, → Urin; → urinieren.

**Harnflasche** → Nachtgeschirr.

**Harnisch:** in H. bringen → ärgern; in H. geraten / kommen → ärgerlich [werden].

**Harnleiterstein** → Harnstein.

**Harnröhrenspiegelung** → Ausspiegelung.

**Harnröhrenstein** → Harnstein.

**Harnstein,** Urolith · Nierenstein, Nephrolith · Nierenbeckenstein, Pyelolith · Blasenstein, Zystolith · Harnleiterstein, Ureterstein, Ureterolith · Harnröhrenstein, Urethralstein, Urethrolith; → Gallenstein, → Harnblase, → Krankheit.

**Harnvergiftung,** Urämie; → Harnblase, → Harnentleerung, → Urin; → urinieren.

**Harnverhaltung** → Harnentleerung.

**Harpune** → Wurfwaffe.

**Harpyie** → Fabelwesen.

**harren** → hoffen, → warten.

**Harry** → Rauschgift.

**Harsch** → Schnee.

**Harschschnee** → Schnee.

**Harst** → Abteilung.

**hart:** → altbacken, → fest, → stark, → streng; etwas ist ein -er Brocken / eine -e Nuß → schwierig [sein]; ein -es Brot haben → verdienen; -e Droge → Rauschgift; -e Hirnhaut, -e Rückenmarkshaut → Meninx; -er Puls → Pulsschlag; einen -en Schädel haben → unzugänglich [sein]; -er Schanker → Geschlechtskrankheit; -e Währung → Zahlungsmittel; h. im Nehmen sein → dickfellig [sein]; es geht h. auf h. → ernst [werden].

**Härte:** → Gefühlskälte, → Unerbittlichkeit.

**Hartgeld** → Münze.

hartgesotten → unzugänglich.
Hartgesottenheit → Eigensinn.
hartherzig → gefühlskalt.
Hartkäse → Käse.
hartleibig → geizig.
Hartleibigkeit → Stuhlverstopfung.
Hartmann → Kopfbedeckung.
hartnäckig → beharrlich.
Hartnäckigkeit → Eigensinn.
Hartporzellan → Porzellan.
Hartstrauchsavanne → Steppe.
Hartung → Januar.
Hartwurst → Wurst.
Haruspex → Wahrsager.
harzen: → absondern, → langsam [arbeiten], → schwierig [sein].
Harzer: [H. Käse] → Handkäse; H. Roller → Handkäse, → Kanarienvogel.
harzig: → klebrig, → schwierig.
Harzigkeit → Klebrigkeit.
Harzleim → Bindemittel.
Hasardeur → Spieler.
Hasardspiel → Glücksspiel.
Hasch → Rauschgift.
Haschee → Ragout.
Haschemann → Fangspiel.
haschen: → fangen, → rauchen.
Haschen → Fangspiel.
Hascher → Rauschgiftsüchtiger.
Häscher → Verfolger.
Haschisch → Rauschgift.
Haschischraucher → Raucher.
Haschmich: einen H. haben → verrückt [sein].
¹Hase, Feldhase, Osterhase, Mümmelmann, Meister Lampe, Langohr (scherzh.); → Nagetier, → Wild.
²Hase: → Kaninchen, → Sternbild; alter H. → Fachmann; falscher H. → Fleischgericht; mein Name ist H. → wissen; die Hasen kochen [wieder] → nebeln; wissen, wie der H. läuft → wissen; da liegt der H. im Pfeffer → Hauptsache; dort sagen sich Fuchs und H. gute Nacht → abgelegen [sein].
Hasel → Fisch.
Haselhuhn → Vogel.
Haselmaus → Maus.
Haselnuß: → Laubhölzer, → Nuß.
Haselnußkranz → Gebäck.
Hasenfuß → Feigling.
hasenfüßig → feige.
Hasenherz → Feigling.

hasenherzig → feige.
Hasenjagd → Jagd.
Hasenpanier: das H. ergreifen → fliehen.
Hasenpfeffer: → Fleischgericht, → Tatsache.
hasenrein: nicht ganz h. → anrüchig.
Hasenscharte, Lippenspalte, Oberlippenspalte, Cheiloschisis; → Mißbildung.
häsitieren → zögern.
Haslinger → Gummiknüppel.
Haß → Abneigung.
hassen, anfeinden, unsympathisch / nicht sympathisch finden, nichts / nicht viel übrig haben für, nichts zu tun haben wollen mit, nichts im Sinn haben mit (ugs.), nicht leiden können / mögen, nicht mögen, nicht ausstehen / (ugs.) nicht verknusen / (ugs.) nicht verputzen / (salopp) nicht riechen können, jmdn. gefressen / dick haben (salopp), jmdn. am liebsten von hinten sehen (ugs.), jmdn. im Magen haben (ugs.), jmdm. paßt / gefällt jmds. Nase nicht (ugs.), jmdm. nicht grün sein (ugs.), einen Pik auf jmdn. haben (ugs.) nicht → lieben, nicht → ertragen; → bekämpfen, → verwünschen (jmdn.); → Abneigung.
haßerfüllt → gegnerisch.
¹häßlich, entstellt, abstoßend, potthäßlich (ugs.), schiech (bayr., österr.) · Ggs. → hübsch;
h. aussehen, unvorteilhaft aussehen, keine Schönheit / eine Beleidigung fürs Auge sein, ein häßliches Entchen sein, von der Natur stiefmütterlich bedacht / behandelt worden sein.
²häßlich: → abscheulich; klein und h. werden → nachgeben.
Haßliebe → Zuneigung.
¹Hast, Eile, Hektik, Trubel, Getriebe, Wirbel, Geschäftigkeit, Betriebsamkeit; → Geschwindigkeit, → Überstürzung, → Unrast; in [großer] H., in [aller] Eile, zwischen Tür und Angel, eilig, schnell, in aller Kürze, im Vorübergehen; → beeilen (sich).
²Hast: → Überstürzung; nur keine H. → ruhig.
hasten → fortbewegen (sich).
hastig → schnell.

Hastigkeit → Überstürzung.
hastlos → langsam.
Hätschelkind → Liebling.
hätscheln: → liebkosen, → schlittern.
hatschen: → fortbewegen (sich), → hinken.
Hatscher: → Schuh, → Spaziergang.
Hatschi: H. machen → niesen.
Hatschly → Orientteppich.
Hattrick: → Erfolg, → Tor (das).
Hatz → Jagd.
Hau: einen H. haben → verrückt [sein].
Haube: → Kopfbedeckung; Welsche H. → Dach; unter die H. bringen → verkuppeln; unter die H. kommen → heiraten.
Haubendach → Dach.
Haubenlerche → Vogel.
Haubenmeise → Vogel.
Haubentaucher → Vogel.
Haubitze: → Geschütz; voll wie eine H. sein → betrunken [sein].
Hauch: → Luft, → Nuance.
Häuchel → Garbenstand.
hauchen: → blasen, → flüstern.
hauchfein → duftig.
hauchzart → duftig.
Haudegen → Kämpfer.
Haue: → Hacke, → Schläge.
hauen: → einhauen, → schlagen; auf den Kopf h. → verschwenden; auf die Pauke / auf den Putz h. → feiern; mit der Faust auf den Tisch h. → eingreifen; → streng [werden]; sich aufs Ohr h. → schlafen [gehen]; jmdn. haut es aus den Stiefeln / vom Stuhl → überrascht [sein]; h. in → eingravieren; in dieselbe / die gleiche Kerbe h. → Ansicht; sich in die Falle h. → schlafen [gehen]; übers Ohr gehauen werden → hereinfallen; über die Schnur h. → übermütig [sein]; ums Haxel h. → betrügen; h. von → abmachen.
Hauer: → Bergmann, → Schwein, → Winzer, → Zahn.
Häuer → Bergmann.
Hauerchen → Zahn.
Haufen: → Abteilung, → Garbenstand, → Gruppe, → Stoß; einen H. machen → defäkieren; über den H. fahren →

überfahren; etwas über den H. werfen → verändern.

**häufen:** → aufbewahren; sich h. → überhandnehmen.

**Haufendorf** → Dorf.

**haufenweise** → reichlich.

**Haufenwolken** → Wolken.

**häufig:** → oft; h. besuchen → frequentieren.

**¹Häufigkeit,** Frequenz · *im Verkehr:* Verkehrsdichte; → Ergiebigkeit.

**²Häufigkeit** → Ergiebigkeit.

**Häufung** → Anhäufung.

**Hauklotz** → Hackklotz.

**Häunel** → Hacke.

**Haupt:** → Anführer, → Kopf; bemoostes H. → Student; das H. der Hanse → Lübeck; sein H. mit Asche bestreuen, sich Asche aufs H. streuen → bereuen; das H. entblößen → begrüßen; erhobenen -es → selbstbewußt; an H. und Gliedern → ganz; glühende Kohlen auf jmds. H. sammeln → beschämen; einen Kranz aufs H. setzen → bekränzen; mit entblößtem H. → barhäuptig.

**Haupt-:** → beste, → grundsätzlich.

**Hauptakkord** → Akkord.

**Hauptakteur** → Schlüsselfigur.

**Hauptaltar** → Altar.

**Hauptanteil** → Anteil.

**Hauptbahnhof** → Bahnhof.

**Hauptbootsmann:** → Dienstgrad, → Matrose.

**Hauptbuch** → Geschäftsbücher.

**Hauptdarsteller,** Hauptperson, Hauptfigur, Held, Protagonist, Hauptrolle; → Rolle, → Schauspieler.

**Häuptel:** → Kohlkopf, → Salatkopf, → Zwiebel.

**Häuptelsalat** → Kopfsalat.

**Haupterbe** → Erbe (der).

**Haupternte** → Ernte.

**Hauptfeld** → Dienstgrad.

**Hauptfeldwebel** → Dienstgrad.

**Hauptfeind** → Feind.

**Hauptfigur:** → Hauptdarsteller, → Schlüsselfigur.

**Hauptfilm** → Kinofilm.

**Hauptfrage** → Schwierigkeit.

**Hauptgefreiter** → Dienstgrad.

**Hauptgeschäftsstelle,** Geschäftsstelle, Zentrale; → Unternehmen, → Zweigstelle.

**Hauptgeschäftsstraße** → Geschäftsviertel.

**Hauptgeschoß** → Geschoß.

**Hauptgewinn,** Gewinn, Treffer, Haupttreffer, Großes Los, Volltreffer, erster Preis; → Glücksspiel, → Los, → Preisausschreiben.

**Hauptgläubiger** → Gläubiger.

**Haupthaar:** H. der Berenice → Sternbild.

**Hauptkampffeld** → Front.

**Hauptkampflinie** → Front.

**Hauptklage** → Anklage.

**Häuptling** → Oberhaupt.

**Hauptmann** → Dienstgrad.

**Hauptmieter** → Mieter.

**Hauptperson:** → Hauptdarsteller, → Schlüsselfigur; die H. sein → Mittelpunkt [sein].

**Hauptpfeiler** → Säule.

**Hauptproblem** → Schwierigkeit.

**Hauptquartier** → Leitung.

**Hauptreisezeit** → Saison.

**Hauptrolle:** → Hauptdarsteller, → Rolle.

**¹Hauptsache,** Kernpunkt, das Wesentliche, das Wichtigste, Quintessenz, das A und O; **die H. sein:** das ist die Hauptsache / der Kern der Sache / der springende Punkt / (*ugs.*) der Witz / (*ugs.*) der Gag [bei] der Sache / des Pudels Kern, da liegt der Hund begraben / der Hase im Pfeffer (*ugs.*).

**²Hauptsache:** in der H. → besonders.

**hauptsächlich** → besonders.

**Hauptsaison** → Saison.

**Hauptsatz** → Satz.

**Hauptschlüssel** → Schlüssel.

**Hauptschuldner** → Schuldner.

**Hauptschule** → Schule.

**Hauptschwierigkeit** → Schwierigkeit.

**Hauptstadt:** → Stadt; heimliche H. → München; H. der DDR → Berlin; H. des Deutschen Reiches → Berlin; H. [von Österreich] → Wien.

**Haupttreffer** → Hauptgewinn.

**Haupt- und Staatsaktion** → Schauspiel.

**Hauptverbandsplatz** → Lazarett.

**Hauptverkehrsstraße** → Straße.

**Hauptverkehrszeit,** Stoßzeit, Rush-hour.

**Hauptverlesen** → Appell.

**Hauptwerk** → Werk.

**Hauptwort** → Wortart.

**Hauptzeit** → Saison.

**Hauptzeuge** → Zeuge.

**¹Haus,** Gebäude, Bau, Bauwerk, Baulichkeit, Objekt (*österr.*) · Wohnhaus, Appartementhaus, Mietshaus, Mietskaserne (*abwertend*), Wohnmaschine (*abwertend*), -silo (*abwertend*), Kasten (*ugs., abwertend*), Zinshaus (*oberd.*), Zinskaserne (*abwertend, oberd.*), Renditenhaus (*schweiz.*) · Einfamilienhaus, Reihenhaus, Verbundhaus, Villa, Bungalow, Landhaus, Ansitz (*österr.*), Ferienhaus, Wochenendhaus, Chalet, Datscha, Datsche, Gartenhaus, Gartenlaube, Laube, Pavillon, Salettel (*bayr., österr.*) · *großes:* Hochhaus, Wolkenkratzer, Turmhaus · *kleines, einfaches:* Hütte, Kate (*nordd.*), Baude (*bes. ostd.*), Keusche (*österr.*), Kaluppe (*abwertend, österr.*), Blockhaus, Jagdhütte, Skihütte, Schuppen (*ugs., abwertend*), Bude (*salopp, abwertend*), Bretterbude (*salopp, abwertend*), Baracke, Nissenhütte, Unterkunft, Behelfsheim ·· *an einem Hanggrundstück erbautes:* Terrassenhaus ·· *auf einem ebenen Baugrundstück in Terrassenform erbautes:* Hügelhaus ·· *mit Innenhof:* Atriumbungalow ·· *mit einem Durchgang, der zwei Straßen verbindet:* Durchhaus (*österr.*) ·· *der Eskimos:* Iglu · *der Neger:* Kral; → Besitztum, → Giebel, → Hinterseite, → Mauer, → Palast, → Seitentrakt, → Zelt; ↪ bezugsfertig.

**²Haus:** → Dynastie; ··· haus → Laden; altes H. → Student; Einfälle haben wie ein altes H. → Einfall; fideles H. → Mensch (der); gelehrtes H. → Gelehrter; Großes / Kleines H. → Theatergemeinde; Weißes H. → Regierung; H. und Hof → Besitz; ein großes H. führen → leben; ein offenes H. führen / haben → gastfrei [sein]; das H. auf den Kopf stellen → feiern, → suchen; auf den Tisch des -es legen → zahlen; aus ad[e]ligem -e sein → adlig [sein]; Herr im H. sein → maßgeblich [sein]; ins H. platzen → besuchen; mit der Tür ins H. fallen → mitteilen; etwas steht ins H. → bevorstehen;

nach -e → heim; sich nach
-e begeben, nach -e fahren /
gehen / laufen → zurückbegeben (sich); jmdn. nach -e
bringen → begleiten; nach -e
kommen → zurückkommen;
von der Arbeit / aus dem Büro /
aus dem Dienst / vom Dienst /
aus dem Geschäft nach -e kommen → Feierabend [haben];
von H. aus → ursprünglich;
vor das H. treten → demonstrieren; zu -e → daheim, →
einheimisch, → Privatleben;
sich wie zu -e fühlen → wohlfühlen (sich); zu -e sein in etwas
→ auskennen (sich); nicht zu -e
sein → aushäusig [sein]; mit
Gruß von H. zu H. → hoch-
achtungsvoll.
**Hausabwässer** → Abwasser.
**Hausaltar** → Altar.
**Hausangestellte,** Dienstmädchen, Mädchen, Haushälterin,
Wirtschafterin, Hilfe, Haushilfe, Haushaltshilfe, Hausgehilfin, Hauserin (*bayr.*), Bedienerin (*österr.*), Stütze, Perle
(*scherzh.*), dienstbarer Geist
(*scherzh.*), Minna, Donna,
Dienstspritze (*abwertend*),
Dienstbolzen (*abwertend*), Tram-
pel (*abwertend*); → Haushalts-
hilfe, → Putzfrau, → Ver-
walterin.
**Hausanschluß** → Telefon-
anschluß.
**Hausantenne** → Antenne.
**Hausanzug** → Morgenrock.
**Hausarbeit:** → Arbeit, →
Hausaufgabe.
**Hausarrest** → Freiheitsentzug.
**Hausarzt** → Arzt.
**Hausaufgabe,** Hausübung,
Schularbeit, Schulaufgabe,
Hausarbeit; Klassenarbeit,
→ Schule.
**hausbacken** → langweilig.
**Hausball** → Ball.
**Hausbesitzer,** Hauseigentümer,
Vermieter, Hauswirt (*nordd.*),
Wirt (*nordd.*), Hausherr (*südd.,
österr.*), Hausmeister (*schweiz.*);
→ Bauherr, → Besitzer.
**Hausbesorger** → Hausmeister.
**Hausbewohner,** Bewohner, Ein-
wohner, Inwohner (*österr.*) ·
*eines Heims, Gefängnisses:* In-
sasse; → Bewohner, → Mieter.
**Häuschen:** → Toilette, →
Verkaufsstand.

**Hausdach** → Dach.
**Hausdiener** → Diener.
**Hausdurchsuchung:** → Durchsuchung; eine H. machen / vornehmen → durchsuchen.
**Hauseigentümer** → Hausbesitzer.
**Hauseinfahrt** → Tür.
**Hauseingang** → Tür.
**hausen:** → sparen, → verschwenden, → weilen; wie die
Hunnen / Vandalen h. → zerstören.
**Hausen** → Fisch.
**Hauserin** → Hausangestellte.
**¹Hausflur,** Flur, Ern (*südwestd.*), Eren (*südwestd.*), Laube
(*schweiz.*), Fletz (*oberd.*), Hausgang (*westd., südd.*), Gang
(*südd., westd.*), Vorhaus (*bes.
österr.*); → Diele, → Treppenhaus.
**²Hausflur** → Treppenhaus.
**Hausfrau:** → Frau, → Zimmervermieterin.
**Hausfreund** → Geliebter.
**Hausfriedensbruch:** H. begehen
→ eindringen.
**Hausgang** → Hausflur.
**Hausgarten** → Garten.
**Hausgehilfin** → Hausangestellte.
**Hausgeister** → Hausgötter.
**Hausgötter,** Hausgeister, Penaten, Laren, Manen; → Gott,
→ Göttin.
**Hausgrille** → Grille.
**¹Haushalt,** Hausstand, Hauswesen, Haushaltung, Wirt-
schaft, Hauswirtschaft.
**²Haushalt:** → Etat; seinen H.
auflösen → übersiedeln.
**¹haushalten,** wirtschaften, einteilen; → sparen; → sparsam.
**²haushalten** → sparen.
**Haushälterin** → Hausangestellte.
**haushälterisch** → sparsam.
**Haushaltsgeld** → Wirtschaftsgeld.
**¹Haushaltshilfe,** Haushilfe,
Mädchen, Haustochter · *die in
einer ausländischen Familie gegen Gewährung von Verpflegung,
Unterkunft, Taschengeld und
Freizeit tätig ist, um dort die
Sprache zu lernen:* Au-pair-
Mädchen; → Hausangestellte.
**²Haushaltshilfe** → Hausangestellte.
**Haushaltspackung** → Packung.

**Haushaltsplan** → Etat.
**Haushaltswaage** → Waage.
**Haushaltungskosten** → Lebens-
unterhalt.
**Haushaltungsvorstand** → Vater.
**Hausherr:** → Gastgeber, →
Hausbesitzer.
**Haushilfe** → Hausangestellte.
**haushoch:** → hoch, → sehr;
jmdm. h. überlegen sein →
übertreffen.
**hausieren:** das Hausieren →
Bettelei; h. mit → verkaufen.
**Hausierer:** → Bettler, → Händ-
ler.
**Hausiererin** → Bettlerin.
**Hauskalender** → Kalender.
**Hauskaninchen** → Kaninchen.
**Hauskatze** → Katzenrassen.
**Hauskleid:** → Kleid, → Mor-
genrock.
**Hauslehrer** → Lehrer.
**Hauslektüre** → Lektüre.
**hauslich** → sparsam.
**häuslich:** am -en Herd →
daheim; sich h. niederlassen
→ weilen.
**Häuslichkeit:** in seiner H. →
Privatleben.
**Hausmauer** → Mauer.
**Hausmaus** → Maus.
**¹Hausmeister,** Hauswart, Ab-
wart (*schweiz.*), Hausbesorger
(*österr.*), Concierge (*franz.*) ·
*weiblicher:* Hausmeisterin, Con-
cierge (*franz.*), Portierfrau · *in
der Schule:* Pedell, Schuldiener;
→ Portier.
**²Hausmeister** → Hausbesitzer.
**Hausmeisterin** → Hausmeister.
**Hausmutter** → Schmetterling.
**Hausputz,** Großputz, Groß-
reinemachen, Frühjahrsputz,
Putzete (*schweiz.*); → säubern.
**Hausrat** → Mobiliar.
**Hausratte** → Nagetier.
**Hausratversicherung** → Ver-
sicherung.
**Haussa** → Neger.
**Hausschaf** → Schaf.
**hausschlachten** → schlachten.
**Hausschlachtung** → Schlach-
tung.
**Hausschlüssel** → Schlüssel.
**Hausschuh** → Schuh.
**Hausschwein** → Schwein.
**Hausse** → Aufschwung.
**Haussegen:** der H. hängt
schief / wackelt → Stimmung.
**Haussier** → Börsenmakler.
**Haussperling** → Sperling.

**Hausstand** → Haushalt.
**Haussuchung:** → Durchsuchung; eine H. machen / vornehmen → durchsuchen.
**Haustee** → Tee.
**Hausten:** → Garbenstand, → Schober.
**Haustochter** → Haushaltshilfe.
**Haustürschlüssel** → Schlüssel.
**Haustyrann** → Ehemann.
**Hausübung** → Hausaufgabe.
**Hauswand** → Mauer.
**Hauswart** → Hausmeister.
**Hauswesen** → Haushalt.
**Hauswirt** → Hausbesitzer.
**Hauswirtschaft:** → Haushalt; H. und Ernährungswissenschaft → Öktrophologie.
**Hausziege** → Ziege.
**Hauszierde** → Ehefrau.
**Haut:** → Epidermis, → Schale, → Sinnesorgan, → Speckschwarte; eine ehrliche H. sein → aufrichtig [sein]; nur noch H. und Knochen sein → schlank [sein]; seine H. zu Markte tragen → einstehen (für), → prostituieren (sich); auf der faulen H. liegen → faulenzen; nicht aus seiner H. herauskönnen / können → überwinden (sich); nicht in jmds. H. stecken mögen → Lage; sich in seiner H. wohl fühlen → zufrieden [sein]; sich in seiner H. nicht wohl fühlen → unzufrieden [sein]; mit H. und Haar / Haaren → ganz; mit heiler H. davonkommen → entrinnen; etwas geht unter die H. → erschüttern.
**Hautabschürfung** → Verletzung.
**Hautarzt** → Arzt.
**Hautausdünstung:** → Schweißabsonderung, → Transpiration.
**Hautausschlag,** Ausschlag, Eruption, Exanthem · *an Schleimhäuten:* Enanthem · *an den Lippen und der Mundschleimhaut:* Aphthe, Griebe (*ugs., landsch.*); → Abszeß, → Akne, → Ekzem, → Fieberbläschen, → Frieseln, → Hautblüte, → Hautkrankheit, → Hautpilzkrankheit, → Impetigo, → Pocken, → Schorf.
**Hautblase** → Hautblüte.
**Hautblüte,** Effloreszenz · *primäre:* Papel, Papula, Nodulus, Tuberculum, Tuber, Hautkno-

ten, Knoten, Tumor, Hautgeschwulst, Phyma, Auswuchs, Knollen · Hautfleck, Fleck, Macula · Hautblase, Blase, Bläschen, Bulla, Vesicula, Pustel, Eiterbläschen, Pickel, Wimmerl (*bayr., österr.*), Rhypia · Urtika, Quaddel · *sekundäre:* Hautschuppe, Schuppe, Squama, Hautkruste, Kruste, Crusta, Hautborke, Borke, Hautschorf, Schorf, Schuppenkruste, Crusta lamellosa, Hautriß, Hautschrunde, Schrunde, Fissur, Fissura, Rhagade, Rhagas, Wundnarbe, Narbe, Zikatrix, Ule; → Ekzem, → Hautausschlag, → Schwiele, → Warze.
**Hautborke:** → Hautblüte, → Schorf.
**Häutchen** → Hymen.
**häuten** → abziehen.
**hauteng** → eng.
**Hautentzündung** → Hautkrankheit.
**Hauterkrankung** → Hautkrankheit.
**Hautevolee** → Oberschicht.
**Hautfarn** → Farn.
**Hautfinnen** → Akne.
**Hautflechte** → Hautpilzkrankheit.
**Hautfleck** → Hautblüte.
**Hautflügler** · Wespe, Biene, Hornisse, Hummel · Ameise; → Imker, → Insekten.
**Hautgeschwulst** → Hautblüte.
**Hautgout** → Anrüchigkeit.
**Hauthorn** → Schwiele.
**häutig:** -e Bräune → Diphtherie.
**Hautklinik** → Krankenhaus.
**Hautknoten** → Hautblüte.
**Hautkrankheit,** Hauterkrankung, Hautleiden, Dermatose, Hautentzündung, Krätze, Skabies · *mit Haarausfall verbundene bei Haustieren:* Räude; → Hautausschlag, → Krankheit, → Schorf.
**Hautkruste:** → Hautblüte, → Schorf.
**Hautleiden** → Hautkrankheit.
**Hautpflege** → Kosmetik.
**Hautpflegemittel** → Schönheitspflegemittel.
**Hautpilzkrankheit,** Hautflechte, Pilzflechte, Pilz, Fußpilz, Dermatomykose, Dermatophytie, Tinea · *auf die Epidermis*

*beschränkt:* Epidermykose, Epidermophytie; → Hautausschlag.
**Hautriß** → Hautblüte.
**Hautschere** → Schere.
**Hautschorf:** → Hautblüte, → Schorf.
**Hautschrunde** → Hautblüte.
**Hautschuppe:** → Hautblüte, → Schorf.
**Hautschwiele** → Schwiele.
**Hautverhornung:** übermäßige H. → Schwiele.
**Hauyn** → Schmuckstein.
**Havanna** → Zigarre.
**Havannakatze** → Katzenrassen.
**Havannatabak** → Tabak.
**Havannazigarre** → Zigarre.
**¹Havarie,** Kollision, Schiffskollision, Schiffsunfall, Schiffbruch, Seeschaden; → Zusammenstoß; → kentern, → untergehen.
**²Havarie** → Beschädigung.
**havariert** → defekt.
**Hawaii** → Nacktbadestrand.
**Hawaiigitarre** → Zupfinstrument.
**Haxe** → Gliedmaße.
**Haxel:** jmdm. das H. legen / stellen → umstoßen (jmdn.); ums H. hauen → betrügen.
**Haxen:** sich die H. abhauen lassen → einstehen (für).
**Hazienda** → Gut.
**Hb** → Hämoglobin.
**H-Bombe** → Bombe.
**he?** : → bitte?
**Head-counter** → Marktforscher.
**Headline** → Schlagzeile.
**Hearing** → Verhör.
**Hebamme,** Geburtshelferin, Obstetrix, Sage-femme (*geh., veraltet*), weise Frau; → Abtreibung, → Arzt, → Engelmacher, → Geburt; → gebären.
**Hebe** → Bedienung.
**Hebel:** alle H. in Bewegung setzen → anstrengen (sich).
**Hebemuskel** → Muskel.
**¹heben,** aufheben, erheben, hochheben, lüften, lüpfen (*oberd.*), lupfen (*oberd.*).
**²heben:** → festigen, → fest [sein], → kassieren, → steigern; einen h. → trinken; die Hand h. → Handzeichen [geben]; die Welt aus den Angeln h. → ändern; aus der Taufe h. → einweihen, → gründen.

Heber → Muskel.
Heberden-Krankheit → Angina pectoris.
Hebungsküste → Ufer.
hecheln → atmen.
Hecht: → Fisch, → Luft, → Rauch, → Sprung.
hechten → springen.
Hechtsprung → Sprung.
Hechtsuppe: es zieht wie H. → Durchzug.
Heck: → Autoheck, → Hinterteil.
¹Hecke, Dornenhecke, Dornbusch, Dornenstrauch, Brombeerhecke, Weißdornhecke, Rosenhecke, Ligusterhecke, Buchsbaumhecke, Taxushecke, Buchenhecke; → Dickicht, → Zaun.
²Hecke: → Hindernis, → Zaun.
Heckelphon → Blasinstrument.
hecken: → brüten, → gebären.
Heckenbeere → Stachelbeere.
Heckenrose → Rose.
Heckensänger → Vogel.
Heckenschere → Gartenschere.
Heckenschütze: → Partisan, → Schütze.
Heckenwirtschaft → Gaststätte.
Heckenzaun → Zaun.
Heckfänger → Schiff.
Heckmeck → Unsinn.
Hecktrawler → Schiff.
hedonistisch → genießerisch.
Heer: → Militär; ein H. von → Anzahl.
Heeresdienst: → Militärdienst; den H. leisten → Soldat [sein].
Heeresfliegertruppe → Waffengattung.
Heeresflugabwehrtruppe → Waffengattung.
Heeresverband, Verband, Formation, Truppe, Truppenteil, Einheit · Armee, Brigade, Division, Ameekorps, Korps, Regiment, Bataillon, Kompanie, Batterie, Schwadron; → Abteilung, → Militär.
Heerführer → Befehlshaber.
Heerführung → Leitung.
Heerschar: → Militär; himmlische -en → Engel; -en von → viele; Herr der -en → Gott.
Heerschau → Parade.
Hefe: → Abschaum, → Gärstoff, → Schlauchpilz.
Hefekloß: → Kloß; aufgehen wie ein H. → dick [werden].

Hefekranz → Gebäck.
Hefenkranz → Gebäck.
Hefenzopf → Gebäck.
Hefepilz → Schlauchpilz.
Hefeteig → Teig.
Hefezopf → Gebäck.
¹Heft, Schulheft, Kollegheft, Oktavheft · Schreibheft, Diarium (veraltend), Kladde (ugs.) · Aufsatzheft · Vokabelheft · Rechenheft · Zeichenheft, Malheft, Malbuch · Notenheft.
²Heft: → Griff; das H. fest in der Hand haben → führen; die -e revidieren → umschwenken.
Heftel (ostmitteld.), Haftel (südd., österr.), Haken und Öse.
Heftelmacher: aufpassen wie ein H. → achtgeben.
heften: → broschieren; den Blick h. auf → ansehen; sich an jmds. Sohlen h. → verfolgen.
Hefter → Aktenordner.
heftig: → aufgeregt, → lebhaft, → reizbar; -e Sturmsee → Seegang.
Heftigkeit: → Ungeduld, → Ungezügeltheit.
Heftnaht → Naht.
Heftpflaster → Pflaster.
Hegel → Schwein.
Hegemonie → Vorherrschaft.
hegen: → pflegen; Argwohn / Verdacht h. → argwöhnisch [sein]; Groll h. → grollen; für jmdn. zärtliche Gefühle h. → lieben.
Hegewald → Wald.
Hehl: kein / keinen H. aus etwas machen → sprechen.
Hehler → Komplice.
hehr → erhaben.
¹Heide (der) → Atheist.
²Heide (die): → Heidekraut; im Wald und auf der H. → Natur.
Heidehonig → Honig.
Heidekraut, Heide, Erika, Glockenheide, Brüsch (schweiz., mundartl.); → Blume.
Heidelandschaft → Landschaft.
Heidelbeere → Blaubeere.
Heidelerche → Vogel.
Heiden- : → Erz-.
Heidenangst: H. haben → Angst [haben].
Heidenarbeit → Anstrengung.
Heidenlärm → Lärm.

Heidentum: → Atheismus, → Deismus.
heidi: h. gehen → verlorengehen; h. sein → verloren [sein].
heidnisch → ungläubig.
Heidschnucke → Schaf.
heikel: → schwierig, → wählerisch.
¹heil, ganz, unbeschädigt, unverletzt, unversehrt, nicht → defekt; h. sein, in Ordnung / (ugs.) in Schuß sein; → gesund.
²heil: aus -er Haut → plötzlich; mit -er Haut davonkommen → entrinnen; die -e Welt → Weltbild; h. werden → abheilen; heil geworden → abgeheilt.
Heil: → Glück; Gut H.!, Petri H.! → Gruß; sein H. in der Flucht suchen → fliehen; sein H. versuchen → probieren; im Jahre des -s ... → Jahr.
Heiland, Gottessohn, Sohn Gottes, Menschensohn, Sohn Davids, Jesus von Nazareth, Jesus [Christus], Christus, Messias, Erlöser, Nazarener, der Gekreuzigte, Schmerzensmann, Lamm Gottes, der gute Hirte, König der Juden, Seelenbräutigam · der neugeborene: Christuskind, Christkind, Christkindchen, Christkindlein, Jesuskind; → Gott, → Gottheit, → Madonna, → Trinität.
Heilanstalt: → Krankenhaus; Heil- und Pflegeanstalt → Krankenhaus.
Heilbad → Badeort.
Heilbehandlung → Behandlung.
Heilbehelf → Medikament.
heilen: → abheilen, → gesund [werden], → geheilt sein von → ernüchtern; nicht zu h. sein → unheilbar [krank sein]; durch Handauflegen h. → gesund [machen].
Heilfieber → Thermotherapie.
heilfroh: h. sein → aufatmen.
Heilgymnastik, Kinesiotherapie, Kinesitherapie, Kinesiatrie, Kinesiatrik, Kinetotherapie, Übungstherapie, Bewegungstherapie, Bewegungsbehandlung, Lingismus (selten); → Massage, → Naturheilverfahren.
heilig: → göttlich, → sakral; heiliger Bimbam!, heiliges

Kanonenrohr!, heiliger Strohsack! → überrascht [sein]; Fest der Ausgießung des Heiligen Geistes → Pfingsten; -e Hallen → Raum; -e Handlung → Sakrament; die Heilige Jungfrau → Madonna; Heilige Drei Könige → Feiertag; Heilige Drei Könige, Fest der Heiligen Drei Könige → Epiphanias; -e Kuh → Tabu; das Heilige Land → Israel; -e Messe → Gottesdienst; Heilige Nacht → Weihnachtsabend; Heilige Schrift → Bibel; Heiliger Vater → Oberhaupt; hoch und h. versprechen → versprechen.

**Heiligabend** → Weihnachtsabend.

**Heilige** → Schutzpatron.

**Heiligenbild** → Andachtsbild.

**Heiligenerzählung** → Legende.

**Heiligenleben** → Legende.

**Heiligenschein,** Glorienschein, Gloriole, Aureole, Mandorla; → Verherrlichung.

**Heiliger** → Schutzpatron.

**Heiligkeit:** → Gotteseigenschaften; [Eure H.] → Anrede.

**Heiligmond** → Dezember.

**Heiligtum:** → Gotteshaus, → Kultstätte, → Raum.

**Heilkunde,** Heilkunst, Medizin, Humanmedizin, Iatrik ·· *im Sinne herkömmlicher Heilkunst:* Schulmedizin, Allopathie · *auf der Basis extremer Verdünnung der Heilmittel:* Homöopathie · *unter Verzicht auf Arzneimittel:* Naturheilkunde, Physiotherapie ·· *für konservative Behandlung von Krankheiten innerer Organe:* innere Medizin, Innere (ugs.), interne Medizin · *bes. für Herzkrankheiten:* Kardiologie · *bes. für Gefäßleiden:* Angiologie · *bes. für Lungenkrankheiten:* Pneumologie · *bes. für Leberkrankheiten:* Hepatologie · *bes. für Magen- und Darmkrankheiten:* Gastroenterologie · *bes. für Mastdarmkrankheiten:* Proktologie · *bes. für Nierenkrankheiten:* Nephrologie · *bes. für Blutkrankheiten:* Hämatologie ·· *für operative Behandlung:* Chirurgie ·· *für operative Behandlung im Bereich des Zentralnervensystems:* Neurochirurgie ·· *für Frauenkrankheiten*

*und Geburtshilfe:* Frauenheilkunde, Gynäkologie, Gyniatrie · *für typische Männerkrankheiten:* Männerheilkunde, Andrologie · *für Kinderkrankheiten:* Kinderheilkunde, Pädiatrie · *für Krankheiten Neugeborener:* Neonatologie · *für altersbedingte Krankheiten:* Altersheilkunde, Geriatrie, Gerontologie ·· *für Erkrankungen im Bereich des Bewegungsapparats:* Orthopädie ·· *für Erkrankungen der Harnorgane:* Urologie · *für Hautkrankheiten:* Dermatologie · *für Geschlechtskrankheiten:* Venerologie ·· *für Nervenkrankheiten:* Nervenheilkunde, Neurologie, Neuriatrie · *für Geistes- und Gemütskrankheiten:* Seelenheilkunde, Psychiatrie, Psychotherapie ·· *für Augenkrankheiten:* Augenheilkunde, Ophthalmologie, Ophthalmiatrie, Ophthalmiatrik ·· *für Erkrankungen von Hals, Nase und Ohren:* Hals-Nasen-Ohren-Heilkunde, Otorhinolaryngologie · *bes. für Kehlkopfkrankheiten:* Laryngologie · *bes. für Nasenkrankheiten:* Rhinologie · *bes. für Ohrenkrankheiten:* Ohrenheilkunde, Otologie, Otiatrie ·· *für Zahn- und Kieferkrankheiten:* Zahnmedizin, Odontologie, Odontiatrie, Kieferchirurgie, Zahnchirurgie ·· *für die Behandlung von Tumoren:* Onkologie, Karzinologie, Kanzerologie, Kankrologie · *im Bereich der Anwendung von [Röntgen]strahlen:* Strahlenheilkunde, Strahlenkunde, Radiologie, Röntgenologie ·· *für Vergiftungen:* Toxikologie · *für Sprachstörungen:* Phoniatrie ·· *für Tierkrankheiten:* Tierheilkunde, Veterinärmedizin; → Altersforschung, → Arzt, → Heilschlaf, → Medikament, → Röntgenogramm, → Röntgenographie, → Wissenschaft.

**Heilkundiger** → Arzt.

**Heilkunst** → Heilkunde.

**heillos** → wirr.

**Heillosigkeit,** Verfahrenheit, Verwickeltheit, Undurchschaubarkeit, Unklarheit, Unübersichtlichkeit; → wirr.

**Heilmethode** → Behandlung.

**Heilmittel** → Medikament.

**Heilmond** → Dezember.

**Heilpraktiker** → Arzt.

**Heilquelle,** Mineralquelle, Quelle, Brunnen; → Quelle.

**Heilquellenkunde** → Bäderkunde.

**heilsam** → nützlich.

**Heilsarmee** → Sekte.

**Heilschlaf,** medikamentöser Heilschlaf, Tiefschlaf, Dämmerschlaf, [künstlicher] Winterschlaf, Hibernation, Schlaftherapie, kontrollierte Hypothermie; → Betäubung, → Heilkunde, → Schlaf.

**Heilstätte** → Sanatorium.

**Heiltee** → Tee.

**Heilverfahren** → Kur.

**Heilwasser** → Wasser.

**[1]heim,** nach Hause, heimwärts; → daheim.

**[2]heim;** → heimwärts.

**[1]Heim,** Wohnheim, -silo (abwertend) · *für Fremde:* Hospiz, Herberge, Fremdenheim · *für Alte:* Altersheim, Altenheim, Altenwohnheim, Pflegeheim, Altersasyl (schweiz.), Pfrundhaus (schweiz.), Feierabendheim, Seniorenheim · *für Unverheiratete:* Ledigenheim · *für unverheiratete Damen:* Schraubensilo (scherzh.), Drachenburg (scherzh.) · *für Obdachlose:* Asyl, Obdachlosenasyl · *für Kinder:* Kinderheim, Kinderhort, Hort, Säuglingsheim · *für Waisen:* Waisenhaus, Findelhaus · *für Schüler:* Schülerheim, Heimschule, Kostschule, Internat, Landerziehungsheim, Pensionat, Alumnat, Konvikt (österr.), Juvenat · *für Studenten:* Studentenheim, Studentenwohnheim · *für Jugendliche:* Jugendheim, Jugendfreizeitheim, Heim der offenen Tür · *in ländlicher Gegend für mehrwöchigen Aufenthalt von Schulklassen:* Schullandheim, Landschulheim · *für Lehrlinge:* Lehrlingswohnheim · *für ausländische Arbeitnehmer:* Gastarbeiterheim, Fremdarbeiterheim; → Hotel, → Kindergarten, → Schule, → Waise, → Wohnung.

**[2]Heim;** → Wohnsitz; H. für Schwererziehbare → Erziehungsanstalt; im trauten H. → daheim.

**Heimarbeit** → Arbeit.

¹**Heimat**, Geburtsland, Herkunftsland, Ursprungsland, Heimatland, Inland, Vaterland; → Begeisterung, → Heimatort, → Nationalismus, → Patriot; → national · Ggs. → Ausland.

²**Heimat:** → Etappe; aus / in der H. → heimatlich; in der H. → daheim; ohne H. → ungeborgen.

**Heimatbahnhof** → Standort.

**heimatberechtigt** → einheimisch.

**Heimatfilm** → Kinofilm.

**heimatgenössisch** → einheimisch.

**Heimathafen:** → Hafen, → Standort.

**Heimatkalender** → Kalender.

**Heimatland** → Heimat.

**Heimatlazarett** → Lazarett.

**heimatlich,** aus / in der Heimat, heimisch, vertraut; → einheimisch.

**Heimatliebe** → Patriotismus.

**heimatliebend** → heimatverbunden.

**heimatlos** → ungeborgen.

**Heimatlosigkeit** → Ungeborgenheit.

¹**Heimatort,** Heimatstadt, Geburtsort, Geburtsstätte, Geburtsstadt, Wohnort, Wohnsitz; → Heimat, → Standort.

²**Heimatort** → Standort.

**Heimatroman** → Roman.

**Heimatstadt** → Heimatort.

**heimattreu** → heimatverbunden.

**heimatverbunden,** heimatliebend, heimattreu; **h. sein,** an der Scholle haften / (ugs.) kleben, mit der Scholle verwachsen sein · Ggs. → übersiedeln, → Auswanderer.

**Heimatvertriebener** → Auswanderer.

**heimbegeben:** sich h. → zurückbegeben (sich).

**Heimchen:** → Grille; H. am Herd → Frau.

**heimelig:** → behaglich, → gemütlich.

**Heimeligkeit** → Gemütlichkeit.

**Heimen** → Bauernhof.

**Heimet** → Bauernhof.

**heimfahren** → zurückbegeben (sich).

**Heimfahrt** → Fahrt.

**heimfinden** → zurückkommen.

**heimführen** → heiraten.

**Heimgang** → Exitus.

**Heimgegangener** → Toter.

¹**heimgehen,** sterben, versterben, ableben, einschlafen, entschlafen, hinüberschlummern, entschlummern (selten), der Tod holt jmdn. heim, vom Tode ereilt werden, sein Leben aushauchen, den Geist aufgeben / aushauchen, die Seele aushauchen, dahinscheiden, hinscheiden, aus dem Leben scheiden, die Augen zumachen / [für immer] schließen, das Auge bricht (dichter.), vom Schauplatz / von der Bühne abtreten, sein Leben / Dasein vollenden, die sterbliche Hülle ablegen, zu Staub werden, die Feder aus der Hand legen, enden, das Zeitliche segnen, den Weg allen / alles Fleisches gehen, abfahren (salopp), ins Grab sinken, in die / zur Grube fahren, zugrunde gehen, [für immer] von jmdm. gehen, aus dieser Welt gehen, jmdn. verlassen (er hat uns [zu früh] verlassen), [in die Ewigkeit] abgerufen werden, verscheiden, dahingerafft werden, das letzte Stündlein ist gekommen / hat geschlagen, jmds. Uhr ist abgelaufen, von hinnen scheiden, abscheiden, erlöst werden, nicht mehr aufstehen, tot hinsinken, zu seinen Vätern versammelt werden, sich zu den Vätern versammeln, zur großen Armee abberufen werden, jmdm. passiert etwas / stößt etwas zu (verhüllend), seinen Verletzungen erliegen, seine letzte Reise / seinen letzten Weg antreten, in die ewigen Jagdgründe / zum ewigen Frieden / zur ewigen Ruhe eingehen, aus unserer / ihrer Mitte gerissen werden, aus dem Leben gerissen werden, umkommen, ums Leben / zu Tode kommen, den Tod finden, mit jmdm. ist es aus (ugs.), mit dem Tode ringen, im Sterben liegen, in den letzten Zügen liegen (ugs.), mit jmdm. geht es zu Ende, dran glauben müssen (ugs.), abkratzen (salopp), abschnappen (salopp), abnibbeln (salopp), hopsgehen (salopp), draufgehen (salopp), vor die Hunde gehen (ugs.), ins Gras beißen (salopp), den Löffel wegschmeißen (salopp), Sterbchen machen (salopp), ein Bankerl reißen (salopp, österr.), die Patschen aufstellen (salopp, österr.), den Arsch zukneifen (vulgär).

³**heimgehen** → zurückbegeben (sich).

**heimholen:** der Tod holt jmdn. heim → sterben.

**heimisch:** → behaglich, → einheimisch, → heimatlich; sich h. fühlen → wohl fühlen (sich).

**Heimkehr** → Rückkehr.

**heimkehren:** → zurückkommen; nicht h. → sterben.

**Heimkino** → Fernsehgerät.

**heimkommen** → zurückkommen.

**heimlaufen** → zurückbegeben (sich).

¹**heimlich,** im geheimen, geheim, hinter verschlossenen Türen, hinter den Kulissen; heimlich, still und leise; insgeheim, im stillen, unbemerkt, unerkannt, unter der Tarnkappe, verstohlen, unter der Hand, hinter jmds. Rücken, verbotenerweise, klammheimlich (ugs.), stiekum (landsch.) · bei Nacht: im Schutze der Dunkelheit / der Nacht, bei Nacht und Nebel · in bezug auf Käufe und Verkäufe: schwarz (ugs.), hintenherum (ugs.), hintenrum (ugs.), ohne amtliche / behördliche Genehmigung, durch Beziehungen, mit Vitamin B (ugs., scherzh.), unter dem Ladentisch; → gesetzwidrig, → intern, → latent, → unaufrichtig, → vertraulich; → Verschwiegenheit.

²**heimlich:** → leise, -e Hauptstadt → München; h. einführen / über die Grenze bringen → einschmuggeln; h. geben → zuspielen; [h., still und leise] → unbemerkt.

**Heimlichtuer,** Geheimniskrämer, Duckmäuser; → heimlich, → unaufrichtig.

**Heimreise** → Rückkehr.

**Heimschule** → Heim.

**Heimspiel** → Spiel.

**heimsuchen:** → befallen; heimgesucht → leidgeprüft.

**Heimsuchung:** Mariä Heimsuchung → Marienfest.

Heimtücke → Arglist.
Heimtücker → Mann.
heimtückisch → unaufrichtig.
¹heimwärts, heim, zurück; →
umkehren, → zurückbegeben
(sich); → Heimat, → Rückkehr,
→Rückweg; → heimatverbunden.
²heimwärts: → heim; h. fahren /
gehen / laufen → zurückbegeben (sich).
Heimweg: → Rückweg; sich auf
den H. begeben / machen →
zurückbegeben (sich).
Heimweh → Sehnsucht.
Heimwehr → Militär.
Heimwesen → Bauernhof.
heimzahlen → bestrafen.
Heimzahlung → Vergeltung.
Hein: Freund H. → Tod.
Heini: blöder H. → Dummkopf.
Heinrich: flotter H. → Durchfall; grüner H. → Gefängniswagen; die Stadt -s des Löwen → Braunschweig.
Heinze → Heureiter.
Heinzelmännchen → Zwerg.
Heirat: → Ehe, → Vermählung; eine H. vermitteln →
verkuppeln.
¹heiraten, sich verheiraten /
verehelichen / vermählen /
(scherzh.) beweiben, ehelichen,
freien, heimführen, unter die
Haube kommen (ugs.), in den
Ehestand treten, eine Ehe eingehen / schließen, im Hafen der
Ehe landen, in den Hafen der
Ehe einlaufen, vor Anker gehen
(scherzh.), den Bund fürs Leben schließen, jmdm. die Hand
fürs Leben reichen (geh.),
jmdm. das Jawort geben,
Hochzeit machen / halten /
feiern, sich trauen lassen, getraut werden, in den heiligen
Stand der Ehe treten (geh.),
zum Altar führen (geh.), die
Ringe tauschen / wechseln, sich
eine Frau / einen Mann nehmen, sich kriegen (salopp), sich
in das Ehejoch beugen (scherzh.),
es gibt ein Happy-End · in
Abwesenheit eines Ehepartners:
sich ferntrauen lassen (hist.) ·
eine reiche Frau oder einen
reichen Mann: eine gute Partie
machen · jemand Älteren: auf
Abbruch heiraten (salopp) · ein
reiches Mädchen: sich einen

Goldfisch angeln (ugs.); h.
wollen, ernste Absichten haben,
es ernst meinen; nicht h.,
ledig bleiben, sitzenbleiben
(ugs.), keinen Mann abbekommen / abkriegen (ugs., scherzh.),
keine Frau finden, den Anschluß verpassen (ugs.); → einheiraten, → trauen, → verheiraten, → werben; → ledig,
→ verheiratet; → Ehe, →
Flitterwochen, → Frühehe, →
Hochzeit, → Hochzeitstag, →
Trauzeuge, → Vermählung.
²heiraten: h. wollen → werben.
Heiratsantrag: einen H. machen
→ werben.
heiratsfähig → geschlechtsreif.
Heiratsgut → Aussteuer.
Heiratskandidat → Bräutigam.
heiratslustig: h. sein → werben.
Heiratsschwindler → Betrüger.
Heiratsurkunde → Urkunde.
heischen → verlangen.
heiser, stockheiser (ugs.), tonlos, rauh, rauchig, krächzend,
klanglos, mit belegter Stimme;
→ abgehackt, → leise, → unartikuliert; h. sein, einen
Frosch / eine Kröte im Hals
haben (ugs.), einen Frosch /
eine Kröte verschluckt haben
(ugs.), einen Kloß im Hals / in
der Kehle haben (ugs.); → flüstern, → sprechen, → stottern.
heiß: → brisant, → brünstig,
→ erhitzt, → warm; wie die
Katze um den -en Brei herumgehen / herumschleichen →
sprechen; -er Draht → Telefonverbindung; -e Spur → Spur;
ein Tropfen auf einen -en Stein
sein → wenig; -e Ware →
Schmuggelware; es ist h. wie
in einem Treibhaus → überheizt [sein]; jmdm. wird der
Boden unter den Füßen zu h.
→ gefährlich [sein]; zu h. gebadet haben → verrückt [sein];
zu h. gebadet sein → dumm
[sein]; es wird nichts so h. gegessen, wie es gekocht wird →
abwarten; jmdm. läuft es h.
über den Rücken → betroffen
[sein]; h. machen / werden
die Hölle h. machen → bitten,
→ zusetzen (jmdm.); zu h.
überheizt.

heißblütig → lebhaft.
heißen: → bedeuten, → flaggen,
→ lauten, → schelten; jmdn.
etwas h. → anordnen; geheißen
→ genannt.
heißgeliebt → bevorzugt.
Heißhunger → Hunger.
Heißkaustik → Verätzung.
Heißluftbad → Sauna.
Heißlufttrockner → Fön.
Heißsporn → Choleriker, →
Kämpfer.
Heißwasserbereiter, Warmwasserbereiter, Heißwasserspeicher, Warmwasserspeicher,
Heißwasserboiler, Boiler ·
Durchlauferhitzer · Tauchsieder.
Heißwasserboiler → Heißwasserbereiter.
Heißwasserspeicher → Heißwasserbereiter.
Heister → Buche.
heiter: → feuchtfröhlich, →
humorvoll, → lustig, → sonnig; [wie ein Blitz] aus -em
Himmel → plötzlich.
Heitere → Heiterkeit.
¹Heiterkeit, Behagen, Wohlbehagen, gute Laune, Humor,
Heitere (schweiz.), Zufriedenheit, Harmonie; → Erfahrung,
→ Gelassenheit, → Lust; →
ruhig · Ggs. → schwermütig.
²Heiterkeit: etwas erregt jmds.
H. → belustigen.
Heiterkeitsausbruch → Gelächter.
heizen, anheizen, Feuer machen / anmachen, den Ofen
anmachen, die Heizung aufdrehen / andrehen / anstellen,
einheizen, beheizen, wärmen,
erwärmen, warm machen, feuern; → anzünden; → überheizt; → Brennmaterial, →
Feuerhaken, → Heizkörper, →
Heizung, → Kohle.
Heizgas: → Brennstoff, → Gas.
Heizgerät, Heizsonne, Heizstrahler, Wärmestrahler, Heizofen, Wärmeofen (schweiz.),
Heizöfchen; → Heizkörper, →
Ofen.
Heizkörper, Radiator, Plattenheizkörper, Konvektor, Lamellenheizkörper; → Heizgerät, →
Ofen, → Zentralheizung; →
heizen.
Heizmaterial → Brennstoff.
Heizofen → Heizgerät.

**Heizöl:** → Brennstoff, → Erdöl.

**Heizsonne** → Heizgerät.

**Heizstoff** → Brennstoff.

**Heizstrahler** → Heizgerät.

**Heizstrom** → Elektrizität.

**¹Heizung,** Ofenheizung, Zentralheizung, Fernheizung, Dampfheizung, Warmwasserheizung, Warmluftheizung, Ölheizung, Gasheizung, elektrische Heizung, Strahlungsheizung, Etagenheizung, Fußbodenheizung, Deckenheizung; → Brennmaterial, → Heizkörper, → Kamin, → Ofen; → heizen.

**²Heizung:** elektrische H. → Heizung; die H. andrehen / anstellen / aufdrehen → heizen.

**Hektar** → Flächenmaß.

**Hektik** → Hast.

**¹hektisch,** aufgeregt, erregt, nervös, neurasthenisch, nervenschwach, gereizt, ruhelos, unruhig, ungeduldig, unstet, bewegt, fahrig, tumultuarisch, turbulent, fiebrig, schußlig (*ugs.*), huschlig (*ugs.*), zapplig (*ugs.*), kribblig (*ugs.*), fickrig (*ugs., landsch.*), nicht → ruhig; → ängstlich, → ärgerlich, → bewegt, → empfindlich, → erwartungsvoll, → fleißig, → lebhaft, → unaufmerksam, → unbeherrscht · Ggs. → geistesgegenwärtig; **h. sein,** außer sich / aufgelöst / außer Fassung / (*ugs.*) ganz aus dem Häuschen / ein Nervenbündel sein, Herzklopfen / Lampenfieber haben, jmdm. schlägt das Herz bis zum Hals, den Kopf / die Nerven verlieren, kopflos sein, durchdrehen (*ugs.*), mit jmdm. gehen die Nerven durch, jmdm. brennen / gehen die Sicherungen durch (*salopp*); → Angst [haben], → pfuschen; → Choleriker, → Nervenbündel, → Unrast.

**²hektisch:** -e Röte → Verfärbung.

**Hektographie** → Reproduktion.

**hektographieren** → ablichten, → vervielfältigen.

**Hektoliter** → Hohlmaß.

**Hektor:** rangehen wie H. an die Buletten → zielstrebig [sein].

**Hel** → Hölle.

**Helanca** → Chemiefaser.

**¹Held,** Heros, Recke, Herkules, Titan, Gigant, Übermensch, Sieger, Gewinner; → Berühmtheit, → Kämpfer, → Sieger, → Soldat, → Volksheld; → mutig.

**²Held:** → Hauptdarsteller; H. der Nation / des Volkes → Volksheld; kein H. sein → feige [sein]; kein H. in etwas sein → firm; H. des Tages sein → Mittelpunkt [sein].

**Heldenbariton** → Sänger.

**Heldendeckel** → Kopfbedeckung.

**Heldenepos** → Erzählung.

**heldenhaft** → mutig.

**heldenmütig** → mutig.

**Heldenrolle** → Rolle.

**Heldensage** → Sage.

**Heldentenor** → Sänger.

**Heldentod:** den H. sterben → sterben.

**Heldenvater** → Schauspieler.

**¹helfen,** beistehen, Beistand leisten, zur Seite stehen, unterstützen, verbeiständen (*schweiz.*), zur / an die Hand gehen, Hand anlegen, Handreichungen machen, jmdm. in die Hände arbeiten, mithelfen, assistieren, Handlangerdienste leisten, vertreten, einspringen, beispringen, zupacken (*ugs.*), behilflich sein, jmdm. Hilfe angedeihen lassen / leisten / bringen, sekundieren, zu Hilfe kommen / eilen, jmdm. aus der Patsche helfen (*ugs.*), jmdn. aus der Patsche ziehen (*ugs.*), verhelfen zu etwas, Schützenhilfe leisten, jmdm. die Stange halten / unter die Arme greifen (*ugs.*), jmdm. Starthilfe geben / Zuwendungen machen, jmdm. auf die Sprünge helfen, Hilfestellung leisten; **jmdm. nicht [mehr] h.,** jmdn. in den Rücken fallen, seine / die Hand von jmdm. abziehen, jmdn. seinem Schicksal überlassen, jmdn. im eigenen Saft schmoren lassen (*salopp*), jmdn. hängenlassen (*ugs.*); → bedienen, → beraten, → eingreifen, → eintreten (für), → fördern, → gesund [machen], → kümmern (sich um jmdn.), → retten, → sitzenlassen, → vertreten; → ratlos; → Berater, → Betreuer,

→ Dienst, → Helfer, → Komplice, → Stütze, → Unfallwagen.

**²helfen:** → nützlich [sein]; sich zu h. wissen → bewältigen; sich nicht zu h. wissen → ratlos [sein]; seine -de Hand über jmdn. halten → behüten.

**¹Helfer,** Gehilfe, Beistand, Assistent, Adjutant, Adlatus, Adept, Famulus, Sekundant; → Anhänger, → Berater, → Betreuer, → Diener, → Fachmann, → Freund, → Fürsprecher, → Hilfskraft, → Gönner, → Komplice, → Stellvertreter; → fördern, → helfen; → entgegenkommend.

**²Helfer:** H. in Steuersachen → Wirtschaftsprüfer.

**Helfershelfer** → Komplice.

**Helgen** → Bild.

**Helikon** → Blasinstrument.

**Helikopter** → Hubschrauber.

**Helios** → Gott, → Sonne.

**Heliosis** → Überhitzung.

**Heliotherapie** → Phototherapie.

**heliotrop** → violett.

**Heliotrop** → Schmuckstein.

**heliotropisch,** phototropisch, lichtwendig; → Pflanze.

**Helium:** → Edelgas, → Gas.

**Helkose** → Abszeß.

**¹hell,** licht, klar · *in bezug auf die Stimme:* glockenhell, silberhell, glockenrein, glasklar, hoch, nicht → dunkel; → sonnig.

**²hell:** → beleuchtet; -er werden → aufhellen (sich); -er Kopf → Talent; h. auf der Platte sein → schlau [sein].

**hellblau** → blau.

**hellblond** → blond.

**hellbraun:** → braun, → braunhaarig.

**Helldunkelschnitt** → Holzschnitt.

**helle** → schlau.

**Helle** → Licht.

**Heller:** → Münze; keinen lukkerten / roten H. wert sein → wertlos [sein].

**Helles:** ein H. → Bier.

**hellgelb** → gelb.

**hellgrau** → grau.

**hellgrün** → grün.

**hellhörig** → wachsam.

**hellicht:** der -e Tag → Tageslicht; am -en Tag → tagsüber.

**Helligkeit** → Licht.
**hellila** → violett.
**hellorange** → orange.
**hellrosa** → rosa.
**hellrot** → rot.
**hellsehen** → voraussehen.
**Hellsehen,** Paragnosie, Zweites Gesicht, Gedankenlesen, Deuteroskopie; → Geisterbeschwörung, → Medium, → Telepathie, → Wahrsager; → prophetisch.
**Hellseher:** → Artist, → Wahrsager.
**hellseherisch** → prophetisch.
**hellsichtig** → scharfsinnig.
**Hellsichtigkeit** → Scharfsinn.
**hellwach** → wach.
**Helm:** → Griff, → Kopfbedeckung.
**Helvetia** → Schweiz.
**Helvetien** → Schweiz.
**Helvetik** → Schweiz.
**helvetisch:** → schweizerisch; Helvetische Republik → Schweiz.
**Helvetismus** → Spracheigentümlichkeit.
**He-man** → Frauenheld.
**Hemd:** → Oberhemd; kein [ganzes] H. [mehr] am / auf dem Leibe haben → abgewirtschaftet [haben]; das letzte H. hergeben, sich das letzte H. vom Leibe reißen → opfern; seine Gesinnung wie sein H. wechseln → Opportunist [sein], → umschwenken; bis aufs H. ausgezogen werden → zahlen [müssen].
**Hemdbluse** → Bluse.
**Hemdblusenkleid** → Kleid.
**Hemdbrust** → Jabot.
**Hemdchen** → Umschlag.
**Hemdenmatz** → Kind.
**hemdsärmelig** → ungezwungen.
**Hemdsärmeligkeit** → Ungezwungenheit.
**Hemeralopie** → Sehstörung.
**Hemihyperhidrose** → Transpiration.
**Hemihyperhidrosis** → Transpiration.
**Hemihyperidrose** → Transpiration.
**Hemihyperidrosis** → Transpiration.
**Hemimelie** → Gliedmaßenmißbildung.
**Hemiparese** → Lähmung.
**Hemiplegie** → Lähmung.

**Hemisphäre:** die westliche H. → Amerika, → Westmächte (die).
**hemmen:** → behindern, → einschränken.
**hemmend:** → hinderlich, → repressiv.
**Hemmschuh** → Behinderung.
**Hemmung:** → Behinderung; -en → Angst; kataplektische H. → Schrecklähmung; jmdm. seine -en nehmen, etwas läßt jmdn. jede H. / seine -en verlieren, jmdm. von seinen -en befreien → enthemmen; ohne -en sein → rücksichtslos [sein].
**hemmungslos,** zügellos, ungezügelt, unkontrolliert; → anstößig, → triebhaft, → unbeherrscht, → ungezwungen; **h. sein,** ohne Maß und Ziel sein, weder Maß noch Ziel kennen; → Ungezügeltheit.
**Hemmungslosigkeit** → Ungezügeltheit.
**Hendl** → Huhn.
**Hengst** → Pferd.
**Henkel** → Griff.
**Henkelkorb** → Korb.
**Henkelkreuz** → Kreuzzeichen.
**Henkelmann** → Eßgeschirr.
**henken** → töten.
**¹Henker,** Scharfrichter, Henkerskneht; → töten.
**²Henker:** hol's der H., zum H.! → verflucht!; sich den H. um etwas kümmern / scheren → annehmen.
**Henkerskneht** → Henker.
**Henkersmahlzeit** → letzte.
**Henne** → Huhn.
**Hepatitis:** [epidemische H.] → Leberkrankheit.
**Hepatogramm** → Röntgenogramm.
**Hepatographie** → Röntgenographie.
**Hepatolienogramm** → Röntgenogramm.
**Hepatolienographie** → Röntgenographie.
**Hepatologe** → Arzt.
**Hepatologie** → Heilkunde.
**Hepatopathie** → Leberkrankheit.
**Hepatoptose** → Eingeweidesenkung.
**Hepatorrhagie** → Blutung.
**Hepatosis** → Leberkrankheit.
**Hepatosplenogramm** → Röntgenogramm.

**Hepatosplenographie** → Röntgenographie.
**Hephaistos** → Gott.
**¹her,** heran, herzu, herbei, hierher, hierhin, ran (ugs.), anher (veraltet) · von oben: herab, herunter, hernieder, nieder, runter (ugs.) · von unten: herauf, rauf (ugs.), auffa (mundartl., bayr., österr.) · von innen: heraus, hervor, herfür (veraltet), raus (ugs.), aussa (mundartl., bayr., österr.) · von außen: herein, daherein (österr.), rein (ugs.), rin (ugs., berlin.), eina (mundartl., bayr., österr.) · von hinten: hervor, nach vorn[e], vor, füra (mundartl., bayr., österr.) · von drüben: herüber, rüber (ugs.), umma (mundartl., bayr., österr.) · um etwas: herum, rum (ugs.), umma (mundartl., bayr., österr.); → aufwärts, → hin.
**²her:** Hin und Her → Tauziehen.
**Hera** → Göttin.
**herab:** → aufwärts, → her.
**herabdrücken** → verringern.
**herabfallen** → hinunterfallen.
**herabgesetzt** → billig.
**herabklettern** → hinuntergehen.
**herabkommen** → hinuntergehen.
**herablassen:** → abseilen; sich h. → entgegenkommen (jmdm.).
**herablassend** → dünkelhaft.
**Herablassung** → Überheblichkeit.
**herabmindern** → verringern.
**Herabminderung** → Verminderung.
**herabsausen** → hinunterfallen.
**herabsetzen:** → demütigen (jmdn.), → ermäßigen, → schlechtmachen, → verringern; die Kaufkraft h. → abwerten; im Dienstgrad / Rang h. → degradieren.
**Herabsetzung:** → Nichtachtung, → Verminderung.
**herabsinken:** → sinken; die Nacht sinkt herab → dunkel [werden].
**herabspringen** → hinunterspringen.
**herabsteigen** → hinuntergehen.
**herabstürzen:** → hinunterfallen; sich h. → hinunterspringen.
**herabwürdigen:** → demütigen (jmdn.), → schlechtmachen.

**Herabwürdigung** → Nichtachtung.

**herabziehen:** -der Muskel → Muskel.

**Heraldik,** Wappenkunde; → Genealogie.

**heran** → her.

**heranbrechen** → fließen.

**herankommen:** → kommen; etwas an sich h. lassen → abwarten; etwas kommt heran → bevorstehen, → heraufziehen; an das große Geld h. → verdienen; an jmds. Leistung h. → erreichen (jmds. Leistung).

**heranlocken** → anlocken.

**heranmachen:** sich an jmdn. h. → nähern (sich jmdm.).

**herannahen:** etwas naht heran → bevorstehen, → heraufziehen.

**herannehmen** → zusetzen (jmdm.).

**heranpirschen:** sich an jmdn. h. → Kontakt.

**heranreichen:** an jmds. Leistung h. → erreichen (jmds. Leistung).

**heranreifen** → entwickeln (sich).

**heranrücken** → rücken (an).

**heranschleichen:** sich h. → auflauern.

**¹herantreten** (an), sich wenden an, jmdm. mit etwas kommen, gelangen an (schweiz.), bei jmdm. vorsprechen, jmdn. ansprechen / anschreiben / anrufen; → behelligen, → bitten.

**²herantreten** → treten.

**heranwachsen:** → aufwachsen, → entwickeln (sich); herangewachsen → erwachsen; Heranwachsender → Jüngling.

**¹heranziehen,** beiziehen, benutzen, benützen, auswerten, zitieren, anziehen (veraltet), hinzuziehen; → auswerten.

**²heranziehen:** etwas zieht heran → herauziehen; zum Vergleich h. → vergleichen.

**Herat** → Orientteppich.

**herauf:** → aufwärts, → her.

**heraufbeschwören** → verursachen.

**heraufklettern** → hinaufgehen.

**heraufkommen** → hinaufgehen.

**heraufsetzen,** anheben, erhöhen; → Heraufsetzung.

**Heraufsetzung,** Anhebung, Erhöhung · des Gehalts: Gehaltserhöhung, Lohnerhöhung, Gehaltsvorrückung (österr.), Vor-

rückung (österr.); → heraufsetzen.

**heraufsteigen** → hinaufgehen.

**¹heraufziehen** (vom Wetter): etwas zieht herauf / zieht auf / zieht heran / ist im Anzug / kommt heran / kommt auf / naht heran / braut sich zusammen / nähert sich / naht / kommt / droht / (veraltet) dräut; → bevorstehen.

**²heraufziehen:** ein Gewitter zieht herauf → Gewitter.

**heraus:** → her; aus dem Gröbsten h. sein → Schwierigkeit.

**herausbekommen** → finden.

**herausblicken** → herausschauen.

**herausbringen:** → aufführen, → edieren, → finden, → fördern; groß h. → managen (jmdn.); etwas aus jmdm. h. → entlocken (jmdm. etwas); kein Wort h. → sprechen.

**herausfinden,** finden, stoßen auf, entdecken, sehen, antreffen, auffinden, vorfinden, treffen [auf], begegnen, aufspüren, orten, den Standort bestimmen, ausfindig machen, ausfinden, ausmachen, ermitteln, in Erfahrung bringen, feststellen, auf die Spur kommen, herausbekommen, herausbringen (ugs.), herauskriegen (salopp), rausbringen (salopp), ausklamüsern (ugs.), aufstöbern, auftreiben (ugs.), auflesen (ugs.), aufgabeln (salopp), auffischen (salopp); → beschaffen, → erfahren, → erfinden, → fragen, → sehen, → wahrnehmen; → Auskundschafter, → Fundbüro · Ggs. → suchen.

**herausfließen** → ausfließen.

**herausfordern** → provozieren.

**herausfordernd** → provozierend, → streitbar.

**Herausforderung,** Provokation, Brüskierung; → Einspruch; → provozieren.

**herausfüttern** → ernähren.

**Herausgabe** → Veröffentlichung.

**herausgeben:** → edieren; nicht h. → zurückhalten.

**Herausgeber,** Editor; → Berichter, → Schriftleiter, → Schriftsteller.

**¹herausgehen** (aus sich), auftauen (ugs.), munter / (ugs.)

warm werden, die Scheu verlieren; → gesellig.

**²herausgehen:** nicht aus sich h. → unzugänglich [sein].

**herausgeputzt** → aufgeputzt.

**herausgucken** → herausschauen.

**heraushaben:** den Bogen / Dreh h. → geschickt [sein].

**heraushalten** (sich), nichts zu tun haben wollen mit, die Finger lassen von, sich nicht die Finger schmutzig machen / verbrennen · Ggs. → teilnehmen.

**heraushängen:** etwas hängt jmdm. zum Hals heraus → angeekelt [sein].

**¹herausholen,** holen aus, rausholen (ugs.), entfernen, herausnehmen, nehmen aus, rausnehmen (ugs.), herausmachen, machen aus (ugs.), rausmachen (ugs.); → entfernen.

**²herausholen:** → erwirken; das Letzte aus jmdm. h. → fragen, → zusetzen (jmdm.).

**herausklauben** → auswählen.

**herauskommen:** → enden, → einträglich [sein], → entstehen, → herumsprechen (sich); groß h. → bekannt [werden].

**herauskriegen:** → finden, → raten.

**herauslassen** → verlängern.

**herauslaufen** → ausfließen.

**herauslocken:** jmdm. etwas h. → ablisten (jmdm. etwas); etwas aus jmdm. h. → entlocken (jmdm. etwas).

**herausmachen:** → herausholen; sich h. → entwickeln (sich).

**herausnehmen:** → entnehmen, → herausholen.

**herausplatzen** → lachen.

**herauspumpen** → absaugen.

**herausputzen** → schönmachen.

**herausquellen** → fließen.

**herausreden:** sich h. → Ausflucht.

**herausreißen,** ausreißen, entfernen, ausraufen, ausrupfen, herausrupfen, auszupfen, reißen aus, zupfen aus, rupfen aus · in bezug auf Unkraut: jäten.

**herausrinnen** → fließen.

**herausrücken:** nicht h. → zurückhalten; mit der Sprache h. → gestehen; nicht recht mit der Sprache h. → sprechen.

**herausrupfen** → herausreißen.

**herausrutschen:** etwas rutscht jmdm. heraus → mitteilen.

**¹herausschauen,** heraussehen, herausgucken, herausblicken, blicken / schauen / sehen / gucken aus; → blicken.

**²herausschauen** → einträglich [sein].

**herausschießen** → fließen.

**herausschinden** → erwirken.

**herausschlagen** → erwirken.

**herausschmecken** → vorschmecken.

**herausschwätzen** → ablisten.

**herausschwindeln:** jmdm. etwas h. → ablisten (jmdm. etwas).

**heraussehen** → herausschauen.

**heraußen** → draußen.

**herausspringen** → einträglich [sein].

**herausprudeln** → fließen.

**herausstellen:** → betonen, → fördern; → offenbar [werden]; sich h. als → erweisen (sich als); sich als wahr / richtig h. → bewahrheiten (sich).

**Herausstellung** → Hervorhebung.

**herausströmen** → fließen.

**heraussuchen** → auswählen.

**heraustropfen** → fließen.

**herauswachsen:** etwas wächst jmdm. zum Hals heraus → angeekelt [sein].

**herauswollen:** nicht recht mit der Sprache h. → sprechen.

**herausziehen** → hervorziehen.

**herb:** → sauer, → unzugänglich.

**herbei** → her.

**herbeibringen** → bringen.

**herbeieilen** → zusammenlaufen.

**herbeiführen** → verursachen.

**herbeilassen:** sich h. → entgegenkommen (jmdm.).

**herbeischaffen** → beschaffen.

**Herberge:** → Heim, → Unterkunft.

**herbringen** → bringen.

**Herbst:** → Jahreszeit; es wird H. → herbsten.

**Herbstblume** → Blume.

**herbsteln** → herbsten.

**herbsten:** es herbstet / herbstelt / wird Herbst, die Tage werden kürzer, die Blätter fallen / werden gelb; → Jahreszeit.

**Herbstferien** → Ferien.

**herbstlich** → kalt.

**Herbstmesse** → Messe.

**Herbstmond** → September.

**Herbstnebel** → Nebel.

**Herbstrübe** → Gemüse.

**Herbstsonne** → Sonnenlicht.

**Herbsttag** → Tag.

**Herbstwetter** → Wetter.

**¹Herbstzeitlose,** Wiesenzeitlose, Nachtgunkel (*landsch.*), Nakkete Jungfer (*südd.*); → Liliengewächs.

**²Herbstzeitlose** → Liliengewächs.

**¹Herd,** Küchenherd, Kochherd, Gasherd, Kohlenherd, Elektroherd, Mikrowellenherd · Kocher, Kochplatte, Rechaud (*österr.*); → Backofen, → Kamin.

**²Herd:** am häuslichen H. → daheim; Heimchen am H. → Frau.

**Herde,** Rudel (Hirsche, Wölfe), Meute, Schwarm, Schar (Fasane, Wildgänse u.a.), Koppel (Hunde), Sprung (Rehe), Rotte (Sauen), Zug (Schnepfen), Kette (Fasane, Wildgänse), Kompanie (Rebhühner), Flug (Wildtauben); → Abteilung, → Bande, → Hirt, → Mannschaft, → Menge.

**Herdentier** → Alltagsmensch.

**Herdfeuer** → Feuer.

**Herdsklerose:** disseminierte H. → Entmarkungskrankheit.

**hereditär** → angeboren.

**herein** → her.

**hereinbrechen:** die Nacht bricht herein → dunkel [werden].

**hereinfallen,** jmdm. aufsitzen, reinfallen (*salopp*), jmdm. auf den Leim gehen / kriechen (*ugs.*), jmdm. in die Falle / ins Garn (oder:) Netz gehen, hereinfliegen (*salopp*), reinfliegen (*salopp*), den kürzeren ziehen, der Dumme / (*ugs.*) der Lackierte sein, betrogen / getäuscht / (*ugs.*) übers Ohr gehauen / (*ugs.*) hereingelegt / (*ugs.*) reingelegt / überlistet / hintergangen / (*ugs.*) angeschmiert werden; **hereingefallen sein,** sich getäuscht sehen; → betrügen.

**hereinfliegen** → hereinfallen.

**hereinkommen:** → betreten; h. lassen → einlassen.

**hereinlassen:** frische Luft h. → lüften.

**hereinlegen:** → betrügen; hereingelegt werden → hereinfallen.

**hereinreißen:** etwas reißt jmdn. herein → teuer [sein].

**hereinschauen** → besuchen.

**hereinschneien:** → besuchen; [hereingeschneit kommen] → kommen.

**hereinspazieren** → betreten.

**hereinspielen:** mit h. → anklingen.

**hereintreten** → betreten.

**Herfahrt** → Fahrt.

**herfallen:** h. über → angreifen, → essen; über jmdn. h. → bitten, → schlechtmachen.

**herfür** → her.

**Hergabe** → Entäußerung.

**Hergang** → Vorgang.

**hergeben:** → schenken; h. müssen → verlieren; das letzte Hemd h. → opfern; sich nicht h. für / zu etwas → tun; für ein Butterbrot h. → verkaufen; für ein Linsengericht h. → abgeben.

**hergebracht** → herkömmlich.

**hergehen:** es geht in bestimmter Weise her → verlaufen.

**hergerissen:** hin- und h. sein → entschließen (sich).

**herhalten:** h. müssen → einstehen (für).

**¹Hering,** Arbeiterforelle (*ugs., scherzh.*), Bismarckhering, grüner Hering, Lachshering, Matjeshering, Salzhering; → Fisch.

**²Hering:** → Fisch, → Zeltpflock; ein H. sein → schlank [sein].

**Heringsbändiger** → Kaufmann.

**Heringsfang:** auf H. gehen → fischen.

**Heringsfaß** → Faß.

**Heringsfischer** → Fischer.

**Heringsmöwe** → Vogel.

**herinnen** → drinnen.

**Heris** → Orientteppich.

**herkommen:** → kommen; h. von → stammen (von).

**Herkommen:** → Abkunft, → Brauch.

**herkömmlich,** althergebracht, hergebracht, altehrwürdig, ehrwürdig, überliefert, überkommen, altererbt, ererbt, traditionell, klassisch, konventionell, altüblich, üblich, altüberliefert, nach [alter] Väter Sitte (*geh., veraltet*); → formell, →

geschichtlich, → rückschrittlich, → überlebt, → üblich; →
Tradition.
**Herkules:** → Held, → Kraftmensch, → Kraftspiel, →
Sternbild.
**herkulisch** → athletisch.
**Herkunft:** → Abkunft, →
Wortgeschichte.
**Herkunftsland** → Heimat.
**Herkunftswörterbuch** → Nachschlagewerk.
**herlaufen:** hinter jeder Schürze
h. → Frauenheld.
**herleihen** → leihen.
**herleiten:** → folgern; sich h. von
→ stammen (von).
**Herleitung:** → Ableitung, →
Folgerung.
**Herlitze** → Kornelkirsche.
**hermachen:** Sprüche h. → prahlen.
**Hermaphrodismus** → Zwittertum.
**Hermaphroditismus** → Zwittertum.
**Hermelin:** → Pelz, → Raubtier.
**Hermeneutik:** → Auslegung, →
Theologie.
**Hermes** → Gott.
**hernach** → hinterher.
**hernehmen:** etwas nimmt her →
beschwerlich [sein]; sich jmdn.
hernehmen → koitieren,
**Hernia abdominalis** → Bruch.
**Hernia inguinalis** → Bruch.
**Hernia omentalis** → Bruch.
**Hernia scrotalis** → Bruch.
**Hernie** → Bruch.
**hernieder:** → abwärts, → her.
**herniederbrennen:** vom Himmel
h. → scheinen.
**herniedersinken** → sinken.
**herniedersteigen** → hinuntergehen.
**heroben** → oberhalb.
**Heroin** → Rauschgift.
**Heroine** → Schauspielerin.
**Heroinismus:** → Opiumvergiftung, → Sucht.
**Heroinomanie** → Opiumvergiftung.
**Heroinsucht:** → Opiumvergiftung, → Sucht.
**Heroinvergiftung** → Opiumvergiftung.
**heroisch** → mutig.
**Herold** → Bote.
**Heroldskunde** → Wappenkunde.

**Heros:** → Halbgott, → Held.
**Herostrat** → Verbrecher.
**Herpes:** → Fieberbläschen, →
Hautausschlag.
**¹Herr** (als Anrede), mein Herr ·
*in England:* Mister, Sir, Mylord
(*veraltet*) · *junger:* Master ·· *in
Frankreich:* Monsieur · *in der
Sowjetunion:* Gospodin, Towa-
rischtsch · *in Holland:* Mijnheer ·· *in Italien:* Signor, Padrone · *junger:* Signorino ··
*in Spanien:* Señor, Caballero ··
*in Portugal:* Senhor ·· *in
Polen:* Pan ·· *in der Türkei
früher:* Efendi · Ggs. → Dame,
→ Fräulein.
**²Herr:** → Besitzer, → Gott,
→ Mann, → Oberhaupt; H.
Zebaoth → Gott; Hochwürdiger H. → Anrede; junger H.
→ Jüngling; der kleine H. →
Penis; möblierter H. → Untermieter; H. der Heerscharen →
Gott; H. der Schöpfung →
Mensch; die -en der Schöpfung → Männer (die); sein
eigener H. sein → selbständig
[sein]; H. im Haus sein →
maßgeblich [sein]; ein H. mit
grauen Schläfen sein → älter
[sein]; H. sein über sich →
ruhig [bleiben]; einer Sache H.
werden → beherrschen; Gebet
des -n → Gebet; Fest der Erscheinung des -n → Epiphanias; im Jahre des -n ... → Jahr;
Leib und Blut des -n / Tisch des
-n → Abendmahl; aus aller
Herren Ländern → überall, →
überallher; Tisch des -n →
Altar.
**Herrchen** → Mann.
**herreden:** hinter jmdm. h. →
schlechtmachen.
**Herrenbekleidung** → Kleidung.
**Herrenfahrer:** → Autofahrer, →
Kraftfahrer, → Rennfahrer.
**Herrenfahrrad** → Fahrrad.
**Herrenfriseur** → Friseur.
**Herrenhemd** → Oberhemd.
**Herrenkleidung** → Kleidung.
**herrenlos:** -es Gut → Fund-
sache.
**Herrenmantel** → Mantel.
**Herrenpilz** → Steinpilz.
**Herrenpulli** → Pullover.
**Herrenpullover** → Pullover.
**Herrenrad** → Fahrrad.
**Herrenrasse** → Rasse.
**Herrenreiter** → Reiter.

**Herrenschirm** → Schirm.
**Herrenschneider** → Schneider.
**Herrenschnitt** → Frisur.
**Herrenschuh** → Schuh.
**Herrenschwamm** → Steinpilz.
**Herrensocke** → Strumpf.
**Herrenstrumpf** → Strumpf.
**Herrentaschentuch** → Ta-
schentuch.
**Herrentoilette** → Toilette.
**Herrenuhr** → Uhr.
**Herrenwelt:** die H. → Männer.
**Herrenweste** → Strickweste.
**Herrenwinker** → Haarlocke.
**Herrgott** → Gott.
**Herrgottsfrühe:** in aller H. →
morgens.
**Herrgottskäfer** → Marienkäfer.
**Herrgottsschnitzer** → Bild-
hauer.
**Herrgottstag** → Fronleichnam.
**Herrgottstierchen** → Marien-
käfer.
**Herrin** → Besitzer.
**herrisch,** gebieterisch, gestreng,
streng, unerbittlich, unnachsichtig, unnachgiebig; → streng,
→ rücksichtslos, → unbarmherzig, → unzugänglich; → Unerbittlichkeit.
**Herrleichnamstag** → Fronleichnam.
**herrlich:** → schön, → trefflich.
**¹Herrlichkeit,** Schönheit,
Pracht, Glanz, Erhabenheit; →
Ebenmäßigkeit, → Kostbar-
keit, → Wohlgestaltetheit; →
schön.
**²Herrlichkeit** → Gotteseigenschaften.
**Herrschaft,** Regierung, Regentschaft, Regime (*abwertend*) ·
*allein vom König ausgeübte:* Monarchie, konstitutionelle Monarchie · *unumschränkte eines
Monarchen:* Absolutismus · *unumschränkte eines Herrschers:*
Autokratie, Alleinherrschaft ·
*unumschränkte, gewaltsam aus-
geübte:* Diktatur, Gewaltherrschaft, Despotie · *die allein
religiös legitimiert wird:* Theokratie · *der Priester:* Hierokratie · *einer kleinen Gruppe:*
Oligarchie, Parteidiktatur,
Bonzenherrschaft (*abwertend*),
Bonzokratie (*abwertend*) · *der
Reichen:* Plutokratie · *des Adels:*
Aristokratie, Feudalismus, Feudalherrschaft · *des Volkes:*

Demokratie, parlamentarische Demokratie, Rätedemokratie, Volksdemokratie · *des Pöbels:* Ochlokratie · *mehrerer Staaten über ein Gebiet:* Kondominium · *des Vaters:* Patriarchat · *der Mutter:* Matriarchat; → Gewaltherrscher, → Oberhaupt, → Partei, → Unfreiheit; **zur H. kommen,** zur Herrschaft gelangen, an die Macht kommen / gelangen, ans Ruder kommen (*ugs.*); → regieren; → tyrannisch.

**Herrschaften:** die alten H. → Eltern.

**Herrschaftslosigkeit** → Anarchie.

**¹herrschen,** walten, bestehen, vorhanden sein, sein; → Zustand.

**²herrschen:** sich nicht der -den Meinung beugen / anschließen → entgegenstellen (sich); es herrscht Durchzug → Durchzug; es herrscht Frost → frieren; bei jmdm. herrscht Unordnung → ungeordnet [sein]; h. über → beherrschen, → führen, → regieren.

**Herrscher** → Oberhaupt.

**Herrscherfamilie** → Dynastie.

**Herrschergeschlecht** → Dynastie.

**Herrscherhaus** → Dynastie.

**Herrscherstab** → Zepter.

**herrühren:** h. von → stammen (von).

**hersagen** → vortragen.

**herschenken** → schenken.

**herschreiben:** sich h. von → stammen (von).

**hersehen:** hinter jmdm. h. → nachschauen (jmdm.).

**herstellen:** → anfertigen, → produzieren; eine Beziehung / einen Kontakt / eine Verbindung h. → verknüpfen; eine Fälschung h. → fälschen; das Gleichgewicht h. → aufholen; Lichtpausen h. → ablichten.

**Hersteller** → Unternehmer.

**Herstellermarke** → Warenzeichen.

**Herstellung,** Anfertigung, Fabrikation, Schaffung, Erschaffung, Schöpfung, Erzeugung, Erarbeitung, Ausarbeitung, Erstellung, Errichtung, Fertigung, Fertigstellung; → Entwurf, → Hervorbringung, → Machart,

→ Verarbeitung; → anfertigen, → erschaffen, → produzieren; → vorgefertigt.

**herüben** → diesseits.

**herüber** → her.

**herum** → her.

**herumalbern:** das Herumalbern → Albernheit.

**herumbasteln** → bosseln.

**herumbohren** → nachforschen.

**herumbrodeln** → langsam [arbeiten].

**herumdoktern** → behandeln.

**herumdrehen:** jmdm. dreht sich das Herz im Leibe herum → betroffen [sein]; jmdm. das Wort im Mund h. → verfälschen.

**herumdrucksen** → sprechen.

**herumerzählen** → verbreiten.

**herumfragen** → fragen.

**herumführen:** an der Nase h. → anführen.

**herumfuhrwerken** → hantieren.

**herumgehen:** wie die Katze um den heißen Brei h. → sprechen.

**herumgeistern:** → spuken; etwas geistert in jmds. Kopf herum → erwägen.

**herumhacken:** auf jmdm. h. → beanstanden.

**herumhantieren** → hantieren.

**herumirren** → herumtreiben (sich).

**Herumirrender** → Umherirrender.

**herumkommen,** etwas von der Welt sehen, sich den Wind um die Nase wehen lassen; → reisen; → Reise.

**herumkrebsen:** → anstrengen (sich), → krank [sein].

**herumkriegen** → überreden.

**herumkritteln** → beanstanden.

**herumkutschieren** → fahren.

**herumlaufen:** → herumtreiben (sich), → toben.

**herumliegen:** bei jmdm. liegt alles herum wie Kraut und Rüben → ungeordnet [sein].

**herumlungern** → herumtreiben (sich).

**herummäkeln** → beanstanden.

**herumnörgeln** → beanstanden.

**herumpriemen** → bosseln.

**herumpusseln** → arbeiten.

**herumraten** → denken.

**herumrätseln** → denken.

**herumreden:** um den Brei h. → sprechen.

**herumreisen** → reisen.

**herumscharwenzeln:** h. um → unterwürfig [sein].

**herumschlagen:** sich mit jmdm. / etwas h. → Schwierigkeit.

**herumschleichen:** wie die Katze um den heißen Brei h. → sprechen.

**herumschnüffeln** → spionieren.

**herumschwänzeln:** h. um → unterwürfig [sein].

**herumsprechen (sich),** bekannt / ruchbar / entdeckt werden, sich [wie ein Lauffeuer] verbreiten, durchsickern, durchdringen, aufkommen, herauskommen, ans Licht kommen, an die Öffentlichkeit dringen, publik werden, von Mund zu Mund gehen, kursieren.

**herumspuken:** → spuken; etwas spukt in jmds. Kopf herum → erwägen.

**herumstehen:** etwas steht nur herum → gebrauchen.

**herumstochern** → nachforschen.

**herumstreichen** → herumtreiben (sich).

**herumstreifen** → herumtreiben (sich).

**herumstreunen** → herumtreiben (sich).

**herumstrolchen** → herumtreiben (sich).

**herumstromern** → herumtreiben (sich).

**herumtanzen:** jmdm. auf der Nase h. → ausnutzen.

**herumtoben** → toben.

**herumtollen** → toben.

**herumtragen** → verbreiten.

**herumtrampeln:** auf jmds. Nerven h. → ärgern (jmdn.).

**herumtreiben (sich),** herumziehen, herumlaufen, herumstreifen, umherstreifen, herumirren, umherirren, umherschweifen, herumstreichen, strolchen, herumstrolchen, stromern, herumstromern, streunen, herumstreunen, vagabundieren, herumvagabundieren, auf die Trebe gehen (*salopp*), zigeunern, herumzigeunern, lungern, herumlungern, strabanzen (*österr.*); → fortbewegen (sich); → ruhelos; → Landstreicherei, → Umherirrender, → Unrast.

**Herumtreiber** → Vagabund.

**Herumtreiberei** → Landstreicherei.

herumtrölen → langsam [arbeiten].

herumvagabundieren → herumtreiben (sich).

herumwirtschaften→hantieren.

herumwuseln → bewegen (sich).

herumziehen: → herumtreiben (sich); -d → ambulant.

herumzigeunern → herumtreiben (sich).

herunten → unterhalb.

herunter: → abwärts, → her.

herunterdrücken: den Preis h. → handeln.

herunterfallen→hinunterfallen.

herunterfliegen → hinunterfallen.

heruntergehen: [mit dem Preis h.] → ermäßigen; h. in → verringern.

heruntergekommen → abgewirtschaftet.

herunterhandeln → handeln.

herunterhauen: jmdm. eine h. → schlagen.

herunterkanzeln → schelten.

herunterklettern → hinuntergehen.

herunterkommen: → hinuntergehen, → verfallen, → verwahrlosen.

herunterlassen: → abseilen; jmdn. am Seil h. → anführen.

herunterleiern → vortragen.

heruntermachen: → besprechen, → schelten.

herunterpurzeln → hinunterfallen.

herunterputzen → schelten.

heruntersausen → hinunterfallen.

herunterschnurren → vortragen.

herunterschrauben → verringern.

heruntersegeln → hinunterfallen.

heruntersetzen → ermäßigen.

heruntersinken → sinken.

herunterspielen: → abschwächen, → bagatellisieren.

herunterspringen → hinunterspringen.

heruntersteigen → hinuntergehen.

herunterstürzen: → hinunterfallen; sich h. → hinunterspringen.

herunterwirtschaften → zahlungsunfähig [werden].

hervor → her.

hervorbringen → produzieren.

Hervorbringung, Erzeugnis, Produkt · negative: Ausgeburt (abwertend), Spottgeburt (abwertend); → Herstellung, → Produktionsmittel (die).

hervorgehen: etwas geht hervor aus → erhellen.

hervorheben → betonen.

Hervorhebung, Betonung, Unterstreichung, Herausstellung, ausdrückliche Feststellung / Erwähnung / Nennung; → Nachdrücklichkeit; → betonen.

hervorkommen → hervortreten.

hervorlocken: mit etwas keinen Hund hinter dem Ofen h. [können] → langweilig [sein].

hervorragen → auffallen.

hervorragend: → blendend, → trefflich.

hervorrufen: → verursachen; hervorgerufen werden → entstehen; wieder h. → wachrufen; Bestürzung h. → schockieren.

hervorstechen → auffallen.

¹hervortreten, hervorkommen, zutage treten, zum Vorschein kommen; → offenbar [werden].

²hervortreten → auffallen, → exponieren (sich).

hervorwagen: sich h. → exponieren (sich).

hervorziehen, herausziehen, ziehen, zücken, greifen nach.

¹Herz, Cor, Kardia, Herz-, Kardio-, Pumpe (ugs.) ·· Hohlräume: Herzkammer, Ventrikel, Kammer ·· Vorkammer, Herzvorhof, Vorhof · rechts: Atrium dextrum, rechter Herzvorhof / Vorhof · links: Atrium sinistrum, linker Herzvorhof / Vorhof; → Herzinfarkt.

²Herz: → Eingeweide, → Mittelpunkt, → Seele, → Spielkarte; nervöses H. → Herzbeschwerden; pendelndes H. → Herzsenkung; jmdm. blutet das H. → betroffen [sein]; jmdm. schlagen alle -en entgegen / fliegen alle -en zu, alle -en im Sturm erobern, sich in die -en [der Menschen] stehlen → sympathisch [sein]; jmdm. fällt / rutscht das H. in die Hose[n] → Angst [bekommen], → Mut; jmdm. dreht sich das H. im Leibe herum → betroffen [sein]; jmdm. hüpft das H. vor Freude, jmdm. lacht das H. im Leibe → freuen (sich); jmdm. schlägt das H. bis zum Hals → aufgeregt [sein]; ein H. und eine Seele sein → unzertrennlich [sein]; etwas drückt jmdn. [fast] das H. ab / bricht jmdm. das H. → bekümmern; -en brechen → verliebt [machen]; sich ein H. fassen → mutig [sein]; ein H. haben für jmdn. → menschlich [sein]; das H. auf dem rechten Fleck haben → lebenstüchtig [sein], → mutig [sein]; ein H. von Stein haben → gefühlskalt [sein]; das H. auf der Zunge haben → gesprächig [sein]; sein H. an etwas hängen → wünschen; sein H. in die Hand / in beide Hände nehmen → mutig [sein]; sein H. verlieren → verlieben (sich); seinem -en einen Stoß geben → überwinden (sich); seinem -en Luft machen; sagen, was man auf dem -en hat → mitteilen; seinem -en Luft machen, aus seinem -en keine Mördergrube machen → sprechen; leichten -ens → unbesorgt; schweren -ens → notgedrungen; etwas liegt jmdm. am -en → wünschen; jmdm. ans H. gewachsen sein → lieb [sein]; ans H. greifend → rührend; jmdm. etwas ans H. legen → vorschlagen; etwas auf dem -en haben → Bitte; auf H. und Nieren prüfen → prüfen; Hand aufs H.! → wahrlich; etwas gibt jmdm. einen Stich ins H., jmdm. ins H. treffen → kränken; ins H. geschlossen haben → München; Weltstadt mit H. → München; mit ganzem -en → nachdrücklich; mit halbem -en → Begeisterung; nach jmds. -en sein → gefallen; es übers H. bringen → überwinden (sich); ein Kind unter dem -en tragen → schwanger [sein]; jmdm. fällt ein Stein vom -en → aufatmen; etwas geht zu -en → erschüttern; zu -en gehend → rührend; sich etwas zu -en nehmen → schwernehmen.

Herzanfall → Anfall.

Herzangst → Angina pectoris.

Herzbad → Badeort.

Herzbeklemmung → Angina pectoris.

**Herzbeschwerden,** nervöse / funktionelle Herzbeschwerden, nervöses Herz, Herzneurose, Kardioneurose, funktionelle Stenokardie, funktionelle Angina pectoris, Herztrias, Phrenokardie, Kardiasthenie; → Herzleiden.
**Herzbinkerl** → Liebling.
**Herzblatt** → Liebling.
**Herzblutung** → Blutung.
**Herzbräune** → Angina pectoris.
**Herzchen** → Liebling.
**Herzeleid** → Leid.
**herzen** → liebkosen.
**Herzenge** → Angina pectoris.
**Herzensbildung** → Höflichkeit.
**Herzensbrecher** → Frauenheld.
**Herzensbruder** → Freund.
**Herzenseinfalt** → Schlichtheit.
**Herzensfreund** → Freund.
**Herzensfreundin** → Freundin.
**herzensgut** → gütig.
**Herzensgüte** → Güte.
**Herzenstrost** → Trost.
**Herzensverhärtung** → Gefühlskälte.
**Herzenswunsch** → Wunsch.
**herzhaft:** → mutig, → würzig.
**Herzhaftigkeit** → Mut.
**Herzhypertrophie,** Herzvergrößerung, Kardiomegalie, Sportherz, Sportlerherz, Kugelherz, Schwerarbeiterherz · *sehr starke:* Bukardie, Ochsenherz, Riesenherz; → Herzleiden.
**herziehen** → reden (über).
**herzig:** → hübsch, → spaßig.
**Herzinfarkt,** Koronarinfarkt, Myokardinfarkt, Herzmuskelinfarkt · Herzversagen, Herzschlag, Herztod, Schlag (*ugs.*); → Anfall, → Herz, → Herzleiden, → Schlaganfall.
**Herzjagen** → Pulsschlag.
**Herzkammer** → Herz.
**Herzkirsche** → Obst.
**Herzklopfen:** → Lampenfieber; H. haben → aufgeregt [sein].
**Herzkohl** → Wirsing.
**Herzkrankheit** → Herzleiden.
**Herzleiden,** Herzkrankheit, Kardiopathie; → Angina pectoris, → Herzbeschwerden, → Herzhypertrophie, → Herzinfarkt, → Herzsenkung.
**herzlich:** → gütig, → sehr; -en Dank! → danke!; mit -en Grüßen → hochachtungsvoll; h. wenig → klein.

**Herzlichkeit** → Freundlichkeit.
**herzlos** → unbarmherzig.
**Herzlosigkeit** → Gefühlskälte.
**Herzmuschel** → Muschel.
**Herzmuskelinfarkt** → Herzinfarkt.
**Herzneurose** → Herzbeschwerden.
**Herzog** → Adliger.
**Herzogin** → Adlige.
**herzoglich:** → adlig; Eure Herzogliche Hoheit, Euer Herzoglichen Hoheit → Anrede.
**Herzogskrone** → Krone.
**Herzschlag** → Herzinfarkt.
**Herzsenkung,** Kardioptose, Kardioptosie, Bathykardie · *bei abnormer Beweglichkeit des Herzens:* Wanderherz, Cor mobile, pendelndes Herz, Tropfenherz; → Herzleiden.
**Herzspezialist** → Arzt.
**Herzstromkurve** → Elektrogramm.
**Herzstück** → Mittelpunkt.
**Herztod** → Herzinfarkt.
**Herztrias** → Herzbeschwerden.
**herzu** → her.
**Herzvergrößerung** → Herzhypertrophie.
**Herzversagen** → Herzinfarkt.
**Herzvorhof** → Herz.
**herzzerreißend** → kläglich.
**Hesekiel** → Prophet.
**Hesperien** → Europa.
**Hesse,** blinder Hesse (*scherzh.*), Hundehesse; → Deutscher.
**hessisch:** h. sprechen → Mundart [sprechen].
**Hetäre** → Prostituierte.
**heterodox** → ketzerisch.
**Heterointoxikation** → Vergiftung.
**heteronom** → unselbständig.
**heteronym** → synonym.
**Heteroplastik** → Transplantation.
**heterosexuell:** → andersgeschlechtlich, → sexuell.
**Heterotoxis** → Vergiftung.
**Heterotransplantation** → Transplantation.
**Hetsche** → Frosch.
**Hetschepetsch** → Hagebutte.
**Hetscherl** → Hagebutte.
**Hetschke** → Frosch.
**Hetz:** → Unterhaltung; aus H. → spaßeshalber.
**Hetze:** → Propaganda, → Überstürzung, → Verfolgung; in H. sein → beeilen (sich).

**hetzen:** → aufwiegeln, → verfolgen; mit allen Hunden gehetzt sein → schlau [sein].
**Hetzer,** Aufwiegler, Unruhestifter, Wühler, Demagoge, Volksverführer, falscher Prophet, Aufhetzer, Scharfmacher (*ugs.*), Ohrenbläser, Brunnenvergifter; → Denunziant, → Propagandist; → aufwiegeln.
**hetzhalber** → spaßeshalber.
**Hetzhund:** -e → Hunderassen.
**Hetzjagd** → Jagd.
**¹Heu · *vom zweiten oder dritten Grasschnitt:*** Grummet, Öhmd (*südwestd.*), Emd (*schweiz.*).
**²Heu:** → Rauschgift; Geld wie H. haben → reich [sein].
**Heubock** → Heuschrecke.
**Heuboden:** → Boden, → Empore, → Scheune.
**Heubühne** → Scheune.
**Heuchelei** → Verstellung.
**heucheln** → vortäuschen.
**¹Heuchler,** Pharisäer, Frömmler, Scheinheiliger, Mucker, Duckmäuser; → Lügner, → Schmeichler.
**²Heuchler:** → Lügner, → Schmeichler.
**heuchlerisch** → unredlich.
**heuer** → Jahr.
**Heuer** → Lohn.
**heuern** → einstellen.
**Heuernte** → Ernte.
**Heuert** → Juli.
**Heuet:** → Ernte, → Juli.
**Heufeimen** → Schober.
**Heufieber** → Schnupfen.
**Heuforke** → Forke.
**Heugabel** → Forke.
**Heugeige** → Heureiter.
**Heugumper** → Heuschrecke.
**Heuharfe** → Heureiter.
**Heuhaufen:** → Schober; eine Stecknadel in einem H. suchen → tun.
**Heuholer** → Fausthieb.
**Heuhopser** → Heuschrecke.
**Heuhupfer** → Heuschrecke.
**Heuhüpfer** → Heuschrecke.
**Heulboje:** → Sänger, → Warnzeichen.
**heulen:** → bellen; [Rotz und Wasser h.] → weinen; das -de Elend kriegen → deprimiert [werden]; mit den Wölfen h. → Opportunist [sein]; nicht mit den Wölfen h. → entgegenstellen (sich); das Heulen → Klagelaut.

Heuler → Feuerwerkskörper.

Heulliese → Mädchen.

Heulsuse → Mädchen.

Heumahd → Ernte.

Heumond → Juli.

Heuochse → Dummkopf.

Heupferdchen → Heuschrecke.

Heureiter, Heureuter, Reiter, Heinze (*schweiz.*), Heugeige (*bayr.*, *österr.*), Heuharfe (*österr.*), Harfe (*österr.*), Hiefel (*oberd.*), Schwedenreiter; → Schober.

Heureuter → Heureiter.

heurig → diesjährig.

Heurige → Kartoffeln.

Heurigenlokal → Straußwirtschaft.

Heuriger: → Straußwirtschaft, → Wein.

Heuristik → Verfahren.

heuristisch: -es Prinzip → Verfahren.

Heuschnupfen → Schnupfen.

Heuschober → Schober.

Heuschreck → Heuschrecke.

¹Heuschrecke, Heuschreck, Grashüpfer (*landsch.*), Springhahn (*landsch.*), Heupferdchen (*landsch.*), Graspferd (*landsch.*), Heubock (*landsch.*), Heugumper (*landsch.*), Heuhüpfer (*landsch.*), Heuhupfer (*landsch.*), Heuhopser (*landsch.*), Heuspringer (*landsch.*), Hoppepferd (*landsch.*), Haferbock (*landsch.*), Springbock (*landsch.*) · Feldheuschrecke, Laubheuschrecke, Wiesenheuschrecke, Fangheuschrecke, Gottesanbeterin, Wanderheuschrecke, Stabheuschrecke, Gespenstheuschrecke, Wandelndes Blatt; → Grille, → Insekt.

²Heuschrecke → Insekt.

Heuspeicher → Scheune.

Heuspringer → Heuschrecke.

Heustadel → Scheune.

Heustock → Schober.

heute: → jetzt; das Hier und Heute → Gegenwart; bis h. → bisher; von h. auf morgen → plötzlich; lieber h. als morgen → früh.

heutig: → jetzig, → zeitgenössisch; bis zum -en Tage → bisher.

heutigentags → jetzt.

Heutriste → Schober.

heutzutage → jetzt.

Hexaeder → Würfel.

Hexameter → Vers.

Hexapla → Bibelübersetzung.

Hexe → Zauberin.

hexen: → zaubern; nicht h. können → vorangehen.

Hexenaustreiber → Teufelsbeschwörer.

Hexenbesen → Schlauchpilz.

Hexenei → Ständerpilz.

Hexenjagd → Verfolgung.

Hexenkessel → Verwirrung.

Hexenmeister → Zauberer.

Hexenröhrling → Ständerpilz.

Hexenschuß: → Bandscheibenschaden, → Lumbago.

Hexenverfolgung →Verfolgung.

Hexenwerk → Zauberei.

Hexer → Zauberer.

Hexerei: → Zauberei; Geschwindigkeit ist keine H. → schwierig.

HH → Hochschule.

hi → Gruß.

Hiatushernie → Bruch.

Hibernation → Heilschlaf.

Hibiskustee → Tee.

hic et nunc: → gleich; das Hic et nunc → Gegenwart.

Hickhack → Gespräch.

Hiddenit → Schmuckstein.

Hidro-: → Schweiß.

Hidrose → Transpiration.

hie: h. und da → manchmal.

Hieb: → Stadtteil, → Stoß, → Verwaltungsbezirk; -e → Züchtigung; es setzt -e → schlagen.

hiebei → hierbei.

hiebfest: hieb- und stichfest → fundiert, → stichhaltig.

Hiebwaffe, Schwert, Säbel, Degen, Streitaxt · *der Indianer:* Tomahawk; → Schußwaffe, → Stichwaffe, → Wurfwaffe.

Hiebwunde → Wunde.

hiedurch → hierdurch.

Hiefe → Hagebutte.

Hiefel → Heureiter.

hiefür → hierfür.

hiegegen → hiergegen.

hieher → hierher.

hiemit → hiermit.

¹hier, an diesem Ort, an dieser Stelle, in diesem Land, hierzulande, bei uns · Ggs. → dort.

²hier: h. drin → drinnen; [h. bin ich], h. hängt er / sie → anwesend [sein]; h. und da → manchmal; h. und jetzt → gleich; das Hier und Heute / Jetzt → Gegenwart.

hieran: → daran; [h. anschließend] → hinterher.

Hierarchie → Rangordnung.

hierarchisch, abgestuft, der Rangfolge / Rangordnung nach; → Rangordnung.

hierauf → daran.

hierbei, hiebei (*oberd.*), dabei.

hierdurch, hiedurch (*oberd.*), dadurch.

hierfür, hiefür (*oberd.*), dafür, [eigens] zu diesem Zweck, ad hoc.

hiergegen, hiegegen (*oberd.*), dagegen.

¹hierher, hieher (*oberd.*), daher (*landsch.*).

²hierher: → her; bis h. und nicht weiter → halt.

hierhin → her.

hiermit, hiemit (*oberd.*), anmit (*schweiz.*).

Hieroglyphenschrift → Schrift.

Hierokratie → Herrschaft.

Hieronym → Pseudonym.

hiervon, hievon (*oberd.*), davon.

hierzu → diesbezüglich.

hierzulande → hier.

Hiesiger: kein H. → Fremder.

hievon → hiervon.

hiezu → diesbezüglich.

high: h. sein → Rausch.

High → Höhepunkt.

Highball → Mixgetränk.

Highbrow → Intellektueller.

Highjacker → Luftpirat.

Highlife → Lebensweise.

High noon → Mittag.

High-Snobiety → Oberschicht.

High-Society → Oberschicht.

Highway → Straße.

Hijacker → Luftpirat.

hilb → mild.

¹Hilfe, Hilfeleistung, Hilfestellung, Förderung, Soforthilfe, Katastropheneinsatz, Luftbrücke, Beistand, Zuzug (*schweiz.*), Unterstützung; → Beihilfe,→Entwicklungsländer, → Lebenshilfe,→ Schutz; **ohne H.**, allein, im Alleingang, von selbst / selber, ohne jmds. Mitwirkung / Dazutun / Zutun, aus eigener Kraft, aus eigenem Vermögen; → selbständig.

²Hilfe: → Dienst, → Hausangestellte, → Lebenshilfe, → Putzfrau, → Stütze; H. bringen / leisten, zu H. eilen / kommen → helfen; mit H. von → vermittels.

**Hilfeleistung** → Hilfe.

**Hilferuf,** Schrei, Notruf, Notsignal, SOS-Ruf; → Klagelaut.

**Hilfestellung:** → Lebenshilfe, →Stütze; H. leisten → helfen.

**hilflos:** → machtlos, → ratlos.

**Hilflosigkeit** → Machtlosigkeit.

**hilfreich:** → gefällig, → nützlich.

**Hilfsarbeiter:** → Arbeiter, → Hilfskraft.

**Hilfsarbeiterin** → Arbeiterin.

**hilfsbedürftig** → machtlos.

**Hilfsbedürftigkeit** → Machtlosigkeit.

**hilfsbereit** → gefällig.

**Hilfsbereitschaft** → Höflichkeit.

**Hilfsfeuerwehr** → Feuerwehr.

**Hilfsgelder** → Ressourcen.

**¹Hilfskraft,** Handlanger, Hilfsarbeiter, Aushilfskraft, Lückenbüßer (abwertend), Aushilfe, Tagelöhner, Taglöhner (oberd.), Tauner (schweiz.), Spetter (schweiz.), Gelegenheitsarbeiter, Manipulant (österr.), Zureicher (veraltend, österr.); → Amtsdiener, → Helfer; → vertreten.

**²Hilfskraft** → Helfer.

**Hilfskreuzer** → Kriegsschiff.

**Hilfslehrer** → Lehrer.

**¹Hilfsmittel,** Behelf · in der Algebra: Determinante.

**²Hilfsmittel** → Ressourcen.

**Hilfsquelle** → Ressourcen.

**Hilfsschule** → Schule.

**Hilfsschullehrer** → Lehrer.

**Hilfsverb** → Verb.

**Hillbilly** → Landbewohner.

**Himbeere** → Beerenobst.

**Himbeergeist** → Alkohol.

**Himbeermotte** → Schmetterling.

**himbeerrot** → rot.

**Himbeersaft** → Fruchtsaft.

**¹Himmel,** Reich Gottes, ewige Seligkeit, Jenseits · im germanischen Götterglauben: Walhalla · im griechischen Götterglauben: Olymp · im Buddhismus: Nirwana; → Gott, → Paradies.

**²Himmel:** → Firmament; H., Arsch und Zwirn, H., Gesäß und Nähgarn, H., Arsch und Wolkenbruch!→verflucht!; H. und Hölle → Hüpfspiel; jmdm. hängt der H. voller Geigen,

den H. offen sehen → glücklich [sein]; der H. öffnet seine Schleusen → regnen; der H. ist blau / wolkenlos → sonnig [sein]; den H. auf Erden haben → Glück [haben]; H. und Hölle in Bewegung setzen → anstrengen (sich); sich dem H. angeloben → Nonne [werden]; dem H. sei Dank! / sei's gedankt! → glücklicherweise; dem H. sei's geklagt → leider; ein Wink des -s →Hinweis; aus allen -n fallen → überrascht [sein]; [wie ein Blitz] aus heiterem H. → plötzlich; Vater im H. → Gott; der erzählt auch, im H. ist Jahrmarkt → glauben; im siebten / siebenten H. sein → glücklich [sein]; die Engel im H. singen hören → Schmerz; jmdn. in den H. heben → loben; dafür sorgen, daß die Bäume nicht in den H. wachsen → einschränken; unter freiem H. schlafen → übernachten; vom H. herniederbrennen → scheinen; das Blaue vom H. herunter lügen → lügen; etwas schreit / stinkt zum H. → unerhört [sein].

**himmel-:** → erz-.

**himmelangst:** jmdm. ist h. → Angst [haben].

**Himmelbett** → Bett.

**himmelblau** → blau.

**Himmeldonnerwetter:** → verflucht!

**¹Himmelfahrt,** Christi Himmelfahrt, Himmelfahrtstag, Vatertag (scherzh.); → Kirchenfest.

**²Himmelfahrt:** → Kirchenjahr; Christi H. → Feiertag; Mariä H. → Feiertag, → Marienfest.

**Himmelfahrtsnase** → Nase.

**Himmelfahrtstag** → Himmelfahrt.

**Himmelherrgottsakra:** → verflucht!

**Himmellaudon:** → verflucht!

**Himmelsbraut** → Nonne.

**Himmelschlüssel** → Schlüsselblume.

**Himmelsgegend** → Himmelsrichtung.

**Himmelsgewölbe** → Firmament.

**Himmelskönigin** → Madonna.

**Himmelskörper,** Stern, Nova, Gestirn, Fixstern, Wandel-

stern, Planet, Planetoid, Asteroid; → Mond, → Planet, → Sonne, → Sternbild, → Sternwarte.

**Himmelskunde** → Astronomie.

**Himmelspol** → Pol.

**¹Himmelsrichtung,** Himmelsgegend · Osten, Morgen (dichter., veraltend), Ost · Ostsüdost, Ostsüdosten, OSO, Südost, Südosten, SO, Südsüdost, Südsüdosten, SSO · Süden, Mittag (dichter., veraltend), Süd · Südsüdwest, Südsüdwesten, SSW, Südwest, Südwesten, SW, Westsüdwest, Westsüdwesten, WSW · Westen, Abend (dichter., veraltend), West · Westnordwest, Westnordwesten, WNW, Nordwest, Nordwesten, NW, Nordnordwest, Nordnordwesten, NNW · Norden, Nord; → Wind.

**²Himmelsrichtung:** aus allen -en → überallher; in alle -en → überallhin.

**Himmelsring** → Regenbogen.

**Himmelsschlüssel** → Schlüsselblume.

**Himmelsstürmer** → Choleriker.

**himmelweit** → fern.

**himmlisch** → göttlich.

**¹hin,** hinzu, dorthin · nach oben: hinauf, empor, hoch (ugs.), rauf (ugs.), 'nauf (ugs., südd.), hinan (geh.), auffi (mundartl., bayr., österr.) · nach unten: hinab, hinunter, nieder, runter (ugs.), 'nunter (ugs., südd.) · nach innen: hinein, rein (ugs.), 'nein (ugs., südd.), eini (mundartl., bayr., österr.) · nach außen: hinaus, raus (ugs.), 'naus (ugs., südd.), aussi (mundartl., bayr., österr.) · nach hinten: zurück · nach vorn: vor, füri (mundartl., bayr., österr.) · nach drüben: hinüber, rüber (ugs.), 'nüber (ugs., südd.), ummi (mundartl., bayr., österr.); **h. und zurück,** tour-retour (österr.); → abwärts, → her.

**²hin:** → verloren [sein]; h. und wieder → manchmal; Hin und Her → Tauziehen.

**hinab:** → abwärts, → hin; das Gäu hinauf und h. → weitum.

**hinabfallen** → hinunterfallen.

**hinabfließen:** bis dahin fließt noch viel Wasser den Berg (oder:) den Rhein hinab → dauern.

**hinabgehen** → hinuntergehen.

**hinabklettern** → hinuntergehen.

**hinablassen** → abseilen.

**hinabsausen** → hinunterfallen.

**hinabsinken** → sinken.

**hinabspringen** → hinunterspringen.

**hinabsteigen** → hinuntergehen.

**hinabstürzen:** → hinunterfallen; sich h. → hinunterspringen.

**hinan** → hin.

**hinauf:** → aufwärts, → hin; das Gäu h. und hinab → weitum.

**hinaufgehen,** raufgehen (ugs.), hochgehen (ugs.), emporgehen (geh.), nach oben / aufwärts / bergauf / bergaufwärts / bergan gehen, heraufkommen, steigen, hinaufsteigen, heraufsteigen, raufsteigen (ugs.), hochsteigen (ugs.), emporsteigen (geh.), nach oben / aufwärts / bergauf / bergaufwärts / bergan steigen, klettern, hinaufklettern, heraufklettern, raufklettern (ugs.), hochklettern (ugs.), emporklettern (geh.), nach oben / aufwärts / bergauf / bergaufwärts / bergan klettern; → klettern, → steigen (auf); → aufwärts · Ggs. → hinuntergehen.

**hinaufjagen:** jmdm. die Katze den Buckel h. → Angst.

**hinaufklettern:** → hinaufgehen, → steigen (auf).

**hinaufkraxeln** → steigen (auf).

**hinaufsteigen:** → hinaufgehen, → steigen (auf).

**hinaus** → hin.

**hinausfliegen:** im hohen Bogen h. → hinauswerfen.

**¹hinausgehen,** nach draußen gehen, hinaustreten, ins Freie treten, gehen aus, [einen Raum] verlassen · Ggs. → betreten.

**²hinausgehen:** h. lassen → schicken; über etwas h. → übertreffen; etwas geht über etwas hinaus → überschreiten; über das Maß des Erlaubten h. → statthaft.

**hinausjagen:** jmdn. zum Tempel h. → hinauswerfen.

**hinauskatapultieren:** → entlassen, → hinauswerfen (jmdn.).

**hinauslaufen:** auf etwas h. → enden.

**hinausragen:** h. über → überstehen.

**hinausschieben:** → hinauszögern, → verschieben.

**hinausschießen:** übers Ziel h. → übertreiben.

**hinausschmeißen** → entlassen.

**hinausstehen:** h. über → überstehen.

**hinaustreten** → hinausgehen.

**¹hinauswerfen** (jmdn.), exmitieren, an die frische Luft setzen (ugs.), jmdn. zum Tempel hinausjagen (ugs.), raussetzen (ugs.), jmdn. [achtkantig] rausschmeißen (salopp), hinauskatapultieren (salopp), katapultieren aus (salopp), jmdn. in hohem Bogen hinauswerfen / rauswerfen (salopp), jmdm. zeigen, wo der Zimmermann das Loch gelassen hat (ugs.); **hinausgeworfen werden,** im hohen Bogen hinausfliegen / rausfliegen (salopp); → entlassen; → Zwangsräumung.

**²hinauswerfen:** → entlassen; [sein Geld] zum Fenster h. → verschwenden.

**hinauswollen:** hoch h. → ehrgeizig [sein].

**Hinauswurf** → Entlassung.

**hinausziehen** → verschieben.

**¹hinauszögern,** hinausschieben, verlängern, prolongieren (bes. österr.); → stunden; → Verlängerung.

**²hinauszögern** → verschieben.

**Hinauszögerung** → Verlängerung.

**hinbiegen** → bereinigen.

**hinblättern** → zahlen.

**hinbringen** → einliefern, → placieren.

**¹hinderlich,** lästig, hemmend, nachteilig; → beschwerlich, → schwer, → unerfreulich, → ungünstig; → Last.

**²hinderlich:** h. sein → behindern.

**¹hindern,** jmdm. etwas unmöglich machen, jmdn. von etwas abhalten, einen Strich durch die Rechnung machen, jmdm. das Konzept verderben, durchkreuzen, vereiteln, nicht möglich [machen]; → behindern, → lahmlegen, → verhindern.

**²hindern:** → behindern; h. an → verhindern; niemand hindert jmdn. daran → freistehen.

**¹Hindernis,** Hürde · beim Springreiten: Hecke, Rick, Birkenrick, Doppelrick, Koppelrick, Mauerrick, Barriere, Eisenbahnschranke, Triplebarre, Oxer, Birkenoxer, Gatter, Gartenzaun, Doppelzaun, Gutstor, Palisade, Mauer, Parkmauer, Felsenmauer, Wall, Pulvermanns Grab, Wassergraben, Wassertrog, Graben, Wegesprung, Holsteiner Wegesprung, zweifache / dreifache Kombination; → Reiter; → reiten.

**²Hindernis:** → Behinderung, → Verhinderung; ohne -se → reibungslos.

**Hindernislauf:** → Lauf, → Leichtathletik.

**Hindernisrennen** → Rennen.

**Hinderung** → Verhinderung.

**Hinderungsgrund,** Gegengrund, Gegenargument, Einwand; → Argument, → Einspruch, → Gesichtspunkt.

**hindeuten:** h. auf → Anzeichen [sein für etwas].

**hindrücken:** jmdm. etwas h → mitteilen, → vorwerfen (jmdm. etwas).

**Hinduismus** → Weltreligion.

**hinein:** → hin; in den Tag h. leben → leben.

**¹hineinbringen,** bringen in, hineintun (ugs.), tun in (ugs.), reintun (ugs.), reinmachen (ugs.), einsetzen, setzen in, einlegen, legen in, reinlegen (ugs.).

**²hineinbringen:** nicht in den Kopf h. → verstehen.

**hineindenken:** sich h. in → einfühlen (sich).

**hineingeheimnissen** → auslegen.

**hineingehen** → betreten.

**hineingelangen** → betreten.

**hineingeraten** → hineinkommen (in).

**hineinknien:** sich in etwas h. → befassen (sich mit).

**¹hineinkommen** (in), kommen / geraten / verfallen / sich verlieren in, hineingeraten, hineinschlittern (salopp); → Lage.

**²hineinkommen** → betreten.

**hineinlegen** → einordnen.

**¹hineinmanövrieren** (jmdn. / sich in etwas), jmdn. / sich in etwas verwickeln, sich verstricken in etwas, jmdn. / sich in eine unangenehme Lage / Situation bringen, jmdn. / sich eine schöne Suppe einbrocken (*ugs.*); → hineinziehen.

²**hineinmanövrieren:** h. in → hineinziehen (in).

**hineinschlittern** → hineinkommen (in).

**hineinschlüpfen** → anziehen.

**hineinspazieren** → betreten.

**hineinsteigern:** sich h. → übertreiben.

**hineinstellen** → einordnen.

**hineinstoßen** → einrammen.

**hineintreiben** → einrammen.

**hineintun** → hineinbringen.

**hineinversetzen:** sich h. in → einfühlen (sich).

**hineinziehen** (in), verwickeln / hineinmanövrieren in, reinreißen (*ugs.*); **nicht h.,** aus dem Spiel lassen; → hineinmanövrieren (sich in etwas); → Komplice.

**Hinfahrt** → Fahrt.

**hinfallen:** → fallen; -de Krankheit → Epilepsie.

¹**hinfällig,** gebrechlich, altersschwach, schitter (*schweiz.*), [alt und] zitt[e]rig, tatt[e]rig (*ugs.*), tap[e]rig (*ugs.*), tutt[e]lig (*ugs., landsch.*), verfallen, elend, kachektisch, kaduk, klapp[e]rig (*salopp*); → alt, → arm, → krank, → verlebt; h. **sein,** mit jmdm. ist nicht mehr viel los (*ugs.*), nichts [mehr] wert sein (*landsch.*); h. **werden,** kollabeszieren, verfallen; → Altersschwäche.

²**hinfällig** → grundlos.

**Hinfälligkeit** → Altersschwäche.

**hinfeuern** → werfen.

**hinfläzen:** sich h. → recken (sich).

**hinflegeln:** sich h. → recken (sich).

**hinfliegen** → fallen.

**hinfort** → später.

**Hingabe:** → Demut, → Entäußerung, → Koitus.

**hingeben:** → opfern; sich h. → koitieren; sich nicht h. → verweigern (sich jmdm.).

**hingegen** → aber.

**hingehen:** er soll h., wo der Pfeffer wächst → willkommen; h. zu → besuchen.

**hingehören:** Stelle, wo man hingehört → Wohnsitz.

**hingerissen:** → begeistert; hin- und hergerissen sein → entschließen (sich).

**Hingeschiedener** → Toter.

**hingezogen:** sich zu jmdm. h. fühlen → lieben.

**hinhalten** → vertrösten.

**hinhaltend,** dilatorisch, schleppend, ausweichend, trölerisch (*schweiz.*), trölerhaft (*schweiz.*); → langsam; → verschieben.

**Hinhaltetaktik** → Strategie.

**hinhauen:** → beeilen (sich), → gelingen, → treffend [sein], → wirken; es haut jmdn. hin → überrascht [sein]; etwas haut hin → passen; sich h. → schlafen [gehen].

**hinhören** → horchen.

**Hinkel** → Huhn.

**Hinkelstein** → Grab.

**hinken,** lahmen, humpeln (*ugs.*), schnappen (*ugs., landsch.*), hatschen (*ugs., österr.*); → fortbewegen (sich).

**hinknallen** → fallen.

**hinknien:** sich h. → knien.

**hinkommen:** → kommen, → stimmen; mit etwas h. → auskommen; etwas kommt hin → passen; wo kämen wir denn da hin? → möglich.

**hinkriegen:** → bewerkstelligen; jmdn. wieder h. → gesund [machen].

**Hinkunft:** in H. → zukünftig.

**hinkünftig** → zukünftig.

**hinlangen** → berühren.

**hinlänglich** → ausreichend.

**hinlegen:** → placieren; sich h. → schlafen [gehen].

**hinlenken:** h. auf → beeinflussen.

**hinlümmeln:** sich h. → räkeln (sich).

**hinmachen** → zerstören.

**hinmetzeln** → töten.

**hinmorden** → töten.

**Hinnahme** → Duldung.

**hinnehmen** → ertragen.

**hinnen:** von h. gehen → weggehen; von h. gegangen sein → weg [sein].

**hinopfern** → opfern.

**hinpfeffern** → werfen.

**hinplacieren** → placieren.

**hinplazieren** → placieren.

**hinplumpsen** → fallen.

**hinpurzeln** → fallen.

**hinreiben:** jmdm. etwas h. → mitteilen, → vorwerfen (jmdm etwas).

**hinreichen:** → ausreichen, → geben.

**hinreichend** → ausreichend.

**hinreißen** → begeistern.

**hinrichten** → töten.

**Hinrichtung,** Exekution, Urteilsvollstreckung · *durch den elektrischen Stuhl:* Elektrokution; → Henker, → Tötung; → töten.

**hinsausen** → fallen.

**hinscheiden,** sterben, versterben, ableben, einschlafen, entschlafen, hinüberschlummern, entschlummern (*selten*), der Tod holt jmdn. heim, vom Tode ereilt werden, sein Leben aushauchen, den Geist aufgeben / aushauchen, die Seele aushauchen, heimgehen, dahinscheiden, aus dem Leben scheiden, die Augen zumachen / [für immer] schließen, das Auge bricht (*dichter.*), vom Schauplatz / von der Bühne abtreten, sein Leben / Dasein vollenden, die sterbliche Hülle ablegen, zu Staub werden, die Feder aus der Hand legen, enden, das Zeitliche segnen, den Weg allen / alles Fleisches gehen, abfahren (*salopp*), ins Grab sinken, in die / zur Grube fahren, zugrunde gehen, [für immer] von jmdm. gehen, aus dieser Welt gehen, jmdn. verlassen (er hat uns [zu früh] verlassen), [in die Ewigkeit] abgerufen werden, verscheiden, dahingerafft werden, das letzte Stündlein ist gekommen / hat geschlagen, jmds. Uhr ist abgelaufen, von hinnen scheiden, abscheiden, erlöst werden, nicht mehr aufstehen, tot hinsinken, zu seinen Vätern versammelt werden, sich zu den Vätern versammeln, zur großen Armee abberufen werden, jmdm. passiert etwas / stößt etwas zu (*verhüllend*), seinen Verletzungen erliegen, seine letzte Reise / seinen letzten Weg antreten, in die ewigen Jagdgründe / zum ewigen Frieden / zur ewigen Ruhe eingehen, aus unserer / ihrer Mitte gerissen werden, aus dem Leben gerissen wer-

den, umkommen, ums Leben /
zu Tode kommen, den Tod
finden, mit jmdm. ist es aus
(*ugs.*), mit dem Tode ringen,
im Sterben liegen, in den letzten Zügen liegen (*ugs.*), mit
jmdm. geht es zu Ende, dran
glauben müssen (*ugs.*), abkratzen (*salopp*), abschnappen (*salopp*), abnibbeln (*salopp*), hopsgehen (*salopp*), draufgehen (*salopp*), vor die Hunde gehen
(*ugs.*), ins Gras beißen (*salopp*),
den Löffel wegschmeißen (*salopp*), Sterbchen machen (*salopp*), ein Bankerl reißen (*salopp*, *österr.*), die Patschen
aufstellen (*salopp*, *österr.*), den
Arsch zukneifen (*vulgär*).

**Hinscheiden** → Exitus.

**Hinschied** → Exitus.

**hinschlachten** → töten.

**hinschlagen** → fallen.

**hinschleudern** → werfen.

**hinschmeißen:** → werfen; die
Arbeit / den ganzen Kram /
Krempel h. → kündigen.

**hinschreiben** → aufschreiben.

**hinsegeln** → fallen.

**hinsein:** → defekt [sein] → tot.

**hinsetzen:** → placieren; sich
h. → setzen (sich).

**Hinsicht:** in jeder H. → ganz,
→ vollinhaltlich.

**hinsichtlich**, in bezug auf, in
puncto, punkto (*ugs.*, *veraltet*),
betreffs, betreffend, bezüglich,
was das betrifft / anbelangt;
→ betreffen.

**hinsinken:** → fallen, → umfallen; tot h. → sterben.

**¹hinstellen**, niederstellen, niedersetzen, niederlegen, abstellen, absetzen, ablegen, deponieren; → placieren.

**²hinstellen:** → placieren; sich
h. → aufstellen (sich); h. als
→ behaupten; als geringfügig /
unbedeutend h. → bagatellisieren.

**hinstürzen** → fallen.

**hintansetzen:** hintangesetzt
werden → zurückstehen.

**¹hinten**, rückwärts (*österr.*), im
Hintergrund, achtern (*Seemannsspr.*) · Ggs. → vorn.

**²hinten:** nach h. → rücklings,
→ rückwärts; es jmdm. vorn
und h. reinstecken → verwöhnen; jmdn. am liebsten von
h. sehen → hassen.

**hintenherum** → heimlich.

**hintennach** → hinterher.

**hintenrum** → heimlich.

**hinter:** h. der Front → Etappe;
h. sich bringen → absolvieren;
h. sich haben → überstanden;
h. jmdm. hersehen → nach-
schauen (jmdm.); h. etwas
kommen → aufdecken; h. sich
lassen → übertreffen; jmdn.
h. sich lassen → überholen
(jmdn.).

**Hinteransicht** → Hinterseite.

**Hinterbänkler:** → Abgeordneter, → Drahtzieher.

**Hinterbein:** sich auf die -e
stellen → aufbegehren, →
wehren (sich).

**Hinterbliebener** → Leidtragender.

**hinterbringen:** → mitteilen, →
weitererzählen.

**hintere:** -r Backenzahn →
Zahn; -r Teil → Hinterteil.

**hintereinander** → nacheinander.

**hinterfotzig** → unaufrichtig.

**Hinterfotzigkeit** → Arglist.

**Hinterfront** → Hinterseite.

**Hintergedanke**, Nebenabsicht,
Nebengedanke; → Arglist.

**¹hintergehen**, betrügen, Betrug
begehen, prellen, hintergehen,
corriger la fortune, jmdn. um
etwas bringen, Schmu machen
(*ugs.*), tricksen (*ugs.*), anschmieren (*salopp*), andrehen
(*salopp*), ausschmieren (*salopp*),
bescheißen (*derb*), anscheißen
(*derb*), beschummeln, schummeln, betakeln (*österr.*), mogeln,
täuschen, mit jmdm. ein falsches
Spiel treiben, mit falschen /
gezinkten Karten spielen, hereinlegen (*ugs.*), reinlegen (*ugs.*),
überlisten, abkochen (*salopp*),
einkochen (*salopp*, *österr.*), anmeiern (*salopp*), überfahren
(*salopp*), übertölpeln (*abwertend*), neppen
(*abwertend*), übers Ohr hauen
(*salopp*), ums Haxel hauen
(*ugs.*, *österr.*), papierln (*ugs.*,
*österr.*), einseifen (*ugs.*), einwickeln (*ugs.*), behumsen (*salopp*), beschupsen (*salopp*),
bluffen, düpieren, jmdn. hinters Licht / aufs Glatteis führen, jmdm. Sand in die Augen
streuen, jmdn. aufs Kreuz
legen / über den Löffel balbie-

ren (*salopp*), jmdn. für dumm
verkaufen (*ugs.*), jmdm. ein X
für ein U vormachen, verschaukeln (*salopp*); → ablisten, →
anführen, → aufsitzen (jmdn.),
→ ausbeuten, → beschönigen,
→ hereinfallen, → lügen, →
wegnehmen; → unaufrichtig;
→ Schlaukopf, → Überlistung.

**²hintergehen:** hintergangen
werden → hereinfallen.

**Hintergehung** → Betrug.

**hintergießen** → trinken.

**¹Hintergrund**, Fond, Tiefe,
Background, Folie.

**²Hintergrund:** im H. → hinten;
in den H. treten → Einfluß.

**hintergründig**, schwer durchschaubar, geheimnisvoll, abgründig, doppelbödig; → tiefgründig, → unfaßbar; → Doppelbödigkeit · Ggs. → vordergründig.

**Hintergründigkeit** → Doppelbödigkeit.

**Hinterhalt**, Versteck, Falle; →
Arglist; → unaufrichtig.

**hinterhältig** → unaufrichtig.

**Hinterhältigkeit** → Arglist.

**Hinterhauptslage** → Kindslage.

**hinterher**, nachher, später, danach, nachträglich, hintennach
(*bes. südd.*, *österr.*), hintnach
(*österr.*), im nachhinein, dann,
sodann, sonach, hernach, hieran, [hieran] anschließend, im
Anschluß an, rückblickend,
rückschauend, retrospektiv,
nicht. → jetzt; → spät, →
nacheinander · Ggs. → vorher.

**hinterhergehen** → nachgehen.

**hinterherkommen** → nachkommen.

**hinterherlaufen** → nachgehen.

**hinterherschauen:** jmdm. h. →
nachschauen (jmdm.).

**Hinterhirn** → Gehirn.

**Hinterindien** → Indien.

**Hinterlader** → Homosexueller.

**Hinterlage** → Hinterlegung.

**Hinterland** → Vorort.

**¹hinterlassen**, zurücklassen,
vererben, vermachen (*ugs.*),
vergaben (*schweiz.*); → schenken, → spenden, → zurück-
lassen.

**²hinterlassen** → zurücklassen.

**Hinterlassener** → Leidtragender.

**Hinterlassenschaft** → Erbe
(das).

**hinterlegen** → zahlen.
**Hinterlegung,** Hinterlage
(*schweiz.*), Erlag (*österr.*); →
Sicherheit.
**Hinterlist** → Arglist.
**hinterlistig** → unaufrichtig.
**Hintermann:** → Drahtzieher, →
Gewährsmann, → Nebenmann.
**Hintern:** → Gesäß; Hummeln
im H. haben → lebhaft [sein];
ich könnte mir vor Wut in den
H. beißen → ärgerlich [sein];
jmdm. in den H. kriechen →
unterwürfig [sein]; jmdm. in
den H. treten → schlagen.
**Hinterpommer** → Homosexueller.
**Hinterrad** → Rad.
**Hinterradbremse** → Bremse.
**hinterrücks** → unaufrichtig.
**Hinterrücksler** → Mann.
**¹Hinterseite,** Rückseite, Hinterfront, Rückfront, Achterfront, Hinteransicht, Hofseite,
Gartenseite; → Haus, →
Hinterteil, → Rückseite · Ggs.
→ Vorderseite.
**²Hinterseite** → Rückseite.
**Hintersinn** → Bedeutung.
**hintersinnen:** sich h. → schwermütig [sein].
**hintersinnig** → schwermütig.
**hinterste:** aus dem -n Winkel →
überallher; bis in den -n Winkel → überallhin.
**Hintersteven** → Hinterteil.
**¹Hinterteil,** hinterer Teil, Rückteil · *eines Schiffes:* Heck,
Achtersteven, Hintersteven; →
Hinterseite · Ggs. → Vorderteil.
**²Hinterteil:** → Gesäß; H. des
Schiffes → Sternbild.
**Hintertreffen:** ins H. geraten →
zurückstehen.
**hintertreiben** → verhindern.
**Hintertreibung:** → Quertreiberei, → Vereitelung.
**Hintertreppenroman** → Roman.
**Hinterwäldler** →Landbewohner.
**hinterwäldlerisch** → engherzig.
**hinterziehen** → unterschlagen.
**Hinterziehung** → Diebstahl.
**hintnach** → hinterher.
**hintun** → placieren.
**hinüber** → hin.
**hinüberschlummern** → sterben.
**hinübersein:** → defekt [sein],
→ ungenießbar [sein].
**hinunter:** → abwärts, → hin.
**hinunterfallen,** herunterfallen,
runterfallen (*ugs.*), hinabfallen,

herabfallen, niederfallen, abstürzen, hinunterstürzen, herunterstürzen, runterstürzen
(*ugs.*), hinabstürzen, herabstürzen, niederstürzen, hinuntersausen, heruntersausen,
runtersausen (*ugs.*), hinabsausen, herabsausen, niedersausen,
hinunterfliegen, herunterfliegen,
runterfliegen (*ugs.*), hinuntersegeln, heruntersegeln, runtersegeln (*ugs.*), hinunterpurzeln,
herunterpurzeln, runterpurzeln
(*ugs.*), in die Tiefe fallen /
stürzen / sausen / segeln / purzeln; → fallen, → hinunterspringen; → abwärts.
**hinunterfliegen** → hinunterfallen.
**hinunterfließen:** bis dahin fließt
noch viel Wasser den Berg /
Rhein hinunter → dauern.
**hinuntergehen,** hinabgehen,
runtergehen (*ugs.*), abwärts /
bergab / bergabwärts / nach
unten gehen, herabkommen,
herunterkommen, hinuntersteigen, hinabsteigen, absteigen,
herabsteigen, heruntersteigen,
runtersteigen (*ugs.*), niedersteigen, herniedersteigen, abwärts /
bergab / bergabwärts / nach
unten steigen, hinunterklettern,
hinabklettern, herabklettern,
herunterklettern, runterklettern
(*ugs.*), abwärts / bergab / bergabwärts / nach unten klettern;
→ abwärts; → Abstieg · Ggs. →
hinaufgehen.
**hinuntergießen** → trinken.
**hinunterklettern** → hinuntergehen.
**hinunterlassen** → abseilen.
**hinunterpurzeln** → hinunterfallen.
**hinuntersausen** → hinunterfallen.
**hinuntersegeln** →hinunterfallen.
**hinuntersinken** → sinken.
**hinunterspringen,** herunterspringen, runterspringen (*ugs.*),
hinabspringen, herabspringen,
abspringen, sich hinunterstürzen / herunterstürzen / runterstürzen / hinabstürzen / herabstürzen / niederstürzen; →
hinunterfallen, → springen; →
abwärts; → Sprung.
**hinunterspülen** → trinken.
**hinuntersteigen** → hinuntergehen.

**hinunterstürzen:** →hinunterfal-
len, → trinken; sich h. → hinunterspringen.
**hinunterwürgen** → essen.
**hinweghelfen:** über etwas h. →
überbrücken.
**hinwegkommen:** h. über →
ertragen; über etwas h. →
überbrücken.
**hinwegsehen:** h. über → ignorieren.
**hinwegsetzen:** sich h. → übertreten.
**hinwegtäuschen:** sich über etwas
h. → ignorieren.
**Hinweis,** Tip, Fingerzeig, [ein]
Wink [des Himmels], Avis,
Aviso (*österr.*), Geheimtip; →
Angabe, → Argument, → Ge-
bärde, → Impuls, → Nach-
richt, → Vorschlag; **einen H.
geben,** andeuten, antönen
(*schweiz.*), anspielen auf, einen
Wink geben, jmdm. etwas bedeuten / zu verstehen geben /
[durch die Blume] sagen; →
abzielen (auf), → hinweisen, →
mitteilen.
**hinweisen (auf),** andeuten, aufmerksam machen / verweisen
auf, zeigen, mit dem Zaunpfahl winken (*ugs.*), jmdn. mit
der Nase auf etwas stoßen · *auf
ein Übel:* den Finger auf die
Wunde legen; → betonen, →
rankriegen, → vorschlagen; →
Hinweis.
**Hinweisschild:** → Schild, →
Wegweiser.
**Hinweistafel** → Wegweiser.
**hinwenden (sich),** sich wenden
zu, sich jmdm. zuwenden /
zudrehen · Ggs. → abwenden
(sich).
**hinwerfen:** → werfen; jmdm.
den Fehdehandschuh h. → provozieren; den ganzen Kram /
Krempel h. → kündigen.
**hinwieder** → aber.
**hinwiederum** → aber.
**Hinz:** H. und Kunz → alle.
**hinziehen:** → wirken; sich h. →
dauern, → erstrecken (sich);
etwas zieht sich hin → andauern; etwas h. → vertrösten.
**hinzielen:** h. auf → vorhaben.
**hinzu** → hin.
**hinzufügen:** → beimischen, →
vervollständigen.
**Hinzufügung** → Ergänzung.
**hinzugeben** → beimischen.

hinzukommend → zuzüglich.
Hinzurechnung: mit H. von → zuzüglich.
hinzutun → beitragen.
hinzuzählen → addieren.
hinzuziehen → heranziehen.
Hippe → Ziege.
Hippie → Gammler.
Hippodrom → Zirkus.
¹Hirn, Kalbshirn, Schafshirn, Bregen (landsch.), Brägen (landsch.), Kalbsbrägen (landsch.); → Gehirn.
²Hirn: → Gehirn; sich das H. zermartern → denken.
Hirnanhang: [unterer H.] → Hypophyse.
Hirnanhangsdrüse → Hypophyse.
Hirnblutung → Blutung.
Hirnerschütterung → Gehirnerschütterung.
Hirngespinst → Einbildung.
Hirnhaut: [harte / weiche / zarte H.] → Meninx.
Hirnhautentzündung → Gehirnhautentzündung.
Hirnmantel → Gehirnrinde.
Hirnöderl → Dummkopf.
Hirnrinde → Gehirnrinde.
hirnrissig → überspannt.
Hirnrissigkeit: → Absurdität, → Ausgefallenheit.
Hirnschlag → Schlaganfall.
hirnverbrannt: → unsinnig; h. sein → verrückt [sein].
Hirnverbranntheit → Absurdität.
Hirsch ·· männlicher: Edelhirsch, Rothirsch, Damhirsch, Dambock (österr.), Hirsch, Schaufler · junger: Hirschkalb · mit dem ersten Geweih: Spießer, Rotspießer, Schmalspießer · Damspießer, geringer Hirsch, Knieper, Sproßler ·· weiblicher: Hirschkuh, Edeltier, Rottier, Tier, Damtier, Damgeiß (österr.), Stuck (bayr.) · der bereits ein Kalb gesetzt hat: Alttier · junges: Wildkalb, Damkitz (österr.) · nach dem ersten Lebensjahr: Schmaltier; → Gemse, → Reh.
Hirschfänger → Stichwaffe.
Hirschhornsalz → Treibmittel.
Hirschkalb → Hirsch.
Hirschkeule → Keule.
Hirschkuh → Hirsch.
Hirschleder → Leder.
Hirschzunge → Farn.

Hirse → Getreide.
Hirsebrei → Brei.
Hirsepilz → Ständerpilz.
Hirt, Hirte, Schafhirt, Schäfer, Kuhhirt, Küher (schweiz.), Senn, Senner, Schwaiger (tirol.), Älpler (schweiz.), Almer (österr.), Halter (österr.), Halterbub (österr.), Schweinehirt, Ziegenhirt · in Nordamerika: Cowboy · in Südamerika: Gaucho; → Herde, → Sennerin.
Hirte: → Hirt; der gute H. → Heiland.
hirten → beaufsichtigen.
Hirtenbrief → Rundschreiben.
Hirtendichtung → Dichtung.
Hirtenfeuer → Feuer.
Hirtenflöte → Blasinstrument.
Hirtenknabe → Schweizer.
Hirtenspiel → Drama.
hissen → flaggen.
Histologe → Arzt.
Historie: → Geschichte, → Tradition.
Historienbild → Bild.
Historienfilm → Kinofilm.
Historienmaler → Kunstmaler.
Historik → Geschichte.
historisch: → geschichtlich; -er Atlas → Atlas; -es Drama → Drama; -e Grammatik → Grammatik; -er Roman → Roman.
historisch-kritisch: -e Ausgabe → Edition.
historisch-vergleichend: -e Grammatik → Grammatik.
Hit: → Schlager, → Verkaufsschlager.
hitchhiken → mitfahren.
Hitparade → Schlagersendung.
Hitsche → Fußbank.
Hitze: → Wärme; es ist eine H. wie in einem Treibhaus → überheizt [sein].
Hitzeferien → Ferien.
Hitzestar → Katarakt.
hitzig: → reizbar, → streitbar, → unbeherrscht.
Hitzigkeit → Ungezügeltheit.
Hitzkopf → Choleriker.
hitzköpfig → unbeherrscht.
Hitzköpfigkeit → Ungezügeltheit.
Hitzschlag → Überhitzung.
H-Milch → Milch.
HNO-Arzt → Arzt.
$H_2O$ → Wasser.
Hobbock → Behälter.

Hobby → Liebhaberei.
Hobbyraum → Werkraum.
Hobel: → Handwerkszeug, → Küchenhobel.
¹hobeln (Gemüse), hacheln (österr.); → Küchenhobel.
²hobeln → glätten.
¹hoch, haushoch, turmhoch, hochmächtig (österr.), emporragend, aufragend, nicht → niedrig; → groß.
²hoch: → aufwärts, → hell, → hin; von hoher Abkunft / Geburt sein → adlig [sein]; hoher Adel → Adel; hohes Fieber → Fieber; höhere Gewalt → Schicksal; Hohe Pforte → Regierung; der hohe Norden → Norwegen; auf dem hohen Roß sitzen → dünkelhaft [sein]; hoher Schuh → Schuh; hohe Schule → Strafanstalt; [sehr] hohe See → Seegang; hohe Stimme → Singstimme; eine hohe Stirn haben → Glatze; ein hohes Tier sein → mächtig [sein]; von hohem Wuchs → groß; zu h. sein → überstehen; wie h. ist der Preis? → teuer; etwas ist jmdm. zu h. → verstehen; [den Preis] zu h. ansetzen → Wucher; höher einschätzen → bevorzugen; jmdm. den Brotkorb höher hängen → einschränken; h. hinauswollen → ehrgeizig [sein]; wenn's h. kommt → bestenfalls; h. im Kurs bei jmdm. stehen → angesehen [sein]; h. und nieder → alle; h. und heilig versprechen → versprechen; ziemlich h. → ansehnlich; h. zu Roß → beritten.
Hoch: → Schönwetter, → Springen (das); ein H. auf jmdn. ausbringen → zutrinken.
hoch-: → erz-.
hochachten → achten.
Hochachtung: → Achtung; mit dem Ausdruck meiner ausgezeichnetsten H., mit vorzüglicher H. → hochachtungsvoll.
hochachtungsvoll, mit vorzüglicher Hochachtung, mit dem Ausdruck tiefster Verehrung / meiner ausgezeichneten Hochachtung, ergebenst, untertänigst (veraltet), Ihr [sehr] ergebener, mit freundlicher Empfehlung, mit den besten / wärmsten / höflichsten Emp-

fehlungen, mit besten / freundlichen / herzlichen Grüßen, mit bestem Gruß, mit Gruß von Haus zu Haus, beste / freundliche / herzliche / viele / liebe Grüße, mit Gruß und Kuß, alles Gute, alles Liebe, in Liebe, in Treue, in Dankbarkeit, in aufrichtiger Verbundenheit, herzlichst, mit freundlicher Begrüßung, es grüßt Sie, Ihr [dankbarer], Dein.

**Hochadel** → Adel.

**hochadelig** → adlig.

**hochadlig** → adlig.

**hochaktuell** → brisant.

**Hochalemannisch** → Mundart.

**Hochaltar** → Altar.

**Hochamt** → Gottesdienst.

**hochanständig** → ehrenhaft.

**Hocharistokratie** → Adel.

**hocharistokratisch** → adlig.

**hochaufgeschossen** → groß.

**Hochbahn** → Verkehrsmittel.

**Hochbauingenieur** → Ingenieur.

**hochbeglückt** → glücklich.

**Hochbehälter** → Wasserreservoir.

**hochbetagt** → alt.

**Hochblatt** → Blatt.

**hochblicken** → aufsehen.

**hochbringen** → ärgern.

**Hochburg** → Mittelpunkt.

**Hochdeutsch** → Hochsprache; H. sprechen → sprechen.

**Hochdruckgebiet** → Schönwetter.

**hochexplosiv** → brisant.

**hochfahrend** → dünkelhaft.

**Hochform:** in H. sein → brillieren.

**hochgebirgs-:** → alpin.

**Hochgebirgsstraße** → Straße.

**hochgeboren** → adlig.

**hochgehen:** → ärgerlich [werden], → hinaufgehen; da kann man doch die Wände / an den Wänden h.; es ist, um die Wände / an den Wänden hochzugehen → unerträglich [sein]; h. lassen → ergreifen.

**Hochgenuß** → Labsal.

**hochgeschätzt,** angesehen, geachtet, bewundert, geehrt, verehrt, verdient, geschätzt, beliebt, geliebt, angebetet, vergöttert, gefeiert, populär, volkstümlich, volksverbunden, renommiert; → anerkennenswert, → anständig, → außergewöhnlich, → begehrt, →

bekannt, → ehrenhaft, → gediegen, → modern; **h. sein,** einen Namen / guten Ruf haben, anerkannt sein, Zulauf / Zuspruch haben, willkommen sein, gut angeschrieben sein (ugs.), einen Stein bei jmdm. im Brett haben (ugs.), Anklang finden, gut ankommen (ugs.), wohlgelitten / gut gelitten sein bei jmdm., bei jmdm. in hohen Gnaden stehen (iron.), begehrt sein, hoch im Kurs bei jmdm. stehen (ugs.); → Erfolg [haben], → Glück [haben].

**hochgestochen** → hochtrabend.

**hochgewachsen** → groß.

**hochgradig:** → ausgeprägt, → sehr.

**hochgucken** → aufsehen.

**Hochhaus** → Haus.

**hochheben:** → heben; die Hand h. → Handzeichen [geben].

**hochherzig** → freigebig.

**Hochherzigkeit:** → Duldsamkeit, → Großzügigkeit.

**Hochjagd** → Jagd.

**hochklettern:** → hinaufgehen, → steigen (auf).

**hochkommen:** → avancieren; nicht h. lassen → unterdrücken; jmdm. kommt der Kaffee hoch → ärgerlich [werden]; hinten nicht mehr h. → kraftlos [sein].

**Hochkonjunktur** → Aufschwung.

**hochkönnen:** hinten nicht mehr h. → kraftlos [sein].

**hochkraxeln** → steigen (auf).

**hochkriegen:** keinen h. → impotent [sein].

**Hochlautung** → Hochsprache.

**hochleben:** jmdn. h. lassen → zutrinken.

**höchlichst** → sehr.

**hochmächtig** → hoch.

**Hochmittelalter** → Geschichtsepoche.

**hochmögend** → mächtig.

**Hochmoor** → Sumpf.

**Hochmut** → Überheblichkeit.

**hochmütig,** dünkelhaft, eingebildet (abwertend), stolz, selbstbewußt, selbstsicher, selbstüberzeugt, selbstüberzogen (ugs., abwertend), wichtigtuerisch (abwertend), aufgeblasen (abwertend), selbstgefällig (abwertend), überheblich, hybrid, anmaßend, präpotent (österr.), arrogant, süffisant,

hoffärtig, hochfahrend, blasiert (abwertend), herablassend, gnädig, snobistisch, spleenig, hochnäsig (ugs.); → aufdringlich, → eitel, → protzig, → selbstbezogen, → selbstsüchtig; **h. sein,** die Nase hoch tragen, einen Dünkel haben, jmdm. schwillt der Kamm, auf dem hohen Roß sitzen; **h. werden,** etwas steigt jmdm. zu Kopf / in die Krone (ugs.); → überschätzen (sich); → Standesbewußtsein, → Überheblichkeit.

**hochnäsig** → dünkelhaft.

**hochnehmen:** → aufheben, → aufziehen, → ergreifen.

**hochpäppeln** → großziehen.

**Hochparterre** → Zwischengeschoß.

**hochprozentig** → alkoholhaltig.

**Hochrelief** → Relief.

**hochrot** → rot.

**Hochsaison** → Saison.

**Hochschein:** keinen H. haben → wissen.

**hochscheuchen** → aufscheuchen.

**¹Hochschule,** Universität, Uni (ugs.), Akademie, Alma mater, Ordinarienuniversität (abwertend) · integrierte Gesamthochschule · technische Hochschule / Universität, TH, TU, Technik (österr.) · Wirtschaftshochschule, Handelshochschule (St. Gallen), HH, [Hochschule für] Welthandel (Wien) · pädagogische Hochschule, PH · für Bergbau und Hüttenwesen: Bergakademie; → Fachrichtung, → Hochschullehrer, → Hospitant, → Institut, → Lehrberechtigung, → Schule, → Student, → Universitätsgelände, → Zulassungsbeschränkung; → immatrikulieren (sich), → studieren.

**²Hochschule:** die H. besuchen → studieren.

**Hochschüler** → Student.

**Hochschullehrer,** Professor, Universitätsprofessor, Honorarprofessor, Dozent, Lehrbeauftragter · ordentlicher: Ordinarius, Lehrstuhlinhaber, Lehrkanzelinhaber (österr.) · außerordentlicher: Extraordinarius · emeritierter: Emeritus · für Übungen in Fremdsprachen:

Lektor; → Dekan, → Hochschule, → Lehrer, → Lehrstuhl, → Rektor, → Student.

**Hochschulreife,** Maturität (*schweiz.*); → Prüfung, → Zensur.

**Hochseeangelei** → Angelsport.

**Hochseefischer** → Fischer.

**Hochseefischerei** → Fischerei.

**Hochseekutter** → Fischereischiff.

**Hochseeschiff** → Schiff.

**Hochseeschiffahrt** → Schiffahrt.

**hochsehen** → aufsehen.

**Hochseilakrobat** → Artist.

**Hochseilartist** → Artist.

**Hochsitz,** Hochstand, Anstand, Ansitz, Wildkanzel, Jagdkanzel, Kanzel; → Jagdgebiet, → Jäger; → jagen.

**Hochsommer** → Jahreszeit.

**Hochsommertag** → Tag.

**hochspielen** → übertreiben.

**Hochsprache,** Schriftsprache, Literatursprache, öffentliche Sprache · *deutsche:* Hochdeutsch, Schriftdeutsch · *der Bühne:* Bühnensprache · *in bezug auf die Aussprache:* Hochlautung; → Ausdrucksweise, → Deutsch, → Grammatik, → Gruppensprache, → Muttersprache, → Sprache; → sprechen · Ggs. → Mundart.

**Hochsprung:** → Fünfkampf, → Leichtathletik, → Springen (das), → Zehnkampf.

**höchst:** es ist -e Zeit / Eisenbahn → spät; in -em Grad, aufs -e → sehr; das Höchste → Höhepunkt, → Maximum.

**höchst-:** → erz-.

**Hochstand** → Hochsitz.

**Hochstapler** → Betrüger.

**hochsteigen:** → hinaufgehen, → steigen (auf).

**höchstens** → aber.

**Höchstgebot** → Gebot.

**hochstilisieren** → verfeinern.

**Höchstleistung,** Bestleistung, Meisterleistung, Spitzenleistung, Spitzenklasse, Glanzleistung, Gipfelleistung, Rekord; → Fähigkeit, → Höhepunkt; → Sportler; **H. erzielen,** die Spitze halten, in Führung liegen, an erster Stelle stehen, die erste Stelle / den ersten Platz einnehmen, führen, führend sein, die Tabelle anführen, Spitzenreiter sein; → trefflich.

**Höchstlohn** → Lohn.

**Höchstmaß:** → Höhepunkt, → Maximum.

**höchstpersönlich** → persönlich.

**Höchstpreis** → Preis.

**höchstselbst** → persönlich.

**Höchststufe** → Superlativ.

**höchstwahrscheinlich** → anscheinend.

**Höchstwert:** → Höhepunkt, → Maximum.

**Hochtourist** → Bergsteiger.

**Hochtouristik** → Alpinistik.

**hochtrabend** (*abwertend*), schwülstig (*abwertend*), gewichtig, pathetisch (*abwertend*), salbungsvoll (*abwertend*), hochgestochen (*abwertend*), anspruchsvoll, bombastisch, pompös; → ausdrucksvoll

**hochverehrt** → verehrt.

**Hochverrat,** Landesverrat; → Hochverräter, → Verschwörung.

**Hochverräter,** Landesverräter, Vaterlandsverräter; → Hochverrat, → Verräter, → Verschwörung.

**Hochwald** → Wald.

**Hochwasser** → Flut.

**Hochwasserhose** → Hose.

**hochwertig** → kostbar.

**Hochwild** → Wild.

**hochwirbeln** → aufwirbeln.

**hochwüchsig** → groß.

**Hochwürden:** [Euer H.] → Anrede.

**hochwürdig:** Hochwürdiger Herr → Anrede.

**¹Hochzeit,** Eheschließung, grüne Hochzeit; → Ehe, → Hochzeitstag, → Vermählung; → heiraten.

**²Hochzeit:** → Fehler, → Vermählung; diamantene / eiserne / goldene / hölzerne / kupferne / silberne / steinerne H. → Hochzeitstag; H. machen / halten → heiraten; nicht auf zwei -en tanzen können → entschließen (sich).

**Hochzeiter** → Bräutigam.

**Hochzeitsanzeige** → Nachricht.

**Hochzeitskleid** → Kleid.

**Hochzeitskutsche** → Kutsche.

**Hochzeitstag** · *nach fünf Ehejahren:* Veilchenhochzeit, Holzhochzeit · *nach sieben Ehejahren:* kupferne Hochzeit · *nach zehn Ehejahren:* Rosenhochzeit, höl-

zerne Hochzeit · *nach fünfzehn Ehejahren:* Kristallhochzeit, Levkojenhochzeit · *nach zwanzig Ehejahren:* Chrysanthemenhochzeit, Porzellanhochzeit · *nach fünfundzwanzig Ehejahren:* silberne Hochzeit, Silberhochzeit, Jubelhochzeit · *nach dreißig Ehejahren:* Perlenhochzeit · *nach fünfzig Ehejahren:* goldene Hochzeit, Jubelhochzeit · *nach sechzig Ehejahren:* diamantene Hochzeit, Jubelhochzeit · *nach fünfundsechzig Ehejahren:* eiserne Hochzeit, Jubelhochzeit · *nach siebzig Ehejahren:* steinerne Hochzeit, Gnadenhochzeit, Jubelhochzeit · *nach fünfundsiebzig Ehejahren:* Gnadenhochzeit; → Hochzeit; → heiraten.

**hochziehen** → bauen.

**Hock** → Runde.

**Hocke:** → Garbenstand, → Turnübung.

**hocken** → sitzen.

**hockenbleiben:** → versetzen, → wiederholen.

**Hocker,** Taburett, Schemel, Stockerl (*bayr., österr.*) · Klavierhocker, Klaviersessel; → Sitzgelegenheit.

**Höcker,** Buckel, Ast (*salopp, landsch.*); → verwachsen.

**Hockergrab** → Grab.

**Höckerschwan** → Vogel.

**Hockey,** Hallenhockey, Eishockey, Bandy, Feldhockey, Polo; → Spiel.

**Hockeyschläger** → Sportgerät.

**Hode** → Hoden.

**Hoden,** Hode, Orchis, Testis, Testikel, Didymus, Klöten (*vulgär*), Eier (*vulgär*) · *beim Zurückbleiben in der Bauchhöhle oder im Leistenkanal:* Leistenhoden, Hodenhochstand, Kryptorchismus; → Genitalien, → Hodensack; → Kastration.

**Hodenhochstand** → Hoden.

**Hodensack** → Skrotum.

**Hodensackbruch** → Bruch.

**Hof:** → Bauernhof, → Gut; Haus und H. → Besitz; jmdm. den H. machen → umwerben.

**Hofadel** → Adel.

**Hofaristokratie** → Adel.

**Hofball** → Ball.

**Hofburg:** [Amalientrakt der H.] → Regierung.

**höfeln** → schmeicheln.

**Hoffart** → Überheblichkeit.

**hoffärtig** → dünkelhaft.

**hoffen,** die Hoffnung haben, erhoffen, erwarten, harren, sich in der Hoffnung wiegen, sich Hoffnungen machen, träumen; → wünschen; → gegenwärtig; → Hoffnung.

**¹Hoffnung,** Zuversicht, Zutrauen, Vertrauen, Aspiration; → Aussichten, → Optimismus; **die H. nicht aufgeben,** noch ist Polen nicht verloren!; **sich falsche Hoffnungen machen,** bilde dir nur keine Schwachheiten ein! (*ugs.*); → hoffen.

**²Hoffnung:** → Trost; die H. aufgeben → Mut [verlieren]; alle H. fahrenlassen → Mut; die H. haben → hoffen; jmdm. -en machen → Entgegenkommen [zeigen]; jmdm. alle H. nehmen / rauben → entmutigen; H. schöpfen → zuversichtlich [sein]; [in] guter H. / in [der] H. sein → schwanger [sein].

**Hoffnungsfreude** → Optimismus.

**hoffnungsfroh** → zuversichtlich.

**hoffnungslos:** → aussichtslos; ein -er Fall sein → nutzlos [sein], → unheilbar [krank sein].

**Hoffnungslosigkeit:** → Ausweglosigkeit, → Verzweiflung.

**Hoffnungsschimmer** → Trost.

**hoffnungsvoll** → zuversichtlich.

**hofhalten** → residieren.

**hofieren** → schmeicheln.

**höfisch:** -es Epos → Erzählung.

**Hofkalender:** Gothaischer H. → Adelskalender.

**Hofknicks:** → Knicks; einen H. machen → knicksen.

**¹höflich,** ritterlich, gentlemanlike, galant, artig, aufmerksam, rücksichtsvoll, pflichtschuldigst, wie es sich gehört, zuvorkommend, taktvoll, glatt (*abwertend*), aalglatt (*abwertend*), nicht → unhöflich, nicht → aufdringlich; → angemessen, → damenhaft, → entgegenkommend, → formell, → korrekt, →rücksichtsvoll;→ Gentleman, → Höflichkeit; → benehmen (sich).

**²höflich:** mit den -sten Empfehlungen → hochachtungsvoll.

**¹Höflichkeit,** Aufmerksamkeit, Hilfsbereitschaft, Courtoisie, Galanterie, Ritterlichkeit, Zuvorkommenheit, Artigkeit, Anstand, Taktgefühl, Herzensbildung, Takt, Feingefühl, Zartgefühl; → Dienst, → Freundlichkeit, → Gentleman, → Verschwiegenheit; → entgegenkommend, → gefällig, → höflich · Ggs. → Unhöflichkeit.

**²Höflichkeit:** → Kompliment; darüber schweigt des Sängers H. → vertuschen.

**Höflichkeitsbesuch** → Besuch.

**Hofloge** → Loge.

**Hofnarr** → Spaßmacher.

**Hofreite:** → Bauernhof, → Gut.

**Hofschranze** → Schmarotzer.

**Hofseite** → Hinterseite.

**Hofstatt** → Bauernhof.

**Hofzwerg** → Spaßmacher.

**högen:** sich h. → lachen.

**Höhe:** → Ansehen, → Ausmaß, → Berg, → Vornehmheit; das ist die H. → unerhört [sein]; an H. verlieren → sinken; in die H. → hin; in der H. → oberhalb; von geringer H. → niedrig; in die H. jagen → aufscheuchen; in die H. treiben → steigern; in die H. wirbeln → aufwirbeln; nicht auf der H. sein → krank [sein].

**Hoheit:** → Vornehmheit; Euer / Eure H., Euer Herzoglichen H., Eure Herzogliche H., Königliche H., Euer Königlichen H., Eure Königliche H. → Anrede.

**hoheitsvoll** → majestätisch.

**Hoheitszeichen** → Abzeichen.

**Höhenangst** → Phobie.

**Höhenburg** → Burg.

**Höhenklima** → Klima.

**Höhenkrankheit** → Bewegungskrankheit.

**Höhenkurort** → Kurort.

**Höhenluft** → Luft.

**Höhenschielen** → Schielen.

**Höhenschwindel** → Phobie.

**¹Höhepunkt,** Gipfel, Nonplusultra, Kulmination, Akme, Epitasis, Wendepunkt, Krise, Peripetie, Katastase, Maximum, das Höchste, Optimum, Höchstmaß, Höchstwert · *bei positiver Wirkung des Rauschgifts:* High · *einer Krankheit:* Paroxysmus · *sexueller:* Orgasmus, Wollust; → Glanzpunkt, → Höchstleistung, → Rausch, → Rausch-

gift, → Samenerguß, → Steigerung, → Überfluß; → gipfeln · Ggs. → Minimum, → Tiefstand.

**²Höhepunkt:** den H. erreichen → gipfeln.

**höher:** -es Lehramt → Lehrberechtigung; -e Mathematik → Mathematik; -e Schule → Schule; -es Semester → Student.

**höherstufen** → befördern.

**hohl:** → leer, → phrasenhaft.

**Hohlblockstein** → Baustein.

**Höhle,** Bau, Loch · Fuchsloch, Fuchsbau, Dachsbau, Kaninchenbau, Luchsbau.

**Höhlenbär** → Bär.

**Höhlenkirche** → Gotteshaus.

**Höhlentempel** → Gotteshaus.

**Hohlfuß:** → Fuß, → Fußdeformität.

**Hohlkopf** → Dummkopf.

**Hohlkörperkuppel** → Kuppel.

**Hohlmaß** · Deziliter, Dezi (*schweiz.*), Viertelliter, halber Liter, Hektoliter, Kubikmeter · *für Wein im Glas:* Viertele (*landsch.*) · *früheres für Wein:* Stückfaß, Fuder (780–1856 Liter) ·· *für Bier · für 1 Liter:* Maß (*bayr.*) · *für ¹/₂ Liter:* Halbe (*bayr., österr.*), Krügel (*österr.*) · *für 0,3 Liter:* Seidel (*bayr., österr.*) ·· *für Getreide:* Metzen (*bayr., österr.*); → Flächenmaß, → Gewichtseinheit, → Längenmaß, → Raummaß, → Stück, → Trinkgefäß; → messen.

**Hohlnadelspritze** → Spritze.

**Hohlnagel** → Nagelkrankheit.

**Hohlpfanne** → Dachziegel.

**Hohlraum** → Vakuum.

**Hohl-Spitz-Fuß** → Fußdeformität.

**Hohlstein** → Baustein.

**Hohltaube** → Vogel.

**Hohltier** ·· Korallentier, Koralle, Steinkoralle, Riffkoralle, Edelkoralle, Seerose, Seefeder ·· Qualle, Polyp, Quallenpolyp, Süßwasserpolyp, Hydra, Röhrenqualle, Scheibenqualle, Schirmqualle, Saumqualle, Ohrenqualle, Leuchtqualle, Lungenqualle, Wurzelqualle, Rippenqualle, Melonenqualle, Venusgürtel, Meduse.

**hohlwangig** → abgezehrt.

**Hohlwurm** → Wurm.

**Hohn** → Humor.

höhnen → aufziehen.

höhnisch → spöttisch.

hohnlachen → lachen.

**Hokuspokus** (*abwertend*), Gaukelei, Blendwerk, fauler Zauber (*ugs.*, *abwertend*), Scharlatanerie (*abwertend*); → Einbildung, → Mystifikation.

**Holbeinteppich** → Teppich.

**hold:** → hübsch; die -e Weiblichkeit → Frauen (die); jmdm. h. sein → lieben.

**Holder** → Holunder.

**Holderbusch** → Holunderstrauch.

**Holderstock** → Holunderstrauch.

**Holderstrauch** → Holunderstrauch.

**Holdinggesellschaft** → Unternehmen.

**holen:** → beschaffen, → verhaften; der Teufel soll's h.! → verflucht; sich etwas h. krank [werden]; sich etwas / die Musik h. → Geschlechtskrankheit; h. aus → herausholen.

**Holländer,** Mynheer, Mijnheer, Dutchman (*engl.*).

holländern → broschieren.

**¹Hölle,** Inferno, Ort der Finsternis / der Verdammnis / der Verdammten · *in der Antike:* Unterwelt, Totenreich, Schattenreich, Hades, Orkus, Tartarus, Erebos, Abyssus · *in der germanischen Mythologie:* Hel, Niflheim; → Fegefeuer, → Lethe, → Teufel · Ggs. → Paradies.

**²Hölle:** Himmel und H. → Hüpfspiel; jmdm. die H. heiß machen → bitten, → zusetzen (jmdm.); Himmel und H. in Bewegung setzen → anstrengen (sich); jmdm. das Leben zur H. machen → schikanieren; jmdn. zur H. wünschen → verwünschen (jmdn.).

**Hollebbe** → Ebbe.

**Höllen-:** → Erz-.

**Höllenfürst** → Teufel.

**Höllenspektakel** → Lärm.

**Holler** → Holunder.

**Hollerbusch** → Holunderstrauch.

**Hollerithmaschine** →Computer.

höllisch → sehr.

**Hollywoodschaukel** → Liegestuhl.

**Holm** → Griff.

**Holographie** → Fotografie.

**Holostei** → Fisch.

**holpern,** rumpeln, rattern, stuckern (*landsch.*, *ugs.*); → springen; → Laut.

holprig → rauh.

**Holsteiner:** → Pferd; H. Wegesprung → Hindernis.

holterdiepolter → schnell.

**¹Holunder,** Holder (*landsch.*), Holler (*bes.* österr.), Flieder (*nordd.*), Sambucus; → Holunderstrauch.

**²Holunder:** → Holunderstrauch, → Laubhölzer.

**Holunderstrauch,** Holunder, Holderbusch (*landsch.*), Holderstrauch (*landsch.*), Holderstock (*landsch.*), Hollerbusch (österr.); → Holunder, → Laubhölzer.

**Holundertee** → Tee.

**Holz:** → Kegel, → Wald; Gut H.! → Gruß; auf H. klopfen → beschreien; aus hartem H. geschnitzt sein → dickfellig; mit H. verkleiden → täfeln.

**Holzarbeiter** → Holzfäller.

**Holzauge:** H. sei wachsam → wachsam.

**Holzbank** → Sitzbank.

**Holzblasinstrument** → Blasinstrument.

**Holzblasinstrumentenmacher** → Musikinstrumentenbauer.

**¹Holzbock,** Bock, Holzgestell, Sägebock, Schragen (österr.); → Untergestell.

**²Holzbock** → Zecke.

**Holzbohrer** → Schmetterling.

**Holzbrettchen** → Frühstücksbrett.

**Holzbrücke** → Brücke.

**Holzdecke** → Zimmerdecke.

holzen → Fußballspiel.

**Holzer:** → Fußballspieler, → Holzfäller.

**Holzerei** → Gespräch.

hölzern: → linkisch; -e Hochzeit → Hochzeitstag.

**Holzfäller,** Holzarbeiter, Holzknecht (österr.), Holzer (*bayr.*, österr.), Holzhacker (österr.), Waldarbeiter.

**Holzfeuer** → Feuer.

**Holzfußboden** → Fußboden.

**Holzgas** → Gas.

**Holzgestell** → Holzbock.

**Holzhacker:** → Fußballspieler → Holzfäller.

**Holzhochzeit** → Hochzeitstag.

**Holzkäfig** → Käfig.

**Holzkirche** → Gotteshaus.

**Holzknecht** → Holzfäller.

**Holzkohle** → Kohle.

**Holzkohlenbügeleisen** → Bügeleisen.

**Holzkopf:** → Dummkopf, → Grobian.

**Holzleim** → Bindemittel.

**Holzmalerei** → Maltechnik.

**Holzpantine** → Schuh.

**Holzperle** → Perle.

**Holzpfanne** → Dachziegel.

**Holzpfeife** → Tabakspfeife.

**Holzpuppe** → Puppe.

**Holzriese** → Holzrutsche.

**Holzrutsche,** Holzriese (*südd.*, österr.), Riese (*südd.*, österr.).

**Holzsarg** → Sarg.

**Holzschneidekunst:** → Graphik, → Holzschnitt.

**Holzschneider** → Bildhauer.

**¹Holzschnitt,** Holzschneidekunst, Xylographie · Linienschnitt · Holzstich, Tonstich · Reiberdruck · Farbenholzschnitt · Helldunkelschnitt, Clairobscurschnitt, Tonholzschnitt; → Graphik, → Kunstdruck.

**²Holzschnitt:** → Graphik, → Kunstdruck.

**Holzschnitzer** → Schnitzer.

**Holzschnitzerei** → Bildnerei.

**Holzschuh** → Schuh.

**Holzsplitter,** Splitter, Schiefer (*südd.*, österr.); → Kleinholz.

**Holzstich** → Holzschnitt.

**Holzstift** → Nagel.

**Holzstock** → Hackklotz.

**Holzstuhl** → Stuhl.

**Holzteller:** → Frühstücksbrett, → Teller.

**Holztreppe** → Treppe.

**Holzverkleidung** → Täfelung.

**Holzweg:** auf dem H. sein → irren (sich).

**Homburg** → Kopfbedeckung.

homerisch: -es Gelächter → Gelächter, → Lache.

**Homiletik** → Theologie.

**Hommage** → Ehrerbietung.

**Homo** → Homosexueller.

homo-, iso-, syn-, mit-, gleich-; → übereinstimmend.

**Homo austriacus** → Österreicher.

**Homoerotik** → Homotropie.

homoerotisch → gleichgeschlechtlich.

Homo faber → Ingenieur.
homogen → übereinstimmend.
Homograph → Homonym.
Homographie → Wortgleichheit.
Homoioplastik → Transplantation.
Homoiotransplantation → Transplantation.
homolog → übereinstimmend.
[1]homonym, homonymisch, gleichlautend, gleichklingend, gleichnamig.
[2]homonym → mehrdeutig.
Homonym · in der Lautung: Homophon · in der Schreibung: Homograph · durch Neubildung mit gleichen Wortbildungselementen unabhängig entstandenes: Isonym; → Begriff, → Wortgleichheit; → synonym.
Homonymie: → Mehrdeutigkeit, → Wortgleichheit.
homonymisch → homonym.
Homöopath → Arzt.
Homöopathie → Heilkunde.
Homöoplastik → Transplantation.
Homöotransplantation → Transplantation.
homophil → gleichgeschlechtlich.
Homophiler → Homosexueller.
Homophilie → Homotropie.
Homophon → Homonym.
Homophonie → Wortgleichheit.
Homoplastik → Transplantation.
Homosexualität → Homotropie.
homosexuell: → gleichgeschlechtlich, → sexuell.
Homosexueller, das dritte Geschlecht, Invertierter, Urning, Uranist, Kinäde, Homophiler, Männerfreund, Androphiler, Homo (ugs.), Halbseidener (ugs.), Schwuler (salopp, abwertend), Hundertfünfundsiebziger (salopp, veraltend), warmer Bruder (salopp), Hinterlader (salopp), Hinterpommer (salopp), Schweizer (salopp), Spinatstecher (landsch.), Arschficker (vulgär) · gerichtet auf Knaben, Jugendliche: Päderast, Ephebophiler, Knabenschänder (abwertend) · femininer: Schwuchtel (salopp), Tucke (salopp), Fummeltrine (salopp), Tunte (salopp)

· mit Neigung, Kleidung des anderen Geschlechts zu tragen: Transvestit; → Abweichung, → Homotropie, → Lesbierin, → Strichjunge, → Umkehrung, → Unzucht; → gleichgeschlechtlich, → pervers, → unmännlich.
Homotransplantation → Transplantation.
Homotropie, Homoerotik, Homophilie, Homosexualität, Inversion, Männerfreundschaft, Knabenliebe; → Homosexueller, → Lesbierin, → Perversität.
Honanseide → Seide.
honett → ehrenhaft.
Honeymoon → Flitterwochen.
Hongkonggrippe → Grippe.
[1]Honig, Bienenhonig · Jungfernhonig, Leckhonig, Scheibenhonig, Wabenhonig, Seimhonig, Preßhonig, Schleuderhonig · Akazienhonig, Blütenhonig, Ahornhonig, Heidehonig, Erikahonig, Salbeihonig, Lindenblütenhonig, Tannenhonig, Waldhonig, Weißtannenhonig, Buchweizenhonig · Kunsthonig; → Biene, → Brotaufstrich.
[2]Honig: → Brotaufstrich; das Land, wo Milch und H. fließt → Fabelland; H. ums Maul / um den Mund schmieren → schmeicheln.
Honigbiene → Biene.
honigfarben → gelb.
honiggelb → gelb.
Honigkuchen → Lebkuchen.
Honigkuchenpferd: grinsen wie ein H. → lachen.
Honigmelone → Melone.
Honigmond → Flitterwochen.
honigsüß → süß.
Honigtau → Meltau.
Honigwochen → Flitterwochen.
honorabel → ehrenhaft.
Honorar → Einkünfte.
Honorarforderung → Quittung.
Honorarprofessor → Hochschullehrer.
Honoratioren → Oberschicht.
Honoratiorenschwäbisch → Mundart.
[1]honorieren, anerkennen, würdigen, jmdm. etwas danken, Tribut zollen.
[2]honorieren: → achten, → zahlen.
honorig: → ehrenhaft, → erhaben, → freigebig.

Honorigkeit → Rechtschaffenheit.
Hopfen: bei jmdm. ist H. und Malz verloren → nutzlos [sein].
hoppeln → springen.
Hoppepferd → Heuschrecke.
Hoppla → Verzeihung!
hoppnehmen → ergreifen.
Hopse → Hüpfspiel.
hopsen: → koitieren, → springen; das ist gehopst wie gesprungen → einerlei; dem Tod von der Schippe h. → sterben.
Hopser → Sprung.
hopsgehen → sterben.
hörbar: → laut; kaum h. → leise.
Hörbild: → Bericht, → Rundfunksendung.
Hörbrille → Brille.
[1]horchen, zuhören, anhören, abhören, hören, hinhören, abhorchen, behorchen, auskultieren (Med.), lauschen, losen (oberd.), mithören, ganz Ohr sein, jmdm. Gehör schenken / sein Ohr leihen, die Ohren aufsperren / spitzen (ugs.); → hören; → Abhörgerät.
[2]horchen → hören.
Horde: → Bande, → Gruppe, → Steige.
[1]hören, vernehmen, verstehen · zufällig: aufschnappen (ugs.), mitkriegen (ugs.); → horchen, → wahrnehmen; → akustisch.
[2]hören: → empfangen, → erfahren, → horchen; kaum noch zu h. sein → verhallen; gehört haben von → wissen; einmal etwas anderes h. und sehen → zerstreuen (sich); die Beichte h. → Beichte; das Gras wachsen / die Flöhe husten h. → wissen; auf jmdn. h. → gehorchen; nicht h. auf → mißachten; etwas von sich h. lassen → Lebenszeichen; etwas zu h. bekommen / kriegen → schelten.
Hörensagen: vom H. → gerüchtweise.
hörenswert → interessant.
Hörer → Student.
Hörerschaft → Publikum.
Hörerumfrage → Umfrage.
Hörfunk → Rundfunk.
hörig: → unselbständig; jmdm. h. sein → abhängig [sein von].
Hörigkeit → Unselbständigkeit.

Horizont: → Firmament, → Gesichtskreis; einen engen H. haben → stumpfsinnig [sein]; einen weiten H. haben → aufgeschlossen [sein]; etwas geht über / übersteigt jmds. H. → verstehen; einen Silberstreif am H. sehen → zuversichtlich [sein].

horizontal: → waagrecht; -es Gewerbe → Prostitution.

Horizontale: → Prostituierte, → Waagrechte.

Hormon · männliches Sexualhormon, Androgen · weibliches Sexualhormon, Östrogen, Gestagen · *der männlichen Keimdrüse:* Testosteron, Androkinin · *der weiblichen Keimdrüse:* Follikelhormon · *der Nebennierenrinde:* Kortison · *des Nebennierenmarks:* Adrenalin, Noradrenalin · *der Bauchspeicheldrüse:* Insulin · *der Schilddrüse:* Thyroxin, Trijodthyronin · *der Nebenschilddrüse:* Parathormon · *der Zirbeldrüse:* Melatonin · *des Hypophysenvorderlappens:* Somatropin, Kortikotropin, Thyreotropin, follikelstimulierendes Hormon, luteinisierendes Hormon, Prolaktin, Laktationshormon · *des Hypophysenhinterlappens:* Adireutin, Oxytozin.

Horn: → Beule, → Blasinstrument, → Gipfel, → Hupe, → Penis; sich die Hörner abstoßen → erleben; jmdm. Hörner aufsetzen → untreu [sein]; jmdn. auf die Hörner nehmen → attackieren; den Stier bei den Hörnern fassen / packen → anfangen; ins gleiche H. blasen / stoßen / tuten → Ansicht.

Hornberger: ausgehen wie das H. Schießen → wirkungslos [bleiben].

Hornbrille → Brille.

¹Hörnchen, Kipferl (*südd., österr.*), Kipfel (*südd., österr.*), Kipf (*südd.*), Gipfel (*schweiz.*), Beugel (*österr.*); → Brötchen.

²Hörnchen → Teigwaren.

Hörndlbauer → Bauer.

Hörner → Geweih.

Horngeschwulst → Schwiele.

Horngewölbe → Gewölbe.

Hornhaut → Schwiele.

Hornisse → Hautflügler.

Hornist → Musizierender.

Hornkamm → Kamm.

Hornochse → Dummkopf.

Hornschwamm → Schwamm.

Hornung: → Februar, → Monat.

Hornuß: den H. treffen → treffend.

Hornvieh: → Dummkopf, → Vieh.

Hörorgan → Sinnesorgan.

Horoskop → Voraussage.

horrend → schrecklich.

horribel → schrecklich.

Horripilatio → Gänsehaut.

Hörrohr → Stethoskop.

Horror: → Entsetzen; einen H. haben → Angst [haben].

Horrorfilm → Gruselfilm.

Horror Trip → Rausch.

Horsd'œuvre → Vorgericht.

Horse → Rauschgift.

Hörspiel → Rundfunksendung.

Horst → Vogelnest.

horsten → brüten.

Hörstörung → Gehörstörung.

Hort: → Heim, → Kindergarten, → Schatz.

horten → aufbewahren.

Horter → Computer.

Hörvermögen → Gehör.

Hoschbes → Nervenbündel.

Höschen → Unterhose.

¹Hose, Beinkleid (*veraltet*), Buxe (*ugs., nordd.*), Blue jeans, Jeans · *die unter dem Knie endet:* Kniehose, Überfallhose, Gauchohose, Knickerbocker, Pumphose, Pluderhose · *weite, die unterhalb des Knies eng anliegt:* Breeches, Breecheshose, Reithose · *kurze:* Shorts, Bermudas · *kurze, enge für Damen:* Hot pants · *kurze für den Sport:* Sporthose, Turnhose · *lange, weite für Damen:* Slacks · *lange, straff gespannte mit Steg unter den Sohlen:* Schihose, Keilhose · *zu lange, ohne Bügelfalte:* Harmonikahose (*ugs., scherzh.*), Ziehharmonikahose (*ugs., scherzh.*), Korkenzieherhose (*ugs., scherzh.*) · *zu kurze:* Hochwasserhose (*ugs., scherzh.*), Hose auf Halbmast (*ugs., scherzh.*), Halbmasthose (*ugs., scherzh.*) · *lederne:* Lederhose, Krachlederne (*ugs.*), Seppelhose (*ugs.*); → Anzug, → Badeanzug, → Unterhose.

²Hose: die -n runterlassen → gestehen; die -n anhaben → maßgeblich [sein]; jmdm. die -n strammziehen → schlagen; die -n [gestrichen] voll haben → Angst [haben]; das ist Jacke wie H. → einerlei; jmdm. fällt / rutscht das Herz in die H. / -n → Angst [bekommen], → Mut; Ameisen in den -n haben → lebhaft [sein].

Hosea → Prophet.

Hosenanzug → Kostüm.

Hosenbandorden → Orden.

Hosenboden: sich auf den H. setzen → anstrengen (sich).

Hosenbügel → Kleiderbügel.

Hosenknopf: auf den letzten H. kommen → spät [kommen].

Hosenmatz → Kind.

Hosennaht: die Hände an die H. legen → strammstehen.

Hosenpissen → Bettnässen.

Hosenrock → Rock.

Hosenrolle → Rolle.

Hosenspanner → Kleiderbügel.

Hosiannaruf: -e → Beifall.

Hospital → Krankenhaus.

Hospitalfieber → Fleckfieber.

hospitalisieren → einweisen.

Hospitant, Gasthörer, Gast; → Hochschule, → Kommilitone, → Lehrplan, → Schule, → Student, → Unterricht, → Wissenschaft; → studieren.

Hospiz → Heim.

Hostess → Betreuerin.

Hostie → Oblate.

Hostienbehälter → Altargerät.

Hostienschrein → Tabernakel.

Hostilität → Abneigung.

¹Hotel, Gasthaus, Gasthof, Hotel garni, Pension, Frühstückspension, Herberge (*veraltet*), Gästehaus, Raststätte, Inn (*engl.*), Luxushotel, Nobelherberge (*abwertend*), Prominentenherberge (*scherzh.*) · *in dem Zimmer stundenweise an Paare vermietet werden:* Absteigequartier, Absteige (*abwertend*), Stundenhotel · *für Motorisierte:* Motel · *zu dem ein Schiff ausgebaut worden ist:* Botel · *dazugehörendes Nebengebäude:* Dependance · *für Jugendliche:* Jugendherberge; → Gaststätte, → Heim, → Rezeption, → Wohnung; → reisen.

²Hotel: schwimmendes H. → Fahrgastschiff.

Hot pants → Hose.

hott: einmal hü und einmal h. → einschwenken.

Hotte → Tragekorb.

Hottehü → Pferd.

Hovovard → Hunderassen.

hü: einmal hü und einmal hott sagen → umschwenken.

Hubertusmantel → Mantel.

hübsch, gut aussehend, attraktiv, anmutig, graziös, lieblich, charmant, bestrickend, berückend, betörend, gewinnend, angenehm, lieb, niedlich, allerliebst, reizend, entzückend, bezaubernd, süß, herzig, pakschierlich (ugs., österr.), goldig, schön, bildschön, bildhübsch, sauber, hold (dichter.), dufte (salopp), schnieke (salopp), nicht → geschmacklos; → anziehend, → eitel, → geschmackvoll, → schön, → sportlich, → sympathisch; → anziehen; → Anmut, → Zuneigung · Ggs. → häßlich.

Hubschrauber, Rotorflugzeug, Drehflügler, Drehflügelflugzeug, Flugschrauber, Tragschrauber, Helikopter, fliegende Banane (scherzh.); → Flugzeug, → Luftschiff, → Verkehrsmittel.

Huchen → Fisch.

Hucke: → Rücken; sich die H. vollsaufen → betrinken (sich); auf die H. nehmen → tragen.

Hückel → Garbenstand.

huckepack: h. nehmen → tragen; h. tragen → Rücken.

Hücker → Garbenstand.

hudeln → pfuschen; nur nicht h.! → ruhig.

Hudri-Wudri → Nervenbündel.

Hudsonbai → Atlantik.

Huf → Gliedmaße.

Hufeisenbogen → Bogen.

Hufendorf → Dorf.

Hufnagel → Nagel.

Hufnagelschrift → Notenschrift.

Hufschmied → Schmied.

Hüften, Lenden, Seiten, Schoß, Becken; → Flanke, → Taille.

Hüftgelenk → Gelenk.

Hüftgürtel → Mieder.

Hüfthalter → Mieder.

hüftlahm → lahm.

Hügel: → Berg; die Stadt der Sieben H. → Rom.

Hügelhaus → Haus.

hügelig → bergig.

Hügellandschaft → Landschaft.

hüglig → bergig.

¹Huhn, Putthuhn (Kinderspr.) ·· weibliches: Huhn, Henne, Hinkel (landsch.), Schiepe (schles.) · brütendes: Glucke ·· männliches: Hahn, Gockel (landsch.), Gickel (landsch.), Güggel (landsch.), Gockelhahn (Kinderspr.), Kikeriki (Kinderspr.) · verschnittenes: Kapaun, Kapphahn (selten) · zur Mast bestimmtes: Poularde, Kapaun ·· junges: Küken, Küchlein, Schiepel (schles.), Schieper (schles.), Schiepen (schles.), Ziepchen (landsch.), Ziepelchen (landsch.) · zur Mast bestimmtes: Poulet (selten) · als Speise: Masthuhn, Masthähnchen, Suppenhuhn, Backhähnchen, Brathähnchen, Hähnchen, Backhuhn, Broiler (bes. DDR), Goldbroiler (bes. DDR), Backhendl (bes. österr.), Brathendl (bes. österr.), Hendl (bes. österr.), Güggeli (schweiz.); → Geflügel.

²Huhn: dummes H. → Dummkopf; da lachen ja die Hühner! → lächerlich [sein]; vergnügtes H. → Mensch (der); mit jmdm. ein Hühnchen zu rupfen haben → schelten; mit den Hühnern schlafen / zu Bett gehen → schlafen [gehen].

Hühnerauge: → Schwiele; jmdm. auf die -n treten → kränken.

Hühnerauslauf → Hühnerhof.

Hühnerbeigel → Keule.

Hühnerbiegel → Keule.

Hühnerbrühe → Suppe.

Hühnerei, Ei, Frischei, Kühlhausei, Trinkei · ohne Schale: Windei, Fließei.

Hühnerfarm → Geflügelfarm.

Hühnerhaus → Stall.

Hühnerhaut → Gänsehaut.

Hühnerhof, Geflügelhof, Hühnerauslauf, Auslauf; → Geflügel, → Geflügelfarm.

Hühnerhofpsychologie → Rangordnung.

Hühnermist → Dünger.

Hühnerstall → Stall.

Hühnersteige → Stall.

Huitfeldbindung → Schibindung.

Hula → Tanz.

Huld → Gunst.

huldigen: einer Sache h. → befassen (sich mit).

Huldigung: → Beifall, → Ehrerbietung.

huldreich → entgegenkommend.

huldvoll → entgegenkommend.

Hüllblatt → Blatt.

¹Hülle, Etui, Futteral, Kapsel; → Behälter, → Schachtel.

²Hülle: → Schale, → Umschlag, → Verpackung; sterbliche H. → Toter; die sterbliche H. ablegen → sterben; die -n fallen lassen → ausziehen; in H. und Fülle → reichlich.

hüllen: in Papier h. → einpacken.

hüllenlos → nackt.

Hüllwort → Euphemismus.

Hully-Gully → Tanz.

Hulman → Affe.

Hülse → Schale.

Hülsenfruchtgemüse → Gemüse.

human → menschlich.

humanisieren, vermenschlichen, menschlicher gestalten; → menschlich.

Humanismus → Literaturepochen.

humanistisch: -es Gymnasium → Schule.

humanitär → menschlich.

Humanität → Nächstenliebe.

Humanitätsduselei → Mitgefühl.

Humanmedizin → Heilkunde.

Humanmediziner → Arzt.

Humbug → Unsinn.

Hummel: → Hautflügler; -n haben → warten; -n im Hintern haben → lebhaft [sein].

Hummer → Krebs.

hummerrot → rot.

¹Humor, Witz, Ironie, Spott, Hohn, Sarkasmus, Zynismus · bitterer, verzweifelter: Galgenhumor · makabrer: schwarzer Humor; → Satire; → spöttisch.

²Humor: → Heiterkeit; keinen Sinn für H. haben → humorlos [sein].

Humoreske → Erzählung.

humorig → humorvoll.

humoristisch → humorvoll.

humorlos, trocken, todernst, bierernst (ugs.); → empfindlich, → ernsthaft, → langweilig, → lebensfremd · Ggs. → humorvoll; **h. sein,** keinen Sinn für Humor haben, keinen Spaß verstehen.

**Humorlosigkeit,** tierischer Ernst (*abwertend*), Bierernst (*ugs.*); → Ernst; → humorlos.

**humorvoll,** humorig, humoristisch, lustig, heiter, launig; → kurzweilig, → lustig · Ggs. → humorlos.

**humpeln** → hinken.

**Humpen** → Trinkgefäß.

**Humus** → Erde.

**Humuserde** → Erde.

**¹Hund,** Vierbeiner, Wauwau (*Kinderspr.*), Kläffer (*ugs., abwertend*), Köter (*salopp, abwertend*), Töle (*derb, abwertend*), Promenadenmischung (*ugs., scherzh.*), Moppel (*ugs., scherzh.*) · *männlicher:* Rüde · *weiblicher:* Hündin, Weibchen (*ugs.*) · *der zur Führung von Blinden abgerichtet ist:* Blindenhund; → Hunderassen; → bellen; → stubenrein.

**²Hund:** → Raubtier; Großer H., Kleiner H., → Sternbild; laufender H. → Fries; da liegt der H. begraben → Hauptsache; da wird der H. in der Pfanne verrückt! → überrascht [sein]; bekannt sein wie ein bunter H. → bekannt; wie ein junger H. frieren → frieren; wie ein H. leben → leben; wie H. und Katze leben → verfeindet [sein]; etwas ist ein dicker Hund → unerhört [sein]; mit etwas keinen H. hinter dem Ofen hervorlocken [können] → langweilig [sein]; auf den H. kommen → verwahrlosen; auf dem H. sein → Not [leiden]; mit allen -en gehetzt sein → schlau [sein]; vor die -e gehen → sterben, → verwahrlosen.

**hunde-:** → erz-.

**Hunde-:** → Erz-.

**Hundebandwurm** → Wurm.

**Hundeblume** → Löwenzahn.

**Hundehesse** → Hesse.

**hundekalt** → kalt.

**Hundekälte** → Kälte.

**Hundeleben:** ein H. führen → leben.

**hundemüde** → müde.

**Hundepeitsche** → Peitsche.

**Hunderassen** ··· Jagdhunde ·· Hetzhunde · Greyhound, Whippet, Windspiel, irischer Wolfswindhund, Barsoi, Slughi, Saluki, afghanischer Windhund ·· Stöber- und Apportierhunde · Springerspaniel, Cockerspaniel, Retriever, Labrador, Otterhund, Bracke ·· Schweiß- und Spürhunde · hannoverscher Schweißhund, bayrischer Gebirgsschweißhund, Leitschweißhund ·· Vorstehhunde · englischer Pointer, Setter, Münsterländer, deutsch Kurzhaar, deutsch Langhaar, deutsch Stockhaar, Pudelpointer, Griffon ·· Erdhunde, Dachshunde · Dackel, Teckel, Terrier ··· Wach- und Schutzhunde ·· deutscher Schäferhund, Dobermann, Airedaleterrier, Rottweiler, Riesenschnauzer, Leonberger, Boxer, Neufundländer, Bernhardiner, Dogge, Spitz, Hovovard ··· Hütehunde ·· deutscher Schäferhund, Collie, schottischer Schäferhund, Komondor, Kurasc, Puli ··· Begleit-, Spiel- und Modehunde ·· Dalmatiner · Zwergspaniel, King Charles, Blenheim, Prince Charles, Rubyspaniel · Zwergpudel, Seidenpudel, Malteser, Zwergspitz, Zwergpinscher, Rehpinscher, Rehrattler (*österr.*), Mops, Zwergwachtel · Terrier, Schnauzer, Black-and-tan, Bullterrier, Foxterrier, Fox (*ugs.*), Bedlingtonterrier, Airedaleterrier, schottischer Terrier · Pekinese, Chow-Chow; → Hund, → Raubtier.

**hundert:** → viele; h. und aber h. → viele; bei h. zu Boden gehen → überrascht [sein]; vom Hundertsten ins Tausendste kommen → abschweifen.

**Hundert:** vom H. → Prozent.

**Hunderte:** → viele; H. und aber H. → viele.

**Hundertfünfundsiebziger** → Homosexueller.

**hundertfünfzigprozentig** übereifrig.

**Hundertfünfzigprozentiger** → Linientreuer.

**Hundertmeterhürdenlauf:** 100-m-Hürdenlauf → Fünfkampf, → Lauf.

**Hundertmeterlauf:** 100-m-Lauf → Lauf.

**hundertprozentig** → ganz.

**Hundertprozentiger** → Linientreuer.

**Hundertstel** → Prozent.

**Hundertzehnmeterhürdenlauf:** 110-m-Hürdenlauf → Lauf, → Zehnkampf.

**Hundesteuer** → Abgabe.

**Hundewetter** → Wetter.

**Hündin** → Hund.

**hündisch** → unterwürfig.

**Hundschlager** → Abdecker.

**Hundsfisch** → Fisch.

**Hundsfötterei** → Bosheit.

**hundsföttisch** → gemein.

**hundsgemein** → gemein.

**Hundskopfaffe** → Affe.

**hundsmiserabel** → minderwertig.

**Hundsrose** → Rose.

**Hundsveilchen** → Veilchen.

**Hundszahn:** → Fries, → Zahn.

**Hüne** → Riese.

**Hünengrab** → Grab.

**hünenhaft** → groß.

**Hünenhaftigkeit** → Körpergröße.

**Hünenweib** → Frau.

**¹Hunger,** Bärenhunger, Wolfshunger, Mordshunger, Riesenhunger, Heißhunger, Kohldampf (*ugs*); → Appetit, → Hungersnot; **H. haben,** hungrig / ausgehungert sein, vor Hunger umkommen / sterben (*ugs.*), Kohldampf schieben (*salopp*), jmdm. knurrt der Magen, jmdm. ist flau [im Magen]; **H. leiden,** hungern, am Hungertuch nagen, nichts zu essen / nichts zu brechen und zu beißen haben (*ugs.*), darben, schmachten, fasten; → arm [sein], → kasteien (sich) · Ggs. → satt.

**²Hunger:** → Hungersnot; den H. stillen → ernähren; vor H. umkommen → Hunger.

**Hungerjahre** → Nachkriegszeit.

**Hungerkur** → Schlankheitskur.

**Hungerleider** → Armer.

**Hungerlohn** → Lohn.

**hungern** → Hunger [leiden].

**Hungersnot,** Hunger, Not, Nahrungsmangel, Mangel; → Not; → Hunger [haben].

**Hungertuch:** am H. nagen → Hunger [leiden].

**Hungerturm** → Turm.

Hungertyphus → Fleckfieber.
hungrig: h. sein → Hunger
[haben]; h. sein nach → begierig [sein].
Hünlich → Pfifferling.
Hünling → Pfifferling.
Hunne → Deutscher; wie die
-n hausen → zerstören.
Hupe, Horn, Zweiklanghorn ·
*bei Schiffen:* Nebelhorn · *bei
Fahrzeugen der Polizei usw.:*
Martinshorn, Boschhorn, Folgetonhorn *(österr.)*; → Hörzeichen.
hupen → Laut.
hüpfen: → springen; jmdm.
hüpft das Herz vor Freude →
freuen (sich).
Hupfer → Sprung.
Hüpfer → Sprung.
Hüpfspiel, Himmel und Hölle,
Hopse; → Fangspiel, → Kinder-
spiel, → Kippel-Kappel, →
Spiel.
Hurde → Steige.
¹Hürde, Barriere, Barrikade,
Schlagbaum, Verhau, Schranke,
Absperrung, Wall, Wand, Mau-
er; → Absperrung, → Bahn-
schranke, → Behinderung, →
Blockierung, → Sperre, →
Zaun; → eingeschränkt.
²Hürde: → Hindernis; eine H.
nehmen → bewältigen.
Hürdenlauf: → Lauf, → Leicht-
athletik.
Hure → Prostituierte.
huren → koitieren.
Hurenbock → Frauenheld.
Hurenhaus → Bordell.
Hurenkind → Zeile.
Hurenschwabe → Schwabe.
Hurerei → Koitus.
Hurone → Indianer.
hurra: h. schreien → freuen
(sich).
Hurrapatriotismus: → Begeiste-
rung, → Patriotismus.
Hurrikan → Wirbelwind.
hurtig → schnell.
Husar → Soldat.
Husarenaffe → Affe.
Husche → Niederschlag.
huschelig → nachlässig.
Huschelliese → Mädchen.
huscheln → pfuschen.
huschen → fortbewegen
(sich).
huschlig → aufgeregt.
hussen → aufwiegeln.
hüsteln → husten.

¹husten, hüsteln, bellen *(ugs.)*,
krächzen *(ugs.)*; → Erkältung.
²husten: jmdm. etwas h. → ablehnen; die Flöhe h. hören →
wissen.
Husten: → Erkältung; blauer
H. → Keuchhusten.
Hustentee → Tee.
¹Hut (der): [steifer H.] →
Kopfbedeckung; da geht einem
der H. hoch → unerhört [sein];
das ist ein alter H. → langweilig [sein]; H. ab [vor jmdm. /
etwas]! → anerkennenswert
[sein]; Fang den H. → Würfelspiel; den H. abnehmen / lüften / ziehen → begrüßen; seinen
H. nehmen müssen → ent-
lassen [werden]; vor jmdm. /
etwas den H. ziehen → Achtung [haben vor jmdm. /
etwas]; unter einen H. bringen
→ vereinigen.
²Hut (die): → Schutz; auf der
H. sein → vorsehen (sich), →
wachsam [sein].
Hütehund: -e → Hunderassen.
hüten: → beaufsichtigen; etwas
[wie seinen Augapfel] h. →
schonen (etwas); das Bett h. →
krank [sein]; sich h. vor → vor-
sehen (sich).
Hüter → Wächter.
Hutmacherin → Putzmacherin.
Hutpilz → Ständerpilz.
Hutsche: → Fußbank, →
Schaukel.
hutschen → schaukeln.
Hütschke → Frosch.
Hutschlange → Schlange.
Hutschnur: etwas geht jmdm.
über die H. → unerhört [sein].
Hutschpferd → Schaukelpferd.
Hutte → Tragekorb.
Hütte: → Berghütte, → Berg-
werk, → Haus.
Hüttenfest → Erntedankfest.
Hüttenjagd → Jagd.
Hüttenkunde, Metallurgie; →
Metall.
Hutu → Neger.
Hutung → Wiese.
Hutweide → Wiese.
Hutzel → Tannenzapfen.
Hutzelbrot: → Früchtebrot, →
Gebäck.
hutzlig → verschrumpelt.
hwG → Prostituierte.
Hyaloplasma → Protoplasma.
Hyäne → Raubtier.
Hyazinth → Schmuckstein.

Hyazinthe: Orientalische H. →
Liliengewächs.
hybrid → dünkelhaft.
Hybride → Mischling.
Hybris → Überheblichkeit.
Hydra: → Fabelwesen, →
Hohltier, → Sternbild.
Hydrargyrose → Vergiftung.
Hydriatrie → Hydrotherapie.
Hydropathie → Hydrotherapie.
Hydrophobie → Phobie.
Hydrotherapie, Hydriatrie, Hy-
dropathie, Wasserheilkunde,
Wasserheilmethode, Wasser-
heilverfahren, Wasserkur · Kalt-
wasserbehandlung, Kneippkur ·
Warmwasserbehandlung, Hy-
drothermotherapie · *auf die
Anwendung von Wasserdampf
beschränkte:* Dampfkur, Vapo-
therapie · *auf die Anwendung
von Bädern beschränkte:* Bäder-
behandlung, Badekur, Balneo-
therapie, Bäderkur · *unter An-
wendung von Wasser aus Mine-
ralquellen:* Krenotherapie; →
Naturheilverfahren.
Hydrothermotherapie → Hy-
drotherapie.
Hydrus → Sternbild.
hygienisch → sauber.
Hymen, Jungfernhäutchen,
Häutchen, Claustrum virginale
*(Med.)*; → Virginität; → deflo-
rieren.
hymnisch → ausdrucksvoll.
Hymnus: → Gedicht, → Lied.
Hyperämie → Blutandrang.
Hyperämisierung → Blutan-
drang.
Hyperaphrodisie → Geschlechts-
trieb.
Hyperästhesie → Überempfind-
lichkeit.
Hyperbel → Steigerung.
Hypercharakterisierung → Red-
undanz.
Hyperergie → Überempfindlich-
keit.
Hyperfunktion → Funktions-
störung.
Hypergenitalismus → Groß-
wuchs.
Hyperhedonie → Geschlechts-
trieb.
Hyperhidrose → Transpiration.
Hyperhidrosis → Transpiration.
Hyperidrose → Transpiration.
Hyperidrosis → Transpiration.
Hyperkeratose → Schwiele.
Hypermastie → Großwuchs.

**Hypermenorrhö**→Menstruation.
**Hypermetropie** → Fehlsichtigkeit.
**Hypermnesie** → Gedächtnisstörung.
**hypermodern** → modern.
**Hyperonychie**→Nagelkrankheit.
**Hyperonychose** → Nagelkrankheit.
**Hyperonychosis** → Nagelkrankheit.
**Hyperopie** → Fehlsichtigkeit.
**Hyperpyrexie** → Fieber.
**Hyperreaktivität** → Überempfindlichkeit.
**Hypersensibilität** → Überempfindlichkeit.
**Hypersomie** → Großwuchs.
**Hypersuszeptibilität** → Überempfindlichkeit.
**Hyperthermie:** → Fieber, → Überhitzung.
**Hyperthermiebehandlung** → Thermotherapie.
**Hyperthyreoidie** → Schilddrüsenüberfunktion.
**Hyperthyreoidismus** → Schilddrüsenüberfunktion.
**Hyperthyreose** → Schilddrüsenüberfunktion.
**Hyperthyroidismus** → Schilddrüsenüberfunktion.
**Hypertrophie** → Übertreibung.
**Hyphidrose** → Transpiration.
**Hyphidrosis** → Transpiration.
**Hypnagogum** → Schlafmittel.
**Hypnogenikum** → Schlafmittel.
**Hypnotikum** → Schlafmittel.
**Hypo** → Einspritzung.
**Hypobulie**→Antriebsschwäche.
**Hypochonder,** eingebildeter Kranker; → Hypochondrie, → Kranker.
**Hypochondrie,**Krankheitsangst, Krankheitswahn, Krankheitseinbildung, Krankheitsfurcht, unbegründete Krankheitsbefürchtung, Nosophobie, Pathophobie · *bes. auf Krebskrankheiten bezogene:* Karzinophobie, Krebsangst, Kankrophobie, Kanzerophobie · *auf Geschlechtskrankheiten, bes. auf Syphilis bezogene:* Venerophobie, Syphilophobie, Syphilidophobie, Syphilomanie, Syphilidomanie, Luiphobie · *bes. auf Krankheitserreger bezogene:* Bakteriophobie, Bazillophobie, Bazillenfurcht, Mikrobiophobie · *bes. auf Milben bezogen:* Akaropho-

bie, Akaromanie · *auf Gifte oder Vergiftungen bezogene:* Toxikophobie, Toxophobie, Iophobie; → Angst, → Hypochonder, → Phobie.
**hypochondrisch,** schwermütig, trübsinnig, depressiv, melancholisch, pessimistisch, schwarzseherisch, nihilistisch, defätistisch, miesepetrig (*ugs.*), hintersinnig (*schweiz.*), bregenklüterig (*ugs., landsch.*), trübselig, wehmütig, wehselig (*schweiz.*), elegisch, trist, traurig, freudlos, freudelos (*schweiz.*), elend, unglücklich, todunglücklich, kreuzunglücklich, desolat, betrübt, trübe, bedrückt, gedrückt, bekümmert, unfroh, mauserig (*schweiz.*), nicht → lustig; → ängstlich, → deprimiert, → ernsthaft, → kläglich, → ruhig · Ggs. → zuversichtlich; **h. sein,** mit der Welt zerfallen sein, Trübsal blasen (*ugs.*), etwas durch eine schwarze Brille sehen, sich hintersinnen (*südd., schweiz.*); → erstaunen; → Melancholie, → Pessimist, → Trauer.
**hypochrom:** -e Anämie → Blutarmut.
**Hypochromämie** → Blutarmut.
**Hypodaktylie** → Gliedmaßenmißbildung.
**Hypofunktion** → Funktionsstörung.
**Hypogenitalismus**→Kleinwuchs.
**Hypohidrose** → Transpiration.
**Hypomastie** → Kleinwuchs.
**Hypomelancholie** → Melancholie.
**Hypomnesie** → Gedächtnisstörung.
**Hypophyse,** [unterer] Hirnanhang, Gehirnanhang, Hirnanhangsdrüse, Gehirnanhangsdrüse; → Gehirn, → Gehirnrinde, → Meninx.
**Hyposomie** → Kleinwuchs.
**hypostasieren,** verdinglichen, vergegenständlichen, personifizieren, seine Gedanken zu Sachen machen (Kant), als Wirklichkeit denken; → veranschaulichen; → Sinnbild.
[1]**Hypothek,** Grundschuld, Verschuldung; → Anleihe.
[2]**Hypothek:** eine H. geben → beleihen.
**Hypothekenbank**→Geldinstitut.

**Hypothekenpfandbriefe**→Wertpapier.
**Hypothermie:** → Untertemperatur; kontrollierte H. → Heilschlaf.
**Hypothese:** → Ansicht, → Behauptung.
**hypothetisch:** → erfunden; -er Konjunktiv → Modus.
**Hypothymie** → Melancholie.
**Hypotrophie** → Ernährungsstörung.
**Hypovitaminose** → Avitaminose.
**Hypsiphobie** → Phobie.
**Hypsophobie** → Phobie.
**Hysterie:** →Aufregung, → Erregung.
**hysterisch** → aufgeregt.
**Hysteroptose** → Eingeweidesenkung.
**Hysteroskopie**→Ausspiegelung.

# I

**-iana** → Werk.
**Iatrik** → Heilkunde.
**Iberoamerika** → Südamerika.
**Ibis** → Vogel.
**Ibo** → Neger.
**IC** → Eisenbahnzug.
[1]**ich,** ich für mein[en] Teil, meine Wenigkeit, wir, unsereiner, unsereins, was mich angeht / betrifft, wenn Sie mich fragen...
[2]**ich:** was weiß ich. → wissen.
**ichbezogen** → selbstsüchtig.
**Ichbezogenheit** → Selbstsucht.
**Ichroman** → Roman.
**Ichsucht** → Selbstsucht.
**ichsüchtig** → selbstsüchtig.
**Ichthyismus** → Lebensmittelvergiftung.
**Ichthyotoxismus** → Lebensmittelvergiftung.
[1]**ideal,** vollkommen, Traum-, Bilderbuch-, wie im Bilderbuch; → geeignet, → trefflich, → vollkommen; → Inbegriff, → Muster.
[2]**ideal:** → geeignet, → trefflich.
**Ideal:** → Abgott, → Muster.
**Idealehe** → Ehe.
**idealisieren** → loben.
**Idealist** → Optimist.
**idealistisch** → selbstlos.
**idealiter** → Einbildung.
**Idee:** → Bedeutung, → Fabel; fixe I. → Spleen; [eine I. haben] → Einfall.

ideell → gedacht.
Ideendrama → Drama.
Ideenfolge → Gedankengang.
Ideenkette → Gedankengang.
ideenreich → schöpferisch.
Ideenreichtum → Einfallsreichtum.
Ideenschrift → Schrift.
¹identifizieren (sich mit etwas / jmdm.), sich hinter etwas / jmdn. stellen, etwas zu seiner eigenen Sache machen, sich mit etwas / jmdm. gleichsetzen; → eintreten (für).
²identifizieren → erkennen.
identisch: → übereinstimmend; -e Gleichung → Gleichung.
¹Identität, Übereinstimmung, Gleichheit, Wesensgleichheit, Dieselbigkeit (Goethe).
²Identität: seine I. nachweisen → legitimieren (sich).
Ideologie → Denkweise.
Ideologiekritik → Gesellschaftskritik.
ideologisch: -e Aufweichung → Trotzkismus.
Idiokrasie → Überempfindlichkeit.
Idiolekt → Mundart.
Idiom → Mundart.
idiomatisch: → regional; -e Wendung → Redewendung.
Idiosynkrasie → Überempfindlichkeit.
Idiot: → Dummkopf, → Geistesgestörter.
Idiotenhügel → Piste.
idiotensicher → mühelos.
Idiotia cretinoidea → Geistesgestörtheit.
Idiotie: [kretinoide I.] → Geistesgestörtheit.
Idiotikon → Nachschlagewerk.
idiotisch: → dumm, → geistesgestört.
Idiotismus →Geistesgestörtheit.
Idol: → Abgott, → Publikumsliebling.
Idolatrie → Verherrlichung.
I-Dötzchen → Schulanfänger.
Idrianer: I. Spitze → Spitzenstickerei.
idyllisch → gemütlich.
Iglu → Haus.
Ignipunktur → Verätzung.
Ignorant → Nichtfachmann.
Ignoranz → Unkenntnis.
ignorieren, nicht beachten / ansehen, wie Luft behandeln, übersehen, hinwegsehen über, sich über etwas hinwegtäuschen; keines Blickes würdigen, keine Beachtung schenken, mit Verachtung / Nichtachtung strafen, verachten, keine Notiz nehmen von, schneiden, links liegenlassen (ugs.), jmdn. nicht [mehr] ansehen / anschauen / angucken (ugs.), nicht einmal / gar nicht ignorieren (scherzh., österr.); → abweisen, → mißachten, → übersehen; von jmdm. ignoriert werden, Luft für jmdn. sein; → Ansehen · Ggs. → achten, → achtgeben.
Ihmchen → Mann.
Ikebana → Kunstfertigkeit.
Ikone → Andachtsbild.
Ikterus → Gelbsucht.
Ila → Neger.
Ileum → Darm.
Ileus → Stuhlverstopfung.
illegal → gesetzwidrig.
Illegalität → Gesetzwidrigkeit.
illegitim: → gesetzwidrig, → unehelich.
illiquid → zahlungsunfähig.
Illiquidität → Zahlungsunfähigkeit.
illoyal → unredlich.
Illoyalität → Untreue.
Illusion, Einbildung, Einbildungskraft, Vorstellung, Vorstellungskraft, Spekulation, Abstraktion, Theorie, Fiktion, Erdichtung, Irrealität, Unwirklichkeit, [Auswüchse / (abwertend) Ausgeburt der] Phantasie, Schimäre, Chimäre, Halluzination, Imagination, Täuschung, Sinnestäuschung, Bild, Vision, Gesicht, Fata Morgana, Wahn, Trugbild, Gaukelei, Gaukelspiel, Gaukelwerk, Phantom, Utopie, Hirngespinst (abwertend), Phantasmagorie, Wunschtraum, Seifenblase (ugs.), Wolkenkuckucksheim, Luftschloß, leerer Dunst; → Ansicht, Betrug,→ Bewußtseinstrübung, → Fata Morgana, → Gespenst, → Hokuspokus, → Lüge, → Muster, → Säuferwahnsinn, → Träumer; → unwirklich.
Illusionist → Artist.
Illusionsbunker → Kino.
illusorisch → unwirklich.
¹Illustration, Bebilderung, Bildbeigabe; → Veranschaulichung; → bebildern.
²Illustration: → Bild, → Darlegung, → Veranschaulichung.
Illustrationsdruckpapier → Druckpapier.
illustrativ → anschaulich.
Illustrator → Zeichner.
illustrieren: → anschaulich [machen], → bebildern, → veranschaulichen, → zeichnen.
illustriert: -es Blatt, -e Zeitung / Zeitschrift → Zeitschrift.
Illustrierte → Zeitschrift.
Illustrierung: → Darlegung, → Veranschaulichung.
Iltis: → Pelz, → Raubtier, → Wild.
im: im nachhinein → hinterher; im vorhinein → vorher.
Image → Ansehen.
imaginär: → unwirklich; -e Zahl → Zahl.
Imagination → Einbildung.
imbezil → geistesgestört.
imbezill → geistesgestört.
Imbezillität → Geistesgestörtheit.
¹Imbiß, Snack, Kleinigkeit, Gabelbissen; → Zwischenmahlzeit.
²Imbiß → Essen.
Imbißstube → Gaststätte.
Imitation → Nachahmung.
Imitator → Artist.
imitieren → nachahmen.
imitiert → unecht.
Imker, Bienenzüchter, Bienenvater, Bienenmann (landsch.), Zeidler (veraltet); → Biene, → Bienenstock, → Bienenzucht, → Hautflügler.
Imkerei → Bienenzucht.
¹immateriell, körperlos, unkörperlich, substanzlos, wesenlos.
²immateriell → gedacht.
Immatrikulation →Anmeldung.
¹immatrikulieren (sich), sich einschreiben, sich in die Matrikel einschreiben / eintragen lassen; → studieren; → Hochschule, → Student · Ggs. → exmatrikulieren.
²immatrikulieren: sich i. → anmelden (sich).
Imme → Biene.
¹immer, unaufhörlich, immerzu, seit je / jeher, von je / jeher, seit eh und je, seit alters, von alters [her], solange ich denken kann, schon immer, noch immer, immer noch, nach wie vor,

wie eh und je, immer wieder, oft und oft, in einem fort, immerfort; tagaus, tagein; jahraus, jahrein; beständig, stets, stetig, stet, andauernd, dauernd, fortdauernd, fortgesetzt, unausgesetzt, unaufhaltsam, anhaltend, kontinuierlich, konstant, permanent, gleichbleibend, beharrlich, ununterbrochen, pausenlos, in einer Tour (*ugs.*), stetsfort (*schweiz.*), fortwährend, immerwährend, ständig, allerwege, alleweil, allweil, allezeit, allzeit, laufend (*ugs.*), am laufenden Band (*ugs.*), alle Nase lang (*ugs.*), in steter Folge, unablässig, ewig (*ugs.*), endlos, ohne Unterlaß / Ende / Pause / Unterbrechung, ad infinitum, in drei Schichten, Tag und Nacht, rund um die Uhr, alsfort (*landsch.*), fortweg (*ugs., landsch.*), egalweg (*ugs., landsch.*), egal (*ugs., landsch.*); → beharrlich, → bleibend, → ewig, → fleißig, → kursorisch, → lange, → langfristig, → oft, → unendlich; → Tag.

**²immer:** i. abends / am Abend → allabendlich; fast i. → generell; für i. → bleibend; i. mit der Ruhe [und dann mit 'nem Ruck] → ruhig; i. mittags / am Mittag / über Mittag / zu Mittag / in der Mittagszeit / um die Mittagszeit → allmittäglich; i. morgens / am Morgen, i. vormittags / am Vormittag → allmorgendlich; i. nachts / in der Nacht / während der Nacht → allnächtlich; i. noch / wieder, noch / schon i. → unaufhörlich; i. am Tage / während des Tages → täglich; nicht für i. → vorübergehend; wie auch i. → gleichviel.

**immerdar** → ewig.
**immerfort** → unaufhörlich.
**immerhin** → aber.
**immerwährend** → unaufhörlich.
**immerzu** → unaufhörlich.
**Immigrant** → Einwanderer.
**immigrieren** → einwandern.
**Immobilien,** unbewegliches Vermögen, Grundeigentum, Grundvermögen, Landbesitz, Land, Liegenschaften, Grundbesitz, Grund und Boden, Realitäten (*österr.*); → Grundbuch.

**Immobilienbüro** → Vermittler.
**Immobilienhändler** → Vermittler.
**Immobilienmakler** → Vermittler.
**Immobilienvermittlung** → Vermittler.
**Immobilienvermittlungsbüro** → Vermittler.
**immun** → widerstandsfähig.
**immunisieren:** → widerstandsfähig [machen]; -der Blutstoff → Antikörper.
**Immunisierung:** aktive / passive I. → Impfung.
**Immunisin** → Antikörper.
**Immunität** → Widerstandsfähigkeit.
**Immunkörper** → Antikörper.
**immutativ:** -es Verb → Verb.
**Imp** → Biene.
**Imperativ,** Befehlsform · *z. B. in folgenden Bildungsweisen:* laßt uns gehen!, gehen wir!, wir wollen gehen!, hiergeblieben!, hierbleiben!, bleib hier!, bleibt hier!
**Imperfekt** → Tempus.
**imperfektiv:** -es Verb → Verb.
**Imperialismus,** Weltmachtstreben, Expansionsstreben; → Kapitalismus.
**Imperialist** → Militarist.
**Imperium** → Staat.
**Impersonale** → Verb.
**impertinent** → frech.
**Impertinenz** → Frechheit.
**Impetigo,** Eiterflechte, Grindflechte, Flechte, Eitergrind, Eiterpusteln · *mit Geschwürsbildung:* Ekthym, ulzerierende Impetigo; → Bartflechte, → Haarbalgentzündung, → Hautausschlag.
**Impetus** → Neigung.
**impfen,** eine Impfung vornehmen / durchführen / machen, jmdm. eine Impfung verpassen (*ugs.*); → Impfung.
**Impfstoff** → Serum.
**¹Impfung,** Schutzimpfung, Vakzination · *wiederholte:* Revakzination, Zweitimpfung, Auffrischungsimpfung, Schluckimpfung · *unmittelbar vor bleibenden oder abgetöteten Keimen:* aktive Schutzimpfung / Immunisierung, Inokulation · *mit tierischem Immunserum:* passive Schutzimpfung / Immunisierung, Serumprophylaxe.

**²Impfung:** eine I. durchführen / machen / vornehmen, jmdm. eine I. verpassen → impfen.
**Implantation,** Einpflanzung, Gewebseinpflanzung, Organeinpflanzung · *eines vorher ausgepflanzten Teils in den gleichen Organismus:* Reimplantation, Replantation, Gewebswiedereinpflanzung, Organwiedereinpflanzung; → Transplantation · Ggs. → Explantation.
**implizieren** → einschließen.
**implizit** → inhärent.
**implizite** → inhärent.
**implodieren** → platzen.
**Implosion** → Explosion.
**imponieren** → gefallen.
**imponierend** → außergewöhnlich.
**Imponiergehabe:** → Benehmen, → Übertreibung.
**Import,** Einfuhr; → Absatzgebiet, → Außenhandel, → Handel, → Wirtschaft · Ggs. → Export.
**Importartikel** → Ware.
**Importe** → Zigarre.
**imposant** → außergewöhnlich.
**impotent,** zeugungsunfähig, unfruchtbar, steril, infertil; → gefühlskalt, → unfähig · Ggs. → fruchtbar, → geschlechtsreif; **i. sein,** nicht [mehr] können, keinen hochkriegen (*vulgär*), jmdm. steht er nicht mehr (*vulgär*); → kastrieren; → Impotenz, → Unfähigkeit · Ggs. → Fähigkeit.
**Impotentia coeundi** →Impotenz.
**Impotenz,** Zeugungsunfähigkeit, Beischlafunfähigkeit, Mannesschwäche, Impotentia coeundi; → Gefühlskälte, → gefühlskalt, → impotent.
**Impotenzler** → Mann.
**Imprägnation** → Befruchtung.
**imprägnieren** → appretieren.
**Imprägnierung** → Appretur.
**impraktikabel** → unausführbar.
**Impresario** → Betreuer.
**¹Impression,** Sinneseindruck, Gefühlseindruck, Eindruck, Empfindung, Sinneswahrnehmung, Wahrnehmung; → Wahrnehmung.
**²Impression** → Verletzung.
**Impressionismus:** → Literaturepochen, → Malerei.

**Imprimatur,** Druckerlaubnis, Druckbewilligung, Approbation; → Druck.

**Improvisation,** Stegreifrede, Stegreifvortrag, Stegreifschöpfung; → improvisiert.

**improvisieren** → musizieren.

**improvisiert,** aus dem Stegreif / Handgelenk, unvorbereitet, ohne Vorbereitung, Gelegenheits-, ex tempore, aus der kalten Lamäng (*salopp*); → plötzlich; → Improvisation.

**Impuls,** Antrieb, Anstoß, Denkanstoß, Anregung, Wink mit dem Zaunpfahl (*ugs.*), Ermunterung, Aufmunterung; → Anlaß, → Hinweis, → Neigung; → anregen.

**Impulsion** → Anankasmus.

**impulsiv** → unbesonnen.

**imstande:** i. sein → können; nicht i. sein → unfähig [sein].

**¹in,** inmitten, zwischen, mittendrin; → binnen, → zentral.

**²in:** → binnen, → während; in einem fort → unaufhörlich; in sein → modern [sein].

**Inanition** → Altersschwäche.

**Inaugenscheinnahme** → Besichtigung.

**Inauguraldissertation** → Doktorarbeit.

**Inbegriff,** Inkarnation, Verkörperung, Inbild, Muster, Prototyp; → Muster; → ideal.

**inbegriffen:** → einschließlich; nicht i. → ausgenommen.

**Inbesitznahme** → Besitznahme.

**Inbetriebnahme** → Einweihung.

**Inbild** → Inbegriff.

**Inbrunst** → Begeisterung.

**inbrünstig** → begeistert.

**Inchacao** → Beriberi.

**inchoativ:** -es Verb → Verb.

**indanthren** → farbecht.

**¹indem,** dadurch daß; → weil.

**²indem** → während.

**Inder** → Sternbild.

**indes** → aber.

**indessen:** → aber, → inzwischen.

**Index:** → Verzeichnis; auf den I. setzen → verbieten.

**Indexlohn** → Lohn.

**Indian** → Truthuhn.

**¹Indianer,** Rothaut · *nordamerikanischer:* Athapaske, Dene, Algonkin, Arapaho, Sioux, Irokese, Cherokee, Tuscarora, Uto-Azteke, Muskogee, Creek, Hurone, Sauk, Seminole, Apache, Cheyenne, Schwarzfuß, Blackfoot, Dakota, Navajo, Navaho, Comanche · *südamerikanischer:* Indio, Puebloindianer, Aruak, Tupi, Patagonier, Tukano, Inka, Guaicuru, Quechua, Guarani · *ostbrasilianischer:* Botokude; → Rasse.

**²Indianer:** Cowboy und I. → Versteckspiel.

**Indianerbüffel** → Bison.

**Indianerroman** → Roman.

**Indianersommer** → Altweibersommer.

**Indianertanz:** → Indianertänze aufführen → freuen (sich).

**indianisch:** -es Korn → Getreide.

**Indien,** Vorderindien, [indischer] Subkontinent · Hinterindien.

**Indienststellung** → Einweihung.

**indifferent** → unparteiisch.

**Indigestion** → Verdauungsstörung.

**¹indigniert,** ärgerlich, böse, aufgebracht, verärgert, entrüstet, empört, peinlich / unangenehm berührt, unwillig, ungehalten, unwirsch, fünsch (*niederd.*), erbost, erzürnt, erbittert, zornig, fuchtig (*ugs.*), wütend, rabiat, wutentbrannt, wutschäumend, wutschnaubend (*ugs.*), fuchsteufelswild, zähneknirschend, grimmig, ingrimmig, tücksch (*ugs.*), mürrisch, verdrossen, bärbeißig, grämlich, verdrießlich, griesgrämig, hässig (*schweiz.*), mauserig (*schweiz.*), sauertöpfisch, brummig, mißmutig, mißvergnügt, mißgestimmt, mißlaunig, mißgelaunt, gereizt, übellaunig, muffig, grantig, leid (*schweiz.*); → maßleidig (*südd.*); → aufgelegt, → aufgeregt, → geharnischt, → gekränkt, → launisch, → unerfreulich, → unzufrieden, → widerwillig; → anstoßen (bei jmdm.), → grollen, → kränken; → lärmen, → schockieren; → Griesgram, → Stimmung, → Überraschung, → Unannehmlichkeiten.

**²indigniert** → ärgerlich.

**indigo** → blau.

**indigoblau** → blau.

**Indik** → Weltmeer.

**Indikativ** → Modus.

**Indio** → Indianer.

**indirekt:** -e Steuer → Abgabe.

**indisch:** Indischer Ozean → Weltmeer; -e Rupie → Zahlungsmittel; -er Tee → Tee.

**indiskret** → aufdringlich.

**Indiskretion** → Taktlosigkeit.

**indisponiert** → krank.

**Individualismus,** Einzelgängertum, Eigenbrötelei (*abwertend*), Nonkonformismus; → Einzelgängertum; → individuell.

**Individualist** → Außenseiter.

**individualistisch** → individuell.

**Individualität** → Vornehmheit.

**Individualpsychologie** → Psychologie.

**individuell,** persönlich, subjektiv, eigenbrötlerisch (*abwertend*), individualistisch, einzelgängerisch; → Individualismus.

**Individuum** → Mensch.

**Indiz** → Nachweis.

**indizieren** → verbieten.

**indoktrinieren** → lenken.

**indolent:** → schmerzlos, → träge.

**Indolenz** → Teilnahmslosigkeit.

**Indologie** → Philologie.

**Indri** → Affe.

**Induktionsstrom** → Elektrizität.

**induktiv** → Erfahrung.

**Indulgenz** → Duldung.

**Industrie** → Wirtschaft.

**Industrieabfall** → Müll.

**Industrieabwässer** → Abwasser.

**industrieblond** → blond.

**Industrieerzeugnis** → Ware.

**Industriefilm** → Kinofilm.

**Industriegas** → Gas.

**Industriegebiet,** Industrielandschaft, Ballungsgebiet, Ballungszentrum; → Gebiet.

**Industriegesellschaft** → Gesellschaft.

**Industriekapitän:** → Großindustrieller, → Manager.

**Industriekaufmann** → Büroangestellter.

**Industrieland** → Industrienation.

**Industrielandschaft** → Industriegebiet.

**Industrieller** → Unternehmer.

**Industriemacht** → Industrienation.

**Industriemesse** → Messe.

**Industriemüll** → Müll.

**Industrienation,** Industrieland, Industriestaat, Industriemacht · Ggs. → Entwicklungsländer.

**Industrieobligation:** -en→ Wertpapier.
**Industriepsychologie** → Psychologie.
**Industriestaat**→Industrienation.
**in extenso:** → ausführlich, → ganz.
**infam** → gemein.
**Infamie** → Bosheit.
**Infant** → Thronfolger.
**Infanterie** → Waffengattung.
**Infanteriestellung** → Schützengraben.
**Infanterist** → Soldat.
**infantil** → kindisch.
**Infantilismus** → Infantilität.
**Infantilität,** Infantilismus,Kindlichkeit, Unentwickeltheit, Puerilismus; → Albernheit; → kindisch.
**Infarkt** → Gefäßverstopfung.
**Infekt** → Ansteckung.
**Infektion** → Ansteckung.
**inferior** → minderwertig.
**Inferno** → Hölle.
**infertil** → impotent.
**infiltrieren,** durchsetzen, [ideologisch] unterwandern, [Agenten] einschleusen; → konspirieren; → Spion, → Verschwörung.
**Infinitesimalrechnung** → Mathematik.
**Infix:** → Affix, → Silbe.
**infizieren:** → beeinflussen; sich i. → krank [werden].
**Inflation** → Geldentwertung.
**Influenza** → Grippe.
**infolge** → wegen.
**infolgedessen** → also.
**Informant** → Gewährsmann.
**Information:** → Mitteilung, → Nachricht; nach letzter I. → Lage.
**Informationsreise** → Reise.
**informativ,** informierend, belehrend, instruktiv, informatorisch, informell; → Mitteilung; → mitteilen.
**informatorisch** → informativ.
**informell:** → informativ, → ungezwungen; -e Kunst →Malerei.
**informieren:** → mitteilen; sich i. → fragen; informiert sein → wissen; i. über → aussagen.
**informierend** → informativ.
**Informierung** → Nachricht.
**Infraktion** → Knochenbruch.
**Infrastruktur,** volkswirtschaftlicher Unterbau eines Landes; → Wirtschaft.

**Infusion** → Verabreichung.
**Infusionstierchen** → Einzeller.
**Infusorium** → Einzeller.
**Ingenieur,** Techniker · Homo faber, Diplomingenieur, Bauingenieur, Hochbauingenieur, Tiefbauingenieur; → bauen.
**ingeniös** → schöpferisch.
**Ingeniosität** → Einfallsreichtum.
**Ingenium** → Begabung.
**Ingrainpapier** → Papier.
**Ingredienz:** -ien → Zutaten.
**Ingrespapier** → Papier.
**ingressiv:** -es Verb → Verb.
**Ingrimm** → Ärger.
**ingrimmig** → ärgerlich.
**Ingwer** → Gewürz.
**Inhaber** → Besitzer.
**inhaftieren** → verhaften.
**Inhaftierter** → Gefangener.
**Inhaftierung** → Verhaftung.
**Inhalation** → Verabreichung.
¹**inhalieren,** einatmen; → atmen.
²**inhalieren:** einen i. → trinken.
**Inhalt:** → Bedeutung, → Fabel; zum I. haben → einschließen; → Gegenstand.
**inhaltbezogen:** -e Grammatik → Grammatik.
**Inhaltsangabe:** → Schulaufsatz, → Zusammenfassung.
**inhaltslos:** → oberflächlich, → phrasenhaft.
**Inhaltslosigkeit** → Trivialität.
**Inhaltsmusik** → Musik.
**inhaltsreich,** inhaltsvoll, reichhaltig, gehaltvoll, substanzreich, substanzhaltig, substantiell, aussagekräftig, aussagestark, stark in der Aussage; → außergewöhnlich.
**Inhaltssatz** → Satz.
**inhaltsvoll** → inhaltsreich.
**inhärent,** innewohnend, anhaftend, implizit, implizite; → anhaften.
**inhärieren** → anhaften.
**inhuman** → unbarmherzig.
**Inhumanität** → Grausamkeit.
**Initiale** → Buchstabe.
**Initialwort:** → Abkürzung, → Wort.
**initiativ:** i. werden → unternehmen (etwas).
**Initiative:** → Entschlußkraft, → Volksentscheid; die I. ergreifen → unternehmen (etwas).
**Initiator** → Gründer.
**initiieren** → anregen.

**Injektion:** → Einspritzung, → Verabreichung.; eine I. geben / verabreichen → spritzen.
**Injektionsspritze** → Spritze.
**injizieren** → spritzen.
**Injizierung:** → Einspritzung, → Verabreichung; eine I. geben / verabreichen → spritzen.
**Injurie** → Beleidigung.
**Inka** → Indianer.
**Inkarnation** → Inbegriff.
**Inkassant** → Kassierer.
**Inkasso** → Eintreibung.
**inklusive** → einschließlich.
**inkognito** → anonym.
**inkohativ:** -es Verb → Verb.
**inkommodieren** → behelligen.
**inkongruent** → ungleich.
**Inkongruenz** → Nichtübereinstimmung.
**inkonsequent** → folgewidrig.
**Inkonsequenz,** Widersprüchlichkeit, Unbeständigkeit; → folgewidrig · Ggs. → Beharrlichkeit.
**Inkriminierung** → Beschuldigung.
**Inkubationszeit** → Wartezeit.
**Inkubus** → Traum.
**Inkunabel** → Druck.
**Inland** → Heimat.
**Inlandeis** → Polareis.
**Inlandsmarkt** → Absatzgebiet.
**Inlay** → Zahnersatz.
**Inlett** → Stoff.
**inliegend** → anbei.
**in medias res:** in m.r. gehen → Einleitung.
**inmitten** → in.
**Inn** → Hotel.
**innehaben,** einnehmen, bekleiden, versehen, ausüben, einen Rang / eine Stellung haben, amtieren, amten (*südd., schweiz.*), Dienst tun, tätig sein als, sein; → haben.
**innehalten** → unterbrechen.
¹**innen,** im Innern, an der Innenseite / der inneren Seite; → drinnen · Ggs. → außen.
²**innen** → anbei.
**Innenarchitekt** → Raumausstatter.
**Innenbackenbremse** → Bremse.
**Innendekoration,** Raumgestaltung, Raumkunst; → Raumausstatter.
**Innenleben** → Gefühlsleben.
**Innenseite:** an der I. → innen.
**Innenstadt,** Stadtmitte, Stadtkern, Altstadt, Stadtzentrum,

Zentrum, City, Innerstadt (*schweiz.*); → Mittelpunkt, → Ort, → Stadt, → Stadtgebiet, → Stadtteil.

**Innenwand** → Mauer.

**innere:** → intern; i. Führung → Erziehung; i. Medizin → Heilkunde; i. Sammlung → Selbstbesinnung; an der -n Seite → innen; i. Stimme → Ahnung.

**Innere:** -s → Heilkunde, → Seele; im Innern → anbei, → innen.

**[1]Innereien,** eßbare Eingeweide, Gekröse · Herz · Lunge · Leber · Magen · Niere · Kaldaunen, Kutteln, Kuttelflecke, Flecke · Bries, Kalbsbries, Brieschen, Briesel, Bröschen, Kalbsmilch.

**[2]Innereien** → Eingeweide.

**innerhalb** → binnen.

**innerlich:** → empfindsam; sich i. entfernen von → zurückziehen (sich).

**Innerlichkeit** → Empfindsamkeit.

**Innerschweiz,** Urschweiz, Zentralschweiz, Urkantone; → Schweiz.

**Innerstadt** → Innenstadt.

**innert** → binnen.

**innervieren** → anregen.

**innewerden** → wahrnehmen.

**innewohnen** → anhaften.

**innewohnend** → inhärent.

**innig:** -sten Dank! → danke!

**Innovation** → Neubelebung.

**in nuce** → kurz.

**Innung:** → Genossenschaft, → Zweckverband; die ganze I. blamieren → kompromittieren (jmdn.).

**[1]inoffiziell,** nichtamtlich, außerdienstlich; → vertraulich · Ggs. → amtlich.

**[2]inoffiziell** → Verschwiegenheit.

**Inokulation** → Impfung.

**in persona** → persönlich.

**in petto:** in p. haben → haben, → vorhaben.

**in praxi** → wirklich.

**in puncto** → hinsichtlich.

**Input** → Produktionsmittel (die).

**Inquisitenspital** → Krankenhaus.

**Inquisition** → Verhör.

**Insasse** → Hausbewohner.

**insbesondere** → besonders.

**Inschrift** → Aufschrift.

**Insekt,** Kerbtier, Kerf · Käfer, Fächerflügler, Hautflügler, Floh, Fliege, Schmetterling, Zweiflügler, Netzflügler, Schnabelkerf, Heuschrecke, Ohrwurm, Schabe, Termite, Fangschrecke, Libelle, Wasserjungfer, Eintagsfliege, Borstenschwanz, Springschwanz, Beintastler, Doppelschwanz; → Glühwürmchen, → Heuschrecke, → Hautflügler, → Libelle, → Marienkäfer, → Schmetterling, → Ungeziefer.

**Insektengift** → Gift.

**Insektenkunde,** Entomologie; → Fliege, → Mücke, → Stechmücke.

**Insel,** Eiland, Atoll, Koralleninsel, Hallig, Werder, Wört[h], Au, Aue, Sandbank, Sand, Barre, Riff, Klippe, Schäre · *schwimmende aus Treibholz:* Raft.

**Inselstadt** → Berlin.

**Inselvenedig** → Venedig.

**Inseminatio artificialis** → Befruchtung.

**Insemination** → Befruchtung.

**insensibel** → schmerzunempfindlich.

**Inserat:** → Angebot; ein I. aufgeben → annoncieren.

**inserieren:** → annoncieren, → anzeigen, → Werbung [treiben].

**Insertion** → Angebot.

**insgeheim:** → heimlich, → unbemerkt.

**insgesamt,** im ganzen [gesehen], summa summarum, gesamt, gesamthaft (*schweiz.*); → ganz; → Ganzheit, → Vollständigkeit.

**Insignien** → Abzeichen.

**insistieren:** → bestehen (auf), → fragen, → zusetzen (jmdm.).

**inskribieren** → anmelden (sich).

**Inskription** → Anmeldung.

**inskünftig** → später.

**insofern** → deshalb.

**Insolation** → Überhitzung.

**Insolenz** → Frechheit.

**insolvent** → zahlungsunfähig.

**Insolvenz** → Zahlungsunfähigkeit.

**Insomnie** → Schlaflosigkeit.

**in spe** → später.

**Inspektor** → Kontrolleur.

**Inspektion:** → Durchsicht, → Überwachung.

**Inspiration** → Einfall.

**inspirieren:** jmdn. zu etwas i. → anstacheln.

**inspizieren:** → kontrollieren, → überwachen.

**Inspizierung** → Kontrolle.

**Installateur** · Klempner (*nordd.*), Spengler (*oberd., westd.*), Flaschner (*südwestd.*), Blechner (*südwestd.*), Blechschmied (*landsch.*); → Schlosser.

**Installation** → Amtseinführung.

**instand:** i. setzen → reparieren.

**Instandhaltung,** Unterhaltung, Unterhalt, Erhaltung, Pflege, Wartung; → Wiederherstellung; → rekonstruieren, → reparieren.

**inständig** → nachdrücklich.

**Inständigkeit** → Nachdrücklichkeit.

**Instandsetzung,** Wiederherstellung, Wiederherrichtung, Rekonstruktion, Erneuerung, Reorganisation, Renovierung, Restauration, Instauration, Restitution, Reparatur; → Instandhaltung, → Neubelebung, → Umgestaltung; → rekonstruieren, → reparieren.

**Instandstellung** → Wiederherstellung.

**Instantkaffee** → Pulverkaffee.

**Instanzenweg** → Amtsweg.

**Instanzenzug** → Amtsweg.

**Instauration** → Wiederherstellung.

**instaurieren** → reparieren.

**Instillation** → Verabreichung.

**Instinkt** → Gefühl.

**Instinkthandlung** → Verhaltensweise.

**instinktiv** → gefühlsmäßig.

**instituieren** → gründen.

**Institut,** Seminar, Anstalt, Ausbildungsstätte, Bildungsstätte, Bildungsanstalt, Studienanstalt, Forschungsanstalt, Forschungsinstitut, Laboratorium, Labor; → Hochschule, → Institution, → Schule.

**Institution,** Einrichtung · *zur allmählichen Resozialisierung von Rauschgiftsüchtigen:* Release-Center; → Eingliederung, → Institut, → Kur.

**instruieren** → lehren.

**Instrukteur,** Instruktor, Anleiter, Kursleiter, Unterrichtender, Ausbilder, Ausbildner (*österr.*); → Berater, → Lehrer.

Instruktion → Weisung.
instruktiv: → informativ, → interessant.
Instruktor → Instrukteur.
Instrument: → Gerätschaft, → Musikinstrument.
Instrumentalis → Kasus.
Instrumentalist→Musizierender.
Instrumentalmusik → Musik.
Instrumentalsatz → Satz.
instrumentieren → vertonen.
Insubordination → Widerstand.
Insuffizienz: → Funktionsstörung, → Unfähigkeit.
Insufflation → Verabreichung.
Insulin → Hormon.
Insult: → Anfall, → Beleidigung.
Insultation → Anfall.
insultieren: → behelligen, → kränken.
Insultierung → Beleidigung.
Insurgent → Revolutionär.
Insurrektion → Verschwörung.
Inszenator → Regisseur.
inszenieren: → veranstalten, → verwirklichen.
Inszenierung: → Abhaltung, → Bewerkstelligung.
Intarsia → Einlegearbeit.
Intarsie: [-n] → Einlegearbeit.
Integralrechnung → Mathematik.
Integration → Eingemeindung.
integrieren: → einfügen, → verbünden (sich); -d → nötig; integriert → zugehörig; -der Teil → Bestandteil; integrierte Gesamthochschule → Hochschule.
Intellekt → Vernunft.
Intellektueller, Geistesarbeiter, Kopfarbeiter, Bildungsphilister (abwertend), Intelligenzler (abwertend), Eierkopf, Egghead, Highbrow, Intelligenzbestie (abwertend), Gehirnakrobat (ugs., scherzh.) · weiblicher: Blaustrumpf; → Bildung, → Mensch, → Oberschicht; → klug.
intelligent → klug.
Intelligenz: → Begabung, → Oberschicht.
Intelligenzbestie → Intellektueller.
Intelligenzblatt → Zeitung.
Intelligenzfrage → Frage.
Intelligenzija → Oberschicht.
Intelligenzler → Intellektueller.
Intelligenzprothese → Brille.

Intelligenzquotient, I Q; → Begabung.
intendieren → vorhaben.
intensiv: → durchdringend, → konzentriert; -es Verb → Verb.
intensivieren → verstärken.
Intensivierung → Steigerung.
Intention → Absicht.
Interaktion → Verhältnis.
Intercityzug: → Eisenbahnzug, → Verkehrsmittel.
Interdependenz → Verhältnis.
Interdikt → Verbot.
interdisziplinär → allgemein.
interessant, anregend, ansprechend, spannend, spannungsreich, fesselnd, reizvoll, entzückend, ergreifend, packend, mitreißend, lehrreich, instruktiv, aufschlußreich, bemerkenswert, lesenswert, sehenswert, hörenswert, beachtenswert, erwähnenswert, wissenswert, markant, repräsentativ; → anziehend, → außergewöhnlich, → hübsch, → kennzeichnend, → kurzweilig, → nützlich, → wichtig.
Interesse: → Mitgefühl, → Neugier, → Reiz, → Zuneigung; -n → Belange; I. haben für → aufgeschlossen [sein]; I. zeigen für → lieben; in jmds. I. sein → nützlich [sein].
Interesselosigkeit → Teilnahmslosigkeit.
Interessengruppe → Interessenverband.
Interessenkonflikt → Zwiespalt.
Interessent → Kunde.
Interessenverband, Interessengruppe, Pressure-group; → Interessenvertretung, →Lobbyist.
Interessenvertreter → Lobbyist.
Interessenvertretung, Vertretung, Lobby; → Interessenverband, → Lobbyist, → Werbung.
interessieren: sich interessiert zeigen, interessiert sein an → aufgeschlossen [sein], → bemühen (sich um); sich i. für → bemühen (sich um); sich für jmdn. i. → verlieben (sich); jmdn. für etwas i. → gewinnen (jmdn. für etwas).
interessiert: → angelegentlich, → erwartungsvoll.
Interferenz → Überlagerung.
Interieur → Bild.

interimistisch → inzwischen.
Interjektion → Wortart.
Interlinearversion → Übersetzung.
Interlingua → Sprache.
Interludium → Zwischenspiel.
Intermediärkörper→Antikörper.
Intermezzo: → Ereignis, → Zwischenspiel.
Intermission → Unterbrechung.
intermittieren: -der Puls → Pulsschlag.
¹intern, innere, Außenstehende nicht betreffend / nichts angehend, geheim, vertraulich; → heimlich; → Verschwiegenheit.
²intern: -e Medizin → Heilkunde.
Internat → Heim.
international: → allgemein; -e Sprache → Sprache.
internieren→festsetzen (jmdn.).
Internist → Arzt.
interplanetar → kosmisch.
interplanetarisch → kosmisch.
Interpol → Polizeibehörde.
¹Interpret, Ausleger, Erklärer, Deuter.
²Interpret → Musizierender.
Interpretation → Auslegung.
Interpreter → Dolmetscher.
interpretieren → auslegen.
Interpunktion→Zeichensetzung.
Interrogativsatz → Satz.
Interruptio: → Abtreibung; [I. graviditatis] → Fehlgeburt.
Intersexualität → Zwittertum.
interstellar → kosmisch.
¹Intervall, Zwischenraum, Zwischenzeit, Zeitabstand, Lücke; → Zeitraum.
²Intervall: → Tonabstand; in bestimmten / regelmäßigen -en → periodisch.
intervenieren → vermitteln.
Intervention → Okkupation.
Interview: → Frage, → Gespräch, → Umfrage.
interviewen → fragen.
Interviewer → Marktforscher.
Interzonengrenze → Grenze.
Interzonenhandelsabkommen→ Abmachung.
intim: -er Bereich → Privatleben; -e Beziehungen → Koitus; -e Beziehungen haben, mit jmdm. i. werden → koitieren.
Intimität → Koitus.
Intimsphäre → Privatleben.
Intimspray: → Desodorans, → Spray.

Intimus → Freund.

Intimverkehr → Koitus.

intolerabel → unerträglich.

intolerant, engherzig, kleinlich, unduldsam, spießbürgerlich (*abwertend*), kleinbürgerlich, kleinstädtisch, spießig, provinziell, hinterwäldlerisch, krähwinklig, ehrpusselig, ehrpußlig, muckerhaft, muffig (*abwertend*), plüschen, philiströs, pedantisch, kleinkariert (*abwertend*), pinslig (*ugs.*), übergenau, pingelig (*ugs., landsch.*), nicht → entgegenkommend, nicht → tolerant; → gewissenhaft, → lehrhaft, → spitzfindig, → tantenhaft; → Pedant, → Pedanterie, → Spießer, → Vorurteil.

Intoleranz: → Überempfindlichkeit, → Unduldsamkeit.

intonieren → anfangen.

in toto → ganz.

Intoxation → Vergiftung.

Intoxikation → Vergiftung.

intraarteriell: i. spritzen → spritzen.

Intrada → Einleitung.

intrakardial: i. spritzen → spritzen.

intramuskulär: i. spritzen → spritzen.

intransigent → unzugänglich.

Intransigenz: → Eigensinn, → Unduldsamkeit.

intransitiv: -es Verb → Verb.

Intrauterinpessar → Empfängnisverhütungsmittel.

intravenös: i. spritzen→spritzen.

Intrige → Arglist.

intrigieren, jmdn. gegen jmdn. ausspielen, Ränke schmieden, kunkeln (*landsch.*), kungeln (*landsch.*); → konspirieren; → Bosheit, → Drahtzieher.

Introduktion → Einleitung.

introvertiert → unzugänglich.

Introvertiertheit → Verschlossenheit.

Intruder → Flugzeug.

Intuition → Einfall.

intuitiv → gefühlsmäßig.

intus: einen i. haben → betrunken [sein]; etwas i. kriegen → verstehen.

Inunktion → Verabreichung.

Invalide → Körperbehinderter.

Invasion → Okkupation.

Invektive → Beleidigung.

Inventar: → Mobiliar, → Verzeichnis.

Inventur, Bestandsaufnahme, Jahresabschluß; → zählen.

Inventurverkauf → Ausverkauf.

Inversion: → Homotropie, → Permutation.

invertiert → gleichgeschlechtlich.

Invertierter → Homosexueller.

investieren → zahlen.

Investierung → Investition.

Investition, Investierung, Kapitalanlage. Geldanlage, Anlage; als I. [gegeben], investiv.

Investitur → Amtseinführung.

investiv → Investition.

in vivo, am lebenden Objekt; → lebendig.

Invokavit → Kirchenjahr.

involvieren → einschließen.

inwieweit: man kann kaum sagen, i. → ungewiß [sein].

Inwohner → Hausbewohner.

inzentiv → zugkräftig.

Inzest, Blutschande, Inzucht; → Unzucht; → anstößig.

Inzicht → Beschuldigung.

inzident → nebenbei.

Inzisio → Zahn.

Inzision → Operation.

Inzucht → Inzest.

inzwischen, in der Zwischenzeit, zwischenzeitlich, interimistisch, zwischendurch, zwischendrin, zwischendrein, indessen, währenddessen, währenddem, unterdessen, dieweil, derweil, mittlerweile, einstweilen; → während.

ionisch: -es Kapitell → Kapitell; -er Stil → Baustil.

Iophobie → Hypochondrie.

Ipsation → Selbstbefriedigung.

Ipsismus → Selbstbefriedigung.

I-Punkt → Krönung.

IQ → Intelligenzquotient.

Irak-Dinar → Zahlungsmittel.

Iran, Persien (bis 1935).

Iranistik → Philologie.

Irbis → Raubtier.

¹irdisch, tellurisch, terrestrisch.

²irdisch: → weltlich; -e Güter → Besitz; das -e Jammertal → → Welt; sich dem -en Richter entziehen → entleiben (sich); den Weg alles Irdischen gehen → faulen.

irgend: i. jemand → jemand.

irgendein: → jemand; an -em Ort / Platz, an -er Stelle → irgendwo.

irgendwer → jemand.

irgendwo, an irgendeinem Ort / Platz, an irgendeiner Stelle · Ggs. → nirgends.

Iridium → Edelmetall.

irisch: Irische See → Atlantik; -er Wolfswindhund → Hunderassen.

Irish coffee → Kaffee.

Irish point → Spitzenstickerei.

Irish-Stew → Eintopf.

Irokese → Indianer.

Ironie → Humor.

ironisch → spöttisch.

ironisieren → schadenfroh [sein].

irr → geistesgestört.

irrational → gefühlsbetont.

irre: → geistesgestört, → sehr; an jmdm. i. werden → glauben (jmdm.).

irreal → unwirklich.

Irrealis → Modus.

Irrealität → Einbildung.

irreduktibel, irreduzibel, unwiederherstellbar, unzurückführbar, nicht ableitbar; → folgern · Ggs. → zurückführbar.

irreduzibel → irreduktibel.

irreführend → unwirklich.

Irreführung: → Betrug, → Mystifikation.

irregehen: → verirren (sich).

irregulär → unüblich.

Irregularität, Abweichung, Ausnahme, Sonderfall, Regelverstoß, Abirrung, Abnormität, Anomalität, Anomalie, Normwidrigkeit, Regelwidrigkeit, Unstimmigkeit, Aberration, Deviation, Unterschied, Unterschiedlichkeit, Divergenz, Differenz, Änderung, Variation, Variante, Spielart, Lesart, Diskrepanz, Derivation, Verschiedenartigkeit, Verschiedenheit, Ungleichheit, Ungleichmäßigkeit, Mißverhältnis, Disproportion, Ametrie; → Abschweifung, → Änderung, → Gegensätzlichkeit, → Homosexueller, → Kontrast, → Mißklang, → Unausgeglichenheit; → gleichen, → unterscheiden; → anormal, → entgegen, → krank, → unüblich · Ggs. → Regel.

irrelevant → unwichtig.

Irrelevanz → Bedeutungslosigkeit.

irremachen → verwirren.

¹irren (sich), fehlgehen in, verblendet sein, sich täuschen /

versehen / verrechnen / (*ugs.*)
vergaloppieren / (*ugs.*) vertun /
(*salopp*) verhauen, danebenhauen (*salopp*), im Irrtum /
(*ugs.*) auf dem Holzweg sein,
denkste! (*salopp*), typischer
Fall von denkste (*salopp*), auf
dem falschen Dampfer sitzen
(*ugs.*), schiefgewickelt sein (*salopp*), die Rechnung ohne den
Wirt machen, sich in den
Finger schneiden, jmd. liegt
falsch / schief (*ugs.*), schlecht
beraten sein, einen Fehler
machen; → mißverstehen, →
verirren (sich).

**²irren:** sich nicht i. → Recht.
**Irrenanstalt** → Krankenhaus.
**Irrenarzt** → Arzt.
**Irrenhaus** → Krankenhaus.
**irreparabel,** unwiederherstellbar, nicht wiedergutzumachen,
irreversibel, nicht umkehrbar;
→ unheilbar.
**Irrer:** → Geistesgestörter; armer I. → Dummkopf.
**Irresein** → Geistesgestörtheit.
**irreversibel:** → irreparabel;
nicht i. → austauschbar.
**Irrfahrt** → Fahrt.
**Irrgang** → Irrgarten.
**Irrgarten,** Labyrinth, Irrgang.
**Irrglaube** → Ketzerei.
**irrgläubig** → ketzerisch.
**Irrgläubiger** → Ketzer.
**irrig:** → abwegig, → falsch.
**Irrigation** → Einlauf.
**Irritabilität** → Überempfindlichkeit.
**Irritation** → Erregung.
**irritieren** → verwirren.
**Irrlehre** → Ketzerei.
**irrlichtern:** → spuken; -d → gespenstisch.
**Irrsinn** → Absurdität.
**irrsinnig:** → geistesgestört, →
sehr.
**Irrstern** → Komet.
**Irrtum:** → Fehler; im I. sein →
irren (sich).
**irrtümlich** → versehentlich.
**Irrwisch** → Kind.
**Irrwitz** → Absurdität.
**Isabell** → Pferd.
**Isagogik** → Theologie.
**Isar-Athen** → München.
**Isar-Stadt** → München.
**Ischämie** → Blutleere.
**Ischias** → Arthritis.
**Isegrim** → Wolf.
**Isfahan** → Orientteppich.

**Islam** → Weltreligion.
**isländisch:** -e Krone → Zahlungsmittel; Isländisch Moos →
Flechte.
**Islandpony** → Pferd.
**iso-:** → homo-.
**Isolationsmauer** → Mauer.
**isolieren:** → ausschließen; sich
i. → abkapseln (sich).
**Isolierglas** → Glas.
**Isolierstation** → Krankenhaus.
**isoliert** → einzeln.
**Isolierung:** → Abkapselung, →
Einsamkeit.
**Isolierungsmauer** → Mauer.
**isometrisch:** -es Training →
Entspannungsübung.
**Isonym** → Homonym.
**Isonymie** → Wortgleichheit.
**Isoplastik** → Transplantation.
**Isotransplantation** → Transplantation.
**Israel,** Palästina (*hist.*), das Heilige / Gelobte Land (*bibl.*); →
Antisemit, → Isrealit; → israelitisch.
**Israeli** → Israelit.
**israelisch:** -es Pfund → Zahlungsmittel.
**Israelit,** Israeli, Jude, Semit,
Zionist, Itzig (*abwertend*) · Ostjude, Lercherl (*scherzh., österr.*);
→ Antisemit, → Israel; →
israelitisch.
**israelitisch,** jüdisch · *in bezug
auf den Glauben:* mosaisch; →
Israel, → Israelit.
**Istanbul,** Konstantinopel (*veraltet*), Byzanz (*im Altertum*).
**Iste** → Penis.
**Itaker** → Italiener.
**Itala** → Bibelübersetzung.
**Italiener,** Itaker (*ugs.*), Katzelmacher (*ugs., abwertend*), Tschinkele (*österr., schweiz., abwertend*)
Tschinken (*abwertend*), Makkaronifresser (*salopp, abwertend*),
Spaghettifresser (*salopp, abwertend*), Spaghetti (*salopp, abwertend*), Makkaroni (*salopp, abwertend*), Mausfallenhändler (*abwertend*), Maiser (*schweiz.*).
**italienisch:** -er Salat → Salat.
**Italo-Western** → Wildwestfilm.
**iterativ:** -es Verb → Verb.
**I-Tüpfel:** genau sein bis aufs
I. → gewissenhaft.
**I-Tüpfel-Reiter** → Pedant.
**Itzig** → Israelit.
**Iwan** → Russe.

# J

**¹ja,** jawohl, aber ja, sei's drum,
gewiß, sicher, freilich, allerdings, natürlich, selbstverständlich, selbstredend, sehr wohl, in
der Tat, gern[e], mit Freuden /
Vergnügen / (*ugs.*) Kußhand,
es ist mir ein Vergnügen, ich
habe keine Einwände / nichts
dagegen [einzuwenden], es soll
mir recht sein, wie du willst /
meinst, wenn's dir Spaß macht,
genehmigt (*ugs.*), schön, gut,
durchaus, auf jeden Fall, allemal, versteht sich, [na] klar
(*ugs.*), nu na [nicht] (*ugs.,
österr.*), was denn sonst, meinetwegen, von mir aus (*ugs.*), in
Gottes / in drei Teufels Namen
(*ugs.*), wenn's denn sein muß
(*ugs.*); → okay, → wahrscheinlich, → zweifellos · Ggs. → nein.
**²ja:** zu etwas ja [und amen]
sagen → billigen.
**Jab** → Fausthieb.
**¹Jabot,** Plastron, Brustlatz · *bei
festlicher Männerkleidung:*
Hemdbrust, Vorhemd, Chemisett (das), Chemisette (die);
→ Besatz, → Krawatte.
**²Jabot** → Besatz.
**Jachthafen** → Hafen.
**Jäckchen:** Berchtesgadener J.
→ Strickweste.
**¹Jacke,** Jackett, Sakko, Wams,
Rock (*landsch.*), Kittel
(*landsch.*), Joppe, Schlutte
(*mundartl., schweiz.*), Janker
(*südd., österr.*), Spenzer, Spenser (*österr.*), Trachtenjacke,
Trachtenjanker · Klubjacke,
Blazer · *mit engem Taillenschluß
und Bündchenärmeln:* Lumberjack; → Anorak, → Kleidung,
→ Strickweste, → Weste.
**²Jacke:** → Strickweste; das ist
J. wie Hose → einerlei; sich eine
J. nicht anziehen → betreffen.
**Jackenkleid** → Kleid.
**Jacketkrone** → Zahnersatz.
**Jackett:** → Jacke; einen unter
das J. brausen → trinken.
**Jacquard** → Stoff.
**Jade** → Schmuckstein.
**jadegrün** → grün.
**¹Jagd,** Niederjagd, Hochjagd,
Lockjagd, Suchjagd, Treibjagd,
Stöberjagd, Streifjagd, Parforcejagd, Hetzjagd, Hatz (*Jä-*

*gerspr.*), Fangjagd, Wasserjagd, Falkenjagd, Beizjagd, Hasenjagd, Entenjagd, Bärenjagd, Löwenjagd, Großwildjagd, Hüttenjagd, Lappjagd; → Jagdexpedition, → Jäger; → jagen.

**²Jagd:** → Jagdgebiet, → Verfolgung; J. machen auf, auf die J. gehen → jagen.

**Jagdexpedition,** Safari; → Jagd, → Reise.

**Jagdflugzeug** → Flugzeug.

**Jagdfrevler** → Wilderer.

**Jagdgebiet,** Jagdrevier, Revier, Jagd · Fischwasser; → Jagd.

**Jagdgrund:** in die ewigen Jagdgründe eingehen → sterben.

**Jagdhund:** -e → Hunderassen, → Sternbild.

**Jagdhütte** → Haus.

**Jagdkanzel** → Hochsitz.

**Jagdmesser** → Messer.

**Jagdrevier** → Jagdgebiet.

**Jagdwurst** → Wurst.

**¹jagen,** auf die Jagd gehen, pirschen, Jagd machen auf, auf die Pirsch gehen · *unbefugterweise:* wildern, wilddieben · *mit einem abgerichteten Raubvogel:* beizen; → Hochsitz, → Jagd, → Jäger.

**²jagen:** → fortbewegen (sich), → verfolgen, → vertreiben; [sein Geld] durch die Gurgel j. → ausgeben; durch die Gurgel j. → verschwenden; sich eine Kugel durch den Kopf j. → entleiben (sich); in die Höhe j. → aufscheuchen; jmdn. ins Bockshorn j. → einschüchtern.

**Jagen** → Fangspiel.

**¹Jäger,** Weidmann, Waidmann, Jägersmann, Nimrod · Pelztierjäger, Trapper · *ungeübter:* Sonntagsjäger (*abwertend*); → Förster, → Jagd; → jagen.

**²Jäger:** → Dienstgrad, → Flugzeug.

**Jägerhut** → Kopfbedeckung.

**Jägerlatein** → Lüge.

**Jägerschnitzel** → Fleischgericht.

**Jägersprache** → Gruppensprache.

**Jaguar** → Raubtier.

**jäh:** → plötzlich, → steil.

**jählings** → plötzlich.

**¹Jahr,** Jahrgang, Lebensjahr, Lenz (*scherzh.*; sie zählt 17 Lenze), Altersjahr (*schweiz.*); **in diesem J.,** heuer (*oberd.*), dieses Jahr; → diesjährig; **im**

**Jahre ...,** im Jahre des Herrn / des Heils (*geh.*), Anno [Domini] ..., A.D. ... ... vor / nach Christi stus, ... vor / nach Christi Geburt, ... vor / nach der Zeitrechnung; → damals.

**²Jahr:** → Zeitraum; die besten -e → Lebensalter; bürgerliches / liturgisches J. → Kalenderjahr; die goldenen zwanziger -e → Belle Epoque; Gregorianisches / Julianisches / anomalistisches / siderisches / tropisches J. → Zeitraum; kritische -e → Klimakterium; Liturgisches J. → Kirchenjahr; die -e nach dem Krieg / nach dem zweiten Weltkrieg → Nachkriegszeit; jmds. -e sind gezählt → sterben; ein gutes, neues J.!, viel Glück im neuen J.! → Neujahr; schon viele -e auf dem Buckel haben → alt [sein]; aus dem -e Schnee → altmodisch; aus den besten -en heraussein, in die -e kommen → altern; im -e Schnee → damals; ein Mann in den besten -en sein → älter [sein]; unter 21 -en → minderjährig; es zu -en bringen, zu [hohen] -en kommen → alt [werden].

**jahraus,** j., jahrein → unaufhörlich.

**Jahrbuch,** Annalen, Almanach; → Kalender.

**jahrein:** jahraus, j. → unaufhörlich.

**jahrelang** → langjährig.

**Jahresabonnement** → Abonnement.

**Jahresabschluß** → Inventur.

**Jahresanfang** → Jahresbeginn.

**Jahresausklang** → Silvester.

**Jahresbeginn,** Jahresanfang, Neujahr, 1. Januar; → Silvester.

**Jahresbericht** → Geschäftsbericht.

**Jahresende** → Silvester.

**Jahreskalender** → Kalender.

**Jahreskarte** → Fahrkarte.

**Jahresmiete** → Abonnement.

**Jahresprämie** → Gratifikation.

**Jahrestag,** Jubiläum, Gedenktag, Jubeltag, Freudentag, Jahrgedächtnis, Anniversarium, Jahrzeit (*schweiz.*); **einen J.** begehen, ein Jubiläum feiern, jubilieren (*österr.*); → Hochzeit.

**Jahreswechsel:** → Neujahr, → Silvester.

**Jahresweiser** → Kalender.

**Jahreszeit** · Frühjahr, Frühling, Lenz (*dichter.*), Ausmärz (*landsch.*), Langeß (*landsch.*), Lanzing (*landsch.*), Vorjahr (*landsch.*) · Frühsommer, Sommer, Hochsommer, Spätsommer, Nachsommer, Altweibersommer, Indianersommer (Amerika) · Herbst, Spätherbst, Spätling (*landsch.*), Einwärts (*landsch.*) · Winter, die kalte Jahreszeit; → Monat, → Tagundnachtgleiche, → Zeitraum; → herbsten.

**Jahrgang:** → Generation, → Jahr.

**Jahrgedächtnis** → Jahrestag.

**Jahrgeld** → Einkünfte.

**Jahrhundert** → Zeitraum.

**¹Jahrmarkt,** Volksfest, Markt, Kirchweih (*landsch.*), Kirmes (*landsch.*), Kerwe (*landsch.*), Messe (*südd.*), Wasen (*südd.*), Rummel (*ugs.*), Dult (*bayr.*), Kirtag (*österr.*), Kilbi (*schweiz.*), Dom (*hamburg.*) · *zu Weihnachten:* Weihnachtsmarkt, Christkindlmarkt (*südd.*, *österr.*); → Achterbahn, → Artist, → Jahrmarktsbude, → Jahrmarktsplatz, → Karussell, → Kraftspiel, → Markt, → Messe, → Riesenrad, → Schausteller, → Schiffsschaukel, → Skooterbahn, → Teufelsrad, → Zirkus.

**²Jahrmarkt:** der erzählt auch, im Himmel ist J.! → glauben.

**Jahrmarktsbude,** Marktstand, Marktbude, Kerwestand (*landsch.*), Schießbude, Trödelbude, Krambude, Glücksbude, Losbude (*ugs.*), Gauklerbude, Spiegelkabinett, Lachkabinett, Kuriositätenkabinett, Abnormitätenkabinett, Schaustellerbude, Schaubude; → Jahrmarkt, → Verkaufsstand.

**Jahrmarktskünstler** → Artist.

**Jahrmarktsplatz,** Meßplatz, Rummelplatz (*ugs.*), Festplatz, Festwiese; → Jahrmarkt.

**Jahrtausend** → Zeitraum.

**Jahrweiser** → Kalender.

**Jahrzehnt** → Zeitraum.

**Jahrzeit** → Jahrestag.

**Jahwe** → Gott.

**Jähzorn:** → Ärger, → Ungezügeltheit.

**jähzornig** → unbeherrscht.

**Jakob:** billiger J. → Händler.

**Jakobskrautbär** → Schmetterling.

**Jakobus:** J. der Jüngere / der Ältere → Apostel.

**Jalousette** → Fensterladen.

**Jalousie** → Fensterladen.

**Jam** → Brotaufstrich.

**Jamaikapfeffer** → Piment.

**Jamboree** → Wiedersehen.

**Jambus** → Versfuß.

**James Grieve** → Apfel.

**Jammer:** → Leid; ein J. → schade.

**Jammerlaut** → Klagelaut.

**jämmerlich** → kläglich.

**jammern:** → klagen; -d → wehleidig.

**Jammerrede** → Klage.

**jammerschade** → schade.

**Jammertal:** das irdische J. → Welt.

**jammervoll** → kläglich.

**Jan:** J. Maat → Matrose.

**Janhagel** → Abschaum.

**Janker** → Jacke.

**Jänner** → Januar.

**¹Januar,** Wintermonat, Hartung, Eismond, Schneemond, Jänner (*österr.*); → Monat, → Zeitraum.

**²Januar:** 1. J. → Jahresbeginn; 6. J. → Epiphanias.

**janusgesichtig** → mehrdeutig.

**Japan,** Nippon, das Land der aufgehenden Sonne; → Japaner.

**Japaner,** Japanese (*scherzh.*), Japs (*ugs.*); → Chinese, → Japan.

**Japanese** → Japaner.

**japanisch:** Japanisches Meer → Pazifik.

**Japanologie** → Philologie.

**Japanpapier** → Papier.

**Japanperle** → Perle.

**Japanseide** → Seide.

**Japs** → Japaner.

**japsen** → atmen.

**Jargon** → Ausdrucksweise.

**Jarkent** → Orientteppich.

**Jasager,** Erfüllungsgehilfe (*abwertend*), Erfüllungspolitiker (*abwertend*), Verzichtpolitiker (*abwertend*); → Anhänger, → Linientreuer.

**Jaspis** → Schmuckstein.

**jaspisrot** → rot.

**Jaß** → Kartenspiel.

**Jassen** → Kartenspiel.

**Jasset** → Kartenspiel.

**jäten** → herausreißen.

**Jauche** → Dünger.

**Jauchegrube,** Gülle (*schweiz.*), Senkgrube, Sickergrube, Pfuhl (*landsch.*), Pfuhlloch (*landsch.*), Puhlloch (*landsch.*); → Dünger, → Misthaufen.

**jauchen** → düngen.

**jauchzen** → jubeln.

**Jauk** → Fallwind.

**jaulen:** → bellen; das Jaulen → Klagelaut.

**Jause** → Zwischenmahlzeit.

**jausen** → Zwischenmahlzeit [einnehmen].

**Jausenstation** → Gaststätte.

**jausnen** → Zwischenmahlzeit [einnehmen].

**Javaneraffe** → Affe.

**jawohl** → ja.

**Jawort:** jmdm. das J. geben → heiraten.

**Jay-Smoke** → Rauschgift.

**¹Jazz,** Jazzmusik ·· klassischer Jazz, Oldtime-Jazz, Traditional Jazz, Two-beat-Jazz ·· New Orleans · Ragtime · Chicago · Dixieland ·· Swing ·· Bebop ·· Revival, Revival-Jazz, Oldtime-Jazz-Renaissance ·· Cool Jazz, Modern Jazz ·· Progressive Jazz ·· West-coast-Jazz ·· East-coast-Jazz; → Musik.

**²Jazz** → Unterhaltungsmusik.

**Jazzband** → Orchester.

**Jazzkonzert** → Musikveranstaltung.

**Jazzmusik:** → Jazz, → Unterhaltungsmusik.

**Jazztrompete** → Blasinstrument.

**¹je,** pro, per, pro Person / Kopf / (*ugs.*) Nase, jeder, für jeden; → à.

**²je:** seit [eh und] je, von je, wie eh und je → unaufhörlich.

**Jeans** → Hose.

**Jeck** → Fastnachter.

**¹jedenfalls,** in jedem Falle, vor allem, jedoch; → besonders.

**²jedenfalls:** → also, → dennoch.

**jedennoch** → aber.

**¹jeder,** alle, sämtliche, allesamt, allerseits, vollzählig, jedermann, jedweder, jeglicher (*geh., veraltend*), wer auch immer, ausnahmslos, ohne Ausnahme, durch die Bank (*ugs.*), samt und sonders, mit Kind und Kegel, mit Mann und Maus, groß und klein, jung und alt, jeden Al-

ters, aller Altersstufen, Freund und Feind, Hinz und Kunz (*abwertend*), Krethi und Plethi (*abwertend*), alle Welt, alle möglichen, die verschiedensten, aller Couleur, jeder Sorte, jeden Standes und Ranges; alles, was Beine hat; geschlossen wie ein Mann; → A (von A bis Z), → allgemein, → durchgängig, → einschließlich.

**²jeder:** jeden Abend → allabendlich; jeden Alters, j. Sorte, jeden Standes und Ranges → alle; in j. Beziehung → allseitig; jeden Mittag → allmittäglich; jeden Morgen → allmorgendlich; jede Nacht → allnächtlich; jeden Tag → täglich; das kann j. → schwierig; [für jeden] → je.

**jedermann** → alle.

**jedoch:** → aber, → jedenfalls.

**jedweder** → alle.

**Jeep** → Auto.

**jeglicher** → alle.

**jeher:** seit / von j. → unaufhörlich.

**Jehova:** → Gott; Zeugen -s → Sekte.

**Jejunum** → Darm.

**jemand,** irgend jemand, irgendein, irgendwer.

**Jenaer:** J. Glas → Glas.

**jene** → solche.

**¹jener,** der da / dort; → dieser, → welch.

**²jener:** in jenem Land, an jenem Ort, an j. Stelle → dort; in jenen Tagen → damals.

**Jenisch** → Gaunersprache.

**Jen-Min-Pi** → Zahlungsmittel.

**Jenner** → Mann.

**¹jenseits,** drüben, auf der anderen Seite, auf der Maschikseite (*österr.*), am anderen Ufer, ennet (*schweiz.*); → gegenüber · Ggs. → diesseits.

**²jenseits:** j. des großen Teiches → Amerika; j. von Raum und Zeit → ewig.

**Jenseits:** → Himmel; ins J. befördern → töten.

**Jeremia** → Prophet.

**Jeremiade** → Klage.

**Jersey:** → Sporthemd, → Stoff.

**Jerseykleid** → Kleid.

**Jerusalem:** -er Kreuz → Kreuzzeichen.

**Jesaja** → Prophet.

**Jesuit:** -en → Mönchsorden.

**Jesuitendrama** → Drama.
**Jesuitenorden** → Mönchsorden.
**jesuitisch** → schlau.
**Jesus:** [J. Christus / von Nazareth] → Heiland.
**Jesuskind** → Heiland.
**Jet** → Flugzeug.
**Jeton** → Bon.
**Jet-set** → Oberschicht.
**Jett** → Schmuckstein.
**jetzig,** augenblicklich, gegenwärtig, momentan, nunmehrig, derzeitig, heutig; → jetzt.
**¹jetzt,** gegenwärtig, augenblicklich, derzeit, nunmehr, zur Stunde, im Augenblick / Moment, am heutigen Tage, momentan, soeben, eben, gerade, just, justament, dermalen (*veraltet*), zur Zeit, heutzutage, heute, heutigentags, nicht → damals, nicht → hinterher, nicht → kürzlich, nicht → vorher, nicht → später; → aktuell, → frühestens, → jetzig, → kaum, → soeben.
**²jetzt:** hier und j. → gleich; das Hier und Jetzt → Gegenwart; ab j. → zukünftig.
**Jetztzeit** → Gegenwart.
**Jeunesse dorée** → Oberschicht.
**jiddeln** → sprechen.
**Jiddisch** → Mischsprache.
**Jitterbug** → Tanz.
**Jiu Jitsu** → Selbstverteidigung.
**Jive** → Tanz.
**Job** → Beruf.
**Jobber:** → Börsenmakler, → Händler.
**Joch:** → Flächenmaß, → Gipfel, → Last, → Unfreiheit; sich einem J. beugen → nachgeben; unter das J. zwingen → besiegen.
**Jochpfeiler** → Säule.
**Jockei** → Reiter.
**Jod** → Gas.
**Jodalge** → Alge.
**jodeln** → singen.
**Jodler** → Lied.
**Jodsalz** → Salz.
**Joel** → Prophet.
**Jogaübung** → Entspannungsübung.
**Joghurt** → Milch.
**Johannes:** → Apostel, → Evangelist, → Penis; die Offenbarung Johannis / des J. → Apokalypse.

**Johannesbeere** → Johannisbeere.
**Johannestraube** → Johannisbeere.
**Johannisbeere, Johannistraube** (*landsch.*), Träuble (*landsch.*), Johannesbeere (*landsch.*), Johannestraube (*landsch.*), Ribisel (*österr.*); → Beerenobst.
**Johannisbeermotte** → Schmetterling.
**johannisbeerrot** → rot.
**Johannisbeersaft** → Fruchtsaft.
**Johannisbrotbaum** → Laubhölzer.
**Johannishändchen** → Zaubermittel.
**Johanniskäfer:** → Leuchtkäfer, → Marienkäfer.
**Johannisnuß** → Nuß.
**Johannistraube** → Johannisbeere.
**Johannistrieb** → Geschlechtstrieb.
**Johanniswürmchen** → Glühwürmchen.
**Johanniter** → Ritter.
**Johanniterorden** → Ritterorden.
**johlen** → schreien.
**John:** J. Bull → Engländer.
**Joint:** → Zigarette; einen J. durchziehen → rauchen.
**Jokus** → Scherz.
**Jolle:** → Beiboot, → Boot.
**Jollenkreuzer:** 20- m²-J. → Segelboot.
**Jom Kippur** → Feiertag.
**Jomud** → Orientteppich.
**Jona** → Prophet.
**Jonathan** → Apfel.
**Jongleur** → Artist.
**jonglieren** → lavieren.
**Jonny** → Engländer.
**Jonquille** → Narzisse.
**Joppe** → Jacke.
**Joran** → Wind.
**Jordan-Dinar** → Zahlungsmittel.
**¹Jota (das)** → Buchstabe.
**²Jota (die)** → Tanz.
**Jour fixe** → Tag.
**Journaille** → Presse.
**Journal:** → Tagebuch, → Zeitschrift.
**Journaldienst** → Bereitschaftsdienst.
**Journalist** → Berichter.
**Journalistik** → Zeitungswesen.
**jovial** → entgegenkommend.
**Jovialität** → Geneigtheit.

**Jovis** → Gott.
**¹Jubel,** Freudentaumel, Freudengeschrei, Freudengeheul, Triumphgeschrei; → Begeisterung, → Beifall; → jubeln.
**²Jubel** → Beifall.
**Jubelgreis** → Greis.
**Jubelhochzeit** → Hochzeitstag.
**Jubeljahr:** alle -e → selten.
**¹jubeln,** jauchzen, aufjauchzen, aufjubeln, jubilieren, einen Freudenschrei / Freudenruf ausstoßen, juchzen, aufjuchzen; → Jubel, → Laut.
**²jubeln:** jmdm. etwas unter die Weste j. → aufbürden.
**Jubeltag** → Jahrestag.
**Jubilate** → Kirchenjahr.
**Jubiläum:** → Jahrestag; ein J. feiern → Jahrestag.
**Jubiläumsausgabe** → Edition.
**jubilieren:** → Jahrestag, → jubeln.
**Juchart** → Flächenmaß.
**Jucharte** → Flächenmaß.
**Juchhe** → Empore.
**Juchten** → Leder.
**Juchtenleder:** zäh wie J. → zäh.
**juchzen** → jubeln.
**¹jucken (sich),** sich kratzen / scheuern / reiben; → kitzeln, → kratzen.
**²jucken:** → kribbeln; jmdm. / jmdn. j. die Finger nach etwas → begierig [sein nach]; wen juckt's? → unwichtig [sein].
**Juckerpeitsche** → Peitsche.
**Juckflechte** → Ekzem.
**Judas:** → Denunziant; [J. Ischariot / Thaddäus] → Apostel.
**Judasbaum** → Laubhölzer.
**Juddezeh** → Knoblauch.
**Jude:** → Israelit; der Ewige J. → Umherirrender; König der -n → Heiland.
**Judendeutsch** → Mischsprache.
**judenfeindlich** → antisemitisch.
**Judenfeindlichkeit** → Antisemitismus.
**Judenfresser** → Antisemit.
**Judenfurz** → Feuerwerkskörper.
**Judenhaß** → Antisemitismus.
**Judenhasser** → Antisemit.
**Judenknöchelchen** → Ellennerv.
**Judenlauch** → Knoblauch.
**Judenstern** → Davidsstern.
**Judentum** → Weltreligion.
**Judenvanilli** → Knoblauch.

**Judika** → Kirchenjahr.
**Judikatur** → Rechtsprechung.
**jüdisch:** → israelitisch; nur keine -e Hast! → ruhig.
**Judo** → Selbstverteidigung.
**Jugend:** → Generation, → Lebensalter; bündische / Freideutsche / politische J. → Jugendbewegung; seit frühester J. → klein.
**Jugendbeilage** → Zeitungsbeilage.
**Jugendbewegung,** Wandervogel, Freideutsche / bündische / politische Jugend; → Pfadfinder.
**Jugendbuch** → Literatur.
**Jugendchor** → Chor.
**Jugenddorf** → Kinderdorf.
**Jugendfilm** → Kinofilm.
**Jugendfreizeitheim** → Heim.
**jugendfremd** → Verständnis.
**Jugendfreund** → Freund.
**Jugendfreundin** → Freundin.
**Jugendgericht** → Gericht.
**Jugendgespiele** → Freund.
**Jugendgespielin** → Freundin.
**Jugendheim** → Heim.
**Jugendherberge** → Hotel.
**Jugendirresein** → Geistesgestörtheit.
**Jugendkalender** → Kalender.
**jugendlich,** juvenil, jung, kindlich, pueril, knabenhaft, jungenhaft, mädchenhaft; → jung, → kindisch.
**Jugendlicher** → Jüngling.
**Jugendliebe:** → Geliebte, → Geliebter.
**¹Jugendstil,** Art nouveau, [Wiener] Sezessionsstil, Sezessionismus.
**²Jugendstil:** → Baustil, → Malerei.
**Jugendweihe** → Konfirmation,
**Jugendwerk** → Werk.
**Jugendzeit** → Lebensalter.
**jugoslawisch:** -er Dinar → Zahlungsmittel.
**Jugulum** → Hals.
**Juice** → Fruchtsaft.
**Jukebox** → Musikautomat.
**Jul** → Weihnachten.
**Julei** → Juli.
**Julep** → Mixgetränk.
**Julfest** → Weihnachten.
**Juli,** Julei (verdeutlichende Sprechform), Sommermonat, Heuet, Heuert, Heumond; → Monat, → Zeitraum.

**julianisch:** Julianisches Jahr → Zeitraum.
**Julklapp** → Weihnachtsgeschenk.
**Julmond** → Dezember.
**Jum:** im J. sein → betrunken [sein].
**Jumbojet** → Flugzeug.
**Jumelage** → Partnerschaft.
**Jumper** → Pullover.
**¹jung,** jünger, jung an Jahren, halbwüchsig, blutjung, unfertig, unreif, unerfahren, grün (*abwertend*), nicht → alt; **j. sein,** noch das ganze Leben vor sich haben; **noch sehr j. sein,** noch die Eierschalen hinter den Ohren haben, noch nicht trocken / noch feucht hinter den Ohren sein, kaum flügge sein; → erwachsen, → jugendlich; → Unreife.
**²jung:** → jugendlich; -er Dachs / Herr / Kerl / Mann / Mensch / Spund → Jüngling; Junges Deutschland → Literaturepochen; noch zum -en Gemüse gehören → erwachsen; wie ein -er Hund frieren → frieren; -e Liebe → Zuneigung; zornige -e Männer → Lost generation; jüngster Sohn → Jüngster; der -e Tag → Tagesanbruch; Sonntag vom Jüngsten Tag → Kirchenjahr; jüngste Tochter → Jüngste; -e Völker → Entwicklungsländer; nicht mehr [ganz] j. sein → älter [sein]; noch zu j. sein, um ...; zu j. sein, zu ... → erwachsen; jünger geworden → verjüngt; j. und alt → alle; wie die Alten sungen, so zwitschern auch die Jungen → ähneln; das ist, um Junge zu kriegen → unerträglich [sein].
**Jungbürger** → Wahlberechtigter.
**Jungchen** → Junge.
**¹Junge,** Knabe, Bub, Bube (*abwertend*), Jungchen, Jüngelchen, Goldjunge (*fam.*), Kronensohn (*fam.*), Bubi, Bübchen, Bübel, Bürschchen, Bengel, kleiner Kerl, Kerlchen, Rüpel, Schlingel, Schelm, Schlankel (*österr.*), Pimpf, Gassenbub (*landsch.*), Gassenjunge, Frechdachs, Lauser, Lausbub, Spitzbube, Strick (*landsch.*), Galgen-

strick, Lausebengel, Lausejunge, Lauselümmel, Strauchdieb, Bosnickel (*abwertend, bayr., österr.*), Scherenschleifer (*abwertend*), Lümmel (*abwertend*), Rotzlöffel (*derb*), Rotznase (*derb*), Rotzbub (*derb*), Rotznigel (*ugs., österr.*), Früchtchen (*abwertend*), Galgenvogel (*ugs., scherzh.*), Tunichtgut, Strolch · *vorbildlicher:* Musterknabe (*iron.*), Tugendbold (*abwertend*), Tugendpinsel (*abwertend*) · *der sich herumtreibt:* Trebegänger · *der beim Kegelspiel die Kegel aufsetzt:* Kegeljunge, Kegelaufsetzer · *der beim Tennisspiel die Bälle aufhebt:* Balljunge · *der beim Golfspiel die Golfschläger für die Spieler trägt:* Caddie; → Jüngling, → Kind · Ggs. → Mädchen.
**²Junge:** die blauen Jungs → Matrose; schwerer J. → Verbrecher; J., J.! → überrascht [sein]; noch ein grüner J. sein → erwachsen.
**Jüngelchen** → Junge.
**jungen** → gebären.
**jungenhaft** → jugendlich.
**Junger** → Wein.
**Jünger:** → Anhänger; [J. Jesu] → Apostel.
**Jungfer:** → Frau, → Mädchen; Nackte J. → Herbstzeitlose; J. Naseweis → Mädchen.
**Jungfernbraten** → Lendenbraten.
**Jungfernfahrt** → Fahrt.
**Jungfernflug** → Flug.
**Jungfernhäutchen** → Hymen.
**Jungfernhonig** → Honig.
**Jungfernkäfer** → Marienkäfer.
**Jungfernrede** → Rede.
**Jungfernreise** → Reise.
**Jungfernzeugung** → Fortpflanzung.
**Jungfrau:** → Mädchen, → Sternbild, → Tierkreiszeichen; die Heilige J., J. Maria → Madonna.
**jungfräulich,** keusch, unschuldig, unberührt, anständig; → Virginität; → deflorieren.
**Jungfräulichkeit** → Virginität; jmdm. die J. rauben → deflorieren.
**¹Junggeselle,** Hagestolz, Einspänner, Agamist (*veraltet*); → Frauenheld, → Mann, → Weiberfeind · Ggs. → Ehemann.

²**Junggeselle:** J. sein → ledig [sein].

**Junglehrer** → Lehrer.

**Jüngling,** Bursche, Bursch, Twen, Boy (*ugs.*), Jugendlicher, Minderjähriger, Heranwachsender, Teen, Halbstarker (*abwertend*), Schlurf (*österr., abwertend*), Halbwüchsiger, Milchbart (*scherzh.*), junger Mensch / Mann / Herr, junger Kerl / Dachs (*ugs.*), junger Spund (*ugs., abwertend*), Fant (*abwertend*), Laffe (*abwertend*), Lapp (*bayr., österr., abwertend*) · *der den Mädchen gern den Hof macht:* Poussierstengel (*landsch.*) · *der* [*in Italien*] *Touristinnen nachläuft:* Papagallo · *der sich von Frauen aushalten läßt:* Gigolo; → Frühehe, → Halbstarker, → Junge, → Kind, → Mann, → Mensch; → volljährig · Ggs. → Mädchen.

**Jünglingsalter** → Lebensalter.

**Jungmann** → Mann.

**jüngst** → kürzlich.

¹**Jüngste,** jüngste Tochter, Kleinste, Kleine, Nesthäkchen, Nestküken, Küken; → Jüngster, → Kind, → Tochter · Ggs. → Älteste.

²**Jüngste:** nicht mehr der J. sein → älter [sein].

**Jüngster,** jüngster Sohn, Kleinster, Kleiner, Nesthäkchen, Nestküken, Küken, Benjamin; → Jüngste, → Kind, → Schiffsjunge, → Sohn · Ggs. → Ältester.

**Jungvieh** → Vieh.

**Jungwähler** → Wahlberechtigter.

**Jungwald** → Wald.

**Juni,** Juno (verdeutlichende Sprechform), Brachet, Brachmonat, Brachmond; → Monat, → Zeitraum.

**Junior** → Sohn.

**Juniorchef** → Nachfolger.

**Juniorpartner** → Nachwuchskraft.

**Junk:** → Einspritzung, → Rauschgift.

**Junker** → Großgrundbesitzer.

**Junkie** → Rauschgiftsüchtiger.

**Junktim** → Verknüpfung.

**junktimieren** → verknüpfen.

**Juno:** → Göttin, → Juni.

**Junta** → Regierung.

**Jupe** → Rock.

**Jupiter:** → Gott, → Planet.

**Jupiterlampe** → Scheinwerfer.

**Juppiter:** → Gott, → Planet.

**Jura:** → Erdzeitalter, → Rechtswissenschaft.

**juridisch** → juristisch.

**jurieren** → beurteilen.

**Jurisdiktion:** → Justiz, → Rechtsprechung.

**Jurisprudenz** → Rechtswissenschaft.

**Jurist,** Rechtsgelehrter, Rechtsverdreher (*ugs., scherzh.*), Staatsanwalt, staatsanwaltlicher Funktionär (*österr.*), Amtsanwalt, Oberstaatsanwalt, Generalanwalt, Generalprokurator (*österr.*), Bundesanwalt, Generalbundesanwalt · Richter, Kadi (*ugs.*), Amtsrichter, Amtsgerichtsrat, Landgerichtsrat, Landgerichtsdirektor, Bundesrichter ·· Verteidiger [in Strafsachen], Strafverteidiger, Wahlverteidiger · Pflichtverteidiger, Armenverteidiger, Armenanwalt ·· Rechtsanwalt, Anwalt, Advokat, Rechtsbeistand, Rechtsvertreter, Winkeladvokat (*abwertend*), Winkelschreiber (*abwertend, österr.*), Fürsprech (*schweiz.*), Fürsprecher (*schweiz.*) · Patentanwalt · Notar, Justizrat · Rechtsberater, Justitiar, Syndikus, Rechtskonsulent (*österr.*) ·· *englischer, der nur vor bestimmten niederen Gerichten plädieren darf:* Solicitor · *vor höheren Gerichten plädierender:* Barrister ·· *französischer, der als Verteidiger vor Gericht auftritt:* Avocat · *nicht plädierender:* Avoué; → Anwaltsbüro, → Fehlurteil, → Gericht, → Justiz, → Rechtsgebiet, → Schöffe.

**juristisch,** juridisch (*österr.*), rechtlich; → Justiz.

**Juror** → Preisrichter.

**Jurorenkomitee** → Preisgericht.

**Jurte** → Zelt.

**Jury** → Preisgericht.

**Jus** → Rechtswissenschaft.

**Jus primae noctis** → Recht.

**just** → jetzt.

**justament:** → absichtlich, → jetzt.

**Justamentstandpunkt** → Ansicht.

**justieren** → einordnen.

**Justitiar** → Jurist.

**Justiz,** Rechtsprechung, Rechtspflege, Rechtswesen, Gerichtswesen, Gerichtsbarkeit, Jurisdiktion; → Fehlurteil, → Gericht, → Gerichtsbezirk, → Gerichtsverhandlung, → Jurist, → Rechtsgebiet, → Rechtswissenschaft; → juristisch.

**Justizirrtum** → Fehlurteil.

**Justizmord** → Tötung.

**Justizrat** → Jurist.

**Juvenat** → Heim.

**juvenil** → jugendlich.

**Juwelen** → Schmuck.

**Juwelengoldschmied** → Edelmetallschmied.

**Juwelier** → Edelmetallschmied.

**Juwelierarbeit** → Schmuck.

**Juwelierwaage** → Waage.

**Juwelierwaren** → Schmuck.

**Jux** → Scherz.

**jwd** → abgelegen.

# K

**Kabale** → Arglist.

**Kabanossi** → Wurst.

¹**Kabarett,** Kleinkunstbühne, Brettl, Überbrettl, die zehnte Muse; → Komödie, → Theater.

²**Kabarett** → Speiseplatte.

**Kabäuschen** → Raum.

**Kabbala** → Geheimlehre.

**kabbeln:** sich k. → zanken (sich).

**Kabel** → Drahtseil.

**Kabeldraht** → Draht.

**Kabeljau** → Fisch.

**Kabelkord** → Stoff.

**kabeln** → telegrafieren.

**Kabine:** → Raum, → Telefonzelle.

**Kabinenbahn** → Seilbahn.

**Kabinenflugzeug** → Flugzeug.

**Kabinenkoffer** → Gepäck.

**Kabinenroller** → Motorrad.

**Kabinett:** → Raum, → Regierung.

**Kabinettsmitglied** → Minister.

**Kabinettwein** → Wein.

**Kabis** → Kohl.

**Kabriolett** → Auto.

**Kabuff:** → Abstellraum, → Raum.

**kachektisch** → hinfällig.

**Kachel** → Fliese.

**Kachelofen** → Ofen.

Kachexie → Altersschwäche.
Kacke → Exkrement.
kacken → defäkieren.
Kackstelze → Gliedmaße.
Kadaver → Aas.
Kadavergehorsam → Gehorsam.
Kaddigbeere → Gewürz.
Kader: → Doppelkinn, → Führungskraft.
Kaderabteilung → Personalabteilung.
Kadi: → Jurist; vor den K. bringen → prozessieren.
kadmiumorange → orange.
kaduk → hinfällig.
Käfer: → Auto, → Insekt, → Mädchen.
Käferschnecke → Schnecke.
Kaff → Ort.
¹Kaffee, Bohnenkaffee, Espresso, Filterkaffee, Negerschweiß (ugs., scherzh.) ·· ohne Milch: Mokka, Mocca (bes. österr.), Schwarzer (österr.), Türkischer · mit Milch: Milchkaffee, Brauner (österr.), Kapuziner (österr.), Capuccino · mit viel Milch: Kaffee verkehrt, Melange (österr.) ·· mit einem Schuß Whisky und Sahne: Irish coffee ·· nicht starker, dünner: Blümchenkaffee (scherzh.), Verlängerter (österr.), Gestreckter (österr.), Lorke (salopp, abwertend), Plörre (salopp, abwertend), Lurer (abwertend, österr.), Gschlader (abwertend, österr.), Abwaschwasser (abwertend) ·· aus Kaffee-Ersatz zubereiteter: Malzkaffee, Muckefuck (salopp, abwertend), Häferlkaffee (ugs., österr.), Feigenkaffee, Ersatzkaffee, Zichorienkaffee; → Getränk, → Kaffeewärmer. → Pulverkaffee.
²Kaffee: → Frühstück, → Zwischenmahlzeit; kalter K. → Unsinn; löslicher K. → Pulverkaffee; K. verkehrt → Kaffee; jmdm. kommt der K. hoch → ärgerlich [werden]; das ist kalter K. → langweilig [sein]; K. mahlen / reiben → mahlen; K. trinken gehen → Café.
kaffeebraun → braun.
Kaffeedecke → Tischtuch.
Kaffee-Extrakt → Pulverkaffee.
Kaffeehäferl: → Tasse, → Trinkgefäß.

Kaffeehaus → Café.
Kaffeehausmusik → Unterhaltungsmusik.
Kaffeeklatsch → Kaffeekränzchen, → Kränzchen.
Kaffeeköchin → Koch.
¹Kaffeekränzchen, Kränzchen, Kaffeeklatsch, Kaffeestündchen; → Essen, → Zwischenmahlzeit.
²Kaffeekränzchen → Kränzchen.
Kaffeelöffel → Löffel.
Kaffeemaschine, Espressomaschine; → Kaffeewärmer, → Teemaschine.
Kaffeemühle → Mühle.
Kaffeemütze → Kaffeewärmer.
Kaffeepudel → Kaffeewärmer.
Kaffeesachse → Sachse.
Kaffeeschale: → Tasse, → Trinkgefäß.
Kaffeesieder → Wirt.
Kaffeestündchen → Kaffeekränzchen.
Kaffeetasse: → Tasse, → Trinkgefäß.
Kaffeewärmer, Kaffeepudel (landsch.), Teemütze, Kaffeemütze; → Kaffee, → Wärmeplatte.
Kaffeinismus → Koffeinvergiftung.
Kaffer: → Dummkopf, → Neger.
Kaffernpocken → Pocken.
Käfig · Drahtkäfig, Glaskäfig, Holzkäfig, Lattenkäfig, Rundkäfig, Transportkäfig · für gefangengehaltene Wildtiere: Raubtierkäfig, Löwenkäfig, Affenkäfig · für Vögel: Bauer (das oder der), Vogelbauer, Vogelkäfig, Vogelgehege, Voliere; → Freigehege, → Tiergarten, → Vivarium.
¹kahl, unbewachsen, versteppt, baumlos; → abholzen.
²kahl: → kahlköpfig; Kahler Krempling → Ständerpilz; k. werden → Glatze.
kahlfressen: → abfressen, → abgrasen.
Kahlhecht → Fisch.
Kahlheit → Haarlosigkeit.
Kahlkopf → Glatze.
kahlköpfig, kahl, glatzköpfig, glatzert (ugs., österr.); → Glatze.
Kahlköpfigkeit → Haarlosigkeit.

Kahlschlag: → Glatze, → Schneise.
Kahmhefe → Schlauchpilz.
Kahn: → Boot, → Strafanstalt.
Kahnfahrt → Fahrt.
Kahnpartie → Ausflug.
Kai → Damm.
Kaiman → Krokodil.
Kaimanfisch → Fisch.
Kaiser:→Adliger,→Oberhaupt; dort sein, wo [auch] der K. zu Fuß hingeht → Toilette; nur dem K. unterstehend / untertan → reichsunmittelbar; Streit um des -s Bart → Streit.
Kaiseradler → Vogel.
Kaiserbart → Bart.
Kaiserbrötchen, Kaisersemmel (österr.), Rosensemmel (landsch.), Rosenbrötchen (bes. nordd.), Brötchen (berlin.); → Brötchen.
Kaiserburg → Burg.
Kaiserdach → Dach.
Kaiserdom → Gotteshaus.
Kaiserfleisch → Fleisch.
Kaiserhaus → Adelsgeschlecht.
Kaiserin → Adlige.
Kaiserkrone → Liliengewächs.
kaiserlich → adlig.
Kaiserschmarren → Omelett.
Kaiserschnitt → Geburt.
Kaisersemmel → Kaiserbrötchen.
Kaiserstadt → Wien.
Kaiserstühler → Wein.
Kaiserwetter → Wetter.
¹Kajak · Einerkajak, Einer, Zweierkajak, Zweier, Viererkajak, Vierer, Eskimokajak, Rennkajak, Wildwasserkajak; → Boot.
²Kajak → Boot.
Kajüte → Raum.
Kakadu → Vogel.
¹Kakao, Trinkschokolade, Schokolade, Milchkakao, Wasserkakao, Kakaogetränk; → Süßigkeiten.
²Kakao: durch den K. ziehen →aufziehen,→schlechtmachen.
Kakaogetränk → Kakao.
kakeln: k. über → erörtern.
Kakke → Beriberi.
Kakophonie → Mißklang.
kakophonisch → mißtönend.
Kakteensavanne → Steppe.
Kalabreser → Kopfbedeckung.
¹Kalamität, Schwierigkeit, Mißstand, Schwulität (ugs.).

²**Kalamität** → Not.
**Kalanderlerche** → Vogel.
**Kalauer** → Witz.
**Kalb:** → Rind; das Goldene K. anbeten → habgierig [sein]; Tanz um das Goldene K. → Habgier.
**Kalbe** → Rind.
**kalben** → gebären.
**kalbern** → albern.
**kälbern** → gebären.
**Kälbernes** → Fleisch.
**Kalbfleisch** → Fleisch.
**Kalbin** → Rind.
**Kalbleder** → Leder.
**Kalbsbrägen** → Hirn.
**Kalbsbraten** → Fleischgericht.
**Kalbsbregen** → Hirn.
**Kalbsbries** → Innereien.
**Kalbsbrust:** gefüllte K. → Fleischgericht.
**Kalbsfleisch:** eingemachtes K. → Fleischgericht.
**Kalbsfrikandeau** → Fleischgericht.
**Kalbsfrikassee** → Fleischgericht.
**Kalbshachse** → Fleischgericht.
**Kalbshaxe** → Fleischgericht.
**Kalbshirn** → Hirn.
**Kalbskeule** → Keule.
**Kalbsleberwurst** → Wurst.
**Kalbsmedaillon** → Fleischgericht.
**Kalbsmilch** → Innereien.
**Kalbsnierenbraten** → Fleischgericht.
**Kalbsrollbraten** → Fleischgericht.
**Kalbsschlegel** → Keule.
**Kalbsschnitzel** → Fleischgericht.
**Kaldarium** → Treibhaus.
**Kaldaunen** → Innereien.
**Kaleika:** K. machen → aufbegehren.
**Kalendarium** → Verzeichnis.
¹**Kalender,** Jahreskalender, Jahrweiser (selten), Jahresweiser (selten), Wochenkalender, Taschenkalender, Notizkalender, Schreibtischkalender, Vormerkkalender, Terminkalender, Adreßkalender, Arbeitskalender, Abreißkalender, Umlegekalender, Umsteckkalender, Steckkalender, Wandkalender, Reklamekalender, Bildkalender, Kunstkalender, Künstlerkalender, Ballettkalender, Blumenkalender, Tierkalender, Post-

kartenkalender, Jugendkalender, Kinderkalender, Hauskalender, Volkskalender, Heimatkalender, Bauernkalender, Gartenkalender, Gesundheitskalender, Spruchkalender, Kirchenkalender, Geschichtskalender, Literaturkalender; → Jahrbuch.
²**Kalender:** Gothaischer K. → Adelskalender; etwas muß im K. rot angestrichen werden → betonen.
**Kalendergedächtnis** → Gedächtnisstörung.
**Kalenderjahr,** [bürgerliches] Jahr · Kirchenjahr (ev.), liturgisches Jahr (kath.); → Kirchenjahr, → Zeitraum.
**Kalendertag** → Tag.
**Kalesche** → Kutsche.
**Kalfakter** → Diener.
**Kalfaktor** → Diener.
**Kaliber** → Art.
**Kalifornien:** Golf von K. → Pazifik.
**Kaliningrad** → Königsberg.
**Kalk:** bei jmdm. rieselt [schon] der K. → alt [sein].
**kalken** → streichen.
**kalkig** → blaß.
**Kalklunge** → Staublungenerkrankung.
**Kalksandstein** → Baustein.
**Kalkschiefer** → Kalkstein.
**Kalkschwamm** → Schwamm.
**Kalksinter** → Kalkstein.
**Kalkstar** → Katarakt.
**Kalkstaublunge** → Staublungenerkrankung.
**Kalkstein,** Kalksinter, Kalktuff, Kalkschiefer, Marmor, Marmorstein, Alabaster, Alabasterstein; → Gestein.
**Kalktuff** → Kalkstein.
**Kalkül,** Berechnung, Überlegung; → Kalkulation.
**Kalkulation,** Berechnung, Vorausberechnung, Kostenanschlag, Voranschlag, Überschlag, Veranschlagung, Schätzung, Abschätzung; → Kalkül.
**kalkulieren:** → ausrechnen, → vermuten.
**kalkweiß:** → blaß, → weiß.
**Kalle** → Prostituierte.
**Kalliope** → Muse.
**Kallosität** → Schwiele.
**Kallus** → Schwiele.
**Kalmans** → Beruhigungsmittel.

**Kalmativum** → Beruhigungsmittel.
**Kalmäuser** → Pedant.
**Kalme:** → Windstärke, → Windstille.
**Kalmücke** → Pferd.
**Kalmus** → Gewürz.
**kalorienreich** → nahrhaft.
¹**kalt,** kühl, ausgekühlt, unterkühlt, abgekühlt, frisch, herbstlich, winterlich, frostklar, frostklirrend, froststarr, frostig, eiskalt, eisig, hundekalt (salopp), lausekalt (salopp), saukalt (derb), nicht → warm; → erkälten (sich), → frieren; → Kälte.
²**kalt:** spöttisch, → ungerührt; -er Bauer → Samenerguß; -es Blut bewahren → ruhig [bleiben]; -e Dusche → Enttäuschung; wie eine -e Dusche wirken → ernüchtern; -e Ente → Gewürzwein; -e Füße bekommen / kriegen → Angst [bekommen]; -e Füße haben → frieren; die -e Jahreszeit → Jahreszeit; -er Kaffee → Unsinn; das ist -er Kaffee → langweilig [sein]; -er Krieg → Streit; -er Krieger → Gegner; aus der -en Lamäng → improvisiert; -e Mamsell → Koch; jmdm. die -e Schulter zeigen → ablehnen; Kalte Sophie → Eisheilige; kälter werden lassen → abkühlen (etwas); jmdm. läuft es [heiß und] k. den Rücken herunter / über den Rücken → betroffen [sein]; k. stellen → abkühlen.
**Kaltblüter** → Pferd.
**kaltblütig:** → geistesgegenwärtig, → ruhig, → unbarmherzig.
**Kaltblütigkeit** → Gelassenheit.
¹**Kälte,** Kühle, Frische, Frost, Bodenfrost, Nachtfrost, Maifrost, Frostwetter, Eiseskälte, Hundekälte (salopp), Lausekälte (salopp), Saukälte (derb), Zapfen (salopp, österr.); → Glatteis, → Wetter; → erfrieren, → frieren; → kalt.
²**Kälte:** → Gefühlskälte, → Ungerührtheit; unter der K. leiden → frieren.
**Kältebehandlung** → Kryotherapie.
**Kälteeinbruch,** Kältesturz, Temperatursturz, Kälterückfall; → Abkühlung, → Wärme-

entzug, → Wetterfront, → Wetterumschwung.

Kälteferien → Ferien.

Kältepol → Pol.

Kälterückfall → Kälteeinbruch.

Kältesteppe → Steppe.

Kältesturz → Kälteeinbruch.

Kältetod → Erfrierungstod.

Kaltfront → Wetterfront.

kaltherzig → gefühlskalt.

Kaltherzigkeit → Gefühlskälte.

Kaltkaustik → Verätzung.

kaltlassen: etwas läßt jmdn. kalt → gefallen, → ungerührt [bleiben].

Kaltleim → Bindemittel.

kaltmachen → töten.

Kaltmamsell → Koch.

Kaltnadelradierung:→ Graphik, → Kunstdruck.

kaltschnäuzig → ungerührt.

Kaltschnäuzigkeit → Frechheit.

kaltsinnig → gefühlskalt.

kaltstellen → entlassen.

Kaltstellung → Entlassung.

Kaltverschorfung → Verätzung.

Kaltwasserbehandlung → Hydrotherapie.

Kaltwelle → Frisur.

Kaluppe → Haus.

kalypsorot → rot.

Kalzifikation → Verkalkung.

Kamarilla: → Partei, → Schmarotzer.

Kambio → Wechsel.

Kambrium → Erdzeitalter.

¹Kamel, Trampeltier, Wüstenschiff · mit einem Höcker: Dromedar.

²Kamel: → Dummkopf; eine Seele von [einem] K. sein → gütig.

Kamelhaar → Stoff.

Kamelhaardecke → Decke.

Kamelle: das sind olle -n → langweilig [sein], → überlebt [sein].

¹Kamera · Filmkamera, Schmalfilmkamera · Fernsehkamera, Schwarzweißkamera, Farbfernsehkamera; → Fotoapparat.

²Kamera → Fotoapparat.

¹Kamerad, Kumpel (ugs.), Spezi (ugs.); → Freund, → Freundin; ein guter K. sein, mit jmdm. kann man Pferde stehlen (ugs.).

²Kamerad: → Freund, → Freundin; die -en von drüben / von der anderen Feldpostnummer → Russe; K. Schnürschuh → Österreicher, → Soldat.

Kameraderie → Freundschaft.

Kameradin → Freundin.

Kameradschaft → Freundschaft.

kameradschaftlich → freundschaftlich.

Kameradschaftsehe → Ehe.

kameralistisch: -e Buchführung → Buchführung.

Kamerun → Nacktbadestrand.

Kamillentee → Tee.

Kamillianer → Mönchsorden.

¹Kamin, offene Feuerstelle, Cheminée (schweiz.); → Ofen, → Zentralheizung.

²Kamin: → Schlucht, → Schornstein; in den K. schreiben → abschreiben.

Kaminfeger → Schornsteinfeger.

Kaminfeuer → Feuer.

Kaminkehrer → Schornsteinfeger.

Kaminkleid → Kleid.

Kaminrock → Rock.

¹Kamm, Frisierkamm, Haarkamm, Einsteckkamm, Hornkamm, Stielkamm, Reifkamm, Staubkamm, Läusekamm, Lausrechen (ugs., südd., scherzh.), Lauseharke (ugs., nordd., scherzh.); → Friseur; → frisieren.

²Kamm: → Grat; bei jmdm. liegt der K. bei der Butter → ungeordnet [sein]; jmdm. schwillt der K. → dünkelhaft [sein]; alles über einen K. scheren → unterscheiden.

Kammeidechse → Eidechse.

kämmen → frisieren.

Kammer: → Gericht, → Herz, → Raum.

Kammerbulle → Verwalter.

Kammerjungfer → Kammerzofe.

Kammerkätzchen → Kammerzofe.

Kammerkonzert → Musikveranstaltung.

Kämmerlein: im stillen K. → allein.

Kammermädchen → Kammerzofe.

Kammermusik → Musik.

Kammermusikabend → Musikveranstaltung.

Kammerorchester → Orchester.

Kammersonate → Sonate.

Kammerspiele → Theatergebäude.

Kammerzofe, Zofe, Kammermädchen, Kammerjungfer, Kammerkätzchen.

Kammgarn → Stoff.

Kammkelch → Moos.

Kammolch → Molche.

Kampagne: → Feldzug, → Versuch.

Kampanile → Turm.

Kämpe → Schwein.

¹Kampf, Gefecht, Nahkampf, Treffen (veraltend), Ringen, Fehde (veraltet), Waffengang, Scharmützel, Geplänkel, Plänkelei, Feindseligkeiten, kriegerische Handlungen, Konfrontation, Schlachtgetümmel, Feuerüberfall, Feuergefecht, Feldschlacht, Seeschlacht, Luftschlacht, Luftkampf, Kesselschlacht, Durchbruchsschlacht, Entscheidungsschlacht, Rückzugsgefecht, Materialschlacht, Offensive, Abwehrschlacht, Winterschlacht; → Angriff, → Blutbad, → Feldzug, → Front, → Krieg, → Partisan, → Schlachtfeld, → Schußwechsel, → Streit, → Überfall, → Waffenstillstand, → Zweikampf; einen K. austragen, kämpfen, sich ein Gefecht liefern, streiten (geh.); → erörtern.

²Kampf: → Bekämpfung, → Tauziehen; einen K. führen → eintreten (für).

¹kampfbereit, kampfentschlossen, gewappnet, abwehrbereit, verteidigungsbereit, angriffsbereit, kriegslüstern, wehrhaft, bewaffnet, bis an die Zähne bewaffnet, waffenstarrend, gepanzert, gerüstet, aufgerüstet; → Kampfbereitschaft, → Streitbarkeit, → Streitsucht; → rüsten.

²kampfbereit → streitbar.

Kampfbereitschaft, Wehrhaftigkeit, Gewappnetsein, Gerüstetsein, Abwehrbereitschaft, Verteidigungsbereitschaft, Angriffsbereitschaft; → Streitbarkeit, → Streitsucht; → kampfbereit, → streitbar.

¹kämpfen, sich mit jmdm. messen, einen Wettkampf austragen · boxen, fighten · ringen, catchen · fechten; → ringen; Boxen, → Ringen, → Spiel.

¹**kämpfen:** → Kampf; nicht mehr so zu k. haben → Schwierigkeit; bis zum letzten Atemzug / Blutstropfen / Mann k. → verteidigen (sich); k. für / um → eintreten (für); [gegen Windmühlen / Windmühlenflügel k.] → ankämpfen (gegen etwas).

**kampfentschlossen** → kampfbereit.

¹**Kämpfer,** Haudegen, Draufgänger, Kampfhahn, Heißsporn, Desperado, Kombattant; → Draufgänger, → Gegner, → Held, → Kämpfernatur, → Mut, → Querulant, → Raufbold, → Revolutionär, → Soldat; → mutig, → streitbar.

²**Kämpfer:** → Sportler; K. für → Eiferer.

**kämpferisch:** → mutig, streitbar.

**Kämpfernatur,** Willensmensch; → Kämpfer.

**Kämpferpfeiler** → Säule.

**kampfesfreudig** → streitbar.

**Kampfflugzeug** → Flugzeug.

**Kampfgas** → Giftgas.

**Kampfgebiet** → Kriegsschauplatz.

**Kampfgericht** → Preisgericht.

**Kampfhahn** → Kämpfer.

**Kampfläufer** → Vogel.

**Kampflinie** → Front.

**kampflos** → widerstandslos.

**kampflustig** → streitbar.

**Kampfmaßnahmen** → Streik.

**Kampfplanung** → Strategie.

**Kampfplatz** → Schlachtfeld.

**Kampfpreis** → Preis.

**Kampfrichter** → Schiedsrichter.

**Kampfschiff** → Kriegsschiff.

**Kampfsport** → Selbstverteidigung.

**kampfunfähig:** jmdn. k. machen → besiegen.

**Kampfwachtel** → Vogel.

**Kampfzone** → Front.

**kampieren** → übernachten.

**Kamsin** → Wind.

**Kamuffel** → Dummkopf.

**Kanadagans** → Vogel.

**Kanadier:** → Boot, → Sessel.

**kanadisch:** -er Dollar → Zahlungsmittel.

**Kanaille:** → Abschaum, → Schuft.

¹**Kanal,** Seitenkanal, Wasserstraße, Wasserweg, Wassergraben · *in niederländischen Städten:* Gracht; → Fluß.

²**Kanal:** den K. voll haben → angeekelt [sein], → betrunken [sein]; sich den K. vollaufen lassen → betrinken (sich).

**Kanalarbeiter** → Drahtzieher.

**Kanalhafen** → Hafen.

**Kanalisation** → Kanalisierung.

**kanalisieren,** begradigen, regulieren; → Kanalisierung.

**Kanalisierung,** Kanalisation, Regulierung, Begradigung; → kanalisieren.

**Kanallotse** → Lotse.

**Kanapee** → Liege.

**Kanarengirlitz** → Kanarienvogel.

**Kanari** → Kanarienvogel.

**kanariengelb** → gelb.

**Kanarienvogel,** Kanarengirlitz, Kanari (*ugs.*), Harzer Roller; → Vogel.

**Kandaharbindung** → Schibindung.

**Kandare:** jmdn. an die K. nehmen → streng [behandeln].

**Kandel** → Regenrinne.

**Kandelaber** → Kerzenleuchter.

**Kandidat:** → Anwärter, → Prüfling; als K. aufgestellt sein / werden → kandidieren.

**kandidieren,** als Kandidat aufgestellt sein / werden.

**kandieren:** → zuckern; kandierte Apfelsinenschale / Orangenschale → Orangeat.

**Kandis** → Zucker.

**Kandiszucker** → Zucker.

**Kanditen** → Süßigkeiten.

**Kaneel** → Gewürz.

**Kanin** → Pelz.

**Kaninchen,** Karnickel, Stallhase (*scherzh.*), Kinigelhase (*bayr., österr.*), Wildkaninchen, Hauskaninchen, Angorakaninchen, Chinchillakaninchen, blauer / weißer Wiener · Hase, Feldhase · *weibliches mit Jungen:* Mutterkaninchen, Zibbe, Muttertier · *männliches:* Kaninchenbock, Karnickelbock, Bock; → Kleinvieh, → Nagetier, → Wild.

**Kaninchenbau** → Höhle.

**Kaninchenbock** → Kaninchen.

**Kanincheneule** → Vogel.

**Kaninchenfalle** → Falle.

**Kaninus** → Zahn.

**Kanister** → Behälter.

**Kankrologie** → Heilkunde.

**Kankrophobie** → Hypochondrie.

**Kannbestimmung** → Weisung.

**Kanne,** Krug, Karaffe, Amphore, Amphora, Kruke, Bembelkrug (*hess.*), Bembel (*hess.*); → Behälter, → Gefäß, → Flasche.

**Kannegießer** → Schwätzer.

**kannegießern** → unterhalten (sich).

**Kännel** → Regenrinne.

¹**Kannibale,** Menschenfresser, Wilder.

²**Kannibale** → Rohling.

**kannibalisch:** sich k. wohl fühlen → wohl fühlen (sich).

**Kannibalismus** → Menschenfresserei.

**Kannvorschrift** → Weisung.

**Kanon:** → Lied, → Schriftgrad.

**Kanone:** → Fachmann, → Geschütz, → Schußwaffe, → Sportler; unter aller K. → minderwertig, → schlecht.

**Kanonenboot** → Kriegsschiff.

**Kanonenfutter** → Menge.

**Kanonenofen** → Ofen.

**Kanonenrohr:** Heiliges K.! → überrascht [sein].

**Kanonenschlag** → Feuerwerkskörper.

**Kanonier** → Dienstgrad.

**kanonisieren** → normen.

**Kanonisierung** → Normung.

**Kanossa:** einen Gang nach K. antreten → erniedrigen (sich).

**Känozoikum** → Erdzeitalter.

**Kantalupmelone** → Melone.

**Kantate:** → Kirchenjahr, → Lied.

**Kante:** → Rand, → Stelle; auf die hohe K. legen → sparen.

**Kantel** → Metermaß.

**Kanten** → Brotende.

**Kantersieg** → Sieg.

**Kanthaken:** jmdn. an den K. kriegen / beim K. nehmen → bestrafen.

**kantig,** scharfkantig, schartig, eckig, spitz; → geschärft, → gezackt, → spitz.

**Kantine:** → Gaststätte, → Speiseraum.

**Kanton:** → Bundesland, → Verwaltungsbezirk.

**Kantonist:** ein unsicherer K. sein → unzuverlässig [sein].

**Kantönligeist:** → Kirchturmpolitik.

**Kantonsregierung** → Regierung.

Kantonsschule → Schule.

Kantor, Organist, Orgelspieler, Kirchenmusikdirektor; → Dirigent.

Kantschu → Peitsche.

Kantstein → Rinnstein.

Kanu → Boot.

Kanzel: → Hochsitz, → Katheder; von der K. reden → predigen.

Kanzelwort → Rede.

Kanzerologe → Arzt.

Kanzerologie → Heilkunde.

Kanzerophobie → Hypochondrie.

Kanzlei: → Anwaltsbüro, → Büro.

Kanzleistil → Amtsdeutsch.

Kanzler → Oberhaupt.

Kanzone → Gedicht, → Lied.

Kanzonette → Lied.

Kapaun: → Hahn, → Huhn.

Kapazität: → Fachmann, → Fassungsvermögen.

Kapee: schwer von K. sein → begriffsstutzig [sein].

Kapel → Brotende.

Kapelle: → Gotteshaus, → Orchester.

Kapellmeister → Dirigent.

kapern, aufbringen, entern, erbeuten; → ‹ beschaffen, → nehmen.

Kapern → Gewürz.

kapieren → verstehen.

Kapillarblutung → Blutung.

kapital → außergewöhnlich.

Kapital: → Vermögen; K. aus etwas schlagen → kommerzialisieren.

Kapitalanlage → Investition.

Kapitälchen → Buchstabe.

Kapitale → Stadt.

Kapitalismus, Frühkapitalismus, Spätkapitalismus, Monopolkapitalismus, Großkapitalismus, Feudalkapitalismus; → Imperialismus, → Kapitalist, → Lohnabhängigkeit.

¹Kapitalist, Großkapitalist, Ausbeuter (abwertend); → Kapitalismus, → Lohnabhängigkeit.

²Kapitalist → Reicher.

kapitalistisch: -e Gesellschaft → Gesellschaft.

Kapitalschrift → Schrift.

Kapitalverbrechen: → Verbrechen, → Verstoß.

Kapitän: → Befehlshaber, → Leiter (der), → Seeoffizier; K. zur See → Dienstgrad.

Kapitänleutnant: → Dienstgrad, → Seeoffizier.

Kapitel → Abschnitt.

Kapitell · korinthisches / ionisches / äolisches / dorisches / persisches / toskanisches Kapitell, Lotosknospenkapitell, Papyrusknospenkapitell, Blütenkapitell, Doldenkapitell, Palmenkapitell, Blätterkapitell, Lilienkapitell, Papyruskapitell, Bilderkapitell, Figurenkapitell, Adlerkapitell, Antenkapitell, Knospenkapitell, Blattkapitell, Kompositkapitell, Kelchkapitell, Trapezkapitell, Korbkapitell, Würfelkapitell, Doppelwürfelkapitell, Pfeifenkapitell, Faltenkapitell, Stalaktitenkapitell; → Baukunst, → Baustil, → Säule.

kapitulieren → nachgeben.

Kaplan → Geistlicher.

Kapo → Dienstgrad.

kapores → defekt.

Kapotthut → Kopfbedeckung.

Kappa → Buchstabe.

Kappdecke → Zimmerdecke.

Kappe: → Brotende, → Kopfbedeckung, → Verschluß; Böhmische K. → Kuppel.

kappen → durchschneiden.

Kappenabend → Maskerade.

Kappes: → Unsinn; roter K. → Rotkohl; [weißer K.] → Kohl.

Kapphahn → Hahn.

Käppi → Kopfbedeckung.

Kaprice → Laune.

Kapriole → Laune.

Kaprize → Laune.

Kaprizenschädel → Trotzkopf.

kapriziös → launisch.

Kaprizpolster → Kissen.

Kapsel: → Hülle, → Medikament.

Kaput → Mantel.

kaputt: → defekt; k. sein → erschöpft [sein].

kaputtgehen: → defekt [werden], → eingehen.

kaputtmachen → zerstören.

Kapuze → Kopfbedeckung.

Kapuzenfaultier → Faultier.

Kapuziner: → Kaffee, → Mönchsorden.

Kapuzineraffe → Affe.

Kapuzinerbart → Gemüse.

Kapuzinerrose → Rose.

Karabiner → Schußwaffe.

Karacho: mit K. → schnell.

Karaffe → Kanne.

Karaman → Orientteppich.

Karambolage → Zusammenstoß.

Karambolagebillard → Billard.

Karamelbonbon → Bonbon.

Karat → Gewichtseinheit.

Karate → Selbstverteidigung.

Karausche → Fisch.

Karbatsche → Peitsche.

Karbidlampe → Grubenlampe.

Karbolmaus → Krankenschwester.

Karbon → Erdzeitalter.

Karbonade: → Fleischkloß, → Kotelett.

Karbonpapier → Kohlepapier.

Karbunkel → Abszeß.

Kardamom → Gewürz.

Kardanbremse → Bremse.

Kardangelenk → Gelenk.

Kardia → Herz.

Kardiasthenie → Herzbeschwerden.

Kardinal → Geistlicher.

Kardinal-: → grundsätzlich.

Kardinalfrage → Schwierigkeit.

Kardinalkreuz → Kreuzzeichen.

Kardinalproblem → Schwierigkeit.

kardinalrot → rot.

Kardinalshut → Kopfbedeckung.

Kardinalzahl: → Wortart, → Zahl.

Kardio-: → Herz.

Kardioangiogramm → Röntgenogramm.

Kardioangiographie → Röntgenographie.

Kardiogramm: → Elektrogramm, → Röntgenogramm.

Kardiographie → Röntgenographie.

Kardiologe → Arzt.

Kardiologie → Heilkunde.

Kardiomegalie → Herzhypertrophie.

Kardioneurose → Herzbeschwerden.

Kardiopathie → Herzleiden.

Kardioptose → Herzsenkung.

Kardioptosie → Herzsenkung.

Kardiorrhagie → Blutung.

Kardone → Gemüse.

Karenz → Wartezeit.

Karenzzeit → Wartezeit.

karessieren → liebkosen.

Karettschildkröte → Schildkröte.

Karezza → Koitus.

**Karfiol** → Blumenkohl.

**¹Karfreitag,** Stiller Freitag, Stillfreitag; → Kirchenfest.

**²Karfreitag:** → Feiertag, → Kirchenjahr.

**¹karg,** kärglich, unergiebig, wenig, dürftig, ärmlich, armselig, pop[e]lig (*ugs., abwertend*), plöt[e]rig (*ugs., landsch.*), spärlich, knapp, schmal, kümmerlich, beschränkt, bescheiden; → arm, → kümmerlich, → selten.

**²karg** → unfruchtbar.

**kargen** → sparen.

**Kargheit,** Unfruchtbarkeit, Magerkeit, Ertragsarmut, Aridität, Trockenheit, Dürre; → Einöde; → unfruchtbar.

**kärglich** → karg.

**Kärglichkeit** → Armut.

**kariert:** → gemustert; -es Papier → Schreibpapier; k. reden → sprechen.

**Karies,** Zahnfäule; → Zahn.

**Karikatur:** → Satire, → Zeichnung, → Zerrbild.

**Karikaturist** → Zeichner.

**karikieren** → verzerren.

**Karitas** → Nächstenliebe.

**Karl-Marx-Stadt,** Chemnitz (bis 1953); → Stadt.

**Karmelit:** Beschuhte / Unbeschuhte -en → Mönchsorden.

**Karmeliter:** [Beschuhte / Unbeschuhte K.] → Mönchsorden.

**Karmeliterin:** [Beschuhte / Unbeschuhte -nen] → Nonnenorden.

**Karmeliterorden** → Mönchsorden.

**Karmelitin:** [Beschuhte / Unbeschuhte -nen] → Nonnenorden.

**karmesinrot** → rot.

**karmin** → rot.

**karminrot** → rot.

**karmoisin** → rot.

**Karneol** → Schmuckstein.

**Karneval:** → Fastnacht; Prinz K. → Faschingszug.

**Karnevalsprinz** → Faschingszug.

**Karnevalsprinzessin** → Faschingszug.

**Karnevalszug** → Faschingszug.

**Karnickel** → Kaninchen.

**Karnickelbock** → Kaninchen.

**Karniesbogen** → Bogen.

**Karniese** → Gardinenleiste.

**Karnische** → Gardinenleiste.

**Karnivore** → Raubtier.

**Karo:** → Spielkarte, → Stoffmuster, → Viereck; K. trocken → Schnitte.

**karolingisch:** -e Literatur → Literaturepochen; -er Stil → Baustil.

**karolingisch-ottonisch:** -e Malerei → Malerei.

**Karosse:** → Auto, → Kutsche.

**Karosserie,** Wagenaufbau, Aufbau, Wagenoberbau; → Auto, → Chassis.

**Karosserieschneider** → Zeichner.

**Karotte** → Mohrrübe.

**Karpfen** → Fisch.

**Karpfenfisch** → Fisch.

**Kärpfling** → Fisch.

**Karre:** → Auto, → Kinderwagen, → Schubkarre, → Wagen; die K. ist [total] verfahren → aussichtslos [sein]; die K. in den Dreck fahren → verderben; die K. laufen lassen → sorgen (sich); die K. aus dem Dreck ziehen → Ordnung.

**Karree:** → Rippenstück, → Viereck.

**Karren:** → Schubkarre, → Wagen; den K. laufen lassen → sorgen (sich).

**Karrer** → Fuhrmann.

**Karrette** → Schubkarre.

**Karriere:** → Laufbahn; K. machen → avancieren.

**Karrierefrau** → Frau.

**Karrieremacher,** Karrierist · *erfolgreicher:* Erfolgsmensch, Senkrechtstarter (*scherzh.*); → Aufstieg, → Emporkömmling, → Opportunist; → avancieren.

**Karrierist** → Karrieremacher.

**Kärrner:** → Arbeitstier, → Fuhrmann.

**Kartäuser:** → Katzenrassen, → Mönchsorden.

**Kartäuserorden** → Mönchsorden.

**Karte:** → Eintrittskarte, → Fahrkarte, → Landkarte, → Postsendung, → Schreiben, → Speisekarte, → Spielkarte; die -n aufdecken → gestehen; eine K. schreiben → korrespondieren; die -n offen auf den Tisch legen → bekunden; alles auf eine K. setzen → wagen; sich nicht in die -n gucken lassen → schweigen; mit falschen / gezinkten -n spielen → betrügen; mit offenen -n spielen → aufrichtig [sein].

**¹Kartei,** Leitkartenkartei · Zettelkartei, Zettelkasten, Zettelkatalog · Steilkartei · Flachkartei · Sichteckenkartei · Buchkartei · Streifenregister · Magnetkartei · Pattei; → Verzeichnis.

**²Kartei** → Verzeichnis.

**Kartell** → Bund.

**Kartenbrief** → Schreiben.

**Kartengruß,** Gruß · Urlaubsgruß, Feriengruß · Weihnachtsgruß, Neujahrsgruß, Geburtstagsgruß; → Schreiben, → Schriftwechsel.

**Kartenhaus:** etwas fällt wie ein K. zusammen → scheitern.

**Kartenkünstler** → Artist.

**Kartenlegerin** → Wahrsagerin.

**Kartenschlägerin** → Wahrsagerin.

**Kartenspiel** · Bakkarat · Boston · Bridge · Canasta · Doppelkopf, Schafkopf · Ekarté · Jaß, Jassen, Jasset · L'hombre · Mariage · Patience · Pikett · Poker · Quartett · Ramsch · Rommé · Rouge et Noir · Schwarzer Peter · Leben und Tod · Sechsundsechzig, Schnapsen (*bes. österr.*) · Watten · Skat · Solo · Tarock · Whist; → Brettspiel, → Glücksspiel, → Würfelspiel; → pokern.

**Kartentisch** → Tisch.

**Kartoffel:** → Nase, → Uhr.

**Kartoffelbofist** → Ständerpilz.

**Kartoffelbrei** → Kartoffelpüree.

**Kartoffelchips** → Chips.

**Kartoffelferien** → Ferien.

**Kartoffelflinse** → Kartoffelpuffer.

**Kartoffelkrebs** → Algenpilz.

**Kartoffelmotte** → Schmetterling.

**Kartoffelmus** → Kartoffelpüree.

**Kartoffeln,** Erdäpfel (*österr.*), Grundbirnen (*landsch.*), Bamburi (*salopp, österr.*) · *gekochte:* Salzkartoffeln, Dampfkartoffeln, Schälkartoffeln, Erdäpfel in der Montur (*scherzh., österr.*) · *junge, neue:* Frühkartoffeln, Heurige (*österr.*) · *junge, in der Schale gekochte:* Pellkartoffeln · *gebratene:* Röstkartoffeln, Bratkartoffeln, geröstete Erdäpfel (*bayr., österr.*), Geröstete (*bayr., österr.*), Rösti (*schweiz.*) · *roh, schwimmend in Fett gebackene:* Pommes frites,

Chips · *rohe, runde, besonders zubereitete Scheiben im Ofen gar gemacht und gebräunt:* Pommes chamonix, Kartoffeln auf Dauphiner Art; → Chips, → Kartoffelpüree, → Kloß.

**Kartoffelnase** → Nase.

**Kartoffelpfannkuchen** → Kartoffelpuffer.

**Kartoffelpilz** → Algenpilz.

**Kartoffelpuffer,** Kartoffelpfannkuchen (*nordd.*), Reibekuchen (*landsch.*), Reibeplätzchen (*westfäl.*), Kartoffelflinse (*landsch.*), Flinse (*landsch.*), Plinse (*landsch.*); → Omelett.

**Kartoffelpüree,** Kartoffelbrei, Erdäpfelpüree (*österr.*), Erdäpfelkoch (*österr.*), Kartoffelmus (*selten*), Quetschkartoffeln (*berlin.*), Stampfkartoffeln (*nordd.*); → Kartoffeln.

**Kartoffelstärke** → Stärke.

**Kartoffelsuppe** → Suppe.

**Kartograph** → Zeichner.

**¹Karton,** Pappkarton, Naturkarton, gegautschter Karton, Umschlagkarton, Faltschachtelkarton, Triplexkarton, Duplexkarton; → Pappe, → Schachtel, → Verpackung.

**²Karton:** → Schachtel; gleich knallt es im K.! → aufhören.

**Kartonstich** → Kunstdruck.

**Karussell,** Reitschule (*landsch.*), Ringelspiel (*österr.*), Rößlispiel (*schweiz.*), Kinderkarussell, Kinderreitschule (*landsch.*), Kettenkarussell, Kettenreitschule (*landsch.*),Kettenprater(*österr.*), Berg-und-Tal-Bahn, Raupenbahn, Geisterbahn; → Achterbahn, → Jahrmarkt, → Riesenrad, → Schiffsschaukel, → Skooterbahn, → Teufelsrad.

**Karussellbesitzer** → Schausteller.

**Karussellorgel** → Drehorgel.

**Karyatide** → Säule.

**Karyoplasma** → Protoplasma.

**Karzer** → Strafanstalt.

**Karzinologe** → Arzt.

**Karzinologie** → Heilkunde.

**Karzinom** → Geschwulst.

**Karzinophobie** → Hypochondrie.

**Kasack** → Bluse.

**Kasak** → Orientteppich.

**Kasatschok** → Tanz.

**kascheln** → schlittern.

**Kaschemme** → Gaststätte.

**Kaschgar** → Orientteppich.

**kaschieren** → vertuschen.

**Kaschmirwolle** → Wolle.

**¹Käse,** Schnittkäse · Hartkäse · Emmentaler · Edamer · Gouda· Butterkäse · Steppenkäse · Tilsiter · Schweizer · Parmesan · Kräuterkäse ·· Weichkäse · Camembert, Briekäse, Bel Paese, Romadur, Limburger · *mit Schimmelpilzen:* Edelpilzkäse, Gorgonzola, Roquefort ·· Handkäse (*bes. westd.*), Harzer [Käse/Roller], [Olmützer] Stinkkäse, [Olmützer] Quargel (*österr.*), Kuhkäse (*nordd., veraltet*) · *mit Kümmel:* Kümmelkäse ·· Streichkäse, Liptauer, Schmelzkäse, Gervais ⓦ, Rahmkäse, Frischkäse, Weißkäse, weißer Käse, Quark, Topfen (*bayr., österr.*), Schotten (*bayr., österr.*), Glumse (*ostpr.*), Zibbeleskäs (*fränk.*), Lukeleskäs (*aleman.*), Bibeleskäs (*aleman.*), Ziger (*schweiz.*), Zieger (*schweiz.*) ·· Schafkäse, Brimsen (*österr.*) · Ziegenkäse; → Brotaufstrich.

**²Käse:** → Unsinn; weißer K. → Weißkäse.

**Käseaufschnitt** → Brotbelag.

**Käseblatt** → Zeitung.

**Käsebrot** → Schnitte.

**Käsefüße** → Fuß.

**Käsegebäck** → Gebäck.

**Käsekremtorte** → Gebäck.

**Käsemesser** → Messer.

**Käsesahnetorte** → Gebäck.

**käsen:** jmdm. eine k. → schlagen.

**Kaser** → Almhütte.

**Kasernenhofton:** im K. reden → sprechen.

**Kasernensprache** → Gruppensprache.

**kasernieren** → beherbergen.

**käseweiß** → blaß.

**käsig** → blaß.

**Kasino:** → Gesellschaftsraum, → Speiseraum.

**Kaskade** → Wasserfall.

**Kaskadeur** → Artist.

**¹Kasper,** Kasperle, Kasperl (*bayr., österr.*), Wurstel (*bayr., österr.*) · *im französischen Puppentheater:* Guignol; → Marionette, → Puppentheater, → Spaßmacher.

**²Kasper** → Spaßvogel.

**Kasperl** → Kasper.

**Kasperle** → Kasper.

**Kasperlepuppe** → Handpuppe.

**Kasperletheater** → Puppentheater.

**kaspern** → albern.

**Kasperpuppe** → Handpuppe.

**Kaspertheater** → Puppentheater.

**Kassa** → Kasse.

**Kassabericht** → Geschäftsbericht.

**Kassabuch** → Rechnungsbuch.

**Kassagebarung** → Geschäftsführung.

**Kassandra** → Wahrsagerin.

**Kassandraruf:** -e → Pessimismus.

**Kassation** → Entlassung.

**Kassazettel** → Quittung.

**¹Kasse,** Kassa (*südd., österr.*), Kassenschalter, Schalter · *an einer Hochschule:* Quästur · *im Theater o.ä.:* Tageskasse, Abendkasse, Theaterkasse, Vorverkaufskasse; → Ladenkasse; → bezahlen.

**²Kasse:** → Geldinstitut, → Ladenkasse; K. machen → abrechnen; bei K. sein → reich [sein]; knapp bei K. sein → arm [sein]; in die K. greifen → wegnehmen; jmdn. zur K. bitten → kassieren; zur K. gebeten werden → zahlen [müssen].

**Kassel:** ab nach K. → weg.

**Kasseler:** K. Rippenspeer → Fleischgericht, → Rippchen.

**Kassenarzt** → Arzt.

**Kassenbuch:** → Geschäftsbücher, → Rechnungsbuch.

**Kassenerfolg** → Verkaufsschlager.

**Kassenfüller** → Künstler.

**Kassenmagnet:** → Kinofilm, → Künstler, → Verkaufsschlager.

**Kassenschalter** → Kasse.

**Kassenschlager:** → Verkaufsschlager; ein K. sein → Erfolg [haben].

**Kassensturz:** → Abrechnung; K. machen → abrechnen.

**Kassenverwalter** → Kassierer.

**Kassenwart** → Kassierer.

**Kassenzettel** → Quittung.

**Kasserolle** → Kochtopf.

**Kassette,** Kästchen, Schatulle; → Schachtel, → Truhe.

**Kassettendecke**→Zimmerdecke.

**Kassettenfernsehen,** audiovisuelle Systeme ·· Electronic-

Video-Recording, EVR · Selecta-Vision · Spectra-Colorvision; → Fernsehen.

**Kassettenfilm** → Film.

**Kassettenkuppel** → Kuppel.

**Kassettenrecorder** → Tonbandgerät.

**Kassiber** → Schreiben.

**Kassier** → Kassierer.

**¹kassieren,** abkassieren, einkassieren, jmdn. zur Kasse bitten (*ugs.*), einnehmen, vereinnahmen, einstecken, einheimsen, einsammeln, eintreiben, einstreichen (*ugs.*), einziehen, heben (*landsch.*), einheben(*oberd.*), erheben · *durch Nachnahme:* nachnehmen · *zwangsweise, gerichtlich:* beitreiben, betreiben (*schweiz.*); → Eintreibung, → Kassierer.

**²kassieren** → abschaffen.

**Kassierer,** Kassier (*oberd.*), Kassenwart, Kassenverwalter, Rechnungsführer, Inkassant (*österr.*), Eintreiber, Einzieher, Einzüger (*schweiz.*), Schatzmeister, Säckelwart (*veraltet, landsch.*), Quästor (*schweiz.*), Einhebungsbeamter (*österr.*); → Eintreibung, → Kassiererin; → kassieren.

**Kassiererin,** Kassierin (*oberd.*); → Kassierer.

**Kassierin** → Kassiererin.

**Kaßler** → Fleischgericht.

**Kastagnetten** → Rassel.

**¹Kastanie,** Roßkastanie, Edelkastanie, Eßkastanie · *geröstete:* Marone, Maroni (*südd., österr.*); → Laubhölzer.

**²Kastanie:** → Laubhölzer; für jmdn. die -n aus dem Feuer holen → einstehen (für).

**kastanienbraun:** → braun, → braunhaarig.

**Kastanienwald** → Wald.

**Kästchen** → Kassette.

**Kaste,** Klasse, Stand, Gruppe; → Gesellschaftsschicht, → Personenkreis.

**kasteien (sich),** sich geißeln; → Hunger [leiden].

**Kastell** → Festung.

**Kästelseide** → Seide.

**¹Kasten,** Kiste; → Kassette, → Schachtel, → Steige, → Truhe.

**²Kasten:** → Fach, → Fernsehgerät, → Fotoapparat, → Fußballtor, → Garbenstand, → Haus, → Radio, → Schrank, →

→ Schublade, → Sportgerät; ein K. Konfekt → Bonbonniere; etwas auf dem K. haben → begabt [sein].

**Kastenaltar** → Altar.

**Kastenform** → Backform.

**Kastengeist** → Standesbewußtsein.

**Kastenschloß** → Schloß.

**Kastize** → Mischling.

**¹Kastrat,** Eunuch, Entmannter, Verschnittener; → Kastration.

**²Kastrat** → Sänger.

**Kastration,** Kastrierung, Verschneidung, Entmannung, Emaskulation, Sterilisation, Sterilisierung; → Hoden, → Kastrat; → kastrieren; → kastriert.

**Kastrationsangst** → Komplex.

**Kastrationskomplex** → Komplex.

**kastrieren,** verschneiden, entmannen, der Manneskraft berauben (*geh.*), die Keimdrüsen entfernen, sterilisieren, unfruchtbar / zeugungsunfähig machen; → fruchtbar, → impotent; → Kastration.

**kastriert,** verschnitten, entmannt, sterilisiert; → Kastration.

**Kastrierte** → Zigarette.

**Kastrierung** → Kastration.

**Kasuistik** → Spiegelfechterei.

**kasuistisch** → spitzfindig.

**¹Kasus,** Fall · Nominativ, erster Fall, Werfall · Genitiv, Genetiv (*veraltend*), zweiter Fall, Wesfall · Dativ, dritter Fall, Wemfall · Akkusativ, vierter Fall, Wenfall · Ablativ, Instrumentalis · Vokativ · Lokativ · Elativ · Äquativ.

**²Kasus** → Angelegenheit.

**Katabolie** → Stoffwechsel.

**Katabolismus** → Stoffwechsel.

**Katachrese** → Bildbruch.

**Katachresis** → Bildbruch.

**Katadidysmus** → Mißgeburt.

**Katakombe** → Begräbnisstätte.

**Katalog:** → Prospekt, → Verzeichnis.

**Katalysator** → Gärstoff.

**Katamaran** → Segelboot.

**Katamenien** → Menstruation.

**Kataplasma** → Wickel.

**kataplektisch:** → lahm; -e Hemmung → Schrecklähmung.

**Kataplexie** → Schrecklähmung.

**Katapult** → Wurfwaffe.

**katapultieren:** → werfen; k. aus → hinauswerfen (jmdn.).

**¹Katarakt** (*Med.*), Star, Linsentrübung, Cataracta · grauer Star · Altersstar · Wundstar · Kristallstar · Ringstar · Kalkstar · Gipsstar · Wärmestar, Hitzestar, Feuerstar, Gießerstar, Glasbläserstar · Pulverstar, Mehlstaubkatarakt · Korallenstar · Rindenstar · Zuckerstar · Blitzstar · Blütenstar · Spindelstar · Punktstar · Strahlenkatarakt · Nachtstar · Totalstar; → Augenlicht, → Star.

**²Katarakt:** → Star, → Wasserfall.

**Katastase** → Höhepunkt.

**Kataster** → Grundbuch.

**Katastralgemeinde** → Gemeinde.

**katastrophal** → schrecklich.

**Katastrophe** → Unglück.

**Katastropheneinsatz** → Hilfe.

**Kate:** → Haus, → Nachschlüssel.

**Katechetik** → Theologie.

**Kategorie:** → Art, → Klasse.

**kategorisch** → klar.

**Kater:** → Katerstimmung, → Katze.

**Kateridee** → Einfall.

**Katerstimmung,** Kater (*ugs.*), Katzenjammer (*ugs.*), Hangover, Moralischer (*ugs.*); → Kopfschmerz; → deprimiert.

**katexochen** → schlechthin.

**Katharer** → Ketzer.

**Katharina** → Nothelfer.

**Katharsis** → Läuterung.

**¹Katheder,** Pult, Rednerpult, Lesepult · *erhöhtes in der Kirche:* Kanzel, Predigtstuhl; → Podium.

**²Katheder** → Möbel.

**Kathederblüte** → Stilblüte.

**Kathedrale** → Gotteshaus.

**Katheter,** Röhrchen; → Rohr, → Spritze.

**katholisch:** -e Verbindung → Verbindung.

**Kattun** → Stoff.

**katzbalgen** → schlagen.

**katzbuckeln** → unterwürfig [sein].

**¹Katze,** Miez (*fam.*), Mieze (*fam.*), Miezekatze (*Kinderspr.*), Muschi (*Kinderspr.*), Mutzikatze (*Kinderspr., österr.*), Dachhase (*scherzh.*), Büsi (schweiz.) · männliche: Kater · weibliche: Kätzin; → Katzenrassen.

**²Katze:** → Mädchen, → Raubtier; da beißt sich die K. in den Schwanz → Teufelskreis; das kann die K. auf dem Schwanz forttragen / wegtragen → wenig; wie die K. um den heißen Brei herumgehen / herumschleichen → sprechen; wie Hund und K. leben → verfeindet [sein]; wenn die K. aus dem Haus ist, tanzen die Mäuse auf dem Tisch → Überwachung; jmdm. die K. den Buckel hinaufjagen → Angst; die K. im Sack kaufen → kaufen; mit jmdm. Katz und Maus spielen → vertrösten; für die Katz sein → wenig.

**Katzedonier** → Murmel.

**Katzelmacher** → Italiener.

**Katzenauge** → Rückleuchte.

**katzenfreundlich** → unredlich.

**Katzenjammer:** → Enttäuschung, → Katerstimmung.

**Katzenkopf:** → Ohrfeige, → Stein.

**Katzenkopfpflaster** → Straßenpflaster.

**Katzenrassen** ··· Hauskatze ·· Langhaarkatze · Angorakatze, Perserkatze, Perser, Colourpoint-Langhaar, Birma ·· Kurzhaarkatze · Europäisch Kurzhaar, Siamkatze, Havanakatze, Burmakatze, Kartäuser, Russischblau, Abessinier, Rexkatze · schwanzlose: Manxkatze; → Katze, → Raubtier.

**Katzensprung:** nur einen K. entfernt / weit → nahe, → nahebei.

**Katzenwäsche:** K. machen → waschen (sich / jmdn.).

**Kätzin** → Katze.

**Katzoff** → Fleischer.

**Kauderwelsch** → Ausdrucksweise.

**kauen,** beißen, mümmeln, mahlen (abwertend), nagen, kiefeln (bayr., österr.), knabbern, abbeißen · sorgfältig und lange: fletschern (selten); → annagen, → essen.

**kauern** → sitzen.

**¹Kauf,** Erwerb, Erwerbung, Einkauf, Anschaffung, Errungenschaft (scherzh.), Ankauf ·

günstiger: Gelegenheitskauf, Okkasion · aus Furcht vor Knappheit: Angstkauf, Hamsterkauf (ugs.); → Kunde; → kaufen.

**²Kauf:** einen K. tätigen → kaufen; in K. nehmen → ertragen; zum K. anbieten → feilhalten.

**Kaufalter** → Schmetterling.

**¹kaufen,** erstehen, anschaffen, an sich bringen, [käuflich] erwerben, akquirieren (veraltend), sich etwas beschaffen, einen Kauf tätigen, sich etwas zulegen, / (schweiz.) zutun, mitnehmen (ugs.), schießen (salopp) ankaufen, einkaufen, einholen (nordd.), posten (schweiz.), Besorgungen / Einkäufe machen, Shopping machen, aufkaufen, ramschen (ugs.), sich eindecken / versorgen mit, abkaufen, abnehmen, übernehmen · ungeprüft: die Katze im Sack kaufen · unüberlegt und nicht zur eigenen Zufriedenheit: sich verkaufen / bekaufen (ugs., landsch.) · Aktien: zeichnen · eine später fällige Forderung unter Zinsabzug: diskontieren, eskomptieren; → beschaffen, → bestellen, → einstellen, → handeln, → wechseln, → zahlen; → Geschäft, → Kauf · Ggs. → verkaufen.

**²kaufen:** → bestechen; billig / vorteilhaft / für einen Apfel und ein Ei / für einen Butterbrot / für einen Pappenstiel k. → billig [kaufen]; sich jmdn. k. → Rechenschaft, → schelten.

**Käufer** → Kunde.

**Kaufgelegenheit** → Bezugsquelle.

**Kaufhaus** → Laden.

**Kaufkraft:** die K. herabsetzen / vermindern → abwerten.

**käuflich:** → bestechlich; k. erwerben → kaufen.

**¹Kaufmann,** Krämer (veraltend), Discounter, Kolonialwarenhändler (veraltend), Verschleißer (veraltend, österr.), Spezereihändler (veraltend, südd., schweiz.), Spezierer (schweiz.), Gemischtwarenhändler (veraltend), Greißler (österr.), Fragner (veraltet, bayr., österr.), -fritze (abwertend), Heringsbändiger (scherzh.) · für Tabak, Kurzwaren u.ä.: Tabaktrafi-

kant (österr.), Trafikant (österr.); → Einzelhändler, → Großhändler, → Laden.

**²Kaufmann:** → Büroangestellter, → Geschäftsmann.

**kaufmännisch:** → kommerziell; -er Angestellter → Büroangestellter; -es Denken → Geschäftssinn.

**Kaufmannsdeutsch** → Gruppensprache.

**Kaufmannssprache** → Gruppensprache.

**Kaufpreis** → Preis.

**Kaufzwang:** ohne K. → unverbindlich.

**Kaulbarsch** → Fisch.

**Kaulkopf** → Fisch.

**Kaulquappe** → Larve.

**¹kaum,** gerade [eben / noch], eben [noch], mit Mühe / Müh und Not, schlecht und recht, mehr schlecht als recht, mit Ach und Krach (ugs.), mit Ach und Weh, mit Hängen und Würgen (ugs.), mit knapper / genauer Not, mit letzter Anstrengung / Kraft; → beschwerlich, → jetzt.

**²kaum:** → beinahe, → schwerlich, → unwahrscheinlich; k. denkbar / glaublich → unwahrscheinlich; k. etwas → wenig; k. flügge → jung; k. hörbar / vernehmbar / vernehmlich → leise; k. noch zu hören sein → verhallen.

**Kaurischnecke** → Schnecke.

**kausal** → ursächlich.

**Kausalsatz** → Satz.

**Kaustik** → Verätzung.

**Kautel** → Vorbehalt.

**Kauterisation** → Verätzung.

**Kaution** → Sicherheit.

**Kautschukhaut** → Chalodermie.

**Kauwerkzeuge,** Zähne, Gebiß; → Zahn.

**¹Kauz,** Käuzchen, Waldkauz, Steinkauz, Uhu, Eule; → Vogel.

**²Kauz** → Außenseiter.

**Käuzchen** → Kauz.

**kauzig** → seltsam.

**Kauzigkeit** → Seltsamkeit.

**Kavalett** → Bett.

**Kavalier:** → Geliebter, → Gentleman; kein K. sein → unhöflich [sein].

**Kavalierskrankheit** → Geschlechtskrankheit.

**Kavaliersschnupfen** → Geschlechtskrankheit.

**Kavalierstaschentuch** → Taschentuch.

**Kavalierstuch** → Taschentuch.

**Kavaliertaschentuch** → Taschentuch.

**Kavaliertuch** → Taschentuch.

**Kavallerist** → Soldat.

**Kavatine** → Lied.

**Kaventskerl** → Prachtexemplar.

**Kaventsmann:** → Exemplar, → Prachtexemplar.

**Kavernom** → Blutgefäßgeschwulst.

**Kaviarbrot**, Stangenbrot, Sandwichwecken (*österr.*), fanzösisches Weißbrot; → Brot, → Brötchen, → Schnitte.

**Kayseri** → Orientteppich.

**Kebsehe** → Ehe.

**keck** → frech.

**Kecke** → Frosch.

**Keeper** → Torwart.

**Kees** → Gletscher.

**Keeswasser** → Gletscherbach.

**Kefir** → Milch.

**¹Kegel**, Holz · *in der vorderen Reihe:* Bauer · *in der mittleren Reihe:* König · *in der hinteren Reihe:* Dame ·· *beim Bowling:* Pin; → Kegelbahn, → Kegelspiel; → kegeln.

**²Kegel:** mit Kind und K. → alle.

**Kegelaufsetzer:** → Junge, → Kegelspiel.

**Kegelbahn**, Kegelstatt (*österr.*) · Bowlingbahn; → Kegel, → Kegelspiel; → kegeln.

**Kegeldach** → Dach.

**Kegelgewölbe** → Gewölbe.

**Kegeljunge:** → Junge, → Kegelspiel.

**¹kegeln**, kegelschieben, kegelscheiben (*bayr., österr.*), Bowling spielen; → schieben; → Kegel, → Kegelbahn, → Kegelspiel.

**²kegeln:** das Kegeln → Kegelspiel.

**kegelscheiben** → kegeln.

**kegelschieben** → kegeln.

**Kegelschnecke** → Schnecke.

**Kegelspiel**, das Kegeln · *mit zehn Kegeln:* Bowling · *Teilnehmer am K.:* Kegelspieler, Kegler · *jmd., der im K. die Kegel aufsetzt:* Kegeljunge, Kegelaufsetzer; → Kegel, → Kegelbahn; → kegeln.

**Kegelspieler** → Kegelspiel.

**Kegelstatt** → Kegelbahn.

**Kegler** → Kegelspiel.

**Kehle:** → Hals, → Rachen; jmdm. ist die K. wie zugeschnürt → Angst [haben]; sich die K. anfeuchten / ölen / schmieren → trinken; eine trockene K. haben → Durst [haben]; sich die K. aus dem Hals schreien → schreien; jmdm. das Messer an die K. setzen → nötigen; jmdm. sitzt das Messer an der K. → schulden (jmdm. etwas); aus voller K. → laut; Gold in der K. haben → singen; einen Kloß in der K. haben → heiser [sein]; etwas in die falsche K. bekommen → mißverstehen, → übelnehmen.

**kehlig:** k. sprechen → sprechen.

**Kehlkopf** → Sprechorgan.

**Kehlkopfentzündung**, Laryngitis; → Krankheit.

**Kehlkopfspiegelung** → Ausspiegelung.

**Kehrbesen** → Besen.

**Kehrblech** → Müllschaufel.

**Kehre:** → Kurve, → Turnübung.

**kehren:** → säubern, → umkehren; den Rücken k. → abwenden (sich), → weggehen; jmdm. den Rücken k. → trennen (sich); sich nicht an etwas k. → übertreten.

**Kehrflaumer** → Mop.

**Kehricht** → Abfall.

**Kehrordnung** → Reihenfolge.

**Kehrreim**, Refrain; → Strophe.

**Kehrschaufel** → Müllschaufel.

**Kehrseite** → Rückseite.

**kehrtmachen** → umkehren.

**Kehrum:** → Reihenfolge; im K. → nacheinander, → schnell.

**Kehrwisch** → Handfeger.

**Keibenschinder** → Abdecker.

**keifen** → schelten.

**Keile** → Schläge.

**keilen:** → überreden; sich k. → schlagen.

**Keiler** → Schwein.

**Keilerei** → Schlägerei.

**Keilhose** → Hose.

**Keilschrift** → Schrift.

**¹Keim**, Keimling, Pflanzenkeim, Sämling; → Samen.

**²Keim:** → Krankheitserreger; im -e ersticken → verhindern.

**Keimblatt** → Blatt.

**Keimdrüse:** die -n entfernen → kastrieren.

**keimen** → sprießen.

**¹keimfrei**, steril, aseptisch; → sauber; → Desinfektion; → desinfizieren.

**²keimfrei:** k. machen → desinfizieren.

**Keimling** → Keim.

**Keimtötung** → Desinfektion.

**¹Keimzelle**, Geschlechtszelle, Gamet · *männliche:* Spermium, Spermatozoon, Samen, Samenzelle, Samenfaden, Samenfädchen, Samentierchen (*selten*) · *weibliche:* Ovum, Ovulum, Ei, Eizelle; → Leibesfrucht, → Samenerguß, → Sperma.

**²Keimzelle** → Körperzelle.

**kein:** auf -en Fall, unter -en Umständen, in -er Weise → keineswegs; -e Sau → niemand.

**keiner** → niemand.

**keinesfalls:** → keineswegs, → nein.

**¹keineswegs**, keinesfalls, auf keinen Fall, unter keinen Umständen, in keiner Weise, durchaus / ganz und gar nicht, unmöglich, unter keinen Umständen, nicht [im geringsten / im Traum]; → nein.

**²keineswegs** → nein.

**Keks** → Gebäck.

**Kelch:** → Altargerät, → Blüte, → Kohl, → Trinkgefäß.

**Kelchblatt** → Blatt.

**Kelchglas** → Trinkgefäß.

**Kelchkapitell** → Kapitell.

**Kelim** → Wandteppich.

**Kelle:** → Schöpfkelle; mit der großen K. anrichten → verschwenden.

**Keller:** eine gemeinsame Leiche im K. haben → belangen.

**Kellergeschoß** → Geschoß.

**Kellermauer** → Mauer.

**Kellertreppe** → Treppe.

**Kellner:** → Bedienung; als K. arbeiten → kellnern.

**Kellnerin** → Bedienung.

**Kellnerkotze** → Salat.

**kellnern**, als Kellner arbeiten, servieren, bedienen; → Bedienung.

**Kelonychie** → Nagelkrankheit.

**Kelp** → Alge.

**Kelvin** → Temperaturskala.

**Kemenate** → Raum.

**Kenare** → Orientteppich.

**Kendo** → Selbstverteidigung.

**kennbar** → kenntlich.

¹**kennen,** jmdm. bekannt / kein Unbekannter mehr sein; → duzen, → kennenlernen · Ggs. → fremd.

²**kennen:** → auskennen (sich), → wissen; nicht k. → fremd; was der Bauer nicht kennt, das frißt er nicht → wählerisch [sein]; jmd. kennt sich kaum selbst vor Stolz → dünkelhaft [sein]; Gott und die Welt k. → betriebsam [sein]; weder Maß noch Ziel k. → hemmungslos [sein]; etwas wie seine Westentasche k. → auskennen (sich).

¹**kennenlernen,** vorgestellt werden, bekannt gemacht werden, jmds. Bekanntschaft machen [ein Mädchen] aufreißen / (*österr.*) aufzwicken (*salopp*); **sich allmählich k.,** miteinander bekannt werden, warm werden mit jmdm., sich beriechen / beschnuppern (*salopp*); → kennen.

²**kennenlernen:** → erleben; du sollst / wirst mich k. → wehe!

**Kenner** → Fachmann.

**kennerisch** → fachmännisch.

**Kennkarte** → Ausweis.

¹**kenntlich,** erkennbar, kennbar (*schweiz.*); → erkennen.

²**kenntlich:** k. machen → markieren.

**Kenntnis:** → Erfahrung; K. bekommen von → erfahren; -se erwerben → lernen; K. geben → mitteilen; -se haben in → firm [sein]; K. haben von → wissen; etwas entzieht sich jmds. K. → wissen; in K. setzen → mitteilen; zur K. nehmen → achtgeben.

**kenntnisreich** → gebildet.

**Kennwort** → Losung.

**Kennzeichen** → Merkmal.

**kennzeichnen:** → bedeuten, → markieren; sich k. durch → aufweisen.

**kennzeichnend,** bezeichnend, wesensgemäß, unverkennbar, spezifisch, typisch, charakteristisch, auszeichnend, charakterisierend; → interessant, → typisch, → vorbildlich; **k. sein für jmdn.,** das liegt in der Familie.

**Kennzeichnung** → Beschilderung.

**Kentaur** → Fabelwesen.

**kentern,** umschlagen, umkippen (*ugs.,*); → untergehen; → Havarie.

**Kephalalgie** → Kopfschmerz.

**keppeln** → schelten.

**Keppelweib** → Frau.

**Kepplerin** → Frau.

**Keramik** → Steingut.

**Keramiker,** Töpfer (*nordd.*), Hafner (*oberd.*), Häfner (*südd.*), Ofensetzer; → Keramik, → Steingut, → Töpferei.

**Keratom** → Schwiele.

**Keratomalazie** → Xerophthalmie.

**Keratose** → Schwiele.

**Kerbe:** in dieselbe / die gleiche K. hauen → Ansicht.

**Kerbel** → Küchengewürz.

**Kerbelrübe** → Gemüse.

**Kerbholz:** etwas auf dem K. haben → ehrenhaft.

**Kerbtier** → Insekt.

**Kerf** → Insekt.

**Kerker:** → Strafanstalt; im K. liegen → abbüßen; in den K. werfen → festsetzen.

**Kerkermeister** → Wächter.

**Kerl:** dummer K. → Dummkopf; [fieser K., ein K. wie ein Baum] → Mann; junger K. → Jüngling; kleiner K. → Junge.

**Kerlchen** → Junge.

**Kerman** → Orientteppich.

¹**Kern,** Stein, Obstkern · Pfirsichkern, Kirschkern, Apfelkern, Aprikosenkern, Pflaumenkern, Zwetsch[g]enkern; → Kerngehäuse; → entkernen.

²**Kern:** → Mittelpunkt; das ist des Pudels K. / der K. der Sache → Hauptsache; die -e entfernen, von den -en befreien → entkernen.

**Kernbeißer** → Vogel.

**Kernbombe** → Bombe.

**kernen** → entkernen.

**Kernfrage** → Schwierigkeit.

**Kerngehäuse,** Kernhaus, Griebs (*landsch.*); → Kern; → entkernen.

**kerngesund** → gesund.

**Kernhaus** → Kerngehäuse.

**kernig:** → kurz, → stark.

**Kernobst** → Obst.

**Kernplasma** → Protoplasma.

**Kernproblem** → Schwierigkeit.

**Kernpunkt** → Hauptsache.

**Kernreaktor** → Atomreaktor.

**Kernschatten** → Schatten.

**Kernseife** → Seife.

**Kernspruch** → Ausspruch.

**Kernwaffen** → Waffen.

**Kerosin** → Treibstoff.

**Kerwe** → Jahrmarkt.

**Kerwestand** → Jahrmarktsbude.

**Kerze,** Wachskerze, Stearinkerze, Licht, Talglicht, Hindenburglicht · Weihnachtskerze, Christbaumkerze · Osterkerze · Lebenslicht · Taufkerze · Kommunionkerze · Altarkerze; → Kerzenleuchter, → Lampe; → ausblasen.

**kerzengerade** → gerade.

**Kerzenhalter** →Kerzenleuchter.

**Kerzenleuchter,** Kerzenhalter, Armleuchter, Kerzenständer, Leuchter, Kandelaber, Flambeau · *siebenarmiger:* Menora (*jüd.*) · *achtarmiger:* Chanukkaleuchter (*jüd.*); → Kerze.

**Kerzenlicht** → Licht.

**Kerzenständer** → Kerzenleuchter.

**Kerzenwachs** → Wachs.

**Keschan** → Orientteppich.

**Kesmus** → Lesbierin.

**keß:** → frech; eine kesse Sohle aufs Parkett legen → tanzen; kesser Vater → Lesbierin.

**Kessel:** → Abgrund, → Kochtopf.

**Kesselflicker,** Drahtbinder (*ostd.*), Pfannenflicker (*südd.*), Rastelbinder (*österr.*).

**Kesselpauker:** → Musizierender, → Schlagzeuger.

**Kesselschlacht** → Kampf.

**Kesselschmied** → Schmied.

**Kesseltreiben** → Verfolgung.

**Kesselwagen** → Eisenbahnwagen.

**Ketchup** → Soße.

**Kette:** → Halskette, → Herde, → Laden.

**Kettenblume** → Löwenzahn.

**Kettenbrücke** → Brücke.

**Kettenfahrzeug** → Auto.

**Kettenkarussell** → Karussell.

**Kettenladen** → Laden.

**Kettenprater** → Karussell.

**Kettenraucher** → Raucher.

**Kettenreitschule** → Karussell.

**Kettenschmied** → Schmied.

**Ketzer,** Häretiker, Sektierer, Irrgläubiger, Schismatiker, Abweichler, Deviationist, Versöhnler (*abwertend*), Albigenser,

Katharer; → Abtrünniger, → Atheist, → Außenseiter, → Bekehrter, → Deserteur, → Freidenker; → ketzerisch.

**Ketzerei,** Häresie, Irrglaube, Irrlehre, Abweichung, Abspaltung, Sektenbildung · *in der Kirche:* Arianismus, Monophysitismus, Nestorianismus, Pelagianismus · *im Kommunismus:* Trotzkismus, Revisionismus, Sozialdemokratismus, Versöhnlertum (*abwertend*), Abweichlertum; → Aberglaube, → Ketzer.

**ketzerisch,** häretisch, heterodox, irrgläubig; → Ketzer.

**keuchen:** → atmen, → Laut.

**Keuchhusten,** Pertussis, Stickhusten, blauer Husten, Krampfhusten (*österr.*); → Krankheit.

**¹Keule,** Schenkel, Schlegel (*oberd.*), Kalbskeule, Hammelkeule, Rehkeule, Hirschkeule, Kalbsschlegel (*oberd.*), Schöpsenschlegel (*österr.*) · *bei Geflügel:* Biegel (*österr.*), Beigel (*österr.*), Hühnerbiegel (*österr.*), Hühnerbeigel (*österr.*), Gänsekeule; → Fleisch, → Fleischgericht.

**²Keule** → Bruder.

**keulen** → schlachten.

**Keulenpilz:** → Pilz, → Ständerpilz.

**Keulung** → Schlachtung.

**keusch** → jungfräulich.

**Keusche** → Haus.

**Keuschheit** → Virginität.

**Keuschler** → Kleinbauer.

**Keuschrose** → Pfingstrose.

**keuzen** → übergeben (sich).

**KGB** → Geheimpolizei.

**khakifarben** → braun.

**Kibbuz** → Gemeinschaftssiedlung.

**Kiberer** → Kriminalbeamter.

**Kibitka** → Zelt.

**kichern:** → lachen; das Kichern → Gelächter.

**Kick** → Rausch.

**kicken** → Fußballspiel.

**Kicker** → Fußballspieler.

**Kidfell** → Pelz.

**Kidnapper** → Entführer.

**Kidnapping** · Menschenraub, [gewaltsame] Entführung · *eines Kindes:* Kindesraub, Kindesentführung · *eines Flugzeugs:* Flugzeugentführung, Luftpiraterie; → Entführer.

**Kids** → Handschuh.

**kiebig:** → frech; k. werden → murren.

**Kiebitz:** → Vogel, → Zuschauer.

**kiefeln** → kauen.

**Kiefer** → Nadelhölzer.

**Kieferchirurg** → Arzt.

**Kieferchirurgie** → Heilkunde.

**Kiefernapfel** → Tannenzapfen.

**Kieferneule** → Schmetterling.

**Kiefernprozessionsspinner** → Schmetterling.

**Kiefernschwärmer** → Schmetterling.

**Kiefernspanner** → Schmetterling.

**Kiefernspinner** → Schmetterling.

**Kiefernwald** → Wald.

**Kiefernzapfen** → Tannenzapfen.

**kieken** → blicken.

**Kieker:** jmdn. auf dem K. haben → beobachten, → schikanieren.

**Kiekindiewelt** → Anfänger.

**¹Kiel,** Landeshauptstadt [von Schleswig-Holstein]; → Stadt.

**²Kiel:** K. des Schiffes → Sternbild.

**Kielbogen** → Bogen.

**Kielflügel** → Tasteninstrument.

**Kielwasser:** in jmds. K. schwimmen / segeln → selbständig.

**Kieme:** voll bis an die -n → betrunken.

**Kiemenschnecke** → Schnecke.

**Kienapfel** → Tannenzapfen.

**Kienappel** → Tannenzapfen.

**Kienfackel** → Fackel.

**Kienspan** → Fackel.

**Kiepe:** → Kopfbedeckung, → Tragekorb.

**Kies:** → Geld, → Split.

**Kiesel** → Stein.

**Kieselalge** → Alge.

**Kieselglas** → Glas.

**Kieselschwamm** → Schwamm.

**Kieselstein** → Stein.

**kiesetig** → wählerisch.

**kiesetsch** → wählerisch.

**Kietze** → Tragekorb.

**Kiez** → Ort.

**kiffen** → rauchen.

**Kiffer:** → Raucher, → Rauschgiftsüchtiger.

**Kikeriki** → Hahn.

**Kilbi** → Jahrmarkt.

**Kilch** → Fisch.

**killen** → töten.

**Killer** → Mörder.

**Kilo** → Gewichtseinheit.

**Kilogramm** → Gewichtseinheit.

**Kilometer** → Längenmaß.

**Kilometerstandanzeiger** → Kilometerzähler.

**Kilometerstein,** Meilenstein, Markstein; → Verkehrszeichen, → Wegweiser.

**Kilometerzähler,** Kilometerstandanzeiger; → Tachometer.

**Kilt:** → Rock, → Verabredung.

**Kimme** → Darmausgang.

**Kinäde:** → Homosexueller, → Kinderschänder.

**¹Kind,** Es, Nachwuchs, Baby, Kindchen, Kindlein, Bébé (*schweiz.*), Neugeborenes, kleiner / junger Erdenbürger, Säugling, Wickelkind, Kleinstkind, Kleinkind, Kleines, Fratz, Bambino, Bampeletsch (*österr.*), Bams (*bayr.*, *österr.*), Bauxerl (*österr.*), Wildfang, Springinsfeld, Blag (*abwertend*), Balg (*salopp*, *abwertend*), Wurm (*ugs.*), Krümel (*ugs.*), Matz, Spatz, Hemdenmatz, Hosenmatz, Dreikäsehoch, Steppke, Knirps, Wicht, Göre, Gör, Gof (*schweiz.*), Kruke · *erwünschtes:* Wunschkind ·· *uneheliches:* uneheliches / außereheliches / lediges Kind, Bastard (*abwertend*), Bankert (*abwertend*), Kind der Liebe, Kind mit Vorliebe (*scherzh.*), natürlicher Sohn, natürliche Tochter · *von einem Besatzungssoldaten:* Besatzungskind · *aus der nicht rechtmäßigen Verbindung eines Adligen mit einer nicht standesgemäßen Frau:* Bastard (*hist.*) · *mit gelocktem Haar:* Lockenkopf · *dickliches:* Pummel (*ugs.*), Pummelchen (*ugs.*), Wuzerl (*österr.*) · *unruhiges:* Zappelphilipp (*ugs.*), Quecksilber, Irrwisch, Rutschepeter (*ugs.*, *österr.*) · *unartiges:* Range, Satansbraten (*ugs.*, *scherzh.*) · *das durch die Berufstätigkeit der Mutter den Tag über ohne Aufsicht ist und sich selbst die Wohnung aufschließen muß:* Schlüsselkind · *spät geborenes:* Nachkömmling, Nachzügler, Spätling · *ohne Geschwister:* Einzelkind · *des Ehepartners:* Stiefkind · *adoptiertes:* Adoptivkind, Wahlkind (*österr.*) · *in Pflege genommenes:* Pflege-

kind, Ziehkind · *das schon
frühzeitig erstaunliche künstleri-
sche oder geistige Fähigkeiten
entwickelt:* Wunderkind, Wunderknabe; → Alimente, →
Älteste, → Ältester, → Geschwister, → Junge, → Jüngling, → Jüngste, → Jüngster,
→ Kinder (die), → Leibes-
frucht, → Mädchen, → Mensch,
→ Schüler, → Sohn, → Tochter; → adoptieren.

²**Kind:** → Verwandter; K. Gottes → Mensch; Weib und K.
→ Familie; ein K. ist angekommen, ein K. bekommen,
einem K. das Leben schenken
→ gebären; noch ein [halbes]
K. sein → erwachsen; kein K.
mehr sein → erwachsen [sein];
etwas ist ein totgeborenes K.
→ aussichtslos [sein]; ein K.
der Liebe sein → unehelich
[sein]; kein K. von Traurigkeit
sein → lustig [sein]; das K.
mit dem Bade ausschütten →
reagieren; ein K. erwarten /
unter dem Herzen tragen,
mit einem K. gehen, ein K. ist
unterwegs → schwanger [sein];
jmdm. ein K. machen, ein K.
in die Welt setzen → schwängern; sich bei jmdm. lieb K.
machen→nähern (sich jmdm.);
das K. beim [rechten / richti-
gen] Namen nennen → be-
schönigen, → brandmarken;
jmdm. ein K. in den Bauch
reden → einreden; wir werden
das K. schon schaukeln →
Ordnung; wie sag ich's meinem
-e → ratlos [sein]; an -es Statt
annehmen → adoptieren; das
ist nichts für kleine -er →
betreffen; mit K. und Kegel →
alle.

**Kindchen** → Kind.
**Kinder** (die), die Kleinen /
Rangen / Trabanten / (*abwer-
tend*) Blagen, Nachwuchs ·
*zwischen 8 und 12 Jahren:* Sub-
teens; → Kind, → Sohn, →
Tochter.
**Kinderarzt** → Arzt.
**Kinderball** → Spielball.
**Kinderbeihilfe** → Kindergeld.
**Kinderbeilage** → Zeitungsbei-
lage.
**Kinderbekleidung** → Kleidung.
**Kinderbesteck** → Eßbesteck.
**Kinderbett** → Bett.

**Kinderbewahranstalt** → Kin-
dergarten.
**Kinderbuch** → Literatur.
**Kinderchaise** → Kinderwagen.
**Kinderchor** → Chor.
**Kinderdorf**, SOS-Dorf, Pesta-
lozzidorf, Jugenddorf; → Kin-
dergarten.
**Kinderehe:** →Ehe, →Frühehe.
**Kinderei** → Albernheit.
**Kinderfahrrad** → Fahrrad.
**Kinderfilm** → Kinofilm.
**Kinderfrau** → Kindermädchen.
**Kinderfräulein** → Kindermäd-
chen.
**Kindergarten**, Kinderhort,
Hort, Kindertagesstätte, Kin-
derkrippe, Krippe, Kleinkinder-
bewahranstalt (*veraltend*),
Krabbelstube, Kinderbewahr-
anstalt (*veraltend*) · *antiautori-
tärer:* Kinderladen; → Heim,
→ Kinderdorf.
**Kindergartenalter** → Lebens-
alter.
**Kindergeld**, Kinderzuschlag,
Kinderbeihilfe (*bes. österr.*),
Kinderzulage (*schweiz.*).
**Kinderglaube** → Arglosigkeit.
**Kinderhaß** → Misopädie.
**Kinderheilkunde** → Heilkunde.
**Kinderheim** → Heim.
**Kinderhort** → Kindergarten.
**Kinderkalender** → Kalender.
**Kinderkarussell**→ Karussell.
**Kinderkleid** → Kleid.
**Kinderkleidung** → Kleidung.
**Kinderklinik** → Krankenhaus.
**Kinderkriegen:** etwas ist zum
K. → unerträglich [sein].
**Kinderkrippe** → Kindergarten.
**Kinderladen** → Kindergarten.
**Kinderlähmung**, spinale Kin-
derlähmung, Poliomyelitis, Po-
lio; → Lähmung; → krank.
**kinderleicht:** → mühelos; etwas
ist k. → schwierig.
**Kindermädchen**, Amme, Bonne,
Erzieherin, Kinderfrau, Kinds-
magd (*landsch., veraltend*), Kin-
derpflegerin, Kinderfräulein,
Gouvernante, Babysitter (*ugs.*),
Kinderschwester, Säuglings-
schwester, Nurse.
**Kindermantel** → Mantel.
**Kindermärchen** → Märchen.
**Kindermund:** aus K. → spaßig.
**Kinderpflegerin** → Kindermäd-
chen.
**Kinderpsychologie** → Psychologie.

**Kinderrad** → Fahrrad.
**Kinderreitschule** → Karussell.
**Kinderroller** → Trittroller.
**Kinderschänder**, guter Onkel
(*iron.*), Kinderverzahrer (*ugs.,
österr.*), Pädophiler · *homosexu-
eller:* Päderast, Kinäde, Ephe-
bophiler, Knabenschänder (*ab-
wertend*); → Homosexueller, →
Verbrecher; → vergewaltigen.
**Kinderscheu** → Misopädie.
**Kinderschirm** → Schirm.
**Kinderschreck** → Schreckge-
stalt.
**Kinderschuh:** → Schuh; den -en
entwachsen sein → erwachsen
[sein]; noch in den -en stek-
ken → Anfang.
**Kinderschwester** → Kindermädchen.
**Kinderseife** → Seife.
**Kindersöckchen** → Strumpf.
**Kindersocke** → Strumpf.
¹**Kinderspiel**, Spiel · Fangspiel,
Versteckspiel, Geländespiel,
Hüpfspiel, Kippel-Kappel.
²**Kinderspiel:** etwas ist ein K.
→ Kleinigkeit, → mühelos
[schaffen], → schwierig; etwas
ist kein K. → schwierig
[sein].
**Kinderspielzeug** → Spielzeug.
**Kinderstrumpf** → Strumpf.
**Kinderstube:** → Benehmen;
keine gute K. gehabt haben →
benehmen (sich); im D-Zug
durch die K. gefahren / gerast
sein → benehmen (sich).
**Kindertagesstätte** → Kinder-
garten.
**Kinderverzahrer** → Kinder-
schänder.
**Kinderwagen**, Ehestandsloko-
motive (*scherzh.*), Korbwagen ·
*in dem das Kind sitzt:* Sport-
wagen, Sportkarre (*nordd.*),
Karre (*nordd.*), Kinderchaise
(*südd.*), Chaise (*südd.*).
**Kinderzimmer** → Raum.
**Kinderzulage** → Kindergeld.
**Kinderzuschlag** → Kindergeld.
**Kindesbeine:** von -n an →
klein.
**Kindesführer** → Entführer.
**Kindesentführung** → Kidnap-
ping.
**Kindeskind** → Enkelkind.
**Kindesliebe** → Familienanhäng-
lichkeit.
**Kindesmord** → Tötung.
**Kindesraub** → Kidnapping.

**Kindheit:** [frühe K.] → Lebensalter; die K. verbringen → aufwachsen; von K. an → klein.

**¹kindisch,** albern, läppisch, simpel, infantil, pueril; → ahnungslos, → jugendlich; → Albernheit, → Infantilität.

**²kindisch:** -es Wesen → Albernheit.

**Kindlein** → Kind.

**kindlich** → jugendlich.

**Kindlichkeit** → Infantilität.

**kindsen** → beaufsichtigen.

**Kindskopf** → Narr.

**Kindslage,** Geburtslage, Situs, Positio ··· Längslage, Geradlage · *mit voranliegendem Kopf:* Kopflage, Schädellage, Hinterhauptslage, Flexionslage, Vorderhauptslage, Stirnlage, Gesichtslage, Deflexionslage ·· *mit voranliegendem Becken:* Beckenendlage, Beckenlage · *mit voranliegendem Steiß:* Steißlage · *mit Voranliegen des Steißes und eines oder beider Füße:* Steiß-Fuß-Lage · *mit Voranliegen eines oder beider Füße:* Fußlage · *mit Voranliegen eines oder beider Knie:* Knielage ··· Querlage, Schräglage · *mit voranliegender Schulter:* Schulterlage; → Geburt.

**Kindsmagd** → Kindermädchen.

**Kinemathek** → Archiv.

**Kineser** → Dummkopf.

**Kinesiatrie** → Heilgymnastik.

**Kinesiatrik** → Heilgymnastik.

**Kinesiotherapie** → Heilgymnastik.

**Kinesitherapie** → Heilgymnastik.

**kinetisch:** -e Kunst → Malerei.

**Kinetose** → Bewegungskrankheit.

**Kinetotherapie** → Heilgymnastik.

**King Charles** → Hunderassen.

**Kinigelhase** → Kaninchen.

**Kinkerlitzchen:** → Flitter, → Laune.

**Kinnbart** → Bart.

**Kinnflechte:** → Bartflechte, → Haarbalgentzündung.

**Kinnhaken** → Fausthieb.

**Kino,** Filmtheater, Lichtspieltheater, Lichtspielhaus, Filmpalast, Lichtspiele, Uraufführungskino, Uraufführungsfilmtheater, Uraufführungstheater, Illusionsbunker (*scherzh.*), Kin-topp (*ugs.*), Flohkiste (*scherzh.*), Flimmerkiste (*veraltend, scherzh.*) · Aktualitätenkino, Aki, Nonstopkino, Tageskino · Wanderkino · *im Freien, bei dem man sich den Film vom Auto aus ansieht:* Autokino, Freilichtkino, Drive-in-Kino, Drive-in-Filmtheater; → Kinofilm, → Sitzplatz, → Traumfabrik; → filmen.

**Kinofilm,** Film, Streifen (*ugs.*) · Stummfilm, Klangfilm, Sprechfilm, Lichttonfilm, Tonfilm, Trickfilm, Zeichentrickfilm, Puppenfilm, Breitwandfilm, Cinemascopefilm, dreidimensionaler Film, Drei-D-Film, 3-D-Film · Spielfilm, Lehrfilm, Werbefilm, Aufklärungsfilm, Propagandafilm, Industriefilm, Wirtschaftsfilm · Vorfilm, Beifilm, Hauptfilm · Kurzfilm, Filmlet, Episodenfilm · Jugendfilm, Kinderfilm · Unterhaltungsfilm, Problemfilm, Kulturfilm, Dokumentarfilm, Tierfilm, Märchenfilm, Revuefilm, Opernfilm, Operettenfilm, Filmkomödie, Filmlustspiel, Filmgroteske, Klamotte (*ugs.*) · Gruselfilm, Horrorfilm, Grusical, Thriller, Psycho-Thriller, Schocker · Monsterfilm, Kolossalfilm, Kolossalschinken (*ugs.*), Ausstattungsfilm, Kostümfilm, Historienfilm, Kriegsfilm, Abenteuerfilm, Wildwestfilm, Western, Gangsterfilm, Kriminalfilm, Krimi (*ugs.*), Heimatfilm, Schnulze (*ugs.*), Sexfilm, Sexreißer (*ugs.*), Porno[film] (*ugs.*) · *der sehr erfolgreich ist:* Kassenmagnet (*ugs.*); → Filmatelier, → Kino, → Lichtbildervortrag, → Traumfabrik; → filmen, → verfilmen.

**Kinoorgel** → Elektroorgel.

**Kiosk** → Verkaufsstand.

**Kipf** → Hörnchen.

**Kipfel** → Hörnchen.

**Kipferl** → Hörnchen.

**Kippe:** → Zigarette; mit jmdm. K. machen → teilen; etwas steht auf der K. → ungewiß [sein].

**Kippel-Kappel** (*nordd.*), Titschkern (*schles.*), Titschkerl (*sudetend.*), Spatschek (*tschech.*); → Fangspiel, → Hüpfspiel, → Kinderspiel.

**kippeln** → schwingen.

**kippen:** → schütten; einen k. → trinken; aus dem Anzug / den Latschen / den Pantinen k. → überrascht [sein].

**Kipper** → Auto.

**Kippfenster** → Fenster.

**kipplig** → wacklig.

**¹Kirche,** christliche Kirche, Kirche Christi · *katholische:* römische / römisch-katholische / griechisch-katholische / griechisch-orthodoxe / griechisch-unierte Kirche · *protestantische:* evangelische / lutherische / reformierte / unierte Kirche; → Altar, → Gotteshaus, → Sekte, → Theologie.

**²Kirche:** → Gotteshaus; die K. im Dorf lassen → übertreiben; in die K. gehen → fromm [sein].

**Kirchenbank** → Sitzbank.

**Kirchenbann** → Bann.

**Kirchenbesuch** → Kirchgang.

**Kirchenblatt** → Zeitung.

**Kirchenburg:** → Fluchtburg, → Gotteshaus.

**Kirchenchor** → Chor.

**Kirchenchronik** → Chronik.

**Kirchendiebstahl** → Sakrileg.

**Kirchendiener,** Mesner, Mesmer (*schweiz.*), Sigrist (*schweiz.*), Küster (*nordd.*); → Ministrant.

**Kirchenfest,** kirchlicher Feiertag; → Epiphanias, → Fronleichnam, → Gründonnerstag, → Himmelfahrt, → Karfreitag, → Kirchenjahr, → Lichtmeß, → Marienfest, → Ostern, → Palmsonntag, → Pfingsten, → Weihnachten.

**Kirchengeschichte** → Theologie.

**¹Kirchenjahr,** liturgisches Jahr, bewegliche und unbewegliche Feste / Tage ··· 1. / 2. / 3. / 4. Advent ·· Nikolaustag (6. Dezember) ·· Mariä Empfängnis (8. Dezember) ·· Weihnachtsfest (25. Dezember), 1. Weihnachtsfeiertag, 1. Weihnachtsfesttag, 1. Weihnachtstag, 1. Festtag, 1. Feiertag, 1. Christtag · 2. Weihnachtsfeiertag (26. Dezember), Stephanstag, 2. Weihnachtstag, 2. Weihnachtsfesttag, 2. Festtag, 2. Feiertag, 2. Christtag ·· Silvester, Sylvester (veraltete Schreibung) ·· Epiphanias (6. Januar), Epiphanienfest,

Dreikönigsfest, Dreikönige, Heilige Drei Könige, Fest der Heiligen Drei Könige, Dreikönigstag, Fest der Erscheinung [Christi], Fest der Erscheinung des Herrn ·· 1. bis (maximal) 6. Sonntag nach Epiphanias ·· Mariä Lichtmeß (2. Februar) ·· Septuagesima (9. Sonntag vor Ostern, 3. Sonntag vor der Fastenzeit, Beginn der Vorfastenzeit) ·· Sexagesima (8. Sonntag vor Ostern, 2. Sonntag der Vorfastenzeit) ·· Quinquagesima, Estomihi (letzter Sonntag der Vorfastenzeit, Sonntag vor Aschermittwoch) ·· Aschermittwoch (Beginn der Fastenzeit) ·· 1. Fastensonntag, Invokavit ·· 2. Fastensonntag, Reminiscere ·· 3. Fastensonntag, Okuli ·· 4. Fastensonntag, Lätare ·· 5. Fastensonntag, Judika ·· 6. Fastensonntag, Palmarum ·· Mariä Verkündigung (25. März) ·· Gründonnerstag, Ablaßtag ·· Karfreitag, Stiller Freitag ·· Osterfest (Sonntag nach dem 1. Frühlingsvollmond), Auferstehungsfest, Fest der Auferstehung Christi, 1. Ostertag, Ostersonntag · 2. Ostertag, Ostermontag ·· 1. Sonntag nach Ostern, Weißer Sonntag, Quasimodogeniti ·· 2. Sonntag nach Ostern, Misericordias Domini ·· 3. Sonntag nach Ostern, Jubilate ·· 4. Sonntag nach Ostern, Kantate ·· 5. Sonntag nach Ostern, Rogate ·· Christi Himmelfahrt ·· 6. Sonntag nach Ostern, Exaudi ·· Pfingstfest (50. Tag nach Ostern, 7. Sonntag nach Ostern), Pentecoste (*bildungsspr.*), Fest der Ausgießung des Heiligen Geistes, 1. Pfingsttag, Pfingstsonntag · 2. Pfingsttag, Pfingstmontag ·· Sonntag nach Pfingsten, Trinitatis, Dreifaltigkeitsfest, Dreifaltigkeitssonntag ·· Fronleichnam (Donnerstag nach Trinitatis) ·· 1. bis (maximal) 27. Sonntag nach Trinitatis ·· Peter und Paul (29. Juni) ·· Mariä Heimsuchung (2. Juli) ·· Mariä Himmelfahrt (15. August) ·· Mariä Geburt (8. September) ·· Mariä Namensfest (22. September) ·· Erntedank-

fest (1. Sonntag im Oktober) ·· Rosenkranzfest (7. Oktober) ·· Reformationstag, Reformationsfest (31. Oktober) ·· Allerheiligen (1. November) ·· Allerseelen (2. November) ·· Martinstag (11. November) ·· Bußtag, Buß- und Bettag (Mittwoch vor Totensonntag) ·· Totensonntag (letzter Sonntag des Kirchenjahres), Ewigkeitssonntag, Sonntag vom Jüngsten Tag; → Adventssonntag, → Erntedankfest, → Kalenderjahr.

**²Kirchenjahr** → Kalenderjahr.

**Kirchenkalender** → Kalender.

**Kirchenkonzert** → Musikveranstaltung.

**Kirchenlicht:** kein [großes] K. sein → unbegabt [sein].

**Kirchenlied** → Lied.

**Kirchenmann** → Geistlicher.

**Kirchenmaus:** arm wie eine K. sein → arm [sein].

**Kirchenmusik** → Musik.

**Kirchenmusikdirektor** → Kantor.

**Kirchenorgel** → Tasteninstrument.

**Kirchenrecht:** → Rechtsgebiet, → Theologie.

**Kirchensonate** → Sonate.

**Kirchensteuer** → Abgabe.

**Kirchgang,** Kirchenbesuch, Gottesdienstbesuch, Teilnahme am Gottesdienst; → Gottesdienst.

**Kirchhof** → Friedhof.

**kirchlich:** → fromm, → sakral; -er Feiertag → Kirchenfest; -e Trauung → Vermählung.

**Kirchplatz** → Platz.

**Kirchturm** → Turm.

**Kirchturmpolitik,** Kantönligeist, Kleinstaaterei, Provinzialismus; → Beschränktheit.

**Kirchturmuhr** → Uhr.

**Kirchweih** → Jahrmarkt.

**Kirke** → Zauberin.

**Kirmes** → Jahrmarkt.

**kirre:** → zahm; k. machen → lenken.

**Kirschblütenmotte** → Schmetterling.

**Kirsche:** → Obst; mit jmdm. ist nicht gut -n essen → böse [sein].

**Kirschkern** → Kern.

**Kirschkuchen** → Gebäck.

**Kirschlikör** → Alkohol.

**kirschrot** → rot.

**Kirschsaft** → Fruchtsaft.

**Kirschtorte:** Schwarzwälder K. → Gebäck.

**Kirschwasser** → Alkohol.

**Kirtag** → Jahrmarkt.

**Kissen,** Polster (*österr.*) · Kopfkissen, Kopfpolster (*österr.*), Pfulmen (*schweiz.*), Paradekissen, Sitzkissen, Sofakissen, Federkissen, Schlummerrolle · *kleines:* Kaprizpolster (*österr.*) · *für Säuglinge:* Steckkissen.

**Kissenbezug** → Bezug.

**Kiste:** → Auto, → Flugzeug, → Gesäß, → Kasten, → Strafanstalt; etwas ist eine schwierige K. → schwierig [sein].

**Kitsch,** Schund, Schmarren (*abwertend*), Geschmacklosigkeit, Geschmacksverirrung (*abwertend*); → Schlager, → Schleuderware, → Unsinn; → geschmacklos.

**kitschig** → geschmacklos.

**Kitt** → Bindemittel.

**Kittchen** → Strafanstalt.

**Kittel:** → Jacke, → Rock.

**Kittelfalte:** jmdm. an der K. hängen, [dauernd] an jmds. K. sein → verwöhnt [sein].

**Kittelschurz** → Schürze.

**Kittelschürze** → Schürze.

**kitten** → kleben (etwas).

**Kitz:** → Gemse, → Reh.

**Kitzel** → Reiz.

**¹kitzeln,** kraulen, krauen, krabbeln (*ugs.*); → jucken, → kratzen, → kribbeln, → liebkosen, → reiben.

**²kitzeln:** den Gaumen k. → schmecken.

**kitzen** → gebären.

**Kitzgeiß** → Gemse.

**Kitzler** → Klitoris.

**kitzlig** → schwierig.

**Klabustermarsch:** jmdm. den K. orgeln → schikanieren.

**Klacks:** etwas ist ein K. → mühelos.

**Kladde:** → Entwurf, → Heft, → Rechnungsbuch, → Verzeichnis.

**Kladderadatsch** → Aufsehen.

**klaffen** → offen [sein].

**kläffen** → bellen.

**Kläffer** → Hund.

**Klaffmuschel** → Muschel.

**Klafter:** → Längenmaß, → Raummaß.

# Klage

¹**Klage,** Klagelied, Klagegesang, Totenklage, Grabgesang, Elegie, Wehklage, Jammerrede, Jeremiade, Gejammer *(ugs. abwertend)*, Lamentation *(abwertend)*, Lamento *(ugs.)* · *bei den Römern:* Nänie; → Klagelaut; → klagen; → wehleidig.

²**Klage:** → Anklage, → Einspruch; eine K. anhängig machen / anstrengen, K. erheben → prozessieren; K. führen → beanstanden; in -n ausbrechen → klagen.

**Klagegesang** → Klage.

**Klagelaut,** Klageruf, Wehlaut, Jammerlaut, Seufzer, Stoßseufzer, Geseufze *(abwertend)*, Gestöhn *(abwertend)*, Schluchzer, das Wimmern, Gewimmer, Gewinsel, Schmerzensschrei · *von Tieren:* das Jaulen, Gejaule, das Heulen, Geheul; → Gebet, → Hilferuf, → Klage, → Laut.

**Klagelied** → Klage.

¹**klagen,** wehklagen, in Klagen ausbrechen, die Hände ringen, jammern, jmdm. die Ohren volljammern *(ugs., abwertend)*, lamentieren *(abwertend)*, maunzen *(landsch.)*, raunzen *(bayr., österr.)*, sempern *(österr.)*, barmen *(ugs.)*; → beanstanden, → stöhnen; → wehleidig; Klage, → Laut.

²**klagen:** → prozessieren; -d → wehleidig; Gott / dem Himmel sei's geklagt → leider; k. über → beanstanden.

**Kläger,** Ankläger, Nebenkläger, Gegenkläger; → Angeklagter, → Anklage; → prozessieren.

**Klageruf** → Klagelaut.

**kläglich,** erbärmlich, jämmerlich, elend, bedauernswert, bedauernswürdig, bedauerlich, deplorabel, jammervoll, beklagenswürdig, bemitleidenswürdig, herzzerreißend, beklagenswert, jammernswert, mitleiderregend, bemitleidenswert, unrühmlich; → schwermütig.

**Klamauk:** → Lärm, → Scherz.

**klamm** → naß.

**Klamm** → Schlucht.

**Klammer:** → Satzzeichen, → Wäscheklammer.

**Klammeraffe** → Affe.

**Klammerbeutel:** mit dem K. gepudert sein → dumm [sein].

**Klammern** → Regelverstoß.

**klammheimlich:** → heimlich, → unbemerkt.

**Klamotte:** → Baustein, Kinofilm, → Komödie, → Stein; -n → Kleidung, → Mobiliar.

**Klampfe** → Bauklammer.

**Klang,** Schall, Hall, Ton, Tonfolge, Melodie, Laut; → Geräusch, → Klangrichtung, → Laut, → Lärm, → Widerhall; → schallen.

**Klangart** → Klangrichtung.

**Klangfilm** → Kinofilm.

**klanglos:** → heiser; sang- und k. → unbemerkt.

**klangmäßig** → akustisch.

**Klangrichtung,** Klangart, Sound; → Klang.

**Klangverhältnisse** → Raumakustik.

**klangvoll** → wohlklingend.

**Klangwirkung** → Raumakustik.

**Klappbett** → Bett.

**Klappe:** → Mund, → Telefonanschluß; in die K. gehen → schlafen [gehen]; zwei Fliegen mit einer K. schlagen → schlau [handeln].

**klappen:** → gelingen, → klappern.

**Klappentext** → Prospekt.

**Klapper** → Rassel.

**klapperig** → hinfällig.

**Klapperkasten** → Auto.

¹**klappern,** klappen, klirren, scheppern, klimpern; → Laut.

²**klappern:** → rasseln; mit den Zähnen k. → frieren.

**Klapperschlange:** → Schlange, → Stenotypistin.

**Klapperstorch:** der K. ist gekommen → gebären.

**Klappfenster** → Fenster.

**Klappmesser:** → Messer, → Taschenmesser.

**Klappmeter** → Metermaß.

**Klapprad** → Fahrrad.

**klapprig:** → hinfällig.

**Klappstuhl** → Stuhl.

**Klapptisch** → Tisch.

**Klappverdeck** → Autodach.

**Klapsdoktor** → Arzt.

**Klapsmühle** → Krankenhaus.

¹**klar,** genau, bestimmt, fest umrissen, greifbar, handfest, exakt, präzis[e], prägnant, unmißverständlich, eindeutig, kategorisch, apodiktisch, unzweideutig, deutlich, glasklar, sonnenklar, anschaulich, bildhaft, unverblümt, ungeschminkt, klipp und klar *(ugs.)*, nicht → unklar; → aufrichtig, → einleuchtend, → erklärlich, → rundheraus, → verständlich, → wirklich; **k. sein:** etwas ist klar / ist ein klarer Fall / *(salopp, scherzh.)* ist klar wie Kloßbrühe / *(salopp, scherzh.)* ist klar wie dicke Tinte, das kann man sich an den fünf / zehn Fingern abzählen *(ugs.)*, das sieht doch ein Blinder mit [dem] Krückstock *(salopp)*, daran ist nichts zu drehen und zu deuten *(ugs.)*; → Deutlichkeit.

²**klar:** → hell, → sonnig, → verständlich; [na k.] → ja; etwas ist ein -er Fall → klar [sein]; -e Suppe → Suppe.

**Klar** → Eiweiß.

**Klarapfel** → Apfel.

**klären:** → berichtigen, → filtern; nicht geklärt → ungewiß.

**Klarer** → Alkohol.

**Klarheit** → Deutlichkeit.

**Klarinette** → Blasinstrument.

**Klarinettenbauer** → Musikinstrumentenbauer.

**Klarinettist** → Musizierender.

**klarkommen:** → übereinkommen; k. mit → bewältigen.

**klarlegen** → berichtigen.

**klarmachen** → auslegen.

**Klarschrift** → Klartext.

**Klarsichtfolie** → Folie.

**Klarsichtpackung** → Packung.

**klarspülen** → spülen.

**klarstellen:** → berichtigen, → enträtseln.

¹**Klartext,** Klarschrift, dechiffrierter Text; → dechiffrieren · Ggs. → Geheimschrift, → Zeichen; → chiffrieren.

²**Klartext:** mit jmdm. K. sprechen → schelten.

**Klärung:** einer K. zuführen → berichtigen.

**klarwerden** (sich über etwas), sich Rechenschaft ablegen über, sich etwas bewußtmachen; → erkennen, → merken.

**Klas Bur:** → Knecht Ruprecht, → Nikolaus.

¹**Klasse,** Kategorie, Gattung, Rubrik, Ordnung, Gruppe, Abteilung.

²**Klasse:** → Kaste, → Schulklasse, → trefflich; 5,5-m-K., KR-K., 6-m-R-K. → Segelboot; K. sein → anziehend [sein]; etwas ist einsame K. → trefflich [sein].

**Klassefrau** → Frau.

**Klassenältester** → Klassensprecher.

**Klassenarbeit,** Schularbeit, (*österr.*), Extemporale (*veraltend*), Arbeit, -arbeit (Lateinarbeit), Klausur; → Hausaufgabe, → Schule.

**Klassenausflug** → Ausflug.

**Klassenbester** → Klassensprecher.

**Klassenbewußtsein** → Standesbewußtsein.

**Klassenbild** → Fotografie.

**Klassenclown** → Spaßvogel.

**Klassenerster** → Klassensprecher.

**Klassenfoto** → Fotografie.

**Klassengesellschaft:** [kapitalistische / primitive / spätkapitalistische K.] → Gesellschaft.

**Klassenkasper** → Spaßvogel.

**Klassenlehrer,** Ordinarius, Klaßlehrer (*bes. bayr.*), Klassenvorstand (*österr.*), Klassenleiter; → Lehrer.

**Klassenleiter** → Klassenlehrer.

**Klassenlektüre** → Lektüre.

**klassenlos:** -e Gesellschaft → Gesellschaft.

**Klassenlos** → Los.

**Klassenlotterie** → Glücksspiel.

**Klassensprecher,** Klassenältester (*veraltend*), Schülervertreter · Klassenbester, Klassenerster, Primus; → Schüler.

**Klassenverband** → Schulklasse.

**Klassenvorstand** → Klassenlehrer.

**Klassenziel:** das K. erreichen → versetzen.

**Klasseweib** → Frau.

**Klassifikation** → Gliederung.

**klassifikatorisch** → systematisch.

**klassifizieren** → gliedern.

**klassifiziert** → gegliedert.

**Klassifizierung** → Gliederung.

**Klassik** → Literaturepochen.

**klassisch:** → herkömmlich, → trefflich; -es Fleckfieber → Fleckfieber; -er Jazz → Jazz; -e Musik → Musik.

**Klassizismus** → Baustil.

**klassizistisch:** -e Antiqua → Schrift; -e Malerei → Malerei.

**Klaßlehrer** → Klassenlehrer.

**Klatsch,** Tratsch, Geklatsche, Geschwätz, Gerede, Geraune, Geflüster, Stadtgespräch, Gerüchtemacherei, Gemunkel, Bassenatratsch (*wiener.*); → Gerede, → Gerücht, → Gewäsch, → Redseligkeit.

**Klatschbase:** → Lästerer, → Schwätzer.

**Klatsche:** → Übersetzung; eine K. benutzen → absehen.

**klatschen:** → applaudieren, → prasseln, → reden; das Klatschen → Beifall.

**Klatschmaul:** → Lästerer, → Schwätzer.

**Klatschmohn** → Mohn.

**klatschnaß** → naß.

**Klatschsucht** → Redseligkeit.

**klatschsüchtig** → gesprächig.

**Klatschsüchtigkeit** → Redseligkeit.

**Klatschtante:** → Lästerer, → Schwätzer.

**Klatschung** → Massage.

**Klatschweib:** → Frau, → Lästerer, → Schwätzer.

**klauben:** → pflücken, → stochern; k. aus → auswählen.

**Klaue:** → Gliedmaße, → Handschrift.

**klauen** → wegnehmen.

**Klaus:** → Nachschlüssel, → Nikolaus.

**Klause:** → Einsiedelei, → Schlucht.

¹**Klausel,** Sonderabmachung, Vorbehalt, Einschränkung; → Abmachung.

²**Klausel** → Vorbehalt.

**Klausner** → Einsiedler.

**Klaustrophobie** → Phobie.

**Klausur** → Klassenarbeit.

**Klaviatur** → Tastatur.

**Klavichord** → Tasteninstrument.

**Klavier:** → Tasteninstrument; Mann am K. → Pianist.

**Klavierbauer** → Musikinstrumentenbauer.

**Klavierbegleiter** → Musizierender.

**Klavierhocker** → Hocker.

**Klavierlöwe** → Pianist.

**Klaviermusik** → Musik.

**Klaviersessel** → Hocker.

**Klaviersonate** → Sonate.

**Klavierspieler:** → Musizierender, → Pianist.

**Klaviervirtuose** → Pianist.

**Klavizimbel** → Tasteninstrument.

**Klavus** → Schwiele.

**Klebe** → Bindemittel.

**Klebekraft** → Adhäsion.

¹**kleben** (etwas), zusammenkleben, aneinanderkleben, kitten, zusammenkitten, kleistern (*ugs.*), zusammenkleistern; → fest [sein]; → Bindemittel.

²**kleben:** → fest [sein]; jmdm. eine k. → schlagen; Tüten k. → abbüßen; jmdm. klebt die Zunge am Gaumen → Durst [haben]; am Geld k. → geizig [sein]; an jmds. Händen klebt Blut → Mörder; an der Scholle k. → heimatverbunden [sein].

**klebenbleiben:** → versetzen, → wiederholen.

**Kleber** → Bindemittel.

**Klebestoff** → Leim.

**klebrig,** kleist[e]rig, pappig, harzig, backig (*landsch.*), haftend, anhaftend; → flüssig; → Bindemittel, → Klebrigkeit, → Verklebung; → fest [sein].

**Klebrigkeit,** Pappigkeit, Harzigkeit; → Adhäsion, → Bindemittel, → Flüssigsein, → Kohäsion, → Verklebung; → klebrig.

**Klebstoff** → Bindemittel.

**Kleckerbuschen** → Serviette.

**kleckerweise** → diskontinuierlich.

**Klecks** → Fleck.

**klecksen** → malen.

**Kleckser:** → Kunstmaler, → Stümper.

**Kleckserei** → Kritzelei.

**Kledasche** → Kleidung.

**Kleeblatt** → Mannschaft.

**Kleeblattbogen** → Bogen.

**Kleeblattkreuz** → Kreuzzeichen.

**Kleefarn** → Farn.

**Kleiber** → Vogel.

¹**Kleid,** Damenkleid, Frauenkleid, Mädchenkleid, Kinderkleid, Schulkleid, Straßenkleid, Arbeitskleid, Laufkleid (*ugs.*), Tageskleid, Werktagskleid, Sonntagskleid, Alltagskleid, Feiertagskleid, Winterkleid, Frühjahrskleid, Sommerkleid, Strandkleid, Übergangskleid, Wollkleid, Seidenkleid, Baumwollkleid, Strickkleid, Jersey-

kleid, Hänger, Minikleid, Midikleid, Maxikleid, Mini (*ugs.*), Midi (*ugs.*), Maxi (*ugs.*), Hemdblusenkleid, Stilkleid, Empirekleid, Modellkleid, Fähnchen (*ugs.*), Kleidchen (*ugs.*), Fummel (*salopp*) · Kostüm, Komplet, Jackenkleid, Tailleur, Deux-pièces, Abendkleid, Abendrobe, Robe, Gewand, Gesellschaftskleid, Festkleid, Cocktailkleid, Tanzkleid, Ballkleid, Nachmittagskleid, Kaminkleid, Terrassenkleid, Hauskleid · Trachtenkleid, Dirndlkleid, Dirndl · *für einen Trauerfall:* Trauerkleid · *eines Täuflings:* Taufkleid · *einer Konfirmandin:* Konfirmationskleid · *einer Erstkommunikantin:* Kommunionkleid · *einer Braut:* Hochzeitskleid, Brautkleid · *für eine Schwangere:* Umstandskleid; → Anzug, → Kleidung, → Rock; → anziehen, → einkleiden.

²**Kleid:** → Anzug; -er → Kleidung; die -er wechseln → umziehen (sich); der -er berauben → ausziehen; aus den -ern fallen → schlank [werden]; nicht aus den -ern kommen → schlafen; in die -er fahren / steigen → anziehen.

**Kleidchen** → Kleid.

¹**kleiden:** etwas kleidet jmdn., etwas tragen können, etwas schmeichelt / steht jmdm. / paßt zu jmdm.; → harmonieren.

²**kleiden:** sich k. → anziehen; in Worte k. → formulieren.

**Kleiderablage** → Garderobe.

**Kleideraffe** → Affe.

**Kleiderausschnitt** → Ausschnitt.

**Kleiderbügel,** Bügel, Kleiderhaken (*landsch.*), Haken (*landsch.*) · *für die Hose:* Hosenspanner, Hosenbügel · *für die Herrengarderobe:* stummer Diener · *zusammenklappbarer:* Reisekleiderbügel, Reisebügel; → Garderobe.

**Kleiderhaken:** → Garderobe, → Kleiderbügel.

**Kleiderkasten** → Schrank.

**Kleidermacher:** → Schneider.

**Kleidermotte** → Schmetterling.

**Kleiderpuppe** → Schneiderpuppe.

**Kleiderrechen** → Garderobe.

**Kleiderrock** → Rock.

**Kleiderschrank:** → Riese, → Schrank.

**Kleiderständer** → Garderobe.

**kleidsam** → geschmackvoll.

**Kleidung,** Bekleidung, Kleidungsstück, Garderobe, Kleider, Gewandung, Aufzug (*abwertend*), Kluft, Sachen (*ugs.*), Klamotten (*ugs.*), Zeug (*salopp*), Kledasche (*salopp, abwertend*) · Habit, Ornat, Robe, Wichs, Tracht, Kostüm, Toilette, Zivil, Uniform, Wehrkleid (*schweiz.*), bunter Rock, Tenue (*schweiz.*), Montur (*ugs., scherzh.*), Adjustierung (*österr.*), Livree, Wams · Herrenkleidung, Damenkleidung, Kinderkleidung, Herrenbekleidung, Herrenoberbekleidung, Damenbekleidung, Damenoberbekleidung, Kinderbekleidung, Umstandskleidung · Arbeitskleidung, Berufskleidung · Trauerkleidung · Fertigkleidung, Konfektionskleidung, Kleidung von der Stange (*ugs.*) · *in der Freizeit getragene:* Räuberzivil (*scherzh.*), Freizeitkleidung · *vom Schneider angefertigte:* Maßkleidung ·· Oberbekleidung · *der Römer:* Toga ·· Unterbekleidung, Untergewand · *der alten Griechen:* Chiton · *der Römer:* Tunika; → Achselklappe, → Anorak, → Anzug, → Bluse, → Jacke, → Kleid, → Kostümierung, → Kreation, → Krinoline, → Kutte, → Mantel, → Maske, → Oberhemd, → Revers, → Rock, → Schürze, → Strumpf, → Trauerkleidung, → Unterhemd; → anziehen, → einkleiden, → schönmachen.

**kleidungslos** → nackt.

**Kleidungsstück** → Kleidung.

**Kleie,** Grüsch (*schweiz.*), Krüsch (*schweiz.*); → Getreide.

¹**klein,** winzig, fipsig (*ugs.*), zu kurz geraten (*scherzh.*), [herzlich] wenig, klitzeklein, kleinwinzig, kleinwuzig (*ugs., österr.*), lütt (*nordd.*), gering, murklig (*abwertend*), geringfügig, unerheblich, minimal, nicht nennenswert, unbedeutend, unbeträchtlich, lächerlich, nicht → geräumig; → bißchen, → unwichtig, → wenig · Ggs. →

groß; **von k. auf,** von Kindheit / Kindesbeinen an, seit frühester Jugend; → Kleinheit, → Stämmigkeit; → bagatellisieren.

²**klein:** → niedrig, → verzeihlich; -er Backenzahn → Zahn; Kleiner Bär → Sternbild; -e / -ere Brötchen backen → zurückstecken; -er Finger → Finger; etwas im -en Finger haben → firm [sein]; etwas mit dem -en Finger machen, das sind -e Fische, etwas ist für jmdn. ein Kleines → mühelos [schaffen]; -e Ferien → Ferien; Kleiner Fuchs → Schmetterling; Kleines Haus → Theatergebäude; der -e Herr / Mann → Penis; Kleiner Hund → Sternbild; -er Kerl → Junge; das ist nichts für -e Kinder → betreffen; -e Kuchen → Gebäck; Kleiner Löwe → Sternbild; der -e Mann → Durchschnittsbürger; einen -en Mann im Ohr haben → verrückt [sein]; -er Puls → Pulsschlag; eine Politik der -en Schritte anwenden → stufenweise [vorgehen]; Kleiner Wagen → Sternbild; -er Zeh → Zeh; ein [ganz] k. wenig → etwas; k. [und häßlich] werden → nachgeben; -er werden → schrumpfen; bei der Wäsche / beim Waschen -er werden → einlaufen; k. machen → urinieren; alles kurz und k. schlagen → zerstören; k. schreiben → schreiben; groß und k. → alle; ein kleines → etwas; etwas Kleines ist unterwegs → schwanger [sein]; das Kleinste → Minimum; bei -em → allmählich; bei -em, über ein -es → später; im -en → en détail; um ein -es → beinahe.

**Kleinbär:** → Bär, → Raubtier.

**Kleinbauer,** Zwergbauer, Kleinhäusler (*bes. österr.*), Keuschler (*österr.*); → Bauer.

**Kleinbetrieb** → Fabrik.

**Kleinbildkamera** → Fotoapparat.

**kleinbürgerlich** → engherzig.

**Kleinbürgertum** → Bürgertum.

**Kleine:** → Jüngste, → Mädchen; die -n → Kinder (die).

**Kleiner** → Jüngster.

**Kleines** → Kind.

**Kleinfilm** → Film.

**Kleinfingrigkeit** → Kleinwuchs.
**Kleingebäck** → Gebäck.
**Kleingeld:** → Geld, → Münze;
das nötige K. haben → reich
[sein].
**Kleingolf** → Minigolf.
**Kleinhandel** → Einzelhandel.
**Kleinhändler** → Einzelhändler.
**Kleinhäusler** → Kleinbauer.
**Kleinheit,** Knappheit, Beschränktheit, Begrenztheit, Gedrängtheit, Geringfügigkeit,
Kürze, Niedrigkeit; → Mangel;
→ klein.
**Kleinhirn** → Gehirn.
**Kleinhirnrinde** → Gehirnrinde.
¹**Kleinholz,** Brennholz, Spreißelholz (österr.); → Brennmaterial, → Holzsplitter.
²**Kleinholz:** K. machen → zerstören.
¹**Kleinigkeit,** Bagatelle, Lappalie, Läpperei (ugs.), Quisquilien (Plural), Kleinkram
(ugs., abwertend); → Nuance;
**etwas ist eine K.,** etwas ist
ein Kinderspiel; → mühelos;
**etwas ist keine K.,** etwas ist
schwierig / (ugs.) nicht so ohne /
nicht leicht.
²**Kleinigkeit:** → Imbiß; eine K.
→ etwas.
**Kleinigkeitskrämer** → Pedant.
**kleinkariert** → banausisch, →
engherzig.
**Kleinkind** → Kind.
**Kleinkinderbewahranstalt** →
Kindergarten.
**Kleinklima** → Klima.
**Kleinkram** → Kleinigkeit.
**Kleinkrieg:** → Kampf, →
Krieg.
**kleinkriegen:** → zermürben;
sich nicht k. lassen → Mut;
nicht kleinzukriegen sein →
besiegen.
**Kleinkunstbühne** → Kabarett.
**kleinlaut:** → verlegen; k.
werden → nachgeben.
**kleinlich:** → banausisch, →
engherzig.
**Kleinlichkeit** → Pedanterie.
**kleinmütig** → deprimiert.
**Kleinod** → Schmuck.
**Klein-Paris:** → Düsseldorf, →
Leipzig.
**kleinschreiben:** etwas wird
kleingeschrieben → selten
[sein].
**Kleinspecht** → Vogel.

**Kleinstaaterei** → Kirchturmpolitik.
**Kleinstadt** → Stadt.
**Kleinstädter** → Landbewohner.
**kleinstädtisch:** → engherzig, →
städtisch.
**Kleinstbildkamera** → Fotoapparat.
**Kleinste** → Jüngste.
**Kleinster** → Jüngster.
**Kleinstkind** → Kind.
¹**Kleinvieh,** Viehzeug (ugs.);
→ Geflügel, → Kaninchen, →
Schaf, → Ziege.
²**Kleinvieh:** K. macht auch
Mist → lohnend [sein].
**kleinweis** → allmählich.
**kleinwinzig** → klein.
**Kleinwohnung** → Wohnung.
**Kleinwuchs,** krankhafter Kleinwuchs, Zwergwuchs, Minderwuchs, Kümmerwuchs, Hyposomie, Mikrosomie, Mikrosomatie, Mikrosoma, Nanismus, Nanosomie, Nanosoma, Mikroplasie · der Gliedmaßen: Mikromelie, Nanomelie · der gipfelnden Körperteile (z. B. Nase,
Kinn, Extremitäten): Akromikrie, Mikroakrie · der Hände:
Mikrocheirie, Mikrochirie · der
Füße: Mikropodie · der Finger
oder Zehen: Mikrodaktylie,
Kleinfingrigkeit, Brachydaktylie · Kurzfingrigkeit · der
Nase: Mikrorhinie · der Ohren:
Mikrotie · der Lippen: Mikrocheilie · des Unterkiefers:
Brachygnathie, Mikrognathie,
Mikrogenie, Opisthogenie, Opisthognathie, Vogelgesicht ·· der
Geschlechtsorgane: Hypogenitalismus, Eunuchoidismus · der
weiblichen Brust: Mikromastie,
Hypomastie · Ggs. → Großwuchs.
**kleinwuzig** → klein.
**Kleister,** Bindemittel · Leim,
Klebstoff, Klebestoff, Kleber,
Alleskleber, Klebe (landsch.),
Papp (landsch.), Pick (ugs.,
österr.), Knochenleim, Tafelleim, Tischlerleim, Papierleim,
Lederleim, Malerleim, Tapetenleim, Büroleim, Holzleim, Kaltleim, Warmleim, Fischleim,
Harzleim, Kunstharzleim, Glutinleim, Dextrinleim, Gummiarabikum, Gummilösung · Kitt,
Porzellankitt, Marmorkitt,
Wachskitt, Eisenkitt, Fenster-

kitt, Glaserkitt, Mauerkitt,
Maurerkitt · Gips, Zement;
→ Beton, → Klebrigkeit; →
fest, → klebrig.
**kleisterig** → klebrig.
**kleistern** → kleben (etwas).
**kleistrig** → klebrig.
**Klementine** → Mandarine.
**Klemme:** → Strafanstalt; in
der K. sein → ratlos [sein];
in der K. sitzen → Not
[leiden].
**klemmen:** → quetschen, →
wegnehmen; sich dahinter k.
→ betreiben; sich etwas unter
den Arm geklemmt haben →
tragen.
**Klemmer** → Kneifer.
**Klempner** → Installateur.
**Klenner** → Eisbahn.
**klennern** → schlittern.
**Klepper** → Pferd.
**Kleptomanie** → Anankasmus.
**Kleptophobie** → Anankasmus.
**Kleriker** → Geistlicher.
**Klerisei** → Klerus.
**Klerus,** Geistlichkeit, geistlicher Stand, Priesterschaft,
Priesterstand, Klerisei (abwertend); → Beichtvater, →
Geistlicher, → Oberhaupt.
**Klette:** wie eine K. an jmdm.
hängen → lieben; wie -n aneinander hängen → unzertrennlich
[sein].
**Kletterer** → Bergsteiger.
**Kletterfarn** → Farn.
**Klettermaxe** → Dieb.
**Klettermelone** → Melone.
¹**klettern,** steigen, klimmen,
kraxeln (ugs.); → hinaufgehen.
²**klettern:** → avancieren, →
hinaufgehen, → ranken; das
ist, um auf die Bäume zu k.
→ unerträglich [sein]; abwärts /
bergab / bergabwärts / nach
unten k. → hinuntergehen; k.
auf → steigen (auf); auf die
Waage k. → Gewicht.
**Kletterpflanze,** Schlingpflanze,
Schlinggewächs, Rankengewächs, Liane; → Pflanze.
**Kletterrose** → Rose.
**Kletterstange** → Sportgerät.
**Klettertour** → Spaziergang.
**Kletze** → Obst.
**Kletzenbrot** → Früchtebrot.
**klicken** → Laut.
**Klicker:** → Murmel; K. spielen → murmeln.
**klickern** → murmeln.

klieben → spalten.

Klient → Kunde.

klieren → schreiben.

Kliff → Ufer.

¹Klima, Witterungslage, Landklima, Seeklima, Höhenklima · *mit starken Temperaturschwankungen oder Wind:* Reizklima · *räumlich begrenztes:* Kleinklima, Mikroklima · *eines größeren Gebietes:* Großklima, Makroklima; → Klimazone, → Wetter.

²Klima: → Stimmung, → Umwelt, → Wetter; feuchtgemäßigtes / warmes sommertrockenes / warmes wintertrockenes / winterfeuchtkaltes / wintertrockenkaltes K., tropische / warmgemäßigte Klimate → Klimazone.

Klimaanlage → Klimagerät.

Klimagerät, Klimaanlage, Airconditioning → Ventilator.

Klimagürtel → Klimazone.

Klimakterium, Wechseljahre, Klimax, kritisches Alter, kritische Jahre.

Klimatotherapeutik → Aerotherapie.

Klimatotherapie → Aerotherapie.

Klimax: → Klimakterium, → Steigerung.

Klimazone, Klimagürtel ·· tropische Klimate · tropisches Regenwaldklima · Savannenklima ·· Trockenklimate · Wüstenklima · Steppenklima ·· warmgemäßigte Klimate · warmes wintertrockenes Klima · warmes sommertrockenes Klima · feuchtgemäßigtes Klima · Schneeklimate · winterfeuchtkaltes Klima · wintertrockenkaltes Klima ·· Eisklimate · Tundrenklima · Frostklima; → Klima, → Wetter.

klimmen: → klettern; k. auf → steigen (auf).

Klimperkasten → Tasteninstrument.

klimpern: → klappern, → musizieren.

Klinge: die -n kreuzen → erörtern; jmdn. über die K. springen lassen → entlassen.

Klingel → Glocke.

klingeln: → läuten; das Klingeln → Gebimmel.

klingen: → schallen; in -der Münze → bar; in -de Münze

umsetzen → verkaufen; etwas klingt wie Musik in jmds. Ohren → erfreulich [sein].

Klinik: [medizinische / orthopädische / psychosomatische / sozialpsychiatrische / städtische K.] → Krankenhaus.

Kliniker → Arzt.

klinisch → stationär.

Klinke: → Griff, → Türklinke; -n putzen → betteln.

Klinkenputzer: → Armer, → Bettler, → Handelsvertreter.

Klinker → Ziegelstein.

Klinkerstein → Ziegelstein.

Klinomobil → Unfallwagen.

Klinsch → Gebäck.

klinschig → gar.

Klio → Muse.

klipp: k. und klar → klar.

Klippe → Insel.

Klippenküste → Ufer.

Klippschule → Schule.

klirren → klappern.

Klischee: → Nachahmung, → Reproduktion.

klischieren → vervielfältigen.

Klistier → Einlauf.

Klitoris, Kitzler; → Genitalien.

Klitsch → Gebäck.

Klitsche → Bauernhof.

klitschig → gar.

Klitterung → Mischung.

klitzeklein → klein.

Klo → Toilette.

Klobasse → Würstchen.

Klobben → Garbenstand.

Klöben → Brot.

klobig → plump.

klönen → unterhalten (sich).

Klönschnack: einen K. halten → unterhalten (sich).

¹klopfen, schlagen, pochen, hämmern.

²klopfen: jmdm. auf die Finger k. → schelten; auf Holz k. → beschreien; k. in → einrammen.

Klopfer: einen K. haben → verrückt [sein].

Klopfsprache → Zeichensprache.

Klopfung → Massage.

Klöppelarbeit → Handarbeit.

Klöppelei → Handarbeit.

klöppeln → handarbeiten.

Klöppelspitze → Spitzenstickerei.

kloppen: sich k. → schlagen; auf den Kopf k. → verschwenden.

Klops → Fleischkloß.

Klosett → Toilette.

¹Kloß (*nordd., mitteld.*), Knödel (*oberd.*), Kartoffelkloß, Erdäpfelknödel (*österr.*), Leberkloß, Fleischklößchen, Markklößchen, Grießkloß, Hefekloß, Semmelkloß, Semmelknödel, Marillenknödel (*österr.*), Zwetchkenknödel (*österr.*) · *besonders zubereiteter aus Kartoffeln:* Kroketten, Pommes dauphine, Mandelkartoffeln; → Fleischkloß, → Kartoffeln, → Teig.

²Kloß: einen K. im Hals / in der Kehle haben → heiser [sein]; einen K. im Mund haben → sprechen.

Kloßbrühe: klar wie K. sein → klar [sein].

¹Kloster, Abtei, Stift, Konvent; → Einsamkeit, → Einsiedelei.

²Kloster: → Toilette; ins K. gehen → abkapseln (sich), → Mönch [werden], → Nonne [werden].

Klosterbruder → Mönch.

Klosterburg → Burg.

Klosterfrau → Nonne.

Klostergewölbe → Gewölbe.

Klosterkirche → Gotteshaus.

Klosterschwester → Nonne.

Klöten → Hoden.

Klotho → Schicksalsgöttin.

Klotz: → Block; jmdm. ein K. am Bein sein ·· Last; von den Klötzen sein → überrascht [sein].

Klotzbeute → Bienenstock.

klotzen → Fußballspiel.

Klub → Vereinigung.

Klubjacke → Jacke.

Klubsessel → Sessel.

Klucker → Murmel.

Kluft: → Abgrund, → Kleidung.

¹klug, gescheit, verständig, vernünftig, umsichtig, intelligent, betamt (*jidd.*), scharfsinnig, aufgeweckt, nicht → dumm; → aufgeklärt, → begabt, → behutsam, → geistreich, → ruhig, → scharfsinnig, → schlau, → stichhaltig, → umsichtig, → weitblickend; k. sein, Köpfchen haben (*ugs.*), Grütze im Kopf haben (*ugs.*); → Begabung, → Bildung, → Intellektueller.

²klug: -er Kopf → Talent; durch Schaden wird man k. →

ernüchtern; nicht k. werden aus jmdm. / etwas → verstehen.

**¹Klugheit,** Findigkeit, Schlauheit, Tam (*jidd.*), Verschmitztheit, Mutterwitz, gesunder Menschenverstand, Common sense, Gewitztheit, Bauernschläue, Geschäftstüchtigkeit, Cleverness, Gerissenheit (*ugs.*); → Begabung, → Geschäftssinn, → List, → Scharfsinn, → Schlaukopf, → Vernunft; → schlau.

**²Klugheit:** → Begabung, → Vernunft.

**Klugscheißer** → Besserwisser.

**Klugscheißerei** → Wichtigtuerei.

**Klugschnacker** → Besserwisser.

**Klugschnackerei** → Wichtigtuerei.

**Klümpchen** → Bonbon.

**Klumpen,** Stück, Brocken, Batzen (*ugs.*), Trumm (*ugs., südd., österr.*); → Block.

**Klumpert** → Kram.

**Klumpfuß:** → Fuß, → Fußdeformität.

**Klüngel** → Clique.

**Klunker** → Quaste.

**Kluppe** → Wäscheklammer.

**Klus** → Schlucht.

**Klysma** → Einlauf.

**knabbern:** → essen, → kauen.

**Knabe** → Junge.

**Knabenalt** → Singstimme.

**Knabenchor** → Chor.

**knabenhaft** → jugendlich.

**Knabenkraut** → Orchidee.

**Knabenliebe** → Homotropie.

**Knabenschänder:** → Homosexueller, → Kinderschänder.

**Knabensopran** → Singstimme.

**Knabenstimme** → Singstimme.

**Knäckebrot** → Brot.

**knacken:** → öffnen, → rascheln.

**Knacker:** → Würstchen; alter K. → Greis.

**-knacker** → Dieb.

**Knacks:** einen K. haben → verrückt [sein].

**Knackwurst** → Würstchen.

**Knäkente** → Vogel.

**Knall:** K. und Fall → plötzlich; einen K. haben → verrückt [sein]; es gibt einen K. → krachen.

**knall-:** → erz-.

**Knallbonbon** → Feuerwerkskörper.

**Knalleffekt** → Pointe.

**knallen:** → fallen, → koitieren, → krachen, → schießen; gleich knallt es [im Karton]! → aufhören; jmdm. eine [in die Fresse] / einen vor den Latz k. →schlagen; k. auf → zusammenstoßen.

**knalleng** → eng.

**Knallerbse** → Feuerwerkskörper.

**Knallerei** → Schußwechsel.

**Knallfrosch** → Feuerwerkskörper.

**Knallgas** → Gas.

**Knallhitze** → Wärme.

**Knallhütte** → Bordell.

**knallig** → bunt.

**Knallkopp** → Dummkopf.

**Knallkörper** → Feuerwerkskörper.

**knallrot** → rot.

**Knallschote** → Ohrfeige.

**knapp:** → beinahe, → eng, → karg, → kurz; mit -er Not → kaum; in -en Zügen → kurz; k. bei Kasse sein → arm [sein]; nicht zu k. → gehörig.

**Knappe** → Bergmann.

**knapphalten** → einschränken.

**Knappheit:** → Armut, → Kleinheit.

**knapsen** → sparen.

**Knarre** → Schußwaffe.

**¹knarren,** schnarren, knattern; → krachen; → Laut.

**²knarren:** [-d sprechen] → sprechen.

**knarzen:** [-d sprechen] → sprechen.

**Knast:** → Strafanstalt; K. schieben → abbüßen.

**Knaster** → Tabak.

**Knastologe** → Gefangener.

**Knatsch** → Streit.

**Knattercharge** → Schauspieler.

**Knattermime** → Schauspieler.

**knattern:** → flattern, → knarren, → krachen.

**knauen** → bitten.

**Knauf** → Griff.

**Knaus** → Brotende.

**Knauser** → Geizhals.

**Knauserei** → Geiz.

**knauserig** → geizig.

**knausern** → sparen.

**knautschen:** → zerknittern; geknautscht → zerknittert.

**knautschig** → zerknittert.

**Knautschlackmantel** → Mantel.

**Knebelbart** → Bart.

**knebeln** → unterdrücken.

**Knebelung** → Unfreiheit.

**¹Knecht,** Stallknecht, Feldarbeiter, Landarbeiter; → Diener, → Melker, → Personal · Ggs. → Magd.

**²Knecht:** K. Ruprecht → Weihnachtsmann.

**knechten:** → unterdrücken; geknechtet → unterdrückt.

**knechtisch** → unterwürfig.

**Knecht Ruprecht,** Pulterklas (*nordd.*), Zwarte Pitt (*niederl.*), Klas Bur (*westfäl.*), Hans Muff (*mittelrhein.*), Hans Trapp (*pfälz.*), Belz[e]nickel (*pfälz.*), Belzernickel (*pfälz.*), Benzenikkel (*pfälz.*), Pelz[e]nickel (*pfälz.*), Krampus (*österr.*), Wubartl (*österr.*), Bartl (*österr.*); → Nikolaus, → Weihnachtsmann.

**Knechtung** → Unfreiheit.

**¹kneifen,** zwicken, zwacken, petzen (*landsch.*); → stechen.

**²kneifen** → entziehen (sich).

**Kneifer,** Klemme, Zwicker, Pincenez; → Brille, → Einglas.

**Kneifzange,** Zange, Beißzange; → Handwerkszeug, → Rüstzeug.

**Kneipe** → Gaststätte.

**kneipen** → trinken.

**Kneipenwirt** → Wirt.

**Kneiperei** → Trinkgelage.

**Kneipier** → Wirt.

**Kneipgelage** → Trinkgelage.

**Kneippbad** → Badeort.

**Kneippkur** → Hydrotherapie.

**Kneippkurort** → Kurort.

**kneisen:** → bemerken, → merken.

**kneisten** → blinzeln.

**Knesset** → Volksvertretung.

**Knesseth** → Volksvertretung.

**kneten:** → anfertigen, → massieren, → mischen, → quetschen.

**Knetteig** → Teig.

**Knetung** → Massage.

**Knick:** → Falte, → Zaun; einen K. im Auge / in der Optik haben → blicken.

**knicken:** → falten, → sparen.

**Knicker:** → Geizhals, → Murmel.

**Knickerbocker** → Hose.

**knickerig** → geizig.

**Knickfuß:** → Fuß, → Fußdeformität.

**Knickgiebel** → Giebel.

Knick-Hacken-Fuß → Fußdeformität.
knickig → geizig.
knickrig → geizig.
Knickrigkeit → Geiz.
[1]Knicks, Hofknicks; → Verbeugung; → begrüßen, → knicksen, → verneigen (sich).
[2]Knicks: einen K. machen → knicksen.
knicksen, einen Knicks / Hofknicks machen; → begrüßen, → verneigen (sich); → Knicks, → Verbeugung.
Knickstiebel: → Geizhals; ein K. sein → geizig [sein].
knickstiebelig → geizig.
Knie: jmdm. kommt das K. durchs Haar → Glatze; auf die K. fallen → beten, → knien; auf den -n liegen, sich auf die K. werfen → knien; in die K. gehen → nachgeben; in den -n weich werden → Angst [bekommen]; jmdn. in die K. zwingen → besiegen; übers K. brechen → übereilen; jmdn. übers K. legen → schlagen.
Knieaufschwung → Turnübung.
kniefällig → unterwürfig.
Kniegeige → Streichinstrument.
Kniegelenk → Gelenk.
Kniegelenkrheumatismus → Arthritis.
Kniegicht → Arthritis.
kniehoch → niedrig.
Kniehose → Hose.
Kniekitzler → Unterhose.
Knielage → Kindslage.
[1]knien, niederknien, sich hinknien / auf die Knie werfen, auf die Knie fallen, auf den Knien liegen, sich niederwerfen, niederfallen, sich auf den Boden / auf die Erde / jmdm. zu Füßen werfen; → sitzen.
[2]knien: jmdm. auf der Seele k. → bitten.
Knieper → Hirsch.
kniepig → geizig.
Knies → Streit.
Kniescheibenreflex → Reflex.
Kniestrumpf → Strumpf.
Kniestück → Bildnis.
knietief → seicht.
Knieumschwung → Turnübung.
Kniewelle → Turnübung.
Kniff: → Falte, → Trick.

kniffen → falten.
knifflig → schwierig.
knipsen: → entwerten (Fahrschein), → fotografieren.
Knirps: → Kind, → Schirm, → Zwerg.
knirschen → rascheln.
knistern: → rascheln; es knistert im Gebälk → ernst [sein]; das Knistern → Geräusch.
Knittelvers → Vers.
knitterig → faltig.
Knitterigkeit → Zerfurchtheit.
knittern → zerknittern.
knittrig: → faltig, → zerknittert.
Knobel → Würfel.
Knobelbecher → Schuh.
knobeln: → denken, → würfeln; das Knobeln → Glücksspiel.
[1]Knoblauch, Judenlauch (landsch.), Juddezeh (landsch., abwertend), Judenvanilli (österr., scherzh.), Knofel (ugs., österr.); → Küchengewürz.
[2]Knoblauch: → Gemüse, → Küchengewürz.
Knoblauchkröte → Frosch.
Knoblauchschwindling → Ständerpilz.
Knöchel → Würfel.
knöcheln: → würfeln; das Knöcheln → Glücksspiel.
knöcheltief → seicht.
[1]Knochen, Bein (oberd.), Knorpel, Rippenknochen, Rippe · des Fischs: Gräte · als Speise, zum Abnagen: Knöchle (schwäb.), Gnagi (schweiz.); → Wirbelknochen, → Wirbelsäule.
[2]Knochen: → Gebeine; nur noch Haut und K. sein → schlank [sein]; jmdm. das Mark aus den K. saugen → ausbeuten; kein Mark / keinen Mumm in den K. haben → kraftlos [sein].
Knochenbruch, Bruch, Fraktur · ohne Verlagerung: Knochenriß, Infraktion, Fissur; → Krankheit, → Verletzung.
Knochenerweichung, Osteomalazie; → Rachitis.
Knochengerüst, Skelett, Skelet (Med.), Gerippe; → Gebeine, → Rückgrat.
knochenhart → fest.
Knochenhauer → Fleischer.
Knochenhecht → Fisch.
Knochenleim → Bindemittel.

Knochenmann → Tod.
Knochenriß → Knochenbruch.
Knochenschinken → Schinken.
knochentrocken → trocken.
knochig → schlank.
Knöchle → Knochen.
Knödel → Kloß.
knödeln: → Fußballspiel, → singen.
Knödeltenor → Sänger.
Knödler → Sänger.
Knofel → Knoblauch.
Knolle → Zwiebel.
Knollen: → Hautblüte, → Strafzettel.
Knollenblätterpilz: Gelber / Grüner / Weißer K. → Ständerpilz.
Knollennase → Nase.
Knopf: → Knoten; Knöpfe → Geld; etwas steht auf Spitz und K. → ungewiß [sein].
Knöpflesschwabe → Schwabe.
Knöpfli → Teigwaren.
knorke → trefflich.
Knorpel → Knochen.
Knorpelkirsche → Obst.
knorrig, knorzig (landsch.), knubbelig (landsch.); → fest.
Knorz → Anstrengung.
Knörzel → Brotende.
knorzen → sparen.
knorzig → knorrig.
Knösel → Tabakspfeife.
Knospe: → Brustwarze; -n treiben → sprießen.
knospen → sprießen.
Knospenkapitell → Kapitell.
knoten → binden.
[1]Knoten, Knopf (österr.), Verknüpfung · Archivknoten · Weberknoten, Tuchmacherknoten, Kreuzknoten, Reffknoten · Achtknoten, Achterknoten · Weiberknoten, falscher Reffknoten · Seemannsknoten, Schifferknoten · Slipstek (Seemannsspr.), Schlippstek (Seemannsspr.) · Palstek (Seemannsspr.), Pahlstek (Seemannsspr.) · Schotenstek (Seemannsspr.) · Webleinstek (Seemannsspr.) · Fallreepsknoten · Rundtörn (Seemannsspr.) · Überhandknoten · Zimmermannsstek; → Schlinge; → binden.
[2]Knoten: → Dutt, → Hautblüte, → Längenmaß; den gordischen K. durchhauen → Lösung.

Knotenfuß → Liliengewächs.

Knotenperücke → Perücke.

Knotenpunkt → Mittelpunkt.

Knotenstock → Spazierstock.

Know-how → Erfahrung.

knubbelig: → dick, → knorrig.

knuddeln → umfassen.

knudeln → umfassen.

knuffen → schlagen.

knüllen → zerknittern.

Knüpfarbeit → Handarbeit.

knüpfen: → binden, → handarbeiten.

Knüpfspitze → Spitzenstickerei.

Knüppel: → Brötchen, → Steuer, → Stock; jmdm. K. / einen K. zwischen die Beine werfen → einschränken.

knüppeldick: → reichlich; k. voll → voll.

knüppeldicke: k. voll → voll.

Knüppler → Fußballspieler.

knurren: → bellen; jmdm. knurrt der Magen → Hunger [haben].

Knurrhahn → Griesgram.

knusperig → knusprig.

¹knusprig, knusperig, kroß (niederd.), krosch (niederd.), rösch (landsch.), resch (österr.); → appetitlich, → fest.

²knusprig → adrett.

Knust → Brotende.

Knute: → Peitsche; unter jmds. K. stehen → unterdrückt [werden].

Knutsche → Beule.

knutschen → küssen.

Knutt → Vogel.

Knüttel → Stock.

k. o.: k. o. gehen → besiegen; k. o. sein → erschöpft [sein].

Koagulum → Blut.

koalieren → verbünden (sich).

Koalition: → Bund; eine K. eingehen → verbünden (sich).

Koalitionsregierung → Regierung.

kobaltblau → blau.

Kobel → Stall.

Koben → Stall.

kobern → koitieren.

København → Kopenhagen.

Kobold → Zwerg.

koboldartig → gespenstisch.

koboldhaft → gespenstisch.

Kobolz: K. schießen → Purzelbaum [schlagen].

Kobra → Schlange.

¹Koch, Chefkoch, Küchenchef, Küchenbulle (ugs., scherzh.), Gastronom · auf dem Schiff: Schiffskoch, Smutje (Seemannsspr., scherzh.) · weiblicher: Köchin, Beiköchin, Kochfrau, Kaltmamsell, kalte Mamsell, Küchenfee (scherzh.), Küchendragoner (scherzh.), Kuchelgrazie (österr., scherzh.), Kaffeeköchin, Diätköchin; → Feldküche.

²Koch → Brei.

kochecht, waschecht, kochfest (schweiz.); → farbecht.

¹kochen, das Essen zubereiten, Essen machen (ugs.), richten, bereiten, rüsten (schweiz.), anrichten, anmachen; → braten, → garnieren, → würzen; → Kochrezept, → Küche.

²kochen: → brodeln, → sieden; die -de Volksseele → Erregung; mit -dem Wasser übergießen → blanchieren; gar / weich k. → sieden; gekochter Schinken → Schinken; es wird nichts so heiß gegessen, wie es gekocht wird → abwarten; die Hasen k. [wieder] → nebeln; sein Süppchen am Feuer anderer k. → bereichern (sich); zum Kochen bringen / kommen lassen → sieden.

Kocher → Herd.

kochfest → kochecht.

Kochfleisch → Fleisch.

Kochfrau → Koch.

Kochherd → Herd.

Köchin → Koch.

Kochlöffel → Löffel.

Kochmandl → Pfifferling.

Kochmändl → Pfifferling.

Kochnische → Küche.

Kochplatte → Herd.

Kochrezept, Backrezept, Originalrezept, Familienrezept, Rezept, Kochvorschrift, Backvorschrift; → kochen.

Kochsalz → Salz.

Kochtopf, Topf, Kessel, Suppentopf, Kasserolle, Schmortopf, Bräter (landsch.), Hafen (landsch.), Häfen (österr.), Rein (südd., österr.), Reindl (südd., österr.), Tiegel; → Behälter, → Bratpfanne.

Kochvorschrift → Kochrezept.

kodderig: jmdm. ist / wird k. → unwohl.

Kodderschnauze → Mund.

koddrig: jmdm. ist / wird k. → unwohl.

Kodeinismus: → Opiumvergiftung, → Sucht.

Kodeinomanie → Opiumvergiftung.

Kodeinsucht: → Opiumvergiftung, → Sucht.

Kodeinvergiftung → Opiumvergiftung.

Köder, Lockvogel, Lockmittel, Anziehungspunkt, Magnet, Blickfang; → Anziehungskraft, → Glanzpunkt, → Reiz.

ködern → verleiten.

kodieren → chiffrieren.

kodifizieren → buchen.

Kodifizierung → Sammlung.

Koedukation → Erziehung.

Kofel → Gipfel.

Koffein, Coffein · in Teeblättern enthaltenes: Tein, Thein; → Koffeinvergiftung.

Koffeinismus → Koffeinvergiftung.

Koffeinsucht → Koffeinvergiftung.

Koffeinvergiftung, Koffeinismus, Kaffeinismus (selten), Koffeinsucht, Teinvergiftung, Theinvergiftung, Teinismus (selten), Theinismus (selten); → Koffein, → Nikotinvergiftung, → Vergiftung.

Koffer: → Gepäck; seine K. packen müssen → entlassen [werden]; aus dem K. leben → unterwegs.

Kofferkuli → Wagen.

Kofferradio → Radio.

Kogel → Gipfel.

Kogge → Kriegsschiff.

Kognak → Weinbrand.

Kohabitation → Koitus.

Kohäsion, Zusammenhalt, Haltekraft, Bindekraft, Zähigkeit; → Adhäsion, → Klebrigkeit, → Verklebung.

¹Kohl (nordd.), Weißkohl (bes. nordd.), Weißkraut (bes. oberd.), Kraut (bes. oberd.), Weißer Kappes (westd.), Weißkabis (schweiz.), Kabis (schweiz.), Kelch (wiener.); → Blumenkohl, → Gemüse, → Grünkohl, → Kohlkopf, → Kohlrabi, → Rotkohl, → Sauerkraut.

²Kohl: → Unsinn, → Wirsing; das ist aufgewärmter K. → langweilig [sein]; seinen K.

bauen → leben; das macht den K. nicht fett → nutzlos [sein], → wirkungslos [sein].

**Kohldampf:** → Hunger; K. schieben → Hunger [haben].

**¹Kohle,** Steinkohle, Mineralkohle, Anthrazit, Braunkohle, Holzkohle · Preßkohle, Brikett, Preßling, Eierkohle, Eier (*ugs.*), Nußkohle, Koks; → Brennmaterial; → heizen.

**²Kohle:** -n → Geld; glühende -n auf jmds. Haupt sammeln → beschämen; wie auf glühenden -n sitzen → warten.

**kohlen** → lügen.

**Kohlendioxyd** → Gas.

**Kohlenfeuer** → Feuer.

**Kohlengas** → Gas.

**Kohlenherd** → Herd.

**Kohlenlunge** → Staublungenerkrankung.

**Kohlenmonoxyd** → Gas.

**Kohlenoxyd:** → Gas, → Gift.

**Kohlenstaublunge** → Staublungenerkrankung.

**Kohlenwasserstoff** → Gas.

**Kohlepapier,** Pauspapier, Karbonpapier (*selten, österr.*); → Abschrift, → Schreibpapier.

**Köhlerglaube** → Aberglaube.

**Kohleule** → Schmetterling.

**Kohlfuchs** → Fuchs.

**Kohlgemüse** → Gemüse.

**¹Kohlkopf** (*nordd.*), Krautkopf (*oberd.*), Krauthäuptel (*österr.*), Kopf, Häuptel (*österr.*); → Gemüse, → Kohl.

**²Kohlkopf** → Dummkopf.

**Kohlmeise** → Vogel.

**kohlpechrabenschwarz** → schwarz.

**Kohlportulak** → Gemüse.

**kohlrabenschwarz:** → schwarz, → schwarzhaarig.

**Kohlrabi,** Kohlrübe (*selten*), Rüb[en]kohl (*schweiz.*); → Gemüse, → Kohl, → Kohlrübe.

**¹Kohlrübe,** Steckrübe, Wruke (*nordd.*); → Gemüse, → Kohlrabi, → Mohrrübe, → Salatrübe.

**²Kohlrübe** → Kohlrabi.

**Kohlschabe** → Schmetterling.

**kohlschwarz:** → schwarz, → schwarzhaarig.

**Kohlsprossen** → Rosenkohl.

**Kohlsuppe** → Suppe.

**Kohlweißling** → Schmetterling.

**Koilonychie** → Nagelkrankheit.

**Koine** → Ausdrucksweise.

**Koinzidenz** → Zusammenfall.

**koitieren,** begatten, kopulieren, [eine Frau] beschlafen, mit jmdm. schlafen [gehen], mit jmdm. ins Bett gehen / (*ugs.*) steigen, mit jmdm. zusammensein, Verkehr / Geschlechtsverkehr / intime Beziehungen haben, den Akt vollziehen, mit jmdm. intim werden, die ehelichen Pflichten erfüllen, beiwohnen, erkennen (*bibl.*), mit jmdm. auf die Stube / (*salopp*) Bude gehen, jmdn. abschleppen, sich lieben, sich hingeben / schenken, einander gehören, verschmelzen, eins werden, der Stimme der Natur folgen, dem Trieb nachgeben, jmdm. seine Gunst schenken, [eine Frau] befriedigen, ein Abenteuer mit jmdm. haben, es mit jmdm. treiben / haben / (*ugs.*) machen, sich mit jmdm. abgeben / einlassen, sündigen, jmdm. zu Willen sein, jmdn. ranlassen (*derb*), sich jmdn. nehmen / (*salopp*) hernehmen / (*salopp*) vornehmen, maßnehmen (*salopp*), jmdn. vernaschen (*salopp*), stoßen (*vulgär*), bürsten (*vulgär*), pimpern (*vulgär*), aufschnallen (*derb*), aufs Kreuz legen (*salopp*), umlegen (*derb*), umbiegen (*derb*), pudern (*derb*), mausen (*derb*), einen wegstecken (*vulgär*), in die Muschel rotzen (*vulgär*), die Sichel putzen (*vulgär*), knallen (*vulgär*), Nummer schieben / machen (*vulgär*), poppen (*derb*), geigen (*derb*), bumsen (*vulgär*), orgeln (*derb*), hopsen (*derb*), ficken (*vulgär*), vögeln (*vulgär*), huren (*abwertend*) · *durch Einführen des männlichen Gliedes in den Mund:* fellieren, blasen, französisch lieben · *zum ersten Mal:* die Unschuld verlieren · *als Dirne:* kobern · *von Tieren:* sich paaren / verpaaren, decken (Rind, Hund u.a.), bespringen (Rind u.a.), beschälen (Pferd), belegen (Rind, Hund u.a), besteigen (Rind, Hund, Katze, Ratte u.a.), aufreiten (Rind, Hund, Katze, Ratte u.a.), beschlagen (Rehbock u.a.), bedecken (Hund), treten (Huhn, Gans), ranzen (Wolf, Fuchs u.a.), rollen (Fuchs), begehren (Luchs, Katze), rammeln (Hase, Kaninchen); → befruchten, → deflorieren; → fortpflanzen (sich), → gebären, → lieben, → schwängern, → verleiten; → schwanger; → Geschlechtskrankheit, → Koitus, → Samenerguß · Ggs. → verweigern (sich jmdm.).

**Koitus,** Beischlaf, Beilager, [ehelicher] Akt, Geschlechtsakt, Geschlechtsverkehr, Hurerei (*abwertend*), Verkehr, Intimverkehr, Intimität, intime Beziehungen, Hingabe, Vereinigung, Kohabitation, Kopulation, Kongressus, Beiwohnung, Liebesvollzug, Vollzug, Schäferstündchen, Nahkampf (*salopp*), Fick (*vulgär*) · *mit verschiedenen Partnern:* Bäumchenwechseln (*scherzh.*), Promiskuität · *unterbrochener:* Koitus interruptus, Aufpassen · *verhaltener:* Karezza, Koitus reservatus ·· *französisch, durch Lecken am äußeren Genitale der Frau:* Kunnilingus, Cunnilingus · *durch Einführen des männlichen Gliedes in den Mund der Partnerin:* Fellatio, Mundverkehr ·· *griechisch:* Analverkehr, Arschfick (*vulgär*) · *mit mehreren gemeinsam:* Gruppensex, Partnertausch · *bei Tieren:* Paarung, Begattung, Kopula, Balz (*Federwild*); → Befruchtung, → Beischläfer, → Fortpflanzung, → Genitalien, → Geschlechtskrankheiten, → Leidenschaft, → Liebesspiel, → Perversität, → Prostitution, → Schwangerschaft, → Vergewaltigung, → Vermählung; → deflorieren, → koitieren, → schwängern, → vergewaltigen; → schwanger.

**Koje** → Bett.

**Kokain** → Rauschgift.

**Kokainismus:** → Kokainvergiftung, → Sucht.

**Kokainomanie** → Kokainvergiftung.

**Kokainsucht:** → Kokainvergiftung, → Sucht.

**Kokainvergiftung,** Kokainismus, Kokainsucht, Kokainomanie; → Aufputschmittel, → Beruhigungsmittel, → Opiumvergiftung, → Rauschgift, → Rauschgiftsüchtiger, → Sucht, → Vergiftung.

Kokarde → Abzeichen.
kokeln → anzünden.
kokett → eitel.
Koketterie → Gefallsucht.
¹kokettieren (mit etwas), prunken mit etwas, sich gefallen in, sich in seiner Rolle gefallen · *mit seinem Wissen:* mit gelehrten Brocken um sich werfen; → dünkelhaft, → protzig; → Übertreibung.
²kokettieren: → flirten, → prahlen.
Kokolores → Unsinn.
Kokosbusserl → Gebäck.
Kokosette → Kokosflocken.
Kokosfett → Fett.
Kokosflocken, Kokosraspel, Kokosnuß, Kokosette (*österr.*).
Kokosnuß → Kokosflocken.
Kokospalme → Palme.
Kokosraspel → Kokosflocken.
Kokotte → Prostituierte.
Koks: → Geld, → Kohle, → Kopfbedeckung, → Rauschgift.
koksen → schlafen.
Kokser → Rauschgiftsüchtiger.
Kolatsche → Gebäck.
Kolben: → Blütenstand, → Penis, → Tabakspfeife.
Kolbenente → Vogel.
Kolbenhalter → Schreibstift.
Kolbenschimmel → Schlauchpilz.
Kolchos → Produktionsgenossenschaft.
Kolchose → Produktionsgenossenschaft.
Kolik, Leibschmerzen, Leibweh, Magendrücken, Bauchschmerzen (*ugs.*), Bauchweh (*ugs., landsch.*), Bauchgrimmen (*ugs.*); → Krankheit, → Leid.
Kolkrabe → Vogel.
kollabeszieren → hinfällig [werden].
kollabieren → ohnmächtig [werden].
Kollaborateur, Verräter, Quisling (Norwegen), Pfeilkreuzler (Ungarn); → Nationalsozialist, → Verräter · Ggs. → Gegner.
Kollaps → Anfall.
Kollapstemperatur → Untertemperatur.
Kollar → Kragen.
Kollation → Kontrolle.
kollationieren: → kontrollieren, → vergleichen.
Kollaudation → Kontrolle.

kollaudieren → kontrollieren.
Kollaudierung → Kontrolle.
Kolleg: → Rede, → Unterricht.
Kollega → Kollege.
Kollege, Mitarbeiter, Fachgenosse, Fachkollege, Berufskollege, Berufsgenosse, Betriebskollege, Arbeitskollege, Arbeitskamerad, Kumpel · *unter Geistlichen:* Amtsbruder, Konfrater (*kath.*) · *als scherzhafte Anrede:* Kollega; → Arbeitnehmer, → Freund, → Komplice, → Mitarbeit, → Mitglied, → Teilhaber.
Kollegheft → Heft.
kollegial → freundschaftlich.
Kollegiatkirche → Gotteshaus.
Kollegienkirche → Gotteshaus.
Kollegium → Mannschaft.
Kollegmappe → Schultasche.
Kollegtasche → Schultasche.
Kollekte, Sammlung, Spendenaktion, Opfer; → Beitrag.
Kollektion: → Auswahl, → Sortiment.
Kollektiv: → Mannschaft, → Produktionsgenossenschaft.
Kollektivarbeit → Arbeit.
Kollektivierung → Enteignung.
Kollektur → Annahmestelle.
Koller: → Kragen, → Wutanfall.
kollern: → krächzen, → rumoren.
Kolli → Packen.
kollidieren → zusammenstoßen.
Kollier → Halskette.
Kollision: → Havarie, → Zusammenstoß.
Kollo → Packen.
Kolloquium: → Gespräch, → Prüfung.
Kollusion → Abmachung.
Köln, Köln am Rhein, Colonia Agrippina (*hist.*); → Stadt.
kölnisch: k. sprechen → Mundart [sprechen]; Kölnisch Wasser → Parfum.
Kolon → Darm.
Kolonel → Schriftgrad.
Koloniakübel → Abfalleimer.
Kolonialwarenhändler → Kaufmann.
Kolonialwarenhandlung → Laden.
Kolonist → Einwanderer.
Kolonne: → Säule; [die fünfte K.] → Abteilung; K. fahren → fahren.

Koloptose → Eingeweidesenkung.
Koloraturalt → Sängerin.
Koloratursopran → Sängerin.
Kolorierung → Farbe.
Kolorit → Farbe.
Koloß → Riese.
kolossal → gewaltig.
Kolossalfilm → Kinofilm.
kolossalisch → gewaltig.
Kolossalschinken → Kinofilm.
Kolportageroman → Roman.
kolportieren → mitteilen.
Kolposkopie → Ausspiegelung.
kolumbianisch: -er Peso → Zahlungsmittel.
Kolumbus: das Ei des K. → Lösung.
Kolumne: → Rubrik, → Zeitungsartikel.
Kolumnist → Berichter.
Köm → Alkohol.
Koma → Bewußtlosigkeit.
kombattant → streitbar.
Kombattant → Kämpfer.
Kombi → Auto.
Kombinat → Produktionsgenossenschaft.
Kombination: → Anzug, → Synthese; dreifache / zweifache K. → Hindernis.
Kombinationsgabe → Scharfsinn.
Kombinatorik → Mathematik.
Kombiwagen → Auto.
Kombustion → Verletzung.
Komestibilien: → Feinkost, → Lebensmittel.
Komet, Sternschnuppe, Schweifstern, Haarstern, Irrstern; → Planet.
Komfort → Bequemlichkeit.
komfortabel → behaglich.
Komik, Lächerlichkeit, Lachhaftigkeit, Drolligkeit, Drolerie (*veraltend*); → lächerlich.
komisch: → lächerlich, → seltsam, → spaßig.
Komitee → Ausschuß.
Komma: → Satzzeichen; in Null K. nichts → schnell; ohne Punkt und K. reden → sprechen.
Kommandant → Befehlshaber.
Kommandeur → Befehlshaber.
kommandieren: jmdn. k. → lenken; k. zu → abordnen.
Kommanditär → Teilhaber.
Kommanditist → Teilhaber.
Kommando → Weisung.

¹**kommen,** sich nähern, herankommen, herkommen, hinkommen, näher kommen, nahen, daherkommen, des Weges / gegangen / geschritten / (*ugs.*) anspaziert kommen, zu Fuß / per pedes / auf Schusters Rappen kommen (*oder:*) gehen, anrücken, aufrücken (*schweiz.*), im Anzug sein, anmarschieren, [auf der Bildfläche] erscheinen, sich einfinden / einstellen, antanzen (*salopp*), ankommen, angewackelt kommen (*salopp*), anlangen, eintreffen, einlangen (*österr.*), aufkreuzen (*salopp*), hereinschneien (*ugs.*), hereingeschneit kommen (*ugs.*), eintrudeln (*salopp*) · *vom Zug, Schiff:* einlaufen; → anwesend [sein], → fortbewegen (sich), → landen, → reisen, → vorrücken · *zu jmdm. öfter in lästiger Weise mit einem Anliegen o.ä.:* angekleckert kommen (*salopp, abwertend*), angeschissen kommen (*derb, abwertend*), er ist das reinste Fleckfieber (*ugs., berlin.*); → behelligen; **nicht k.,** fernbleiben, ausbleiben, die diplomatische / politische Grippe nehmen (*scherzh.*), nicht → teilnehmen; → abwesend [sein]; → krank; **gekommen sein,** zur Stelle sein; **bald k.,** in Sicht kommen / sein, schon zu sehen sein.

²**kommen:** gekommen sein → anwesend [sein], -de Generationen / Zeiten, die nach uns Kommenden → Nachwelt; -de Zeit → Zukunft; wie gerufen k. → passen; wenn's hoch kommt → bestenfalls; wenn die Zeit dafür gekommen ist → Augenblick; wie teuer kommt...? → teuer; ungelegen / jmdm. in die Quere / zu unpassender Zeit / zur Unzeit k. → stören (jmdn.); zuallererst k. → Vorrang [haben]; etwas kommt jmdm. zugute → zufallen; k. lassen → beordern / → bestellen (etwas); zum Kochen / Sieden k. lassen → sieden; jmdn. zu Wort k. lassen → äußern; k. sehen → merken; etwas kommt → heraufziehen; wie kommt es, daß... → warum; das dicke Ende kommt noch → ausstehen; der Klapperstorch ist

gekommen → gebären; etwas kommt an jmdn. → zufallen; ans Licht k. → offenbar [werden]; auf die schiefe Bahn k. → abrutschen; auf die schiefe Bahn (oder:) Ebene / unter den Schlitten k. → verwahrlosen; auf den letzten Drücker / Point k. → spät [kommen]; auf die Gant k. → zahlungsunfähig [werden]; auf einen Gedanken / eine Idee kommen → Einfall; auf seine Kosten / Rechnung k. → zuzahlen; auf die Spur k. → finden; auf den Tisch k. → servieren; aus den Federn k. → aufstehen; nicht aus den Kleidern k. → schlafen; aus der Mode gekommen sein → überlebt [sein]; [ganz] aus der Übung gekommen sein → Verfassung; hinter etwas k. → aufdecken, → erkennen; k. in → hineinkommen (in); in Betracht / Frage k. → eignen (sich); erst in zweiter Linie in Betracht k. → sekundär [sein]; in Bewegung / in Fluß / in Gang / ins Rollen k., der Stein kommt ins Rollen → verursachen; in Fahrt k. → Stimmung; in Fortfall / Wegfall k. → wegfallen; kommt nicht in Frage / in die Tüte → nein; etwas kommt nicht in Frage / in die Tüte → ablehnen; in Frage -d → potentiell; in Gefahr k. → Gefahr; etwas kommt in Ordnung → bereinigen; etwas kommt in Schwung → anfangen; etwas kommt jmdm. nicht in den Sinn → tun; in Verdacht k. → Verdacht; jmdm. ins Gäu / Gehege kommen → Rivale; [groß] ins Geschäft k. → Profit [machen]; mit jmdm. ins Geschäft k. → Geschäft; vom Hundertsten ins Tausendste k. → abschweifen; jmdm. mit etwas k. → bitten, → herantreten (an); nach jmdm. k. → ähneln; von der Arbeit / aus dem Büro / aus dem Dienst / vom Dienst / aus dem Geschäft nach Hause k. → Feierabend [haben]; etwas kommt nicht über jmds. Lippen → aussprechen; nicht über die Rampe k. → spielen; um etwas k. → verlieren; um den

Verstand k. → verrückt [werden]; jmdm. unter die Finger k. → Gewalt; unter den Hammer / zur Versteigerung k. → Versteigerung; k. von → stammen (von); das kommt davon! → Folge; nicht von der Stelle k. → vorangehen; k. zu → zugesellen (sich); nicht zu etwas k. → arbeiten; zu einem Ende / Ergebnis k. → enden; zu einem Entschluß k. → entschließen (sich); zu kurz k. → zurückstehen; zu kurz gekommen sein → Nachholbedarf [haben]; zu Rande k. → bewältigen; zu dem Schluß k. → folgern; zu sich k. → wach [werden]; wieder zu sich k. → Ohnmacht; zu Stuhle k. → fertig [werden], → setzen (sich); nicht zu Wort k. → äußern (sich); zum Abschluß k. → fertig [werden]; zum Ausbruch k. → ausbrechen; zum Einsatz k. → Anwendung [finden]; zum Handkuß k. → einbüßen → Erfolg [haben], → Geschlechtskrankheit; zum Zuge k. → aktiv [werden können]; zur Blüte k. → aufblühen; zur Einsicht / Vernunft k. → Vernunft [annehmen]; zur Ruhe k. → abreagieren (sich), → ruhig [werden]; nicht zur Ruhe k. lassen → Spannung; zur Sprache k. → erörtern; das Kommen → Besuch; im Kommen sein → bekannt [werden].

**kommend:** → nächst, → später; das Kommende → Schicksal.

**Komment** → Brauch.

**Kommentar:** → Auslegung, → Bemerkung, → Zeitungsartikel.

**Kommentator:** → Berichter, → Kritiker.

**kommentieren:** → auslegen, → Bemerkung.

**kommerzialisieren,** Geld aus etwas machen / schlagen (*ugs.*), Kapital aus etwas schlagen (*ugs.*), Geld / ein Geschäft mit etwas machen, Gewinn / seinen Vorteil aus etwas ziehen; → Profit [machen].

**Kommerzialrat** → Kommerzienrat.

**kommerziell,** kaufmännisch, geschäftlich, ökonomisch.

**Kommerzienrat,** Kommerzialrat (*österr.*); → Titel.

Kommilitone, Studiengenosse, Studienkollege · *bei Verbindungen:* Bundesbruder, Korpsbruder; → Student, → Verbindung.

Kommis → Handelsgehilfe.

Kommiß: → Militärdienst; beim K. sein → Soldat [sein].

Kommissar → Beauftragter.

Kommissär → Beauftragter.

Kommissariat → Polizeirevier.

Komißhengst → Soldat.

Kommission: → Ausschuß, → Treuhänderschaft.

Kommissionär → Verwalter.

kommissionieren → kontrollieren.

Kommißkopf → Soldat.

kommlich: k. sein → nützlich [sein].

kommod → mühelos.

Kommode → Möbel.

Kommodore → Befehlshaber.

Kommolch → Lurch.

Kommotio: → Gehirnerschütterung, → Verletzung.

Kommotion → Gehirnerschütterung.

kommunal, gemeindlich, städtisch, munizipal (*veraltet*), die Gemeinde / Stadt betreffend; → Gemeinde, → Ort, → Stadt.

Kommunalobligationen → Wertpapier.

Kommunarde → Kommune.

¹Kommune, Wohngemeinschaft, Wohngruppe, Großfamilie · *deren Mitglied:* Kommunarde; → Ehe, → Familie, → Gemeinschaftssiedlung.

²Kommune → Gemeinde.

Kommunikation → Kontakt.

kommunikationsfähig → gesellig.

kommunikationsfreudig → gesellig.

Kommunikationsmittel → Massenmedien.

Kommunion: → Konfirmation; [die K. empfangen, zur K. gehen] → Abendmahl.

Kommunionkerze → Kerze.

Kommunionkleid → Kleid.

Kommuniqué → Mitteilung.

¹Kommunismus, Sozialismus · *der dem persönlichen Wohlstand des Individuums Rechte einräumt:* Gulaschkommunismus (*abwertend*); → Marxismus, → Sozialist; → kommunistisch.

²Kommunismus → Sozialismus.

Kommunist → Sozialist.

Kommunistenfresser → Gegner.

kommunistisch, sozialistisch, marxistisch, bolschewistisch, trotzkistisch, leninistisch, menschewistisch, stalinistisch, maoistisch, titoistisch; → Kommunismus, → Marxismus, → Sozialist.

kommunizieren: → Abendmahl, → verkehren (mit).

kommutabel → austauschbar.

Kommutation → Substitution.

kommutativ → austauschbar.

kommutierbar → austauschbar.

Komödiant → Schauspieler.

¹Komödie, Lustspiel, Tragikomödie, Posse, Farce, Burleske, Vaudeville, Schwank, Klamotte (*abwertend*), Sketch, Commedia dell'arte; → Kabarett, → Kriminalstück, → Revue · Ggs. → Tragödie.

²Komödie: K. spielen → vortäuschen.

Komödienhaus → Theatergebäude.

Komondor → Hunderassen.

Kompagnon → Teilhaber.

kompakt → untersetzt.

Kompaktpuder → Puder.

Kompanie: → Herde, → Heeresverband; Mutter der K. → Dienstgrad.

komparatistisch → kontrastiv.

komparativ → kontrastiv.

Komparativ, Steigerungsstufe; → Vergleichsstufe.

komparativisch: -e Grammatik → Grammatik.

komparativistisch: -e Grammatik → Grammatik.

Komparse → Schauspieler.

Kompendium → Ratgeber.

kompetent → befugt.

Kompetenz → Zuständigkeit.

Kompetenzkonflikt → Streit.

Kompetenzstreitigkeit → Streit.

Komplement → Antikörper.

komplementär → gegensätzlich.

Komplet → Kostüm.

¹komplett, komplettiert, vervollständigt, geschlossen, abgeschlossen, fertig, vollzählig.

²komplett → ganz.

komplettieren → vervollständigen.

komplettiert → komplett.

Komplettierung → Ergänzung.

komplex, verwickelt, verflochten, verzweigt, zusammenge-

setzt, beziehungsreich; → zusammenhängen (mit).

¹Komplex · Minderwertigkeitskomplex, Miko (*ugs.*) · Kastrationskomplex, Kastrationsangst · *der auf übersteigerte Bindung an den andersgeschlechtlichen Elternteil zurückgeführt wird:* Ödipuskomplex; → Anankasmus; → gemütskrank.

²Komplex: → Gebiet; -e haben → ängstlich [sein].

Komplice, Komplize (*österr.*), Helfershelfer, Hehler, Mitbeteiligter, Mitschuldiger, Eingeweihter, Kumpan (*salopp*), Spießgeselle (*abwertend*); → Anhänger, → Bundesgenosse, → Freund, → Helfer, → Kollege, → Schmuggler, → Stellvertreter, → Teilhaber, → Verbrecher; → helfen.

¹Kompliment, Artigkeit, Höflichkeit, Schmeichelei; → schmeicheln.

²Kompliment: → Verbeugung; -e machen → schmeicheln.

Komplize → Komplice.

komplizieren → ausführlich.

kompliziert → schwierig.

Komplott: → Verschwörung; ein K. schmieden, in ein K. verwickelt sein → konspirieren.

komplottieren → konspirieren.

Komponente → Bestandteil.

komponieren: → vertonen; komponiert von → von.

Komponist, Tonschöpfer, Tonkünstler, Tondichter, Tonsetzer, Kompositeur, Musiker, Arrangeur; → Künstler, → Musik; → vertonen.

Kompositeur → Komponist.

Komposition: → Mischung, → Musikstück.

Kompositkapitell → Kapitell.

Kompost → Dünger.

Komposterde → Erde.

Kompott → Dessert.

¹Kompresse, Umschlag; → Verband; → behandeln, → verbinden.

²Kompresse → Wickel.

Kompression → Verletzung.

Kompressionskühlschrank → Kühlschrank.

Kompressor → Muskel.

komprimiert → kurz.

Kompromiß: → Abmachung; einen K. schließen → übereinkommen.

393

kompromißlos → unzugänglich.

Kompromißlosigkeit → Unerbittlichkeit.

[1]kompromittieren (jmdn.), bloßstellen, brüskieren, blamieren, jmdn. zum Gespött machen / lächerlich machen, aufschmeißen (österr.), desavouieren, die ganze Innung blamieren (ugs., scherzh.); → bloßstellen (sich), → kränken, → schlechtmachen; → Bloßstellung, → Nichtachtung.

[2]kompromittieren: sich k. → bloßstellen (sich).

Kompromittierung → Bloßstellung.

Kompulsion → Zwang.

Konche → Kuppel.

Kondensmilch → Milch.

konditern: k. gehen → Café.

Kondition: → Bedingung; K. haben, in K. sein → fit [sein].

Konditionalsatz → Satz.

Konditor → Bäcker.

Konditorei → Bäckerei.

Kondolenz → Beileid.

Kondolenzbrief → Schreiben.

Kondolenzkarte: → Beileidskarte, → Schreiben.

Kondolenzschreiben → Schreiben.

kondolieren, seine Teilnahme / sein Beileid ausdrücken (oder:) aussprechen (oder:) bezeigen; → mitfühlen; → Beileid.

Kondom → Präservativ.

Kondominium: → Gebiet, → Herrschaft.

Konduite → Benehmen.

Kondukt: → Leichenschmaus, → Leichenzug.

Kondukteur → Schaffner.

Konfekt: → Praline, → Teegebäck; ein Kasten K., eine Packung mit K. → Bonbonniere.

Konfektionskleidung → Kleidung.

Konfektkasten → Bonbonniere.

Konfektschachtel → Bonbonniere.

Konferenz → Tagung.

Konferenzdolmetscher → Dolmetscher.

Konferenztisch: am K. besprechen → erörtern.

konferieren → tagen.

Konfession: → Bekenntnis, → Glaube; die K. wechseln → konvertieren.

konfessionslos → religionslos.

Konfessionsloser → Freidenker.

Konfessionsschule → Schule.

Konfessionswechsel → Konversion.

Konfetti, Koriandoli (österr.); → Fastnacht.

Konfident: → Auskundschafter, → Freund.

Konfirmation (ev.), Einsegnung (ev.), Firmung (kath.), Erstkommunion (kath.), Kommunion (kath.) · an Stelle der Konfirmation oder Erstkommunion: Jugendweihe; → Abendmahl, → Sakrament; → taufen.

Konfirmationskleid → Kleid.

Konfiserie → Bäckerei.

Konfiseur → Bäcker.

Konfiskation → Beschlagnahme.

konfiszieren → beschlagnahmen.

Konfiszierung → Beschlagnahme.

Konfitüre: → Brotaufstrich; -n → Süßigkeiten.

Konflikt: → Streit, → Zwiespalt; bewaffneter K. → Krieg.

Konföderation: → Bund, → Staat.

konform: → übereinstimmend; k. gehen → billigen.

Konfrater → Kollege.

Konfrontation: → Kampf, → Vergleich.

konfrontativ: → kontrastiv; -e Grammatik → Grammatik.

[1]konfrontieren, gegenüberstellen, vorführen; → vergleichen; → Vergleich.

[2]konfrontieren → vergleichen.

Konfrontierung → Vergleich.

konfus: k. machen → verwirren.

Konfusion → Verwirrung.

Konfuzianismus → Weltreligion.

Kongelation → Erfrierung.

kongenial → geistesverwandt.

kongenital → angeboren.

Kongestion → Blutandrang.

Konglomerat → Mischung.

[1]Kongregation, Bruderschaft, Orden; → Bund, → Mönchsorden, → Nonnenorden.

[2]Kongregation: → Mönchsorden, → Nonnenorden.

Kongreß: → Tagung, → Volksvertretung.

Kongressus → Koitus.

[1]kongruent, deckungsgleich, gleich, sich deckend, sich / einander genau entsprechend; → gleichartig, → symmetrisch, → übereinstimmend; → Kongruenz.

[2]kongruent → übereinstimmend.

Kongruenz, Deckungsgleichheit, Gleichheit, Übereinstimmung, genaue Entsprechung; → Gleichartigkeit, → Parallele, → Übereinstimmung; → kongruent.

kongruieren → gleichen.

Koniferen → Nadelhölzer.

König: → Adliger, → Kegel, → Oberhaupt, → Schachfigur; Heilige Drei -e, Fest der Heiligen Drei -e → Epiphanias, → Feiertag; K. David → Nachschlüssel; K. der Juden → Heiland; K. der Lüfte → Adler; K. der Tiere / der Wüste → Löwe.

Königin: → Adlige, → Biene; K. der Blumen → Rose; die K. der Hanse → Lübeck; die K. der Meere → Venedig.

königlich: → adlig, → majestätisch, → sehr; Königliche Hoheit, Eure Königliche Hoheit → Anrede; Königlicher Prinz → Adliger; Königliche Prinzessin → Adlige; das -e Spiel → Schach.

Königsberg, Kaliningrad (russ.); → Stadt.

königsblau → blau.

Königsburg → Burg.

Königsfarn → Farn.

Königshaus → Adelsgeschlecht.

Königskrone → Krone.

Königskuchen → Gebäck.

Königslilie → Liliengewächs.

Königsmacher: K. sein → fördern.

Königsschlange → Schlange.

Königsweg → Verfahren.

Koniose → Staublungenerkrankung.

Konjugation → Beugung.

konjugieren → flektieren.

Konjunktion → Wortart.

Konjunktionalsatz → Satz.

Konjunktiv: [hypothetischer / zweiter K.] → Modus.

Konjunktivitis → Bindehautentzündung.

Konjunktur → Aufschwung.

Konjunkturritter: → Emporkömmling, → Opportunist.
Konjuration → Verschwörung.
Konkavlinse → Linse.
Konklave: → Tagung, → Versammlungsort.
Konklusion → Folgerung.
Konkordat → Abmachung.
¹konkret, gegenständlich, figurativ, bildlich, figürlich, darstellend · Ggs. → abstrakt.
²konkret: → wirklich; -e Kunst → Malerei.
konkretisieren → veranschaulichen.
Konkretisierung → Veranschaulichung.
Konkubinat → Ehe.
Konkubine → Geliebte.
Konkupiszenz → Leidenschaft.
Konkurrent: → Gegner, → Rivale.
¹Konkurrenz, Wirtschaftskampf, Existenzkampf, Erwerbskampf, Wettbewerb, Ausschreibung, Wettstreit, Wettkampf, Wetteifer, Rivalität, Nebenbuhlerschaft, Brotneid, Gegnerschaft; → Gegensatz, → Gegner, → Opposition; jmdm. K. machen, jmdm. das Wasser abgraben, jmdm. ins Handwerk pfuschen (ugs.); → übertreffen; → konkurrenzfähig.
²Konkurrenz: → Rivale; außer K. starten → teilnehmen.
konkurrenzfähig, wettbewerbsfähig, wettbewerbsorientiert; nicht k. sein, sich nicht halten können; → zahlungsunfähig [werden]; → Konkurrenz.
konkurrenzieren: k. mit → übertreffen.
Konkurrenzneid → Neid.
konkurrieren: k. mit → übertreffen.
Konkurs: → Mißerfolg → Zahlungsunfähigkeit; K. anmelden → zahlungsunfähig [sein]; K. machen, [in] K. gehen → zahlungsunfähig [werden].
Konkursgläubiger → Gläubiger.
Konkursmasse → Vermögen.
Konkussion → Verletzung.
¹können, vermögen, imstande / in der Lage / fähig sein zu; nicht → versagen; → befugt [sein], → bewältigen, → bewerkstelligen, → gelingen, → verwirklichen, → wünschen;

nicht k., außerstande sein; kann ... werden: etwas kann [getragen] werden, etwas läßt sich [tragen], etwas ist [trag]bar / [trag]fähig, etwas [trägt] sich gut / ist gut zu [tragen]; → erprobt, → mühelos.
²können: → erwirken, → müssen; nicht [mehr] k. → impotent [sein]; nicht mehr k. → satt [sein]; du kannst mich am Abend / im Mondschein besuchen!, du kannst mich gern haben! → unwichtig [sein]; [geistig] folgen k. → verstehen; sich sehen lassen k. → tüchtig [sein]; jmdm. das Wasser nicht reichen k. → erreichen (jmds. Leistung); es kann sein → anscheinend; das kann nicht sein → nein; das kann doch nicht wahr sein! → überrascht [sein]; etwas kann ... werden → lassen (sich); das kann jeder → schwierig; etwas k. → begabt [sein]; etwas besser k. → übertreffen; etwas wie am Schnürchen k. → vortragen; gut mit jmdm. k. → vertraut; das Können → Fähigkeit, → Meisterhaftigkeit.
Könner → Fachmann.
Konnivenz → Duldung.
Konnotation → Bedeutung.
Konquassation → Verletzung.
Konrektor → Schulleiter.
Konsekration: → Amtseinführung, → Priesterweihe, → Umwandlung, → Wandlung.
konsekrieren → weihen.
Konsekutivdolmetscher → Dolmetscher.
Konsekutivsatz → Satz.
Konsens → Erlaubnis.
konsequent: → planmäßig, → zielstrebig.
Konsequenz: → Beharrlichkeit, → Folge.
¹konservativ, bürgerlich, bourgeois (abwertend), rechts; → Bürgertum, → Konservativer; → rückschrittlich · Ggs. → sozialistisch; → Sozialist.
²konservativ → rückschrittlich.
Konservativer, Rechter (ugs., abwertend), Rechtsaußen (ugs., abwertend), ewig Gestriger, Bourgois (abwertend), Reaktionär (abwertend), Konterrevolutionär; → Bürgertum, → Extremist; → konservativ · Ggs. → Sozialist; → sozialistisch.

¹Konserve, Vollkonserve, Halbkonserve, Dauerkonserve, Fleischkonserve, Fischkonserve, Gemüsekonserve; → Eingemachtes, → Einmachglas; → konservieren.
²Konserve → Büchse.
Konservenbüchse → Büchse.
Konservendose → Büchse.
konservieren, erhalten, haltbar machen · von Lebensmitteln: einwecken, einrexen (österr.), einsieden (südd., österr.), einmachen, einkochen, eindicken, einlegen, gefrieren, einfrieren, tiefkühlen, eingefrieren · von Fleisch: pökeln, einpökeln; → Eingemachtes, → Einmachglas, → Konserve.
Konserviertes → Eingemachtes.
Konsistorium → Tagung.
Konsoldach → Dach.
konsolidieren → festigen.
Konsolidierung → Festigung.
Konsonant, Mitlaut; → Buchstabe · Ggs. → Vokal.
Konspekt → Verzeichnis.
Konspiration → Verschwörung.
konspirieren, sich verschwören, komplottieren, paktieren, pakkeln (österr.), in ein Komplott schmieden, in ein Komplott verwickelt sein, mit jmdm. unter einer Decke stecken (ugs.), gemeinsame Sache mit jmdm. machen, mit jmdm. zusammenspannen (schweiz.); → infiltrieren, → intrigieren, → verbünden (sich); → Verschwörung.
Konstabler → Polizist.
konstant, unaufhörlich, immer, immerzu, seit je / jeher, von je / jeher, seit eh und je, seit alters, von alters [her], solange ich denken kann, schon immer, noch immer, immer noch, nach wie vor, wie eh und je, immer wieder, oft und oft, in einem fort, immerfort; tagaus, tagein; jahraus, jahrein; beständig, stets, stetig, stet, andauernd, dauernd, fortdauernd, fortgesetzt, unausgesetzt, unaufhaltsam, anhaltend, kontinuierlich, permanent, gleichbleibend, beharrlich, ununterbrochen, pausenlos, in einer Tour (ugs.), stetsfort (schweiz.), fortwährend, immerwährend, ständig, allerwege, alleweil, allweil, allezeit, allzeit, laufend (ugs.), am lau

fenden Band (ugs.), alle Nase lang (ugs.), in steter Folge, unablässig, ewig (ugs.), endlos, ohne Unterlaß / Ende / Pause / Unterbrechung, ad infinitum, in drei Schichten, Tag und Nacht, rund um die Uhr, alsfort (landsch.), fortweg (ugs., landsch.), egalweg (ugs., landsch.), egal (ugs., landsch.); → beharrlich, → bleibend, → ewig, → fleißig, → kursorisch, → lange, → langfristig, → oft, → unendlich; → Tag.

**Konstante,** unveränderliche Größe, Parameter · Ggs. → Variable.

**Konstantinopel** → Istanbul.

**Konstanz** → Beharrlichkeit.

**konstatieren** → bemerken.

**Konstellation** → Lage.

**konsternieren** → verwirren.

**konsterniert,** betroffen, bestürzt, entsetzt, verstört, verwirrt, erschrocken, entgeistert, starr, fassungslos, verdattert (ugs.); → ängstlich, → überrascht, → verlegen; **k. sein,** sich entsetzen / erschrecken, die Fassung verlieren, jmd. ist wie vom Schlag gerührt / getroffen (ugs.), kopfstehen, wie vor den Kopf geschlagen sein, etwas nicht mit ansehen / anhören können, jmdm. stehen die Haare zu Berge, jmdm. dreht sich das Herz im Leibe herum, jmdm. blutet das Herz, jmd. ist wie vom Donner gerührt (ugs.), jmdm. läuft es [heiß und] kalt über den Rücken / den Rücken herunter, die Hände über dem Kopf zusammenschlagen, in die Fraisen fallen (ugs., südd., österr.); → erschrecken, → verwirren.

**Konstipation** → Stuhlverstopfung.

**Konstituentensatz** → Satz.

**Konstituentenstrukturgrammatik** → Grammatik

**konstituieren** → gründen.

**Konstitution** → Gestalt.

**konstitutionell:** -e Monarchie → Herrschaft.

**Konstriktor** → Muskel.

**konstruieren** → ausdenken (sich etwas).

**Konstrukt** → Konstruktion.

¹**Konstruktion,** Konstrukt, Satzbau · bei der sich ein Satzteil oder

Wort zugleich auf den vorhergehenden und den folgenden Satzteil bezieht: Apokoinu; → Ausdrucksweise.

²**Konstruktion** → Struktur.

**konstruktiv** → nützlich.

**Konstruktivismus** → Malerei.

**Konsul** → Diplomat.

**Konsulat** → Botschaft.

**Konsultation** → Frage.

**konsultieren** → fragen.

**Konsum** → Verbrauch.

**Konsumation** → Verzehr.

**Konsument,** Bedarfsträger, Verbraucher, Endverbraucher; → Bedarfsartikel, → Kunde.

**Konsumentenpreis** → Preis.

**Konsumgesellschaft:** → Gesellschaft, → Wohlstandsgesellschaft.

**Konsumgut** → Ware.

**Konsumgüter:** → Bedarfsartikel, → Lebensmittel.

**konsumieren:** → aufessen, → verbrauchen.

**Konsummüll** → Müll.

**Konsumverzicht:** K. betreiben → sparen.

**Konsumwut** → Verbrauch.

¹**Kontakt,** Verbindung, Kommunikation, Berührung, Anschluß, Fühlungnahme, Annäherung, Brückenschlag, Ansprache (österr.), mitmenschliche / zwischenmenschliche Beziehungen, Tuchfühlung; → Bund; **K. aufnehmen,** Verbindung aufnehmen, Beziehungen anknüpfen, Fühlung nehmen, Anschluß suchen, sich ranmachen / heranpirschen an jmdn. (ugs.); **K. finden,** Anschluß finden, K. bekommen / erhalten, warm werden (ugs.); **in K. bleiben,** die Verbindung nicht abreißen lassen, in Tuchfühlung bleiben (ugs.); → rücken (an), → verbünden (sich), → verkehren (mit), → zugesellen (sich).

²**Kontakt:** K. aufnehmen → anbahnen (etwas); einen K. herstellen → verknüpfen; K. meiden → abkapseln (sich); mit jmdm. K. pflegen → verkehren (mit).

**kontaktarm** → unzugänglich.

**Kontaktarmut** → Verschlossenheit.

**Kontakter** → Werbefachmann.

**kontaktfähig** → gesellig.

**kontaktfreudig** → gesellig.

**Kontaktglas** → Kontaktlinse.

**Kontaktlinse,** Contactlinse, Kontaktglas, Kontaktschale, Haftschale; → Brille.

**Kontaktmann** → Gewährsmann.

**Kontaktmine** → Mine.

**Kontaktpflege** → Public Relations.

**Kontaktschale** → Kontaktlinse.

**kontaktschwach** → unzugänglich.

**Kontaktschwäche** → Verschlossenheit.

**kontaktsuchend** → anlehnungsbedürftig.

**Kontamination** → Umweltverschmutzung.

**Kontemplation** → Versenkung.

**kontemplativ** → beschaulich.

**Kontenance** → Gelassenheit.

**Konteradmiral:** → Dienstgrad, → Seeoffizier.

**Konterattacke** → Angriff.

**Konterbande** → Schmuggelware.

**Konterfei** → Fotografie.

**konterkarieren** → verhindern.

**kontern** → antworten.

**Konterrevolution** → Verschwörung.

**Konterrevolutionär** → Konservativer.

**Kontertanz** → Tanz.

**Kontext,** Textzusammenhang, Zusammenhang, Text.

**Kontinent,** Erdteil, Weltteil (veraltet), Subkontinent, Festland · Afrika, Antarktika, Asien, Australien, Europa, Nordamerika, Südamerika; → kontinental.

**kontinental,** festländisch, binnenländisch; → Kontinent.

**Kontingent** → Beitrag.

**kontingentieren** → begrenzen.

**kontinuierlich,** unaufhörlich, immer, immerzu, seit je / jeher, von je / jeher, seit eh und je, seit alters, von alters [her], solange ich denken kann, schon immer, noch immer, immer noch, nach wie vor, wie eh und je, immer wieder, oft und oft, in einem fort, immerfort; tagaus, tagein; jahraus, jahrein; beständig, stets, stetig, stet, andauernd, dauernd, fortdauernd, fortgesetzt, unausgesetzt, unaufhaltsam, anhaltend, konstant, permanent, gleichbleibend, beharrlich, ununterbrochen, pausenlos, in einer Tour (*ugs.*), stetsfort (*schweiz.*), fortwährend, immerwährend, ständig, allerwege, alleweil, allweil, allezeit, allzeit, laufend (*ugs.*), am laufenden Band (*ugs.*), alle Nase lang (*ugs.*), in steter Folge, unablässig, ewig (*ugs.*), endlos, ohne Unterlaß / Ende / Pause / Unterbrechung, ad infinitum, in drei Schichten, Tag und Nacht, rund um die Uhr, alsfort (*landsch.*), fortweg (*ugs., landsch.*), egalweg (*ugs., landsch.*), egal (*ugs., landsch.*); → beharrlich, → bleibend, → ewig, → fleißig, → kursorisch, → lange, → langfristig, → oft, → unendlich; → Tag.

**Konto:** → Guthaben; [laufendes K.] → Bankkonto; sein K. überziehen → abheben; über das K. → bargeldlos.

**Kontobuch** → Geschäftsbücher.

**Kontor** → Büro.

**Kontorist** → Büroangestellter.

**Kontorsion** → Verrenkung.

**Kontra:** K. geben → antworten; Pro und K. → Vorteil.

**Kontraalt** → Sängerin.

**Kontrabaß** → Streichinstrument.

**Kontrabassist** → Musizierender.

**kontradiktorisch** → gegensätzlich.

**Kontrafagott** → Blasinstrument.

**Kontrahent** → Gegner.

**kontrakt** → lahm.

**Kontrakt** → Abmachung.

**konträr** → gegensätzlich.

¹**Kontrast,** Gegensatz, Antagonismus, Gegengewicht, Gegenpol, Unterschied, Divergenz; → Abweichung, → Gegensätzlichkeit; → kontrastieren.

²**Kontrast:** einen K. bilden zu, in K. stehen zu → kontrastieren.

**kontrastieren,** sich abheben von, in Gegensatz / Kontrast / Opposition stehen zu, einen Kontrast bilden zu, abstechen gegen, abweichen von, divergieren, sich unterscheiden; → Kontrast.

¹**kontrastiv,** konfrontativ, komparativ, komparativistisch, vergleichend.

²**kontrastiv:** -e Grammatik → Grammatik.

**Kontravenenum** → Gegenmittel.

**Kontrazeption** → Empfängnisverhütung.

¹**Kontrolle,** Durchsicht, Prüfung, Nachprüfung, Untersuchung, Untersuch (*schweiz.*), Überprüfung, Inspizierung, Inspektion, Revision · *staatliche eines Kunstwerks bzw. Schriftstücks:* Zensur · *amtliche eines Neubaus:* Kollaudierung (*österr., schweiz.*), Kollaudation (*schweiz.*), Abnahme, Schlußgenehmigung · *eines [abgeschriebenen] Textes:* Kollation; → Buchprüfung, → Überwachung, → Untersuchung, → Vergleich; → kontrollieren, → überprüfen.

²**Kontrolle:** → Durchsicht, → Überwachung; K. haben über → wissen; die K. über sich verlieren → unbeherrscht [sein]; das Feuer unter K. bringen → löschen; unter K. stehen → beobachten.

**Kontrolleur,** Kontrollor (*österr.*), Inspekteur, Prüfer, Aufsichtsbeamter · *der die Stückzahl von Schiffsfrachtgütern feststellt:* Tallyman; → Aufsichtsführender.

¹**kontrollieren,** prüfen, überprüfen, nachprüfen, fecken (*schweiz.*), inspizieren, durchgehen, durchsehen, einsehen, nachsehen, checken, einchecken, abchecken, nachschauen, revidieren, etwas einer Revision unterziehen, erdauern (*schweiz.*), sich überzeugen / vergewissern · *einen abgeschriebenen Text:* kollationieren · *einen Neubau vor der Schlußgenehmigung:* kollaudieren (*österr., schweiz.*), kommissionieren (*österr.*); → beurteilen, → beanstanden, durchsuchen, → kosten, → prüfen, → überprüfen, → untersuchen, → vergleichen, → zergliedern; → Vergleich, → Kontrolle, → Überwachungsorgan, → Wirtschaftsprüfer.

²**kontrollieren:** → Einfluß [ausüben], → spionieren, → über-

wachen; kontrollierte Hypothermie → Heilschlaf.

**Kontrollmädchen** → Prostituierte.

**Kontrollor** → Kontrolleur.

**Kontrollpapierstreifen** → Zollverschluß.

**Kontrollpunkt** → Grenzstation.

**Kontrollstation** → Grenzstation.

**Kontrollturm,** Flugsicherungsturm, Tower; → Luftfahrt.

**Kontrolluhr** → Stempeluhr.

**Kontroverse** → Streit.

**Kontumaz** → Quarantäne.

**Kontur** → Umriß.

**Kontusion** → Verletzung.

**Konvektor** → Heizkörper.

**konvenieren** → gefallen.

**Konvent:** → Kloster, → Tagung, → Versammlung.

**Konventikel:** → Tagung, → Versammlung.

**Konvention:** → Abmachung, → Brauch.

**Konventionalstrafe** → Strafe.

**konventionell:** → formell, → herkömmlich; -e Waffen → Waffen.

**Konventuale:** -n → Mönchsorden.

**Konventualin** → Nonne.

**Konvergenzschielen** → Schielen.

**konvergierend** → übereinstimmend.

**Konversation:** → Gespräch; K. machen → unterhalten (sich).

**Konversationslexikon** → Nachschlagewerk.

**konversieren** → unterhalten (sich).

**Konversion,** Bekehrung, Glaubenswechsel, Konfessionswechsel, Übertritt, → konvertieren.

**konvertibel** → austauschbar.

**Konvertibilität** → Konvertierbarkeit.

**konvertierbar:** frei -e Währung → Zahlungsmittel.

**Konvertierbarkeit,** Konvertibilität; → Wechselstube, → Zahlungsmittel.

¹**konvertieren,** übertreten, den Glauben / die Konfession wechseln, sich bekehren; → überwechseln; → Bekehrter, → Konversion.

²**konvertieren** → überwechseln.

**Konvertit** → Bekehrter.

**Konvexbogen** → Bogen.

**Konvexlinse** → Linse.
**Konvikt** → Heim.
**Konvoi** → Geleit.
**Konvolut** → Aktenbündel.
**konvulsiv,** konvulsivisch,
[krampfartig] zuckend; → zittern.
**konvulsivisch** → konvulsiv.
**Konya** → Orientteppich.
**konzedieren** → billigen.
**¹Konzentration,** Sammlung,
Andacht, Aufmerksamkeit.
**²Konzentration:** mangelnde K.
→ Zerstreutheit.
**Konzentrationslager** → Gefangenenlager.
**Konzentrationsschwäche** →
Zerstreutheit.
**konzentrieren:** sich k. → achtgeben, → versenken (sich).
**¹konzentriert,** intensiv, auf Teufel komm raus (ugs.), [besonders] stark, gehäuft, geballt.
**²konzentriert** → aufmerksam.
**Konzept:** → Entwurf; jmdm.
das K. verderben → hindern;
aus dem K. bringen → verwirren; etwas paßt jmdm.
nicht ins K. → passen.
**Konzeption:** → Befruchtung,
→ Entwurf.
**Konzeptpapier** → Schreibpapier.
**Konzern** → Unternehmen.
**Konzert:** → Musikveranstaltung; K. machen → weinen.
**Konzertabend** → Musikveranstaltung.
**Konzertabonnement** → Abonnement.
**Konzertflügel** → Tasteninstrument.
**Konzertina** → Tasteninstrument.
**Konzertkritik** → Besprechung.
**Konzertmeister** → Musizierender.
**Konzertpianist** → Pianist.
**Konzertsaal** → Saal.
**Konzertsänger** → Sänger.
**Konzertsängerin** → Sängerin.
**Konzession** → Zugeständnis.
**konzessionsbereit:** k. sein →
entgegenkommen (jmdm.).
**Konzessionsbereitschaft,** Verhandlungsbereitschaft, Friedensbereitschaft; → Entgegenkommen; → entgegenkommen
(jmdm.).
**Konzessivsatz** → Satz.
**Konzil** → Tagung.

**konziliant** → entgegenkommend.
**konzipieren:** → entwerfen, →
schwanger [werden].
**konzis** → kurz.
**Koofmich** → Geschäftsmann.
**Koog** → Marsch.
**Kooperation:** → Arbeit, →
Mitarbeit.
**Kooperator** → Geistlicher.
**kooperativ** → gemeinsam.
**koordinieren** → verknüpfen.
**Kopeke** → Zahlungsmittel.
**Kopenhagen,** København
(dän.); → Stadt.
**Köpenickiade** → Betrug.
**Köper** → Stoff.
**¹Kopf,** Haupt, Charakterkopf,
Schädel, Dez (salopp), Rübe
(salopp), Birne (derb), Ballon
(derb), Kürbis (derb), Nischel
(salopp), Plutzer (österr., salopp), Dach (salopp); → Gehirn.
**²Kopf:** → Kohlkopf, → Salatkopf; fähiger / heller / kluger
K. → Talent; K. der Schlange
→ Sternbild; nicht wissen, wo
einem der K. steht, den K.
voll haben → arbeiten; jmdm.
steht der K. nicht nach etwas
→ Lust; K. hoch! → Mut; den
K. hängenlassen → deprimiert
[sein]; K. und Kragen riskieren / wagen, etwas kann K.
und Kragen kosten → wagen;
den K. in den Sand stecken
→ entziehen (sich); jmdm. den
K. verdrehen → verliebt [machen]; jmdn. den K. waschen,
jmdm. auf den K. kommen
→ schelten; sich den K. zerbrechen → denken; jmdm. den
K. zurechtrücken / zurechtsetzen → schelten; K. an K.
→ voll; sich an den K. fassen /
greifen → verstehen; jmdm.
etwas an den K. werfen →
schelten; jmdm. fällt die Decke
auf den K. → deprimiert [sein];
nicht auf den K. gefallen sein
→ dumm; Butter auf dem K.
haben → verlegen [sein]; auf
den K. hauen / kloppen →
verschwenden; etwas auf den
K. stellen → ändern, → verfälschen; das Haus auf den K.
stellen → feiern, → suchen;
den Nagel auf den K. treffen
→ treffend; etwas aus dem K.
sagen können → Gedächtnis;
aus dem K. spielen → musi-

zieren; etwas geht jmdm. durch
den K., sich etwas durch den
K. gehen lassen → erwägen;
sich eine Kugel durch den K.
jagen → entleiben (sich); nicht
im K. behalten → vergessen,
→ versäumen; im K. haben
→ Gedächtnis; keine Augen
im K. haben → erkennen;
Grütze im K. haben → klug
[sein]; große Rosinen im K.
haben → vorhaben; etwas geistert / spukt in jmds. K.
herum → erwägen; nicht in
den K. hineinbringen, etwas
geht / will jmdm. nicht in den
K. → verstehen; sich etwas
in den K. setzen → beharrlich
[sein]; etwas steigt jmdm. in
den K. → betrunken [machen];
mit dem K. durch die Wand
wollen → unzugänglich [sein];
mit dem K. voran / zuerst
→ kopfüber; mit unbedecktem
K. → barhäuptig; pro K. →
je; jmdm. über den K. wachsen → selbständig; etwas
wächst jmdm. über den K. →
bewältigen; die Hände über
dem K. zusammenschlagen →
betroffen [sein]; von K. bis
Fuß → ganz; sich von K. bis
Fuß waschen → waschen
(sich / jmdn.); ein Brett vor
dem K. haben → dumm [sein];
wie vor den K. geschlagen
sein → betroffen [sein]; jmdn.
vor den K. stoßen → frustrieren, → kränken; etwas
steigt jmdm. zu K. → dünkelhaft [werden].
**Kopfarbeiter** → Intellektueller.
**Kopfbahnhof** → Bahnhof.
**¹Kopfbedeckung,** Hut, Kiepe
(nordd.), Dunstkiepe (nordd.,
scherzh.), Warmluftglocke
(scherzh.), Gedankensammler
(scherzh.), Filzhut, Strohhut,
Jägerhut, Südwester · Barett
(bes. für bestimmte Amtstrachten), Pelzbarett · Mütze,
Schirmmütze, Tellermütze,
Schiebermütze, Schlägermütze,
Schiffermütze, Matrosenmütze,
Sportmütze, Schimütze, Couleurmütze, Heldendeckel
(scherzh.), Ballonmütze, Kappe,
Deckel (salopp), Krätzchen,
Baskenmütze, Pullmankappe
(österr.), Baschlik, Kapuze,
Pudelmütze, Pudelhaube

(*österr.*), Wollhaube (*österr.*), Zipfelmütze ·· *speziell für Herren:* steifer Hut, Homburg, Bibi (*salopp*), Melone, Bowler, Arbeitgeberhut (*ugs., scherzh.*), Koks (*scherzh.*), Gox (*scherzh.*), Glocke (*ugs.*), Hartmann, Stresemann · Zylinder, Angströhre (*scherzh.*), Chapeau claque · Dreispitz (*hist.*) · Schlapphut, Kalabreser, Girardihut (*österr.*)· Panama, Kreissäge (*ugs.*) · Sombrero, Tropenhelm · Schiffchen, Käppi, Tschako ·· *speziell für Damen:* Toque, Glocke, Kapotthut, Florentiner, Derbyhut, Wagenrad (*ugs.*), Haube (*bes. südd., österr.*), Schute, Kopftuch ·· *orientalische:* Turban, Fes, Tarbusch ·· *für kath. Geistliche:* Birett, Kardinalshut · *für hohe geistliche Würdenträger bei bestimmten Zeremonien:* Bischofsmütze, Mitra, Tiara · *schützende:* Sturzhelm, Helm, Schutzhelm, Stahlhelm, Pißpott (*salopp, scherzh.*), Pikkelhaube (*hist.*); → barhäuptig.
²**Kopfbedeckung:** ohne K. → barhäuptig.
**Kopfbild** → Bildnis.
**Köpfchen:** → Blütenstand, → Vernunft; K. haben → klug [sein].
**Köpfchenschimmel** → Algenpilz.
**köpfeln:** → Fußball, → springen.
**köpfen:** → Fußball, → töten.
**Kopffüßer,** Tintenfisch, Krake, Seepolyp, Polyp, Papierboot, Schiffsboot; → Weichtiere.
**Kopfgleis,** Stumpengeleise (*schweiz.*), Stumpengleis (*schweiz.*); → Bahnhof.
**Kopfkissen** → Kissen.
**Kopflage** → Kindslage.
**kopflastig** → betrunken.
**Köpfler:** → Sprung; einen K. machen → springen.
**kopflos:** → schnell; k. sein → aufgeregt [sein].
**Kopfnadel** → Stecknadel.
**Kopfnagel** → Nagel.
**Kopfnuß** → Stoß.
**Kopfpolster** → Kissen.
**Kopfsalat,** Häuptelsalat (*österr.*); → Feldsalat, → Gemüse.
**kopfscheu:** k. machen → verwirren.

¹**Kopfschmerz,** Kopfweh, Brummschädel (*ugs.*), Migräne, Kephalalgie; → Katerstimmung.
²**Kopfschmerz:** sich -en machen → sorgen (sich).
**Kopfschuppe** → Schorf.
**Kopfsprung:** → Sprung; einen K. machen → springen.
**Kopfstand** → Turnübung.
**kopfstehen** → betroffen [sein].
· **Kopfsteinpflaster** → Straßenpflaster.
**Kopfstimme** · *durch Brustresonanz verstärkte:* Falsett, Falsettstimme · *nicht durch Brustresonanz verstärkte:* Fistel, Fistelstimme; → Sprechorgan, → Stimme; → sprechen.
**Kopfstoßen** → Regelverstoß.
**Kopfstück** → Ohrfeige.
**Kopftuch** → Kopfbedeckung.
¹**kopfüber,** mit dem Kopf voran / zuerst, kopfvoran (*schweiz.*).
²**kopfüber** → schnell.
**kopfvoran** → kopfüber.
**Kopfwäsche** → Haarwäsche.
**Kopfweh** → Kopfschmerz.
**Kopfweide** → Weide.
**Kopfzerbrechen:** jmdm. K. machen / bereiten → bekümmern.
**Kopie:** → Abschrift, → Nachahmung, → Reproduktion; eine K. machen → vervielfältigen.
**kopieren:** → abmalen, → nachahmen, → schreiben, → vervielfältigen.
**Kopierpapier** → Schreibpapier.
**Kopierstift** → Schreibstift.
**Kopilot** → Flugzeugführer.
**Kopiopie** → Sehstörung.
**Koppel:** → Gürtel, → Herde, → Wiese.
**koppeln** → zusammenfügen.
**Koppelrick** → Hindernis.
**Koppelschloß** → Schließe.
**Koppelung** → Verknüpfung.
**Köpper:** → Sprung; einen K. machen → springen.
**koppheister:** k. schießen → Purzelbaum [schlagen].
**Koproduktion** → Arbeit.
**Koprolalie** → Anankasmus.
**Koprolalomanie** → Anankasmus.
**Koprophagie** → Perversität.
**Koprostase** → Stuhlverstopfung.

**Kopula:** → Antikörper, → Koitus.
**Kopulation:** → Befruchtung, → Koitus, → Vermählung.
**kopulieren:** → koitieren, → trauen, → verheiraten.
**Koralle:** → Schmuckstein, → Hohltier.
**Koralleninsel** → Insel.
**Korallenkette** → Halskette.
**Korallenmöwe** → Vogel.
**Korallenpilz** → Ständerpilz.
**korallenrot** → rot.
**Korallenstar** → Katarakt.
**Korallentier** → Hohltier.
**Korallenwurz** → Orchidee.
¹**Korb,** Handkorb, Henkelkorb, Deckelkorb, Marktkorb, Spankorb, Drahtkorb, Weidenkorb, Wäschekorb, Reisekorb, Schwinge (*bayr., österr.*), Zaine (*veraltet, noch schweiz.*) · *kleiner:* Körbchen, Kratten (*schweiz.*), Simperl (*österr.*); → Behälter, → Korbmacher, → Tragekorb.
²**Korb:** einen K. geben → ablehnen; Hahn im K. sein → beliebt [sein], → Mittelpunkt [sein].
**Korbball,** Basketball; → Ballspiel, → Spiel.
**Korbbogen:** [einhüftiger K.] → Bogen.
**Körbchen:** → Blütenstand, → Korb.
**Korber** → Korbmacher.
**Korbflasche** → Flasche.
**Korbflechter** → Korbmacher.
**Korbkapitell** → Kapitell.
**Korbmacher,** Korbflechter, Korber (*schweiz.*), Zainer (*schweiz.*); → Korb.
**Korbstrand** → Strand.
**Korbstuhl** → Stuhl.
**Korbwagen** → Kinderwagen.
**Korbweide** → Weide.
**Kord,** Cord, Kordsamt, Schnürlsamt (*österr.*).
**Kordel** → Schnur.
**kordial** → gütig.
**Kordialität** → Freundlichkeit.
**Kordon** → Absperrung.
**Kordsamt:** → Kord, → Stoff.
**Kore** → Säule.
**Koreferat** → Rede.
**kören** → auswählen.
**Körhengst** → Pferd.
**Koriander** → Gewürz.
**Koriandoli** → Konfetti.
**Korinthe** → Weinbeere.

**Korinthenkacker** → Pedant.

**korinthisch:** -es Kapitell → Kapitell; -er Stil → Baustil.

**Korium** → Haut.

**Kork** → Stöpsel.

**Korken** → Stöpsel.

**Korkenzieher** → Flaschenöffner.

**Korkenzieherhose** → Hose.

**Korkenzieherlocken** → Locken.

**Korkweste** → Rettungsgerät.

**Korkzieherlocke** → Haarlocke.

**Kormoran** → Vogel.

**Korn:** → Alkohol, → Getreide; indianisches K. → Getreide; jmdn. aufs K. nehmen → beobachten; die Flinte ins K. werfen → Mut [verlieren].

**Kornblume,** Zyane; → Blume.

**kornblumenblau** → blau.

**Kornbrot** → Brot.

**Körndlbauer** → Bauer.

**¹Kornelkirsche,** Herlitze, Dirndlbaum (österr.), Dirndlstrauch (österr.), Dirndl (österr.); → Busch.

**²Kornelkirsche** → Laubhölzer.

**Körnerfrucht** → Getreide.

**Kornett:** → Blasinstrument, → Dienstgrad.

**Kornhaus** → Silo.

**Kornkasten** → Garbenstand.

**Kornmotte** → Schmetterling.

**Kornraster** → Raster.

**Kornspeicher** → Silo.

**Kornweihe** → Vogel.

**Korona:** → Bande, → Gruppe.

**Koronarinfarkt** → Herzinfarkt.

**Körper:** → Gestalt; ach, du armer K.! → überrascht [sein]; pyrotechnischer K. → Feuerwerkskörper.

**Körperausdünstung** → Körpergeruch.

**Körperbautyp** · *schmächtiger, schmaler, knochenschwacher:* Astheniker · *schmaler, schlanker:* Leptosomer · *starkknochiger, muskulöser:* Athletiker · *kräftiger, gedrungener:* Pykniker · *von den normalen Körperwachstumsformen stark abweichender:* Dysplastiker; → Gestalt.

**Körperbeherrschung,** Akrobatik, Gelenkigkeit, Wendigkeit, Biegsamkeit, Geschicklichkeit, Beweglichkeit; → Biegsamkeit, → Wendigkeit.

**Körperbehinderter,** Invalide, Krüppel · *infolge einer Kriegsverletzung:* Kriegsversehrter, Kriegsinvalide, Kriegskrüppel, Kriegsbeschädigter, Kriegsverletzter; → Buckel; → verwachsen.

**Körperberechnung** → Mathematik.

**Körperbildung** → Bodybuilding.

**Körperertüchtigung** → Sport.

**Körpererziehung** → Sport.

**Körpergeruch,** Geruch, Körperausdünstung, Ausdünstung, Schweißgeruch; → Geruch; → schwitzen.

**Körpergewicht** → Gewicht.

**Körpergröße,** Größe, Länge (ugs.), Riesenhaftigkeit, Hünenhaftigkeit; → groß.

**Körperkraft** → Muskelkraft.

**Körperkräfte** → Kraft.

**Körperkultur** → Sport.

**körperlich:** sich k. ertüchtigen → turnen.

**körperlos** → immateriell.

**Körpermassage** → Massage.

**Körperorgan** → Organ.

**Körperpuder** → Puder.

**Körperschaft** → Vereinigung.

**Körperschaftssteuer** → Abgabe.

**Körperschaftsteuer** → Abgabe.

**Körperseife** → Seife.

**Körperspray:** → Desodorans, → Spray.

**Körpertraining** → Gymnastik.

**Körperzelle,** Zelle · Muskelzelle, Nervenzelle, Fettzelle, Ganglienzelle, Samenzelle, Eizelle, Keimzelle; → Protoplasma.

**Korporal** → Dienstgrad.

**Korporation:** → Verbindung, → Vereinigung.

**Korporierter** → Student.

**Korps:** → Heeresverband, → Mannschaft, → Verbindung, → Verein.

**Korpsbruder** → Kommilitone.

**Korpsgeist** → Standesbewußtsein.

**Korpsstudent** → Student.

**korpulent** → dick.

**Korpulenz** → Fettleibigkeit.

**Korpus:** → Gestalt, → Schriftgrad, → Text.

**Korreferat** → Rede.

**Korreferent** → Redner.

**korrekt,** genau im faut, tipptopp (ugs.), richtig, salonfähig, gesellschaftsfähig; → höflich.

**Korrektheit** → Richtigkeit.

**Korrektiv,** Regulativ; **etwas ist ein K.,** etwas ist ein Ausgleich / ein ausgleichendes Element, etwas stellt einen Ausgleich / ein ausgleichendes Element dar.

**¹Korrektur,** Verbesserung, Berichtigung, Richtigstellung, Revision · *einer in der Presse veröffentlichten Darstellung:* Gegendarstellung; → Änderung.

**²Korrektur** → Änderung.

**Korrekturabzug** → Probedruck.

**Korrekturfahne** → Probedruck.

**Korrelat** → Gegenstück.

**Korrelation** → Wechselbeziehung.

**korrelativ** → gegensätzlich.

**korrelieren** → Wechselbeziehung.

**Korrespondent:** → Berichter, → Briefschreiber.

**Korrespondenz** → Schriftwechsel.

**¹korrespondieren (mit),** jmdn. / sich [mit jmdm.] schreiben, einen Brief / eine Karte / ein paar Zeilen schreiben, in Briefverkehr / Briefwechsel stehen, mit jmdm. einen Briefwechsel führen, Briefe wechseln, brieflich verkehren mit jmdm., mit jmdm. in Verbindung stehen; → mitteilen; → Lebenszeichen, → Postsendung, → Schreiben.

**²korrespondieren:** → gleichen; mit jmdm. k. → Schriftwechsel.

**Korrespondenzkarte** → Postsendung.

**Korridor** → Diele.

**korrigieren:** → ändern, → berichtigen.

**korrodieren** → rostig [werden].

**Korrosion:** → Zerstörung; in K. übergehen → rostig [werden].

**korrumpieren** → bestechen.

**Korrumpierung** → Bestechung.

**korrupt** → bestechlich.

**Korruption** → Bestechung.

**Korsage** → Mieder.

**Korsak** → Fuchs.

**Korsar** → Seeräuber.

**Korselett** → Mieder.

**Korsett** → Mieder.

**Korsettstange** → Stütze.

**Korso:** → Rennplatz, → Straße.

**Korste** → Brotende.

**Kortikotropin** → Hormon.

**Kortison** → Hormon.

**Korvette:** → Kriegsschiff, → Segelschiff.

**Korvettenkapitän:** → Dienstgrad, → Seeoffizier.

**Koryphäe** → Fachmann.

**Koryza** → Schnupfen.

**koscher:** → eßbar, → unverdächtig; etwas ist nicht k. → seltsam [sein].

**Koseform** → Vorname.

**Kosel** → Schwein.

**kosen,** turteln (ugs., scherzh.), schmusen (fam.); → küssen, → liebkosen.

**Kosename** → Vorname.

**Kosmetik,** Schönheitspflege, Hautpflege, Teintpflege · der Hände: Handpflege, Maniküre · der Füße: Pediküre, Fußpflege, Fußnagelpflege; → Schönheitspflegemittel, → Schönheitssalon.

**Kosmetika** → Schönheitspflegemittel.

**Kosmetikinstitut** → Schönheitssalon.

**kosmisch,** interplanetarisch, interplanetar, interstellar, weltraum-.

**Kosmonaut** → Astronaut.

**Kosmopolit** → Weltbürger.

**Kosmos** → Weltall.

**Kost** → Nahrung.

**kostbar,** erlesen, auserlesen, exquisit, ausgesucht, hochwertig, qualitätsvoll, de Luxe, in Sonderausführung, ausgewählt, fein, edel, wertvoll, teuer · in bezug auf Bücher: bibliophil; → appetitlich, → auserwählt, → geschmackvoll, → selten, → trefflich, → unersetzlich; → Kostbarkeit · Ggs. → wertlos.

**¹Kostbarkeit,** Erlesenheit, Auserlesenheit, Ausgesuchtheit, Ausgewähltheit, Feinheit; → Herrlichkeit, → Wohlgestaltetheit; → kostbar.

**²Kostbarkeit** → Schmuck.

**¹kosten,** versuchen, probieren, verkosten, degustieren, gustieren (österr.), schmecken, abschmecken, eine Kostprobe / Probe nehmen; → kontrollieren, → würzen.

**²¹kosten:** → prüfen; etwas kostet etwas → erfordern [viel k. → teuer [sein]; was / wieviel kostet ...? → teuer; koste es, was es wolle → unbedingt;

wenig k. → billig [sein]; etwas kostet eine schöne Stange Geld → teuer [sein]; etwas kann Kopf und Kragen k. → wagen; etwas kostet Kräfte → zehren; etwas kostet Nerven → beschwerlich [sein]; das kostet nicht die Welt → teuer; viel Zeit -d → zeitraubend.

**Kosten:** → Preis; die K. tragen / für die K. aufkommen → zahlen; auf seine K. kommen → befriedigen, → zuzahlen.

**Kostenanschlag** → Kalkulation.

**Kostenaufwand** → Unkosten.

**Kostenexplosion** → Preisanstieg.

**kostenfrei** → kostenlos.

**¹kostenlos,** gratis, gratis und franko (ugs.), umsonst, unentgeltlich, um Gotteslohn (veraltend), ohne Geld, geschenkt, für nichts, als Zugabe, kostenfrei, gebührenfrei, frei, portofrei, freigemacht, postfrei, franko, ohne einen Pfennig zu zahlen, [für] naß (ugs.); → Gebührenfreiheit, → Schmarotzer · Ggs. → gebührenpflichtig.

**²kostenlos:** -er Eintritt → Gebührenfreiheit.

**Kostenrechnung** → Rechnung.

**Kostenvoranschlag** → Kalkulation.

**köstlich** → appetitlich.

**Köstlichkeit** → Leckerbissen.

**Kostprobe:** → Probe; eine K. nehmen → kosten.

**Kostschule** → Heim.

**kostspielig** → teuer.

**¹Kostüm,** Straßenkostüm, Sportkostüm, Reisekostüm, Frühjahrskostüm, Winterkostüm, Komplet, Ensemble, Hosenanzug; → Kleid.

**²Kostüm:** → Kleid, → Kleidung, → Kostümierung.

**Kostümball** → Maskerade.

**Kostümfest** → Maskerade.

**Kostümfilm** → Kinofilm.

**kostümieren:** sich k. → verkleiden (sich).

**Kostümierung,** Kostüm, Maske, Maskierung, Maskerade, Verkleidung, Vermummung; → Kleidung, → Maskerade; → verkleiden (sich).

**Kostverächter:** kein K. sein → genießen.

**Kot:** → Exkrement, → Schmutz.

**Kotau:** K. machen → erniedrigen (sich).

**Kotelett,** Karbonade (landsch.) · ohne Knochen: Schnitzel; → Fleischgericht.

**Koteletten** → Bart.

**koten** → defäkieren.

**Köter** → Hund.

**Kothurn:** auf hohem K. gehen → sprechen.

**kotig** → schmutzig.

**Kotillon** → Tanz.

**Kotstauung** → Stuhlverstopfung.

**Kotter** → Strafanstalt.

**Kötze** → Tragekorb.

**kotzen:** → übergeben (sich); wie gekotzt aussehen → blaß [sein]; das große Kotzen kriegen → angeekelt [sein]; etwas ist zum Kotzen → unerträglich [sein].

**Kotzen** → Umhang.

**Krabbe** → Krebs.

**Krabbelalter** → Lebensalter.

**krabbeln:** → kitzeln, → kriechen.

**Krabbelstube** → Kindergarten.

**Krabbentaucher** → Vogel.

**krabkrällig** → schwanger.

**Krach:** → Lärm, → Streit, → Unannehmlichkeiten; K. machen → lärmen; K. schlagen → aufbegehren; mit Ach und K. → kaum.

**Kracheisen** → Schußwaffe.

**krachen,** knallen, es gibt einen Knall, knattern, böllern, grollen, rollen, poltern, donnern; → knarren, → prasseln, → rascheln, → schallen; → Laut.

**Krachen** → Schlucht.

**Kracher:** alter K. → Mann.

**Kracherl** → Limonade.

**Krachlederne** → Hose.

**Krachmacher** → Störenfried.

**¹krächzen,** schnarren, gackern (Henne), glucken (Henne), glucksen (Henne), krähen (Hahn), schnattern (Gans, Ente), kollern (Truthahn), rucksen (Taube), gurren (Taube); → singen; → Laut.

**²krächzen:** → husten, → sprechen.

**krächzend:** → heiser; k. sprechen → sprechen.

**Krad** → Motorrad.

**kraft:** → vermittels, → wegen.

¹**Kraft**, Kräfte, Körperkräfte · *besonders große:* Bärenkräfte, Riesenkräfte; → kräftigen (sich) · Ggs. → Kraftlosigkeit.

²**Kraft:** → Fähigkeit; mitwirkende K. → Umstand; seine ganze K. aufbieten, etwas kostet Kräfte / verzehrt die Kräfte / zehrt an den Kräften → zehren; aus eigener K. → Hilfe; alle Kräfte anspannen → anstrengen (sich); K. bekommen → kräftigen (sich); außer K. setzen → abschaffen; mit letzter K. → kaum; mit seinen Kräften Raubbau treiben → übernehmen (sich); ohne Saft und K. → fade; wieder zu Kräften kommen → erholen (sich).

**Kraftakt** → Anstrengung.

**Kraftanstrengung** → Anstrengung.

**Kraftaufwand** → Anstrengung.

**Kraftausdruck** → Vulgärausdruck.

**Kraftblume** → Schlüsselblume.

**Kraftbrühe** → Suppe.

**Kraftdroschke** → Taxe.

**Kräfte** → Kraft.

**Kräftemessen** → Kraftprobe.

**Kräfteverfall** → Altersschwäche.

**Kräfteverschleiß,** Verschleiß, Enervierung, Enervation, Abnutzung, Abnützung, Abnutzungserscheinung, Alterserscheinung; → Altersschwäche, → Verschleiß; → entkräften.

**Kraftfahrer,** Autofahrer, Autler (*veraltet*) · *im größeren Auto selbstherrlich und rücksichtslos fahrender:* Herrenfahrer · *nur selten und daher schlecht fahrender, ungeübter:* Sonntagsfahrer; → Fahrer.

**Kraftfahrzeug** → Auto.

**Kraftfahrzeugsteuer** → Abgabe.

**kräftig:** → bunt, → nahrhaft, → sehr, → stark.

¹**kräftigen** (sich), Kraft bekommen / (*ugs.*) kriegen, stark werden, erstarken (*geh.*); → Kraft.

²**kräftigen** → festigen.

**kräftigend** → nahrhaft.

**Kräftigung** → Abhärtung.

**Kraftlackel** → Kraftmensch.

¹**kraftlos,** entkräftet, schwach, schwächlich, geschwächt, lahm (*ugs.*), matt, ermattet, schlapp,

letschert (*bayr., österr.*), nicht → stark; → anfällig, → krank, → schlaff, → willensschwach; **k. sein,** hinten nicht mehr hochkönnen / hochkommen (*ugs.*), kein Mark / keinen Mumm in den Knochen haben (*ugs.*); → Kraftlosigkeit.

²**kraftlos** → fade.

¹**Kraftlosigkeit,** Entkräftung, Schwäche, Schwächlichkeit, Schlappheit, Mattheit, Ermattung; → kraftlos · Ggs. → Kraft.

²**Kraftlosigkeit** → Machtlosigkeit.

**Kraftmeier** → Kraftmensch.

**Kraftmensch,** Herkules, Athlet, Athletiker, Kraftmeier (*ugs.*), Kraftprotz (*ugs., abwertend*), Supermann, Mister Universum, Muskelmann, Tarzan, Muskelprotz (*ugs., abwertend*), Kraftlackel (*ugs., österr.*); → Mann, → Muskelkraft, → Riese; → athletisch.

**Kraftpaket** → Auto.

**Kraftprobe,** Kräftemessen, Machtprobe; → Fähigkeit; → stark.

**Kraftprotz** → Kraftmensch.

**Kraftquelle** → Motor.

**Kraftrad** → Motorrad.

**Kraftspiel,** Lukas, Watschenmann (*österr.*), Herkules (*schweiz.*); → Jahrmarkt.

**Kraftstoff** → Treibstoff.

**kraftstrotzend:** → athletisch, → gesund.

**Kraftvergeudung** → Anstrengung.

**Kraftverschwendung** → Anstrengung.

**kraftvoll** → stark.

**Kraftwagen,** Auto, Wagen, Automobil, Kraftfahrzeug, Fahrzeug, Personenkraftwagen, Pkw, fahrbarer Untersatz (*scherzh.*), Benzinkutsche (*scherzh.*), Schlitten (*salopp*), Kraftpaket (*salopp*), Ofen (*salopp*), Töfftöff (*Kinderspr.*), Nuckelpinne (*scherzh., abwertend*), Blechgeliebte (*scherzh.*), Lastkraftwagen, Lkw, Sattelschlepper, Fourgon, Lieferwagen, Camion (*schweiz.*), Lieferungsauto (*schweiz.*), Lieferungswagen (*schweiz.*), Kombi, Kombiwagen · *geschlossener, sportlich gebauter mit versenk-*

*baren Seitenfenstern:* Coupé · *offener, sportlich gebauter mit zwei Sitzen:* Sportwagen, Roadster, Spider · *geschlossener, auch mit Schiebedach:* Limousine · *mit zurückklappbarem* [*Stoff*]*verdeck:* Kabriolett · *schneller:* Flitzer · *alter, schlechter:* Karosse, Vehikel, Kiste, Schnauferl, Oldtimer, Karre, Klapperkasten, Chaise, Mühle · *großer:* Straßenkreuzer · *kleinerer:* Käfer, Straßenfloh, Chausseewanze (*scherzh.*), Stoppelhopser (*scherzh.*), Leukoplastbomber (*scherzh.*) · *geländegängiger:* Jeep, Landrover · *für Rennen:* Rennwagen, Bolid, Go-cart · *gegen Entgelt zu leihender:* Leihwagen · *noch nicht in Serie produziertes Versuchsmodell:* Erlkönig; → Autofahrer, → Chassis, → Fahrrad, → Karosserie, → Motodrom, → Motorrad, → Omnibus, → Taxe, → Wagen, → Wohnwagen.

**Kraftwort** → Vulgärausdruck.

**Kragdach** → Dach.

¹**Kragen,** Halskragen, Göller (*schweiz.*), Koller (*veraltet*) · *des Geistlichen:* Beffchen, Halskrause, Kollar; → Kragenspiegel.

²**Kragen:** Kopf und K. riskieren / wagen, etwas kann Kopf und K. kosten → wagen.

**Kragenbär** → Bär.

**Kragenente** → Vogel.

**Kragenfaultier** → Faultier.

**Kragenspiegel,** Paroli (*veraltet, österr.*); → Kragen.

**Kragenweite:** jmd. / etwas ist nicht jmds. K. → gefallen.

**Krähe** → Vogel.

**krähen:** → krächzen; danach kräht kein Hahn → unwichtig [sein]; wenn die Hähne k. → aufstehen.

**Krähenfüße:** → Kritzelei, Nagel, → Runzel.

**Krähenscharbe** → Vogel.

**krähwinklig** → engherzig.

**Krake** → Kopffüßer.

**Krakeel** → Lärm.

**krakeelen** → schreien.

**Krakelei** → Kritzelei.

**krakeln** → schreiben.

**Krakowiak** → Tanz.

**Kral** → Haus.

**Kralle** → Fingernagel.

**krallen** → wegnehmen.

**Krallenäffchen** → Affe.

**Krallennagel** → Nagelkrankheit.

**¹Kram** (*ugs., abwertend*), Krimskrams (*ugs., abwertend*), Trödelkram (*ugs., abwertend*), Trödel (*ugs., abwertend*), Krempel (*ugs., abwertend*), Siebensachen (*ugs.*), Gerümpel (*abwertend*), Zeug (*ugs., abwertend*), Plunder (*ugs., abwertend*), Dreck (*derb, abwertend*), Mist (*derb, abwertend*), Zimt (*salopp, abwertend*), Graffelwerk (*bayr., österr.*), Klumpert (*bayr., österr.*), Kramuri (*österr.*), Gesums (*ugs.*), Zinnober (*abwertend*).

**²Kram:** den ganzen K. hinschmeißen / hinwerfen, jmdm. den ganzen K. vor die Füße werfen → kündigen; etwas paßt jmdn. nicht in den K. → passen.

**Krambambuli** → Alkohol.

**Krambude** → Jahrmarktsbude.

**kramen** → suchen.

**Krämer:** → Geschäftsmann, → Kaufmann.

**Krämerlatein** → Gaunersprache.

**Kramladen** → Laden.

**Krammet** → Nadelhölzer.

**Krammetsbeere** → Gewürz.

**Krampe** → Nagel.

**Krampen:** → Nagel, → Spitzhacke.

**Krampf:** → Muskelkrampf, → Unsinn.

**krampfartig:** k. zuckend → konvulsiv.

**krampfhaft** → beharrlich.

**Krampfhusten** → Keuchhusten.

**krampflindernd:** -es Mittel → Relaxans.

**krampflösend:** -es Mittel → Relaxans.

**krampfstillend:** -es Mittel → Relaxans.

**Krampus:** → Knecht Ruprecht, → Muskelkrampf.

**Kramuri** → Kram.

**Kranewit** → Nadelhölzer.

**Kranewitter** → Alkohol.

**Krängung** → Schräge.

**Kranich:** → Sternbild, → Vogel.

**Kraniopagus** → Mißgeburt.

**¹krank,** unpäßlich, indisponiert, fiebrig, todkrank, sterbenskrank, moribund, malade, marod (*bayr., österr.*), kränklich, kränkelnd, angekränkelt, morbid, leidend, siech, bettlägerig, arbeitsunfähig, nicht → gesund; → erschöpft, → hinfällig, → kraftlos, → krankhaft, → unheilbar; **k. werden,** erkranken, eine Krankheit bekommen, sich anstecken / infizieren / etwas zuziehen / (*ugs.*) etwas holen, etwas schnappen / aufschnappen / aufgabeln / fangen / ausbrüten (*ugs.*); **k. sein,** leiden, darniederliegen, dahinsiechen, bettlägerig sein, das Bett / Zimmer hüten [müssen], im / zu Bett liegen [müssen], ans Bett / Zimmer gefesselt sein, kränkeln, nicht mehr können (*ugs.*), es zu tun haben mit (*ugs.*), es haben mit / auf (*ugs.*), auf der Nase liegen (*salopp*), sich nicht mehr auf den Beinen halten können (*ugs.*), im Krankenstand sein (*österr.*), krankfeiern (*landsch.*), jmdm. fehlt etwas, nicht auf der Höhe / auf dem Posten / auf Deck / auf dem Damm / in Ordnung sein (*ugs.*), angeknackst sein (*ugs.*), serbeln (*schweiz.*), herumkrebsen (*salopp*), rumkrebsen (*salopp*), rumquiemen (*salopp, nordd.*), nicht → kommen; **k. aussehen,** schlecht / elend / (*ugs.*) wie das Leiden Christi / (*salopp*) wie eine wandelnde Leiche / (*salopp*) wie eine Leiche auf Urlaub aussehen; **schwer k. sein,** auf den Tod liegen, für jmdn. gibt es keine Rettung mehr, mit einem Fuß im Grab / am Rande des Grabes stehen, vom Tod gezeichnet sein, jmds. Tage sind gezählt, bei jmdm. ist Matthäi am letzten (*ugs.*); → fiebern; → unwohl; → Abmagerung, → Ansteckung, → Kinderlähmung, → Kranker, → Krankheit, → Unfallwagen, → Verfassung.

**²krank** → morbid.

**kränkeln** → krank [sein].

**kränkelnd** → krank.

**kranken:** etwas krankt an, etwas leidet unter, etwas fehlt einer Sache.

**¹kränken,** beleidigen, verletzen, verwunden, jmdn. ins Herz / bis ins Mark treffen, insultieren, schmähen, treffen, etwas gibt jmdm. einen Stich ins Herz, jmdm. eine Beleidigung zufügen, jmdn. vor den Kopf stoßen, verprellen, bei jmdm. ins Fettnäpfchen treten (*ugs.*), jmdm. auf den Schlips treten (*ugs.*), jmdm. auf die Hühneraugen treten (*ugs.*), jmdm. Nadelstiche versetzen; → anstoßen, → benehmen (sich), → diskriminieren, → kompromittieren (jmdn.), → mißachten, → schlechtmachen, → verletzen; → ärgerlich, → gekränkt; → Beleidigung.

**²kränken:** etwas kränkt jmdn. → ärgern.

**Krankenanstalt** → Krankenhaus.

**Krankenauto** → Unfallwagen.

**Krankenbehandlung** → Behandlung.

**kränkend** → beleidigend.

**Krankenhaus,** Krankenanstalt, Klinik, Hospital, Spital (*österr.*), städtische Klinik, städtisches Krankenhaus, Universitätsklinik, Privatklinik · Augenklinik · Frauenklinik · Hautklinik · Hals-Nasen-Ohren-Klinik · Kinderklinik · Mund-Zahn-und-Kiefer-Klinik · Gefängniskrankenhaus, Inquisitenspital (*österr.*) · Entbindungsheim, Gebärklinik (*österr.*) · *für Geisteskrankheiten:* psychiatrische Klinik, Nervenheilanstalt, Heilanstalt, Heil- und Pflegeanstalt, Nervenanstalt (*ugs.*), Irrenanstalt (*abwertend*), Irrenhaus (*abwertend*), Klapsmühle (*salopp, abwertend*) · *für Behandlung von Fehlbildungen der Bewegungsorgane:* orthopädische Klinik · *für Soldaten:* Lazarett ·· *Abteilung im K.:* Station · Entbindungsstation, Entbindungsabteilung · *zur Behandlung gehäufiger Patienten:* Poliklinik, Ambulanz, Ambulatorium · *für innere Krankheiten:* medizinische Klinik · *für geistige, seelische u. ä. Krankheiten:* Nervenklinik, psychiatrische Klinik, Psychiatrie, geschlossene Abteilung, psychosomatische Klinik, sozialpsychiatrische Klinik · *für Nervenkrankheiten:* Nervenklinik, neurologi-

sche Klinik, Neurologie (ugs.) ·
*für Infektionskrankheiten:* Iso-
lierstation; → Arzt, → Laza-
rett, → Quarantäne, → Sana-
torium, → Unfallwagen; →
stationär.
**Krankenhausarzt** → Arzt.
**Krankenhausaufenthalt:** einen
K. erfordernd → stationär.
**Krankenhausbehandlung:** eine
K. erfordernd → stationär.
**Krankenkost** → Diät.
**Krankenpfleger,** Pfleger, Sani-
täter; → Krankenschwester.
**Krankenpflegerin** → Kranken-
schwester.
**Krankensalbung** → Viatikum.
**Krankenschwester,** Kranken-
pflegerin, Schwester, Schwe-
sternhelferin, Vollschwester,
Lernschwester, Rote-Kreuz-
Schwester, Rotkreuzschwester ·
Stationsschwester, Nachtschwe-
ster, Operationsschwester,
Karbolmaus (*scherzh.*); → Für-
sorgerin, → Krankenpfleger, →
Sprechstundenhilfe, → Sprechzimmer.
**Krankenstand:** im K. sein →
krank [sein].
**Krankenstuhl** → Rollstuhl.
**Krankenversicherung** → Versicherung.
**Krankenwagen** → Unfallwagen.
**¹Kranker,** Patient, Leidender,
Schwerkranker, Todkranker,
Siecher, Bettlägeriger, unheilbar Kranker; → Hypochonder,
→ Krankheit, → Sterbender;
→ krank.
**²Kranker:** eingebildeter K. →
Hypochonder.
**krankfeiern** → arbeiten, →
faulenzen, → krank [sein].
**¹krankhaft,** pathologisch; →
anormal, → krank.
**²krankhaft:** → morbid; k.
gesteigertes Erinnerungsvermögen → Gedächtnisstörung;
-er Großwuchs → Großwuchs;
-er Kleinwuchs → Kleinwuchs;
-e Todesangst → Phobie.
**¹Krankheit,** Leiden, Übel, Seuche, Epidemie, Erkrankung,
Siechtum, Bresthaftigkeit (*veraltet*), Gebrechen, Gebrest (*veraltet*), Unpäßlichkeit, Unwohlsein, schlechtes Befinden, Bettlägerigkeit, Beschwerden, Wehwehchen (*ugs.*); → Alters-

schwäche, → Ansteckung, →
Aussatz, → Avitaminose, →
Bluterkrankheit, → Brustfell-
entzündung, → Diphtherie,
→ Eintagsfieber, → Entmar-
kungskrankheit, → Epilepsie,
→ Grippe, → Fieber, → Fleck-
fieber, → Funktionsstörung,
→ Fußpilz, → Gallenerkran-
kung, → Gallenstein, → Ge-
nesender, → Geschlechts-
krankheit, → Geschwulst, →
Halsentzündung, → Hals-
schmerzen, → Harnstein, →
Hautkrankheit, → Kehlkopf-
entzündung, → Keuchhusten,
→ Knochenbruch, → Kolik, →
Kranker, → Krankheitsent-
stehung, → Krankheitserreger,
→ Kropf, → Leberkrankheit,
→ Managerkrankheit, → Me-
lancholie, → Nagelkrankheit, →
Not, → Pest, → Quarantäne,
Schilddrüsenüberfunktion, →
Schnupfen, → Symptom, →
Tuberkulose, → Typhus, →
Untertemperatur, → Wunde;
→ fiebern, → röntgen · Ggs. →
Gesundheit.
**²Krankheit:** englische K., Glis-
son-K. → Rachitis; hinfallende
K. → Epilepsie; ungarische K.
→ Fleckfieber; venerische K. →
Geschlechtskrankheit; eine K.
bekommen → krank [werden];
eine K. erregend → virulent.
**Krankheitsangst** → Hypochon-
drie.
**Krankheitsbefürchtung:** unbe-
gründete K. → Hypochondrie.
**Krankheitsbehandlung** → Be-
handlung.
**Krankheitseinbildung** → Hypochondrie.
**Krankheitsentstehung,** Krankheitsursache, Pathogenese,
Pathogenie (*selten*), Nosogenese,
Nosogenie (*selten*), Ätiologie; →
Entstehung, → Krankheit.
**¹Krankheitserreger,** Krankheitskeim, Keim, Bakterie, Bazille
(*ugs.*), Bazillus, Virus; →Krank-
heit; → virulent.
**²Krankheitserreger:** Vernichtung von -n → Desinfektion.
**Krankheitsfurcht** → Hypochondrie.
**Krankheitskeim** → Krankheitserreger.
**Krankheitsursache** → Krankheitsentstehung.

**krankheitsverhütend** → vorbeugend.
**Krankheitswahn** → Hypochon-
drie.
**Krankheitszeichen** → Symptom.
**kranklachen:** sich k. → lachen.
**kränklich** → krank.
**Kränkung** → Beleidigung.
**Kranz:** → Frisur; Frankfurter
K. → Gebäck; einen K. aufs
Haupt setzen; mit Kränzen
schmücken → bekränzen.
**¹Kränzchen,** Kaffeekränzchen,
Damenkränzchen, Kaffee-
klatsch (*ugs.*); → Verabredung,
→ Versammlung.
**²Kränzchen:** → Ball, → Kaffee-
kränzchen.
**Kranzeljungfer** → Brautjung-
fer.
**Kranzjungfer** → Brautjungfer.
**Krapfen** → Pfannkuchen.
**Kräppel** → Pfannkuchen.
**krapprot** → rot.
**kraß** → ausgeprägt.
**Krater** → Abgrund.
**Kratte** → Tragekorb.
**Kratten** → Korb.
**Kratzbürste** → Mädchen.
**kratzbürstig** → unzugänglich.
**Kratzbürstigkeit** → Eigensinn.
**Krätzchen** → Kopfbedeckung.
**Krätze:** → Hautkrankheit, →
Tragekorb.
**¹kratzen,** schaben, scharren,
schurren, schürfen, ritzen,
schrammen, zerkratzen, schrapen, (*nordd.*), schrappen
(*landsch.*); → jucken (sich), →
kitzeln, → kribbeln, → reiben;
→ Schramme.
**²kratzen:** → kribbeln, → wegnehmen; sich k. → jucken (sich);
jmdm. das Goderl k. →
schmeicheln.
**Kratzer** → Schramme.
**Krätzer** → Wein.
**Kratzwunde:** → Schramme, →
Wunde.
**krauchen** → kriechen.
**krauen** → kitzeln.
**kraulen:** → kitzeln, → liebkosen, → schwimmen.
**Kraulschwimmen** → Schwimmen.
**kraus:** → lockig, → rauh;
Krause Glucke → Ständerpilz.
**Krausbeere** → Stachelbeere.
**Kräuselbeere** → Stachelbeere.
**Kräuselkrepp** → Stoff.

kräuseln → locken (sich).
**Kraushaaralge** → Alge.
**Krauskohl** → Grünkohl.
**Krauskopf:** → Locken, → Mensch.
**[1]Kraut** (das): → Kohl, → Laub, → Pflanze, → Tabak; wie K. und Rüben → durcheinander; bei jmdm. liegt alles herum wie K. und Rüben → ungeordnet [sein]; ins K. schießen → überhandnehmen, → wuchern.
**[2]Kraut** (der): → Deutscher.
**Krauter** → Greis.
**Kräuterbutter** → Fett
**Krauterer** → Greis.
**Kräuterkäse** → Käse.
**Kräuterlikör** → Alkohol.
**Kräutertee** → Tee.
**Krautfaß** → Faß.
**Krauthäuptel** → Kohlkopf.
**Krautjunker** → Großgrundbesitzer.
**Krautkopf** → Kohlkopf.
**Krawall:** → Streit, → Verschwörung.
**Krawallbruder** → Störenfried.
**Krawallmacher** → Störenfried.
**[1]Krawatte**, Schlips, Selbstbinder, Binder, Senkel (*salopp*) · Krawattenschleife, Schleife, Fliege (*ugs.*), Mascherl (*österr.*), Schmetterling, Plastron; → Jabot.
**[2]Krawatte:** eine schwarze K. tragen → Trauerkleidung [tragen].
**Krawattenschleife** → Krawatte.
**Kraxe** → Tragekorb.
**kraxeln:** → klettern; k. auf → steigen (auf).
**Kräze** → Tragekorb.
**Kreation**, Modeschöpfung, Modell; → Kleidung.
**kreativ** → schöpferisch.
**Kreatur** → Geschöpf.
**kreatürlich**, animalisch, dem Geschöpf eigen; → Geschöpf.
**[1]Krebs**, Krebstier, Krustazee, Krustentier, Schalentier · Hummer, Flußkrebs, Einsiedlerkrebs, Taschenkrebs, Krabbe, Wollhandkrabbe, Strandkrabbe, Languste, Garnele.
**[2]Krebs:** → Geschwulst, → Sternbild, → Tierkreiszeichen.
**Krebsangst** → Hypochondrie.
**Krebsarzt** → Arzt.
**krebsen** → anstrengen (sich).
**Krebsotter** → Raubtier.

krebsrot → rot.
**Krebstier** → Krebs.
kredenzen → servieren.
**[1]Kredit** (das): → Guthaben.
**[2]Kredit** (der): → Anleihe; K. geben → anschreiben; einen K. aufnehmen → leihen; auf K. → leihweise.
**Kreditanstalt** → Geldinstitut.
**Kreditbank** → Geldinstitut.
**Kreditinstitut** → Geldinstitut.
**Kreditor** → Gläubiger.
**Kredo** → Glaubensbekenntnis.
**kregel:** → gesund, → lustig.
**Kregen** → Fangspiel.
**[1]Kreide**, Schulkreide, Kreidestift, Ölkreide, Wachskreide, Fettkreide, Malkreide, Rötel, Pastellkreide; → Schreibstift, → Zeichenstift.
**[2]Kreide** → Erdzeitalter.
kreidebleich → blaß.
**Kreidestift** → Kreide.
**Kreideumdruckpapier** → Druckpapier.
kreideweiß → blaß.
kreieren → erschaffen.
**Kreis:** → Ausschuß, → Gruppe, → Personenkreis, → Verwaltungsbezirk; die führenden -e → Oberschicht; etwas ist die Quadratur des -es → unausführbar [sein]; sich im K. drehen / bewegen → kreisen.
kreischen → schreien.
kreiseln → rollen.
**kreisen**, rotieren, sich drehen, sich im Kreis drehen / bewegen, umlaufen; → drehen, → rollen.
**Kreisflanke** → Turnübung.
kreisförmig → rund.
**Kreisgrenze** → Grenze.
**Kreishaarschwund** → Haarausfall.
**Kreislauf** → Zyklus.
**Kreissäge:** → Kopfbedeckung, → Säge.
**Kreisschreiben** → Umlaufschreiben.
kreißen → gebären.
**Kreisumlauf** → Zirkulation.
**Krekel** → Obst.
**Krem** → Salbe.
**Kremaster** → Muskel.
**Kremation** → Feuerbestattung.
**Krematorium**, Feuerhalle (*österr.*); → Feuerbestattung.
kremieren → einäschern.
**Kremierung** → Feuerbestattung.

**Kreml** → Regierung.
**Krempel:** → Kram; den ganzen K. hinschmeißen / hinwerfen, jmdm. den ganzen K. vor die Füße werfen → kündigen.
**Krempling:** Kahler K. → Ständerpilz.
**Kremser** → Kutsche.
**Kren** → Meerrettich.
**Krenotherapie** → Hydrotherapie.
**krepieren:** → platzen, → sterben.
**Kreppapier** → Buntpapier.
**Kresse** → Küchengewürz.
**Krethi:** K. und Plethi → alle.
**Kretin:** → Dummkopf, → Geistesgestörter.
**Kretinismus** → Geistesgestörtheit.
**kretinoid:** → geistesgestört; -e Idiotie → Geistesgestörtheit.
**Kretscham** → Gaststätte.
**Kretschmer** → Wirt.
**Kreude** → Brotaufstrich.
**Kreuz:** → Altargerät, → Last, → Rücken, → Spielkarte, → Sternbild; ägyptisches / Brabanter / burgundisches / griechisches / Jerusalemer / lateinisches / Lothringer / päpstliches / russisches K. → Kreuzzeichen; drei -e machen → aufatmen; sein K. tragen / auf sich nehmen → ertragen; das K. schlagen / machen → bekreuzigen (sich); ans K. schlagen → töten; aufs K. fallen → überrascht [sein]; aufs K. legen → betrügen; → koitieren; jmdm. etwas aus dem K. leiern / ablisten; mit jmdm. über K. sein / stehen → verfeindet [sein]; zu -e kriechen → erniedrigen (sich).
**kreuz-:** → erz-.
**Kreuzbogenfries** → Fries.
**Kreuzdach** → Dach.
**kreuzen:** → fahren, → züchten; sich k. → überschneiden (sich).
**Kreuzer:** → Münze; [schwerer K.] → Kriegsschiff.
**Kreuzeszeichen** → Kreuzzeichen.
**Kreuzfahrt:** → Reise; auf K. sein → fahren.
**Kreuzfahrtschiff** → Fahrgastschiff.
**Kreuzfalz** → Falte.

**Kreuzfeuer:** → Anfeindung; im K. stehen, ins K. geraten → attackieren.

**Kreuzfuchs** → Fuchs.

**Kreuzgelenk** → Gelenk.

**Kreuzgewölbe** → Gewölbe.

**Kreuzgratgewölbe** → Gewölbe.

**Kreuzgurt** → Sicherheitsgurt.

**kreuzigen** → töten.

**Kreuzkappengewölbe** → Gewölbe.

**Kreuzknoten** → Knoten.

**Kreuzkröte** → Frosch.

**Kreuzkuppelkirche** → Gotteshaus.

**kreuzlahm** → erschöpft.

**Kreuzotter** → Schlange.

**Kreuzraster** → Raster.

**Kreuzrippengewölbe** → Gewölbe.

**Kreuzritter** → Ritter.

**Kreuzschnabel** → Vogel.

**¹Kreuzung,** Straßenkreuzung, Wegkreuzung, Kreuzweg · *auf gleichen Ebenen:* Niveaukreuzung, niveaugleiche Kreuzung · *auf verschiedenen Ebenen:* niveaufreie Kreuzung; → Gabelung, → Straße, → Unterführung.

**²Kreuzung** → Mischung.

**kreuzunglücklich** → schwermütig.

**Kreuzverhör:** → Verhör; ins K. nehmen → attackieren, → vernehmen.

**Kreuzweg:** → Kreuzung; am K. stehen → Entscheidung.

**Kreuzworträtsel** → Rätsel.

**Kreuzzeichen,** Kreuzeszeichen, Kreuz · griechisches Kreuz · lateinisches Kreuz, Passionskreuz · Antoniuskreuz, Taukreuz, ägyptisches Kreuz · Ankerkreuz, Henkelkreuz, Doppelkreuz · päpstliches Kreuz, Papstkreuz · Patriarchenkreuz · Kardinalkreuz · russisches Kreuz, Wiederkreuz, Malteserkreuz · Andreaskreuz, Schrägkreuz, burgundisches Kreuz · Schächerkreuz, Gabelkreuz, Deichselkreuz · Lothringer Kreuz, Krückenkreuz, Petruskreuz, Jerusalemer Kreuz · Kleeblattkreuz, Lazaruskreuz, Brabanter Kreuz · Hakenkreuz.

**Kreuzzugsdichtung** → Dichtung.

**kribbeln,** jucken, kratzen, brennen, beißen, stechen, pieken (*ugs.*); → jucken (sich), → kitzeln, → kratzen.

**kribblig** → aufgeregt.

**Krickel:** → Geweih, → Schwanz.

**Krickelkrakel** → Kritzelei.

**Krickente** → Vogel.

**Kricket** → Schlagball.

**Krida** → Mißerfolg.

**Kridar** → Gemeinschuldner.

**Kridatar** → Gemeinschuldner.

**Krieche** → Obst.

**¹kriechen,** krabbeln, krauchen (*landsch.*), robben; → fortbewegen (sich).

**²kriechen:** → unterwürfig [sein]; auf den Leim k. → hereinfallen; aus den Federn k. → aufstehen; zu Kreuze k. → erniedrigen (sich).

**kriechend:** → bäuchlings, → unterwürfig.

**Kriecher** → Schmeichler.

**Kriecherei** → Unterwürfigkeit.

**kriecherisch** → unterwürfig.

**Kriecherl** → Obst.

**Kriechtiere,** Reptilien; → Eidechse, → Krokodil, → Schildkröte, → Schlange.

**¹Krieg,** bewaffnete Auseinandersetzung, bewaffneter Konflikt, Orlog (*veraltet*) · Landkrieg, Seekrieg, Luftkrieg, Eroberungskrieg, Raubkrieg, Angriffskrieg, Offensivkrieg, Defensivkrieg, Verteidigungskrieg, Abwehrkrieg, Präventivkrieg, Grabenkrieg, Stellungskrieg, Bewegungskrieg, Belagerungskrieg, Zermürbungskrieg, Zweifrontenkrieg, Gaskrieg, Atomkrieg, Bürgerkrieg, Glaubenskrieg, Religionskrieg, Volkskrieg, Bruderkrieg, Guerillakrieg, Kleinkrieg, Partisanenkrieg · *schnell zu einem Sieg geführter:* Blitzkrieg · *an dem viele Länder beteiligt sind:* Weltkrieg Weltbrand (*dichter.*); → Feldzug, → Kampf, → Lazarett.

**²Krieg:** kalter K. → Streit; K. führen gegen → bekriegen; nicht aus dem K. heimkehren, im K. bleiben → sterben; die Jahre / die Zeit nach dem K. → Nachkriegszeit; Literatur zwischen den beiden -en → Literaturepochen.

**kriegen:** → bekommen, → ergreifen (jmdn.), → verdienen; sich k. → heiraten; nicht [mehr] k. → versäumen; geschenkt k., etwas extra k. → zubekommen; Angst / kalte Füße k. → Angst [bekommen]; Beine k. → reif [sein], → verlorengehen; eins auf den Deckel k. → schelten, → schlagen; Farbe k. → gebräunt [werden]; sein Fett k. → bestrafen; eine Gänsehaut k. → frieren; das ist, um Junge zu k. → unerträglich [sein]; Kraft k. → kräftigen [sich]; die Kurve k. → Erfolg [haben]; Maulsperre k., du kriegst die Motten! → überrascht [sein]; ein paar [hinter die Löffel / die Ohren] k. → schlagen; Post k. → Nachricht [erhalten]; Prügel / Schläge / Senge / Wichse k. → schlagen; einen Radi k. → schelten; einen Schreck / Schrecken k. → erschrecken; Unannehmlichkeiten k. → Unannehmlichkeiten; eine Wucht k. → schlagen; Zustände k. → ärgerlich [werden]; sich in die Haare / Wolle k. → zanken (sich); zu fassen / am Schlafittchen / beim Wickel k. → ergreifen (jmdn.); etwas zu hören k. → schelten.

**Kriegen** → Fangspiel.

**Krieger:** → Soldat; kalter K. → Gegner.

**kriegerisch:** → streitbar; -e Handlungen → Kampf.

**Kriegezeck** → Fangspiel.

**Kriegsabitur** → Abitur.

**Kriegsbeil:** das K. ausgraben → bekriegen, → bereinigen.

**Kriegsbeschädigter** → Körperbehinderter.

**Kriegsdichtung** → Dichtung.

**Kriegsdienst** → Militärdienst.

**Kriegsdienstverweigerer** → Wehrdienstverweigerer.

**Kriegsentschädigung** → Ersatz.

**Kriegsfieber** → Fleckfieber.

**Kriegsfilm** → Kinofilm.

**Kriegsflotte** → Flotte.

**Kriegsfuß:** auf [dem] K. stehen mit → firm, → verfeindet [sein].

**Kriegsgebiet** → Kriegsschauplatz.

**Kriegsgefangener** → Gefangener.

Kriegsgefangenschaft → Gefangenschaft.

Kriegsgegner → Pazifist.

Kriegsgegnerschaft → Pazifismus.

Kriegsgewinnler → Geschäftsmann.

Kriegshafen → Hafen.

Kriegsinvalide → Körperbehinderter.

Kriegskrüppel → Körperbehinderter.

Kriegskunst → Strategie.

Kriegslazarett → Lazarett.

kriegslüstern → kampfbereit.

Kriegsmarine → Militär.

Kriegsrat: K. halten → beratschlagen.

Kriegsrecht: → Ausnahmezustand, → Rechtsgebiet.

Kriegsschauplatz, Kriegsgebiet, Operationsgebiet, Operationsbasis, Kampfgebiet; → Front, → Schützengraben.

Kriegsschiff, Kampfschiff · Großkampfschiff, Schlachtschiff, Linienschiff (veraltet), Panzerkreuzer (veraltet), Schlachtkreuzer (veraltet), Panzerschiff (veraltet), [schwerer / leichter] Kreuzer, Flugzeugträger, Zerstörer, Torpedobootzerstörer, Monitor, Landungsfahrzeug, Unterseeboot, U-Boot, U-Boot-Jäger, Atom-U-Boot, Schnellboot, Torpedoboot (veraltet), Kanonenboot (veraltet), Minenleger, Minensuchboot, Minenräumboot, Geleitboot, Fregatte, Korvette, Wachboot, Hilfskreuzer, Troßschiff, Truppentransporter, Lazarettschiff ·· historisches · im Altertum: Triere, Liburne, Dromone · im Mittelalter: Galeere, Wikingerschiff, Drachenschiff, Kogge, Galeone; → Flotte, → Schiff, → Segelschiff.

Kriegstyphus → Fleckfieber.

Kriegsverletzter → Körperbehinderter.

Kriegsversehrter → Körperbehinderter.

Kriegszug → Feldzug.

Kriegszustand: den K. beenden → Frieden [schließen].

Krimi: → Kinofilm, → Kriminalstück, → Literatur, → Roman.

Kriminal → Strafanstalt.

Kriminalbeamter, Kriminaler (ugs.), Kriminalist, Kiberer (ugs., österr.), Detektiv; → Auskundschafter, → Polizei, → Verbrecher.

Kriminaler → Kriminalbeamter.

Kriminalfilm: → Kinofilm, → Kriminalstück.

Kriminalgroteske → Kriminalstück.

Kriminalhörspiel → Kriminalstück.

Kriminalist → Kriminalbeamter.

Kriminalistik, Kriminologie, Kriminalwissenschaft; → Gerichtsmedizin, → Rechtsgebiet, → Wissenschaft.

Kriminalkomödie → Kriminalstück.

Kriminalliteratur → Literatur.

Kriminalpolizei → Polizeibehörde.

Kriminalroman: → Literatur, → Roman.

Kriminalstück, Krimi (ugs.), Krimineser (ugs., österr.), Kriminalkomödie, Kriminalgroteske, Kriminalfilm, Kriminalhörspiel; → Gruselfilm, → Literatur, → Wildwestfilm.

Kriminalwissenschaft → Kriminalistik.

kriminell → gesetzwidrig.

Krimineller → Verbrecher.

Krimineser → Kriminalstück.

Kriminologie → Kriminalistik.

Krimmer → Pelz.

Krimotherapeutik → Kryotherapie.

Krimskrams → Kram.

kringelig: sich k. lachen → lachen.

kringeln: sich k. → lachen.

Krinoline, Reifrock; → Kleidung.

Krippe → Kindergarten.

Krippenspiel → Drama.

Krischer: Pfälzer K. → Pfälzer.

Krise: → Höhepunkt, → Not.

kriseln: es kriselt → ernst [sein].

krisenfest → bleibend.

Krisengebiet → Krisenherd.

Krisenherd, Krisengebiet, Gefahrenherd, Gefahrenzone; → Gebiet, → Not.

Krisenstab → Leitung.

krisselig: k. werden → gerinnen.

Kristallglas → Glas.

Kristallhochzeit→Hochzeitstag.

Kristallstar → Katarakt.

Kristallvase → Blumenvase.

Kriterium → Merkmal.

Kritik: → Besprechung; eine gute K. bekommen / erhalten, gute -en haben, eine K. schreiben → besprechen; K. üben → beanstanden; unter aller K. → minderwertig, → schlecht; unter jmds. K. zu leiden haben → beanstanden.

Kritikaster: → Kritiker, → Nörgler.

Kritiker, Rezensent, Besprecher, Kommentator, Kritikaster (abwertend), Zensor, Kunstrichter, Theaterkritiker, Filmkritiker, Kunstkritiker, Literaturkritiker; → Besprechung, → Nörgler.

kritiklos, ohne Bedenken, bedenkenlos, blindlings; → anstandslos.

Kritiklosigkeit → Arglosigkeit.

kritisch: → argwöhnisch, → ernst, → gefährlich; -es Alter, -e Jahre → Klimakterium; -er Punkt → Schwierigkeit; -e Tage → Menstruation; k. beleuchten → überprüfen.

kritisieren: → attackieren, → beanstanden.

kritteln → beanstanden.

Kritzelei, Gekritzel, Krähenfüße, Krickelkrakel (ugs.), Gekrakel (ugs., abwertend), Krakelei (ugs., abwertend), Geschmier (abwertend), Sudelei (abwertend), Kleckserei (abwertend); → Malerei; → schreiben.

kritzeln → schreiben.

Krocket → Golfspiel.

Krocketspiel → Golfspiel.

Krokette: -n → Kloß.

Kroko → Leder.

¹Krokodil, Nilkrokodil, Leistenkrokodil, Panzerechse, Alligator, Kaiman, Gavial, Gangesgavial, Schnabelkrokodil; → Kriechtiere.

²Krokodil → Leder.

Krokodilsträne: → Träne; -n weinen → weinen.

Kronblatt → Blatt.

¹Krone, Grafenkrone, Herzogskrone, Königskrone, Fürstenkrone, Zackenkrone, Goldkrone.

²Krone: → Kronleuchter, → Münze, → Wipfel, → Zahn-

ersatz; dänische / isländische / norwegische / schwedische / tschechische K. → Zahlungsmittel; Nördliche / Südliche K. → Sternbild; K. der Schöpfung → Mensch; etwas setzt einer Sache die K. auf, das schlägt dem Faß die K. ins Gesicht → unerhört [sein]; jmdm. bricht kein Zacken / fällt kein Stein aus der K. → erniedrigen (sich); einen in der K. haben → betrunken [sein]; etwas steigt jmdm. in die K. → dünkelhaft [sein].

**krönen:** etwas ist von Erfolg gekrönt → Erfolg [haben].

**Kronenkorken** → Stöpsel.

**Kronensohn** → Junge

**Kronenverschluß** → Verschluß.

**Kronleuchter,** Krone, Lüster, Luster (*österr.*); → Lampe.

**Kronprinz** → Thronfolger.

**Krönung,** letzte Vollendung, letzter Schliff / Pfiff (*ugs.*), I-Punkt, Tüpfelchen auf dem i.

**Kronzeuge** → Zeuge.

**¹Kropf,** Struma, Schilddrüsenvergrößerung, Schilddrüsenhyperplasie; → Krankheit, → Schilddrüsenüberfunktion.

**²Kropf:** den K. leeren → sprechen.

**Kroppzeug** → Abschaum.

**krosch** → knusprig.

**kroß** → knusprig.

**Krösus** → Reicher.

**Krot** → Frosch.

**Kröte:** → Frosch; -n → Geld; eine K. im Hals / verschluckt haben → heiser [sein].

**Krötenechse** → Eidechse.

**krötig:** k. werden → ärgerlich [werden].

**Krott** → Frosch.

**Krotte** → Frosch.

**Krucke:** -n → Geweih.

**Krücke** → Spazierstock.

**krücken** → lügen.

**Krückenkreuz** → Kreuzzeichen.

**Krückstock:** → Spazierstock; das sieht doch ein Blinder mit [dem] K. → klar [sein].

**krud** → unbarmherzig.

**krude** → unbarmherzig.

**Krug:** → Gaststätte, → Kanne, → Trinkgefäß.

**Krügel** → Hohlmaß.

**Krüger** → Wirt.

**Kruke:** → Kanne, → Kind.

**Krullfarn** → Farn.

**Krüllschnitt** → Tabak.

**Krume:** → Erde, → Krümel.

**¹Krümel,** Krume, Brotkrume, Brosame, Brösel, Bröckchen, Brocken; → Paniermehl.

**²Krümel** → Kind.

**krumm:** → gebogen, → verwachsen; vor jmdm. einen -en Buckel machen → unterwürfig [sein]; ein -es Ding drehen → Verbrechen; der ist k., wenn er sich bückt → geizig [sein]; keinen Finger k. machen → träge [sein], → unternehmen.

**Krummdarm** → Darm.

**krümmen:** sich k. → beugen (sich); niemandem ein Haar k. [können] → friedfertig [sein]; sich vor Schmerzen k. → Schmerz.

**krummlegen:** sich k. → sparen.

**krummliegen** → sparen.

**krummnehmen** → übelnehmen.

**Krümmung** → Biegung.

**krumpelig** → zerknittert.

**krumplig** → zerknittert.

**krüppelig** → verwachsen.

**Krüppelmotte** → Schmetterling.

**Krüppelwalmdach** → Dach.

**krüsch** → wählerisch.

**Krüsch** → Kleie.

**Krustazee** → Krebs.

**Krüstchen** → Brotende.

**Kruste:** → Brotende, → Brotkruste, → Hautblüte, → Schale, → Schorf.

**Krustenflechte** → Flechte.

**Krustentier** → Krebs.

**Kruzifix:** → Altargerät; K.! → verflucht!

**Kruzitürken:** K.! → verflucht!

**Krymotherapie** → Kryotherapie.

**Krypta** → Grab.

**kryptogenetisch:** -e Anämie → Perniziosa.

**Krypton:** → Edelgas, → Gas.

**Kryptonym** → Pseudonym.

**Kryptorchismus** → Hoden.

**KS-Grammatik** → Grammatik.

**Kuba** → Orientteppich.

**Kubatabak** → Tabak.

**Kübel:** → Gefäß; es gießt wie mit -n → regnen.

**Kübelpflanze** → Topfpflanze.

**Kubikmeter** → Hohlmaß.

**kubisch:** -e Gleichung → Gleichung.

**Kubismus** → Malerei.

**Kübler** → Böttcher.

**Kubus** → Würfel.

**¹Küche,** Wohnküche · *kleine:* Kochnische, Pantry; → Wohnung; → kochen.

**²Küche:** in Teufels K. kommen → Lage.

**Kuchelgrazie** → Koch.

**kücheln** → braten.

**Kuchen:** braune K. → Lebkuchen; [kleine K.] → Gebäck; das größte Stück vom K. → Anteil.

**Kuchenblech** → Backform.

**Küchenbulle** → Koch.

**Küchenchef** → Koch.

**Küchendragoner** → Koch.

**Küchenfee** → Koch.

**Kuchenform** → Backform.

**Kuchengabel** → Gabel.

**Küchengewürz,** Küchenkraut, Gewürzpflanze · Bohnenkraut, Pfefferkraut · Borretsch, Gurkenkraut · Dill · Portulak · Eberraute · Löffelkraut · Tripmadam · Ysop · Salbei · Beifuß · Estragon · Schnittlauch · Petersilie, Peterle (*landsch.*) · Knoblauch · Pimpinelle · Basilikum · Kerbel · Liebstöckel, Maggikraut (*ugs.*) · Rosmarin · Melisse, Zitronenmelisse · Kresse; → Gemüse, → Gewürz, → Knoblauch,↪ Zwiebel; → garnieren, → kochen, → würzen.

**Küchenhandtuch** → Handtuch.

**Küchenherd** → Herd.

**Küchenhobel,** Hachel (*österr.*), Hobel, Gurkenhobel, Gurkenhachel (*österr.*); → Messer; → hobeln.

**Küchenkraut** → Küchengewürz.

**Küchenlampe** → Lampe.

**Küchenmeister:** bei jmdm. ist Schmalhans K. → sparen [müssen].

**Küchenmesser** → Messer.

**Küchenschrank** → Schrank.

**Küchenschürze** → Schürze.

**Küchentisch** → Tisch.

**Kuchentrieb** → Treibmittel.

**Küchenuhr** → Uhr.

**Küchenwaage** → Waage.

kuchenwarm → warm.

Küchenzwiebel → Zwiebel.

Küchlein → Huhn.

kucken: → blicken; dumm aus der Wäsche k. → überrascht [sein]; Fernsehen k. → empfangen; in die Röhre k. → bekommen, → fernsehen.

Kuckuck: → Vogel; zum K.! → verflucht! zum K. sein → verloren [sein]; jmdn. zum K. wünschen → verwünschen.

Kuckucksei: ein K. sein → ähneln; jmdm. ein K. ins Nest legen → aufbürden.

Kuckucksuhr → Uhr.

Kuddelmuddel → Verwirrung.

Kudelkraut → Thymian.

Küfer → Böttcher.

Kugel: → Munition, → Sportgerät; sich eine K. durch den Kopf jagen → entleiben (sich); eine ruhige K. schieben → anstrengen (sich).

Kugelalge → Alge.

Kugelballon → Luftschiff.

Kugelblitz → Blitz.

kugelfest → undurchlässig.

Kugelfries → Fries.

Kugelgelenk → Gelenk.

Kugelhagel → Beschuß.

Kugelherz → Herzhypertrophie.

kugeln → rollen.

Kugelregen → Beschuß.

kugelrund → dick.

kugelscheiben → murmeln.

Kugelschreiber → Schreibstift.

kugelsicher: → undurchlässig; -e Weste → Weste.

Kugelstoßen: → Fünfkampf, → Leichtathletik, → Zehnkampf.

Kugelwechsel → Schußwechsel.

Kuh: → Rind; Kühe → Vieh; dumme K. → Dummkopf; heilige K. → Tabu; K. des kleinen Mannes → Ziege.

Kuhauge → Schmetterling.

Kuhblume → Löwenzahn.

Kuhdorf → Dorf.

Küher → Hirt.

Kuhhandel → Abmachung.

Kuhhaut: etwas geht auf keine K. → unerhört [sein].

Kuhhirt → Hirt.

Kuhkalb → Rind.

Kuhkäse → Handkäse.

kühl: → kalt, → unzugänglich; ein -es Blondes → Bier; -er werden lassen → abkühlen (etwas).

Kühlanlage → Kühlhaus.

Kühlbox → Kühlschrank.

Kuhle → Grube.

Kühle: → Kälte, → Verschlossenheit.

kühlen: an jmdm. sein Mütchen k. → schelten.

Kühlhaus, Kühlraum, Kühlanlage; → Kühlschrank.

Kühlhausei → Hühnerei.

Kühlraum → Kühlhaus.

Kühlschrank, Eisschrank, Eiskasten (österr.), Kompressionskühlschrank, Absorptionskühlschrank, Tiefkühltruhe, Gefriertruhe, Gefrierschrank, Kühlbox, Frigidaire ⓦ; → Kühlhaus; → abtauen, → tiefkühlen; → gekühlt.

Kühlung: → Abkühlung, → Wärmeentzug.

Kühlwagen →Eisenbahnwagen.

Kuhmilch → Milch.

Kuhmist → Dünger.

kühn: → mutig; so k. sein → erdreisten (sich).

Kühnheit: → Mut; die K. besitzen / haben → erdreisten (sich).

Kuhpilz → Ständerpilz.

Kuhreiher → Vogel.

kujonieren → schikanieren.

Küken: → Huhn, → Jüngste, → Jüngster.

Kukumber → Gurke.

Kukumer → Gurke.

Kukummer → Gurke.

Kukuruz → Mais.

kulant → entgegenkommend.

Kuldoskopie → Ausspiegelung.

Kuli: → Arbeitstier, → Schreibstift.

kulinarisch → üppig.

Kulisse: → Bühnendekoration; hinter den -n → heimlich; hinter die -n blicken → erkennen.

Kulissenbühne → Bühne.

Kullerball → Spielball.

kullern → rollen.

Kulmination → Höhepunkt.

kulminieren → gipfeln.

Kultbild → Andachtsbild.

Kultgemeinschaft → Religionsgemeinschaft.

kultivieren: → bebauen, → verfeinern.

kultiviert → geschmackvoll.

Kultivierung: → Bebauung, → Verfeinerung.

Kultstätte, Weihestätte, Opferstätte, Gebetsstätte, Heiligtum • am westlichen Teil des Tempels in Jerusalem: Klagemauer; → Altar, → Gotteshaus, → Opferstätte.

Kultur, Zivilisation, Fortschritt, Entwicklung.

Kulturabkommen → Abmachung.

Kulturbeilage → Zeitungsbeilage.

Kulturfilm → Kinofilm.

Kulturhefe → Schlauchpilz.

Kulturpessimismus → Pessimismus.

Kultursprache → Sprache.

Kulturteil → Feuilleton.

Kümerling → Gurke.

Kumme → Schüssel.

Kümmel: → Alkohol, → Gewürz.

Kümmelkäse → Handkäse.

Kümmelmotte → Schmetterling.

kümmeln → trinken.

Kümmelspalter → Pedant.

Kummer: → Leid; jmdm. K. bereiten / machen, jmdn. mit K. erfüllen → bekümmern; etwas bereitet jmdm. K. → sorgen (sich).

¹kümmerlich, verkümmert, vermickert (abwertend), mickerig (abwertend), mickrig (abwertend).

²kümmerlich → karg.

Kümmerling → Gurke.

¹kümmern (sich um jmdn.), sorgen für, umsorgen, versorgen, befürsorgen (österr.), bemuttern, betreuen, umhegen, jmdn. unter seine Fittiche nehmen, nach dem Rechten sehen, nach jmdm. sehen / schauen; → behüten, → geben, → helfen, → pflegen, → vernachlässigen (etwas), → verwöhnen; sich nicht um jmdn. k., vernachlässigen, seine Pflicht versäumen, jmdn. stiefmütterlich behandeln; → Fürsorge, → Wächter.

²kümmern: [sich k.] → sorgen (sich); sich k. um → beaufsichtigen; sich um alles / jeden Dreck k. → neugierig [sein]; sich nicht um etwas k. → vernachlässigen (etwas); sich nicht mehr um etwas k. → weglegen; sich den Henker / den Teufel

um etwas k. → annehmen (sich einer Sache).

**Kümmernis** → Leid.

**Kummerspeck** → Fettleibigkeit.

**Kümmerwuchs** → Kleinwuchs.

**Kumpan** → Komplice.

**Kumpel:** → Bergmann, → Freund, → Freundin, → Kamerad, → Kollege.

**Kumulation** → Anhäufung.

**kumulieren:** → aufhäufen, → wählen.

**Kumulierung** → Anhäufung.

**Kumulonimbus** → Wolken.

**Kumulus** → Wolken.

**kund:** k. und zu wissen tun → mitteilen.

**¹Kunde,** Käufer, Kundschaft, Kundsame (*schweiz.*), Stammkunde, Laufkunde, Abnehmer, Interessent, Auftraggeber · *im Rechtswesen:* Klient, Mandant; → Kauf, → Konsument, → Kundendienst; → verkaufen.

**²Kunde:** → Nachricht, → Vagabund.

**künden:** etwas kündet von etwas → zeigen.

**Kundendienst,** Service, Bedienung, Dienst [am Kunden]; → Dienst, → Kunde; → bedienen.

**Kundenfang** → Werbung.

**Kundensperre** → Vergeltungsmaßnahmen.

**Kundensprache** → Gaunersprache.

**Kundenwerber** → Akquisiteur.

**Kundenwerbung** → Werbung.

**Kundfahrt** → Reise.

**Kundgabe:** → Bekundung, → Mitteilung.

**kundgeben** → bekunden.

**Kundgebung** → Demonstration.

**kundig** → fachmännisch.

**¹kündigen** (jmd. kündigt), ausscheiden, verlassen, weggehen, gehen (*ugs.*), ausstehen (*südd., österr.*), den Abschied nehmen, demissionieren, zurücktreten, abdanken, sein Amt zur Verfügung stellen / niederlegen / (*österr.*) zurücklegen, einen Posten abgeben / abtreten, sich [ins Privatleben] zurückziehen, aufhören (*ugs.*), die Arbeit niederlegen / (*salopp*) hinschmeißen, abtreten, den ganzen Kram / Krempel hin-

werfen (oder:) hinschmeißen (*salopp*), jmdm. den ganzen Kram / Krempel vor die Füße werfen (*salopp*); → abmelden (sich), → ausschließen, → beenden, → entfernen, → entlassen, → streiken, → trennen (sich); → Entlassung, → Kündigung.

**²kündigen:** → abbestellen, → entlassen; jmdm. die Freundschaft k. → brechen (mit jmdm.).

**Kundiger** → Fachmann.

**¹Kündigung,** Rücktritt, Austritt, Ausscheiden, Demission, Amtsverzicht, Abdankung, Abschied; → Entlassung, → entlassen, → kündigen.

**²Kündigung** → Entlassung.

**kundmachen:** → mitteilen, → veröffentlichen.

**Kundmachung** → Mitteilung.

**Kundsame** → Kunde.

**Kundschaft** → Kunde.

**kundtun:** → mitteilen; seinen Unwillen k. → auspfeifen.

**künftig** → später.

**kungeln:** → intrigieren, → verkaufen.

**kunkeln** → intrigieren.

**Kunktator** → Zauderer.

**Kunnilingus:** → Koitus, → Liebesspiel.

**Kunst:** absolute / abstrakte / gegenstandsfreie / gegenstandslose / informelle / kinetische / konkrete / nonfigurative / ungegenständliche K. → Malerei; die graphischen Künste → Graphik; schwarze K. → Aberglaube, → Zauberei; das ist keine K. → schwierig; alle seine Künste spielen lassen → charmant [sein]; nach allen Regeln der K. → sehr; mit seiner K. am Ende sein → Lösung.

**Kunstausstellung,** Gemäldeausstellung, Bilderausstellung, Ausstellung; → Kunsthändler, → Museum.

**Kunstbeilage** → Zeitungsbeilage.

**Kunstblatt** → Kunstdruck.

**Kunstblume,** Papierblume, künstliche / (*landsch.*) gebackene Blume; → Blume.

**Kunstdruck,** Kunstblatt, Graphik, Druck · Siebdruck, Serigraphie · Holzschnitt · Kupfer-

stich, Stich, Umrißstich, Kartonstich, Stahlstich, Farbstich · Radierung, Eisenradierung, Kaltnadelradierung · Lithographie, Litho, Farblithographie, Farblitho; → Graphik, → Holzschnitt, → Zeichnung.

**Kunstdruckpapier** → Druckpapier.

**Kunstdünger** → Dünger.

**Künstelei** → Geziertheit.

**kunstempfänglich** → musisch.

**Kunstepos** → Erzählung.

**Kunstfahrer** → Artist.

**Kunstfaser:** → Chemiefaser, → Faser.

**Kunstfehler** → Fehler.

**Kunstfertigkeit,** Fertigkeit, Fingerfertigkeit, Geschicklichkeit, Geschick, Übung, Geübtheit, Training, Routine, Erfahrenheit, Erfahrung, Praxis, Gewandtheit · *im Arrangieren von Blumen:* Ikebana; → Fähigkeit, → Handhabung, → Strategie, → Verfahren, → Wendigkeit.

**Kunstflug** → Flug.

**Kunstfreund** → Liebhaber.

**Kunstgalerie** → Museum.

**Kunstgegenstand:** alter / altertümlicher / antiker / antiquarischer K. → Antiquität.

**kunstgerecht** → fachmännisch.

**Kunstgeschichte** → Wissenschaft.

**Kunstgriff** → Trick.

**Kunsthaarperücke** → Perücke.

**Kunsthändler,** Galerist, Galeriebesitzer, Antiquitätenhändler; → Antiquität, → Kunstausstellung.

**Kunstharzleim** → Bindemittel.

**Kunstharzspachtelboden** → Fußboden.

**Kunsthonig:** → Brotaufstrich, → Honig.

**Kunstkalender** → Kalender.

**Kunstkraftsport** → Schwerathletik.

**Kunstkritik** → Besprechung.

**Kunstkritiker** → Kritiker.

**Kunstlauf** → Eislauf.

**Kunstläufer** → Schlittschuhläufer.

**Kunstlaufschlittschuh** → Schlittschuh.

**Kunstleder** → Leder.

**Künstler,** freischaffender Künstler, Meister, Maestro · *der seine Ausbildung durch*

*Selbststudium erhalten hat:* Autodidakt · *sich als geschäftlicher Erfolg erweisender:* Kassenmagnet, Kassenfüller · *im Bereich der bildenden Kunst:* Bildhauer, Bildschnitzer, Maler, Kunstmaler, Bühnenbildner, Graphiker, Zeichner, Kupferstecher, Kunstschmied, Goldschmied, Architekt, Baumeister · *im Bereich der Musik:* Komponist, Tonschöpfer, Tonsetzer, Tonkünstler, Tondichter, Musiker · *im Bereich der Literatur:* Dichter, Poet, Lyriker, Schriftsteller, Literat, Erzähler, Novellist, Romancier, Dramatiker · *im Bereich der darstellenden Kunst:* Schauspieler, Schauspielerin, Darsteller, Darstellerin, Mime, Komödiant, Tragöde, Tragödin, Filmschauspieler, Filmschauspielerin, Aktrice, Diva, Filmdiva, Leinwandgröße, Filmstar, Star, Starlet, Topstar, Opernsänger, Opernsängerin, Primadonna, Sänger, Sängerin, Tänzer, Ballettänzer, Tänzerin, Ballettänzerin, Ballerino, Ballerina, Solist, Solistin, Interpret, Interpretin, Musiker, Pianist, Geiger, Cellist, Virtuose; → Architekt, → Ballettänzer, → Ballettänzerin, → Bildhauer, → Edelmetallschmied, → Komponist, → Kunstmaler, → Kunstschmied, → Musizierender, → Pianist, → Sänger, → Sängerin, → Schauspieler, → Schauspielerin, → Schriftsteller, → Zeichner; → von.

**Künstlerdrama** → Drama.

**künstlerisch:** → schöpferisch; [k. begabt] → musisch.

**Künstlerkalender** → Kalender.

**Künstlername:** → Deckname, → Pseudonym.

**Künstlerroman** → Roman.

**künstlich:** → unecht; -e Befruchtung → Befruchtung; -es Gebiß, -e Zähne → Zahnersatz; -e Sprache → Sprache; -er Winterschlaf → Heilschlaf.

**Kunstliebhaber** → Liebhaber.

**Kunstlied** → Lied.

**kunstlos** → einfach.

**Kunstmaler,** Maler, Porträtmaler, Porträtist, Landschaftsmaler, Landschafter, Genremaler, Historienmaler, Schlachtenmaler, Blumenmaler, Glasmaler, Farbenkleckser (*abwertend*), Kleckser (*abwertend*), Schmierer (*abwertend*) · *autodidaktischer, der die Malerei nur als Hobby hat:* Laienmaler, Sonntagsmaler, naiver Maler; → Malerei, → Zeichner; → malen.

**Kunstmärchen** → Märchen.

**Kunstmusik** → Musik.

**kunstreich** → kunstvoll.

**Kunstreiterin** → Reiterin.

**Kunstrichter** → Kritiker.

**Kunstsammlung** → Museum.

**Kunstschlosser** → Kunstschmied.

**Kunstschmied,** Kunstschlosser; → Künstler, → Schlosser, → Schmied.

**Kunstschütze** → Schütze.

**Kunstseide** → Stoff.

**Kunstsinn** → Kunstverständnis.

**kunstsinnig** → musisch.

**Kunstsprache** → Sprache.

**Kunstsprung** → Sprung.

**Kunststein** → Baustein.

**Kunststoff,** Ersatzstoff; → Surrogat, → Werkstoff.

**Kunststoffolie** → Folie.

**Kunststück:** das ist kein K. → schwierig.

**Kunsttanz** → Tanz.

**Kunsttischler** → Tischler.

**Kunstverstand** → Kunstverständnis.

**kunstverständig** → musisch.

**Kunstverständnis,** Kunstverstand, Kunstsinn, [guter] Geschmack; → musisch.

**kunstvoll,** kunstreich, wirkungsvoll, effektvoll; → schöpferisch.

**Kunstwort** → Fachausdruck.

**kunterbunt:** k. durcheinander → durcheinander.

**Kunterbunt** → Mischung.

**Kunz:** → Schwein; Hinz und K. → alle.

**Kunzit** → Schmuckstein.

**Kupfer** → Münze.

**Kupferdraht** → Draht.

**kupferfarben** → orange.

**Kupferglucke** → Schmetterling.

**Kupfermünze** → Münze.

**kupfern:** -e Hochzeit → Hochzeitstag.

**kupferrot:** → rot, → rothaarig.

**Kupferschmied** → Schmied.

**Kupferstechkunst** → Graphik.

**Kupferstich:** → Graphik, → Kunstdruck.

**Kupfervitriol** → Gift.

**Kupidität** → Leidenschaft.

**kupieren** → beschneiden.

**Kupon** → Bon.

**Kupp** → Garbenstand.

**Kuppe** → Gipfel.

**¹Kuppel,** Hängekuppel, Böhmische Kappe, Stutzkuppel, Flachkuppel, Halbkuppel, Konche, Rippenkuppel, Hohlkörperkuppel, Schalenkuppel, Faltkuppel, Spitzkuppel, Zwiebelkuppel, Kassettenkuppel; → Baustil, → Gewölbe.

**²Kuppel** → Gewölbe.

**Kuppelbörse** → Eheanbahnungsinstitut.

**Kuppeldach** → Dach.

**Kuppelgrab** → Grab.

**kuppeln:** → verkuppeln, → zusammenfügen.

**Kuppelpelz:** sich einen K. verdienen → verkuppeln.

**Kupplungsbremse** → Bremse.

**¹Kur,** Heilverfahren, Verschickung · *zum Abgewöhnen des Genusses von Rauschgift, bes. von Alkohol:* Entziehungskur · *mit dem Ziel des Gewichtsverlustes:* Schlankheitskur, Abmagerungskur, Entfettungskur, Hungerkur; **eine K. machen,** kuren (*schweiz.*); → Institution, → Kurmittel, → Therapie.

**²Kur** → Urlaub.

**Kür** → Turnübung.

**Kurant** → Urlauber.

**Kurare** → Gift.

**Kurarzt** → Arzt.

**Kürassier** → Soldat.

**Kuratel:** → Vormundschaft; unter K. stehen → unterdrückt [werden]; unter K. stellen → entmündigen.

**Kurator** → Treuhänder.

**Kuratorium,** Aufsichtsbehörde, → Ausschuß.

**Kurbad** → Badeort.

**kurbeln** → drehen.

**Kürbis:** → Gemüse, → Kopf.

**Kurdenteppich** → Orientteppich.

**kuren** → Kur.

**küren** → erwählen.

**Kürettage,** Curettage, Kürette, Curettement, Abrasio [uteri], Abrasion, Evidement, Ausschabung, Gebärmutterausschabung, Auskratzung, Gebärmutterauskratzung; → Abtreibung, → Engelmacher, → Fehlgeburt, → Leibesfrucht.

**Kürette** → Kürettage.

**Kurgast** → Urlauber.

**Kurheim** → Sanatorium.

**Kurier:** → Abgesandter, → Bote.

**kurieren** → gesund.

**Kuriosum** → Ereignis.

**Kuriositätenkabinett** → Jahrmarktsbude.

**Kurkapelle** → Orchester.

**Kurkonzert** → Musikveranstaltung.

**Kurkuma** → Gewürz.

**Kurlaub** → Urlaub.

**Kurmittel,** Anwendung · Wasseranwendung, Guß; → Kur.

**Kurorchester** → Orchester.

**Kurort,** Luftkurort, Kneippkurort, Winterkurort, Höhenkurort; → Badeort.

**Kurpfuscher:** → Arzt, → Stümper.

**Kurrende** → Chor.

**Kurrentschrift** → Schrift.

**Kurs:** → Börsenkurs, → Unterricht; einen K. mitmachen, an einem K. teilnehmen → Unterricht [erhalten]; K. nehmen auf → ansteuern; außer K. gesetzt sein → Geltung; hoch im K. bei jmdm. stehen → angesehen [sein].

**Kurschatten:** → Geliebte, → Geliebter.

**Kürschner,** Pelznäher; → Schneider.

**¹kursieren,** umlaufen, die Runde machen, in Umlauf sein, zirkulieren; → Zirkulation.

**²kursieren** → herumsprechen (sich).

**Kursivschrift** → Schrift.

**Kursleiter** → Instrukteur.

**¹kursorisch,** fortlaufend, ohne Unterbrechung; → unaufhörlich.

**²kursorisch** → unaufhörlich.

**Kürste** → Brotkruste.

**Kursunterricht** → Unterricht.

**Kursus:** → Unterricht; einen K. mitmachen, an einem K. teilnehmen → Unterricht [erhalten].

**Kurswagen** → Eisenbahnwagen.

**Kurtisane** → Geliebte.

**Kürübung** → Turnübung.

**Kurus** → Zahlungsmittel.

**¹Kurve,** Biegung, Wegbiegung, Abbiegung, Abknickung, Wegkrümmung, Kehre, Rank (*schweiz.*), Linkskurve, Rechtskurve, Spitzkurve, Steilkurve, Zickzackkurve, S-Kurve, Haarnadelkurve · *die auf einer Rennbahn die Zielgerade mit der Gegengeraden verbindet:* Zielkurve; → Gabelung; → abbiegen.

**²Kurve:** → Biegung, → Linie; -n → Busen; die K. kratzen → weggehen; die K. kriegen → Erfolg [haben]; aus der K. getragen werden → schleudern.

**¹kurz,** verkürzt, abgekürzt, knapp, gedrängt, kernig, markig, kurz und bündig, kurz und schmerzlos (*ugs.*), konzis, komprimiert, summarisch, in kurzen / knappen / groben / großen Zügen, in nuce, umrißhaft, lakonisch, lapidar, aphoristisch, nicht → ausführlich; → kurzum, → vergänglich, → vorübergehend.

**²kurz:** → vorübergehend; etwas ist von der Dauer → kurzlebig [sein]; ein -es Gedächtnis haben → vergessen; der langen Rede -er Sinn, [k. gesagt], k. und gut, k. und schlicht → kurzum; den kürzeren Weg fahren / [auf] -e Zeit → vorübergehend; in -er Zeit, über k. oder lang → später; vor -er Zeit → kürzlich; die Tage werden kürzer → herbsten; bei der Wäsche / beim Waschen kürzer werden → einlaufen; [k. angebunden] → unhöflich; k. entschlossen → kurzerhand; alles k. und klein schlagen → zerstören; kürzer treten → sparen; zu k. geraten → klein; zu k. kommen → zurückstehen; zu k. gekommen sein → Nachholbedarf [haben]; seit -em → neuerdings; den kürzeren ziehen → hereinfallen.

**Kurzarbeit,** Feierschicht; → Aussperrung.

**Kurzartikel** → Zeitungsartikel.

**kurzatmig** → abgehackt.

**Kurzbericht** → Zeitungsartikel.

**Kürze:** → Kleinheit; in aller K. → Hast.

**Kürzel** → Abkürzung.

**kürzen:** → beschneiden, → beschränken, → verringern; gekürzt → zensiert; gekürzte Ausgabe / Fassung / Form → Kurzfassung.

**Kurzer** → Alkohol.

**kurzerhand,** schlankerhand (*selten*), schlankweg, kurz entschlossen, ohne weiteres; mir nichts, dir nichts (*ugs.*); ohne [große] Umstände / viel Umstände / viel Federlesen[s] zu machen, einfach, glatt (*ugs.*), glattweg (*ugs.*), ohne lange zu überlegen / zu zögern / (*ugs.*) mit der Wimper zu zucken / (*ugs.*) zu fackeln; → anstandslos, → kurzum, → rundheraus, → schnell; → Einleitung.

**¹Kurzfassung,** Kürzung, gekürzte Fassung / Form / Ausgabe.

**²Kurzfassung** → Zusammenfassung.

**Kurzfilm** → Kinofilm.

**Kurzfingrigkeit** → Kleinwuchs.

**¹kurzfristig,** schnell, in kurzer Zeit, bald, in Bälde; → später.

**²kurzfristig:** → kurzlebig, → vorübergehend.

**Kurzgeschichte** → Erzählung.

**Kurzhaar:** Deutsch K. → Hunderassen; Europäisch K. → Katzenrassen.

**Kurzhaarkatze** → Katzenrassen.

**Kurzhaarperücke** → Perücke.

**Kurzhaarschnitt** → Frisur.

**¹kurzlebig,** kurzfristig, ephemer, transitorisch; **k. sein:** etwas ist kurzlebig / eine Eintagsfliege, etwas ist ohne / von kurzer / nicht von [langer] Dauer.

**²kurzlebig** → vorübergehend.

**kürzlich,** neulich, letztens, letzthin, jüngst, unlängst, vorhin, eben erst / noch, vor einer Weile, vor kurzem, vor kurzer Zeit, in letzter Zeit, dieser Tage, am Vortag, nicht → jetzt; → neuerdings.

**Kurzroman** → Roman.

**Kurzschluß:** K. haben → begriffsstutzig [sein].

**Kurzschlußhandlung** → Tat.

**Kurzschnabelgans** → Vogel.

**Kurzschrift,** Stenographie; → Abkürzung.

**kurzsichtig,** verblendet, borniert (*abwertend*), engstirnig,

eng, beschränkt, nicht → weitblickend.
Kurzsichtigkeit: → Fehlsichtigkeit, → Unkenntnis.
Kurzstreckenflugzeug → Flugzeug.
Kurzstreckenlauf: → Lauf, →
Leichtathletik.
kurztreten: k. müssen → sparen
[müssen].
kurzum, kurz [gesagt / und gut /
und schlicht], mit einem Wort,
der langen Rede kurzer Sinn;
→ kurz, → kurzerhand.
Kürzung: → Kurzfassung, →
Verminderung.
Kurzwarenhandlung → Laden.
Kurzweil → Unterhaltung.
kurzweilig, unterhaltend, unterhaltsam, abwechslungsreich, abwechslungsvoll, nicht → langweilig; → humorvoll, → interessant, → lustig, → mannigfaltig; → Unterhaltung.
Kurzwort: → Abkürzung, →
Wort.
Kurzzehenlerche → Vogel.
kuscheln: sich k. an → anschmiegen (sich).
kuschen → gehorchen.
Kusine, Cousine, Base; → Verwandter.
¹Kuß, Busserl (südd., österr.),
Bussel (südd., österr.), Küßchen
(fam.), Bussi (fam., österr.),
Schmatz, Schmutz (oberd.),
Schmußchen (rhein.), Schmunz
(rhein.), Schmockert (rhein.),
Schnuckes (rhein.), Schnuß
(rhein.), Bäss (rhein.), Guschel
(schles.), Mäulchen (veraltet) ·
Zungenkuß, französischer Kuß ·
langer: Dauerbrenner (scherzh.),
Fünfminutenbrenner (scherzh.) ·
als Zeichen der Freundschaft: Bruderkuß; → begrüßen, → küssen.
²Kuß: jmdm. einen K. geben →
küssen; mit Gruß und K. →
hochachtungsvoll.
Küßchen → Kuß.
¹küssen, jmdm. einen Kuß geben / (ugs.) einen aufdrücken,
abküssen, abschmatzen (ugs.),
busseln (landsch.), schnäbeln
(scherzh.), knutschen (salopp),
abknutschen (salopp), bützen
(rhein.); → liebkosen, → umfassen.
²küssen: von der Muse geküßt
sein → dichten [können]; küß
die Hand! → Gruß.

Kußhand: mit K. → ja.
Küste → Ufer.
Küstenangelei → Angelsport.
Küstenfischer → Fischer.
Küstenfischerei → Fischerei.
Küstenlandschaft → Land-
schaft.
Küstenschiff → Schiff.
Küstenschiffahrt → Schiffahrt.
Kustos → Referent.
Kute → Grube.
kuten → aufbewahren.
Kutis → Sinnesorgan.
Kutsche, Droschke, Pferde-
droschke, Kalesche, Fiaker,
Landauer, Kremser, Karosse,
Britschka, Equipage, Diligence,
Tilbury, Berline, Reisewagen,
Postkutsche, Post, Extrapost,
Staatskarosse, Staatskutsche,
Break, Coupé, Dogcart, Ein-
spänner, Hansomcab, Hansom,
Phaeton, Buggy, Chaise, Vis-à-
vis-Wagen, Hochzeitskutsche;
→ Fuhrmann, → Taxe, → Ver-
kehrsmittel, → Wagen.
Kutscher → Fuhrmann.
kutschieren → steuern.
Kutschpferd → Pferd.
¹Kutte, Mönchskutte, Mönchs-
habit, Mönchskleid; → Klei-
dung.
²Kutte: die K. nehmen →
Mönch [werden].
Kuttelflecke → Innereien.
Kutteln → Innereien.
Kutter → Segelschiff.
Kutterfaß → Abfalleimer.
Kütterkessel → Abfalleimer.
Kuvasc → Hunderassen.
Kuvert → Umschlag.
Kuvertüre → Schokoladen-
überzug.
Kyese → Schwangerschaft.
Kyesis → Schwangerschaft.
Kymogramm → Röntgeno-
gramm.
Kymographie → Röntgeno-
graphie.
Kyudo → Selbstverteidigung.
KZ → Gefangenenlager.

## L

La Bamba → Tanz.
Laban: → Mann, → Riese.
Labbe → Mund.
labberig → abgestanden.
laben: → erquicken; -d → bekömmlich.

Laberl → Brötchen.
labern → sprechen.
¹labil, beeinflußbar, schwan-
kend, wandelbar, unausgegli-
chen, unstet; → launisch, →
untreu, → unaufmerksam, →
veränderlich; l. sein, von einem
Extrem ins andere fallen; →
Beeinflußbarkeit.
²labil → anfällig.
Labilität → Beeinflußbarkeit.
Labor → Institut.
Laboratorium → Institut.
Labores → Geburtswehen.
laborieren → behandeln.
La Bostella → Tanz.
Labrador → Hunderassen.
Labradorit → Schmuckstein.
¹Labsal, Erquickung, Genuß,
Hochgenuß, Augenweide, Ohrenschmaus; → Genuß, →
Lust.
²Labsal → Trost.
Labskaus → Eintopf.
Labyrinth → Irrgarten.
Lachanfall: einen L. bekommen
→ lachen.
¹Lache, Gelächter, Lacher, homerisches Gelächter, Lachsalve,
Gewieher (ugs.), Freudengeheul
(ugs.), Lachkrampf; → Gelächter; → lachen.
²Lache: → Pfütze; die L. →
Gelächter.
lächeln: → lachen; Fortuna
lächelt jmdm. → Glück [ha-
ben].
Lächeln (das), das Schmunzeln,
das Grinsen, Gegrinse (abwertend), das Grienen · spötti-
sches, wissendes: Augenlä-
cheln (geh.); → Gelächter; →
lachen.
¹lachen, lächeln, schmunzeln,
[wie ein Honigkuchenpferd]
strahlen / grinsen, grienen, sich
högen (ugs., niederd.), griemeln
(ugs.), hohnlachen, sich freuen
[über], belächeln, belachen,
feixen (ugs.), auflachen, eine
Lache anschlagen, kichern, kik-
kern, gickeln, gackern (ugs.), in
Gelächter ausbrechen, Tränen
lachen, herausplatzen (ugs.),
losplatzen, losprusten (ugs.),
prusten (ugs.), losbrüllen (ugs.),
wiehern (salopp), sich ausschütten / kugeln / krümmen /
biegen vor Lachen (ugs.), sich
[vor Lachen] den Bauch halten
(ugs.), sich totlachen, krank-

lachen (*ugs.*), sich krumm und schief / scheckig / kringelig lachen (*salopp*), sich kringeln (*ugs.*), sich einen Ast / Bruch lachen (*salopp*), einen Lachanfall / Lachkrampf bekommen; → schadenfroh [sein]; → lustig; → Gelächter, → Lächeln, → Laut · Ggs. → weinen.

²**lachen:** → schadenfroh [sein]; der -e Dritte → Nutznießer; gut l. haben / können → Lage; nichts zu l. haben → Schicksal; jmdm. lacht das Herz im Leibe → freuen (sich); Fortuna lacht jmdm. → Glück [haben]; da l. ja die Hühner! → lächerlich [sein]; die Sonne lacht → sonnig [sein]; das Lachen → Gelächter.

**Lacher** → Lache.

**lächerbar** → lächerlich.

¹**lächerlich,** lachhaft, lächerbar (*scherzh.*), grotesk, absurd, sinnwidrig, töricht, albern, blödsinnig (*ugs.*), komisch, ridikül; → dumm, → überspannt, → unsinnig; **l. sein:** etwas ist lächerlich, da lachen ja die Hühner! (*ugs.*); **l. wirken,** ein Bild für [die] Götter sein; → Absurdität, → Komik.

²**lächerlich:** → klein; l. wenig → wenig; jmdn. l. machen → kompromittieren (jmdn.); sich l. machen → bloßstellen (sich).

**Lächerlichkeit** → Komik.

**lächern:** etwas lächert jmdn. → belustigen.

**Lachesis** → Schicksalsgöttin.

**Lachgas,** Lustgas, Rauschgas; → Gas.

**lachhaft** → lächerlich.

**Lachhaftigkeit** → Komik.

**Lachkabinett** → Jahrmarktsbude.

**Lachkrampf:** → Anankasmus, → Lache; einen L. bekommen → lachen.

**Lachmöwe** → Vogel.

**Lachs** → Fisch.

**Lachsalve:** → Gelächter, → Lache.

**Lachschlag** → Schrecklähmung.

**lachsfarben** → orange.

**Lachsforelle** → Fisch.

**Lachshering** → Hering.

**lachsrot** → rot.

**Lachsschinken** → Schinken.

**Lachzwang** → Anankasmus.

**Lackaffe** → Geck.

**Lacke** → Pfütze.

**Lackel** → Flegel.

**lacken** → streichen.

**lackieren:** → streichen; der Lackierte sein → hereinfallen.

**Lackleder** → Leder.

**Lackmusflechte** → Flechte.

**lackrot** → rot.

**Lackschuh** → Schuh.

**Lacrimae Christi** → Wein.

**Lade:** → Fach, → Schublade, → Truhe.

**Ladehemmung:** L. haben → begriffsstutzig [sein].

**lädelen** → spazierengehen.

¹**laden,** beladen, volladen, befrachten, bepacken, aufpacken, vollpacken, aufladen, aufsacken (*ugs.*), aufbürden, auflasten, einladen, verladen, verschiffen, einschiffen, aufhalsen (*ugs.*); → abladen, → ausladen, → beladen; → Verladung.

²**laden:** → beordern, → einladen, → Munition; geladen → gebeten; [schön / schwer] geladen haben → betrunken [sein].

¹**Laden,** Geschäft, Geschäftslokal, Boutique, Basar, Verkaufsstätte, Kramladen (*abwertend*), Tante-Emma-Lädchen (*scherzh.*), Quetsche (*abwertend*), Selbstbedienungsladen, Supermarkt, Discountladen, Einzelhandelsgeschäft, Fachgeschäft, Spezialgeschäft, Gemischtwarenhandlung (*veraltend*), Feinkostgeschäft, Feinkosthandlung, Gewölbe (*veraltet, landsch.*), Kolonialwarengeschäft (*veraltend*), Kolonialwarenhandlung (*veraltend*), Greißlerei (*österr.*) · Kurzwarenhandlung, Mercerie (*schweiz.*), Bonneterie (*schweiz.*) · großer: Kaufhaus, Warenhaus, Großkaufhaus, Großmarkt, Markthalle, -haus (Bekleidungshaus, Teppichhaus, Möbelhaus) · für Tabakwaren, Zeitschriften o.ä.: Tabaktrafik (*österr.*), Trafik (*österr.*) · mit Imbißstube: Drugstore · für Wiederverkäufer: Großhandlung · für Gebrauchtwaren: Gebrauchtwarenladen, Second-hand-Shop · mit vielen Filialen: Ladenkette, Kette · als Filiale: Kettenladen · zollfreier: Duty-free-Shop; → Betrieb, → Bezugsquelle, →

Buchhandlung, → Einzelhändler, → Händler, → Kaufmann, → Markt, → Papiergeschäft, → Unternehmen, → Verkaufsstand; → en detail, → en gros.

²**Laden:** → Fensterladen; den L. schmeißen → bewerkstelligen.

**Ladenfräulein** → Verkäuferin.

**Ladengaumer** → Schleuderware.

**Ladenhüter** → Schleuderware.

**Ladenkasse,** Kasse, Registrierkasse; → Kasse.

**Ladenkette** → Laden.

**Ladenmädchen** → Verkäuferin.

**Ladenpreis** → Preis.

**Ladenschwengel** → Handelsgehilfe.

**Ladenstraße** → Geschäftsviertel.

¹**Ladentisch,** Verkaufstisch, Theke (*landsch.*), Tresen (*landsch.*), Budel (*bayr., österr.*), Pudel (*bayr., österr.*) · zur Selbstbedienung mit Textilien im Schlußverkauf: Wühltisch, Restetisch; → Schanktisch, → Verkaufsstand.

²**Ladentisch:** unter dem L. → heimlich.

**Ladentochter** → Verkäuferin.

**lädieren** → beschädigen.

**lädiert** → defekt.

**Lädiertheit** → Beschädigung.

**Ladino** → Mischling.

**Ladnerin** → Verkäuferin.

¹**Ladung,** Wagenladung, Fuhre, Fuder, Fracht, Frachtgut.

²**Ladung** → Vorladung.

**Lady** → Frau.

**Ladykiller** → Frauenheld.

**ladylike** → damenhaft.

**Lady Mary Jane** → Rauschgift.

**Laffe:** → Geck, → Jüngling.

¹**Lage,** Situation, Konstellation, Gruppierung, Status, Stand, Stellung, Zustand, Existenz, Assiette, Bestehen, Sein, Dasein, Stadium; **nach L. der Dinge,** nach Stand der Dinge, nach letztem Stand / letzter Meldung / letzter Information, wie die Dinge liegen; **in eine schwierige L. geraten,** in Teufels Küche kommen (*ugs.*); → hineinkommen (in); **sich aus einer unangenehmen L. befreien,** sich aus der Affäre ziehen; **in der gleichen schwierigen L. sein,** in einem Boot sitzen (*ugs.*); **in auswegloser L.**

**sein,** zwischen Scylla und Charybdis sein; **in aussichtsloser L. sein,** auf verlorenem Posten stehen / kämpfen; **nicht in jmds. L. sein,** gut lachen können / haben (*ugs.*), gut / leicht reden haben (*ugs.*); **nicht in jmds. L. sein wollen,** nicht in jmds. Haut stecken mögen (*ugs.*); → Ausnahmefall, → Leben, → Not, → Zustand.

²**Lage:** in der L. sein → bereit [sein], → können; Bericht zur L. → Bericht; jmdn. / sich in eine unangenehme L. bringen → hineinmanövrieren (jmdn. / sich in etwas); in die L. versetzen → möglich [machen].

**Lagebericht** → Bericht.

**Lager:** → Bett, → Vorrat, → Warenlager; sozialistisches L. → Osten; ein L. anlegen, auf L. legen → lagern; sein L. aufschlagen → übernachten; nicht am L. sein → vergriffen [sein]; auf L. haben → haben; mit fliegenden / wehenden Fahnen in das andere L. übergehen → umschwenken.

**Lagerfeuer** → Feuer.

**Lagerfieber** → Fleckfieber.

**Lagerhaus** → Warenlager.

**Lagerleiter** → Lagerverwalter.

**lagern,** ablagern, ablegen, deponieren, einlagern, magazinieren, ein Lager anlegen, auf Lager legen; → aufbewahren, → aufhäufen, → verlagern; → Anhäufung, → Lagerung.

**Lagerpflanze,** Thallophyt · Alge · Pilz · Flechte · Moos; → Alge, → Algenpilz, → Flechte, Moos, → Pilz, → Schlauchpilz, → Spaltpflanze, → Ständerpilz.

**Lagerraum** → Warenlager.

**Lagerstatt** → Bett.

**Lagertyphus** → Fleckfieber.

**Lagerung,** Ablagerung, Einlagerung, Magazinierung, Stapelung, Speicherung, Aufspeicherung, Aufbewahrung, Verwahrung; → Anhäufung, → Aufbewahrung; → aufbewahren, → aufhäufen, → lagern.

**Lagerverwalter,** Lagerleiter, Magazinverwalter, Magazinarbeiter, Magaziner (*schweiz.*), Magazineur (*österr.*).

**Lagunenstadt** → Venedig.

¹**lahm,** gelähmt, gehbehindert, hüftlahm, kontrakt · *teilweise, auf einen Muskel bezogen:* paretisch · *vor Schreck:* kataplektisch; → Lähmung.

²**lahm:** → kraftlos, → linkisch, → temperamentlos; eine -e Ente sein → temperamentlos [sein]; jmdm. zureden wie einem -en Schimmel → zuraten.

**lahmarschig:** l. sein → anstrengen (sich).

**lahmen** → hinken.

**lähmen** → behindern.

¹**lahmlegen,** zum Erliegen / Stillstand bringen, abwürgen (*salopp*); → hindern.

²**lahmlegen** → stillegen.

**Lähmung,** motorische Lähmung, Paralyse · *unvollständig ausgeprägte:* Parese, Paresis, Plegie (*selten*) · *halbseitige:* Halbseitenlähmung, Hemiplegie, Hemiparese · *doppelseitige:* Paraplegie, Diplegie, Paraparese (*selten*), Diparese (*selten*) · *einzelner Glieder:* Monoplegie, Monoparese · *aller vier Extremitäten:* Tetraplegie, Tetraparese; → Kinderlähmung, → Krankheit, → Schrecklähmung; → lahm.

**Lahn** → Lawine.

**Lahne** → Lawine.

**Lähne** → Lawine.

**lahnen** → tauen.

**Lahnwind** → Fallwind.

**Laib:** [L. Brot] → Brot.

**Laibchen:** → Brötchen; faschierte L. → Fleischkloß.

**laichen** → gebären.

**Laie** → Nichtfachmann.

**Laienbruder** → Mönch.

**Laienbühne** → Theater.

**laienhaft** → dilettantisch.

**Laienmaler** → Kunstmaler.

**Laienrichter** → Schöffe.

**Laienschwester** → Nonne.

**Laientheater** → Theater.

**Laimen** → Erde.

**Laisser-aller** → Duldung.

**Laisser-faire** → Duldung.

**Lakai:** → Diener, → Schmeichler.

**Lake** → Salzlake.

**Laken** (*nordd.*), Bettlaken (*nordd.*), Bettuch (*bes. mitteld.*), Leintuch (*oberd., westd.*), Leilach (*landsch., veraltet*), Leilachen (*landsch., veraltet*), Leilak (*landsch., veraltet*), Leilaken (*landsch., veraltet*).

**lakonisch:** → kurz, → wortkarg.

**Lakonismus** → Wortkargheit.

**Laktationshormon** → Hormon,

**lala:** so l. → mäßig.

**lallen:** → sprechen, → stottern; -d → unartikuliert.

**Lamäng:** aus der kalten L. → improvisiert.

**Lambda** → Buchstabe.

**Lambrie** → Fußleiste.

**Lamé** → Stoff.

**Lamellenheizkörper** → Heizkörper.

**Lamellenpilz:** → Pilz, → Ständerpilz.

**Lamentation:** → Klage, → Lied.

**lamentieren** → klagen.

**Lamento:** → Klage, → Lied.

**Lametta** → Orden.

**Laminagramm** → Röntgenogramm.

**Laminagraphie** → Röntgenographie.

**Laminogramm** → Röntgenogramm.

**Laminographie** → Röntgenographie.

**Lamm:** → Pelz, → Schaf; L. Gottes → Heiland.

**lammen** → gebären.

**Lämmerhüpfen** → Tanzvergnügen.

**Lämmernes** → Fleisch.

**Lämmersalat** → Feldsalat.

**Lämmerschwanz:** wie ein L. wackeln → schwingen.

**Lämmerwölkchen** → Wolken.

**Lammfellmantel** → Mantel.

**Lammfleisch** → Fleisch.

**lammfromm** → zahm.

**Lammleder** → Leder.

**Lammwolle** → Wolle.

¹**Lampe,** Leuchte, Beleuchtungskörper, Lichtquelle · Hängelampe, Gehänge, Ampel · Wandlampe, Wandleuchte · Deckenlampe, Deckenleuchte, Deckenbeleuchtung, Deckenlicht, Oberlicht, das große Licht (*fam.*) · Flurlampe, Flurleuchte, Flurlicht · Stehlampe, Tischlampe, Nachttischlampe, Schreibtischlampe, Zimmerlampe, Küchenlampe · Neonleuchte · Fahrradlampe · Taschenlampe · *mit geringer Leuchtkraft:* Funzel (*ugs., abwertend*); → Beleuchtung, → Glühbirne, → Kerze, → Kron-

leuchter, → Licht; → beleuchtet.

**²Lampe:** → Glühbirne; einen auf die L. gießen → trinken.

**¹Lampenfieber,** Prüfungsangst, Nervosität, Herzklopfen; → Erregung; → aufgeregt [sein].

**²Lampenfieber:** L. haben → Angst [haben], → aufgeregt [sein].

**Lamperie** → Fußleiste.

**Lampion,** Laterne, Papierlaterne; → Fackel.

**Lamprete** → Fisch.

**lancieren:** → fördern, → managen (jmdn.).

**¹Land,** Gelände, Terrain; → Feld, → Marsch.

**²Land:** → Feld, → Gebiet, → Heimat, → Immobilien, → Staat; brachliegendes L. → Brache; das Gelobte / Heilige L. → Israel; sozialistische Länder, Länder hinter dem Eisernen Vorhang → Osten; unterentwickelte Länder → Entwicklungsländer; das L. der unbegrenzten Möglichkeiten → Amerika; das L. der tausend Seen → Finnland; das L. der aufgehenden Sonne → Japan; L. unter → Überschwemmung; das L., wo Milch und Honig fließt → Fabelland; [wieder] L. sehen → zuversichtlich [sein]; an L. bringen → ausschiffen, → länden; auf das L. zu wehend → auflandig; aus aller Herren Ländern → überallher; im eigenen L. → daheim; in diesem L. → hier; in jenem L. → dort; ins Land gehen / ziehen → vergehen; Unschuld vom -e her → Mädchen; vom -e her wehend → ablandig.

**landab:** landauf, l. → weitum.

**Landadel** → Adel.

**Landarbeiter** → Knecht.

**Landarbeiterin** → Magd.

**Landaristokratie** → Adel.

**Landarzt** → Arzt.

**Landauer** → Kutsche.

**landauf:** l., landab → weitum.

**Landbau** → Landwirtschaft.

**Landbesitz:** → Besitztum, → Immobilien.

**¹Landbewohner,** Dorfbewohner, Kleinstädter, Hinterwäldler (*abwertend*), Landpomeranze

(*scherzh.,  abwertend*), Landei (*ugs.,  abwertend*), Provinzler (*abwertend*), Hillbilly (*abwertend*), G[e]scherter (*salopp, österr., abwertend*); → Bewohner · Ggs. → Städter.

**²Landbewohner** → Bewohner.

**Landblutegel** → Wurm.

**Landbrot** → Brot.

**Lände** → Anlegebrücke.

**Landebahn** → Rollbahn.

**Landebrücke** → Anlegebrücke.

**Landei** → Landbewohner.

**¹landen,** niedergehen, aufsetzen, zur Landung ansetzen · *außerhalb eines Flughafens bei Gefahr:* notlanden · *auf dem Wasser:* wassern; → ankern, → kommen; → Landung.

**²landen:** einen Coup l. → Verbrechen; bei jmdm. l. → erwirken; in der Gosse l. → verwahrlosen.

**länden,** an Land bringen / ziehen, aus dem Wasser ziehen; → retten.

**Landeplatz:** → Flugplatz, → Glatze.

**Länderei** → Besitztum.

**Länderkunde** → Erdkunde.

**Landerziehungsheim** → Heim.

**Landesarbeitsgericht** → Gericht.

**Landesbibliothek** → Bibliothek.

**Landesfeind** → Feind.

**Landesgrenze** → Grenze.

**Landeshauptmann** → Ministerpräsident.

**Landeshauptstadt:** →Stadt; [L. von Baden-Württemberg] → Stuttgart; [L. von Bayern] → München; [L. von Hessen] → Wiesbaden; [L. von Niederösterreich] → Wien; [L. von Niedersachsen] → Hannover; [L. von Nordrhein-Westfalen] → Düsseldorf; [L. von Rheinland-Pfalz] → Mainz; [L. des Saarlandes] → Saarbrücken; [L. von Schleswig-Holstein] → Kiel.

**Landesherr** → Oberhaupt.

**Landeshymne** → Lied.

**Landeskind** → Bewohner.

**Landesmeister** → Sieger.

**Landesmutter** → Oberhaupt.

**Landesrat** → Minister.

**Landesregierung** → Regierung.

**Landessozialgericht** → Gericht.

**Landessprache,** Amtssprache, Verkehrssprache, Nationalsprache; → Muttersprache.

**Landesteil**→Verwaltungsbezirk.

**Landesvater** → Oberhaupt.

**Landesverrat** → Hochverrat.

**Landesverräter** →Hochverräter.

**Landfahrer** → Vagabund.

**landfein:** sich l. machen → anziehen.

**Landfrau** → Bäuerin.

**Landgericht** → Gericht.

**Landgerichtsdirektor** → Jurist.

**Landgerichtsrat** → Jurist.

**Landgut** → Gut.

**Landhaus** → Haus.

**Landheim** → Ferienheim.

**Landjäger:** → Polizist; Würstchen; Räuber und L. → Versteckspiel.

**Landkarte,** Karte, Generalstabskarte, Meßtischblatt, Wanderkarte, Straßenkarte, Autokarte, Generalkarte, Wandkarte, Reliefkarte, Erdkarte, Seekarte, Weltkarte; → Atlas, → Erdkunde.

**Landklima** → Klima.

**Landkreis** → Verwaltungsbezirk.

**Landkrieg** → Krieg.

**landläufig** → üblich.

**Landläufigkeit** → Üblichkeit.

**Ländler** → Tanz.

**ländlich,** dörflich, bäuerlich; Bauer, → Bäuerin · Ggs. → städtisch.

**Landluft** → Luft.

**Landmann** → Bauer.

**Landmesser** → Landvermesser.

**Landmine** → Mine.

**Landpartie** → Ausflug.

**Landplage:** → Störenfried; eine L. sein → ärgern (jmdn.); zu einer L. werden → überhandnehmen.

**Landpomeranze:** → Landbewohner, → Mädchen.

**Landrat** → Oberhaupt.

**Landratte** → Bewohner.

**Landregen** → Niederschlag.

**Landrover** → Auto.

**Landschaden** → Beschädigung.

**¹Landschaft** · Waldlandschaft, Heidelandschaft, Parklandschaft, Moorlandschaft, Wüstenlandschaft, Steppenlandschaft, Tallandschaft, Hügellandschaft, Gebirgslandschaft, Felslandschaft, Felsenlandschaft, Flußlandschaft, Küstenlandschaft, Uferlandschaft; → Gegend, → Marsch, → Urwald, → Wald.

²**Landschaft:** → Bild, → Gegend, → Natur; etwas paßt nicht in die L. → passen.

**Landschafter** → Kunstmaler.

**landschaftlich:** → regional; l. gebundene Spracheigentümlichkeit → Provinzialismus.

**Landschaftsaufnahme** → Fotografie.

**Landschaftsbild** → Bild.

**Landschaftsfotograf** → Fotograf.

**Landschaftsmaler** → Kunstmaler.

**Landschaftsschutzgebiet** → Naturschutzgebiet.

**Landschildkröte** → Schildkröte.

**Landschinken** → Schinken.

**Landschulheim:** → Ferienheim, → Heim.

**Landser** → Soldat.

**Landsitz** → Gut.

**Landsknecht** → Soldat.

**Landsmannschaft** → Verbindung.

**Landstraße** → Straße.

**Landstreicher** → Vagabund.

**Landstreicherei,** Stadtstreicherei, Herumtreiberei, Rumtreiberei (*ugs.*), Umgängerei (*ugs., landsch.*), Stromerei (*ugs.*), Vagabundentum, Vagabondage (*selten*); → Vagabund; → herumtreiben (sich).

**Landstrich** → Gegend.

**Landtag** → Volksvertretung.

**Landtagsabgeordneter** → Abgeordneter.

**Landtagswahl** → Wahl.

**Landtransport** → Transport.

¹**Landung,** Ankunft, Arrival · *im Blindflug:* Blindlandung · *sehr genaue, besonders bei Fallschirmspringern:* Ziellandung · *bei der das Flugzeug beschädigt wird:* Bruchlandung · *direkt auf dem Rumpf des Flugzeugs:* Bauchlandung · *außerhalb eines Flughafens bei Gefahr:* Notlandung, Bumslandung (*ugs.*); → Ankunft, → Unglück; → landen.

²**Landung:** → Ankunft; zur L. ansetzen → landen.

**Landungsbrücke** → Anlegebrücke.

**Landungsfahrzeug** → Kriegsschiff.

**Landungssteg** → Anlegebrücke.

**Landvermesser,** Geodät, Geometer (*fachspr., veraltet*), Vermessungsingenieur, Landmesser, Feldvermesser, Forstgeometer; → Flurbereinigung, → Geodäsie.

**Landwehr** → Militär.

**Landwein** → Wein.

**Landwind** → Wind.

**Landwirt** → Bauer.

¹**Landwirtschaft** · Agrikultur, Bodenkultur, Ackerbau, Feldbau, Landbau, Pflanzenzucht · Viehwirtschaft, Viehzucht, Tierzucht, Weidewirtschaft, Milchwirtschaft, Stallwirtschaft; → Agronomie, → Bauer, → Bebauung, → Gut.

²**Landwirtschaft** → Bauernhof.

**landwirtschaftlich:** -er Betrieb → Bauernhof.

**Landwirtschaftswissenschaft** → Agronomie.

**lang:** → groß; einen -en Arm haben → mächtig [sein]; einen -en Atem haben → beharrlich [sein]; etwas ist nicht von -er Dauer → kurzlebig [sein]; -es Elend / Ende → Mann, → Riese; von -er Hand, seit -em → längst; -er Laban → Mann; -e Latte → Mädchen, → Mann, → Riese; ein -es Leben haben → alt [werden]; eine -e Leitung haben → begriffsstutzig [sein]; der -en Rede kurzer Sinn → kurzum; auf längere Zeit → langfristig; zu l. sein → überstehen; sich die Zeit l. werden lassen → langweilen (sich); länger arbeiten → arbeiten; länger machen → verlängern; l. und breit → ausführlich; des -en und breiten → ausführlich; alle Nase l. → unaufhörlich.

**Langarmaffe** → Affe.

**langatmig** → ausführlich.

**Langbrot** → Brot.

¹**lange,** länger, Marathon- (z. B. Marathonsitzung), geraum, langwierig · *in bezug auf Krankheiten:* chronisch; → tödlich.

²**lange:** → längst; länger lange; von -r Hand, [l. vorher], seit -m / längerem, seit längerer Zeit → längst; für längere Zeit → langfristig; zu l. bleiben → hängenbleiben; ohne l. zu fackeln / zu überlegen / zu zögern → kurzerhand; nicht mehr l. leben / zu leben haben, es nicht mehr l. machen; → sterben; [schon l.] → bereits.

**Länge:** → Ausmaß, → Dauer, → Körpergröße; auf die L. [hin gesehen] → allmählich; in die L. ziehen → verschieben; in die l. gezogen → gedehnt.

**langen:** → ausreichen, → geben; jmdm. langt es → ärgerlich [werden]; jmdm. eine l. → schlagen.

**Längenmaß** · Millimeter, Zentimeter, Dezimeter, Meter, Kilometer · *altes preußisches:* Zoll, Fuß, Elle, Klafter, Rute, Meile · *in der Astronomie:* astronomische Einheit (die mittlere Entfernung Erde–Sonne), Lichtjahr (Strecke, die das Licht in einem Jahr im masseleeren Raum zurücklegt), Parsec (Entfernung, von der aus der Erdbahnhalbmesser unter dem Winkel von 1″ erscheint) · *im Seewesen:* Faden, Knoten, Seemeile; → Flächenmaß, → Gewichtseinheit, → Hohlmaß, → Raummaß, → Stück; → messen.

**Langes** → Frühling.

**Langeweile:** → Eintönigkeit; L. haben → langweilen (sich).

**Langezeit** → Sehnsucht.

**langfädig** → langweilig.

**Langfinger** → Dieb.

**langfristig,** auf längere Zeit; → bleibend, → unaufhörlich.

**Langhaar:** Deutsch L. → Hunderassen.

**Langhaariger** → Gammler.

**Langhaarkatze** → Katzenrassen.

**Langhaarperücke** → Perücke.

**Langhornmotte** → Schmetterling.

**Langis** → Frühling.

**langjährig,** mehrjährig, jahrelang; → alt.

**Langläufer** → Schifahrer.

**Langlebigkeit** → Lebensdauer.

**länglichrund** → oval.

**langliegen** → liegen.

**Langmähniger** → Gammler.

**Langmut** → Duldung.

**Langohr:** → Esel, → Hase.

¹**langsam,** saumselig (*abwertend*), säumig, tranig (*ugs., abwertend*), pomadig (*ugs.*), nölig (*ugs.*), im Schneckentempo, gemach, gemächlich, hastlos (*schweiz.*), gemessen

417

Schrittes, pomali (*ugs., österr.*), nicht → schnell; → allmählich, → behutsam, → hinhaltend, → ruhig ·· *in der Musik: als Satzbezeichnung:* adagio, largo, larghetto, andante, grave, lento · *als zusätzliche Modifikation* [*innerhalb einer Phrase*]: lentamente, lentement, dolce, dolcamente, doucement, sostenuto; **l. arbeiten,** sich Zeit lassen, trödeln, bummeln, nölen (*ugs.*), herumtrölen (*schweiz.*), harzen (*schweiz.*), mären (*ugs.*), sich ausmären, brodeln (*österr.*), herumbrodeln (*österr.*), tachinieren (*österr.*); → faulenzen, → vorangehen; → Schlafmütze · Ggs. → arbeiten.

**²langsam:** → allmählich; -er Puls → Pulsschlag; -er Walzer → Tanz.

**Langsamkeit,** Gemächlichkeit, Saumseligkeit, Schneckentempo (*abwertend*), Pomadigkeit (*ugs.*), Trödelei (*abwertend*), Trölerei (*schweiz.*), Bummelei (*abwertend*); → Nachlässigkeit.

**Langschal** → Halstuch.

**Langschläfer:** [ein] L. sein → spät [aufstehen].

**Längslage** → Kindslage.

**Langspielplatte** → Schallplatte.

**Längsstreifen** → Stoffmuster.

**¹längst,** von langer Hand, seit langem [/ längerem, seit längerer Zeit, lange [vorher]; → vorher.

**²längst:** l. nicht → nein; [schon l.] → bereits.

**langstielig** → ausführlich.

**Langstreckenflug** → Flug.

**Langstreckenflugzeug** → Flugzeug.

**Langstreckenlauf:** → Lauf, → Leichtathletik.

**Langstreckenritt** → Ritt.

**Langue** → Sprachsystem.

**Languste** → Krebs.

**Langweile** → Eintönigkeit.

**¹langweilen (sich),** Langeweile haben, sich ennuyieren (*veraltet*), von etwas angeödet sein (*ugs.*), sich mopsen (*ugs., landsch.*), die Zeit totschlagen, sich die Zeit lang werden lassen, Daumen / Däumchen drehen (*ugs.*), sich fadisieren (*österr.*), sich desinteressieren (*schweiz.*), fast einschlafen bei etwas; → angeekelt [sein].

**²langweilen:** gelangweilt sein → angeekelt [sein].

**Langweiler** → Schlafmütze.

**¹langweilig,** sterbenslangweilig, stinklangweilig (*salopp*), öde, trostlos, trist, fad[e], reizlos, ohne [jeden] Reiz, witzlos, altbekannt, uninteressant, unlebendig, gleichförmig, eintönig, einförmig, einschläfernd, langfädig (*schweiz.*), ermüdend, monoton, hausbacken, stumpfsinnig, steril, grau in grau, fatigant (*veraltet*), fastidiös (*veraltet*), ennuyant, trocken, akademisch, nicht → kurzweilig; **l. sein,** etwas ist langweilig, das ist ein alter Hut / kalter Kaffee / aufgewärmter Kohl (*ugs.*), das sind olle Kamellen (*salopp*), mit etwas keinen Hund hinter dem Ofen hervorlocken [können] (*ugs.*); → abgestanden, → ausführlich, → beschwerlich, → gedehnt, → geisttötend, → humorlos, → Eintönigkeit, → Muffel.

**²langweilig** → temperamentlos.

**Langweiligkeit** → Stumpfsinn.

**langwierig:** → lange, → schwierig, → zeitraubend; -e Arbeiten → Umstände.

**langziehen:** jmdm. die Hammelbeine / die Ohren l. → schelten.

**Lanner** → Vogel.

**Lanze** → Wurfwaffe.

**Lanzettbogen** → Bogen.

**Lanzing** → Frühling.

**Laparoskopie** → Ausspiegelung.

**Laparozele** → Bruch.

**lapidar** → kurz.

**Lapidarstil** → Ausdrucksweise.

**Lapislazuli** → Schmuckstein.

**Lapp** → Jüngling.

**Lappalie** → Kleinigkeit.

**Lappen:** → Flicken, → Geld; jmdm. durch die L. gehen → entkommen; sich etwas durch die L. gehen lassen → versäumen.

**Lappentaucher** → Vogel.

**Läpperei** → Kleinigkeit.

**läppisch** → kindisch.

**Lappjagd** → Jagd.

**Lapplandsmeise** → Vogel.

**Lapsus:** → Fehler; [L. linguae] → Versprecher.

**Lärche** → Nadelhölzer.

**Lärchenminiermotte** → Schmetterling.

**Laren** → Hausgötter.

**large:** → freigebig, → ungezwungen.

**Lärge** → Schlesier.

**larghetto** → langsam.

**largo** → langsam.

**Larifari** → Gerede.

**larifari** → nachlässig.

**¹Lärm,** Getöse, das Dröhnen, Gedröhn, Krach, Radau, Heidenlärm (*ugs.*), Mordslärm (*ugs.*), Höllenspektakel (*ugs.*), Tumult, Gepolter, Pumperer (*österr.*), Trubel, Spektakel, Rabatz, Klamauk (*ugs.*), Tamtam (*ugs.*), Trara (*ugs.*), Krakeel (*ugs.*), Bahöl (*österr.*), Ramasuri (*österr.*) · Straßenlärm, Verkehrslärm, Düsenlärm · *durch Musik verursachter:* Gedudel (*ugs., abwertend*), Geklimper (*ugs., abwertend*); → Aufsehen, → Geschrei, → Klang, → Laut, → Streit; → ärgerlich [sein], → lärmen.

**²Lärm:** L. machen → lärmen; viel L. um nichts → Getue; L. schlagen → alarmieren.

**lärmen,** Lärm / (*ugs.*) Radau / (*ugs.*) Krach machen, randalieren, poltern, rumpeln, rumoren, bumsen, laut (*schweiz.*) lärmig sein, pumpern, toben; → ärgerlich [sein], → schreien, → toben; → Geschrei, → Lärm, → Laut.

**lärmig:** l. sein → lärmen.

**larmoyant** → weinerlich.

**Larmoyanz** → Rührseligkeit.

**¹Larve,** Made, Raupe, Puppe, Engerling · *beim Frosch:* Kaulquappe.

**²Larve** → Maske.

**Laryngitis** → Kehlkopfentzündung.

**Laryngologe** → Arzt.

**Laryngologie** → Heilkunde.

**Laryngoskopie** → Ausspiegelung.

**Lasagne** → Teigwaren.

**lasch:** → abgestanden, → schlaff.

**Lasche,** Zunge, Pleise (*nordd.*); → Schuh, → Schuhschnalle.

**Läsion:** → Verletzung, → Wunde.

**¹lassen (sich):** etwas läßt sich [erklären, vernehmen usw.], kann [erklärt, vernommen] werden, ist zu [erklären, vernehmen], etwas ist [erklär]lich / [erklär]bar; → Passiv.

²**lassen:** → abschreiben, → belassen, → versäumen; nicht locker l. → beharrlich [sein], → bestehen (auf); unterwegen l. → unterlassen; sich blicken l. → präsentieren (sich); sich etwas entgehen l. → versäumen; jmdn. selbst entscheiden l. → überlassen (jmdm. etwas); sich nichts gefallen / sich nicht die Butter vom Brot nehmen l. → wehren (sich); sich gehen l. → unbeherrscht [sein]; laßt uns gehen! → Imperativ; es sich gutgehen l. → leben; hereinkommen l. → einlassen; sich nicht machen l. → möglich; sich nichts mehr sagen l. → selbständig; sich sehen l. können → tüchtig [sein]; [sein l.] → unterlassen; etwas läßt sich [tragen] → können; trinken l. → trinken; jmdn. etwas tun l. → anordnen; ziehen l. → sieden; Federn l. müssen → einbüßen; die Finger l. von → heraushalten (sich); den lieben Gott einen guten Mann sein l. → leben; die Kirche im Dorf l. → übertreiben; freien Lauf l. → einschränken; laß mir die / meine Ruhe! → unwichtig [sein]; sich Zeit l. → anstrengen (sich); nicht aus den Augen l. → beobachten; aus dem Spiel l. → hineinziehen (in); jmdn. hinter sich l. → überholen (jmdn.); laß mich in Frieden! → unwichtig [sein]; zur Ader l. → ablisten, → Blut.

**lässig** → ungezwungen.
**Lässigkeit** → Ungezwungenheit.
**Lassing** → Frühling.
**läßlich** → verzeihlich.
**Lasso** → Eislauf.
¹**Last,** Arbeitslast, Bürde, Kreuz, Zentnerlast, Joch; → Anstrengung, → Arbeit, → Aufgabe, → Schmarotzer, → Schuld; **jmdm. zur L. fallen,** jmdm. lästig / hinderlich sein, jmdm. im Weg sein / stehen, jmdm. ein Klotz am Bein sein (ugs.), jmdm. auf der Tasche liegen (ugs.), jmdm. auf / in der Schüssel liegen (ugs., österr.); → schmarotzen, → tragen, → unselbständig [sein]; → hinderlich.

²**Last:** zur L. fallen → hinderlich [sein]; zur L. legen → anlasten, → verdächtigen.
**Lastdampfer** → Schiff.
**Lastenausgleich** → Ersatz.
**lastend** → schwer.
¹**Laster** (das): langes L. → Mann; Stätte des -s → Stadt.
²**Laster** (der): → Auto.
**Lästerer,** Lästermaul (salopp), Lästerzunge (ugs.), böse Zungen, Klatschweib (salopp, abwertend), Klatschbase (ugs., abwertend), Klatschtante (ugs., abwertend), Klatschmaul (salopp, abwertend), Dreckschleuder (derb, abwertend); → Schwätzer; → reden.
¹**lasterhaft,** anstößig, unschicklich, ungehörig, unziemlich, ungebührlich, unanständig, zweideutig, nicht salonfähig (scherzh.), stubenrein, pikant, lasziv, schlüpfrig, schmutzig, unsittlich, unmoralisch, schlecht, wüst, liederlich, zuchtlos, verdorben, verderbt, verrucht, ruchlos, verworfen, unzüchtig, pornographisch, tierisch, zotig, schweinisch (salopp, abwertend), sittenlos, unkeusch, unsolide, ausschweifend, obszön, nicht → anständig; → anrüchig, → begierig, → frech, → gemein, → gewöhnlich, → hemmungslos, → pervers, → unhöflich; → anstoßen, → verwahrlosen; → Anstößigkeit, → Inzest, → Sittenlosigkeit, → Unzucht.
²**lasterhaft** → lästerlich.
**Lasterhaftigkeit** → Sittenlosigkeit.
**lästerlich,** gotteslästerlich, lasterhaft, frevelhaft, gottlos, sittenlos, vitiös.
**Lästermaul** → Lästerer.
**lästern** → reden.
**Lästerzunge** → Lästerer.
**lästig:** → aufdringlich, → unerfreulich; l. sein → ärgern; jmdm. l. sein → Last; jmdm. l. fallen → behelligen.
**Lastkahn** → Schiff.
**Lastkraftwagen** → Auto.
**Lastschiff** → Schiff.
**Lastwagenfahrer** → Autofahrer.
**Lasur** → Glasur.
**Lasurmeise** → Vogel.
**lasziv** → anstößig.

**Lätare** → Kirchenjahr.
**Latein:** mit seinem L. am Ende sein → ratlos [sein].
**Lateinamerika** → Südamerikaner.
**lateinisch:** -es Kreuz → Kreuzzeichen; -e Schrift → Schrift.
**latent,** verborgen, versteckt, verdeckt, unmerklich, unterschwellig, schlummernd, unter der Oberfläche; → heimlich.
**Laterna magica** → Projektionsapparat.
**Laterne:** → Lampion, → Straßenbeleuchtung; jmdn. / etwas mit der L. suchen können → selten [sein].
**Latifundien** → Besitztum.
**Latinismus** → Spracheigentümlichkeit.
**Lätitzerl** → Unterhaltung.
**Latrine** → Toilette.
**Latrinenparole** → Gerücht.
**Latsche** → Nadelhölzer.
**latschen:** → fortbewegen (sich); auf die Bremse l. → bremsen.
**Latschen:** → Schuh; aus den L. kippen → überrascht [sein].
**Latte:** → Brett, → Penis; lange L. → Mädchen, → Mann.
**Lattebrett** → Fensterbank.
**Lattengestell** → Steige.
**Lattenkäfig** → Käfig.
**Lattenkiste** → Steige.
**Lattennagel** → Nagel.
**Lattenrost** → Steige.
**Lattenzaun** → Zaun.
**Lattich** → Gemüse.
**Lattichsalat** → Gemüse.
**Latwerge:** → Brotaufstrich, → Pflaumenmus.
**Latz:** → Serviette; jmdm. eine vor den L. knallen → schlagen.
**Lätzchen** → Serviette.
**lau:** → Begeisterung, → warm.
**Lau** → Fisch.
¹**Laub,** Blätter, Laubkrone, Laubwerk, Belaubung, Kraut; → Laubhölzer, → Wipfel; → entlauben (sich).
²**Laub:** das L. abwerfen → entlauben (sich).
**Laubblatt** → Blatt.
¹**Laube,** Gartenlaube, Efeulaube, Geißblattlaube, Weinlaube, Pergola.
²**Laube:** → Fisch, → Haus, → Hausflur.
**Laubflechte** → Flechte.
**Laubfrosch** → Frosch.
**Laubgehölz:** -e → Laubhölzer.

**Laubheuschrecke** → Heuschrecke.

**Laubhölzer,** Laubgehölze, Laubbaum · Eiche, Buche, Birke, Platane, Erle, Linde, Ahorn, Kastanie, Nußbaum, Buchsbaum, Johannisbrotbaum, Judasbaum, Zitronenbaum, Orangenbaum, Kornelkirsche, Haselnuß, Weide, Lorbeerbaum, Holunder, Mehlbeerbaum, Ulme; → Ahorn, → Buche, → Holunderstrauch, → Kastanie, → Laub, → Linde, → Palme, → Pflanze, → Robinie, → Ulme, → Weide · Ggs. → Nadelhölzer.

**Laubhüttenende** → Feiertag.

**Laubhüttenfest:** → Erntedankfest, → Feiertag.

**Laubkrone** → Laub.

**Laubmoos** → Moos.

**Laubsäge** → Säge.

**Laubsänger** → Vogel.

**Laubwald** → Wald.

**Laubwerk** → Laub.

**Lauch:** → Gemüse, → Porree.

**Lauda** → Lob.

**Laudatio** → Lobrede.

**laudieren** → loben.

**Laue** → Lawine.

**Lauene** → Lawine.

**Lauer:** → Wein; sich auf die L. legen, auf der L. liegen → auflauern.

**¹Lauf** · Kurzstreckenlauf, Sprint, 100-m-Lauf, 200-m-Lauf, 400-m-Lauf · Mittelstreckenlauf, 800-m-Lauf, 1500-m-Lauf · Langstreckenlauf, 5000-m-Lauf, 10000-m-Lauf · *über 42 195 m:* Marathonlauf · *mit mehreren Läufern:* Staffellauf, Stafettenlauf · *über natürliche oder künstliche Hindernisse auf einer Distanz von 3 000 m:* Hindernislauf · *bei dem Holz- oder Stahlrohrhürden überlaufen werden:* Hürdenlauf, 80-m-Hürden, 100-m-Hürden, 110-m-Hürden, 200-m-Hürden, 400-m-Hürden; → Leichtathletik.

**²Lauf:** → Gewehrlauf, → Vorgang; freien L. lassen → einschränken; etwas nimmt seinen L. → verhindern; den L. auf etwas richten → zielen; sich den L. verstopfen → Geschlechtskrankheit; im -e der Zeit → allmählich; im -e von → binnen.

**Laufbahn,** Karriere, Werdegang, Lebensweg, Lebenslauf, Curriculum vitae, Entwicklungsgang, Entwicklungsgeschichte; → Aufstieg, → Biographie.

**Laufbodenkamera** → Fotoapparat.

**Laufbursche** → Bote.

**laufen:** → fließen, → fortbewegen (sich), → reif [sein], → rollen, → weggehen; -der Hund → Fries; -de Röhre → Penis; heimwärts / nach Hause l. → zurückbegeben (sich); sich warm l. → wärmen (sich); l. lassen → freilassen; die Karre / den Karren laufen lassen → sorgen (sich); l. müssen → austreten [gehen], → Durchfall [haben]; etwas läuft → funktionieren; Gefahr l. → Gefahr; Spießruten l. → aussetzen (sich einer Sache); eine Strecke l. → Strecke; Sturm l. gegen → aufbegehren; etwas läuft ins Geld → teuer [sein]; über den Weg l. → unterkommen; auf dem -den bleiben / sein → mitkommen (mit); sich auf dem -den halten → weiterbilden (sich); jmdn. auf dem -den halten → mitteilen; auf dem -den sein → wissen.

**Laufen:** → Fünfkampf, → Leichtathletik.

**laufend:** [am -en Band] → unaufhörlich; -es Konto → Bankkonto; l. ergänzen → buchen.

**Läufer:** → Fußballspieler, → Schachfigur, → Schwein, → Teppich.

**Lauffeuer:** wie ein L. → schnell; sich wie ein L. verbreiten → herumsprechen (sich).

**Laufgeschäft** → Prostitution.

**Laufhühnchen** → Vogel.

**läufig** → brünstig.

**Laufkleid** → Kleid.

**Laufkunde** → Kunde.

**Laufmasche** → Masche.

**Laufpaß:** jmdm. den L. geben → brechen (mit jmdm.), → entlassen.

**Laufpuppe** → Puppe.

**Laufschuh** → Schuh.

**Laufsteg** → Treppe.

**Lauftrieb** → Anankasmus.

**Laufzeit** → Geltungsdauer.

**Lauge:** → Flüssigkeit, → Salzlake.

**Laugenbrezel** → Gebäck.

**Laugenbrötchen** → Brötchen.

**Laugenstange** → Gebäck.

**¹Laune,** Grille, Mucke, Einfall, Allüren, Flausen, Albernheiten, Kinkerlitzchen (*ugs., abwertend*), Kapriole, Kaprice, Kaprize (*österr.*); → Ärger; launisch.

**²Laune:** -n, schlechte L. → Verstimmung; gute L. → Heiterkeit; schlechter L. sein → aufgelegt.

**launenhaft** → launisch.

**Launenhaftigkeit,** Übellaunigkeit, Brummigkeit (*ugs.*), Reizbarkeit; → Ärger, → Verstimmung; → launisch.

**launig:** → geistreich, → humorvoll.

**launisch,** launenhaft, wetterwendisch, unberechenbar, exzentrisch, grillenhaft, kapriziös, bizarr; → ärgerlich, → labil, → überspannt, → unausgeglichen; **l. sein,** Grillen / (*ugs.*) Mucken haben; → Laune, → Launenhaftigkeit, → Unberechenbarkeit.

**Laus:** → Schwein, → Ungeziefer; jmdm. ist eine L. über die Leber gelaufen → ärgerlich [sein], → aufgelegt.

**Lausbub** → Junge.

**lauschen:** → beobachten, → horchen.

**Lauscher:** → Auskundschafter, → Ohr.

**lauschig:** → behaglich, → gemütlich.

**Lauschigkeit** → Gemütlichkeit.

**Läusefleckfieber** → Fleckfieber.

**Lauseharke** → Kamm.

**Lausejunge** → Junge.

**lausekalt** → kalt.

**Lausekälte** → Kälte.

**Läusekamm** → Kamm.

**Lauselümmel** → Junge.

**lausen:** [ich denke] mich laust der Affe → überrascht [sein].

**Lauser** → Junge.

**Läusetyphus** → Fleckfieber.

**Lausrechen** → Kamm.

**¹laut,** vernehmlich, hörbar, vernehmbar, lauthals, lautstark, geräuschvoll, überlaut, durchdringend, markerschütternd, durch Mark und Bein gehend, ohrenbetäubend, ohrenzerreißend, schrill, grell, gellend, aus vollem Hals, aus voller

Kehle, aus Leibeskräften, mit dröhnender Stimme, nicht → leise, nicht → ruhig, nicht → still; → akustisch, → durchdringend, → verständlich; → Lautstärke.

**²laut:** → gemäß; l. sein → lärmen; etwas nicht l. werden lassen → mitteilen.

**¹Laut, Ton; einen L. von sich geben** ··· *vom Menschen:* schnalzen, schmatzen, schlürfen, seufzen, aufseufzen, stöhnen, aufstöhnen, ächzen, keuchen, röcheln, schluchzen, quäken ·· *laut:* schreien, brüllen, kreischen · *vor Schmerz o.ä.:* aufschreien, aufbrüllen, aufkreischen · *vor Freude:* juchzen, aufjuchzen ·· *leise:* wispern, pispern, pispeln, fispern, fispeln, lispeln, zischeln, zischen, hauchen, raunen, brummeln, murmeln · *vor Schmerz:* wimmern ··· *von Tieren:* brüllen, schreien, heulen, röhren (Hirsch), brummen (Bär, Insekten), summen (Insekten), surren (Insekten), muhen (Kuh), blöken (Schaf, Rind), bähen (ugs.; Schaf), mähen (ugs.; Schaf), meckern (Ziege), krächzen (Rabe, Krähe), gakkern (Huhn), glucken (Huhn), glucksen (Huhn), krähen (Hahn), schnattern (Gans, Ente), kollern (Truthahn), rucksen (Taube), gurren (Taube), girren (Taube), zischen (Schlange, Gans, Schwan), klappern (Storch), balzen (Auerhahn), zirpen (Grille) ·· *vom Frosch:* quaken, quarren ·· *vom Pferd:* wiehern, schnauben ·· *vom Schwein:* grunzen, quietschen, quieken ·· *von der Katze:* miauen, miaunzen, maunzen, schnurren, fauchen ·· *vom Hund:* bellen, belfern, kläffen, blaffen, knurren, winseln, jaulen ·· *von Singvögeln:* singen, tirilieren, quirilieren, quinkelieren, trillern, flöten, jubilieren, pfeifen, rufen, zwitschern, piepen, piepsen, schlagen (Fink, Nachtigall) · *vom Sperling:* tschilpen, schilpen ··· *in bezug auf Gegenstände o.ä.:* schallen, erschallen, hallen, widerhallen, tönen, ertönen, dröhnen, erdröhnen, klingen,

erklingen, gellen, summen, brummen, surren (Maschinen, Kameras), sausen (Wind), krachen, knallen, knattern, rattern, knarren. grollen (Donner), rollen (Donner), poltern, rumpeln, bumsen, lärmen, donnern, rauschen, brausen, tosen, läuten, klingeln, bimmeln (ugs.), schrillen, klirren, klimpern, kreischen, quietschen, klappern, klappen, rappeln (ugs.), rasseln, rascheln, knistern, knacken, klicken (Fotoapparat), knirschen, prasseln (Feuer, Regen), klatschen, trommeln, hupen, tuten (Schiffssirene), tuckern (Schiffsmotor), ticken, plätschern, säuseln, gluckern, glucksen; → Geräusch, → Geschrei, → Klagelaut, → Klang, → Lärm; → fauchen, → fließen, → flüstern, → holpern, → jubeln, → klagen, → lachen, → lärmen, → läuten, → schreien, → singen, → sprechen, → stöhnen, → wehen, → weinen.

**²Laut:** → Klang; -e erzeugen → artikulieren; L. geben → bellen.

**Laute** → Zupfinstrument.

**Lauteinheit** → Spracheinheit.

**lauten,** heißen, den Titel / Namen tragen (oder:) haben, genannt werden; → bedeuten.

**läuten,** klingeln, schellen (südwestd., westd.), bimmeln (ugs.), rasseln, gongen, beiern (veraltet); → rauschen, → schallen; → Gebimmel, → Glocke → Laut.

**Läuten** → Gebimmel.

**Lautenbauer** → Musikinstrumentenbauer.

**lauter,** rein, sauber, makellos, unverdorben; → anständig, → ehrenhaft, → ungetrübt.

**Lauterkeit** → Aufrichtigkeit.

**läutern:** → verfeinern; sich l. → bessern (sich).

**¹Läuterung,** Reinigung, Besserung, Katharsis, Waschung, Sündenvergebung, Rektifikation; → Bekehrung, → Bekenntnis, → Selbstbesinnung, → Verfeinerung; → gestehen.

**²Läuterung** → Verfeinerung.

**lauthals** → laut.

**Lautlehre** → Sprachwissenschaft.

**lautlos** → leise.

**Lautlosigkeit** → Stille.

**Lautschrift** → Umschrift.

**¹Lautsprecher,** Verstärker, Megaphon, Sprachrohr, Flüstertüte (scherzh.), Schalltrichter.

**²Lautsprecher** → Radio.

**lautstark** → laut.

**Lautstärke,** Stärkegrad, Phon ·· *in der Musik:* Dynamik · *mit großer:* forte, fortissimo · *mit mittlerer:* mezzoforte · *mit zunehmender:* crescendo · *mit geringer:* piano, pianissimo · *mit ziemlich geringer:* mezzopiano · *mit abnehmender:* decrescendo, calando, diminuendo · *mit plötzlicher, kräftig betonender:* sforzando, sforzato; → laut, → leise.

**lauwarm** → warm.

**Lavabel** → Stoff.

**lavendel** → violett.

**lavendelblau** → blau.

**lavieren,** taktieren, balancieren, jonglieren, etwas ventilieren, diplomatisch / vorsichtig vorgehen; → verfahren; → schlau.

**Lavoir** → Waschbecken.

**Lävulose** → Traubenzucker.

**Lawine,** Staublawine, Grundlawine, Schlaglawine, Gletscherlawine, Eislawine, Schneerutsch, Lähne (schweiz.), Lahne (schweiz.), Laue (schweiz.), Lauene (schweiz.), Lahn (veraltend, bayr., österr.); → Erdrutsch.

**Lawinensystem** → Verkauf.

**Lawn-Tennis** → Tennisspiel.

**lax** → aufgeklärt.

**Laxans** → Abführmittel.

**Laxativ** → Abführmittel.

**Laxativum** → Abführmittel.

**Laxheit** → Duldsamkeit.

**Layout** → Entwurf.

**Layouter** → Zeichner.

**¹Lazarett,** Kriegslazarett, Feldlazarett, Heimatlazarett, Reservelazarett, Notlazarett, Militärkrankenhaus, Militärhospital · Truppenverbandsplatz, Hauptverbandsplatz · *auf einem Schiff eingerichtetes:* Lazarettschiff; → Krankenhaus, → Krieg, → Soldat.

**²Lazarett** → Krankenhaus.

**Lazarettschiff:** → Kriegsschiff, → Lazarett.

**Lazarist:** -en → Mönchsorden.

**Lazaruskreuz** → Kreuzzeichen.

**Lazeration** → Verletzung.

**Leader** → Spitzenreiter.

**leasen** → mieten.

**Leaser** → Verleiher.

**Leasing** → Vermietung.

**Lebegreis** → Greis.

**Lebemann** → Frauenheld.

**¹leben**, ein Leben führen / haben, ein Dasein führen, existieren · *schlecht:* vegetieren, sich durchschlagen, wie ein Hund leben (*ugs.*), ein Hundeleben führen (*ugs.*), nicht auf Rosen gebettet sein, sich durchs Leben schlagen, sich über Wasser halten, sein Leben / Dasein fristen; zum Leben zuwenig, zum Sterben zuviel haben; nicht leben und nicht sterben können · *gut:* ein Wohlleben führen, schwelgen, sich des Lebens freuen, auf großem Fuß/ in Saus und Braus leben, sich nichts abgehen lassen / versagen, es sich gutgehen lassen, in gesicherten Verhältnissen leben, weich gebettet sein, wie die Made im Speck / wie Gott in Frankreich / wie der Vogel im Hanfsamen leben · *aufwendig:* ein großes Haus führen · *sorglos:* in den Tag hinein leben, den lieben Gott einen guten Mann sein lassen · *gefährlich:* auf einem Vulkan leben · *zurückgezogen:* seinen Kohl bauen · *enthaltsam:* wie ein Mönch leben; → auskommen, → wohl fühlen (sich); → arm; → Geschöpf, → Leben.

**²leben:** → weilen; -d → lebendig; am -den Objekt → in vivo; jmd. sein, wie er leibt und lebt → ähneln; für sich -d → zurückgezogen; -der Zaun → Zaun; flott / auf großem Fuß l. → üppig [leben]; jmd. lebt gefährlich → gefährlich [sein]; getrennt / in Scheidung l. → geschieden [sein]; gut l. → essen; nicht mehr lange l. / zu l. haben → sterben; der Wille zu l. → Lebenswille; nebeneinanderher l. → entfremden (sich); nicht l. und nicht sterben können → Schmerz; mit jmdm. auf gespanntem Fuß l. → vertragen (sich); aus dem Koffer l. → unterwegs; hinter dem Mond l. → unrealistisch [sein]; in Frieden / Unfrieden l. → vertragen (sich); in einer

anderen Welt l. → unrealistisch [sein]; von der Hand in den Mund l. → arm [sein]; wie Hund und Katze l. → verfeindet [sein]; zum Leben zuwenig, zum Sterben zuviel haben → leben; etwas ist zum Leben zuwenig, zum Sterben zuviel → wenig.

**¹Leben**, Dasein, Sein, Existenz · *der Pflanzen:* Vegetation ·· *religiöses, beschauliches:* Vita contemplativa · *tätiges:* Vita activa · *in [Kloster]gemeinschaft:* Vita communis ·· *gemeinsames von verschiedenen Lebewesen:* Symbiose ·· *auf Sauerstoff angewiesenes:* Aerobiose, Oxybiose; → Lage; → leben; → lebenstüchtig.

**²Leben:** L. und Tod → Kartenspiel; aussehen wie das blühende L. → gesund [aussehen]; sein L. aushauchen, am L. bleiben, aus dem L. gerissen werden, ums L. kommen → sterben; L. in die Bude bringen → erheitern; das L. fliehen → abkapseln (sich); ein langes L. haben → alt [werden]; kein leichtes L. haben → Schicksal; noch das ganze L. vor sich haben → jung [sein]; das L. meistern, mit dem L. zurechtkommen → lebenstüchtig [sein]; sich das L. nehmen, seinem L. ein Ende setzen, aus dem L. scheiden, sich ums L. bringen → entleiben (sich); jmdm. das L. sauer machen / schwermachen → schikanieren; einem Kind das L. schenken → gebären; sich des -s freuen, sich durchs L. schlagen → leben; Bund fürs L. → Ehe; jmdm. die Hand fürs L. reichen, den Bund fürs L. schließen → heiraten; sich im L. behaupten → tüchtig [sein]; für alles im L. bezahlen müssen, nichts im L. geschenkt / umsonst erhalten → Opfer [bringen müssen]; nie im L. → niemals; ins L. rufen → gründen; nach dem L. trachten → töten [wollen]; ohne L. → tot.

**Lebender:** [nicht] mehr unter den Lebenden weilen → tot [sein].

**Lebendgewicht,** Schlachtgewicht, Gewicht; → Gewicht.

**¹lebendig**, lebend, belebt; → in vivo · Ggs. → tot.

**²lebendig:** → anschaulich, lebhaft; vor Angst mehr tot als l. sein → Angst [haben]; l. machen → veranschaulichen; es von den Lebendigen nehmen → Preis.

**Lebendigkeit** → Anschaulichkeit.

**Lebensabend,** Lebensausklang, Alter, Ruhestand, Lebensherbst; → Altersheim, → Bejahrtheit, → Generation, → Lebensalter; **den L. verbringen,** in Pension sein, seine Pension verzehren; → altern; → alt.

**¹Lebensalter,** Alter · Säuglingsalter, Krabbelalter, die ersten Lebensjahre, [frühe] Kindheit, Kindergartenalter, Vorschulalter, Schulalter, Jugend, Jugendzeit, Pubertät, Halbstarkenalter, Flegelalter, Flegeljahre, Jünglingsalter, Mannesalter, Mittelalter (*scherzh.*), die besten Jahre, gefährliches Alter, Alter, Altertum (*scherzh.*), Greisenalter; → Bejahrtheit, → Generation, → Lebensabend; → alt, → älter.

**²Lebensalter:** Bevölkerungsgliederung / Bevölkerungsstufung nach dem L. → Altersaufbau.

**Lebensanschauung** → Denkweise.

**Lebensart:** → Benehmen, Lebensweise; L. haben / zeigen → benehmen (sich).

**Lebensausklang** → Lebensabend.

**Lebensbaum** → Nadelhölzer.

**Lebensbedingung:** -en → Umwelt.

**lebensbejahend** → zuversichtlich.

**Lebensbejahung** → Optimismus.

**Lebensberechtigung** → Existenzberechtigung.

**Lebensbereich** → Umwelt.

**Lebensbeschreibung** → Biographie.

**Lebensbild** → Biographie.

**Lebensdauer,** Lebenslänge, Lebenszeit, Haltbarkeit · *lange:* Langlebigkeit, Dauerhaftigkeit; → Haltbarkeit.

**lebensdurstig** → lebenshungrig.

Lebensenergie → Lebenswille.

Lebenserfahrung → Erfahrung.

Lebenserinnerungen → Biographie.

Lebenserwerb → Broterwerb.

lebensfern → lebensfremd.

Lebensform: → Lebensweise, → Sitte.

Lebensfrage → Schwierigkeit.

lebensfremd, lebensfern, akademisch, trocken, dröge (*niederd.*), theoretisch, nicht → anschaulich; → humorlos, → unrealistisch.

Lebensfreude → Lust.

lebensfroh → lustig.

Lebensführung → Lebensweise.

lebensgefährlich → gefährlich.

Lebensgefährte, Ehemann, Mann, Gatte, Gemahl, Angetrauter, Weggefährte, Lebenskamerad, Herr und Gebieter (*scherzh.*), Ehewirt (*veraltet*), Eheliebster, Ehegenosse, Ehegespons (*ugs.*), bessere Hälfte (*ugs.*), Göttergatte (*ugs.*), Gatterich (*ugs., scherzh.*), Alter (*salopp*), Oller (*derb*), Ehekrüppel (*abwertend*), Pantoffelheld (*abwertend*), Simandl (*österr., abwertend*), Tyrann (*abwertend*), Haustyrann (*abwertend*) · *vorbildlicher:* Mustergatte · *betrogener:* Hahnrei · *untreuer:* Ehebrecher; → untreu · *der erst kurze Zeit verheiratet ist:* Flitterwöchner (*scherzh.*) · *dessen Frau verreist ist:* Strohwitwer; → Ehepaar, → Junggeselle, → Mann, → Witwer · Ggs. → Ehefrau.

Lebensgefährtin → Ehefrau.

Lebensgemeinschaft → Ehe.

Lebensgenießer: ein L. sein → genießen.

Lebensgeschichte → Biographie.

Lebensgestaltung → Lebensweise.

Lebensgewohnheit → Lebensweise.

lebensgierig → lebenshungrig.

Lebenshaltung → Lebensunterhalt.

Lebenshaltungskosten → Lebensunterhalt.

Lebensherbst → Lebensabend.

Lebenshilfe, seelische Betreuung, Seelsorge, Rat, seelischer Beistand, Hilfe, Hilfestellung; → Hilfe, → Pflege, → Seelsorge, → Vorschlag.

lebenshungrig, daseinshungrig, lebensgierig, lebensdurstig, erlebnisgierig, erlebnishungrig, unersättlich; → begierig; → Abenteuerlust, → Leidenschaft, → Mannstollheit.

Lebensjahr: → Jahr; die ersten -e → Lebensalter.

Lebenskamerad: → Ehefrau, → Ehemann.

Lebenskameradin → Ehefrau.

Lebenskraft → Lebenswille.

Lebenskünstler: ein L. sein → lebenstüchtig [sein].

lebenslang: -e Freiheitsstrafe → Freiheitsentzug.

Lebenslänge → Lebensdauer.

lebenslänglich: -e Freiheitsstrafe → Freiheitsentzug.

Lebenslauf → Laufbahn.

Lebenslicht: → Kerze; das L. ausblasen / auspusten → töten.

Lebenslust → Lust.

lebenslustig → lustig.

Lebensmittel, Nahrungsmittel, Genußmittel, Konsumgüter, Naturalien, Viktualien, Komestibilien, Eßwaren, Fressalien (*ugs.*); → Nahrung, → Essen.

Lebensmittelvergiftung, Nahrungsmittelvergiftung · Fleischvergiftung, Wurstvergiftung, Botulismus, Allantiasis · Fischvergiftung, Ichthyismus, Ichthyotoxismus · Pilzvergiftung, Myzetismus · Bohnenvergiftung, Fabismus, Favismus; → Vergiftung.

lebensmüde, deprimiert, niedergeschlagen, gedrückt, niedergedrückt, down (*ugs.*), resigniert, decouragiert, geknickt (*ugs.*), mutlos, entmutigt, verzagt, kleinmütig, verzweifelt, gebrochen, niedergeschmettert (*ugs.*); → ängstlich, → schwermütig, → unzufrieden; l. sein, Weltschmerz haben, in Weltuntergangsstimmung sein, den Kopf / die Flügel hängenlassen (*ugs.*), jmdm. fällt die Decke auf den Kopf, jmdm. ist die Petersilie / die ganze Ernte verhagelt (*ugs.*); → Angst [haben]; → Katerstimmung, → Verzweiflung.

Lebensmüder → Selbstmörder.

Lebensmüdigkeit → Lebensunlust.

lebensmunter → lustig.

Lebensmut → Optimismus.

lebensnah: → fortschrittlich, → realistisch.

Lebensneid → Neid.

lebensnotwendig → nötig.

Lebensregel: → Ausspruch; -n → Prinzipien.

Lebensrettungsgesellschaft, Gesellschaft zur Rettung Schiffbrüchiger, Seenotdienst.

Lebenssaft → Blut.

Lebensstellung → Anstellung.

Lebensstil → Lebensweise.

lebenstüchtig, geschäftstüchtig, clever; → anstellig, → geschickt; l. sein, mit dem Leben zurechtkommen, das Leben meistern, das Herz auf dem rechten Fleck haben, ein Lebenskünstler sein, etwas werden (*ugs.*); → durchsetzen (sich); → Leben, → Optimist.

Lebensüberdruß → Lebensunlust.

Lebensumstände → Umwelt.

Lebensunlust, Lebensüberdruß, Lebensmüdigkeit; → Selbstmord.

Lebensunterhalt, Unterhalt, Lebenshaltung, Lebenshaltungskosten, Haushaltungskosten, Erhaltung, Versorgung, Ernährung, Alimentation; → Alimente.

Lebensversicherung → Versicherung.

Lebensweg → Laufbahn.

Lebensweise, Lebensart, Lebensgewohnheit, Lebensstil, Stil, Lebensführung, Lebensgestaltung ·· Lebensform · *städtische:* Urbanität · *herrschaftliche:* Feudalität · *luxuriöse:* Dolce vita, Highlife · *feine:* Savoirvivre; → Oberschicht · *unkonventionelle der Künstler:* Boheme · *altgewohnte lässige:* Schlendrian, Trott; → Benehmen, → Muße; die bürgerliche L. aufgeben · *infolge Rauschmittelgenusses:* ausflippen (*ugs.*).

Lebenswille, der Wille zu leben, Lebensenergie, Lebenskraft, Vitalität, Selbsterhaltungstrieb; → Lust.

[1]Lebenszeichen, Gruß, Nachricht; → Schreiben; ein L. von sich geben, etwas von sich hören lassen, sich [einmal] melden, [einmal] anrufen / schreiben; → korrespondieren.

**²Lebenszeichen** → Nachricht.

**Lebenszeit:** → Lebensdauer; Beamter auf L. → Anstellung.

**Leber:** → Eingeweide; jmdm. ist eine Laus über die L. gelaufen → ärgerlich [sein], → aufgelegt; frei / frisch von der L. weg reden → sprechen.

**Leberblutung** → Blutung.

**Leberegel** → Wurm.

**Leberentzündung** → Leberkrankheit.

**Lebererkrankung** → Leberkrankheit.

**Leberfleck** → Muttermal.

**Leberhaken** → Fausthieb.

**Leberkloß** → Kloß.

**Leberknödel:** bayerische L. → Fleischgericht.

**Leberkrankheit,** Lebererkrankung, Leberleiden, Hepatopathie · *entzündliche:* Leberentzündung, Hepatitis, epidemische Hepatitis, epidemische Gelbsucht · *chronische, degenerative:* Hepatosis, Leberparenchymschädigung · *mit Bindegewebsvermehrung und Schrumpfungsvorgängen:* Leberzirrhose, Schrumpfleber; → Gallenerkrankung, → Krankheit.

**Leberleiden** → Leberkrankheit.

**Lebermoos** → Moos.

**Leberparenchymschädigung** → Leberkrankheit.

**Lebersenkung** → Eingeweidesenkung.

**Leberspezialist** → Arzt.

**Leberwurst:** → Wurst; die gekränkte L. spielen → gekränkt [sein].

**Leberzirrhose** → Leberkrankheit.

**Lebewesen** → Geschöpf.

**¹lebhaft,** lebendig, vital, dynamisch, temperamentvoll, feurig, heißblütig, blutvoll, vollblütig, sanguinisch, vif (*ugs.*), unruhig, getrieben, quecksilbrig, wild, vehement, alert, mobil, beweglich, [geistig] rege, heftig · *in der Musik:* vivace, allegro, piu / meno mosso, stretto, scherzando, nicht → ruhig; → aufgeregt, → begeistert, → fleißig, → gewaltig, → lustig, → schwungvoll, → übermütig, → unbesorgt · Ggs. → temperamentlos; **l. sein,** Quecksilber im Leib haben (*ugs.*), außer Rand und

Band / überdreht sein (*ugs.*), den Teufel im Leib / Ameisen in den Hosen haben (*ugs.*), Hummeln im Hintern haben (*salopp*), Pfeffer im Arsch haben (*derb*), das reinste Fleckfieber sein (*ugs., berlin.*); → Wesen.

**²lebhaft:** → belebt, → bunt, → übermütig.

**Lebhaftigkeit** → Temperament.

**¹Lebkuchen,** Pfefferkuchen (*bes. nordostd.*), Honigkuchen (*nordd.*), Lebzelten (*bayr., österr.*), Zelten (*bayr., österr.*), braune Kuchen (*nordd.*); → Gebäck.

**²Lebkuchen:** [Nürnberger L.] → Gebäck.

**Lebkuchenbäcker** → Bäcker.

**leblos** → tot.

**Lebtag:** mein L. nicht → niemals.

**Lebzelten** → Lebkuchen.

**lechzen:** [l. nach] → streben.

**leck** → durchlässig.

**Leck:** → Riß; ein L. haben → fließen.

**¹lecken,** ablecken, schlecken (*landsch.*), abschlecken (*landsch.*), abzuzeln (*ugs., österr.*); → saugen.

**²lecken:** → fließen, → saugen; jmd. hat Blut geleckt → gefallen; wie geleckt → aufgeputzt, → sauber; leck mich am Arsch! → unwichtig [sein]; sich die Finger nach etwas l. → begierig [sein auf / nach].

**lecker** → appetitlich.

**Leckerbissen,** Delikatesse, Köstlichkeit, Schleck (*schweiz.*), Gustostückerl (*österr.*), Gaumenkitzel, Gaumenfreude, Gaumenreiz, Schmankerl (*ugs., bayr., österr.*); → Dessert, → Feinkost; → schmecken; → appetitlich.

**Leckereien** → Süßigkeiten.

**Leckermaul:** → Feinschmecker; ein L. sein → naschhaft [sein].

**leckern:** gern l. → naschhaft [sein].

**Leckhonig** → Honig.

**¹Leder** ·· Rindleder, Rindsleder, Kuhleder, Kalbleder · *chromgegerbtes aus Rindshäuten:* Rindbox · *feingenarbtes, mit Chromsalzen gegerbtes aus Kalbshäuten:* Boxkalf ·· Büffelleder ·· Ziegenleder, Chevreauleder, Chevreau,

Zickelleder, Chromziegenleder · *feines, mit Sumach gegerbtes, gefärbtes aus Ziegenhaut:* Saffianleder, Saffian · *feines, glänzendes von Zickel oder Lamm:* Glacéleder, Glacé ·· Roßleder · *meist mit Weidenrinden gegerbtes und mit Birkenteeröl eingefettetes von Rinds- oder Roßhaut:* Juchten ·· Schafleder, Lammleder ·· Rehleder ·· Hirschleder ·· Schweinsleder ·· Gemsleder ·· Reptilleder, Schlangenleder, Krokodil, Kroko ·· *narbenloses, für Kleidung verwendetes:* Sämischleder ·· *feines, durch Nachgerben waschbar gemachtes:* Nappaleder, Nappa ·· *durch Aufspalten dicker Häute gewonnenes:* Spaltleder ·· *hochglanzlackiertes:* Lackleder ·· *waschbares:* Waschleder ·· *mit samtartiger Oberfläche:* Wildleder, Velourleder, Velour, Rauhleder ·· *mit Chromsalzen gegerbtes, widerstandsfähiges:* Chromleder ·· *künstliches:* Kunstleder; → Gerber.

**²Leder:** → Fußball; zäh wie L.→ zäh; vom L. ziehen → schelten.

**lederartig** → zäh.

**Lederball** → Spielball.

**Lederer** → Gerber.

**Ledergurt** → Gurt.

**Lederhaut** → Haut.

**Lederhose** → Hose.

**Lederkoffer** → Gepäck.

**Lederleim** → Bindemittel.

**Ledermalerei** → Maltechnik.

**Ledermantel** → Mantel.

**ledern** → zäh.

**Ledernacken** → Soldat.

**Lederpappe** → Pappe.

**Lederschildkröte** → Schildkröte.

**Lederschuh** → Schuh.

**Lederschurz** → Schurz.

**Ledertäubling** → Ständerpilz.

**¹ledig,** unverheiratet, alleinstehend, alleinig (*österr.*); **l. sein,** Junggeselle / (*ugs.*) noch zu haben sein, den Anschluß verpaßt haben (*ugs.*), der / die Richtige ist noch nicht gekommen (*scherzh.*); **nicht mehr l. sein,** schon verlobt / verheiratet sein, so gut wie verlobt / verheiratet sein, versprochen / in festen Händen / vergeben sein, ein festes Verhältnis haben; → heiraten.

²**ledig:** → unehelich; -es Kind → Kind; l. bleiben → heiraten.

**Ledigenheim** → Heim.

**lediglich** → ausschließlich.

**Ledischiff** → Schiff.

**Lee,** dem Wind abgekehrte Seite · Ggs. → Luv.

¹**leer,** hohl; **l. ausgehen,** nicht bedacht werden mit, nichts bekommen, übergangen werden.

²**leer:** → menschenleer, → phrasenhaft; -er Dunst → Einbildung; -es Gerede → Gewäsch; kein -es Glas sehen können → trinken; einen -en Magen haben → essen; mit -em Magen → Magen; aufs -e Nest kommen → antreffen; -es Stroh dreschen, zu -en Wänden reden → sprechen; l. ausgehen → bekommen; l. essen → aufessen; l. fressen → abgrasen; l. machen → leeren; l. trinken → austrinken.

**-leer** → ohne.

**Leerdarm** → Darm.

¹**Leere,** Öde, Menschenleere, gähnende Leere, Verlassenheit; → menschenleer.

²**Leere:** absolute L. → Vakuum.

¹**leeren,** ausladen, entleeren, leer machen, ausgießen, ausschütten (*ugs.*), auskippen (*ugs.*).

²**leeren:** → ausladen, → austrinken, → schütten; den Becher bis zur Neige l. → genießen; den Kropf l. → sprechen.

**leerfließen** → leerlaufen.

**Leerlauf:** L. haben → tun.

**leerlaufen** → ausfließen.

**Leerpackung** → Packung.

**legal** → rechtmäßig.

**Legalität:** → Rechtmäßigkeit; außerhalb der L. → gesetzwidrig.

¹**Legasthenie,** Leseschwäche, Schreibschwäche, Wortblindheit; → Aphasie; → lesen.

²**Legasthenie** → Aphasie.

¹**Legat (das):** → Erbe (das).

²**Legat (der):** → Diplomat.

**lege artis** → ordnungsgemäß.

**legen** → bebauen, → befestigen; ad acta / beiseite / zu den Akten l. → weglegen; ad acta gelegt → beenden; beiseite l. → aufbewahren, → zurücklegen; den Finger auf die Wunde l. → hinweisen (auf); Gewicht l. auf, auf die Feststellung Wert l. → betonen; Hand an sich l. → entleiben (sich);

für jmdn. die Hand ins Feuer l. → einstehen (für); jmdm. das Haxel l. → umstoßen (jmdn.); die Karten offen auf den Tisch l. → gestehen; jmdm. ein Kuckucksei ins Nest l. → aufbürden; Rechnung l. → abrechnen; eine kesse Sohle aufs Parkett l. → tanzen; jmdm. Steine in den Weg l. → einschränken; jmdm. keinen Stein in den Weg l. → einschränken; [Wellen l.] → frisieren; zu wenig Wert l. auf → mißachten; [an einen bestimmten Platz l.] → placieren; an den Tag l. → bekunden; auf Lager l. → lagern; sich auf die Lauer l. → auflauern; auf die Waage l. → abwiegen; aufs Kreuz l. → koitieren; Wert l. auf → bemühen (sich um); etwas [spielend] aufs Parkett l. → mühelos [schaffen]; l. in → hineinbringen; sich ins Geschirr / ins Zeug l. → anstrengen (sich); jmdm. etwas in den Mund l. → beeinflussen; → beimessen, → zuschreiben; sich in die Sonne l. → sonnen (sich). l. unter → unterlegen; unter das Mikroskop l. → vergrößern; jmdm. etwas zu Füßen l. → schenken.

**legendär,** sagenhaft, sagenumwoben, legendenumwoben, mythisch, legendarisch.

**legendarisch** → legendär.

¹**Legende,** Heiligenleben, Heiligenerzählung; → Erzählung, → Literatur.

²**Legende:** → Erzählung, → Lüge.

**legendenumwoben** → legendär.

**leger** → ungezwungen.

**legieren** → eindicken.

**legiert,** gebunden, abgebunden, gedickt, angedickt, eingedickt, sämig; → flüssig; → Flüssigsein; → eindicken.

**Legierung** → Mischung.

**Legion:** → Anzahl; -en von → viele; die Zahl ist L. → Überfluß [haben].

**Legionär** → Soldat.

**Legislation** → Legislative.

**Legislative,** Legislatur, Legislation, Gesetzgebung; → Staat.

**Legislatur** → Legislative.

**legitim** → rechtmäßig.

**Legitimation** → Ausweis.

¹**legitimieren** (sich), sich ausweisen, seinen Ausweis zeigen,

seine Identität nachweisen; → Ausweis.

²**legitimieren** → billigen.

**Leguan** → Eidechse.

**Lehensadel** → Adel.

**Lehensbrief** → Urkunde.

**Lehm** → Erde.

**lehmfarben** → beige.

**Lehmziegel** → Ziegelstein.

**Lehnbedeutung** → Wortbedeutung.

**Lehnbildung** → Wortbildung.

**Lehne** → Abhang.

**lehnen:** → anlehnen; sich l. über → beugen (sich).

**Lehnformung** → Wortbildung.

**Lehnprägung** → Wortbildung.

**Lehnschöpfung** → Wortbildung.

**Lehnsmann** → Gefolgsmann.

**Lehnstuhl:** → Sessel, → Stuhl.

**Lehnübersetzung** → Wortbildung.

**Lehnübertragung** → Wortbildung.

**Lehnwendung** → Redewendung.

**Lehnwort** → Wort.

**Lehramt** → Lehrberechtigung.

**Lehranstalt** → Schule.

**Lehrbeauftragter** → Hochschullehrer.

**Lehrbefähigung** → Lehrberechtigung.

**Lehrbehelf** → Lehrmittel.

¹**Lehrberechtigung** · *für Grundschulen, Hauptschulen u. ä.:* Lehrbefähigung · *für höhere Schulen:* [Prüfung für das höhere] Lehramt · *für Hochschulen:* Fakultas, Venia legendi, Facultas docendi; → Erlaubnis, → Hochschule, → Lehrer, → Schule; → habilitieren (sich).

²**Lehrberechtigung:** die L. erlangen / erwerben → habilitieren (sich).

**Lehrbrief** → Zeugnis.

**Lehrbub** → Lehrling.

**Lehrbuch** → Lehrmittel, → Ratgeber.

¹**Lehre,** Doktrin, Lehrsatz, Theorie, These, Behauptung, Glaubenssatz, Dogma, Lehrmeinung, Lehrgebäude, Schulmeinung; → Ansicht, → Bekenntnis; → lehren.

²**Lehre:** → Ausbildung, → Weltanschauung, → Wissenschaft; L. vom Sein → Ontologie; eine L. durchlaufen / durchmachen, in die L. gehen → Ausbildung.

**¹lehren**, unterrichten, dozieren, Vorlesung halten, unterweisen, instruieren, Unterricht erteilen / geben, belehren, beibringen (*ugs.*), vormachen (*ugs.*), zeigen, vertraut machen mit, einpauken (*salopp*), eintrichtern (*salopp*); → einarbeiten, → einprägen, → erziehen, → lernen; → Ausbildung, → Lehre.

**²lehren**: jmdn. Mores l. → schelten.

**Lehrer**, Schullehrer, Schulmann, Pädagoge, Erzieher, Lehrkraft, Schulmeister (*scherzh.*), Magister, Pauker (*salopp, abwertend*), Steißtrommler (*salopp, abwertend*), Lehrmeister · Volksschullehrer, Grundschullehrer, Elementarlehrer · Dorflehrer, Dorfschullehrer · Hauslehrer, Privatlehrer · Sonderschullehrer, Hilfsschullehrer (*veraltet*) ·Junglehrer · Hilfslehrer · Oberschullehrer, Oberlehrer, Gymnasiallehrer · Realschullehrer, Mittelschullehrer · Referendar · Probelehrer (*österr.*), Assessor, Studienrat, Oberstudienrat, Studienprofessor, Professor, Gymnasialprofessor, Studiendirektor, Oberstudiendirektor · Klassenlehrer, Ordinarius, Klaßlehrer (*bes. bayr.*), Klassenvorstand (*österr.*), Klassenleiter · Fachlehrer; → Hochschullehrer, → Instrukteur, → Lehrberechtigung, → Schulleiter, → Sportlehrer; → lehrhaft, → pädagogisch.

**lehrerhaft** → lehrhaft.

**Lehrfilm**: → Kinofilm, → Lehrmittel.

**Lehrgang** → Unterricht; einen L. mitmachen, an einem L. teilnehmen→Unterricht[erhalten].

**Lehrgebäude** → Lehre.

**Lehrgeld**: L. zahlen müssen → lernen.

**lehrhaft**, lehrerhaft, schulmeisterlich (*iron.*), paukerhaft (*abwertend*) → engherzig, → pädagogisch; → Lehrer.

**Lehrjahr** → Ausbildung.

**Lehrjunge** → Lehrling.

**Lehrkanzel** → Lehrstuhl.

**Lehrkanzelinhaber** → Hochschullehrer.

**Lehrkraft** → Lehrer.

**¹Lehrling**, Anlernling, Auszubildender, Lehrjunge, Lehrbub (*landsch.*), Lehrmädchen, Stift (*ugs.*); → Arbeitnehmer, → Berufsstand, → Handelsgehilfe.

**²Lehrling**: → Gehilfe, → Handelsgehilfe, → Handwerker.

**Lehrlingswohnheim** → Heim.

**Lehrmädchen** → Lehrling.

**Lehrmeinung** → Lehre.

**Lehrmeister** → Lehrer.

**Lehrmittel**, Lernmittel, Lehrbehelf (*österr.*) · Lehrfilm, Lehrbuch, Anschaungsmaterial; → Schule.

**Lehrplan**, Curriculum, Studienprogramm; → Ausbildung, → Stundenplan, → Unterricht.

**lehrreich** → interessant.

**Lehrsatz** → Lehre.

**Lehrstoff** → Pensum.

**Lehrstück** → Schauspiel.

**Lehrstuhl**, Lehrkanzel (*österr.*), Professur; → Hochschule, → Hochschullehrer.

**Lehrstuhlinhaber** → Hochschullehrer.

**Lehrzeit** → Ausbildung.

**Leib**: → Bauch, → Gestalt; L. und Blut [des Herrn] → Abendmahl; gesegneten / schweren -es sein → schwanger [sein]; keinen trockenen Faden mehr am -e haben → naß [sein]; kein [ganzes] Hemd mehr am/ auf dem -e haben → abgewirtschaftet [haben]; sich alles an / auf den L. hängen → ausgeben; etwas ist jmdm. wie auf den L. geschrieben → passen; jmdm. die Seele aus dem L. fragen → fragen; sich die Seele aus dem L. schreien → schreien; den Teufel im L. haben → böse [sein]; Quecksilber / den Teufel im L. haben → lebhaft [sein]; jmdm. dreht sich das Herz im -e herum → betroffen [sein]; jmdm. lacht das Herz im -e → freuen (sich); mit L. und Seele → Begeisterung; sich jmdn. vom -e halten → abrücken; sich das letzte Hemd vom -e reißen → opfern; zu -e rücken → angreifen, → attackieren; einer Sache zu -e gehen / rücken → anfangen.

**Leibchen**: → Sporthemd, → Unterhemd, → Weste.

**leibeigen** → unselbständig.

**leiben**: jmd. sein, wie er leibt und lebt → ähneln.

**Leibeserziehung** → Sport.

**Leibesfrucht**, Frucht · *unmittelbar nach der Befruchtung:* Zygote · *im embryonalen Frühstadium:* Morula, Blastula, Blasenkeim · *bis zum dritten Monat:* Embryo · *vom dritten Monat an:* Fetus, Fötus; → Fehlgeburt, → Keimzelle, → Kind, → Koitus, → Kürettage, → Plazenta.

**Leibesfülle** → Fettleibigkeit.

**Leibeskräfte**: aus -n → laut.

**Leibesübungen** → Sport.

**Leibgarde** → Leibwache.

**Leibgericht** → Lieblingsspeise.

**Leibhaftige**: der L. → Teufel.

**leiblich**: der -e Bruder → Bruder; das -e Wohl→Nahrung.

**Leibriemen** → Gürtel.

**Leibschmerzen** → Kolik.

**Leibspeise** → Lieblingsspeise.

**Leib-und-Magen-**:→bevorzugt.

**Leibwache**, Leibgarde, Garde, Gardeducorps · *englische königliche:* Beefeaters (*hist.*) · *des Papstes:* Schweizergarde; → Bewacher, → Wächter.

**Leibwächter**: → Bewacher, Gefolgsmann.

**Leibweh** → Kolik.

**Leich**: → Begräbnis, → Lied.

**Leichdorn** → Schwiele.

**Leiche**: → Fehler, → Toter; eine gemeinsame L. im Keller haben → belangen; wie eine wandelnde L. / wie eine L. auf Urlaub aussehen → krank [aussehen]; über -n gehen → rücksichtslos [sein].

**Leichenbegängnis** → Begräbnis.

**Leichenbittermiene** → Miene.

**leichenblaß**, blaß, bläßlich, blaßgesichtig, bleichgesichtig, blaßwangig, blutleer, blutarm, bleichsüchtig, fahl, grau, bleich, käseweiß (*ugs.*), käsig (*ugs.*), weiß, kreidebleich, kreideweiß, kalkweiß, kalkig, wachsbleich, totenblaß, geisterbleich, totenbleich, grau, aschgrau, aschfahl; → weiß; *l.* **sein**, weiß wie die Wand sein, wie der Tod [von Basel] / (*salopp*) wie ausgespuckt / (*salopp*) wie Braunbier mit Spucke / (*derb*) wie gekotzt / (*vulgär*) wie ausgeschissen aussehen; *l.* **werden**, die Farbe wechseln, erblassen (*geh.*), erbleichen (*geh.*); → Blässe.

Leichenblässe → Blässe.
Leichenfeier: → Begräbnis, → Trauerfeier.
Leichengift → Gift.
Leichenhalle, Leichenhaus, Leichenkapelle, Totenhaus, Totenhalle, Parentationshalle; → Begräbnis, → Leichenschauhaus, → Toter.
Leichenhaus → Leichenhalle.
Leichenkapelle → Leichenhalle.
Leichenkondukt → Leichenzug.
Leichenöffnung → Obduktion.
Leichenpaß → Totenschein.
Leichenrede → Nachruf.
Leichenschändung → Perversität.
Leichenschau → Obduktion.
Leichenschauhaus, Schauhaus, Anatomie, Prosektur · in Paris: Morgue; → Begräbnis, → Leichenhalle, → Toter.
Leichenschmaus, Totenmahl, Traueressen (schweiz.), Kondukt (österr.); → Begräbnis, → Kondukt.
Leichenzergliederung → Obduktion.
Leichenzug, Trauergefolge, Kondukt, Leichenkondukt, Trauerkondukt; → Begräbnis, → Leichenschmaus.
Leichnam → Toter.
Leichnamstag → Fronleichnam.
leicht: → etwa, → federleicht, → minimal, → mühelos; etwas auf die -e Achsel / Schulter nehmen → mißachten; eine -e Ader haben → unbesonnen [sein]; l. bewegte See → Seegang; l. brennbar / entzündbar / entzündlich → feuergefährlich; -e Brennbarkeit / Entflammbarkeit / Entzündbarkeit / Entzündlichkeit → Feuergefährlichkeit; -e Brise → Windstärke; l. erregbar → reizbar; l. gerührt sein → überrascht [sein]; -en Herzens → unbesorgt; -er Kreuzer → Kriegsschiff; kein -es Leben haben → Schicksal; -es Mädchen → Prostituierte; -e Musik → Unterhaltungsmusik; [l. verdaulich] → bekömmlich; l. verkäuflich → begehrt; es nicht l. haben → Schicksal; etwas ist nicht l. → Kleinigkeit; nicht l. zu erschüttern sein → dickfellig [sein]; l. zu handhaben → mühelos; es sich nicht

l. machen → gewissenhaft [sein]; l. reden haben → Lage; etwas von der -en Seite nehmen → mißachten.
Leichtathlet → Sportler.
Leichtathletik ·· Gehen ·· Laufen · Kurzstreckenlauf · Mittelstreckenlauf · Langstreckenlauf · Hürdenlauf · Hindernislauf ·· Springen · Weitsprung · Dreisprung · Hochsprung · Stabhochsprung ·· Werfen · Diskuswerfen · Speerwerfen · Hammerwerfen · Schleuderballwerfen ·· Stoßen · Kugelstoßen · Steinstoßen; → Lauf, → Schwerathletik, → Springen.
Leichtbaustein → Baustein.
leichtblütig → lustig.
Leichter → Schiff.
leichtfertig → unbesonnen.
¹Leichtfuß, Luftikus, Libertin, Liederjan (abwertend), Windhund, Haderlump (österr.); → Angeber, → Betrüger, → Frauenheld, → Mann, → Schlaukopf.
²Leichtfuß → Mensch (der).
leichtfüßig: → beschwingt, → gelenkig, → schnell.
Leichtgewicht → Ringen.
Leichtgewichtler → Boxer.
leichtgläubig: → arglos, → gutgläubig.
Leichtgläubigkeit → Arglosigkeit.
¹Leichtigkeit, Mühelosigkeit, Unbeschwertheit; → mühelos.
²Leichtigkeit: mit L. → mühelos.
leichtlebig → lustig.
Leichtmatrose → Matrose.
Leichtmetall → Metall.
Leichtsinn → Ausgelassenheit.
leichtsinnig → unbesonnen.
leid: → ärgerlich; etwas ist / tut jmdm. l. → bedauern / bereuen; einer Sache l. sein → angeekelt [sein]; es tut mir l.! → Verzeihung!; so l. es mir tut → schade.
¹Leid, Pein, Qual, Marter, Martyrium, Drangsal (geh.), Schmerz, Gram, Kummer, Sorge, Herzeleid (dichter.), Weh (dichter.), Harm (dichter.), Kümmernis, Jammer, Chagrin, Pfahl im Fleische; → Kolik, → Mißhandlung, → Not, → Trauer, → Unglück; → bekümmern; → leidgeprüft.

²Leid: sich ein L. antun → entleiben (sich).
Leideform → Passiv.
¹leiden, ertragen, erdulden, dulden, erleiden, auf sich nehmen, sich in etwas schicken / ergeben / finden / fügen, sein Kreuz tragen / auf sich nehmen, durchmachen, mitmachen, durchstehen, bestehen, aushalten, ausstehen, überstehen, überwinden, überleben, vertragen, verkraften, verarbeiten, tragen, hinnehmen, in Kauf nehmen, auffangen, verschmerzen, verdauen (ugs.), fertig werden mit, sich etwas gefallen / bieten lassen, sich abfinden mit, sich in seine Rolle finden, etwas über sich ergehen lassen, jmdm. bleibt nichts erspart, etwas einstecken / schlucken müssen (ugs.) · gleiche Unannehmlichkeiten: Leidensgenossen sein; → bewältigen, → billigen, → durchsetzen (sich), → erleben, → krank [sein], → nachgeben, → standhalten, → überdauern; → Duldung.
²leiden: → krank [sein]; gut gelitten sein bei jmdm. → angesehen [sein]; unter jmds. Kritik zu l. haben → beanstanden; l. können → lieben; nicht l. können → hassen; l. können / mögen → mögen (etwas); keine Not l. → reich [sein]; Tantalusqualen l. → bekommen; an einer Geisteskrankheit l. → geistesgestört [sein]; an Geschmacksverirrung l. → geschmacklos [sein]; an Selbstüberschätzung l. → überschätzen (sich); etwas leidet unter → kranken; unter der Kälte l. → frieren.
Leiden: → Krankheit; wie das L. Christi aussehen → krank [aussehen].
leidend → krank.
Leidender → Kranker.
¹Leidenschaft, Begier, Begierde, Sinnlichkeit, Gier, Begehrlichkeit, Begehren, Konkupiszenz, Kupidität, Gelüst[e], Gieper (landsch.), Jieper (bes. berlin.), Verlangen, Passion, Trieb, Appetenz; → Begeisterung, → Erregung, → Geschlechtstrieb, → Liebe, → Lust, → Neigung, → Sehnsucht; → lebenshungrig.

²**Leidenschaft:** → Begeisterung, → Liebhaberei.

**leidenschaftlich:** → begeistert, → streitbar.

**leidenschaftslos** → träge.

**Leidensgefährte:** -n sein → ertragen.

**Leidensgenosse:** -n sein → ertragen.

**Leidensmiene** → Miene.

**Leidenszeit** → Passion.

**leider:** [l. Gottes] → schade.

**leidgeprüft,** schwergeprüft, heimgesucht, vom Schicksal geschlagen, vom Pech verfolgt; → Leid, → Unglück.

**leidig** → unerfreulich.

**Leidigkeit** → Unerquicklichkeit.

**Leidkarte** → Beileidskarte.

**leidlich** → annehmbar.

**Leidtragender,** Betroffener, Trauernder, Hinterbliebener, Hinterlassener (schweiz.), Trauergemeinde; → Leid, → Trauer, → Unglück.

**Leidwesen:** zu meinem L. → schade.

**Leier:** → Sternbild, → Zupfinstrument.

¹**Leierkasten,** Drehorgel, Werkel (bayr., österr.), Nudelkasten (mundartl., nordd.); → Leierkastenmann.

²**Leierkasten** → Drehorgel.

**Leierkastenmann,** Leiermann, Drehorgelspieler, Werkelmann (bayr., österr.); → Leierkasten, → Moritatensänger, → Straßenmusikant.

**Leiermann** → Leierkastenmann.

**leiern:** → drehen; aus dem Kreuz l. → ablisten.

**Leihanstalt** → Leihhaus.

**Leihbibliothek** → Bibliothek.

**Leihbücherei** → Bibliothek.

¹**leihen,** borgen, ausleihen, ausborgen, zur Verfügung stellen, verleihen, darleihen, verborgen, herleihen (bes. südd.), auf Borg geben (ugs.), pumpen (ugs.); **von jmdm. etwas l.,** borgen, ausleihen, ausborgen, auf Borg nehmen (ugs.), pumpen (ugs.), entleihen, erborgen, jmdn. anpumpen (salopp), Schulden machen, sich in Schulden stürzen, Geld / einen Kredit / ein Darlehen aufnehmen, Verbindlichkeiten eingehen; →

abgeben, → anschreiben, → zahlen; → leihweise; → Leihgebühr, → Leihhaus, → Verleiher.

²**leihen:** jmdm. sein Ohr l. → horchen.

**Leiher** → Verleiher.

**Leihgabe:** als L. → leihweise.

**Leihgebühr,** Gebühr, Pfand, Flaschenpfand; → Sicherheit; → leihen.

¹**Leihhaus,** Leihanstalt, Pfandleihhaus, Pfandleihe, Pfandhaus, Versatzamt, Pfandleihanstalt (österr.), Pfandl (salopp, österr.); → Fundbüro; → leihen.

²**Leihhaus:** ins L. bringen → verpfänden.

**Leihwagen** → Auto.

**leihweise,** als Leihgabe, geliehen, auf Kredit / (salopp) Pump / Borg; → leihen.

**Leilach** → Laken.

**Leilachen** → Laken.

**Leilak** → Laken.

**Leilaken** → Laken.

¹**Leim,** Bindemittel · Kleister, Kleb[e]stoff, Kleber, Alleskleber, Klebe (landsch.), Papp (landsch.), Pick (ugs., österr.), Knochenleim, Tafelleim, Tischlerleim, Papierleim, Lederleim, Malerleim, Tapetenleim, Büroleim, Holzleim, Kaltleim, Warmleim, Fischleim, Harzleim, Kunstharzleim, Glutinleim, Dextrinleim, Gummileim, Dextrinleim, Gummiarabikum, Gummilösung · Kitt, Porzellankitt, Marmorkitt, Wachskitt, Eisenkitt, Fensterkitt, Glaserkitt, Mauerkitt, Maurerkitt · Gips, Zement; → Beton, → Klebrigkeit; → fest, → klebrig.

²**Leim:** → Erde; jmdm. auf den L. gehen / kriechen → hereinfallen; aus dem L. gegangen → defekt; aus dem L. gehen → defekt [werden].

**leimartig** → flüssig.

**Leine:** → Seil; L. ziehen → weggehen.

¹**Leinen,** Leinwand, Leinengewebe, Leinenzeug (veraltend), Linnen (dichter.) · Drillich, Drilch (schweiz.) · Webe (österr.); → Stoff, → Wachstuch.

²**Leinen:** → Papier, → Stoff.

**Leinengewebe** → Leinen.

**Leinenpapier** → Papier.

**Leinenschuh** → Schuh.

**Leinenzeug** → Leinen.

**Leinöl** → Speiseöl.

**Leinpfad** → Weg.

**Leinsamenbrot** → Brot.

**Leintuch** → Laken.

**leinwand** → trefflich.

**Leinwand:** → Leinen; auf die L. bringen → verfilmen.

**Leinwandgröße:** → Schauspieler, → Schauspielerin.

**Leipzig,** Messestadt, Klein-Paris; → Stadt.

**Leis** → Lied.

¹**leise,** lautlos, verhalten, heimlich, still, flüsternd, im Flüsterton, kaum hörbar / vernehmlich / vernehmbar, geräuschlos, nicht → laut; → abgehackt, → akustisch, → gedämpft, → heiser, → ruhig, → still, → unartikuliert; → Lautstärke; → flüstern, → sprechen.

²**leise:** → minimal; -r Zug → Windstärke; heimlich, still und l. → heimlich, → unbemerkt.

**Leisetreter** → Schmeichler.

**Leist** → Vereinigung.

**Leiste** → Brett.

**leisten:** → verwirklichen; etwas l. → tüchtig [sein]; sich nicht viel l. können → sparen [müssen]; sich etwas l. → gönnen (sich etwas); ganze Arbeit l. → tun; Ersatzdienst l. → Wehrdienstverweigerer [sein]; [den Anordnungen] Folge l. → befolgen; den Heeresdienst / Militärdienst / Präsenzdienst / Wehrdienst l. → Soldat [sein]; Hilfestellung l. → helfen; den Offenbarungseid l. → zahlungsunfähig [sein]; einer Sache Vorschub l. → unterstützen (etwas); Widerstand l. → verteidigen.

**Leisten:** alles über einen L. schlagen → unterscheiden.

**Leistenbruch** → Bruch.

**Leistenhoden** → Hoden.

**Leistenkrokodil** → Krokodil.

**Leistenpilz:** → Pilz, → Ständerpilz.

**Leistung:** → Verdienst; an jmds. L. heranreichen / herankommen → erreichen (jmds. Leistung).

**leistungsfähig:** → fit; wieder l. → verjüngt.

**Leistungsfähigkeit** → Tatkraft.

Leistungsgesellschaft → Gesellschaft.

Leistungslohn → Lohn.

leistungsschwach → unbegabt.

Leistungssport → Sport.

leistungsstark → begabt.

Leistungsstufe → Niveau.

Leitartikel → Zeitungsartikel.

Leitartikler → Berichter.

Leitbild → Muster.

Leite → Abhang.

leiten: → begleiten, → dirigieren, → regieren, → vorstehen; -der Angestellter → Führungskraft; in die Wege l. → anbahnen (etwas), → anfangen, → anordnen; von einem Zentrum aus l. → zentralisieren.

¹Leiter (der), Betriebsleiter, Direktor, Generaldirektor, Chef, Geschäftsführer, Vorsteher, Vorgesetzter, Boß, Abteilungsleiter · *künstlerischer:* Art-Direktor, Atelierleiter, Intendant, Ballettdirektor, Ballettmeister ·· *einer kleineren Arbeitsgruppe:* Gruppenführer, Meister, Baas (*niederd.*), Vorarbeiter, Partieführer (*österr.*) · *bei Maurern und Zimmerleuten:* Polier ·· *einer Sportmannschaft:* Mannschaftskapitän, Kapitän; → Arbeitgeber, → Führer, → Führungskraft, → Primus inter pares, → Regisseur, → Respektsperson, → Vorsitzender; → vorstehen.

²Leiter (die), Stehleiter, Treppenleiter, Anstelleiter, Strickleiter · Brandleiter, Feuerleiter · Feuerwehrleiter · Sturmleiter · Trittleiter, Tritt, Staffel (*oberd.*); → Treppe.

³Leiter → Führer.

Leitertreppe → Treppe.

Leiterwagen → Wagen.

Leitfaden → Ratgeber.

Leitfeuer → Leuchtfeuer.

Leitfossil → Versteinerung.

Leitgedanke, Grundgedanke, Grundmotiv, Leitmotiv, der rote Faden.

Leithammel → Führer.

Leitkartenkartei → Kartei.

Leitlinie → Regel.

Leitmotiv → Leitgedanke.

Leitsatz → Regel.

Leitschnur → Regel.

Leitschweißhund → Hunderassen.

Leitspruch: → Ausspruch, → Motto.

¹Leitung, Vorsitz, Vorstand, Vorstehung, Führung, Direktion, Direktorium, Führungsgremium, Führungsstab, Führungsinstanz, Präsidium · *bei Streik o. ä. gebildete:* Krisenstab · *der kommunistischen Parteien:* Zentralkomitee, ZK · *eines Heeres:* Heerführung, Generalstab, Oberkommando, Oberbefehlshaber, Generalinspekteur · *deren Sitz:* Hauptquartier ·· *einer Redaktion:* Chefredaktion; → Arbeitgeber, → Dienstgrad, → Oberhaupt, → Obrigkeit, → Vorsitz, → Vorsitzender, → Vorstand.

²Leitung: → Regie, → Rohrleitung, → Telefonverbindung, → Vorsitz; die L. ist besetzt / blockiert → telefonieren (mit jmdm.); eine lange L. haben → begriffsstutzig [sein]; auf der L. stehen → begriffsstutzig [sein].

Leitungswasser → Wasser.

¹Leitwort, Wesenswort, Grundwort, Fahnenwort, Schlagwort.

²Leitwort: → Motto, → Stichwort.

Lek → Zahlungsmittel.

Lektion: → Pensum, → Unterricht; jmdm. eine L. erteilen → schelten.

Lektor: → Hochschullehrer, → Schriftleiter.

Lektüre, Lesestoff, Privatlektüre, Unterhaltungslektüre, Reiselektüre, Ferienlektüre, Urlaubslektüre, Feierabendlektüre, Bettlektüre, Pflichtlektüre, Schullektüre, Klassenlektüre, Hauslektüre; → Buch.

Lemma → Stichwort.

Lemming → Nagetier.

Lemure → Affe.

Lenden → Hüften.

¹Lendenbraten, Lungenbraten (*österr.*) · *vom Schwein:* Jungfernbraten (*österr.*); → Fleischgericht, → Rinderbraten.

²Lendenbraten → Rinderbraten.

lendenlahm → vordergründig.

Lendenschmerz → Lumbago.

Lendenschurz → Schurz.

Lendenweh → Lumbago.

Lendenwirbel → Wirbelknochen.

Leningrad, Petersburg (*veraltet*).

Leninismus → Marxismus.

Leninist → Sozialist.

leninistisch → kommunistisch.

Leninorden → Orden.

¹lenken, führen, gefügig / (*ugs.*) kirre machen, manipulieren, indoktrinieren, erziehen, umerziehen, gängeln, bevormunden, jmdn. am Gängelband führen / haben (*ugs.*), bevogten (*schweiz.*), jmdn. ducken, autoritär erziehen, auf Vordermann bringen (*ugs.*), jmdn. anspitzen (*ugs.*), jmdn. kommandieren, jmdn. einer Gehirnwäsche unterziehen (*abwertend*); → ändern, → beeinflussen, → dirigieren, → formen, → unterdrücken; → unselbständig, → zahm.

²lenken: → führen, → regieren, → steuern; alle Blicke auf sich l. → auffallen, → exponieren (sich); den Verdacht l. auf → verdächtigen.

Lenker: → Fahrer, → Führer, → Steuer.

Lenkrad → Steuer.

Lenkstange → Steuer.

lentamente → langsam.

lentement → langsam.

Lentigo → Muttermal.

lento → langsam.

Lenz: → Frühling; -e → Jahr.

lenzen: es lenzt → Frühling [werden].

Lenzing → März.

Lenzmond → März.

Leonberger → Hunderassen.

Leopard → Raubtier.

Leporello[buch] → Buch.

Leporellofalz → Falte.

Lepra: → Aussatz; L. lombardica → Pellagra.

Lepschi: auf L. gehen → spazierengehen.

Leptomeningitis → Gehirnhautentzündung.

Leptomeninx → Meninx.

Lepton → Zahlungsmittel.

leptosom → schlank.

Leptosomer → Körperbautyp.

Lerche → Vogel.

Lercherl → Israelit.

Lerge → Schlesier.

lernbegierig → bildungshungrig.

Lerneifer → Bildungsdrang.

¹lernen, erlernen, auswendig lernen, memorieren, aufnehmen, sich etwas anlernen / zu

eigen machen / annehmen / aneignen, studieren, Kenntnisse erwerben, sich präparieren, üben, exerzieren, durchexerzieren, trainieren, sich [die Vokabeln ö.ä.] angucken / anschauen · *übertrieben viel:* strebern (*ugs.*), ein Streber sein (*abwertend*), stucken (*abwertend, österr.*), pauken (*salopp*), büffeln (*salopp*), ochsen (*salopp*) · *aus eigenen Fehlern:* Lehrgeld zahlen müssen · *einen Beruf von Grund auf:* von der Pike auf lernen; → anstrengen (sich), → einarbeiten, → einprägen, → einstudieren, → erziehen, → lehren.

²**lernen:** → einstudieren; etwas l. → werden (etwas); etwas gelernt haben → firm [sein].

**Lernhilfe** → Gedächtnisstütze.

**Lernmittel** → Lehrmittel.

**Lernschwester** → Krankenschwester.

**Lernstoff** → Pensum.

**lernwillig** → bildungshungrig.

**Lesart:** → Abweichung, → Auslegung.

**lesbar,** leserlich, leslich, gut zu lesen; → lesen.

**Lesbierin,** Tribade, Urninde, Urlinde · *die den männlichen Partner vertritt [und entsprechend zurechtgemacht ist]:* kesser Vater (*salopp*), Kesmus (*salopp*); → Homotropie, → Homosexueller, → Prostituierte; → gleichgeschlechtlich.

**lesbisch** → gleichgeschlechtlich.

**Lese:** → Ernte, → Weinlese.

**Lesebrille** → Brille.

**Lesedrama** → Drama.

**Lesefrucht** → Exzerpt.

¹**lesen,** durchlesen, studieren, sich vertiefen / versenken in, schmökern · *schnell, flüchtig:* überlesen, überfliegen, diagonal / quer lesen, anblättern, in etwas blättern, durchschauen · *bis zu Ende:* auslesen, fertiglesen, verschlingen · *mit Mühe:* entziffern; **gelesen werden,** Leser finden / haben, eine Lesergemeinde haben; → lesbar; → Legasthenie, → Leser, → Leserschaft.

²**lesen:** → ernten, → vortragen; gut zu l. → lesbar; Gedanken l. → voraussehen; l. aus → auslesen, → auswählen.

**lesenswert** → interessant.

**Lesepult:** → Katheder, → Möbel.

¹**Leser,** Leseratte, Bücherwurm, Vielleser, Schnelleser; → Abonnent, → Bücherfreund; → bestellen, → lesen.

²**Leser:** → Abonnent; L. finden / haben → lesen.

**Leserbrief** → Leserzuschrift.

**Lesereinsendung** → Leserzuschrift.

**Lesergemeinde:** → Leserschaft; eine L. haben → lesen.

**Leserkreis** → Leserschaft.

**leserlich** → lesbar.

**Leserpublikum** → Leserschaft.

**Leserschaft,** Leserkreis, Leserpublikum, Lesergemeinde; → Leserzuschrift; → lesen.

**Leserstimme** → Leserzuschrift.

**Leserumfrage** → Umfrage.

**Leserzuschrift,** Leserbrief, Lesereinsendung, Eingesandt, Leserstimme; → Leserschaft, → Schreiben.

**Leseschwäche:** → Aphasie, → Legasthenie.

**Lesestoff** → Lektüre.

**Lesestörung** → Aphasie.

**leslich** → lesbar.

**Leste** → Wind.

**letal** → tödlich.

**Lethargie:** → Schläfrigkeit, → Teilnahmslosigkeit.

**lethargisch** → träge.

**Lethe,** Styx, Acheron, Strom der Unterwelt, Strom des Vergessens; → Hölle.

**Letkiss** → Tanz.

**Letsch** → Murmel.

**letschert** → kraftlos.

**Letten** → Erde.

**Letter** → Buchstabe.

**letz** → falsch.

**letzen** → erquicken.

**Letzi** → Grenzbefestigung.

¹**letzte,** allerletzte, End- · *Mahlzeit vor der Hinrichtung, vor der Abreise u.a.:* Henkersmahlzeit · *letztes Werk o.ä. vor jmds. Tod:* Schwanengesang · Abgesang; → Nachzügler · Ggs. → erste.

²**letzte:** → vorig; mit -r Anstrengung / Kraft → kaum; der l. Dreck → Schleuderware; auf den -n Drücker / Hosenknopf / Point kommen → spät [kommen]; die l. Ehre erwei-

sen, zur -n Ruhe geleiten → bestatten; Ausgabe -r Hand → Edition; nach -r Information / -r Meldung / -m Stand → Lage; bis zum -n Mann → alle; Letzte Ölung → Viatikum; -r Pfiff / Schliff, l. Vollendung → Krönung; den -n Schliff geben → vollenden; das l. Stündlein ist gekommen / hat geschlagen → sterben; -s Viertel → Mond; in -r Zeit → kürzlich, → neuerdings; in den -n Zügen liegen → sterben; Letzter → Nachzügler; das ist das Letzte → unerhört [sein]; das Letzte aus jmdm. herausholen → fragen, → zusetzen (jmdm.); bei jmdm. ist Matthäi am -n → Gehalt (das); auf die Letzt → spät, zu guter Letzt; auf die Letzt kommen → spät [kommen]; es geht ums Letzte → ernst [werden]; bis zum -n → ganz.

**letztendlich** → letztlich.

**letztens** → kürzlich.

**letzthin** → kürzlich.

**letztlich,** schließlich, schließlich und endlich, schlußendlich (*schweiz.*), letztendlich (*schweiz.*), im Grunde, im Endeffekt, letzten Endes; → spät.

**Leu** → Löwe.

**Leuchtbake:** → Leuchtfeuer, → Warnzeichen.

**Leuchtboje:** → Leuchtfeuer, → Warnzeichen.

**Leuchte:** → Lampe; eine L. sein → Talent; keine [große] L. sein → unbegabt [sein].

¹**leuchten,** scheinen, strahlen, prangen (*geh.*), blenden, schimmern, flirren, flimmern, glänzen, gleißen, blinken, blitzen, funkeln, glitzern, schillern, szintillieren (*fachspr.*), opalisieren, opaleszieren; → aufleuchten, → brennen, → spiegeln; → beleuchtet, → glänzend, → metallartig, → Lichtstrahl, → Schein.

²**leuchten:** sein Licht l. lassen → bescheiden [sein].

**leuchtend:** → bunt, → glänzend; nicht l. → gedeckt.

**leuchtendrot** → rothaarig.

**Leuchter** → Kerzenleuchter.

**Leuchtfeuer,** Leitfeuer, Richtfeuer · Leuchtboje, Leuchtbake, Leuchttonne · Leuchtturm, Feuerturm, Pharus · Leuchtschiff, Feuerschiff; → Schiff.

**Leuchtgas** → Gas.

**¹Leuchtkäfer,** Glühwürmchen (*landsch.*), Glimmwurm (*landsch.*), Glimmerwurm (*landsch.*), Glimmraupe (*landsch.*), Glimmerraupe (*landsch.*), Johanniskäfer (*landsch.*), Sonnwendkäfer (*österr.*), Sonnenwendkäfer (*österr.*).

**²Leuchtkäfer** → Glühwürmchen.

**Leuchtkugel** → Feuerwerkskörper.

**Leuchtmoos** → Moos.

**Leuchtqualle** → Hohltier.

**Leuchtröhre** → Glühbirne.

**Leuchtschiff** → Leuchtfeuer.

**Leuchtstoffröhre** → Glühbirne.

**Leuchttonne** → Leuchtfeuer.

**Leuchtturm:** → Leuchtfeuer, → Turm.

**leugnen:** → abstreiten; einen Tatbestand o. ä. l. → verleugnen.

**Leukämie,** Blutkrebs, Weißblütigkeit, Leukozythämie; → Blutarmut, → Krankheit.

**Leukanämie** → Blutarmut.

**Leukoblasten** → Blutkörperchen.

**Leukom** → Star.

**Leukonychie** → Nagelkrankheit.

**Leukoplastbomber** → Auto.

**Leukozythämie** → Leukämie.

**Leukozyten** → Blutkörperchen.

**Leumund:** → Ansehen; einen schlechten L. habend → anrüchig.

**Leute:** → Mensch; geschiedene L. sein → verfeindet [sein]; in aller L. Munde sein → bekannt; unter die L. bringen → veröffentlichen, → popularisieren; sein Geld unter die L. bringen → ausgeben.

**Leuteschinder** → Rohling.

**Leutnant:** [L. zur See] → Dienstgrad.

**leutselig** → entgegenkommend.

**Leutseligkeit** → Geneigtheit.

**Leuwagen** → Schrubber.

**Levator** → Muskel.

**Leviathan** → Fabelwesen.

**Leviten:** jmdm. die L. lesen → schelten.

**Levkojenhochzeit** → Hochzeitstag.

**Lew** → Zahlungsmittel.

**Lex** → Weisung.

**Lexem** → Spracheinheit.

**Lexikon** → Nachschlagewerk.

**L'hombre** → Kartenspiel.

**Liaison:** → Bund, → Liebelei.

**Liane** → Kletterpflanze.

**Libelle,** Wasserjungfer, Schillebold (*niederd.*); → Insekt.

**Liber** → Franken.

**liberal:** → aufgeklärt, → freiheitlich.

**Liberalität** → Duldsamkeit.

**Libero** → Fußballspieler.

**Libresso** → Buchhandlung.

**Libertin** → Leichtfuß.

**Libertinage** → Ausschweifung.

**libidinös:** → sexuell, → triebhaft.

**Libido** → Geschlechtstrieb.

**Liburne** → Kriegsschiff.

**-lich:** etwas ist erklärlich usw. → lassen (sich).

**licht:** → hell, → schütter; einen -en Moment haben → Einfall.

**¹Licht,** Helligkeit, Helle · Kerzenlicht, Petroleumlicht, Gaslicht, elektrisches Licht, Neonlicht; → Beleuchtung, → Kerze, → Lampe, → Lichtstrahl, → Lichtzeichen, → Schein, → Scheinwerfer, → Tageslicht; → leuchten; → beleuchtet.

**²Licht:** → Beleuchtung, → Kerze; -er → Auge; das große L. → Lampe; das L. des Tages → Tageslicht; ein L. sein → Talent; kein [großes] L. sein → unbegabt [sein]; jmdm. geht ein L. auf → erkennen; jmdm. ein L. aufstecken → mitteilen; L. in etwas bringen / etwas ans L. bringen → aufdecken; das L. der Welt erblicken → geboren [werden]; jmdm. grünes L. geben → ankurbeln, → billigen; grünes L. haben → behindern; sein L. leuchten lassen → bescheiden [sein]; sein L. nicht unter den Scheffel stellen → bescheiden; das wirft ein neues L. auf die Sache → Gesichtspunkt; ein schlechtes L. werfen auf → zurückfallen (auf); ans L. kommen → herumsprechen (sich), → offenbar [werden]; hinters L. führen → betrügen; sich selbst im L.

stehen → schaden; im L. der Öffentlichkeit stehen, ins L. der Öffentlichkeit treten → exponieren (sich); in gutem L. erscheinen → auffallen; in ein schlechtes L. rücken / setzen / stellen → schlechtmachen; etwas in rosigem L. sehen → werten; von L. durchflutet → beleuchtet.

**Lichtbehandlung** → Phototherapie.

**Lichtbild** → Fotografie.

**Lichtbildervortrag,** Farblichtbildervortrag, Diavortrag, Filmvortrag; → Kinofilm; → filmen.

**Lichtbildner** → Fotograf.

**lichtblau** → blau.

**Lichtblick** → Trost.

**lichtdurchflutet** → beleuchtet.

**lichtecht** → farbecht.

**lichten:** → beschneiden; sich l. → aufhellen (sich); gelichtet → schütter; die Reihen l. sich → sterben, → weggehen; die Anker l. → abgehen.

**Lichterbaum** → Weihnachtsbaum.

**Lichterblume** → Löwenzahn.

**lichtgelb** → gelb.

**Lichtheilverfahren** → Phototherapie.

**Lichthupe** → Lichtzeichen.

**Lichtjahr** → Längenmaß.

**Lichtkegel** → Lichtstrahl.

**¹Lichtmeß,** Mariä Lichtmeß; → Kirchenfest, → Kirchenjahr.

**²Lichtmeß:** Mariä L. → Marienfest.

**Lichtpause:** → Reproduktion; -n herstellen → ablichten.

**lichtpausen** → ablichten.

**Lichtquelle** → Lampe.

**Lichtreflex** → Spiegelung.

**Lichtsatz** → Schriftsatz.

**Lichtschein** → Schein.

**lichtscheu,** anrüchig, berüchtigt, verschrien, übel beleumdet, in üblem Geruch stehend, einen schlechten Leumund habend, halbseiden, verrufen, fragwürdig, bedenklich, verdächtig, undurchsichtig, unheimlich, nicht ganz hasenrein / astrein (*ugs.*), zweifelhaft, dubios, ominös, notorisch, obskur, suspekt, nicht → unverdächtig; → anstößig, → bekannt, → gewöhnlich, → ungewiß · Ggs. → angesehen.

**Lichtschimmer** → Schein.

**Lichtsignal** → Lichtzeichen.
**Lichtspiele** → Kino.
**Lichtspielhaus** → Kino.
**Lichtspieltheater** → Kino.
**Lichtstrahl,** Scheinwerferkegel, Lichtkegel, Strahlenkegel; → Lampe, → Licht, → Schein, → Scheinwerfer, → Scheinwerferlicht, → Tageslicht; → leuchten.
**Lichttonfilm** → Kinofilm.
**Lichtung** → Schneise.
**lichtwendig** → heliotropisch.
**¹Lichtzeichen,** Feuerzeichen, Lichtsignal, Verkehrsampel, Blaulicht, Blinklicht, Lichthupe, Rakete, Leuchtkugel; → Licht, → Hörzeichen, → Signallicht, → Zeichen, → Warnzeichen.
**²Lichtzeichen** → Leuchtkugel.
**Lichtzünsler** → Schmetterling.
**Lido** → Strand.
**¹lieb,** teuer, wert, unersetzlich; **jmdm. l. geworden sein,** jmdm. ans Herz gewachsen sein.
**²lieb:** → artig, → hübsch, → verehrt, → willkommen; Unsere Liebe Frau → Madonna; ach du -er Gott! → überrascht [sein]; -e Grüße, alles Liebe → hochachtungsvoll; sich bei jmdm. l. Kind machen → nähern (sich jmdm.); mir ist -er → besser; jmdn. am -sten von hinten sehen → hassen.
**liebäugeln** (mit), mit dem Gedanken spielen, sich mit dem Gedanken tragen, gern haben wollen; → begierig [sein], → erwägen, → streben.
**Liebchen** → Geliebte.
**¹Liebe,** Amor, Eros, Sex, Sexus, Sexualität, Erotik, Minne (*dichter.*); → Liebelei, → Liebesspiel, → Nächstenliebe, → Zuneigung.
**²Liebe:** → Gotteseigenschaften; erste / junge L., [L. auf den ersten Blick] → Zuneigung; Kind der L. → Kind; jmds. große L. sein → bevorzugen; ein Kind der L. sein → unehelich [sein]; in L. → hochachtungsvoll; in L. entbrennen / erglühen → verlieben (sich); mit Lust und L. dabeisein → Arbeitseifer [zeigen].
**liebebedürftig** → anlehnungsbedürftig.

**Liebediener** → Schmeichler.
**Liebedienerei** → Unterwürfigkeit.
**liebedienern** → unterwürfig [sein].
**Liebelei,** Liebschaft, Flirt, Liebesabenteuer, Abenteuer, Liebeserlebnis, Erlebnis, Amouren, Affären, Liebesverhältnis, Verhältnis, Bratkartoffelverhältnis (*ugs.*), Liaison, Romanze, Episode, Techtelmechtel (*ugs.*), Gspusi (*bes. südd., österr.*), Pantscherl (*ugs., österr.*), Bandelei (*österr., veraltet*); → Liebe, → Zuneigung; → flirten, → lieben, → verlieben (sich); → verliebt.
**liebeln** → flirten.
**¹lieben,** gern haben, liebhaben, jmdm. gut / geneigt / hold / gewogen sein, sich zu jmdm. hingezogen fühlen, an jmdm. hängen, jmdm. zugetan (*veraltet*) attachiert sein, [gern] mögen, leiden können / mögen, eine Schwäche haben für, für jmdn. zärtliche Gefühle hegen, etwas / viel übrig haben für, jmdn. zum Fressen gern haben (*ugs.*), an jmdm. einen Affen / einen Narren gefressen haben (*salopp*), wie eine Klette an jmdm. hängen (*ugs.*), jmdn. schätzen / begehren, Gefallen finden an, ins Herz geschlossen haben, jmdm. sein Herz geschenkt haben, an jmdm. sein Herz verschenkt / gehängt haben, jmds. Herz hängt an, Interesse zeigen für, mit jmdm. gehen, eine Liebschaft / (*ugs.*) ein Verhältnis / (*ugs.*) ein Techtelmechtel haben, etwas / es mit jmdm. haben, ein Auge haben auf; → achten, → anbändeln, → bevorzugen, → gefallen, → mögen, → verlieben (sich); → verliebt; → Familienangehörigkeit, → Geliebte, → Geliebter, → Liebelei, → Zuneigung · Ggs. → hassen.
**²lieben:** → mögen (etwas); [französisch l.] → koitieren.
**liebenswert** → sympathisch.
**liebenswürdig:** → charmant, → entgegenkommend, → sympathisch.
**Liebenswürdigkeit:** → Anmut, → Freundlichkeit.
**lieber:** → tunlichst, → vielmehr.

**Liebesabenteuer** → Liebelei.
**Liebesapfel** → Tomate.
**Liebesbrief** → Schreiben.
**Liebesdienerin** → Prostituierte.
**Liebesdienst** → Dienst.
**Liebesehe** → Ehe.
**Liebeselixier** → Aufputschmittel.
**Liebeserlebnis** → Liebelei.
**Liebesfähigkeit** → Fähigkeit.
**Liebesgabe** → Gabe.
**Liebesgabenpäckchen** → Gabe.
**Liebesgefühl:** -e → Zuneigung.
**Liebesheirat** → Ehe.
**Liebesknochen** → Gebäck.
**Liebeskraft** → Fähigkeit.
**Liebeslyrik** → Lyrik.
**Liebesmühe:** das ist verlorene L. → nutzlos [sein].
**Liebesroman** → Roman.
**Liebesschleife** → Gebäck.
**Liebessilo** → Bordell.
**Liebesspiel,** Petting, Necking, Dating · *durch Lecken am äußeren Genitale der Frau:* Kunnilingus, Cunnilingus; → Koitus.
**liebestoll** → verliebt.
**Liebestöter** → Unterhose.
**Liebestrank** → Aufputschmittel.
**Liebesverhältnis** → Liebelei.
**Liebesvollzug** → Koitus.
**liebhaben** → lieben.
**¹Liebhaber,** Freund · Naturfreund, Kunstfreund, Kunstliebhaber, Musikfreund, Musikliebhaber, Bücherfreund, Tierfreund, Tierliebhaber, Sportfreund; → Liebhaberei.
**²Liebhaber** → Geliebter.
**Liebhaberbühne** → Theater.
**Liebhaberei,** Freizeitbeschäftigung, Privatvergnügen, Privatinteresse, Lieblingsbeschäftigung, Steckenpferd, Hobby, Passion, Leidenschaft; → Anstrengung, → Arbeit, → Beruf, → Liebhaber.
**Liebhaberfotograf** → Fotograf.
**Liebhaberpreis** → Preis.
**Liebhaberrolle** → Rolle.
**liebkosen,** abdrücken, streicheln; ei, ei machen (*Kinderspr.*); hätscheln, herzen, tätscheln, zärtlich sein, schmusen, kraulen, karessieren (*veraltet*); → kitzeln, → küssen, → umfassen; → Zärtlichkeit.
**Liebkosung** → Zärtlichkeit.
**lieblich** → hübsch.

**Lieblichkeit:** → Anmut; Ihre L. → Faschingszug.

**¹Liebling,** Schwarm, Darling, Augapfel, Herzblatt, Herzchen, Herzbinkerl (bayr., österr.), Goldkind, Schoßkind, Hätschelkind, Nesthäkchen, Schätzchen, Schatz, Mignon; → Abgott, → Geliebte, → Geliebter, → Günstling, → Publikumsliebling.

**²Liebling:** L. des Glücks / der Götter → Glückspilz.

**Lieblings-:** → bevorzugt.

**Lieblingsbeschäftigung** → Liebhaberei.

**Lieblingsgericht** → Lieblingsspeise.

**Lieblingsspeise,** Lieblingsgericht, Leibgericht, Leibspeise, Leib- und Magengericht.

**Lieblosigkeit** → Gefühlskälte.

**Liebreiz** → Anmut.

**Liebschaft** → Liebelei.

**Liebste** → Geliebte.

**Liebster** → Geliebter

**Liebstöckel** → Küchengewürz.

**liebwert** → verehrt.

**¹Lied,** Kunstlied, Gesang, Weise, Melodie · Wiegenlied, Berceuse ·· religiöses: Kirchenlied, Choral, Lauda, Kantate, Oratorium, Hymnus, Motette, Psalmodie, Leis, Sequenz, [Negro] Spiritual, Gospelsong, Gospel ·· für Weihnachten: Weihnachtslied, Christmas-Carol (engl.), Noël (franz.), Colinde (rumänisch) ·· in der Oper: Arie, Rezitativ · kurzes: Arioso, Kavatine ·· satirisches, im Kabarett: Chanson, Couplet, Song, Protestsong ·· Klagelied: Elegie, Nänie (Antike) · für die Karwoche: Lamentation · in der frühbarocken Oper: Lamento ·· mit Rundgesang: Kanon, Catch (engl.) ·· für den Tanz: Leich (Mittelalter), Vilanelle (16. Jh.), Folkeviser (dän., skand.) ·· volkstümliches: Chançon (altfranz.), Frottola (ital. Renaissance), Fado (portugiesisch), Volkslied, Jodler (Alpen), Gstanzl (bayr., österr.), Schnaderhüpfl (bayr., österr.), Vierzeiler ·· heiter-empfindsames: Kanzone (15.—17.Jh.), Kanzonette, Madrigal (14.—16.Jh.) ·· im Minnesang den Abschied nach einer Liebesnacht

beschreibendes: Tagelied, Wächterlied, Alba ·· rührselig-schauriges: Moritat ·· des Seemanns: Shanty ·· des Gondoliere: Barkarole ·· offizielles eines Staates: Nationalhymne, Landeshymne, Vaterlandshymne (bes. schweiz.) ·· das jmdm. nicht aus dem Kopf geht: Ohrwurm (ugs., scherzh.); → Gesang, → Musik, → Sänger, → Schlager.

**²Lied:** → Gedicht; im L. besingen → lobpreisen.

**Liederabend** → Musikveranstaltung.

**Liederbuch** → Gesangbuch.

**Liederjan** → Leichtfuß.

**liederlich:** → anstößig, → nachlässig.

**Liederlichkeit** → Sittenlosigkeit.

**Lieferant** → Bote.

**Lieferfrist** → Lieferzeit.

**¹liefern,** anliefern, beliefern, ausliefern, zustellen, bringen, zubringen, zustreifen (veraltend, österr.); → schicken; → Lieferung, → Lieferzeit.

**²liefern:** ans Messer l. → ausliefern (jmdn.); den Nachweis l. → nachweisen; sich ein Gefecht l. → Kampf.

**Lieferung,** Ablieferung, Anlieferung, Abgabe, Belieferung, Auslieferung, Zustellung, Zuführung, Zuleitung, Zufuhr, Zusendung, Übermittlung, Überweisung, Weiterleitung, Weitergabe, Überstellung, Übergabe, Einhändigung, Überbringung; → Aushändigung, → Lieferzeit, → Versand, → Zuteilung; → abgeben, → liefern.

**Lieferungsauto** → Auto.

**Lieferungsfrist** → Lieferzeit.

**Lieferungswagen** → Auto.

**Lieferungszeit** → Lieferzeit.

**Lieferwagen** → Auto.

**Lieferzeit,** Lieferfrist, Lieferungszeit, Lieferungsfrist; → Lieferung; → liefern.

**¹Liege,** Couch, Sofa, Kanapee, Chaiselongue, Ruhebett (veraltet), Ruhbett (schweiz.), Diwan, Ottomane · als Bett verwendete: Liegecouch, Liegesofa, Schlafcouch, Bettcouch, Bettbank (österr.); → Bett, → Luftmatratze, → Möbel, → Sitzgelegenheit; → schlafen.

**²Liege** → Luftmatratze.

**Liegecouch** → Liege.

**Liegehang** → Turnübung.

**¹liegen,** daliegen, langliegen (ugs.), alle viere von sich strecken (ugs.), sich aalen (ugs.); → ruhen, → sonnen (sich).

**²liegen:** → befinden (sich); jmd. liegt falsch → irren (sich); richtig l. → Recht; still l. → ruhen; es liegt Nebel → nebeln; jmd. liegt jmdm. → gefallen; etwas liegt jmdm. → begabt; jmdm. nicht l. → unbeliebt [sein]; etwas liegt jmdm. am Herzen → wichtig [sein], → wünschen; jmdm. liegt etwas an jmdm. / etwas → wichtig [sein]; auf der Bärenhaut / auf der faulen Haut l. → faulenzen; vor jmdm. auf dem Bauch l. → unterwürfig [sein]; etwas liegt wie ein Alp auf der Brust / Seele → schwernehmen; auf der Hand l. → offenbar [sein]; auf der Lauer l. → auflauern; jmdm. auf / in der Schüssel l. → Last; jmdm. auf der Tasche l. → Last; auf den Tod l. → krank; etwas liegt bei jmdm. → abhängen; etwas liegt im argen → vernachlässigen (etwas); etwas liegt im Bereich der Möglichkeiten → möglich [sein]; im Bett l. → krank [sein]; etwas liegt jmdm. im Blut → begabt; im dunkeln l. → rätselhaft [sein]; im Kerker l. → abbüßen; schwer im Magen l. → bekömmlich; jmdm. [schwer] im Magen l. → bekümmern; im Schützengraben l. → Front; im Sterben / in den letzten Zügen l. → sterben; im Windschatten l. → windstill [sein]; das liegt in der Familie → kennzeichnend [sein für jmdn.]; in Fehde l. mit → bekriegen; in Führung l. → Höchstleistung [erzielen]; sich in den Haaren l. → zanken (sich); etwas liegt in der Luft → bevorstehen; etwas liegt [in der Mitte] zwischen ... und ... → Mittelding; jmdm. in den Ohren l. → bitten; in Scheidung l. → geschieden [sein]; in der Sonne l. → sonnen (sich); unter einer Schneedecke -d → verschneit; vor Anker l. → ankern; jmdm. zu Füßen l. → achten.

**liegenlassen:** links l. → ignorieren.

**Liegenschaft** → Bauernhof.

**Liegenschaften** → Immobilien.

**Lièges** → Lüttich.

**Liegesofa** → Liege.

**Liegestatt** → Bett.

**¹Liegestuhl,** Hängematte, Hollywoodschaukel; → Bett, → Luftmatratze, → Sitzbank.

**²Liegestuhl** → Stuhl.

**Liegewagen** → Eisenbahnwagen.

**Liegewagenabteil** → Eisenbahnabteil.

**Liegnitz:** -er Bombe → Gebäck.

**Lienogramm** → Röntgenogramm.

**Lienographie** → Röntgenographie.

**Lienohepatogramm** → Röntgenogramm.

**Lienohepatographie** → Röntgenographie.

**Lieschen Müller** → Durchschnittsbürger.

**Lift:** → Aufzug, → Operation, → Seilbahn.

**Lifting** → Operation.

**Liga** → Vereinigung.

**Ligusterhecke** → Hecke.

**Ligusterschwärmer** → Schmetterling.

**liiert:** l. sein → gebunden [sein].

**Likör** → Alkohol.

**Likörglas** → Trinkgefäß.

**lila:** → violett; Lila Dickfuß → Ständerpilz.

**Lilie:** [Taurische L.] → Liliengewächs.

**Lilienfeldbindung** → Schibindung.

**Lilienfries** → Fries.

**Liliengewächs** · Lilie · Madonnenlilie, Königslilie, Feuerlilie, Tigerlilie, Taurische Lilie, Türkenbund, Türkenbundlilie, Kaiserkrone, Taglilie, Maiglöckchen, Drillingslilie, Goldsiegel, Schattenblümchen, Knotenfuß, Salomon[s]siegel, Affodil, Paradieslilie, Herbstzeitlose, Goldlauch, Gelblauch, Perlhyazinthe, Träubelhyazinthe, Orientalische Hyazinthe, Milchstern, Tulpe; → Blume, → Herbstzeitlose.

**Lilienkapitell** → Kapitell.

**lilienweiß** → weiß.

**Liliputaner** → Zwerg.

**Lillespitze** → Spitzenstickerei.

**Limbo** → Tanz.

**Limburger** → Käse.

**Limerick** → Gedicht.

**Limes** → Grenze.

**Limit** → Preisgrenze.

**limitieren** → begrenzen.

**Limnokrene** → Quelle.

**Limonade,** Brause, Sprudel, Sprudelwasser, Brauselimonade, Kracherl (*bayr., österr.*); → Mineralwasser.

**Limone** → Zitrone.

**Limousine** → Auto.

**lind:** → behutsam, → mild.

**¹Linde,** Lindenbaum · Dorflinde · Sommerlinde, Winterlinde.

**²Linde** → Laubhölzer.

**Lindenbaum** → Linde.

**Lindenblütenhonig** → Honig.

**Lindenblütentee** → Tee.

**lindern,** mildern, bessern, erträglicher machen, erleichtern, den Schmerz dämpfen / stillen; → abschwächen, → gesund [machen].

**lindernd** → gütig.

**Linderung** → Trost.

**Linderungsmittel,** Beruhigungsmittel, Erleichterungsmittel, Schmerzmittel, schmerzstillendes Mittel, Analgetikum, Antineuralgikum, Narkotikum, Sedativ[um], Palliativ[um], Mitigans, reizlinderndes Mittel, Demulzens, Balsam; → Medikament.

**lindgrün** → grün.

**Lindwurm** → Ungeheuer.

**Lineal** → Metermaß.

**Lineament** → Linie.

**¹linear,** geradlinig, linienförmig; → Linie.

**²linear:** → prozentual; -e Gleichung → Gleichung.

**Linear-Antiqua** → Schrift.

**Lineatur** → Linierung.

**Linga** → Penis.

**Lingam** → Penis.

**Lingismus** → Heilgymnastik.

**Lingua** → Sinnesorgan.

**Linguist** → Philologe.

**Linguistik:** → Philologie, Sprachwissenschaft.

**Liniatur** → Linierung.

**¹Linie,** Strich, Zeile · *gerade:* Gerade · *gerade, die eine Kurve schneidet:* Sekante · *krumme:* Kurve · *gezackte:* Zackenlinie · *die zwei Ecken verbindet:* Verbindungslinie, Diagonale · *durch den*

*Mittelpunkt gehende:* Durchmesser · *vom Mittelpunkt zum Umkreis führende:* Radius · *einen Kreis von außen berührende:* Tangente · *des Umfangs:* Peripherie ·· *in der Hand oder im Gesicht:* Lineament; → Biegung, → Linierung; → linear.

**²Linie:** → Bahnlinie, → Reihe; vorderste L. → Front; auf die schlanke L. achten → schlank [sein wollen]; in erster L. → besonders; erst in zweiter L. in Betracht kommen → sekundär [sein]; mit der L. X fahren → fahren.

**Linienblatt,** Linienspiegel (*österr.*), Faulenzer (*ugs., österr.*); → Linie, → Linierung.

**Linienblitz** → Blitz.

**linienförmig** → linear.

**¹Linienführung,** Streckenführung, Strecke, Trasse; → Bahnlinie, → Straße.

**²Linienführung** → Duktus.

**Linienraster** → Raster.

**Linienschiff** → Kriegsschiff.

**Linienschnitt** → Holzschnitt.

**Linienspiegel** → Linienblatt.

**linientreu** → übereifrig.

**Linientreuer,** Überzeugter, überzeugter Anhänger, Hundertprozentiger, Hunderfünfzigprozentiger; → Anhänger, → Jasager.

**liniert:** -es Papier → Schreibpapier.

**Linierung,** Liniierung, Lineatur (*fachspr.*), Liniatur (*fachspr.*); → Linie, → Linienblatt, → Schreibpapier.

**Liniierung** → Linierung.

**Liniment** → Medikament.

**link:** jmd. ist mit dem -en Fuß aufgestanden → ärgerlich [sein], → aufgelegt; -e Gerade → Fausthieb; zwei -e Hände haben → unpraktisch [sein]; -er Hand, auf der -en Seite → links; Ehe zur -en Hand → Ehe; -er Herzvorhof / Vorhof → Herz; -e Seite → Rückseite; etwas mit der -en Hand machen → mühelos [schaffen].

**Linke** → Fausthieb.

**Linker** → Sozialist.

**linkisch,** ungelenk, ungelenkig, eckig, hölzern, ungewandt, unsportlich, steif, lahm, eingerostet (*ugs., scherzh.*).

¹**links,** linker Hand, auf der linken Seite, dort, wo der Daumen rechts ist (*scherzh.*) · *bei Schiffen und Flugzeugen:* backbord, backbords; → rechts.

²**links:** → sozialistisch; l. liegenlassen → ignorieren; dort, wo der Daumen l. ist → rechts; nicht nach rechts und l. blikken → verwirren.

**Linksausleger** → Boxer.

**Linksaußen** → Fußballspieler.

**Linksextremist** → Extremist.

**Linkskurve** → Kurve.

**linksliberal** → sozialistisch.

**linksorientiert** → sozialistisch.

**Linksorientierter** → Sozialist.

**linksradikal** → sozialistisch.

**Linksradikaler** → Extremist.

**Linksunterzeichneter** → Unterzeichner.

**Linnen** → Leinen.

**Linoleum** → Fußboden.

**Linotypesatz** → Schriftsatz.

¹**Linse** · *bei der die Mittendicke dicker als die Randdicke ist:* Konvexlinse, Sammellinse, Positivlinse · *bei der die Mittendicke dünner als die Randdicke ist:* Konkavlinse, Zerstreuungslinse, Negativlinse; → Brennpunkt.

²**Linse** → Gemüse.

**linsen** → blicken.

**Linsenfleck** → Muttermal.

**Linsengericht:** etwas für ein L. hergeben → abgeben.

**Linsenmal** → Muttermal.

**Linsensuppe** → Suppe.

**Linsentrübung** → Katarakt.

**Linz:** -er Torte → Gebäck.

**Lipizzaner** → Pferd.

**Lipom** → Fettgewebe.

**Lippe:** -n → Mund; eine dicke L. riskieren → aufbegehren; an jmds. -n hängen → zuhören; nicht über die -n bringen → mitteilen; etwas kommt nicht über jmds. -n → aussprechen.

**Lippenbär** → Bär.

**Lippenbekenntnis:** → Bekenntnis, → Verstellung.

**Lippenspalte** → Hasenscharte.

**Liptauer** → Käse.

**liquid** → zahlungsfähig.

**Liquidation:** → Auflösung, → Quittung, → Rechnung.

**liquidieren:** → aufgeben, → töten.

**Liquidität** → Zahlungsfähigkeit.

**Liquor** → Medikament.

**Lira** → Zahlungsmittel.

**lispeln:** → flüstern, → sprechen, → stottern; -d → unartikuliert.

¹**List,** Pfiffigkeit, Durchtriebenheit, Verschlagenheit, Gerissenheit; → Klugheit; → schlau.

²**List** → Arglist.

**Liste** → Verzeichnis.

**Listenpreis** → Preis.

**listig** → schlau.

**Liter:** [halber L.] → Hohlmaß.

**Literarhistoriker** → Philologe.

**Literat** → Schriftsteller.

¹**Literatur,** Schrifttum, Schriftgut · *schöngeistige:* Belletristik, schöne Literatur, Fiction, Unterhaltungsliteratur, Weltliteratur · *fachliche:* Sachbuch, Fachbuch, Non-fiction · *weiterführende wissenschaftliche:* Sekundärliteratur · *utopische, auf technisch-naturwissenschaftlicher Grundlage:* Zukunftsroman, utopischer Roman, Science-fiction · *mit Themen aus dem Bereich der Kriminalität:* Kriminalliteratur, Kriminalroman, Krimi (*ugs.*) · *für Kinder:* Kinderbuch · *für Jugendliche:* Jugendbuch · *pornographische:* Pornographie, Schundliteratur (*abwertend*), Schmutzliteratur (*abwertend*), unzüchtige Schriften · *zur inneren Erbauung:* Erbauungsliteratur · *von Autoren, die aus politischen Gründen im Ausland leben müssen:* Emigrantenliteratur; → Dichtung, → Erzählung, → Kriminalstück, → Legende, → Literaturepochen → Märchen, → Roman, → Sage.

²**Literatur:** → Literaturangabe; althochdeutsche / karolingische / ottonische L. → Literaturepochen; L. der Moderne, L. zwischen den beiden Kriegen → Literaturepochen.

**Literaturangabe,** Literatur, Literaturnachweis, Literaturverzeichnis, Literaturhinweis, Quellenangabe, Quellen, Schrifttumsnachweis, Schrifttum.

**Literaturbeilage** → Zeitungsbeilage.

**Literaturepochen ··** althochdeutsche Literatur · karolingische Literatur, ottonische Literatur ·· frühmittelhochdeutsche Dichtung, mittelhochdeutsche Dichtung, spätmittelhochdeutsche Dichtung ·· Humanismus, Reformation ·· Barock ·· Aufklärung, Empfindsamkeit ·· Sturm und Drang ·· Klassik ·· Romantik ·· Junges Deutschland, Biedermeier ·· Realismus ·· Naturalismus · Impressionismus ·· Literatur der Moderne ·· Expressionismus · Dadaismus · Literatur zwischen den beiden Kriegen, Exilliteratur · Literatur nach dem zweiten Weltkrieg, Nachkriegsliteratur; → Drama, → Literatur.

**Literaturgeschichte** → Literaturwissenschaft.

**Literaturhinweis** → Literaturangabe.

**Literaturkalender** → Kalender.

**Literaturkritik** → Besprechung.

**Literaturkritiker** → Kritiker.

**Literaturnachweis** → Literaturangabe.

**Literatursprache** → Hochsprache.

**Literaturverzeichnis** → Literaturangabe.

¹**Literaturwissenschaft,** Dichtungswissenschaft · Literaturgeschichte · Poetik · Rhetorik · Stilistik, Stillehre, Stilkunde; → Metrik, → Philologie, → Sprachwissenschaft.

²**Literaturwissenschaft** → Philologie.

**Literaturwissenschaftler** → Philologe.

**Litfaßsäule,** Plakatsäule, Anschlagsäule; → Plakat, → Werbung.

**Litho** → Kunstdruck.

**Lithoglyphie** → Bildnerei.

**Lithoglyphik** → Bildnerei.

**Lithoglyptik** → Bildnerei.

**Lithographie:** → Graphik, → Kunstdruck.

**Lithographiepapier** → Druckpapier.

**Lithologie** → Gesteinskunde.

**Litotes** → Untertreibung.

**Liturgik** → Theologie.

**liturgisch:** → sakral; -es Gewand → Parament; -es Jahr → Kalenderjahr, → Kirchenjahr.

**Litze** → Besatz.

**litzen** → umstülpen.

**Live-Sendung** → Direktsendung.

**livid:** → blau, → neidisch.

**livide:** → blau, → neidisch.

**Livree** → Kleidung.

**Lizenz** → Erlaubnis.

**Lizenzausgabe** → Edition.

**Lizenzdruck** → Nachdruck.

**Lizitation** → Versteigerung.

**lizitieren** → versteigern.

**Lkw** → Auto.

**Lkw-Fahrer** → Autofahrer.

**Llano** → Steppe.

**¹Lob,** Preis, Ruhm, Ehre, Ehrung, Belobigung, Belobung, Auszeichnung, Lobpreis, Lobpreisung · *im voraus erteiltes:* Vorschußlorbeer, Vorschußlorbeeren; → Anerkennung, → Ansehen, → Beifall, → Ehrerbietung, → Gunst, → Lobrede, → Orden, → Verherrlichung; → loben.

**²Lob:** des -es voll sein, jmdn. mit L. überhäufen → loben.

**Lobby** → Interessenvertretung.

**Lobbyist,** Interessenvertreter; → Interessenverband, → Interessenvertretung.

**¹loben,** beloben, belobigen, anerkennen, würdigen, preisen, verherrlichen, verklären, idealisieren, glorifizieren, laudieren (*veraltet*), beweihräuchern (*abwertend*), rühmen, lobpreisen, feiern, ehren, auszeichnen, Lob erteilen / spenden / zollen, jmdn. mit Lob überhäufen, jmds. Loblied singen (*ugs.*), ein Loblied anstimmen, jmds. Ruhm verbreiten, sich in Lobreden / Lobesworten ergehen, schwärmen von, in den höchsten Tönen von jmdm. / von etwas reden, auf den Schild erheben, jmdm. etwas nachrühmen, des Lobes voll sein über, jmdn. über den Schellenkönig / grünen Klee loben (*ugs.*), jmdn. in den Himmel heben (*ugs.*), nicht → schelten; → achten, → anschwärmen, → belohnen, → besprechen, → danken, → schmeicheln; → beifällig; → Lob, → Lobrede.

**²loben:** Gott sei gelobt! → glücklicherweise.

**lobend** → beifällig.

**lobenswert** → anerkennenswert.

**Lobeserhebung** → Lobrede.

**Lobeshymne** → Lobrede.

**Lobeswort:** sich in -en ergehen → loben.

**Lobgesang** → Lobrede.

**Lobhudelei** → Lobrede.

**löblich** → anerkennenswert.

**Loblied:** → Lobrede; ein L. anstimmen → loben.

**Lobpreis** → Lob.

**¹lobpreisen,** preisen, [im Lied] besingen (*geh.*), lobsingen (*geh.*), verherrlichen; → singen; → Gesangbuch.

**²lobpreisen** → loben.

**Lobpreisung:** → Lob, → Lobrede.

**¹Lobrede,** Preis, Eloge, Loblied, Lobgesang, Lobpreisung, Lobspruch, Lobeserhebung, Lobhudelei (*abwertend*), Lobeshymne (*abwertend*), Dithyrambe, Panegyrikus · *auf Preisträger:* Laudatio; → Anerkennung, → Lob, → Verherrlichung.

**²Lobrede:** sich in -n ergehen → loben.

**lobsingen** → lobpreisen.

**Lobspruch** → Lobrede.

**Loch:** → Grube, → Höhle, → Räumlichkeit, → Riß, → Strafanstalt, → Vagina; ein L. haben → defekt [sein]; jmdm. ein L. in den Bauch fragen → fragen; jmdm. zeigen, wo der Zimmermann das L. gelassen hat → hinauswerfen; auf / aus dem letzten L. pfeifen → abgewirtschaftet [haben]; ins L. stecken / stoßen → festsetzen.

**lochen:** → durchlöchern, → entwerten.

**löcherig** → durchlässig.

**löchern** → bitten.

**Lochkamera** → Fotoapparat.

**Lochkartenmaschine** → Computer.

**Lochsäge** → Säge.

**Lochziegel** → Ziegelstein.

**Locke:** → Haarlocke; -n → Haar.

**¹locken** (sich), sich kräuseln / ringeln / wellen; → lockig.

**²locken:** → reizen; sich einen von der Palme l. → masturbieren.

**Locken,** Gelock, Lockenkopf, Krauskopf, Lockenpracht, Korkenzieherlocken, Korkzieherlocken, Ringellöckchen; → Haar, → Haarlocke; → lockig.

**Lockenkopf:** → Kind, → Locken.

**Lockenperücke** → Perücke.

**Lockenpracht** → Locken.

**locker:** → lose, → lustig; l. machen → zahlen; l. werden → lösen (sich); nicht l. lassen → beharrlich [sein], → bestehen auf; bei jmdm. ist eine Schraube l. → verrückt [sein].

**lockern:** sich l. → lösen (sich).

**Lockerungsübung:** -en → Gymnastik.

**lockig,** wellig, gewellt, gelockt, geringelt, kraus, onduliert, gekräuselt, nicht glatt; → Frisur, → Haar, → Haarlocke, → Locken; → frisieren.

**Lockjagd** → Jagd.

**Lockmittel** → Köder.

**Lockout** → Aussperrung.

**Lockspitzel** → Auskundschafter.

**Lockvogel** → Köder.

**Locus communis** → Plattheit.

**Loddel** → Zuhälter.

**Lode** → Schößling.

**Loden:** → Haar, → Stoff.

**Lodenmantel** → Mantel.

**Lodentrieb** → Schößling.

**lodern** → brennen.

**Loempe** → Beriberi.

**¹Löffel** · Eßlöffel, Suppenlöffel · Kochlöffel, Rührlöffel · Gemüselöffel, Soßenlöffel, Saucenlöffel · Kaffeelöffel, Teelöffel, Mokkalöffel, Dessertlöffel, Eierlöffel; → Eßbesteck, → Gabel, → Messer.

**²Löffel:** → Ohr; Messer, Gabel und L. → Eßbesteck; den L. wegschmeißen → sterben; jmdm. eins / eine / ein paar hinter die L. geben, ein paar hinter die L. kriegen → schlagen; die Weisheit nicht mit -n gegessen / gefressen haben → dumm [sein]; mit einem silbernen L. im Mund geboren sein → reich [sein]; über den L. balbieren → betrügen.

**Löffelbiskuit** → Gebäck.

**Löffelente** → Vogel.

**Löffelgarde** → Abteilung.

**Löffelkraut** → Küchengewürz.

**löffeln:** → essen; das habe ich gelöffelt → verstehen.

**Löffelnagel** → Nagelkrankheit.

**Löffler** → Vogel.

**logarithmisch:** -e Gleichung → Gleichung.

**Logasthenie** → Aphasie.

Logbuch → Tagebuch.

Loge, Bühnenloge, Proszeniumsloge, Seitenloge, Balkonloge · Hofloge, Diplomatenloge, Direktionsloge; → Sitzplatz, → Theatergebäude.

Logensitz → Sitzplatz.

Logger → Schiff.

Loggia → Veranda.

logieren: → übernachten, → übersiedeln.

Logis: → Raum, → Unterkunft.

Logopäde, Sprachheilkundiger, Spracherzieher; → Logopädie, → Sprachgestörter.

Logopädie, Sprachheilkunde, Spracherziehung; → Logopäde, → Sprachgestörter, → Sprecherziehung.

Logorrhö → Redseligkeit.

Lohde → Schößling.

Lohe → Flamme.

lohen → brennen.

Lohgerber → Gerber.

¹Lohn, Arbeitslohn · Stundenlohn, Tagelohn, Wochenlohn, Monatslohn, Mindestlohn, Durchschnittslohn, Höchstlohn, Spitzenlohn, Zeitlohn, Leistungslohn, Prämienlohn, Akkordlohn, Stücklohn, Tariflohn, Effektivlohn, Reallohn, Nominallohn, Geldlohn, Naturallohn · *ohne Abzüge:* Bruttolohn · *nach Abzug von Steuern, Sozialversicherungsbeiträgen o. ä. verbleibender:* Nettolohn · *im Tarifvertrag für eine bestimmte Lohngruppe festgelegter:* Ecklohn · *des Seemanns:* Heuer · *sehr geringer:* Hungerlohn (*abwertend*) · *der der jeweiligen Kaufkraft des Geldes angepaßt ist:* Indexlohn; → Arbeitnehmervertretung, → Broterwerb, → Entgelt, → Gehalt (das).

²Lohn: → Belohnung, → Gehalt (das); in L. und Brot nehmen / stehen → einstellen.

Lohnabhängigkeit, Lohnsklaverei, Ausbeutung; → Kapitalismus, → Kapitalist.

Lohndiener → Diener.

lohnen: → belohnen; sich l. → einträglich [sein], → lohnend [sein].

¹lohnend, gut, brauchbar, tauglich; **l. sein,** sich lohnen, sich bezahlt machen, sich auszahlen, Kleinvieh macht auch Mist (*ugs.*), viele Wenig machen ein

Viel (*ugs.*); → einträglich, → erfreulich.

²lohnend → nützlich.

Lohnerhöhung → Heraufsetzung.

Lohnherr → Arbeitgeber.

Lohnkampf, Arbeitskampf, Tarifverhandlung, Tarifgespräch; → Arbeitnehmer, → Streik; → streiken.

Lohn-Preis-Spirale → Preisanstieg.

Lohnsackerl → Lohntüte.

Lohnsklaverei → Lohnabhängigkeit.

Lohnsteuer → Abgabe.

Lohntag → Zahltag.

Lohntüte, Lohnsackerl (*bes. österr.*), Zahltagssäcklein (*schweiz.*); → Zahltag.

Löhnung → Wehrsold.

Lok → Lokomotive.

lokal: -e Ausdrucksweise → Provinzialismus.

Lokal: → Gaststätte; von L. zu L. ziehen → bummeln.

Lokalanästhesie → Betäubung.

Lokalaugenschein → Gerichtsverhandlung.

Lokalausdruck → Provinzialismus.

Lokalblatt → Zeitung.

Lokalbummel: → Bummel; einen L. machen → bummeln.

lokalisieren → finden.

Lokalpatriotismus → Patriotismus.

Lokalpresse → Presse.

Lokalreporter → Berichter.

Lokalsatz → Satz.

Lokalstück → Schauspiel.

Lokaltermin → Gerichtsverhandlung.

Lokalwort → Provinzialismus.

Lokalzeitung → Zeitung.

Lokalzug → Eisenbahnzug.

Lokativ → Kasus.

Loki → Gott.

Lokomotion → Ortsveränderung.

Lokomotive, Lok (*ugs.*), Loksche (*ugs.*), Dampfroß (*scherzh.*) · Schnellzuglokomotive, Personenzuglokomotive, Güterzuglokomotive, Rangierlokomotive · Dampflokomotive, Dampflok (*ugs.*), Diesellokomotive, Diesellok (*ugs.*), Elektrolokomotive, E-Lok (*ugs.*), Triebwagen; → Eisenbahnzug.

Loksche → Lokomotive.

Lokus → Toilette.

Lokution → Redensart.

Löli → Dummkopf.

Lolita → Mädchen.

lombardisch: -er Aussatz → Pellagra.

Lombardsatz → Zinssatz.

Longdrink → Mixgetränk.

Longseller: → Buch, → Verkaufsschlager.

Looping → Flug.

Loquacitas → Redseligkeit.

Lorbeer: → Gewürz; sich auf seinen -en ausruhen → anstrengen (sich); -en ernten → Erfolg [haben].

Lorbeerbaum → Laubhölzer.

Lorchel → Schlauchpilz.

Lorgnette → Brille.

Lorgnon → Brille.

Lori → Affe.

Lork → Frosch.

Lorke: → Frosch, → Kaffee.

los: l., Tempo! → beeilen (sich); sehen, was mit jmdm. l. ist → erkennen; etwas l. haben → begabt [sein].

¹Los, Lotterielos, Klassenlos, Gewinnlos, Glückslos · *nicht gewinnendes:* Niete; → Hauptgewinn, → Ziehung; → losen.

²Los: → Schicksal; Großes L. → Hauptgewinn; das L. ziehen / entscheiden lassen → losen; das Große L. gezogen haben mit jmdm. / etwas → auswählen.

-los → ohne.

losbekommen → abwerben.

losbrüllen → lachen.

Losbude → Jahrmarktsbude.

Löschblatt → Löschpapier.

¹löschen, zum Erlöschen bringen, die Flammen / das Feuer ersticken, den Brand / das Feuer unter Kontrolle bringen; → ausblasen, → Brand, → Feuerwehr, → Feuerwehrauto, → Feuerlöscher, → Feuerwehrmann.

²löschen: → abladen, → ausblasen, → säubern, → stornieren.

Löschpapier, Löschblatt, Saugpapier, Fließpapier, Fließblatt; → Papier, → Schreibpapier.

Löschzug → Feuerwehrauto.

¹lose, locker, wack[e]lig, nicht fest; → losgelöst, → schlaff.

²lose: → lustig, → schlaff, → unverpackt.

Loseblattausgabe → Edition.

**Lösegeld:** → Ersatz; L. zahlen → freikaufen (sich / jmdn.).

**loseisen:** → abwerben, → zahlen.

**¹losen,** auslosen, verlosen, das Los ziehen, das Los entscheiden lassen; → Glücksspiel, → Los, → Rätsel.

**²losen** → horchen.

**¹lösen** (sich), sich ablösen, sich lockern, locker werden, abgehen, losgehen, abfallen, abblättern, abbröckeln, abspringen, abplatzen, absplittern; → abschälen (sich).

**²lösen:** → aufbinden, → bewältigen, → enträtseln, → Lösung, → retten; sich l. → abwenden (sich), → trennen (sich); den gordischen Knoten l. → Lösung; ein Rätsel l. → raten; l. von → abmachen; sich l. von → selbständig [werden]; vom Dinglichen gelöst → begrifflich.

**losgehen:** → lösen (sich), platzen; etwas geht los → anfangen.

**losgelöst,** abgelöst, abgerissen, abgebrochen; → defekt, → lose.

**loskaufen:** → freikaufen (sich / jmdn.).

**loskommen:** l. von → entledigen (sich jmds. / einer Sache), → selbständig [werden].

**loslassen:** → freilassen; ein Donnerwetter l. → schelten.

**loslegen** → anfangen.

**löslich:** -er Kaffee → Pulverkaffee.

**loslösen:** → abmachen; sich l. von → selbständig [werden].

**Loslösung** → Abtrennung.

**losmachen:** → abmachen; sich l. von → selbständig [werden].

**losplatzen** → lachen.

**losprusten** → lachen.

**losreißen:** → abmachen; sich l. → trennen (sich).

**Löß** → Erde.

**Lossagung** → Abkehr.

**losschießen** → mitteilen.

**losschlagen:** → abmachen, → angreifen, → verkaufen.

**lossein:** mit jmdm. ist nicht mehr viel los → hinfällig [sein].

**Lößlehm** → Erde.

**lossprechen,** entschuldigen, rechtfertigen, exkulpieren, von einer Schuld befreien, freisprechen, Absolution erteilen (kath.); → befreien (von), → begnadigen, → verzeihen.

**Lost** → Giftgas.

**Lost generation,** Nachkriegsgeneration, verlorene / skeptische Generation, Beat generation, zornige junge Männer, Angry young men, vaterlose Gesellschaft; → Generation.

**lostigern** → weggehen.

**lostrennen** → abmachen.

**Lostrennung** → Abtrennung.

**¹Losung,** Parole, Kennwort, Losungswort, Stichwort, Schibboleth; → Ausspruch, → Zeichen.

**²Losung:** → Ausspruch, → Ertrag, → Exkrement.

**¹Lösung,** Auflösung, Antwort · plötzliche, leichte, unerwartete in einer Schwierigkeit: das Ei des Kolumbus, Deus ex machina; → Angabe, → Aufklärung; **eine L. finden, keine L. finden,** es gibt keine Patentlösung / kein Patentrezept, keinen Ausweg finden, in einer Sackgasse sein / sich befinden, mit seiner Kunst am Ende sein; **eine L. gewaltsam herbeiführen,** den gordischen Knoten durchhauen / lösen / zerhauen / zerschneiden.

**²Lösung:** → Abtrennung, → Flüssigkeit.

**Losungswort** → Losung.

**loswerden:** → entledigen (sich jmds. / einer Sache); [nicht l.] → verkaufen.

**losziehen:** → weggehen; über jmdn. / etwas l. → reden (über jmdn., etwas).

**¹Lot,** Bleilot, Blei, Senkblei, Echolot, Behmlot; → ausloten.

**²Lot:** → Gewichtseinheit; ins L. bringen → bereinigen, → Ordnung.

**loten** → ausloten.

**löten,** verlöten, zusammenlöten, anlöten, schweißen, verschweißen, zusammenschweißen, anschweißen.

**Lothringer:** L. Kreuz → Kreuzzeichen.

**Lotion:** → Flüssigkeit, Schönheitspflegemittel.

**Lötkolben** → Zigarre.

**Lotosknospenkapitell** → Kapitell.

**lotrecht** → senkrecht.

**Lotrechte** → Senkrechte.

**Lotse,** Pilot (veraltend), Hafenlotse, Seelotse, Flußlotse, Kanallotse; → Schiffer, → Seemann.

**Lotterbett** → Bett.

**Lotterie** → Glücksspiel.

**Lotterielos** → Los.

**Lotto** → Glücksspiel.

**Lottokollektur** → Annahmestelle.

**Louis** → Zuhälter.

**Louisdor** → Münze.

**Love-in** → Demonstration.

**¹Löwe,** Leu (dichter.), König der Tiere / der Wüste.

**²Löwe:** → Raubtier, → Sternbild, → Tierkreiszeichen; geflügelter L. → Sinnbild; Goldener L. → Filmpreis.

**Löwenäffchen** → Affe.

**Löwenanteil** → Anteil.

**Löwenjagd** → Jagd.

**Löwenkäfig** → Käfig.

**Löwenmähne** → Haar.

**¹Löwenzahn,** Pusteblume (Kinderspr.), Kuhblume (landsch.), Kettenblume (landsch.), Ringelblume (landsch.), Hundeblume (landsch.), Eierpusch (landsch.), Bettseicher (landsch.), Bettpisser (landsch.), Bettschisser (landsch.), Milchbusch (landsch.), Dotterbusch (landsch.), Saublume (landsch.), Lichterblume (landsch.); → Blume.

**²Löwenzahn** → Gemüse.

**Löwenzwinger** → Freigehege.

**Loxophthalmus** → Schielen.

**loyal:** → ehrenhaft, → treu.

**Loyalität** → Treue.

**LP** → Schallplatte.

**LPG** → Produktionsgenossenschaft.

**LSD** → Rauschgift.

**Lübeck,** die Königin / das Haupt der Hanse (hist.); → Stadt.

**Luchs:** → Raubtier, → Sternbild.

**Luchsauge** → Scharfsichtigkeit.

**luchsäugig** → scharfsichtig.

**Luchsbau** → Höhle.

**luchsen** → blicken.

**Lücke:** → Intervall, → Mangel, → Riß.

**Lückenbüßer** → Hilfskraft.

**lückenhaft** → unvollständig.

**Lückenhaftigkeit** → Unvollständigkeit.

**lückenlos** → ganz.

**luckert:** keinen -en Heller wert sein → wertlos [sein].

**Lude** → Zuhälter.

**Luder:** → Aas; dummes L. → Dummkopf.

**Lüer-Spritze** → Spritze.

**Lues** → Geschlechtskrankheit.

**¹Luft,** Lufthauch, Hauch, Äther, Atmosphäre, Seeluft, Landluft, Stadtluft, Bergluft, Höhenluft, Gebirgsluft, Frühlingsluft, Treibhausluft, Morgenluft, Abendluft, Abendhauch (*dichter.*), Nachtluft · Zimmerluft, Stubenluft · *gute:* frische Luft, Frischluft, Ozon · *schlechte:* verbrauchte / verräucherte / (*ugs.*) verpestete Luft, Stickluft (*ugs.*), stickige Luft, Mief (*salopp*), Muff (*ugs.*), Hecht (*ugs.*); → Firmament, → Gas, → Umweltverschmutzung, → Wind; → stickig.

**²Luft:** → Atem, → Atemluft; L. für jmdn. sein → ignorieren; jmdm. geht die L. aus → zahlungsunfähig [werden]; es herrscht dicke L. → Stimmung; jmdm. bleibt die L. weg → überrascht [sein]; gesiebte L. atmen → abbüßen; jmdn. wie L. behandeln → umgehen (mit jmdm.); frische L. hereinlassen → lüften; L. holen → atmen; seinem Herzen L. machen → mitteilen, → sprechen; frische L. schnappen gehen → spazierengehen; die L. verpesten / mit üblem Geruch erfüllen → verpesten; König der Lüfte → Adler; an der frischen L. → Natur; an die L. gehen → spazierengehen; an die frische L. setzen → hinauswerfen; etwas aus der L. greifen → lügen; aus der L. gegriffen → grundlos; sich in L. auflösen → eintreffen; an die L. gehen → ärgerlich [werden], → platzen; etwas hängt noch in der L. → ungewiß [sein]; etwas liegt in der L. → bevorstehen; in die L. stehen / ragen → abstehen; mit L. füllen → aufblasen.

**Luftalarm** → Alarm.

**¹Luftangriff,** Fliegerangriff, Bombenangriff, Bombardement, Bombardierung, Tieffliegerangriff; → Angriff.

**²Luftangriff** → Angriff.

**Luftballon,** Ballon; → Spielball.

**Luftbehandlung** → Aerotherapie.

**Luftbildkamera** → Fotoapparat.

**Luftbremse** → Bremse.

**Luftbrücke** → Hilfe.

**Lüftchen** → Wind.

**luftdicht** → undurchlässig.

**Luftdruckbremse** → Bremse.

**Luftdruckmesser** → Barometer.

**luftdurchlässig,** porös, atmungsaktiv, atmungsfreundlich; → durchlässig.

**Luftembolie** → Embolie.

**¹lüften,** frische Luft hereinlassen, auslüften, belüften, durchlüften, die Fenster öffnen / (*ugs.*) aufreißen; → Belüftung, → Luft.

**²lüften:** → heben; den Hut l. → begrüßen; den Schleier l. → aufdecken.

**Luftfahrt,** Fliegerei, Luftverkehr, Aeronautik; → Flugzeug.

**Luftgas** → Gas.

**Lufthafen** → Flugplatz.

**Lufthauch** → Wind.

**Luftheilbehandlung** → Aerotherapie.

**Luftheuler** → Feuerwerkskörper.

**luftig,** zugig, windig, böig, auffrischend, stürmisch; → Durchzug, → Wind; → stürmen, → wehen · Ggs. → windstill; → Windstille.

**Luftikus:** → Frauenheld, → Leichtfuß.

**Luftkampf** → Kampf.

**Luftkissenfahrzeug** → Verkehrsmittel.

**Luftkoffer** → Gepäck.

**Luftkrankheit** → Bewegungskrankheit.

**Luftkrieg** → Krieg.

**Luftkurort** → Kurort.

**luftleer:** -er Raum → Vakuum.

**luftlos:** -er Raum → Vakuum.

**Luftmatratze,** Campingliege, Liege; → Liege, → Liegestuhl.

**Luftpirat:** → Entführer, → Verbrecher.

**Luftpiraterie** → Kidnapping.

**Luftpostpapier:** → Briefpapier, → Schreibpapier.

**Luftraum** → Sternbild.

**Luftreifen** → Autoreifen.

**Luftreisegepäck** → Gepäck.

**Luftröhrenspiegelung** → Ausspiegelung.

**Luftschacht** → Belüftung.

**Luftschaukel** → Schiffschaukel.

**Luftscheu** → Phobie.

**Luftschiff,** Zeppelin, Ballon, Fesselballon, Freiballon, Kugelballon, Drachenballon; → Flugzeug, → Hubschrauber.

**Luftschlacht** → Kampf.

**Luftschloß,** Einbildung, Einbildungskraft, Vorstellung, Vorstellungskraft, Spekulation, Abstraktion, Theorie, Fiktion, Erdichtung, Irrealität, Unwirklichkeit, Phantasie, Auswüchse / (*abwertend*) Ausgeburt der Phantasie, Schimäre, Chimäre, Halluzination, Imagination, Täuschung, Sinnestäuschung, Bild, Vision, Gesicht, Fata Morgana, Wahn, Trugbild, Gaukelei, Gaukelspiel, Gaukelwerk, Phantom, Utopie, Hirngespinst (*abwertend*), Phantasmagorie, Illusion, Wunschtraum, Seifenblase (*ugs.*), Wolkenkuckucksheim, leerer Dunst; → Ansicht, → Betrug, → Bewußtseinstrübung, → Fata Morgana, → Gespenst, → Hokuspokus, → Lüge, → Muster, → Säuferwahnsinn, → Träumer; → unwirklich.

**Luftschutzbunker** → Bunker.

**Luftschutzraum** → Bunker.

**Luftseilbahn** → Seilbahn.

**Luftspiegelung** → Fata Morgana.

**Luftspitze** → Spitzenstickerei.

**Luftsprung** → Sprung.

**Luftstreitkräfte** → Militär.

**Lufttaxe** → Flugzeug.

**Lufttaxi:** → Flugzeug, → Taxe.

**Lufttransport** → Transport.

**Luftumwälzer** → Ventilator.

**Lüftung** → Belüftung.

**Luftverkehr** → Luftfahrt.

**Luftverschmutzung** → Umweltverschmutzung.

**Luftwurzel** → Wurzel.

**Luftzufuhr** → Belüftung.

**Luftzuführung** → Belüftung.

**Luftzug:** → Durchzug, → Wind.

**Lug:** L. und Trug → Lüge.

**¹Lüge,** Unwahrheit, Unwahres, Erfindung, Legende, Märchen, Lügenmärchen, Räuberpistole, Ammenmärchen, Dichtung und Wahrheit (*scherzh.*), Lug und Trug (*abwertend*), Bluff (*ugs., abwertend*), Schwindel (*ugs., abwertend*), Pflanz (*österr.*), Geflunker, Flunkerei, Jägerlatein, Seemannsgarn · *als Ausflucht in einer peinlichen Situation:* Notlüge; → Arglist, → Ausflucht, → Betrug, → Diebstahl, → Einbildung, → Erzählung, → Falschmeldung, → Lügenmärchen, → Verdrehung; → anführen, → lügen, → übertreiben; → erfunden, → falsch, → unredlich.

²**Lüge:** -n auftischen → lügen; jmdn. / etwas -n strafen → widerlegen.

**lugen** → blicken.

¹**lügen**, unaufrichtig sein, anlügen, belügen, das Blaue vom Himmel herunter lügen (*ugs.*), bekohlen (*ugs.*), die Unwahrheit / nicht die Wahrheit sagen, nicht bei der Wahrheit bleiben, es mit der Wahrheit nicht so genau nehmen, erfinden, erdichten, flunkern, phantasieren, zusammenphantasieren (*ugs.*), fabeln, fabulieren, spintisieren, schwindeln, beschwindeln, jmdm. etwas vorschwindeln, anschwindeln, anschmettern (*österr.*), plauschen (*österr.*), Garn spinnen (*landsch.*), Lügen auftischen, jmdm. blauen Dunst vormachen (*ugs.*), Romane erzählen, sich etwas aus den Fingern saugen, etwas aus der Luft greifen, lügen wie gedruckt (*ugs.*); lügen, daß sich die Balken biegen; kohlen (*ugs.*), krücken (*ugs., landsch.*), sohlen (*ugs., landsch.*), nicht → aufrichtig [sein]; → anführen, → betrügen, → übertreiben, → vertuschen, → vortäuschen; → falsch, → unaufrichtig, → unredlich, → unwahrscheinlich; → Lüge.

²**lügen:** ohne daß ich lüge → wahrlich.

**Lügengeschichte** → Lügenmärchen.

**lügenhaft** → unredlich.

¹**Lügenmärchen,** Lügengeschichte, Münchhauseniade; → Lüge.

²**Lügenmärchen** → Lüge.

**Luginsland** → Turm.

**Lügner,** Schwindler, Heuchler, Scheinheiliger, Tartüff; → Betrüger, → Heuchler.

**lügnerisch** → unredlich.

**Luiphobie** → Hypochondrie.

**Lukas:** → Evangelist, → Kraftspiel.

**Luke** → Fenster.

**Lukeleskäs** → Weißkäse.

**Lukotherapie** → Phototherapie.

**lukrativ** → einträglich.

**lukullisch** → üppig.

**Lulatsch:** → Mann, → Riese.

**Luller** → Schnuller.

**lullern** → urinieren.

**Lumbago,** Lumbalgie, Hexenschuß (*ugs.*), Lendenweh (*ugs.*), Lendenschmerz; → Bandscheibenschaden.

**Lumbalgie** → Lumbago.

**lumbecken** → broschieren.

**Lumberjack:** → Anorak, → Jacke.

**Lumen:** ein L. sein → Talent.

**Lumie** → Zitrone.

**Lümmel:** → Flegel, → Junge, → Penis.

**lümmelhaft** → unhöflich.

**Lümmelhaftigkeit** → Unhöflichkeit.

**lümmeln:** sich l. → räkeln (sich).

**Lump** → Schuft.

**Lumpazi** → Vagabund.

**Lumpazius** → Vagabund.

**lumpen:** → feiern; sich nicht l. lassen → freigebig [sein].

**Lumpen:** → Flicken; tanzen wie der L. am Stecken → tanzen.

**Lumpenbagage** → Abschaum.

**Lumpengesindel** → Abschaum.

**Lumpenpack** → Abschaum.

**Lumpenpapier** → Papier.

**Lumpenproletariat** → Abschaum.

**Lumpensammler:** → Straßenbahn, → Trödler.

**Lumpenwolle** → Wolle.

**Lumpi:** scharf wie Nachbars L. → begierig.

**Luna:** → Göttin, → Mond.

**Lunatismus** → Mondsüchtigkeit.

**Lunaut** → Astronaut.

**Lunch** → Mittagessen.

**Lunge:** → Eingeweide; grüne L. → Park; sich die L. aus dem Hals schreien → schreien.

**Lungenblutung** → Blutung.

**Lungenbraten** → Lendenbraten.

**Lungenembolie** → Embolie.

**Lungenfacharzt** → Arzt.

**Lungenhaschee,** Lüngerl (*bayr.*), Beuschel (*österr.*); → Fleischgericht.

**lungenkrank:** l. sein → Tuberkulose [haben].

**Lungenqualle** → Hohltier.

**Lungenschnecke** → Schnecke.

**Lungenschwindsucht** → Tuberkulose.

**Lungentuberkulose** → Tuberkulose.

**Lüngerl** → Lungenhaschee.

**lungern** → herumtreiben (sich).

**Lunte:** → Schwanz; L. riechen → vermuten.

¹**Lupe,** Vergrößerungsglas · Mikroskop; → Fernglas; → vergrößern.

²**Lupe:** mit der L. betrachten → vergrößern; jmdn. / etwas mit der L. suchen können → selten [sein]; unter die L. nehmen → prüfen; jmdn. unter die L. nehmen → beobachten.

**lupenrein** → vollkommen.

**lupfen** → heben.

¹**Lurch,** Amphibie ·· Schwanzlurch, Salamander, Alpensalamander, Feuersalamander, Riesensalamander, Olm, Grottenolm, Axolotl, Feuerbauch, Molch, Kammolch, Teichmolch, Bergmolch, Fadenmolch, Marmormolch · Froschlurch, Frosch, Wasserfrosch, Seefrosch, Moorfrosch, Grasfrosch, Laubfrosch, Springfrosch, Goliathfrosch, Ochsenfrosch, Schmuckhornfrosch, Pogge (*landsch.*), Padde (*landsch.*), Hütschke (*landsch.*), Hetsche (*landsch.*), Hetschke (*landsch.*), Gecke (*landsch.*), Kecke (*landsch.*), Lork[e] (*landsch.*), Ütze (*landsch.*), Ütsche (*landsch.*), Kröte, Krot (*bayr., österr.*), Erdkröte, Kreuzkröte, Wechselkröte, Geburtshelferkröte, Knoblauchkröte, Riesenkröte, Unke, Gelbbauchunke, Rotbauchunke.

²**Lurch** → Staubflocke.

**Lurer** → Kaffee.

**Luristan** → Orientteppich.

**Luser** → Ohr.

¹**Lust,** Vergnügen, Entzücken, Ergötzen (*geh.*), Frohlocken (*geh.*), Freude, Fröhlichkeit, Frohsinn, Lebenslust, Lebensfreude, Daseinsfreude, Vergnügtheit, Lustigkeit, Spaß, Glück, Seligkeit, Glückseligkeit, Wonne, Wollust, Sinnestaumel, Verzückung, Orgasmus, Rausch, Ekstase; → Ausgelas-

senheit, → Begeisterung, → Erregung, → Freude, → Genuß, → Heiterkeit, → Labsal, → Lebenswille, → Leidenschaft, → Rausch, → Rauschgift, → Unterhaltung, → Vorfreude; **keine L. zu etwas haben,** jmdm. steht der Kopf / der Sinn nicht nach etwas; → erfreuen, → freuen (sich).

²**Lust:** L. haben, keine L. mehr haben → bereit; jmdm. die L. nehmen [an] → ärgern, → verleiden; mit L. und Liebe dabeisein → Arbeitseifer [zeigen].

**lustbetont** → lustvoll.

**Luster** → Kronleuchter.

**Lüster** → Kronleuchter.

**lüstern** → begierig.

**Lüsternheit** → Geschlechtstrieb.

**Lustfahrt** → Fahrt.

**Lustgas** → Lachgas.

**Lustgreis** → Greis.

¹**lustig,** fröhlich, vergnüglich, froh, frohgemut, frohsinnig, heiter, stillvergnügt, sonnig, lebenslustig, lebensfroh, unkompliziert, amüsant, lebensmunter (*schweiz.*), vergnügt, vergnügungssüchtig, leichtlebig, leichtblütig, lose, locker, freudig, munter, putzmunter, aufgeräumt, fidel, quietschvergnügt, puppenlustig (*landsch.*), kregel (*nordd.*), dulliäh (*österr.*), aufgekratzt (*ugs.*), nicht → schwermütig; → aufgelegt, → entgegenkommend, → erfreulich, → feuchtfröhlich, → glücklich, → humorvoll, → kurzweilig, → lebhaft, schwungvoll, → übermütig, unbesorgt, → ungezwungen; **l. sein,** guter Dinge / belustigt / gut gelaunt / (*ugs.*) aufgedreht sein, kein Kind von Traurigkeit sein; → lachen.

²**lustig:** → humorvoll; -er Bruder / Vogel → Mensch (der); -e Figur / Person → Spaßmacher; sich l. machen über → schadenfroh [sein].

**Lustigkeit** → Lust.

**Lustknabe** → Strichjunge.

**Lüstling** → Frauenheld.

**lustlos:** → Begeisterung, → temperamentlos, → widerwillig.

**Lustlosigkeit** → Widerwille.

**Lustmolch** → Frauenheld.

**Lustmord** → Tötung.

**Lustmörder** → Mörder.

**lustrieren** → durchsuchen.

**Lustseuche** → Geschlechtskrankheit.

**Lustspiel** → Komödie.

**lustvoll,** lustbetont; → Lust · Ggs. → widerwillig.

**lustwandeln** → spazierengehen.

**luteinisierend:** -es Hormon → Hormon.

**Lutherbibel** → Bibelübersetzung.

**lutherisch:** -e Kirche → Kirche.

¹**lutschen,** im Mund / auf der Zunge zergehen lassen, zuzeln (*bayr., österr.*); → Bonbon.

²**lutschen** → saugen.

**Lutscher:** → Bonbon, → Schnuller.

**lütt** → klein.

**Lüttich,** Lièges (*franz.*); → Stadt.

**Luv,** dem Wind zugekehrte Seite · Ggs. → Lee.

**Luxation** → Verrenkung.

**luxieren** → verstauchen.

**luxuriös:** → prunkvoll, → üppig.

**Luxus** → Prunk.

**Luxusdampfer** → Fahrgastschiff.

**Luxushotel** → Hotel.

**Luxusschiff** → Fahrgastschiff.

**Luzifer** → Teufel.

**Lymphoblasten** → Blutkörperchen.

**Lymphozyten** → Blutkörperchen.

**lynchen** → bestrafen.

**Lynchmord** → Tötung.

**Lyoner** → Wurst.

**Lypemanie** → Melancholie.

**Lyra** → Zupfinstrument.

¹**Lyrik,** lyrische Dichtung · Naturlyrik, Liebeslyrik, Erlebnislyrik, Gedankenlyrik, Ausdruckslyrik, Gesellschaftslyrik, politische / geistliche / weltliche Lyrik · Marienlyrik, Minnesang, Barocklyrik, Anakreontik, Butzenscheibenlyrik (*abwertend*); → Dichtung.

²**Lyrik** → Dichtung.

**Lyriker** → Schriftsteller.

**lyrisch:** → empfindsam; -er Bariton / Tenor → Sänger; -e Dichtung → Lyrik; -er Sopran → Sängerin.

**Lyzeum** → Schule.

# M

**M** → Zahlungsmittel.

**Mäander** → Fries.

**Maat:** → Dienstgrad; [Jan M.] → Matrose.

**Machandel** → Nadelhölzer.

**Machandelbaum** → Nadelhölzer.

**Machandelbeere** → Gewürz.

**Machart,** Fasson, Machenschaft (*schweiz.*); → Herstellung.

**Mache:** → Ziererei; etwas in der M. haben → anfertigen.

¹**machen,** tun, verbrechen (*scherzh.*) · etwas mit umständlicher Sorgfalt: sich verkünsteln, sich einen abbrechen (*ugs.*) · etwas notgedrungen und widerstrebend: in den sauren Apfel beißen · etwas Überflüssiges: Eulen nach Athen tragen · etwas Unsinniges: den Bock melken (*ugs.*) · etwas Aussichtsloses: Wasser in ein Sieb schöpfen / mit einem Sieb schöpfen, eine Stecknadel in einem Heuhaufen suchen, das Faß der Danaiden füllen, das ist eine Sisyphusarbeit; → anrichten, → unternehmen; **nicht m. wollen,** nicht im Traum daran denken, sich etwas nicht im Traum einfallen lassen, etwas kommt nicht in Frage, sich nicht hergeben für / zu etwas, etwas kommt jmdm. nicht in den Sinn, etwas liegt jmdm. fern, sich zu schade / gut sein für; → Arbeit, → Wirkungsbereich; → arbeiten.

²**machen:** → anfertigen, → anrichten, → ergeben, → figurieren (als), → veranstalten, → vollführen; jmdm. zu schaffen m. → bekümmern; m., daß ... → verursachen; anschaulich / lebendig m. → veranschaulichen; bange m. → entmutigen; sich bezahlt m. → lohnend [sein]; blank m. → polieren; dunkel m. → verdunkeln; ei, ei m. → liebkosen; noch einmal m. → wiederholen; falsch m. → ausfressen; etwas falsch / verkehrt m. → verkehrt [machen]; flüssig m. → zerlassen; sich frei m. → ausziehen; etwas wieder ganz m. → reparieren; gar m. → sieden;

gefügig m. → beeinflussen;
geltend m. → berufen (sich auf);
halbpart / mit jmdm. Kippe m.
→ teilen; heiß / warm m. →
aufwärmen; sich lächerlich m.
→ bloßstellen (sich); jmdn.
lächerlich / zum Gespött m. →
kompromittieren (jmdn.); länger m. → verlängern; locker m.
→ zahlen; sich mausig m. →
frech [werden], → murren;
mobil m. → rüsten; etwas
macht jmdn. nachdenklich →
beschäftigen; nicht m. →
unterlassen; rückgängig / ungültig m. → stornieren; jmdn.
scharf / verrückt m. → reizen;
spitz m. → spitz [machen];
sich stark m. für → eintreten
(für); jmdn. stumm m. → töten; unsicher / kopfscheu /
konfus / verwirrt m. → verwirren; vertraut m. mit →
lehren; wach m. → aufwecken;
was / wieviel macht ...? →
teuer; wertlos m. → entwerten;
sich nicht m. lassen → möglich; das läßt sich nicht m. →
möglich; etwas m. → unternehmen; einen Abguß m. →
abbilden; Abitur / Matura m. →
Reifeprüfung; ein Angebot /
Gebot m. → Gebot [machen];
Anspruch / sein Recht geltend
m. auf → Anspruch [geltend
machen]; eine Aussage m. →
gestehen; jmdm. Avancen /
Hoffnungen m. → Entgegen-
kommen [zeigen]; jmds. Bekanntschaft m. → kennen-
lernen; Besorgungen / Einkäufe m. → kaufen; das Beste
aus etwas m. → bewältigen;
einen Bogen m. → abbiegen;
Camping m. → zelten; einen
Diener m. → verneigen (sich);
den Doktor m. → promovieren;
einen drauf m. → feiern; es
nicht mehr lange m. → sterben;
es sich nicht leicht m. →
gewissenhaft [sein]; mach's gut!
→ Gruß; es mit jmdm. m. →
koitieren; Essen m. → kochen;
ohne viel Federlesens zu m. →
kurzerhand; einen Fehler m. →
irren (sich), → unterlaufen;
eine glänzende / blendende
Figur m. → auffallen; keine
gute Figur m. → bloßstellen
(sich); einen Film m. → filmen;
einen Film m. über → verfilmen;

keinen Finger krumm m. →
unternehmen; sich wegen etwas
Gedanken m. → schwernehmen;
Geld aus etwas / Geld mit
etwas / ein Geschäft mit etwas
m. → kommerzialisieren; ein ...
Gesicht m. → aussehen; das
Haar m. → frisieren; einen
Haufen m. → defäkieren; eine
Impfung m. → impfen; Kasse /
Kassensturz m. → abrechnen;
sich bei jmdm. lieb Kind m. →
nähern (sich jmdm.); eine
Klage anhängig m. → prozessieren; das Kreuz / das Kreuzzeichen m. → bekreuzigen
(sich); jmdm. Kummer / Sorge
m. → bekümmern; seinen
[Meister] machen → absol-
vieren; etwas macht jmdm.
Mühe → schwerfallen; Mut m.
→ Trost [geben]; die Nacht
zum Tage m. → arbeiten; sich
einen Namen m. → bekannt
[werden]; da ist nichts zu m.
→ unabänderlich [sein]; das
macht nichts → schlimm; etwas
macht nichts → unwichtig
[sein]; sich nichts m. aus →
mögen (etwas); sich nichts aus
etwas m. → ärgern (jmdn.), →
gefallen; sich nichts daraus m.
→ mißachten; Pause m. →
unterbrechen; Pläne m. → vorhaben; den Prozeß m. →
prozessieren; einen Rechenfehler m. → verrechnen (sich);
die Rechnung ohne den Wirt
m. → irren (sich); Reklame m.
→ Werbung [treiben]; Rückschritte m. → Rückgang; ein
Rückzugsgefecht m. → zurückziehen (sich); die Runde m. →
kursieren; gemeinsame Sache
m. → paktieren; gemeinsame
Sache m. mit → konspirieren;
Schicht m. → unterbrechen;
Schluß / ein Ende m., Feierabend / einen Punkt / einen
Strich darunter m. → beenden;
mit jmdm. Schluß m. → brechen (mit jmdm.); Schmu m. →
betrügen / sparen; jmdn. zur
Schnecke m. → schelten; einen
Schritt / Tritt m. → treten;
Schule m. → nachahmen; Seitensprünge m. → untreu [sein];
sich Sorgen m. → sorgen (sich);
wenn's der Spaß macht → ja;
einen Spaziergang / eine Wanderung m. → spazierengehen;

Stielaugen m. → ansehen;
Stimmung m. → propagieren;
einen Trip m. → Rausch; ohne
viel Umstände m. → kurzerhand; einen Vertrag m. → aushandeln; jmdm. Vorwürfe m.
→ schelten; sich an etwas m. →
anfangen; sich auf den Rückweg / Heimweg / Nachhauseweg m. → zurückbegeben
(sich); m. in → verkaufen; m.
mit → bewältigen; [unter sich
m.] → austreten; m. von → abmachen.

**Machenschaft:** → Betrug, →
Machart.

**Macher** → Führungskraft.

**Macherlohn** → Preis.

**Machination** → Betrug.

**¹Macht,** Einfluß, Autorität; →
Gewalt · Ggs. → Machtlosigkeit.

**²Macht:** → Autorität, → Einfluß, → Fähigkeit; M. haben /
besitzen → mächtig [sein]; an
den Schalthebeln der M. sitzen
→ mächtig [sein]; an die M.
kommen / gelangen → Herr-
schaft; etwas steht nicht in
jmds. M. → Einfluß.

**Machtanspruch** → Machtgier.

**Machtbesessenheit** → Machtgier.

**Machtgier,** Machtstreben,
Machtbesessenheit, Machtanspruch, Machtwahn, Macht-
hunger; → Ehrgeiz, → Oberhaupt; → totalitär.

**Machthaber** → Oberhaupt.

**Machthunger** → Machtgier.

**¹mächtig,** machtvoll, allmächtig, übermächtig, stark, einflußreich, vielvermögend, hochmögend (veraltend), potent ·
Ggs. → machtlos; **m. sein,** am
Drücker sein (ugs.), die Hand
am Drücker haben, (ugs.), einen
langen Arm haben (ugs.), ein
hohes Tier sein (ugs.), an den
Schalthebeln der Macht sitzen,
Macht haben / besitzen; →
führen, → Einfluß, → Oberhaupt.

**²mächtig:** → bekömmlich, →
gewaltig, → sehr; einer Sache
m. sein → können; seiner selbst
/ seiner Sinne nicht mehr (oder:)
kaum noch m. sein → aufgeregt [sein].

**machtlos,** ohnmächtig, schwach,
hilflos, hilfsbedürftig; → an-

fällig, → arm, → ratlos · Ggs. →
mächtig; **m. sein,** jmdm. sind
die Hände gebunden; → Machtlosigkeit.

¹**Machtlosigkeit,** Einflußlosigkeit, Autoritätslosigkeit, Kraftlosigkeit, Schwäche, Ohnmacht,
Hilflosigkeit, Hilfsbedürftigkeit; → machtlos.

²**Machtlosigkeit** → Unfähigkeit.

**Machtposition,** Machtstellung,
Führungsrolle; → Autorität, →
Einfluß.

**Machtprobe** → Kraftprobe.

**Machtstellung** → Machtposition.

**Machtstreben** → Machtgier.

**machtvoll** → mächtig.

**Machtvollkommenheit** → Berechtigung.

**Machtwahn** → Machtgier.

**Machtwechsel** → Veränderung.

**Machtwort:** ein M. sprechen →
eingreifen, → streng [werden].

**Machulke** → Gefangener.

**machulle** → zahlungsunfähig.

**Machwerk** → Werk.

**Macke:** eine M. haben → verrückt [sein].

**Macker** → Geliebter.

**Mackintosh** → Mantel.

**Macramé** → Spitzenstickerei.

**Macula** → Hautblüte.

**MAD** → Geheimpolizei.

**Madam** → Dame.

**Madame** → Dame.

¹**Mädchen,** Mädel (*ugs., landsch.*), Mädle (*südd.*), Girl (*ugs.*),
Maid (*veraltet*), Schlitzbube
(Winckelmann), Mägdlein (*veraltet*), Jungfrau (*veraltend*),
Jungfer (*veraltet*), Dirn (*nordd.*),
Dirndl (*bes. bayr.*), Tochter
(*schweiz.*), Mensch (*abwertend*),
dummes Gör (*abwertend*), Biene
(*salopp*), Käfer (*ugs.*), Fratz
(*ugs.*), Motte (*ugs.*), Wucht-
brumme (*salopp*), steiler Zahn
(*salopp*), Muffe (*salopp*), Puppe
(*salopp*), Mieze (*salopp*), Katze
(*salopp, österr.*), Kleine (*ugs.*) ·
*dickliches:* Pummel (*ugs.*), Pummelchen (*ugs.*) · *sehr großes:*
Bohnenstange (*scherzh.*), lange
Latte (*salopp*) · *plumpes:* Trampel (*abwertend*), Elefantenbaby
(*abwertend*) · *halbwüchsiges:*
Backfisch, Teenager, Halbzarte
(*veraltend, scherzh.*), Schneegans, Gänschen · *überempfind-
liches:* Zimperliese · *widerspen-*

*stiges:* Kratzbürste · *unordentliches:* Huschelliese · *nicht attraktiv wirkendes und deshalb beim
Tanzen sitzenbleibendes:* Mauerblümchen · *naives:* Unschuld
vom Lande · *vom Lande:* Landpomeranze (*abwertend*) · *meist
minderjähriges, das in sexueller
Hinsicht [nach bürgerlichen Mo-
ralvorstellungen] auf die schiefe
Bahn geraten ist:* gefallenes
Mädchen (*veraltet, abwertend*) ·
*sexuell frühreifes:* Lolita · *knabenhaft schlankes:* Amazone ·
*enttäuschendes:* Pißnelke (*vulgär*) · *das sich bei sexuellen Kon-
takten dem Koitus entzieht:*
Demi-vierge · *unverträgliches:*
Meckerliese · *weinendes:* Heulsuse, Heulliese · *vorlautes:*
Jungfer Naseweis (*scherzh.,
veraltend*); → Dummkopf, →
Frau, → Ehefrau, → Geliebte,
→ Go-go-Girl, → Kind, →
Mensch, → Schlafmütze · Ggs.
→ Junge, → Jüngling.

²**Mädchen:** → Hausangestellte;
leichtes M. → Prostituierte;
altes / spätes M. → Frau; M. für
alles → Diener; allen M. nachlaufen → Frauenheld.

**mädchenhaft** → jugendlich.

**Mädchenhandel** → Menschenhandel.

**Mädchenhirt** → Zuhälter.

**Mädchenkleid** → Kleid.

**Mädchenname** → Familienname.

**Mädchenzimmer** → Raum.

**Made:** → Larve; wie die M. im
Speck leben → leben; -n haben
→ ungenießbar [sein].

**Madeira** → Wein.

**Mädel** → Mädchen.

**Mademoiselle** → Fräulein.

**madig:** → ungenießbar; m. machen → schlechtmachen, →
verleiden.

**Madison** → Tanz.

**Madjar** → Ungar.

**Mädle** → Mädchen.

**Madonna,** Mutter Gottes, Got-
tesmutter, Gnadenmutter,
[Jungfrau] Maria, Unsere Liebe
Frau, die Heilige Jungfrau,
Himmelskönigin, Meerstern ··
*über den Tod Christi trauernde:*
Schmerzensmutter, Mater dolo-
rosa; → Heiland, → Gott, →
Gottheit, → Trinität, → Ves-
perbild.

**Madonnenlilie** → Liliengewächs.

**Madraskaro** → Stoffmuster.

**Madrigal** → Lied.

**maestoso** → majestätisch.

**Magazin:** → Warenlager, →
Zeitschrift.

**Magazinarbeiter** → Lagerverwalter.

**Magaziner** → Lagerverwalter.

**Magazineur** → Lagerverwalter.

**magazinieren** → lagern.

**Magazinierung** → Lagerung.

**Magazinsendung:** → Fernsehsendung, → Rundfunksendung.

**Magazinverwalter** → Lagerverwalter.

**Magd,** Stallmagd, Großdirn
(*bayr.*), Dirn (*bayr.*), Landarbeiterin; → Personal · Ggs.
→ Knecht.

**Mägdlein** → Mädchen.

¹**Magen,** Ventrikulus, Gaster,
Stomachus; **mit leerem M.,**
auf nüchternen Magen, nüchtern, ungefrühstückt (*ugs.*),
ohne etwas gegessen zu haben;
→ Gastritis, → Magengrube;
**sich den M. verderben,** sich den
Magen verkorksen (*ugs.*); →
verdauen.

²**Magen:** → Innereien; einen leeren M. / noch nichts im M. haben → essen; jmdm. knurrt der
M. → Hunger [haben]; jmds.
M. streikt → satt [sein]; jmdm.
dreht sich der M. um → angeekelt [sein]; jmdm. den M. rein
machen → schelten; jmdm.
[schwer] im M. liegen → bekümmern; jmdn. im M. haben →
hassen; schwer / wie Blei im M.
liegen → bekömmlich.

**Magenblutung** → Blutung.

**Magen-Darm-Entzündung** →
Gastritis.

**Magendrücken** → Kolik.

**Magendrüsenentzündung** → Gastritis.

**Magengekröse** → Eingeweide.

**Magengericht:** Leib- und M. →
Lieblingsspeise.

¹**Magengeschwür,** Ulkus, Ulcus;
→ Abszeß, → Gastritis.

²**Magengeschwür** → Geschwür.

**Magengrube,** Epigastrium,
Oberbauchgegend; → Bauch,
→ Magen.

**Magenkatarrh** → Gastritis.

**Magenschleimhautentzündung**
→ Gastritis.

443

Magensenkung → Eingeweidesenkung.

Magenspiegelung → Ausspiegelung.

mager: → schlank, → unfruchtbar.

Magerkeit: → Kargheit, → Schlankheit.

Magermilch → Milch.

Maggikraut → Küchengewürz.

Magie → Zauberei.

Magier: → Artist, → Zauberer.

magisch: → okkult; -e Formel, -es Zeichen → Zaubermittel.

Magister → Lehrer.

Magistrat: → Amt, → Minister.

Magnat → Großgrundbesitzer.

Magnet → Köder.

Magnetaufzeichnung → Sendung.

Magnetbildaufzeichnung → Aufzeichnung.

Magnetismus → Anziehungskraft.

Magnetkartei → Kartei.

Magnetkissenzug → Verkehrsmittel.

Magnetmine → Mine.

Magnetophon → Tonbandgerät.

Magnifizenz: → Rektor; [Eure M.] → Anrede.

Magot → Affe.

Magrello → Mutter.

Magyar → Ungar.

mahagonibraun → braun.

mahagonifarben → braun.

mahagonirot → rot.

Mahd → Bergwiese.

¹mähen, abmähen, schneiden, abschneiden, abmachen (landsch.), sicheln; → ernten; → Ernte, → Sense.

²mähen: → Laut.

Mahl → Essen.

¹mahlen, ausmahlen, zu Mehl verarbeiten, zerkleinern; Kaffee m., [Kaffee] reiben (österr.); → zermahlen; → Windmühle.

²mahlen: → kauen; gemahlenes Fleisch → Hackfleisch.

Mahlzahn → Zahn.

Mahlzeit: → Essen, → Gruß.

Mähne → Haar.

¹mahnen, ermahnen, abmahnen, anhalten, erinnern, jmdm. etwas ins Gedächtnis rufen, jmds. Gedächtnis auffrischen, gemahnen; → abraten, → aufrütteln, → beanstanden, → beeinflussen, → bitten, → erin-

nern (sich), → gemahnen, → zuraten; → Ermahnung.

²mahnen: -d → nachdrücklich.

Mahnruf → Aufruf.

Mahnung: → Anzeichen, Aufruf, → Ermahnung, → Warnung.

Mähre → Pferd.

¹Mai, Wonnemond, Weidemonat; → Monat, → Zeitraum.

²Mai: 1. M. → Feiertag.

Maibowle → Gewürzwein.

Maid → Mädchen.

Maidismus → Pellagra.

Maifeiertag → Feiertag.

Maifisch → Fisch.

Maifrost → Kälte.

Maiglöckchen → Liliengewächs.

Mailand, Milano (ital.); → Stadt.

Mailänder: M. Spitze → Spitzenstickerei.

Main: Frankfurt am M. → Frankfurt.

Mainliner → Rauschgiftsüchtiger.

Mainlining → Einspritzung.

Mainmetropole → Frankfurt.

Mainz, das goldene Mainz, Gutenbergstadt, Landeshauptstadt [von Rheinland-Pfalz].

Mainzelmännchen → Zwerg.

¹Mais, Kukuruz (österr.), Türkenweizen (österr.), Türken (österr.) · als Gericht: Polenta · gerösteter: Röstmais, Puffmais, Popcorn · in Form von Flocken: Corn-flakes; → Getreide, → Getreideflocken.

²Mais: M. machen → unzugänglich [sein].

Maiser → Italiener.

Maisflocken → Getreideflocken.

maisgelb → gelb.

Maisonette → Wohnung.

Maiß → Wald.

Maisstärke → Stärke.

Maisvergiftung → Pellagra.

Maiszünsler → Schmetterling.

Majestät: → Gotteseigenschaften, → Vornehmheit; Euer M. → Anrede.

¹majestätisch, würdevoll, gemessen, gravitätisch, hoheitsvoll, königlich, feierlich, mit feierlichem Ernst, pastoral · in der Musik: maestoso; → erhaben, → ruhig.

²majestätisch → schön.

Majolika → Steingut.

Major → Dienstgrad.

Majoran → Gewürz.

majorenn → volljährig.

majorisieren → unterdrücken.

Majorität → Mehrheit.

Majuskel → Buchstabe.

Majuskelschrift → Schrift.

makaber, düster, schaudererregend, grauenerregend, grauenvoll, gespenstisch, todesdüster; → gespenstisch, → schrecklich, → unheimlich.

¹Makel, Schandfleck, Verunzierung; → Anrüchigkeit, → Mangel.

²Makel → Anrüchigkeit.

makellos: → lauter, → vollkommen.

Makellosigkeit: → Sauberkeit, → Untadeligkeit.

mäkeln → beanstanden.

Make-up: → Puder, → Schminke.

Maki → Affe.

Makkaroni: → Italiener, → Teigwaren.

Makkaronifresser → Italiener.

Makler → Vermittler.

Mäkler → Vermittler.

mäklig → wählerisch.

Mako → Stoff.

Makrocheilie → Großwuchs.

Makrocheirie → Großwuchs.

Makrochirie → Großwuchs.

Makrodaktylie → Großwuchs.

Makroklima → Klima.

Makrokosmos → Weltall.

Makromastie → Großwuchs.

Makromelie → Großwuchs.

Makrone → Gebäck.

Makropodie → Großwuchs.

Makrorhinie → Großwuchs.

Makrosomatie → Großwuchs.

Makrosomie → Großwuchs.

Makrotie → Großwuchs.

Makulatur: M. reden → sprechen.

mal: m. müssen → austreten; verdammt / verflucht noch m.!, zum Teufel noch m.! → verflucht.

Mal: → Narbe; ein oder das andere M. → manchmal; mit einem M. → plötzlich; von M. zu M. → binnen; zum ersten M. benutzen → gebrauchen.

Malachit → Schmuckstein.

Malachiteule → Schmetterling.

malade → krank.

Malaga → Wein.

Malagueña → Tanz.

Malaienbär → Bär.

Malaise → Not.

Malbuch → Heft.

Mal della rosa → Pellagra.

Mal del sole → Pellagra.

Maleachi → Prophet.

Malefizkerl → Draufgänger.

¹malen, pinseln · *unsauber:* klecksen (*abwertend*), schmieren (*abwertend*) · *mit Wasserfarben:* aquarellieren · *ein Porträt:* porträtieren; → anmalen, → schminken, → streichen, → zeichnen; → Bild, → Malerei.

²malen: → schreiben; wie gemalt → schön; gemalt von → von; etwas in den düstersten / in schwarzen / in den schwärzesten Farben m. → schildern.

¹Maler, Tüncher (*bes. südd.*), Anstreicher (*landsch.*), Tapezierer, Gipser (*schwäb.*), Weißbinder (*landsch.*), Weißer (*rhein.*), Weißeler (*südd.*), Anklatscher (*hamburg., scherzh.*), Eisenwichser (*ugs.*); → Raumausstatter, → Renovierung; → anmalen, → streichen.

²Maler: → Kunstmaler; naiver M. → Kunstmaler.

Malerei, Gemälde, Bildwerk, Bemalung · *in Wasserfarben:* Aquarell · *in Ölfarben:* Ölbild, Ölgemälde · *in Wasserdeckfarben in Verbindung mit Bindemitteln:* Guasch, Gouache · *auf frischem Kalkmörtel:* Fresko, Freske · *in Pastellfarben:* Pastell · *zierliche, kleine:* Miniatur · *an der Wand:* Wandmalerei · *an der Decke:* Deckengemälde · *im Freien:* Freilichtmalerei, Pleinairmalerei ··· *in den verschiedenen Epochen:* karolingisch-ottonische Malerei, romanische Malerei, gotische Malerei, Renaissancemalerei, Barockmalerei, Rokokomalerei, klassizistische Malerei, romantische Malerei ·· *moderne* Malerei · Impressionismus, Pointillismus, Neoimpressionismus, Kubismus, Jugendstil, Symbolismus, Expressionismus, Fauvismus, Orphismus, Futurismus, Kubismus, Dadaismus, Konstruktivismus, Surrealismus, naive Malerei, phantastischer Realismus, abstrakte /

gegenstandslose / gegenstandsfreie / ungegenständliche / nonfigurative / absolute / konkrete Kunst, sozialistischer Realismus, Neue Sachlichkeit, informelle Kunst, Tachismus, Minimal art, Pop-art, Op-art, Hard edge, kinetische Kunst, Art brut, Action-painting; → Andachtsbild, → Bild, → Bildnis, → Farbkasten, → Felszeichnung, → Kritzelei, → Kunstmaler, → Maler, → Maltechnik, → Zeichner; → malen, → zeichnen.

Malerleim → Bindemittel.

Malermodell → Fotomodell.

Malerroman → Roman.

Malerstaffelei → Sternbild.

Malheft → Heft.

Malheur → Unglück.

Malice → Arglist.

maligne: → böse; -r Tumor → Geschwulst.

Malines → Spitzenstickerei.

maliziös: → böse, → schadenfroh.

Malkasten → Farbkasten.

Malkreide → Kreide.

malnehmen → multiplizieren.

Malnehmen → Rechenverfahren.

Malstift → Zeichenstift.

Maltechnik ··· *in bezug auf den Untergrund:* Tafelmalerei, Glasmalerei, Porzellanmalerei, Tonmalerei, Emailmalerei, Holzmalerei, Ledermalerei ·· Wandmalerei · *auf frischem Kalkputz mit Wasserfarben:* Freskomalerei · *auf trockenem Kalkputz mit Wasserfarben:* Seccomalerei ··· *in bezug auf Farben:* Ölmalerei, Temperamalerei, Aquarellmalerei, Pastellmalerei, Tuschmalerei ·· *in Wasserdeckfarben in Verbindung mit harzigen Bindemitteln:* Gouachemalerei ·· *in grauen Farben:* Grisaillemalerei ·· *in mit Wachs gebundenen Farben:* Enkaustik (*hist.*); → Malerei.

Malter → Beton.

Malteser: → Hunderassen, → Ritter.

Malteserkreuz → Kreuzzeichen.

Malteserritter → Ritter.

Malteserspitze → Spitzenstickerei.

malträtieren → schikanieren.

Malvasier → Wein.

malvenfarbig → violett.

Malventee → Tee.

Malz: bei jmdm. ist Hopfen und M. verloren → nutzlos [sein].

Malzbier → Bier.

Malzkaffee → Kaffee.

Mama → Mutter.

Mambo → Tanz.

Mamertus: M., Pankratius, Servatius → Eisheilige.

Mami → Mutter.

Mamilla → Brustwarze.

Mamille → Brustwarze.

Mammon: → Geld, → Vermögen; schnöder M. → Geld; dem M. frönen → habgierig [sein].

Mammut-: → Erz-.

Mammutbaum → Nadelhölzer.

mampfen → essen.

Mamsel: kalte M. → Koch.

Mamsell → Fräulein.

man: → eben; man öffnet die Tür → passiv.

Mänade, Bacchantin; → Rachegöttin.

¹managen (jmdn.), groß herausbringen, lancieren, aufbauen, betreuen; → Betreuer.

²managen → bewerkstelligen.

¹Manager, Boß, Wirtschaftskapitän, Wirtschaftsführer, Topmanager, Industriekapitän; → Arbeitgeber.

²Manager: → Betreuer, → Führungskraft.

Managerkrankheit, Nervosität, Streß; → Krankheit; → umweltgeschädigt.

mancherlei → allerlei.

manches → allerlei.

Manchester → Stoff.

¹manchmal, gelegentlich, von Zeit zu Zeit, ab und zu, ab und an, hin und wieder, zuzeiten, dann und wann, zuweilen, bisweilen, vereinzelt, fallweise (*österr.*), hier / (*oberd.*) hie und da, ein oder das andere Mal, mitunter; → eigens, → verstreut, → vorübergehend.

²manchmal → oft.

Mandant → Kunde.

Mandarine · *kernlose:* Klementine, Satsuma; → Apfelsine, → Pampelmuse, → Südfrucht, → Zitrone.

Mandarinente → Vogel.

mandarinorange → orange.

Mandat → Gebiet.

**Mandatar** → Abgeordneter.

**Mandatsgebiet** → Gebiet.

**Mandel** → Stück.

**Mandelentzündung** → Halsentzündung.

**Mandelkartoffeln** → Kloß.

**Mandelmuster** → Stoffmuster.

**Mandoline** → Zupfinstrument.

**Mandorla** → Heiligenschein.

**Mandragola** → Alraune.

**Mandragora** → Alraune.

**Mandragore** → Alraune.

**Mandrill** → Affe.

**Manen** → Hausgötter.

**Mange** → Bügelmaschine.

**¹Mangel**, Nachteil, Schönheitsfehler *(scherzh.)*, Schwäche, Defekt, Fehler, Macke *(ugs.)*, Schaden, Lücke, Desiderat, Manko, Verlegenheit, Unterlegenheit, Verlust, Verlustgeschäft, Minus, Flaute, Ausfall, Einbuße, Ebbe; → Armut, → Beschädigung, → Fehlbetrag, → Fehler, → Guthaben, → Makel, → Not, → Unfähigkeit, → Unvollständigkeit, → Unvollständigkeit, → Unzulänglichkeit, → Zahlungsunfähigkeit; → einbüßen; → ungünstig · Ggs. → Vorteil, → Vorzug.

**²Mangel** (der): → Armut, → Hungersnot, → Nachholbedarf; M. an Feingefühl → Taktlosigkeit; M. an Selbstbeherrschung → Ungezügeltheit; M. haben an → mangeln.

**³Mangel** (die): → Bügelmaschine; durch die M. drehen → besprechen; jmdn. in die M. nehmen → zusetzen (jmdm.).

**mangelbar** → unzulänglich.

**mangelhaft** → unzulänglich.

**Mangelhaftigkeit** → Unzulänglichkeit.

**¹mangeln**: etwas mangelt / fehlt / gebricht jmdm. / *(ugs.)* geht jmdm. ab, etwas nicht haben, etwas ist Mangelware, einer Sache ermangeln, Mangel haben an, vermissen, missen, entbehren; → brauchen; → Nachholbedarf [haben].

**²mangeln**: → bügeln; -de Arbeitsmoral → Faulheit; -de Konzentration / Sammlung → Zerstreutheit; -de Sorgfalt → Nachlässigkeit; es mangelt an → hapern.

**Mängelrüge** → Einspruch.

**Mangelware**: etwas ist M. → mangeln.

**mangen** → bügeln.

**Mangold** → Gemüse.

**Mangrovenküste** → Ufer.

**Manhattan** → Textilstrand.

**Manie** → Neigung.

**¹Manier**, Stil, Art, [Art und] Weise, Form, Zuschnitt, Masche *(salopp)*; → Ausdrucksweise; → Trick.

**²Manier**: -en → Benehmen; keine -en haben → unhöflich [sein].

**manieriert** → geziert.

**Manieriertheit** → Geziertheit.

**manierlich** → artig.

**manifest** → offenbar.

**Manifest** → Programm.

**Manifestant** → Demonstrant.

**Manifestation**: → Demonstration, → Voraussage.

**¹Maniküre**, Handpflege, Nagelpflege; → Kosmetik · Ggs. → Pediküre.

**²Maniküre** → Kosmetik.

**Manipulant** → Hilfskraft.

**Manipulation**: → Betrug, → Handhabung.

**Manipulationsgebühr** → Bearbeitungsgebühr.

**manipulieren** → lenken.

**manisch** → gemütskrank.

**manisch-depressiv** → gemütskrank.

**Manko**: → Fehlbetrag, → Mangel.

**¹Mann**, Herr, Er, [gestandenes] Mannsbild, Mannsperson, Mannsstück *(abwertend)*, Kerl *(abwertend)*, Fritze *(abwertend)*, Bursche *(ugs., abwertend)*, Bruder *(ugs., abwertend)*, Dingerich *(salopp)*, Scheich *(salopp, scherzh.)*, Emton *(salopp, berlin.)*, Ihmchen *(salopp, berlin.)*, Jenner *(salopp, berlin.)* ·· *feiner, vornehmer:* Grandseigneur, Gentleman, Kavalier, Mann von Welt, Weltmann, Gesellschafter ·· *junger:* Jüngling, Jungmann, Bursch[e], Twen, Jugendlicher, Minderjähriger, Heranwachsender, Halbstarker *(abwertend)*, Schlurf *(abwertend, österr.)*, Halbwüchsiger, junger Mensch / Mann / Herr / *(ugs.)* Kerl / *(ugs.)* Spund / *(ugs.)* Dachs, Fant *(abwertend)*, Laffe *(abwertend)* · *junger, vom Glück begünstigter:* Glückskind, Son-

nyboy ·· *alter:* Greis, Opa *(ugs.)*, Zittergreis *(ugs.)*, Tattergreis *(salopp, abwertend)*, Tapergreis *(salopp, abwertend)*, Tatl *(salopp, abwertend, österr.)*, alter Knacker / Kracher *(salopp, abwertend)*, Kraut[er]er *(salopp, abwertend)*, Zausel *(salopp, abwertend)*, Stubben *(salopp, abwertend)*, Mummelgreis *(salopp, abwertend)*, Mümmelgreis *(salopp, abwertend)*, Jubelgreis · *sexuell noch sehr interessierter:* Tätschelgreis, Lustgreis, Lebegreis ·· *großer und kräftiger:* Riese, Hüne, Koloß, Gigant, Kleiderschrank *(scherzh.)*, ein Kerl wie ein Baum *(ugs.)* · *sehr großer:* Riese, Goliath, Lulatsch *(salopp)*, langer Laban *(ugs.)*, langes Elend / Ende / Laster *(salopp)*, lange Latte *(salopp)*, Schlaks *(ugs.)*, Bohnenstange *(scherzh.)* · *kräftiger:* Kraftmensch, Naturbursche, Herkules, Athlet, Athletiker, Kraftmeier *(ugs.)*, Muskelprotz *(ugs., abwertend)*, Rummelboxer *(salopp, abwertend)*, Kraftlackel *(ugs., österr.)* ·· *mit kurzen Beinen und langem Rumpf:* Sitzriese ·· *kleiner:* Zwerg, Gartenzwerg, abgebrochener Riese *(ugs., scherzh.)*, Liliputaner, Pygmäe, Gnom, Däumling, Wicht, Knirps *(ugs.)*, Stöpsel *(ugs.)* ·· *ungezogener, unhöflicher:* Flegel, Rüpel, Lümmel, Schnösel *(salopp, nordd.)*, Stiesel *(salopp, nordd., ostd.)*, Rowdy, Radaubruder, Rabauke *(salopp)*, Lackel *(südd., österr.)*, Strolch, Baubudenrülps *(derb, landsch.)*, Gfrast *(ugs., abwertend, österr.)* ·· *liederlicher, oberflächlicher:* Liederjan *(abwertend)*, Leichtfuß, Luftikus, Windhund, Haderlump *(österr.)* ·· *bei Frauen erfolgreicher:* Frauenheld, Frauenliebling, Belami, Lebemann, Playboy, Suitier, Bonvivant, Verführer, Herzensbrecher, Hurenbock *(derb)*, Bock *(derb)*, Poussierstengel *(salopp)*, Wüstling, Roué, Schürzenjäger, Schwerenöter, Weiberheld *(ugs.)*, Casanova, Don Juan ·· *lüsterner:* Faun ·· *impotenter:* Impotenzler *(bes.*

*österr.)* ·· *schöner:* Schönling, Adonis, Beau, Paris, Schmalzdackel (*abwertend*), Feschak (*österr.*) ·· *in sich selbst verliebter:* Narziß ·· *dicker:* Dicker, Dickwanst (*abwertend*), Dickbauch (*abwertend*), Brocken (*ugs.*), Bröckerl (*ugs., österr.*), Blader (*abwertend, österr.*) ·· *armer:* Bettler, Clochard, Hungerleider, [armer] Schlucker, armer Teufel, Habenichts, Besitzloser, Mittelloser, Schnorrer (*abwertend*), Klinkenputzer (*abwertend*); → Vagabund ·· *knausriger, geiziger:* Geizkragen, Geizhals, Knauser (*ugs.*), Knicker, Knickstiebel (*ugs., bes. berlin.*) ·· *aufdringlicher, lästiger:* Gewandlaus (*ugs., österr.*) ·· *mürrischer:* Brummbär, Knurrhahn, Griesgram, Murrkopf, Giftnickel, Giftzwerg, Bullenbeißer (*salopp*) ·· *langweiliger:* Muffel (*ugs.*), Miesepeter (*ugs.*), Nieselpriem (*bes. berlin.*), Fadian (*österr.*) ·· *hinterlistiger:* Heimtücker (*landsch.*), Hinterrücksler (*schweiz.*), falscher Fünfziger / (*berlin.*) Fuffziger (*ugs.*) ·· *unangenehmer:* mieser Typ (*salopp, abwertend*), fieser Kerl (*salopp, abwertend*), Widerling (*salopp, abwertend*) ·· *feiger:* Drückeberger, Angsthase, Hasenherz, Hasenfuß, Bangbüx (*nordd.*), Traumined (*ugs., österr.*), Feigling, Waschlappen (*ugs., abwertend*), Schlappschwanz (*abwertend*), Flasche (*salopp, abwertend*), Dädl (*südd., österr.*), Tattedl (*abwertend, österr.*) ·· *unverheirateter:* Junggeselle, Hagestolz, Einspänner (*ugs.*), Weiberfeind ·· *vorbildlicher:* Musterknabe (*iron.*) ·· *als Schimpfwort:* Salzknabe, Sackaffe, Witzfigur ·· *der sich gern [von Frauen] bedienen läßt:* Pascha ·· *in bezug auf das Verhältnis zu seinem Hund:* Herrchen · *der sich neben jmdm. befindet:* Nebenmann, Nachbar · *der in einer angetretenen Formation am weitesten außen steht:* Flügelmann; → Draufgänger, → Dummkopf, → Homosexueller, → Körperbautypen, Prachtexemplar, → Sportler, → Strichjunge · Ggs. → Frau.

²**Mann:** → Ehemann; der böse / schwarze M. → Schreckgestalt; der einfache / gemeine / kleine M., der M. auf der Straße → Durchschnittsbürger; der erste M. an der Spritze sein → maßgeblich [sein]; freier M. → Fußballspieler; junger M. → Jüngling; der kleine M. → Penis; reicher M. → Reicher; der schwarze M. → Schornsteinfeger; zornige junge Männer → Lost generation; zweiter M. → Stellvertreter; M. der Feder → Schriftsteller; M. der Wissenschaft → Gelehrter; M. am Klavier → Pianist; Männer in Weiß → Arzt; M. von Welt → Gentleman; M. und Frau → Ehepaar; M. und Frau sein, jmds. M. sein → verheiratet; ein M. sein → ruhig [sein]; ein gemachter M. sein → Profit [machen]; ein alter M. ist [doch] kein D-Zug! → ruhig; ein M. in den besten Jahren sein → älter [sein]; geschlossen wie ein M., mit M. und Maus → alle; keinen M. abbekommen / kriegen → heiraten; einen kleinen M. im Ohr haben → verrückt [sein]; den lieben Gott einen guten M. sein lassen → leben; den wilden M. spielen → ärgerlich [sein]; seinen M. stehen / stellen → tüchtig [sein]; wenn Not am M. ist → Ausnahmefall; an den M. bringen → verheiraten, → verkaufen, → verkuppeln; M. an M. → voll; unter Männern → Zimperlichkeit; von M. zu M. → vertraulich; bis zum letzten M. → alle; bis zum letzten M. kämpfen → verteidigen (sich).

**mannbar** → geschlechtsreif.

**Mannequin,** Modell, Model, Vorführdame, Topgirl, Spitzenmodell, Topmodell · *männliches:* Dressman; · Fotomodell.

**Männer** (die), die Herrenwelt, die Herren der Schöpfung (*iron.*), das starke Geschlecht; → Mann · Ggs. → Frauen (die).

**Männerchor** → Chor.

**Männerfang:** auf M. gehen → anbandeln (mit).

**Männerfreund** → Homosexueller.

**Männerfreundschaft** → Homotropie.

**Männerhaß** → Misandrie.

**Männerheilkunde** → Heilkunde.

**Männerorden** → Mönchsorden.

**Männerscheu** → Misandrie.

**Mannesalter** → Lebensalter.

**Manneskraft:** → Fähigkeit; der M. berauben → kastrieren.

**Mannesschwäche** → Impotenz.

**mannhaft** → mutig.

**Mannheim,** Quadratestadt, Rhein-Neckar-Metropole; → Stadt.

**mannigfach** → mannigfaltig.

**mannigfaltig,** mannigfach, vielfältig, vielgestaltig, vielförmig, verschiedenartig; → allerlei, → kurzweilig; → Vielfalt.

**Mannigfaltigkeit** → Vielfalt.

¹**männlich,** maskulin, viril, nicht → weiblich; → athletisch, → geschlechtsreif · Ggs. → zwittrig.

²**männlich:** -e Entspannung → Samenerguß; -es Glied → Penis.

**Männlichkeit** → Penis.

**Mannsbild** → Mann.

¹**Mannschaft,** Gemeinschaft, Bruderschaft, Gruppe, Kollegium, Ensemble, Equipe, Team, Crew, Kollektiv, Brigade, Partie (*österr.*), Korps · *einsatzbereite bei Heer und Feuerwehr:* Pikett (*schweiz.*) · *mit zwei Personen:* Duo · *mit drei Personen:* Trio, Kleeblatt, Dreigespann, Troika · *mit vier Personen:* Quartett · *mit fünf Personen:* Quintett · *mit sechs Personen:* Sextett · *mit sieben Personen:* Septett · *beim Fußball:* Elf · *von Experten:* Braintrust; → Abteilung, → Anhänger, → Bande, → Herde, → Menge, → Schiffsbesatzung.

²**Mannschaft** → Schiffsbesatzung.

**Mannschaftskapitän** → Leiter (der).

**mannshoch** → groß.

**Mannsperson** → Mann.

**Mannsstück** → Mann.

**Mannstollheit,** Nymphomanie, Andromanie, Ovariomanie, Metromanie, Östromanie; → Geschlechtstrieb, → Leidenschaft; → lebenshungrig · Ggs. → Weibstollheit.

**Mannweib** → Frau.

**Mannweibheit** → Zwittertum.

mannweiblich → zwittrig.

Mannweibtum → Zwittertum.

manoli: m. sein → verrückt [sein].

Manometer → überrascht [sein].

¹Manöver, militärische Übung, Gefechtsübung, Türk (schweiz.), Türgg (schweiz.); → Militär.

²Manöver → Handhabung.

Manöverkritik: M. üben → überprüfen.

manövrieren → steuern.

Mansarddach: M. mit Schopf / M. mit Fußwalm → Dach.

Mansarde: → Raum, → Wohnung.

Mansardendach → Dach.

Mansardenwohnung → Wohnung.

Mansardenzimmer → Raum.

Mansardgiebeldach → Dach.

Mansardwalmdach → Dach.

Mansch → Schlamm.

Manschette → Aufschlag.

Manschetten: M. haben → Angst [haben].

Manteau → Mantel.

¹Mantel, Überzieher, Überrock, Paletot, Manteau, Covercoat, Slipon, Rockelor, Ulster, Stutzer (veraltet), Chesterfield, Hänger, Redingote, Reisemantel, Ballonmantel, Gabardinemantel, Popelinmantel, Trenchcoat, Dufflecoat, Staubmantel, Übergangsmantel, Frühjahrsmantel, Sommermantel, Wintermantel, Pelzmantel, Plüschmantel, Ledermantel, Wildledermantel, Lammfellmantel, Knautschlackmantel, Minimantel, Midimantel, Maximantel, Abendmantel, Damenmantel, Herrenmantel, Kindermantel · Lodenmantel, Hubertusmantel (österr.) · für den Regen: Regenmantel, Regencape, Regenhaut, Gummimantel, Mackintosh, Wettermantel, Wetterfleck (bes. österr.), Ölzeug · der Soldaten: Soldatenmantel, Militärmantel, Kaput (schweiz.) · der Griechen in der Antike: Chlamys; → Kleidung; ohne M. gehen, per Taille gehen (nordd.), blank gehen (südd., österr.); → Umhang.

²Mantel: mit dem M. der christlichen Nächstenliebe zudecken / bedecken → vertuschen; den M. nach dem Wind hängen → Opportunist [sein].

Mantelmöwe → Vogel.

Mantelpavian → Affe.

Mantille → Umhang.

Manual: → Rechnungsbuch, → Tastatur.

Manuale → Verzeichnis.

manuell, mit der Hand, hand..., händisch (österr.), von Hand · Ggs. → maschinell.

Manufaktur → Fabrik.

Manus → Skript.

¹Manuskript, Papier, Paper, Text, Textvorlage, Handout; → Skript.

²Manuskript: → Skript, → Text.

Manustupration → Selbstbefriedigung.

Manxkatze → Katzenrassen.

Maoismus → Marxismus.

Maoist → Sozialist.

maoistisch → kommunistisch.

Mappe: → Aktentasche, → Schultasche.

Maquis → Widerstandsbewegung.

Maquisard → Partisan.

Marabu → Vogel.

Maraca → Rassel.

Maräne → Fisch.

Marathon → Tagung.

Marathon-: → lange.

Marathonlauf → Lauf.

Marathonrede → Rede.

Marathonsitzung → Tagung.

March → Grenze.

¹Märchen, Volksmärchen, Kindermärchen, Kunstmärchen, Feenmärchen; → Erzählung, → Literatur.

²Märchen: → Erzählung, → Lüge.

Märchenfilm → Kinofilm.

märchenhaft → außergewöhnlich.

Märchenland → Fabelland.

Märchenplatte → Schallplatte.

Märchenspiel → Schauspiel.

Marder: → Pelz, → Raubtier, → Wild.

-marder → Dieb.

mären → langsam [arbeiten].

Marende → Zwischenmahlzeit.

Marengo → Stoff.

Margareta → Nothelfer.

Margarethenspitze → Spitzenstickerei.

Margarine → Fett.

Margelan → Orientteppich.

Marginalexistenz → Außenseiter.

Marginalie → Anmerkung.

Maria: → Madonna; Mariä Empfängnis / Geburt / Himmelfahrt / Lichtmeß / Namensfest / Verkündigung / Heimsuchung → Marienfest; Mariä Himmelfahrt → Feiertag; M. Johanna → Rauschgift; Mariä Lichtmeß → Lichtmeß.

Mariage: → Ehe, → Kartenspiel.

Marianne → Frankreich.

Marie → Geld.

Marie-Krankheit → Großwuchs.

Marienfäden → Altweibersommer.

Marienfest · Mariä Empfängnis (8. Dezember) · Mariä Geburt (8. September) · Mariä Namensfest (22. September) · Mariä Verkündigung (25. März) · Mariä Heimsuchung (2. Juli), Mariä Lichtmeß (2. Februar), Mariä Himmelfahrt (15. August), Rosenkranzfest (7. Oktober); → Kirchenfest, → Kirchenjahr.

Marienkäfer, Marienwürmchen, Muttergotteskäfer, Jungfernkäfer (österr.), Herrgottskäfer, Herrgottstierchen, Johanniskäfer, Barbuttkäfer (ostmitteld.), Muhkälbchen (hess.), Marienkuh (landsch.), Osterkälbchen (landsch.), Glückskäfer, Siebenpunktkäfer; → Glühwürmchen; → Insekt.

Marienkuh → Marienkäfer.

Marienlyrik → Lyrik.

Marienwürmchen → Marienkäfer.

Marihuana → Rauschgift.

Marihuanaraucher → Raucher.

Marille → Aprikose.

Marillenknödel → Kloß.

Marine: der M. angehören, bei der M. sein → Seemann [sein].

marineblau → blau.

Mariner → Matrose.

Marionette, Gliederpuppe, Drahtpuppe, Gelenkpuppe; → Handpuppe, → Kasper, → Puppentheater.

Marionettenregierung → Regierung.

Marionettentheater → Puppentheater.

**Maristen-Schulbruder:** Maristen-Schulbrüder → Mönchsorden.

**maritim,** ozeanisch; → Meer.

**¹Mark** (das): verlängertes M. → Gehirn; kein M. in den Knochen haben → kraftlos [sein]; jmdm. das M. aus den Knochen saugen → ausbeuten; durch M. und Bein gehend → laut; jmdn. bis ins M. treffen → kränken.

**²Mark** (die): → Münze; Deutsche M., M. der deutschen Notenbank → Zahlungsmittel.

**markant:** → interessant, → profiliert.

**Marke:** → Art, → Bon, → Briefmarke, → Erkennungszeichen, → Spaßvogel, → Ware.

**Märke** → Zeichen.

**märken** → markieren.

**Markenalbum** → Album.

**Markenartikel** → Ware.

**Markenbutter** → Fett.

**Markensammler** → Briefmarkensammler.

**Markenware** → Ware.

**Markerbse** → Gemüse.

**markerschütternd** → laut.

**Marketender** → Händler.

**Marketenderin** → Händler.

**Marketenderware** → Ware.

**Marketing Research** → Marktforschung.

**Markhirn** → Gehirn.

**¹markieren,** anzeichnen, anstreichen, anhaken, abhaken, ankreuzen, einzeichnen, bezeichnen, kennzeichnen, märken (österr.), kenntlich machen, ein Zeichen machen, zinken (Gaunerspr.); → erkennbar [machen].

**²markieren:** ein Tor / einen Treffer m. → Tor [schießen].

**Markierung:** → Beschilderung, → Wegweiser.

**markig:** → kurz, → stark.

**Markise** → Fensterladen.

**Markklößchen** → Kloß.

**Markör** → Bedienung.

**Markstein** → Kilometerstein.

**Markstück** → Münze.

**¹Markt,** Märt (schweiz.), Märit (schweiz.) · Wochenmarkt, Großmarkt, Blumenmarkt, Gemüsemarkt, Schranne (bayr.), Viehmarkt, Pferdemarkt · für Trödelwaren: Flohmarkt, Trö-

delmarkt, Tändelmarkt, Tandelmarkt (österr.); → Geschäftsviertel, → Jahrmarkt, → Laden, → Messe.

**²Markt:** → Absatzgebiet, → Jahrmarkt, → Platz; grauer / schwarzer M. → Schleichhandel; auf den M. werfen → verkaufen; seine Haut zu -e tragen → einstehen (für), → prostituieren (sich).

**Marktbeobachtung** → Marktforschung.

**Marktbude:** → Jahrmarktsbude, → Verkaufsstand.

**markten** → handeln.

**marktfähig** → marktgerecht.

**Marktflecken** → Ort.

**Marktform,** Marktstruktur ··· bei der auf der Angebots- und Nachfrageseite eines Marktes nur ein einziger Anbieter bzw. Nachfrager auftritt: Monopol · Nachfragemonopol, Monopson ·· bei der nur wenige Anbieter bzw. Nachfrager miteinander konkurrieren: Oligopol · Nachfrageoligopol, Oligopson ·· bei der viele Anbieter bzw. Nachfrager miteinander konkurrieren: Polypol · Nachfragepolypol, Polypson; → Außenhandel, → Vorrecht, → Wirtschaft.

**Marktforscher,** Meinungsforscher, Interviewer, Researcher, Head-counter (ugs., scherzh.), Nasenzähler (ugs., scherzh.); → Demoskopie, → Marktforschung, → Umfrage.

**Marktforschung,** Absatzforschung, Marktbeobachtung, Marketing Research; → Demoskopie, → Marktforscher, → Umfrage.

**marktgängig** → begehrt.

**marktgerecht,** marktfähig, handelsüblich, absetzbar, umsetzbar; → begehrt, → verkäuflich.

**Markthalle** → Laden.

**Marktkorb** → Korb.

**Marktplatz** → Platz.

**Marktpreis** → Preis.

**Marktpsychologie** → Psychologie.

**Marktschreier** → Händler.

**marktschreierisch** → reißerisch.

**Marktstand:** → Jahrmarktsbude, → Verkaufsstand.

**Marktsteuer** → Abgabe.

**Marktstruktur** → Marktform.

**Markttasche** → Einkaufstasche.

**Markus** → Evangelist.

**Marmel** → Murmel.

**Marmelade** → Brotaufstrich.

**Marmelade[n]brot** → Schnitte.

**Marmelente** → Vogel.

**marmeln** → murmeln.

**Marmor** → Kalkstein.

**Marmorkatze** → Raubtier.

**Marmorkitt** → Bindemittel.

**Marmorkuchen** → Gebäck.

**Marmormolch** → Molch.

**Marmorpapier** → Buntpapier.

**Marmorstein** → Kalkstein.

**Marmortisch** → Tisch.

**Marmortreppe** → Treppe.

**marmorweiß** → weiß.

**marod** → krank.

**Marodeur** → Plünderer.

**marodieren** → wegnehmen.

**Marone** → Kastanie.

**Maronenröhrling** → Ständerpilz.

**Maroni** → Kastanie.

**Marotte** → Spleen.

**Marquisette** → Stoff.

**Marrel** → Murmel.

**Mars:** → Gott, → Planet.

**Marsala** → Wein.

**¹Marsch** (der), Geschwindmarsch, Eilmarsch, Nachtmarsch, Gepäckmarsch, Gewaltmarsch, Parademarsch; → Militär, → Paradeschritt.

**²Marsch** (die), Schwemmland, Brackmarsch, Seemarsch, Flußmarsch, Binnengroden, Koog (nordd.), Polder (nordd.); → Land, → Landschaft.

**³Marsch:** → Spaziergang; jmdm. den M. blasen → schelten.

**Marschall** → Dienstgrad.

**marschfähig,** gängig (schweiz.); m. sein, gut zu Fuß sein; → stark.

**Marschhufendorf** → Dorf.

**marschieren** → fortbewegen (sich).

**Marschmusik** → Musik.

**Marschroute,** Marschweg, Route, Weg, Richtung; → fortbewegen (sich).

**Marschverpflegung** → Proviant.

**Marschweg** → Marschroute.

**Marsh-Krankheit** → Schilddrüsenüberfunktion.

**Marter:** → Leid, → Mißhandlung.

**Marterl** → Votivbild.

**martern:** → mißhandeln, → schikanieren.

**martialisch** → streitbar.

Martinshorn → Hupe.

Martinstag → Kirchenjahr.

Martyrer: → Asket, → Märtyrer.

¹Märtyrer, Martyrer, Blutzeuge (geh.), Opfer, Bekenner.

²Märtyrer → Asket.

Märtyrerdrama → Drama.

Martyria → Gotteshaus.

Martyrium → Leid.

Marxismus · Bolschewismus, Trotzkismus, Leninismus, Marxismus-Leninismus · dialektischer Materialismus, Diamat · Menschewismus, Stalinismus, Maoismus, Titoismus; → Kommunismus, → Sozialist, → Weltanschauung; → kommunistisch.

Marxismus-Leninismus → Marxismus.

Marxist → Sozialist.

marxistisch → kommunistisch.

Mary Jane → Rauschgift.

März, Frühlingsmonat, Lenzing, Lenzmond; → Monat, → Zeitraum.

Märzen → Bier.

Märzenbecher → Narzisse.

Märzenbier → Bier.

Märzenblume → Schlüsselblume.

Märzgefallener → Opportunist.

Marzipan, Persipan; → Süßigkeiten.

Marzipanschweinchen → Dikker.

¹Masche, Strumpfmasche · die sich gelöst hat: Laufmasche, Fallmasche (schweiz.).

²Masche: → Haarschleife, → Manier, → Schlinge, → Trick; durch die -n des Gesetzes schlüpfen → verurteilen; den Ball in die -n setzen → Tor [schießen].

Maschendraht → Draht.

Maschenwerk → Geflecht.

Mascherl → Krawatte.

Maschikseite: auf der M. → jenseits.

Maschine: → Apparat, Flugzeug, → Frau, → Motorrad.

maschinell, mechanisch, mit Maschinenkraft · Ggs. → manuell.

maschinengestickt: -e Spitze → Spitzenstickerei.

Maschinenkraft: mit M. → maschinell.

Maschinensatz → Schriftsatz.

Maschinenschreiberin → Stenotypistin.

Maschinensetzer → Schriftsetzer.

Maschinenspitze → Spitzenstickerei.

Maschinerie → Apparat.

maschineschreiben, maschinschreiben (österr.), Schreibmaschine schreiben, tippen (ugs.); → aufschreiben; → Stenotypistin.

maschinschreiben → maschineschreiben.

Maschinschreiberin → Stenotypistin.

Mase → Narbe.

Maskaron → Larve.

¹Maske, Larve, Fastnachtsgesicht, Gesicht · in der Architektur: Maskaron; → Fastnachter, → Maskerade; → schminken.

²Maske: → Kostümierung; jmdm. die M. abreißen / vom Gesicht reißen → entlarven; die M. fallen lassen → erkennen.

Maskenball → Maskerade.

Maskenfest → Maskerade.

¹Maskerade, Maskenball, Maskenfest, Kostümball, Faschingsball, Kostümfest, Kappenabend, Mummenschanz, Redoute (österr.), Gschnas (österr.), Gschnasfest (österr.), Fetzenball (österr.); → Ball, → Fastnachter, → Kostümierung, → Maske.

²Maskerade → Kostümierung.

maskieren: sich m. → verkleiden (sich).

Maskierung: → Kostümierung, → Tarnung.

Maskottchen → Amulett.

maskulin → männlich.

Maskulinisation → Zwittertum.

Maskulinisierung → Zwittertum.

Maskulinismus → Zwittertum.

Masochismus → Perversität.

masochistisch → quälerisch.

Maß: → Ausmaß, → Hohlmaß; ein gerüttelt M. → reichlich; jetzt ist das M. voll, das M. vollmachen, das M. des Erlaubten hinausgehen → statthaft; weder M. noch Ziel kennen → hemmungslos [sein]; etwas hält sich nicht an das gewohnte M. → überschreiten; in gleichem -e → auch; mit zweierlei M. messen → beurtei-

len; ohne M. und Ziel → hemmungslos, → übertrieben; über alle -n → sehr.

Massage, Massotherapie, Tapotement, Klopfung, Klatschung, Friktion, Reibung, Einreibung, Abreibung, Reibmassage, Körpermassage, Gesichtsmassage, Ganzmassage, Teilmassage, Bindegewebsmassage, Unterwassermassage, Elektromassage · punktförmige: Gelotripsie, Knetung, Walkung, Vibration, Durchschüttelung, Durchrüttelung, Perkussion, Schüttelung; → Heilgymnastik, → Masseur, → Naturheilverfahren; → massieren.

Massageinstitut: → Bordell, → Schönheitssalon.

Massai → Neger.

Massaker → Blutbad.

massakrieren → töten.

Masse: → Anzahl, → Material, → Menge; breite M. → Menge.

Massel: M. haben → Glück [haben].

Massenartikel → Ware.

Massendrucksache → Postsendung.

Massengeschmack → Allgemeingeschmack.

Massengutfrachtschiff → Schiff.

massenhaft → reichlich.

Massenkarambolage → Zusammenstoß.

Massenkundgebung → Demonstration.

Massenmedien, Medien, Kommunikationsmittel; → Fernsehen, → Fernsehgerät, → Radio, → Rundfunk, → Sendung, → Zeitung.

Massenmord → Tötung.

Massenpartei → Partei.

Massenvernichtungslager → Gefangenenlager.

Massenversammlung → Demonstration.

Massenware → Ware.

massenweise → reichlich.

Massenzeitalter → Atomzeitalter.

Masseur · weiblicher: Masseuse, Masseurin; → Massage; → massieren.

Masseurin → Masseur.

Masseuse → Masseur.

maßgebend: → befugt, → maßgeblich.

Matsch-und-Schnee-Reifen

**¹maßgeblich,** maßgebend, autoritativ, bestimmend, entscheidend, ausschlaggebend, tonangebend, beherrschend, federführend, normativ; → befugt, → richtungweisend, → totalitär, → wichtig; **m. sein,** den Ausschlag geben, eine wichtige Funktion haben, das Zünglein an der Waage sein, die erste Geige spielen (*ugs.*), die Hosen anhaben (*ugs.*), das Sagen haben (*ugs.*), der erste Mann an der Spritze sein (*ugs.*), Herr im Haus sein, das Regiment führen, das Zepter schwingen; → Autorität.

**²maßgeblich:** -er Einfluß → Autorität.

**Maßgeblichkeit** → Autorität.

**maßgeschneidert:** etwas ist m. → passen.

**maßhalten** → sparen.

**massieren,** kneten, streichen, reiben; → Massage, → Masseur.

**massig** → schwer.

**¹mäßig,** mittelmäßig, durchschnittlich, mittlere, mittel (*ugs.*), mittelprächtig (*ugs., scherzh.*), so lala (*ugs., scherzh.*), mau (*salopp*), nicht rosig (*ugs.*), durchwachsen (*ugs., scherzh.*), nicht besonders / (*ugs.*) sonderlich / (*ugs.*) berühmt / (*ugs.*) berauschend / (*salopp*) doll / aufregend, halbwegs (*ugs.*); → dilettantisch, → unzulänglich.

**²mäßig:** → enthaltsam; -e Brise → Windstärke; m. bewegte See → Seegang.

**mäßigen** → bändigen; sich m. → ruhig [bleiben], → zurückstecken.

**Mäßigkeitsapostel** → Antialkoholiker.

**massiv:** → gewaltig, → streng.

**Massiv** → Berg.

**Massivdecke** → Zimmerdecke.

**Maßkleidung** → Kleidung.

**Maßkrug** → Trinkgefäß.

**maßleidig** → ärgerlich.

**Maßliebchen,** Gänseblümchen, Tausendschön; → Blume.

**maßlos:** → extrem, → sehr, → unersättlich.

**¹Maßnahme,** Vorgehen, Handlungsweise, Schritt · *gescheckte:* Schachzug; → Aktion, → Schutzmaßnahme, → Strategie, → Tat, → Trick; **sich Maß-**

nahmen vorbehalten, sich Schritte vorbehalten, sich eine Möglichkeit offenlassen; → eingreifen.

**²Maßnahme:** → Aktion; andere -n ergreifen → eingreifen; -n treffen → sichern.

**maßnehmen:** → koitieren; jmdn. m. → ablisten.

**Massotherapie** → Massage.

**maßregeln** → bestrafen.

**Maßregelung,** Maßreglung, Zurechtweisung, Tadel, Rüge; → Vorwurf, → Züchtigung; → bestrafen.

**Maßreglung** → Maßregelung.

**Maßschneider** → Schneider.

**Maßstab** → Metermaß.

**Maßsteuer** → Abgabe.

**maßvoll:** → enthaltsam, → gemäßigt.

**Maßwerkgiebel** → Giebel.

**¹Mast** (die), Mästung, das Mästen / Nudeln; → ernähren.

**²Mast** (der): → Pfahl.

**Mastdarm** → Darm.

**Mastdarmbruch** → Bruch.

**Mastdarmspiegelung** → Ausspiegelung.

**Mastdarmvorfall:** → Bruch, → Eingeweidesenkung.

**mästen** → ernähren.

**Mästen** → Mast.

**Mastenkirche** → Gotteshaus.

**Master** → Herr.

**Masthähnchen** → Huhn.

**Masthuhn** → Huhn.

**Mästung** → Mast.

**Masturbation** → Selbstbefriedigung.

**masturbieren,** onanieren, sich selbst befriedigen, sich einen von der Palme locken (*salopp*), sich einen runterholen (*vulgär*), wichsen (*vulgär*), sich einen abwichsen (*vulgär*); → Samenerguß, → Selbstbefriedigung.

**Matador:** → Sieger, → Stierkämpfer.

**Match** → Spiel.

**Mater dolorosa** → Madonna.

**¹Material,** Materie, Stoff, Substanz, Masse, Zeug (*veraltend*).

**²Material** → Vorrat.

**Materialismus:** → Deismus; dialektischer M. → Marxismus.

**materialistisch** → habgierig.

**Materialschlacht** → Kampf.

**Materialverschleiß** → Verschleiß.

**Materie** → Material.

**materiell** → habgierig.

**Matetee** → Tee.

**Mathematik,** reine / angewandte Mathematik · Arithmetik, Zahlenlehre, Zahlenrechnung, Zahlentheorie · Algebra, Buchstabenrechnung · Bruchrechnung · Prozentrechnung · Zinsrechnung, Zinseszinsrechnung, Rentenrechnung · Dreisatzrechnung, Regeldetri · Wahrscheinlichkeitsrechnung, Statistik, Kombinatorik · Geometrie, analytische / synthetische Geometrie, Trigonometrie, Stereometrie, Raumlehre, Körperberechnung, Vektorrechnung · Infinitesimalrechnung, höhere Mathematik, Integralrechnung, Differentialrechnung; → Rechenverfahren, → Wissenschaft.

**Matinee** → Vormittagsveranstaltung.

**Matjeshering** → Hering.

**Matratze:** die M. belauschen → schlafen.

**Matratzenhaut** → Zellulitis.

**Matratzenphänomen** → Zellulitis.

**Mätresse** → Geliebte.

**Matriarchat** → Herrschaft.

**Matrikel:** → Verzeichnis; aus der M. streichen → exmatrikulieren; sich in die M. einschreiben / eintragen lassen → immatrikulieren (sich).

**Matrixitis** → Nagelkrankheit.

**Matrixsatz** → Satz.

**Matrize** → Reproduktion.

**matrizieren** → vervielfältigen.

**Matrone** → Frau.

**¹Matrose,** die blauen Jungs (*ugs.*), Blaujacke (*scherzh.*), Teerjacke (*scherzh.*), Mariner, Vollmatrose, Leichtmatrose · Maat, Jan Maat (*scherzh.*), Obermaat, Seekadett, Bootsmann, Oberbootsmann, Hauptbootsmann, Stabsbootsmann, Oberstabsbootsmann; → Dienstgrad, → Schiffsjunge, → Seemann · Ggs. → Seeoffizier.

**²Matrose** → Dienstgrad.

**Matrosenbluse** → Bluse.

**Matrosenmütze** → Kopfbedeckung.

**Matsch** → Schlamm.

**matschig** → weich.

**matschkern** → murren.

**Matsch-und-Schnee-Reifen** → Winterreifen.

451

¹**matt**, glanzlos, stumpf, blind · *durch Flüssigkeit, Dampf:* beschlagen · Ggs. → blank.

²**matt:** → farblos, → gedeckt, → kraftlos.

**Matte:** → Bergwiese, → Fußabstreifer, → Teppich.

**Mattglasur** → Glasur.

**mattgrün** → grün.

**Matthäi:** bei jmdm. ist M. am letzten → Gehalt (das), → krank.

**Matthäus:** → Apostel, → Evangelist.

**Mattheit:** → Erschöpfung, → Kraftlosigkeit.

**Matthias** → Apostel.

**Mattigkeit** → Erschöpfung.

**mattlila** → violett.

**mattrot** → rot.

**Mattscheibe:** → Fernsehgerät; M. haben→begriffsstutzig[sein].

**Mattscheibenkamera** → Fotoapparat.

**Maturaball** → Ball.

**Maturaklasse** → Schulklasse.

**Maturant** → Schüler.

**Maturazeugnis** → Reifezeugnis.

**Maturität:** → Abitur, → Hochschulreife.

**Maturitätszeugnis** → Reifezeugnis.

**Matz** → Kind.

**Mätzchen:** M. machen → aufbegehren.

**Matze** → Brot.

**Matzen** → Brot.

**mau** → mäßig.

¹**Mauer**, Wand, Wall · Steinmauer, Backsteinmauer, Ziegelmauer, Bruchsteinmauer, Quadermauer, Füllmauer, Feldsteinmauer, Polygonalmauer, Bossenmauer, Rustikamauer, Polstermauer, Zyklopenmauer, Betonmauer, Fachwerkmauer · Grenzmauer, Scheidemauer, Schutzmauer, Einfassungsmauer, Umfassungsmauer, Umfriedungsmauer, Gartenmauer, Friedhofsmauer · Stützmauer, Unterstützungsmauer, Strebemauer, Futtermauer · Hausmauer, Außenmauer, Seitenmauer, Giebelmauer, Sockelmauer, Kellermauer, Fundamentmauer, Grundmauer, Zwischenmauer, Brandmauer, Zwischenbrandmauer, Feuermauer, Isolierungsmauer, Isolationsmauer · Hauswand, Außen-

wand, Innenwand, Zimmerwand, Zwischenwand, Rabitzwand, Querwand, Trennwand, Trennungswand, Stirnwand, Giebelwand, Steinwand, Glaswand, Bretterwand, Pfahlwand; → Giebel, → Haus, → Mauerwerk, → Wall, → Zaun.

²**Mauer:** → Hindernis, → Hürde; -n → Mauerwerk; die [Berliner] Mauer, Chinesische / Große M. → Grenze.

**Mauerblümchen** → Mädchen.

**Mauereidechse** → Eidechse.

**Mauergecko** → Eidechse.

**Mauerkitt** → Bindemittel.

**Mauerläufer** → Vogel.

**Mauernweiler** → Schauspieler.

**Mauerpfeiler** → Säule.

**Mauerraute** → Farn.

**Mauerrick** → Hindernis.

**Mauerschau** → Teichoskopie.

**Mauersegler** → Vogel.

**Mauerstein** → Baustein.

**Mauerturm** → Turm.

**Mauerwerk**, Gemäuer, Mauern (Plural) → Mauer.

**Mauerziegel** → Ziegelstein.

**Mauken** → Fuß.

**Maul:** → Mund; ein großes M. haben → prahlen; jmdm. ein M. anhängen → schlechtmachen; das M. hängenlassen → murren; das M. stopfen → verbieten.

**Maulaffe:** -n feilhalten → zuschauen.

**Maulbeerseidenspinner** → Schmetterling.

**Mäulchen** → Kuß.

**maulen** → murren.

**Maulesel** → Esel.

**maulfaul** → wortkarg.

**Maulheld** → Angeber.

**Maulorgel** → Blasinstrument.

**Maulschelle:** → Ohrfeige; jmdm. eine M. geben → schlagen.

**Maulsperre:** die M. kriegen → überrascht [sein].

**Maultaschen** → Teigwaren.

**Maultier** → Esel.

**Maulwurf**, Scher (*oberd.*), Schermaus (*oberd.*); → Nagetier.

**maulwurfsgrau** → grau.

**Mau-Mau** → Widerstandsbewegung.

**maunzen:** → klagen, → miauen.

**Maurer:** pünktlich wie ein M. → pünktlich.

**Maurerkitt** → Bindemittel.

**Maurerklampfe** → Bauklammer.

**Maurerklavier** → Tasteninstrument.

¹**Maus**, Feldmaus, Hausmaus, Waldmaus, Springmaus, Haselmaus, Wühlmaus, Spitzmaus · *männliche:* Mäuserich; → Nagetiere.

²**Maus:** Mäuse → Geld; weiße M. → Polizist; da beißt die M. keinen Faden ab → unabänderlich [sein]; eine graue M. sein → einfach [sein]; mit Mann und M. → alle; mit jmdm. Katz und M. spielen → vertrösten.

**mauscheln** → sprechen.

**Mäuschen:** → Ellennerv, → Vulva.

**mäuschenstill** → still.

**Mäusebussard** → Vogel.

**Mausefalle** → Falle.

**Mäusefalle** → Falle.

**Mäuseloch:** sich am liebsten in ein M. verkriechen mögen → schämen (sich).

**mausen:** → koitieren, → wegnehmen.

**Mauser:** in der M. sein → mausern (sich).

**Mäuserich** → Maus.

**mauserig:** → ärgerlich, → schwermütig.

¹**mausern (sich)**, in der Mauser sein, die Federn verlieren / wechseln.

²**mausern:** sich m. → entwickeln (sich), → gedeihen.

**mausetot** → tot.

**Mausfalb** → Pferd.

**Mausfalle** → Falle.

**Mausfallenhändler** → Italiener.

**mausgrau** → grau.

**mausig:** sich m. machen → frech [werden], → murren.

**Mausmaki** → Affe.

**Mausohr** → Feldsalat.

**Mausöhrchen** → Feldsalat.

**Mausoleum** → Grab.

**maustot** → tot.

**Maut** → Abgabe.

**Mautstraße** → Straße.

**mauve** → violett.

**mauzen** → miauen.

**Maxen** → Geld.

**Maxi** → Kleid.

**Maxikleid** → Kleid.

**Maximantel** → Mantel.

**Maxime** → Ausspruch.

**Maximen** → Prinzipien.

¹**Maximum**, Optimum, Höchstmaß, Höchstwert, das Höchste,

das meiste; → Höhepunkt ·
Ggs. → Minimum.
²**Maximum** → Höhepunkt.
**Maxirock** → Rock.
**MAZ** → Sendung.
mazedonisch: -er Tabak→Tabak.
**Mäzen** → Gönner.
**Mazurka** → Tanz.
**Mbundu** → Neger.
**MdB** → Abgeordneter.
**MDN** → Zahlungsmittel.
**Mechaniker** → Schlosser.
mechanisch: → automatisch, →
geisttötend, → maschinell.
**Mechanisierung** → Automati-
sierung.
**Meckerer** → Nörgler.
**Meckerfritze** → Nörgler.
**Meckerliese:** → Mädchen, →
Nörglerin.
meckern: → beanstanden, →
Laut.
**Meckerziege:** → Frau, → Nörg-
lerin.
**Medaille** → Gedenkmünze.
**Medaillon** → Bild.
**Medaillonteppich** → Orienttep-
pich.
**Mediastinoskopie** → Ausspiege-
lung.
**Mediäval** → Schrift.
**Medikament**, Arznei, Arznei-
mittel, Heilmittel, Heilbehelf
*(österr.)*, Präparat, Pharmakon,
(Plural: Pharmaka), Droge,
Therapeutikum, Medizin, Mittel, Mittelchen *(ugs., abwertend)* ·· *zur oralen Verabreichung ·
in fester Form:* Tablette, Pille
*(ugs.)*, Pastille, Kapsel · *mit
Zuckerüberguß:* Dragée · *pulverisiert:* Pulver · *in flüssiger
Form:* Liquor, Tropfen ·· *zur
rektalen Verabreichung:* Suppositorium, Zäpfchen ·· *zur äußeren Anwendung:* Salbe, Paste,
Tinktur, Unguentum · *flüssig,
zum Einreiben:* Liniment, -geist
·· *aus harmlosen, unwirksamen
Bestandteilen:* Placebo, Scheinmedikament ·· *gegen Psychosen
usw.:* Psychopharmakon, Tranquilizer ·· *schmerzstillendes:*
Palliativ, Palliativum, Analgetikum, Schmerzmittel, schmerzstillendes Mittel, Anästhetikum,
Mitigantia, Demulzentia, Linderungsmittel, Antineuralgikum, Narkotikum, Betäubungsmittel, Rauschmittel, Sedativ,
Sedativum ·· *gegen Schnupfen:*

**Errhinum** (Plural: Errhina) ·
*gegen Schlaflosigkeit:* Schlafmittel, Schlafpulver, Schlaftablette; → Allheilmittel, → Apotheker, → Arzt, → Aufputschmittel, → Beruhigungsmittel,
→ Gegenmittel, → Heilkunde,
→ Psychopharmakon, →
Rauschgift, → Schlafmittel;
→ einnehmen, → verordnen.
medikamentös: -er Heilschlaf →
Heilschlaf.
**Medikaster** → Arzt.
**Medikus** → Arzt.
**Medinawurm** → Wurm.
**Meditation** → Versenkung.
**Meditationsübung** → Entspannungsübung.
meditieren: → beten, → denken,
→ versenken (sich in).
¹**Medium**, Mittler, Paragnost; →
Hellsehen.
²**Medium:** Medien → Massenmedien.
**Medizin:** → Medikament; forensische / gerichtliche M. →
Gerichtsmedizin; [innere / interne M.] → Heilkunde.
**Medizinalpraktikant** → Arzt.
**Medizinball** → Spielball.
**Mediziner**, Arzt, Doktor, Hausarzt, Arzt für Allgemeinmedizin, praktischer Arzt *(veraltend)*,
Praktiker, Therapeut, Facharzt,
Spezialist, Modearzt, Wunderdoktor, Männer in Weiß, Medikus *(scherzh.)*, Heilkundiger,
Medizinmann *(scherzh.)*, Medikaster *(abwertend)*, Kurpfuscher
*(abwertend)*, Quacksalber *(abwertend)*, Bader *(hist.)* ·· *leitender
eines Krankenhauses:* Oberarzt,
Chefarzt, Primararzt *(österr.)*,
Primar *(österr.)*, Primarius
*(österr.)* ·· *allopathisch behandelnder:* Allopath, Schulmediziner ··
*homöopathisch behandelnder:*
Homöopath, Naturheilkundiger · *ohne akademische Ausbildung:* Heilpraktiker · *operierender:* Chirurg · *für Augenkrankheiten:* Augenarzt, Ophthalmologe · *für Ohrenkrankheiten:* Ohrenarzt, Otiater, Otologe · *für Nasenkrankheiten:*
Rhinologe · *für Kehlkopfleiden:*
Laryngologe · *für Hals, Nase
und Ohren:* HNO-Arzt, Otorhinolaryngologe · *für innere
Krankheiten:* Facharzt für innere Krankheiten *(veraltend)*,

**Internist** · *für Herzkrankheiten:*
Kardiologe, Herzspezialist · *für
Gefäßleiden:* Angiologe · *mit
Spezialkenntnissen in bezug auf
den Mastdarm:* Proktologe · *für
Magen- und Darmkrankheiten:*
Gastroenterologe · *für Leiden
im Bereich des Zentralnerven-
systems:* Neurochirurg · *für
Lungenkrankheiten:* Lungen-
facharzt, Pulmologe *(veraltend)*,
Pneumologe, Pneumonologe ·
*für Leberkrankheiten:* Leberspezialist, Hepatologe · *für Nierenkrankheiten:* Nephrologe · *für
Blutkrankheiten:* Hämatologe ·
*für Hautkrankheiten:* Hautarzt,
Dermatologe · *in bezug auf
Körpergewebe:* Histologe · *für
Krankheiten der Harnorgane:*
Urologe · *für Frauenkrankheiten, Geburtshilfe o. ä.:* Frauenarzt, Geburtshelfer, Gynäkologe · *für Männerkrankheiten:*
Androloge · *mit Spezialisierung
auf dem Gebiet der Sexualpathologie:* Sexologe · *für seelische,
geistige u. ä. Krankheiten:* Nervenarzt, Psychotherapeut, Neurologe, Psychiater, Irrenarzt
*(ugs.)*, Klapsdoktor *(salopp,
scherzh.)*, Seelenarzt *(scherzh.)* ·
*für Kinderkrankheiten:* Kinderarzt, Pädiater · *für Krankheiten
Neugeborener:* Neonatologe ·
*für die Behandlung von Sprach-
störungen:* Phoniater · *für Zahnbehandlung:* Zahnarzt, Dentist,
Odontologe, Kieferchirurg,
Zahnchirurg · *für Behandlung
von Fehlbildungen der Bewegungsorgane:* Orthopäde · *für
Röntgenologie und Strahlenheilkunde:* Röntgenologe, Röntgenarzt, Radiologe · *für altersbedingte Krankheiten:* Geriater,
Gerontologe · *für Geschlechtskrankheiten:* Venerologe · *für
die Behandlung von Tumoren:*
Onkologe, Karzinologe, Kanzerologe, Krebsarzt *(ugs.)*; →
Behandlung, → Diagnose, →
Hebamme, → Heilkunde, →
Medikament, → Sprechstunde,
→ Sprechzimmer, → Veterinär;
→ gesund [machen].
medizinisch: -e Klinik →
Krankenhaus.
**medizinisch-technisch:** -e Assistentin → Sprechstundenhilfe.
**Medizinmann** → Arzt.

**Medulla** → Gehirn.

**¹Meduse,** Gorgo, Sphinx, Basilisk; → Fabelwesen, → Ungeheuer.

**²Meduse** → Hohltier.

**¹Meer,** die See, Ozean, Weltmeer, der große Teich (*ugs.*, *scherzh.*); → Atlantik, → Fluß, → Gewässer, → Mündung, → Pazifik, → Pfütze, → See, → Strand, → Ufer, → Welle, → Weltmeer; → maritim.

**²Meer:** Ochotskisches / Japanisches / Ostchinesisches M. → Pazifik; ungarisches M. → Plattensee; ein M. von Blumen → Blumenflor; die Königin der -e → Venedig; wie Sand am M. → reichlich.

**Meeräsche** → Fisch.

**Meerbusen,** Busen (*veraltet*), Meeresbucht, Bucht, Bai, Golf, Förde; → Ufer.

**Meerdrachen** → Fisch.

**Meerenge** → Durchfahrt.

**Meeresangelei** → Angelsport.

**Meeresbucht** → Meerbusen.

**Meeresfischerei** → Fischerei.

**Meeresmuschel** → Muschel.

**Meeresstrand** → Strand.

**Meerforelle** → Fisch.

**meergrün** → grün.

**Meerjungfrau** → Wassergeist.

**Meerkatze:** → Affe, → Fisch.

**Meerotter** → Raubtier.

**Meerrettich,** Kren (*südd.*, *österr.*); → Gemüse.

**Meersalat** → Alge.

**Meerschaum** → Schmuckstein.

**Meerschaumpfeife** → Tabakspfeife.

**Meerschweinchen** → Nagetier.

**Meerstern** → Madonna.

**Meerwasser** → Wasser.

**Meeting** → Wiedersehen.

**Megalithgrab** → Grab.

**Megalocheirie** → Großwuchs.

**Megalochirie** → Großwuchs.

**Megalodaktylie** → Großwuchs.

**Megalomanie** → Bewußtseinstrübung.

**Megalopodie** → Großwuchs.

**Megalotie** → Großwuchs.

**Megaphon** → Lautsprecher.

**Megri** → Orientteppich.

**Mehl:** → Pulver; braun M. → Mehlschwitze; zu M. verarbeiten → mahlen.

**Mehlbeerbaum** → Laubhölzer.

**Mehlbrei** → Brei.

**Mehlmotte** → Schmetterling.

**Mehlschwalbe** → Vogel.

**Mehlschwitze,** Schwitze, braun Mehl (*nordd.*), Einbrenne (*südd.*, *österr.*), Einbrenn (*südd.*, *österr.*), Einmache (*österr.*), Einmach (*österr.*); → Suppe.

**Mehlspeise** → Gebäck.

**Mehlstaubkatarakt** → Katarakt.

**Mehlsuppe** → Suppe.

**Mehltau:** → Schlauchpilz; Falscher M. → Algenpilz.

**Mehltaupilz** → Schlauchpilz.

**mehr:** → vielmehr; m. als → wenigstens; m. als die Hälfte → Mehrheit; m. als genug → reichlich; m. als genug haben → betrunken [sein]; m. oder minder / weniger, mehr-weniger → generell; nicht m. sein → tot [sein]; niemals m. → niemals.

**Mehr** → Mehrheit.

**Mehrarbeit** → Überstunden.

**mehrdeutig,** vieldeutig, schillernd, äquivok, zweideutig, doppeldeutig, doppelsinnig, mißverständlich, janusgesichtig, amphibolisch, doppelwertig, ambivalent, homonym (*Sprachw.*), polysemantisch (*Sprachw.*); → rätselhaft, → unfaßbar; → Mehrdeutigkeit.

**Mehrdeutigkeit,** Vieldeutigkeit, Zweideutigkeit, Doppeldeutigkeit, Doppelsinn, Doppelsinnigkeit, Ambiguität, Doppelwertigkeit, Ambivalenz, Amphibolie, Äquivokation, Homonymie (*Sprachw.*), Polysemie (*Sprachw.*); → mehrdeutig.

**Mehrdienstleistung** → Überstunden.

**Mehrehe** → Ehe.

**mehren** → vermehren.

**mehrenteils** → oft.

**mehrere** → einige.

**mehrfach** → oft.

**Mehrfarbendruck** → Druckverfahren.

**mehrfarbig** → bunt.

**¹Mehrheit,** Majorität, Mehrzahl, Überzahl, der überwiegende Teil, die meisten, Mehr (*schweiz.*), über / mehr als die Hälfte · *bei Abstimmungen:* absolute Mehrheit, qualifizierte Mehrheit, Zweidrittelmehrheit; → Vorherrschaft; **die M. haben,** in der Überzahl sein · Ggs. → Minderheit.

**²Mehrheit:** → Anzahl; schweigende M. → Menge.

**Mehrheitswahlrecht** → Wahlrecht.

**mehrjährig** → langjährig.

**mehrmalig:** → abermalig, → oft.

**mehrmals** → oft.

**Mehrpreis** → Zuschlag.

**mehrseitig** → multilateral.

**mehrsprachig** → polyglott.

**Mehrung** → Vermehrung.

**Mehrwertsteuer** → Abgabe.

**¹Mehrzahl,** Plural · Ggs. → Einzahl.

**²Mehrzahl:** → Anzahl, → Mehrheit; in der M. → oft.

**meiden:** → entziehen (sich); Kontakt m. → abkapseln (sich).

**Meierei** → Molkerei.

**Meierhof** → Molkerei.

**Meile:** → Längenmaß; drei -n gegen den Wind stinken → riechen.

**Meilenstein** → Kilometerstein.

**mein:** ach du -e Güte / -e Fresse!, ach du m. Schreck! → überrascht [sein]; die Meinen → Familie.

**Meineid** → Eid.

**¹meinen,** vermeinen, der Meinung / Ansicht sein, finden, glauben, denken, dafürhalten; → abzielen (auf), → vermuten; → anscheinend; → Ansicht.

**²meinen:** → äußern (sich); es ernst m. → heiraten [wollen]; etwas mit etwas m. → abzielen (auf); was m. Sie? → bitte?; wie m.? → bitte?; wie du meinst → ja; jmd. ist mit etwas gemeint → münzen.

**meinethalben** → meinetwegen.

**¹meinetwegen,** mir zuliebe, für mich, meinethalben, [um] meinetwillen.

**²meinetwegen** → ja.

**meinetwillen** → meinetwegen.

**Meinung:** seine M. ändern → umschwenken; keine M. zu etwas haben → beurteilen; die M. sagen / geigen → schelten; [nach jmds. M.], mit jmdm. einer M. sein → Ansicht; sich nicht der herrschenden M. beugen / anschließen → entgegenstellen (sich).

**Meinungsaustausch** → Gespräch.

**Meinungsbefragung** → Demoskopie.

**Meinungsforscher** → Marktforscher.

**Meinungsforschung** → Demoskopie.

**Meinungsfreiheit** → Freiheit.

**Meinungspflege** → Public Relations.

**Meinungsverschiedenheit,** Differenz, Unstimmigkeit, Dissens, Nichtübereinstimmung; → Ansicht, → Streit.

**Meise:** → Vogel; eine M. haben → verrückt [sein].

**Meisenkalb** → Rind.

**Meisennuß** → Nuß.

**Meißel:** → Handwerkszeug; mit dem M. bearbeiten → behauen.

**meißeln:** → anfertigen; m. in → einmeißeln.

**meist:** → oft; die -en → Mehrheit; das -e → Maximum.

**meistenorts** → überall.

**Meister:** → Fachmann, → Handwerker, → Leiter, → Sieger; M. Lampe → Hase; seinen M. finden → übertreffen; seinen M. machen → absolvieren.

**Meisterbrief** → Urkunde.

**meisterhaft,** meisterlich, bravourös, virtuos, glänzend, prächtig, fulminant, famos, vollendet, vollkommen, perfekt; → außergewöhnlich, → blendend, → fachmännisch, → ganz, → vollkommen; → Meisterhaftigkeit, → Untadeligkeit.

**Meisterhaftigkeit,** Meisterlichkeit, das Können, Virtuosität, Bravour, Fulminanz, Vollendetheit, Vollkommenheit, Perfektion, Vollendung; → Musterhaftigkeit, → Untadeligkeit; → meisterhaft, → vollkommen.

**Meisterleistung** → Höchstleistung.

**meisterlich** → meisterhaft.

**Meisterlichkeit** → Meisterhaftigkeit.

**meisterlos** → unbeherrscht.

¹**meistern,** bewältigen, lösen, schaffen, erringen, vollbringen, bringen (der bringt es; *ugs.*), jmdm. / einer Sache gewachsen sein, fertig werden / zu Rande kommen / *(salopp)* klarkommen mit, mit etwas einig werden *(ugs.),* die Vergangenheit bewältigen, das Beste aus etwas machen, sich zu helfen wissen, aus der Not eine Tugend machen, [das Ziel] erreichen; erreichen, daß...; gelangen zu /

an, bestehen, [eine Prüfung mit „gut"] machen *(ugs.),* [mit Rückenwind] durchkommen *(ugs.),* nicht → versagen; → beenden, → beherrschen, → beikommen, → bewerkstelligen, → durchsetzen (sich), → ertragen, → erwirken, → können, → verwirklichen, → vollenden.

²**meistern:** das Leben m. → lebenstüchtig [sein].

**Meisterschütze** → Schütze.

¹**Melancholie,** Schwermut, Schwermütigkeit, Trübsinn, Niedergeschlagenheit, Bedrücktheit, Depression, Athymie, Lypemanie, Hypothymie · *leichteren Grades:* Hypomelancholie, Subdepression; → Krankheit, → Trauer; → schwermütig.

²**Melancholie** → Trauer.

**melancholisch,** schwermütig, trübsinnig, hypochondrisch, depressiv, pessimistisch, schwarzseherisch, nihilistisch, defätistisch, miesepetrig *(ugs.),* hintersinnig *(schweiz.),* bregenklüterig *(ugs., landsch.),* trübselig, wehmütig, wehselig *(schweiz.),* elegisch, trist, traurig, freudlos, freudelos *(schweiz.),* elend, unglücklich, todunglücklich, kreuzunglücklich, desolat, betrübt, trübe, bedrückt, gedrückt, bekümmert, unfroh, mauserig *(schweiz.),* nicht → lustig; → ängstlich, → ernsthaft, → kläglich, → deprimiert, → ruhig · Ggs. → zuversichtlich; **m. sein,** mit der Welt zerfallen sein, Trübsal blasen *(ugs.),* etwas durch eine schwarze Brille sehen, sich hintersinnen *(südd., schweiz.);* → erstaunen; → Melancholie, → Pessimist, → Trauer.

**Melange:** → Kaffee, → Mischung.

**Melanidrose** → Transpiration.

**Melanidrosis** → Transpiration.

**Melanit** → Schmuckstein.

**Melanzane** → Aubergine.

**Melanzani** → Aubergine.

**Melatonin** → Hormon.

**Meldeamt** → Einwohnermeldeamt.

**Meldebogen** → Anmeldebestätigung.

**melden:** → anzeigen, → mitteilen; sich m. → Handzeichen

[geben], → Lebenszeichen, → stellen (sich); nichts zu m. haben → Einfluß; der Teilnehmer meldet sich nicht → telefonieren (mit jmdm.).

**Melder** → Abgesandter.

**Meldeschein** → Anmeldebestätigung.

**Meldestelle** → Einwohnermeldeamt.

**Meldezettel** → Anmeldebestätigung.

**Meldung:** → Nachricht; M. machen → anzeigen; nach letzter M. → Lage.

**meliert:** → gemustert, → grauhaarig.

**Melioration** → Bodenverbesserung.

**meliorieren** → verbessern.

**Melisse** → Küchengewürz.

**melken:** den Bock m. → tun.

**Melker,** Schweizer; → Knecht, → Zitze.

**Melodie:** → Klang, → Lied.

**Melone:** → Gemüse, → Kopfbedeckung.

**melonenorange** → orange.

**Melonenqualle** → Hohltier.

**Melpomene** → Muse.

**Meltau,** Honigtau, Blattlaushonig, Blattlausausscheidung; → Absonderung.

**Melusine** → Wassergeist.

**Membranstethoskop** → Stethoskop.

**Membrum:** M. virile → Penis.

**Memento** → Aufruf.

**Memme** → Feigling.

**memmenhaft** → feige.

**Memoiren** → Biographie.

**Memoirenschreiber** → Schriftsteller.

**Memorandum** → Mitteilung.

**Memoria** → Gotteshaus.

**Memorial** → Denkmal.

**Memorialkirche** → Gotteshaus.

**memorieren** → lernen.

**Menage** → Eßgeschirr.

**Menagerie** → Tiergarten.

**Menarche** → Menstruation.

**Mendeltulpe** → Gartentulpe.

**Menetekel** → Anzeichen.

¹**Menge,** Masse, Volk, breite Masse, schweigende Mehrheit, Volksmasse, Menschenmasse, Menschenmenge, Volksmenge, Volksscharen, Scharen, Pofel *(südd., österr.)* · *im Krieg:* Kanonenfutter *(abwertend)* · *in bezug auf Wahlen:* Stimmvieh

(abwertend), Wahlvolk; → Abteilung, → Herde, → Mannschaft, → Mensch, → Volk.
²Menge: → Anzahl, → Dosis, → Vorrat; eine M. → viele; in großen -n → en gros; in rauhen -n → reichlich; etwas ist in rauhen -n vorhanden → Überfluß [haben].

mengen: → mischen; sich m. in → eingreifen.

Mengenrabatt → Preisnachlaß.

Meningitis → Gehirnhautentzündung.

Meningoenzephalitis → Gehirnhautentzündung.

Meningomyelitis → Gehirnhautentzündung.

Meninx, Hirnhaut, Rückenmarkshaut · harte Hirnhaut, Pachymeninx, Dura [mater], harte Rückenmarkshaut, Spinalis · Leptomeninx, zarte / weiche Hirnhaut, zarte / weiche Rückenmarkshaut, Pia [mater], Spinn[en]gewebshaut, Spinnwebenhaut, Arachnoidea; → Gehirn, → Gehirnhautentzündung, → Gehirnrinde, → Hypophyse.

Menjoubärtchen → Bart.

Menkenke → Ziererei.

mennen → anstacheln.

mennige → orange.

meno mosso → lebhaft.

Menopause → Menstruation.

Menora → Kerzenleuchter.

Menorrhagie → Menstruation.

Menorrhö → Menstruation.

Menostase → Menstruation.

Mensa: → Gaststätte, → Speiseraum.

¹Mensch (der), Person, Persönlichkeit, Homo sapiens, Erdenbürger, Erdenwurm (geh.), der einzelne, Zoon politikon, Individuum, Leute, Sterblicher, Staubgeborener, [menschliches] Geschöpf / Wesen, Kind / Ebenbild Gottes (geh.), Krone der Schöpfung (geh.), Halbgott, Figur (salopp), Subjekt (abwertend), Hanake (abwertend), Type (ugs.) · nicht näher bezeichneter [dessen Namen man im Moment nicht weiß]: Dings (salopp), Dingsda (salopp), Dingsbums (ugs.) · mit Verzögerung der körperlich-geistigen Reife: Spätentwickler · mit krausem Haar: Krauskopf · mit kurzen

Beinen und langem Rumpf: Sitzriese · unaufmerksamer: Schlafmütze (ugs.) · leichtsinniger: [Bruder] Leichtfuß (ugs., scherzh.) · lustiger: lustiger Bruder / Vogel, fideles Haus, vergnügtes Huhn · der gern und viel reist: Reiseonkel (scherzh.) · der nicht klar und nüchtern denken kann: Wirrkopf; → Durchschnittsbürger, → Faulenzer, → Frau, → Geschöpf, → Intellektueller, → Jüngling, → Kind, → Mädchen, → Mann, → Menge, → Menschheit, → Raufbold, → Schlafmütze, → Sonderling, → Zuschauer.

²Mensch (der): die -en → Menschheit; ausgewachsener / erwachsener M. → Erwachsener; ein besserer / neuer M. werden → bessern (sich); kein M. → niemand; -en wie du und ich → Durchschnittsbürger; M., ärgere dich nicht → Würfelspiel; an den -en gewöhnen → zähmen; eine Seele von M. / von einem -en sein → gütig [sein].

³Mensch (das): → Frau, → Mädchen.

Menschenaffe → Affe.

Menschenalter → Zeitraum.

Menschenfeind → Misanthrop.

menschenfeindlich → unzugänglich.

Menschenfeindschaft → Menschenverachtung.

Menschenfresser → Kannibale.

Menschenfresserei, Kannibalismus, Anthropophagie; → Perversität.

Menschenfreund → Philanthrop.

menschenfreundlich → menschlich.

Menschenfreundlichkeit → Nächstenliebe.

Menschenfurcht → Menschenverachtung.

Menschengeschlecht → Menschheit.

Menschenhai → Fisch.

Menschenhandel, Sklavenhandel, Mädchenhandel; → verschleppen.

Menschenhaß → Menschenverachtung.

Menschenhasser → Misanthrop.

Menschenkenntnis → Erfahrung.

Menschenkunde, Anthropologie; → Charakterkunde.

¹menschenleer, leer, verlassen, [wie] ausgestorben, entvölkert, öde; m. werden: etwas wird menschenleer, etwas verödet; → Leere.

²menschenleer → abgelegen.

Menschenleere → Leere.

Menschenliebe → Nächstenliebe.

Menschenmasse → Menge.

Menschenmenge → Menge.

Menschenrasse → Rasse.

Menschenraub → Kidnapping.

menschenscheu → unzugänglich.

Menschenscheu: → Menschenverachtung, → Verschlossenheit.

Menschenschinder → Rohling.

Menschenseele: keine M. → niemand.

Menschensohn → Heiland.

Menschenstimme → Stimme.

menschenunwürdig → würdelos.

Menschenverächter → Misanthrop.

Menschenverachtung, Menschenscheu, Menschenfurcht, Misanthropie · Anthropophobie, Menschenhaß, Menschenfeindschaft · gegenüber Frauen: Misogynie, Weiberhaß · Gynäkophobie, Weiberscheu · gegenüber Männern: Misandrie, Männerhaß · Androphobie, Männerscheu · gegenüber Kindern: Misopädie, Kinderhaß · Pädophobie, Kinderscheu; → Generation, → Misanthrop, → Misogamie.

Menschenverstand: gesunder M. → Klugheit.

Menschenwürde → Vornehmheit.

Menschewismus → Marxismus.

Menschewist → Sozialist.

menschewistisch → kommunistisch.

¹Menschheit, Menschengeschlecht, Erdbevölkerung, die Menschen, menschliche Gesellschaft, die Völker der Erde; → Generation, → Menschen.

²Menschheit: Wohltäter der M. → Philanthrop.

¹menschlich, human, humanitär, menschenfreundlich, philanthropisch, sozial, mitmenschlich, zwischenmenschlich, mit-

fühlend, wohltätig; → ehrenhaft, → gefällig, → gemeinnützig, → gesellig, → gütig ·
Ggs. → asozial, → streitbar,
→ unzugänglich; **m. sein,** ein
Herz haben für jmdn.; →
Nächstenliebe; →humanisieren.
²**menschlich:** -es Geschöpf →
Mensch; ein -es Rühren fühlen / verspüren → austreten
[gehen]; -es Versagen → Unfähigkeit; -es Wesen → Mensch;
nichts Menschliches ist jmdm.
fremd → Erfahrung [haben];
-er gestalten → humanisieren.
**Menschlichkeit** → Nächstenliebe.
**Menses** → Menstruation.
**Menstruation,** Monatsblutung,
Monatsfluß, Regelblutung,
monatliche Blutung, Monatliches, Regel, Periode, Zyklus,
[kritische] Tage, Unwohlsein,
Migräne (verhüllend), Ge-
schichte (salopp), Katamenien,
Menorrhö, Eumenorrhö, Menses · erste: Menarche · aus-
bleibende: Menostase, Amenorrhö · zu seltene: Oligomenorrhö · für immer aufhörende:
Menopause · schmerzhafte: Dysmenorrhö · zu starke: Hypermenorrhö, Menorrhagie · zu
häufige: Polymenorrhö; →
Ovulation; → menstruieren.
**menstruieren,** die Monatsblu-
tung / die Regel haben, sie
hat ihre Tage, dransein (ugs.); →
Menstruation.
**Mensuralnotation** → Noten-
schrift.
**Mensuralnote** → Notenzeichen.
**Mentagra** → Haarbalgentzün-
dung.
**mental** → psychisch.
**Mentalität** → Denkweise.
**Mentelbibel** → Bibelüberset-
zung.
**Mentor** → Berater.
**Menü** → Essen.
**Menuett** → Tanz.
**Menükarte** → Speisekarte.
**Mephisto** → Teufel.
**Mephistopheles** → Teufel.
**mephistophelisch** → teuflisch.
**Mercerie** → Laden.
**Mergel** → Erde.
**Meringe** → Gebäck.
**Merino** → Schaf.
**Merinoschaf** → Schaf.
**Merinowolle** → Wolle.

**Meriten:** → Verdienst; sich
M. erwerben → verdient.
¹**merken,** spüren, wittern (ugs.),
riechen (salopp), spannen (ugs.,
landsch.), etwas wird jmdm.
bewußt / kommt jmdm. zum
Bewußtsein, sich ertappen /
erwischen bei, etwas mitbekommen / mitkriegen (ugs.),
draufkommen (ugs.), gneisen
(ugs., österr.), kneisen (ugs.,
österr.), spitz bekommen /
kriegen (ugs.), einen Animus
haben (ugs.), eine gute / feine
Nase haben, jmd. ist ein Merker / ein Schnellmerker; **nicht
m.,** etwas entgeht jmdm. /
jmds. Aufmerksamkeit, jmd.
wird etwas nicht gewahr, blind
für etwas sein, [wie] mit Blindheit geschlagen sein · im voraus:
den Braten riechen (ugs.); Nachtigall, ick hör dir trapsen
(salopp, berlin.) · erst nach ge-
raumer Zeit: ein Spätzünder sein
(ugs.); → auslegen, → erkennen,
→ fühlen, → klarwerden (sich
über), → vermuten, → vor-
aussehen, → vorstellen, →
wahrnehmen; → Gefühl.
²**merken:** sich m. → achtgeben;
sich etwas m. → behalten.
**Merker:** jmd. ist ein M. →
merken.
**Merkhilfe** → Gedächtnisstütze.
**merklich** → einschneidend.
¹**Merkmal,** Kennzeichen, Prüfstein, Kriterium, Charakteristikum, Besonderheit, Attribut,
Statussymbol ·· in der Medizin: Symptom, Krankheitszeichen, Signum · frühes: Prodrom, Prodromalerscheinung,
Frühsymptom · mehrere zu-
sammen: Symptomenkomplex,
Syndrom; → Abzeichen, →
Anzeichen, → Eigenschaft, →
Fahne, → Nachweis, → Wesen.
²**Merkmal** → Eigenschaft,
Erkennungszeichen.
**Merkspruch** → Gedächtnisstütze.
**Merkur:** → Gott, → Planet.
**Merkurialismus** → Vergiftung.
**Merkvers** → Gedächtnisstütze.
**Merkwort:** → Gedächtnisstütze,
→ Stichwort.
**merkwürdig:** → abwegig, →
seltsam; -e Ansichten haben
→ Ansicht; einen -en Geruch
ausströmen / haben → riechen.

**Merkwürdigkeit** → Seltsamkeit.
**Merlin** → Vogel.
**Mermel** → Murmel.
**Mesalliance** → Ehe.
**Mesarteriitis** → Arterienerkran-
kung.
**Mesarteritis** → Arterienerkran-
kung.
**Meschhed** → Orientteppich.
**meschugge:** m. sein → ver-
rückt [sein].
**Mesencephalon** → Gehirn.
**Meskalin** → Rauschgift.
**Mesmer** → Kirchendiener.
**Mesner** → Kirchendiener.
**Mesostichon** → Gedicht.
**Mesozoikum** → Erdzeitalter.
**Meßbuch** → Altargerät.
¹**Messe,** Fachmesse, Industrie-
messe, Handwerksmesse, Mustermesse, Verkaufsmesse,
Buchmesse, Möbelmesse, Frühjahrsmesse, Herbstmesse; →
Ausstellung, → Jahrmarkt.
²**Messe:** → Ausstellung,
Gottesdienst, → Jahrmarkt,
→ Speiseraum.
¹**messen,** vermessen, ausmessen, abmessen, bemessen, berechnen, dosieren, abzirkeln ·
durch Schritte: abschreiten; →
abwiegen, → ausrichten, →
einteilen; → Flächenmaß, →
Hohlmaß, → Längenmaß, →
Metermaß, → Raummaß.
²**messen:** → vergleichen; gemessen an → verhältnismäßig;
sich mit jmdm. m. → kämpfen;
sich mit jmdm. nicht m. können → erreichen (jmds. Leistung); jmdn. [mit Blicken]
m. → ansehen; mit zweierlei
Maß m. → beurteilen.
¹**Messer,** Brotmesser, Käsemesser, Fleischmesser, Wurstmesser, Buttermesser, Fischmesser, Obstmesser · Vorlegemesser, Tafelmesser, Tranchiermesser, Dessertmesser, Küchenmesser, Hackmesser, Wiegemesser · Papiermesser · Schnitzmesser · Taschenmesser, Klappmesser, Schnappmesser, Jagdmesser; → Eßbesteck, →
Gabel, → Löffel.
²**Messer:** → Taschenmesser;
M. und Gabel; M., Gabel und
Löffel → Eßbesteck; da geht
einem das M. in der Tasche
auf → unerhört [sein]; jmdm.
sitzt das M. an der Kehle →

schulden (jmdm. etwas); jmdm. das M. an die Kehle setzen → nötigen; ans M. liefern → ausliefern (jmdn.); etwas steht auf des -s Schneide → ungewiß [sein]; bis aufs M. → ganz; jmdn. unter dem M. haben, jmdn. unters M. nehmen → operieren.

**messerscharf** → spitz.

**Messerschmied** → Schmied.

**Messerschnitt** → Frisur.

**Messerwerfer** → Artist.

**Messestadt:** → Frankfurt, → Hannover, → Leipzig.

**Meßfeier** → Gottesdienst.

**Meßgerät** → Altargerät.

**Messias** → Heiland.

**Meßknabe** → Ministrant.

**Meßlatte** → Metermaß.

**Meßopfer** → Gottesdienst.

**Meßplatz** → Jahrmarktsplatz.

**Mestize** → Mischling.

**Metabolie** → Stoffwechsel.

**Metabolismus** → Stoffwechsel.

**Metadon** → Rauschgift.

**Metall,** Edelmetall, Halbedelmetall, unedles Metall · Leichtmetall, Schwermetall, Halbmetall; → Edelmetall, → Hüttenkunde.

**metallartig,** metallisch, metallic, métallisé, silbrig; → leuchten.

**Metallfolie** → Folie.

**metallic** → metallartig.

**metallisch** → metallartig.

**métallisé** → metallartig.

**Metallpapier** → Folie.

**Metallsarg** → Sarg.

**Metallstift** → Nagel.

**Metallurgie** → Hüttenkunde.

**Metapher:** → Sinnbild; -n gebrauchen / verwenden → versinnbildlichen.

**¹metaphorisch,** bildhaft, bilderreich, plastisch; → anschaulich, → bildlich, → sinnbildlich; → Sinnbild, → versinnbildlichen.

**²metaphorisch:** → ausdrucksvoll, → sinnbildlich.

**metaphysisch** → übernatürlich.

**Metaplasma** → Protoplasma.

**Metastase** → Geschwulst.

**Metencephalon** → Gehirn.

**Meteorismus** → Blähsucht.

**Meteorologe,** Wetterkundler, Wetterfrosch (scherzh.), Wetterprophet (scherzh.); → Wetterbericht, → Wetterkunde.

**Meteorologie** → Wetterkunde.

**Meteoropathie** → Wetterfühligkeit.

**meteorotrop:** -e Krankheit → Wetterfühligkeit.

**Meteorotropismus** → Wetterfühligkeit.

**Meter** → Längenmaß.

**Metermaß,** Zentimetermaß, Elle, Zollstock, Klappmeter (schweiz.), Lineal, Kantel (veraltet), Maßstab, Meßlatte, Bandmaß; → Flächenmaß, → Längenmaß, → Raummaß; → messen.

**Meterzentner** → Gewichtseinheit.

**Methan** → Gas.

**Methangas** → Gas.

**Methedrin** → Rauschgift.

**Methode:** → Behandlung, → Verfahren; eine bestimmte M. anwenden → verfahren.

**methodisch:** → pädagogisch, → planmäßig.

**Methodisten** → Sekte.

**Methomanie** → Säuferwahnsinn.

**Methusalem:** alt wie M. sein → alt [sein].

**Metier** → Beruf.

**Metonymie** → Sinnbild.

**metonymisch** → sinnbildlich.

**Metrik,** Verslehre, Verswissenschaft; → Literaturwissenschaft.

**Metro** → Verkehrsmittel.

**Metromanie** → Mannstollheit.

**Metropole** → Stadt.

**Metroptose** → Eingeweidesenkung.

**Metrum** → Versmaß.

**Mett** → Hackfleisch.

**Mette** → Gottesdienst.

**Mettwurst** → Wurst.

**Metze** → Prostituierte.

**Metzelei** → Blutbad.

**metzeln** → schlachten.

**Metzelsuppe** → Suppe.

**Metzen** → Hohlmaß.

**Metzg** → Schlachtbank.

**Metzge** → Schlachtbank.

**metzgen** → schlachten.

**Metzger** → Fleischer.

**Metzgerei** → Fleischerei.

**Metzgergang:** einen M. machen → Erfolg.

**Metzgerladen** → Fleischerei.

**Metzler** → Fleischer.

**Meublement** → Mobiliar.

**Meuchelmord** → Tötung.

**Meuchelmörder** → Mörder.

**meucheln** → töten.

**Meute** → Herde.

**Meuterei** → Verschwörung.

**meutern** → aufbegehren.

**mexikanisch:** -er Peso → Zahlungsmittel.

**MEZ** → Zeit.

**Mezzamajolika** → Steingut.

**Mezzanin** → Geschoß.

**mezzoforte** → Lautstärke.

**mezzopiano** → Lautstärke.

**Mezzosopran** → Sängerin.

**Mezzotinto** → Graphik.

**miauen,** miaunzen, maunzen, mauzen; → bellen; → Katze; → Laut.

**miaunzen** → miauen.

**mich:** für m. → meinetwegen.

**Micha** → Prophet.

**Michael** → Erzengel.

**Michel:** → Deutscher; deutscher M. → Deutschland.

**mickerig** → kümmerlich.

**mickrig** → kümmerlich.

**Midi** → Kleid.

**Midikleid** → Kleid.

**Midimantel** → Mantel.

**Midinette** → Putzmacherin.

**Midirock** → Rock.

**Mieder,** Korsett, Hüfthalter, Hüftgürtel, Korselett, Schnürleib, Korsage, Bodystocking, Taille (veraltet) · das zur Stützung der Wirbelsäule getragen wird: Stützkorsett; → Büstenhalter, → Strumpfhalter.

**Mief:** → Luft, → Rückständigkeit.

**Miefquirl** → Ventilator.

**¹Miene,** Mienenspiel, Mimik, Gesichtsausdruck, Ausdruck, Gesicht · schmerzvolle: Leidensmiene · sehr traurige: Leichenbittermiene (ugs.) · strenge, gewichtige: Amtsmiene · verzerrte: Fratze, Grimasse; → Gesicht.

**²Miene:** M. machen, etwas zu tun → anschicken (sich); gute M. zum bösen Spiel machen → notgedrungen [etwas tun müssen]; keine M. verziehen → ruhig [bleiben].

**Mienenspiel** → Miene.

**Mienensprache** → Zeichensprache.

**mies:** → schlecht; -er Typ → Mann; jmdm. ist / wird m. → unwohl.

**Miesepeter** → Muffel.

**miesepetrig** → schwermütig.

miesmachen → verleiden.

Miesmacher: → Nörgler, → Pessimist.

Miesmacherei → Pessimismus.

Miesmuschel → Muschel.

Mietauto → Taxe.

¹Miete, Pacht, Bestand (österr.); → Mietvertrag, → Mietzins; → mieten.

²Miete: → Abonnement, → Mietzins.

mieten, abmieten, anmieten, sich einmieten, sich ein Zimmer nehmen, pachten, abpachten, in Pacht nehmen · *von technischen Anlagen, Autos ö. ä.:* leasen; → übersiedeln, → vermieten; → Miete, → Vermietung.

Mieter, Hauptmieter, Dauermieter, Mietpartei, Wohnpartei (österr.), Partei · *in einem kleinen, von dem Besitzer bewohnten Haus:* Einlieger · *der nach einem anderen eine Wohnung bezieht:* Nachmieter; → Hausbewohner, → Untermieter.

Mietgeld → Mietzins.

Mietpartei → Mieter.

Mietshaus → Haus.

Mietskaserne → Haus.

Mietvertrag, Pachtvertrag, Bestandsvertrag (österr.); → Miete.

Mietwagen → Taxe.

Mietwohnung → Wohnung.

Mietzins, Mietgeld, Miete, Zins (oberd.), Wohnungszins (oberd.), Pachtzins; → Miete.

Miez → Katze.

Mieze: → Katze, → Mädchen.

Miezekatze → Katze.

Mignon → Liebling.

Migräne: → Kopfschmerz, → Menstruation.

Migränestift → Gummiknüppel.

Mijnheer: → Herr, → Holländer.

Miko → Komplex.

Mikroakrie → Kleinwuchs.

Mikrobiophobie → Hypochondrie.

Mikrocheilie → Kleinwuchs.

Mikrocheirie → Kleinwuchs.

Mikrochirie → Kleinwuchs.

Mikrodaktylie → Kleinwuchs.

Mikrofilm: → Film, → Reproduktion.

Mikrogenie → Kleinwuchs.

Mikrognathie → Kleinwuchs.

Mikroklima → Klima.

Mikromastie → Kleinwuchs.

Mikromelie → Kleinwuchs.

Mikroplasie → Kleinwuchs.

Mikropodie → Kleinwuchs.

Mikrorhinie → Kleinwuchs.

Mikroskop: → Lupe, → Sternbild; unter dem M. betrachten / unter das M. legen → vergrößern.

mikroskopieren → vergrößern.

Mikrosoma → Kleinwuchs.

Mikrosomatie → Kleinwuchs.

Mikrosomie → Kleinwuchs.

Mikrotie → Kleinwuchs.

Mikrowellenherd → Herd.

Miktion → Harnentleerung.

Milan → Vogel.

Milano → Mailand.

Milaria → Frieseln.

Milas → Orientteppich.

Milbe → Ungeziefer.

¹Milch, Kuhmilch, Ziegenmilch, Schafmilch · *entrahmte:* Magermilch, Blauveilchen (scherzh.) · *saure:* Sauermilch, Kefir, saure Milch, gestockte Milch (oberd.), Dickmilch, dicke Milch, Schlickermilch (landsch.), gestandene Milch (landsch.), Setzmilch (landsch.) · Joghurt, Fruchtjoghurt, Fru-Fru (österr.) · *haltbar gemachte:* H-Milch · *pasteurisierte:* Pastmilch (schweiz.) · *Flüssigkeit, die sich von geronnener absetzt:* Molke · *die bei der Buttererzeugung übrigbleibt:* Buttermilch · *in Pulverform:* Trockenmilch, Milchpulver · *eingedickte, kondensierte:* Kondensmilch, Büchsenmilch, Dosenmilch · *von behördlich überwachten Kühen, mit bestimmtem Fettgehalt:* Vorzugsmilch, Vitaminmilch, V-Milch; → Molkerei, → Sahne; → gerinnen.

²Milch: dicke / saure M. → Milch; aussehen wie M. und Blut → gesund [aussehen]; das Land, wo M. und Honig fließt → Fabelland; die M. abschöpfen → entrahmen.

Milchbar → Café.

Milchbart: → Bart, → Jüngling.

milchbärtig → bärtig.

Milchbrei → Brei.

Milchbusch → Löwenzahn.

Milcheis → Eis.

Milchflasche → Säuglingsflasche.

Milchkaffee → Kaffee.

Milchkakao → Kakao.

Milchling: Rotbrauner M. → Ständerpilz.

Milchmädchenrechnung → Fehler.

Milchpocken → Pocken.

Milchpulver → Milch.

Milchreis → Getreide.

Milchschaf → Schaf.

Milchschwamm → Pfifferling.

Milchstern → Liliengewächs.

¹Milchwirtschaft, Viehwirtschaft, Almwirtschaft, Sennerei; → Alm.

²Milchwirtschaft: → Landwirtschaft, → Molkerei.

Milchzahn → Zahn.

¹mild, sanft, lind, weich, hilb (schweiz.)

²mild: → behutsam, → gütig, → nachsichtig; eine -e Hand haben → freigebig [sein].

Milde → Duldung.

mildern: → abschwächen, → lindern.

Mildtätigkeit → Nächstenliebe.

Milieu: → Dirnenwelt, → Tischtuch, → Umwelt.

Milieudrama → Drama.

militant → streitbar.

¹Militär, Heer, Armee, Streitkräfte, Soldateska (abwertend), Luftstreitkräfte, Seestreitkräfte, Kriegsmarine, Heerscharen (geh., veraltet), Truppe · *kurzfristig ausgebildetes:* Miliz, Volksheer, Volkssturm, Volksmiliz, Bürgerheer, Bürgerwehr, Bürgermiliz, Landwehr, Heimwehr, Territorialarmee · *in Deutschland 1921–1935:* Reichswehr · *in Deutschland 1935 bis 1945:* Wehrmacht · *in der BRD:* Bundeswehr · *in der DDR:* [Nationale] Volksarmee, NVA · *in Österreich:* Bundesheer · *in der Schweiz:* Schweizerische Armee; → Appell, → Garnison, → Heeresverband, → Manöver, → Marsch (der), → Militärdienst, → Musterung, → Paradeschritt, → Soldat; → strammstehen.

²Militär: → Offizier; beim M. sein → Soldat [sein].

Militärabkommen → Abmachung.

Militärarzt → Arzt.

¹Militärdienst, Heeresdienst, Kriegsdienst, Wehrdienst, Re-

krutenzeit, Kommiß (*salopp*),
Barras (*salopp*) ·· *in Österreich:*
Präsenzdienst ·· *in der Schweiz:*
Wiederholungskurs, WK,
Weka · *für Rekruten:* Rekrutenschule, RS; → Militär, →
Soldat.

²**Militärdienst:** den M. leisten /
ableisten → Soldat [sein].

**Militärflughafen** → Flughafen.

**Militärflugplatz** → Flugplatz.

**Militärflugzeug** → Flugzeug.

**Militärgefängnis** → Strafanstalt.

**Militärgeistlicher** → Geistlicher.

**Militärgewalt** → Gewalt.

**Militärhospital** → Lazarett.

¹**militärisch,** soldatisch, militaristisch (*abwertend*) · paramilitärisch, halbmilitärisch, militärähnlich; → Soldat.

²**militärisch:** Militärischer Abschirmdienst → Geheimpolizei;
-e Übung → Manöver.

**Militarist,** Imperialist, Revanchist, Ultra.

**militaristisch** → militärisch.

**Militärjunta** → Regierung.

**Militärkapelle** → Orchester.

**Militärkonzert** → Musikveranstaltung.

**Militärkrankenhaus** → Lazarett.

**Militärmantel** → Mantel.

**Militärmaschine** → Flugzeug.

**Militärmusik** → Musik.

**Militärpflichtiger** → Soldat.

**Militärpolizei** → Polizeibehörde.

**Militärpolizist** → Polizist.

**Militärregierung** → Regierung.

**Militärseelsorge** → Geistlicher.

**Militärsprache** → Gruppensprache.

**Military Police** → Polizeibehörde.

**Miliz** → Militär.

**Mille** → Stück.

**Mille-fleurs** → Stoffmuster.

**Millennium** → Zeitraum.

**Mille-points** → Stoffmuster.

**Milliardär** → Reicher.

**Millième** → Zahlungsmittel.

**Milligramm** → Gewichtseinheit.

**Millime** → Zahlungsmittel.

**Millimeter** → Längenmaß.

**Millimeterpapier** → Schreibpapier.

**Millionär** → Reicher.

**Millionen** → Vermögen.

**Millionendorf** → München.

**Milzblutung** → Blutung.

**Milzsenkung** → Eingeweidesenkung.

**Mime** → Schauspieler.

**mimen:** → figurieren (als), →
spielen, → vortäuschen.

**Mimik** → Miene.

**Mimiker** → Artist.

**Mimikry** → Anpassung.

**mimosenhaft** → empfindlich.

**Mina:** dolle M. → Frauenrechtlerin.

**Minarett** → Turm.

**minder:** → minderwertig; mehr
oder m. → generell.

**minderbegabt** → unbegabt.

**minderbemittelt:** [geistig m.]
→ stumpfsinnig.

**Minderbrüder** → Mönchsorden.

**Mindereinnahme** → Fehlbetrag.

**Minderertrag** → Fehlbetrag.

**Minderheit,** Minorität, Minderzahl, der geringere Teil, weniger als die Hälfte · *religiöse:*
Diaspora; → Subkultur · Ggs.
→ Mehrheit.

**Minderheitenkabinett** → Regierung.

**Minderheitsregierung** → Regierung.

**minderjährig,** noch nicht mündig / erwachsen, unmündig,
unter 21 Jahren; → volljährig.

**Minderjähriger** → Jüngling.

**Minderung:** → Beeinträchtigung, → Verminderung.

¹**minderwertig,** minder (*österr.*),
schlecht, wertlos, billig, miserabel, inferior, hundsmiserabel
(*salopp, abwertend*), saumäßig
(*salopp, abwertend*), unter aller
Würde / Kritik / (*salopp*) Kanone / (*salopp*) Sau, schäbig, lausig
(*ugs.*), power (*ugs.*); → schlecht;
**m. sein:** etwas ist minderwertig, etwas spottet jeder
Beschreibung.

²**minderwertig** → wertlos.

**Minderwertigkeit** → Unzulänglichkeit.

**Minderwertigkeitskomplex** →
Komplex.

**Minderwuchs** → Kleinwuchs.

**Minderzahl** → Minderheit.

**mindeste:** das m. → Minimum;
nicht das m. → nichts; nicht
im -n → nein; zum -n → aber,
→ wenigstens.

**mindestens:** → aber, → wenigstens.

**Mindestforderung** → Anspruch.

**Mindestlohn** → Lohn.

**Mindestmaß** → Minimum.

**Mindestwert** → Minimum.

¹**Mine** · Landmine, Panzermine, Schützendruckmine,
Schützenspringmine, Atommine, Tretmine, Flattermine,
Tellermine · Seemine, Kontaktmine, Magnetmine, Geräuschmine, Druckmine, Treibmine, Grundmine, Ankertaumine; → Minensperre, →
Munition.

²**Mine:** → Bergwerk; alle -n
springen lassen → anwenden.

**Minenfeld** → Minensperre.

**Minenleger** → Kriegsschiff.

**Minenräumboot** → Kriegsschiff.

**Minenriegel** → Minensperre.

**Minensperre,** Minenfeld, Minenriegel; → Mine.

**Minensuchboot** → Kriegsschiff.

**Mineraldünger** → Dünger.

**Mineralkohle** → Kohle.

**Mineraloge,** Geologe, Petrograph, Gesteinskundler; →
Gestein, → Gesteinskunde.

**Mineralogie** → Gesteinskunde.

**Mineralöl** → Erdöl.

**Mineralquelle** → Heilquelle.

**Mineralsalz** → Salz.

**Mineralwasser,** Selterswasser,
Selters, Wasser (*ugs.*), Sprudelwasser, Sprudel (*ugs.*), Sodawasser, Soda, Tonic water; →
Limonade.

**Minerva** → Göttin.

**Minestra** → Suppe.

**Minestrasuppe** → Suppe.

**Minestrone** → Suppe.

**Mineur** → Bergmann.

**Mini** → Kleid.

**Miniatur:** → Malerei, → Zeichnung.

**Miniaturausgabe** → Edition.

**Miniaturkamera** → Fotoapparat.

**Minicar** → Taxe.

**Miniermotte** → Schmetterling.

**Miniersackmotte** → Schmetterling.

**Minigolf,** Kleingolf; → Ballspiel, → Golfspiel, → Spiel.

**Minikleid** → Kleid.

¹**minimal,** gering, ein wenig,
leicht, leise (*ugs.*); → wenig.

²**minimal** → klein.

**Minimal art** → Malerei.

**Minimantel** → Mantel.

**Minimum,** das Kleinste, das
wenigste, das mindeste, Min-

destmaß, Mindestwert, Unter-
grenze; → Tiefstand · Ggs.
→ Maximum.
**Minirock** → Rock.
**Minislip** → Unterhose.
**Minispion** → Abhörgerät.
**Minister**, Ressortchef, Regierungsmitglied, Kabinettsmitglied ·· *einer Bundesregierung:*
Bundesminister · *in der Schweiz:*
Bundesrat, Vorsteher eines
Departements, Magistrat ·· *einer*
*österreichischen Länderregie-*
*rung:* Landesrat ·· *der Regie-*
*rung einer Stadt:* Bürgermeister · *in Berlin, Bremen und*
*Hamburg:* Senator · *in Öster-*
*reich:* Stadtrat; → Ministerium,
→ Ministerpräsident, → Oberhaupt.
**¹Ministerium**, Ressort ·· *in der*
*Schweiz:* Departement · *kan-*
*tonales:* Direktion; → Minister.
**²Ministerium** → Amt.
**Ministerpräsident**, Regierungschef, Premierminister, Premier · *in der BRD und Öster-*
*reich:* Bundeskanzler · *in der*
*Schweiz:* Bundespräsident ·
*einer österreichischen Länder-*
*regierung:* Landeshauptmann;
→ Minister, → Oberhaupt.
**Ministerrat** → Regierung.
**Ministrant**, Meßdiener, Meßknabe (*bes. schweiz.*); → Kirchendiener.
**Minna:** → Hausangestellte;
grüne M. → Gefängniswagen;
jmdn. zur M. machen → schelten; ich werd' zur M. →
überrascht [sein].
**Minne** → Liebe.
**Minnesang** → Lyrik.
**Minnesänger**, Troubadour, Trobador, Trouvère, Spielmann,
fahrender Sänger, Barde; →
Lied, → Sänger.
**Minorit:** -en → Mönchsorden.
**Minorität** → Minderheit.
**Minus** → Mangel.
**Minuskel** → Buchstabe.
**Minuskelschrift** → Schrift.
**Minute:** → Zeitraum; es ist
fünf -n vor zwölf → spät; auf
die M. → pünktlich.
**Minutenzeiger** → Uhrzeiger.
**minuziös**, haargenau (*ugs.*),
haarklein (*ugs.*), einläßlich
(*schweiz.*); → ausführlich, →
gewissenhaft.

**mir:** m. nichts, dir nichts →
kurzerhand.
**Mir** → Orientteppich.
**Mirabelle** → Obst.
**Mirakel** → Wunder.
**Mirecourtspitze** → Spitzen-
stickerei.
**Mir-i-bota** → Stoffmuster.
**Miriki** → Affe.
**Misandrie**, Männerhaß · Androphobie, Männerscheu; → Menschenverachtung.
**Misanthrop**, Menschenfeind,
Menschenverächter, Menschenhasser; → Menschenverach-
tung · Ggs. → Philanthrop.
**Misanthropie** → Menschenver-
achtung.
**misanthropisch** → unzugäng-
lich.
**Mischbecher** → Mixer.
**Mischblut** → Mischling.
**Mischbrot** → Brot.
**Mischehe** → Ehe.
**¹mischen**, vermischen, mengen,
vermengen, untermengen, unterarbeiten, kneten, verkneten,
unterkneten, mixen, zusammenbrauen, verrühren; → beimischen, → rühren; → Mixer,
→ Vermischung.
**²mischen:** sich m. in → eingreifen.
**Mischgas** → Gas.
**Mischling**, Mischblut, Bastard ·
*zwischen Indianer und Weißem:*
Mestize · *in Mittelamerika:*
Ladino ·· *zwischen Neger und*
*Indianer:* Zambo, Cafuso ·
*zwischen Neger und Weißem:*
Mulatte · *zwischen einem Wei-*
*ßen und einer Mulattin:* Terzerone, Mustio · *zwischen Wei-*
*ßem und Mestizen:* Castize ·
*zwischen Indianer und Mestize:*
Kastize · *zwischem Weißem und*
*Terzerone:* Quarterone · *zwi-*
*schen portugiesischem Einwan-*
*derer und eingeborener Brasi-*
*lianerin:* Caboclo ·· *bei Pflan-*
*zen und Tieren:* Hybride.
**Mischmasch** → Mischung.
**Mischpoke** → Familie.
**Mischpult** → Apparat.
**Mischsprache** · *aus Hochdeutsch*
*und Plattdeutsch gemischt:* Missingsch · *aus mittelhochdeut-*
*schem, semitischem und slawi-*
*schem Wortgut:* Jiddisch, Judendeutsch · *aus dem Engli-*
*schen und der Pfälzer Mundart:*

Pennsylvaniadeutsch · *englisch-*
*chinesische:* Pidgin-Englisch; →
Ausdrucksweise, → Deutsch,
→ Mundart; → sprechen.
**¹Mischung**, Gemisch, Gemenge,
Mixtur, Melange, Allerlei, Kunterbunt, Durcheinander, Klitterung (*abwertend*), Konglomerat, Mischmasch (*abwertend*),
Pelemele, Sammelsurium (*ugs.*),
Sammlung, Komposition, Mixtum compositum · *von zwei*
*nicht löslichen Flüssigkeiten:*
Emulsion · *als Ergebnis der*
*Paarung verschiedener Pflan-*
*zen- oder Tierarten:* Kreuzung ·
*in der Musik:* Potpourri,
Quodlibet ·· *bei Metallen:*
Legierung, Alligation · *bes.*
*von Kupfer und Zinn:* Bronze ·
*bei Speisen:* → Eintopf · *bei*
*Wein, Spirituosen:* Ver-
schnitt; → Auswahl, → Vermischung.
**²Mischung** → Vermischung.
**Mischwald** → Wald.
**miserabel:** → minderwertig, →
schlecht.
**Misere** → Not.
**Misericordias Domini** → Kirchenjahr.
**Miserikordienbild** → Bild.
**¹Misogamie**, Ehescheu, Gamophobie; → Ehe, → Menschenverachtung.
**²Misogamie** → Abneigung.
**Misogyn** → Weiberfeind.
**¹Misogynie**, Weiberhaß · Gynäkophobie, Weiberscheu; →
Menschenverachtung.
**²Misogynie** → Abneigung.
**¹Misopädie**, Kinderhaß · Pädophobie, Kinderscheu; → Menschenverachtung.
**²Misopädie** → Abneigung.
**Miß** → Fräulein.
**Miss:** M. Brown → Vulva.
**mißachten**, geringachten, geringschätzen, verkennen, übergehen, überfahren (*ugs.*), nicht
ernst / nicht für voll nehmen,
zu wenig Wert legen auf,
jmdm. / einer Sache nicht
gerecht werden, sich hinwegsetzen über, etwas mit Füßen
treten, außer acht lassen, in
den Wind schlagen, nicht hören
auf, etwas auf die leichte
Schulter (oder:) Achsel / etwas
von der leichten Seite nehmen
(*ugs.*), pfeifen auf (*salopp*),

scheißen auf (derb), sich nichts daraus machen (ugs.), sich einen Dreck daraus machen (salopp), nicht → achten, nicht → achtgeben, nicht → berücksichtigen; → ablehnen, → diskriminieren, → ignorieren, → kränken, → übertreten, → unterschätzen, → verabscheuen; **nicht m.**, etwas ist nicht zu verachten / nicht von der Hand zu weisen; → Außerachtlassung, → Rechtsbeugung.

**Mißachtung:** → Außerachtlassung, → Nichtachtung.

**Missal** → Altargerät.

**Missale:** → Altargerät, → Schriftgrad.

**Mißbehagen** → Unzufriedenheit.

**[1]Mißbildung,** Deformation, Deformierung, Anomalie, Abnormität; → Abweichung, → Gliedmaßenmißbildung, → Hasenscharte, → Mißgeburt.

**[2]Mißbildung** → Mißgeburt.

**mißbilligen:** → beanstanden, → verabscheuen.

**Mißbilligung:** M. erregen → anstoßen.

**Mißbrauch:** M. treiben / begehen → mißbrauchen.

**[1]mißbrauchen,** Mißbrauch treiben / begehen, Schindluder treiben mit (salopp, abwertend); → auswerten.

**[2]mißbrauchen** → vergewaltigen.

**missen:** → mangeln; nicht m. können → gebrauchen.

**Mißerfolg,** Fehlschlag, Mißlingen, Fiasko, Reinfall (ugs.), Schlag ins Wasser (ugs.), Aufsitzer (österr.) · künstlerischer: Durchfall · geschäftlicher: Ruin, Bankrott, Konkurs, Pleite (salopp), Geltstag (schweiz.), Auffall (schweiz.), [fahrlässige] Krida (österr.); → Gemeinschuldner · im Spiel: Niederlage, Schraufen (ugs., österr.); → Unglück · Ggs. Erfolg; **M. haben,** durchfallen, Schiffbruch erleiden, nicht ankommen, erfolglos sein / bleiben, keine glückliche Hand haben, jmdm. schwimmen die Felle weg; → scheitern.

**Mißernte** → Ernte.

**Missetat** → Verstoß.

**Missetäter** → Verbrecher.

**mißfallen** → gefallen.

**Mißfallen:** → Unzufriedenheit; M. erregen → anstoßen.

**mißfällig** → abschätzig.

**Mißgebilde,** Mißgestalt, Abnormität, Mißgeburt, Wechselbalg (abwertend); → Gliedmaßenmißbildung, → Mißgeburt; → verwachsen.

**[1]Mißgeburt,** Mißbildung, Monstrosität, Monstrum, Teratismus (selten), Teratose (selten), Teras (selten) · aus zwei zusammenhängenden Feten: Zwillingsmißbildung, Doppelmißgeburt, Doppelmißbildung, Doppelmonstrum, Duplicitas · mit zusammengewachsenen Unterkörpern: Anadidymus · mit zusammengewachsenen unteren Extremitäten: Sympus, Sympodie, Sirene, Sirenomelus, Symmelie · mit Verwachsung im Beckenbereich: Dipygus, Doppelsteiß · mit zusammengewachsenen oberen Körperhälften: Katadidymus · mit zwei Köpfen: Dizephalus, Dizephalie, Diplozephalus, Diplozephalie, Synzephalus, Synzephalie, Kraniopagus, Doppelkopf, Dicranus (selten) · mit zwei Gesichtern: Diprosopus, Diprosopie, Doppelgesicht, Doppelgesichtigkeit, Diploprosopus (selten) · mit zwei vollständig entwickelten symmetrischen Feten: siamesische Zwillinge, Diplopagus, Dipagus, Diplosomie, Disomie, Xiphopagus; → Gliedmaßenmißbildung, → Mißbildung, → Mißgebilde; → verwachsen.

**[2]Mißgeburt** → Mißgebilde.

**mißgelaunt:** → ärgerlich; m. sein → aufgelegt.

**Mißgeschick:** → Unglück; vom M. verfolgt werden → Unglück [haben].

**Mißgestalt** → Mißgebilde.

**mißgestaltet** → verwachsen.

**mißgestimmt:** → ärgerlich; m. sein → aufgelegt.

**Mißgestimmtheit** → Verstimmung.

**mißglücken:** etwas mißglückt → scheitern.

**mißgönnen** → neiden.

**Mißgriff** → Fehler.

**Mißgunst** → Neid.

**mißgünstig** → neidisch, schadenfroh; m. sein → neiden.

**mißhandeln,** quälen, foltern, martern (geh.); → schikanieren.

**Mißhandlung,** Quälerei, Peinigung, Folter, Marter, Qual; → Belästigung, → Grausamkeit, → Leid.

**Mißheirat** → Ehe.

**Missingsch** → Mischsprache.

**Mission** → Beruf.

**Missionar** → Geistlicher.

**Missionschef** → Diplomat.

**Missionsorden** → Mönchsorden.

**Missionsschwester** → Nonne.

**[1]Mißklang,** Disharmonie, Dissonanz, Kakophonie, Diskordanz, Paraphonie; → Abweichung; → mißtönend · Ggs. → Wohlklang.

**[2]Mißklang** → Unausgeglichenheit.

**Mißkredit:** in M. bringen → schlechtmachen; bei jmdm. in M. geraten sein → unbeliebt [sein].

**mißlaunig** → ärgerlich.

**mißlich** → unerfreulich.

**Mißlichkeit** → Unerquicklichkeit.

**mißliebig** → unbeliebt.

**Mißliebigkeit** → Unbeliebtheit.

**mißlingen:** etwas mißlingt → scheitern.

**Mißlingen** → Mißerfolg.

**mißlungen** → verfehlt.

**Mißmut** → Unzufriedenheit.

**mißmutig,** ärgerlich, böse, aufgebracht, verärgert, entrüstet, empört, peinlich / unangenehm berührt, unwillig, ungehalten, unwirsch, fünsch (niederd.), indigniert, erbost, erzürnt, erbittert, zornig, fuchtig (ugs.), wütend, rabiat, wutentbrannt, wutschäumend, wutschnaubend (ugs.), fuchsteufelswild, zähneknirschend, grimmig, ingrimmig, tücksch (ugs.), mürrisch, verdrossen, bärbeißig, grämlich, verdrießlich, griesgrämig, hässig (schweiz.), mauserig (schweiz.), sauertöpfisch, brummig, mißvergnügt, mißgestimmt, mißlaunig, mißgelaunt, gereizt, übellaunig, muffig, grantig, leid (schweiz.), maßleidig (südd.); → aufgelegt, → aufgeregt, → geharnischt, → gekränkt, → launisch, → unerfreulich, → unzufrieden, → widerwillig; **m. sein,** jmdm. ist eine Laus über die Leber gelaufen, jmd. ist mit dem linken Fuß aufgestanden; → anstoßen (bei jmdm.), → grollen, → kränken, → lärmen, → schockieren; → Griesgram, → Stimmung, → Überraschung, → Unannehmlichkeiten.

¹mißraten (Verb): etwas mißrät → scheitern.

²mißraten (Adjektiv): → verfehlt.

Mißstand → Kalamität.

Mißstimmung → Unannehmlichkeiten.

mißtönend, unrein, unsauber, falsch, unmelodisch, dissonant, disharmonisch, kakophonisch; → Mißklang · Ggs. → wohlklingend.

mißtrauen→argwöhnisch [sein].

Mißtrauen → Verdacht.

mißtrauisch → argwöhnisch.

Mißvergnügen → Neid.

mißvergnügt → ärgerlich.

Mißverhältnis → Abweichung.

mißverständlich → mehrdeutig.

Mißverständnis → Fehler.

mißverstehen, falsch verstehen / auffassen / deuten / auslegen, etwas in den falschen / unrechten / verkehrten Hals bekommen (ugs.), etwas in die falsche Kehle bekommen (ugs.); → irren (sich).

Mist: → Abfall, → Angelegenheit, → Dreck-, → Dünger, → Kram, → Misthaufen, → Unsinn; M. bauen → falsch [machen]; M. streuen → düngen; Kleinvieh macht auch M. → lohnend [sein]; etwas ist nicht auf jmds. Mist gewachsen → stammen (von); Geld wie M. haben → reich [sein].

Mistarbeit → Anstrengung.

Mistbeet → Frühbeet.

Mister: → Herr; M. Universum → Kraftmensch.

Mistfink → Schmutzfink.

Mistforke → Forke.

Mistgabel → Forke.

Mistgülle → Dünger.

Misthaufen, Mist, Miststock (schweiz.), Stock (schweiz.); → Dünger, → Jauchegrube.

mistig → schmutzig.

Mistkübel → Abfalleimer.

Mistral → Fallwind.

Mistreß → Dame.

Mistschaufel → Müllschaufel.

Miststock → Misthaufen.

Miststück → Frau.

Mistwetter → Wetter.

Miszellen → Aufsatz.

mit: → einschließlich → samt, → vermittels; m. einemmal → plötzlich; m. Freuden / Vergnügen → ja; m. Namen → namentlich; m. Recht → füglich; bis und m. → einschließlich.

mit-: → homo-.

Mitarbeit, Zusammenwirken, Kooperation, Zusammenarbeit, Teamarbeit, Arbeitsteilung, Teamwork; → Arbeit, → Kollege.

mitarbeiten → teilnehmen.

Mitarbeiter: → Kollege, → Team.

Mitbegründer → Gründer.

mitbekommen: → merken, → verstehen.

mitberücksichtigen → berücksichtigen.

Mitbestimmung, Mitbestimmungsrecht, Mitspracherecht; → Arbeitnehmervertretung, → Autonomie; → anordnen.

Mitbestimmungsrecht → Mitbestimmung.

Mitbeteiligter → Komplice.

Mitbewerber → Rivale.

Mitbringsel → Gabe.

miteinander: → untereinander; m. fröhlich sein → vergnügen (sich).

mitempfinden → mitfühlen.

Mitempfinden → Mitgefühl.

Miterbe → Erbe (der).

mitfahren, per Anhalter / Autostop fahren, trampen, hitchhiken (veraltet); → reisen.

Mitfahrer → Beifahrer.

mitfühlen, mitempfinden, mitleiden, Mitgefühl zeigen, teilnehmen, Anteil nehmen, Teilnahme zeigen / bezeigen, Anteilnahme bezeigen, [den Schmerz] teilen, jmd. erbarmt jmdm. (österr.), den Daumen halten / drücken (ugs.); → bedauern, → beklagen, → bemitleiden, → kondolieren, → trösten; → Mitgefühl.

mitfühlend → menschlich.

mitführen, mitnehmen, mit sich / bei sich führen, bei sich haben / tragen; → mitnehmen.

mitgeben → schenken.

¹Mitgefühl, Mitempfinden, Mitleid, Erbarmen, Teilnahme,

Anteilnahme, Interesse · als überflüssig empfundenes: Humanitätsduselei (abwertend); → Beileidsbezeigung, → Freundschaft, → Nächstenliebe, → Zuneigung.

²Mitgefühl: M. zeigen → mitfühlen.

mitgehen: → begleiten; m. lassen / heißen → wegnehmen.

mitgenommen: → defekt, → erschöpft.

mitgerissen → begeistert.

Mitgift → Aussteuer.

Mitgläubiger → Gläubiger.

¹Mitglied, Glied, Angehöriger, Beteiligter, Mitwirkender; → Kollege.

²Mitglied: M. werden → beitreten.

Mitgliederversammlung → Tagung.

Mitgliedschaft → Beitritt.

mithalten → teilnehmen.

mithelfen → helfen.

Mithilfe → Dienst.

mithin → also.

mithören → horchen.

Mitigans: → Beruhigungsmittel, → Linderungsmittel.

Mitinhaber → Teilhaber.

mitklingen → anklingen.

¹mitkommen (mit), Schritt halten mit, auf dem laufenden sein / bleiben; → modern [sein].

²mitkommen: nicht [mehr] m. → verstehen.

mitkönnen: da kann ich nicht mehr mit! → verstehen.

mitkriegen: → hören, → merken, → verstehen.

Mitläufer → Anhänger.

Mitlaut → Konsonant.

Mitlebender → Zeitgenosse.

Mitleid: → Mitgefühl; M. haben / empfinden → bemitleiden.

mitleiden → mitfühlen.

Mitleidenschaft: in M. gezogen werden → verschonen.

mitleiderregend → kläglich.

mitleidlos → unbarmherzig.

Mitleidlosigkeit: → Gefühlskälte, → Ungerührtheit.

mitlotsen → verleiten.

mitmachen: → ertragen, → teilnehmen; nicht mehr m. → streiken; nicht alles m. → entgegenstellen (sich); einen Kurs / Kursus / Lehrgang m. →

Unterricht [erhalten]; eine Mode nicht m. → altmodisch [sein].

**Mitmensch** → Zeitgenosse.

**mitmenschlich:** → menschlich; -e Beziehungen → Kontakt.

**mitmischen** → beteiligen (sich).

**¹mitnehmen,** mit sich nehmen, mitschleifen (*salopp*), mitschleppen (*salopp*), wegnehmen, etwas abschleppen (*ugs.*); → entfernen, → mitführen, → wegnehmen.

**²mitnehmen:** → kaufen, → mitführen → wegnehmen; etwas nimmt mit → beschwerlich [sein]; [auf die Wache] m. → abführen.

**mitnichten** → nein.

**Mitra** → Kopfbedeckung.

**mitrechnen,** mitzählen, mit in die / in seine Berechnungen einbeziehen; → ausrechnen, → einkalkulieren.

**mitreden:** ein Wörtchen mitzureden haben → Entscheidung.

**Mitreisender** → Passagier.

**mitreißen** → begeistern.

**mitreißend** → interessant.

**mitschleifen** → mitnehmen.

**mitschleppen** → mitnehmen.

**Mitschnitt** → Sendung.

**mitschreiben** → aufschreiben.

**Mitschuldiger:** → Komplice, → Schuldiger.

**Mitschuldner** → Schuldner.

**Mitschüler** → Schüler.

**mitschwingen** → anklingen.

**mitspielen** → teilnehmen.

**Mitspracherecht** → Mitbestimmung.

**¹Mittag,** zwölf [Uhr], Mittagsstunde, die Stunde des Pan (*dichter.*), zwölf Uhr mittags, High noon (*engl.*); → Nachmittag, → Tageszeit; → mittags.

**²Mittag:** → Himmelsrichtung, → Mittagessen, → Nachmittag; des -s, über / zu M. → mittags; jeden M., alle -e, M. für M., immer am / über / zu M. → allmittäglich.

**Mittagbrot** → Mittagessen.

**Mittagessen,** Mittagbrot (*bes. ostd.*), Mittag (*bes. nordostd.*), Mittag[s]mahl, Zmittag (*schweiz.*), Lunch; → Essen; **das M. einnehmen,** zu Mittag essen, [das] Mittagbrot essen, Mittag essen (*bes. nordostd.*); mittagmahlen (*österr.*); **beim M.**

**sein,** zu Tisch sein, in der Mittagspause sein; → essen.

**mittäglich** → allmittäglich.

**Mittagmahl** → Mittagessen.

**mittagmahlen** → Mittagessen [einnehmen].

**¹mittags,** zu / über Mittag, des Mittags (*geh.*), in der / um die Mittagszeit (oder:) Mittagsstunde, um zwölf Uhr [mittags], in der Stunde des Pan (*dichter.*); → allmittäglich, → morgens, → tagsüber; → Mittag, → Tag, → Tageszeit.

**²mittags:** → nachmittags; immer m. → allmittäglich.

**Mittagsmahl** → Mittagessen.

**Mittagspause:** → Mittagsruhe; in der M. sein → Mittagessen.

**Mittagsruhe,** Mittagspause, Siesta, Mittagsschläfchen; → Ruhe; → schlafen.

**Mittagsschläfchen** → Mittagsruhe.

**Mittagssonne** → Sonnenlicht.

**Mittagsstunde:** → Mittag; in der / um die M. → mittags.

**Mittagszeit:** immer in der / um die M. → allmittäglich, → mittags.

**Mittäter** → Verbrecher.

**Mitte:** → Mittelpunkt, → Taille; Reich der Mitte → China; ab durch die M. → weg!; etwas liegt in der M. zwischen ... und ... → Mittelding.

**mitteilen,** erzählen, berichten, verkünden, verkündigen, verkünden, ankündigen, referieren, Bericht erstatten, einen Bericht geben, schildern, darstellen, beschreiben, eine Beschreibung geben, auswalzen (*ugs.*), sagen, verklickern (*ugs., landsch.*), benachrichtigen, Nachricht / Bescheid geben, jmdn. etwas wissen lassen, Auskunft geben / erteilen, avisieren, in Kenntnis / ins Bild setzen, melden, vermelden, verlautbaren, verlauten, bekanntgeben, bekanntmachen, kundmachen, vernehmlassen (*schweiz.*), kundtun, informieren, unterrichten, jmdn. auf dem laufenden halten, aufklären, jmdm. die Augen öffnen, jmdm. den Star stechen (*ugs.*), jmdm. ein Licht aufstecken / reinen Wein einschenken (*ugs.*),

jmdm. etwas beibringen (*ugs.*), Mitteilung machen, bestellen, ausrichten, Kenntnis geben, vorbringen, vortragen, äußern, ausdrücken, Ausdruck verleihen, zum Ausdruck / zur Darstellung bringen, etwas vom Stapel lassen (*ugs.*), artikulieren, durchblicken / verlauten lassen, zu erkennen geben, [kund und] zu wissen tun, auspacken (*salopp*), losschießen (*salopp*), auftischen (*ugs.*), es jmdm. stecken (*ugs.*), jmdm. etwas hindrücken / hinreiben / unter die Nase reiben (*ugs.*), jmdm. etwas / sich jmdm. anvertrauen, jmdn. ins Vertrauen ziehen, kolportieren (*abwertend*), [sich] aussprechen, seinem Herzen Luft machen; sagen, was man auf dem Herzen hat; sich / sein Herz erleichtern, sich etwas von der Seele reden, jmdm. sein Herz ausschütten · *ohne den anderen langsam darauf vorzubereiten:* mit der Tür ins Haus fallen · *ein Geheimnis o. ä.:* das Schweigen brechen, ausplaudern, preisgeben, verraten, verplaudern, ausplauschen (*österr.*), ausratschen (*österr.*), plauschen (*österr.*). ausplappern, ausquasseln (*ugs.*) · *interne Angelegenheiten Außenstehenden:* aus der Schule plaudern, ausquatschen (*salopp*), schwatzen (*ugs.*), nicht für sich behalten, nicht dichthalten, den Mund nicht halten, etwas [brühwarm] weitererzählen / weitersagen / weitergeben / weitertragen, hinterbringen, zutragen, sich verreden / versprechen / (*ugs.*) verschnappen / (*ugs.*) verplappern, etwas rutscht jmdm. heraus (*salopp*) · *etwas vor oder nach der Predigt von der Kanzel herab:* abkündigen; **etwas m. sollen,** heraus mit der Sprache! (*ugs.*); **etwas auf keinen Fall m.,** sich eher die Zunge abbeißen, als ...; → abhandeln, → androhen, → anmelden, → antworten, → aussagen, → äußern, → bekunden, → erörtern, → flüstern, → formulieren, → reden, → sprechen, → stottern, → unterhalten (sich), → verbreiten, → verraten, → voraus-

schicken, → vortragen, → vorwerfen, → wissen; **nicht m.,**
schweigen, etwas nicht laut
werden lassen, jmdm. etwas
nicht auf die Nase binden
(*ugs.*), etwas mit ins Grab
nehmen; → weitererzählen;
**nicht m. können,** nicht über die
Lippen bringen; nicht wissen,
wie man jmdm. etwas beibringen soll (*ugs.*); → gesprächig, →
informativ; → Besprechung, →
Gewährsmann, → Hinweis, →
Mitteilung, → Nachricht.
**mitteilsam** → gesprächig.
**Mitteilsamkeit** → Redseligkeit.
**¹Mitteilung,** Bekanntmachung,
Bekanntgabe, Kundgabe,
Kundmachung (*österr.*), Vernehmlassung (*schweiz.*), Information, Eröffnung, Verkündigung, Bulletin, Denkschrift,
Memorandum, Kommuniqué;
→ Aufruf, → Aufsatz, → Bekundung, → Bericht, → Do-
kumentensammlung, → Ge-
rücht, → Gesuch, → Nach-
richt, → Nachruf, → Plakat, →
Rundschreiben, → Schreiben,
→ Veröffentlichung; → informativ.
**²Mitteilung:** → Nachricht; M.
machen → mitteilen.
**mittel:** → einigermaßen, →
mäßig; mittlere Reife → Einjähriges; mittlere Tide → Flut.
**¹Mittel,** Vehikel, Träger, Grund,
Mittel zum Zweck, Vorwand; →
Beschönigung.
**²Mittel:** → Geld, → Grundlage,
→ Medikament, → Schriftgrad;
antikonzeptionelle M. → Empfängnisverhütungsmittel; jmdm.
ist jedes M. recht → rücksichtslos [sein]; krampflinderndes / krampflösendes / krampfstillendes M. → Relaxans;
öffentliche M. → Staatskasse;
reizlinderndes / schmerzstillendes M. → Linderungsmittel,
→ Medikament; stimmungs-
förderndes M. → Psychopharmakon; M. und Wege finden →
Lösung; sich ins M. legen →
vermitteln.
**Mittelaltar** → Altar.
**Mittelalter:** → Geschichtsepoche, → Lebensalter.
**mittelalterlich:** -e Musik →
Musik.

**Mittelbayerisch** → Mundart.
**mittelblond** → blond.
**mittelbraun** → braunhaarig.
**Mittelchen** → Allheilmittel.
**Mitteldeutsch** → Mundart.
**Mitteldeutschland** → Deutsch-
land.
**Mittelding, Zwischending; ein
M. sein:** etwas ist ein Mittel-
ding, etwas liegt [in der Mitte]
zwischen ... und ...
**mitteleuropäisch:** -e Zeit → Zeit.
**Mittelfeldspieler** → Fußball-
spieler.
**Mittelfinger** → Finger.
**Mittelfränkisch** → Mundart.
**Mittelgalopp** → Gangart.
**Mittelgewicht** → Ringen.
**mittelgrau** → grau.
**Mittelhirn** → Gehirn.
**mittelhochdeutsch:** -e Dich-
tung → Literaturepochen.
**Mittelhochdeutsch** → Deutsch.
**Mittelläufer** → Fußballspieler.
**mittellos** → arm.
**Mittelloser** → Armer.
**Mittellosigkeit** → Armut.
**Mittellosigkeitszeugnis** → Armutszeugnis.
**mittelmäßig** → mäßig.
**Mittelmeer:** [Amerikanisches
M.] → Atlantik.
**mittelprächtig** → mäßig.
**¹Mittelpunkt,** Mitte, Kern, Herz,
Herzstück, Zentrum, Center,
Hochburg, Pol, Achse, Nabel
der Welt, Brennpunkt, Knoten-
punkt, Schnittpunkt, Zentral-
punkt, Sammelpunkt, Zentrale,
Haupt-; → Innenstadt, →
Tummelplatz; **M. sein,** Hahn
im Korb sein, die Hauptperson
sein, die Szene beherrschen,
Held des Tages sein; → zen-
tralisieren; → bekannt, →
beliebt, → zentral.
**²Mittelpunkt:** im M. → zentral;
M. sein → beliebt [sein].
**Mittelpunktschule** → Schule.
**mittels** → vermittels.
**Mittelsäger** → Vogel.
**Mittelschicht** → Bürgertum.
**Mittelschule** → Schule.
**Mittelschullehrer** → Lehrer.
**Mittelsmann** → Vermittler.
**Mittelspecht** → Vogel.
**Mittelsperson** → Vermittler.
**mittelst** → vermittels.
**Mittelstand** → Bürgertum.
**Mittelstreckenflugzeug** → Flug-
zeug.

**Mittelstreckenlauf:** → Lauf, →
Leichtathletik.
**Mittelstreifen** → Grünstreifen.
**Mittelstürmer** → Fußballspieler.
**Mittelweg** → Abmachung.
**mitten:** m. am Tage → tagsüber; m. durch → querfeldein;
m. in der Nacht → nachts.
**mittendrin** → in.
**¹Mitternacht,** vierundzwanzig
Uhr, zwölf [Uhr], null Uhr,
Tageswechsel, Geisterstunde
(*scherzh.*); → Abend, → Dämmerstunde, → Tag, → Tageszeit; → mitternachts.
**²Mitternacht:** um / zur M. →
mitternachts.
**mitternächtig** → mitternachts.
**mitternächtlich** → mitternachts.
**mitternachts,** um / zur Mitternacht, mitternächtlich, mitternächtig, um vierundzwanzig
Uhr, um zwölf Uhr [nachts],
null Uhr, in der / zur Geisterstunde (*scherzh.*); → Abend,
→ Mitternacht, → Tageszeit;
→ nachts.
**Mitternachtsmette** → Gottesdienst.
**Mitternachtsvase** → Nachtgeschirr.
**Mittler:** → Medium, → Vermittler.
**mittlere:** Mittlerer Osten →
Orient.
**mittlerweile** → inzwischen.
**Mittönen** → Resonanz.
**mittun** → teilnehmen.
**Mittwoch:** an jedem M., jeden
M., immer am M., alle -e →
mittwochs.
**mittwochs,** an jedem Mittwoch,
jeden Mittwoch, immer am
Mittwoch, alle Mittwoche →
wochentags.
**mitunter** → manchmal.
**Mitvergangenheit** → Tempus.
**mitwirken** → teilnehmen; -de
Kraft → Umstand.
**Mitwirkender** → Mitglied.
**Mitwirkung:** ohne jmds. M. →
Hilfe.
**mitzählen** → mitrechnen.
**mitziehen** → teilnehmen.
**Mixed drink** → Mixgetränk.
**Mixed Pickles** → Gemüse.
**mixen** → mischen.
**¹Mixer,** Mischbecher, Shaker;
→ Mixgetränk; → mixen.
**²Mixer** → Barkeeper.

**Mixgetränk,** Cocktail, Mixed drink, Longdrink, Flipp, Fizz, Cobbler, Cooler, Crusta, Daisy, Highball, Julep, Sangaree, Sling, Smash, Sour, Toddy, Pousse-Café, Frappé (*österr.*); → Alkohol, → Getränk, → Mixer.

**Mixpickles** → Gemüse.

**Mixtum compositum** → Mischung.

**Mixtur** → Mischung.

**Mneme** → Erinnerungsvermögen.

**Mnemonik** → Mnemotechnik.

**Mnemotechnik,** Mnemonik, Gedächtnisschulung, Gedächtnisübung, Gedächtnistraining; → Erinnerungsvermögen, → Gedächtnisstütze.

**Moarschaft** → Eisschießen.

**Mob** → Abschaum.

**¹Möbel,** Einrichtungsgegenstand · Tisch · Schreibtisch, Sekretär · Pult, Katheder, Lesepult, Schreibpult, Stehpult, Notenpult, Podium · Anrichte, Buffet, Büffet, Geschirrschrank, Sideboard · *für Kleider usw.:* Schrank, Spind, Kasten (*österr.*), Chiffoniere (*schweiz.*) · *mit Schubfächern:* Kommode, Schubladkasten (*österr.*) · *zum Sitzen:* Sitzgelegenheit, Sitz, Stuhl, Hocker, Taburett, Schemel, Stabelle (*schweiz.*), Sessel, Fauteuil · *zum Liegen:* Liege, Couch, Sofa, Kanapee, Chaiselongue, Diwan, Ottomane, Liegecouch, Liegesofa, Schlafcouch, Bettcouch, Bettbank (*österr.*) · *zum Schlafen:* Bett, Bettstatt, Lagerstatt, Schlafgelegenheit, Bettgestell, Feldbett, Bettstelle, Bettlade (*oberd.*), Pritsche, Notbett, Koje; → Bücherbord, → Schrank, → Schubfach, → Sitzgelegenheit, → Tisch, → Tischler.

**²Möbel:** → Mobiliar; mit -n vollstopfen → einrichten.

**Möbelmacher** → Tischler.

**Möbelmesse** → Messe.

**Möbeltischler** → Tischler.

**mobil:** → lebhaft, → transportabel; m. machen → einberufen, → rüsten; m. sein → gesund [sein].

**Mobiliar,** Möbel, Möbelstück, Inventar, bewegliche Habe, Wohnungseinrichtung, Einrichtung, Meublement, Hausrat, Ausrüstung, Bestückung, Einrichtungsgegenstände, Klamotten (*salopp*); → einrichten.

**¹mobilisieren,** aktivieren, aktualisieren, in Tätigkeit setzen, lebendig machen, in Bewegung / (*ugs.*) in Schwung bringen; → anstacheln, → erneuern.

**²mobilisieren** → rüsten.

**Mobilisierung** → Aufrüstung.

**¹Mobilität,** Beweglichkeit, Wohnsitzwechsel, Bevölkerungswanderung; → Veränderung.

**²Mobilität** → Wendigkeit.

**Mobilmachung** → Aufrüstung.

**möblieren** → einrichten.

**möbliert:** -er Herr → Untermieter.

**Mocca** → Kaffee.

**Möchtegern** → Angeber.

**Mocke** → Schwein.

**Mockel** → Rind.

**Modalität,** Art und Weise, Bedingung, Umstand, die näheren Umstände; → Bedingung, → Beschaffenheit.

**Modalnotation** → Notenschrift.

**Modalsatz** → Satz.

**Modalverb** → Verb.

**Mode:** → Brauch; M. werden → nachahmen; eine M. nicht mitmachen, an der M. vorübergehen → altmodisch [sein]; der M. unterworfen → modern; nicht der M. unterworfen → zeitlos; aus der M. gekommen sein → überlebt [sein]; in M. sein → modern [sein]; nach der [neuesten] M. → modern.

**Modearzt** → Arzt.

**Modebad** → Badeort.

**modebewußt** → modern.

**Modefotograf** → Fotograf.

**modegerecht** → modern.

**Modegraphik** → Druckgraphik.

**Modeheft** → Modejournal.

**Modehunde** → Hunderassen.

**Modejournal,** Modezeitung, Modezeitschrift, Modeheft; → Zeitschrift, → Zeitung.

**Model** → Mannequin.

**¹Modell,** Typ, Type (*bes. österr.*), Bauart; → Art, → Exemplar, → Muster.

**²Modell:** → Fotomodell, → Kreation, → Mannequin, → Muster.

**modellieren** → anfertigen.

**Modellkleid** → Kleid.

**modeln** → ändern.

**Moder** → Fäulnis.

**Moderator:** → Ansager, → Sprecher.

**Moderlieschen** → Fisch.

**¹modern,** neutönerisch, neuartig, modisch, modegerecht, modebewußt, neumodisch, ultramodern, hypermodern, supermodern, modernistisch (*abwertend*), à la mode, der Mode unterworfen, nach der [neuesten] Mode, nicht → altmodisch, nicht → rückschrittlich; → aufgeklärt, → beliebt, → fortschrittlich, → zeitgenössisch; **m. sein,** in sein, up to date / in Mode / en vogue / im Schwange sein, das ist der letzte Schrei / der Dernier cri; → mitkommen (mit).

**²modern** (Adjektiv): -e Malerei → Malerei; -e Musik → Musik.

**³modern** (Verb): → faulen.

**Moderne:** → Gegenwart; Literatur der M. → Literaturepochen.

**modernisieren** → erneuern.

**modernistisch** → modern.

**Modern Jazz** → Jazz.

**Modeschmuck** → Schmuck.

**Modeschöpfung** → Kreation.

**Modewort** → Wort.

**Modezeichner** → Zeichner.

**Modezeitschrift** → Modejournal.

**Modezeitung** → Modejournal.

**Modifikation** → Abwandlung.

**modifizieren** → ändern.

**modifizierend:** -es Verb → Verb.

**Modifizierung** → Änderung.

**modisch:** → modern; nicht betont m. → zeitlos; nicht m. eingestellt sein → altmodisch [sein].

**Modistin** → Putzmacherin.

**Modulation** → Abwandlung.

**¹Modus,** Aussageweise · Indikativ, Wirklichkeitsform ·· Konjunktiv, Möglichkeitsform · Irrealis, Potentialis, hypothetischer / zweiter Konjunktiv.

**²Modus:** M. vivendi → Abmachung.

**Mof** → Deutscher.

**Mofa:** → Fahrrad, → Motorrad.

**Mogelei** → Betrug.

**mogeln,** betrügen, Betrug begehen, prellen, hintergehen, corriger la fortune, jmdn. um etwas bringen, Schmu machen (*ugs.*), tricksen (*ugs.*), anschmieren (*salopp*), andrehen (*salopp*), ausschmieren (*salopp*), bescheißen (*derb*), anscheißen (*derb*), beschummeln, schummeln, betakeln (*österr.*), täuschen, mit jmdm. ein falsches Spiel treiben, mit falschen / gezinkten Karten spielen, hintergehen, hereinlegen (*ugs.*), reinlegen (*ugs.*), überlisten, abkochen (*salopp*), einkochen (*salopp*, *österr.*), anmeiern (*salopp*), überfahren, übervorteilen, übernützen (*schweiz.*), übernehmen (*österr.*), übertölpeln (*abwertend*), neppen (*abwertend*), übers Ohr hauen (*salopp*), ums Haxel hauen (*ugs.*, *österr.*), papierln (*ugs.*, *österr.*), einseifen (*ugs.*), einwickeln (*ugs.*), behumsen (*salopp*), beschupsen (*salopp*), bluffen, düpieren, jmdn. hinters Licht / aufs Glatteis führen, jmdm. Sand in die Augen streuen, jmdn. aufs Kreuz legen / über den Löffel balbieren (*salopp*), jmdn. für dumm verkaufen (*ugs.*), jmdm. ein X für ein U vormachen, verschaukeln (*salopp*); → ablisten, → anführen, → aufsitzen (jmdm.), → ausbeuten, → beschönigen, → hereinfallen, → lügen, → vernehmen; → unaufrichtig; → Schlaukopf, → Überlistung.

**¹mögen** (etwas), schätzen, lieben, gern haben / mögen, leiden können / mögen, etwas / viel übrig haben für, eine Vorliebe / eine Schwäche / ein Faible haben für; → bevorzugen, → gefallen, → lieben; **nicht m.**, sich nichts machen aus, einer Sache abgeneigt / feind / (*geh.*) abhold sein, ein Feind sein von, nichts / nicht viel übrig haben für.

**²mögen:** → lieben, → wünschen; nicht [leiden] m. → hassen; nicht mehr m. → satt [sein]; jmd. möchte [nicht versäumen] ... → wichtig [sein].

**¹möglich**, ausführbar, durchführbar, gangbar, denkbar, potentiell, erdenklich, nicht → unausführbar; **m. machen,** ermöglichen, sorgen / Sorge tragen für, die Voraussetzung schaffen für, jmdn. in den

Stand setzen, nicht → hindern; → entgegenkommen (jmdm.), → verwirklichen; **für m. halten,** glauben, für wahr halten, für bare Münze nehmen (*ugs.*); → annehmen, → glauben; **m. sein** das ist nicht aus der Welt, etwas liegt im Bereich der Möglichkeiten; **nicht m. sein**, das läßt sich nicht machen / gibt es nicht / geht nicht / (*salopp*) ist nicht drin, wo kämen wir denn da hin?

**²möglich:** → potentiell; es ist m. → anscheinend; → vielleicht; wenn es m. ist → tunlichst; alles -e → allerlei; alle -en → alle; sein -stes tun → anstrengen (sich); die Grenze des Möglichen überschreiten → statthaft; so bald wie / als m. → früh; so schnell wie m. → schnell; nicht m.! → überrascht [sein].

**möglicherweise** → vielleicht.

**¹Möglichkeit,** Chance, Gelegenheit, Okkasion, Opportunität · *eines Verdächtigen, Tatbestände zu verdunkeln:* Verdunkelungsgefahr; → Aussichten, → Ertrag, → Vorteil.

**²Möglichkeit:** andere M. → Gegenvorschlag; es besteht die M., daß ... → vielleicht; etwas liegt im Bereich der -en → möglich [sein]; das Land der unbegrenzten -en → Amerika; nach M. → tunlichst; sich eine M. offenlassen → Maßnahme.

**Möglichkeitsform** → Modus.

**möglichst:** → tunlichst; m. bald → früh.

**Mohair** → Stoff.

**Mohairwolle** → Wolle.

**Mohammedaner,** Moslem, Muselman (*ugs.*, *veraltend*), Sarazene (*hist.*); → Weltreligion.

**Mohär** → Stoff.

**Mohärwolle** → Wolle.

**Mohn,** Klatschmohn, Mohnblume, Feldmohn, Feuermohn, Feuerblume, Kornrose (*schweiz.*); → Blume.

**Mohnblume** → Mohn.

**Mohnkuchen** → Gebäck.

**mohnrot** → rot.

**Mohnstriezel** → Gebäck.

**Mohr:** → Neger; einen -en weißwaschen wollen → nutzlos [sein].

**Möhre** → Mohrrübe.

**Mohrenkopf** → Gebäck.

**Mohrenlerche** → Vogel.

**möhrenrot** → rot.

**Mohrrübe,** Möhre, Karotte, Wurzel (*nordd.*), Würzelchen (*landsch.*), Gelbe Rübe (*südd.*), Gelbrübe (*südd.*), Rübli (*schweiz.*); → Kohlrübe, → Salatrübe.

**Moira** → Schicksalsgöttin.

**Moiré** → Stoff.

**mokant** → spöttisch.

**Mokassin** → Schuh.

**Mokick** → Motorrad.

**mokieren:** sich m. über → schadenfroh [sein].

**Mokka** → Kaffee.

**Mokkalöffel** → Löffel.

**Mokkamühle** → Mühle.

**Mokkatasse:** → Tasse, → Trinkgefäß.

**Molar** → Zahn.

**Molarzahn** → Zahn.

**Molch,** Kammolch, Teichmolch, Bergmolch, Fadenmolch, Marmormolch; → Lurch.

**Moldawit** → Schmuckstein.

**Moldbeere** → Brombeere.

**Mole** → Damm.

**molestieren** → behelligen.

**Molke** → Milch.

**Molkerei,** Meierei, Meierhof (*veraltet*), Milchwirtschaft; → Milch.

**Molkereibutter** → Fett.

**Mollakkord** → Akkord.

**Mollbeere** → Blaubeere.

**Molle:** [eine] M. [zischen] → Bier; es gießt wie mit -n → regnen.

**Mollenfriedhof** → Bauch.

**Möller-Barlow-Krankheit** → Skorbut.

**mollert** → dick.

**mollig:** → dick, → warm.

**Molligkeit** → Wohlgenährtsein.

**Mollusken** → Weichtiere.

**Molo** → Damm.

**Moloch** → Ungeheuer.

**Molotowcocktail** → Sprengkörper.

**molum:** m. sein → betrunken [sein].

**¹Moment** (das): → Umstand.

**²Moment** (der): → Augenblick, → Weile; einen lichten M. haben → Einfall; im M. → jetzt; im richtigen M. → Augenblick.

**momentan:** → jetzig, → jetzt; -es Verb → Verb; nicht m. sein → aushäusig [sein].

**Momentaufnahme** → Fotografie.

**Monarch** → Oberhaupt.

**Monarchie** → Herrschaft.

**¹Monat** · Januar, Hartung, Eismond, Jänner (*österr.*) · Februar, Hornung, Feber (*österr.*), Sporkel (*landsch.*) · März, Lenzing, Lenzmond · April, Ostermond · Mai, Wonnewond · Juni, Brachet, Brachmond · Juli, Heuet, Heumond · August, Ernting, Augustmond, Erntemond · September, Herbstmond, Scheiding · Oktober, Weinmond, Gilbhart, Windmond · November, Neblung, Nebeling, Nebelmond, Windmond · Dezember, Heiligmond, Heilmond, Christmond, Wintermond, Julmond; → Jahreszeit, → Zeitraum.

**²Monat** → Zeitraum.

**monatlich:** Monatliches → Menstruation.

**Monatsabonnement** → Abonnement.

**Monatsblutung:** → Menstruation; die M. haben → menstruieren.

**Monatserdbeere** → Erdbeere.

**Monatsfluß** → Menstruation.

**Monatskarte** → Fahrkarte.

**Monatslohn** → Lohn.

**Monatsrettich** → Radieschen.

**Monatsschrift** → Zeitschrift.

**¹Mönch,** Ordensgeistlicher, Ordensmann, Pater, Frater, Klosterbruder, Ordensbruder, Bruder, Fra, Laienbruder, Bettelmönch, Predigermönch · *der noch kein Gelübde abgelegt hat:* Novize; **M. werden,** ins Kloster eintreten / (*ugs.*) gehen, die Kutte nehmen, das Gelübde / die Gelübde ablegen, der Welt entsagen (*geh.*); → Mönchsorden · Ggs. → Nonne.

**²Mönch:** → Dachziegel; wie ein M. leben → leben.

**Mönchsaffe** → Affe.

**Mönchsgeier** → Vogel.

**Mönchshabit** → Kutte.

**Mönchskleid:** → Kutte.

**Mönchskutte** → Kutte.

**Mönchsorden,** [männlicher] Orden, Männerorden, Predigerorden, Bettelorden, Einsiedlerorden, Barfüßerorden, Reformorden, Missionsorden, Kongregation · Augustiner-Eremiten (OESA = Ordo Fratrum Eremitarum S. Augustini) · Augustiner-Chorherren (OSA = Ordo S. Augustini) · Benediktiner, Benediktinerorden (OSB = Ordo S. Benedictini) · Dominikaner, Dominikanerorden (OP = Ordo Praedicatorum) · Franziskaner, Kapuziner, Konventualen, Minoriten, Minderbrüder, Franziskanerorden (OFM = Ordo Fratrum Minorum) · Jesuiten, Jesuitenorden (SJ = Societas Jesu) · Kamillianer (OSC = Ordo S. Camilli) · Karmeliter, Beschuhte Karmeliter / Karmeliten, Karmeliterorden (O Carm = Ordo Carmelitorum dell'Antica Osservanza) · Unbeschuhte Karmeliter / Karmeliten (OCD = Ordo Discalceato) · Kartäuser, Kartäuserorden (OC = Ordo Cartusiensis) · Lazaristen (CM = Congregatio Missionis) · Oratorianer (CO = Congregatio Oratorii) · Pallotiner (SAC = Societas Apostolatus Catholici) · Prämonstratenser, Prämonstratenserorden (O Praem = Ordo Praemonstratensis) · Salesianer (OFS = Oblati Francisci Salesii) · Salvatorianer (SDS = Societas Divini Salvatoris) · Schulbrüder, Piaristen (SP = Scholae Piae), Maristen-Schulbrüder (FMS = Fratres Maristae Scholarum) · Trappisten, Trappistenorden (OCR = Ordo Cisterciensium Reformatorum) · Zisterzienser, Zisterzienserorden (SOC = Sacer Ordo Cisterciensis); → Kongregation, → Nonnenorden, → Ritterorden.

**¹Mond,** Luna (*dichter.*), Nachtgestirn (*geh.*), Erdtrabant · *in seinen Phasen:* abnehmender / zunehmender Mond, erstes / letztes Viertel, Mondsichel, Vollmond, Neumond, Halbmond · *in der Mythologie:* Mondgöttin, Luna, Selene; → Erdball, → Himmelskörper, → Planet · Ggs. → Sonne.

**²Mond** · Eislauf; abnehmender / zunehmender M, → Mond; jmdn. auf den M. schießen mögen → verwünschen (jmdn.); hinter dem M. leben → unrealistisch [sein]; hinter dem M. sein → rückschrittlich [sein]; in den M. gucken → bekommen; in den M. schreiben → abschreiben.

**mondän** → geschmackvoll.

**Mondfleck** → Schmetterling.

**Mondgas** → Gas.

**Mondgöttin** → Mond.

**Mondjahr** → Zeitraum.

**Mondkalb** → Dummkopf.

**Mondraute** → Farn.

**Mondschein:** du kannst mich im M. besuchen! → unwichtig [sein].

**Mondsichel** → Mond.

**Mondstein** → Schmuckstein.

**Mondsüchtigkeit,** Somnambulismus, Lunatismus, Nachtwandeln, Schlafwandeln, Noktambulismus.

**Monem** → Spracheinheit.

**monetär,** geldlich, das Geld / die Währung betreffend; → Geld, → Zahlungsmittel.

**Moneten** → Geld.

**Moneymaker** → Emporkömmling.

**mongolid:** -e Rasse → Rasse.

**Mongolismus** → Geistesgestörtheit.

**mongoloid** → geistesgestört.

**monieren** → beanstanden.

**Monismus** → Pantheismus.

**Monitor** → Kriegsschiff.

**Monitum** → Vorwurf.

**monochrom** → einfarbig.

**Monochromasie** → Farbenblindheit.

**Monochromatopsie** → Farbenblindheit.

**Monocolore** → Regierung.

**Monogamie** → Ehe.

**Monogenese** → Fortpflanzung.

**Monogenesis** → Fortpflanzung.

**Monogenismus** → Fortpflanzung.

**Monogonie** → Fortpflanzung.

**Monokel** → Einglas.

**Monolog** → Gespräch.

**monoman:** → besessen (von), → geistesgestört.

**Monomane** → Geistesgestörter.

**Monomanie:** → Anankasmus, → Geistesgestörtheit.

**Monoparese** → Lähmung.

**Monophthong** → Vokal.

**Monophysitismus** → Ketzerei.

**Monoplegie** → Lähmung.

**Monopol:** → Marktform, → Vorrecht.

**Monopolkapitalismus** → Kapitalismus.
**Monopoly** → Würfelspiel.
**Monopson** → Marktform.
**Monosexualismus** → Selbstbefriedigung.
**Monotheismus** → Theismus.
**monoton** → langweilig.
**Monotypesatz** → Schriftsatz.
**Monozyten** → Blutkörperchen.
**Monsieur** → Herr.
**Monsignore** → Anrede.
**Monsterfilm** → Kinofilm.
**Monstranz** → Altargerät.
**monströs** → gewaltig.
**Monstrosität** → Mißgeburt.
**Monstrum:** → Mißgeburt, → Ungeheuer.
**Monsun** → Wind.
**Monsunwald** → Urwald.
**Monsunwind** → Wind.
**Mont** → Gipfel.
**Montag:** an jedem M., jeden M., immer am M., alle -e → montags.
**montags,** an jedem Montag, jeden Montag, immer am Montag, alle Montage; → wochentags.
**Montan-:** → Bergwerk.
**Monte** → Gipfel.
**montieren** → befestigen.
**Montur:** → Kleidung; Erdäpfel in der M. → Kartoffeln.
**Monument** → Denkmal.
**monumental** → gewaltig.
**Moor** → Sumpf.
**Moorbad** → Badeort.
**Moorente** → Vogel.
**Moorfrosch** → Frosch.
**Moorhufendorf** → Dorf.
**Moorkarpfen** → Fisch.
**Moorlandschaft** → Landschaft.
**Moorschneehuhn** → Vogel.
[1]**Moos,** Moospflanze, Moospolster · Lebermoos, Brunnenlebermoos, Kammkelch · Laubmoos, Etagenmoos, Goldenes Frauenhaar, Widertonmoos, Weißmoos, Sternmoos, Torfmoos, Leuchtmoos, Steinklaffmoos, Schönes Steifblattmoos; → Lagerpflanze.
[2]**Moos:** → Geld, → Lagerpflanze, → Sumpf; Isländisch M. → Flechte; M. ansetzen → altern.
**Moosfarn:** Schweizer / tropischer M. → Bärlappgewächs.
**Moosflechte** → Flechte.
**moosgrün** → grün.

**Moospflanze** → Moos.
**Moospolster** → Moos.
**Moosröschen** → Rose.
**Moosrose** → Rose.
**Mop,** Flederwisch, Flaumer (*schweiz.*), Kehrflaumer (*schweiz.*); → Besen, → Staubsauger.
**Moped** → Motorrad.
**Mopedfahrer** → Motorradfahrer.
**Moppel** → Hund.
**Moppelkotze** → Salat.
**Mops:** → Dicker, → Hunderassen; Möpse → Geld.
**möpseln** → faulen, → ungenießbar [sein].
**mopsen:** → wegnehmen; sich m. → langweilen.
**mopsfidel** → feuchtfröhlich.
**Mor** → Schwein.
**Moral:** → Disziplin, → Sitte; doppelte M. → Beurteilung; jmdm. M. predigen → schelten.
**moralinsauer** → sittlich.
**moralisch:** → sittlich; Moralischer → Katerstimmung; einen Moralischen kriegen → deprimiert [werden].
**Moralist** → Moralprediger.
**Moralprediger** (*abwertend*), Tugendwächter (*abwertend*), Sittenwächter (*abwertend*), Sittenprediger (*abwertend*), Moralist (*abwertend*), Splitterrichter (*abwertend*), Saubermann (*iron.*); → sittlich.
**Moraltheologie** → Theologie.
**Morast** → Schlamm.
**Moratorium** → Stundung.
[1]**morbid,** angekränkelt, krank, krankhaft, morsch.
[2]**morbid** → krank.
**Morbus anglicus** → Rachitis.
**Morbus Koch** → Tuberkulose.
**Morbus sacer** → Epilepsie.
**Morchel:** → Schlauchpilz, → Ständerpilz.
**Mord:** → Tötung; etwas ist der reine / reinste M. → gefährlich [sein]; einen M. begehen / verüben → töten; es gibt M. und Totschlag → Streit.
**Mordanschlag** → Überfall.
**Mordbube** → Mörder.
**morden** → töten.
**Mörder,** Täter, Killer (*salopp*), Meuchelmörder, Würger, Raubmörder, Lustmörder, Sexualmörder, Mordbube (*geh., veraltet*), Bravo · Frauenmörder,

**Blaubart;** → Attentäter, → Dieb, → Verbrecher; **ein M. sein,** an jmds. Händen klebt Blut.
**Mördergrube:** aus seinem Herzen keine M. machen → sprechen.
**mörderisch** → sehr.
**Mordgier** → Grausamkeit.
**Mordio:** Zeter und M. schreien → schreien.
**Mordlust** → Grausamkeit.
**Mordprozeß** → Gerichtsverfahren.
**mords-:** → erz-.
**Mords-:** → Erz-.
**Mordsarbeit** → Anstrengung.
**Mordschwamm** → Ständerpilz.
**Mordsdurst** → Durst.
**Mordsgaudi** → Unterhaltung.
**Mordshunger** → Hunger.
**Mordslärm** → Lärm.
**mordsmäßig** → sehr.
**Mores:** jmdn. M. lehren → schelten.
**morganatisch:** -e Ehe → Ehe.
**Morganit** → Schmuckstein.
**Morgarten:** jmdm. ein M. bereiten → besiegen.
**morgen:** lieber heute als m. → früh.
[1]**Morgen,** Vormittag, erste Tageshälfte; → Morgengrauen, → Tagesanbruch, → Tageszeit; → morgens.
[2]**Morgen:** → Flächenmaß, → Himmelsrichtung; des -s → morgens; der frühe M. → Tagesanbruch; jeden M., alle M., M. für M., immer am M. → allmorgendlich; am M. → morgens; guten M.! → Gruß.
**Morgenblatt** → Zeitung.
**Morgendämmerung** → Morgengrauen.
**Morgenduft** → Apfel.
**Morgenessen** → Frühstück.
**Morgenfrühe** → Tagesanbruch.
**Morgengabe** → Aussteuer.
**Morgengebet** → Gebet.
[1]**Morgengrauen,** Morgendämmerung, Tagesanbruch, Tagesgrauen, erster Hahnenschrei, Tagesschimmer, Frühlicht, Frührot, Morgenrot, Morgenröte, Sonnenaufgang; → Dämmerung, → Morgen · Ggs. Abendlicht.
[2]**Morgengrauen:** → Tagesanbruch; beim M. → morgens.
**Morgengymnastik** → Gymnastik.

Morgenkaffee → Essen.
Morgenkleid → Morgenrock.
Morgenkonzert → Musikveranstaltung.
Morgenland → Orient.
morgenländisch → orientalisch.
Morgenlatte → Penis.
Morgenluft → Luft.
Morgenrock, Morgenkleid, Hauskleid, Hausanzug, Negligé, Déshabillé; → Nachtgewand.
morgenrot → rot.
Morgenrot → Morgengrauen.
Morgenröte → Morgengrauen.
¹morgens, am [frühen] Morgen, des Morgens (geh.), bei Tagesanbruch, früh [am Tag], in der Früh[e] (oberd.), in aller Frühe / Herrgottsfrühe, beim ersten Hahnenschrei, mit der Sonne, frühmorgens, vor Tau und Tag, vor Tage (dichter.), beim Morgengrauen · vormittags, am Vormittag; → allmorgendlich, → mittags; → Morgen, Tageszeit · Ggs. → abends.
²morgens: immer m. → allmorgendlich; von m. bis abends → Tag.
Morgensonne → Sonnenlicht.
Morgenspaziergang → Spaziergang.
Morgenstern → Planet.
Morgenvorstellung → Vormittagsveranstaltung.
Morgenzeitung → Zeitung.
Morgue → Leichenschauhaus.
Moribundus → Sterbender.
Morion → Schmuckstein.
Moritat → Lied.
Moritatensänger, Bänkelsänger, Balladensänger, Chansonnier; → Leierkastenmann, → Sänger, → Straßenmusikant.
Mormonen → Sekte.
Morning Glory → Rauschgift.
Morphem → Spracheinheit.
Morpheus: in Morpheus' Armen liegen / ruhen → schlafen.
Morphinisation → Opiumvergiftung.
Morphinismus: → Opiumvergiftung, → Sucht.
Morphinist → Rauschgiftsüchtiger.
Morphinomanie → Opiumvergiftung.
Morphinvergiftung → Opiumvergiftung.
Morphiomanie → Opiumvergiftung.

Morphium→ Rauschgift.
Morphiumsucht: → Opiumvergiftung, → Sucht.
¹morsch, brüchig, verfallen, zerfallen, baufällig, verkommen, alt, altersschwach, schrottreif; → mürbe, → verfallen, → zerfallen.
²morsch → morbid.
morsen → ausstrahlen.
Mörser → Mühle.
Mörtel → Beton.
Morula → Leibesfrucht.
Mosaikleger → Fliesenleger.
Mosaikplattenleger → Fliesenleger.
mosaisch: → israelitisch; -e Religion → Weltreligion.
Mosaismus → Weltreligion.
Moschee → Gotteshaus.
Moscheeturm → Turm.
Moschusbisam → Pelz.
Möse → Vulva.
Moselfränkisch → Mundart.
mosern → aufbegehren.
Moskau, Moskwa (russ.); → Stadt.
Moskwa → Moskau.
Moslem → Mohammedaner.
mosso: pin / meno m. → lebhaft.
Most: → Obstwein, → Wein; jmdm. zeigen, wo Bartel den M. holt → rankriegen.
Mostert → Senf.
Mostobst → Obst.
Mostpresse → Saftpresse.
Mostrich: → Senf; nicht mit M. zu genießen sein → böse [sein].
Möstrich → Senf.
Mostrichfahne → Nationalflagge.
Mosul → Orientteppich.
Motel → Hotel.
Motette → Lied.
Motion → Gesuch.
Motiv → Anlaß.
motivieren → begründen.
Moto-Cross → Rennen.
Motodrom, Autodrom, Rennbahn, Autorennbahn; → Auto.
¹Motor, Antrieb, Triebwerk, Kraftquelle; → Apparat.
²Motor: den M. abwürgen → bremsen.
Motorboot → Boot.
Motorbootsregatta → Regatta.
Motorbremse → Bremse.
Motorfahrrad: → Fahrrad, → Motorrad.

motorisch: -e Lähmung → Lähmung; -er Nerv → Nerv; -e Unruhe → Anankasmus.
Motorrad, Kraftrad, Krad, Maschine, Motorroller, Kabinenroller, Mokick, Feuerstuhl (ugs., scherzh.) · kleines: Moped, Motorfahrrad, Mofa; → Auto, → Fahrrad.
Motorradfahrer, Mopedfahrer; → Beifahrer, → Verkehrsteilnehmer.
Motorradfahrt → Fahrt.
Motorradrennen → Rennen.
Motorroller → Motorrad.
Motorschiff → Schiff.
Motschkalb → Rind.
Motte: → Mädchen, → Schmetterling; die -n haben → Tuberkulose [haben]; du kriegst die -n! → überrascht [sein].
Mottenkiste: aus der M. → altmodisch.
Motto, Leitwort, Leitspruch; → Ausspruch, → Einleitung.
motzen → antworten.
Mount → Gipfel.
Mousseron → Ständerpilz.
moussieren → perlen.
Möwe: → Prostituierte, → Vogel.
Mozartstadt → Salzburg.
Mozartzopf → Frisur.
MP → Polizeibehörde.
MS → Entmarkungskrankheit.
MTA → Sprechstundenhilfe.
Mucke → Laune.
¹Mücke, Fliegenmücke (fachspr.), Schnake (südwestd.); → Fliege, → Insektenkunde, → Stechmücke.
²Mücke: → Fliege, → Stechmücke; angeben wie eine Tüte voll -n → prahlen; aus einer M. einen Elefanten machen → übertreiben.
Muckefuck → Kaffee.
mucken → aufbegehren.
Mucken: M. haben → launisch [sein]; etwas hat seine M. → funktionieren.
Mücken → Geld.
Mückenseiher → Pedant.
Mucker → Heuchler.
muckerhaft: → banausisch, → engherzig.
mucksmäuschenstill → still.
Mudd → Schlamm.
Mudder → Schlamm.
¹müde, schlafbedürftig, schläfrig, bettreif (ugs.), hundemüde

(*ugs.*), saumüde (*salopp*), übermüde, ermüdet, dösig, ruhebedürftig, todmüde, zum Umfallen müde, übermüdet, übernächtig, übernächtigt, verschlafen, schlaftrunken, unausgeschlafen, halbwach, tramhapert (*ugs., österr.*); → erschöpft · Ggs. → wach; **m. sein**, gegen / mit dem Schlaf kämpfen, Schlaf / einen toten Punkt haben (*ugs.*), sich nicht mehr auf den Beinen halten können (*ugs.*), im Tran sein (*ugs.*), der Bettzipfel winkt (*ugs.*), nach dem Bettzipfel schielen (*ugs.*), die nötige Bettschwere haben (*ugs.*); → Erschöpfung.

²**müde:** → temperamentlos; jmds. / einer Sache m. sein → angeekelt [sein].

**Müde** → Erschöpfung.

**Müdigkeit:** → Erschöpfung; keine M. vorschützen! → weiter.

**Muff:** → Luft, → Rückständigkeit.

**Müffchen** → Pulswärmer.

**Muffe:** → Mädchen, → Vagina.

**Muffel** (ugs.), Miesepeter (*ugs.*), Nieselpriem (*ugs., bes. berlin.*), Trauerkloß (*ugs.*), Fadian (*österr.*); → Mann; → langweilig.

**-muffel:** ein -m. sein → altmodisch [sein].

**muffeln** → riechen.

**müffeln** → riechen.

**Muffelwild** → Wild.

**muffig:** → ärgerlich, → engherzig.

**Mufflon:** → Schaf; [Russisch M.] → Pelz.

**Mugel** → Berg.

¹**Mühe,** Anstrengung, Arbeit, Heidenarbeit (*ugs.*), Mordsarbeit (*salopp*), Sauarbeit (*derb, abwertend*), Mistarbeit (*derb, abwertend*), Dreck[s]arbeit (*ugs., abwertend*), Scheißarbeit (*vulgär, abwertend*), Anspannung, Aktivität, Mühsal, Bemühung, Strapaze, Mühseligkeit, Gefrett (*südd., österr.*), Gfrett (*südd., österr.*), Gfrött (*südd., österr.*), Mühewaltung (*gespreizt*), Beschwerlichkeit, Beschwerde, Belastung, Streß, Plackerei (*abwertend*), Knorz (*schweiz.*), Schinderei (*abwertend*), Schuf-

terei (*ugs., abwertend*); → Arbeit, → Last; → anstrengen (sich); → beschwerlich.

²**Mühe:** sich M. geben → anstrengen (sich); etwas macht jmdm. M. → schwerfallen; mit M. / Müh und Not → kaum; ohne M. → mühelos.

**mühelos,** ohne Mühe, einfach, unkompliziert, leicht [zu handhaben], idiotensicher (*salopp*), narrensicher, kinderleicht, puppenleicht (*ugs.*), babyleicht, ring (*südd., schweiz.*), kommod (*österr.*), bequem, mit Leichtigkeit / (*ugs.*) Bequemlichkeit, unschwer, spielend, unproblematisch, nicht → schwierig · Ggs. → beschwerlich; **etwas m. schaffen,** etwas aus dem Ärmel / aus dem Handgelenk schütteln, etwas ist ein Kinderspiel (*ugs.*), etwas ist für jmdn. ein Kleines, etwas ist ein Klacks (*nordd.*), das sind kleine Fische (*salopp*), etwas [spielend] aufs Parkett legen (*ugs.*), etwas im Schlaf / wie im Traum können, etwas mit dem kleinen Finger / (*scherzh.*) der linken Hand [im Dunkeln] machen, etwas [so] nebenher / nebenbei machen (*ugs.*); **etwas m. erringen,** etwas fällt jmdm. in den Schoß, den Seinen gibt's der Herr im Schlaf; → Kleinigkeit; → können.

**Mühelosigkeit** → Leichtigkeit.

**muhen** → Laut.

**mühen** (sich), sich anstrengen, alle Kräfte anspannen, sich fordern, sich etwas abverlangen, seine ganze Kraft aufbieten, sich ins Zeug legen (*ugs.*), nichts unversucht lassen, alle Hebel / (*ugs.*) Himmel und Hölle in Bewegung setzen, sich ins Geschirr legen, sich bemühen / befleißigen / befleißen / abmühen / abarbeiten / abschleppen / strapazieren / (*ugs.*) auf die Hosenboden setzen / (*ugs.*) abrackern / plagen / abplagen / (*ugs., landsch.*) plakken / (*ugs., landsch.*) abplacken / (*österr.*) abfretten / (*ugs.*) abschuften / quälen / abquälen / (*ugs.*) schinden / (*ugs.*) abschinden / aufreiben / Mühe geben, bemüht sein, einen Versuch machen, sein möglichstes /

Bestes / das menschenmögliche tun, sich zusammenreißen (*salopp*), versuchen / suchen + zu + Infinitiv (etwas zu schaffen suchen); zusehen, daß ...; zu strampeln haben (*ugs.*), schuften (*salopp*), puckeln (*salopp*), ackern (*salopp*), asten (*salopp*), krebsen (*salopp*), herumkrebsen (*salopp*), rumkrebsen (*salopp*); → anfertigen, → arbeiten, → befassen (sich), → lernen, → streben, → übernehmen (sich), → wünschen.

**mühevoll** → beschwerlich.

**Mühewaltung** → Anstrengung.

**Muhkälbchen** → Marienkäfer.

**Mühlbach** → Bach.

¹**Mühle,** Handmühle, Schrotmühle, Grützmühle, Pfeffermühle, Gewürzmühle, Kaffeemühle, Mokkamühle, Querne, Mörser; → zermahlen.

²**Mühle:** → Auto, → Brettspiel, → Flugzeug, → Windmühle; das ist Wasser auf jmds. M. → nützlich [sein].

**Muhme** → Tante.

**Mühsal** → Anstrengung.

**mühsam** → beschwerlich.

**mühselig** → beschwerlich.

**Mühseligkeit** → Anstrengung.

**muksch** → gekränkt.

**Mulatte** → Mischling.

**mulattieren** → feiern.

**Mulchen** → Ertrag.

**Mulde** → Gefäß.

**Muldengewölbe** → Gewölbe.

**Muli** → Esel.

¹**Müll,** Abfall, Konsummüll, Wohlstandsmüll, Industriemüll, Industrieabfall, Atommüll, Fallout, Sperrmüll; → Abfall, → Mühlablageplatz.

²**Müll** → Abfall.

**Müllablageplatz,** Müllkippe, Schuttplatz, Schuttablageplatz, Müllhalde, Schutthalde, Abraumhalde, Abfallgrube, Müllgrube, Abfallhaufen, Müllhaufen, Schutthaufen, Schrottplatz, Schrotthaufen, Autofriedhof, Mülldeponie, Deponie; → Abfall, → Altmaterial, → Müll; → entfernen, → wegwerfen.

**Mullatschag** → Trinkgelage.

**Mullbinde** → Verband.

**Mülldeponie** → Müllablageplatz.

**Mülleimer** → Abfalleimer.

**Müllgrube** → Müllabladeplatz.
**Müllhalde** → Müllabladeplatz.
**Müllhaufen** → Müllabladeplatz.
**Müllkippe** → Müllabladeplatz.
**Müllschaufel,** Kehrschaufel, Dreckschaufel, Mistschaufel (*österr.*), Müllschippe (*landsch.*), Kehrblech (*nordd.*).
**Müllschippe** → Müllschaufel.
**Mülltonne** → Abfalleimer.
**mulmig** → unerfreulich.
**Multbeere** → Brombeere.
**Multi-:** → Viel-.
**multilateral,** mehrseitig, mehrere Staaten betreffend, zwischen mehreren Staaten; → bilateral.
**Multipara** → Frau.
**multipel:** multiple Sklerose → Entmarkungskrankheit.
**Multiplikativzahl** → Zahl.
**multiplizieren,** malnehmen; → Rechenverfahren.
**Mulus:** → Esel, → Student.
**Mumie** → Toter.
**mumifizieren,** einbalsamieren; → präparieren; → Toter.
**Mumm:** → Muskelkraft, → Mut; keinen M. in den Knochen haben → kraftlos [sein].
**Mummelgreis** → Greis.
**Mümmelgreis** → Greis.
**Mümmelmann** → Hase.
**mümmeln** → kauen.
**Mummenschanz** → Maskerade.
**Mumpitz** → Unsinn.
**Mumps** → Ohrspeicheldrüsenentzündung.
**München,** Isar-Stadt, Isar-Athen, heimliche Hauptstadt, Weltstadt mit Herz, Millionendorf (*scherzh.*), Munich (*engl.*), Landeshauptstadt [von Bayern], Olympiastadt (1972); → Stadt.
**Münchhausen** → Angeber.
**Münchhauseniade** → Lügenmärchen.
**¹Mund,** Lippen, Schnute (*niederd.*), Gosche (*salopp, südd., österr.*), Gusche (*salopp, mitteld., bes. berlin.*), Flappe (*salopp, abwertend*), Labbe (*abwertend*), Fotze (*derb, landsch.*), Pappen (*derb, österr.*), Schnörre (*schweiz.*), Sabbel (*nordd.*) · *beim Tier:* Maul, Rachen (Säugetiere, Fische, Reptilien), Schnauze (Hund, Katze u.a.), Schnabel (Vögel), Freßwerkzeuge (Insekten) · *im Hinblick*

*auf das Sprechen:* Klappe (*salopp*), Mundwerk (*abwertend*), Rand (*salopp*), Schandmaul (*derb, abwertend*), Schandschnauze (*derb, abwertend*), Kodderschnauze (*derb*), Dreckschleuder (*derb, abwertend*) · *im Hinblick auf das Essen:* Futterluke (*scherzh.*); → reden.
**²Mund:** den M. auftun → äußern (sich); den M. nicht auftun / halten → schweigen; M. und Nase aufsperren → überrascht [sein]; den M. ausspülen → gurgeln; reinen M. halten → schweigen; jmdm. den M. wäßrig machen → reizen; den M. voll nehmen → prahlen; sich den M. fußlig reden → sprechen; jmdm. den M. stopfen / verbieten → verbieten; sich den M. verbrennen → schaden; sich etwas am / vom -e absparen → erübrigen; an jmds. M. hängen → achtgeben; nicht auf den M. gefallen sein → geistreich [sein]; mit einem silbernen Löffel im M. geboren sein → reich [sein]; einen Kloß im M. haben → sprechen; jmdm. das Wort im M. herumdrehen → verfälschen; im M. zergehen lassen → lutschen; jmdm. läuft das Wasser im -e zusammen → Appetit [haben]; in aller [Leute] -e sein → bekannt; von der Hand in den M. leben → arm [sein]; jmdm. etwas in den M. legen → beeinflussen, → zuschreiben; etwas nicht in den M. nehmen → aussprechen; jmdm. die Bissen in den M. zählen → geizig [sein]; mit dem M. vorneweg sein → frech [sein]; mit offenem M. → überrascht; jmdm. über den M. fahren → antworten, → dazwischenreden; von M. zu M. gehen → herumsprechen (sich); kein Blatt vor den M. nehmen → sprechen.
**Mundart,** Dialekt, Idiom, Idiolekt ·· Provinzidiom, Patois (*franz.*) ·· Niederdeutsch · Friesisch, Niederfränkisch, Niedersächsisch ··· Mitteldeutsch · Mittelfränkisch · Ripuarisch · Moselfränkisch · Rheinfränkisch ·· Thüringisch · Obersächsisch ·· Schlesisch ··· Oberdeutsch ·· Südfränkisch · Ale-

mannisch, Schwäbisch, Honoratiorenschwäbisch, Niederalemannisch, Hochalemannisch ·· Ostfränkisch · Bay[e]risch, Mittelbay[e]risch, Südbay[e]risch, Nordbay[e]risch ··· *der unteren Schichten Londons:* Cockney; **M. sprechen,** bay[e]risch / bairisch / fränkisch / hessisch / pfälzisch / alemannisch / schwäbisch / rheinisch / thüringisch / sächsisch / friesisch sprechen, Platt sprechen, sächseln, schwäbeln, berlinern, frankfurterisch / kölnisch u.a. sprechen; → Ausdrucksweise, → Gruppensprache, → Mischsprache · Ggs. → Hochsprache.
**Mundartausdruck** → Provinzialismus.
**Mundartdichtung** → Dichtung.
**Mundartforschung** → Sprachwissenschaft.
**mundartlich** → regional.
**Mundartwort** → Provinzialismus.
**Mundartwörterbuch** → Nachschlagewerk.
**Mundblutung** → Blutung.
**Mündel,** Pflegebefohlener, Vögtling (*schweiz.*), Bevogteter (*schweiz.*) · Ggs. → Vormund, → Vormundschaft.
**munden** → schmecken.
**mundfaul** → wortkarg.
**Mundharmonika** → Blasinstrument.
**mundig** → schmackhaft.
**mündig:** → volljährig; noch nicht m. → minderjährig.
**Mündigwerden** → Autonomie.
**Mundolingue** → Sprache.
**Mundraub** → Diebstahl.
**M-und-S-Reifen** → Winterreifen.
**mundtot:** m. machen → verbieten.
**Mundtuch** → Serviette.
**Mündung,** Flußmündung, Einmündung · *fächerförmig in mehrere Arme geteilte:* Delta · *trichterförmig verbreiterte:* Trichtermündung, Schlauchmündung; → Gewässer, → Meer, → See.
**Mündungsschoner** → Präservativ.
**Mundus** → Welt.
**Mundverkehr** → Koitus.
**Mundvorrat** → Nahrung.
**Mundwerk** → Mund.

**Mund-Zahn-und-Kiefer-Klinik**
→ Krankenhaus.
**Muni** → Rind.
**Munich** → München.
**Munition,** scharfe Munition,
Geschoß, Schrapnell, Projektil,
Schuß, Kugel, blaue Bohne
(*ugs.*), Gewehrkugel, Schrotkugel, Patrone, Schrot, Bolzen;
→ Bombe, → Geschütz, →
Mine, →Schußwaffe, →Spreng-
körper; **mit M. versehen,** laden,
ein Geschoß einlegen; → schießen, → zielen.
**munizipal** → kommunal.
**munkeln** → flüstern.
**Münster** → Gotteshaus.
**Münsterländer** → Hunderassen.
**Münsterplatz** → Platz.
**munter:** → lustig, → wach; m.
wie ein Fisch im Wasser sein →
gesund [sein]; m. werden →
herausgehen (aus sich); m.
machen → aufwecken; [gesund
und m.] → gesund.
**Munterkeit** → Temperament.
¹**Münze,** Hartgeld, Geldstück,
Goldstück, Goldmünze, Silbermünze, Silber (*ugs.*), Nickelmünze, Nickel (*ugs.*), Kupfermünze, Kupfer (*ugs.*), Silbergeld, Kleingeld, ein paar Zerquetschte (*ugs.*), Groschen
(*volkst.*), Pfennig, Zehner (*ugs.*),
Fünfer (*ugs.*), Sechser (*berlin.*),
Markstück, Mark, Pfennig-
stück, Fünfzigpfennigstück,
Fünfziger (*ugs.*), Fuffziger (*salopp, berlin.*), Zehnpfennigstück,
Fünfpfennigstück, Fünfmarkstück · *aus früherer Zeit:* Taler,
Reichstaler, Dukaten, Gulden,
Louisdor, Dublone, Guinee,
Krone, Sovereign, Schilling,
Kreuzer, Heller, Obulus, Batzen; → Franken, → Münzen-
sammler, → Münzkunde, →
Zahlungsmittel; → umprägen.
²**Münze:** für bare M. nehmen →
möglich; in -n, in klingender
M. → bar; in klingende M. umsetzen → verkaufen; mit gleicher M. heimzahlen → bestrafen.
**münzen:** etwas ist auf jmdn.
gemünzt / gegen jmdn. gerichtet, etwas zielt auf jmdn. / geht
auf (oder:) gegen jmdn. / ist
eine Anspielung auf jmdn.,
jmd. ist mit etwas gemeint; →
vorhaben.

**Münzensammler,** Münzkundiger, Münzkenner, Numismatiker; → Münze, → Münz-
kunde.
**Münzkenner** → Münzensammler.
**Münzkunde,** Numismatik; →
Münze, → Münzensammler.
**Münzkundiger** → Münzensammler.
**Münzwaage** → Waage.
¹**mürbe,** bröcklig, weich; →
abgelagert, → morsch, → reif.
²**mürbe:** → zermürbt; m. machen → zermürben.
**Mürbeteig** → Teig.
**Mürbteig** → Teig.
**murklig:** → klein, → schmutzig.
**murksen** → pfuschen.
¹**Murmel** (*nordd.*), Marmel, Marrel (*landsch.*), Mermel (*landsch.*),
Letsch (*hess.*), Bickel (*hess.*),
Katzedonier (*hess.*), Schießer
(*hess.*), Klicker (*westd.*), Knik-
ker (*niederd.*), Chlucker
(*schweiz.*), Klucker (*schweiz.*),
Schusser (*südd., österr.*), Schneller (*südwestd.*), Bugger (*berlin.*),
Picker (*nordd.*), Alabaster (*niederd.*); → murmeln.
²**Murmel:** → Pelz; -n spielen →
murmeln.
¹**murmeln** (*nordd.*), Murmeln
spielen (*nordd.*), marmeln
(*westd.*), schussern (*südd.,
österr.*), kugelscheiben (*österr.*),
klickern (*westd.*), Klicker spielen (*westd.*); → schieben; →
Murmel.
²**murmeln:** → flüstern; -d →
unartikuliert.
**Murmeltier:** → Nagetier, →
Wild.
¹**murren,** schmollen, brummen,
maulen, kiebig werden (*ugs.*),
sich mausig machen (*ugs.*),
matschkern (*ugs., österr.*), ein
langes Gesicht machen / ziehen (*ugs.*), das Maul hängenlassen (*ugs.*), nicht gerade begeistert sein von etwas (*ugs.*),
die Stirn runzeln; → beanstanden → wehren (sich); →
unzufrieden.
²**murren** → aufbegehren.
**mürrisch,** ärgerlich, böse, aufgebracht, verärgert, entrüstet,
empört, peinlich / unangenehm
berührt, unwillig, ungehalten,
unwirsch, fünsch (*niederd.*),
indigniert, erbost, erzürnt, erbit-

tert, zornig, fuchtig (*ugs.*),
wütend, rabiat, wutentbrannt,
wutschäumend, wutschnaubend
(*ugs.*), fuchsteufelswild, zähneknirschend, grimmig, ingrimmig, tücksch (*ugs.*), verdrossen,
bärbeißig, grämlich, verdrießlich, griesgrämig, hässig
(*schweiz.*), mauserig (*schweiz.*),
sauertöpfisch, brummig, mißmutig, mißvergnügt, mißgestimmt, mißlaunig, mißgelaunt,
gereizt, übellaunig, muffig, grantig, leid (*schweiz.*), maßleidig
(*südd.*); → aufgelegt, → aufgeregt, → geharnischt, →
gekränkt, → launisch, →
unerfreulich, → unzufrieden, →
widerwillig; **m. sein,** jmdm. ist
eine Laus über die Leber gelaufen, jmd. ist mit dem linken
Fuß aufgestanden; → anstoßen
(bei jmdm.), → grollen, →
kränken, → lärmen, → schokkieren; → Griesgram, → Stimmung, → Überraschung, → Unannehmlichkeiten.
**Murrkopf** → Griesgram.
**Mus:** → Brei, → Brotaufstrich; zu M. machen → zermalmen.
**Musaget** → Gönner.
¹**Muschel,** Meermuschel, Teichmuschel, Flußmuschel, Flußperlmuschel, Perlmuschel, Auster, Miesmuschel, Pfahlmuschel, Bohrmuschel, Klaffmuschel, Herzmuschel, Riesenmuschel, Pilgermuschel, Bohrwurmmuschel; → Weichtiere.
²**Muschel:** in die M. rotzen →
koitieren.
**Muschelkieker** → Arzt.
**Muschi** → Katze.
**Muschkote** → Soldat.
**Musculus** → Muskel.
¹**Muse** · *der Geschichtsschreibung:*
Klio · *des Tanzes:* Terpsichore ·
*der Sternkunde:* Urania · *der
Liebesdichtung:* Erato · *der
Komödie:* Thalia · *der Tragödie:*
Melpomene · *der epischen Dichtung:* Kalliope · *des Liedes:*
Euterpe · *der Musik:* Polyhymnia; → Göttin.
²**Muse:** die zehnte M. → Kabarett; von der M. geküßt sein →
dichten [können].
**Muselman** → Mohammedaner.
**Musentempel** → Theatergebäu-
de.

**Musette**

Musette → Tanz.

Museum, Galerie, Kunstgalerie, Gemäldegalerie, Pinakothek, Sammlung, Kunstsammlung · *mit geschnittenen Steinen, Skulpturen:* Glyptothek; → Ausstellung, → Ausstellungsstück, → Kunstausstellung, → Vernissage.

Museumsstück → Ausstellungsstück.

Musical → Operette.

¹Musik, Tonkunst (*selten*) ··· frühchristliche Musik ··· mittelalterliche Musik, Renaissancemusik, Barockmusik, Rokokomusik, klassische Musik, romantische Musik · Neue Musik, moderne Musik, Zwölftonmusik, elektronische Musik, Musique concrète, serielle Musik, aleatorische Musik, Aleatorik ··· absolute Musik · Gebrauchsmusik, Programmusik, Inhaltsmusik ·· geistliche Musik, Kirchenmusik · weltliche Musik ·· Volksmusik, volkstümliche Musik, Folklore, folkloristische Musik · Kunstmusik ·· ernste Musik, E-Musik · Unterhaltungsmusik, U-Musik ··· Instrumentalmusik, Klaviermusik, Orgelmusik, Orchestermusik, Kammermusik, Streichmusik, Blasmusik, Blechmusik ·· Vokalmusik, Chormusik ··· Bühnenmusik, Opernmusik, Operettenmusik, Ballettmusik, Schauspielmusik, Filmmusik ·· Militärmusik, Marschmusik, Feldmusik, Regimentsmusik; → Jazz, → Komponist, → Lied, → Musikstück, → Oper, → Operette, → Schlager, → Unterhaltungsmusik.

²Musik: → Orchester; leichte M. → Unterhaltungsmusik; Türkische M. → Geschlechtskrankheit; etwas ist M. / klingt wie M. in jmds. Ohren → erfreulich [sein]; M. im Blut haben → begabt; sich die M. holen → Geschlechtskrankheit; M. machen → aufspielen, → musizieren; Handkäse mit M. → Handkäse.

musikalisch: -e Veranstaltung → Musikveranstaltung; m. umrahmen / untermalen → musizieren.

Musikant → Musizierender.

Musikantenknochen → Ellennerv.

Musikautomat, Musikbox, Jukebox; → Schallplatte.

Musikbox → Musikautomat.

Musikdampfer → Fahrgastschiff.

Musikdirektor → Dirigent.

Musikdrama → Oper.

Musikensemble → Orchester.

Musiker: → Komponist, → Musizierender.

Musikfreund → Liebhaber.

Musikinstrument, Instrument; → Äolsharfe, → Blasinstrument, → Drehorgel, → Rassel, → Schlaginstrument, → Spieldose, → Streichinstrument, → Tasteninstrument, → Zupfinstrument.

Musikinstrumentenbauer, Klavierbauer, Orgelbauer, Harmoniumbauer · Blechmusikinstrumentenbauer · Schlagmusikinstrumentenbauer, Schlagzeugmacher · Holzblasinstrumentenmacher, Oboenbauer, Klarinettenbauer · Zupfinstrumentenmacher, Lautenmacher, Harfenmacher · Baßbauer · Geigenbauer · Akkordeonmacher.

Musikkapelle → Orchester.

Musikpavillon, Pavillon, Musiktempel; → musizieren.

Musikstück, Musikwerk, Komposition; → Musik.

Musiktempel → Musikpavillon.

Musikus → Musizierender.

Musikveranstaltung, musikalische Veranstaltung, Konzert · Konzertabend, Sinfoniekonzert, Symphoniekonzert, Orchesterkonzert, Kammerkonzert, Kirchenkonzert, Chorkonzert, Solistenkonzert, Liederabend, Serenadenabend, Serenadenkonzert, Promenadenkonzert, Kurkonzert, Ständchen, Militärkonzert, Platzkonzert, Sonntagskonzert, Morgenkonzert, Abendmusik, Passionsmusik, Kammermusikabend, Jazzkonzert; → Orchester, → Rundfunksendung, → Serenade.

Musikwerk → Musikstück.

Musikwissenschaft → Wissenschaft.

Musique concrète → Musik.

¹musisch, künstlerisch [begabt], kunstsinnig, kunstverständig,

kunstempfänglich; → begabt, → schöpferisch; → Kunstverständnis · Ggs. → amusisch, → prosaisch.

²musisch → begabt.

musizieren, spielen, Musik machen, klimpern (*abwertend*), geigen, fiedeln (*abwertend*), blasen, dudeln (*abwertend*), begleiten, akkompagnieren, musikalisch umrahmen / untermalen ·· *ohne Noten:* auswendig / aus dem Kopf spielen, extemporieren · *nach eigenen Gedanken:* phantasieren, improvisieren; → Musikpavillon.

Musizierender, Musiker, Musikus (*scherzh.*), Solist, Virtuose, Interpret, Musikant, Spieler, Organist, Pianist, Klavierspieler, Konzertpianist, Barpianist, Klavierbegleiter, Geiger, Violinist, Violinvirtuose, Stehgeiger, Cellist, Bratschist, Bratscher, Kontrabassist, Hornist, Klarinettist, Flötist, Oboist, Fagottist, Posaunist, Trompeter, Harfenist, Gitarrist, Gitarrespieler, Saxophonist, Trommler, Pauker, Kesselpauker, Schlagzeuger · *in einem Orchester:* Orchestermusiker, Orchestermitglied, Philharmoniker, Symphoniker, Streicher, erster / zweiter Geiger, Bläser, Konzertmeister, Solocellist, Stimmführer, Tuttist · *ein Streichquartett anführender:* Primarius, Primgeiger; → Künstler, → Sänger, → Straßenmusikant.

Muskateller → Wein.

¹Muskel, Musculus · *zur Mittellinie des Körpers heranziehender:* Anziehmuskel, anziehender Muskel, Anzieher, Adduktor · *eine Bewegung von der Mittellinie des Körpers nach außen bewirkender:* Abziehmuskel, abziehender Muskel, Abzieher, Abspreizmuskel, Abspreizer, Abduktor · *eine Gelenkbeugung bewirkender:* Beugemuskel, Beuger, Flexor · *eine Gelenkstreckung bewirkender:* Streckmuskel, Strecker, Extensor · *die Anspannung einer Gewebsplatte oder -hülle bewirkender:* Spannmuskel, Spanner, Tensor · *eine Aufrichtungsbewegung bewirkender:* aufrichten-

der Muskel, Aufrichter, Arrektor, Erektor · *eine Hochhebebewegung bewirkender:* Hebemuskel, Heber, Levator, Kremaster · *eine herabziehende Bewegung bewirkender:* herabziehender Muskel, Niederdrücker, Depressor · *eine Verengung bewirkender:* zusammenziehender Muskel, Kompressor, Konstriktor, ringförmig abschnürender Muskel, Schließmuskel, Sphinkter · *eine Organerweiterung bewirkender:* erweiternder Muskel, Erweiterer, Dilatator · *eine Drehbewegung bewirkender:* Drehmuskel, Dreher, Rotator, Auswärtsdreher, Supinator, Einwärtsdreher, Pronator; → Muskulatur.

²**Muskel:** -n → Muskulatur.

**Muskelermüdung** → Muskelschmerz.

**Muskelerschlaffungsmittel** → Relaxans.

**Muskelgefüge** → Muskulatur.

**Muskelkater:** → Muskelschmerz, → Schmerz.

**Muskelkraft,** Körperkraft, Mumm (*ugs.*); → Kraftmensch.

**Muskelkrampf,** Krampf, Krampus, Myospasmus; → Muskelschmerz, → Relaxans, → Schmerz.

**Muskelmann** → Kraftmensch.

**Muskelprotz** → Kraftmensch.

**Muskelrelaxans** → Relaxans.

**Muskelrheumatismus** → Muskelschmerz.

**Muskelschmerz,** Myalgie, Myodynie, Muskelrheumatismus · *nach erhöhter Muskelbeanspruchung:* Muskelkater, Muskelermüdung; → Muskelkrampf, → Schmerz.

**Muskeltraining** → Bodybuilding.

**Muskelzelle** → Körperzelle.

**Muskete** → Schußwaffe.

**Musketier** → Soldat.

**Muskogee** → Indianer.

**Muskulatur,** Muskeln, Muskelgefüge; → Muskel.

**muskulös** → athletisch.

**Muß:** das M. → Zwang.

**Mußbestimmung** → Weisung.

**Muße,** Ruhe, Zeit, Freizeit, Otium, [süßes] Nichtstun, Dolcefarniente; → Beschaulichkeit, → Feierabend, → Lebensweise, → Stille.

**Mußehe** → Ehe.

**Musselin** → Stoff.

¹**müssen:** jmd. muß [aufschließen] / hat [aufzuschließen] / ist genötigt (oder:) gehalten (oder:) gezwungen [aufzuschließen] / sieht sich genötigt [aufzuschließen] / kann nicht umhin [aufzuschließen] / soll [aufschließen], es bleibt jmdm. nichts anderes übrig als [aufzuschließen], es ist nötig [aufzuschließen]; **muß ... werden:** etwas muß [erledigt] werden / ist zu [erledigen] / ist eine zu [erledigende] Angelegenheit, etwas unterliegt [der Kontrolle], jmd. / etwas gehört + 2. Partizip (*ugs.*); **müßte ... werden:** etwas müßte / sollte [überdacht] werden / etwas wäre wert, [überdacht] zu werden; **nicht m.:** jmd. muß nicht [bleiben] / braucht nicht zu [bleiben] / darf [gehen] / kann [gehen].

²**müssen:** mal m. → austreten; dran glauben m. → Reihe; wenn's denn sein muß → ja.

**Musseron** → Ständerpilz.

**Mußheirat** → Vermählung.

**müßig** → faul.

**Müßiggang** → Faulheit.

**Müßiggänger** → Faulenzer.

**Mußpreuße** → Preuße.

**Mußvorschrift** → Weisung.

**Mustang** → Pferd.

**Mustardsoße** → Soße.

¹**Muster,** Vorbild, Modell, Ideal, Leitbild, Urbild, Archetyp; → Abgott, → Absicht, → Einbildung, → Exempel, → Exponent, → Modell, → Nachahmung, → Regel; → berufen (sich auf); → ideal · Ggs. → Nachahmer.

²**Muster:** → Exemplar, → Form, → Inbegriff, → Probe, → Schnittmuster, → Stoffmuster, → Vorlage.

**Musterbeispiel** → Exempel.

**Musterbild** → Vorbild.

**Musterehe** → Ehe.

**Mustergatte** → Ehemann.

**mustergültig:** → vollkommen, → vorbildlich.

**Mustergültigkeit:** → Musterhaftigkeit, → Untadeligkeit.

**musterhaft** → vorbildlich.

**Musterhaftigkeit,** Mustergültigkeit, Vorbildlichkeit, Beispielhaftigkeit, Beispiellosig-

keit, Unnachahmlichkeit, Vollkommenheit; → Meisterhaftigkeit, → Untadeligkeit; → vorbildlich.

**Musterknabe:** → Junge, → Mann.

**Musterkollektion** → Sortiment.

**Mustermesse** → Messe.

¹**mustern,** ansehen, anschauen, anblicken, betrachten, besichtigen, beschauen, beobachten, studieren, in Augenschein nehmen, beaugenscheinigen (*scherzh.*), beaugapfeln (*scherzh.*), beäugeln (*ugs., scherzh.*), beäugen, fixieren, anstarren, anglotzen (*salopp, abwertend*), anstieren, angaffen (*salopp, abwertend*), besehen, beglotzen (*salopp, abwertend*), begaffen (*salopp, abwertend*), angucken, begucken, blicken auf, den Blick heften auf, den Blick nicht abwenden können, jmdm. einen Blick zuwerfen / schenken / gönnen, einen Blick werfen auf, anglupschen (*abwertend*), jmdn. / etwas mit den Augen verschlingen, Stielaugen machen (*ugs.*), jmdm. gehen die Augen über, jmdn. mit Blicken durchbohren; → begutachten, → blicken, → blinzeln, → forschen, → sehen; → Besichtigung, → Vernissage.

²**mustern** → durchsuchen.

**Musterpackung** → Packung.

**Mustersendung** → Postsendung.

¹**Musterung,** Stellung (*österr.*), Assentierung (*veraltet, österr.*); → Einberufung, → Militär, → Musterungskommission; → einberufen.

²**Musterung:** → Besichtigung, → Stoffmuster.

**Musterungskommission,** Stellungskommission (*österr.*), Assentkommission (*österr., veraltet*); → Musterung.

**Musterzeichner** → Zeichner.

**Mustio** → Mischling.

¹**Mut,** Tapferkeit, Kühnheit, Beherztheit, Herzhaftigkeit, Furchtlosigkeit, Unerschrockenheit, Unverzagtheit, Schneid (*ugs.*), Courage (*ugs.*), Zivilcourage, Mumm, (*ugs.*), Nipf (*ugs., österr.*), Tollkühnheit, Wagemut, Bravour, Draufgängertum; **keinen M. haben,** keine Traute haben (*ugs.*); → mutlos; **den M. verlieren,** den

Mut sinken lassen, verzagen, die Hoffnung aufgeben, alle Hoffnung fahrenlassen, verzweifeln, die Flinte ins Korn werfen (ugs.), jmdm. fällt / rutscht das Herz in die Hose (oder:) Hosen (ugs.); **nicht den M. verlieren,** sich nicht entmutigen / (ugs.) sich nicht kleinkriegen lassen, halt die Ohren steif! (ugs.), Kopf hoch! (ugs.); → wagen; → mutig · Ggs. → feige.

**²Mut:** M. machen / zusprechen → Trost [geben], → zuraten; jmdm. den M. nehmen → entmutigen; guten -es sein → zuversichtlich [sein].

**Mutation:** → Stimmwechsel, → Veränderung.

**mutatis mutandis** → Änderung.

**Mütchen:** an jmdm. sein M. kühlen → schelten.

**mutig,** tapfer, heldenhaft, heldenmütig, todesmutig, heroisch, mannhaft, beherzt, herzhaft, unverzagt, unerschrocken, furchtlos, couragiert, kühn, wagemutig, waghalsig, verwegen, draufgängerisch, kämpferisch, tollkühn, vermessen, nicht → feige; → frech, → streitbar, → zielstrebig; **m. sein,** das Herz auf dem rechten Fleck haben, ohne Furcht und Tadel sein (veraltet), die Gefahr verachten, der Gefahr trotzen / ins Auge sehen (oder:) schauen / nicht achten, weder Tod noch Teufel fürchten (ugs.), sein Herz in die Hand / in beide Hände nehmen, sich ein Herz fassen, die Zähne zusammenbeißen, keine → Angst [haben]; → Draufgänger, → Held, → Mut.

**mutlos,** deprimiert, niedergeschlagen, gedrückt, niedergedrückt, down (ugs.), resigniert, decouragiert, geknickt (ugs.), entmutigt, verzagt, kleinmütig, verzweifelt, gebrochen, lebensmüde, niedergeschmettert (ugs.); → ängstlich, → schwermütig, → unzufrieden; **m. sein,** Weltschmerz haben, in Weltuntergangsstimmung sein, den Kopf / die Flügel hängenlassen (ugs.), jmdm. fällt die Decke auf den Kopf, jmdm. ist die Petersilie / die ganze Ernte verhagelt (ugs.); **m. werden,** das

heulende Elend / einen Moralischen kriegen (ugs.); → Angst [haben]; → Katerstimmung, ✦ Verzweiflung.

**Mutlosigkeit:** → Feigheit, → Trauer, → Verzweiflung.

**mutmaßen** → vermuten.

**mutmaßlich** → anscheinend.

**Müttchen** → Frau.

**¹Mutter,** Mama, Mami, Mutti, Alte (ugs.), alte Dame · schlechte: Rabenmutter · nicht leibliche: zweite Mutter, Stiefmutter, Pflegemutter, Ziehmutter · der Zigeuner: Magrello; → Eltern, → Frau, → Verwandter · Ggs. → Vater.

**²Mutter:** → Nagel; M. Erde → Erde; M. Gottes → Madonna; M. der Kompanie → Dienstgrad; Vater und M. → Eltern; M. werden → gebären, → schwanger [sein]; der M. an der Schürze hängen → erwachsen; bei M. Grün schlafen → übernachten.

**Mutterboden** → Erde.

**Mütterchen** → Frau.

**Muttererde** → Erde.

**Mutterfleck** → Muttermal.

**Mutterfreuden:** M. entgegensehen → schwanger [sein].

**Mutterglück** → Freude.

**Muttergotteskäfer** → Marienkäfer.

**Mutterhafen** → Hafen.

**Mutterkaninchen** → Kaninchen.

**Mutterkind:** ein M. sein → verwöhnt [sein].

**Mutterkorn** → Schlauchpilz.

**Mutterkuchen** → Plazenta.

**Mutterliebe** → Familienanhänglichkeit.

**Muttermal,** Mutterfleck, Leberfleck, Feuermal, Gefäßmal, Geburtsmal, Pigmentmal, Altersfleck, Linsenfleck, Linsenmal, Lentigo (Med.), Naevus (Med.); → Blutgefäßgeschwulst; → Sommersprossen; → sommersprossig.

**Muttermilch:** etwas mit der M. eingesogen haben → firm [sein].

**Mutterschaf** → Schaf.

**Mutterschwein** → Schwein.

**mutterseelenallein** → einsam.

**Muttersöhnchen:** → Sohn; ein M. sein → verwöhnt [sein].

**Muttersprache,** Vatersprache (selten); → Deutsch, → Hochsprache, → Landessprache, → Mundart.

**Mutterstute** → Pferd.

**Muttertier:** → Kaninchen, → Rind, → Schaf.

**Mutterwitz** → Klugheit.

**Mutti** → Mutter.

**mutual** → wechselseitig.

**Mutualität** → Wechselseitigkeit.

**mutwillig** → böswillig.

**Mütze** → Kopfbedeckung.

**Mützenwetter:** → Schönwetter, → Wetter.

**Mutzikatze** → Katze.

**My** → Buchstabe.

**Myalgie** → Muskelschmerz.

**Myelencephalon** → Gehirn.

**Myeloblasten** → Blutkörperchen.

**Myelogramm** → Röntgenogramm.

**Myelographie** → Röntgenographie.

**Myelozyten** → Blutkörperchen.

**Mykose** → Fußpilz.

**Mylady** → Dame.

**Mylord** → Herr.

**Mynheer** → Holländer.

**Myodynie** → Muskelschmerz.

**Myokardinfarkt** → Herzinfarkt.

**Myom** → Geschwulst.

**Myospasmus** → Muskelkrampf.

**Myriade:** → Anzahl; -n von → viele.

**Mysophobie** → Phobie.

**Mysterienspiel** → Schauspiel.

**mysteriös** → unfaßbar.

**Mysterium,** Geheimnis; → Wunder.

**Mysterium tremendum** → Gottheit.

**Mystifikation,** Mystifizierung, Täuschung, Vorspiegelung, Irreführung, Obskurantismus, Verdummungseifer, Verdummung; → Betrug, → Hokuspokus; → okkult.

**mystisch** → unfaßbar.

**Mystizismus** → Aberglaube.

**mythisch** → legendär.

**Mythologie** → Wissenschaft.

**Mythos** → Erzählung.

**Myzetismus** → Lebensmittelvergiftung.

# N

**na:** → nein; na denn [prost] → prost; [na] klar → ja; nu na [nicht] → ja.

**¹Nabel,** Bauchnabel (ugs.), Omphalos, Umbilicus.

²**Nabel:** N. der Welt → Mittelpunkt.

**Nabelbruch** → Bauch.

**Nabelschnur:** die N. durchschneiden / durchtrennen → selbständig [werden].

**Nabob** → Reicher.

**nach:** → gemäß; n. allen Orten / Richtungen / Seiten → überallhin; n. eigenem Ermessen / Gutdünken → eigenmächtig; n. und n. → allmählich; n. wie vor → unaufhörlich.

**nachäffen** → nachahmen.

**nachahmen,** nachmachen, nachäffen (*abwertend*), imitieren, kopieren, nacheifern, nachstreben, nachfolgen, sich an jmdn. ein Beispiel nehmen, sich jmdn. zum Vorbild nehmen, in jmds. Spuren wandeln · *eine ernste Dichtung in komisch-satirischer Weise: a) durch unpassende, lächerliche Form: b) durch unpassenden Inhalt:* parodieren; **nachgeahmt werden,** Schule machen, Mode werden, Vorbild sein; → ablichten, → nachgestalten, → vervielfältigen; → Nachahmung.

**nachahmenswert** → vorbildlich.

**Nachahmer,** Nachfolger, Nachläufer, Schüler, Epigone · Anhänger · Ggs. → Muster.

**Nachahmung,** Nachbildung, Abklatsch (*abwertend*), Klischee (*abwertend*), Kopie, Imitation, Schablone, Attrappe · *alles Fremden:* Fremdtümelei · *ernster Dichtung in komischsatirischer Weise: a) durch unpassende, lächerliche Form:* Travestie; *b) durch unpassenden Inhalt:* Parodie; → Abguß, → Abschrift, → Fälschung, → Muster, → Original, → Redensart, → Reproduktion; → Zerrbild; → ablichten, → nachahmen.

**nacharbeiten** → aufholen.

**Nachbar:** → Anwohner, → Mann; → Nebenmann; scharf wie -s Lumpi → begierig.

**Nachbarschaft** → Umgebung.

**Nachbarschaftsschule** → Schule.

**Nachbehandlung**→Behandlung.

**nachbeten** → nachsprechen.

**nachbezahlen** → zahlen.

**nachbilden:** → abbilden, → formen, → nachgestalten, →

rekonstruieren, → reproduzieren.

**Nachbildung:** → Nachahmung, → Wortbildung.

**nachblättern:** in etwas n. → nachschlagen (in).

**nachblicken:** jmdm. n. → nachschauen (jmdm.).

**nachdem** → als.

¹**nachdenken,** denken, überlegen, durchdenken, sich fragen / Gedanken machen, einem Gedanken nachhängen, sich besinnen / bedenken, mit sich zu Rate gehen, seine Gedanken zusammennehmen, nachsinnen, nachgrübeln, sinnen, grübeln, staunen (*schweiz.*), werweißen (*schweiz.*), tüfteln, sinnieren, brüten, rätseln, herumrätseln, sich den Kopf zerbrechen, sich das Hirn zermartern (*ugs.*), knobeln (*ugs.*), meditieren, philosophieren, den Verstand gebrauchen, seinen Geist anstrengen · *dasselbe:* denselben Gedanken haben, zwei Seelen und ein Gedanke; → ausdenken, → beurteilen, → entwerfen, → erwägen, → folgern, → versenken (sich); → ausgewogen; → Denker, → Denkvorgang, → Einfall, → Gedankengang, → Vernunft.

²**nachdenken:** n. über → erwägen; das Nachdenken → Denkvorgang, → Versenkung; etwas erfordert [genaues] Nachdenken → Bedenkzeit [erfordern].

**nachdenklich:** → gedankenvoll; etwas macht / stimmt jmdn. n. → beschäftigen.

**Nachdichtung** → Übersetzung.

¹**Nachdruck,** Lizenzdruck · *ohne Genehmigung:* Raubdruck (*abwertend*), Piratendruck (*abwertend*), Freibeuterausgabe (*abwertend*); → Auflage, → Druck, → Edition.

²**Nachdruck:** → Nachdrücklichkeit; anastatischer / fotomechanischer N. → Reproduktion; mit N. → nachdrücklich; mit N. herausstellen → betonen.

**nachdrucken** → reproduzieren.

¹**nachdrücklich,** eindringlich, mit sanfter Gewalt, inständig, mit ganzem Herzen, drastisch, ultimativ, demonstrativ, ostentativ, ostentiös, betont, ausdrücklich, deutlich, unmißver-

ständlich, gewichtig, bedeutungsvoll, wirkungsvoll, emphatisch, mit Nachdruck / Emphase / Gewicht, mit ergreifenden Worten, mahnend, beschwörend, flehentlich, flehend; → klar, → provozierend, → unterwürfig; → Nachdrücklichkeit.

²**nachdrücklich** → zielstrebig.

**Nachdrücklichkeit,** Nachdruck, Ausdrücklichkeit, Gewicht, Gewichtigkeit, Emphase, Eindringlichkeit, Überzeugungskraft, Inständigkeit, Drastik, Deutlichkeit, Unmißverständlichkeit; → Hervorhebung; → betonen; → nachdrücklich.

**nacheifern** → nachahmen.

**nacheilen** → nachgehen.

¹**nacheinander,** hintereinander, folgend, aufeinanderfolgend, nachfolgend, in Aufeinanderfolge, zusammenhängend, darauffolgend, der Reihe nach, der Ordnung nach, im Kehrum (*landsch.*), im Gänsemarsch, in Reih und Glied, Substantiv + für + gleiches Substantiv (Schritt für Schritt, Tag für Tag), Substantiv + an + gleiches Substantiv (Kopf an Kopf, Schulter an Schulter), Substantiv + um + gleiches Substantiv (Stück um Stück, Zug um Zug); → daran, → hinterher · Ggs.→ diskontinuierlich.

²**nacheinander:** → allmählich; rasch n. → schnell [nacheinander].

**Nachempfängnis** → Befruchtung.

**nachempfinden:** → einfühlen (sich), → nachgestalten.

**Nachen** → Boot.

**Nacherbe** → Erbe (der).

**Nacherzählung** → Schulaufsatz.

**Nachfahr** → Angehöriger.

**Nachfahre** → Angehöriger.

¹**Nachfolge,** Thronfolge, Amtsnachfolge, Rechtsnachfolge, Sukzession, Staatensukzession, Erbfolge, Erbgang (*schweiz.*); → Nachahmung, → Nachfolger; → nachfolgen.

²**Nachfolge:** die N. antreten → nachfolgen.

¹**nachfolgen,** folgen, die Nachfolge antreten, jmds. Amt über-

nehmen, in jmds. Fußstapfen treten (ugs.); → Nachfolge, → Nachfolger.

²**nachfolgen:** -d → nacheinander; -de Generationen / Geschlechter → Nachwelt.

¹**Nachfolger,** [designierter] Amtsnachfolger, Rechtsnachfolger, Sukzessor, Juniorchef · in der Abstammung: Deszendent, Nachkomme, Abkömmling, Abkomme, Nachfahr[e], Sproß; → Nachahmer, → Nachfolge, → Thronfolger; → nachfolgen · Ggs. → Vorangegangener.

²**Nachfolger** → Nachahmer.

**nachformen:** → abbilden, → nachgestalten.

¹**nachforschen,** nachspüren, recherchieren, ermitteln, Ermittlungen anstellen, untersuchen, abklopfen auf, ausleuchten, einer Sache auf den Grund gehen / nachgehen, herumstochern (ugs.), herumbohren (ugs.), erkunden, feststellen, erheben (südd., österr.), ausforschen (österr.), stierln (ugs., österr.), nachstierln (ugs., österr.); → beobachten, → durchsuchen, → forschen, → fragen, → prüfen, → spionieren, → suchen.

²**nachforschen** → prüfen.

**Nachforschung,** Prüfung, Fahndung, Nachprüfung, Ermittlung, Recherche, Sondierung, Enquete, Untersuchung, Voruntersuchung, Erhebung (südd., österr.), Ausforschung (österr.) · bei Gericht: Ermittlungsverfahren; → Erforschung, → Umfrage, → Verhör; → nachforschen.

**Nachfrage:** → Bedarf, → Frage; danke der [gütigen] N.! → danke!

**Nachfragemonopol** → Marktform.

**nachfragen** → fragen.

**Nachfrageoligopol** → Marktform.

**Nachfragepolypol** → Marktform.

**nachfüllen** → tanken.

**Nachfürsorge** → Behandlung.

¹**nachgeben,** einlenken, Zugeständnisse machen, jmdm. [auf halbem Wege] entgegenkommen, auf jmds. Forderungen / Wünsche eingehen, sich beugen / fügen / unterwerfen / ergeben,

sich einem Joch beugen, unterliegen, zurückstecken, willfahren, erhören, einen Rückzieher machen (ugs.), den Rückzug antreten, klein beigeben (ugs.), den Schwanz einziehen / einkneifen (salopp), kapitulieren, sich besiegen lassen, in die Knie gehen (ugs.), sich unterordnen, die weiße Fahne hissen, resignieren, passen, aufgeben, abschnallen (ugs.), die Flinte ins Korn werfen, die Waffen strecken, die Segel streichen, ein Auge / beide Augen zudrücken, sich erweichen lassen, weich / schwach werden, kleinlaut werden, klein [und häßlich] werden (abwertend), nicht → beharrlich sein, nicht → bestehen (auf), nicht → standhalten; → abschreiben, → befolgen, → entgegenkommen, → ertragen, → überreden, → umschwenken, → verzeihen, → zurückstehen, → zurückziehen (sich); → Friedenssymbol, → Widerruf · Ggs. → besiegen.

²**nachgeben:** → abnehmen, → biegsam [sein]; nicht n. → durchhalten; nicht -d → standhaft; dem Trieb n. → koitieren.

**Nachgeburt** → Plazenta.

¹**nachgehen,** hinterhergehen, hinterherlaufen, nachlaufen, nachrennen, nacheilen, nachschleichen, nachsteigen (scherzh.), folgen; → verfolgen.

²**nachgehen:** etwas geht jmdm. nach → beschäftigen; einer Beschäftigung n. → arbeiten; einer Sache n. → nachforschen.

**nachgemacht** → unecht.

**nachgerade:** → ganz, → regelrecht.

**nachgestalten,** nachbilden, nachempfinden, ablauschen, nachformen; → nachahmen.

**nachgiebig** → willensschwach.

**Nachgiebigkeit:** → Duldsamkeit, → Willenlosigkeit.

**nachgießen** → abbilden.

**nachgrübeln** → denken.

**Nachhall,** Hall, Nachklang, das Nachhallen, das Nachklingen, das Weiterklingen, Widerhall, das Widerhallen; → Raumakustik, → Resonanz, → Widerhall; → schallen.

**nachhallen:** das Nachhallen → Nachhall.

¹**nachhaltig,** wirksam, effizient, entscheidend, effektiv, eindrucksvoll, unvergeßlich; → außergewöhnlich; → auffallen, → wirken.

²**nachhaltig:** → einschneidend, → unaufhörlich.

**nachhängen:** einem Gedanken / seinen Gedanken n. → denken.

**Nachhauseweg:** → Rückweg; sich auf den N. begeben / machen → zurückbegeben (sich).

**nachher** → hinterher.

**nachhinein:** im n. → hinterher.

**Nachhirn** → Gehirn.

**Nachholbedarf,** Mangel; **N. haben,** noch viel nachholen müssen, zu kurz gekommen sein, etwas nicht genügend gehabt / getan haben; → mangeln.

**nachholen:** → aufholen; noch viel n. müssen → Nachholbedarf [haben].

**Nachhut:** → Abteilung, → Nachzügler.

**nachjagen** → verfolgen.

**Nachklang** → Nachhall.

**nachklingen:** das Nachklingen → Nachhall.

**Nachkomme:** → Angehöriger; -n → Nachwelt.

¹**nachkommen,** hinterherkommen, folgen, später kommen.

²**nachkommen:** → gehorchen; das dicke Ende kommt nach → ausstehen.

**Nachkömmling** → Kind.

**Nachkriegsgeneration** → Lost generation.

**Nachkriegsjahr:** -e → Nachkriegszeit.

**Nachkriegsliteratur** → Literaturepochen.

**Nachkriegszeit,** Nachkriegsjahre, Hungerjahre, die schlechte Zeit, die Zeit des Wiederaufbaus / vor der Währungsreform, die Zeit (oder:) Jahre nach dem Krieg / ersten Weltkrieg / zweiten Weltkrieg, nach 45 (ugs.); damals als man nichts zu essen hatte (ugs.); → Krieg.

**Nachkur** → Behandlung.

**Nachlaß:** → Erbe (das), → Preisnachlaß.

¹**nachlassen,** schlechter werden, mit jmdm. geht es abwärts, jmds. Ruhm verblaßt, jmds. Stern sinkt / ist im Sinken, auf dem absteigenden Ast sein

(*ugs.*); → abnehmen; → unbeweglich; → Schwund.

**²nachlassen:** → abnehmen, → ermäßigen; nicht n. mit → zusetzen (jmdm.); das Nachlassen → Rückgang, → Schwund.

**nachlassend,** rückläufig, stagnierend, rezessiv, regressiv, zurückgehend, schwindend, abflauend, sinkend, degressiv; → Verminderung.

**¹nachlässig,** schlampig (*abwertend*), schlampert (*ugs., abwertend*), schludrig (*abwertend*), oberflächlich, flüchtig, unordentlich, huschelig, larifari (*ugs.*), liederlich, ungenau, überhapps (*österr.*), so nebenher; → unachtsam, → unbesonnen, → ungeordnet; **n. sein,** es nicht so genau nehmen, fünf grade sein lassen (*ugs.*), schlampen (*abwertend*), schlampern (*österr., abwertend*); schludern (*abwertend*); **n. werden,** die Zügel schleifen lassen.

**²nachlässig:** → säumig, → ungezwungen.

**¹Nachlässigkeit,** Schlamperei (*abwertend*), Schludrigkeit (*abwertend*), Unordentlichkeit, unordentliches Arbeiten, Unsorgfältigkeit, mangelnde Sorgfalt, Ungenauigkeit, Oberflächlichkeit, Flüchtigkeit; → Langsamkeit, → Teilnahmslosigkeit, → Unachtsamkeit.

**²Nachlässigkeit** → Unpünktlichkeit.

**nachlaufen:** → nachgehen, → verfolgen; allen Mädchen n. → Frauenheld.

**Nachlaufen** → Fangspiel.

**Nachläufer** → Nachahmer.

**Nachläuferles** → Fangspiel.

**nachlesen:** in etwas n. → nachschlagen (in).

**nachmachen:** → nachahmen, → wiederholen; nachgemacht → unecht.

**Nachmieter** → Mieter.

**Nachmittag,** Mittag (*landsch.*), zweite Tageshälfte; → Mittag, → Tageszeit; → nachmittags.

**nachmittags,** mittags (*landsch.*), in der zweiten Tageshälfte; → Nachmittag, → Tageszeit.

**Nachmittagskaffee** → Zwischenmahlzeit.

**Nachmittagskleid** → Kleid.

**Nachmittagssonne** → Sonnenlicht.

**Nachnahme** → Zahlung.

**Nachnahmesendung** → Postsendung.

**Nachname** → Familienname.

**nachnehmen** → kassieren.

**nachplappern** → nachsprechen.

**nachprüfen** → kontrollieren.

**Nachprüfung:** → Kontrolle, → Nachforschung.

**Nachrede:** böse / üble N. → Beleidigung.

**nachreden:** → nachsprechen; jmdm. etwas n. → schlechtmachen.

**nachrennen:** → nachgehen, → verfolgen.

**¹Nachricht,** Neuigkeit, Mitteilung, Botschaft, Kunde, Meldung, Erfolgsmeldung, Auskunft, Information, Informierung, Bescheid, Lebenszeichen, Anzeige, Ankündigung, Äußerung, Benachrichtigung · Geburtsanzeige · Hochzeitsanzeige, Vermählungsanzeige · Todesanzeige, Parte (*österr.*), Partezettel (*österr.*); → Angabe, → Beileidskarte, → Bericht, → Darlegung, → Fernsehsendung, → Hinweis, → Mitteilung, → Rede, → Rundfunksendung, → Zeitungsartikel; **N. erhalten,** Post bekommen / (*ugs.*) kriegen / haben; → mitteilen.

**²Nachricht:** → Lebenszeichen; N. geben → mitteilen.

**Nachrichten:** → Fernsehsendung, → Rundfunksendung.

**Nachrichtenmagazin** → Zeitschrift.

**Nachrichtensperre** → Sperre.

**Nachrichtensprecher:** → Ansager, → Sprecher.

**Nachrichtenverarbeitungsmaschine** → Computer.

**Nachruf,** Nekrolog, Leichenrede, Grabrede, Totenrede, Gedächtnisrede, Würdigung; → Mitteilung.

**nachrühmen:** jmdm. etwas n. → loben.

**nachsagen:** → nachsprechen, → zuschreiben; jmdm. etwas n. → schlechtmachen.

**Nachsaison** → Saison.

**Nachsatz** → Postskriptum.

**¹nachschauen** (jmdm.), jmdm. nachsehen / nachblicken / hinterherschauen, jmdn. mit

Blicken verfolgen, jmdm. mit den Blicken folgen, hinter jmdm. hersehen · *heimlich:* schmulen (*landsch.*).

**²nachschauen** → kontrollieren.

**¹nachschlagen** (in), in etwas nachsehen / nachlesen / suchen, nachblättern / etwas in etwas aufsuchen, durchsehen, durchblättern, blättern in; → aufblättern; → Nachschlagewerk.

**²nachschlagen:** jmdm. n. → ähneln.

**Nachschlagewerk,** Konversationslexikon, Lexikon, Fachlexikon, Enzyklopädie, Wörterbuch, Spezialwörterbuch, Wörterverzeichnis, Glossar, Vokabular, Vokabularium, Diktionär, Thesaurus, Eselsbrückenliteratur (Treitschke) · *einer Mundart:* Idiotikon, Mundartwörterbuch · *über die Herkunft der Wörter:* etymologisches Wörterbuch, Herkunftswörterbuch · *für sinnverwandte Wörter:* Synonymwörterbuch; synonym · *für Fremdwörter:* Fremdwörterbuch, Verdeutschungswörterbuch · *für die Rechtschreibung:* orthographisches Wörterbuch, Rechtschreibwörterbuch, Duden · *für die richtige Verwendung der Wörter:* Stilwörterbuch · *vom Wortende her alphabetisiertes:* rückläufiges Wörterbuch · *für Namen:* Namenbuch · *für Zitate:* Zitatenlexikon, Zitatenschatz, geflügelte Worte; → Stichwort; → nachschlagen.

**nachschleichen** → nachgehen.

**nachschleifen** → ziehen.

**Nachschlüssel,** Dietrich, Diebshaken, Diebsschlüssel, König David (*Gaunerspr.*), Klaus (*Gaunerspr.*), Kate (*Gaunerspr.*), Daltel (*Gaunerspr.*), Taltel (*Gaunerspr.*), Peterchen (*Gaunerspr.*); → Schlüssel; n. öffnen.

**nachschnüffeln** → spionieren.

**Nachschrift:** → Nachwort, → Postskriptum.

**nachsehen:** → kontrollieren; jmdm. n. → nachschauen (jmdm.); jmdm. etwas n. → verzeihen; in etwas n. → nachschlagen (in); das Nachsehen haben → bekommen.

**nachsetzen** → verfolgen.

**Nachsicht:** → Duldung, → Entschuldigung; N. haben mit / üben → nachsichtig [sein].

**¹nachsichtig,** milde, geduldig; **n. sein,** Nachsicht haben mit / üben, jmdm. durch die Finger sehen (ugs.), Gnade vor / für Recht ergehen lassen; → tolerant.

**²nachsichtig** → tolerant.

**Nachsilbe:** → Affix, → Silbe.

**nachsinnen** → denken.

**Nachsommer** → Altweibersommer.

**Nachsorge** → Behandlung.

**Nachspann,** Absage, Abkündigung · Ggs. → Vorspann.

**Nachspeise** → Dessert.

**nachspionieren** → spionieren.

**nachsprechen,** nachsagen, wiederholen, nachreden, nachplappern, echoen, nachbeten (abwertend).

**nachspüren:** → nachforschen, → spionieren.

**¹nächst,** kommend, anhin (schweiz.; z.B. der Vortrag findet am 2. Juni anhin statt).

**²nächst:** → nahe; auf der -en Seite → umseitig; in -er Nähe → nahebei; in -er Zeit → später; als -es → zunächst.

**nachstehen:** jmdm. an etwas / in etwas nicht n. → erreichen (jmds. Leistung).

**nachsteigen** → nachgehen.

**nachstellen:** → umwerben, → verfolgen.

**Nachstellung** → Verfolgung.

**¹Nächstenliebe,** Agape, Caritas, Karitas, Barmherzigkeit, Mildtätigkeit, Wohltätigkeit, Philanthropie, Menschlichkeit, Menschenliebe, Menschenfreundlichkeit, Humanität; → Achtung, → Geselligkeit, → Liebe, → Mitgefühl, → Philanthrop; → menschlich.

**²Nächstenliebe:** mit dem Mantel der christlichen N. bedecken / zudecken → vertuschen.

**nächsthin** → später.

**nachstierln** → nachforschen.

**nachsuchen:** → bitten, → durchsuchen.

**Nacht:** alle Nächte, jede N., N. für N., immer in der N. / während der N. → alltäglich; gute N.! → Gruß; Heilige N. → Weihnachtsabend; die Zwölf Nächte → Rauhnächte; Tag und N. → Tag, → unaufhörlich; schwarz wie die N. → schwarz; die N. sinkt herab / bricht herein / senkt sich auf die Erde → dunkel [werden]; jmdm. wird N. vor den Augen → ohnmächtig [werden]; etwas bereitet jmdm. schlaflose Nächte → sorgen (sich); die N. durchsumpfen / durchtrinken / durchzechen → feiern; die N. zum Tage machen → arbeiten; sich die N. um die Ohren schlagen → schlafen; die N. verbringen → übernachten; des -s, bei N., in / während der N., mitten in der N. → nachts; bei N. und Nebel, im Schutze der N. → heimlich; über N. → plötzlich; zu / zur N. essen → Abendessen [einnehmen], → essen.

**Nachtaffe** → Affe.

**Nachtangelei** → Angelsport.

**Nachtanzug** → Nachtgewand.

**Nachtaufnahme** → Fotografie.

**Nachtausgabe** → Zeitung.

**Nachtbar** → Nachtlokal.

**nachtblau** → blau.

**nachtblind** → blind.

**Nachtblindheit** → Sehstörung.

**Nachtcafé** → Nachtlokal.

**Nachtcreme** → Schönheitspflegemittel.

**Nachtdienst** → Bereitschaftsdienst.

**Nachteil:** → Mangel; Vor- und -e einer Sache → Vorteil; sich als N. erweisen; -e haben → ungünstig [sein]; -e erleiden → einbüßen.

**nachteilig:** → hinderlich, → unerfreulich, → ungünstig.

**nachten** → dunkel [werden].

**nächtens** → nachts.

**Nachtessen** → Abendessen.

**Nachtfahrt** → Fahrt.

**Nachtfalter** → Schmetterling.

**Nachtflug** → Flug.

**Nachtfrost** → Kälte.

**Nachtgebet** → Gebet.

**Nachtgeschirr,** Nachttopf, Topf, Töpfchen (Kinderspr.), Thron (scherzh.), Pißpott (derb), Mitternachtsvase (ugs., scherzh.), Hafen (südd., österr.), Scherben (ugs., österr.), Brunzkachel (schwäb., veraltet), Seichkachel (schwäb., veraltet), Brunzdippe (hess.) · für Bettlägerige: Stechbecken, Schieber (ugs.), Pfanne (ugs.) · für bettlägerige Männer nur für Urin: Urinflasche, Harnflasche, Flasche, Stechflasche, Stechglas, Urinal (fachspr.), Urodochium (fachspr.), Ente (ugs.); → Toilette.

**Nachtgespenst** → Gespenst.

**Nachtgestirn** → Mond.

**Nachtgewand,** Nachthemd, Pyjama, Schlafanzug, Nachtanzug, Negligé, Babydoll, Shorty; → Morgenrock.

**Nachtgunkel** → Herbstzeitlose.

**Nachthemd** → Nachtgewand.

**Nachtigall:** → Vogel; N., ick hör' dir trapsen → merken.

**nächtigen** → übernachten.

**Nächtigung** → Übernachtung.

**Nachtisch** → Dessert.

**Nachtkästchen** → Nachttisch.

**Nachtkastel** → Nachttisch.

**Nachtklub** → Nachtlokal.

**nächtlich:** → allnächtlich; [zu -er Stunde] → nachts.

**nächtlicherweile** → nachts.

**nächtlicherweise** → nachts.

**Nachtlokal,** Nachtklub, Nightclub, Bar, Nachtbar, Amüsierlokal (abwertend), Amüsierbetrieb (abwertend), Nachtcafé (schweiz.), Spätcafé (schweiz.); → Bardame, → Barkeeper, → Gaststätte, → Striptease.

**Nachtluft** → Luft.

**Nachtmahl** → Abendessen.

**nachmahlen** → essen.

**Nachtmahr** → Gespenst.

**Nachtmarsch:** → Marsch (der), → Spaziergang.

**Nachtmusik** → Serenade.

**Nachtpfauenauge** → Schmetterling.

**Nachtrag:** → Ergänzung, Nachwort.

**nachtragen:** → übelnehmen, → vervollständigen.

**nachtragend** → empfindlich.

**nachträglich** → hinterher.

**Nachtragsgesetz** → Novelle.

**Nachtragung** → Ergänzung.

**nachtrauern** → beklagen.

**Nachtreiher** → Vogel.

**Nachtruhe** → Schlaf.

**¹nachts,** bei Nacht, im Dunkel[n], in Dunkelheit, nächtens (dichter.), nächtlich (veraltend), während der Nacht, [mitten] in der Nacht, des Nachts (geh.), nächtlicherweile (geh.), nächtlicherweise (geh.), nachtüber (schweiz.), zu nächtlicher Stunde (geh.), zu / bei nachtschlafender Stunde (oder:) Zeit; → allnächtlich, → dunkel · Ggs. → tagsüber.

²**nachts:** → abends; immer n. → allnächtlich.

**Nachtschicht** → Schicht.

**Nachtschlaf** → Schlaf.

**nachtschlafend:** bei (oder:) zu -er Stunde / Zeit → nachts.

**Nachtschmetterling** → Schmetterling.

**Nachtschränkchen**→Nachttisch.

**nachtschwarz:** → schwarz, → schwarzhaarig.

**Nachtschwester** → Krankenschwester.

**Nachtsichtigkeit** → Sehstörung.

**Nachtspeicherofen** → Ofen.

**Nachtstar** → Katarakt.

**Nachttisch,** Nachtschränkchen, Nachtkästchen (bayr., österr.), Nachtkastel (ugs., österr.).

**Nachttischlampe** → Lampe.

**Nachttopf** → Nachtgeschirr.

**nachtüber** → nachts.

**Nachtwächter** → Bewacher.

**nachtwandeln:** das Nachtwandeln → Mondsüchtigkeit.

**Nachtwanderung** → Spaziergang.

**Nachtzug** → Eisenbahnzug.

**nachvollziehen:** → einfühlen (sich), → verstehen.

**Nachwein** → Wein.

**nachweinen:** → beklagen; jmdm. / einer Sache keine Träne n. → beklagen.

¹**Nachweis,** Beweis, Rechtfertigung, Indiz, Beweisstück, Beweisgrund, Beweismaterial, Belastungsmaterial, Beweismittel, Entlastungsmaterial, Entlastungszeuge, Corpus delicti, Alibi; → Anzeichen, → Argument, → Bescheinigung, → Merkmal, → Urkunde; → nachweisen.

²**Nachweis:** → Angabe, → Bescheinigung; den N. führen → nachweisen.

**nachweisbar:** → belegbar, → nachweislich.

¹**nachweisen,** beweisen, untermauern, erbringen, bringen, aufzeigen, belegen, den Nachweis führen; **etwas n. können,** den Nachweis / Beweis erbringen (oder:) liefern, etwas schwarz auf weiß haben · und zwar, daß man sein Glas ausgetrunken hat: die Nagelprobe

machen; → begründen; → Nachweis.

²**nachweisen:** → aufdecken; seine Identität n. → legitimieren (sich).

**nachweislich,** erweislich (veraltet), nachweisbar, beweisbar, bewiesenermaßen, erwiesenermaßen; → belegbar, → offenbar, → stichhaltig.

**Nachwelt,** Nachkommen, die nach uns Kommenden, nachfolgende Geschlechter / Generationen, kommende Generationen / Zeiten, Zukunft.

**Nachwort,** Epilog, Schlußwort, Nachtrag · nach der Unterschrift: Nachschrift, Postskript[um], PS; → Ende, → Nachruf · Ggs. → Einleitung.

**Nachwuchs:** → Kind, → Kinder (die).

**Nachwuchskraft,** Juniorpartner; → Führungskraft.

**nachzahlen** → zahlen.

**Nachzahlung:** → Abfindung, → Zahlung.

**nachzeichnen** → zeichnen.

**nachziehen** → aufholen.

¹**Nachzügler,** Letzter, Nachhut, Schlußlicht (scherzh.); → letzte, → spät.

²**Nachzügler** → Kind.

**Nackedei:** → Nackte; ein N. sein → nackt [sein].

**Nackedonien** → Nacktbadestrand.

**Nackedunien**→Nacktbadestrand.

¹**Nacken,**Genick,Anke(landsch.), Nucha (fachspr.) · starker: Stiernacken; → Hals.

²**Nacken,** den N. steifhalten → besiegen; jmdm. sitzt die Angst im N. → Angst [haben]; jmd. hat den Schalk / den Schelm im N., jmdm. sitzt der Schalk / der Schelm im N. → Spaßvogel.

**nackend** → nackt.

**nackert** → nackt.

**nacket:** Nackete Jungfer → Herbstzeitlose.

**nackicht** → nackt.

¹**nackt,** bloß, entblößt, frei, ausgezogen, unbekleidet, entkleidet, enthüllt, kleidungslos, unangezogen, unbedeckt, hüllenlos, nackend (ugs.), nackicht (ugs., nordd.), nackert (ugs., bes. österr.), blutt (schweiz.), textilfrei (scherzh.), textilarm

(scherzh.), pudelnackt (ugs.), splitterfasernackt, splitternackt, [nackt] wie Gott ihn schuf (scherzh.), barfuß bis an den Hals (scherzh.) · am Oberkörper: busenfrei, barbusig, oben ohne (salopp), topless; → barfüßig; **n. sein,** im Adamskostüm / Evaskostüm sein, ein Nackedei sein (Kinderspr.), nichts anhaben.

²**nackt:** mit -en Füßen → barfüßig; angeben wie zehn -e Neger → prahlen.

**nacktbaden** → schwimmen.

**Nacktbadeplatz** → Nacktbadestrand.

**Nacktbadestrand,** Nacktbadeplatz, Nudistenstrand, Naturistenstrand, FKK-Strand, FKK-Gelände, Nackedonien (scherzh.), Nackedunien (scherzh.), Abessinien (scherzh.), Kamerun (scherzh.), Äthiopien (scherzh.), Samoa (scherzh.), Hawaii (scherzh.); → Freikörperkultur, → Nudist · Ggs. → Textilstrand.

**Nackte** (die), weiblicher Akt, Nacktmodell, Nackedei (ugs.), Nacktfrosch (Kinderspr.), Pinup-girl, Nackttänzerin; →Stripteasetänzerin.

**Nacktfrosch** → Nackte.

**Nacktheit** → Blöße.

**Nacktkultur**→Freikörperkultur.

**Nacktmodell** → Nackte.

**Nackttänzerin** → Nackte.

**NaCl** → Salz.

¹**Nadel,** Stecknadel, Nähnadel, Stopfnadel, Sticknadel; → Häkelnadel, → Stricknadel; → nähen.

²**Nadel:** → Brosche; die -n abstoßen / abwerfen → nadeln; die -n verlieren → nadeln; mit N. und Faden umgehen können→ nähen [können].

**Nadelarbeit** → Handarbeit.

**Nadelbaum:** Nadelbäume → Nadelhölzer.

**Nadelgehölz:** -e → Nadelhölzer.

**Nadelgeld** → Taschengeld.

**Nadelhölzer,** Koniferen, Zapfenträger, Nadelgehölze · Nadelbäume · Tanne, Weißtanne, Rottanne, Edeltanne, Blautanne, Fichte, Douglasie, Douglasfichte, Kiefer, Zirbelkiefer, Zirbe, Zirbel, Zirm (tirol.), Zirn (tirol.), Arve (schweiz.), Föhre,

Lärche, Eibe, Latsche, Zypresse, Mammutbaum, Pinie, Zeder · Lebensbaum, Thuja · Wacholder, Kranewit (*bayr., österr.*), Machandelbaum, Machandel, Krammet (*oberd.*); → Pflanze, → Tannenzapfen; → nadeln · Ggs. → Laubhölzer.

**nadeln,** die Nadeln verlieren / abwerfen / abstoßen; → entlauben (sich); → Nadelhölzer.

**nadelspitz** → spitz.

**Nadelspitze** → Spitzenstickerei.

**Nadelstich:** jmdm. -e versetzen → kränken.

**Nadelstreifen** → Stoffmuster.

**Nadelwald** → Wald.

**Naderer** → Auskundschafter.

**Naevus** → Muttermal.

**¹Nagel,** Stift, Kopfnagel, Blaunagel, Blaupinne (*landsch.*), Schraube, Mutter, Schraubennagel, Nietnagel, Niete, Haken, Krampe (die), Krampen (der), Hakennagel, Bolzen, Dübel, Zapfen, Stahlnagel, Eisennagel, Zimmermannsnagel, Zimmermannsstift, Drahtnagel, Metallstift, Holzstift, Drahtstift, Eisendrahtstift, Lattennagel, Bandnagel, Verschlagnagel, Polsternagel, Rutschnagel, Hufnagel, Schuhnagel, Täcks · an Bergschuhen: Schernken (*österr.*); → Reißzwecke.

**²Nagel:** → Fingernagel; eingewachsener N., Weißfleckigkeit der Nägel → Nagelkrankheit; ein N. zu jmds. Sarg sein → bekümmern; den N. auf den Kopf treffen → treffend; an den N. hängen → abschreiben; etwas brennt jmdm. auf den Nägeln → dringend [sein]; jmdm. nicht das Schwarze unter dem N. gönnen → neiden; sich etwas unter den N. reißen → nehmen.

**Nagelablösung** → Nagelkrankheit.

**Nagelausfall** → Nagelkrankheit.

**Nagelbettentzündung** → Nagelkrankheit.

**Nagelbildung:** übermäßige N. → Nagelkrankheit.

**Nagelblume** → Flieder.

**Nagelbrüchigkeit** → Nagelkrankheit.

**Nägelchen** → Flieder.

**Nagelfalzentzündung** → Nagelkrankheit.

**Nagelfalzvereiterung** → Nagelkrankheit.

**Nagelgeschwulst** → Nagelkrankheit.

**Nagelhypertrophie** → Nagelkrankheit.

**Nagelkrankheit,** Onychopathie, Onychose, Onychosis, Onychiasis ·· Nagelablösung, Nagelausfall, Onycholyse, Onychomadese, Onychoptose · Nagelspaltung, Onychoschisis, Onychoschizie, Schizonychie ·· Nagelbrüchigkeit, Onychorrhexis, Onychoklasis, Onychoklasie ·· Nagelverdickung, Nagelgeschwulst, Nagelhypertrophie, Onychauxis, Hyperonychie, Hyperonychose, Hyperonychosis, verstärktes Nagelwachstum, übermäßige Nagelbildung · *mit krallenartiger Verbildung der Nägel:* Krallennagel, Onychogrypose ·· Hohlnagel, Löffelnagel, Koilonychie, Kelonychie, Spoon-nail ·· eingewachsener Nagel, Onychokryptose, Onyxis ·· Weißfleckigkeit der Nägel, Leukonychie, Onychopacitas ·· *entzündliche im Bereich des Nagelbetts:* Nagelbettentzündung, Onychie, Onychitis, Onyxitis, Onyxis, Matrixitis · *entzündliche, eitrige, bes. im Bereich des Nagelfalzes:* Nagelfalzentzündung, Nagelfalzvereiterung, Umlauf, Paronychie, Panaritium · *entzündliche im Bereich der Haut des hinteren Nagelwalls:* Perionychie, Perionyxis; → Krankheit.

**nagelneu** → neu.

**Nagelpflege** → Maniküre.

**Nagelprobe:** die N. machen → nachweisen.

**Nagelrochen** → Fisch.

**Nagelschere** → Schere.

**Nagelschmied** → Schmied.

**Nagelschuh** → Schuh.

**Nagelspaltung** → Nagelkrankheit.

**Nagelverdickung** → Nagelkrankheit.

**Nagelwachstum:** verstärktes N. → Nagelkrankheit.

**nagen** → kauen.

**Nager** → Nagetier.

**Nagetier,** Nager ·· Hase, Feldhase, Mümmelmann, Meister Lampe · Kaninchen, Karnickel, Stallhase (*scherzh.*) ·· Eichhörnchen, Eichkätzchen ·· Murmeltier, Siebenschläfer, Biber, Hamster, Goldhamster ·· Maus, Feldmaus, Hausmaus, Spitzmaus, Birkenmaus, Wühlmaus · Ratte, Ratz (*oberd.*), Hausratte, Wasserratte, Wanderratte, Bisamratte · Schermaus, Lemming · Meerschweinchen, Stachelschwein; → Wild.

**Näglein** → Gewürz.

**nah:** → nahe; näher kommen → kommen; von fern und n. → überallher.

**Nahaufnahme** → Fotografie.

**¹nahe** (z. B. dem Wald), nah, benachbart, zunächst, in der Nähe [des Arbeitsplatzes], in nächster Nähe, nur eine Sekunde weit / entfernt von, nur einen Katzensprung weit / entfernt von, dicht an / bei, nicht → fern.

**²nahe:** → nahebei; Naher Osten → Orient; n. verwandt → verwandt; jmdm. zu n. treten → aufdringlich [sein].

**Nähe:** in der / in nächster N. → nahe; in der N. → nahebei.

**nahebei,** nahe, in der / in nächster Nähe, nebenan, nur eine Sekunde weit / entfernt, nur einen Katzensprung weit / entfernt, [gleich] um die Ecke, nicht → fern.

**nahelegen** → vorschlagen.

**naheliegend:** aus -en Gründen → verständlicherweise.

**nahen:** → kommen; etwas naht → heraufziehen; sich jmdm. n. → nähern (sich jmdm.).

**nähen,** sticheln, anfertigen, schneidern, flicken, prünen (*nordd., abwertend*), pfriemen (*salopp, landsch., abwertend*) · *im Knopflochstich:* festonieren · *an den Stofrändern:* einfassen, einsäumen, säumen, endeln (*landsch.*), schlingen (*österr.*), mit einer Borte versäubern / besetzen; **n. können,** mit Nadel und Faden umgehen können; → handarbeiten; → Faden, → Nadel, → Naht, → Schneiderpuppe, → Schnittmuster.

**näher:** n. rücken → rücken (an).

**Näherin** → Schneiderin.

**¹nähern** (sich jmdm.), sich jmdm. nahen, sich an jmdn.

heranmachen (*ugs.*), sich einschmeicheln / anbiedern / (*ugs.*)
anvettermicheln, sich bei jmdm.
lieb Kind machen (*ugs.*); →
schmeicheln; → unterwürfig
[sein].

**²nähern:** sich n. → kommen;
etwas nähert sich → bevorstehen, → heraufziehen.

**Nahewein** → Wein.

**nahezu** → beinahe.

**Nähfaden** → Faden.

**Nähgarn:** → Faden; Himmel,
Gesäß und N.! → verflucht!

**Nahkampf:** → Kampf, →
Koitus.

**Nähmädchen** → Schneiderin.

**Nähnadel** → Nadel.

**Nahost** → Orient.

**Nährcreme** → Schönheitspflegemittel.

**nähren:** → ernähren, → stillen;
-d → nahrhaft; mühsam nährt
sich das Eichhörnchen → vorangehen.

**nahrhaft,** nährstoffreich, kalorienreich, kräftig, kräftigend,
deftig, nährend, sättigend, gesund, gehaltvoll, nutritiv, substantiell, eutroph; → bekömmlich, → eßbar, → schmackhaft;
→ Nahrung.

**nährstoffreich** → nahrhaft.

**Nahrung,** Verpflegung, Pro-
viant, Mundvorrat, Essen [und
Trinken], das leibliche Wohl,
Fressalien (*ugs.*), Wegzehrung,
Speise und Trank (*geh.*), Fut-
ter, Futterage (*ugs.*), Fressen,
Atzung, Freßpaket (*salopp*),
Kost, Rohkost; → Dessert, →
Diät,→ Ernährung,→ Essen,→
Lebensmittel, → Proviant, →
Vegetarier; → ernähren; →
vegetarisch.

**Nahrungsaufnahme** → Essen.

**Nahrungsmangel** → Hungersnot.

**Nahrungsmittel** → Lebensmittel.

**Nahrungsmittelvergiftung**→ Lebensmittelvergiftung.

**Nähseide** → Faden.

**Nähspitze** → Spitzenstickerei.

**¹Naht,** Heftnaht, Fadenschlag
(*schweiz.*); → nähen.

**²Naht:** → Operation; aus allen
Nähten platzen → dick [wer-
den].

**Nähterin** → Schneiderin.

**Nähtisch** → Tisch.

**nahtlos** → fugenlos.

**Nahum** → Prophet.

**Nahverkehr** → Straßenverkehr.

**Nahverkehrszug** → Eisenbahnzug.

**Nahziel** → Absicht.

**Nain** → Orientteppich.

**naiv:** → arglos; -er Maler →
Kunstmaler; -e Malerei →
Malerei.

**Naive** → Schauspielerin.

**Naivität** → Arglosigkeit.

**Najade** → Wassergeist.

**Namazlik** → Orientteppich.

**Name:** → Familienname, →
Vorname; guter N. → Anse-
hen; mein N. ist Hase → nicht
wissen; einen -n geben →
nennen; einen -n haben → angesehen [sein]; alles ‚was Rang
und -n hat → Oberschicht; sich
einen -n machen → bekannt
[werden]; den -n haben / tragen
→ lauten; des -ns → genannt;
→ namens; seinen -n aufs Spiel
setzen → bloßstellen (sich);
seinem -n keine Ehre machen
→ bloßstellen (sich); etwas /
das Kind beim [rechten (oder:)
richtigen] -n nennen → beschönigen, → brandmarken; in Got-
tes/drei Teufels -n → ja; mit -n
→ namens, → namentlich; mit
anderem -n → alias.

**Namenbuch** → Nachschlagewerk.

**Namengedächtnis** → Erinnerungsvermögen.

**Namenkunde,** Onomatologie,
Onomastik; → Bezeichnungs-
lehre, → Sprachwissenschaft,
→ Wortbedeutungslehre, →
Wortgeschichte.

**namenlos:** → anonym, →
unsagbar.

**namens,** mit Namen, des Namens (*geh.*); → Familienname.

**Namensfest:** Mariä N. → Marienfest.

**Namensnennung:** ohne N. →
anonym.

**Namenszeichen:** → Unterschrift, → Zeichen.

**Namenszug** → Unterschrift.

**Namenszwang** → Anankasmus.

**¹namentlich,** mit Namen, im
einzelnen, ausdrücklich, förmlich, explizit, explizite, expreß,
expressis verbis; → besonders.

**²namentlich** → besonders.

**namhaft** → bekannt.

**Namhaftigkeit** → Bekanntheit.

**¹nämlich,** und zwar, als da sind,
wie.

**²nämlich** → denn.

**Nandu** → Vogel.

**Nänie:** → Klage, → Lied.

**Nanismus** → Kleinwuchs.

**Nanomelie** → Kleinwuchs.

**Nanosoma** → Kleinwuchs.

**Nanosomie** → Kleinwuchs.

**Napalmbombe** → Bombe.

**Napf:** → Gefäß, → Schüssel.

**Napfkuchen,** Gugelhupf (*südd.*),
Bäbe (*landsch.*), Aschkuchen
(*landsch.*); → Gebäck.

**Napfkuchenform** → Backform.

**Napfschnecke** → Schnecke.

**Naphtha** → Erdöl.

**Napoli** → Neapel.

**Nappa** → Leder.

**Nappaleder** → Leder.

**¹Narbe,** Mal, Wundnarbe, Ule,
Zikatrix (*Med.*), Mase (*mundartl., österr.*); → Wunde.

**²Narbe** → Hautblüte.

**Nargileh** → Tabakspfeife.

**Narkose** → Betäubung.

**Narkosearzt** → Arzt.

**Narkosefacharzt** → Arzt.

**Narkotikum** → Linderungsmittel.

**Narkotiseur** → Arzt.

**narkotisieren** → betäuben.

**¹Narr,** Tor, Tölpel, Bauer (*abwertend*), Einfaltspinsel (*ugs.*),
Kindskopf (*abwertend*), Tropf
(*abwertend*), Gimpel (*ugs., abwertend*), Olvel (*landsch.*), Simpel (*ugs.*), Tolpatsch; → Dummkopf, → Spaßmacher, → Spaßvogel.

**²Narr:** → Spaßmacher; an
jmdm. einen -en gefressen haben → lieben; jmdn. zum -en
haben / halten → anführen.

**narren** → anführen.

**Narrenfreiheit:** N. haben →
Freibrief.

**Narrengang:** einen N. machen →
Erfolg.

**narrensicher** → mühelos.

**Narrheit:** → Absurdität, →
Torheit.

**närrisch:** → überspannt; -er
Einfall → Ausgefallenheit; die
-e Zeit → Fastnacht.

**Narwal** → Wal.

**Narziß** → Mann.

**Narzisse,** Märzenbecher, Osterblume, Osterglocke, Tazette,
Jonquille; → Blume.

**Narzißmus** →Selbstverliebtheit.
**narzißtisch,** autoerotisch, in sich selbst verliebt; → selbstbezogen; → Selbstverliebtheit.
**nasal:** n. sprechen → näseln, → sprechen.
**naschen** → essen.
**Näscherei:** -en → Süßigkeiten.
**naschhaft,** genäschig (*landsch.*), verleckert (*landsch.*); **n. sein,** gern leckern, ein Leckermaul / ein Süßschnabel sein; → Feinschmecker; → essen.
**Naschwerk** → Süßigkeiten.
**na sdorowje** → prost.
**¹Nase,** Geruchssinn, Geruchsorgan, Riechorgan, Gesichtserker (*scherzh.*), Riechkolben (*derb, scherzh.*), Zinken (*derb*), Gurke (*derb*), Nese (*ugs., berlin.*), Rüssel (*salopp*) · *dicke:* Knollennase, Kartoffelnase, Kartoffel (*derb*), Frnak (*salopp, österr.*)·*nach oben gebogene:* Himmelfahrtsnase (*ugs.*), Stupsnase (*ugs.*) · *nach unten gekrümmte:* Adlernase, Hakennase · *bei Tieren:* Windfang (Rotwild), Winder (Rotwild u.a.); → Sinnesorgan; → popeln.
**²Nase:** → Sinnesorgan; jmdm. gefällt jmds. N. nicht → hassen; Mund und N. aufsperren → überrascht [sein]; sich die N. begießen → betrinken (sich); die N. voll haben → angeekelt [sein]; jmdm. eine N. drehen, jmdm. eine lange N. machen → schadenfroh [sein]; eine feine / gute N. haben → merken; die richtige N. haben → Ahnung;alle N. lang → unaufhörlich; sich die N. putzen → schneuzen (sich); seine N. in alles stecken→ neugierig [sein]; die N. hoch tragen → dünkelhaft [sein]; immer der N. nach → geradeaus; an der N. herumführen → anführen; jmdm. etwas nicht auf die N. binden → mitteilen; jmdm. auf der N. herumtanzen → ausnutzen; auf der N. liegen → krank [sein]; sich die Würmer aus der N. ziehen lassen → wortkarg [sein]; durch die N. sprechen →näseln; in der N. bohren → popeln; jmdn. mit der N. auf etwas stoßen → hinweisen (auf); pro N. → je; sich den Wind um die N. wehen lassen → erleben;

jmdm. etwas unter die N. reiben → mitteilen, → vorwerfen (jmdm. etwas); jmdm. die Tür vor der N. zuschlagen → ablehnen.
**näseln,** durch die Nase / nasal sprechen, Polypen haben; → sprechen.
**Nasenaffe** → Affe.
**Nasenbär** → Bär.
**Nasenbluten** → Blutung.
**Nasenfahrrad** → Brille.
**Nasenkatarrh** → Schnupfen.
**Nasenquetscher** → Sarg.
**Nasenschleimhautentzündung**→ Schnupfen.
**Nasenspiegelung** → Ausspiegelung.
**Nasenspitze:** jmdm. etwas an der N. ansehen → bemerken.
**Nasenwärmer** → Tabakspfeife.
**Nasenwucherung** → Geschwulst.
**Nasenzähler** → Marktforscher.
**Naserümpfen** → Nichtachtung.
**naseweis:** → frech.
**Naseweis:** Jungfer N. → Mädchen.
**nasführen** → anführen.
**¹naß,** feucht, klamm, beschlagen, [bis auf die Haut] durchnäßt / durchweicht, klatschnaß, patschnaß, tropfnaß, [vor Nässe] triefend, regennaß, pudelnaß, nicht → trocken; **n. sein,** keinen trockenen Faden mehr am Leibe haben; **n. machen,** befeuchten, anfeuchten, nässen, netzen, benetzen; → sprengen.
**²naß:** sich / das Bett n. machen → urinieren; n. geschwitzt → verschwitzt; n. von Schweiß → verschwitzt; [für n.] → kostenlos.
**Naß:** → Feuchtigkeit, → Wasser; Gut N.! → Gruß.
**Nassauer** → Schmarotzer.
**nassauern** → schmarotzen.
**Nässe** → Feuchtigkeit.
**nässen** → naß [machen].
**naßforsch** → frech.
**Naßlöscher** → Feuerlöscher.
**Naßpreßstein** → Baustein.
**Naßrasur** → Rasur.
**Nastuch** → Taschentuch.
**Nasus** → Sinnesorgan.
**Nates** → Gesäß.
**Nation** → Volk; Held der N. → Volksheld.
**¹national,** staatlich, patriotisch, vaterländisch, nationalistisch

(*abwertend*), völkisch, chauvinistisch (*abwertend*), rechtsextremistisch (*abwertend*); → Begeisterung, → Heimat, → Patriot, → Patriotismus, → Volk.
**²national:** Nationaler Gedenktag → Feiertag; Nationale Volksarmee → Militär.
**Nationalbank** → Geldinstitut.
**Nationalbewußtsein** → Patriotismus.
**Nationalchina** → China.
**Nationale:** → Formular, → Personalangaben.
**Nationalfahne** → Nationalflagge.
**Nationalflagge,** Nationalfahne · *Frankreichs:* Trikolore · *Großbritanniens:* Union Jack · *Amerikas:* Sternenbanner, Stars and Stripes · *der UdSSR:* Hammer und Sichel · *Japans:* Sonnenbanner · *der Türkei:* Halbmond · *Dänemarks:* Danebrog · *der BRD:* Bundesfahne, Mostrichfahne (*scherzh., abwertend*) · *der DDR:* Spalterflagge (*abwertend*) · *des Europarates:* Europaflagge; → Beflaggung, → Fahne.
**Nationalgefühl** → Patriotismus.
**Nationalheld** → Volksheld.
**Nationalhymne** → Lied.
**nationalisieren:** → enteignen, → naturalisieren.
**Nationalisierung** → Enteignung.
**Nationalismus** → Patriotismus.
**Nationalist** → Patriot.
**nationalistisch** → national.
**Nationalität** → Volk.
**Nationalökonomie** → Wirtschaftswissenschaft.
**Nationalpark** → Naturschutzgebiet.
**Nationalrat:** → Abgeordneter, → Volksvertretung.
**Nationalsozialismus** → Faschismus.
**Nationalsozialist,** Nazi (*abwertend*), Braunhemd (*ugs.*), Nazist (*abwertend*), Faschist, Neofaschist, Falangist; → Faschismus, → Kollaborateur; → rechtsradikal.
**nationalsozialistisch** → rechtsradikal.
**Nationalsprache** → Landessprache.
**Nationalstolz** → Patriotismus.
**Natriumchlorid** → Salz.

Natter → Schlange.
Natterzunge → Farn.
¹Natur, Landschaft; **in der N.**, im Freien, an (oder:) in der frischen / in frischer Luft, im Grünen, in Gottes freier Natur, im Wald und auf der Heide, in Feld und Wald.
²Natur: → Wesen; seine N. nicht verleugnen können → überwinden (sich); der N. seinen Tribut entrichtet haben → tot [sein]; der Stimme der N. folgen → koitieren; von der N. stiefmütterlich bedacht / behandelt worden sein → häßlich [sein].
Naturalien → Lebensmittel.
naturalisieren, einbürgern, nationalisieren, jmdm. die Staatsangehörigkeit verleihen.
Naturalismus → Literaturepochen.
Naturallohn → Lohn.
naturbelassen → rein.
Naturbursche → Mann.
Naturdünger → Dünger.
Naturell → Wesen.
Naturfaser → Faser.
Naturfreund → Liebhaber.
Naturgas → Gas.
naturgemäß → erwartungsgemäß.
Naturgeschichte → Naturkunde.
Naturhafen → Hafen.
Naturheilbehandlung → Naturheilverfahren.
Naturheilkunde: → Heilkunde, → Naturheilverfahren.
Naturheilkundiger → Arzt.
Naturheilverfahren, Naturheilbehandlung, Naturheilkunde, Physiotherapie, Physikotherapie, Physiatrie, Physiatrik, physikalische Behandlung; → Aerotherapie, → Elektrotherapie, → Heilgymnastik, → Hydrotherapie, → Kryotherapie, → Radiotherapie, → Thermotherapie.
Naturismus → Freikörperkultur.
Naturist → Nudist.
Naturistenstrand → Nacktbadestrand.
Naturkarton → Karton.
Naturkunde, Naturgeschichte, Naturlehre, Biologie; → Biologe, → Pflanzenkunde, → Tierkunde, → Wissenschaft.
Naturkundler → Biologe.

Naturlehre → Naturkunde.
natürlich: → anstandslos, → echt, → erwartungsgemäß, → ja, → rein, → unehelich, → ungezwungen, → verständlicherweise, → zwar, → zweifellos; -er Sohn, -e Tochter → Kind; -e Sprache → Sprache; -er Tod → Exitus; -e Zahl → Zahl.
Natürlichkeit: → Ungezwungenheit, → Ursprünglichkeit.
Naturlocken → Haar.
Naturlyrik → Lyrik.
Naturpapier → Papier.
Naturpark → Naturschutzgebiet.
Naturrecht → Recht.
naturrein → rein.
Naturreservat → Naturschutzgebiet.
Naturschutzgebiet, Naturpark, Nationalpark, Freigehege, Naturreservat, Reservat, Reservation, Landschaftsschutzgebiet; → Tiergarten.
Naturseide → Seide.
Naturstein → Baustein.
Naturwein → Wein.
Naturwissenschaft → Wissenschaft.
Naturwissenschaftler → Gelehrter.
Nauen → Boot.
'nauf → hin.
'naus → hin.
Nausea marina → Bewegungskrankheit.
Navaho → Indianer.
Navajo → Indianer.
Navelorange → Apfelsine.
Nazarener → Heiland.
Nazareth: Jesus von N. → Heiland.
Nazi → Nationalsozialist.
Nazismus → Faschismus.
Nazist → Nationalsozialist.
nazistisch → rechtsradikal.
NB → übrigens.
Neapel, Napoli (*ital.*); → Stadt.
¹Nebel, Dunst, Dampf, Brodem, Fog, Smog, Morgennebel, Frühnebel, Abendnebel, Herbstnebel, Sprühnebel, Wasen (*nordd.*), Wrasen (*niederd.*), Waschküche (*salopp*), Brühe (*salopp, abwertend*), Suppe (*salopp, abwertend*); → Feuchtigkeit, → Rauch; → nebeln; → dunstig.
²Nebel: der N. fällt, es liegt N. → nebeln; bei Nacht und N. →

heimlich; etwas fällt aus wegen N. → ausfallen.
nebelgrau: → grau; Nebelgrauer Trichterling → Ständerpilz.
nebelhaft → unklar.
Nebelhaftigkeit → Ungenauigkeit.
Nebelhorn → Hupe.
Nebeling → November.
Nebellampe → Scheinwerfer.
Nebelleuchte → Scheinwerfer.
Nebelmond → November.
nebeln: es nebelt, es ist / wird neblig, der Nebel fällt, Nebel liegt über / auf [den Feldern], Nebelschwaden ziehen, die Füchse brauen, die Hasen kochen [wieder] (*schwäb.*); → Nebel; → dunstig.
Nebelparder → Raubtier.
Nebelscheinwerfer → Scheinwerfer.
Nebelschwaden: N. ziehen → nebeln.
Nebeltag → Tag.
Nebelung → November.
Neben-: → peripher.
Nebenabsicht → Hintergedanke.
Nebenakkord → Akkord.
Nebenaltar → Altar.
nebenan → nahebei.
Nebenarm → Fluß.
¹nebenbei, nebenher, beiläufig, obenhin, am Rande, nebstbei (*österr.*), en passant, inzident, wie zufällig, gesprächsweise, episodisch; → peripher; **n. gesagt**, apropos, parenthetisch, in Parenthese gesagt.
²nebenbei: etwas [so] n. machen → mühelos [schaffen].
Nebenbuhler → Rivale.
Nebenbuhlerschaft → Konkurrenz.
nebeneinander: eng n. → dicht.
nebeneinanderhalten → vergleichen.
nebeneinanderher: n. leben → entfremden (sich).
nebeneinanderstellen → vergleichen.
Nebeneinanderstellung → Vergleich.
Nebenfach: im N. → Ausbildung.
Nebenfluß → Fluß.
Nebenfrage → Frage.
Nebengedanke → Hintergedanke.
Nebengleis → Gleisanlage.

**nebenher:** → nebenbei; so n. → nachlässig; etwas [so] n. machen → mühelos [schaffen].

**Nebenklage** → Anklage.

**Nebenkläger** → Kläger.

¹**Nebenmann,** Vordermann, Hintermann, Nachbar; → Reihe.

²**Nebenmann** → Mann.

**Nebenplanet** → Planet.

**Nebenproblem** → Schwierigkeit.

**Nebenraum** → Raum.

¹**Nebenrolle,** Episode (*fachspr.*), Episodenrolle, Charge, Chargenrolle, Anmelderolle, Bedientenrolle, Die-Pferde-sind-gesattelt-Rolle; → Rolle, → Schauspieler · Ggs. → Hauptrolle.

²**Nebenrolle** → Rolle.

**Nebensache** → Zubehör.

**nebensächlich** → unwichtig.

**Nebensächlichkeit** → Bedeutungslosigkeit.

**Nebensatz** → Satz.

**Nebensinn** → Bedeutung.

**Nebenstelle:** → Telefonanschluß, → Zweigstelle.

**Nebenstraße** → Straße.

**Nebenumstände,** das [ganze] Drum und Dran (*ugs.*), Brimborium (*ugs., abwertend*); alles, was damit zusammenhängt / verbunden ist; → Zubehör.

**neblig:** → dunstig; es ist / wird n. → nebeln.

**Neblung** → November.

**nebst** → samt.

**nebstbei** → nebenbei.

**nebstdem** → außerdem.

**necken** → aufziehen.

**Necking** → Liebesspiel.

**Neckname** → Spitzname.

**nee** → nein.

**Neffe** → Verwandter.

**negativ** → unerfreulich.

**Negativ** → Fotografie.

**Negativfilm** → Film.

**Negativlinse** → Linse.

**neger** → zahlungsunfähig.

¹**Neger,** Schwarzer, Mohr, Nigger (*abwertend*), Farbiger · *afrikanischer:* Afrikaner, Aschanti, Ambo, Bantu, Ibo, Ila, Hutu, Fulbe, Kaffer, Haussa, Mbundu, Massai, Tussi, Suaheli, Sotho, Basotho, Zulu · Ggs. → Weißer.

²**Neger:** angeben wie zehn nackte N. → prahlen; das haut den stärksten N. um → unerhört [sein].

**Negerkopf** → Haar.

**Negerpocken** → Pocken.

**Negerpuppe** → Puppe.

**Negerschweiß** → Kaffee.

**negieren** → abstreiten.

**Negligé:** → Morgenrock, → Nachtgewand.

**negrid:** -e Rasse → Rasse.

**Negro Spiritual** → Lied.

**Negus** → Oberhaupt.

¹**nehmen,** sich etwas aneignen, sich einer Sache bemächtigen, Besitz nehmen / ergreifen von, greifen, behändigen (*schweiz.*), grapschen (*ugs.*), angeln (*ugs.*), sich etwas unter den Nagel reißen (*salopp*), an sich reißen, entgegennehmen, wegschnappen (*ugs.*), schnappen (*ugs.*), erhaschen, zusammenraffen, einheimsen · *das Beste:* den Rahm abschöpfen, absahnen (*ugs.*); → ablisten, → entgegennehmen, → ergreifen, → erobern, → erwerben, → kapern; → Besitznahme.

²**nehmen:** → auswählen, → einnehmen, → erobern, → verarbeiten, → wegnehmen; bukkelkraxen / huckepack / auf die Hucke / auf den Rücken n., über / unter den Arm genommen haben → tragen; jmdn. zu n. wissen → umgehen (mit jmdm.); sich jmdn. n. → koitieren; das Abendmahl n. → Abendmahl; eine Abkürzung / den kürzeren Weg n. → abkürzen; Abstand n. von → zurückziehen (sich); ad notam n. → achten; die Beine unter den Arm n. → fortbewegen (sich); sich ein Beispiel an jmdm. n. → Vorbild; sich ein Beispiel an jmdm. / sich jmdn. zum Vorbild n. → nachahmen; kein Blatt vor den Mund n. → sprechen; jmdm. die Ehre n. → deflorieren; Einfluß n. auf → beeinflussen; es nicht so genau n. → nachlässig [sein]; Flüssigkeit zu sich n. → trinken; Fühlung n. anbahnen (etwas), → Kontakt [aufnehmen]; zuviel [Geld] für etwas n. → Wucher; Gift darauf n., daß... → zweifeln; seine Grippe n. → arbeiten; jmdm. seine Hemmungen n. → enthemmen; jmdm. alle Hoffnung / den Mut n. → entmuti-

gen; eine Hürde n. → bewältigen; eine Kostprobe / Probe n. → kosten; die Kutte n. → Mönch [werden]; jmdm. die Lust n. → ärgern; Notiz n. von → achtgeben; jmdm. die Scheu n. → Scheu; den Schleier n. → Nonne [werden]; ein Sonnenbad n. → sonnen (sich); Stunden / Unterricht n. → Unterricht [erhalten]; einen Trip n. → rauchen; einen bestimmten Verlauf n. → verlaufen; jmdm. den Wind aus den Segeln n. → widerlegen; Witterung n. → wittern; viel Zeit in Anspruch -d → zeitraubend; sich ein Zimmer n. → mieten; n. als → beurteilen; auf sich n. → ertragen, → verwirklichen; auf Borg n. → leihen; auf seinen Eid n. → versprechen; auf die Schulter n. → schultern; jmdn. aufs Korn n. → beobachten; n. aus / von → entnehmen; n. aus → herausholen; jmdn. beim Nackthaken n. → bestrafen; für bare Münze n. → möglich; sich in acht n. → vorsehen (sich); in Anspruch n. → beanspruchen; etwas in Aussicht n. → vorhaben; in Benutzung / Verwendung n. → gebrauchen; in Betrieb n. → einweihen; in Gebrauch n. → anwenden, → gebrauchen; in Gewahrsam n. → festsetzen; in die Hand n. → berühren; in Angriff n. → bewerkstelligen, → greifen; etwas in die Hand n. → unternehmen (etwas); etwas nicht in den Mund n. → aussprechen; in Pacht n. → mieten; in Pflicht / unter Eid n. → vereidigen; jmdn. in die Zange n. → zusetzen (jmdm.); ins Kreuzverhör n. → vernehmen; ins Schlepptau nehmen → ziehen; mit sich n. → mitnehmen; unter Beschuß / Feuer n. → beschießen; jmdn. unter die Lupe n. → beobachten; jmdn. unters Messer n. → operieren; vom Stamme Nimm sein → habgierig [sein]; zu sich n. → essen; sich etwas zu Herzen n. → schwernehmen; etwas zum Anlaß n. → veranlassen; zur Kenntnis n. → achtgeben.

¹**Neid,** Mißgunst, Abgunst (*veraltet*), Ressentiment, Lebens-

neid, Scheelsucht, Eifersucht, Eifersüchtelei, Mißvergnügen, Unbehagen · *gegenüber Berufskollegen:* Brotneid, Amtsneid, Futterneid · *gegenüber [Geschäfts]partnern:* Konkurrenzneid, Handelsneid · *unter Frauen in sexueller Hinsicht:* Fotzenneid (*vulgär*); → Abneigung, → Bosheit; → neiden; → schadenfroh.

²**Neid:** das muß der N. ihm lassen → anerkennenswert [sein]; vor N. bersten / platzen, grün und gelb sein vor N. → neiden.

**neiden,** beneiden, mißgönnen, nicht gönnen, scheel sehen, vor Neid bersten / platzen, vergönnen (*schweiz.*), jmdm. nicht das Schwarze unter dem Nagel gönnen (*ugs.*), jmdm. nicht das Salz in der Suppe gönnen, mißgünstig / neidisch sein, grün und gelb sein vor Neid, jmdn. / etwas mit scheelen Augen ansehen; → neidisch, → schadenfroh; → Neid.

**Neider,** Neidhammel (*ugs.*), Neidhart; → Gegner.

**Neidgenossenschaft** → Österreich.

**neidhaft** → neidisch.

**Neidhammel** → Neider.

**Neidhart** → Neider.

**neidig** → neidisch.

¹**neidisch,** mißgünstig, abgünstig (*veraltet*), neidig (*landsch.*), neidhaft (*schweiz.*), futterneidisch, scheel, scheelsüchtig, scheelblickend, livid[e] (*veraltet*); → schadenfroh; **n. sein,** jmdm. keinen Bissen gönnen (*ugs.*); → Neid; → neiden.

²**neidisch:** n. sein → neiden.

**Neige:** → Ende, → Rest; zur N. gehen → abnehmen; bis zur N. leeren → austrinken, → genießen.

**neigen:** sich n.→ beugen (sich); n. zu → anfällig [sein], → vorhaben; zur Fülle n. → dick [werden].

¹**Neigung,** Tendenz, Trend, Strömung, Entwicklung, Zug, Vorliebe, Hang, Drang, Geneigtheit, Richtung, Drift, Einschlag, Färbung, Zug der Zeit, Impetus, Gusto, Trieb, Sucht, Manie, Besessenheit; → Absicht, → Angst, → Ehrgeiz, → Impuls, → Leidenschaft, →

Zwang; → besessen (von).

²**Neigung:** → Schräge, → Zuneigung; N. fassen zu → verlieben (sich); etwas kommt jmds. -en entgegen → begabt; N. zu → Anlage.

**Neigungsehe** → Ehe.

**Neigungswinkel** → Gefälle.

¹**nein,** nee (*ugs.*), na (*ugs., bayr., österr.*), aba (*salopp, landsch.*), awa (*salopp, landsch.*), mitnichten, nicht, keinesfalls, keineswegs, nie [und nimmer], niemals, durchaus / absolut / ganz und gar nicht, ausgeschlossen, unmöglich, undenkbar, auf keinen Fall, das darf / kann nicht sein, beileibe nicht, kommt nicht in Frage / (*salopp, landsch.*) in die Tüte, das wäre ja noch schöner! (*ugs.*), unter keinen Umständen, unter keiner Bedingung, nicht um alles in der Welt, nicht im geringsten / im mindesten (*ugs.*), Fehlanzeige (*ugs.*), kein Gedanke [daran], daran ist nicht zu denken, das hast du dir so gedacht (*ugs.*), denkste! (*salopp*), [ja] Pustekuchen! (*salopp*), weit entfernt, nicht für Geld und gute Worte, nicht geschenkt (*ugs.*), um keinen Preis, nicht um einen Wald voll / von Affen (*salopp*), längst nicht, nicht die Bohne (*salopp*), nicht ums Verrecken (*derb*); → aber, → keineswegs; → Ablehnung; → ablehnen · Ggs. → ja.

²**nein:** nicht n. sagen können → gütig [sein].

**'nein** → hin.

**Nekrolog** → Nachruf.

**Nekromanie** → Perversität.

**Nekromantie** → Geisterbeschwörung.

**Nekrophilie** → Perversität.

**Nekropole** → Friedhof.

**Nekropsie** → Obduktion.

**Nekroskopie** → Obduktion.

**Nektarhefe** → Schlauchpilz.

¹**Nelke,** Näglein, Nägeli (*schweiz.*), Nagerl (*österr.*); → Blume.

²**Nelke** → Gewürz.

**Nelkenpfeffer:** → Gewürz, → Piment.

**Nelkenschwindling** → Ständerpilz.

**Nemesis** → Rachegöttin.

¹**nennen** (jmdn.), jmdn. taufen, jmdm. den Namen geben; → bezeichnen (als); **sich n. nach,** den Namen haben von.

²**nennen:** → bezeichnen (als), → erwähnen, → schelten; genannt werden → lauten; der vorher Genannte → derselbe; etwas / das Kind beim [rechten (oder:) richtigen] Namen n. → beschönigen, → brandmarken.

**nennenswert:** → außergewöhnlich; nicht n. → klein.

**Nenner:** auf einen N. bringen → normen.

**Nennung:** → Angabe; ausdrückliche N. → Hervorhebung.

**Nennwort** → Wortart.

**Neofaschismus** → Faschismus.

**Neofaschist** → Nationalsozialist.

**neofaschistisch** → rechtsradikal.

**Neoimpressionismus** → Malerei.

**Neologismus** → Wort.

**Neon:** → Edelgas, → Gas.

**Neonatologe** → Arzt.

**Neonatologie** → Heilkunde.

**Neonleuchte** → Lampe.

**Neonlicht** → Licht.

**Neonröhre** → Glühbirne.

**Neoplasma** → Geschwulst.

**Nephrit** → Schmuckstein.

**Nephrogramm** → Röntgenogramm.

**Nephrographie** → Röntgenographie.

**Nephrolith** → Harnstein.

**Nephrologe** → Arzt.

**Nephrologie** → Heilkunde.

**Nephroptose** → Eingeweidesenkung.

**Nephrorrhagie** → Blutung.

**Nepotismus** → Vetternwirtschaft.

**Nepp** → Betrug.

**neppen** → betrügen.

**Neptun:** → Gott, → Planet, → Wassergeist; N. opfern → übergeben (sich).

**Neptunsbecher** → Schwamm.

**Nereide** → Wassergeist.

¹**Nerv,** Nervenstrang, Nervengeflecht, Nervenplexus · *Muskelbewegungen veranlassender:* Bewegungsnerv, motorischer Nerv · *ein Sinnesorgan versorgender:* Sinnesnerv, Empfindungsnerv, sensibler / sensorischer Nerv; → Nervensystem.

²**Nerv:** -en → Nervensystem;

mit jmdm. gehen die -en durch, die -en verlieren → aufgeregt [sein]; die -en behalten → ruhig [bleiben]; -en haben wie Drahtseile / wie Stricke, gute -en haben → dickfellig [sein]; etwas kostet -en → beschwerlich [sein]; jmdm. den letzten N. rauben / töten → ärgern (jmdn.); nicht die -en verlieren → ruhig [bleiben]; jmdm. auf die -en fallen / gehen, auf jmds. -en herumtrampeln → ärgern; mit den -en runter sein → erschöpft [sein].

**Nervenanstalt** → Krankenhaus.

**Nervenarzt** → Arzt.

**nervenaufreibend** → beschwerlich.

**¹Nervenbündel**, Nerverl (*österr.*), Hudri-Wudri (*österr.*), Hoschbes (*landsch.*), Zappelphilipp, Gispel (*aleman.*); → Nervensystem; → aufgeregt.

**²Nervenbündel:** ein N. sein → aufgeregt [sein].

**Nervenfieber** → Typhus.

**Nervengeflecht** → Nerv.

**Nervenheilanstalt** → Krankenhaus.

**Nervenheilkunde** → Heilkunde.

**Nervenkitzel** → Ereignis.

**Nervenklinik** → Krankenhaus.

**Nervenkostüm** → Nervensystem.

**nervenkrank** → gemütskrank.

**Nervenplexus** → Nerv.

**Nervensäge** → Störenfried.

**nervenschwach** → aufgeregt.

**Nervenstrang** → Nerv.

**Nervensystem**, Nerven, Nervenkostüm (*ugs., scherzh.*) · *aus Hirn und Rückenmark bestehender Teil:* Zentralnervensystem, ZNS · *aus den peripheren Leitungsbahnen bestehender Teil:* peripheres Nervensystem, PNS ·· *die Funktion der inneren Organe steuernder, vom Willen weitgehend unbeeinflußbarer Teil:* vegetatives Nervensystem, Vegetativum, autonomes / unwillkürliches Nervensystem · *Anteil mit kreislaufstimulierender und verdauungshemmender Funktion:* sympathisches Nervensystem / System, Sympathikus, Pars sympathica, orthosympathisches Nervensystem / System, Orthosympathikus, Eingeweidenervensystem · *An-*

*teil mit den Herzschlag verlangsamender und die Verdauungsfunktionen anregender Funktion:* parasympathisches Nervensystem / System, Parasympathikus, Pars parasympathica; → Nerv, → Nervenbündel.

**Nervenzelle** → Körperzelle.

**Nerverl** → Nervenbündel.

**nervlich** → psychisch.

**¹nervös**, aufgeregt, erregt, neurasthenisch, nervenschwach, gereizt, ruhelos, unruhig, ungeduldig, unstet, bewegt, fahrig, hektisch, fiebrig, schußlig (*ugs.*), huschlig (*ugs.*), zapplig (*ugs.*), kribblig (*ugs.*), fickrig (*ugs., landsch.*), nicht → ruhig; → ängstlich, → ärgerlich, → bewegt, → empfindlich, → erwartungsvoll, → fleißig, → lebhaft, → unaufmerksam, → unbeherrscht · Ggs. → geistesgegenwärtig; **n. sein**, außer sich / aufgelöst / außer Fassung / (*ugs.*) ganz aus dem Häuschen / ein Nervenbündel sein, Herzklopfen / Lampenfieber haben, jmdm. schlägt das Herz bis zum Hals, den Kopf / die Nerven verlieren, kopflos sein, durchdrehen (*ugs.*), mit jmdm. gehen die Nerven durch, jmdm. brennen / gehen die Sicherungen durch (*salopp*); → Angst [haben], → pfuschen; → Choleriker, → Nervenbündel, → Unrast.

**²nervös:** → aufgeregt, → reizbar; -es Herz, -e Herzbeschwerden → Herzbeschwerden.

**Nervosität:** → Lampenfieber, → Managerkrankheit, → Unrast.

**Nervtöter** → Störenfried.

**Nervus ulnaris** → Ellennerv.

**Nerz:** → Pelz, → Raubtier.

**Nescafé** → Pulverkaffee.

**Nese** → Nase.

**Nessel:** → Stoff; sich in die -n setzen → schaden.

**Nest:** → Dutt, → Ort, → Vogelnest; mühsam baut sich das Eichhörnchen sein N. → vorangehen; das eigene / sein eigenes N. beschmutzen → schlechtmachen; aufs leere N. kommen → antreffen; ins N. gehen → schlafen [gehen]; jmdm. ein Kuckucksei ins N. legen → aufbürden; sich ins

gemachte / warme N. setzen → einheiraten.

**Nesthäkchen:** → Jüngste, → Jüngster, → Liebling.

**Nesthocker** → Stubenhocker.

**Nestküken:** → Jüngste, → Jüngster.

**Nestor**, Altmeister, Senior; → Gelehrter.

**Nestorianismus** → Ketzerei.

**Nestwärme** → Pflege.

**Nestwurz** → Orchidee.

**netig** → geizig.

**nett:** → entgegenkommend, → sympathisch.

**Nettigkeit** → Freundlichkeit.

**Nettolohn** → Lohn.

**Nettopreis** → Preis.

**Netz:** → Bahnlinie, → Einkaufstasche, → Fischnetz, → Geflecht, → Gewebe, → Sternbild; die -e auswerfen → fischen; ins N. gehen → hereinfallen; ins N. locken → verliebt [machen].

**Netzbruch** → Bruch.

**netzen:** → naß [machen], → sprengen.

**Netzfaserschwamm** → Schwamm.

**Netzfischer** → Fischer.

**Netzfischerei** → Fischerei.

**Netzflügler** → Insekt.

**Netzgewölbe** → Gewölbe.

**Netzhemd** → Unterhemd.

**Netzkarte** → Fahrkarte.

**Netzmelone** → Melone.

**Netzspitze** → Spitzenstickerei.

**netzstielig:** Netzstieliger Röhrling → Ständerpilz.

**¹neu**, funkelnagelneu, nagelneu, fabrikneu, fabriksneu (*österr.*), brandneu (*ugs.*), neugebacken, neuwertig, so gut wie / noch neu, kaum gebraucht, ungebraucht, unbenutzt, unverwendet, unberührt, ungetragen, frisch, niegelnagelneu (*ugs.*); → Neuheit, → Neuwert · Ggs. → antiquarisch.

**²neu:** ein -er Mensch werden → bessern (sich); Neues Bauen → Baustil; gutes -es Jahr, viel Glück im -en Jahr → Neujahr; nach der -esten Mode → modern; Neue Musik → Musik; Neue Sachlichkeit → Malerei; Neues Testament → Bibel; wie der Ochs vorm -en Tor stehen → ratlos [sein]; einen -en Weg / -e Wege beschreiten, einen -en Weg / -e Wege einschlagen → richtungweisend [sein]; die Neue Welt → Amerika; n. schaffen → gründen; aufs -e, von -em → wieder; seit -em → neuerdings; nicht mehr n. → antiquarisch.

**Neuadel** → Adel.

**Neu-Amsterdam** → New York.

**neuartig** → modern.

**Neubarock** → Baustil.

**Neubau:** wohl im N. geboren sein → schließen.

**Neubearbeitung** → Neuheit.

**Neubedeutung** → Wortbedeutung.

**Neubeginn** → Bekehrung.

**Neubelebung,** Wiederbelebung, Aufleben, Wiederverwendung, Auferstehung, Resurrektion, Auferstehen, Wiedererstehen, Wiedergeburt, Erneuerung, Innovation, Renaissance, Comeback, Palingenese; → Reform, → Umgestaltung, Wiederherstellung.

**Neubildung:** → Wort, → Wortbildung.

**Neudruck:** anastatischer N. → Reproduktion.

**Neuengagierter** → Neuer.

¹**Neuer,** Neuengagierter, Neuzugang, Zugang, Verstärkung; → Anfänger, → Zugezogener.

²**Neuer** → Wein.

**neuerdings,** seit kurzem / neuem, in letzter Zeit; → kürzlich.

**Neuerer:** → Reformer, → Revolutionär.

**neuerlich** → wieder,

**Neuerscheinung** → Neuheit.

**Neuerung** → Reform.

**Neuerwerbung,** Erwerbung, Akquisition.

**Neufundländer** → Hunderassen.

**neugebacken** → neu.

**Neugeborenes** → Kind.

**Neugestaltung:** → Reform, → Umbau, → Umgestaltung.

**Neugewürz:** → Gewürz, → Piment.

¹**Neugier,** Neugierde, Wißbegier, Wißbegierde, Wissensdurst, Wissensdrang, Erkenntnisdrang, Interesse, Forschergeist, Forschungstrieb, Forschungseifer, faustisches Streben (geh.), Fragerei (abwertend), Gefrage (abwertend) · bei Kindern: Fragelust; **aus N.,** wun-

derhalber (schweiz.), aus Wunderfitz (südwestd.).

²**Neugier:** vor N. platzen / fast sterben → neugierig [sein].

**neugierig,** wißbegierig, wissensdurstig, schaulustig, sensationslüstern, faustisch (geh.) · bei Kindern: fragelustig; **n. sein,** sich um alles / (salopp) um jeden Dreck kümmern, die / seine Nase in alles stecken (ugs.), vor Neugier platzen / fast sterben (ugs.), es wundert jmdn. (schweiz.), es nimmt jmdn. wunder (schweiz.) · in bezug auf das, was es zu essen gibt: ein Topfgucker sein; → auskundschaften, → spionieren; **jmdn. n. machen,** jmdn. auf die Folter spannen / (ugs.) zappeln lassen / auf etwas gespannt machen.

**Neugieriger** → Zuschauer.

**Neugotik** → Baustil.

**Neuheit,** Novität, Neuerscheinung, Neubearbeitung, Novum · in der Mode: Nouveauté; → neu.

**Neuhochdeutsch** → Deutsch.

**Neuigkeit** → Nachricht.

¹**Neujahr,** Jahreswechsel, Silvester; **prosit N.!,** ein gutes neues Jahr!, viel Glück im neuen Jahr!; → Gruß.

²**Neujahr:** → Feiertag, → Jahresbeginn, → Silvester.

**Neujahrsempfang** → Empfang.

**Neujahrsgruß** → Kartengruß.

**neulich** → kürzlich.

**Neuling** → Anfänger.

**Neume** → Notenzeichen.

**neumodisch** → modern.

**Neumond** → Mond.

**Neun:** ach du grüne -e! → überrascht [sein].

**Neunachteltakt** → Takt.

**Neunauge** → Fisch.

**neunmalgescheit** → oberschlau.

**neunmalklug** → oberschlau.

**Neunmalkluger** → Besserwisser.

**Neunmalschlauer** → Besserwisser.

**Neunstachler** → Fisch.

**Neuntöter** → Vogel.

**Neunvierteltakt** → Takt.

**Neuphilologe** → Philologe.

**Neuphilologie** → Philologie.

**Neuprägung** → Wort.

**neuralgisch:** -er Punkt → Achillesferse.

**neurasthenisch** → aufgeregt.

**Neureicher** → Emporkömmling.

**Neurenaissance** → Baustil.

**Neuriatrie** → Heilkunde.

**Neurochirurg** → Arzt.

**Neurochirurgie** → Heilkunde.

**Neuroleptikum** → Psychopharmakon.

**Neurologe** → Arzt.

**Neurologie:** → Heilkunde, → Krankenhaus.

**neurologisch:** -e Klinik → Krankenhaus.

**Neuromanik** → Baustil.

**Neuroplegikum** → Psychopharmakon.

**Neurose** → Gemütskrankheit.

**neurotisch:** → ängstlich, → gemütskrank.

**Neurotonikum** → Psychopharmakon.

**Neuschnee** → Schnee.

**Neuschöpfung:** → Wort, → Wortbildung.

**Neusprachler** → Philologe.

**neusprachlich:** -es Gymnasium → Schule.

**neutönerisch** → modern.

¹**neutral** · in bezug auf Staaten, die weder dem westlichen noch dem östlichen Machtblock angeschlossen sind: blockfrei; → unparteiisch; → Neutralität.

²**neutral** → unparteiisch.

¹**Neutralität,** Nichteinmischung, Nichtbeteiligung; → neutral.

²**Neutralität** → Objektivität.

**Neutralitätsabkommen** → Abmachung.

**Neuweltaffe** → Affe.

**Neuwert,** Anschaffungswert, Anschaffungspreis; → Preis; → neu.

**neuwertig** → neu.

**Neuwort** → Wort.

**Neuyork** → New York.

**Neuzeit** → Geschichtsepoche.

**Neuzüchtung** → Züchtung.

**Neuzugang** → Neuer.

**Newcomer** → Anfänger.

**New Orleans** → Jazz.

**New York,** Neuyork (selten), Neu-Amsterdam (veraltet); → Stadt.

**Nice** → Nizza.

**nicht:** [absolut / durchaus / ganz und gar n.], n. die Bohne → nein; n. besonders → mäßig; n. dichthalten → mitteilen; n. geheuer → unheimlich; [n. im geringsten], ganz und gar n. →

keineswegs; etwas n. haben → mangeln; n. möglich!, n. zu fassen / zu glauben! → überrascht [sein]; wahrscheinlich / wohl n. → schwerlich.

**¹Nichtachtung,** Respektlosigkeit, Despektierlichkeit, Geringschätzung, Geringschätzigkeit, Abschätzigkeit, Abfälligkeit, Pejoration, Verächtlichmachung, Herabwürdigung, Herabsetzung, Demütigung, Entwürdigung, Mißachtung, Verachtung, Naserümpfen, Achselzucken; → Beleidigung, → Benachteiligung; → kompromittieren (jmdn.) · Ggs. → Achtung, → Ansehen; → billigen.

**²Nichtachtung:** mit N. strafen → ignorieren.

**nichtamtlich** → inoffiziell.

**Nichtangriffsabkommen** → Nichtangriffspakt.

**Nichtangriffspakt,** Nichtangriffsabkommen, Gewaltverzichtserklärung, Gewaltverzichtsabkommen; → Abmachung.

**Nichtbeachtung** → Außerachtlassung.

**Nichtbeteiligung** → Neutralität.

**nichtblühend:** -e Pflanze → Blattpflanze.

**Nichte** → Verwandter.

**Nichteinhaltung** → Außerachtlassung.

**Nichteinmischung** → Neutralität.

**Nichtfachmann,** Laie, Außenstehender, Exoteriker, Dilettant, Amateur; **N. sein,** blutiger Laie / Anfänger sein; → Außenseiter, → Dummkopf, → Unkenntnis; → dilettantisch · Ggs. → Fachmann.

**nichtig:** für [null und] n. erklären → abschaffen.

**Nichtigkeit** → Bedeutungslosigkeit.

**Nichtorganisierter** → Streikbrecher.

**Nichtraucher:** → Eisenbahnabteil; N. sein → rauchen.

**Nichtraucherabteil** → Eisenbahnabteil.

**¹nichts,** gar nichts, überhaupt nichts, nicht das mindeste, nicht das geringste, nicht die Spur / (salopp) die Bohne, nix (ugs.), nischt (ugs., landsch.),

kein bißchen (ugs.) · Ggs. → etwas.

**²nichts:** n. anderes als → ausschließlich; einer Sache n. abgewinnen können, n. finden können an → gefallen; n. dabei finden → Bedenken; n. zu verlieren haben → wagen; n. sagen → schweigen; mit etwas n. zu schaffen / zu tun haben wollen → zurückziehen (sich); für n. → kostenlos; viel Lärm um n. → Getue; mir n., dir n. → kurzerhand.

**Nichts** → Null.

**nichtsahnend** → ahnungslos.

**nichtsdestotrotz** → dennoch.

**nichtsdestoweniger** → dennoch.

**Nichtskönner:** → Nichtfachmann, → Stümper.

**Nichtsnutz** → Versager.

**nichtssagend** → phrasenhaft.

**Nichtstuer** → Faulenzer.

**Nichtstun** → Muße.

**Nichtswisser** → Stümper.

**nichtswürdig** → ehrlos.

**Nichttrinker** → Antialkoholiker.

**¹Nichtübereinstimmung,** Inkongruenz, Ungleichheit, Ungleichmäßigkeit, Unähnlichkeit, Unterschiedlichkeit, Verschiedenheit, Verschiedenartigkeit, Divergenz; → Abweichung; → ungleich, → verschieden.

**²Nichtübereinstimmung** → Meinungsverschiedenheit.

**Nichtwissen:** → Ahnungslosigkeit, → Unkenntnis.

**nichtzielend:** -es Verb → Verb.

**Nickel:** → Münze, → Zahlungsmittel.

**Nickelmünze** → Münze.

**Nickerchen:** [ein] N. machen → schlafen.

**Nicki** → Pullover.

**nid** → unterhalb.

**Nidel** → Sahne.

**nie:** [n. und nimmer] → nein, → niemals; n. im Leben → niemals.

**nieder:** → abwärts, → her, → hin, → niedrig, → seicht; -er Adel → Adel; hoch und n. → alle.

**Niederalemannisch** → Mundart.

**niederbeugen:** sich n. → beugen (sich).

**niederbrennen** → verbrennen.

**Niederburg** → Burg.

**Niederdeutsch** → Mundart.

**Niederdrücker** → Muskel.

**niederfahren** → überfahren.

**niederfallen** → hinunterfallen, → knien.

**Niederfränkisch** → Mundart.

**Niedergang** → Rückgang.

**niedergedrückt** → deprimiert.

**niedergehen** → landen.

**niedergelassen** → einheimisch.

**Niedergelassener** → Bewohner.

**niedergeschlagen** → deprimiert.

**Niedergeschlagenheit:** → Melancholie, → Trauer.

**niedergeschmettert** → deprimiert.

**niederhalten** → unterdrücken.

**Niederjagd** → Jagd.

**niederknien:** → beten, → knien.

**niederkommen** → gebären.

**Niederkunft** → Geburt.

**Niederlage** → Debakel, → Mißerfolg, → Warenlager, → Zweigstelle; eine N. einstecken müssen / erleiden → besiegen.

**¹niederlassen (sich),** sich selbständig machen / ansiedeln / etablieren / (landsch.) ankaufen, siedeln, seßhaft werden, Fuß fassen, Wurzeln schlagen, vor Anker gehen, seine Wohnung / sein Quartier / seine Zelte aufschlagen, Aufenthalt / Wohnung / Quartier nehmen, ein Geschäft eröffnen / gründen, eine Existenz aufbauen; → einmieten (sich), → eröffnen, → übersiedeln, → wohnen.

**²niederlassen:** sich n. → setzen (sich); sich häuslich n. → weilen.

**Niederlassung** → Zweigstelle.

**niederlegen:** → hinstellen; sich n. → schlafen [gehen]; da legst[e] dich nieder! → überrascht [sein]; sein Amt n. → kündigen; die Arbeit n. → kündigen, → streiken.

**niedermachen** → töten.

**niedermähen** → zerstören.

**niedermetzeln** → töten.

**Niedermoor** → Sumpf.

**niederreißen,** abreißen, einreißen, demolieren (österr.), abbrechen, abtragen · eine Festung: schleifen · in bezug auf Elendsviertel: sanieren; → zerlegen, → zerstören; → Abbruch · Ggs. → bauen.

**niederringen** → besiegen.

**Niedersächsisch** → Mundart.

**niedersausen** → hinunterfallen.
**niederschießen** → töten.
**Niederschlag,** Regen, Regenfälle, Regentropfen, Tropfen, Schauer, Wolkenbruch, Strichregen, Sprühregen, Nieselregen, Fieselregen (*landsch.*), Fisselregen (*landsch.*), Schnürlregen (*österr.*), Husche (*nordd., ostmitteld.*), Gutsch (*schweiz.*), Guß (*ugs.*), Platzregen, Gewitterregen, Dauerregen, Landregen, Frühlingsregen, Aprilschauer, Sommerregen, Schneeregen · Schnee, Schneefall, Schneeflocke, Schneetreiben, Schneesturm, Schneegestöber · Hagel, Hagelkorn, Hagelschauer, Schloße, Graupel, Eiskristall · Tau, Tauperle, Reif, Rauhreif · Feuchtigkeit; → Hagel, → Regenbogen, → Schnee; → hageln, → regnen, → schneien; → schneefrei.
**niederschlagen:** sich n. → ablagern (sich).
**niederschreiben** → aufschreiben.
**niederschreien** → auspfeifen.
**¹Niederschrift,** Aufzeichnung, Notizen · *von mündlich getroffenen Vereinbarungen, die auf diplomatischem Weg zugestellt wird:* Aide-mémoire · *des Kurses von Wertpapieren:* Notierung; → Aufsatz, → Bericht.
**²Niederschrift:** → Aufsatz, → Schulaufsatz.
**niedersetzen:** → hinstellen; sich n. → setzen (sich).
**niedersinken** → sinken.
**niederstechen** → töten.
**niedersteigen** → hinuntergehen.
**niederstellen** → hinstellen.
**niederstoßen** → umstoßen (jmdn.).
**niederstrecken** → töten.
**niederstürzen:** → hinunterfallen; sich n. → hinunterspringen.
**Niedertracht** → Bosheit.
**niederträchtig** → gemein.
**Niederwald** → Wald.
**niederwalzen** → zerstören.
**niederwerfen:** sich n. → knien.
**Niederwild** → Wild.
**niedlich** → hübsch.
**¹niedrig,** flach, klein, nieder (*landsch.*), von geringer Höhe, ebenerdig, fußhoch, kniehoch, nicht → hoch; → abgeflacht; → Flachheit.

**²niedrig:** → gemein, → seicht; -er Adel → Adel.
**Niedrigkeit** → Kleinheit.
**Niedrigwasser** → Ebbe.
**¹niemals,** nie [und nimmer], nimmer, nimmermehr, nun und nimmer / und nimmermehr, niemals mehr, keinen Augenblick, keine Sekunde, nie im Leben, mein Lebtag nicht (*ugs.*), zu keinem Zeitpunkt / keiner Zeit, ad calendas graecas, am Sankt-Nimmerleins-Tag.
**²niemals** → nein.
**¹niemand,** gar niemand, überhaupt niemand, keiner, kein Mensch / (*ugs.*) Teufel / (*salopp*) Schwanz / (*derb*) Schwein / (*derb*) Aas / (*schweiz.*) Bein / (*schweiz.*) Knochen, keine Seele / Menschenseele / (*derb*) Sau.
**²niemand:** -em ein Haar krümmen [können] → friedfertig [sein].
**Niere:** → Innereien; etwas geht an die -n → erschüttern; auf Herz und n prüfen → prüfen.
**Nierenbad** → Badeort.
**Nierenbeckenstein** → Harnstein.
**Nierenblutung** → Blutung.
**Nierenfett** → Fett.
**Nierensenkung** → Eingeweidesenkung.
**Nierenstein** → Harnstein.
**Nierentee** → Tee.
**Niesanfall** → Niesen.
**nieseln:** es nieselt → regnen.
**Nieselpriem** → Muffel.
**Nieselregen** → Niederschlag.
**¹niesen,** Hatschi machen (*Kinderspr.*) · *laut:* prusten; → Niesen.
**²niesen:** jmdm. etwas n. → ablehnen.
**Niesen,** Sternutation (*fachspr.*) · *anfallartiges, häufiges:* Niesanfall, Nieskrampf, Ptarmus (*fachspr.*), Sternutatio convulsiva (*fachspr.*).
**Nieskrampf** → Niesen.
**Niespulver** → Schnupftabak.
**Niete:** → Los, → Nagel, → Versager.
**Nietnagel** → Nagel.
**Niflheim** → Hölle.
**nigelnagelneu** → neu.
**Nigger** → Neger.
**Nightclub** → Nachtlokal.
**Nihilist** → Pessimist.
**¹nihilistisch,** pessimistisch, schwarzseherisch, defätistisch,

schwermütig, trübsinnig, hypochondrisch, depressiv, melancholisch, miesepetrig (*ugs.*), hintersinnig (*schweiz.*), bregenklüterig (*ugs., landsch.*), trübselig, trist, traurig, freudlos, freudelos (*schweiz.*), elend, unglücklich, todunglücklich, kreuzunglücklich, desolat, betrübt, trübe, bedrückt, gedrückt, bekümmert, unfroh, mauserig (*schweiz.*), nicht → lustig; → ängstlich, → deprimiert, → ernsthaft, → kläglich, → ruhig · Ggs. → zuversichtlich.
**²nihilistisch** → defätistisch.
**Nike** → Göttin.
**Nikolaus,** Sankt Nikolaus, Klaus (*landsch.*), Samiklaus (*schweiz.*), Santiklaus (*schweiz.*), Nikolo (*österr.*), Belz[e]nickel (*pfälz.*), Belzernickel (*pfälz.*), Benzenickel (*pfälz.*), Pelz[e]nickel (*pfälz.*), Pulterklas (*nordd.*), Klas Bur (*westfäl.*), Weihnachtsmann; → Knecht Ruprecht, → Weihnachtsmann.
**Nikolaustag** → Kirchenjahr.
**Nikolo** → Nikolaus.
**Nikotinismus** → Nikotinvergiftung.
**Nikotinsäuremangelkrankheit** → Pellagra.
**Nikotinspargel** → Zigarette.
**Nikotinvergiftung,** Tabakvergiftung, Nikotinismus, Tabakismus (*selten*), Tabakose (*selten*); → Koffeinvergiftung, → Vergiftung.
**Nilkrokodil** → Krokodil.
**Nille** → Penis.
**Nillenflicker** → Soldat.
**Nimbostratus** → Wolken.
**Nimbus** → Ansehen.
**nimmer** → niemals.
**nimmermehr:** [nun und n.] → niemals.
**nimmermüde** → fleißig.
**Nimrod** → Jäger.
**Nipf** → Mut.
**nippen** → trinken.
**Nippes** → Nippsache.
**Nippfigur** → Nippsache.
**Nippon** → Japan.
**Nippsache,** Nippfigur, Nippes, Bibelot, Rumsteherle (*scherzh., südwestd.*); → gebrauchen.
**Nipptide** → Flut.
**nirgends,** nirgendwo, an keinem Ort / Platz, überall und nirgends (*ugs.*), an keiner Stelle · Ggs.

→ irgendwo, → überall.
**nirgendwo** → nirgends.
**Nirwana** → Himmel.
**Nischel** → Kopf.
**nischt** → nichts.
**Nissenhütte** → Haus.
**nisten** → brüten.
**Nistplatz** → Vogelnest.
**Nisus sexualis** → Geschlechtstrieb.
**[1]Niveau**, Leistungsstufe, Rangstufe, Bildungsgrad, Bildungsstand, Qualität, Standard; → Benehmen, → Format, → Gesichtskreis.
**[2]Niveau** → Format.
**niveaufrei:** -e Kreuzung → Kreuzung.
**niveaugleich:** -e Kreuzung → Kreuzung.
**Niveaukreuzung** → Kreuzung.
**[1]nivellieren**, gleichmachen, einebnen, planieren, ausgleichen, glätten, glattmachen; → gleichgeschaltet.
**[2]nivellieren** → verwässern.
**nivelliert** → gleichgeschaltet.
**Nivellierung:** → Gleichmacherei, → Verflachung.
**nix** → nichts.
**Nixe:** → Fabelwesen, → Wassergeist.
**Nizza**, Nice (*franz.*); → Stadt.
**NKWD** → Geheimpolizei.
**N.N.** → anonym.
**NNW** → Himmelsrichtung.
**nobel:** → freigebig, → geschmackvoll.
**Noblesse** → Vornehmheit.
**noch:** n. einmal → wieder; n. immer, immer n. → unaufhörlich; n. so → sehr; hast du [da] n. Geschmack / Töne / Worte! → überrascht [sein]; eben n. → kürzlich; eben / gerade n. → kaum; erst n. → außerdem; kaum n. zu hören sein → verhallen; zum Teufel n. mal!, verdammt / verflucht n. mal → verflucht!
**nochmalig** → abermalig.
**nochmals** → wieder.
**Nock** → Gipfel.
**Nöck** → Wassergeist.
**Nockerl** → Teigwaren.
**Nodulus** → Hautblüte.
**Noël** → Lied.
**No-iron-Hemd** → Oberhemd.
**Noktambulismus** → Mondsüchtigkeit.
**nölen** → langsam [arbeiten].

**nolens volens** → notgedrungen.
**nölig** → langsam.
**Nomade** → Umherirrender.
**Nom de guerre** → Pseudonym.
**Nom de plume** → Pseudonym.
**Nomen** → Wortart.
**Nomenklatur:** → Terminologie, → Verzeichnis.
**Nominallohn** → Lohn.
**Nominativ**, erster Fall, Werfall; → Kasus.
**nominieren** → ernennen.
**Nominierung**, Ernennung, Bestallung, Amtseinsetzung, Designation; → ernennen, → einstellen.
**Nonchalance** → Ungezwungenheit.
**nonchalant** → ungezwungen.
**None** → Tonabstand.
**Nonenakkord** → Akkord.
**Non-fiction** → Literatur.
**nonfigurativ:** -e Kunst → Malerei.
**Nonkonformismus** → Individualismus.
**Nonkonformist** → Außenseiter.
**nonkonformistisch** → selbständig.
**[1]Nonne**, Ordensfrau, Ordensschwester, Klosterschwester, Klosterfrau, Schwester (*ugs.*), Konventualin, Himmelsbraut (*geh.*, *selten*), Gottesbraut (*geh.*, *selten*), Braut Christi (*geh.*, *selten*), Laienschwester · Missionsschwester, Schulschwester · *die noch kein Gelübde abgelegt hat:* Novizin; **N. werden**, ins Kloster eintreten / (*ugs.*) gehen, den Schleier nehmen (*geh.*), das Gelübde / die Gelübde ablegen, der Welt entsagen (*geh.*), sich dem Himmel angeloben (*geh.*)· Ggs. → Mönch.
**[2]Nonne:** → Dachziegel, → Schmetterling.
**Nonnenfürzchen** → Gebäck.
**Nonnengans** → Vogel.
**Nonnenorden**, Frauenorden, Schwesternorden, [weiblicher] Orden, Kongregation · Dominikanerinnen, Dominikanerinnenorden (OSD = Ordo S. Dominici) · Englische Fräulein (IBMV = Institutum Beatae Mariae Virginis) · [Beschuhte / Unbeschuhte] Karmelitinnen (oder:) Karmeliterinnen · Salesianerinnen · Ursulinerinnen, Ursulinen (OSU = Ordo Sanc-

tae Ursulae) · Zisterzienserinnen; → Kongregation, → Mönchsorden.
**Nonpareille** → Schriftgrad.
**Nonplusultra** → Höhepunkt.
**Nonsens** → Unsinn.
**Nonstop** → Fahrtunterbrechung.
**Nonstopflug** → Flug.
**Nonstopkino** → Kino.
**Nonvalenz** → Zahlungsunfähigkeit.
**Noradrenalin** → Hormon.
**Nord:** → Himmelsrichtung, → Wind.
**Nordamerika:** → Amerika, → Kontinent.
**Nordamerikaner** → Amerikaner.
**Nordatlantik:** → Atlantik, → Weltmeer.
**nordatlantisch:** Nordatlantischer Ozean → Atlantik, → Weltmeer.
**Nordbayerisch** → Mundart.
**Nordbayrisch** → Mundart.
**Norden:** → Himmelsrichtung; der hohe N. → Norwegen; das Venedig des -s → Stockholm.
**Nordflüs** → Polarlicht.
**Nordistik** → Philologie.
**nördlich:** Nördliches Eismeer → Weltmeer; Nördliche Krone / Wasserschlange → Sternbild.
**Nordlicht** → Polarlicht.
**Nordnordwest** → Himmelsrichtung.
**Nordnordwesten** → Himmelsrichtung.
**Nordnorwegen** → Norwegen.
**Nordpazifik:** → Pazifik, → Weltmeer.
**nordpazifisch:** Nordpazifischer Ozean → Pazifik, → Weltmeer.
**Nordpol** → Pol.
**Nordpolarmeer:** → Atlantik, → Weltmeer.
**Nordsee** → Atlantik.
**Nordwest** → Himmelsrichtung.
**Nordwesten** → Himmelsrichtung.
**Nordwind** → Wind.
**Norge** → Norwegen.
**nörgeln** → beanstanden.
**[1]Nörgler**, Beckmesser, Splitterrichter, Kritikaster (*abwertend*), Meckerer (*ugs.*, *abwertend*), Mekkerfritze (*ugs.*, *abwertend*), Miesmacher; → Besserwisser, → Kritiker, → Nörglerin, → Wichtigtuerei.
**[2]Nörgler** → Querulant.

Nörglerin, Meckerliese (*ugs.*, *abwertend*), Meckerziege (*ugs.*, *abwertend*); → Nörgler.

Norm: → Regel; als N. festlegen / festsetzen → normen.

normal: → üblich; nicht mehr n. → übertrieben.

Normal → Treibstoff.

Normalbenzin → Treibstoff.

Normalflug → Flug.

normalisieren → normen.

Normalisierung → Normung.

Normalstrom → Elektrizität.

Normaluhr → Uhr.

Normalverbraucher: → Alltagsmensch; Otto N. → Durchschnittsbürger.

Normalzeit → Zeit.

normativ → maßgeblich.

normen, normieren, normalisieren, standardisieren, eichen, regeln, regulieren, festlegen, festsetzen, vereinheitlichen, typisieren, kanonisieren, uniformieren, als Norm festsetzen / festlegen, auf einen Nenner bringen; → festschreiben, → nivellieren; → Normung, → Regel.

normieren → normen.

Normierung → Normung.

Normoblasten → Blutkörperchen.

Normozyten → Blutkörperchen.

Normung, Normierung, Normalisierung, Standardisierung, Regelung, Regulierung, Vereinheitlichung, Typisierung, Festlegung, Kanonisierung, Uniformierung; → Gleichmacherei; → normen.

normwidrig → anormal.

Normwidrigkeit → Abweichung.

Norwegen, Norge · Nordnorwegen, der hohe Norden.

norwegisch: -e Krone → Zahlungsmittel.

Nosogenese: → Entstehung, → Krankheitsentstehung.

Nosogenie: → Entstehung, → Krankheitsentstehung.

Nosophobie → Hypochondrie.

Nosotoxikose → Vergiftung.

Nostalgie → Sehnsucht.

¹Not, Notlage, Übel, Crux, Zwangslage, Bedrängnis, Verlegenheit, Misere, Dilemma, Kalamität, Malaise, Krise, Schwierigkeit, Bredouille (*salopp*), Schlamassel (*salopp*), Schlamastik (*salopp*, *österr.*),

Zore (*jidd.*); → Armut, → Ausnahmefall, → Ausweglosigkeit, → Gefahr, → Hungersnot, → Krankheit, → Krisenherd, → Lage, → Leid, → Mangel, → Schwierigkeit, → Unglück, → Verwirrung; **N. leiden**, sich in einer Zwangslage / Notlage / in Bedrängnis befinden, in Nöten sein, im Dreck sitzen / stecken (*salopp*), auf dem Hund sein (*ugs.*), in der Klemme / Patsche / Tinte sitzen (*ugs.*), bedient sein (*ugs.*, *österr.*), zwischen Baum und Borke stecken; → ratlos [sein], → verunglücken; → arm.

²Not: → Hungersnot; wenn N. am Mann ist → Ausnahmefall; damit hat es keine N. → eilen; keine N. leiden → reich [sein]; der N. gehorchend → notgedrungen; aus der N. eine Tugend machen → bewältigen; mit Mühe / Müh und N., mit knapper / genauer N. → kaum; zur N. → Ausnahmefall.

Notabeln → Oberschicht.

notabene → übrigens.

Notabitur → Abitur.

Notar → Jurist.

Notarzt → Arzt.

Notation → Notenschrift.

Notbett → Bett.

Notbremse: die N. ziehen → anhalten (etwas / jmdn.).

Notbrücke → Brücke.

Notdurft: seine N. verrichten → austreten.

notdürftig, schlecht und recht, behelfsmäßig, Behelfs-, provisorisch, vorläufig, vorübergehend, zur Not; → annehmbar, → zweckmäßig.

Note: → Papiergeld, → Zensur; -n → Notentext; [ganze / halbe / punktierte N]. → Notenzeichen; eine N. geben → zensieren; nach -n → sehr; es geht wie nach -n → vorangehen.

Notenbank: → Geldinstitut; Mark der deutschen N. → Zahlungsmittel.

Notenblatt → Notentext.

Notenheft: → Heft, → Notentext.

Notenpapier → Schreibpapier.

Notenpult → Möbel.

Notenschlüssel ·· Violinschlüssel, G-Schlüssel · Baßschlüssel, F-Schlüssel · C-Schlüssel, Sopranschlüssel, Altschlüssel, Te-

norschlüssel; → Notenschrift, → Notenzeichen.

Notenschrift, Notation ·· Choralnotation, Hufnagelschrift · Modalnotation · Mensuralnotation; → Notenschlüssel, → Notentext, → Notenzeichen.

Notentext, Noten, Partitur, Notenblatt, Notenheft; → Notenschrift, → Text.

Notenzeichen, Note ··· Neume (*hist.*), Choralnote (*hist.*), Mensuralnote (*hist.*) ·· ganze Note, Ganze · halbe Note, Halbe · Viertelnote, Viertel · Achtelnote, Achtel · Sechzehntelnote, Sechzehntel · Zweiunddreißigstelnote, Zweiunddreißigstel · Vierundsechzigstelnote, Vierundsechzigstel · punktierte Note; → Notenschlüssel, → Notenschrift, → Takt, → Tonabstand.

Notfall → Ausnahmefall.

notfalls → vielleicht.

notgedrungen, gezwungenermaßen, der Not gehorchend, gezwungen, zwangsweise, zwangsläufig, in Ermangelung eines Besseren, unfreiwillig, ungern, schweren Herzens, nolens volens, ob man will oder nicht, wohl oder übel; **n. etwas tun müssen**, gute Miene zum bösen Spiel machen, jmdm. bleibt nichts anderes übrig, keine andere Wahl haben, nicht gerade von etwas begeistert sein, nicht → freiwillig; → nolens volens, → nötig, → widerwillig.

¹Nothelfer · Ägidius, Akazius, Barbara, Blasius, Christophorus, Cyriakus, Dionysius, Erasmus, Eustachius, Georg, Katharina, Margareta, Pantaleon, Vitus; → Schutzpatron.

²Nothelfer → Schutzheiliger.

notieren → aufschreiben.

Notierung → Niederschrift.

notig → arm.

¹nötig, erforderlich, geboten, unerläßlich, notwendig, lebensnotwendig, unentbehrlich, unmißbar (*schweiz.*), integrierend, obligat, unumgänglich, unvermeidlich, unausbleiblich, unausweichlich, unabwendbar; → angemessen, → dringend, → üblich, → unbedingt, → verbindlich; **n. sein**, es ist ange-

zeigt / angebracht, am Platze sein; → Erfordernis.

²**nötig:** unbedingt n. → unveräußerlich; es ist n. → müssen; etwas n. haben [wie das tägliche Brot], etwas nicht n. haben → brauchen.

**nötigen,** zwingen, erpressen, bedrohen, Druck / Zwang ausüben, jmdn. unter Druck setzen, jmdm. das Messer an die Kehle setzen, jmdm. die Pistole auf die Brust setzen, Daumenschrauben ansetzen (*ugs.*) · *aus der Wohnung auszuziehen:* delogieren (*österr.*); → abnötigen, → aufnötigen, → drohen, → einschreiten, → überreden, → vergewaltigen, → zuraten; → Zwang.

**Nötigung:** → Vergeltungsmaßnahmen, → Zwang.

**Notiz:** -en → Aufzeichnung; N. nehmen von → achtgeben; keine N. nehmen von → ignorieren.

**Notizkalender** → Kalender.

**Notizpapier** → Schreibpapier.

**Notlage** → Not.

**notlanden** → landen.

**Notlandung** → Landung.

**Notlazarett** → Lazarett.

**notleidend** → arm.

**Notlüge** → Lüge.

**notorisch** → anrüchig.

**notreif** → reif.

**Notruf** → Hilferuf.

**Notschlachtung** → Schlachtung.

**Notsignal** → Hilferuf.

**Notstand** → Ausnahmezustand.

**Nottext** → Text.

**Notverordnung** → Weisung.

**Notwehr** → Abwehr.

**notwendig:** → nötig; jmdm. fehlt es am Notwendigsten → arm [sein]; -es Übel → Erfordernis.

**Notwendigkeit** → Erfordernis.

**Notzucht** → Vergewaltigung.

**notzüchtigen** → vergewaltigen.

**Nouveauté** → Neuheit.

**Nova** → Himmelskörper.

¹**Novelle,** Nachtragsgesetz, Ergänzung · Verlautbarung; → Weisung.

²**Novelle** → Erzählung.

**novellieren** → ändern.

**November,** Wintermonat, Neb[e]lung, Nebeling, Nebelmond, Windmonat, Windmond; → Monat, → Zeitraum.

**Novität** → Neuheit.

**Novize:** → Anfänger, → Mönch.

**Novizin** → Nonne.

**Novum** → Neuheit.

**NS** → Postskriptum.

**nu:** nu na [nicht] → ja.

**Nu:** im Nu → schnell.

¹**Nuance,** Abschattung, Schattierung, Tönung, Abtönung, Abstufung, Spur, Hauch, Touch, Schatten, Anflug, Schimmer, Stich; → Kleinigkeit; → nuancieren.

²**Nuance** → Farbe.

**nuancieren,** differenzieren, schattieren, abschattieren, abschatten, tönen, abtönen, abstufen; → gliedern; → differenzieren; → Nuance.

**nuanciert** → differenziert.

'**nüber** → hin.

**Nucha** → Nacken.

¹**nüchtern,** nicht → betrunken; **n. machen,** ernüchtern, ausnüchtern; **n. werden,** seinen / sich den Rausch ausschlafen (*ugs.*), [sich] ausnüchtern; → enthaltsam.

²**nüchtern:** → fade, → prosaisch, → realistisch, → sachlich, → ungewürzt, → unparteiisch; [auf -en Magen] → Magen; n. sein → essen.

**Nuckel** → Schnuller.

**nuckeln** → saugen.

**Nuckelpinne** → Auto.

**Nuddel** → Schnuller.

**nuddeln** → drehen.

**Nudelholz,** Nudelwalker (*bayr., österr.*), Wallholz (*schweiz.*), Teigrolle; → ausrollen.

**Nudelkasten** → Leierkasten.

**nudeln:** → ernähren; das Nudeln → Mast.

**Nudeln:** [grüne N.] → Teigwaren.

**Nudelteig** → Teig.

**Nudelwaller** → Nudelholz.

**Nudismus** → Freikörperkultur.

**Nudist,** Naturist, FKKler, FKK-Anhänger, Sonnenanbeter (*scherzh.*), Barwesiger, Abessinier (*scherzh.*), Äthiopier (*scherzh.*), Aschanti (*scherzh.*); → Freikörperkultur, → Nacktbadestrand.

**Nudistenstrand** → Nacktbadestrand.

**Nudität** → Blöße.

**Nuggel** → Busen.

**Nuggi** → Schnuller.

**nuklear:** -e Waffen → Waffen.

**Nuklearwaffen** → Waffen.

**Nukleoplasma** → Protoplasma.

**null:** n. Grad → Gefrierpunkt; n. Uhr → Mitternacht; für n. und nichtig erklären → abschaffen; um n. Uhr → mitternachts.

¹**Null,** Zero, Nichts; → nichts.

²**Null:** → Versager; Nummer N. → Toilette; in N. Komma nichts → schnell; die Temperatur sinkt unter N. → frieren.

**Nullachtfünfzehn - :** → Allerwelts-.

**Nullachtfünfzehn-Geschmack** → Allgemeingeschmack.

**nullen** → Geburtstag [haben].

**Nullipara** → Frau.

**Null-Null** → Toilette.

**Nullpunkt** → Gefrierpunkt.

**Nulltarif** → Gebührenfreiheit.

**Nullwurf** → Pech.

**Numen** → Gottheit.

**Numerale** → Wortart.

**numerieren,** beziffern, benummern, mit einer Zahl versehen, durchnumerieren, paginieren.

**Numerus clausus** → Zulassungsbeschränkung.

**numinos** → göttlich.

**Numinose:** das N. → Gottheit.

**Numismatik** → Münzkunde.

**Numismatiker** → Münzensammler.

**Nummer:** → Spaßvogel, → Telefonnummer, → Zahl, → Zensur; N. machen / schieben → koitieren; auf N. Sicher gehen → wagen; auf N. Sicher sitzen → abbüßen.

**nun:** n. einmal → eben; n. gerade → absichtlich; n. und nimmermehr → niemals; von n. an → zukünftig.

**nunmehr** → jetzt.

**nunmehrig** → jetzig.

'**nunter** → hin.

**Nuntius** → Diplomat.

**Nuppel** → Schnuller.

**nur:** → aber, → ausschließlich.

**Nürnberg,** Dürerstadt, Stadt der Reichsparteitage (*hist.*; während des nationalsozialistischen Regimes).

**Nürnberger:** N. Lebkuchen → Gebäck.

**nürnbergisch:** Nürnbergisch Ei → Uhr.

**Nurse** → Kindermädchen.

nuscheln → sprechen.

¹Nuß, Walnuß, Welschnuß, Grübelnuß, Meisennuß, Johannisnuß · Erdnuß, Aschantinuß (*österr.*) · Haselnuß · Paranuß.

²Nuß: doofe N. → Dummkopf; etwas ist eine harte N. → schwierig [sein].

Nußbaum → Laubhölzer.

nußbraun → braun.

Nußfülle → Füllung.

Nußfüllung → Füllung.

Nußknacker → Gebäck.

Nußkohle → Kohle.

Nüßlisalat → Feldsalat.

Nußöl → Speiseöl.

Nußschale → Boot.

Nutria → Pelz.

nutritiv → nahrhaft.

Nutte → Prostituierte.

nutz: zu nichts n. sein → nutzlos [sein].

nutzbar: → urbar; n. machen → auswerten.

Nutzbarmachung → Verarbeitung.

nutzbringend → nützlich.

nütze: zu nichts n. sein → nutzlos [sein].

nutzen: → anwenden, → gebrauchen.

Nutzen: → Vorteil; N. ziehen aus → Profit [machen]; N. haben / ziehen → profitieren; von N. sein → nützlich [sein]; zum eigenen N. → pro domo.

nützen: → anwenden, → auswerten, → gebrauchen, → nützlich [sein]; etwas nützt gar nichts → nutzlos [sein], → wirkungslos [sein]; jmdm. mit etwas mehr schaden als n. → schaden.

Nutzgarten → Garten.

nutzig → nützlich.

nützlich, nutzbringend, nutzig (*schweiz.*), förderlich, konstruktiv, aufbauend, heilsam, hilfreich, lohnend, dankbar, fruchtbar, ersprießlich, gedeihlich, nicht → nutzlos; → bekömmlich, → erfreulich, → interessant, → zweckmäßig; **n. sein,** nützen, von Nutzen sein, helfen, zustatten kommen, zum Vorteil gereichen, in jmds. Interesse sein, das ist Wasser auf jmds. Mühle, gute Dienste leisten, frommen, dienlich / bequem / passend / (*schweiz.*) kommlich sein; → fördern; **nicht**

**n. sein,** nicht fruchten, nicht ergiebig sein; → Vorteil.

Nützlichkeitsdenken → Pragmatismus.

nutzlos, unnötig, überflüssig, entbehrlich, abkömmlich, unnütz, nicht → nützlich; → grundlos, → wirkungslos; **n. sein,** umsonst / vergeblich / fruchtlos / vergebens / (*salopp*) für die Katz sein, zu nichts nütze / (*südd., österr.*) nutz sein, etwas hat keinen / wenig Sinn, etwas nützt / ändert gar nichts, das ist verlorene Liebesmüh[e] (*ugs.*), etwas ist ein Schlag ins Wasser (*ugs.*), keinen Erfolg haben, das macht den Kohl nicht fett (*ugs.*) · *in bezug auf jmdn., den man ändern will:* einen Mohren weißwaschen wollen, bei jmdm. ist Hopfen und Malz verloren (*ugs.*), jmd. ist ein hoffnungsloser Fall (*ugs.*); → brauchen, → gebrauchen; → Erfolg.

Nutzlosigkeit → Unbrauchbarkeit.

¹Nutznießer, Gewinner, der lachende Dritte.

²Nutznießer: → Besitzer; N. sein → profitieren.

Nutzvögel → Geflügel.

NVA → Militär.

NW → Himmelsrichtung.

Ny → Buchstabe.

Nykturie → Harnentleerung.

Nylon → Chemiefaser.

Nylonstrumpf → Strumpf.

Nymphe → Wassergeist.

Nymphomanie → Mannstollheit.

# O

**O:** das A und O → Hauptsache.

**ob:** → oberhalb, → wegen; [ob auch immer] → obgleich; als ob → gleichsam.

Obacht: O. geben → achtgeben.

Obadja → Prophet.

Obdach: → Unterkunft; O. finden → Unterkunft [finden].

obdachlos → Wohnung.

Obdachlosenasyl → Heim.

Obduktion, Sektion, Leichenöffnung, Leichenzergliederung, Leichenschau, Totenschau, Autopsie, Nekropsie, Nekro-

skopie (*selten*); → Operation.

obduzieren → operieren.

Obedienz → Gehorsam.

Obelisk → Säule.

oben: → oberhalb; o. ohne → nackt; nach o. → aufwärts; nach o. gehen / steigen / klettern → hinaufgehen; von o. bis unten → ganz.

obenan: o. stehen → Vorrang [haben].

obendrein → außerdem.

obengenannt → obig.

Obengenannter: der Obengenannte → derselbe.

obenhin → nebenher.

ober → oberhalb.

Ober → Bedienung.

Oberarzt → Arzt.

Oberbau → Überbau.

Oberbauchbruch → Bruch.

Oberbauchgegend → Magengrube.

Oberbefehl → Befehlsgewalt.

Oberbefehlshaber → Leitung.

Oberbekleidung → Kleidung.

Oberbett → Federbett.

Oberblatt → Blatt.

Oberbootsmann: → Dienstgrad, → Matrose.

Oberbremser → Dienstgrad.

Oberbürgermeister → Bürgermeister.

Oberdeutsch → Mundart.

Oberfeldarzt → Arzt.

Oberfeldwebel → Dienstgrad.

Oberfläche: unter der O. → latent.

¹oberflächlich, flach, seicht, ohne Tiefgang, geistlos, inhaltslos, gehaltlos, trivial; → anerzogen, → dilettantisch, → phrasenhaft, → unzulänglich; → Trivialität.

²oberflächlich → nachlässig.

Oberflächlichkeit: → Trivialität, → Zerfahrenheit.

Obergefreiter → Dienstgrad.

Obergeschoß → Geschoß.

oberhalb, oben, über, ober (*österr.*), droben, heroben (*südd., österr.*), in der Höhe, ob (*veraltet*); → aufwärts · Ggs. → unterhalb.

Oberhand: O. behalten / gewinnen → durchsetzen (sich).

Oberhaupt, Herrscher, Alleinherrscher, Befehlshaber, Gebieter, Regent, Herr, Gouverneur, Statthalter, Verweser, Machthaber, Gewalthaber, Potentat (*abwertend*), Diktator, Tyrann (*veraltet*), Führer, Anführer, Häuptling, Caudillo (Spanien), Duce (Italien) · *eines Staates:* Landesherr, Landmutter, Landesvater, Staatsoberhaupt, Staatschef, Präsident, Regierungschef, Kanzler, Souverän, Dynast, Fürst, König, Monarch, Kaiser, Zar (Rußland), Tenno (Japan), Schah (Iran), Negus (Äthiopien) · *im alten Rom:* Cäsar · *der kath. Kirche:* Papst, Oberhirte, Pontifex maximus, Stellvertreter Christi [auf Erden], Heiliger Vater · *der orthodoxen Kirche:* Patriarch · *eines Verwaltungsbezirks:* Landrat (in der BRD), Bezirkshauptmann (in Österreich), Bezirksstatthalter (Schweiz), Bezirksammann (Schweiz), Statthalter (Schweiz); → Arbeitgeber, → Befehlshaber, → Bürgermeister, → Dynastie, → Geistlicher, → First Lady, → Gewaltherrscher, → Herrschaft, → Klerus, → Machtgier, → Minister, → Obrigkeit, → Politiker, → Vorsitzender; → regieren; → mächtig.

**Oberhaus** → Volksvertretung.

**Oberhaut** → Epidermis.

**Oberhemd,** Herrenhemd, Hemd, Pfeid (*mundartl., österr.*), Sporthemd, Freizeithemd, Campinghemd, Wollhemd, Baumwollhemd, Polohemd, Popelinehemd, Batisthemd, Seidenhemd, Frackhemd · *bügelfreies:* No-iron-Hemd; → Bluse, → Kleidung, → Sporthemd, → Unterhemd.

**Oberhirte** → Oberhaupt.

**Oberin** → Anrede.

**Oberkellner** → Bedienung.

**Oberkommando** → Leitung.

**Oberlandesgericht** → Gericht.

**Oberlehrer** → Lehrer.

**Oberleitungsbus** → Obus.

**Oberleitungsomnibus:** → Obus, → Verkehrsmittel.

**Oberleutnant:** [O. zur See] → Dienstgrad.

**Oberlicht:** → Lampe, → Tageslicht.

**Oberlippenspalte** → Hasenscharte.

**Obermaat:** → Dienstgrad, → Matrose.

**Oberprima** → Schulklasse.

**Oberrealschule** → Schule.

**Obers** → Sahne.

**Obersächsisch** → Mundart.

**Oberschicht,** Gesellschaft, Establishment, Elite, Hautevolee, die oberen Zehntausend, Geldadel, Upper ten, Creme, Crème de la crème, High-Society, Society, High-Snobiety (*scherzh.*), die Spitzen / (*iron.*) Stützen der Gesellschaft, die führenden Kreise, Honoratioren, Notabeln (*geh.*); alles, was Rang und Namen hat; Jet-set, Jeunesse dorée · *modischelegante:* Schickeria · *in geistiger Hinsicht:* geistige Oberschicht / Elite, die Gebildeten, Bildungsschicht, Intelligenz, Intelligenzija (*abwertend*); →Berühmtheit, → Bürgertum, → Gesellschaftsschicht, → Intellektueller.

**oberschlau,** neunmalklug, neunmalgescheit, siebengescheit, überklug, übergescheit, superklug; → schlau.

**Oberschnäpser** → Dienstgrad.

**Oberschule** → Schule.

**Oberschüler** → Schüler.

**Oberschullehrer** → Lehrer.

**Oberseite** → Vorderseite.

**Obersekunda** → Schulklasse.

**Oberschaum** → Schlagsahne.

**Oberst** → Dienstgrad.

**Oberstaatsanwalt** → Jurist.

**Oberstabsarzt** → Arzt.

**Oberstabsbootsmann:** → Dienstgrad, → Matrose.

**Oberstabsfeldwebel** → Dienstgrad.

**Oberstarzt** → Arzt.

**oberste** → beste.

**Oberstleutnant** → Dienstgrad.

**Oberstübchen:** → Kopf; nicht ganz richtig im O. sein → verrückt [sein].

**Oberstudienrat** → Lehrer.

**Obertasse:** O. und Untertasse → Tasse.

**Obertertia** → Schulklasse.

**Oberverwaltungsgericht** → Gericht.

**Oberwasser:** O. haben→Vorteil.

**Obesität** → Fettleibigkeit.

**obgleich,** obwohl, obschon, wennschon, wenngleich, ob / wenn auch, und / selbst / auch wenn, so / wie ... auch ..., [so] ... (so / wie sehr er auch beschäftigt war, [so] nahm er

sich doch Zeit für seine Familie), ungeachtet, wiewohl, obzwar, einenweg (*schweiz.*), trotzdem (*ugs.*), ob [auch immer] (*selten*); → dennoch.

**Obhut:** → Fürsorge, → Schutz.

**obig,** vorerwähnt, vorstehend, vorgenannt, genannt, obengenannt, besagt, bewußt, betreffend, betroffen, fraglich, in Rede stehend.

**Objekt:** → Ding, → Gegenstand, → Haus; am lebenden O. → in vivo; die Tücke des -s → Unberechenbarkeit.

**Objektangst** → Phobie.

**objektiv:** → sachlich, → unparteiisch; -es Verb → Verb.

**Objektivität,** Sachlichkeit, Vorurteilslosigkeit, Unvoreingenommenheit, Unparteilichkeit, Überparteilichkeit, Neutralität; → unparteiisch · Ggs. → Subjektivität.

**Objektsatz** → Satz.

**Oblate** · *geweihte:* Hostie; → Abendmahl.

**obliegen:** etwas obliegt jmdm. → abhängen.

**Obliegenheit** → Aufgabe.

**obligat** → nötig.

**Obligation** → Schuld.

**obligatorisch** → verbindlich.

**Obligo:** außer / ohne O. → Sicherheit.

**Obmann** → Vorsitzender.

**Oboe:** [O. da caccia / d'amore] → Blasinstrument.

**Oboist** → Musizierender.

**Obolus:** → Beitrag, → Münze.

**Obrigkeit,** Vorstehung, Regierung, Regime (*abwertend*), die Vorgesetzten; → Leitung, → Oberhaupt.

**obrigkeitlich** → totalitär.

**Obrist** → Dienstgrad.

**obschon** → obgleich.

**Obsequien** → Trauerfeier.

**Observation** → Überwachung.

**Observatorium:** → Sternwarte, → Wetterwarte.

**observieren** → überwachen.

**Obsession** → Anankasmus.

**obsiegen** → siegen.

**obskur** → anrüchig.

**Obskurantismus** → Mystifikation.

**obsolet** → altmodisch.

**Obsorge:** → Fürsorge, → Pflege.

**Obst,** Früchte, Frischobst · Edelobst, Tafelobst, Spalier-

obst · Fallobst, Mostobst, Falläpfel · Dörrobst, Dürrobst,
Backobst · Gefrierobst, tiefge-
frorenes Obst ··· Kernobst ·
Apfel · Quitte ·· Birne · *ge-
dörrte*: Kletze (*österr.*) ··· Steinobst ·· Kirsche · Süßkirsche,
Herzkirsche, Knorpelkirsche,
Sauerkirsche, Amarelle, Ammer, Schattenmorelle, Glas-
kirsche ·· Pflaume, Zwetsche,
Zwetschge (*südd., schweiz.*),
Zwetschke (*österr.*), Spilling,
Krekel (*niederd.*), Krieche
(*österr.*), Kriecherl (*österr.*),
Mirabelle, Reineclaude, Rene-
klode, Ringlotte (*bes. österr.*) ··
Pfirsich · Aprikose, Marille
(*österr.*), Barelle (*schweiz.*), Ba-
rille (*schweiz.*), Baringel
(*schweiz.*); → Apfel, → Beeren-
obst, → Fruchtsaft, → Obst-
baum, → Obsthändler.
**Obstbaum,** Fruchtbaum; →
Obst.
**Obstbaumblüte** → Baumblüte.
**Obstblüte** → Baumblüte.
**Obsternte** → Ernte.
**Obstetrix** → Hebamme.
**Obsthändler,** Obstler (*mund-
artl.*), Öbstler (*bes. österr.*),
Südfruchthändler, Südfrüch-
tenhändler (*österr.*); → Obst.
**obstinat** → unzugänglich.
**Obstination** → Eigensinn.
**Obstipation** → Stuhlverstop-
fung.
**obstipieren,** obstipierend / ver-
stopfend wirken, stopfen; →
Stuhlverstopfung, → Verdau-
ungsstörung.
**Obstkern** → Kern.
**Obstkuchen** → Gebäck.
**Obstler:** → Alkohol, → Obst-
händler.
**Öbstler** → Obsthändler.
**Obstmesser** → Messer.
**Obstpresse** → Saftpresse.
**Obstructio alvi** → Stuhlver-
stopfung.
**obstruieren** → behindern.
**Obstruktion** → Widerstand.
**Obstsaft** → Fruchtsaft.
**Obstschorf** → Schlauchpilz.
**Obststeige** → Steige.
**Obsttag** → Fasttag.
**Obsttorte** → Gebäck.
**Obstwein,** Most (*oberd.*) · *gä-
render*: Sauser (*schweiz.*) ·
*unvergorener*: Süßmost; →
Wein.

**obszön,** anstößig, unschicklich,
ungehörig, unziemlich, ungebührlich, unanständig, zweideutig, nicht salonfähig /
(*scherzh.*) stubenrein, pikant,
lasziv, schlüpfrig, schmutzig,
unsittlich, unmoralisch,
schlecht, wüst, liederlich, zuchtlos, verdorben, verderbt, verrucht, ruchlos, verworfen, unzüchtig, pornographisch, tierisch, zotig, schweinisch (*salopp, abwertend*), lasterhaft,
sittenlos, unkeusch, unsolide,
ausschweifend, nicht → anständig; → anrüchig, → begierig, → frech, → gemein,
→ gewöhnlich, → hemmungs-
los, → pervers, → unhöflich;
→ anstoßen, → verwahrlosen;
→ Anstößigkeit, → Inzest,
→ Sittenlosigkeit, → Unzucht.
**Obszönität** → Sittenlosigkeit.
**Obturation** → Gefäßverstopfung.
**Obus,** Oberleitungsbus, Oberleitungsomnibus, Trolleybus;
→ Omnibus, → Straßenbahn,
→ Verkehrsmittel.
**obwohl** → obgleich.
**obzwar** → obgleich.
**Occlusio intestinorum** → Stuhl-
verstopfung.
**Occyspitze** → Spitzenstickerei.
**Ochlokratie** → Herrschaft.
**ochotskisch:** Ochotskisches
Meer → Pazifik.
**Ochs:** → Rind; wie der O.
vorm Berge / Tor stehen →
ratlos [sein].
**Ochse:** → Dummkopf, → Rind.
**ochsen** → lernen.
**Ochsenauge:** → Rundfenster,
→ Schmetterling, → Spiegelei.
**Ochsenfleisch** → Fleisch.
**Ochsenfrosch** → Frosch.
**Ochsenherz** → Herzhypertro-
phie.
**Ochsenschleppsuppe** → Suppe.
**Ochsenschwanzsuppe** → Suppe.
**Ochsenziemer** → Peitsche.
**Ochsenkübel** → Abfalleimer.
**ocker** → braun.
**Oculus** → Sinnesorgan.
**Ode** → Gedicht.
**öde:** → abgelegen, → lang-
weilig, → menschenleer.
**Öde:** → Einöde, → Eintönig-
keit, → Leere.
**Odel** → Dünger.
**Odem** → Atem.

**[1]oder,** beziehungsweise, andern-
falls, im anderen Fall, sonst;
→ auch, → und.
**[2]oder:** o. auch → alias.
**Oderkahn** → Schuh.
**Odeur** → Geruch.
**Odin** → Gott.
**Odinshühnchen** → Vogel.
**ödipal:** -e Phase → Entwick-
lungsphase.
**Ödipuskomplex** → Komplex.
**Odium:** → Abneigung, → An-
rüchigkeit.
**Ödland** → Einöde.
**Odontiatrie** → Heilkunde.
**Odontologe** → Arzt.
**Odontologie** → Heilkunde.
**Odontorrhagie** → Blutung.
**-odynie** → Schmerz.
**Oeuvre** → Werk.
**OEZ** → Zeit.
**[1]Ofen,** Zimmerofen, Kachelofen,
Kanonenofen, Ölofen, Nacht-
speicherofen; → Feuerhaken,
→ Heizgerät, → Heizkörper,
→ Kamin, → Zentralheizung.
**[2]Ofen:** → Auto; Chemischer
O. → Sternbild; jetzt ist der
O. aus → ärgerlich [werden];
den O. anmachen → heizen;
mit etwas keinen Hund hinter
dem O. hervorlocken [können]
→ langweilig [sein]; etwas ist
ein Schuß in den O. → wirkungslos [bleiben].
**Ofenbank** → Sitzbank.
**Ofenheizung** → Heizung.
**Ofenhocker** → Stubenhocker.
**Ofenrohr** → Panzerabwehrkanone.
**Ofenschirm** → Wandschirm.
**Ofensetzer** → Keramiker.
**Ofensetzerbetrieb** → Töpferei.
**[1]offen,** geöffnet, unverschlossen, aufgeschlossen, aufgesperrt, sperrangelweit offen,
offenstehend; → geöffnet; **o.
sein,** aufsein (*ugs.*), klaffen,
gähnen.
**[2]offen:** → aufgeschlossen, →
aufrichtig, → unverpackt, →
wund; mit -en Armen aufgenommen werden → willkom-
men [sein]; mit -en Augen
schlafen → unaufmerksam
[sein]; -es Feuer → Feuer;
-es Feuer, -e Feuerstelle →
Kamin; etwas ist ein -es Geheimnis → bekannt; eine -e
Hand haben → freigebig [sein];
ein -es Haus führen / haben

→ gastfrei [sein]; mit -em Mund → erwartungsvoll, → überrascht; ein -es Ohr haben für → entgegenkommend [sein]; -e Stellen → Stellenangebote; -e Türen einrennen → ankämpfen (gegen etwas); etwas ist noch o. → ungewiß [sein]; [o. haben / sein] → geöffnet; die Karten o. auf den Tisch legen → gestehen.

**¹offenbar,** offensichtlich, augenscheinlich, augenfällig, sichtlich, sichtbar, deutlich, aufgelegt (*österr.*), manifest, flagrant, handgreiflich, offenkundig, erwiesen, eklatant; → anscheinend, → außergewöhnlich, → einschneidend, → erkennbar, → nachweislich; **o. werden,** ans Licht kommen, sich herausstellen / enthüllen / zeigen, etwas verspricht zu werden, sich entpuppen als; **o. sein,** auf der Hand liegen, etwas ist mit Händen zu greifen; → aufdecken, → erscheinen, → erweisen (sich als), → hervortreten.

**²offenbar:** es ist doch o. so, daß → zweifellos.

**offenbaren:** → bekunden, → gestehen.

**Offenbarung:** → Bekenntnis, → Voraussage; die O. Johannis / des Johannes → Apokalypse.

**Offenbarungseid:** den O. leisten → zahlungsunfähig [sein].

**offenbleiben,** noch ungeklärt / noch nicht ausdiskutiert sein / es gibt noch viele Fragen; → ungewiß, → unklar.

**Offenheit** → Aufrichtigkeit.

**offenherzig:** → aufrichtig, → ausgeschnitten.

**Offenherzigkeit** → Aufrichtigkeit.

**offenkundig** → offenbar.

**Offenkundigkeit,** Publizität, Öffentlichkeit, Bekanntheit [in der Öffentlichkeit]; → offenbar.

**¹offenlassen,** noch nicht entscheiden, in der Schwebe lassen, dahingestellt sein lassen, sich nicht festlegen; → entschließen (sich), → ungewiß [sein].

**²offenlassen:** sich eine Möglichkeit o. → Maßnahme.

**offensichtlich** → offenbar.

**offensiv** → streitbar.

**Offensive:** → Anfeindung, → Angriff, → Kampf.

**Offensivkrieg** → Krieg.

**offenstehend** → offen.

**¹öffentlich,** in / vor aller Öffentlichkeit, vor aller Welt, coram publico; → Öffentlichkeit.

**²öffentlich:** → amtlich; -er Fernsprecher → Telefonzelle; die -e Hand, -e Mittel → Staatskasse; -e Sprache → Hochsprache.

**¹Öffentlichkeit,** die breite Öffentlichkeit, Allgemeinheit, Bevölkerung, Gesellschaft; → Umwelt; → öffentlich · Ggs. → Privatleben.

**²Öffentlichkeit:** → Offenkundigkeit; an die Ö. dringen → herumsprechen (sich); im Licht der Ö. stehen, ins Licht der Ö. treten → exponieren (sich); in / vor aller Ö. → öffentlich.

**Öffentlichkeitsarbeit** → Propaganda.

**offerieren** → anbieten (jmdm. etwas).

**Offert** → Angebot.

**Offerte** → Angebot.

**Office** → Büro.

**offiziell** → amtlich.

**Offizier,** aktiver Offizier, Reserveoffizier, Truppenoffizier, Stabsoffizier, Militär; → Dienstgrad, → Soldat.

**Offiziersanwärter** → Dienstgrad.

**offiziös** → amtlich.

**¹öffnen,** aufmachen, auftun, aufschließen, aufsperren · *mit Gewalt:* aufbrechen, erbrechen, knacken (*ugs.*), aufsprengen, aufreißen, auffetzen (*ugs.*), aufschlagen; → aufbekommen, → aufdecken, → aufschrauben, → zerlegen; **jmdm.. nicht ö.,** sich verleugnen lassen · Ggs. → schließen.

**²öffnen:** → aufblättern, → aufschrauben; jmdm. die Augen ö. → mitteilen; die Fenster ö. → lüften; einer Sache Tür und Tor ö. → unterstützen (etwas); jmdm. ö. → einlassen.

**Offsetdruck** → Druckverfahren.

**Offsetpapier** → Druckpapier.

**Offside** → Regelverstoß.

**¹oft,** öfters, öfter, des öftern, oftmals, manchmal (*schweiz.*),

häufig, wiederholt, immer wieder, meist, meistens, meistenteils, mehrenteils (*österr.*), zumeist, in der Regel, zum größten Teil, in der Mehrzahl, überwiegend, vorwiegend, mehrfach, verschiedentlich, x-mal, zigmal, mehrmals, mehrmalig, vielfach, vielfältig, nicht → selten; → abermalig, → generell, → überall, → unaufhörlich, → wieder.

**²oft:** o. und o. → unaufhörlich.

**öfter** → oft.

**öfters** → oft.

**Oheim** → Onkel.

**Öhmd** → Heu.

**Öhmdernte** → Ernte.

**¹ohne,** -frei (sorgenfrei, fieberfrei, portofrei), -los (sorgenlos, arbeitslos, phantasielos, schaffnerlos), -leer (inhaltsleer) -arm (phantasiearm, inhaltsarm).

**²ohne:** → abzüglich, → ausgenommen; o. Alkohol → alkoholfrei; o. Anstände / Bedenken / weiteres → anstandslos; o. Auftrag / Befugnis → eigenmächtig; o. Ausnahme → alle; o. Bedenken → kritiklos; o. Bedingungen / Vorbedingung / Vorbehalt → vorbehaltlos; o. [jedes] Benehmen → unhöflich; o. Bewußtsein, o. Besinnung → ohnmächtig; etwas ist o. Dauer → kurzlebig [sein]; o. zu denken → schematisch; o. Einschränkung → vorbehaltlos; o. Ende → unendlich; o. lange zu fackeln / zu überlegen / zu zögern, o. weiteres, o. [große] Umstände / viel Umstände zu machen → kurzerhand; o. Farbe → farblos; o. Geld → kostenlos; o. Geschmack / Aroma → ungewürzt; o. Gewicht → federleicht; o. Haftung / Obligo → Sicherheit; o. Heimat → ungeborgen; o. Leben → tot; o. Sinn und Verstand → unsinnig; o. festen Sitz → ambulant; o. Tiefgang → oberflächlich; o. Überstürzung / Übereilung → ruhig; o. Unterbrechung / steckenzubleiben / zu stocken → fließend; o. Zähne → zahnlos; o. zu zögern / zu überlegen, o. weiteres bereit → bereitwillig; o. Zwang → freiheitlich; oben o. → nackt;

etwas ist nicht so o. → unterschätzen.

**ohnedies** → ohnehin.

**ohnegleichen:** → außergewöhnlich, → beispiellos.

**Ohnehaltflug** → Flug.

**ohnehin,** ohnedies, sowieso, eh (*landsch.*), auf jeden Fall.

**ohngefähr:** von o. → unabsichtlich.

**¹Ohnmacht,** Bewußtlosigkeit; → Anfall, → Schock; **in O. fallen** → ohnmächtig [werden]; **aus einer O. erwachen,** wieder zu sich kommen, aufwachen, erwachen, die Augen aufschlagen.

**²Ohnmacht:** → Bewußtlosigkeit, → Machtlosigkeit, → Unfähigkeit; in O. fallen / sinken → ohnmächtig [werden].

**¹ohnmächtig,** bewußtlos, ohne Bewußtsein, besinnungslos, ohne Besinnung; **o. werden,** schlappmachen (*ugs.*), abbauen, zusammenbrechen, zusammenklappen (*ugs.*), zusammensakken, kollabieren, in Ohnmacht fallen / sinken, umfallen, umsinken, zu Boden sinken, Sterne sehen (*ugs.*), umkippen (*ugs.*), jmdm. wird schwarz / wird Nacht vor den Augen, jmdm. schwinden die Sinne, aus den Latschen / Pantinen kippen (*salopp*) · *in großer Zahl:* wie die Fliegen umfallen (*ugs.*); → Ohnmacht, → Unfähigkeit.

**²ohnmächtig** → machtlos.

**¹Ohr,** Gehörorgan, Ohrmuschel, Löffel (*ugs.*), Schalltrichter (*scherzh.*), Ohrwaschel (*ugs., bayr., österr.*) · *unterer Teil:* Ohrläppchen · *abstehende Ohren:* Abstehohren, Segelfliegerohren (*scherzh.*), Radarohren (*scherzh.*), Fledermausohren (*scherzh.*), Schlappohren ·· *bei Tieren:* Löffel (Hase), Lauscher (Rotwild u. a.), Luser (Rotwild u. a.), Teller (Schwarzwild), Behang (Jagdhund); → Gehör, → Sinnesorgan.

**²Ohr:** → Sinnesorgan; ganz Auge und O. sein → achtgeben; halt die -en steif → Mut; die -en spitzen → achtgeben; seinen -en nicht trauen → überrascht [sein]; seine -en verschließen → unzugänglich

[sein]; jmdm. die -en volljammern → klagen; tauben -en predigen, etwas trifft auf taube -en → sprechen; sich aufs O. hauen → schlafen [gehen]; jmdm. eine / ein paar / eins hinter die -en geben, ein paar hinter die -en kriegen → schlagen; noch die Eierschalen hinter den -en haben → erwachsen; noch feucht / noch nicht trocken hinter den -en sein → erwachsen; sich etwas hinter die -en schreiben müssen → behalten; etwas ist Musik / klingt wie Musik in jmds. -en → erfreulich [sein]; Watte in den -en haben → reagieren; jmdm. einen Floh ins O. setzen → begierig [machen]; mit halbem O. zuhören / hinhören → zuhören; bis über die -en in Schulden stecken → schulden (jmdm. etwas); bis über die / bis über beide -en verliebt sein → verliebt [sein]; jmdm. das Fell über die -en ziehen → ausbeuten; viel um die -en haben → arbeiten; sich die Nacht um die -en schlagen → schlafen.

**Ohrbluten** → Blutung.

**Ohrenarzt** → Arzt.

**Ohrenbeichte** → Beichte.

**ohrenbetäubend** → laut.

**Ohrenbläser** → Hetzer.

**Ohrenbluten** → Blutung.

**Ohrenheilkunde** → Heilkunde.

**Ohrenlerche** → Vogel.

**Ohrenqualle** → Hohltier.

**Ohrenschmaus** → Labsal.

**Ohrensessel** → Sitzgelegenheit.

**Ohrentaucher** → Vogel.

**ohrenzerreißend** → laut.

**Ohrenzeuge** → Zeuge.

**¹Ohrfeige,** Maulschelle, Backpfeife (*nordostd.*), Backfeige (*rhein.*), Backenstreich (*geh., veraltend*), Watsche (*bes. bayr.*), Katzenkopf (*landsch.*), Kopfstück, Dachtel (*ugs.*), Tachtel (*ugs.*), Knallschote (*scherzh.*), Detsche (*ugs., österr.*), Fotze (*ugs., bayr., österr.*); → schlagen.

**²Ohrfeige:** jmdm. eine O. geben, eine O. kriegen → schlagen.

**ohrfeigen** → schlagen.

**Ohrfeigengesicht** → Gesicht.

**Ohrläppchen** → Ohr.

**Ohrmuschel** → Ohr.

**Ohrspeicheldrüsenentzündung,** Parotitis, Mumps, Ziegenpeter, Bauernwetzel (*landsch.*), Wochentölpel (*landsch.*).

**Ohrspiegelung** → Ausspiegelung.

**Ohrwaschel** → Ohr.

**Ohrwurm:** → Insekt, → Lied.

**o.k.:** → okay; es ist alles o.k. → Ordnung.

**Okarina** → Blasinstrument.

**¹okay,** o.k., in Ordnung, einverstanden, abgemacht (*ugs.*), gemacht (*ugs.*), ist geritzt (*salopp*), richtig, gut; → ja; → Ordnung.

**²okay:** → ja; es ist alles o. → Ordnung.

**Okkasion:** → Möglichkeit, → Kauf.

**okkasionell** → unüblich.

**Okklusivpessar** → Empfängnisverhütungsmittel.

**okkult,** okkultistisch, spiritistisch, übersinnlich, magisch; → übernatürlich; → Geisterbeschwörung, → Mystifikation, → Séance, → Spiritist, → Trancezustand.

**Okkultismus** → Geisterbeschwörung.

**Okkultist** → Spiritist.

**okkultistisch** → okkult.

**Okkupant** → Besatzung.

**¹Okkupation,** Besetzung, Invasion, Einmarsch, Eindringen, Einfall, Intervention, Aggression, Anschluß, Überrumpelung; → Eingemeindung, → Überfall.

**²Okkupation:** → Besetzung, → Besitznahme, → Eroberung.

**Okkupationsmacht** → Besatzung.

**okkupieren** → erobern.

**Ökonom** → Bauer.

**Ökonomie** → Bauernhof.

**ökonomisch:** → kommerziell, → sparsam.

**Ökotrophologie,** Hauswirtschaft und Ernährungswissenschaft; → Wissenschaft.

**Oktant** → Sternbild.

**Oktava** → Schulklasse.

**Oktave** → Tonabstand.

**Oktavheft** → Heft.

**Oktober,** Weinmonat, Weinmond, Gilbhart, Windmond; → Monat, → Zeitraum.

**oktroyieren** → aufnötigen.

**Okuli** → Kirchenjahr.

okulieren → züchten.

ökumenisch: -e Trauung → Vermählung.

Okzident → Europa.

okzidental → abendländisch.

okzidentalisch → abendländisch.

Öl: → Erdöl, → Fett, → Speiseöl; Öl auf die Wogen gießen → beruhigen; Öl ins Feuer gießen → aufwiegeln, → verschärfen.

Ölbild → Malerei.

Öldruckbremse → Bremse.

Oldtime-Jazz → Jazz.

Oldtime-Jazz-Renaissance → Jazz.

Oldtimer → Auto.

ölen: → abschmieren, → einreiben; etwas geht wie geölt → reibungslos; sich die Kehle ö. → trinken.

Ölfaß → Faß.

Ölgas → Gas.

Ölgemälde → Malerei.

Ölgötze: dastehen wie ein Ö. → dumm [sein].

Ölhafen → Hafen.

Ölheizung → Heizung.

ölig → schmutzig.

Oligämie → Blutarmut.

Oligarchie → Herrschaft.

Oligidrie → Transpiration.

Oligochromämie → Blutarmut.

Oligodaktylie → Gliedmaßenmißbildung.

Oligohämie → Blutarmut.

Oligohidrie → Transpiration.

Oligomenorrhö → Menstruation.

Oligophrenie → Geistesgestörtheit.

Oligopol → Marktform.

Oligopson → Marktform.

Oligotrophie → Ernährungsstörung.

Olim: zu -s Zeiten → damals.

oliv → grün.

Olivenöl → Speiseöl.

Olivenspötter → Vogel.

olivgrün → grün.

Ölkreide → Kreide.

oll: das sind -e Kamellen → überlebt [sein].

Olla podrida → Eintopf.

Olle → Ehefrau.

Ölleichter → Schiff.

Oller → Ehemann.

Öllich → Zwiebel.

Olm → Salamander.

Ölmalerei → Maltechnik.

Ölmühle → Windmühle.

Olmützer: O. Stinkkäse / Quargel → Handkäse.

Ölofen → Ofen.

Ölpalme → Palme.

Ölpest → Umweltverschmutzung.

Ölung: Letzte Ö. → Viatikum.

Olvel → Narr.

Olymp: → Empore, → Himmel.

Olympia → Olympiade.

Olympiade, Olympische Spiele, die Spiele, Olympia; → Olympiakämpfer.

Olympiaflagge → Fahne.

Olympiajolle → Segelboot.

Olympiakämpfer, Olympiateilnehmer, Olympionike, Athlet; → Olympiade, → Sportler.

Olympiasieger → Sieger.

Olympiastadt → München.

Olympiateilnehmer → Olympiakämpfer.

Olympionike: → Olympiakämpfer, → Sieger.

olympisch: Olympische Spiele → Olympiade.

Ölzeug → Mantel.

Oma: → Frau, → Großmutter; aus -s Zeiten sein → überlebt [sein].

Omagra → Arthritis.

Omama → Großmutter.

Ombudsman → Vertrauensmann.

Ombudsmann → Vertrauensmann.

Omega → Buchstabe.

¹Omelett, Eierkuchen (bes. nordd.), Pfannkuchen (bes. südd.), Plinse (nordostd.), Plinze (nordostd.), Flinse (nordostd.), Eiertätsch (schweiz.), Omelette (österr. und fachspr.), Palatschinke (österr.) · zerstoßener: Schmarren (bayr., österr.), Eierschmarren (südd.), Kaiserschmarren (österr.), Sterz (österr.); → Eierspeise, → Kartoffelpuffer, → Pfannkuchen.

²Omelett → Rührei.

Omelette: → Omelett, → Rührei.

Omen → Anzeichen.

Omi → Großmutter.

Omikron → Buchstabe.

ominös → anrüchig.

¹Omnibus, Autobus, Bus, Car (schweiz.), Autocar (schweiz.), Gesellschaftskraftwagen · Dop-

pelstockomnibus, doppelstöckiger Bus, Doppeldecker (ugs.) ·· Überlandbus · in Amerika: Greyhound; → Auto, → Obus, → Verkehrsmittel.

²Omnibus → Verkehrsmittel.

Omnibusfahrt → Fahrt.

omnipotent → göttlich.

Omnipotenz → Gotteseigenschaften.

Omnipräsenz → Gotteseigenschaften.

Omorke → Gurke.

Omphalos → Nabel.

Omphalozele → Bruch.

Onanie → Selbstbefriedigung.

onanieren → masturbieren.

Ondit → Gerücht.

Ondulation → Frisur.

ondulieren → frisieren.

Oneirodynie → Traum.

Onestep → Tanz.

¹Onkel, Oheim; → Verwandter.

²Onkel: guter O. → Kinderschänder; O. Sam → Amerika; über den [großen / dicken] O. gehen → fortbewegen (sich).

Onkelehe → Ehe.

onkeln → fortbewegen (sich).

Onkologe → Arzt.

Onkologie → Heilkunde.

Önomanie → Säuferwahnsinn.

Onomasiologie → Bezeichnungslehre.

Onomastik → Namenkunde.

Onomatologie → Namenkunde.

Onomatomanie → Anankasmus.

Ontogenese, Ontogenie · Ggs. → Phylogenie.

Ontogenie → Ontogenese.

Ontologie, Seinslehre, Lehre vom Sein, Ontosophie; → Wissenschaft.

Ontosophie → Ontologie.

Onychauxis → Nagelkrankheit.

Onychiasis → Nagelkrankheit.

Onychie → Nagelkrankheit.

Onychitis → Nagelkrankheit.

Onychogrypose → Nagelkrankheit.

Onychoklasie → Nagelkrankheit.

Onychoklasis → Nagelkrankheit.

Onychokryptose → Nagelkrankheit.

Onycholyse → Nagelkrankheit.

Onychomadese → Nagelkrankheit.

Onychopacitas → Nagelkrankheit.

**Onychopathie** → Nagelkrank-
heit.
**Onychoptose** → Nagelkrank-
heit.
**Onychorrhexis** → Nagelkrank-
heit.
**Onychoschisis** → Nagelkrank-
heit.
**Onychoschizie** → Nagelkrank-
heit.
**Onychose** → Nagelkrankheit.
**Onychosis** → Nagelkrankheit.
**Onyx** → Schmuckstein.
**Onyxis** → Nagelkrankheit.
**Onyxitis** → Nagelkrankheit.
**Opa:** → Großvater, → Mann;
-s ... → altmodisch; aus -s
Zeiten sein → überlebt [sein].
**opak** → undurchsichtig.
**Opakglas** → Glas.
**Opal** → Schmuckstein.
**opaleszieren** → leuchten.
**Opalglas** → Glas.
**opalisieren:** → leuchten; -d →
glänzend.
**Opanke** → Schuh.
**Opapa** → Großvater.
**Op-art** → Malerei.
¹**Oper,** Musikdrama · *ernste,
große:* Opera seria · *heldenhafte:*
Opera eroica · *teils ernste, teils
heitere:* Opera semiseria · *hei-
tere, komische:* Opera buffa,
Singspiel · *mit gesprochenen
Dialogen durchsetzte:* Spieloper,
Opéra comique; → Musik,
→ Operette, → Puppentheater,
→ Schauspiel, → Theater, →
Theatergebäude.
²**Oper** → Theatergebäude.
**Opera buffa** → Oper.
**Opéra comique** → Oper.
**Opera eroica** → Oper.
**Opera semiseria** → Oper.
**Opera seria** → Oper.
**Operateur** → Arzt.
¹**Operation** [chirurgischer / ope-
rativer] Eingriff, [operative]
Eröffnung, Sektion, Schnitt,
Inzision, [operativer] Ein-
schnitt, operative Spaltung ·
*bei der Organ- oder Körperteile
entfernt werden:* Resektion, Ex-
zision, operative Entfernung,
Ausschneidung, Amputation,
Ablation, Absetzung, Gliedabsetzung, Abtragung, Gliedab-
tragung, Exartikulation · *bei
der ganze Organe o.ä. entfernt
werden:* Ektomie, Ausschälung,
Aushobelung, Abhobelung, Ex-

stirpation, Totaloperation, Radikaloperation, Totalexstirpation · *der Harn- oder Gallenblase:* Zystektomie · *des Magens:* Gastrektomie · *eines
Lungenflügels:* Pneumektomie
·· *um einen Krankheitsherd
herum erfolgende:* Zirkumzision,
Umschneidung · *zur Befestigung von Geweben oder Organen:*
Fixation, Pexis, operative Befestigung, Annähung, Vernähung, Naht ·· *kosmetische:*
Schönheitsoperation · *durch
die erschlaffte Körperpartien
gestrafft werden:* Lifting, Lift ·
*durch die das Aussehen der Nase
verändert wird:* Rhinoplastik; →
Obduktion, → Transplanta-
tion, → Verätzung; → ope-
rieren.
²**Operation:** → Handhabung;
eine O. durchführen → operieren.
**Operationsgebiet** → Kriegsschauplatz.
**Operationsschwester** → Krankenschwester.
**Operationstisch** → Tisch.
**operativ:** -e Befestigung / Entfernung / Eröffnung / Spaltung, -er Eingriff / Einschnitt
→ Operation; o. entfernen →
operieren.
**Operette,** Musical; → Musik,
→ Oper, → Puppentheater,
→ Schauspiel, → Theater.
**Operettenfilm** → Kinofilm.
**Operettenmusik** → Musik.
**operieren,** einen Eingriff machen / vornehmen, schneiden,
eine Operation durchführen,
jmdn. unter dem Messer haben /
unters Messer nehmen (*ugs.*) ·
*ein Tier:* vivisezieren · *einen
toten Körper:* sezieren, obduzieren · *wobei Körperteile weg-
geschnitten werden:* amputieren,
resezieren, operativ entfernen;
→ transplantieren; → Ope-
ration.
**Opernfilm** → Kinofilm.
**Opernglas** → Fernglas.
**Opernhaus** → Theatergebäude.
**Opernmusik** → Musik.
**Opernorchester** → Orchester.
**Opernsänger** → Sänger.
**Opernsängerin** → Sängerin.
¹**Opfer,** Verzicht, Aufopferung;
**O. bringen** (für etwas), einer
Sache Tribut zollen, etwas tun

für etwas; **O. bringen müssen,**
nichts [im Leben] geschenkt /
umsonst erhalten, es wird einem
nichts geschenkt, für alles [im
Leben] bezahlen müssen; alles
hat seinen Preis, nur der Tod
ist umsonst; → opfern.
²**Opfer:** → Beitrag, → Kollekte,
→ Märtyrer; ein O. bringen
für → einstehen (für); zum
O. fallen → opfern.
**Opferaltar** → Opferstätte.
**Opferbereitschaft** → Demut.
**Opferherd** → Opferstätte.
**Opfermut** → Demut.
¹**opfern,** preisgeben, hingeben,
hinopfern, aufopfern, drangeben (*ugs.*), verheizen (*salopp*) ·
*alles, das Letzte:* sich das letzte
Hemd vom Leibe reißen, das
letzte Hemd hergeben; **ge-
opfert werden,** zum Opfer fallen; → abgeben, → abnutzen,
→ spenden; → Entäußerung.
²**opfern:** → spenden; sich o.
für → einstehen (für).
¹**Opferstätte,** Opferstein, Opfer-
tisch, Altar, Opferaltar, Brand-
altar, Opferherd; → Altar,
→ Kultstätte.
²**Opferstätte** → Kultstätte.
**Opferstein** → Opferstätte.
**Opfertisch** → Opferstätte.
**Ophthalmiatrie:** → Augenheil-
kunde, → Heilkunde.
**Ophthalmiatrik:** → Augenheil-
kunde, → Heilkunde.
**Ophthalmologe** → Arzt.
**Ophthalmologie** → Heilkunde.
**Ophthalmorrhagie** → Blutung.
**Ophthalmorrhö** → Blutung.
**Opi** → Großvater.
**Opiomanie** → Opiumvergif-
tung.
**Opisthogenie** → Kleinwuchs.
**Opisthognathie** → Kleinwuchs.
**Opium** → Rauschgift.
**Opiumismus:** → Opiumvergif-
tung, → Sucht.
**Opiumraucher** → Raucher.
**Opiumsucht:** → Opiumvergif-
tung, → Sucht.
**Opiumvergiftung,** Opiumismus,
Opiumsucht, Opiomanie · Mor-
phinvergiftung, Morphinismus,
Morphiumsucht, Morphinoma-
nie, Morphiomanie, Morphini-
sation (*selten*) · Heroinvergif-
tung, Heroinismus, Heroin-
sucht, Heroinomanie · Kodein-
vergiftung, Kodeinismus, Ko-

deinsucht, Kodeinomanie; → Aufputschmittel, → Beruhigungsmittel, → Kokainvergiftung, → Rauschgift, → Rauschgiftsüchtiger, → Sucht, → Vergiftung.

**Opossum** → Pelz.

**Opponent** → Gegner.

**opponieren** → aufbegehren.

**opportun** → zweckmäßig.

**Opportunismus** → Anpassung.

**Opportunist,** Gesinnungslump (*abwertend*), Proteus, Chamäleon (*abwertend*), Konjunkturritter (*abwertend*), Radfahrer (*salopp*), Streber, Märzgefallener (*ugs., scherzh.*); → Anhänger, → Karrieremacher; **O. sein,** opportunistisch sein, seine Gesinnung [wie das / wie sein Hemd] wechseln, mit den Wölfen heulen, mit dem Strom / nicht gegen den Strom schwimmen, mit dem Wind segeln, die Fahne / sein Fähnchen / den Mantel nach dem Wind hängen; → umschwenken.

**opportunistisch:** o. sein → Opportunist [sein].

**Opportunität** → Möglichkeit.

**¹Opposition,** Gegenpartei, Gegenseite; → Konkurrenz.

**²Opposition:** → Gegensatz; Außerparlamentarische O. → Widerstandsbewegung; in O. stehen zu → kontrastieren.

**oppositionell** → gegensätzlich.

**Oppositionspartei** → Partei.

**optieren** → wählen.

**Optik:** → Anblick; einen Knick in der O. haben → blicken.

**optimal,** bestmöglich, größtmöglich, sehr gut; → beste.

**Optimismus,** Zuversichtlichkeit, Hoffnungsfreude, Lebensbejahung, Lebensmut, Zukunftsglaube, Fortschrittsgläubigkeit; → Hoffnung, → Optimist; → zuversichtlich · Ggs. → Pessimismus, → Pessimist.

**Optimist,** Zukunftsgläubiger, Idealist, Schwärmer, Frohnatur, Sanguiniker; → Optimismus; → lebenstüchtig [sein]; → zuversichtlich · Ggs. → Pessimist.

**optimistisch:** → selbstbewußt, → zuversichtlich.

**Optimum** → Höhepunkt, → Maximum.

**Option** → Erlaubnis.

**optisch,** visuell; → sehen; → Augenlicht.

**opulent** → üppig.

**Opus** → Werk.

**Orakel** → Voraussage.

**orakelhaft** → rätselhaft.

**orakeln** → voraussehen.

**¹oral,** per os; → bukkal; → einnehmen · Ggs. → rektal.

**²oral:** -e Phase → Entwicklungsphase.

**orange,** orangefarben, zinnober, mennige, kadmiumorange, chromorange, hellorange, blaßorange, dunkelorange, tieforange, rotorange, gelborange, braunorange, lachsfarben, kupferfarben, gelberübenfarben, apfelsinenfarben, aprikosenfarben, mandarinorange, melonenorange, pfirsichorange; → bunt, → einfarbig, → gelb, → rot.

**Orange** → Apfelsine.

**Orangeade** → Fruchtsaft.

**Orangeat,** kandierte Apfelsinenschale / Orangenschale, Sukkade, Aranzini (*österr.*), Arancini (*österr.*); → Apfelsine, → Zitronat; → zuckern.

**orangefarben** → orange.

**Orangenbrotbaum** → Laubhölzer.

**Orangenhaut** → Zellulitis.

**Orangenschale:** kandierte O. → Orangeat.

**Orangenspalte** → Apfelsinenscheibe.

**Orangerie,** Palmenhaus, Gewächshaus; → Treibhaus.

**orangerot** → rot.

**Orang-Utan** → Affe.

**Orator** → Redner.

**Oratorianer** → Mönchsorden.

**Oratoriensänger** → Sänger.

**Oratoriensängerin** → Sängerin.

**Oratorium** → Lied.

**Orbitalstation** → Weltraumstation.

**Orchester,** Sinfonieorchester, Opernorchester, Kammerorchester, Streichorchester, Streicherensemble, Bläserensemble, Solistenvereinigung · *für Unterhaltungsmusik oder bestimmte Gelegenheiten:* Schulorchester, Unterhaltungsorchester, Kurorchester, Kapelle, Kurkapelle, Stimmungskapelle, Stimmungsorchester, Attraktionskapelle (*schweiz.*), Militärkapelle, Blaskapelle, Blasorchester, Posau-

nenchor, Tanzkapelle, Tanzorchester, Musikkapelle, Musikensemble, Zigeunerkapelle, Damenkapelle, Jazzband, Band, Combo, Musik (*ugs.*); → Dirigent, → Musikveranstaltung; → dirigieren.

**Orchesterchef** → Dirigent.

**Orchesterkonzert** → Musikveranstaltung.

**Orchesterleiter** → Dirigent.

**Orchestermitglied** → Musizierender.

**Orchestermusik** → Musik.

**Orchestermusiker** → Musizierender.

**Orchidee** · Knabenkraut, Frauenschuh, Nestwurz, Sumpfwurz, Ragwurz, Waldvöglein, Korallenwurz, Esmeralda, Waldhyazinthe, Venusschuh, Vanille; → Blume.

**orchideenlila** → violett.

**Orchis** → Hoden.

**¹Orden,** Ehrenzeichen, Auszeichnung, Dekoration, Verdienstorden, Verdienstkreuz, Ehrenkreuz, Kriegsorden, Ehrennadel, Ehrenplakette, Schulterbandorden, Halsorden, Brustorden, Lametta (*salopp, scherzh.*) · *in der BRD:* Bundesverdienstkreuz · *in England:* Hosenbandorden · *in Frankreich:* Pour le mérite · *in der UdSSR:* Leninorden; → Lob; **jmdm. einen O. verleihen,** jmdn. dekorieren; **einen O. bekommen,** einen Orden kriegen (*ugs.*), dekoriert werden.

**²Orden:** → Kongregation; Deutscher O. → Ritterorden; [männlicher O.] → Mönchsorden; [weiblicher O.] → Nonnenorden.

**Ordensband** → Schmetterling.

**Ordensbruder** → Mönch.

**Ordensburg** → Burg.

**Ordensfrau** → Nonne.

**Ordensgeistlicher** → Mönch.

**Ordensmann** → Mönch.

**Ordensritter** → Ritter.

**Ordensschwester** → Nonne.

**ordentlich:** → adrett, → angemessen, → ansehnlich, → diszipliniert, → ehrenhaft, → gehörig, → ordnungsliebend; es jmdm. o. geben → schlagen.

**Order:** → Bestellung, → Weisung.

**Ordinalzahl:** → Wortart, → Zahl.

**Ordination** → Priesterweihe.

**ordinär:** → gewöhnlich; -es Wort → Vulgärausdruck.

**Ordinarienuniversität** → Hochschule.

**Ordinarius:** → Hochschullehrer, → Klassenlehrer.

**Ordination:** → Amtseinführung, → Sprechstunde, → Sprechzimmer.

**Ordinationshilfe** → Sprechstundenhilfe.

**Ordinationszimmer** → Sprechzimmer.

**ordnen:** → gliedern; abecelich / alphabetisch / nach dem Abc (oder:) Abece (oder:) Alphabet o. → alphabetisieren; das Haar o. → frisieren.

**Ordner** → Aktenordner.

**¹Ordnung,** geordneter Zustand; **in O. sein:** es ist alles in Ordnung / (*ugs.*) in Butter / (*salopp*) o.k. / (*salopp*) okay; **in O. kommen:** etwas kommt in Ordnung / erledigt sich / regelt sich; **nicht in O. sein,** etwas stimmt nicht, etwas ist faul [im Staate Dänemark] (*ugs.*), da ist der Wurm drin (*salopp*); **etwas in O. bringen,** ins Lot / wieder ins [rechte] Gleis bringen, die Karre aus dem Dreck ziehen (*salopp*), wir werden das Kind schon schaukeln (*salopp*); **O. schaffen,** mit etwas [gewaltsam] aufräumen / Schluß machen, den Augiasstall ausmisten (*ugs.*), reinen Tisch / Tabula rasa machen; → okay, → ordnungsgemäß, → ordnungsliebend.

**²Ordnung:** → Benehmen, → Disziplin, → Klasse; O. machen / in O. bringen → aufräumen; O. schaffen → eingreifen; auf O. haltend → ordnungsliebend; in O. → okay; in O. bringen → bereinigen, → gesund [machen], → reparieren; in abecelicher / alphabetischer O. → alphabetisch; in eine abeceliche / alphabetische O. bringen → alphabetisieren; etwas kommt in O. → bereinigen; in O. sein → heil [sein]; in der O. sein → Richtigkeit; nicht in O. sein → defekt [sein], → krank

[sein]; zur O. rufen → schelten.

**ordnungsgemäß,** vorschriftsmäßig, wie vorgeschrieben, nach / laut Vorschrift, lege artis; → Ordnung.

**Ordnungshüter** → Polizist.

**ordnungsliebend,** auf Ordnung haltend, ordentlich, eigen, penibel; → Ordnung.

**Ordnungszahl:** → Wortart, → Zahl.

**Ordonnanz** → Abgesandter.

**Öre** → Zahlungsmittel.

**Oregano** → Gewürz.

**Orfe** → Fisch.

**¹Organ,** Körperorgan; → Sinnesorgan.

**²Organ:** → Amt, → Gefühl, → Stimme, → Zeitung; kein O. für etwas haben → unzugänglich.

**Organauspflanzung** → Explantation.

**Organdy** → Stoff.

**Organeinpflanzung** → Implantation.

**Organigramm** → Entwurf.

**Organisation:** → Abhaltung, → Bewerkstelligung, → Genossenschaft, → Vereinigung.

**Organisationsplan** → Entwurf.

**organisch,** gewachsen, einheitlich, zusammenhängend; → echt.

**organisieren:** → veranstalten, → verwirklichen, → wegnehmen.

**Organisierung:** → Abhaltung, → Bewerkstelligung.

**Organist:** → Kantor, → Musizierender.

**Organleistung:** ungenügende O. → Funktionsstörung.

**Organmandat** → Strafzettel.

**Organrückverpflanzung** → Transplantation.

**Organschwund** → Ernährungsstörung.

**Organübertragung** → Transplantation.

**Organverpflanzung** → Transplantation.

**Organwiedereinpflanzung** → Implantation.

**Organza** → Stoff.

**Orgasmus** → Höhepunkt.

**Orgel:** → Tasteninstrument; elektronische O. → Elektroorgel.

**Orgelbauer** → Musikinstrumentenbauer.

**Orgelmusik** → Musik.

**orgeln:** → koitieren; Klabustermarsch o. → schikanieren.

**Orgelsonate** → Sonate.

**Orgelspieler:** → Kantor, → Musizierender.

**Orgiasmus** → Lust.

**Orgie** → Ausschweifung.

**Orient,** Osten, Vorderer Orient, Naher Osten, Nahost, Mittlerer Osten, Ferner Osten / Orient, Morgenland; → orientalisch · Ggs. → Europa.

**¹orientalisch,** östlich, fernöstlich, morgenländisch; → Orient · Ggs. → abendländisch.

**²orientalisch:** Orientalische Hyazinthe → Liliengewächs.

**orientieren:** sich o. → fragen; orientiert sein → wissen.

**Orientierung:** die O. verlieren → verirren (sich).

**orientrot** → rot.

**Orienttabak** → Tabak.

**Orientteppich,** Perserteppich, Perser (*ugs.*), echter Teppich · *mit einem sternförmigen oder ovalen Mittelstück:* Medaillonteppich · *türkischer:* Bergama, Bursa, Karaman, Kayseri, Konya, Megri, Milas, Mosul, Sivas, Smyrna, Usak, Holbeinteppich, Yürück · *aus dem Kaukasusgebiet:* Dagestan, Derbent, Dschebrail, Eriwan, Kasak, Kuba, Schirwan, Seichur, Sile, Sumak · *iranischer:* Abade, Afschari, Ardabil, Bachtiari, Bidschar, Dschuschegan, Ghom, Hamadan, Herat, Heris, Isfahan, Kerman, Keschan, Kurdenteppich, Luristan, Meschhed, Mir, Nain, Sandschan, Serabend, Sarugh, Schiras, Senne, Sultanabad, Täbris, Teheran, Varamin · *aus Zentralasien:* Afghan, Belutsch, Beschir, Buchara, Chiwa, Hatschly, Jomud, Pendeh, Samarkand, Tekke-Turkmene · *aus Ostturkestan:* Chotan, Jarkent, Kaschgar, Margelan · *als Läufer:* Galerie, Kenare · Gebetsteppich, Namazlik; → Teppich, → Wandteppich.

**original** → ursprünglich.

**¹Original,** erste Fassung, Urfassung, Urschrift, Urtext · Ggs. → Abschrift, → Nachahmung.

**²Original:** → Außenseiter, → Grundlage, → Spaßvogel.

**Originalausgabe** → Edition.
**Originalität:** → Einfallsreichtum, → Ursprünglichkeit.
**Originalrezept** → Kochrezept.
**Originalübertragung** → Direktsendung.
**originär** → ursprünglich.
**originell:** → echt, → schöpferisch.
**Orion** → Sternbild.
**Orkan:** → Wind, → Windstärke.
**orkanartig:** -er Sturm → Windstärke.
**Orkus** → Hölle.
**Orlog** → Krieg.
**Orlon** → Chemiefaser.
**Orlowtraber** → Pferd.
**Ornat** → Kleidung.
**Ornithologie** → Vogelkunde.
**Orpheusspötter** → Vogel.
**Orphismus** → Malerei.
**Orplid** → Fabelland.
**¹Ort,** Ortschaft, Dorf, Flecken, Marktflecken, Siedlung, Ansiedlung, Kiez (*ugs., landsch., abwertend*), Nest (*abwertend*), Kaff (*salopp, abwertend*), Kuhdorf (*salopp, abwertend*); → Dorf, → Gemeinde, → Gemeinschaftssiedlung, → Innenstadt, → Stadt; → kommunal.
**²Ort:** → Stelle; gewisser O. → Toilette; O. der Finsternis / der Verdammnis / der Verdammten → Hölle; O. der Handlung / Tat → Schauplatz; an diesem O. → hier; an diesen / jenen O. → dahin; an einen anderen O. rücken / stellen → verrücken; an irgendeinem O. → irgendwo; an jenem O. → dort; an keinem O. → nirgends; nach allen -en → überallhin; von allen -en → überallher.
**Örtchen:** [stilles / verschwiegenes Ö.] → Toilette.
**Orthopädie** → Heilkunde.
**orthopädisch:** -e Klinik → Krankenhaus.
**Orthosympathikus** → Nervensystem.
**orthosympathisch:** -es Nervensystem / System → Nervensystem.
**orten,** aufspüren, den Standort bestimmen, ausfindig machen, ausfinden, ausmachen, ermitteln, in Erfahrung bringen, feststellen, auf die Spur kommen, herausfinden, heraus-

bekommen, herausbringen (*ugs.*), herauskriegen (*salopp*), rausbringen (*salopp*), ausklamüsern (*ugs.*), aufstöbern, auftreiben (*ugs.*), auflesen (*ugs.*), aufgabeln (*salopp*), auffischen (*salopp*); → beschaffen, → erfahren, → erfinden, → fragen, → sehen, → wahrnehmen; → Auskundschafter, → Fundbüro · Ggs. → suchen.
**orthodox:** → fromm, → unzugänglich.
**Orthographie,** Rechtschreibung; → Handschrift; → orthographisch.
**¹orthographisch,** rechtschreiblich; → Orthographie.
**²orthographisch:** -es Wörterbuch → Nachschlagewerk.
**Orthopäde** → Arzt.
**örtlich:** -e Blutleere → Blutleere.
**Örtlichkeit** → Stelle.
**Ortolan** → Vogel.
**Ortsangst** → Phobie.
**ortsansässig** → einheimisch.
**Ortschaft** → Ort.
**ortsfest,** ortsgebunden, stillstehend, bleibend, stationär, standörtlich · Ggs. → ambulant.
**ortsgebunden:** → ortsfest; nicht o. → ambulant.
**Ortsgespräch** → Telefongespräch.
**Ortsschild** → Wegweiser.
**Ortsteil** → Stadtteil.
**Ortsumfahrung** → Umgehungsstraße.
**Ortsunkundiger** → Fremder.
**Ortsveränderung,** Lokomotion, Bewegung von einer Stelle zur andern, Fortbewegung, Platzwechsel, Stellungswechsel; → Fortbewegung; → fortbewegen (sich).
**Ortszeit** → Zeit.
**Oscar** → Filmpreis.
**Oscheozele** → Bruch.
**Öse:** Haken und Ö. → Heftel.
**Oskar:** frech wie O. sein → frech [sein].
**osmanisch:** Osmanisches Reich → Türkei.
**Osmium** → Edelmetall.
**OSO** → Himmelsrichtung.
**Ösophagogramm** → Röntgengramm.
**Ösophagographie** → Röntgengraphie.
**Ösophagoskopie** → Ausspiegelung.

**Ost:** → Himmelsrichtung, → Wind.
**Ost-Bengal** → Bengalenland.
**Ost-Berlin** → Berlin.
**Ostblock** → Osten.
**ostchinesisch:** Ostchinesisches Meer → Pazifik.
**Ostdeutschland** → Deutschland.
**¹Osten,** Ostblock, sozialistisches Lager, sozialistische Länder, Oststaaten, Länder hinter dem Eisernen Vorhang · Ggs. → Westmächte (die).
**²Osten:** → Himmelsrichtung; [Ferner / Mittlerer / Naher O.] → Orient.
**ostentativ:** → nachdrücklich, → provozierend, → streitbar.
**Osteomalazie** → Knochenerweichung.
**Osterblume** → Narzisse.
**Osterferien** → Ferien.
**Osterfest** → Ostern.
**Osterglocke** → Narzisse.
**Osterhase** → Hase.
**Osterkälbchen** → Marienkäfer.
**Osterkerze** → Kerze.
**Ostermarsch** → Demonstration.
**Ostermond** → April.
**Ostermontag** → Ostern.
**¹Ostern,** Osterfest, Auferstehungsfest, Fest der Auferstehung Christi, die Ostertage · 1. / 2. Ostertag, Ostersonntag, Ostermontag; → Kirchenfest, → Kirchenjahr.
**²Ostern:** → Feiertag; [1.—6. Sonntag nach O.] → Kirchenjahr; Donnerstag vor O. → Gründonnerstag; die vierzig Tage vor O. → Passionszeit.
**Österreich,** Austria, Alpenrepublik, Neidgenossenschaft (*scherzh., abwertend*), Donaumonarchie (*hist.*); → Österreicher.
**Österreicher,** Homo austriacus (*scherzh.*), Zwockel (*abwertend*), Kamerad Schnürschuh (*scherzh.*); → Österreich.
**Ostersonntag** → Ostern.
**Osterspiel** → Drama.
**Ostertag:** die -e, erster / zweiter O. → Ostern.
**osteuropäisch:** -e Zeit → Zeit.
**Ostfränkisch** → Mundart.
**Ostjude** → Israelit.
**östlich** → orientalisch.
**Ostmark** → Zahlungsmittel.
**Ostpakistan** → Bengalenland.
**Östrogen** → Hormon.

Östromanie → Mannstollheit.
Ostsee → Atlantik.
Ostsektor → Berlin.
Oststaat: -en → Osten.
Ostsüdost → Himmelsrichtung.
Ostsüdosten → Himmelsrichtung.
Ostwind → Wind.
Ostzone → Deutschland.
Otiater → Arzt.
Otiatrie → Heilkunde.
Otium → Muße.
Otologe → Arzt.
Otologie → Heilkunde.
Otorhinolaryngologe → Arzt.
Otorhinolaryngologie → Heilkunde.
Otorrhagie → Blutung.
Otoskopie → Ausspiegelung.
Otter: → Pelz, → Raubtier, → Schlange, → Wild.
Otterhund → Hunderassen.
Ottomane → Liege.
ottonisch: -e Literatur → Literaturepochen; karolingisch-ottonische Malerei → Malerei; -er Stil → Baustil.
Otto Normalverbraucher → Durchschnittsbürger.
Outcast → Außenseiter.
Outfit → Rüstzeug.
Output → Produktionsmittel (die).
Outsider → Außenseiter.
Ouvertüre → Einleitung.
oval, ellipsenförmig, länglichrund, eiförmig, eirund; → rund.
Ovarialgravidität → Schwangerschaft.
Ovarialschwangerschaft → Schwangerschaft.
Ovariomanie → Mannstollheit.
Ovation → Beifall.
Overall → Anzug.
overdressed: → aufgeputzt; o. sein → anziehen.
Ovulation, Eisprung, Follikelsprung; → Menstruation.
Ovulationshemmer, Antibabypille, Pille, Wunschkindpille (*DDR*); → Empfängnisverhütungsmittel, → Präservativ.
Ovulum → Keimzelle.
Ovum → Keimzelle.
Oxalisrübe → Gemüse.
Oxer → Hindernis.
Oxybiose → Leben.
oxydrot → rot.
Oxytozin → Hormon.
Ozaena → Schnupfen.
Ozean: → Atlantik, → Meer.

Atlantischer O. → Atlantik; Arktischer / Indischer O. → Weltmeer; Nordatlantischer / Südatlantischer O. → Atlantik, → Weltmeer; Nordpazifischer / Pazifischer / Stiller / Südpazifischer O. → Pazifik.
Ozeandampfer → Schiff.
Ozeaner → Schiff.
Ozeanflug → Flug.
ozeanisch → maritim.
Ozeanliner → Schiff.
Ozeanriese → Schiff.
Ozelot: → Pelz, → Raubtier.
Ozon: → Atemluft, → Gas, → Luft.

# P

paar: ein p. → einige.
Paar: → Ehepaar, → Stück; zu -en treiben → einschreiten.
paaren: sich p. → koitieren.
Paartopf → Eßgeschirr.
Paarung → Koitus.
Pacht: → Miete; in P. nehmen → mieten.
pachten → mieten.
Pachthof → Bauernhof.
Pachtvertrag → Mietvertrag.
Pachtzins → Mietzins.
Pachyakrie → Großwuchs.
Pachydaktylie → Großwuchs.
Pachymeningitis → Gehirnhautentzündung.
Pachymeninx → Meninx.
Pachyotie → Großwuchs.
Pachypodie → Großwuchs.
Pack: → Abschaum, → Packen; mit Sack und P. → beladen.
Päckchen: → Packen, → Packung, → Postsendung; sein P. zu tragen haben → Schicksal.
Packeis → Eisscholle.
Packelei → Abmachung.
packeln → konspirieren.
Packeln → Schuh.
packen: → ergreifen (jmdn.); etwas packt jmdn. → .erschüttern, → überkommen; den Stier bei den Hörnern p. → anfangen; jmdn. in Watte p. → umgehen (mit jmdm.).
Packen, Paket, Frachtstück, Kollo, Kolli (*österr.*), Pack, Päckchen, Ballen, Bund, Bündel, Binkel (*bayr., österr.*), Welle (*südwestd., schweiz.*); → Schachtel.

packend → interessant.
Packesel → Arbeitstier.
Packpapier → Einwickelpapier.
¹Packung, Päckchen, Klarsichtpackung, Geschenkpackung, Haushaltspackung · *die nur Dekorationszwecken dient:* Schaupackung, Attrappe, Blindpackung, Leerpackung, Musterpackung, Dummy; → Schachtel, → Verpackung; → einpacken.
²Packung: → Gepäck, → Wickel; eine P. mit Konfekt / Pralinen → Bonbonniere.
Pädagoge → Lehrer.
Pädagogik, Erziehungswissenschaft; → Didaktik, → Wissenschaft.
¹pädagogisch, erzieherisch, erziehlich · didaktisch, methodisch; → lehrhaft; → Lehrer.
²pädagogisch: → schlau; -e Hochschule → Hochschule.
Padde → Frosch.
Paddel → Ruder.
Paddelboot → Boot.
paddeln → Boot [fahren].
Päderast → Homosexueller, → Kinderschänder.
Pädiater → Arzt.
Pädiatrie → Heilkunde.
Pädophiler → Kinderschänder.
Pädophobie → Misopädie.
Padrone → Herr.
Paeonie → Pfingstrose.
Pafese → Gebäck.
paffen → rauchen.
Page → Diener.
Pagenkopf → Frisur.
Pagina → Seite.
paginieren → numerieren.
Pagode → Gotteshaus.
Pahlstek → Knoten.
Paillette: -n → Flitter.
Paillettenstickerei → Stickerei.
Paise → Zahlungsmittel.
Pak → Panzerabwehrkanone.
Paket: → Packen, → Postsendung.
Paketzusteller → Zusteller.
pakschierlich → hübsch.
Pakt → Abmachung.
paktieren → konspirieren.
Paladin → Gefolgsmann.
Palais: → Palast; P. Schaumburg → Regierung.
Paläozoikum → Erdzeitalter.
Palast, Schloß, Palais, Castle, Château, Palazzo; → Festung, → Haus.

Palästina → Israel.
Palatschinke → Omelett.
palavern → sprechen.
Palazzo → Palast.
Palerbse → Gemüse.
Paletot → Mantel.
Palette: → Farbkasten; eine breite P. von → viele.
Palimpsest → Text.
Palindrom: → Satz, → Wort.
Palisade → Hindernis.
palisieren → weggehen.
Palla → Umhang.
Palladium → Edelmetall.
Pallas Athene → Göttin.
Pallawatsch → Unsinn.
Palliativ → Linderungsmittel.
Palliativum → Linderungsmittel.
Pallium → Gehirnrinde.
Pallotiner → Mönchsorden.
Palmarum: → Kirchenjahr, → Palmsonntag.
¹Palme, Dattelpalme, Ölpalme, Sagopalme, Kokospalme, Zwergpalme, Fächerpalme, Fiederpalme; → Laubhölzer.
²Palme: Goldene P. → Filmpreis; die P. des Sieges erringen → siegen; auf die P. bringen → ärgern; sich einen von der P. locken → masturbieren.
Palmenhaus → Orangerie.
Palmenkapitell → Kapitell.
Palmentang → Alge.
Palmsago → Stärke.
Palmsonntag, Palmarum; → Kirchenfest, → Kirchenjahr.
Palmtaube → Vogel.
Palolowurm → Wurm.
Palpenmotte → Schmetterling.
Palstek → Knoten.
Pamp → Brei.
Pampa → Steppe.
Pampe → Schlamm.
Pampelmuse, Grapefruit; → Apfelsine, → Mandarine, → Südfrucht, → Zitrone.
Pampero → Wind.
Pampf → Brei.
pampfen → essen.
Pamphlet → Flugschrift.
pampig → frech.
Pamps → Brei.
Pan: → Herr, → Russe; die Stunde des P. → Mittag; in der Stunde des P. → mittags.
Panadelsuppe → Suppe.
Panama → Kopfbedeckung.
Panaritium → Nagelkrankheit.
Panaschee: → Dessert, → Eis.

panaschieren → wählen.
Pancreas → Pankreas.
Panegyrikus → Lobrede.
Panentheismus → Pantheismus.
Panflöte → Blasinstrument.
¹Panier (das): etwas auf sein P. schreiben → Programm.
²Panier (die): → Paniermehl.
Paniermehl, Semmelbrösel, Brösel, Semmelmehl · mit Ei vermischt zum Panieren: Panier (österr.); → Krümel; → braten, → kochen.
Panik: [P. machen] → Angst.
Panikmache → Pessimismus.
Panjepferd → Pferd.
Pankratius: Mamertus, P., Servatius → Eisheilige.
Pankreas, Pancreas (fachspr.), Bauchspeicheldrüse.
Panne: → Störung; etwas verläuft ohne -n → reibungslos.
Pannychis → Gottesdienst.
Panorama → Ausblick.
Panoramakamera → Fotoapparat.
panschen → verdünnen.
Pansflöte → Blasinstrument.
Pantaleon → Nothelfer.
Pantheismus, Panentheismus, Monismus; → Deismus, → Rationalismus, → Theismus.
Pantherpilz → Ständerpilz.
Pantherschildkröte → Schildkröte.
Pantine: aus den -n kippen → überrascht [sein].
Pantoffel: → Schuh; unter jmds. P. stehen → unterdrückt [werden].
Pantoffelheld → Ehemann.
Pantoffelkino → Fernsehgerät.
Pantoffeltierchen → Einzeller.
Pantolette → Schuh.
Pantomime: → Artist, → Gebärde, → Schauspiel.
Pantry → Küche.
Pantscherl → Liebelei.
¹Panzer, Tank, Panzerwagen.
²Panzer: stur wie ein P. sein → unzugänglich [sein].
Panzerabwehrkanone, Pak, Panzerfaust, Bazooka, Ofenrohr (ugs.); → Schußwaffe.
Panzerechse → Krokodil.
Panzerfaust → Panzerabwehrkanone.
Panzerfunker → Dienstgrad.
Panzergrenadier: → Dienstgrad, → Soldat.

Panzerjäger → Dienstgrad.
Panzerkanonier → Dienstgrad.
Panzerkreuzer → Kriegsschiff.
Panzermine → Mine.
Panzerpionier → Dienstgrad.
Panzerschiff → Kriegsschiff.
Panzerschrank → Tresor.
Panzerschütze → Dienstgrad.
Panzertruppe → Waffengattung.
Panzerwagen → Panzer.
Panzerweste → Weste.
papa → Gruß.
Papa → Vater.
Papagallo → Jüngling.
Papagei → Vogel.
Papageientulpe → Gartentulpe.
Papageitaucher → Vogel.
Papel → Hautblüte.
Paper → Manuskript.
Paperback → Buch.
Paperl → Vogel.
Papeterie → Papiergeschäft.
¹Papier, Naturpapier, Büttenpapier, Bütten, Leinenpapier, Leinen, Velinpapier, Velin, Pergamentpapier, Pergament, Hadernpapier, Lumpenpapier, Zellulosepapier, Alfapapier, Reispapier, Japanpapier, Chinapapier, Ingrespapier, Ingrain-papier; → Buntpapier, → Druckpapier, → Einwickelpapier, → Folie, → Löschpapier, → Pappmaché, → Schreibpapier.
²Papier: → Abmachung, → Manuskript, → Urkunde; -e → Ausweis; kariertes / liniertes P. → Schreibpapier; aufs P. werfen, zu P. bringen → aufschreiben; in P. hüllen / rollen / wickeln → einpacken.
Papierblume → Kunstblume.
Papierboot → Kopffüßer.
Papierdeutsch → Amtsdeutsch.
Papierfetzen → Papierschnitzel.
Papiergeld, Geldschein, Schein, Banknote, Note · aus der Zeit der Französischen Revolution: Assignate.
Papiergeschäft, Schreibwarenhandlung, Papierwarenhandlung, Papeterie (schweiz.); → Laden.
Papiergewichtler → Boxer.
Papierkorb → Abfalleimer.
Papierkrieg → Erledigung.
Papierlaterne → Lampion.
Papierleim → Bindemittel.
papierln → betrügen.

Papiermaché → Pappmaché.
Papiermesser → Messer.
Papiersack → Papiertüte.
Papierschere → Schere.
Papierschnipsel → Papierschnitzel.
Papierschnitzel, Schnitzel, Schnipsel, Papierschnipsel, Fetzen [Papier], Stück Papier, Zettel, Papierfetzen.
Papierserviette → Serviette.
Papiertiger → Gegner.
Papiertüte, Tüte, Papiersack (*österr.*), Sack (*österr.*), Stanitzel (*österr.*), Gucke (*oberd.*), Guck (*schwäb.*), Beutel, Tragtasche, Tasche; → Einkaufstasche, → Verpackung.
Papierwarenhandlung → Papiergeschäft.
Papille → Brustwarze.
Papirossa → Zigarette.
papp: nicht mehr p. sagen können → satt [sein].
Papp: → Bindemittel, → Brei.
¹Pappe, Pappkarton, Pappendeckel (*landsch.*) · Braunholzpappe, Lederpappe · Graupappe · Strohpappe · Dachpappe, Asphaltdachpappe, Wellpappe, Teerpappe; → Karton, → Pappmaché.
²Pappe: nicht von P. sein → unterschätzen.
pappen → fest [sein].
Pappen → Mund.
Pappendeckel → Pappe.
Pappenstiel: für einen P. kaufen → billig [kaufen].
pappig → klebrig.
Pappigkeit → Klebrigkeit.
Pappkarton: → Karton, → Pappe.
Pappmaché, Papiermaché; → Papier, → Pappe.
Pappschachtel → Schachtel.
Pappschnee → Schnee.
Paprika: → Gemüse, → Gewürz.
Paprikachips → Chips.
paprikarot → rot.
Paprikaschnitzel → Fleischgericht.
paprizieren → würzen.
papriziert → scharf.
Paps: → Brei, → Vater.
Papst: → Oberhaupt; päpstlicher als der P. sein → engherzig [sein]; den P. zum Vetter haben → Beziehung.
Papstkreuz → Kreuzzeichen.

päpstlich: -es Kreuz → Kreuzzeichen; -er als der Papst sein → engherzig [sein].
Papula → Hautblüte.
Papyruskapitell → Kapitell.
Papyrusknospenkapitell → Kapitell.
Para → Zahlungsmittel.
Parabel → Sinnbild.
Parabelbogen → Bogen.
Parabeltonne → Gewölbe.
parabolisch → sinnbildlich.
¹Parade, Truppenvorbeimarsch, Vorbeimarsch, Heerschau, Aufmarsch, Defilee (*schweiz., österr.*).
²Parade: jmdm. in die P. fahren → antworten.
Paradebeispiel → Exempel.
Paradebett → Bett.
Paradeiser → Tomate.
Paradekissen → Kissen.
Parademarsch → Marsch (der).
Paradentitis → Parodontitis.
Paradentopathie → Parodontopathie.
Paradentose → Parodontose.
Paradenummer → Glanzpunkt.
Paradeschritt, Gleichschritt, Stechschritt, Taktschritt (*schweiz.*); → Marsch (der), → Militär.
Paradies, [Garten] Eden, Elysium, Gefilde der Seligen; → Fabelland, → Fegefeuer, → Himmel, → Tummelplatz · Ggs. → Hölle.
Paradiesapfel → Tomate.
Paradiesfeige → Südfrucht.
Paradieslilie → Liliengewächs.
Paradiesvogel: → Sternbild, → Vogel.
Paradigma → Vorlage.
paradox → gegensätzlich.
Paragnosie → Hellsehen.
Paragnost → Medium.
Paragrammatismus → Aphasie.
Paragraph: → Abschnitt; P. 51 haben → geistesgestört [sein].
Paragraphie → Aphasie.
Paraguayspitze → Spitzenstickerei.
Paraguaytee → Tee.
Paralexie → Aphasie.
parallel → übereinstimmend.
Paralleldach → Dach.
¹Parallele, Entsprechung, Gegenstück, Analogie, Präzedenzfall, vergleichbarer Fall, Übereinstimmung; → Gleichartigkeit, → Kongruenz; → vergleichen.

²Parallele: → Vergleich; -n ziehen → vergleichen.
Parallelfalz → Falte.
Parallelogramm → Viereck.
Paralyse → Lähmung.
Parament, liturgisches Gewand, Altarbekleidung, Altardecke, Altartuch, Antependium; → Altarbild, → Altargerät.
Parameter → Konstante.
paramilitärisch → militärisch.
Paramnesie → Gedächtnisstörung.
Paranoia → Geistesgestörtheit.
paranoid → geistesgestört.
Paranoiker → Geistesgestörter.
Paranomie → Aphasie.
Paranuß → Nuß.
Paraparese → Lähmung.
Paraphasie → Aphasie.
Paraphe → Unterschrift.
paraphieren → unterschreiben.
Paraphierung → Unterzeichnung.
Paraphonie → Mißklang.
Paraphrasie → Aphasie.
Paraplasma → Protoplasma.
Paraplegie → Lähmung.
Parapluie → Schirm.
Parapsychologie: → Geisterbeschwörung, → Psychologie.
Parasol: → Schirm, → Ständerpilz.
Parasolpilz → Ständerpilz.
Parasympathikus → Nervensystem.
parasympathisch: -es Nervensystem / System → Nervensystem.
parat: p. haben → haben.
Parathormon → Hormon.
Paravariola → Pocken.
Paravent → Wandschirm.
Pardon: → Begnadigung, → Entschuldigung; P.! → Verzeihung!; P.? → bitte?; keinen P. geben → verschonen.
pardonieren → begnadigen.
Parechese → Wortspiel.
Parentalgeneration → Elterngeneration.
Parentationshalle → Leichenhalle.
Parentel → Familie.
Parenthese: in P. gesagt → nebenbei.
parenthetisch → nebenbei.
Parere → Expertise.
Parese → Lähmung.
Paresis → Lähmung.
paretisch → lahm.

**par excellence** → schlechthin.
**Parforcejagd** → Jagd.
**Parfum,** Parfüm · Duft, Duftstoff, Duftwasser, Duftessenz, Riechstoff · Kölnisch Wasser, Eau de Cologne · Eau de toilette, Toilettenwasser; → Geruch, → Rasierwasser.
**Parfüm** → Parfum.
**parfümiert:** → duftend, → würzig.
**Paria** → Außenseiter.
**parieren** → gehorchen.
**Paris:** → Adonis, → Frauenheld.
**Pariser** → Präservativ.
**Park,** Anlage, Grünanlage, Parkanlage, Garten, Grünfläche, grüne Lunge, Anpflanzung, Schmuckplatz (landsch.), Beserlpark (österr.).
**Parka** → Anorak.
**Parkanlage** → Park.
**Parkbank** → Sitzbank.
**parken,** halten, abstellen, parkieren (schweiz.); → garagieren; → Parkhaus.
**Parkett:** → Fußboden; eine kesse Sohle aufs P. legen → tanzen; etwas [spielend] aufs P. legen → mühelos [schaffen].
**Parkettboden** → Fußboden.
**Parkettsitz** → Sitzplatz.
**Parkhaus,** Großgarage, Garage, Tiefgarage, Autosilo; → Remise; → parken.
**parkieren** → parken.
**Parkingmeter** → Parkuhr.
**Parklandschaft** → Landschaft.
**Parkmauer** → Hindernis.
**Parkometer** → Parkuhr.
**Parkplatzwächter** → Wächter.
**Parkuhr,** Parkzeituhr, Parkometer, Parkingmeter (schweiz.); → parken.
**Parkwächter** → Wächter.
**Parkzeituhr** → Parkuhr.
**Parlament** → Volksvertretung.
**Parlamentär** → Abgesandter.
**Parlamentarier** → Abgeordneter.
**parlamentarisch:** -e Demokratie → Herrschaft.
**Parlamentsferien** → Ferien.
**parlieren** → sprechen.
**parmalila** → violett.
**Parmaschinken** → Schinken.
**parmaviolett** → violett.
**Parmesan** → Käse.

**Parodie:** → Nachahmung, → Satire.
**parodieren** → nachahmen.
**Parodontitis,** Paradentitis (veraltet), Alveolarpyorrhö (veraltet); → Parodontopathie.
**Parodontopathie,** Paradentopathie (veraltet), Zahnbetterkrankung · entzündliche: Parodontitis, Paradentitis (veraltet), Alveolarpyorrhö (veraltet) · degenerative: Parodontose, Paradentose (veraltet), Zahnfleischschwund, dystrophischer Zahnbettschwund; → Zahn.
**Parodontose,** Paradentose (veraltet), Zahnfleischschwund, dystrophischer Zahnbettschwund; → Paradontopathie, → Zahn.
**Parole:** → Losung, → Sprechakt.
**Paroli:** → Kragenspiegel; jmdm. P. bieten → einschränken; P. geboten bekommen → übertreffen.
**Parömie** → Ausspruch.
**Paromphalozele** → Bruch.
**Paronomasie** → Wortspiel.
**Paronychie** → Nagelkrankheit.
**Parotitis** → Ohrspeicheldrüsenentzündung.
**Paroxysmus:** → Anfall, → Höhepunkt.
**Parsec** → Längenmaß.
**Pars parasympathica** → Nervensystem.
**Pars sympathica** → Nervensystem.
**Parte** → Nachricht.
**¹Partei,** Gruppe, Sekte, Sparte, Fraktion · politische mit vielen zahlenden Mitgliedern: Massenpartei · die sich von einer größeren abgesplittert hat: Splitterpartei, Splittergruppe · politische mit wenigen eingetragenen Mitgliedern: Rahmenpartei · die die Regierung bildet: Regierungspartei · die eine der Regierungspolitik entgegengesetzte Haltung vertritt: Oppositionspartei · einzige zugelassene in totalitären Systemen: Staatspartei, Einheitspartei · mit entsprechenden politischen Zielen in einem anderen Staat: Bruderpartei, Schwesterpartei; → Herrschaft, → Subkultur; → regieren.
**²Partei:** → Mieter; P. ergreifen / nehmen für → eintreten (für).

**Parteiblatt** → Zeitung.
**Parteibuch:** das richtige P. haben → Beziehung.
**Parteibuchwirtschaft** → Vetternwirtschaft.
**Parteichinesisch** → Ausdrucksweise.
**Parteidiktatur** → Herrschaft.
**Parteienverkehr** → Amtsstunden.
**Parteifreund** → Freund.
**Parteigänger** → Anhänger.
**parteigebunden** → parteiisch.
**Parteigenosse** → Anhänger.
**¹parteiisch,** parteilich, parteigebunden, voreingenommen, vorbelastet, befangen, subjektiv, einseitig, unsachlich, ungerecht, nicht → unparteiisch; → einseitig, → gefärbt; → Vorurteil.
**²parteiisch:** p. sein → beurteilen.
**Parteijargon** → Ausdrucksweise.
**parteilich** → parteiisch.
**Parteilichkeit** → Vorurteil.
**Parteiprogramm** → Programm.
**Parteitag** → Tagung.
**parterre,** zu ebener Erde, ebenerdig, im Erdgeschoß, im Parterre; → Geschoß.
**Parterre:** → Geschoß; im P. → parterre.
**Partezettel** → Nachricht.
**Parthenogenese** → Fortpflanzung.
**Parthenogenesis** → Fortpflanzung.
**Partie:** → Ausflug, → Mannschaft, → Spiel; eine gute P. machen → heiraten; mit von der P. sein → teilnehmen.
**Partieführer** → Leiter (der).
**partiell** → teilweise.
**Partikular** → Rentner.
**Partikülier** → Rentner.
**partimreflexiv:** -es Verb → Verb.
**Partisan,** Heckenschütze (abwertend), Guerilla, Freischärler, Franktireur, Widerstandskämpfer, Untergrundkämpfer · französischer im 2. Weltkrieg: Maquisard · italienischer im 2. Weltkrieg: Guerrigliero · ursprünglich in Uruguay: Tupamaro, Stadtguerillero; → Abteilung, → Kampf, → Revolutionär.
**Partisanenkrieg** → Krieg.

Partitur → Notentext.
Partner: → Briefschreiber, → Geliebter, → Teilhaber.
Partnerschaft, Partnerschaftsverhältnis, Jumelage.
partnerschaftlich → freundschaftlich.
Partnerschaftsverhältnis → Partnerschaft.
Partnertausch → Koitus.
partout → unbedingt.
Parturitio → Geburt.
Partus → Geburt.
Partus immaturus → Fehlgeburt.
Partus praematurus → Geburt.
Partus serotinus → Geburt.
Party: → Fest; eine P. geben → feiern.
Parvenü → Emporkömmling.
Parze → Schicksalsgöttin.
Parzelle → Grundstück.
Pascha → Mann.
paschen: → applaudieren, → Schleichhandel [treiben].
Pascher → Schmuggler.
Paso doble → Tanz.
Paspel → Besatz.
¹Paß, Bergübergang, Sattel, Törl (österr.), Col (franz.).
²Paß: → Ausweis; auf der P. sein / stehen → auflauern.
passabel → annehmbar.
Passacaglia → Tanz.
Passage: →Abschnitt, → Durchfahrt, → Durchgang, → Reise.
passager → vorübergehend.
Passagier (Schiff, Flugzeug), Fahrgast (Zug), Fahrzeuginsasse, Reisender, Mitreisender · der nicht bezahlt hat: Schwarzfahrer, Strolchenfahrer (schweiz.), blinder Passagier; → Reise, → Urlaub, → Urlauber, → Verkehrsteilnehmer; → reisen.
Passagierdampfer → Fahrgastschiff.
Passagierflugzeug → Flugzeug.
Passagiermaschine → Flugzeug.
Passagierschiff → Fahrgastschiff.
Passahfest: P. erster Tag / achter Tag → Feiertag.
Passamezzo → Tanz.
¹Passant, Vorübergehender, Fußgänger; → Verkehrsteilnehmer.
²Passant → Fußgänger.
Passat → Wind.
Passatwind → Wind.
passé → überlebt.

¹passen: etwas paßt / kommt hin / (ugs.) haut hin / (ugs., iron.) paßt wie die Faust aufs Auge / (österr.) geht sich aus; etwas paßt jmdm., etwas kommt jmdm. gelegen / zupaß / wie gerufen / entspricht jmds. Vorstellung o. ä. / ist jmdm. recht / ist jmdm. nicht unlieb; etwas paßt zu jmdm., etwas ist jmdm. wie auf den Leib geschrieben / ist für jmdn. wie geschaffen / ist zugeschnitten auf jmdn. / ist maßgeschneidert; → eignen (sich), → gefallen; nicht p., fehl am Platz sein, etwas paßt nicht in die Landschaft; etwas paßt jmdm. nicht, etwas paßt jmdm. nicht ins Konzept / (ugs.) nicht in den Kram; → entgegenstehen.
²passen: → auflauern, → eignen (sich), → harmonieren, → nachgeben, → Paßform, → warten; p. müssen→antworten; etwas paßt jmdm. nicht → entgegenstehen; jmdm. paßt jmds. Nase nicht → hassen; etwas paßt wie die Faust aufs Auge → harmonieren; passen auf → achtgeben; etwas paßt zu jmdm. → kleiden.
¹passend, stimmig, in sich stimmend, entsprechend, adäquat; → abgestimmt, → fugenlos; → harmonieren, → stimmen.
²passend: → abgestimmt, → geeignet; p. sein → nützlich [sein].
Passepartout → Bilderrahmen.
Passepied → Tanz.
Passepoil → Besatz.
Passeport → Ausweis.
Passerelle → Brücke.
Paßform, Sitz; eine gute P. haben, einen guten Sitz haben, [wie angegossen] sitzen, passen.
Paßfoto → Fotografie.
Paßgang → Gangart.
Paßgänger → Pferd.
passierbar → befahrbar.
¹passieren, vorübergehen, vorbeifahren, vorbeigehen, durchreisen, durchqueren, überqueren, überfliegen; → fortbewegen (sich).
²passieren: → geschehen, sterben; etwas passiert jmdm. → unterlaufen; Revue p. lassen → vorstellen (sich etwas).

Passierschein → Ausweis.
passim → überall.
¹Passion, Leidenszeit; → Passionszeit.
²Passion: → Leidenschaft, → Liebhaberei.
Passionskreuz → Kreuzzeichen.
Passionsmusik → Musikveranstaltung.
Passionsspiel → Drama.
Passionszeit, Fastenzeit, die vierzig Tage vor Ostern; → Passion.
¹passiv, zurückhaltend, untätig, reserviert, teilnahmslos, still; → faul, → unzugänglich; → Passivität · Ggs. → aktiv.
²passiv → unparteiisch.
Passiv, Leideform · z. B. in folgenden Konstruktionen: geöffnet werden (die Tür wird geöffnet), sich öffnen (die Tür öffnet sich), man öffnet (die Tür); verraten werden, sich verraten sehen; jmdm. wird etwas angeboten, etwas angeboten erhalten / bekommen (er erhält / bekommt etwas angeboten); vollendet werden, Vollendung finden; bestätigt werden, Bestätigung erfahren; verändert werden, eine Veränderung erleiden; verwandelt werden, eine Verwandlung durchmachen; → Genera verbi; → lassen (sich) · Ggs. → Aktiv.
Passivität, Tatenlosigkeit, Untätigkeit, Reserviertheit, Zurückhaltung; → Bescheidenheit, → Teilnahmslosigkeit; → passiv.
Paßstraße → Straße.
Passus → Abschnitt.
Paste: → Medikament, → Salbe.
Pastell → Malerei.
Pastellkreide → Kreide.
Pastellmalerei → Maltechnik.
pastellrosa → rosa.
pastellrot → rot.
Pastellstift → Zeichenstift.
Pastille → Medikament.
Pastinak → Gemüse.
Pastinake → Gemüse.
Pastmilch → Milch.
Pastor → Geistlicher.
pastoral: → majestätisch, → seelsorgerisch.
Pastoraltheologie → Theologie.
pastös → aufgedunsen.
Patagonier → Indianer.

509

¹**Pate,** Patenonkel, Gevatter (*veraltet*), Gevattersmann (*veraltet*), Taufpate, Taufzeuge, Firmpate (*kath.*), Götti (*schweiz.*), Göd (*bayr.*, *österr.*); → Patenkind, → Patenschaft, → Patin.

²**Pate:** jmdm. die -n sagen → schelten; bei etwas P. gestanden haben → Einfluß.

**Patellarreflex** → Reflex.

**Patengeschenk** → Gabe.

**Patenkind,** Göttikind (*schweiz.*), Gottchen (*schweiz.*); → Pate.

**Patenonkel** → Pate.

**Patenschaft,** Gevatterschaft (*veraltet*); → Pate.

**patent** → tüchtig.

¹**Patent,** Schutzurkunde, Erfindungsschutz; → Urkunde, → Warenzeichen.

²**Patent** → Urkunde.

**Patentante** → Patin.

**Patentanwalt** → Jurist.

**Patentlösung:** es gibt keine P. → Lösung.

**Patentmittel** → Allheilmittel.

**Patentrecht** → Rechtsgebiet.

**Patentrezept:** es gibt kein P. → Lösung.

**Patentschloß** → Schloß.

**Pater:** → Anrede, → Geistlicher, → Mönch.

**Paternalgeneration** → Elterngeneration.

**Paternität:** [Euer P.] → Anrede.

**Paternoster:** → Aufzug, → Gebet.

**pathetisch** → hochtrabend.

**Pathogenese:** → Entstehung, → Krankheitsentstehung.

**Pathogenie:** → Entstehung, → Krankheitsentstehung.

**pathologisch:** → krankhaft; p. gesteigertes Erinnerungsvermögen → Gedächtnisstörung.

**Pathophobie** → Hypochondrie.

**Patience** → Kartenspiel.

**Patient** → Kranker.

**Patin,** Patentante, Gevatterin (*veraltet*), Taufpatin, Taufzeugin, Firmpatin (*kath.*), Gotte (*schweiz.*), Goden, Godl (*bayr.*, *österr.*); → Pate.

**Patina** → Belag.

**Patisserie:** → Bäckerei, → Teegebäck.

**Patissier** → Bäcker.

**Patois** → Mundart.

**Patriarch** → Oberhaupt.

**patriarchalisch:** → erhaben, → totalitär.

**Patriarchat** → Herrschaft.

**Patriarchenkreuz** → Kreuzzeichen.

**Patriot,** Nationalist, Chauvinist (*abwertend*); → Begeisterung, → Heimat, → Patriotismus; → national.

**patriotisch** → national.

**Patriotismus,** Nationalgefühl, Nationalstolz, Heimatliebe, Vaterlandsliebe, Staatsgesinnung, Nationalbewußtsein, Staatsbewußtsein · *übersteigerter:* Nationalismus, Chauvinismus (*abwertend*), Rechtsextremismus, Lokalpatriotismus (*abwertend*), Hurrapatriotismus (*abwertend*); → Begeisterung, → Heimat, → Patriot, → Volk; → national.

**Patristik** → Theologie.

**Patrologie** → Theologie.

**Patron:** → Schutzheiliger, → Schutzpatron.

**Patronage** → Vetternwirtschaft.

**Patronat** → Schirmherrschaft.

**Patrone** → Munition.

**Patronengurt** → Gurt.

**Patronenhalter** → Schreibstift.

**Patronin:** → Schutzpatron, → Schutzpatronin.

**Patsche:** → Gliedmaße; in der P. sitzen → Not [leiden].

**Patschen:** → Reifendefekt, → Schuh; die P. aufstellen → sterben.

**Patscher** → Teppichklopfer.

**Patschhand** → Gliedmaße.

**patschig** → plump.

**patschnaß** → naß.

**patt** → handlungsunfähig.

**Pattern** → Vorlage.

**patzen** → verspielen (sich).

**Patzen** → Fleck.

**Patzer** → Fehler.

**patzig** → spöttisch.

**Pauke:** → Schlaginstrument; -n und Trompeten → Geschlechtskrankheit; auf die P. hauen → feiern; mit -n und Trompeten durchfallen → versagen.

**pauken** → lernen.

**Pauker:** → Lehrer, → Musizierender, → Schlagzeuger.

**paukerhaft** → lehrhaft.

**Paul:** Peter und P. → Kirchenjahr.

**Paulus:** aus einem Saulus ein P. werden → bessern (sich).

**pausbäckig** → dick.

**pauschal:** → ganz, → ungefähr.

**Pauschale** → Abfindung.

**Pauschalpreis** → Preis.

¹**Pause,** Ruhepause, Verschnaufpause, Schnaufpause (*bes. österr.*), Atempause, Zigarettenpause (*ugs.*), Halbzeit (*ugs.*), Rast, Unterbrechung; → Freistunde, → Urlaub; **P. machen,** eine Ruhepause / Erholungspause / Zigarettenpause einlegen, Halbzeit machen (*ugs.*) · *unterwegs:* einkehren, Einkehr halten, zukehren (*österr.*); → ruhen.

²**Pause:** ohne P. → unaufhörlich; P. einlegen / machen → unterbrechen.

**pausen** → ablichten.

**pausenlos,** unaufhörlich, immer, immerzu, seit je / jeher, von je / jeher, seit eh und je, seit alters, von alters [her], solange ich denken kann, schon immer, noch immer, immer noch, nach wie vor, wie eh und je, immer wieder, oft und oft, in einem fort, immerfort; tagaus, tagein; jahraus, jahrein; beständig, stets, stetig, stet, andauernd, dauernd, fortdauernd, fortgesetzt, unausgesetzt, unaufhaltsam, anhaltend, kontinuierlich, konstant, permanent, gleichbleibend, beharrlich, ununterbrochen, in einer Tour (*ugs.*), stetsfort (*schweiz.*), fortwährend, immerwährend, ständig, allerwege, alleweil, allweil, allezeit, allzeit, laufend (*ugs.*), am laufenden Band (*ugs.*), alle Nase lang (*ugs.*), in steter Folge, unablässig, ewig (*ugs.*), endlos, ohne Unterlaß / Ende / Pause / Unterbrechung, ad infinitum, in drei Schichten, Tag und Nacht, rund um die Uhr, alsfort (*landsch.*), fortweg (*ugs.*, *landsch.*), egalweg (*ugs.*, *landsch.*), egal (*ugs.*, *landsch.*); → beharrlich, → bleibend, → ewig, → fleißig, → kursorisch, → lange, → langfristig, → oft, → unendlich; → Tag.

**Pausenzeichen,** Erkennungszeichen, Erkennungsmelodie, Sendezeichen.

**pausieren** → unterbrechen.

**Pauspapier** → Schreibpapier.

**Pavane** → Tanz.

**Pavian** → Affe.

**Pavillon:** → Haus, → Musikpavillon.

**Pawlatsche:** → Theater, → Veranda.

**Pawlatschentheater** → Theater.

**Paying guest** → Student.

**Pazifik,** Pazifischer / Stiller Ozean · Nordpazifischer Ozean, Nordpazifik · Südpazifischer Ozean, Südpazifik ·· *seine Nebenmeere:* Beringmeer, Ochotskisches Meer, Japanisches Meer, Ostchinesisches Meer, Australasiatisches Mittelmeer, Golf von Kalifornien; → Meer, → Weltmeer.

**pazifisch:** Pazifischer Ozean → Pazifik.

**Pazifismus,** Kriegsgegnerschaft, Gewaltlosigkeit, Gewaltverzicht; → Pazifist; → friedfertig.

**¹Pazifist,** Kriegsgegner, Friedensfreund; **ein P. sein,** eine Taube / kein Falke sein; → Friedenssymbol, → Pazifismus.

**²Pazifist** → Wehrdienstverweigerer.

**p.c.** → Prozent.

**Peak** → Gipfel.

**¹Pech,** Fehlschlag, Niete · *fortgesetztes:* Pechsträhne · *beim Kegeln:* Pudel, Ratze (*ugs.*), Nullwurf; → Pechvogel · Ggs. → Glück.

**²Pech:** → Unglück; es ist ein P. → schade; wie P. und Schwefel zusammenhalten → unzertrennlich [sein]; bei jmdm. P. haben → Erfolg; vom P. verfolgt → leidgeprüft.

**Pechfackel** → Fackel.

**Pechmarie** → Pechvogel.

**Pechrabe** → Pechvogel.

**pechrabenschwarz** → schwarz.

**pechschwarz:** → schwarz, → schwarzhaarig.

**Pechsträhne:** → Pech; eine P. haben → Unglück [haben].

**Pechvogel,** Pechrabe, Unglücksvogel, Unglücksrabe, Unglückswurm, Pechmarie; → Pech · Ggs. → Glückspilz.

**Pecker** → Spleen.

**Pedal:** → Tastatur; aufs P. treten → Geschwindigkeit.

**pedalen** → radfahren.

**Pedant,** Umstandskrämer, Umstandskommissar, Kleinigkeitskrämer, Haarspalter, Feder-

fuchser, Bürokrat, Schreiberseele, Schreiberling, Buchstabenmensch, Kalmäuser, Mückenseiher (*landsch., scherzh.*), Gamellenriemliinspizient (*schweiz., scherzh.*), Kümmelspalter, Korinthenkacker (*derb*), I-Tüpfel-Reiter (*österr.*); → Pedanterie, → Wortverdreher; → bürokratisch, → engherzig.

**Pedanterie,** Kleinlichkeit, Umständlichkeit, Beckmesserei, Pingeligkeit (*ugs., landsch.*) · *im Ausdruck:* Haarspalterei, Wortklauberei, Spitzfindigkeit, Rabulistik; → Bürokratie, → Pedant, → Spiegelfechterei; → engherzig, → spitzfindig.

**pedantisch** → engherzig.

**Peddler** → Händler.

**Pedell** → Hausmeister.

**¹Pediküre,** Fußpflege, Fußnagelpflege; → Kosmetik · Ggs. → Maniküre.

**²Pediküre** → Kosmetik.

**Pegasus:** → Fabelwesen, → Pferd, → Sternbild; den P. besteigen / reiten → dichten.

**peilen:** → blicken; über den Daumen p. → schätzen; über den Daumen gepeilt → ungefähr.

**Pein** → Leid.

**peinigen:** → schikanieren; -d → schmerzhaft; bis aufs Blut p. → ärgern.

**Peinigung** → Mißhandlung.

**peinlich:** → unerfreulich; [p. genau] → gewissenhaft.

**peinvoll** → schmerzhaft.

**Peitsche,** Geißel, Knute, Kantschu, Riemenpeitsche, Fahrpeitsche, Bogenpeitsche, Jukkerpeitsche, Karbatsche, Reitpeitsche, Reitgerte, Ochsenziemer, Ziemer, Hundepeitsche, neunschwänzige Katze; → Stock; → schlagen.

**peitschen** → schlagen.

**Peitschenlampe** → Straßenbeleuchtung.

**Pejoration** → Nichtachtung.

**pejorativ:** → abschätzig, → abwertend.

**Pekinese** → Hunderassen.

**Pekoe** → Tee.

**Pekoe-Souchong** → Tee.

**pekuniär** → finanziell.

**pekzieren** → anrichten.

**Pelade** → Haarausfall.

**Pelagianismus** → Ketzerei.

**Pelargonie** → Storchschnabelgewächs.

**Pelargonium** → Storchschnabelgewächs.

**Pelemele** → Mischung.

**Pelerine** → Umhang.

**Pelikan** → Vogel.

**Pellagra,** Vitamin-B₂-Mangel-Krankheit, Vitamin-B₂-Avitaminose, Avitaminose B₂, Lepra lombardica, lombardischer Aussatz, Nikotinsäuremangelkrankheit, Maidismus, Maisvergiftung, Anikotinose, Mal della rosa, Mal del sole; → Avitaminose.

**Pelle:** → Epidermis, → Schale; jmdm. auf die P. rücken → aufdringlich [sein], → bitten; jmdm. auf der P. sitzen → bitten.

**pellen:** → abziehen; wie aus dem Ei gepellt → adrett.

**Peller** → Penis.

**Pellkartoffel:** -n → Kartoffeln.

**¹Pelz · *von Schafen o.ä.:*** Lamm, Angora (Lincoln- und Leistershire-Schaf), Breitschwanz (Karakulschaf), Kidfell (chinesische Ziegen und Lämmer), Krimmer (Fettschwanzschaf), [Russisch] Mufflon (mongolische Ziege), Persianer (Karakulschaf), Slink (Fettsteißschaf) · *von Füchsen:* Fuchs, Rotfuchs, Silberfuchs, Platinfuchs (kanadischer Silberfuchs) · *von Mardern o.ä.:* Marder (Baum- und Steinmarder), Biber, Bisam (Bisamratte), Chinchilla, Hermelin, Iltis, Moschusbisam (Desman), Murmel (Murmeltier), Nerz, Nutria (Sumpfbiber), Opossum (Opossum, Fuchskusu), Otter, Peschaniki (Fahlziesel), Seefuchs (Marderhund), Skunk, Ziesel (Suslik), Zobel · Feh (Eichhörnchen) · Fohlen · Kanin (Kaninchen) · *von Robben:* Seal (Bärenrobbe), Seehund · Pijiki (Rentier) · Ozelot (Tigerkatze) · Waschbär · *imitierter:* Webpelz; → Pelzwaren.

**²Pelz** → Fell.

**Pelzbarett** → Kopfbedeckung.

**pelzen** → züchten.

**Pelzenickel:** → Knecht Ruprecht, → Nikolaus.

**Pelzmantel** → Mantel.

Pelzmotte → Schmetterling.
Pelznäher → Kürschner.
Pelznickel: → Knecht Ruprecht, → Nikolaus.
Pelztierjäger → Jäger.
Pelzwaren, Rauchwaren, Pelzwerk; → Pelz.
Pelzwerk → Pelzwaren.
Penalty → Elfmeter.
Penaten → Hausgötter.
Pence → Zahlungsmittel.
Pendant → Gegenstück.
Pendeh → Orientteppich.
pendeln: → schwingen; -des Herz → Herzsenkung.
Pendeltür → Tür.
Pendeluhr: → Sternbild, → Uhr.
pendent → anhängig.
Pendler: → Arbeiter, → Vagabund.
Pendule → Uhr.
penetrant: → aufdringlich, → durchdringend.
penibel: → gewissenhaft, → ordnungsliebend.
Penis, Phallus, [männliches] Glied, Linga, Lingam, Geschlecht, Zeugeglied, Männlichkeit, Geschlechtsteil, der kleine Mann / Herr, Rute, Gemächt, Iste (bei Goethe), der elfte Finger (scherzh.), Membrum virile, Zipferl (Kinderspr., österr.), Piller (Kinderspr.), Schniepel (Kinderspr.), Pillhahn (Kinderspr.), Pillermann (Kinderspr.), Piephahn (Kinderspr.), Piele (nordd.), Piepel (salopp), Gießkanne (scherzh.), Zebedäus (ugs.), Johannes (ugs.), Gurke (salopp), Kolben (salopp), Apparat (ugs.), Ding (ugs.), Freudenpfriem (ugs.), Lümmel (salopp), Bengel (salopp), Besen (salopp), Flöte (salopp), Pielak (landsch.), Nille (vulgär), Pfeife (vulgär), Schwengel (vulgär), Schwanz (vulgär), Riemen (vulgär), Pimmel (vulgär), Pint (vulgär), Büchsenöffner (derb) · erigierter: Penis erectus, Horn (salopp), Ständer (vulgär), Stange (vulgär), Peller (vulgär), Latte (vulgär), Morgenlatte (vulgär), Wasserlatte (vulgär); → steif [sein] · von Geschlechtskrankheit befallener: verbeulte / verbogene / laufende Röhre; → Blöße, → Genitalien, → Glans, → Sperma, → Samenerguß.

Pennal → Schule.
Pennäler → Schüler.
Pennälersprache → Gruppensprache.
Pennbruder → Vagabund.
Penne: → Schule, → Unterkunft; stille P. → Strafanstalt; auf der P. sein → Schule.
pennen → schlafen.
Penner → Vagabund.
Penni → Zahlungsmittel.
Pennsylvaniadeutsch → Mischsprache.
Penny → Zahlungsmittel.
Pensee → Stiefmütterchen.
Pension: → Hotel, → Rente; staatliche P. → Strafanstalt; seine P. verzehren → Lebensabend; in P. gehen → pensionieren; in P. sein → Lebensabend.
Pensionär → Rentner.
Pensionärin → Rentnerin.
Pensionat: → Heim; staatliches P. → Strafanstalt.
pensionieren, berenten, in den Ruhestand versetzen, auf Rente setzen · von Hochschullehrern: seiner Amtspflicht entbinden, entpflichten, emeritieren; sich p. lassen, pensioniert werden, in Pension gehen, sich zur Ruhe setzen, sich aufs Altenteil setzen / zurückziehen, sich ins Stöckli zurückziehen (schweiz.); → entlasten; → arbeitslos, → pensioniert.
pensioniert, entlassen, suspendiert, abgesetzt, abgedankt, abgebaut, ausgedient, abgehaltert (salopp); → entlassen, → pensionieren.
Pensionist → Rentner.
Pensionistin → Rentnerin.
Pensum, Lektion, Aufgabe, Lehrstoff, Lernstoff; → Abschnitt, → Unterricht.
Pentagon → Regierung.
Pentagramm → Zaubermittel.
Pentameter → Vers.
Pentateuch → Gesetzessammlung.
Pentecoste → Pfingsten.
Penthouse → Wohnung.
Penunzen → Geld.
penzen → bitten.
Pep → Temperament.
Peperoni → Gemüse.
Pepi → Haarzopf.
Pepiniere → Baumschule.
Pepita → Stoffmuster.

Pepper-Upper → Rauschgift.
Pep Pill → Rauschgift.
Pepsinwein → Wein.
per: → je; p. Arm → untergehakt; [mit jmdm.] p. du sein → duzen.
per anum → rektal.
per definitionem → per se.
perennieren → überdauern.
perfekt: → meisterhaft, → vollkommen.
Perfekt → Tempus.
Perfektion → Meisterhaftigkeit.
perfektionieren → vervollständigen.
Perfektionierung → Ergänzung.
perfektionistisch → vollkommen.
perfektiv: -es Verb → Verb.
perfide → untreu.
Perfidie → Untreue.
Perfidität → Untreue.
Perfol → Folie.
perforieren → durchlöchern.
Pergament → Papier.
Pergamentpapier → Papier.
Pergola → Laube.
Periarteriitis → Arterienerkrankung.
Periarteritis → Arterienerkrankung.
Perienzephalitis → Gehirnhautentzündung.
Perikope → Bibelabschnitt.
Periode: → Menstruation, → Satz, → Zeitraum.
Periodikum → Zeitschrift.
¹periodisch, regelmäßig wiederkehrend / auftretend, in bestimmter / regelmäßiger Folge, in bestimmten / regelmäßigen Abständen (oder:) Intervallen; → abwechselnd.
²periodisch: -e Trunksucht → Anankasmus.
Perionychie → Nagelkrankheit.
Perionyxis → Nagelkrankheit.
Peripetie → Höhepunkt.
¹peripher, am Rande befindlich, Rand-, Neben-; → nebenbei; → Rand.
²peripher: -es Nervensystem → Nervensystem.
Peripherie → Linie.
Peristase → Umwelt.
Perkussion → Massage.
perkutan: p. spritzen → spritzen.
Perl → Schriftgrad.

¹**Perle** · echte Perle, Zuchtperle, Japanperle · *ungleichmäßige:* Barockperle · *imitierte:* Wachsperle ·· Glasperle, Holzperle; → Halskette.

²**Perle** → Hausangestellte.

**Perleidechse** → Eidechse.

**perlen,** sprudeln, schäumen, spritzen, springen · *stark:* strudeln, brodeln · *von Wein, Sekt:* moussieren, bitzeln; → brodeln, → fließen; → Schaum.

**Perlenhochzeit** → Hochzeitstag.

**Perlenkette** → Halskette.

**Perlenkollier** → Halskette.

**Perlenschnur:** zu Hause wohl Perlenschnüre vor der Tür / an den Türen haben → schließen.

**Perlenstickerei** → Stickerei.

**Perlenvorhang:** zu Hause wohl Perlenvorhänge vor der Tür / an den Türen haben → schließen.

**Perlfisch** → Fisch.

**perlgrau** → grau.

**Perlhyazinthe** → Liliengewächs.

**Perllauch:** → Gemüse, → Porree.

**Perlonstrumpf** → Strumpf.

**Perlmuschel** → Muschel.

**Perlmutterschnecke** → Schnecke.

**Perlon** → Chemiefaser.

**Perlpilz** → Ständerpilz.

**Perlschnurblitz** → Blitz.

**Perlseide** → Seide.

**Perltang** → Alge.

**Perlustration** → Durchsuchung.

**perlustrieren** → durchsuchen.

**Perlustrierung** → Durchsuchung.

**Perlwein** → Wein.

**perlweiß** → weiß.

**Perlzwiebel:** → Gemüse, → Zwiebel.

**Perm** → Erdzeitalter.

**permanent,** unaufhörlich, immer, immerzu, seit je / jeher, von je / jeher, seit eh und je, seit alters, von alters [her], solange ich denken kann, schon immer, noch immer, immer noch, nach wie vor, wie eh und je, immer wieder, oft und oft, in einem fort, immerfort; tagaus, tagein; jahraus, jahrein; beständig, stets, stetig, stet, andauernd, dauernd, fortdauernd, fortgesetzt, unausgesetzt, unaufhaltsam, anhaltend, kontinuierlich, konstant, gleich-

bleibend, beharrlich, ununterbrochen, pausenlos, in einer Tour (*ugs.*), stetsfort (*schweiz.*), fortwährend, immerwährend, ständig, allerwege, alleweil, allweil, allezeit, allzeit, laufend (*ugs.*), am laufenden Band (*ugs.*), alle Nase lang (*ugs.*), in steter Folge, unablässig, ewig (*ugs.*), endlos, ohne Unterlaß / Ende / Pause / Unterbrechung, ad infinitum, in drei Schichten, Tag und Nacht, rund um die Uhr, alsfort (*landsch.*), fortweg (*ugs., landsch.*), egalweg (*ugs., landsch.*), egal (*ugs., landsch.*); → beharrlich, → bleibend, → ewig, → fleißig, → kursorisch, → lange, → langfristig, → oft, → unendlich; → Tag.

**Permiß** → Erlaubnis.

**Permutation,** Umstellung · *in bezug auf Subjekt und Personalform des Verbs:* Inversion; → Substitution, → Umwandlung.

**Perneiras** → Beriberi.

**Pernionen** → Erfrierung.

**Perniose** → Erfrierung.

**perniziös:** → böse; -e Anämie → Perniziosa.

**Perniziosa,** perniziöse / genuine / kryptogenetische Anämie, Biermer-Anämie, Biermer-Krankheit, Vitamin-$B_{12}$-Mangel-Krankheit, Vitamin-$B_{12}$-Avitaminose, Avitaminose $B_{12}$; → Avitaminose, → Blutarmut.

**Perobrachie** → Gliedmaßenmißbildung.

**Perochirie** → Gliedmaßenmißbildung.

**Perodaktylie** → Gliedmaßenmißbildung.

**Peromelie** → Gliedmaßenmißbildung.

**Peromelus** → Gliedmaßenmißbildung.

**Peropodie** → Gliedmaßenmißbildung.

**per os** → oral.

**per pedes:** p. p. kommen→kommen.

**perplex:** p. sein → überrascht [sein].

**per rectum** → rektal.

**Perron:** → Bahnsteig, → Plattform.

**per se,** an sich, per definitionem, von selbst / allein, durch sich, von sich aus.

**Persephone** → Göttin.

**Perser:** → Katzenrassen, → Orientteppich.

**Perserkatze** → Katzenrassen.

**Perserteppich** → Orientteppich.

**Perseus** → Sternbild.

**Perseveranz** → Beharrlichkeit.

**Perseveration** → Verharren.

**Persianer** → Pelz.

**Persien** → Iran.

**Persiflage** → Satire.

**persiflieren** → verzerren.

**Persilschein** → Freibrief.

**Persipan** → Marzipan.

**persisch:** -es Kapitell → Kapitell.

**persischrosa** → rosa.

**persischrot** → rot.

**persistieren** → bestehen (auf).

**Person:** → Frau, → Mensch; lustige P. → Spaßmacher; P. gleichen Alters → Altersgenosse; pro P. → je.

**Persona grata:** → Diplomat; P. g. sein → beliebt [sein].

**Persona gratissima:** P. g. sein → beliebt [sein].

**Persona ingrata:** → Diplomat; P. i. sein → unbeliebt [sein].

**Personal,** Belegschaft · *in Betrieben:* Betriebsangehörige, Angestelltenschaft, Arbeiterschaft · *in Flugzeugen:* fliegendes Personal, Crew, Besatzung, Flugzeugbesatzung · *auf Flughäfen:* Bodenpersonal · *im Haushalt:* Dienerschaft, Bedienung, Gesinde (*veraltend*), die Domestiken (*abwertend*); → Arbeitnehmer, → Knecht, → Magd, → Personalbüro, → Team.

**Personalabteilung** → Personalbüro.

**Personalangaben,** Personaldaten, Nationale (*österr.*).

**Personalausweis** → Ausweis.

**Personalbüro,** Personalabteilung, Kaderabteilung (*DDR*); → Personal.

**Personaldaten** → Personalangaben.

**Personale** → Verb.

**personaliter** → persönlich.

**Personenbeschreibung** → Charakteristik.

**Personendampfer** → Fahrgastschiff.

**Personengedächtnis** → Erinnerungsvermögen.

**Personenkraftwagen** → Auto.

**Personenkreis,** Kreis, Schicht, Gruppe; → Clique, → Gesellschaftsschicht, → Kaste, → Publikum.

**Personenkult** → Verherrlichung.

**Personenschiffahrt** → Schiffahrt.

**Personenstand,** Familienstand, Zivilstand.

**Personenwaage** → Waage.

**Personenzug** → Eisenbahnzug.

**Personenzuglokomotive** → Lokomotive.

**Personenzugwagen** → Eisenbahnwagen.

**Personifikation** → Sinnbild.

**personifizieren** → hypostasieren.

**Personifizierung** → Sinnbild.

**¹persönlich,** selbst, in persona, personaliter, höchstpersönlich (*scherzh.*), höchstselbst (*scherzh.*), eigenhändig.

**²persönlich:** → individuell, → unsachlich, → vertraulich; -es Verb → Verb; p. werden → attackieren.

**Persönlichkeit** → Mensch.

**Persönlichkeitsbild** → Ansehen.

**Perspektive:** → Gesichtspunkt; -n → Aussichten.

**Perspiration** → Transpiration.

**Pertussis** → Keuchhusten.

**¹Perücke,** Haarersatz, falsche Haare, Zweitfrisur, Haaraufsatz, Echthaarperücke, Kunsthaarperücke, Lockenperücke, Langhaarperücke, Kurzhaarperücke, Ganzperücke, Teilperücke, Toupet, Haarteil, Haarersatzstück · *historische:* Allongeperücke, Staatsperücke, Zopfperücke, Haarbeutelperücke, Knotenperücke, Abbéperücke, Stutzperücke, Atzel; → Haar.

**²Perücke** → Haar.

**Perückenmacher,** Posticheur · *weiblicher:* Posticheuse, Perückenmacherin; → Friseur, → Frisur, → Haar.

**Perückenmacherin** → Perückenmacher.

**pervers,** widernatürlich, abartig, verkehrt, unnatürlich; → anormal, → anstößig, → gleichgeschlechtlich; → Homosexueller, → Umkehrung, → Unzucht.

**Perversion:** → Abweichung, → Perversität.

**Perversität,** Perversion, Abartigkeit · *auf alte Menschen ge-*

*richtete:* Gerontophilie, Greisenliebe · *auf Tote oder Sterbende gerichtete:* Nekrophilie, Nekromanie, Leichenschändung · *auf Tiere gerichtete:* Sodomie · *auf bestimmte Gegenstände bezogene:* Fetischismus · *sich darin äußernd, daß der Betreffende seine Geschlechtsteile zur Schau stellt:* Exhibitionismus ·· *auf Schmerzen gerichtete:* Sadomasochismus, Algolagnie, Flagellantismus, Flagellomanie, Vampirismus · *Schmerzen zufügende:* Sadismus · *Schmerzen erduldende:* Masochismus ·· *durch Zusehen beim Geschlechtsverkehr anderer Personen:* Voyeurismus · *sich äußernd im Kotessen:* Koprophagie, Skatophagie · *sich äußernd in einer Vorliebe für das Schmutzige:* Skatophilie · *sich äußernd durch Lecken am Anus des Partners:* Anilingus; → Entblößung, → Homotropie, → Koitus, → Menschenfresserei, → Selbstbefriedigung, → Selbstverliebtheit; → gleichgeschlechtlich.

**Pervigilium** → Schlaflosigkeit.

**Perzent** → Prozent.

**perzentuell** → prozentual.

**Perzeption** → Wahrnehmung.

**Pes calcaneovalgus** → Fußdeformität.

**Pes calcaneus** → Fußdeformität.

**Peschaniki** → Pelz.

**Peschitta** → Bibelübersetzung.

**pesen** → fortbewegen (sich).

**Pes equinocavus** → Fußdeformität.

**Pes equinovarus** → Fußdeformität.

**Pes equinus** → Fußdeformität.

**Peseta** → Zahlungsmittel.

**Pes excavatus** → Fußdeformität.

**Peso:** [argentinischer / philippinischer / uruguayischer P.], P. Boliviano → Zahlungsmittel.

**Pes planus** → Fußdeformität.

**Pessar** → Empfängnisverhütungsmittel.

**Pessimismus,** Skeptizismus, Kulturpessimismus, Agnostizismus, Skepsis, Schwarzseherei, Schwarzmalerei, Defätismus, Fatalismus, Miesmacherei (*ugs.*), Unkerei (*ugs.*), Unkenrufe (*ugs.*), Kassandrarufe, Panikmache

(*ugs.*) · *in bestimmter Absicht verbreiteter:* Zweckpessimismus; → Angst, → Bedenken · Ggs. → Optimismus.

**Pessimist,** Schwarzseher, Unke (*ugs.*), Defätist, Nihilist, Unheilsprophet, Fatalist, Miesmacher (*ugs.*); → voraussehen; → schwermütig · Ggs. → Optimismus, → Optimist; → zuversichtlich.

**pessimistisch,** schwermütig, trübsinning, hypochondrisch, depressiv, melancholisch, schwarzseherisch, nihilistisch, defätistisch, miesepetrig (*ugs.*), hintersinning (*schweiz.*), bregenklüterig (*ugs., landsch.*), trübselig, wehmütig, wehselig (*schweiz.*), elegisch, trist, traurig, freudlos, freudelos (*schweiz.*), elend, unglücklich, todunglücklich, kreuzunglücklich, desolat, betrübt, trübe, bedrückt, gedrückt, bekümmert, unfroh, mauserig (*schweiz.*), nicht → lustig; → ängstlich, → deprimiert, → ernsthaft, → kläglich, → ruhig · Ggs. → zuversichtlich; **p. sein,** mit der Welt zerfallen sein, Trübsal blasen (*ugs.*), etwas durch eine schwarze Brille sehen, sich hintersinnen (*südd., schweiz.*); → erstaunen; → Melancholie, → Pessimist, → Trauer.

**¹Pest,** der Schwarze Tod · Drüsenpest, Beulenpest, Bubonenpest; → Krankheit.

**²Pest:** stinken wie die P. → riechen.

**Pestalozzidorf** → Kinderdorf.

**pesten** → aufwiegeln.

**Pes transversoplanus** → Fußdeformität.

**Pes valgus** → Fußdeformität.

**Pes varus** → Fußdeformität.

**Petechialfieber** → Fleckfieber.

**Petechialtyphus** → Fleckfieber.

**Petechien** → Bluterguß.

**Petent** → Antragsteller.

**Peter:** der Blaue P. → Fahne; P. und Paul → Kirchenjahr.

**Peterchen** → Nachschlüssel.

**Peterle** → Küchengewürz.

**Petersburg** → Leningrad.

**Petersilie:** → Gemüse, → Küchengewürz; jmdm. ist die P. verhagelt → deprimiert [sein].

**Petidin** → Rauschgift.

**Petit** → Schriftgrad.

**Petition** → Gesuch.
**Petit mal** → Anfall.
**Petits fours** → Gebäck.
**Petrefakt** → Versteinerung.
**petrifizieren** → versteinern.
**Petri Heil:** P. H.! → Gruß.
**Petrijünger** → Angler.
**Petroglyphen** → Felszeichnung.
**Petrogramm** → Felszeichnung.
**Petrograph** → Mineraloge.
**Petrographie** → Gesteinskunde.
**Petrol** → Erdöl.
**Petroleum** → Erdöl.
**Petroleumlicht** → Licht.
**Petrus:** [Simon P.] → Apostel;
P. meint's gut [mit uns] → sonnig [sein].
**Petruskreuz** → Kreuzzeichen.
**petschiert:** p. sein → ratlos [sein].
**Petticoat** → Unterkleid.
**Petting** → Liebesspiel.
**Petz** → Bär.
**petzen:** → kneifen, → verraten.
**Petzer:** → Denunziant, → Verräter.
**peu à peu**, allmählich, sukzessive, langsam, allgemach (*veraltet*), bei kleinem (*selten*), nach und nach, schrittweise, kleinweis (*bayr., österr.*), zizerlweis (*bayr., österr.*), auf die Dauer / (*österr.*) Länge, auf die Länge hin gesehen, à la longue, Schritt um Schritt, Schritt für Schritt, mit der Zeit, anfangs (*südwestd., schweiz.*), im Laufe der Zeit, der Reihe nach, nacheinander; → behutsam, → langsam, → planmäßig, → ruhig, → stufenweise.
**Pexis** → Operation.
**Pfad:** → Weg; die ausgetretenen -e verlassen → schöpferisch [sein]; auf ausgetretenen -en wandeln → schöpferisch; auf den P. der Tugend wandeln → anständig [sein].
**Pfader** → Pfadfinder.
**Pfadi** → Pfadfinder.
**Pfadfinder**, Boy-Scout, Scout, Pfadi (*ugs.*), Pfader (*schweiz.*); → Jugendbewegung.
**Pfaffe** → Geistlicher.
**¹Pfahl**, Pfosten, Pflock, Mast, Steher (*österr.*); → Brett, → Block, → Griff, → Rammpfahl, → Span, → Stange, → Stock.
**²Pfahl:** P. im Fleische → Leid; in seinen vier Pfählen → daheim.

**Pfahlbürger** → Bewohner.
**Pfahlwand** → Wand.
**Pfahlwurzel** → Wurzel.
**pfählen:** → stützen, → töten.
**Pfahlmuschel** → Muschel.
**¹Pfälzer**, Pfälzer Krischer / Schlappmaul (*abwertend*); → Deutscher.
**²Pfälzer:** [P. Wein] → Wein.
**pfälzisch:** p. sprechen → Mundart [sprechen].
**Pfand:** → Leihgebühr, → Sicherheit, → Unterpfand; als P. geben → verpfänden.
**Pfandbriefe** → Wertpapier.
**pfänden** → beschlagnahmen.
**Pfandhaus** → Leihhaus.
**Pfandl** → Leihhaus.
**Pfandleihanstalt** → Leihhaus.
**Pfandleihe** → Leihhaus.
**Pfandleiher** → Verleiher.
**Pfandleihhaus** → Leihhaus.
**Pfändung** → Eintreibung.
**Pfanne:** → Bratpfanne; auf der P. haben → vorhaben; in die P. hauen → besiegen; da wird der Hund in der P. verrückt → überrascht [sein].
**Pfannenflicker** → Kesselflicker.
**¹Pfannkuchen** (*berlin.*), Berliner [Pfannkuchen / Ballen] (*bes. südd.*), Fastnachtskräppel (*landsch.*), Kräppel (*landsch.*); → Gebäck.
**²Pfannkuchen:** → Omelett; aufgehen wie ein P. → dick [werden]; platt sein wie ein P. → überrascht [sein].
**Pfarrer** → Geistlicher.
**Pfarrgeistlicher** → Geistlicher.
**Pfarrherr** → Geistlicher.
**Pfarrkirche** → Gotteshaus.
**Pfau** → Sternbild.
**pfauchen** → fauchen.
**Pfauenauge** → Stoffmuster.
**pfauenblau** → blau.
**Pfauenspinner** → Schmetterling.
**Pfeffer:** [schwarzer / weißer P.] → Gewürz; spanischer P. → Gemüse; P. und Salz → Stoffmuster; er soll hingehen, wo der P. wächst → willkommen; jmdn. dorthin wünschen, wo der P. wächst → verwünschen (jmdn.); P. im Arsch haben → lebhaft [sein]; da liegt der Hase im P. → Hauptsache.
**Pfefferfresser** → Vogel.
**Pfefferkraut** → Küchengewürz.
**Pfefferkuchen** → Lebkuchen.

**Pfefferling** → Pfifferling.
**Pfeffermilchling** → Ständerpilz.
**Pfefferminztee** → Tee.
**Pfeffermühle** → Mühle.
**pfeffern:** → werfen, → würzen.
**Pfeffernuß:** Pfeffernüsse → Gebäck.
**Pfefferoni** → Gemüse.
**pfefferrot** → rot.
**Pfeffersack** → Geschäftsmann.
**Pfefferschinken:** [französischer P. ] → Schinken.
**Pfeid** → Oberhemd.
**¹Pfeife**, Signalpfeife, Trillerpfeife, Rohrpfeife.
**²Pfeife:** → Penis, → Tabakspfeife; nach jmds. P. tanzen müssen → selbständig.
**pfeifen:** → auspfeifen, → flöten, → singen; die Spatzen p. es von den Dächern → bekannt; Gott sei's getrommelt und gepfiffen! → glücklicherweise; p. auf → mißachten; auf / aus dem letzten Loch p. → abgewirtschaftet [haben].
**Pfeifenkapitell** → Kapitell.
**Pfeifenmann** → Schiedsrichter.
**Pfeifenraucher** → Raucher.
**Pfeifentabak** → Tabak.
**Pfeifente** → Vogel.
**Pfeifkonzert:** ein P. anstimmen / veranstalten → auspfeifen.
**Pfeil:** → Sternbild; [P. und Bogen] → Schußwaffe; von Amors P. getroffen sein → verliebt [sein].
**Pfeiler:** → Brückenpfeiler, → Säule.
**Pfeilerbrücke** → Brücke.
**pfeilgeschwind** → schnell.
**Pfeilgift** → Gift.
**Pfeilkreuzler** → Kollaborateur.
**pfelzen** → züchten.
**Pfennig:** → Münze, → Zahlungsmittel; den P. herumdrehen → geizig [sein]; auf den P. sehen, mit dem P. rechnen → sparsam [sein]; mit dem P. rechnen müssen → sparen [müssen]; ohne einen P. zu zahlen → kostenlos.
**Pfennigfuchser:** → Geizhals; ein P. sein → geizig [sein].
**Pfennigfuchserei** → Geiz.
**Pfennigstück** → Münze.
**¹Pferd**, Roß, Gaul (*abwertend oder landsch.*), Hafermotor (*scherzh.*), Haferlokomotive

*(scherzh.),* Hottehü *(Kinder-spr.),* Rosinante *(scherzh.),* Mähre *(abwertend),* Schindmähre *(abwertend),* Schinder *(abwertend),* Klepper *(abwertend),* Zosse *(ugs., niederd.),* Arbeitspferd, Kutschpferd, Ackergaul *(abwertend)* · Reitpferd, Rennpferd, Traber, Trabrennpferd, Dressurpferd, Springpferd, Zugpferd, Wagenpferd · Vollblüter, Warmblüter, Halbblüter, Halbblut, Halfblood, Kaltblüter · Araber, Trakehner, Lipizzaner, Hannoveraner, Holsteiner, Haflinger, Orlowtraber · *weißes:* Schimmel, Apfelschimmel, Atlasschimmel, Aschenschimmel · *schwarzes:* Rappe · *gelbliches:* Falbe, Aschfalb, Mausfalb, Isabell · *rötlich-braunes:* Fuchs, Bronzefuchs, Brauner · *scheckiges:* Schecke, Tiger · *männliches:* Hengst · *zur Zucht bestimmtes:* Zuchthengst, Deckhengst, Körhengst, Faselhengst, Schellhengst, Beschäler ·· *weibliches:* Stute · *zur Zucht bestimmtes:* Zuchtstute, Mutterstute ·· *junges:* Füllen, Fohlen · *verschnittenes:* Wallach · *kleines:* Panjepferd, Fjordpferd, Pony, Islandpony, Shetlandpony, Batak, Polopony · *der Steppe:* Wildpferd, Mustang, Kalmücke · *das die Beine einer Seite gleichzeitig vorsetzt:* Zelter, Paßgänger, Damenpferd · *geflügeltes aus der griechischen Mythologie, Symbol der Dichtkunst:* Pegasus; → Gangart, → Gestüt, → Zaumzeug.
²**Pferd:** → Sportgerät; Trojanisches P. → Geschenk; jmdm. gehen die -e durch → unbeherrscht [sein]; von hier bringen mich keine zehn -e fort → weilen; die -e scheu machen → verwirren; das beste P. im Stall sein → unersetzlich [sein]; mit jmdm. kann man -e stehlen → Kamerad; das P. am Schwanz aufzäumen → verkehrt [machen]; aufs falsche / richtige P. setzen → beurteilen; zu -e → beritten.
**Pferdebahn** → Verkehrsmittel.
**Pferdebohne** → Saubohne.
**Pferdedecke** → Decke.
**Pferdedroschke** → Kutsche.

**Pferdeegel** → Wurm.
**Pferdefleisch** → Fleisch.
**Pferdefuß:** → Fuß, → Fußdeformität; etwas hat einen P. → ungünstig [sein].
**Pferdekur** → Behandlung.
**Pferdelenker** → Fuhrmann.
**Pferdemarkt** → Markt.
**Pferdemist** → Dünger.
**Pferdeomnibus** → Verkehrsmittel.
**Pferderennen** → Rennen.
**Pferdeschwamm** → Schwamm.
**Pferdeschwanz** → Frisur.
**Pferdestall** → Stall.
**Pferdezucht** → Gestüt.
**Pferdezuchtanstalt** → Gestüt.
**Pferdezüchterei** → Gestüt.
**Pfiff:** → Hörzeichen, → Reiz; letzter P. → Krönung.
¹**Pfifferling,** Pfefferling *(landsch.),* Eierschwamm *(landsch.),* Eierschwammerl *(bayr., österr.),* Gelbling *(landsch.),* Gelberling *(landsch.),* Gehling *(landsch.),* Gähling *(landsch.),* Gelbschwämmchen *(landsch.),* Gelbschwammerl *(österr.),* Gelbhähnel *(landsch.),* Goldschwämmchen *(landsch.),* Milchschwamm *(landsch.),* Hünling *(landsch.),* Hünlich *(landsch.),* Galluschel *(landsch.),* Kochmandl *(landsch.),* Kochmändl *(landsch.),* Rehfüßchen *(landsch.),* Rehling *(österr.),* Geißrehling *(österr.),* Rehgeiß *(österr.),* Recherl *(österr.),* Rechling *(österr.),* Rödling *(österr.);* → Pilz, → Ständerpilz.
²**Pfifferling:** [Falscher P.] → Ständerpilz; keinen P. wert sein → wertlos [sein].
**pfiffig,** schlau, findig, diplomatisch, taktisch, geschickt, pädagogisch, listig, clever, geschäftstüchtig, lebenstüchtig, verschmitzt, gnitz *(schwäb.),* bauernschlau, gewitzt, alert, smart, raffiniert, jesuitisch *(abwertend),* durchtrieben, gerissen *(ugs.),* verschlagen *(ugs.),* ausgefuchst *(ugs.),* gerieben *(salopp),* ausgekocht *(salopp, abwertend),* abgefeimt, ausgepicht *(ugs.),* ausgebufft *(salopp),* gewiegt *(ugs.),* gewieft *(ugs.),* gefinkelt *(österr.),* gehaut *(ugs., österr.),* vigilant *(landsch.),* helle *(ugs., landsch.),* nicht → dumm, nicht → unklug; → böse, →

gewandt, → klug, → oberschlau, → tüchtig; **p. sein,** auf Draht / nicht von gestern / mit allen Wassern gewaschen / mit allen Hunden gehetzt / *(österr.)* hell auf der Platte sein *(ugs.),* es faustdick hinter den Ohren haben, sich nichts erzählen / vormachen / weismachen lassen, sich nicht für dumm verkaufen / sich kein X für ein U vormachen lassen.
**Pfiffigkeit** → List.
**Pfiffikus** → Schlaukopf.
¹**Pfingsten,** Pfingstfest, Pentecoste *(bildungsspr.),* Fest der Ausgießung des Heiligen Geistes, die Pfingsttage · 1./2. Pfingsttag, Pfingstsonntag, Pfingstmontag; → Kirchenfest.
²**Pfingsten:** → Feiertag; [Sonntag nach P.] → Kirchenjahr.
**Pfingstferien** → Ferien.
**Pfingstfest** → Pfingsten.
**Pfingstmontag** → Pfingsten.
**Pfingstochse:** geputzt / geschmückt wie ein P. → aufgeputzt.
**Pfingstrose,** Bauernrose, Freisamrose *(landsch.),* Putthähnchen *(landsch.),* Keuschrose *(landsch.),* Paeonie; → Blume.
**Pfingstsonntag** → Pfingsten.
**Pfingsttag:** die -e, erster / zweiter P. → Pfingsten.
**Pfirsich** → Obst.
**Pfirsichkern** → Kern.
**pfirsichorange** → orange.
**pfirsichrot** → rot.
**Pflanz:** → Getue, → Lüge.
¹**Pflanze,** Blume, Baum, Kraut, Gewächs; → Blatt, → Blattpflanze, → Busch, → Gemüse, → Kletterpflanze, → Laubhölzer, → Nadelhölzer, → Topfpflanze, → Wurzel, → Zierstrauch, → Zweig; → eingehen, → umpflanzen; → heliotropisch.
²**Pflanze:** blühende P. → Blume; farnartige P. → Farnpflanze; nichtblühende P. → Blattpflanze.
**pflanzen:** → aufziehen, → bebauen.
**Pflanzenfett** → Fett.
**Pflanzengift** → Gift.
**Pflanzenkeim** → Keim.
**Pflanzenkunde,** Botanik, Phytologie; → Naturkunde, → Wissenschaft.

Pflanzenöl → Speiseöl.
Pflanzenreich → Vegetation.
Pflanzensamen → Samen.
Pflanzenschutzmittel → Gift.
Pflanzenwelt → Vegetation.
Pflanzenwuchs → Vegetation.
Pflanzenzucht → Landwirtschaft.
Pflanzer → Bauer.
pflanzlich: → vegetarisch; Anhänger der -en Ernährung → Vegetarier.
Pflanzschule → Baumschule.
Pflanzung → Gut.
¹Pflaster, Heftpflaster; → Verband; → verbinden.
²Pflaster: teures P. → Stadt; ein P. auflegen → verbinden; P. treten → fortbewegen (sich).
¹pflastern, pflästern (schweiz.), mit Pflastersteinen versehen, asphaltieren, zementieren; → Straßenpflaster.
²pflastern: mit etwas die Straße p. können → haben.
pflästern → pflastern.
Pflasterstein: → Stein; mit -en versehen → pflastern.
Pflaume: → Obst, → Vagina.
pflaumenblau → blau.
pflaumenfarben → violett.
Pflaumenkern → Kern.
Pflaumenkuchen → Gebäck.
¹Pflaumenmus, Latwerge, Zwetschkenmus (österr.), Zwetschkenpfeffer (österr.), Röster (österr.), Zwetschkenröster (österr.); → Brei.
²Pflaumenmus → Brotaufstrich.
pflaumenweich → willensschwach.
¹Pflege, Betreuung, Obsorge (bes. südd., österr.), Zuwendung, Nestwärme; → Fürsorge, → Lebenshilfe; → erwärmen.
²Pflege → Instandhaltung.
Pflegeanstalt → Krankenhaus.
Pflegebefohlener → Mündel.
Pflegeeltern → Adoptiveltern.
Pflegeheim → Altersheim.
Pflegekind → Kind.
pflegeleicht → arbeitserleichternd.
Pflegemutter → Mutter.
¹pflegen, hegen, etwas warten, etwas gut / sorgsam / schonend / pfleglich behandeln; → kümmern (sich um jmdn.); → Wachs.

²pflegen: mit jmdm. Kontakt p. → verkehren (mit); der Ruhe p. → ruhen.
Pfleger: → Krankenpfleger, → Verwalter, → Wächter.
Pflegerin → Fürsorgerin.
Pflegesohn → Sohn.
Pflegetochter → Tochter.
Pflegevater → Vater.
pfleglich → behutsam.
Pflegschaft → Vormundschaft.
Pflicht: → Aufgabe; P. sein → vorgeschrieben; in P. nehmen → vereidigen.
Pflichtbeitrag → Alimente.
pflichtbewußt → verantwortungsbewußt.
Pflichtbewußtsein, Pflichtgefühl, Verantwortungsgefühl, Verantwortung, Verantwortungsbewußtsein, Verantwortlichkeit, Zuverlässigkeit, Werksittlichkeit, Arbeitsethos, Ethos, Gewissenhaftigkeit; → Aufrichtigkeit; → Glaubwürdigkeit; → Sitte; → verantwortungsbewußt.
pflichteifrig → beflissen.
Pflichteifrigkeit → Beflissenheit.
Pflichtfeuerwehr → Feuerwehr.
Pflichtgefühl → Pflichtbewußtsein.
pflichtig → verbindlich.
Pflichtlektüre → Lektüre.
pflichtschuldigst → höflich.
Pflichtteil → Erbe (das).
Pflichtübung → Turnübung.
pflichtvergessen → unzuverlässig.
Pflichtvergessenheit, Ehrvergessenheit, Unzuverlässigkeit, Windigkeit (ugs.), Pflichtvernachlässigung, Pflichtversäumnis, Pflichtverletzung, Amtsmißbrauch, Unredlichkeit, Verantwortungslosigkeit; → Gewissenlosigkeit, → Unentschuldbarkeit, → Untreue.
Pflichtverletzung → Pflichtvergessenheit.
Pflichtvernachlässigung → Pflichtvergessenheit.
Pflichtversäumnis → Pflichtvergessenheit.
Pflichtverteidiger → Jurist.
Pflock → Pfahl, → Zeltpflock.
Pflotsch → Schlamm.
Pflückbohne → Gemüse.
¹pflücken, abpflücken, abrupfen, abzupfen, abreißen, ab-

brechen, klauben (österr.), brokken (südd., österr.), abbrocken (südd., österr.) · Beeren einzeln von der Traube: abbeeren, abrebeln (österr.), rebeln (österr.).
²pflücken: → ernten; p. von → abmachen.
pflückreif → reif.
Pflücksalat → Gemüse.
Pflüder → Schlamm.
pflügen, ackern, umpflügen, umackern, umbrechen, umgraben; → bebauen.
Pforte: → Tür; Hohe P. → Regierung; die -n schließen → zahlungsunfähig [werden].
Pförtner → Portier.
Pfosten → Pfahl.
Pfötchen: P. geben → begrüßen.
Pfote: → Gliedmaße, → Handschrift.
pfriemen → nähen.
Pfropf → Stöpsel.
pfropfen → züchten.
Pfropfen → Stöpsel.
Propfenzieher → Flaschenöffner.
Pfrundhaus → Heim.
pfüeti: [p. Gott!] → Gruß.
Pfuhl: → Dünger, → Jauchegrube, → See.
Pfuhlloch → Jauchegrube.
Pfuhlschnepfe → Vogel.
Pfulmen → Kissen.
Pfund: → Gewichtseinheit; ägyptisches / irisches / israelisches / syrisches / türkisches P., [P. Sterling] → Zahlungsmittel.
pfundig → trefflich.
¹pfuschen, huscheln, schludern, murksen, hudeln, sudeln, fudeln; → aufgeregt; → Pfuscherei.
²pfuschen: jmdm. ins Handwerk p. → Konkurrenz [machen].
Pfuscher → Stümper.
Pfuscherei, Stümperei, Flickwerk, Stückwerk, Ausschuß; → pfuschen.
pfutsch: p. sein → verloren [sein].
Pfütze, Lache, Lacke (österr.), Gumpe (mundartl.); → Fluß, → Gewässer, → Meer, → See.
PH → Hochschule.
Phäake → Genußmensch.
Phaeton → Kutsche.
Phagomanie → Anankasmus.
Phagozyten → Blutkörperchen.

**Phalanx** → Clique.
**phallisch:** -e Phase → Entwicklungsphase.
**Phallus** → Penis.
**Phänomen** → Ereignis.
**phänomenal,** außergewöhnlich, ungewöhnlich, ausgefallen, ungeläufig, außerordentlich, exzeptionell, extraordinär, groß, erstaunlich, überraschend, entwaffnend, umwerfend, bewundernswert, bewunderungswürdig, großartig, formidabel, ersten Ranges, brillant, kapital, stupend, hervorragend, überragend, eminent, überwältigend, eindrucksvoll, beeindruckend, beträchtlich, erklecklich, stattlich, ansehnlich, nennenswert, bedeutend, unvergleichlich, ohnegleichen, sondergleichen, einzigartig, bedeutungsvoll, bedeutsam, erheblich, grandios, imponierend, imposant, beachtlich, enorm, sensationell, epochal, epochemachend, spektakulär, aufsehenerregend, auffallend, auffällig, abenteuerlich, frappant, verblüffend, fabelhaft, sagenhaft, märchenhaft, pyramidal (*ugs.*); → angesehen, → anormal, → bahnbrechend, → beispiellos, → bekannt, → besonders, → bleibend, → gewaltig, → groß, → inhaltsreich, → interessant, → meisterhaft, → offenbar, → sehr, → trefflich, → unsagbar, → unschlagbar, → unüblich, → unwahrscheinlich, → wichtig.
**¹Phantasie,** Einbildung, Einbildungskraft, Vorstellung, Vorstellungskraft, Spekulation, Abstraktion, Theorie, Fiktion, Erdichtung, Irrealität, Unwirklichkeit, Auswüchse / (*abwertend*) Ausgeburt der Phantasie, Schimäre, Chimäre, Halluzination, Imagination, Täuschung, Sinnestäuschung, Bild, Vision, Gesicht, Fata Morgana, Wahn, Trugbild, Gaukelei, Gaukelspiel, Gaukelwerk, Phantom, Utopie, Hirngespinst (*abwertend*), Phantasmagorie, Illusion, Wunschtraum, Seifenblase (*ugs.*), Wolkenkukkucksheim, Luftschloß, leerer Dunst; → Ansicht, → Betrug, → Bewußtseinstrübung, →

Fata Morgana, → Gespenst, → Hokuspokus, → Lüge, → Muster, → Säuferwahnsinn, → Träumer; → unwirklich.
**²Phantasie:** → Einfallsreichtum; etwas ist reine P. → erfunden [sein].
**phantasielos:** → prosaisch, → unoriginell.
**Phantasielosigkeit** → Einfallslosigkeit.
**phantasieren:** → lügen, → musizieren.
**phantasievoll** → schöpferisch.
**Phantasmagorie** → Einbildung.
**Phantast** → Träumer.
**phantastisch:** → schön, → überspannt, → unwirklich; -er Realismus → Malerei.
**Phantom:** → Einbildung, → Gespenst.
**Pharisäer:** → Heuchler, → Schmeichler.
**Pharmakologie** → Pharmazeutik.
**Pharmakon** → Medikament.
**Pharmazeut** → Apotheker.
**Pharmazeutik,** Pharmakologie, Arzneimittelkunde; → Apotheker, → Wissenschaft.
**Pharus** → Leuchtfeuer.
**Pharyngitis** → Halsentzündung.
**Pharyngoskopie** → Ausspiegelung.
**Pharynx** → Rachen.
**Phase:** → Zeitraum; anale / genitale / ödipale / orale / phallische P. → Entwicklungsphase.
**Phi** → Buchstabe.
**Philanthrop,** Menschenfreund, Wohltäter [der Menschheit]; → Nächstenliebe · Ggs. → Misanthrop.
**Philanthropie** → Nächstenliebe.
**philanthropisch** → menschlich.
**Philatelist** → Briefmarkensammler.
**Philharmoniker** → Musizierender.
**Philia:** → Freundschaft, → Zuneigung.
**Philipp:** Vater P. → Strafanstalt.
**Philippika** → Rede.
**Philippus** → Apostel.
**Philister** → Spießer.
**philiströs:** → banausisch, → engherzig.
**Philologe,** Literaturwissenschaftler, Literaturhistoriker,

Sprachwissenschaftler, Linguist, Sprachgelehrter, Sprachforscher · Neuphilologe, Neusprachler · Altphilologe, Altsprachler; → Philologie, → Sprachpfleger.
**Philologie,** Literaturwissenschaft, Sprachwissenschaft, Linguistik, Sprachforschung, Neuphilologie, Altphilologie (Griechisch, Latein), Germanistik (Deutsch, Niederländisch), Anglistik (Englisch), Amerikanistik (Amerikanisch), Romanistik (Französisch, Provenzalisch, Italienisch, Spanisch, Katalanisch, Portugiesisch, Brasilianisch, Rätoromanisch, Rumänisch), Nordistik (Altnordisch, Isländisch, Norwegisch, Dänisch, Schwedisch), Slawistik (Russisch, Ukrainisch, Polnisch, Tschechisch, Slovenisch, Serbokroatisch, Bulgarisch), Finnougristik (Finnisch, Ungarisch), Turkologie (Türkisch), Iranistik (Persisch), Semitistik (Arabisch, Hebräisch, Iwrith), Ägyptologie (Ägyptisch, Koptisch), Indologie (Sanskrit, Tibetisch, Hindi), Japanologie (Japanisch), Sinologie (Chinesisch), Afrikanistik (Bantusprachen, Swahili, Amharisch); → Literaturwissenschaft, → Philologe, → Sprachwissenschaft, → Wissenschaft.
**Philosoph** → Denker.
**Philosophem** → Ausspruch.
**Philosophie** → Wissenschaft.
**philosophieren** → denken.
**Phimose** → Vorhautverengung.
**Phlebitis** → Venenentzündung.
**Phlebogramm** → Röntgenogramm.
**Phlebographie** → Röntgenographie.
**Phleborrhagie** → Blutung.
**phlegmatisch** → träge.
**¹Phobie,** Objektangst, Situationsangst, Zwangsbefürchtung, Angstneurose · *auf Angstanfälle allgemein bezogen:* Phobophobie, Erwartungsangst · *auf das Sterben bezogen:* Thanatophobie, krankhafte Todesangst · *auf frische Luft bezogen:* Aerophobie, Luftscheu · *auf spitze Gegenstände bezogen:* Aichmophobie · *auf Verunreinigungen bezogen:* Mysophobie, Rhypo-

phobie · *auf Schwindelanfälle bezogen:* Dinophobie · *auf Wasser bezogen:* Hydrophobie, Wasserangst, Wasserscheu · *auf bestimmte Räume bezogen:* Topophobie, Ortsangst · *auf freie Plätze bezogen:* Agoraphobie, Platzangst · *auf geschlossene Räume bezogen:* Klaustrophobie · *auf große Höhen oder Tiefen bezogen:* Hypsiphobie, Hypsophobie, Akrophobie, Höhenangst, Höhenschwindel, Brückenangst; → Hypochondrie, → Zwang.

²**Phobie** → Angst.

**phobisch** → ängstlich.

**Phobophobie** → Phobie.

**Phoebos Apollon** → Gott.

**Phokomelie** → Gliedmaßenmißbildung.

**Phokomelus** → Gliedmaßenmißbildung.

**Phon** → Lautstärke.

**Phonem** → Spracheinheit.

**Phonendoskop** → Stethoskop.

**Phonetik** → Sprachwissenschaft.

**phonetisch** → akustisch.

**Phoniater** → Arzt.

**Phoniatrie** → Heilkunde.

**Phönix** → Fabelwesen, → Sternbild; wie P. aus der Asche steigen → wiedererstehen.

**Phonokoffer** → Plattenspieler.

**Phonoskop** → Stethoskop.

**Phonotypistin:** → Stenotypistin, → Typistin.

**Phosphorbrandbombe** → Bombe.

**phosphoreszieren** → aufleuchten.

**Photo** → Fotografie.

**Photoalbum** → Album.

**Photoapparat** → Fotoapparat.

**Photograph** → Fotograf.

**Photographie** → Fotografie.

**photographieren** → fotografieren.

**photographisch:** -er Apparat → Fotoapparat.

**Photomodell** → Fotomodell.

**Photosatz** → Schriftsatz.

**Phototherapie**, Lichtbehandlung, Lichtheilverfahren, Lukotherapie · *unter Verwendung des Sonnenlichts:* Heliotherapie, Sonnenbehandlung, Sonnenbad; → Naturheilverfahren.

**phototropisch** → heliotropisch.

**Phrase:** → Redensart; -n dreschen → sprechen.

¹**phrasenhaft**, leer, hohl, nichtssagend, banal, trivial, inhaltslos, stereotyp, abgedroschen (*ugs., abwertend*), abgeleiert (*salopp, abwertend*), abgeklappert (*ugs., abwertend*); → oberflächlich, → üblich; → Plattheit.

²**phrasenhaft** → geziert.

**Phrasenstrukturgrammatik** → Grammatik.

**Phraseonym** → Pseudonym.

**Phrenasthenie** → Geistesgestörtheit.

**Phrenokardie** → Herzbeschwerden.

**Phthise:** → Altersschwäche, → Tuberkulose.

**Phylogenese** → Phylogenie.

**Phylogenie**, Phylogenese, Stammesgeschichte · *Ggs.* → Ontogenese.

**Phyma** → Hautblüte.

**Physiatrie** → Naturheilverfahren.

**Physiatrik** → Naturheilverfahren.

**Physik** → Wissenschaft.

**physikalisch:** -e Behandlung → Naturheilverfahren.

**Physikotherapie** → Naturheilverfahren.

**Physikus** → Arzt.

**Physiognomie** → Gesicht.

**Physiotherapie:** → Heilkunde, → Naturheilverfahren.

**Phytologie** → Pflanzenkunde.

**Phytotoxin** → Gift.

**Pi** → Buchstabe.

**Pia** → Meninx.

**Pia mater** → Meninx.

**Pianino** → Tasteninstrument.

**Pianissimo** → Lautstärke.

**Pianist**, Konzertpianist, Klaviervirtuose, Klavierspieler, Mann am Klavier, Flügelmann (*scherzh.*), Tastenkünstler (*scherzh.*), Klavierlöwe (*scherzh.*); → Künstler.

**piano** → Lautstärke.

**Piano** → Tasteninstrument.

**Pianoforte** → Tasteninstrument.

**Piarist:** -en → Mönchsorden.

**Piastre** → Zahlungsmittel.

**Pic** → Gipfel.

**Picador** → Stierkämpfer.

**Piccolo** → Bedienung.

**picheln** → trinken.

**Pichelsteiner:** P. Fleisch, P. Eintopf.

**Pick** → Bindemittel.

**Picke** → Spitzhacke.

**Pickel:** → Hautblüte, → Spitzhacke.

**Pickelhaube** → Kopfbedeckung.

**Pickelhering** → Spaßmacher.

**picken** → fest [sein].

**pickenbleiben:** → hängenbleiben, → wiederholen.

**Picker** → Murmel.

**Picknick:** → Essen; P. halten / machen → essen.

**picknicken** → essen.

**picobello** → trefflich.

**Pidgin-Englisch** → Mischsprache.

**Piedestal** → Sockel.

**Piefke** → Deutscher.

**Piefkinese** → Deutscher.

**pieken** → kribbeln.

**pieksauber** → sauber.

**Pielak** → Penis.

**Piele** → Penis.

**piensen** → weinen.

**piep:** nicht p. sagen → schweigen.

**Piep:** keinen P. sagen → schweigen.

**piepe:** jmdm. ist etwas p. → unwichtig [sein].

**Piepel** → Penis.

**piepen:** → singen; bei jmdm. piept es → verrückt [sein].

**Piepen** → Geld.

**Piephahn** → Penis.

**Piepmatz** → Vogel.

**piepsen** → singen.

**Piepvogel** → Vogel.

**Pier** → Damm.

**Pierrette** → Spaßmacher.

**Pierrot** → Spaßmacher.

**piesacken** → schikanieren.

**Piesepampel** → Dummkopf.

**Pieta:** → Bild, → Madonna, → Vesperbild.

**Pietät** → Achtung.

**pietschen** → trinken.

**Pigmentmal** → Muttermal.

**Pigmentpapier** → Druckpapier.

**Pignole**, Pignolie, Pinienkern.

**Pignolie** → Pignole.

**Piitis** → Gehirnhautentzündung.

**Pijiki** → Pelz.

**Pik:** → Spielkarte; einen P. auf jmdn. haben → hassen.

**pikant:** → anstößig, → würzig.

**pikarisch:** -er Roman → Roman.

**Pike:** → Wurfwaffe; von der P. auf lernen → lernen.

**Pikee** → Stoff.
**piken** → stechen.
**Piker** → Dorn.
**Pikett:** → Kartenspiel, → Mannschaft.
**pikiert** → gekränkt.
**Pikkolo** → Bedienung.
**Pikkoloflöte** → Blasinstrument.
**piksen** → stechen.
**Piksieben:** dastehen wie P. → überrascht [sein].
**Piktogramm** → Begriffssymbol.
**Piktographie** → Schrift.
**Pilaster** → Säule.
**Pilgerfahrt** → Wallfahrt.
**Pilgermuschel** → Muschel.
**pilgern,** wallfahrten, wallfahren; → fortbewegen (sich); → Wallfahrt.
**Pilgerzug** → Wallfahrt.
**Pille:** → Fußball, → Medikament, → Ovulationshemmer.
**Pillendreher** → Apotheker.
**Pillenfarn** → Farn.
**Pillenwerfer** → Algenpilz.
**Piller** → Penis.
**Pillermann** → Penis.
**Pillhahn** → Penis.
**Pilot:** → Flugzeugführer, → Lotse.
**Pilote** → Rammpfahl.
**pilotieren** → einrammen.
**Pilotsendung** → Sendung.
**Pilotstudie** → Experiment.
**Pilot-study** → Experiment.
**Pilot-survey** → Experiment.
**Pilottest** → Experiment.
**Pils** → Bier.
**Pilsener** → Bier.
**Pilsner** → Bier.
**¹Pilz,** Schwamm (*oberd.*), Schwammerl (*bayr., österr.*), Pilzling (*bayr., österr.*), Pülz (*bayr., österr.*), Poggenstul (*niederd.*) ··· Schlauchpilz · Ständerpilz · Lamellenpilz, Blätterpilz, Leistenpilz · Röhrenpilz · Stachelpilz · Keulenpilz · Bauchpilz ··· eßbarer Pilz, Speisepilz, Edelpilz, Würzpilz · ungenießbarer / giftiger Pilz, Giftpilz; → Algenpilz, → Lagerpflanze, → Pfifferling, → Schlauchpilz, → Ständerpilz, → Steinpilz; **Pilze sammeln,** Pilze suchen, in die Pilze gehen (*ugs.*).
**²Pilz:** → Hautpilzkrankheit, → Lagerpflanze, → Ständerpilz; wie -e aus dem Boden / der Erde schießen → entstehen.

**Pilzflechte** → Hautpilzkrankheit.
**Pilzling:** → Pilz, → Steinpilz.
**Pilzvergiftung** → Lebensmittelvergiftung.
**Pimelose** → Fettleibigkeit.
**¹Piment,** Nelkenpfeffer, englisches Gewürz, Gewürzkörner, Jamaikapfeffer, Neugewürz (*österr.*); → würzen.
**²Piment** → Gewürz.
**Pimmel** → Penis.
**Pimock** → Fremder.
**Pimpeligkeit** → Zimperlichkeit.
**Pimperlinge** → Geld.
**pimpern** → koitieren.
**Pimpf** → Junge.
**Pimpinelle** → Küchengewürz.
**Pin** → Kegel.
**Pinakothek** → Museum.
**Pincenez** → Kneifer.
**Pinchéäffchen** → Affe.
**pingelig:** → engherzig, → wehleidig.
**Pingeligkeit** → Pedanterie.
**Pingpong** → Tischtennis.
**Pingpongtisch** → Tisch.
**Pinguin** → Vogel.
**Pinie** → Nadelhölzer.
**Pinienkern** → Pignole.
**pink** → rosa.
**Pinke** → Geld.
**Pinkel:** feiner P. → Geck.
**Pinkelbude** → Toilette.
**pinkeln** → urinieren.
**Pinkepinke** → Geld.
**Pinne** → Reißzwecke.
**Pinscher** → Dummkopf.
**pinseln:** → malen, → schreiben.
**Pinselschimmel** → Schlauchpilz.
**pinsen** → weinen.
**pinslig** → engherzig.
**Pint** → Penis.
**Pinte** → Gaststätte.
**Pin-up-girl** → Nackte.
**Pionier:** → Dienstgrad, → Schrittmacher, → Soldat.
**Pioniertruppe** → Waffengattung.
**Pipapo:** mit allem P. → Zubehör.
**Pipe** → Faßhahn.
**Pipeline** → Rohrleitung.
**Pipi:** → Urin; P. machen → urinieren.
**Pirat:** → Seeräuber, → Segelboot.
**Piratendruck** → Nachdruck.
**Piratensender** → Rundfunksender.

**Pirol** → Vogel.
**Pirsch:** auf die P. gehen → jagen.
**pirschen** → jagen.
**pispeln** → flüstern.
**pispern** → flüstern.
**Pisse** → Urin.
**pissen** → urinieren.
**Pissoir** → Toilette.
**Pißort** → Toilette.
**Pißpott:** → Kopfbedeckung, → Nachtgeschirr.
**¹Piste,** Hang, Abfahrt, Schiwiese, Skiwiese, Idiotenhügel (*scherzh.*); → Schi.
**²Piste** → Rollbahn.
**Pistengockel** → Schifahrer.
**Pistensau** → Schifahrer.
**Pistole:** → Schußwaffe; jmdm. die P. auf die Brust setzen → nötigen; wie aus der P. geschossen antworten → antworten, → gleich.
**Pistolenschuß** → Schuß.
**Piston** → Blasinstrument.
**piu mosso** → lebhaft.
**Piz** → Gipfel.
**Pizza** → Gebäck.
**Pizzeria** → Gaststätte.
**Pizzo** → Gipfel.
**Pkw** → Auto.
**Pkw-Fahrer** → Autofahrer.
**PL¹** → Sprache.
**Placebo** → Medikament.
**Plache** → Plane.
**placieren,** plazieren, hinplacieren, hinplazieren, aufstellen, [an einen bestimmten Platz] stellen / setzen / legen / bringen / (*ugs.*) tun, einen Platz zuweisen / geben / anweisen, hinstellen, hinsetzen, hinlegen, hinbringen, hintun (*ugs.*); → hinstellen.
**placken:** sich p. → anstrengen (sich).
**Plackerei** → Anstrengung.
**pladdern:** es pladdert → regnen.
**Plädoyer** → Rede.
**Plafond** → Zimmerdecke.
**Plage** → Belästigung.
**Plagegeist** → Störenfried.
**plagen:** → schikanieren; sich p. → anstrengen (sich).
**Plagiat:** → Diebstahl; ein P. begehen → plagiieren.
**plagiatorisch** → unoriginell.
**plagiieren,** ein Plagiat / geistigen Diebstahl begehen, sich mit fremden Federn schmücken, abschreiben (*ugs.*), abkupfern

(*ugs.*), abfeilen (*landsch.*); → unoriginell; → Diebstahl.

**Plaid:** → Decke, → Umhang.

**Plakat,** Poster, Anschlag, Aushang, Werbeplakat, Affiche · Wahlplakat · Transparent, Spruchband · Filmplakat; → Flugschrift, → Litfaßsäule, → Mitteilung.

**plakativ** → zugespitzt.

**Plakatsäule** → Litfaßsäule.

**Plakette,** Abzeichen, Anstecknadel; → Abzeichen, → Etikett.

**Plan:** → Absicht, → Bauplan, → Entwurf, → Grundriß; Pläne machen / schmieden → vorhaben; einen P. unterbreiten → vorschlagen; auf den P. treten → vorkommen.

**Plane,** Plache (*oberd.*), Blache (*oberd.*), Blahe, Wagendecke, Wagenplane, Wagenplache (*oberd.*).

**¹planen,** vorbereiten, die nötigen Vorbereitungen treffen für, im voraus festlegen, Vorentscheidungen treffen für, die Weichen stellen; → bereitstellen, → entschließen (sich), → entwerfen.

**²planen:** → einteilen, → entwerfen; [das ist nicht geplant] → vorhaben.

**¹Planet,** Wandelstern ·· Merkur · Venus, Abendstern, Morgenstern · Erde · Mars, der rote Planet · Jup[p]iter · Saturn · Uranus · Neptun · Pluto ·· Nebenplanet, Satellit; → Erdball, → Himmelskörper, → Komet, → Mond, → Sternbild, → Sternwarte; → gestirnt.

**²Planet:** → Himmelskörper; der blaue P. → Erdball.

**Planetarium** → Sternwarte.

**Planetoid** → Himmelskörper.

**planieren** → nivellieren.

**Planigramm** → Röntgenogramm.

**Planigraphie** → Röntgenographie.

**Planke** → Brett.

**Plänkelei** → Kampf.

**planlos:** → unbesonnen; -es Davonlaufen → Anankasmus.

**planmäßig,** methodisch, gezielt, konsequent, planvoll, überlegt, durchdacht, folgerichtig, systematisch, stur (*abwertend*); →

allmählich, → behutsam, → gefärbt, → ruhig, → zweckmäßig · Ggs. → folgewidrig.

**Planschbecken** → Bassin.

**planschen:** → baden, → schwimmen.

**Plansprache** → Sprache.

**Plantage** → Gut.

**Planung** → Zeitplanung.

**planvoll** → planmäßig.

**plappern** → sprechen.

**plärren** → weinen.

**Plasma:** → Protoplasma, → Schmuckstein.

**Plastik,** Skulptur, Bauplastik, Standbild, Denkmal, Statue, Figur, Sockel, Relief; → Cupido.

**Plastikbeutel** → Einkaufstasche.

**Plastikbombe** → Sprengkörper.

**Plastikfolie** → Folie.

**Plastikteller** → Teller.

**plastisch:** → anschaulich, → metaphorisch.

**Plastron** → Jabot, → Krawatte.

**Platane** → Laubbaum.

**Platin** → Edelmetall.

**platinblond** → blond.

**Platinfuchs** → Pelz.

**Platitude** → Plattheit.

**platonisch,** unsinnlich, nicht sinnlich, rein geistig; → seelisch.

**plätschern** → fließen.

**platt:** → abgeflacht; p. sein [wie eine Briefmarke / wie eine Flunder / wie ein Pfannkuchen / wie Zeitungspapier] → überrascht [sein]; einen Platten haben → Reifendefekt.

**Platt:** P. sprechen → Mundart [sprechen].

**Plättbrett** → Bügelbrett.

**Plättchen** → Fliese.

**Platte:** → Bande, → Fliese, → Glatze, → Schallplatte; drehbare P. → Speiseplatte.

**Plätte:** → Bügeleisen, → Schiff.

**Plattei** → Kartei.

**Plätteisen** → Bügeleisen.

**plätten** → bügeln.

**Plattenfries** → Fries.

**Plattenheizkörper** → Heizkörper.

**Plattenleger** → Fliesenleger.

**Plattensee,** Balaton, ungarisches Meer (*scherzh.*); → Ungar.

**Plattenspieler,** Phonokoffer, Grammophon, Grammo (*bes.*

*schweiz.*) · *mit dem man stereophon hören kann:* Stereoanlage, Stereogerät; → Stereophonie.

**platterdings** → ganz.

**¹Plattform,** Perron (*veraltet*), Bühne (*veraltet*).

**²Plattform:** → Bahnsteig, → Grundlage.

**Plattfuß:** → Fuß, → Fußdeformität, → Reifendefekt.

**Plattfüßigkeit** → Fußdeformität.

**¹Plattheit,** Platitüde, Albernheit, Gemeinplatz, Locus communis, Allgemeinplätze, Allgemeinheiten, Selbstverständlichkeit, Binsenwahrheit (*abwertend*), Binsenweisheit (*abwertend*); → Redensart, → Trivialität; → phrasenhaft.

**²Plattheit** → Trivialität.

**Platt-Spreiz-Fuß** → Fußdeformität.

**Plattwurm** → Wurm.

**Platypodie** → Fußdeformität.

**¹Platz,** Marktplatz, Markt, Rathausplatz, Kirchplatz, Domplatz, Münsterplatz, Schloßplatz, Vorplatz, Bahnhofsvorplatz, Forum, Esplanade; → Straße.

**²Platz:** → Sitzgelegenheit, → Sitzplatz, → Sportfeld, → Stelle; einen P. anweisen / geben / zuweisen → placieren; den ersten P. einnehmen → Höchstleistung [erzielen]; P. greifen → zunehmen; P. machen → ausweichen; P. nehmen → setzen (sich); am -e sein → nötig [sein]; fehl am P. sein → passen; an diesen / jenen P. → dahin; an irgendeinem P. → irgendwo; an keinem P. → nirgends; an einen anderen P. rücken / stellen → verrücken; an seinen P. stellen → einordnen; vom P. stellen / verweisen → ausschließen; sich von den Plätzen erheben → erheben.

**Platzangst** → Phobie.

**Plätzchen** → Teegebäck.

**Platzdeckchen** → Set.

**Platzdorf** → Dorf.

**¹platzen,** zerplatzen, bersten, zerbersten, zerspringen, explodieren, implodieren, losgehen, detonieren, sich entladen, krepieren, zerknallen, in die Luft fliegen / gehen (*ugs.*), aufplatzen, aufbersten; → zerbrechen; → Explosion.

**²platzen:** → ärgerlich [werden], → weinen, → zerbrechen; etwas platzt → scheitern; aus allen Nähten p. → dick [werden]; ins Haus p. → besuchen; vor Neid p. → neiden; vor Neugier p. → neugierig [sein]; zum Platzen voll → voll.

**Platzkonzert** → Musikveranstaltung.

**Platzmiete** → Abonnement.

**Platzmusik** → Unterhaltungsmusik.

**Platzregen** → Niederschlag.

**Platzwechsel** → Ortsveränderung.

**Platzwunde** → Wunde.

**Plauderei** → Gespräch.

**plaudern:** → unterhalten (sich); aus der Schule p. → mitteilen.

**Plauderstündchen:** ein P. halten → unterhalten (sich).

**Plaudertasche** → Schwätzer.

**Plauener:** P. Spitze → Spitzenstickerei.

**Plausch:** → Gespräch; einen P. halten → unterhalten (sich).

**plauschen:** → lügen, → mitteilen, → unterhalten (sich).

**Plauscherl** → Gespräch.

**plausibel** → einleuchtend.

**Playback** → Aufzeichnung.

**Playboy** → Frauenheld.

**Plazenta,** Mutterkuchen, Nachgeburt; → Leibesfrucht.

**Plazet** → Erlaubnis.

**plazieren** → placieren.

**Plebiszit** → Volksentscheid.

**Plebs** → Abschaum.

**pledern** → fortbewegen (sich).

**Plegie** → Lähmung.

**Pleinairmalerei** → Malerei.

**Pleinpouvoir** → Berechtigung.

**Pleinzen** → Fisch.

**Pleise** → Lasche.

**pleite:** → zahlungsunfähig; p. gehen / machen / werden → zahlungsunfähig [werden].

**Pleite:** → Bloßstellung, → Mißerfolg, → Zahlungsunfähigkeit.

**Pleitegeier:** bei jmdm. sitzt der P. auf dem Dach → zahlungsunfähig [werden].

**Plempe** → Getränk.

**plemplem:** p. sein → verrückt [sein].

**Plenarsaal** → Saal.

**Plenarsitzung** → Tagung.

**Plenum** → Tagung.

**Pleonasmus,** Tautologie, Abundanz, Redundanz; → pleonastisch.

**pleonastisch,** tautologisch, redundant, überflüssig, doppelt gemoppelt (ugs.); → Pleonasmus.

**Pleonexie** → Habgier.

**Plethi:** Krethi und P. → alle.

**Plethora** → Blutandrang.

**Pletscher** → Teppichklopfer.

**Pleurahöhlenspiegelung** → Ausspiegelung.

**Pleuresie** → Brustfellentzündung.

**Pleuritis** → Brustfellentzündung.

**Pleuropneumonie** → Brustfellentzündung.

**Plinse:** → Kartoffelpuffer, → Omelett.

**plinsen** → weinen.

**Plinze** → Omelett.

**Plisseefalte** → Falte.

**Plisseerock** → Rock.

**plissieren** → falten.

**Plombe:** → Zahnersatz, → Zollverschluß.

**Plörre:** → Getränk, → Kaffee.

**plöterig** → karg.

**plötrig** → karg.

**Plötze** → Fisch.

**plotzen** → rauchen.

**plötzlich,** jäh, jählings, abrupt, sprunghaft, auf einmal, mit einemmal, mit einem Mal, aus heiler Haut (ugs.), unvermittelt, unversehens, unvorhergesehen, unvermutet, unerwartet, unverhofft, überraschend, wie aus dem Boden gewachsen, Knall und Fall (ugs.), [wie ein Blitz] aus heiterem Himmel (ugs.), schlagartig, von heute auf morgen, über Nacht; → etwaig, → improvisiert, → schnell.

**Pluderhose** → Hose.

**Plumeau** → Federbett.

**¹plump,** vierschrötig, klobig, grobschlächtig, ungeschlacht, ungefüge, breit, patschig; → athletisch.

**²plump** → unhöflich.

**Plumpheit** → Unhöflichkeit.

**Plumplori** → Affe.

**plumpsen** → fallen.

**Plumpsklo** → Toilette.

**Plumpsklosett** → Toilette.

**plump-vertraulich** → aufdringlich.

**Plunder:** → Kram, → Schleuderware.

**Plünderer,** Marodeur; → Dieb, → Pirat.

**Plundergebäck** → Gebäck.

**plündern** → wegnehmen.

**Plural** → Mehrzahl.

**pluralistisch:** -e Gesellschaft → Gesellschaft.

**plus:** → einschließlich; p. machen → Profit [machen].

**Plus** → Vorteil.

**Plüschbär** → Teddybär.

**plüschen** → engherzig.

**Plüschmantel** → Mantel.

**Plusquamperfekt** → Tempus.

**Pluto:** → Gott, → Planet.

**Plutokrat** → Reicher.

**Plutokratie** → Herrschaft.

**Plutzer** → Kopf.

**Pneu** → Autoreifen.

**Pneumatik** → Autoreifen.

**Pneumektomie** → Operation.

**Pneumenzephalogramm** → Röntgenogramm.

**Pneumenzephalographie** → Röntgenographie.

**Pneumokoniose** → Staublungenerkrankung.

**Pneumologe** → Arzt.

**Pneumologie** → Heilkunde.

**Pneumonektomie** → Operation.

**Pneumonokoniose** → Staublungenerkrankung.

**Pneumonologe** → Arzt.

**Pneumopleuritis** → Brustfellentzündung.

**Pneumorrhagie** → Blutung.

**PNS** → Nervensystem.

**Po** → Gesäß.

**Pöbel** → Abschaum.

**pöbelhaft** → gewöhnlich.

**Poch** → Glücksspiel.

**pochen:** → klopfen; p. auf → bestehen (auf).

**Pochette** → Streichinstrument.

**pochieren:** pochierte Eier → Eierspeise.

**Pocken,** Blattern, Variola, echte Pocken •• mit Haut- und Schleimhautblutungen: schwarze Pocken / Blattern, Variola haemorrhagica / nigra · milde Form: Varioloid, Alastrim, weiße / unechte Pocken, Milchpocken, Kaffernpocken, Negerpocken, Paravariola, Variola minor; → Hautausschlag, → Krankheit.

**Podagra** → Arthritis.

**Podest:** → Podium, → Treppenabsatz.

**Podex** → Gesäß.
**Podium,** Podest, Tritt, Erhöhung; → Katheder.
**Podiumsdiskussion** → Gespräch.
**Podiumsgespräch** → Gespräch.
**Poem** → Gedicht.
**Poesie:** [arkadische P.] → Dichtung.
**Poesiealbum** → Album.
**Poet** → Schriftsteller.
**Poetik** → Literaturwissenschaft.
**poetisch** → ausdrucksvoll.
**Pofel** → Menge.
**pofen** → schlafen.
**Pogg** → Frosch.
**Pogge** → Frosch.
**Poggenstul** → Pilz.
**Pogrom** → Verfolgung.
**Poilu** → Franzose.
**Point:** auf den letzten P. kommen → spät [kommen].
**Point d'Angleterre** → Spitzenstickerei.
**Point de France** → Spitzenstickerei.
**Point de Gênes** → Spitzenstickerei.
**Pointe,** Schluß, Knalleffekt (ugs.); → Ausspruch, → Einfall, → Ende.
**Pointer:** englischer P. → Hunderassen.
**Point gothique** → Spitzenstickerei.
**pointieren** → betonen.
**pointiert** → zugespitzt.
**Pointillismus** → Malerei.
**Pokal** → Trinkgefäß.
**Pökelfleisch,** Gepökeltes, Salzfleisch, Geselchtes (bayr., österr.), Selchfleisch (bayr., österr.), Surfleisch (österr.); → Fleisch, → Schinken; → pökeln.
**¹pökeln,** einpökeln, einsalzen, einsuren (österr.); → Pökelfleisch.
**²pökeln** → konservieren.
**Poker:** → Glücksspiel, → Kartenspiel; P. spielen → pokern.
**Pöker** → Gesäß.
**pokern,** Poker spielen; → Glücksspiel, → Kartenspiel.
**pokulieren** → trinken.
**¹Pol,** Drehpunkt · Nordpol, Südpol · Himmelspol · Wärmepol, Kältepol.
**²Pol** → Mittelpunkt.

**Polacca** → Tanz.
**Polacke** → Pole.
**Polackei** → Polen.
**polar** → gegensätzlich.
**Polarbär** → Bär.
**Polareis,** Inlandeis, Grönlandeis, Eiskappe, Eisdecke, ewiges / arktisches / antarktisches Eis; → Eisscholle.
**Polarfuchs** → Fuchs.
**Polarisierung** → Gegensätzlichkeit.
**Polarität** → Gegensätzlichkeit.
**Polarlicht** · auf der nördlichen Halbkugel: Nordlicht, Nordflüs (landsch.) · auf der südlichen Halbkugel: Südlicht.
**Polarlöwe** → Vogel.
**Polder** → Marsch.
**Pole,** Polacke (abwertend); → Polen.
**Polemik** → Streit.
**polemisch** → geharnischt.
**polemisieren** → erörtern.
**¹Polen,** Polackei (abwertend); → Pole.
**²Polen:** noch ist P. nicht verloren → Hoffnung.
**Polenta** → Mais.
**Polente** → Polizist.
**Police,** Polizze (bes. österr.), Versicherungsschein, Versicherungspolice, Versicherungspolizze (bes. österr.); → Versicherung.
**Policinello** → Spaßmacher.
**Polier** → Leiter (der).
**¹polieren,** blank reiben / polieren / (ugs.) machen, wienern (ugs.), politieren (österr.); → bohnern, → glätten, → säubern, → wachsen.
**²polieren:** jmdm. die Fresse p. → schlagen.
**Poliklinik** → Krankenhaus.
**Polio** → Kinderlähmung.
**Poliomyelitis** → Kinderlähmung.
**Politesse** → Polizist.
**politieren** → polieren.
**Politik:** → Strategie; eine P. der kleinen Schritte anwenden → stufenweise [vorgehen].
**Politiker,** Staatsmann; → Oberhaupt, → Strategie.
**Politikus** → Schlaukopf.
**Politikwissenschaft** → Politologie.
**politisch:** die -e Grippe nehmen → kommen; -e Jugend → Jugendbewegung; -e Lyrik

→ Lyrik; -e Polizei → Geheimpolizei; -e Versammlung → Demonstration; -e Wissenschaft → Politologie.
**politisieren** → unterhalten (sich).
**Politologie,** politische Wissenschaft, Politikwissenschaft; → Gesellschaftswissenschaft, → Wissenschaft.
**Politruk** → Beauftragter.
**Politur,** Lack, Glasur, Lasur, Anstrich, Firnis, Übermalung, Lackierung; → polieren, → streichen.
**Polizei:** → Polizeibehörde, Polizist; politische P. → Geheimpolizei; Räuber und P. → Versteckspiel; dümmer sein, als die P. erlaubt → dumm [sein]; zur P. gehen → anzeigen.
**Polizeibehörde,** Polizei, Gendarmerie, Exekutive (österr.) · Schutzpolizei, Bereitschaftspolizei, Kriminalpolizei, Verkehrspolizei · Wasserpolizei · Feldgendarmerie, Feldpolizei · Hafenpolizei · Grenzpolizei · Sittenpolizei, Sitte (ugs.) · Gesundheitspolizei · Internationale Kriminalpolizeiliche Kommission, Interpol ·· Militärpolizei · englische bzw. amerikanische: Military Police, M.P. ·· in Amerika: FBI · in England: Scotland Yard; → Geheimpolizei, → Kriminalpolizei, → Polizeirevier, → Polizist.
**Polizeieskorte** → Geleit.
**Polizeikommissariat** → Polizeirevier.
**polizeilich:** -e Anmeldung → Anmeldebestätigung; -er Gewahrsam → Freiheitsentzug.
**Polizeirevier,** Revier, Polizeidienststelle, Polizeistation, Wache, Polizeiwache, Polizeibüro, Wachzimmer (österr.), Polizeikommissariat (österr.), Kommissariat (österr.), Gendarmerieposten (österr.), Rayon (österr., veraltet); → Polizeibehörde.
**Polizeistaat** → Staat.
**Polizeistreife,** Streife, Fahndungsstreife; → Durchsuchung.
**Polizeiwache** → Polizeirevier.
**Polizist,** Polizeibeamter, Beamter, Polizei, Wachtmeister, Gesetzeshüter, Ordnungshüter,

Schutzmann, Wachmann (*österr.*), Wachebeamter (*österr.*), Auge des Gesetzes (*scherzh.*), Gendarm, Konstabler (*veraltet*), Landjäger, Schupo (*ugs.*), weiße Maus (*ugs.*, *scherzh.*), Grüner (*salopp*), Blauer (*salopp*), Polente (*salopp*), Polyp (*salopp*), Bulle (*salopp*), Bobby (*engl.*), Flic (*franz.*), Cop (*ugs.*, *amerik.*, *abwertend*) · *in der DDR:* Volkspolizist, Volkspolizei, Vopo (*ugs.*) ·· *weiblicher:* Politesse, Polizistin · *beim Militär:* Militärpolizist · *bei der deutschen Bundeswehr:* Feldjäger; → Polizeibehörde.

**Polizze** → Police.
**Pölk** → Schwein.
**Polka** → Tanz.
**Polka-Mazurka** → Tanz.
**polken** → stochern.
**Pollakisurie** → Harnentleerung.
**Pollution** → Samenerguß.
**polnisch:** bei jmdm. herrscht -e Wirtschaft→ungeordnet [sein]; Polnische → Würstchen.
**Polo** → Hockey.
**Polobluse** → Bluse.
**Polohemd** → Oberhemd.
**Polonaise** → Tanz.
**Polonäse** → Tanz.
**Polopony** → Pferd.
**Polostock** → Sportgerät.
**Polster** → Kissen.
**Polsterer** → Raumausstatter.
**Polstermauer** → Mauer.
**polstern:** gut gepolstert sein → dick [sein].
**Polsternagel** → Nagel.
**Polstersessel** → Sessel.
**Polsterstuhl** → Stuhl.
**Polsterzieche** → Bezug.
**poltern** → krachen, → lärmen, → schelten.
**Poly-:** → Viel-.
**Polyämie** → Blutandrang.
**Polyandrie** → Ehe.
**Polyantharose** → Rose.
**Polychordorgel** → Elektroorgel.
**Polygamie** → Ehe.
**polyglott,** vielsprachig, mehrsprachig; → Dolmetscher.
**Polygonalmauer** → Mauer.
**Polygramm** → Röntgenogramm.
**Polygraphie** → Röntgenographie.
**Polyhymnia** → Muse.
**Polymenorrhö** → Menstruation.

**Polyp:** → Geschwulst, → Hohltier, → Kopffüßer, → Polizist; -en haben → näseln.
**Polyphrasie** → Redseligkeit.
**Polypionie** → Fettleibigkeit.
**Polypol** → Marktform.
**Polypson** → Marktform.
**Polyptychon** → Altarbild.
**polysemantisch** → mehrdeutig.
**Polysemie** → Mehrdeutigkeit.
**Polysialie** → Speichelfluß.
**Polysklerose** → Entmarkungskrankheit.
**Polyurie** → Harnentleerung.
**pölzen** → abstützen.
**Pölzung** → Abstützung.
**Pomade** → Haarpflegemittel.
**pomadig:** → langsam, → spöttisch.
**Pomadigkeit** → Langsamkeit.
**pomali** → langsam.
**Pomeranze** → Apfelsine.
**Pommes chamonix** → Kartoffeln.
**Pommes frites** → Kartoffeln.
**Pomp** → Prunk.
**Pompadour** → Tasche.
**pompös** → hochtrabend.
**Pön** → Strafe.
**Pönale** → Strafe.
**Poncho** → Umhang.
**Ponem** → Gesicht.
**Ponim** → Gesicht.
**Pontifex maximus** → Oberhaupt.
**Pontifikalamt** → Gottesdienst.
**Pontifikalmesse** → Gottesdienst.
**Pontonbrücke** → Brücke.
**Pony** → Pferd.
**Ponyfrisur** → Frisur.
**Ponys,** Fransen, Simpelfransen; → Frisur.
**Pop-art** → Malerei.
**Popcorn:** → Getreideflocken, → Mais.
**Pope** → Geistlicher.
**Popelfahne** → Taschentuch.
**popelig:** → geizig, → karg.
**Popeline** → Stoff.
**Popelinehemd** → Oberhemd.
**Popelinmantel** → Mantel.
**popeln,** in der Nase bohren; → Nase.
**poplig:** → geizig, → karg.
**Popmusik** → Unterhaltungsmusik.
**Popo** → Gesäß.
**poppen** → koitieren.
**poppig** → bunt.

**Popplatte** → Schallplatte.
**¹populär,** volkstümlich, volksläufig,. allgemeinverständlich, gemeinverständlich; → Popularisation, → Popularisator; → popularisieren.
**²populär** → angesehen.
**Popularisation,** Popularisierung, Simplifikation, Simplifizierung, Vereinfachung, Verbreitung; → Popularisator, → Verflachung; → popularisieren; → populär.
**Popularisator,** Vulgarisator, Simplifikator; → Popularisation; → popularisieren; → populär.
**popularisieren,** simplifizieren, vereinfachen, volkstümlich / gemeinverständlich machen, vulgarisieren, unter die Leute bringen, verbreiten; → verwässern; → populär; → Popularisation, → Popularisator.
**Popularisierung** → Popularisation.
**Popularität** → Beliebtheit.
**Population** → Bewohner.
**Poriomanie** → Anankasmus.
**Pornobild:** → Bildnis, → Fotografie.
**Pornofilm** → Kinofilm.
**Pornographie** → Literatur.
**pornographisch,** anstößig, unschicklich, ungehörig, unziemlich, ungebührlich, unanständig, zweideutig, nicht salonfähig (*scherzh.*), stubenrein, pikant, lasziv, schlüpfrig, schmutzig, unsittlich, unmoralisch, schlecht, wüst, liederlich, zuchtlos, verdorben, verderbt, verrucht, ruchlos, verworfen, unzüchtig, tierisch, zotig, schweinisch (*salopp, abwertend*), lasterhaft, sittenlos, unkeusch, unsolide, ausschweifend, obszön, nicht → anständig; → anrüchig, → begierig, → frech, → gemein, → gewöhnlich, → hemmungslos, → pervers, → unhöflich; → anstoßen, → verwahrlosen; → Anstößigkeit, → Inzest, → Sittenlosigkeit, → Unzucht.
**porös:** → durchlässig, → luftdurchlässig.
**Porree,** Lauch (*bes. südd.*), Perllauch; → Gemüse.
**Port:** → Hafen, → Wein.
**Portable**→Fernsehgerät.

Portal → Tür.

Portativ → Tasteninstrument.

Portemonnaie, Geldbörse, Börse, Geldbeutel (*südd.*), Geldtasche, Geldkatze, Geldbörsel (*österr.*), Portjuchhe (*ugs., scherzh.*), Brustbeutel · Brieftasche; → zahlen.

Portepee → Quaste.

Porterhousesteak → Steak.

Portier, Pförtner, Türhüter, Türsteher; → Bewacher, → Hausmeister, → Rezeption.

Portiere → Gardine.

portieren → vorschlagen.

Portierfrau → Hausmeister.

Portierzwiebel → Dutt.

Portion: → Anteil; nur eine halbe P. sein → schmächtig [sein].

portofrei → kostenlos.

Portogramm → Röntgenogramm.

Portographie → Röntgenographie.

Portrait → Bildnis.

Portraitstudie → Bildnis.

Porträt: → Bildnis, → Fotografie.

Porträtaufnahme → Fotografie.

Porträtfotograf → Fotograf.

porträtieren: → malen, → zeichnen.

Porträtist → Kunstmaler.

Porträtmaler → Kunstmaler.

Porträtstudie → Bildnis.

Portulak → Küchengewürz.

Portwein → Wein.

portweinrot → rot.

¹Porzellan · Weichporzellan, Hartporzellan, Biskuitporzellan, Frittenporzellan; → Steingut.

²Porzellan: → Geschirr, → Steingut; P. zerschlagen → benehmen (sich).

Porzellanfüllung → Zahnersatz.

Porzellangeschirr → Geschirr.

Porzellanglasur → Glasur.

Porzellanhochzeit → Hochzeitstag.

Porzellankitt → Bindemittel.

Porzellankrone → Zahnersatz.

Porzellanladen: sich benehmen wie ein Elefant im P. → tölpelhaft [sein].

Porzellanmalerei → Maltechnik.

Porzellanpfeife → Tabakspfeife.

Porzellanschnecke → Schnecke.

Porzellanteller → Teller.

Porzellanvase → Blumenvase.

Posamenter, Posamentier, Posamentierer, Bortenmacher; → Besatz.

Posamentier → Posamenter.

Posamentierer → Posamenter.

Posaune → Blasinstrument.

Posaunenchor → Orchester.

Posaunist → Musizierender.

Pose → Stellung.

Poseidon → Gott.

pösern → anzünden.

Positio → Kindslage.

Position: → Anstellung, → Beruf.

positiv: → erfreulich; -es Recht → Recht.

¹Positiv, Grundstufe; → Vergleichsstufe.

²Positiv → Tasteninstrument.

Positivfilm → Film.

Positivismus, Stoffhuberei (*abwertend*), Vordergründigkeit; → vordergründig.

positivistisch → vordergründig.

Positivlinse → Linse.

Positur → Stellung.

Posse → Komödie.

Possen → Scherz.

possenhaft → spaßig.

Possenreißer → Spaßmacher.

possierlich → spaßig.

¹Post, Postverwaltung, Bundespost, PTT (*schweiz.*); → Postsendung.

²Post: → Kutsche; P. bekommen / haben / kriegen → Nachricht [erhalten]; ab die P. → weg; zur P. bringen → einliefern, → einwerfen.

Postangestellter → Postbeamter.

Postanweisung → Zahlkarte.

Postarbeit → Arbeit.

Postbeamter, Postangestellter, Postler (*bayr., österr.*), Pöstler (*schweiz.*), Postmensch (*ugs.*); → Zusteller.

Postbote → Zusteller.

posten → kaufen.

Posten: → Anstellung, → Beruf, → Wachtposten; einen P. abgeben / abtreten → kündigen; auf dem P. sein → gesund [sein], → wachsam [sein]; nicht auf dem P. sein → krank [sein]; auf verlorenem P. stehen → Lage.

Poster → Plakat.

Posteriora → Gesäß.

postfrei → kostenlos.

Postgeheimnis → Geheimnis.

postgelb → gelb.

Posticheur → Perückenmacher.

Posticheuse → Perückenmacher.

postieren: sich p. → aufstellen (sich).

Postillion: → Fuhrmann, → Schmetterling.

Postkarte: → Schreiben; [P. mit Rückantwort] → Postsendung.

Postkartenkalender → Kalender.

Postkutsche → Kutsche.

Postkutscher → Fuhrmann.

Postler → Postbeamter.

Pöstler → Postbeamter.

Postmensch → Postbeamter.

Postpaket → Postsendung.

Postscheck → Scheck.

Postsendung, Sendung, Brief, Drucksache, Warenprobe, Warensendung, Gütersendung, Mustersendung, Päckchen, Paket, Postpaket, Telegramm [mit Rückantwort], Eilbrief, Expreßbrief, Eilsendung, Expreßsendung, Eilpaket, Schnellpaket, Eilpäckchen, Geldbrief, Wertbrief, Geldsendung, Wertsendung, Wertpaket, Nachnahmesendung, Frankosendung, Massendrucksache, Postwurfsendung, Einschreibebrief, eingeschriebene / (*österr.*) rekommandierte Sendung, Einschreiben, Chargébrief (*schweiz.*), Einschrieb (*schweiz.*), Postkarte [mit Rückantwort], Korrespondenzkarte (*österr., veraltend*), Karte; → Post, → Zahlkarte, → Zusteller; → korrespondieren.

Postskript: → Nachwort, → Postskriptum.

¹Postskriptum, Postskript, PS, Nachschrift, Nachsatz, NS; → Schreiben.

²Postskriptum → Nachwort.

Poststempel → Stempel.

Postulant → Anwärter.

Postulat: ein P. aufstellen → fordern.

postulieren → fordern.

Postversand → Versand.

Postverwaltung → Post.

postwendend → gleich.

Postwertzeichen → Briefmarke.

Postwurfsendung → Postsendung.

Postzug → Eisenbahnzug.

Pot → Rauschgift.

Potator → Trinker.

Potatorium → Trunksucht.
potent: → geschlechtsreif, → mächtig, → reich.
Potentat → Oberhaupt.
Potential → Vorrat.
Potentialis → Modus.
¹potentiell, möglich, virtuell, in Frage kommend · Ggs. → ungeeignet.
²potentiell → möglich.
Potenz: → Fähigkeit; in die zweite / dritte P. erheben → potenzieren.
potenzieren, in die zweite / dritte Potenz erheben; → Rechenverfahren.
Potomanie → Trunksucht.
Potpourri → Mischung.
Pott → Schiff.
Pottasche → Treibmittel.
Pottenkant → Spitzenstickerei.
potthäßlich → häßlich.
Potto → Affe.
Pottsau → Schmutzfink.
Pottwal → Wal.
potz: p. Blitz! → überrascht.
Poularde → Huhn.
Poulet → Huhn.
Pour le mérite → Orden.
Pousse-Café → Mixgetränk.
poussieren: → flirten, → schmeicheln.
Poussierstengel: → Jüngling; ein P. sein → Frauenheld.
Poussiertuch → Taschentuch.
Powidl: → Brotaufstrich; etwas ist P. → einerlei.
PR → Public Relations.
Pracht: → Herrlichkeit; P. entfalten → prunken.
Prachtentfaltung → Prunk.
¹Prachtexemplar, Prachtkerl, Kaventskerl, Kaventsmann, Prachtstück; → Mann.
²Prachtexemplar → Exemplar.
prächtig: → blendend, → meisterhaft, → prunkvoll, → schön.
Prachtkerl → Prachtexemplar.
Prachtstraße → Straße.
Prachtstück: → Exemplar, → Glanzpunkt, → Prachtexemplar.
Prachttaucher → Vogel.
prachtvoll: → blendend, → schön.
Pracker: → Stoß, → Teppichklopfer.
Prädestination → Schicksal.
Prädomination: → Prävalenz, → Vorherrschaft.

prädominieren → überwiegen.
präfabriziert → vorgefertigt.
präferiert → bevorzugt.
Präfix: → Affix, → Silbe.
Prag, Praha (tschech.), die Goldene Stadt; → Stadt.
Pragmatik → Beamtenlaufbahn.
pragmatisch → Erfahrung.
pragmatisieren → einstellen (jmdn.).
Pragmatisierung → Anstellung.
Pragmatismus, Empirismus, Nützlichkeitsdenken; → Erfahrung.
prägnant: → klar, → treffend.
Praha → Prag.
Prähistorie → Geschichte.
prahlen, protzen, renommieren, aufschneiden, bramarbasieren, angeben, angeben wie zehn nackte Neger / eine Tüte voll Wanzen (oder:) Mücken (salopp), Schaum schlagen (ugs.), ein Schaumschläger sein, sich in die Brust werfen, den Mund voll nehmen (ugs.), Sprüche machen / hermachen (ugs.), Wind machen (ugs.), sich aufspielen/brüsten/großtun, sich aufblähen / aufblasen / aufplustern / dicketun (salopp), sich wichtig machen / tun, dick auftragen (ugs.), [bis zum Ellenbogen] reinlangen (salopp, landsch.), große Reden schwingen (ugs.), große Töne spucken (salopp), ein großes Maul haben (derb), das große Wort führen (ugs.), eine Schau abziehen (abwertend), sich in Szene setzen, sich in den Vordergrund stellen · in bezug auf eigene Mängel o.ä.: kokettieren mit etwas; nicht p. können mit, keinen Staat machen können mit; → protzig; → Übertreibung.
Prahlerei → Übertreibung.
prahlerisch → protzig.
Prahlhans → Angeber.
Prahm → Schiff.
Präkambrium → Erdzeitalter.
Präkognition → Voraussage.
praktikabel → zweckmäßig.
Praktiker: → Arzt, → Fachmann.
praktisch: → anstellig, → beinahe, → regelrecht, → zweckmäßig; -er Arzt → Arzt; -e Theologie → Theologie.

praktizieren → handhaben.
Prälat → Geistlicher.
¹Praline, Pralinee (österr.) · aus Zucker: Fondant; → Süßigkeiten.
²Praline: eine Packung mit -n → Bonbonniere.
Pralinee → Praline.
Pralinenpackung → Bonbonniere.
prallen: p. auf → zusammenstoßen.
Präludium → Einleitung.
Prämie: → Gratifikation, → Vergütung.
Prämienlohn → Lohn.
prämiensparen, einen Prämiensparvertrag [abgeschlossen] haben → sparen.
Prämiensparvertrag: einen P. [abgeschlossen] haben → prämiensparen.
prämieren: prämiert → preisgekrönt.
prämiieren: prämiiert → preisgekrönt.
Prämolar → Zahn.
Prämolarzahn → Zahn.
Prämonstratenser → Mönchsorden.
Prämonstratenserorden → Mönchsorden.
prangen: → leuchten, → prunken.
Pranger: an den P. stellen → brandmarken.
Prangtag → Fronleichnam.
Pranke → Gliedmaße.
Präparat → Medikament.
¹präparieren, ausstopfen, ausschoppen (ugs., österr.), haltbar machen; → mumifizieren.
²präparieren: sich p. → lernen.
präpeln → essen.
Präposition → Wortart.
präpotent → dünkelhaft.
Präpotenz → Überheblichkeit.
Präputium → Vorhaut.
Präriebrand → Schadenfeuer.
Prärieläufer → Vogel.
Prasem → Schmuckstein.
Präsens → Tempus.
präsent: etwas ist jmdm. p. → Gedächtnis.
Präsent → Gabe.
¹präsentieren (sich), sich vorstellen / zeigen, sich blicken lassen, sich auf den Präsentierteller setzen (ugs.).
²präsentieren: → vorlegen; jmdm. eine Rechnung p. → Unkosten.

**Präsentierteller:** sich auf den P. setzen → präsentieren (sich); auf dem P. sitzen → sitzen.

**Präsenzbibliothek** → Bücherbestand.

**Präsenzdiener** → Soldat.

**Präsenzdienst:** → Militärdienst; den P. ableisten / leisten → Soldat [sein].

**Präservativ,** Kondom, Prophylaktikum, Verhütungsmittel, Gummischutzmittel, Präser (*ugs.*), Überzieher (*salopp*), Pariser (*salopp*), Mündungsschoner (*scherzh.*); → Empfängnisverhütung, → Empfängnisverhütungsmittel, → Ovulationshemmer.

**Präses:** → Geistlicher, → Vorstand.

**Präsi** → Bürgermeister.

**Präside** → Vorsitzender.

**Präsident:** → Oberhaupt, → Rektor, → Vorsitzender, → Vorstand.

**Präsidentschaft** → Vorsitz.

**präsidieren** → vorstehen.

**Präsidium:** → Leitung, → Vorsitz.

**prasseln,** klatschen, trommeln; → fließen, → rascheln, → schallen; → Laut.

**prassen** → essen.

**Präsumption** → Ansicht.

**Präsumtion** → Ansicht.

**Prätendent** → Anwärter.

**prätentiös:** → anspruchsvoll, → dünkelhaft.

**Präteritum** → Tempus.

**Pratze** → Gliedmaße.

**¹Prävalenz,** Vorrang, Übergewicht, Überlegenheit, Prädomination, das Vorherrschen / Überwiegen / Dominieren; → Vorrang; → überwiegen.

**²Prävalenz** → Vorherrschaft.

**prävalieren** → überwiegen.

**Prävention** → Verhütung.

**präventiv** → vorbeugend.

**Präventivkrieg** → Krieg.

**Präventivmittel** → Empfängnisverhütungsmittel.

**Präverb** → Affix.

**Prävulgata** → Bibelübersetzung.

**Praxis:** → Erfahrung, → Kunstfertigkeit, → Sprechzimmer; ohne P. → theoretisch.

**praxisnah:** nicht p. → theoretisch.

**Präzedenzfall** → Parallele.

**präzis** → klar.

**präzise** → klar.

**Präzision** → Deutlichkeit.

**Präzisionswaage** → Waage.

**Precancel** → Briefmarke.

**¹predigen,** eine Predigt halten, das Wort Gottes verkündigen / verkünden, von der Kanzel reden; → sprechen.

**²predigen:** jmdm. Moral p. → schelten; [tauben Ohren / in der Wüste p.] → sprechen.

**Prediger** → Geistlicher.

**Predigermönch** → Mönch.

**Predigerorden** → Mönchsorden.

**Predigt:** → Rede; eine P. halten → predigen.

**Predigtstuhl** → Katheder.

**Predigttext** → Bibelabschnitt.

**¹Preis,** Kosten ·· Erzeugerpreis, Produzentenpreis, Selbstkostenpreis, Großhandelspreis, Einkaufspreis, Engrospreis ·· Kaufpreis, Einzelhandelspreis, Endpreis, Ladenpreis, Endverbraucherpreis, Konsumentenpreis, Verkaufspreis, Pauschalpreis, Bruttopreis · *nach Abzug von Rabatt:* Nettopreis · *behördlich festgesetzter oder vom Hersteller empfohlener:* [empfohlener] Richtpreis, Festpreis, Listenpreis ·· *der sich auf Grund von Angebot und Nachfrage regelt:* Marktpreis, Tagespreis ·· *der sich durch den Liebhaberwert einer Ware regelt:* Liebhaberpreis ·· *geschätzter:* Schätzpreis ·· *zu hoher:* Wucherpreis (*abwertend*), Überpreis, Höchstpreis, Schwarzmarktpreis, Schandpreis (*abwertend*) ·· *niedriger:* Vorzugspreis, Freundschaftspreis, Sonderpreis, Schleuderpreis, Spottpreis, Kampfpreis · *bei Vorbestellung von Büchern, Schallplatten o.ä.:* Subskriptionspreis · *geringer, der die Abgabe nur an Interessierte garantieren soll:* Schutzgebühr · *für die Anfertigung eines Kleidungsstücks:* Schneiderlohn, Macherlohn (*ugs.*); → Abgabe, → Neuwert, → Unkosten; **einen sehr hohen P. verlangen,** viel Geld nehmen (*ugs.*), es von den Lebendigen nehmen (*salopp*); → billig, → teuer.

**²Preis:** → Lob, → Lobrede; erster P. → Hauptgewinn; großer P. von Cannes / Mann-

heim → Filmpreis; das ist ein stolzer P., das sind astronomische -e → teuer [sein]; was / wie hoch ist der P.? → teuer; alles hat seinen P. → Opfer [bringen müssen]; die -e senken → ermäßigen; im P. steigen → aufschlagen (Preis); im P. gesenkt, unter P., zum halben Preis, zu zivilen -en → billig; um jeden P. → unbedingt; um keinen P. → nein.

**Preisanstieg,** Teuerung, Verteuerung, Preiserhöhung, Preissteigerung, Kostenexplosion, Preislawine, Lohn-Preis-Spirale; → Aufschwung, → Geldentwertung, → Preisgrenze, → Zuschlag · Ggs. → Preissturz.

**Preisausschreiben,** Preisrätsel, Quiz, Wettbewerb, Rätselwettkampf, Rätselspiel; → Glücksspiel, → Hauptgewinn, → Rätsel, → Spiel; → losen.

**Preisbindung** → Preisgrenze.

**Preisboxer** → Boxer.

**Preiselbeere** → Beerenobst.

**preisen:** → loben, → lobpreisen.

**Preiserhöhung** → Preisanstieg.

**Preisgabe:** → Entäußerung, → Entsagung.

**preisgeben:** → ausliefern (jmdn.), → aussetzen (sich einer Sache), → mitteilen, → opfern, → verraten; jmdn. dem Gelächter p. → aufziehen.

**preisgegeben:** → schutzlos, → unsicher.

**Preisgegebenheit** → Ungesichertheit.

**Preisgegebensein** → Ungesichertheit.

**preisgekrönt,** prämi[i]ert, ausgezeichnet; → trefflich.

**Preisgericht,** Jury, Jurorenkomitee · *im Sport:* Schiedsgericht, Kampfgericht; → Ausschuß, → Preisrichter, → Schiedsrichter; → beurteilen.

**Preisgrenze,** Preisbindung, Limit; → Preisanstieg, → Preisnachlaß.

**preisgünstig** → billig.

**Preisherabsetzung** → Preisnachlaß.

**Preislawine** → Preisanstieg.

**Preisnachlaß,** Nachlaß, Ermäßigung, Preisherabsetzung, Preissenkung, Verbilligung, Prozente, Rabatt, Mengenrabatt, Abzug, Abschlag (*schweiz.*),

Diskont, Eskompte, Rückvergütung · *bei sofortiger Zahlung:* Skonto · *bei schlechter Warenbeschaffenheit:* Dekort, Fusti, Refaktie; → Ausverkauf, → Preissturz, → Preisunterbietung, → Vergütung; → ermäßigen.

**Preisrätsel** → Preisausschreiben.

**Preisrichter,** Juror, Punktrichter; → Preisgericht, → Schiedsrichter.

**Preissenkung** → Preisnachlaß.

**Preissteigerung** → Preisanstieg.

**Preissturz,** Sturz, Baisse, Slump; → Preisnachlaß, → Preisunterbietung · Ggs. → Preisanstieg.

**Preistreiberei** → Wucher.

**Preisunterbietung,** Unterbietung, Dumping; → Preisnachlaß, → Preissturz · Ggs. → übertreffen.

**preiswert** → billig.

**preiswürdig** → billig.

**prekär** → schwierig.

**¹Prellbock** · Puffer · Stoßstange; → Auto, → Eisenbahnzug.

**²Prellbock:** jmdn. als P. benutzen → verdächtigen.

**prellen** → betrügen.

**Prellung** → Verletzung.

**Premier** → Ministerpräsident.

**Premiere:** → Aufführung, → erste.

**Premierminister** → Ministerpräsident.

**Prenonym** → Pseudonym.

**Presbyopie** → Fehlsichtigkeit.

**Pre-shave-Lotion** → Rasierwasser.

**¹Presse,** Blätterwald · Auslandspresse, Provinzpresse, Lokalpresse, Boulevardpresse, Regenbogenpresse, Revolverpresse, Schmutzpresse, Sensationspresse, Journaille (*abwertend*), Propagandapresse, Fachpresse; → Presseagentur, → Zeitung, → Zeitungswesen.

**²Presse:** → Saftpresse, → Zeitung; eine gute P. haben → besprechen.

**Presseagentur,** Agentur, Pressedienst; → Presse.

**Presseball** → Ball.

**Pressedienst** → Presseagentur.

**Pressefotograf** → Fotograf.

**pressen:** → quetschen; an sich p. → umfassen.

**Pressewesen** → Zeitungswesen.

**Preßfalte** → Falte.

**Preßglas** → Glas.

**Preßhonig** → Honig.

**pressieren:** etwas pressiert → eilen.

**Pression** → Zwang; -en → Vergeltungsmaßnahmen.

**Preßkohle** → Kohle.

**Preßling** → Kohle.

**Preßluftschuppen** → Gaststätte.

**Preßstein** → Baustein.

**Pressure-group** → Interessenverband.

**presten** → fortbewegen (sich).

**Prestige:** → Ansehen, → Autorität.

**Pretiosen** → Schmuck.

**¹Preuße,** Saupreuße (*abwertend*) Preußenschnauze (*landsch., abwertend*), Schmalzpreuße (*landsch., abwertend*), Schnapspreuße (*landsch., abwertend*), Stinkpreuße (*landsch., abwertend*) · *1866 preußisch gewordene Hannoveraner, Frankfurter, Hessen-Nassauer, Kurhessen:* Mußpreuße (*hist.*); → Deutscher.

**²Preuße:** so schnell schießen die -n nicht! → ruhig.

**Preußenschnauze** → Preuße.

**preußischblau** → blau.

**prickelnd** → würzig.

**priemen** → bosseln.

**Priester** → Geistlicher.

**Priesterschaft** → Klerus.

**Priesterstand** → Klerus.

**Priesterweihe,** Konsekration, Ordination; → Amtseinführung, → Sakrament.

**prima** → trefflich.

**Prima** → Schulklasse.

**Primaballerina** → beste.

**Primadonna:** → beste; [P. assoluta] → Sängerin.

**Primar** → Arzt.

**primär** → ursprünglich.

**Primararzt** → Arzt.

**Primareife** → Einjähriges.

**Primarius:** → Arzt, → Musizierender.

**Primarschule** → Schule.

**Primgeiger** → Musizierender.

**primitiv:** → einfach, → gewöhnlich; -e Klassengesellschaft → Gesellschaft.

**Primitivling** → Ungebildeter.

**Primitivsprache** → Sprache.

**Primiz** → erste.

**Primogenitur** → Recht.

**Primus** → Klassensprecher.

**Primus inter pares,** Erster unter Ranggleichen, Dienstältester; → Leiter, → Vorrang, → Vorsitzender.

**Primzahl** → Zahl.

**Prince Charles** → Hunderassen.

**Prince of Wales** → Thronfolger.

**Printe:** Aachener -n → Gebäck.

**Prinz:** [Königlicher P.] → Adliger; P. Karneval → Faschingszug.

**Prinzengarde** → Faschingszug.

**Prinzessin:** [Königliche P.] → Adlige; Räuber und P. → Versteckspiel.

**Prinzgemahl** → Ehemann.

**Prinzip:** → Regel; heuristisches P. → Verfahren; aus P. → prinzipiell.

**prinzipiell,** grundsätzlich, im allgemeinen, aus Prinzip / Überzeugung; → grundsätzlich.

**Prinzipien,** Grundsätze, Maximen, Lebensregeln; → Regel.

**Priorin** → Anrede.

**Priorität** → Vorrang.

**Prison** → Strafanstalt.

**Pritsche** → Bett.

**privat** → anonym.

**Privataudienz** → Empfang.

**Privatbank** → Geldinstitut.

**Privatbrief** → Schreiben.

**Privatdetektiv** → Auskundschafter.

**Private** → Rentnerin.

**Privater** → Rentner.

**Privatgelehrter** → Gelehrter.

**Privatier** → Rentner.

**Privatiere** → Rentnerin.

**privatim** → vertraulich.

**Privatinteresse** → Liebhaberei.

**Privatklage** → Anklage.

**Privatklinik** → Krankenhaus.

**¹Privatleben,** Intimsphäre, Tabubezirk, intimer Bereich, Privatsphäre; → Verschwiegenheit · Ggs. → Öffentlichkeit, → Taktlosigkeit; **im P.,** in seinen vier Wänden, in seiner Häuslichkeit, daheim, zu Hause, bei sich.

**²Privatleben:** sich ins P. zurückziehen → kündigen.

**Privatlehrer** → Lehrer.

**Privatlektüre** → Lektüre.

**Privatmann** → Rentner.

**Privatrecht** → Rechtsgebiet.

**Privatsphäre** → Privatleben.

**Privatvergnügen** → Liebhaberei.

Privileg → Vorrecht.
privilegiert: p. sein → Vorrecht.
pro: [p. Kopf / Nase / Person] → je; Pro und Kontra → Vorteil.
Proband → Versuchsobjekt.
probat, erprobt, bewährt, wirksam; → erprobt, → zugkräftig.
[1]Probe, Kostprobe, Muster; → probeweise.
[2]Probe: → Experiment; die P. aufs Exempel machen → probieren; eine P. nehmen → kosten; auf / zur P. → probeweise; auf die P. stellen → prüfen.
Probeabzug → Probedruck.
Probealarm → Alarm.
Probebefragung → Experiment.
Probeblatt → Probedruck.
Probedruck, Probeblatt, Probeseite, Probeabzug, Probesatz, Satzprobe, Probefahne, Korrekturfahne, Fahne, Korrekturabzug · erster Handabzug, Bürstenabzug; → Druck.
Probefahne → Probedruck.
Probefahrt → Fahrt.
Probelehrer → Lehrer.
pröbeln → probieren.
proben → einstudieren.
Probesatz → Probedruck.
Probeseite → Probedruck.
probeweise, zur Probe, auf Probe, versuchsweise, tentativ; → probieren, → prüfen; → Probe.
Probezeit → Bewährungsfrist.
[1]probieren, ausprobieren, die Probe aufs Exempel machen, durchprobieren, durchexerzieren, [sein Heil / sein Glück] versuchen, pröbeln (schweiz.); → wagen; → probeweise.
[2]probieren → einstudieren, → kosten.
Probierpuppe → Schneiderpuppe.
Problem: [ein P. haben] → Schwierigkeit.
problematisch → schwierig.
Problemfilm → Kinofilm.
pro centum → Prozent.
Prodekan → Dekan.
pro domo, in eigener Sache, zum eigenen Nutzen, für sich selbst.
Prodrom → Symptom.
Prodromalerscheinung → Symptom.
Prodromalsymptom → Symptom.

Produkt: → Hervorbringung, → Ware.
Produktion → Produktionsmittel.
Produktionsgenossenschaft, Genossenschaft, Kollektiv, Kombinat ·· landwirtschaftliche in der DDR: LPG · in der Sowjetunion: Kolchos, Kolchose, Sowchos[e]; → produzieren.
Produktionsgrammatik → Grammatik.
Produktionsmittel (Plural), Güter · in einen Produktionsbetrieb eingesetzte, aus anderen Wirtschaftsbereichen bezogene: Input · von einem Unternehmen produzierte: Output, Produktion, Güterausstoß, Ausstoß; → Hervorbringung, → Ware.
Produktionszwischenhandel → Großhandel.
produktiv → schöpferisch.
Produktivität → Ergiebigkeit.
Produzent → Unternehmer.
Produzentenpreis → Preis.
[1]produzieren, herstellen, erzeugen, hervorbringen, generieren · von Bier: brauen · von Branntwein: brennen, destillieren; · anfertigen, → erschaffen, → schwängern; → Herstellung, → Produktionsgenossenschaft.
[2]produzieren → vorlegen.
Proerythroblasten → Blutkörperchen.
profan → weltlich.
Professional → Sportler.
professionell → beruflich.
Professionist → Fachmann.
Professor: → Hochschullehrer; → Lehrer.
Professur → Lehrstuhl.
Profi → Sportler.
Profil: → Ansehen, → Umriß; [an] P. gewinnen → profilieren (sich).
profilieren (sich), [an] Profil gewinnen, ein Gesicht bekommen; → profiliert.
profiliert, ausgeprägt, markant, scharf umrissen; → profilieren (sich).
Profilneurose → Ehrgeiz.
[1]Profit, Gewinn, Ausbeute; P. machen, Nutzen / Gewinn ziehen aus, sich sanieren / (salopp) gesundstoßen, ein [gutes] Geschäft / (ugs.) einen guten Schnitt / (ugs.) plus machen, [groß] ins Geschäft kommen /

(ugs.) einsteigen / (ugs.) steigen, sein Schäfchen scheren / ins trockene bringen (ugs.), ein gemachter Mann sein; → bereichern (sich), → kommerzialisieren, → profitieren.
[2]Profit: → Ertrag, → Vorteil.
profitieren, Nutzen haben / ziehen, Gewinn haben, Nutznießer sein; → einträglich; → Profit.
pro forma → wirklich.
Prognose → Voraussage.
prognostizieren → erkennen.
[1]Programm, Manifest, Grundsatzerklärung ·· politisches: Parteiprogramm · Regierungserklärung; → Aufruf; etwas als P. verkünden, etwas proklamieren, etwas auf seine Fahne / sein Panier schreiben.
[2]Programm: → Computer; auf das P. setzen → ansetzen.
programmatisch → richtungweisend.
programmieren: programmierter Unterricht → Unterrichtsmethode.
Programmiersprache → Sprache.
Programmusik → Musik.
Progreß → Fortschritt.
Progression → Steigerung.
progressiv → fortschrittlich.
Progressive Jazz → Jazz.
Prohibition, Alkoholverbot; → Alkohol, → Enthaltsamkeit, → Trinker, → Trunksucht.
Projekt → Absicht.
Projektgruppe → Arbeitskreis.
Projektil → Munition.
Projektionsapparat, Projektionsgerät, Projektor, Filmvorführgerät, Vorführgerät, Bildwerfer, Laterna magica (hist.) · für lichtdurchlässige Bilder: Diaskop · für undurchsichtige Bilder: Episkop · für durchsichtige und undurchsichtige Bilder: Epidiaskop; → Fotoapparat.
Projektionsgerät → Projektionsapparat.
Projektor → Projektionsapparat.
Proklamation → Aufruf.
proklamieren: etwas p. → Programm.
Proktologe → Arzt.
Proktologie → Heilkunde.
Proktos → Darm.
Proktoskopie → Ausspiegelung.

**Proktozele:** → Bruch, → Eingeweidesenkung.

**Prolaktin** → Hormon.

**Prolaps** → Bruch.

**Prolet:** → Arbeitnehmer, → Ungebildeter.

**Proletarier** → Arbeitnehmer.

**Proletenbagger** → Aufzug.

**proletenhaft** → gewöhnlich.

**Prolog** → Einleitung.

**Prolongation:** → Stundung, → Verlängerung.

**prolongieren** → hinauszögern.

**Prolongierung** → Verlängerung.

**Promenade:** → Spaziergang, → Straße.

**Promenadenkonzert** → Musikveranstaltung.

**Promenadenmischung** → Hund.

**Promenadenmusik** → Unterhaltungsmusik.

**promenieren** → spazierengehen.

**prominent** → bekannt.

**Prominentenherberge** → Hotel.

**Prominenz:** → Bekanntheit, → Berühmtheit.

**Promiskuität** → Koitus.

**Promoter** → Beauftragter.

**Promotion** → Werbung.

**promovieren,** doktorieren, die Doktorwürde / den Doktorgrad erlangen, den Doktor machen (ugs.); → dissertieren, → habilitieren (sich); → Doktorarbeit.

**prompt** → gleich.

**Promyelozyten** → Blutkörperchen.

**Pronator** → Muskel.

**Pronomen** → Wortart.

**prononciert** → zugespitzt.

**Propaganda,** Agitation, Agitprop, Türk (schweiz.), Türgg (schweiz.) · bösartige: Verleumdung, Hetze (abwertend), Volksverführung, Volksverdummung (abwertend), Volksverhetzung (abwertend), Wühlarbeit (abwertend), Stimmungsmache, (abwertend), Brunnenvergiftung (abwertend); → Gerücht, → Propagandist, → Public Relations, → Transparent, → Weisung, → Werbung; → propagieren.

**Propagandablatt** → Zeitung.

**Propagandafilm** → Kinofilm.

**Propagandapresse** → Presse.

**Propagandist,** Werber, Aufklärer, Agitator; → Hetzer, → Propaganda; → propagieren.

**propagieren,** werben, Stimmung machen, weibeln (schweiz.); → aufwiegeln; → Propaganda, → Propagandist.

**Propellerflugzeug** → Flugzeug.

**Propellermaschine** → Flugzeug.

**proper** → sauber.

**¹Prophet** · Jesaja, Jeremia, Hesekiel, Daniel, Hosea, Joel, Amos, Obadja, Jona, Micha, Nahum, Habakuk, Zephanja, Haggai, Sacharja, Maleachi; → Bibel.

**²Prophet:** → Wahrsager; falscher P. → Hetzer; beim Barte des -en! → versprechen; → wahrlich.

**prophetisch,** hellseherisch, seherisch, divinatorisch, vorahnend, vorausahnend; → ahnungsvoll; → Hellsehen.

**prophezeien** → voraussehen.

**Prophezeiung** → Voraussage.

**Prophylaktikum** → Präservativ, → Vorbeugungsmittel.

**prophylaktisch** → vorbeugend.

**Prophylaxe** → Verhütung.

**proponieren** → vorschlagen.

**Proportionalwahl** → Verhältniswahl.

**proportioniert** → ebenmäßig.

**Proportioniertheit** → Ebenmäßigkeit.

**Proporz** → Verhältniswahl.

**Proppen** → Stöpsel.

**proppenvoll** → voll.

**Propusk** → Ausweis.

**Prorektor** → Rektor.

**Prosadichtung** → Dichtung.

**prosaisch,** nüchtern, trocken, phantasielos; → amusisch, → realistisch, → unoriginell · Ggs. → musisch, → schöpferisch.

**Prosaroman** → Roman.

**Prosektur** → Leichenschauhaus.

**Proselyt** → Bekehrter.

**Prosencephalon** → Gehirn.

**Proserpina** → Göttin.

**prosit:** → prost; p. Neujahr → Neujahr.

**Proskription** → Bann.

**Proskriptionsliste** → Verzeichnis.

**Prospekt,** Werbeschrift, Katalog, Spezialkatalog, Sammelkatalog, Versandhauskatalog, Ausstellungskatalog, Werbezettel, Waschzettel, Klappentext, Reklameschrift, Handzettel; → Verzeichnis.

**prost,** prosit, na denn [prost], prösterchen (scherzh.), zum Wohl, auf dein / Ihr Wohl, dein / Ihr Spezielles, skål (skand.), cheerio (engl.), cheers (engl.), chin-chin (engl.), à votre santé (franz.), salute (ital.), na sdorowje (russ.); → trinken.

**Prostata,** Vorsteherdrüse; → Genitalien.

**prosten** → zutrinken.

**prösterchen** → prost.

**prostituieren (sich),** auf den Strich gehen (ugs.), anschaffen (ugs.), auf die Anschaffe gehen (salopp), seine Haut zu Markte tragen (scherzh.); → Bordell, → Prostituierte, → Prostitution.

**Prostituierte,** Dirne, Freudenmädchen, h. w. G. (häufig wechselnder Geschlechtspartner), Straßenmädchen, Kokotte (veraltet), Hetäre (geh.), Strichmädchen, Strichbiene (ugs.), Hure (abwertend), Metze (geh.), Liebesdienerin (scherzh.), barmherzige Schwester (scherzh.), Gunstgewerblerin (scherzh.), Kontrollmädchen (ugs.), Rennpferd (salopp), Horizontale (ugs.), Schnepfe (abwertend), Schneppe (abwertend), Flittchen (abwertend), Flitscherl (österr., abwertend), Badhur (derb, österr.), Schickse (derb), Nutte (abwertend), Edelnutte (scherzh.), Fose (derb), Kalle (derb), Schnecke (landsch.), Schlitten (derb) · in Hafenstädten: Möwe · auf telefonischen Anruf zur Verfügung stehende: Call-girl, Rufmädchen; → Bordell, → Dirnenwelt, → Geliebte, → Homosexueller, → Lesbierin, → Prostitution, → Strichjunge, → Zuhälter; → prostituieren (sich).

**Prostitution,** Gunstgewerbe (scherzh.), ambulantes / horizontales Gewerbe (scherzh.), Laufgeschäft (scherzh.), das älteste Gewerbe der Welt (scherzh.), Strich (ugs.); → Bordell, → Koitus, → Prostituierte; → prostituieren (sich).

**Proszeniumsloge** → Loge.

**Protagonist:** → Hauptdarsteller, → Schrittmacher.

**Protanopsie** → Farbenblindheit.

Protegé → Günstling.

protegieren → fördern.

Protektion: → Förderung, → Vetternwirtschaft.

Protektor → Gönner.

Protektorat → Schirmherrschaft.

Protest: → Demonstration, → Einspruch; P. erheben → aufbegehren.

Protestaktion → Demonstration.

protestantisch: -e Kirche → Kirche.

Protesthaltung → Eigensinn.

protestieren: → aufbegehren, → demonstrieren.

Protestierer → Demonstrant.

Protestmarsch → Demonstration.

Protestsong → Lied.

Proteus → Opportunist.

Prothese: → Gliedmaße, → Zahnersatz.

¹Protokoll, Sitzungsbericht, Bericht; → Abmachung.

²Protokoll: → Benehmen, → Brauch.

Protokollant → Schriftführer.

Protokollführer → Schriftführer.

protokollieren → aufschreiben.

Protoplasma, Plasma ·· außerhalb des Zellkerns: Zellplasma, Zelleib, Zytoplasma · durchsichtiger Anteil: Grundplasma, Grundzytoplasma, Hyaloplasma · die nicht funktionellen Einschüsse: Deutoplasma, Deuteroplasma, Metaplasma, Paraplasma · äußerste Schicht: Ektoplasma · innere, um den Zellkern liegende Schicht: Endoplasma ·· innerhalb des Zellkerns: Kernplasma, Karyoplasma, Nukleoplasma; → Körperzelle.

Prototyp → Inbegriff.

Protozoon → Einzeller.

Protrusion → Bruch.

protzen → prahlen.

Protzentum → Großspurigkeit.

¹protzig, angeberisch, großspurig, säbelrasselnd, großsprecherisch, großtuerisch, prahlerisch, bamstig (österr.), großkotzig (salopp); → dünkelhaft; → Großspurigkeit, → Übertreibung; → prahlen.

²protzig → prunkvoll.

Protzigkeit → Großspurigkeit.

Provenienz → Abkunft.

¹Proviant, Marschverpflegung, eiserne Ration; → Essen.

²Proviant → Nahrung.

Provinz → Verwaltungsbezirk.

Provinzanleihe → Wertpapier.

Provinzblatt → Zeitung.

Provinzbühne → Theater.

Provinzialgrenze → Grenze.

¹Provinzialismus, Mundartwort, Dialektwort, Mundartausdruck, Dialektausdruck, Lokalwort, Lokalausdruck, lokale Ausdrucksweise, landschaftlich gebundene Spracheigentümlichkeit; → Wort.

²Provinzialismus → Kirchturmpolitik.

Provinzidiom → Mundart.

provinziell: → engherzig, → regional.

Provinzjockel → Schauspieler.

Provinzler → Landbewohner.

Provinzpresse → Presse.

Provinzschauspieler → Schauspieler.

Provinzschmiere → Theater.

Provinzstadt → Stadt.

Provinztheater → Theater.

Provision → Entgelt.

Provisor: → Apotheker, → Geistlicher.

provisorisch → notdürftig.

Provo: → Gammler, → Halbstarker.

provokant: → provozierend, → streitbar.

Provokation → Herausforderung.

provokativ: → provozierend, → streitbar.

provokatorisch: → provozierend, → streitbar.

¹provozieren, herausfordern, einen Streit vom Zaun brechen, jmdm. den Fehdehandschuh hinwerfen; → Herausforderung, → Streit.

²provozieren: → aufschrecken, → verursachen.

provozierend, herausfordernd, aufreizend, provokativ, provokatorisch, provokant, demonstrativ, ostentativ; nachdrücklich, → streitbar.

Prozedur → Handhabung.

¹Prozent, Perzent (österr.), vom Hundert, v.H., Hundertstel, pro centum, p.c.; → prozentual.

²Prozent: -e → Preisnachlaß; -e geben → ermäßigen.

Prozentrechnung → Mathematik.

Prozentsatz → Zinssatz.

prozentual, prozentuell (österr.), perzentuell (österr.), prozentualiter (veraltet), linear, gleichmäßig verlaufend, entsprechend; → Prozent.

prozentualiter → prozentual.

prozentuell → prozentual.

Prozeß: → Gerichtsverfahren, → Vorgang; einen P. anstrengen, jmdm. einen P. anhängen → prozessieren; kurzen P. machen → eingreifen; jmdm. den P. machen → prozessieren.

prozessieren, einen Prozeß anstrengen, vors Gericht gehen (ugs.), vor den Kadi bringen, sein Recht suchen, etwas einklagen, klagen, anklagen, vor Gericht stellen / bringen, jmdm. den Prozeß machen, Klage / Anklage erheben, eine Klage anstrengen / anhängig machen, den Rechtsweg beschreiten, das Gericht / die Gerichte anrufen, sich an das Gericht wenden, sein Recht bei Gericht / vor Gericht suchen, jmdm. einen Prozeß anhängen / (ugs.) an den Hals hängen, jmdn. in Anklagezustand versetzen / zur Verantwortung / zur Rechenschaft ziehen; → bestehen (auf), → verraten; → Angeklagter, → Anklage, → Kläger.

Prozessionsspinner → Schmetterling.

prüde → engherzig.

Prüderie → Ziererei.

¹prüfen, examinieren, testen, einer Prüfung unterziehen, jmdm. auf den Zahn fühlen, auf die Probe stellen, auf Herz und Nieren prüfen (ugs.), unter die Lupe nehmen; → abhören, → berichtigen, → durchschleusen, → kontrollieren, → nachforschen, → versagen, → zensieren; → Bewährungsprobe, → Prüfling, → Prüfung, → Versuchsobjekt; → probeweise.

²prüfen: → erwägen, → kontrollieren; sein Gewicht p. → Gewicht.

Prüfer: → Kontrolleur, → Wirtschaftsprüfer.

**Prüfling**, Examenskandidat, Kandidat, Examinand, Absolvent; → Prüfung, → Schüler; → prüfen.

**Prüfstein** → Merkmal.

**¹Prüfung**, Examen · *als Abschluß der höheren Schule:* Reifeprüfung, Abitur, Abi (*ugs.*), Matur, Maturum, Matura (*österr., schweiz.*), Maturität (*schweiz.*) · *an der Universität:* Staatsexamen, Doktorprüfung, Rigorosum, Verteidigung (*DDR*), Kolloquium (*DDR, österr.*); → Abitur, → Doktorarbeit, → Einjähriges, → Hochschulreife, → Prüfling, → Reifezeugnis; → absolvieren, → prüfen.

**²Prüfung:** → Kontrolle, → Nachforschung; einer P. unterziehen → prüfen; die P. nicht bestehen → versagen; P. für das höhere Lehramt → Lehrberechtigung.

**Prüfungsangst** → Lampenfieber.

**Prüfungsarbeit**, Examensarbeit, Diplomarbeit; → Doktorarbeit.

**Prüfungsfrage** → Frage.

**Prügel:** → Schläge, → Stock; es gibt / setzt P., P. kriegen → schlagen.

**Prügelei** → Schlägerei.

**Prügelknabe**, Sündenbock, Zielscheibe, Watschenmann (*österr.*); → Schuldiger; → aufbürden, → einstehen (für).

**prügeln**, schlagen, verprügeln, versohlen (*salopp*), durchprügeln, zuschlagen, hauen, verhauen, zusammenschlagen (*ugs.*), jmdn. zu Brei schlagen / zu Hackfleisch machen (*derb*), auf jmdn. einschlagen, durchhauen, jmdm. die Hosen / den Hosenboden strammziehen (*ugs.*), jmdm. den Hintern versohlen (*salopp*), jmdm. den Frack vollhauen / vollschlagen (*salopp*), jmdm. übers Knie legen (*ugs.*), jmdm. das Fell / Leder gerben (*salopp*), dreschen (*salopp*), verdreschen (*salopp*), vermöbeln (*salopp*), verkloppen (*salopp*), verschlagen (*ugs.*), verwichsen (*salopp*), verwamsen (*salopp*), verbimsen (*salopp*), vertrimmen (*salopp*), vertobaken (*salopp*), verkamisolen (*salopp*), verkeilen (*salopp*), durchbleuen (*salopp*),

durchwalken (*salopp*), durchwichsen (*salopp*), abschwarten (*salopp*), überlegen (*salopp*), verwalken (*salopp*), trischacken (*salopp., österr.*) jmdm. einen vor den Latz knallen (*salopp, berlin.*), abstrafen, sich keilen / kloppen (*salopp*), sich katzbalgen (*ugs.*), sich balgen / raufen (*ugs.*), knuffen (*ugs.*), boxen, rangeln, handgemein / handgreiflich werden, jmdm. ohrfeigen / (*südd., österr.*) watschen, jmdm. eine herunterhauen / (*landsch., ugs.*) dachteln, jmdm. [in die Schnauze / Fresse] geben (*derb*), jmdm. eine in die Fresse knallen (*derb*), jmdm. eine kleben / langen / schmieren / (*österr.*) reißen / (*österr.*) reiben / scheuern / käsen / knallen / wienern / verpassen (*salopp*), jmdm. die Fresse / die Eier polieren (*vulgär*), jmdm. eins aufbrennen / verpassen / überbraten (*salopp*), jmdm. ein Ding verpassen (*salopp*), peitschen, auspeitschen, jmdn. in den Hintern treten (*derb*), es setzt Prügel / Hiebe / etwas (*ugs.*), es gibt Prügel / Schläge / (*salopp*) Senge, gib ihm Saures! (*salopp*); → bestrafen, → wehren (sich).

**Prügelstrafe** → Züchtigung.

**prünen** → nähen.

**Prunk**, Gepränge, Pomp, Pracht, Prachtentfaltung, Aufwand, Luxus; → prunken.

**Prunkball** → Ball.

**Prunkbett** → Bett.

**¹prunken**, prangen, glänzen, strahlen, Pracht entfalten; → prunkvoll; → Prunk.

**²prunken:** → leuchten; -d → prunkvoll; p. mit → prahlen.

**Prunkgemach** → Raum.

**Prunksarg** → Sarg.

**Prunktreppe** → Treppe.

**prunkvoll**, prunkend, prächtig, luxuriös, statiös, aufwendig, protzig (*abwertend*); → prunken.

**prusten:** → lachen, → niesen.

**PS:** → Nachwort, → Postskriptum.

**Psalmen:** [Buch der P.] → Psalter.

**Psalmodie** → Lied.

**psalmodieren** → singen.

**¹Psalter**, Buch der Psalmen, Psalterium; → Bibel.

**²Psalter** → Zupfinstrument.

**Psalterium** → Psalter.

**Pseudandronym** → Pseudonym.

**Pseudogravidität** → Scheinschwangerschaft.

**Pseudogynym** → Pseudonym.

**Pseudohermaphrodismus** → Zwittertum.

**Pseudohermaphroditismus** → Zwittertum.

**Pseudokyese** → Scheinschwangerschaft.

**Pseudokyesis** → Scheinschwangerschaft.

**Pseudomnesie** → Gedächtnisstörung.

**¹Pseudonym**, Deckname, Künstlername, Tarnname, Nom de plume, Nom de guerre · *in Form von › drei Sternchen:* Asteronym · *aus einem Vornamen bestehend:* Prenonym · *aus dem Namen eines Heiligen bestehend:* Hagionym, Hieronym · *aus einer Redensart bestehend:* Phraseonym · *dessen Buchstaben in Wörtern bzw. Sätzen verborgen sind oder aus den bloßen Anfangsbuchstaben bzw. -silben bestehen:* Kryptonym · *einer Frau, das aus einem männlichen Namen besteht:* Pseudandronym · *eines Mannes, das aus einem weiblichen Namen besteht:* Pseudogynym · *aus dem tatsächlichen Namen eines anderen bestehend:* Allonym · *aus dem rückwärts geschriebenen wirklichen Namen bestehend:* Ananym; → Spitzname; → anonym.

**²Pseudonym:** unter einem P. → anonym.

**PS-Grammatik** → Grammatik.

**Psi** → Buchstabe.

**Psilocybin** → Rauschgift.

**Psilose** → Haarlosigkeit.

**Psilosis** → Haarlosigkeit.

**Psyche:** → Ankleidetisch, → Seele.

**psychedelisch**, euphorisch, tranceartig, bewußtseinserweiternd; → Rausch, → Trancezustand.

**Psychiater** → Arzt.

**Psychiatrie:** → Heilkunde, → Krankenhaus.

**psychiatrieren** → untersuchen.

**Psychiatrierung** → Untersuchung.

**psychiatrisch:** -e Klinik → Krankenhaus.

**¹psychisch,** seelisch, geistig, mental, nervlich, psychologisch, seelenkundlich; → Psychologie, → Seelsorge.

**²psychisch:** -e Störung → Gemütskrankheit.

**Psychoanaleptikum** → Psychopharmakon.

**Psychodelikum** → Psychopharmakon.

**Psychodysleptikum** → Psychopharmakon.

**Psychogramm:** → Charakteristik, → Graph.

**Psychokinese** → Geisterbeschwörung.

**Psycholeptikum** → Psychopharmakon.

**Psychologie,** Seelenkunde, Bewußtseinslehre · Kinderpsychologie, Entwicklungspsychologie, Existenzpsychologie, Sozialpsychologie, Individualpsychologie, Gestaltpsychologie, Strukturpsychologie, Ganzheitspsychologie, Tiefenpsychologie, Ausdruckspsychologie, Sprachpsychologie, Arbeitspsychologie, Religionspsychologie, Völkerpsychologie, Parapsychologie, Tierpsychologie, Marktpsychologie, Werbepsychologie, Industriepsychologie, Verkehrspsychologie; → Verhaltensforschung, → Wissenschaft; → psychisch.

**psychologisch:** → psychisch; -er Roman → Roman.

**Psychomimetikum** → Psychopharmakon.

**Psychopath** → Geistesgestörter.

**psychopathisch** → gemütskrank.

**Psychopathogenikum** →Psychopharmakon.

**¹Psychopharmakon,** Psychotropikum · *die geistig-seelische Aktivität verminderndes:* Psycholeptikum, Psychoplegikum, Neuroleptikum, Neuroplegikum, Ganglioplegikum, Ganglienblocker · *die geistig-seelische Aktivität steigerndes:* Psychoanaleptikum, Thymoleptikum,

Antidepressivum, Euphorikum, Psychostimulans, stimmungsförderndes Mittel, Neurotonikum · *in einen traumartigen Gemütszustand versetzendes:* Psychodysleptikum, Psychopathogenikum, Psychodelikum, Halluzinogen, Halluzinogenikum, Psychomimetikum; → Aufputschmittel, → Beruhigungsmittel, → Medikament, → Rauschgift, → Schlafmittel.

**²Psychopharmakon** → Medikament.

**Psychoplegikum** → Psychopharmakon.

**Psychose** → Gemütskrankheit.

**psychosomatisch:** -e Klinik → Krankenhaus.

**Psychostimulans** → Psychopharmakon.

**Psychotherapeut** → Arzt.

**Psychotherapie** → Heilkunde.

**Psycho-Thriller** → Gruselfilm.

**psychotisch** → gemütskrank.

**Psychotonikum** → Aufputschmittel.

**Psychotropikum** → Psychopharmakon.

**Psychrotherapie** → Kryotherapie.

**Ptarmus** → Niesen.

**Ptomain** → Gift.

**Ptosis** → Eingeweidesenkung.

**PTT** → Post.

**Ptyalismus** → Speichelfluß.

**Pub** → Gaststätte.

**¹Pubertät,** Entwicklungszeit, Entwicklungsjahre, Reifezeit, Flegeljahre, Adoleszenz; → Entwicklung, → Entwicklungsphase, → Stimmwechsel.

**²Pubertät** → Lebensalter.

**Publicity** → Werbung.

**¹Public Relations,** PR, Öffentlichkeitsarbeit, Meinungspflege, Kontaktpflege; → Propaganda, → Werbefachmann, → Werbung.

**²Public Relations** → Propaganda.

**publik:** p. werden → herumsprechen (sich).

**Publikation** → Veröffentlichung.

**Publikum,** Besucher, Teilnehmer, Auditorium, Zuhörerschaft, Zuhörer, Hörerschaft; → Gast, → Personenkreis, → Zuschauer.

**Publikumsbefragung** → Umfrage.

**Publikumserfolg** → Verkaufsschlager.

**Publikumsgeschmack** → Allgemeingeschmack.

**Publikumsliebling,** Schwarm, Idol, Abgott; → Anhänger, → Beliebtheit, → Berühmtheit, → Liebling.

**Publikumsumfrage** → Umfrage.

**publizieren:** → edieren, → veröffentlichen.

**Publizierung** → Veröffentlichung.

**Publizist** → Berichter.

**Publizität** → Offenkundigkeit.

**Puck** → Sportgerät.

**Puckel** → Rücken.

**puckeln** → anstrengen (sich).

**Puddel** → Dünger.

**Pudding** → Dessert.

**Puddingabitur** → Abitur.

**Pudel:** → Dünger, → Ladentisch, → Pech, → Schanktisch; dastehen wie ein begossener P. → verlegen [sein]; das ist des -s Kern → Hauptsache.

**Pudelhaube** → Kopfbedeckung.

**Pudelmütze** → Kopfbedeckung.

**pudelnackt** → nackt.

**pudelnaß** → naß.

**Pudelpointer** → Hunderassen.

**pudelwarm** → warm.

**pudelwohl:** sich p. fühlen → wohl fühlen (sich).

**¹Puder,** Körperpuder, Kinderpuder, Fußpuder · Gesichtspuder, Make-up, Kompaktpuder; → Pulver; → pudern.

**²Puder** → Pulver.

**¹pudern,** einpudern, bepudern, einstäuben, einstauben (*österr.*), einstuppen (*österr.*), stuppen (*österr.*); → pulverförmig; → Puder, → Pulver.

**²pudern:** → koitieren; sich p. → schönmachen; mit dem Klammerbeutel gepudert sein → dumm [sein].

**Puderzucker** → Zucker.

**Puebloindianer** → Indianer.

**pueril:** → jugendlich, → kindisch.

**Puerilismus** → Infantilität.

**Puerilität** → Albernheit.

**Puff:** → Bordell, → Brettspiel, → Stoß; einen P. versetzen → stoßen.

**Puffbohne:** → Gemüse, → Saubohne.

**puffen** → stoßen.
**Puffer** → Prellbock.
**Pufferstaat** → Staat.
**Puffmais:** → Getreideflocken, → Mais.
**Puffotter** → Schlange.
**Pugilist** → Boxer.
**Pugilistik** → Boxen.
**Puh** → Darmwind.
**Puhlloch** → Jauchegrube.
**Pülcher** → Betrüger.
**Pulcinell** → Spaßmacher.
**Pulcinella** → Spaßmacher.
**pulen** → stochern.
**Puli** → Hunderassen.
**Pulk:** → Abteilung, → Schlitten.
**Pulka** → Schlitten.
**Pulle** → Flasche.
**pullen:** → Boot [fahren], → urinieren.
**pullern** → urinieren.
**Pulli** → Pullover.
**Pullmankappe** → Kopfbedeckung.
**Pullover,** Pulli, Nicki, Jumper, Sweater (*veraltend*), Strickpullover, Strickpulli, Häkelpullover, Häkelpulli, Wollpullover, Wollpulli, Baumwollpullover, Baumwollpulli, Rollkragenpullover, Rollpullover, Rollkragenpulli, Rollpulli, Schipullover, Damenpullover, Damenpulli, Herrenpullover, Herrenpulli · *ärmelloser:* Westover, Pullunder · *mit Jacke:* Twinset; → Strickweste.
**Pullstengel** → Ruder.
**Pullunder** → Pullover.
**Pulmogramm** → Röntgenogramm.
**Pulmographie** → Röntgenographie.
**Pulmologe** → Arzt.
**Puls:** [fadenförmiger / gespannter / langsamer / schneller u.a. P.] → Pulsschlag.
**Pulsader:** sich die -[n] aufschneiden → entleiben.
**Pulsschlag,** Puls · *beschleunigter:* schneller Puls, Herzjagen, Tachykardie · *verlangsamter:* langsamer / schleichender Puls, Bradykardie · *druckloser:* fadenförmiger / kleiner / schwacher / weicher Puls · *von hoher Druckspannung:* gespannter / harter Puls, Druckpuls · *mit übermäßig großer Pulswelle:* großer Puls · *mit unregelmäßi-*

*ger Schlagfolge:* aussetzender / unregelmäßiger / intermittierender Puls.
**Pulswärmer,** Müffchen, Stützerl (*österr.*); → Handschuh.
**Pult** → Katheder.
**Pultdach** → Dach.
**Pulterklas** → Knecht Ruprecht, → Nikolaus.
**¹Pulver,** Staub, Mehl, Puder, Stupp (*österr.*); → Puder; → pulverförmig; → pudern.
**²Pulver:** → Geld, → Medikament; jmd. hat das P. [auch] nicht [gerade] erfunden → dumm [sein]; keinen Schuß P. wert sein → wertlos [sein].
**Pulverfaß:** auf dem / einem P. sitzen → Gefahr.
**Pulverflagge** → Fahne.
**pulverförmig,** pulverig, pulverisiert, staubförmig; → Pulver; → pudern.
**pulverig** → pulverförmig.
**pulverisieren** → zermahlen.
**pulverisiert** → pulverförmig.
**Pulverkaffee,** Kaffee-Extrakt, Instantkaffee, Nescafé Ⓦ, löslicher Kaffee, Schnellkaffee, Expreßkaffee, Blitzkaffee (*schweiz.*); → Kaffee, → Pulver; → pulverförmig.
**Pulvermann:** -s Grab → Hindernis.
**Pulverschnee** → Schnee.
**Pulverstar** → Katarakt.
**pulvertrocken** → trocken.
**Pulverturm** → Turm.
**Pülz:** → Pilz, → Steinpilz.
**Puma** → Raubtier.
**Pummel:** → Kind, → Mädchen.
**Pummelchen:** → Kind, → Mädchen.
**pummelig** → dick.
**Pummeligkeit** → Wohlgenährtsein.
**Pump:** → Anleihe; auf P. → leihweise.
**Pumpe:** → Herz, → Spritze, → Wasserpumpe.
**pumpen** → leihen.
**Pumperer** → Lärm.
**pumperlgesund** → gesund.
**pumpern** → lärmen.
**Pumpernickel** → Brot.
**Pumpgenie** → Schuldner.
**Pumphose** → Hose.
**Pumps** → Schuh.
**Puncher** → Boxer.
**punkt** → genau.

**Punkt:** → genau, → Satzzeichen, → Stelle; empfindlicher / schwacher / wunder P. → Achillesferse; kritischer / strittiger P. → Schwierigkeit; das ist der springende P. → Hauptsache; toter P. → Rückgang; einen toten P. haben → müde [sein]; einen P. machen → enden; in / zu diesem P. → diesbezüglich; ohne P. und Komma reden → sprechen.
**Punktdiät** → Diät.
**punktiert:** -e Note → Notenzeichen.
**Punktion, Punktur;** → Diagnose.
**¹pünktlich,** rechtzeitig, zeitgerecht (*österr., schweiz.*), zur rechten / vereinbarten Zeit, auf die Minute, mit dem Glockenschlag, ohne Verspätung, nicht zu früh und nicht zu spät, pünktlich wie ein Maurer (*ugs.*); → erprobt, → früh, → gewissenhaft; **nicht p. sein,** unpünktlich sein, Verspätung haben; → verspäten (sich); → säumig; → Unpünktlichkeit.
**²pünktlich** → genau.
**Punktmull** → Stoff.
**punkto** → hinsichtlich.
**Punktrichter** → Preisrichter.
**Punktstar** → Katarakt.
**punktuell:** -es Verb → Verb.
**Punsch** → Gewürzwein.
**Punze:** → Vagina, → Vulva.
**Pup** → Darmwind.
**Pupe** → Strichjunge.
**pupen** → Darmwind [entweichen lassen].
**Pupille** → Auge.
**¹Puppe,** Stoffpuppe, Holzpuppe, Babypuppe, Trachtenpuppe, Laufpuppe, Negerpuppe, Docke (*landsch.*); → Wachsfigur.
**²Puppe:** → Garbenstand, Larve, → Mädchen, → Strohmann; bis in die -n schlafen → schlafen.
**Puppenfilm** → Kinofilm.
**puppenleicht:** → mühelos; etwas ist p. → schwierig.
**puppenlustig** → lustig.
**Puppenspiel** → Puppentheater.
**Puppentheater,** Puppenspiel, Marionettentheater, Kasper[le]theater; → Marionette, →

Oper, → Operette, → Schauspiel, → Theater.
Pups → Darmwind.
pupsen → Darmwind [entweichen lassen].
Püree → Brei.
Püreesuppe → Suppe.
Purgans → Abführmittel.
Purgativ → Abführmittel.
Purgativum → Abführmittel.
Purgatorium → Fegefeuer.
Purim → Feiertag.
Purismus → Sprachpflege.
Purist → Sprachpfleger.
puristisch, stilrein, sprachreinigend; → Sprachpflege.
puritanisch → sittlich.
purpur → rot.
Purpura → Bluterguß.
purpurfarben → rot.
Purpurhuhn → Vogel.
Purpurreiher → Vogel.
purpurrosa → rosa.
purpurrot → rot.
Purzelbank → Purzelbaum.
Purzelbaum, Rolle, Überschlag, Purzelbank (hess.), Purzelbock (pfälz.), Borzelbock (pfälz.), Storzelbock (pfälz.); → Turnübung; **P. schlagen,** Purzelbaum / Kobolz / (niederd.) koppheister schießen.
Purzelbock → Purzelbaum.
purzeln → fallen; in die Tiefe p. → hinunterfallen.
Pusch: P. haben → Angst [haben].
Puschel → Quaste.
puschen → urinieren.
Pusher → Händler.
Pusselchen → Frau.
pusseln → arbeiten.
Pussi → Vagina.
Puste: → Atem, → Schußwaffe.
Pusteblume → Löwenzahn.
Pustekuchen: [ja P.!] → nein.
Pustel → Hautblüte.
pusten → blasen.
Pute → Truthuhn.
Puter → Truthuhn.
Putrefaktion → Verwesung.
Putrescin → Gift.
Putreszens → Verwesung.
Putsch: [einen P. machen] → Verschwörung.
putschen → Verschwörung.
Putte → Cupido.
Putthähnchen → Pfingstrose.
Putthuhn → Huhn.
Putz: → Verputz; auf den P. hauen → feiern.

Putzdrachen → Putzfrau.
putzen: → säubern, → schönmachen; den Baum / Weihnachtsbaum p. → Weihnachtsbaum; Klinken p. → betteln; sich die Nase p. → schneuzen (sich); die Sichel p. → koitieren.
Putzerei → Reinigungsanstalt.
Putzete → Hausputz.
Putzfetzen → Putzlappen.
¹Putzfrau, Rein[e]machefrau, Scheuerfrau, Raumpflegerin, Stundenfrau, Aufwartung, Aufwartefrau, Zugeherin (landsch.), Zugehfrau (landsch.), Bedienerin (österr.), Bedienung (österr.), Putzdrachen (salopp, abwertend), Hilfe, Putzteufel (scherzh.); → Bedienung, → Hausangestellte.
²Putzfrau: ich fresse einen Besen samt der P., wenn... → zweifeln.
putzig → spaßig.
Putzlappen, Putzlumpen, Aufwischlappen, Aufnehmer, Feudel (nordd.), Scheuertuch, Scheuerlappen, Putztuch, Putzfetzen (österr.), Ausreibfetzen (österr.), Aufreibfetzen (österr.), Reibtuch (österr.), Ausreibtuch (österr.), Fetzen (österr.) · für Staub usw.: Staubtuch, Putztuch, Wischlappen, Staubfetzen (österr.) · für Geschirr: Geschirrtuch, Wischtuch, Abtrockentuch; → Flicken, → Staubsauger; → säubern.
Putzlumpen → Putzlappen.
Putzmacherin, Modistin, Midinette, Hutmacherin; → Schneiderin.
putzmunter → lustig.
Putzsucht → Gefallsucht.
putzsüchtig → eitel.
Putzteufel → Putzfrau.
Putztuch → Putzlappen.
Puzzle → Geduldspiel.
Puzzlespiel → Geduldspiel.
Pyelogramm → Röntgenogramm.
Pyelographie → Röntgenographie.
Pyelolith → Harnstein.
Pygmäe → Zwerg.
Pyjama → Nachtgewand
Pykniker → Körperbautyp.
pyknisch → untersetzt.
Pylon → Brückenpfeiler.
pyramidal → außergewöhnlich.

Pyramidendach → Dach.
Pyrexie → Fieber.
Pyromanie → Anankasmus.
Pyrop → Schmuckstein.
Pyrotechnik, Feuerwerkerei, Feuerwerkskunst; → Feuerwerkskörper.
pyrotechnisch: -er Körper → Feuerwerkskörper.
Pythia → Wahrsagerin.
pythisch → rätselhaft.
Python → Schlange.
Pythonschlange → Schlange.

# Q

quabbelig → weich.
quackeln → sprechen.
Quacksalber: → Arzt, → Stümper.
Quaddel → Hautblüte.
Quader → Baustein.
Quadermauer → Mauer.
Quaderstein → Baustein.
Quadrat → Viereck.
Quadratestadt → Mannheim.
quadratisch: -e Gleichung → Gleichung.
Quadratkilometer → Flächenmaß.
Quadratlatschen: → Fuß, → Gliedmaße, → Schuh.
Quadratmeter → Flächenmaß.
Quadratschrift → Schrift.
Quadratur: etwas ist die Q. des Kreises → unausführbar [sein].
quadrieren, ins Quadrat erheben, mit sich selbst multiplizieren; → Rechenverfahren.
Quadrille → Tanz.
Quadrophonie → Stereophonie.
Quai d'Orsay → Regierung.
quakeln → sprechen.
quaken → Laut.
quäken: → Laut, → sprechen.
Quäker → Sekte.
Qual: → Leid, → Mißhandlung.
quälen: → bekümmern → mißhandeln, → schikanieren; sich q. → anstrengen; den Stummel q. → rauchen; jmdn. bis aufs Blut q. → ärgern.
quälend: → quälerisch, → schmerzhaft.
Quälerei: → Belästigung, → Mißhandlung.
quälerisch, quälend, qualvoll · in bezug auf andere: sadistisch · in bezug auf sich selbst: maso-

chistisch; → selbstzerstörerisch; → Perversität.

**Quälgeist** → Störenfried.

**Qualifikation** → Fähigkeit.

**qualifiziert:** → fachmännisch; -e Mehrheit → Mehrheit.

**¹Qualität,** Güte, Wert · *konkurrenzfähige:* Weltniveau; → Beschaffenheit, → Wertbeständigkeit.

**²Qualität:** → Beschaffenheit, → Format, → Güteklasse, → Niveau.

**Qualitativ** → Wortart.

**qualitätvoll** → kostbar.

**Qualle** → Hohltier.

**Quallenpolyp** → Hohltier.

**Qualm** → Rauch.

**qualmen:** [q. wie ein Schlot] → rauchen.

**Qualster** → Auswurf.

**qualvoll:** → quälerisch, → schmerzhaft.

**Quanten:** → Fuß, → Gliedmaße.

**Quantität:** → Anzahl, → Dosis.

**Quantum:** → Anzahl, → Dosis.

**Quapp** → Fisch.

**Quarantäne,** Seuchensperre, Kontumaz (*veraltet, österr.*); → Krankenhaus, → Krankheit.

**Quarantäneflagge** → Fahne.

**Quargel** → Handkäse.

**Quark** → Weißkäse.

**Quarkkuchen** → Gebäck.

**Quarkstrudel** → Gebäck.

**quarren** → Laut.

**Quarta** → Schulklasse.

**Quartalsaufen:** → Anankasmus, → Trunksucht.

**Quartalsäufer** → Trinker.

**Quartär** → Erdzeitalter.

**Quarte** → Tonabstand.

**Quarter** → Zahlungsmittel.

**Quarteron** → Mischling.

**Quartett:** → Kartenspiel, → Mannschaft.

**Quartier:** → Stadtteil, → Unterkunft, → Wohnung; Q. nehmen → einquartieren, → niederlassen (sich); sein Q. aufschlagen → niederlassen (sich).

**Quarzglas** → Glas.

**Quarzkatzenauge** → Schmuckstein.

**Quarzlunge** → Staublungenerkrankung.

**Quarzstaublunge** → Staublungenerkrankung.

**Quarzuhr** → Uhr.

**quasi** → gewissermaßen.

**Quasimodogeniti** → Kirchenjahr.

**quasseln** → sprechen.

**Quasselstrippe:** → Fernsprecher, → Schwätzer; eine Q. sein → gesprächig [sein].

**Quasselwasser:** Q. getrunken haben → gesprächig [sein], → sprechen.

**¹Quaste,** Troddel, Bommel, Puschel, ·Klunker · *am Degen:* Portepee, Schlagband (*schweiz.*); → Besatz.

**²Quaste** → Franse.

**Quästor** → Kassierer.

**Quästur** → Kasse.

**Quatsch:** → Absurdität, → Unsinn.

**quatschen** → sprechen.

**quatschig** → gesprächig.

**Quatschkopf:** → Dummkopf, → Schwätzer.

**Quechua** → Indianer.

**Quecksilber:** → Edelmetall, → Kind; Q. im Leib haben → lebhaft [sein].

**Quecksilberthermometer** → Thermometer.

**Quecksilbervergiftung** → Vergiftung.

**quecksilbrig** → lebhaft.

**Quell** → Bach.

**¹Quelle,** Quell (*geh.*), Born (*dichter.*) · *die nach ihrem Austritt einen kleinen See bildet:* Tümpelquelle, Limnokrene; → Brunnen, → Heilquelle, → Sauerbrunnen.

**²Quelle:** → Bach, → Beleg, → Bezugsquelle, → Gewährsmann, → Grundlage, → Heilquelle, → Literaturangabe; aus erster Q. → verbürgt.

**quellen** → fließen.

**Quellenangabe** → Literaturangabe.

**Quellfluß** → Fluß.

**Quellwasser** → Wasser.

**Quendel:** → Gewürz, → Thymian.

**Quengelei** → Unleidlichkeit.

**quengelig** → unleidlich.

**Quengeligkeit** → Unleidlichkeit.

**quengeln** → bitten.

**Quentchen** → Gewichtseinheit.

**quer:** q. durch → querfeldein.

**querbeet** → querfeldein.

**Querbehang** → Gardine.

**Querdach** → Dach.

**Quere:** in die Q. kommen → stören (jmdn.).

**Querelen** → Quertreiberei.

**querfeldein,** querbeet, mitten / quer durch.

**Querfeldeinfahrt** → Fahrt.

**Querfeldeinrennen** → Rennen.

**Querflöte** → Blasinstrument.

**Querfrage** → Frage.

**Querkopf** → Trotzkopf.

**Querlage** → Kindslage.

**Querne** → Mühle.

**querschießen** → behindern.

**Querstraße** → Straße.

**Querstreifen** → Stoffmuster.

**Quertreiber** → Querulant.

**Quertreiberei,** Querelen, Hintertreibung; → Querulant.

**Querulant,** Nörgler, Widerspruchsgeist; der Geist, der stets verneint (*geh.*); Streitmacher, Streithahn, Zänker, Zankteufel, Streithammel (*ugs., abwertend*), Streithansl (*ugs., abwertend, südd.*), Stänker (*ugs.*); → Kämpfer, → Quertreiberei.

**Querwand** → Mauer.

**quesen** → bitten.

**Quetsche:** → Laden, → Tasteninstrument.

**quetschen,** drücken, kneten, klemmen, pressen, zwängen; → kneifen, → zerknittern, → zermalmen.

**Quetschfalte** → Falte.

**Quetschkartoffeln** → Kartoffelpüree.

**Quetschkasten** → Tasteninstrument.

**Quetschkommode** → Tasteninstrument.

**Quetschung** → Verletzung.

**Quetschwunde** → Wunde.

**Quetzal** → Zahlungsmittel.

**Queue:** Q. bilden → warten.

**Quickstep** → Tanz.

**Quidproquo** → Verwechslung.

**quieken** → quietschen.

**quietistisch** → geduldig.

**Quietivum** → Beruhigungsmittel.

**quietschen,** quieken; → schreien; → Laut.

**quietschvergnügt** → lustig.

**quinkelieren** → singen.

**Quinquagesima** → Kirchenjahr.

**Quinquaud-Krankheit** → Haarbalgentzündung.

**Quinta** → Schulklasse.

**Quinte** → Tonabstand.

**Quintessenz** → Hauptsache.

**Quintett** → Mannschaft.
**Quiproquo** → Verwechslung.
**quirilieren** → singen.
**Quirinal** → Regierung.
**Quirl,** Sprudler *(österr.)*; → rühren.
**quirlen** → rühren.
**Quisling** → Kollaborateur.
**Quisquilien** → Kleinigkeit.
**Quitte** → Obst.
**quittegelb** → gelb.
**quittengelb** → gelb.
**quittieren:** → unterschreiben; den Dienst q. → abdanken.
**Quittierung** → Unterzeichnung.
**¹Quittung,** Rechnung, Kassenzettel, Kassazettel *(österr.)*, Liquidation, Honorarforderung; → Abrechnung.
**²Quittung:** → Bescheinigung; das ist die Q.! → Folge.
**Quivive:** auf dem Q. sein → wachsam [sein].
**Quiz:** → Preisausschreiben, → Ratesendung.
**Quizfrage:** eine Q. beantworten → raten.
**Quizsendung** → Ratesendung.
**Quodlibet** → Mischung.
**Quorum** → Wähler.

# R

**Rabatt:** → Preisnachlaß; R. geben → ermäßigen.
**Rabatte,** Blumenrabatte, Blumenbeet, Beet, Rondell; → Feld.
**Rabatz** → Lärm.
**Rabauke** → Raufbold.
**Rabbi** → Geistlicher.
**Rabbiner** → Geistlicher.
**Rabe:** → Sternbild, → Vogel.
**Räbe** → Gemüse.
**Rabeneltern** → Eltern.
**Rabenmutter** → Mutter.
**rabenschwarz** → schwarz.
**Rabenvater** → Vater.
**Rabenvögel** → Vogel.
**rabiat:** → ärgerlich, → unbarmherzig.
**Rabitzwand** → Mauer.
**Rabulist** → Wortverdreher.
**Rabulistik:** → Pedanterie, → Spiegelfechterei.
**rabulistisch** → spitzfindig.
**Rache:** → Vergeltung; R. nehmen / üben → bestrafen.

**Rachegöttin,** Furie, Nemesis, Erinnye, Eumenide; → Göttin, → Mänade.
**¹Rachen,** Schlund, Hals, Gurgel, Kehle, Pharynx *(fachspr.)*; → Hals.
**²Rachen:** → Mund; den R. nicht voll kriegen → unersättlich [sein].
**rächen:** → bestrafen; etwas rächt sich → Folge; sich r. an → zurückfallen (auf).
**Rachenbräune** → Diphtherie.
**Rachenkatarrh** → Halsentzündung.
**Rachenputzer** → Alkohol.
**Rachenspiegelung** → Ausspiegelung.
**Rachitis,** Rachitismus *(selten)*, Morbus anglicus, englische Krankheit, Glisson-Krankheit, Vitamin-D-Mangel-Krankheit; → Knochenerweichung.
**Rachitismus** → Rachitis.
**Rachsucht** → Bosheit.
**Racke** → Vogel.
**¹Rad,** Vorderrad, Hinterrad, Ersatzrad.
**²Rad:** → Fahrrad, → Umhang; russisches R. → Riesenrad; das fünfte R. am Wagen sein → überflüssig [sein]; das R. der Geschichte läßt sich nicht zurückdrehen → Entwicklung; aufs R. flechten → töten; unter die Räder kommen → verwahrlosen.
**Radarohren** → Ohr.
**Radau:** → Lärm; R. machen → lärmen.
**Radaubruder:** → Mensch, → Störenfried.
**Radaumacher** → Störenfried.
**Radber** → Schubkarre.
**Raddampfer** → Schiff.
**radeln** → radfahren.
**Rädelsführer** → Anführer.
**Raderkuchen** → Gebäck.
**rädern** → töten.
**Rädertierchen** → Wurm.
**Radetzky** → Radiergummi.
**¹radfahren,** radeln, strampeln *(ugs.)*, Velo fahren *(schweiz.)*, pedalen *(schweiz.)*; → fahren.
**²radfahren** → unterwürfig [sein].
**¹Radfahrer,** Fahrradfahrer, Radler; → Fahrrad, → Verkehrsteilnehmer.
**²Radfahrer:** → Opportunist, → Schmeichler.

**Radfahrweg** → Weg.
**Radfenster** → Rundfenster.
**Radi:** → Rettich; einen R. kriegen → schelten.
**Radiallinie** → Straße.
**Radiator** → Heizkörper.
**radieren** → ausstreichen.
**Radierer** → Radiergummi.
**Radiergummi,** Gummi, Radierer, Radetzky *(scherzh., österr.)*, Radierstift · Radiermesser; → Schreibschrift.
**Radiermesser** → Radiergummi.
**Radierstift** → Radiergummi.
**Radierung:** → Graphik, → Gravüre, → Kunstdruck.
**Radies** → Radieschen.
**¹Radieschen,** Radies, Monatsrettich, kleiner Rettich; → Gemüse, → Rettich.
**²Radieschen:** sich die R. von unten besehen → tot [sein].
**radikal:** → extrem, → unzugänglich.
**Radikaler** → Extremist.
**Radikalinski** → Extremist.
**Radikalismus** → Unduldsamkeit.
**Radikalist** → Extremist.
**radikalistisch** → extrem.
**Radikaloperation** → Operation.
**¹Radio,** Rundfunkgerät, Empfänger, Empfangsgerät, Kasten *(ugs., abwertend)*, Transistor, Radioapparat, Apparat, Lautsprecher, Rundfunkempfänger, Kofferradio, Heuler *(ugs.)*, Autoradio; → Fernsehgerät, → Massenmedien.
**²Radio** → Rundfunk.
**Radioantenne** → Antenne.
**Radioapparat** → Radio.
**Radiogramm** → Röntgenogramm.
**Radiographie** → Röntgenographie.
**Radiologe** → Arzt.
**Radiologie** → Heilkunde.
**Radiosender** → Rundfunksender.
**Radiosendung** → Sendung.
**Radioskopie** → Röntgenographie.
**Radiosonde,** Aerosonde; → Wetterkunde.
**Radiostation** → Rundfunksender.
**Radiotherapeutik** → Radiotherapie.
**Radiotherapie,** Radiotherapeutik, Röntgenotherapie,

Akinotherapie, Strahlenbehandlung, Röntgenstrahlenbehandlung, Bestrahlung; → Naturheilverfahren.

**Radiotomie** → Röntgenographie.

**Radius** → Linie.

**radizieren**, die Wurzel ziehen; → Rechenverfahren.

**Radler** → Radfahrer.

**Radmantel** → Umhang.

**Radon** → Edelgas.

**Radrennen** → Rennen.

**Radschlagen** → Turnübung.

**Räf** → Tragekorb.

**raffen** → habgierig [sein].

**Raffgier** → Habgier.

**raffgierig** → habgierig.

**Raffinade** → Zucker.

**Raffinesse** → Trick.

**raffiniert** → schlau.

**Raffke** → Emporkömmling.

**Raft** → Insel.

**Rage:** → Ärger; in R. bringen → ärgerlich [machen]; in R. kommen → ärgerlich [werden].

**ragen:** in die Luft / zur Seite r. → abstehen.

**Ragtime:** → Jazz, → Tanz.

**Ragusaner:** R. Spitze → Spitzenstickerei.

**Ragwurz** → Orchidee.

**Rahm:** → Sahne; den R. abschöpfen → entrahmen, → nehmen.

**Rahmen:** → Bilderrahmen, → Einfassung; etwas sprengt den R. → überschreiten; im R. bleiben → übertreiben.

**Rahmenbau** → Fachwerk.

**Rahmenerzählung** → Erzählung.

**Rahmenpartei** → Partei.

**Rahmkäse** → Käse.

**Rahmschnitzel** → Fleischgericht.

**Rahmsuppe** → Suppe.

**Rahne** → Salatrübe.

**Rain:** → Einfassung, → Wiese.

**¹räkeln** (sich), sich aalen / (*abwertend*) lümmeln / (*abwertend*) hinlümmeln / (*abwertend*) flegeln / (*salopp, abwertend*) fläzen; → recken (sich).

**²räkeln:** sich r. → wohl fühlen (sich).

**Rakete:** → Feuerwerkskörper, → Lichtzeichen.

**Raketenflugzeug** → Flugzeug.

**Ralle** → Vogel.

**Rallenreiher** → Vogel.

**Rallye** → Rennen.

**Rallyefahrer** → Rennfahrer.

**Ramasuri:** → Lärm, → Unterhaltung.

**rammdösig** → benommen.

**rammeln** → koitieren.

**rammen:** → zusammenstoßen; r. in → einrammen.

**Rammpfahl**, Pilote; → Pfahl; → einrammen.

**Rampe:** → Auffahrt; nicht über die R. kommen → spielen.

**rampengeil:** r. sein → spielen.

**Rampenlicht:** → Scheinwerferlicht; das R. scheuen → exponieren (sich); im R. stehen, ins R. treten → exponieren (sich).

**Rampentiger** → Schauspieler.

**Rampenvogt** → Regisseur.

**ramponieren** → beschädigen.

**ramponiert** → defekt.

**Ramponiertheit** → Beschädigung.

**Ramsch:** → Kartenspiel, → Schleuderware.

**ramschen** → kaufen.

**ran** → her.

**Ranch** → Gut.

**¹Rand**, Kante, Ecke, Eck (*oberd.*); → Besatz, → Einfassung, → Zipfel; → einfassen; → peripher.

**²Rand:** → Mund, → peripher; am -e → nebenbei; am -e befindlich → peripher; am -e des Grabes stehen → krank; außer R. und Band sein → lebhaft [sein]; zu -e kommen → bewältigen; jmd. kommt mit etwas nicht zu -e → schwerfallen.

**randalieren** → lärmen.

**Randalierer** → Störenfried.

**Randbemerkung:** → Anmerkung, → Bemerkung.

**Randbezirk** → Randgebiet.

**Rande** → Salatrübe.

**Randgebiet**, Randbezirk, Randzone; → Stadtgebiet.

**Randproblem** → Schwierigkeit.

**Randzone** → Randgebiet.

**Ranft** → Brotende.

**Rang:** → Ansehen, → Dienstgrad, → Empore, → Format, → Titel; jmdm. den R. ablaufen → übertreffen; einen R. haben → innehaben; alles, was R. und Namen hat → Oberschicht; ersten -es → außergewöhnlich; jeden Standes und -es → alle; im R. herabsetzen → degradieren.

**Range:** → Kind; die -n → Kinder (die).

**rangehen:** r. wie Blücher / wie Hektor an die Buletten → zielstrebig [sein].

**rangeln** → schlagen.

**Rangfolge:** → Rangordnung; der R. nach → hierarchisch.

**ranggleich:** Erster unter Ranggleichen → Primus inter pares.

**Rangierbahnhof** → Bahnhof.

**rangieren:** an erster Stelle r. → Vorrang [haben].

**Rangiergleis** → Gleisanlage.

**Rangierlokomotive** → Lokomotive.

**¹Rangordnung**, Hierarchie, Rangfolge, Stufenfolge, Stufenordnung, Hackordnung, Hühnerhofpsychologie (*ugs.*); → abrücken (von jmdm.); → hierarchisch.

**²Rangordnung:** der R. nach → hierarchisch.

**Rangstufe:** → Dienstgrad, → Niveau.

**ranhalten:** sich r. → beeilen (sich).

**rank:** → schlank, → sportlich.

**Rank:** → Kurve, → Trick; jmd. findet nicht den [rechten] R. → schwerfallen.

**Ränke:** → Arglist; R. schmieden → intrigieren.

**Rankeln** → Ringen.

**¹ranken**, klettern, sich emporranken, aufranken; → wachsen.

**²ranken:** sich r. um → schlingen (sich um).

**Rankenblatt** → Blatt.

**Rankengewächs** → Kletterpflanze.

**Ränkespiel** → Arglist.

**rankriegen** (*ugs.*), [tüchtig] rannehmen (*ugs.*); jmdm. zeigen, was eine Harke ist / wo Barthel den Most holt (*ugs.*); → hinweisen, → schelten; → Unduldsamkeit.

**Rankrose** → Rose.

**Ranküne** → Bosheit.

**ranlassen:** jmdn. r. → koitieren.

**ranmachen:** sich r. an jmdn. → Kontakt [aufnehmen].

**rannehmen:** [tüchtig r.] → rankriegen.

**ranrühren** → beimischen.

**Ränzel** → Schultasche.

**ranzen** → koitieren.

**Ranzen:** → Bauch, → Schultasche, → Tornister.

ranzig → ungenießbar.
Rapfen → Fisch.
Raphael → Erzengel.
Rapiat → Rechnungsbuch.
Rapier → Stichwaffe.
Rappe → Pferd.
Rappel: → Wutanfall; einen R. bekommen / kriegen → Einfall; einen R. haben → verrückt [sein].
rappeln: → Laut; bei jmdm. rappelt es → verrückt [sein].
Rappen: → Zahlungsmittel; auf Schusters R. kommen → kommen.
Rappenspalter → Geizhals.
rappenspalterisch → habgierig.
Rapport → Bericht.
Rapsöl → Speiseöl.
Raptus → Wutanfall.
Rapünzchen → Feldsalat.
Rapunzel → Feldsalat.
Rapusche → Verwirrung.
rar: → selten; sich r. machen → besuchen.
Ras → Gipfel.
rasant: → schnell, → schnittig.
Rasanz → Geschwindigkeit.
rasch: → schnell; in -er Folge, r. nacheinander → schnell [nacheinander]; r. machen → beeilen (sich).
Rasierseife → Seife.
rascheln, knistern, knacken, knirschen; → krachen, → prasseln, → schallen; → Laut.
Rascheln: das R. → Geräusch.
raschest → schnell.
rasen: → ärgerlich [sein], → fortbewegen (sich); -d machen →ärgern; im D-Zug durch die Kinderstube gerast sein → benehmen (sich).
¹Rasen, Gras, Grasdecke, Rasendecke, Grasnarbe, Wasen (landsch.), Rasenfläche, Grünfläche; → Wiese.
²Rasen → Sportfeld.
Rasendecke → Rasen.
Rasender → Tobsüchtiger.
Rasenfläche → Rasen.
Rasenkraftsport → Schwerathletik.
Rasenstreifen → Grünstreifen.
Rasentennis → Tennisspiel.
¹Raserei, Tobsucht, Tobsuchtsanfall, Wutanfall, Besessenheit, Amoklauf, Amoklaufen, Tötungssucht; → Ärger, → Tobsüchtiger, → Wutanfall.

²Raserei → Ärger.
Rasierapparat, Rasierer (ugs.), Elektrorasierer, Trockenrasierer; → Rasur.
Rasierer → Rasierapparat.
Rasiererloge → Sitzplatz.
Rasierersitz → Sitzplatz.
Rasierseife → Seife.
Rasiersitz → Sitzplatz.
Rasierwasser, Pre-shave-Lotion, After-shave-Lotion; → Parfum; → duftend.
Räson: jmdn. zur R. bringen → Vernunft.
Raspa → Tanz.
raß: → scharf, → unhöflich, → würzig.
räß: → scharf, → würzig.
¹Rasse, Art, Menschenrasse · deren Angehörige eine weiße Hautfarbe haben: weiße Rasse, Weißer, Bleichgesicht (scherzh.), Europäer, Herrenrasse (abwertend) · deren Angehörige eine schwarze Hautfarbe haben: schwarze / negride Rasse, Neger, Afrikaner, Schwarzer, Mohr, Nigger (abwertend), Farbiger · deren Angehörige eine gelbliche Hautfarbe haben: Indianer, Rothaut ·· deren Angehörige eine gelbe Hautfarbe haben: gelbe / mongolische Rasse, Japaner, Japanese (scherzh.), Japs (ugs., abwertend), Chinese, Schlitzchinese (scherzh., abwertend); → Mischling, → Rassentrennung.
²Rasse: R. sein → anziehend [sein].
Rassel, Rumbakugel, Maraca · Ratsche, Klapper, Kastagnetten; → Musikinstrument; → rasseln.
¹rasseln, klappern, ratschen; → Rassel.
²rasseln: → läuten; mit dem Säbel r. → drohen.
Rassenhaß, Rassenwahn, Rassenkampf; → Rassentrennung.
Rassenkampf → Rassenhaß.
Rassentrennung, Apartheid; → Rasse, → Rassenhaß.
Rassenwahn → Rassenhaß.
Rasseweib → Frau.
rassig → schnittig.
Rast → Pause.
Rastelbinder → Kesselflicker.
rasten → ruhen.
Raster · Kreuzraster · Kornraster · Linienraster · Tiefdruck-

netzraster, Kreuzraster, Backsteinraster; → Druckverfahren, → Fotografie.
Rasthaus → Gaststätte.
rastlos: → fleißig, → ruhelos.
Rastlosigkeit → Fleiß.
Raststätte: → Gaststätte, → Hotel.
Rasur, Naßrasur, Trockenrasur, Elektrorasur; → Rasierapparat.
Rat: → Ausschuß, → Lebenshilfe, → Vorschlag; Kleiner R. → Regierung; da ist guter R. teuer → ratlos [sein]; jmds. R. brauchen → Schwierigkeit; einen R. geben / erteilen, jmdm. mit seinem R. / mit R. und Tat beistehen → beraten; sich keinen R. wissen → ratlos [sein]; um R. fragen → fragen; mit sich zu -e gehen → denken.
¹Rate, Anteil; → Anzahl.
²Rate: in -n zahlen → zahlen.
Rätedemokratie → Herrschaft.
¹raten, ein Rätsel lösen, eine Quizfrage / Rätselfrage beantworten, herauskriegen (ugs.); → Ratesendung.
²raten: → beraten, → denken; es ist geraten → zweckmäßig [sein]; r. zu → zuraten.
Ratenzahlung → Zahlung.
Ratesendung, Quizsendung, Quiz, Ratespiel; → Fernsehsendung, → Rundfunksendung; → raten.
Ratespiel → Ratesendung.
¹Ratgeber, Wegweiser, Leitfaden, Taschenbuch, Lehrbuch, Handbuch, Vademekum, Handreichung, Kompendium, Einführung, Grundriß, Abriß, Zusammenfassung, Begleiter, Führer, Guide, Gebrauchsanweisung, Rezept; → Besprechung, → Buch, → Gebrauchsanweisung, → Nachschlagewerk.
²Ratgeber → Berater.
Rathausplatz → Platz.
Rathausturm → Turm.
Ratifikation → Erlaubnis.
ratifizieren → unterschreiben.
Ratifizierung: → Erlaubnis, → Unterzeichnung.
Ration: → Anteil; eiserne R. → Proviant.
Rationalisator → Reformer.
Rationalismus, Aufklärung; → Atheismus, → Deismus, → Pantheismus, → Theismus.
rationell → zweckmäßig.

**rationieren** → einteilen.

**ratlos,** hilflos, aufgeschmissen (*salopp*); → machtlos; **r. sein,** feststecken, festsitzen, nicht weiter / sich keinen Rat / sich nicht zu helfen / nicht aus noch ein wissen, da ist guter Rat teuer, jetzt ist es zappenduster / zappe (*ugs., landsch.*), mit seiner Weisheit / mit seinem Latein am Ende sein, in [großer] Verlegenheit / (*ugs.*) in der Klemme / (*österr., ugs.*) petschiert sein, wie der Ochs vorm Berg / [neuen] Tor stehen (*salopp*), wie sag ich's meinem Kinde; → helfen.

**ratsam:** r. sein → zweckmäßig [sein].

**Ratsche** → Rassel.

**ratschen:** → rasseln, → reden.

**Ratschlag:** → Hinweis, → Vorschlag.

**ratschlagen** → beratschlagen.

**¹Rätsel,** Buchstabenrätsel, Kreuzworträtsel, Silbenrätsel, Bilderrätsel, Rebus, Rösselsprung, Scharade, Suchbildrätsel, Vexierrätsel, Zahlenrätsel; → Geduldspiel, → Preisausschreiben.

**²Rätsel:** jmdm. R. aufgeben → rätselhaft [sein]; ein R. lösen → raten; vor einem R. stehen → unfaßbar [sein].

**Rätselfrage:** → Frage; eine R. beantworten → raten.

**¹rätselhaft,** dunkel, orakelhaft, pythisch, doppelsinnig, doppeldeutig, delphisch, geheimnisvoll, änigmatisch, enigmatisch; → mehrdeutig, → unfaßbar; **r. sein:** etwas ist rätselhaft / liegt im dunkeln, jmdm. Rätsel aufgeben.

**²rätselhaft** → unfaßbar.

**Rätselhaftigkeit** → Unbegreiflichkeit.

**rätseln** → denken.

**Rätselspiel** → Preisausschreiben.

**Rätselwettkampf** → Preisausschreiben.

**Ratte** → Nagetier.

**Rattenfalle** → Falle.

**Rattengift** → Gift.

**Rattenschwanz:** ein R. → viele.

**Rattenschwänzchen** → Haarzopf.

**rattern** → holpern.

**Ratz** → Nagetier.

**ratzekahl:** r. essen → aufessen; r. fressen → abfressen, → abgrasen.

**ratzen** → schlafen.

**¹Raub,** Beute, Fang, Diebesgut, Gestohlenes, Sore (*ugs.*), heiße Ware (*ugs.*); → Diebstahl, → Schmuggelware; → wegnehmen.

**²Raub:** → Diebstahl; ein R. der Flammen werden → brennen.

**Raubbau:** mit seinen Kräften / seiner Gesundheit R. treiben → übernehmen (sich); keinen R. mit seiner Gesundheit treiben → Gesundheit.

**Raubdruck** → Nachdruck.

**rauben:** → wegnehmen; jmdm. alle Hoffnung r. → entmutigen; jmdm. die Jungfräulichkeit / Unschuld r. → deflorieren; jmdm. den letzten Nerv r. → ärgern (jmdn.); etwas raubt jmdm. den Schlaf → sorgen (sich).

**Räuber:** → Dieb, → Schößling; R. und Bolle / Gendarm / Landjäger / Polizei / Prinzessin → Versteckspiel.

**Räuberhauptmann** → Anführer.

**räubern** → wegnehmen.

**Räuberpistole** → Lüge.

**Räuberroman** → Roman.

**Räuberzivil** → Kleidung.

**Raubkrieg** → Krieg.

**Raubmarder** → Raubtier.

**Raubmord** → Tötung.

**Raubmörder** → Mörder.

**Raubmöwe** → Vogel.

**Raubtier,** Karnivore • Hund, Wolf, Fuchs, Schakal • Bär, Kleinbär • Katze, Löwe, Tiger, Leopard, Irbis, Jaguar, Puma, Schneeleopard, Nebelparder, Goldkatze, Ozelot, Wildkatze, Marmorkatze, Luchs, Gepard, Schleichkatze, Hyäne • Marder, Raubmarder, Erdmarder, Dachs, Iltis, Hermelin, Wiesel, Nerz, Stinktier, Skunk, Wasserwiesel, Wassermarder, Otter, Fischotter, Meerotter, Riesenotter, Zwergotter, Sumpfotter, Krebsotter; → Bär, → Hunderassen, → Katzenrassen, → Wild; → wild.

**Raubtierkäfig** → Käfig.

**Raubüberfall** → Überfall.

**Raubwürger** → Vogel.

**Raubzug** → Überfall.

**¹Rauch,** Rauchfahne, Qualm, Schmauch, Dunst, Hecht (*salopp*); → Nebel.

**²Rauch:** etwas ist Schall und R. → vergänglich [sein].

**rauchblättrig:** Rauchblättriger Schwefelkopf → Ständerpilz.

**rauchblau** → blau.

**¹rauchen,** Raucher sein, schmauchen, schmoken, schmöken, qualmen (*ugs.*), paffen (*ugs.*), plotzen (*salopp*) • *viel, stark:* rauchen / (*ugs.*) qualmen wie ein Schlot (*scherzh.*) • *bis zum letzten Rest:* den Stummel quälen (*scherzh.*) • *von Rauschgift:* kiffen, einen Joint durchziehen (*salopp*), einen Trip nehmen (*salopp*), haschen (*salopp*), drücken (*salopp*); **zu r. beginnen,** sich eine anstecken / ins Gesicht stecken (*ugs.*); **nicht mehr r.,** das Rauchen aufgeben; **nicht r.,** Nichtraucher sein; **nicht r.!,** Rauchen verboten!, Rauchen unterlassen!; → Raucher, → Rauschgift, → Rauschgiftsüchtiger, → Tabak, → Tabakspfeife, → Tabakwaren, → Zigarre, → Zigarette.

**²rauchen:** gleich raucht es → aufhören; die Friedenspfeife r. → bereinigen, → Frieden [schließen].

**¹Raucher,** Tabakraucher, Zigarettenraucher, Zigarrenraucher, Pfeifenraucher • *sehr starker:* Kettenraucher • *nur selten rauchender:* Sonntagsraucher, Gelegenheitsraucher • *von Rauschgiften:* Opiumraucher, Haschischraucher, Marihuanaraucher, Kiffer; → Rauschgift, → Rauschgiftsüchtiger, → Tabak, → Tabakspfeife, → Tabakwaren, → Zigarre, → Zigarette; → rauchen.

**²Raucher:** → Eisenbahnabteil; R. sein → rauchen.

**Raucherabteil** → Eisenbahnabteil.

**Räucherfleisch** → Fleisch.

**räuchern,** selchen (*bayr., österr.*); → geräuchert.

**Raucherwaren** → Tabakwaren.

**Rauchfahne** → Rauch.

**Rauchfang** → Schornstein.

**Rauchfangkehrer** → Schornsteinfeger.

**rauchfarben** → grau.

**Rauchfleisch** → Schinken.

**Rauchglas** → Glas.

rauchgrau → grau.

rauchig: → heiser, → stickig.

Rauchquarz → Schmuckstein.

Rauchrolle → Zigarre.

Rauchschwalbe → Vogel.

Rauchtabak → Tabak.

Rauchtisch → Tisch.

Rauchwaren: → Pelzwaren, → Tabakwaren.

Rauchzeug → Tabakwaren.

Räude → Hautkrankheit.

räudig → ekelhaft.

rauf: → her, → hin.

Raufbold, Rowdy, Rabauke, Schläger, Schlägertyp (ugs.), Schlagetot; → Flegel, → Kämpfer, → Mensch; → schlagen.

raufen: sich r. → schlagen.

Rauferei → Schlägerei.

rauffallen: die Treppe r. → avancieren.

raufgehen → hinaufgehen.

raufklettern → hinaufgehen.

raufschmieren → bestreichen.

raufsetzen → steigern.

raufsteigen → hinaufgehen.

¹rauh, kraus, uneben, rissig, holprig, nicht glatt, nicht zart.

²rauh: → heißer; in -en Mengen → reichlich; etwas ist in -en Mengen vorhanden → Überfluß [haben].

Rauhfußbussard → Vogel.

Rauhfußhuhn → Vogel.

Rauhfußkauz → Vogel.

Rauhleder → Leder.

Rauhnächte, die Zwölf Nächte, die Zwölften, die Zeit zwischen Weihnachten und Dreikönigsfest; → Weihnachten.

Rauhputz → Verputz.

Rauhreif → Niederschlag.

¹Raum, Räumlichkeit, Zimmer, Stube, gute Stube, Gemach, Prunkgemach, Wohnraum, Wohnzimmer, Schlafzimmer, Schlafgemach, Fremdenzimmer, Gästezimmer, Kinderzimmer, Mädchenzimmer, Vorzimmer (österr.), Salon, Kammer, Kabäuschen, Nebenraum, Gelaß, Kabinett, Bude (salopp), Bruchbude (salopp, abwertend), Loch (ugs., abwertend), Kabuff (ugs., abwertend) · großer: Halle, Saal · gemieteter: Untermietzimmer · mit schrägen Wänden: Mansarde, Mansardenzimmer, Giebelzimmer, Giebelstube · den man mit einer gewissen Ehr-

furcht betritt: Heiligtum (scherzh.), heilige Hallen (scherzh.) · in dem man warten kann: Wartesaal, Warteraum, Wartezimmer, Wartsaal (südd., schweiz.) · für die Dame: Boudoir, Kemenate · für das Gesinde: Gesindestube (veraltet), Schalander (veraltet) · abgesonderter in einem Restaurant: Extrazimmer (österr.), Chambre séparée, Séparée · auf dem Schiff: Kajüte, Kabine, Kammer, Logis · zum Sitzen im Flugzeug, Motorboot: Cockpit; → Abstellraum, → Gesellschaftsraum, → Laden, → Remise, → Saal, → Werkraum, → Wohnung, → Zimmerdecke.

²Raum: → Gebiet, → Weltall; luftleerer R. → Vakuum; etwas steht im R. → unerledigt [sein]; etwas im R. stehen lassen → unerledigt [lassen]; jenseits von R. und Zeit → ewig.

Raumakustik, Akustik, akustische Verhältnisse, Klangverhältnisse, Schallverhältnisse, Klangwirkung, Schallwirkung; → Nachhall, → Resonanz, → Widerhall; → schallen; → akustisch.

Raumausstatter, Innenarchitekt, Dekorateur, Raumgestalter, Polsterer, Tapezier, Tapezierer; → Innendekoration, → Maler, → Schaufenstergestalter.

räumen: → verlagern; das Feld r. → standhalten; r. aus → wegnehmen; jmdn. aus dem Weg r. → töten.

Raumfahrer → Astronaut.

Raumgestalter → Raumausstatter.

Raumgestaltung → Innendekoration.

Raumkunst →Innendekoration.

Raumlehre → Mathematik.

Räumlichkeit → Raum.

raumlos: raum- und zeitlos → ewig.

Raumlosigkeit: Raum- und Zeitlosigkeit → Ewigkeit.

Raummaß · in der Forstwirtschaft: Raummeter, Festmeter, Ster, Klafter; → Flächenmaß, → Gewichtseinheit, → Hohlmaß, → Längenmaß, → Metermaß; → messen.

Raummeter → Raummaß.

Raumpflegerin → Putzfrau.

Raumspray → Spray.

Räumung → Verlagerung.

Räumungsverkauf → Ausverkauf.

raunen → flüstern.

raunzen: → beanstanden, → klagen.

Raunzer → Griesgram.

Raupe → Larve.

Raupenbahn → Karussell.

Raupensammlung: der fehlt mir noch in meiner R. → ärgerlich [sein].

Raupenschlepper → Auto.

raus: → her, → hin; aus dem Schneider r. sein → alt [sein]; fein r. sein → Glück [haben].

¹Rausch, Euphorie, Ekstase ··· durch Rauschmittel: Coast, Flash, Reise, Trip, Kick, Run ·· mit Angstzuständen verbundener: Horror-Trip, Bad-Trip, Bum-Trip, Freak-out; → Höhepunkt, → Rauschgift, → Rauschgiftsüchtiger; sich in einen R. versetzen · mit Drogen: auf die Reise gehen, einen Trip machen, anturnen (gesprochen: antörnen), antunen (gesprochen: antjunen); im R. sein · nach Genuß von Drogen: high / bashed / bombed / stoned sein, unter Drogen stehen; → psychedelisch.

²Rausch: → Betrunkenheit, → Lust; seinen / sich den R. ausschlafen → nüchtern [werden].

Rauschebart → Bart.

rauschen, brausen, tosen; → schallen; → Laut.

Rauscher → Wein.

Rauschgift, Droge, Suchtmittel, Betäubungsmittel, Acid, Stoff (ugs.), Stuff ·· Opiate: Opium, harte Droge, Rohopium, Chandoo · Morphium · Heroin, H (gesprochen: eitsch), Harry, Horse, Junk, Scat, Snow · Eudokal · Metadon · Petidin · Romilar · Dolantin · Methedrin ·· Cannabisprodukte: Hanf · Marihuana, Fu, Gage, Grass, Griffs, Heu, Jay-Smoke, Mary Jane, Maria Johanna, Pot, Tea, Weed · Haschisch, Hasch, weiche Droge, Bhang, Pot, Tea, Shit, Was ·· Halluzinogene: LSD, Morning Glory · Meskalin · Psilocybin · STP (für: Serenity, Tranquillity, Peace) ·

Kokain, Coco, Coke, Koks (*ugs.*), C, Charley, Blanche, White Stuff ·· *Amphetamine, Weckamine, Schnellmacher:* Bambino, Christmas-Tree, Co-Pilot, Pep Pill, Pepper-Upper, Speed; → Aufputschmittel, → Beruhigungsmittel, → Einspritzung, → Gammler, → Gift, → Händler, → Höhepunkt, → Kokainvergiftung, → Lust, → Medikament, → Opiumvergiftung, → Psychopharmakon, → Raucher, → Rauschgiftsüchtiger, → Spritze; → rauchen.

**rauschgiftsüchtig** → süchtig.

**Rauschgiftsüchtiger,** Rauschmittelsüchtiger, Drogenabhängiger, ausgeflippte / abgefuckte Type (*salopp*), User, Viper, Mainliner · *der Morphium nimmt:* Morphinist · *der LSD nimmt:* Säurekopf (*ugs.*) · *der Kokain nimmt:* Coquero, Kokser (*ugs.*) · *der Opium nimmt:* Junkie · *der Rauschgift raucht:* Kiffer, Hascher · *der Rauschgift spritzt:* Fixer; → Einspritzung, → Kokainvergiftung, → Opiumvergiftung, → Raucher, → Rausch, → Rauschgift, → Spritze; → rauchen, → spritzen; → süchtig.

**Rauschmittel** → Medikament.

**Rauschmittelsüchtiger** → Rauschgiftsüchtiger.

**rausfeuern** → entlassen.

**rausfliegen:** im hohen Bogen r. → hinauswerfen.

**rausfließen** → ausfließen.

**raushaben:** den Bogen / Dreh r. → geschickt [sein].

**raushängen:** die Fahne r. → flaggen.

**rausholen** → herausholen.

**rauskommen:** auf Teufel komm raus → konzentriert, → sehr, → unbedingt.

**rauskriegen** → finden.

**rauslassen:** die Sau r. → anstößig [reden], → sprechen.

**rauslaufen** → ausfließen.

**rausmachen** → herausholen.

**rausnehmen** → herausholen.

**rauspfeffern** → entlassen.

**rausrücken:** → abgeben; nichts r. → geizig [sein].

**rausschmeißen:** → entlassen; jmdn. [achtkantig] r. → hinauswerfen.

**Rausschmeißer** → Bewacher.

**Rausschmiß** → Entlassung.

**rausschwätzen** → ablisten.

**raussetzen** → hinauswerfen.

**rauswerfen:** → entlassen; jmdn. in hohem Bogen r. → hinauswerfen.

**Raute** → Viereck.

**Rautendach** → Dach.

**Rautenfries** → Fries.

**Rautenhirn** → Gehirn.

**Ravioli** → Teigwaren.

**Rayon:** → Gebiet, → Polizeirevier.

**Razzia** → Durchsuchung.

**[1]reagieren,** Gegenwirkung zeigen, auf etwas ansprechen ·

**in übertriebener Weise r.,** das Kind mit dem Bade ausschütten; **nicht r.,** sich taub stellen, auf den Ohren sitzen (*ugs.*), Watte in den Ohren haben.

**[2]reagieren** → antworten.

**Reagin** → Antikörper.

**[1]Reaktion,** Wirkung, Gegenwirkung, Gegenbewegung, Rückwirkung; → Antwort, → Erfolg, → Reflex; → antworten.

**[2]Reaktion:** → Rückschritt; allergische R. → Unzuträglichkeit.

**reaktionär** → rückschrittlich.

**Reaktionär** → Konservativer.

**Reaktionskörper** → Antikörper.

**reaktionsschnell** → geistesgegenwärtig.

**Reaktionsschnelligkeit** → Geistesgegenwart.

**Reaktionsvermögen** → Geistesgegenwart.

**real** → wirklich.

**Realbüro** → Vermittler.

**Realgymnasium** → Schule.

**realisieren:** → verwirklichen, → vorstellen (sich etwas); etwas realisiert sich → eintreffen.

**Realisierung** → Bewerkstelligung.

**Realismus:** → Literaturepochen; phantastischer / sozialistischer R. → Malerei.

**realistisch,** nüchtern, trocken (*abwertend*), sachlich, lebensnah, wirklichkeitsnah; → prosaisch · Ggs. → unrealistisch; **r. sein,** mit beiden Beinen auf der Erde stehen, auf dem Boden der Tatsachen stehen, den Tatsachen ins Gesicht sehen.

**Realität:** → Tatsache; -en → Immobilien.

**Realitätenhändler** → Vermittler.

**Realitätenvermittler** → Vermittler.

**realiter** → wirklich.

**Realkanzlei** → Vermittler.

**Reallohn** → Lohn.

**Realschule** → Schule.

**Realschullehrer** → Lehrer.

**Reanimation** → Wiederbelebung.

**Reaumur** → Temperaturskala.

**Rebbau** → Weinbau.

**Rebbauer** → Winzer.

**Rebbe** → Geistlicher.

**Rebberg** → Weinberg.

**Rebe:** die Stadt zwischen Wald und -n → Stuttgart.

**Rebell** → Revolutionär.

**rebellieren** → aufbegehren.

**Rebellion** → Verschwörung.

**rebellisch** → aufrührerisch.

**rebeln** → pflücken.

**Rebenmehltau:** Echter R. → Schlauchpilz.

**Rebensaft** → Wein.

**Rebhang** → Weinberg.

**Rebhendl** → Vogel.

**Rebhuhn:** → Vogel, → Wild.

**Rebschnur** → Schnur.

**Rebus** → Rätsel.

**Rechaud:** → Herd, → Wärmeplatte.

**Rechen** → Harke.

**Rechenanlage** → Computer.

**Rechenfehler:** einen R. machen → verrechnen (sich).

**Rechenheft** → Heft.

**Rechenkopfsäule** → Tanksäule.

**Rechenoperation** → Rechenverfahren.

**Rechenpapier** → Schreibpapier.

**[1]Rechenschaft,** Verantwortung; → Ermahnung; **zur R. ziehen,** zur Verantwortung ziehen, sich jmdn. kaufen (*salopp*), jmdn. zur Rede stellen; → bestrafen, → mahnen, → schelten.

**[2]Rechenschaft:** sich R. ablegen über → klarwerden (sich über); zur R. ziehen → belangen, → bestrafen, → prozessieren.

**Rechenstörung** → Aphasie.

**Rechenverfahren,** Rechenoperation · Addition, Zusammenzählen · Subtraktion, Abziehen · Division, Teilung · Multiplikation, Malnehmen · Wurzelziehen; → Gleichung, → Mathematik; → addieren, → dividieren, → multiplizieren, → potenzieren, → quadrieren, → radizieren.

**Recherche** → Nachforschung.

**recherchieren** → nachforschen.

**Recherl** → Pfifferling.

**Rechling** → Pfifferling.

**rechnen:** → ausrechnen; falsch r. → verrechnen (sich); r. mit → erwarten, → glauben, → vermuten; r. mit etwas → verlassen (sich auf etwas); nicht mehr r. mit → abschreiben; mit etwas ist zu r. → bevorstehen; damit r. müssen, daß ... → Gefahr [laufen]; mit dem Pfennig r. → sparsam [sein]; [mit dem Pfennig] r. müssen → sparen [müssen].

**Rechner** → Computer.

**¹Rechnung,** Forderung, Faktur, Faktura (*österr.*), Liquidation, Kostenrechnung; → Bescheinigung, → Unkosten.

**²Rechnung:** → Quittung; mit jmdm. eine R. zu begleichen haben → schelten; R. legen → abrechnen; die R. ohne den Wirt machen → irren (sich); R. tragen, in R. stellen → berücksichtigen; auf seine R. kommen → befriedigen, → zuzahlen; in R. setzen → berücksichtigen; jmdm. eine R. aufmachen / präsentieren / zusammenstellen → Unkosten.

**Rechnungsablage** → Ablage.

**Rechnungsbuch,** Rechnungsheft, Kassenbuch, Kassabuch (*österr.*), Kladde, Manual (*veraltet*), Rapiat (*veraltet*).

**Rechnungsführer** → Kassierer.

**Rechnungsheft** → Rechnungsbuch.

**¹recht,** gerecht, richtig, gerechtfertigt, rechtmäßig, billig; **r. sein:** etwas ist recht / Rechtens / recht und billig; → füglich.

**²recht:** → ansehnlich, → geeignet, → sehr; das Herz auf dem -en Fleck haben → lebenstüchtig [sein], → mutig [sein]; etwas geht nicht mit -en Dingen zu → unfaßbar [sein]; die -e Hand → Stellvertreter; -er Herzvorhof / Vorhof → Herz; etwas / das Kind beim -en Namen nennen → beschöni-

gen; -e Seite → Vorderseite; zur -en Zeit → pünktlich; nicht zur -en Zeit → säumig; r. sein → passen; es soll mir r. sein → ja; jmdm. ist jedes Mittel r. → rücksichtslos [sein]; r. haben → Recht; schlecht und r., mehr schlecht als r. → kaum; erst r. → absichtlich.

**¹Recht,** gesetztes / positives Recht, Naturrecht · *der Eltern, für die Erziehung und das Vermögen ihrer Kinder zu sorgen:* Sorgerecht · *des Erstgeborenen:* Erstgeburtsrecht, Vorzugsrecht, Primogenitur · *des Zweitgeborenen in einem Fürstenhaus:* Sekundogenitur · *des Grundherrn auf die erste Nacht mit der Neuvermählten eines Hörigen:* Jus primae noctis; → Anspruch, → Berechtigung, → Gleichberechtigung; **im R. sein,** recht haben, richtig liegen (*salopp*), sich nicht irren; es stimmt, was jmd. sagt; man geht wohl nicht fehl in der Annahme, daß ...

**²Recht:** → Anspruch, → Berechtigung; bürgerliches R. → Rechtsgebiet; R. des Stärkeren → Faustrecht; etwas ist jmds. gutes R. → zustehen; seine -e abtreten → abschreiben; sein R. behaupten / erzwingen, von seinem R. Gebrauch machen → bestehen auf; recht haben → Recht; sein R. geltend machen auf → Anspruch [geltend machen]; sein R. [bei Gericht / vor Gericht] suchen → prozessieren; mit gutem R., mit Fug und R., → befugt; mit Fug und R., / mit / zu R. → füglich; Gnade für / vor R. ergehen lassen → nachsichtig [sein]; zu R. bestehen → Richtigkeit.

**rechtdenkend** → gerecht.

**rechte:** -r Hand, auf der -n Seite → rechts.

**Rechteck** → Viereck.

**Rechtens:** etwas ist R. → recht [sein].

**Rechter** → Konservativer.

**rechtfertigen:** → lossprechen, → verzeihen; sich r. → wehren (sich).

**Rechtfertigung** → Nachweis.

**Rechthaber:** → Besserwisser, → Trotzkopf.

**Rechthaberei:** → Eigensinn, → Wichtigtuerei.

**rechthaberisch** → unzugänglich.

**rechtlich** → rechtmäßig.

**Rechtlichkeit** → Redlichkeit.

**rechtlos** → unterdrückt.

**¹rechtmäßig,** legitim, begründet, rechtlich, gesetzlich, legal, de jure, nicht → gesetzwidrig; → befugt, → statthaft; → Berechtigung, → Rechtmäßigkeit · Ggs. → unehelich.

**²rechtmäßig** → recht.

**Rechtmäßigkeit,** Gesetzlichkeit, Legalität; → rechtmäßig.

**¹rechts,** rechter Hand, auf der rechten Seite; dort, wo der Daumen links ist (*scherzh.*) · *bei Schiffen und Flugzeugen:* steuerbord[s]; → links.

**²rechts:** → konservativ; dort, wo der Daumen r. ist → links; nicht nach r. und links blicken → verwirren.

**Rechtsanwalt** → Jurist.

**Rechtsanwaltsbüro** → Anwaltsbüro.

**Rechtsanwaltskanzlei** → Anwaltsbüro.

**Rechtsaußen:** → Fußballspieler, → Konservativer.

**Rechtsbeistand** → Jurist.

**Rechtsberater** → Jurist.

**Rechtsbeugung,** Rechtsbruch; → mißachten.

**Rechtsbrecher** → Verbrecher.

**Rechtsbruch** → Rechtsbeugung.

**Rechtsempfinden** → Gerechtigkeitssinn.

**Rechtsgefühl** → Gerechtigkeitssinn.

**Rechtskurve** → Kurve.

**rechtschaffen** → ehrenhaft.

**¹Rechtschaffenheit,** Honorigkeit, Ehrbarkeit, Ehrsamkeit, Redlichkeit, Achtbarkeit, Biederkeit, Bonhomie, Biedersinn (*veraltend*), Unbestechlichkeit; → Arglosigkeit, → Güte, → Schlichtheit; → ehrenhaft.

**²Rechtschaffenheit** → Redlichkeit.

**Rechtschreibfehler** → Fehler.

**rechtschreiblich** → orthographisch.

**Rechtschreibung,** Orthographie; → Fehler.

**Rechtschreibwörterbuch** → Nachschlagewerk.

**Rechtsdisziplin** → Rechtsgebiet.

**rechtsextrem** → rechtsradikal.

Rechtsextremismus → Patriotismus.

Rechtsextremist → Extremist.

rechtsextremistisch → national.

Rechtsgebiet, Rechtsdisziplin · Zivilrecht, Zivilprozeßrecht, bürgerliches Recht, Privatrecht · Strafrecht, Strafprozeßrecht · Staatsrecht, Völkerrecht, Verfassungsrecht · Verwaltungsrecht · Handelsrecht, Wirtschaftsrecht, Patentrecht · Arbeitsrecht · Kirchenrecht · Kriegsrecht; → Gericht, → Gerichtsmedizin, → Jurist, → Justiz, → Kriminalistik, → Rechtswissenschaft.

Rechtsgefühl → Gerechtigkeit.

Rechtsgelehrter → Jurist.

Rechtskonsulent → Jurist.

Rechtsmittelgericht → Gericht.

Rechtsnachfolge → Nachfolge.

Rechtsnachfolger → Nachfolger.

Rechtspflege → Justiz.

¹Rechtsprechung, Judikatur, Jurisdiktion.

²Rechtsprechung → Justiz.

rechtsradikal, rechtsextrem, faschistisch, nationalsozialistisch, nazistisch (abwertend), Nazi- (abwertend), neofaschistisch, faschistoid; → Extremist, → Nationalsozialist.

Rechtsradikaler → Extremist.

Rechtssinn → Gerechtigkeitssinn.

Rechtsunterzeichneter → Unterzeichner.

Rechtsverdreher: → Jurist, → Wortverdreher.

Rechtsverfahren → Gerichtsverfahren.

Rechtsvertreter → Jurist.

Rechtsweg: den R. beschreiten → prozessieren.

Rechtswesen → Justiz.

Rechtswissenschaft, Jurisprudenz, Jura, Jus (österr.); → Justiz, → Rechtsgebiet, → Wissenschaft.

rechtzeitig: → früh, → pünktlich.

Reck → Sportgerät.

Recke → Held.

recken (sich), sich strecken / ausdehnen / dehnen; → erheben (sich), → räkeln (sich).

Redakteur → Schriftleiter.

Redaktion, Schriftleitung, Geschäftsstelle; → Zeitschrift, → Zeitung, → Zeitungsartikel.

Redaktor → Schriftleiter.

¹Rede, Ansprache, Anrede (schweiz.), Festrede, Vortrag, Referat, Korreferat, Koreferat (österr.) · an der Hochschule: Kolleg, Vorlesung · des Geistlichen in der Kirche: Predigt, Kanzelwort (geh.), Festpredigt, Ehrenpredigt (schweiz.) · sehr lange: Marathonrede · leidenschaftliche, kämpferische: Philippika · zusammenfassende vor dem Gericht: Plädoyer · erste eines Parlamentsmitgliedes: Jungfernrede · auf einer Faschingsveranstaltung: Büttenrede; → Gespräch, → Rhetorik, → Trinkspruch; → erste.

²Rede: → Sprechakt; eine R. halten → vortragen; große -n schwingen → prahlen; R. und Antwort stehen → antworten; der langen R. kurzer Sinn → kurzum; etwas ist kaum / nicht der R. wert → unwichtig [sein]; in R. stehend → obig; jmdn. zur R. stellen → Rechenschaft.

Rededrang → Redseligkeit.

Redefigur → Ausdrucksmittel.

Redefluß → Tirade.

Redefreiheit → Freiheit.

redefreudig → gesprächig.

Redefreudigkeit → Redseligkeit.

Redegabe → Redegewandtheit.

Redegewalt → Redegewandtheit.

redegewaltig → beredt.

redegewandt → beredt.

Redegewandtheit, Redegabe, Wortgewandtheit, Redegewalt, Sprachgewalt, Zungenfertigkeit, Eloquenz, [forensische] Beredsamkeit; → Redseligkeit, → Rhetorik; → beredt.

Redekunst → Rhetorik.

redelustig → gesprächig.

¹reden (über jmdn. / etwas), sich über jmdn. (oder:) etwas entrüsten / aufhalten / (ugs.) aufplustern / aufregen, über jmdn. (oder:) etwas lästern / (ugs.) herziehen / (ugs.) losziehen, sich über jmdn. (oder:) etwas das Maul verreißen / zerreißen (salopp) / [über jmdn. (oder:) etwas] klatschen / tratschen / ratschen (ugs., abwertend), durchhecheln (ugs.); ⇒ schlechtmachen; → heiser; → Lästerer, → Mund.

²reden: → mitteilen; gut / leicht r. haben → Lage; frei (oder:) frisch von der Leber weg / kariert r., r. wie ein Wasserfall, Makulatur / Tacheles / Unsinn / dummes Zeug / gegen eine Wand / im Kasernenhofton / in den Wind / zu leeren Wänden r. → sprechen; Fraktur r. → schelten; jmdm. ein Kind in den Bauch r. → einreden; Tacheles r. → schelten; in Bildern / Gleichnissen r. → versinnbildlichen; mit jmdm. r., über Gott und die Welt / über Tod und Teufel r. → unterhalten (sich); mit jmdm. nicht mehr r. → verfeindet [sein]; mit sich r. lassen → entgegenkommen (jmdm.); r. über → äußern (sich); r. wir nicht mehr darüber! → beenden; von sich r. machen → auffallen; von der Kanzel r. → predigen.

Redensart, Phrase, Floskel, Formel, Lokution, Topos, Versatzstück (abwertend); → Nachahmung, → Plattheit, → Redewendung.

Redeschlacht → Gespräch.

Redeschwall → Tirade.

Redeweise → Ausdrucksweise.

Redewendung, [feste / idiomatische] Wendung, Wortgruppenlexem · aus einer fremden Sprache übernommene, eingedeutschte: Lehnwendung; → Redensart, → Spracheinheit, → Wort, → Wortbedeutung, → Wortbildung.

Redingote → Mantel.

redlich → ehrenhaft.

¹Redlichkeit, Rechtlichkeit, Rechtschaffenheit; → Gerechtigkeitssinn, → Treue.

²Redlichkeit: → Rechtschaffenheit, → Schlichtheit, → Treue.

Redner, Referent, Vortragender, Korreferent, Koreferent (österr.), Orator, Rhetor · die Volksmassen aufwiegelnder: Demagoge, Volksverführer, Volksaufwiegler; → Referent, → Rhetorik.

rednerisch → ausdrucksvoll.

Rednerpult → Katheder.

Redon → Chemiefaser.

Redoute: → Ball, → Maskerade.

redselig → gesprächig.

Redseligkeit, Gesprächigkeit, Mitteilsamkeit, Redefreudig-

Regie

keit, Geschwätzigkeit (*abwertend*), Klatschsucht (*abwertend*), Klatschsüchtigkeit (*abwertend*), Tratschsucht (*abwertend*), Tratschsüchtigkeit (*abwertend*), Schwatzhaftigkeit (*abwertend*) · *krankhafte:* Logorrhö, Loquacitas, Polyphrasie, Rededrang; → Gerede, → Gewäsch, → Klatsch, → Redegewandtheit, → Tirade; → gesprächig.
**redundant:** → pleonastisch, → überladen.
**¹Redundanz,** Üppigkeit, Überfluß, Überreichlichkeit, Übermaß, Hypercharakterisierung (*Sprachw.*), Übercharakterisierung (*Sprachw.*); → üppig.
**²Redundanz** → Pleonasmus.
**reduzibel** → zurückführbar.
**reduzieren** → verringern.
**Reduzierung** → Einschränkung.
**Reede** → Anlegebrücke.
**Reeder,** Schiffsherr, Schiffseigner, Eigner, Freteur; → Schiff, → Seemann.
**reell** → gediegen.
**Reep** → Seil.
**Refaktie** → Preisnachlaß.
**Refektorium** → Speiseraum.
**Referat:** → Besprechung, → Rede; ein R. halten → vortragen.
**Referee** → Schiedsrichter.
**Referendar** → Lehrer.
**Referendum** → Volksentscheid.
**¹Referent,** Sachbearbeiter, Bearbeiter, Dezernent, Berichterstatter, Gutachter, Kustos; → Redner.
**²Referent** → Redner.
**Referenzen:** → Befähigungsnachweis, → Empfehlungsschreiben.
**referieren** → mitteilen.
**Reff** → Tragekorb.
**Reffknoten:** [falscher R.] → Knoten.
**Reflektant** → Anwärter.
**reflektieren:** → denken, → spiegeln; r. auf → erwarten.
**¹Reflex,** Reflexbewegung · Kniescheibenreflex, Patellarreflex; → Reaktion.
**²Reflex** → Spiegelung.
**Reflexbewegung** → Reflex.
**Reflexion:** → Spiegelung, → Versenkung.
**reflexiv:** [echtes / unechtes] -es Verb → Verb.
**Reflexivverb** → Verb.

**Reform,** Reformierung, Reformation, Umgestaltung, Neugestaltung, Erneuerung, Neuerung; → Neubelebung, → Verschwörung; → verbessern.
**Reformation:** → Literaturepochen, → Reform.
**Reformationsfest** → Kirchenjahr.
**Reformationstag** → Kirchenjahr.
**Reformator:** → Reformer, → Revolutionär.
**Reformer,** Reformator, Neuerer, Rationalisator, Aktivist (*DDR*); → Reform, → Schrittmacher.
**reformieren** → verbessern.
**reformiert:** -e Kirche → Kirche.
**Reformierung** → Reform.
**Reformorden** → Mönchsorden.
**Refrain** → Kehrreim.
**Refugium** → Zuflucht.
**Regal:** → Bücherbord, → Gestell.
**Regatta,** Ruderregatta, Segelregatta, Motorbootsregatta, Bootsrennen, Bootswettfahrt, Bootswettkampf; → Boot.
**rege:** [geistig r.] → lebhaft.
**¹Regel,** Norm, Standard, Gesetz, Gesetzmäßigkeit, Regelmäßigkeit, Regularität, Prinzip, Faustregel, Grundsatz, Leitsatz, Richtschnur, Leitschnur, Leitlinie, Richtlinie; → Ausspruch, → Muster, → Prinzipien, → Üblichkeit, → Weisung; → üblich · Ggs. → Abweichung.
**²Regel:** → Brauch, → Menstruation; die R. haben → menstruieren; etwas ist gegen alle -n der Vernunft → unsinnig [sein]; in der R. → oft; nach allen -n der Kunst → sehr.
**Regelblutung** → Menstruation.
**Regeldetri** → Mathematik.
**regelmäßig:** → ebenmäßig, → üblich; r. wiederkehrend, in -er Folge, in regelmäßigen Abständen / Intervallen → periodisch.
**Regelmäßigkeit:** → Ebenmäßigkeit, → Regel.
**regeln:** → normen; etwas regelt sich → Ordnung.
**regelrecht,** buchstäblich, förmlich, geradezu, nachgerade, direkt, praktisch, ganz und gar; → ganz.

**Regelung** → Normung.
**¹Regelverstoß,** Foul, Revanchefoul, Unsauberkeit · *beim Fußball:* gefährliches / ruppiges Spiel, Sperren, Aufstützen, Unterlaufen, Rempeln, Abseits, Offside · *beim Handball und Boxen:* Klammern · *beim Boxen:* Tiefschlag, Kopfstoßen · *beim Eishockey:* Stockschlag, Ellenbogencheck, Crosscheck, Stockcheck, Bodycheck an der Bande.
**²Regelverstoß** → Abweichung.
**regelwidrig** → anormal.
**Regelwidrigkeit** → Abweichung.
**regen:** sich r. → arbeiten, → bewegen (sich), → entstehen.
**Regen:** → Niederschlag; etwas läßt den R. durch → durchlässig [sein].
**Regenbogen,** Himmelsring (*südd.*); → Niederschlag, → Sonne.
**Regenbogenpresse** → Presse.
**Regenbrachvogel** → Vogel.
**Regencape:** → Mantel, → Umhang.
**Regendach** → Schirm.
**Regeneration:** → Erholung, → Wiederherstellung.
**regenerieren:** sich r. → erholen (sich).
**Regenfälle** → Niederschlag.
**Regenfront** → Wetterfront.
**Regengosse** → Regenrinne.
**Regenhaut** → Mantel.
**Regenmantel** → Mantel.
**regennaß** → naß.
**Regenpfeifer** → Vogel.
**Regenrinne,** Dachrinne, Rinne, Regentraufe, Dachtraufe, Traufe, Regengosse (*landsch.*), Dachkandel (*landsch.*), Kandel (*landsch.*), Kännel (*landsch.*).
**Regenschirm** → Schirm.
**Regent** → Oberhaupt.
**Regentag** → Tag.
**Regentraufe** → Regenrinne.
**Regentschaft** → Herrschaft.
**Regenwald** → Urwald.
**Regenwaldklima:** tropisches R. → Klimazone.
**Regenwasser** → Wasser.
**Regenwetter:** → Wetter; ein Gesicht wie drei / sieben Tage R. machen → aussehen.
**Regenwolken** → Wolken.
**Regenwurm** → Wurm.
**Regie,** Führung, Leitung, Verwaltung; → Weisung.

**Regieassistent** → Regisseur.

**¹regieren,** herrschen / gebieten über, lenken, leiten, verwalten; → vorstehen; → Herrschaft, → Oberhaupt, → Partei.

**²regieren:** Regierender Bürgermeister → Bürgermeister.

**¹Regierung,** Bundesregierung, Staatsregierung, Kabinett, Junta (bes. in Südamerika), Ministerrat (DDR), Staatsrat (DDR) ·· Koalitionsregierung, Einparteienregierung, Monocolore *(österr.)* ·· Minderheitsregierung, Minderheitenkabinett *(österr.)* ·· *die von militärischen Befehlshabern gebildet wird:* Militärregierung, Militärjunta ·· *von einem anderen Staat eingesetzte und gelenkte:* Marionettenregierung *(abwertend)* ·· *eines Bundeslandes:* Landesregierung · *in Berlin, Hamburg, Bremen:* Senat · *eines Kantons in der Schweiz:* Kantonsregierung, Regierungsrat, Standeskommission (Appenzell), Kleiner Rat (Graubünden), Staatsrat (Wallis, Waadt, Freiburg, Genf, Neuenburg) ··· *in der Benennung nach dem Regierungssitz bzw. dem Außenamt* ·· *der USA:* Weißes Haus · *der UdSSR:* Kreml · *Großbritanniens:* Downing Street · *Frankreichs:* Quai d'Orsay · *der BRD:* Palais Schaumburg · *Österreichs:* Ballhausplatz · *Italiens:* Quirinal · *der Türkei:* Hohe Pforte *(hist.)* · *Deutschlands während des Nationalsozialismus:* Reichskanzlei ·· *nach dem Sitz des Staatsoberhaupts* · *Großbritanniens:* Buckingham Palace · *Frankreichs:* Elysee-Palast · *der BRD:* Villa Hammerschmidt · *Österreichs:* [Amalientrakt der] Hofburg ·· *nach dem Sitz des Verteidigungsministeriums der USA:* Pentagon ·· *von der Opposition für den Fall eines Regierungswechsels aufgestellte:* Schattenkabinett; → Volksvertretung.

**²Regierung:** → Herrschaft, → Obrigkeit.

**Regierungsbezirk** → Verwaltungsbezirk.

**Regierungschef:** → Ministerpräsident, → Oberhaupt.

**Regierungserklärung** → Programm.

**Regierungsgewalt** → Befehlsgewalt.

**Regierungsmitglied** → Minister.

**Regierungspartei** → Partei.

**Regierungsrat** → Regierung.

**Regierungsvertreter** → Diplomat.

**Regime:** → Herrschaft, → Obrigkeit.

**Regiment:** → Heeresverband; das R. führen → maßgeblich [sein].

**Regimentsmusik** → Musik.

**Region:** → Gebiet; in höheren -en schweben → unrealistisch [sein].

**regional,** gebietsweise, strichweise, landschaftlich, provinziell, mundartlich, idiomatisch; → Gebiet, → Stelle.

**Regisseur,** Spielleiter, Inszenator, Regieassistent, Rampenvogt *(abwertend)* · *eines Balletts:* Choreograph; → Leiter (der), → Schauspieler.

**Register:** → Verzeichnis; alle R. ziehen → anwenden; andere R. ziehen → eingreifen.

**registered** → [r.trademark] → Warenzeichen.

**registrieren:** → bemerken, → buchen.

**Registrierkasse** → Ladenkasse.

**Registrierung** → Sammlung.

**Reglement** → Weisung.

**reglementieren** → anordnen.

**reglos** → bewegungslos.

**Reglosigkeit** → Bewegungslosigkeit.

**regnen:** es regnet, es sprüht / nieselt / tröpfelt / *(ugs., landsch.)* drippelt / *(ugs.)* pladdert / *(ugs.)* gießt [wie mit Mollen (oder:) wie mit Kübeln] / regnet in Strömen / *(ugs.)* schüttet / *(ugs.)* regnet Bindfäden / *(derb)* schifft, der Himmel öffnet seine Schleusen; → hageln, → schneien; → Niederschlag.

**Regression** → Verminderung.

**regressiv** → nachlassend.

**regsam** → aktiv.

**Regsamkeit** → Aktivität.

**regulär** → üblich.

**Regularität** → Regel.

**Regulationsstörung** → Funktionsstörung.

**Regulativ:** → Korrektiv, → Weisung.

**regulieren:** → kanalisieren, → normen.

**Regulierung:** → Kanalisierung, → Normung.

**regungslos** → bewegungslos.

**Regungslosigkeit** → Bewegungslosigkeit.

**Reh** · *männliches:* Rehbock, Bock · *weibliches:* Ricke, Rehgeiß, Geiß · *junges:* Rehkitz, Kitz, Rehkalb; → Gemse, → Hirsch, → Wild.

**Rehabilitation** → Wiederherstellung.

**Rehbock** → Reh.

**rehbraun** → braun.

**Rehfüßchen** → Pfifferling.

**Rehgeiß:** → Pfifferling, → Reh.

**Rehkalb** → Reh.

**Rehkeule** → Keule.

**Rehkitz** → Reh.

**Rehleder** → Leder.

**Rehling** → Pfifferling.

**Rehpilz** → Ständerpilz.

**Rehpinscher** → Hunderassen.

**Rehrattler** → Hunderassen.

**Rehrücken** → Fleischgericht.

**Rehwild** → Wild.

**Reibekuchen** → Kartoffelpuffer.

**¹reiben,** abreiben, frottieren, abfrottieren, schrubben, abschrubben, rubbeln *(ugs.),* abrubbeln *(ugs.),* ribbeln *(ugs., österr.);* → kitzeln, → kratzen, → trocken [machen]; → Handtuch.

**²reiben:** → massieren, → säubern; sich r. → jucken (sich); blank r. → polieren; jmdm. eine r. → schlagen; sich die Hände r. → schadenfroh [sein]; [Kaffee r.] → mahlen; es jmdm. unter die Nase r. → mitteilen; jmdm. etwas unter die Nase r. → vorwerfen (jmdm. etwas).

**Reibeplätzchen** → Kartoffelpuffer.

**Reiberdruck** → Holzschnitt.

**Reiberei** → Streit.

**Reibgerstel** → Teigwaren.

**Reibmassage** → Massage.

**Reibtuch** → Putzlappen.

**Reibung** → Massage.

**Reibungsbremse** → Bremse.

**reibungslos,** ohne Schwierigkeiten / Hindernisse / *(ugs.)* Pannen; **r. verlaufen:** etwas verläuft reibungslos, etwas geht glatt / gut / wie am Schnürchen / wie geölt / wie geschmiert *(ugs.);* → einspielen (sich).

¹**reich,** begütert, vermögend, zahlungskräftig, potent, wohlhabend, bemittelt, mit Glücksgütern gesegnet, steinreich (*ugs.*), gutsituiert, betucht (*ugs., landsch.*), feiß (*schweiz.*), behäbig (*schweiz.*), hablich (*schweiz.*), vermöglich (*schweiz.*), bestbemittelt (*bes. österr.*), bestsituiert (*bes. österr.*), geldig (*bayr., österr.*), nicht → arm; **r. sein,** Geld haben, das nötige Kleingeld haben (*ugs.*), bei Kasse sein (*ugs.*), Geld wie Heu / Dreck / (*österr.*) Mist haben (*salopp*), im Geld schwimmen (*ugs.*), nach Geld stinken (*salopp*), im Geld fast ersticken (*ugs.*), sich gut stehen, keine Not leiden, in der Wahl seiner Eltern vorsichtig gewesen sein, mit einem silbernen Löffel im Mund geboren sein; → Reicher; → verdienen.

²**reich:** → üppig; -er Mann → Reicher; -er Reim → Reim; -er machen → anreichern; arm und r. → alle.

**Reich:** → Staat; R. Gottes → Himmel; R. der Mitte → China; Hauptstadt des Deutschen -es → Berlin; ins R. der Fabel gehören → unwahrscheinlich [sein].

**reichen:** → ausreichen; → erstrecken (sich), → geben; jmdm. reicht es → ärgerlich [werden]; etwas reicht jmdm. → angeekelt [sein]; so weit das Auge reicht → überall, → überallhin; das Abendmahl r. → Abendmahl; jmdm. die Hand r. → einigen (sich); jmdm. die Hand fürs Leben r. → heiraten; jmdm. das Wasser nicht r. können → erreichen (jmds. Leistung).

**Reicher,** reicher Mann, Kapitalist (*abwertend*), Krösus, Nabob, Geldsack (*ugs., abwertend*), Plutokrat, Geldaristokrat, Millionär, Milliardär; → reich.

**reichhaltig** → inhaltsreich.

¹**reichlich,** viel, in Hülle und Fülle, in großer Zahl, in rauhen Mengen (*ugs.*), [mehr als] genug, nicht wenig, unzählig, ungezählt, wie Sand am Meer, ein gerüttelt Maß, zahllos, massenhaft (*salopp*), massenweise (*salopp*), en masse (*sa-*

*lopp*), in Massen (*ugs.*), reihenweise (*salopp*), knüppeldick (*salopp*), haufenweise (*salopp*), scharenweise (*salopp*); → ansehnlich, → einige, → üppig, → wenigstens; → Anzahl, → Überfluß · Ggs. → wenig.

²**reichlich** → sattsam.

**Reichsadel** → Adel.

**Reichsburg** → Burg.

**Reichsfeste** → Burg.

**reichsfrei** → reichsunmittelbar.

**Reichsfreiheit,** Reichsunmittelbarkeit, reichsunmittelbare Stellung; → reichsunmittelbar.

**Reichsgraf** → Adliger.

**Reichsgrenze** → Grenze.

**Reichshauptstadt** → Berlin.

**Reichsmark** → Zahlungsmittel.

**Reichsparteitag:** Stadt der -e → Nürnberg.

**Reichstaler** → Münze.

¹**reichsunmittelbar,** reichsfrei, nur dem Kaiser unterstehend / untertan → Reichsfreiheit.

²**reichsunmittelbar:** -e Stellung → Reichsfreiheit.

**Reichsunmittelbarkeit**→Reichsfreiheit.

**Reichswehr** → Militär.

**Reichtum:** → Überfluß, → Vermögen, → Vielfalt.

**Reichweite** → Ausmaß.

¹**reif,** ausgereift, gereift, halbreif, vollreif, pflückreif, überreif, notreif, nicht → unreif; → abgelagert, → geschlechtsreif, → mürbe, → volljährig, **r. sein** · *in bezug auf Käse:* durchsein (*ugs.*), laufen (*ugs.*), Beine kriegen (*salopp*).

²**reif:** wenn die Zeit dafür r. ist → Augenblick.

**Reif:** → Niederschlag, → Ring.

**Reife:** → Entwicklung; mittlere R. → Einjähriges.

**reifen** → entwickeln (sich).

**Reifen** → Autoreifen.

**Reifendefekt,** Reifenplatzer, Plattfuß (*ugs.*), Patschen (*österr.*); → Autoreifen; **einen R. haben,** eine Reifenpanne / (*salopp*) einen Platten haben.

**Reifenpanne:** eine R. haben → Reifendefekt.

**Reifenplatzer** → Reifendefekt.

**Reifezeit** → Pubertät.

**Reifezeugnis,** Abiturzeugnis, Maturazeugnis (*österr., schweiz.*), Maturitätszeugnis (*schweiz.*); → Prüfung, → Zensur.

**Reifkamm** → Kamm.

**Reifpilz** → Ständerpilz.

**Reifrock** → Krinoline.

**Reigen** → Tanz.

¹**Reihe,** Riege, Linie; → Nebenmann, → Zeile; **an die R. kommen,** an der Reihe sein, drankommen (*ugs.*), dransein (*ugs.*), dran glauben müssen (*ugs.*).

²**Reihe:** eine R. → einige; eine [ganze] R. → viele; die -n lichten sich → sterben, → weggehen; aus der R. tanzen → eingliedern; außer der R. → zusätzlich; in Reih und Glied → nacheinander; in die R. bringen → gesund [machen]; der R. nach → nacheinander; der R. nach abfertigen / bedienen → durchschleusen.

**Reihen** → Spann.

**Reihendorf** → Dorf.

¹**Reihenfolge,** Folge, Abfolge, Ablauf, Turnus, Kehrum (*schweiz.*), Kehrordnung (*schweiz.*), Aufeinanderfolge, Sequenz; → Zyklus.

²**Reihenfolge:** → Zyklus; in abecelicher / alphabetischer R. → alphabetisch.

**Reihenhaus** → Haus.

**Reihensatz** → Schriftsatz.

**Reihenuntersuchung** → Untersuchung.

**reihenweise** → reichlich.

**Reiher** → Vogel.

**Reiherente** → Vogel.

**reihern** → übergeben (sich).

**Reiherschnabel** → Storchschnabelgewächs.

**Reihfaden** → Faden.

¹**Reim,** Binnenreim, Endreim · *mit Vertauschung der Anfangskonsonanten der reimenden Silben oder Wörter eines Reimpaars:* Schüttelreim (Schreck befiel die Klapperschlangen / Als ihre Klapper schlapper klangen) · *mit Gleichklang der Vokale, nicht auch der Konsonanten der reimenden Silben:* Assonanz (laben — klagen) · *mit Gleichheit des Anlauts der betonten Silben:* Stabreim, Alliteration (Winterstürme wichen dem Wonnemond) · *mit Gleichklang auch der Konsonanten vor der betonten Reimsilbe bei zwei bedeutungsverschiedenen Wörtern im Endreim:* rührender Reim (spät —

gespäht) · *mit Gleichklang der letzten drei oder mehr Silben des Reimworts:* reicher Reim (verderblichen — erblichen); → Strophe, → Vers, → Versmaß; → dichten.

**²Reim:** -e schmieden → dichten; sich keinen R. auf etwas machen können → verstehen.

**reimen** → dichten.

**Reimling:** → Schriftsteller, → Stümper.

**Reimplantation** → Implantation.

**Reimschmied** → Schriftsteller.

**¹rein,** naturrein, naturbelassen, natürlich; → echt.

**²rein** (Adjektiv): → echt, → gereinigt, → lauter, → sauber, → unverdächtig; -e Mathematik → Mathematik; etwas ist der -e / -ste Mord → gefährlich [sein]; -en Mund halten → schweigen; -en Tisch machen → eingreifen; jmdm. -en Wein einschenken → mitteilen; eine -e Weste haben → ehrenhaft [sein]; r. machen → säubern; jmdm. den Magen r. machen → schelten; ins -e bringen → bereinigen; ins -e schreiben → schreiben.

**³rein** (Adverb): → her, → hin.

**Rein** → Kochtopf.

**reinbuttern** → einbüßen.

**Reindl** → Kochtopf.

**Reindling** → Gebäck.

**Reineclaude** → Obst.

**Reineke** → Fuchs.

**Reinemachefrau** → Putzfrau.

**Reinerlös** → Gewinnspanne.

**Reinertrag** → Gewinnspanne.

**Reinfall:** → Bloßstellung, → Mißerfolg.

**reinfliegen** → hereinfallen.

**Reinfusion** → Blutübertragung.

**Reingewinn** → Gewinnanteil.

**reinhauen** → essen.

**Reinheit:** → Sauberkeit, → → Ursprünglichkeit.

**reinigen:** [chemisch r.] → säubern.

**Reinigung:** → Läuterung; [chemische R.] → Reinigungsanstalt.

**Reinigungsanstalt,** [chemische] Reinigung, Putzerei (*österr.*); → säubern.

**Reinigungscreme** → Schönheitspflegemittel.

**Reinigungsmilch** → Schönheitspflegemittel.

**Reinigungszwang** → Anankasmus.

**Reinkarnation** → Wiedergeburt.

**Reinkultur:** in R. → echt, → schlechthin.

**reinlangen:** [bis zum Ellenbogen r.] → prahlen.

**reinlegen:** → betrügen, → hineinbringen.

**reinlich** → sauber.

**Reinmachefrau** → Putzfrau.

**reinmachen** → hineinbringen.

**reinreißen:** → hineinziehen (in); etwas reißt jmdn. rein → teuer [sein].

**reinstecken:** Geld in etwas r. → zahlen; es jmdm. vorn und hinten r. → verwöhnen.

**reintun** → hineinbringen.

**Reinverdienst** → Gewinnspanne.

**reinwaschen:** sich r. wollen → wehren (sich).

**reinweiß** → weiß.

**reinwürgen:** → schelten.

**Reinzuchthefe** → Schlauchpilz.

**Reis** → Getreide.

**Reisbrei** → Brei.

**¹Reise,** Anreise, Abreise, Vergnügungsreise, Erholungsreise, Urlaubsreise, Ferienreise, Sommerreise, Winterreise, Auslandsreise, Weltreise, Bildungsreise, Forschungsreise, Expedition, Gesellschaftsreise, Geschäftsreise, Dienstreise, Fahrt, Ausflug, Exkursion, Kundfahrt (*landsch.*), Rundreise, Rundfahrt, Abstecher, Rutscher (*ugs., österr.*), Tour, Spritztour, Trip · *zur See:* Seereise, Schiffsreise, Passage, Kreuzfahrt · *erste eines Schiffes:* Jungfernreise · *mit der Bahn:* Bahnreise · *mit dem Flugzeug:* Flugreise, Passage · *mit unbekanntem Ziel:* Fahrt ins Blaue · *nach Afrika:* Fotosafari · *eines Politikers:* Informationsreise, Goodwilltour · *von Künstlern zu einer Reihe von Gastspielen:* Tournee, Gastspielreise; → Ausflug, → Durchfahrt, → Fahrt, → Jagdexpedition, → Passagier, → Reiselust, → Rückkehr, → Stadtrundfahrt, → Urlaub; → bereisen, → herumkommen, → reisen.

**²Reise:** → Urlaub; eine R. machen, auf -n gehen → reisen; [auf die R. gehen] → Rausch.

**Reisebeilage** → Zeitungsbeilage.

**Reisebericht** → Bericht.

**Reisebügel** → Kleiderbügel.

**Reisebügeleisen** → Bügeleisen.

**Reisedecke** → Decke.

**Reisefieber** → Erregung.

**Reisegepäck** → Gepäck.

**Reisekleiderbügel** → Kleiderbügel.

**Reisekoffer** → Gepäck.

**Reisekorb:** → Gepäck, → Korb.

**Reisekostüm** → Kostüm.

**Reisekrankheit** → Bewegungskrankheit.

**Reiseleiter** → Begleiter.

**Reiseleiterin** → Betreuerin.

**Reiselektüre** → Lektüre.

**Reiselust,** Fernweh, Reisetrieb, Wandertrieb, Wanderlust; → Reise, → Sehnsucht; → reisen.

**Reisemantel** → Mantel.

**¹reisen,** eine Reise machen / tun, eine Tour / (*salopp*) einen Trip / (*ugs.*) einen Rutsch / (*ugs.*) eine Spritztour machen, auf Reisen gehen, umherreisen, herumreisen (*ugs.*), viel in der Weltgeschichte herumreisen (*ugs., abwertend*), verreisen, die Tapeten wechseln (*ugs.*), einen Tapetenwechsel vornehmen (*ugs.*), fahren, trampen · *mit dem Flugzeug:* fliegen, fahren (*ugs.*); → bereisen, → herumkommen, → kommen, → mitfahren, → spazierengehen, → weggehen; → Flugzeug, → Passagier, → Reise, → Reiselust, → Schiff, → Stadtrundfahrt, → Urlaub.

**²reisen:** r. durch → bereisen.

**Reisender:** → Handelsvertreter, → Passagier.

**Reiseonkel** → Mensch (der).

**Reisepaß** → Ausweis.

**Reiserbesen** → Besen.

**Reisereportage** → Bericht.

**Reiseroman** → Roman.

**Reisesack:** → Gepäck, → Tornister.

**Reisescheck** → Scheck.

**Reisetasche** → Gepäck.

**Reisetaube** → Brieftaube.

**Reisetrieb:** → Anankasmus, → Reiselust.

**Reiseverkehr** → Straßenverkehr.

Reisewagen → Kutsche.
Reisewetter → Wetter.
Reisewohnwagen → Wohnwagen.
Reisezeit → Saison.
Reiseziel → Ziel.
Reisigbesen → Besen.
Reispapier → Papier.
Reißaus: R. nehmen → fliehen, → weggehen.
Reißbrettstift → Reißzwecke.
reißen: → fallen, → zerren; sich für jmdn. in Stücke r. lassen → treu; wenn alle Stricke r. → Ausnahmefall; ein Bankerl r. → sterben; -den Absatz finden → verkaufen; jmdm. eine r. → schlagen; jmdm. reißt der Geduldsfaden → ärgerlich [werden]; sich am Riemen r. → ruhig [bleiben]; an sich r. → nehmen; r. aus → herausreißen; aus dem Leben gerissen werden → sterben; aus dem Schlaf r. → aufwecken; in Stücke r. → zerlegen; jmdn. mit sich r. → begeistern; sich r. um → begierig [sein auf / nach]; jmdm. die Maske vom Gesicht r. → entlarven; sich das letzte Hemd vom Leibe r. → opfern; r. von → abmachen.
Reißen → Arthritis.
Reißer → Wein.
reißerisch, anreißerisch, marktschreierisch; → zugkräftig.
Reißnagel → Reißzwecke.
Reißstift → Reißzwecke.
Reisstärke → Stärke.
Reißverschluß, Zippverschluß (österr.), Zipp (österr.).
Reißwolle → Wolle.
Reißzwecke, Zwecke, Reißnagel, Reißbrettstift, Reißstift, Wanze (landsch.), Pinne; → Nagel.
Reistag → Fasttag.
Reitbahn → Rennplatz.
[1]reiten, Reitsport treiben · im Trab: traben · im Galopp: galoppieren, Schritt / Trab / Galopp reiten, Hohe Schule / ein Turnier / ein Rennen reiten; → beritten; → Gangart, → Hindernis, → Reiter, → Rennplatz, → Ritt.
[2]reiten: den Amtsschimmel r. → bürokratisch [sein]; den Pegasus r. → dichten; sein Steckenpferd r. → sprechen.
Reiten → Fünfkampf.

[1]Reiter, Amateurreiter, Berufsreiter, Sportreiter, Turnierreiter · Rennreiter, Jockei, Herrenreiter · Springreiter · Dressurreiter · beim Militär: Kavallerist; → Gangart, → Hindernis, → Reiterin, → Rennplatz, → Ritt; → reiten; → beritten.
[2]Reiter → Heureiter.
Reiterin, Amateurreiterin, Berufsreiterin, Turnierreiterin, Amazone, Springreiterin, Dressurreiterin · Kunstreiterin, Zirkusreiterin; → Gangart, → Reiter, → Rennplatz.
Reitersitz: im R. → rittlings.
Reitgerte → Peitsche.
Reithose → Hose.
Reitpeitsche → Peitsche.
Reitpferd → Pferd.
Reitschule → Karussell.
Reitsport: R. treiben → reiten.
[1]Reiz, Zauber, Verlockung, Pfiff (ugs.), Interesse, Anreiz, Stimulus, Antrieb, Kitzel (ugs.); → Anlaß, → Köder; → anstacheln, → reizen.
[2]Reiz: → Anmut; alle seine -e spielen lassen → charmant [sein]; ohne [jeden] R. → langweilig.
[1]reizbar, leicht erregbar, nervös, ungeduldig, heftig, hitzig; → aufgeregt, → empfindlich, → empfindsam.
[2]reizbar → empfindlich.
Reizbarkeit → Launenhaftigkeit.
Reizbläschen → Fieberbläschen.
[1]reizen, aufreizen, anreizen, entflammen, anmachen (schweiz.), locken, jmdm. den Mund wäßrig machen, verlocken, aufgeilen (salopp), jmdn. verrückt / scharf machen (ugs.); → anregen, → erregen, → verleiten; → Reiz.
[2]reizen: etwas reizt jmdn. → tun; [bis aufs Blut r.] → ärgern.
reizend → charmant.
Reizker: Echter R. → Ständerpilz.
Reizklima → Klima.
reizlindernd: -es Mittel → Linderungsmittel.
reizlos: → langweilig, → unsinnig.
reizsam → empfindlich.
Reizstromtherapie → Elektrotherapie.

reizvoll → interessant.
rekapitulieren → wiederholen.
rekeln: sich r. → wohl fühlen (sich).
Reklamation → Einspruch.
Reklame: → Werbung; R. schieben → Werbung [treiben].
Reklamekalender → Kalender.
Reklameschönheit → Glamourgirl.
Reklameschrift → Prospekt.
reklamieren: → beanstanden, → verlangen.
rekognoszieren → auskundschaften.
rekommandieren: rekommandierte Sendung → Postsendung.
Rekompens → Ersatz.
rekonstruieren, wiederherstellen, wiedererzählen, nachbilden; → Wiederherstellung.
Rekonstruktion: → Wiederaufbau, → Wiederherstellung.
Rekonvaleszent → Genesender.
Rekonvaleszenz → Wiederherstellung.
Rekord: → Höchstleistung; alle -e schlagen → übertreffen.
Rekordernte → Ernte.
Rekordspritze → Spritze.
Rekrut → Soldat.
Rekrutenschule → Militärdienst.
Rekrutenzeit → Militärzeit.
rekrutieren: → einberufen; sich r. aus → zusammensetzen (sich aus).
Rekrutierung → Einberufung.
rektal, anal, per anum, per rectum; → bukkal; → Darmausgang, → Gesäß; → einnehmen · Ggs. → oral.
Rektifikation → Läuterung.
[1]Rektor, Präsident · in der Anrede: Magnifizenz · dessen Vorgänger oder Stellvertreter: Prorektor; → Hochschullehrer.
[2]Rektor → Schulleiter.
Rektoskopie → Ausspiegelung.
Rektozele: → Bruch, → Eingeweidesenkung.
Rektum → Darm.
rekurrieren: → beanstanden, → Berufung [einlegen].
Rekurs: → Berufung, → Einspruch.
Relaps → Rückfall.
Relation → Verhältnis.
relativ: → verhältnismäßig; -es Verb → Verb.
Relativsatz → Satz.

Relaxans

Relaxans, Muskelrelaxans, krampflösendes / krampfstillendes / krampflinderndes Mittel, Muskelerschlaffungsmittel, Spasmolytikum, Antispasmodikum, Antispastikum · *bes. gegen zentral bedingte Krämpfe:* Antikonvulsivum, Ant[i]epileptikum; → Muskelkrampf.
**Release-Center** → Institution.
**relegieren** → ausschließen.
**relevant** → wichtig.
**¹Relief** · *flaches:* Basrelief, Flachrelief · *stark erhabenes:* Hochrelief · *mittleres:* Halbrelief; → Bildnerei.
**²Relief** → Plastik.
**Reliefdruck** → Druckverfahren.
**Reliefkarte** → Landkarte.
**Religion:** → Glaube; christliche / mosaische R. → Weltreligion.
**Religionsfrevel** → Sakrileg.
**Religionsgemeinschaft,** Kultgemeinschaft, Glaubensgemeinschaft; → Kirche, → Sekte.
**Religionskrieg** → Krieg.
**religionslos,** konfessionslos, glaubenslos, freidenkerisch, freigeistig; → Freidenker.
**Religionsphilosophie** → Theologie.
**Religionspsychologie** → Psychologie.
**Religionsverächter** → Freidenker.
**Religionsvergehen** → Sakrileg.
**Religionswissenschaft** → Theologie.
**religiös** → fromm.
**Religiosität** → Frömmigkeit.
**Reling** → Geländer.
**Reluxation** → Verrenkung.
**Remake:** ein R. machen → verfilmen.
**Rembrandttulpe** → Gartentulpe.
**remen** → Boot [fahren].
**Remen** → Ruder.
**Reminiscere** → Kirchenjahr.
**Reminiszenz** → Erinnerung.
**Remise,** Wagenhalle, Halle, Wagenschuppen, Schuppen, Schopf (*oberd.*),Schupfen (*südd., österr.*), Verschlag, Depot (*landsch.*) · *für Autos:* Garage · *für Flugzeuge:* Hangar; → Abstellraum, → Parkhaus, → Raum, → Scheune.
**Remission** → Rückgang.
**Remmidemmi** → Fest.

**Remontoiruhr** → Uhr.
**Rempeln** → Regelverstoß.
**Renaissance:** → Baustil, → Neubelebung.
**Renaissance-Antiqua** → Schrift.
**Renaissancemalerei** → Malerei.
**Renaissancemusik** → Musik.
**Renata** → Schrift.
**Rendezvous** → Verabredung.
**Renegat** → Abtrünniger.
**Reneklode** → Obst.
**Renette** → Apfel.
**renitent** → unzugänglich.
**Renitenz** → Eigensinn.
**Renke** → Fisch.
**Renken** → Fisch.
**Rennbahn:** → Motodrom, → Rennplatz.
**rennen:** → fortbewegen (sich), → weggehen; r. müssen → austreten [gehen].
**¹Rennen,** Autorennen, Rallye, Sternfahrt, Grand Prix, Motorradrennen, Moto-Cross, Speedway-Rennen, Dirt-Track-Rennen, Sandbahnrennen, Querfeldeinrennen · Radrennen, Sechstagerennen, Straßenrennen, Geländerennen, Bahnrennen, Steherrennen · Pferderennen, Trabrennen, Traberrennen, Galopprennen, Hindernisrennen, Derby, Derbyrennen; → Fahrt, → Rennfahrer, → Rennplatz, → Spiel, → Sport; **R. fahren,** rennfahren, rennen (*schweiz.*).
**²Rennen:** das R. machen → siegen; ein R. reiten → reiten.
**Renner** → Verkaufsschlager.
**Renneritis** → Durchfall.
**Rennfahrer,** Rallyefahrer · *der im eigenen Wagen fährt:* Herrenfahrer; → Rennen.
**Rennkajak** → Kajak.
**Rennläufer** → Schifahrer.
**Rennpferd:** → Pferd, → Prostituierte.
**Rennplatz,** Rennbahn, Reitbahn, Turf, Korso (*veraltet*); → Gangart, → Reiter, → Reiterin, → Rennen, → Ritt; → reiten; → beritten.
**Rennrad** → Fahrrad.
**Rennreiter** → Reiter.
**Rennrodel** → Schlitten.
**Rennschlitten** → Schlitten.
**Rennvogel** → Vogel.
**Rennwagen** → Auto.
**Renogramm** → Röntgenogramm.

**Renographie** → Röntgenographie.
**Renommee** → Ansehen.
**renommieren** → prahlen.
**renommiert** → angesehen.
**Renommist** → Angeber.
**Renovation** → Umbau.
**renovieren** → erneuern.
**¹Renovierung,** Erneuerung, Wiederherrichtung · *einer Mietwohnung:* Schönheitsreparatur; → Maler; → streichen.
**²Renovierung:** → Umbau, → Wiederherstellung.
**rentabel** → einträglich.
**¹Rente,** Altersrente, Pension, Ruhegehalt, Ruhegeld, Altersgenuß (*Amtsspr., österr.*); → Altersversorgung, → Rentner.
**²Rente:** festverzinsliche -n → Wertpapier; auf R. setzen → pensionieren.
**Rentenmark** → Zahlungsmittel.
**Rentenrechnung**→Mathematik.
**Rentenversicherung** → Versicherung.
**Rentier** → Rentner.
**rentieren:** sich r. → einträglich [sein].
**Rentierflechte** → Flechte.
**Rentner,** Pensionär, Pensionist (*österr.*), Privatier, Privater (*österr.*), Rentier (*veraltet*), Ruheständler, Privatmann, Partikülier (*veraltet*), Partikular (*schweiz.*); → Rente, → Rentnerin.
**Rentnerfürsorge** → Sozialhilfe.
**Rentnerin,** Pensionärin, Pensionistin (*österr.*), Privatiere, Private (*österr.*), Ruheständlerin; → Rentner.
**Reorganisation** → Wiederherstellung.
**reparabel,** reparierbar, reparierfähig, restaurierbar, wiederherstellbar; → reparieren.
**Reparationen** → Ersatz.
**Reparatur** → Wiederherstellung.
**reparierbar** → reparabel.
**reparieren,** etwas wieder ganz machen (*ugs.*), [einen Schaden] beseitigen / beheben, in Ordnung bringen, ausbessern, flikken, ausflicken, stopfen, instand setzen, richten (*landsch.*), instaurieren, erneuern; → abhelfen, → einstehen (für), → entfernen, → erneuern; → reparabel.

reparierfähig → reparabel.
Repertoire → Vorrat.
repetieren: → versetzen, → wiederholen.
Repetieruhr → Uhr.
Replantation → Implantation.
Replik → Antwort.
replizieren → antworten.
Report → Bericht.
Reportage → Bericht.
Reporter → Berichter.
Repräsentant → Abgeordneter.
Repräsentantenhaus → Volksvertretung.
Repräsentanz → Zweigstelle.
repräsentativ → interessant.
Repräsentativbefragung → Umfrage.
Repräsentativerhebung → Umfrage.
repräsentieren → bedeuten.
Repressalien → Vergeltungsmaßnahmen.
Repression → Unfreiheit.
repressionsfrei → freiheitlich.
¹repressiv, hemmend, einengend, Zwang ausübend, frustrierend, unfreiheitlich, autoritär; → frustrieren · Ggs. → freiheitlich.
²repressiv: → totalitär; -e Toleranz → Duldsamkeit; nicht r. → freiheitlich.
Reprint → Reproduktion.
Repristination → Wiederherstellung.
Reproduktion, Ablichtung, Vervielfältigung, Kopie, Abzug, Hektographie, Faksimile, Klischee, Fotokopie, Xerokopie, Lichtpause, Wiedergabe, fotomechanischer / anastatischer Nachdruck (oder:) Neudruck, Reprint, Mikrofilm, Durchschlag, Matrize; → Abschrift, → Auflage, → Bild, → Druck, → Dublette, → Nachahmung; → ablichten, → nachahmen.
¹reproduzieren, nachdrucken, nachbilden, vervielfältigen; → wiederholen; → Druck.
²reproduzieren: → abbilden, → vervielfältigen.
Reptil: -ien → Kriechtiere.
Reptilienfonds → Vorrat.
Reptilleder → Leder.
Republik: Helvetische R. → Schweiz; Tschechoslowakische Sozialistische Republik → Tschechoslowakei; R. China → China; Tag der R. → Feiertag.

reputabel → ehrenhaft.
Reputation → Ansehen.
reputierlich → ehrenhaft.
Requiem → Trauerfeier.
Requisit → Zubehör.
resch: → knusprig, → schwungvoll.
Researcher → Marktforscher.
resedagrün → grün.
Resektion → Operation.
Reservat → Naturschutzgebiet.
Reservatio mentalis → Vorbehalt.
Reservation → Naturschutzgebiet.
Reserve: → Bedenken, → Ressourcen, → Vorrat.
Reservelazarett → Lazarett.
Reserveoffizier → Offizier.
Reservereifen → Autoreifen.
¹reservieren, freihalten, vormerken, zurücklegen; → bestellen; → besetzt; → Reservierung.
²reservieren → zurücklegen.
reserviert → passiv.
Reserviertheit → Passivität.
Reservierung, Vorbestellung, Vorausbestellung, Vormerkung; → Abonnement, → Bestellung; → reservieren; → besetzt.
Reservoir: → Behälter, → Brunnen, → Vorrat.
resezieren → operieren.
Resident → Diplomat.
residieren, hofhalten; → weilen, → wohnen.
Residuum → Rest.
Resignation → Entsagung.
resignieren: → abschreiben, → nachgeben.
resigniert → deprimiert.
Résistance → Widerstandsbewegung.
resistent → widerstandsfähig.
Reskript → Weisung.
resolut → zielstrebig.
Resolution → Entschließung.
¹Resonanz, Mittönen, Mitschwingen; → Nachhall, → Raumakustik, → Widerhall.
²Resonanz: → Widerhall; ohne R. bleiben → Erfolg; R. haben → Anerkennung [finden].
resorbieren → aufsaugen.
Resorption → Absorption.
resorptionsfähig → saugfähig.
resozialisieren → eingliedern.
Resozialisierung → Eingliederung.

Respekt: → Achtung; allen R.! → anerkennenswert [sein].
respektieren: → achten, → billigen.
Respektlosigkeit → Nichtachtung.
Respektsperson, Autorität, Amtsperson, Vorgesetzter; → Autorität, → Leiter (der).
respektvoll → ehrfürchtig.
Ressentiment → Neid.
Ressort: → Bereich, → Ministerium.
Ressortchef → Minister.
Ressourcen, Hilfsmittel, Hilfsquelle, Reserve, Geldmittel, Hilfsgelder, Subsidien; → Geld, → Vorrat.
¹Rest, Übriggebliebenes, Überbleibsel, Überrest, Übriges, Residuum, Neige (geh.); → übriglassen; → restlich.
²Rest: → Fragment; jmdm. den R. geben → ausbeuten; einer Sache den R. geben → zerstören; einen R. / etwas als R. lassen → übriglassen; als R. verbleiben → übrigbleiben.
Restaurant → Gaststätte.
Restaurateur → Wirt.
Restauration: → Gaststätte, → Rückschritt, → Wiederherstellung.
Restaurationswagen → Eisenbahnwagen.
restaurativ → rückschrittlich.
restaurierbar → reparabel.
restaurieren → erneuern.
Restaurierung → Umbau.
Reste → Trümmer.
Restetisch → Ladentisch.
Restitution → Wiederherstellung.
restlich, übrig, verbleibend, übrigbleibend, noch vorhanden, übriggeblieben, übriggelassen; → Rest; → übrigbleiben, → übriglassen.
restlos → ganz.
Restriktion → Einschränkung.
restriktiv → beschränkend.
Resultat: → Erfolg, → Ergebnis.
resultativ: -es Verb → Verb.
resultieren: r. aus → stammen (von).
Resümee → Zusammenfassung.
resümieren: → folgern; -d → abschließend.
retardieren → zögern.
Retensio alvi → Stuhlverstopfung.

**Retention** → Harnentleerung.

**Retentio urinae** → Harnentleerung.

**Reticella** → Spitzenstickerei.

**Retirade** → Toilette.

**retirieren:** → austreten, → fliehen.

**retour** → rückwärts.

**Retourfahrkarte** → Fahrkarte.

**Retourkampf** → Spiel.

**Retourkarte** → Fahrkarte.

**Retourkutsche:** → Antwort, → Tat.

**Retourmatch** → Spiel.

**Retourspiel** → Spiel.

**Retransfusion** → Blutübertragung.

**Retransplantation** → Transplantation.

**Retrivier** → Hunderassen.

**retrospektiv** → hinterher.

**retrovertieren** → zurückbeugen (sich).

**¹retten,** befreien, erlösen, lösen aus / von, erretten, in Sicherheit bringen, bergen · *in bezug auf militärische Objekte:* entsetzen, zurückerobern; → freikaufen (sich / jmdn.), → helfen, → länden, → sichern; → Retter, → Rettung.

**²retten:** → gesund [machen]; sich r. → fliehen; sich r. können → entrinnen; nicht zu r. sein → unheilbar [krank sein]; sich nicht zu r. wissen vor → Überfluß [haben].

**Retter,** Erretter, Befreier, Erlöser; → retten.

**¹Rettich,** Gartenrettich, Radi *(ugs., bayr., österr.)*; → Gemüse, → Radieschen.

**²Rettich:** kleiner R. → Radieschen.

**¹Rettung,** Errettung, Befreiung, Bergung, Entsatz; → retten.

**²Rettung:** → Unfallwagen; für jmdn. gibt es keine R. mehr → krank.

**Rettungsauto** → Unfallwagen.

**Rettungsboje** → Warnzeichen.

**Rettungsboot** → Beiboot.

**Rettungsgerät** · Rettungsring, Rettungsgürtel, Schwimmweste, Schwimmgürtel, Korkweste; → Beiboot.

**Rettungsgürtel** → Rettungsgerät.

**Rettungsring** → Rettungsgerät.

**Rettungsschlitten** → Schlitten.

**Rettungswagen** → Unfallwagen.

**Rettungszille** → Beiboot.

**Reue:** R. empfinden → bereuen; R. empfindend → schuldbewußt.

**reuen:** etwas reut jmdn. → bereuen.

**reuevoll** → schuldbewußt.

**reuig** → schuldbewußt.

**reumütig** → schuldbewußt.

**Reuse** → Fischnetz.

**Reusenfischerei** → Fischerei.

**reüssieren** → Erfolg [haben].

**reuten** → urbar [machen].

**Revakzination** → Impfung.

**Revanche:** → Spiel, → Vergeltung.

**Revanchefoul:** → Regelverstoß, → Tat.

**revanchieren:** → belohnen; sich r. → bestrafen.

**Revanchist** → Militarist.

**Reverend** → Anrede.

**Reverenz:** jmdm. R. erweisen → begrüßen.

**¹Revers,** Aufschlag, Rockaufschlag · *aus Seide an Frack und Smoking:* Spiegel; → Kleidung.

**²Revers:** → Aufschlag, → Rückseite.

**reversibel** → austauschbar.

**revidieren:** → ändern, → berichtigen, → kontrollieren; die Hefte r. → umschwenken.

**Revier:** → Gebiet, → Jagdgebiet.

**Revirement** → Umgestaltung.

**Revision:** → Kontrolle, → Korrektur; einer R. unterziehen → kontrollieren.

**Revisionismus** → Ketzerei.

**Revisor** → Wirtschaftsprüfer.

**Revival** → Jazz.

**Revival-Jazz** → Jazz.

**Revolte** → Verschwörung.

**revoltieren** → aufbegehren.

**Revolution** → Verschwörung.

**revolutionär** → umstürzlerisch.

**Revolutionär,** Revoluzzer *(abwertend)*, Bürgerschreck, Reformator, Umstürzler, Neuerer, Bilderstürmer, Aufrührer, Verschwörer, Empörer, Rebell, Aufständischer, Insurgent, Terrorist, Anarchist; → Abtrünniger, → Kämpfer, → Partisan, → Trotzkismus.

**revolutionieren** → verbessern.

**Revoluzzer** → Revolutionär.

**Revolver** ↔ Schußwaffe.

**Revolverblatt** → Zeitung.

**Revolverpresse** → Presse.

**revozieren** → widerrufen.

**¹Revue,** Show, Schau, Varieté; → Ansager, → Komödie, → Varieté, → Zirkus.

**²Revue:** R. passieren lassen → vorstellen (sich etwas).

**Revuefilm** → Kinofilm.

**Rexglas** → Einmachglas.

**Rexkatze** → Katzenrassen.

**Reyon** → Stoff.

**Rez-de-chaussée** → Geschoß.

**Rezensent** → Kritiker.

**rezensieren** → besprechen.

**Rezension** → Besprechung.

**rezent** → würzig.

**¹Rezept,** Verordnung, Verschreibung; → verordnen.

**²Rezept:** → Kochrezept, → Ratgeber.

**rezeptieren** → verordnen.

**Rezeption,** Aufnahme, Aufnahmeraum, Empfang, Empfangsschalter, Empfangsbüro, Empfangsraum, Empfangshalle, Halle, Tagungsbüro; → Hotel, → Portier.

**Rezeptionsorgan** → Sinnesorgan.

**Rezession:** → Einschränkung, → Rückgang.

**rezessiv** → nachlassend.

**Rezidiv** → Rückfall.

**reziprok:** → wechselseitig; -es Verb → Verb.

**Reziprozität** → Wechselseitigkeit.

**Rezitativ** → Lied.

**Rezitator** → Vortragskünstler.

**rezitieren** → vortragen.

**R-Gespräch** → Telefongespräch.

**Rhabarber** → Gemüse.

**Rhagade** → Hautblüte.

**Rhagas** → Hautblüte.

**Rhapsodie** → Gedicht.

**Rhein:** bis dahin fließt noch viel Wasser den R. hinab / hinunter → dauern; Köln am R. → Köln.

**Rheinfränkisch** → Mundart.

**rheinisch:** r. sprechen → Mundart [sprechen].

**Rheinlachs** → Fisch.

**Rheinländer** → Tanz.

**Rhein-Neckar-Metropole** → Mannheim.

**Rhein-Ruhr-Metropole** → Düsseldorf.

**Rheinwein** → Wein.

**Rhematik** → Wortbedeutungslehre.

**Rhematologie** → Rhematik.

Rhesusaffe → Affe.

Rhetor → Redner.

¹Rhetorik, Redekunst; → Rede, → Redegewandtheit, → Redner, → Sprecherziehung; → sprechen; → beredt.

²Rhetorik → Literaturwissenschaft.

rhetorisch → ausdrucksvoll.

Rheuma → Arthritis.

Rheumabad → Badeort.

Rheumatismus → Arthritis.

Rheumawiese → Campingplatz.

Rhexis → Verletzung.

Rhinallergose → Schnupfen.

Rhinitis → Schnupfen.

Rhinologe → Arzt.

Rhinologie → Heilkunde.

Rhinomegalie → Großwuchs.

Rhinoplastik → Operation.

Rhinorrhagie → Blutung.

Rhinoskopie → Ausspiegelung.

Rhinozeros → Dummkopf.

Rho → Buchstabe.

Rhodium → Edelmetall.

Rhodochrosit → Schmuckstein.

Rhododendron → Alpenrose.

Rhodonit → Schmuckstein.

Rhombencephalon → Gehirn.

Rhombendach → Dach.

Rhombus → Viereck.

Rhowyl → Chemiefaser.

Rhypia → Hautblüte.

Rhypophobie → Phobie.

¹Rhythmus, Gleichmaß, gleichmäßig gegliederte Bewegung.

²Rhythmus: → Versmaß; freie Rhythmen → Vers.

Rial → Zahlungsmittel.

Riasküste → Ufer.

ribbeln → reiben.

Ribisel → Johannisbeere.

richten: → aufräumen, → kochen, → reparieren; zugrunde r. → ausbeuten, → zerstören; sich selbst r. → entleiben (sich); sein Augenmerk auf jmdn. / etwas r. → achtgeben; den Lauf / die Waffe auf etwas r. → zielen; etwas richtet sich gegen etwas → verstoßen (gegen etwas); etwas ist gegen jmdn. gerichtet → münzen.

Richter: → Jurist; sich dem irdischen R. entziehen → entleiben (sich); sich zum R. aufwerfen → erdreisten (sich).

Richterspruch → Verurteilung.

Richtfest, Firstfeier, Dachgleiche (österr.), Gleichenfeier (österr.), Gleiche (österr.), Auf-

richte (schweiz.), Aufrichtefest (schweiz.).

Richtfeuer → Leuchtfeuer.

¹richtig, fehlerfrei, recht, einwandfrei; nicht → falsch; → treffend.

²richtig: → geeignet, → korrekt, → okay, → recht, → wahr; im -en Augenblick / Moment → Augenblick; auf der -en Fährte / Spur sein → vermuten; das -e Gesangbuch / Parteibuch haben → Beziehung; etwas / das Kind beim -en Namen nennen → beschönigen, → brandmarken; die -e Nase / den -en Riecher haben → Ahnung; aufs -e Pferd setzen → beurteilen; r. sein → stimmen; nicht [ganz] r. sein → verrückt [sein]; sich als r. erweisen / herausstellen → bewahrheiten (sich); etwas r. finden / für r. halten → billigen; r. liegen → Recht; der / die Richtige ist noch nicht gekommen → ledig [sein]; genau r., genau das Richtige sagen / treffen → treffend; nicht r. → verkehrt.

richtigerweise → füglich.

Richtigkeit, Korrektheit, Unanfechtbarkeit; **seine Richtigkeit haben,** zu Recht bestehen, berechtigt sein, in der Ordnung sein.

richtigstellen → berichtigen.

Richtigstellung → Korrektur.

Richtlinie → Regel.

Richtpreis: [empfohlener R.] → Preis.

Richtschnur → Regel.

Richtung: → Marschroute, → Neigung; die R. ändern → abbiegen; die R. verlieren → verirren (sich); aus / von allen -en → überallher; in alle / nach allen -en → überallhin; immer in einer R. → geradeaus.

richtunggebend → richtungweisend.

Richtungsänderung, Schlenker (salopp); → Abschweifung, → Abweichung.

Richtungsanzeiger → Wegweiser.

richtungweisend, richtunggebend, wegweisend, zielsetzend, programmatisch, wegleitend (schweiz.); → maßgeblich, → schöpferisch, → vorbildlich;

r. sein, [neue] Akzente / ein Zeichen / Signale setzen, einen neuen Weg / neue Wege einschlagen, einen neuen Weg / neue Wege beschreiten.

Richtwort → Verb.

Rick → Hindernis.

Ricke → Reh.

Rideau → Gardine.

ridikül → lächerlich.

Ridikül → Tasche.

¹riechen, duften, stinken [wie die Pest] (abwertend), drei Meilen gegen den Wind stinken (salopp), einen üblen / merkwürdigen / unangenehmen Geruch ausströmen (oder:) haben, dünsten, böckeln (österr., abwertend), fischeln (österr.) · nach Verbranntem: brandeln (bayr., österr.) · nach Schimmel, Verfaultem: müffeln, muffeln (landsch.) · nach Alkohol: eine Fahne haben (ugs.); → atmen, → verpesten; → Geruch.

²riechen: → duften, → ungenießbar [sein], → vermuten; nicht r. können → hassen; den Braten r. → merken; r. an → beriechen.

Riecher: → Gefühl; den richtigen R. haben → Ahnung.

Riechkolben → Nase.

Riechorgan: → Nase, → Sinnesorgan.

Riechstoff → Parfum.

Ried: → Sumpf, → Weinberg.

Riedsperling → Sperling.

Riege → Reihe.

¹Riegel, Schieber, Schuber (österr.), Türriegel, Riegelholz; → abschließen.

²Riegel: den R. vorlegen / vorschieben → abschließen; einen R. vorschieben → verhindern; hinter Schloß und R. bringen → festsetzen; hinter Schloß und R. sitzen → abbüßen.

Riegelbau → Fachwerk.

Riegelhaus → Fachwerkbau.

Riegelholz → Riegel.

Riemen: → Brett, → Gurt, → Penis, → Ruder; den R. enger schnallen → sparen; sich am R. reißen → ruhig [bleiben].

Riemenpeitsche → Peitsche.

Riemenzeug → Zaumzeug.

¹Riese, Hüne, Koloß, Gigant, Kleiderschrank (scherzh.), Lulatsch (ugs.), langes Elend /

Ende (ugs.), langer Laban (ugs.), Schlaks (ugs.), Bohnenstange (scherzh.); → Kraftmensch, → Mann · Ggs. → Zwerg.

²Riese: → Fabelwesen, → Holzrutsche; [abgebrochener R.] → Mann.

Rieselfeld → Bewässerungsanlage.

rieseln: → fließen; bei jmdm. rieselt [schon] der Kalk → alt [sein]; das Rieseln → Geräusch.

Riesen-: → Erz-.

Riesendurst → Durst.

Riesenfelge → Turnübung.

riesenhaft → groß.

Riesenhaftigkeit → Körpergröße.

Riesenherz → Herzhypertrophie.

Riesenhunger → Hunger.

Riesenkraft: Riesenkräfte → Kraft.

Riesenkröte → Frosch.

Riesenmuschel → Muschel.

Riesenotter → Raubtier.

Riesenrad, russisches Rad; → Jahrmarkt, → Karussell.

Riesensalamander → Salamander.

Riesenschachtelhalm → Schachtelhalm.

Riesenschildkröte → Schildkröte.

Riesenschnauzer → Hunderassen.

Riesenslalom → Schirennen.

Riesentorlauf → Schirennen.

Riesenwal → Wal.

Riesenweib → Frau.

Riesenwelle → Turnübung.

Riesenwuchs → Großwuchs.

riesig: → groß, → sehr.

Riesin → Frau.

Riesling → Wein.

Riff → Insel.

Riffkoralle → Hohltier.

rigoros → streng.

Rigorosum → Prüfung.

Rille → Riß.

Rimesse → Wechsel.

rin → her.

¹Rind ·· gekalbt habendes: Kuh, Starke, Muttertier · noch nicht gekalbt habendes: Färse, Kalbe, Kalbin, Sterke, Kuhkalb, Motschkalb (landsch.), Mockel (landsch.), Meisenkalb (landsch.), Diesenkalb (landsch.) ·· männliches: Bulle (bes. nordd.), Stier, Farre, Farren · besonders

zur Zucht verwendetes: Zuchtbulle, Zuchtstier, Hagen, Muni (schweiz.) · verschnittenes männliches: Ochse, Ochs (bes. südd., österr.) ·· junges: Jungtier, Kalb; → Bison.

²Rind: -er → Vieh.

Rindbox → Leder.

Rinde: → Brotkruste, → Schale.

Rindenflechte → Flechte.

Rindenstar → Katarakt.

Rinderbandwurm → Wurm.

Rinderbraten, Rindsbraten, Rinderfilet, Filet, Filetbraten · Lendenbraten, Lungenbraten (österr.) · Rinderroulade, Rindsroulade, Rindsvögerl (österr.), spanisches Vögerl (österr.), Fleischvogel (schweiz.); → Fleischgericht, → Lendenbraten, → Steak.

Rinderfilet → Rinderbraten.

Rinderkraftbrühe → Suppe.

Rinderroulade → Rinderbraten.

Rinderschinken → Schinken.

Rinderschmorbraten → Fleischgericht.

Rinderstall → Stall.

Rindfleisch → Fleisch.

Rindfleischsuppe → Suppe.

Rindleder → Leder.

Rindsbraten → Rinderbraten.

Rindsleder → Leder.

Rindsroulade → Rinderbraten.

Rindsuppe → Suppe.

Rindsvögerl → Rinderbraten.

ring → mühelos.

¹Ring, Fingerring, Reif, Fingerreif, Brillantring, Siegelring, Freundschaftsring, Trauring, Ehering; → Schmuck.

²Ring: -e → Sportgerät; die -e tauschen / wechseln → heiraten.

Ringelblume → Löwenzahn.

Ringelgans → Vogel.

Ringellöckchen → Locken.

ringeln: sich r. → locken (sich); sich r. um → schlingen (sich um).

Ringelnatter → Schlange.

Ringelpiez → Fest.

Ringelspiel → Karussell.

Ringelspinner → Schmetterling.

Ringeltaube → Vogel.

Ringelwurm → Wurm.

¹ringen, catchen · schwingen (schweiz.); → kämpfen; → Ringen, → Ringer.

²ringen: → kämpfen; die

Hände r. → klagen; mit dem Tode r. → sterben; r. um → eintreten (für); das Ringen → Tauziehen.

¹Ringen, Ringkampf, Rankeln (landsch.), Robeln (landsch.), Freistilringen, Freistilringkampf, Catch-as-catch-can · Schwingen (schweiz.) · Gewichtsklassen: Papiergewicht (bis 48 kg), Fliegengewicht (bis 52 kg), Bantamgewicht (bis 57 kg), Federgewicht (bis 62 kg), Leichtgewicht (bis 68 kg), Halbmittelgewicht (bis 71 kg), Weltergewicht (bis 74 kg), Mittelgewicht (bis 82 kg), Halbschwergewicht (bis 90 kg), Schwergewicht (bis 100 kg); → Boxen, → Judo; → kämpfen, → ringen.

²Ringen: → Kampf, → Schwerathletik.

Ringer, Catcher · Schwinger (schweiz.); → Ringen; → ringen.

Ringfinger → Finger.

ringförmig: → rund; r. abschnürender Muskel → Muskel.

Ringkampf → Ringen.

Ringlotte → Obst.

Ringpultdach → Dach.

Ringrichter → Schiedsrichter.

Ringstar → Katarakt.

Ringstraße → Straße.

ringsum → überall.

Ringtonne → Gewölbe.

Ringwall → Wall.

Rinne → Regenrinne.

rinnen → fließen.

Rinnsal: → Bach, → Fluß.

Rinnstein, Bordstein, Kantstein (nordd.), Bordkante, Bordschwelle; → Abflußrinne.

Rippchen, [Kasseler] Rippe[n]speer, Ripple (südd.), Rippli (schweiz.), Selchkarree (österr.); → Eisbein, → Rippenstück.

Rippe: → Knochen; bei jmdm. kann man alle -n zählen → schlank [sein].

Rippenbalkendecke → Zimmerdecke.

Rippendecke → Zimmerdecke.

Rippenfarn → Farn.

Rippenfellentzündung → Brustfellentzündung.

Rippenfleisch → Rippenstück.

Rippenknochen → Knochen.

Rippenkuppel → Kuppel.

Rippenqualle → Hohltier.

Rippensamt → Stoff.

Rippenspeer → Rippchen; Kasseler R. → Fleischgericht, → Rippchen.

Rippenstoß → Stoß.

Rippenstück, Rippenfleisch, Karree (österr.); → Rippchen.

Rippentriller → Stoß.

Ripple → Rippchen.

Rippli → Rippchen.

Rips → Stoff.

Ripuarisch → Mundart.

Risiko → Wagnis.

Risi-Pisi → Eintopf.

riskant → gefährlich.

riskieren: → wagen; ein Auge r. → blicken; Kopf und Kragen r. → wagen; eine dicke Lippe r. → aufbegehren.

Rispe → Blütenstand.

¹Riß, Sprung, Spalt, Spalte, Ritze, Ritz, Rille, Furche, Fuge, Schlitz, Loch, Lücke, Leck.

²Riß: → Schramme, → Verletzung.

rissig → rauh.

Rißpilz: Ziegelroter R. → Ständerpilz.

Rist → Spann.

Ritornell → Strophe.

Ritt, Ausritt, Spazierritt, Geländeritt, Langstreckenritt, Distanzritt; → Gangart, → Reiter, → Rennplatz; → reiten; → beritten.

¹Ritter, Kreuzritter, Ordensritter, Templer, Johanniter, Malteserritter, Malteser; → Ritterorden.

²Ritter: → Adliger, → Garbenstand, → Schmetterling.

Ritterburg → Burg.

Rittergut → Gut.

Rittergutsbesitzer → Großgrundbesitzer.

ritterlich → höflich.

Ritterlichkeit → Höflichkeit.

Ritterling: Rötlicher / Violetter R. → Ständerpilz.

Ritterorden, Johanniterorden, Templerorden, Deutscher Orden, Schwertbrüderorden, → Mönchsorden, → Ritter.

Ritter-und-Räuber-Roman → Roman.

rittlings, im Reitersitz; → Reiter, → Ritt; → reiten, → sitzen.

Ritual → Brauch.

Ritualmord → Tötung.

Ritus → Brauch.

Ritz: → Riß, → Schramme.

Ritze → Riß.

ritzen: → kratzen; r. in → eingravieren.

ritzerot → rot.

Rivale, Nebenbuhler, Mitbewerber, Konkurrent, Konkurrenz; → Gegner; jmds. R. sein, jmdm. ins Gehege / (oberd.) Gäu kommen.

Rivalität → Konkurrenz.

Riverboat → Fahrgastschiff.

Roadster → Auto.

Roaring Twenties: die R. T. → Belle Epoque.

robben → kriechen.

Robbengliedrigkeit → Gliedmaßenmißbildung.

Robe: → Kleid, → Kleidung.

Robeln → Ringen.

Robinie, [falsche] Akazie; → Laubhölzer.

Robinsonade → Sprung.

Robot: → Arbeit, → Zwangsarbeit.

Roboter → Arbeitstier.

robust: → dickfellig, → stark.

Roch → Fabelwesen.

röcheln: → atmen, → Laut.

Rochen: [echter R.] → Fisch.

Rochus: einen R. auf jmdn. haben → ärgerlich [sein].

¹Rock, Damenrock, Jupe (schweiz.), Schoß (österr.), Kittel (mundartl., bayr., österr.), Trägerrock, Kleiderrock, Glokkenrock, Faltenrock, Plisseerock, Wickelrock, Schottenrock, Kilt, Hosenrock, Minirock, Midirock, Maxirock, Kaminrock · einer Ballettänzerin: Ballettröckchen, Tutu; → Kleid, → Kleidung.

²Rock: → Jacke; bunter R. → Kleidung.

Rock and Roll → Tanz.

Rockaufschlag → Revers.

Rockelor → Mantel.

rocken → tanzen.

Rocker → Halbstarker.

Rockerbolle → Gemüse.

Rockschoß: an jmds. Rockschößen hängen → verwöhnt [sein].

Rockzipfel: an jmds. R. hängen → verwöhnt [sein].

Rodel → Schlitten.

rodeln, Schlitten fahren, schlitteln (schweiz.); → Schlitten.

Rodelschlitten → Schlitten.

roden: → abholzen, → ausmachen (Kartoffeln), → urbar [machen].

Rödling → Pfifferling.

Rodomontade → Übertreibung.

Rodung → Urbarmachung.

Rogate → Kirchenjahr.

Roggen → Getreide.

Roggenbrot → Brot.

roh: → unbarmherzig; jmdn. wie ein -es Ei behandeln → umgehen (mit jmdm.); -er Gewalt → Faustrecht; -er Schinken → Schinken; aus dem Rohen arbeiten → behauen.

Roheit: → Grausamkeit, → Unbarmherzigkeit.

Rohglas → Glas.

Rohkost → Nahrung.

Rohköstler → Vegetarier.

Rohling, Unmensch, Untermensch, Menschenschinder, Leuteschinder, Bluthund, Kannibale, Barbar, Wüterich, Scheusal; → Grausamkeit, → Grobian, → Tobsüchtiger, → Ungeheuer, → Verbrecher.

Rohne → Salatrübe.

Rohopium → Rauschgift.

¹Rohr, Röhre, Zylinder; → Katheter, → Rohrleitung.

²Rohr: → Backofen, → Stamm; spanisches R. → Spazierstock, → Stock.

Rohrbügelbindung → Schibindung.

Röhrchen: → Ampulle, → Behälter, → Katheter, → Trinkhalm.

Rohrdommel → Vogel.

Röhre: → Behälter, → Rohr; laufende / verbeulte / verbogene R. → Penis; in die R. gucken → bekommen.

röhren → Laut.

Röhrenpilz: → Pilz, → Ständerpilz.

Röhrenqualle → Hohltier.

Röhrenwurm → Wurm.

Rohrkrepierer: etwas ist ein R. → wirkungslos [bleiben].

Rohrleitung, Leitung, Erdölleitung, Pipeline; → Rohr.

Röhrling: Flockenstieliger / Glattstieliger / Netzstieliger R. → Ständerpilz.

Rohrpfeife → Pfeife.

Rohrschmied → Schmied.

Rohrspatz: schimpfen wie ein R. → schelten.

Rohrsperling → Sperling.
Rohrstock → Stock.
Rohrweihe → Vogel.
Rohrzucker → Zucker.
Rohseide → Seide.
Rohstoff → Werkstoff.
rojen → Boot [fahren].
Rok → Fabelwesen.
Rokambole → Gemüse.
Rokoko → Baustil.
Rokokomalerei → Malerei.
Rokokomusik → Musik.
Rokokouhr → Uhr.
Rolladen → Fensterladen.
Rollbahn, Piste, Startbahn, Landebahn; → Flugplatz.
Rollbalken → Fensterladen.
¹Rolle · Theaterrolle, Schauspielrolle · Filmrolle ·· Titelrolle, Titelpart, Hauptrolle, tragende Rolle · Nebenrolle · Gastrolle · Heldenrolle · Liebhaberrolle · Charakterrolle · *Hauptrolle in einer Oper o. ä.:* Titelpartie · *sehr wirkungsvolle:* Bombenrolle (*ugs.*) · *männliche, die von einer weiblichen Darstellerin gespielt wird:* Hosenrolle; → Hauptdarsteller, → Nebenrolle, → Schauspieler; → schauspielern.
²Rolle: → Bügelmaschine, → Purzelbaum, → Turnübung; eine R. spielen → wichtig [sein]; seine R. ausgespielt haben → Einfluß; gern eine R. spielen wollen →geltungssüchtig[sein]; etwas spielt keine R. → unwichtig [sein]; aus der R. fallen → benehmen (sich); sich in seine R. finden → ertragen; sich in seiner R. gefallen → prahlen; sich in jmds. R. versetzen → einfühlen (sich); sich mit der R. des Zuschauers begnügen → teilnehmen.
¹rollen, kullern, trudeln, kreiseln, kugeln, laufen, sich wälzen / drehen; → aufwickeln, → drehen, → kreisen, → schleudern.
²rollen: → bügeln, → koitieren, → krachen, → schieben; in Papier r. → einpacken; ins Rollen bringen / kommen, der Stein kommt ins Rollen → verursachen; den Stein ins Rollen bringen → anregen.
Rollendebüt: → Auftreten, → erste.
Rollenfries → Fries.

Rollenverteilung, Besetzung; → Schauspieler.
Roller: → Trittroller; Harzer R. → Handkäse, → Kanarienvogel.
Rollfähre → Fähre.
Rollfilm → Film.
Rollkragenpulli → Pullover.
Rollkragenpullover → Pullover.
Rollo → Fensterladen.
Rollpulli → Pullover.
Rollpullover → Pullover.
Rollschinken → Schinken.
Rollschuh → Sportgerät.
Rollschwanzaffe → Affe.
Rollsplitt → Splitt.
Rollstuhl, Krankenstuhl, Fahrstuhl; → Unfallwagen.
Rolltreppe → Treppe.
Rollverdeck → Autodach.
¹Rom, Roma (*ital.*), die Ewige Stadt, Roma aeterna, die Stadt der Sieben Hügel; → Stadt.
²Rom → Zigeuner.
Roma → Rom.
Roma aeterna → Rom.
Romadur → Käse.
¹Roman, Prosaroman, Versroman, Briefroman, Ichroman, Tagebuchroman, Kurzroman, Fortsetzungsroman, Unterhaltungsroman, Bildungsroman, Entwicklungsroman, historischer Roman, Liebesroman, Gesellschaftsroman, Zeitroman, Sittenroman, psychologischer Roman, Frauenroman, Familienroman, Heimatroman, Künstlerroman, Malerroman, Bauernroman, sozialer Roman, Räuberroman, Ritterroman, Ritter-und-Räuber-Roman, Indianerroman, Schäferroman, pikarischer Roman, Schelmenroman, Abenteuerroman, utopischer Roman, Science-fiction-Roman, Zukunftsroman, Reiseroman, Kriminalroman, Krimi (*ugs.*), Detektivroman, Trivialroman, Schundroman, Hintertreppenroman, Kolportageroman, Groschenroman, Fünfzigpfennigroman, Porno (*ugs.*) · *in dem lebende Personen verschlüsselt dargestellt sind:* Schlüsselroman; → Biographie,→ Erzählung,→ Literatur ·
²Roman: → Erzählung; utopischer R. → Literatur; -e erzählen → lügen.
Romancier → Schriftsteller.

Romanik → Baustil.
romanisch: -e Malerei → Malerei.
Romanistik → Philologie.
Romantik → Literaturepochen.
romantisch: → empfindsam; -e Malerei → Malerei; -e Musik → Musik.
Romanze: → Gedicht, → Liebelei.
Romeo → Geliebter.
Römer → Trinkgefäß.
Romilar → Rauschgift.
römisch: -e Kirche → Kirche; -er Salat → Gemüse; -er Stil → Baustil; -e Tragödie → Tragödie; -e Zahl → Zahl.
römisch-katholisch: -e Kirche → Kirche.
Rommé → Kartenspiel.
Rommel → Rübe.
Rondeau → Gedicht.
Rondell → Rabatte.
röntgen, durchleuchten, röntgenisieren (*veraltet*); → Krankheit, → Röntgenogramm, → Röntgenographie.
Röntgenarzt → Arzt.
Röntgenaufnahme → Röntgenogramm.
Röntgenauge → Scharfsichtigkeit.
Röntgenbild → Röntgenogramm.
Röntgenblick → Scharfsichtigkeit.
Röntgendarstellung → Röntgenographie.
Röntgendurchleuchtung → Röntgenographie.
röntgenisieren → röntgen.
Röntgenogramm, Röntgenbild, Röntgenaufnahme, Radiogramm, Skiagramm (*selten*) · *des Herzens:* Kardiogramm · *der Herzkammern:* Ventrikulogramm · *des Herzens und der Lungengefäße:* Angiokardiogramm, Kardioangiogramm · *der Lunge:* Pulmogramm · *der Luftröhrenäste:* Bronchogramm · *der Speiseröhre:* Ösophagogramm · *der Leber:* Hepatogramm · *der Milz:* Splenogramm, Lienogramm · *der Leber und der Milz:* Hepatolienogramm, Hepatosplenogramm, Splenohepatogramm · *des Nierenbeckens:* Pyelogramm · *der Nieren:* Nephrogramm, Reno-

gramm · *der Gallenblase:* Cholezystogramm · *von Gefäßen:* Vasogramm, Angiogramm · *von Arterien:* Arteriogramm · *der Aorta:* Aortogramm · *von Venen:* Venogramm, Phlebogramm · *des Pfortadersystems:* Portogramm · *der Hirnschlagadern:* Enzephaloarteriogramm· *der Schädelräume:* Enzephalogramm, Pneumenzephalogramm, Ventrikulogramm · *des Wirbelkanals:* Myelogramm · *eines Gelenks:* Arthrogramm · *von Organbewegungen:* Kymogramm, Polygramm · *mit Abbildung einzelner Schichten:* Tomogramm, Röntgenschichtbild, Röntgenschichtaufnahme, Stratigramm, Planigramm, Laminagramm (*selten*), Laminogramm (*selten*); → Diagnose, → Elektrogramm, → Heilkunde, → Röntgenographie; → röntgen.
**Röntgenographie,** Röntgendarstellung, Radiographie, Skiagraphie (*selten*) · *als Untersuchung vor einem fluoreszierenden Schirm:* Röntgendurchleuchtung, Durchleuchtung, Röntgenoskopie, Radioskopie · *des Herzens:* Kardiographie · *der Herzkammern:* Ventrikulographie · *des Herzens und der Lungengefäße:* Angiokardiographie, Kardioangiographie · *der Lunge:* Pulmographie · *der Luftröhrenäste:* Bronchographie· *der Speiseröhre:* Ösophagographie · *der Leber:* Hepatographie · *der Milz:* Splenographie, Lienographie · *der Leber und der Milz:* Hepatolienographie, Hepatosplenographie, Splenohepatographie, Lienohepatographie · *des Nierenbeckens:* Pyelographie · *der Nieren:* Nephrographie, Renographie · *der Gallenblase:* Cholezystographie · *von Gefäßen:* Vasographie, Angiographie · *von Arterien:* Arteriographie · *der Aorta:* Aortographie · *von Venen:* Venographie, Phlebographie · *des Pfortadersystems:* Portographie · *der Hirnschlagadern:* Enzephaloarteriographie · *der Schädelräume:* Enzephalographie, Pneumenzephalographie, Ventrikulographie · *des Wirbelkanals:* Myelographie ·

*eines Gelenks:* Arthrographie · *von Organbewegungen:* Kymographie, Polygraphie · *zur Darstellung einzelner Schichten:* Tomographie, Röntgenschichtverfahren, Stratigraphie, Planigraphie, Laminagraphie (*selten*), Laminographie (*selten*), Radiotomie (*selten*); → Diagnose, → Heilkunde, → Röntgenogramm; → röntgen.
**Röntgenologe** → Arzt.
**Röntgenologie** → Heilkunde.
**Röntgenoskopie** → Röntgenographie.
**Röntgenotherapie** → Radiotherapie.
**Röntgenschichtaufnahme** → Röntgenogramm.
**Röntgenschichtbild** → Röntgenogramm.
**Röntgenschichtverfahren** → Röntgenographie.
**Röntgenstrahlenbehandlung** → Radiotherapie.
**Roquefort** → Käse.
¹**rosa,** rosafarben, rosenfarbig, rosig, pink, blaßrosa, hellrosa, zartrosa, pastellrosa, altrosa, violettrosa, venetianerrosa, persischrosa, purpurrosa, flamingorosa; → bunt, → einfarbig, → rot, → violett.
²**rosa:** etwas durch eine r. Brille sehen → zuversichtlich [sein].
**rosafarben** → rosa.
**Rosalina** → Spitzenstickerei.
**rösch** → knusprig.
¹**Rose,** Königin der Blumen · Gartenrose, Edelrose, Zwergrose, Buschrose, Kletterrose, Schlingrose, Rankrose, Polyantharose, Wildrose, Hundsrose, Essigrose, Moosrose, Moosröschen, Heckenrose, Zaunrose, Burgrose, Wildrose, Feldrose, Zuckerrose, Apfelrose, Zimtrose, Weinrose, Samtrose, Bengalrose, Zentifolie, Centifolie, Kapuzinerrose, Bourbonrose, Teerose; → Blume, → Blüte.
²**Rose:** → Rundfenster; jmdn. auf -n betten → verwöhnen; nicht auf -n gebettet sein → leben.
**Rosé** → Wein.
**Rosenbrötchen** → Kaiserbrötchen.
**rosenfarbig** → rosa.
**Rosenhecke** → Hecke.
**Rosenhochzeit** → Hochzeitstag.

**Rosenkohl,** Sprossenkohl (*österr.*), Kohlsprossen (*österr.*), Brüsselerkohl; → Blumenkohl, → Gemüse, → Grünkohl, → Rotkohl, → Wirsing.
**Rosenkranzfest** → Marienfest.
**Rosenkreutzertum** → Geheimlehre.
**Rosenmontag** → Fastnacht.
**Rosenmöwe** → Vogel.
**Rosenpaprika** → Gewürz.
**Rosenplissee** → Falte.
**Rosenquarz** → Schmuckstein.
**rosenrot** → rot.
**Rosenschere** → Gartenschere.
**Rosensemmel**→Kaiserbrötchen.
**Rosette** → Rundfenster.
**rosig:** → rosa; etwas in -em Licht sehen → werten; nicht r. → mäßig.
**Rosinante** → Pferd.
**Rosine:** → Weinbeere; große -n im Kopf haben → vorhaben.
**Rosinenbrot** → Brot.
**Rosinenbrötchen** → Brötchen.
**Rosmarin** → Küchengewürz.
**Roß:** → Pferd; jmdm. zureden wie einem kranken R. → zuraten; auf dem hohen R. sitzen → dünkelhaft [sein]; hoch zu R. → beritten.
**Roßbohne** → Saubohne.
**Rosselenker** → Fuhrmann.
**Rösselsprung** → Rätsel.
**Roßkastanie** → Kastanie.
**Roßkur** → Behandlung.
**Roßleder** → Leder.
**Roßschwanz** → Frisur.
**Roßtäuscher** → Betrüger.
**Roßtäuschertrick** → Trick.
**Rost:** → Belag, → Grill; R. ansetzen → rostig [werden]; R. ist an etwas → rostig [sein]; mit R. bedeckt / überzogen, von R. zerfressen → rostig.
**Rostbraten** → Fleischgericht.
**Rostbratwurst** → Würstchen.
**rosten:** → rostig [werden]; gerostet sein → rostig [sein].
**rösten:** → braten; geröstete Erdäpfel → Kartoffeln.
**Rostgans** → Vogel.
**Rösti** → Kartoffeln.
**rostig,** verrostet, eingerostet, mit Rost bedeckt / überzogen, von Rost zerfressen; **r. werden,** rosten, verrosten, Rost ansetzen, korrodieren, in Korrosion übergehen; **r. sein,** gerostet sein, Rost ist an etwas; → Belag.

**Röstkartoffeln** → Kartoffeln.
**Röstmais:** → Getreideflocken, → Mais.
**rostrot:** → rot, → rothaarig.
**¹rot,** rötlich, gelbrot, orangerot, mohnrot, paprikarot, pfefferrot, tomatenrot, möhrenrot, lachsrot, rostrot, fleischrot, fuchsrot, ziegelrot, kupferrot, brandrot, flammendrot, feuerrot, korallenrot, pfirsichrot, hellrot, blaßrot, mattrot, pastellrot, hochrot, knallrot, signalrot, urrot, ferrarirot, zinnoberrot, scharlachrot, chinarot, chinesischrot, persischrot, englischrot, venetianerrot, schwedischrot, oxydrot, mahagonirot, kalypsorot, krapprot, lackrot, jaspisrot, hummerrot, krebsrot, ebereschenrot, erdbeerrot, fraise, dunkelrot, tiefrot, weinrot, bordeauxrot, blaurot, flamingorot, rosenrot, kirschrot, cerise, rubin, rubinrot, dunkelrubin, burgunderrot, portweinrot, purpur, purpurrot, purpurfarben, amarantrot, johannisbeerrot, himbeerrot, rotrübenfarben, hahnenkammrot, aurora, morgenrot, blutrot, karmesinrot, karmin, karminrot, karmoisin, braunrot, bronzerot, orientrot, türkischrot, kardinalrot, tizianrot, rot wie Blut, ritzerot (*ugs., landsch.*); → bunt, → einfarbig, → orange, → rosa, → violett.
**²rot:** → rothaarig; -e Beete / Bete / Rübe → Salatrübe; -er Blutfarbstoff → Hämoglobin; -e Blutkörperchen → Blutkörperchen; der -e Faden → Leitgedanke; die -e Fahne → Fahne; den -en Hahn aufs Dach setzen → anzünden; keinen -en Heller wert sein → wertlos [sein]; der -e Planet → Planet; -er Saft, -e Tinte → Blut; -er Sauerklee → Gemüse; ein -es Tuch für jmdn. sein, wie ein -es Tuch auf jmdn. wirken → ärgern (jmdn.); in den -en Zahlen sein / stecken → Fehlbetrag; -e Zelle → Arbeitskreis; r. werden → schämen (sich); etwas muß im Kalender r. angestrichen werden → betonen.
**Rotalge** → Alge.
**Rotandaspritze** → Spritze.

**Rotationspapier** → Druckpapier.
**Rotator** → Muskel.
**Rotauge** → Fisch.
**Rotbart** → Bart.
**rotbärtig** → bärtig.
**Rotbauchunke** → Frosch.
**Rotbeere** → Erdbeere.
**Rotblindheit** → Farbenblindheit.
**rotblond:** → blond, → rothaarig.
**rotbraun:** → braun, → braunhaarig; Rotbrauner Milchling → Ständerpilz.
**Rotbuch** → Dokumentensammlung.
**Rotbuche** → Buche.
**Rotchina** → China.
**¹Röte,** Gesichtsröte, Wangenröte, Wangenrot; → Verfärbung.
**²Röte:** hektische R. → Verfärbung.
**Rote-Kreuz-Auto** → Unfallwagen.
**Rote-Kreuz-Schwester** → Krankenschwester.
**Rote-Kreuz-Wagen** → Unfallwagen.
**Rötel** → Kreide.
**Rötelfalke** → Vogel.
**Rötelschwalbe** → Vogel.
**Rötelstift** → Zeichenstift.
**Rotfärbung** → Verfärbung.
**Rotfeder** → Fisch.
**Rotfuchs:** → Fuchs, → Pelz.
**Rotfußfalke** → Vogel.
**Rotfußröhrling** → Ständerpilz.
**Rotgerber** → Gerber.
**Rotgrünblindheit** → Farbenblindheit.
**rothaarig,** rot, rötlich, rotblond, kupferrot, rostrot, fuchsrot, tizianrot, flammendrot, feuerrot, brandrot, leuchtendrot; → blond, → braunhaarig; → Haar.
**Rothalsgans** → Vogel.
**Rothalstaucher** → Vogel.
**Rothaut** → Indianer.
**Rothirsch** → Hirsch.
**Rothuhn** → Vogel.
**rotieren** → kreisen.
**Rotisserie** → Gaststätte.
**Rotkabis** → Rotkohl.
**Rotkappe** → Ständerpilz.
**Rotkehlchen** → Vogel.
**Rotkohl** (*nordd., mitteld.*), Rotkraut (*bes. südd.*), Blaukraut (*bes. bayr., österr.*), Rotkabis

(*schweiz.*), roter Kappes (*westd.*); → Blumenkohl, → Gemüse, → Grünkohl, → Kohl, → Rosenkohl, → Sauerkraut.
**Rotkraut** → Rotkohl.
**Rotkreuzschwester** → Krankenschwester.
**rötlich:** → rot, → rothaarig; Rötlicher Ritterling → Ständerpilz.
**rotlila** → violett.
**rotorange** → orange.
**Rotorflugzeug** → Hubschrauber.
**rotrübenfarben** → rot.
**Rotschenkel** → Vogel.
**rotsehen** → ärgerlich [werden].
**Rotspießer** → Hirsch.
**Rotstift** → Schreibstift.
**Rottanne** → Nadelhölzer.
**Rotte:** → Bande, → Herde.
**Rottler** → Hirsch.
**Rottweiler** → Hunderassen.
**Rotunda** → Schrift.
**Rotunde** → Toilette.
**Rötung** → Verfärbung.
**rotviolett** → violett.
**Rotwein** → Wein.
**Rotweinglas** → Trinkgefäß.
**Rotwelsch** → Gaunersprache.
**Rotwild** → Wild.
**Rotwurst** → Wurst.
**Rotz:** → Auswurf; frech wie R. sein → frech [sein]; R. und Wasser heulen → weinen.
**Rotzbub** → Junge.
**rotzen:** → schneuzen (sich), → spucken; in die Muschel r. → koitieren.
**Rotzfahne** → Taschentuch.
**rotzfrech** → frech.
**rotzig** → frech.
**Rotzkocher** → Tabakspfeife.
**Rotzlappen** → Taschentuch.
**Rotzlöffel** → Junge.
**Rotznase** → Junge.
**Rotznigel** → Junge.
**Roué** → Frauenheld.
**Rouge:** → Schminke; R. auflegen / auftragen → schminken; R. et Noir → Glücksspiel, → Kartenspiel.
**Rouleau** → Fensterladen.
**Roulett** → Glücksspiel.
**Round-table-Gespräch** → Gespräch.
**Route** → Marschroute.
**Routine** → Kunstfertigkeit.
**Routineuntersuchung:** → Untersuchung, → Vorsorgeuntersuchung.
**Routinier** → Fachmann.

routiniert → fachmännisch.

Rowdy → Raufbold.

RPG → Sprache.

RS → Militärdienst.

rubbeln → reiben.

¹Rübe, Runkelrübe, Dickwurzel (*landsch.*), Dickwurz (*landsch.*), Dickrübe (*landsch.*), Rummel (*landsch.*), Rommel (*landsch.*), Runkel (*österr.*), Futterrübe · Zuckerrübe; → Gemüse.

²Rübe: → Kopf; gelbe R. → Mohrrübe; rote R. → Salatrübe; wie Kraut und -n → durcheinander; bei jmdm. liegt alles herum wie Kraut und -n → ungeordnet [sein].

Rubel → Zahlungsmittel.

Rübenkohl → Kohlrabi.

Rübenkraut → Brotaufstrich.

Rübenzucker → Zucker.

Rübenzünsler → Schmetterling.

rüber: → her, → hin.

rubin → rot.

Rubin → Schmuckstein.

rubinrot → rot.

Rübli → Mohrrübe.

Rüböl → Speiseöl.

¹Rubrik, Spalte, Kolumne; → Abschnitt, → Seite.

²Rubrik → Klasse.

rubrizieren → einstufen.

Rubrizierung → Einstufung.

Rübsenöl → Speiseöl.

Rubyspaniel → Hunderassen.

Ruch → Geruch.

ruchbar: r. werden → herumsprechen (sich).

Ruchbrot → Schwarzbrot.

ruchlos → anstößig.

Ruchlosigkeit → Grausamkeit.

ruck: r., zuck! → schnell.

Ruck: → Stoß; sich einen R. geben → überwinden (sich); immer mit der Ruhe und dann mit 'nem R. → ruhig.

Rückantwort: → Schreiben; Postkarte / Telegramm mit R. → Postsendung.

rückbezüglich: -es Verb → Verb.

Rückblick → Erinnerung.

rückblickend → hinterher.

¹rücken (an), heranrücken, näher rücken, auf Tuchfühlung gehen; → berühren; → Kontakt.

²rücken: an einen anderen Ort / Platz r. → verrücken; jmdm. auf die Bude / auf die Pelle r. → bitten; jmdm. auf die Pelle r. → aufdringlich

[sein]; in schlechtes Licht r. → schlechtmachen; zu Leibe r. → angreifen; einer Sache zu Leibe r. → anfangen.

¹Rücken, Kreuz, Buckel (*landsch.*), Hucke (*nordd.*), Pukkel (*landsch.*); → Rückgrat, → Schulter; **auf dem R. tragen**, huckepack tragen.

²Rücken: → Grat, → Rückseite; jmdm. den R. decken → behüten; einen breiten R. haben → dickfellig [sein]; jmdm. läuft es [heiß und] kalt den R. herunter / über den R. → betroffen [sein]; den R. kehren → weggehen; den R. kehren / wenden → abwenden (sich); jmdm. den R. kehren → trennen (sich); jmdm. den R. stärken → eintreten (für); zuraten; [fast] auf den R. fallen → überrascht [sein]; auf den R. nehmen → tragen.

Rückenausschnitt → Ausschnitt.

Rückendekolleté → Ausschnitt.

Rückenflug → Flug.

Rückenkraulschwimmen → Schwimmen.

Rückenmark: verlängertes R. → Gehirn.

Rückenmarksblutung → Blutung.

Rückenmarkshaut: [harte / weiche / zarte R.] → Meninx.

Rückentrage → Tragekorb.

Rückenwind: → Wind; mit R. durchkommen → bewältigen.

Rückenwirbel → Wirbelknochen.

Rückfahrkarte → Fahrkarte.

Rückfahrt → Fahrt.

Rückfall, Rückschlag, Wiederkehr · *bei einer Krankheit:* Rezidiv; Relaps; → Rückgang.

rückfällig → straffällig.

Rückfalltäter → Verbrecher.

Rückfrage → Frage.

Rückfront → Hinterseite.

rückführbar → zurückführbar.

Rückführung → Eingemeindung.

¹Rückgabe, Zurückgabe, Rücksendung, Zurückstellung (*österr.*); → Sicherheit, → Umtausch; → zurückgeben.

²Rückgabe → Umtausch.

¹Rückgang, Rückschritt, Rückschlag, Abfall, Stagnation, Rezession, Stockung, toter Punkt,

Stauung, Stillstand, das Nachlassen, Niedergang, Degeneration, Dekadenz · *vorübergehender bei Krankheit:* Remission; **einen R. erfahren**, zurückfallen, schlechter werden, Rückschritte machen, Boden verlieren; → Abwanderung, → Behinderung, → Rückfall, → Verfall · Ggs. → Aufschwung.

²Rückgang → Verminderung.

rückgängig: r. machen → absagen, → stornieren.

rückgebildet → verkümmert.

Rückgliederung → Eingemeindung.

¹Rückgrat, Wirbelsäule; → Knochengerüst, → Rücken.

²Rückgrat: → Wirbelsäule; jmdm. das R. brechen → unterdrücken; R. haben → standhaft [sein]; ohne R. → anpassungsfähig; ohne R. sein → willensschwach [sein].

rückgratlos → anpassungsfähig.

Rückhalt → Stütze.

rückhaltlos → vorbehaltlos.

Rückkehr, Heimkehr, Heimreise, Wiederkehr, Rückreise; → Reise.

Rücklage → Vorrat.

rückläufig: → nachlassend; -es Wörterbuch → Nachschlagewerk.

Rückleuchte, Rückstrahler, Rücklicht, Katzenauge; → Scheinwerfer, → Scheinwerferlicht, → Signallicht.

Rücklicht → Rückleuchte.

rücklings, [nach] rückwärts, nach hinten · Ggs. → bäuchlings.

Rückmarsch → Rückweg.

Rückreise → Rückkehr.

Rucksack → Tornister.

Rückschau: → Erinnerung; R. halten → erinnern (sich), → überprüfen.

rückschauend → hinterher.

Rückschlag: → Rückfall, → Rückgang.

¹Rückschritt, Reaktion, Fortschrittsfeindlichkeit, Restauration; → rückschrittlich · Ggs. → Fortschritt, → fortschrittlich.

²Rückschritt: -e machen → Rückgang, → zurückfallen.

rückschrittlich, reaktionär, fortschrittsfeindlich, restaurativ, konservativ, beharrend, ver-

harrend, rückständig, zurückgeblieben, unzeitgemäß, unmodern, nicht → fortschrittlich, nicht → modern; → altmodisch, → herkömmlich, →
konservativ, → überlebt; **r.
sein**, hinter seiner / der Zeit
zurückbleiben, hinter dem
Mond sein (*abwertend*); → Rückschritt · Ggs. → Fortschritt.

**¹Rückseite**, Hinterseite, Kehrseite · *beim Stoff:* Abseite, linke
Seite, Rücken, Unterseite ·
*einer Münze:* Revers, Wappenseite; → Hinterseite; → umseitig · Ggs. → Vorderseite.

**²Rückseite:** → Hinterseite; auf
der R. → umseitig.

**rückseitig** → umseitig.

**rucksen** → krächzen.

**Rücksicht:** → Achtung; -en
→ Anlaß; etwas ohne R. [auf
Verluste] tun → rücksichtslos
[sein].

**¹rücksichtslos**, bedenkenlos, gewissenlos, skrupellos, abgedreht (*österr.*); → herrisch, →
selbstzerstörerisch, → streng, →
unbarmherzig; **r. sein**, ohne
Bedenken / Rücksicht / Skrupel / Hemmungen sein, jmdm.
ist jedes Mittel recht, etwas
ohne Rücksicht auf Verluste
tun (*ugs.*), etwas ist eine Rücksichtslosigkeit / Zumutung,
über Leichen gehen, seine Ellbogen brauchen / gebrauchen;
→ Gewissenlosigkeit.

**²rücksichtslos:** → extrem, →
streng, → zielstrebig.

**Rücksichtslosigkeit:** → Gewissenlosigkeit; etwas ist eine R.
→ rücksichtslos [sein].

**¹rücksichtsvoll**, taktvoll, zartfühlend, einfühlend; → höflich.

**²rücksichtsvoll** → höflich.

**Rückspiel** → Spiel.

**Rückstand:** → Bodensatz, →
Schuld; Rückstände haben, im
R. sein → schulden (jmdm.
etwas).

**rückständig** → rückschrittlich.

**Rückständigkeit**, Zurückgebliebenheit, Überlebtheit, Vergreisung, Überalterung, Verkalkung (*abwertend*), Muff (*abwertend*), Mief (*salopp, abwertend*); → altmodisch, →
stumpfsinnig, → überlebt.

**Rückstrahler** → Rückleuchte.

**Rückstrom** → Verkehrsstrom.

**Rückteil** → Hinterteil.

**Rücktritt** → Kündigung.

**Rückvergütung** → Preisnachlaß.

**Rückverpflanzung** → Transplantation.

**¹rückwärts**, nach hinten, zurück, retour (*ugs.*) · Ggs. →
vorwärts.

**²rückwärts:** r. zählen → übergeben (sich); [nach r.] → rücklings.

**¹Rückweg**, Rückmarsch, Nachhauseweg, Heimweg; → zurückbegeben (sich).

**²Rückweg:** sich auf den R.
begeben / machen → zurückbegeben (sich).

**Rückwind** → Wind.

**Rückwirkung** → Reaktion.

**Rückzahlung** → Zahlung.

**Rückzieher:** einen R. machen →
Fußball, → nachgeben.

**Rückzug:** → Widerruf; den R.
antreten → nachgeben.

**Rückzugsgefecht:** → Abwehr;
ein R. machen → zurückziehen
(sich).

**rüde** → unhöflich.

**Rüde** → Hund.

**Rudel** → Herde.

**¹Ruder**, Riemen, Remen, Pullstengel (*scherzh.*), Paddel; →
Boot.

**²Ruder:** ans R. kommen →
Herrschaft.

**Ruderboot** → Boot.

**Ruderente** → Vogel.

**rudern** → Boot [fahren].

**Ruderregatta** → Regatta.

**rudimentär** → verkümmert.

**Ruf:** → Ansehen; [R. nach] →
Aufruf; einen guten R. haben →
angesehen / sein; seinen R.
aufs Spiel setzen → bloßstellen
(sich); in einem ... R. stehen →
gelten (als jmd. / etwas).

**Rüfe** → Erdrutsch.

**rufen:** → beordern, → schreien,
→ singen; bravo / da capo r. →
applaudieren; Buh r. → auspfeifen; in Erinnerung / ins Bewußtsein r. → wachrufen;
jmdm. etwas ins Gedächtnis r.
→ mahnen; etwas ruft jmdm.
etwas ins Gedächtnis → gemahnen; ins Leben r. → gründen; zur Ordnung r. → schelten;
wie gerufen kommen → passen,
→ willkommen [sein].

**Rüffel** → Vorwurf.

**rüffeln** → schelten.

**Rufmädchen** → Prostituierte.

**Rufmord** → Beleidigung.

**Rufname** → Vorname.

**Rufzeichen** → Satzzeichen.

**Rugby** → Fußballspiel.

**Rüge:** → Maßregelung, →
Vorwurf.

**rügen** → schelten.

**¹Ruhe**, Stille · *im geschäftlichen,
politischen oder journalistischen
Bereich:* Flaute, Sauregurkenzeit · *vom Arzt verordnete:* Bettruhe; → Gesetztheit, → Mittagsruhe, → Schlaf.

**²Ruhe:** → Beschaulichkeit, →
Gelassenheit, → Muße, →
Schlaf, → Stille, → Umsicht;
stoische Ruhe → Gelassenheit;
R. bewahren, sich nicht aus der
R. bringen lassen → ruhig
[bleiben]; keine R. geben,
jmdm. keine R. lassen, jmdn.
nicht in R. lassen → bitten, →
zusetzen (jmdm.); sich R.
gönnen → ruhen; laß mir die /
meine R.! → unwichtig [sein];
die R. weghaben → dickfellig
[sein]; der R. pflegen → ruhen;
jmdn. in R. lassen → behelligen; mit R. → umsichtig;
immer mit der R. [und dann
mit 'nem Ruck] → ruhig; sich
zur R. begeben → schlafen
[gehen]; zur letzten R. begleiten → bestatten; zur R.
bringen → beruhigen; zur
ewigen R. eingehen → sterben;
zur R. kommen → abreagieren
(sich), → ruhig [werden]; nicht
zur R. kommen lassen →
Spannung; sich zur R. setzen →
anstrengen (sich), → pensionieren.

**Ruhebank** → Sitzbank.

**Ruhebedürfnis** → Erschöpfung.

**ruhebedürftig** → müde.

**Ruhebett** → Liege.

**Ruhegehalt** → Rente.

**Ruhegeld** → Rente.

**Ruhegenuß** → Rente.

**¹ruhelos**, getrieben, umhergetrieben, umherirrend, rastlos, unruhig, ahasverisch (*geh.*);
→ Umherirrender, → Unrast;
→ herumtreiben (sich).

**²ruhelos** → aufgeregt.

**Ruheloser** → Umherirrender.

**Ruhelosigkeit** → Unrast.

¹**ruhen,** ausruhen, still liegen, rasten, sich ausrasten (*südd., österr.*), der Ruhe pflegen (*geh.*), sich Ruhe gönnen, sich entspannen, verschnaufen; → erholen (sich), → faulenzen, → liegen, → schlafen; → Entspannung, → Pause, → Urlaub.

²**ruhen:** die Waffen r. lassen → Frieden [schließen]; das ruht noch im Schoß der Götter → ungewiß [sein].

**ruhenlassen,** nicht bearbeiten, nicht wieder aufnehmen, nicht → erörtern; → belassen.

**Ruhepause:** → Pause; eine R. einlegen → Pause [machen].

**Ruhesessel** → Sessel.

**Ruhestand:** → Lebensabend; in den R. versetzen → pensionieren.

**Ruheständler** → Rentner.

**Ruheständlerin** → Rentnerin.

**Ruhestatt** → Grab.

**Ruhestätte** → Grab.

**Ruhestörer** → Störenfried.

**Ruhetag,** Sonntag, Feiertag, Festtag, Urlaubstag, Ferientag, Ferialtag (*österr.*), arbeitsfreier Tag; → Sonnabend, → Tag, → Werktag.

**ruhevoll** → ruhig.

¹**ruhig,** geruhsam, ruhevoll, geruhig, bedächtig, still, friedsam (*geh., veraltend*), fried[e]voll (*geh.*), gemessen, würdevoll, bedachtsam, mit Bedacht, besonnen, sicher, überlegen, abgeklärt, beherrscht, gezügelt, gesetzt, kaltblütig, ohne mit der Wimper zu zucken, ausgeglichen, harmonisch, bedacht, gelassen, gleichmütig, stoisch, gefaßt, in [aller] Ruhe, gemach, gemächlich, ohne Überstürzung / Übereilung, nur keine [jüdische] Hast!, so schnell schießen die Preußen nicht! (*ugs.*), nur nicht hudeln! (*landsch.*), ein alter Mann ist [doch] kein D-Zug! (*ugs., scherzh.*), eile mit Weile!, immer mit der Ruhe [und dann mit 'nem Ruck]!, seelenruhig, in aller Seelenruhe / Gemütsruhe, nicht → aufgeregt, nicht → lebhaft, nicht → leise, nicht → unbesonnen; → allmählich, → behutsam, → beschaulich, → dickfellig, → friedlich, → geistesgegenwärtig, → klug, →

langsam, → planmäßig, → schwermütig, → tolerant, → umsichtig, → unbesorgt; **r. werden,** sich beruhigen, zur Ruhe kommen; **r. sein,** über den Dingen stehen; **r. bleiben,** an sich halten, sich zusammennehmen / beherrschen / bändigen / mäßigen / zurückhalten / bezähmen / zügeln / im Zaum halten / in der Hand haben, sich nicht aus dem Gleichgewicht / aus der Ruhe bringen lassen, sich in der Gewalt haben, keine Miene verziehen, Herr sein über sich, ein Mann sein, sich am Riemen reißen (*ugs.*), die Nerven behalten, nicht die Nerven verlieren, Ruhe / kaltes Blut bewahren, nur ruhig Blut!, nur keine Aufregung!; → beruhigen, → schweigen; → Bewegungslosigkeit, → Dickfelligkeit, → Gelassenheit, → Heiterkeit, → Stille.

²**ruhig:** → friedlich, → still; eine -e Kugel schieben → anstrengen (sich); [sehr] -e See → Seegang.

**Ruhm:** → Lob; jmds. R. verbreiten → loben.

**rühmen** → loben.

**rühmenswert:** → anerkennenswert, → ehrenhaft.

**rühmlich** → anerkennenswert.

**ruhmreich** → anerkennenswert.

**Ruhmsucht:** → Ehrgeiz, → Geltungsdrang.

**ruhmsüchtig:** → ehrgeizig, → geltungssüchtig.

**Ruhr** → Durchfall.

**Rührei,** Eierspeise (*österr.*), Eierspeis (*österr.*), Omelett (*landsch.*), Eierschmalz (*südd., österr.*); → Eierspeise.

¹**rühren,** anrühren, durchrühren, umrühren, verrühren, zusammenrühren, abtreiben (*österr.*), quirlen, verquirlen, sprudeln (*österr.*), versprudeln (*österr.*); → beimischen, → mischen.

²**rühren:** sich r. → arbeiten, → bewegen (sich); sich nicht r., keinen Finger r. → träge [sein]; sich nicht r. lassen, etwas rührt jmdn. nicht → ungerührt [bleiben]; etwas rührt jmdn. → erschüttern; Butter r. → buttern; die Trommel r. → trom-

meln; die Werbetrommel r. → Werbung [treiben]; an etwas darf man nicht r. → tabu; an eine alte Wunde r. → erwähnen; wie vom Donner gerührt sein → überrascht [sein]; ein menschliches Rühren fühlen / verspüren → austreten [gehen].

¹**rührend,** ergreifend, erschütternd, ans Herz greifend, zu Herzen gehend; → erschüttern.

²**rührend:** -er Reim → Reim.

**rührig:** → aktiv, → betriebsam.

**Rührlöffel** → Löffel.

**rührselig** → empfindsam.

**Rührseligkeit,** Sentimentalität, Gefühligkeit, Gefühlsduselei (*salopp, abwertend*), Gefühlsseligkeit, Tränenseligkeit, Larmoyanz, Weinerlichkeit; → Empfindsamkeit, → Ergriffenheit; **R. bewirken,** auf die Tränendrüsen drücken (*ugs.*); → empfindsam.

**Rührstück** → Schauspiel.

**Rührteig** → Teig.

**Rührung** → Ergriffenheit.

**Ruin:** → Mißerfolg, → Zahlungsunfähigkeit.

**Ruine** → Trümmer.

¹**ruinieren,** zerstören, vernichten, zugrunde richten, destruieren, verwüsten, verheeren, wie die Hunnen / Vandalen hausen, zerschlagen, zerbrechen, zerteppern (*ugs.*), zerschmeißen (*salopp*), zerschmettern, zertreten, zerstampfen, zertrampeln (*ugs.*), eintreten, zertrümmern, einschlagen, demolieren, kaputtmachen (*ugs.*), einer Sache den Rest geben (*ugs.*), Kleinholz machen (*ugs.*), alles kurz und klein schlagen (*ugs.*); → defekt [werden], → niederreißen, → verunstalten, → zerlegen, → zermahlen, → zermalmen; → Bücherverbrennung, → Vernichtung.

²**ruinieren:** → ausbeuten, → beanspruchen, → beschädigen, → besiegen, → schaden; sich selbst -d → selbstzerstörerisch.

**ruiniert** → abgewirtschaftet.

**ruinös** → verderblich.

**Ruländer** → Wein.

**rülpsen:** → eruktieren; das Rülpsen → Eruktation.

**rum** → her.

**Rum** → Alkohol.

**Rumba** → Tanz.

**Rumbakugel** → Rassel.

**rumdrehen:** den Pfennig dreimal / zehnmal r. → geizig [sein].

**Rumfordsuppe** → Eintopf.

**rumkrebsen:** → anstrengen (sich), → krank [sein].

**rumkriegen** → überreden.

**rummäkeln** → beanstanden.

**Rummel:** → Jahrmarkt, → Rübe.

**Rummelboxer** → Mann.

**Rummelplatz** → Jahrmarktsplatz.

**rumoren** (in den Gedärmen), kollern, rumpeln.

**Rumpelkammer** → Abstellraum.

**rumpeln:** → holpern, → lärmen, → rumoren.

**rumpriemen** → bosseln.

**Rumpsteak** → Steak.

**rumquiemen** → krank [sein].

**rumsen:** r. auf → zusammenstoßen.

**rumstehen:** etwas steht nur rum → gebrauchen.

**Rumsteherle** → Nippsache.

**rumtoben** → toben.

**rumtollen** → toben.

**Rumtreiber** → Vagabund.

**Rumtreiberei** → Landstreicherei.

**Run:** → Rausch, → Zustrom.

**[1]rund,** kreisförmig, gerundet, ringförmig; → gebogen, → oval.

**[2]rund:** → dick, → ungefähr; Gespräch an -en Tisch → Gespräch; -e Zahl → Zahl; r. um die Uhr → Tag, → unaufhörlich.

**Rundbogen:** [gestelzter R.] → Bogen.

**Rundbrief** → Rundschreiben.

**Rundbrot** → Brot.

**Runddorf** → Dorf.

**[1]Runde,** Geselligkeit, [geselliges] Beisammensein, Hock (schweiz.); → Fest.

**[2]Runde:** → Gruppe; die R. machen → kursieren; über die -n kommen → bewältigen.

**Runderlaß** → Umlaufschreiben.

**Rundfahrt:** → Fahrt, → Reise.

**Rundfenster,** Fensterrose, Rose, Rosette, Radfenster, Ochsenauge, Bullauge; → Dachfenster, → Fenster.

**Rundfrage** → Umfrage.

**Rundfunk,** Hörfunk, Funk, Radio, Rundspruch (schweiz.); → Fernsehen, → Massenmedien, → Rundfunksender, → Sendung.

**Rundfunkansager** → Sprecher.

**Rundfunkarchiv** → Archiv.

**Rundfunkempfänger** → Radio.

**Rundfunkgerät** → Radio.

**Rundfunksender,** Radiosender, Sender, Rundfunkstation, Radiostation, Station • dessen Standort unbekannt ist: Geheimsender, Schwarzsender • der ohne Erlaubnis Programme ausstrahlt: Piratensender; → Rundfunk, → Sendung.

**[1]Rundfunksendung,** Radiosendung, Rundspruchemission (schweiz.), Hörspiel, Hörbild, Funkerzählung, Essay, Unterhaltungssendung, Funkkonzert, Magazinsendung, Nachrichten; → Bericht, → Fernsehsendung, → Musikveranstaltung, → Nachricht, → Ratesendung, → Sendung, → Wunschsendung.

**[2]Rundfunksendung** → Sendung.

**Rundfunksprecher** → Sprecher.

**Rundfunkstation** → Rundfunksender.

**Rundgotisch** → Schrift.

**rundheraus,** rundweg, geradewegs, ohne Umschweife, geradezu, freiweg, geradeheraus, freiheraus, einfach, direkt, unumwunden, glattweg (ugs.), glatt (ugs.), schlankweg (ugs.), ohne Zögern / Zaudern; anstandslos, → aufrichtig, klar, → kurzerhand.

**Rundkäfig** → Käfig.

**Rundkirche** → Gotteshaus.

**rundlich** → dick.

**Rundlichkeit** → Wohlgenährtsein.

**Rundling** → Dorf.

**Rundpfeiler** → Säule.

**Rundplatzdorf** → Dorf.

**Rundreise** → Reise.

**Rundscheibe** → Fensterscheibe.

**Rundschotter** → Splitt.

**[1]Rundschreiben,** Rundbrief, Sendschreiben, Sendbrief • päpstliches: Enzyklika • bischöfliches: Hirtenbrief.

**[2]Rundschreiben** → Umlaufschreiben.

**Rundschrift** → Schrift.

**Rundspruch** → Rundfunk.

**Rundspruchemission** → Rundfunksendung.

**Rundstricknadel** → Stricknadel.

**Rundstück** → Brötchen.

**Rundtonne** → Gewölbe.

**Rundtörn** → Knoten.

**Rundung,** Wölbung, Ausbuchtung, Einbuchtung, Ausstülpung, Bauch; → Biegung.

**Rundwall** → Wall.

**rundweg** → rundheraus.

**Rundweiler** → Dorf.

**Rundwurm** → Wurm.

**Runenschrift** → Schrift.

**Runkel** → Rübe.

**Runkelrübe** → Rübe.

**Runse** → Schlucht.

**runter:** → her, → hin.

**runterfallen** → hinunterfallen.

**runterfliegen** → hinunterfallen.

**runtergehen:** → hinuntergehen, → sinken.

**runterholen:** sich einen r. → masturbieren.

**runterklettern** → hinuntergehen.

**runterlassen:** die Hosen r. → gestehen.

**runtermachen:** jmdn. r. → schelten.

**runterpurzeln** → hinunterfallen.

**runterputzen:** jmdn. r. → schelten.

**runterrutschen:** rutsch mir den Buckel runter! → unwichtig [sein].

**runtersausen** → hinunterfallen.

**runterschlucken:** [seinen Ärger] r. → schweigen.

**runterschütteln** → abschütteln.

**runtersegeln** → hinunterfallen.

**runtersein:** mit den Nerven r. → erschöpft [sein].

**runtersinken** → sinken.

**runterspringen** → hinunterspringen.

**runtersteigen** → hinuntergehen.

**runterstürzen:** → hinunterfallen; sich r. → hinunterspringen.

**Runzel,** Falte, Furche, Krähenfüße; → Chalodermie, → Zerfurchtheit; → faltig.

**runzelig** → faltig.

**Runzeligkeit** → Zerfurchtheit.

**runzeln:** die Stirn r. → murren.

**Runzelschüppling** → Ständerpilz.

**runzlig** → faltig.

**Runzligkeit** → Zerfurchtheit.

**Rüpel:** → Flegel, → Junge.

**rüpelhaft** → unhöflich.

**Rüpelhaftigkeit** → Unhöflichkeit.

rüpelig → unhöflich.
Rupf → Bettfedern.
rupfen: → ablisten, → zerren; mit jmdm. ein Hühnchen zu r. haben → schelten; r. aus → herausreißen.
Rupfsalat → Gemüse.
Rupia → Hautblüte.
Rupiah → Zahlungsmittel.
Rupie: indische R. → Zahlungsmittel.
ruppig → unhöflich.
Ruppigkeit → Unhöflichkeit.
Ruprecht: Knecht R. → Weihnachtsmann.
Ruptur → Verletzung.
Rüsche → Besatz.
Rush-hour → Hauptverkehrszeit.
Ruß: R. entwickeln → rußen.
¹Russe, Sowjetrusse, Sowjetbürger, Sowjetmensch, Sowjets, Bolschewiki, Iwan (scherzh.), Rußki (ugs.), Pan, die Kameraden von drüben / von der anderen Feldpostnummer (scherzh.); → Sowjetunion; → russisch.
²Russe: scharf wie tausend -n → begierig.
Rüssel → Nase.
¹rußen, Ruß entwickeln, blaken (landsch.); → brennen.
²rußen → säubern.
Russenkittel → Bluse.
¹russisch, sowjetisch, sowjetrussisch; → Russe, → Sowjetunion.
²russisch: Russisch Brot → Gebäck; -es Kreuz → Kreuzzeichen; Russisch Mufflon → Pelz; -es Rad → Riesenrad; -e Schaukel → Schiffsschaukel.
Russischblau → Katzenrassen.
Rußki → Russe.
Rußland → Sowjetunion.
Rüste: → Ende; zur R. gehen → abnehmen.
¹rüsten, aufrüsten, mobilisieren, mobil machen, sich bewaffnen; → kampfbereit; → Aufrüstung · Ggs. → abrüsten.
²rüsten: sich r. → wappnen (sich); zu etwas r. → anschicken (sich, etwas zu tun); sich r., etwas zu tun → anschicken (sich, etwas zu tun).
Rüster → Ulme.
rüstig → stark.
Rüstigkeit → Gesundheit.
Rustikamauer → Mauer.

Rüstung → Aufrüstung.
Rüstzeug, Ausrüstung, Ausstattung, Outfit, Handwerkszeug; → Apparat, → Kneifzange.
Rute: → Flächenmaß, → Längenmaß, → Penis, → Schneebesen, → Schwanz, → Stock.
Rutenbesen → Besen.
Ruthenium → Edelmetall.
Rutsch: → Erdrutsch; einen R. machen → reisen.
Rutschbahn, Rutsche; → gleiten; → glatt.
Rutsche: → Fußbank, → Rutschbahn.
rutschen: → gleiten; jmdm. rutscht das Herz in die Hose / Hosen → Angst [bekommen], → Mut; vor jmdm. auf dem Bauch r. → unterwürfig [sein].
Rutscher → Reise.
Rutschgefahr: → Glatteis, → Straßenglätte.
rutschig → glatt.
Rutschnagel → Nagel.
Rutte → Fisch.
rütteln: → schütteln; an etwas ist nicht zu r. → unabänderlich [sein].

# S

s: scharfes s → Eszett.
¹Saal, Festsaal, Bankettsaal, Spiegelsaal · Tanzsaal, Ballsaal · Konzertsaal, Theatersaal · Sitzungssaal, Plenarsaal.
²Saal → Raum.
Saalkirche → Gotteshaus.
Saalschlacht → Streit.
Saaltochter → Bedienung.
Saarbrücken, Landeshauptstadt [des Saarlandes]; → Stadt.
Saat → Saatgut.
Saateule → Schmetterling.
Saatgans → Vogel.
Saatgut, Saat, Sämerei; → Samen.
Saatkrähe → Vogel.
Saatzuchtbetrieb → Baumschule.
Sabbel → Mund.
sabbeln → sprechen.
Sabber → Speichel.
sabbern: → sprechen, → spuken.

Sabbler → Schwätzer.
Säbel: → Hiebwaffe; mit dem S. rasseln → drohen.
säbelrasselnd → protzig.
Säbelschnäbler → Vogel.
Saboteur → Spion.
sabotieren → verhindern.
Sabotierung → Vereitelung.
Sacharja → Prophet.
Sachbearbeiter → Referent.
Sachbuch → Literatur.
sachdienlich → zweckmäßig.
Sache: → Angelegenheit, → Ding; -n → Kleidung; scharfe -n → Alkohol; etwas ist eine faule S. → seltsam [sein]; -n gibt's, die gibt's gar nicht! → überrascht [sein]; gemeinsame S. machen mit → konspirieren; seine S. verstehen → firm [sein]; seiner S. sicher sein → gewiß [sein]; bei der S. sein → achtgeben; nicht bei der S. sein → unaufmerksam [sein]; das ist der Gag [bei] der S. → Hauptsache; in eigener S. → pro domo; mit achtzig / -zig -n → schnell; etwas zu seiner eigenen S. machen → identifizieren (sich mit etwas / jmdm.); seine Gedanken zu -n machen → hypostasieren; nicht zur S. gehörend → unsachlich; zur S. kommen → Einleitung; etwas tut nichts zur S. → unwichtig [sein].
Sachertorte → Gebäck.
sachfremd → unsachlich.
sachgemäß → fachmännisch.
sachgerecht → fachmännisch.
Sachkenner → Fachmann.
sachkundig → fachmännisch.
Sachkundiger → Fachmann.
Sachlage → Tatsache.
¹sachlich, nüchtern, objektiv, sine ira et studio, frei von Emotionen; → unparteiisch.
²sachlich: → realistisch, → unparteiisch; s. bleiben → übertreiben; nicht mehr s. bleiben → attackieren.
Sachlichkeit: → Objektivität; Neue S. → Malerei.
Sachschaden → Unfallschaden.
Sachse, Kaffeesachse (scherzh.), Buttersachse (scherzh.); → Deutscher.
sächseln → Mundart [sprechen].
sächsisch: s. sprechen → Mundart [sprechen].

sacht → behutsam.
Sachverhalt → Tatsache.
sachverständig → fachmännisch.
Sachverständiger → Fachmann.
Sachwalter: → Stellvertreter, → Verwalter.
Sachweiser → Verzeichnis.
Sachwert: -e → Besitz.
Sack: → Skrotum, → Papiertüte, → Versager; dummer S. → Dummkopf; zu Hause wohl Säcke an den Türen / vor der Tür haben → schließen; die Katze im S. kaufen → kaufen; jmdn. in den S. stecken → übertreffen; mit S. und Pack → beladen.
Sackaffe → Mann.
Sackbahnhof → Bahnhof.
Sackband → Schnur.
Säckelwart → Kassierer.
sackerlot: s.! → verflucht!
Sackgasse: ¹ → Ausweglosigkeit, → Straße; sich in einer S. befinden, in einer S. sein → Lösung.
Sackgassendorf → Dorf.
Sackgeld: → Geld, → Taschengeld.
Sackkalkschwamm → Schwamm.
Sackmesser → Taschenmesser.
Sackmotte → Schmetterling.
Sackpfeife → Blasinstrument.
Sackträger → Schmetterling.
Sacktuch → Taschentuch.
Sadismus → Perversität.
sadistisch → quälerisch.
Sadomasochismus → Perversität.
säen: → bebauen; etwas ist nicht dick / ist dünn gesät → selten [sein].
Safari → Jagdexpedition.
Safe → Tresor.
Saffian → Leder.
Saffianleder → Leder.
Safran → Gewürz.
safrangelb → gelb.
Safranschirmpilz → Ständerpilz.
Saft: roter S. → Blut; jmdn. im eigenen S. schmoren lassen → helfen; ohne S. und Kraft → fade.
Saftarsch → Versager.
Saftheini → Dummkopf.
Saftladen → Betrieb.
Saftneger → Dummkopf.
Saftorange → Apfelsine.

Saftpresse, Presse, Entsafter, Fruchtpresse, Obstpresse, Zitronenpresse, Mostpresse; → auspressen.
Saftsack: → Dummkopf, → Versager.
Safttag → Fasttag.
¹Sage, Göttersage, Heldensage; → Erzählung, → Literatur.
²Sage: → Erzählung, → Gerücht.
¹Säge, Handsäge, Spannsäge, Bügelsäge, Lochsäge, Stichsäge, Laubsäge, Fuchsschwanz, Blattsäge, Baumsäge, Bundsäge, Schrotsäge, Kreissäge, Bandsäge; → Handwerkszeug.
²Säge → Sägewerk.
Sägebarsch → Fisch.
Sägebock → Holzbock.
Sägedach → Dach.
Sage-femme → Hebamme.
Sägefisch → Fisch.
sagen: → bedeuten, → mitteilen; [mündlich / schriftlich s.], etwas nicht s. → aussprechen; etwas zu s. haben → Einfluß [ausüben]; etwas hat nichts zu s. → unwichtig [sein]; nichts [mehr] zu s. haben → Einfluß; sich nichts mehr zu s. haben → entfremden (sich); etwas aus dem Gedächtnis s. können → Gedächtnis; von Glück s. können → Glück [haben]; sich nichts s. lassen → unzugänglich [sein]; sich nichts mehr s. lassen → selbständig; nicht piep / keinen Piep s. → schweigen; über etwas nichts zu s. wissen → beurteilen; was ich noch s. wollte → übrigens; sage und schreibe, wenn ich dir [doch] sage → wahrlich; s. wir → ungefähr; jmd. soll etwas gesagt haben → zuschreiben; jmdm. etwas s. → Hinweis; etwas treffend / genau das Richtige s. → treffend; nichts s. → schweigen; etwas sagt jmdm. nichts → unzugänglich; nichts Gutes über jmdn. s.→schlechtmachen; guten Tag s. → begrüßen; die Wahrheit s. → aufrichtig [sein]; was haben Sie gesagt? → bitte?; wie sag ich's meinem Kinde → ratlos [sein]; s., was man auf dem Herzen hat → mitteilen; das Sagen haben → maßgeblich [sein].

sägen: → schlafen, → schneiden.
sagenhaft: → außergewöhnlich, → legendär.
sagenumwoben → legendär.
Säger → Vogel.
Sägerei → Sägewerk.
Sägewerk, Sägerei, Säge (bayr., österr.); → Säge.
Sägezahnfries → Fries.
Sago → Stärke.
Sagopalme → Palme.
Sahlleiste → Webkante.
¹Sahne, Rahm (landsch.), Obers (österr.), Schmant (landsch.), Schmetten (landsch.), Flott (nordd.), Creme (schweiz.), Nidel (schweiz.); → Milch, → Schlagsahne; → entrahmen.
²Sahne: die S. abschöpfen → entrahmen.
Sahnebaiser → Gebäck.
Sahnebonbon → Bonbon.
¹Saison, Hauptzeit, Reisezeit, Hauptsaison, Hochsaison, Hauptreisezeit, Sommersaison, Wintersaison · Vorsaison · Nachsaison; → Urlaub.
²Saison → Spielzeit.
Saisonarbeiter → Arbeitnehmer.
Saite: andere -n aufziehen → eingreifen.
Saiteninstrument ·· das gestrichen wird: Geige, Violine, Fiedel · altes, besonders wertvolles italienisches: Stradivari[us], Guarneri, Amati ·· Bratsche, Viola ·· Violoncello, Cello, Kniegeige, Gambe, Viola da gamba, Baryton, Viola d'amore ·· Baßgeige, Baß, Kontrabaß, Violone ·· Tanzmeistergeige, Pochette, Taschengeige ·· das gezupft wird: Harfe, Zither, Gitarre, Sitar, Laute, Mandoline, Balalaika, Banjo, Hawaiigitarre, Ukulele, Lyra, Leier ·· bei dem die Saiten mit Hämmerchen geschlagen werden: Hackbrett, Zimbal, Zymbal, Cymbal.
Sakko → Jacke.
Sakra: S.! → verflucht!
sakral, heilig, kirchlich, geistlich, gottesdienstlich, liturgisch, geweiht, geheiligt, nicht → weltlich.
¹Sakrament, heilige Handlung · Taufe, Altarsakrament, Firmung (kath.), Bußsakrament

(kath.),Krankensalbung(kath.), Priesterweihe (kath.), Ehesakrament(kath.); → Abendmahl, → Konfirmation, → Priesterweihe, → Viatikum.

²**Sakrament:** S.! → verflucht!

**Sakramenter** → Abschaum.

¹**Sakrileg,** Religionsvergehen, Religionsfrevel · Gotteslästerung, Kirchendiebstahl; → Verbrechen.

²**Sakrileg** → Verstoß.

**säkular** → weltlich.

**Säkularisation:** → Enteignung, → Säkularisierung.

¹**säkularisieren,** verweltlichen, in westlichen Besitz umwandeln; → enteignen; → Säkularisierung.

²**säkularisieren**→ enteignen.

**Säkularisierung,** Säkularisation, Verweltlichung; → säkularisieren.

**Säkulum** → Zeitraum.

**Salamander,** Schwanzlurch, Alpensalamander, Feuersalamander, Riesensalamander, Olm, Grottenolm, Axolotl, Feuerbauch; → Lurch.

**Salami** → Wurst.

**Salamitaktik:** nach der S. vorgehen → stufenweise [vorgehen].

**Salär** → Gehalt (das).

**salarieren** → zahlen.

¹**Salat,** Gemüsesalat · italienischer Salat, Wurstsalat, Fleischsalat, Geflügelsalat, Waldorfsalat, Moppelkotze (*salopp, scherzh.*), Kellnerkotze (*salopp, scherzh.*); → Gemüse.

²**Salat:** → Beilage; römischer S. → Gemüse; da hast du den S.! → Folge; gehen wie ein Storch im S. → fortbewegen (sich).

**Salatgemüse** → Gemüse.

**Salatgurke** → Gurke.

**Salatkopf,** Kopf, Häuptel (*österr.*), Salathäuptel (*österr.*); → Gemüse, → Kohlkopf.

**Salatplatte** → Speiseplatte.

**Salatrübe,** rote Bete / Beete (*nordd.*), rote Rübe, Rahne (*südd.*), Rohne (*österr.*), Rande (*schweiz.*); → Gemüse, → Kohlrübe, → Mohrrübe.

**Salatzichorie** → Gemüse.

**Salazität** → Geschlechtstrieb.

**Salbader** → Schwätzer.

**salbadern** → sprechen.

**Salband** → Webkante.

¹**Salbe,** Vaseline, Paste, Creme, Krem; → Schönheitspflegemittel.

²**Salbe** → Medikament.

**Salbei** → Küchengewürz.

**Salbeihonig** → Honig.

**Salbeitee** → Tee.

**salben** → einreiben.

**salbungsvoll** → hochtrabend.

**Salchow** → Eislauf.

**saldieren** → unterschreiben.

**Saldierung** → Unterzeichnung.

**Saldo,** Unterschiedsbetrag, Differenz; → Guthaben.

**Salesianer** → Mönchsorden.

**Salesianerin:** -nen → Nonnenorden.

**Sales-promoter** → Werbefachmann.

**Sales-promotion** → Werbung.

**Salettel** → Haus.

**Salinensalz** → Salz.

**Saliva** → Speichel.

**Salivation** → Speichelfluß.

**Salkante** → Webkante.

**Salleiste** → Webkante.

**Salm:** → Fisch, → Gerede.

**Salomonsiegel**→ Liliengewächs.

**Salomonssiegel** → Liliengewächs.

**Salon** → Raum.

**Salondampfer** → Fahrgastschiff.

**salonfähig:** → korrekt; nicht s. → anstößig.

**Salonlöwe** → Frauenheld.

**Salonmusik** → Unterhaltungsmusik.

**Salonschiff** → Fahrgastschiff.

**Salonwagen** → Eisenbahnwagen.

**Saloon** → Gaststätte.

**salopp** → ungezwungen.

**Saloppheit** → Ungezwungenheit.

**Salta** → Brettspiel.

**Salto:** → Turnübung; [S. mortale] → Sprung.

**Saluki** → Hunderassen.

**salut** → Gruß.

**Salut,** Salutschuß, Schuß, Ehrensalut, Salve, Ehrensalve, Ehrenschuß, Begrüßung, Begrüßungsschuß, Feuerstoß, Böllerschuß; → Schußwaffe.

**salute** → prost.

**salutieren** → begrüßen.

**Salutschuß** → Salut.

**Salvatorianer** → Mönchsorden.

**Salve:** → Salut, → Schuß.

**Salweide** → Weide.

¹**Salz,** Mineralsalz, Kochsalz, Speisesalz, Tafelsalz, Natriumchlorid, NaCl, Feinsalz, Grobsalz, Siedesalz, Salinensalz, Steinsalz, Selleriesalz, Meersalz, Jodsalz, Cerrelossalz, Titrosalz; → Gewürz.

²**Salz:** Pfeffer und S. → Stoffmuster; es fehlt das S. an der Suppe → geistreich; jmdm. nicht das S. in der Suppe gönnen → neiden.

**Salzbrühe** → Salzlake.

**Salzburg,** Mozartstadt, Festspielstadt; → Stadt.

**salzen** → würzen.

**Salzfleisch** → Pökelfleisch.

**Salzgurke** → Gurke.

**Salzhering** → Hering.

**salzig** → sauer.

**Salzkartoffeln** → Kartoffeln.

**Salzknabe** → Mann.

**Salzkuchen** → Brötchen.

**Salzlake,** Salzbrühe, Lake, Salzlösung, Lauge.

**Salzlösung** → Salzlake.

**Salzstange:** → Brötchen; [-n] → Gebäck.

**Salzstangerl** → Brötchen.

**Salzsteppe** → Steppe.

**Salzwasser** → Wasser.

**Samarkand** → Orientteppich.

**Samba** → Tanz.

**Same** → Samen.

¹**Samen,** Same, Samenkorn, Pflanzensamen, Blumensamen; → Ableger, → Keim, → Saatgut.

²**Samen** → Keimzelle.

**Samenentleerung** → Samenerguß.

**Samenerguß,** Erguß, Ejakulation, Samenentleerung, männliche Entspannung · *unwillkürlicher, im Schlaf:* Pollution, kalter Bauer (*vulgär*) · *unwillkürlicher, ohne geschlechtliche Erregung:* Samenfluß, Spermatorrhö; → Höhepunkt, → Keimzelle, → Menstruation, → Penis, → Sperma; **S. haben,** jmdm. geht einer ab (*vulgär*); → koitieren, → masturbieren.

**Samenfädchen** → Keimzelle.

**Samenfaden** → Keimzelle.

**Samenfluß** → Samenerguß.

**Samenflüssigkeit** → Sperma.

**Samenkorn** → Same.

**Samentierchen** → Keimzelle.

**Samenzelle:** → Keimzelle, → Körperzelle.

Sämerei → Saatgut.
sämig: → flüssig, → legiert.
Sämigkeit → Flüssigsein.
Samiklaus → Nikolaus.
Sämischgerber → Gerber.
Sämischleder → Leder.
Sämling: → Keim, → Samen.
¹Sammelbecken, Auffangbekken, Schmelztiegel; → Tummelplatz.
²Sammelbecken → Tummelplatz.
Sammelbuch → Album.
Sammelkatalog → Prospekt.
Sammellinse → Linse.
¹sammeln, einsammeln, absammeln (südd., österr.); → spenden.
²sammeln: → aufbewahren, → buchen; sich s. → versammeln (sich), → versenken (sich), → zusammenlaufen; sich / seine Gedanken s. → achtgeben; Erfahrungen s. → erleben; Pilze s. → Pilz; glühende Kohlen auf jmds. Haupt s. → beschämen.
Sammelpunkt → Mittelpunkt.
Sammelsurium → Mischung.
Sammeltasse → Tasse.
¹Sammlung, Erfassung, Dokumentation, Kodifizierung, Registrierung; → Album, → Auswahl, → Verarbeitung, → Verzeichnis; → buchen.
²Sammlung: → Anhäufung, → Kollekte, → Mischung, → Museum, → Konzentration; [innere S.] → Selbstbesinnung; mangelnde S. → Zerstreutheit.
Samos → Wein.
Samowar → Teemaschine.
Sample → Vorlage.
Samstag: → Sonnabend; alle -e, jeden S., immer am S., an jedem S., → sonnabends.
samstags → sonnabends.
¹samt, nebst, [zusammen] mit; → und.
²samt: s. und sonders → alle.
Samt → Stoff.
samten → weich.
Samtente → Vogel.
Samtfußkrempling → Ständerpilz.
Samthandschuh: jmdn. mit -en anfassen → umgehen (mit jmdm.).
sämtlich: -e → alle.
Samtrose → Rose.
Samtsuppe → Suppe.

samtweich → weich.
Samum → Wind.
¹Sanatorium, Heilstätte, Erholungsheim, Genesungsheim, Kurheim, Siechenhaus (abwertend); → Krankenhaus.
²Sanatorium → Krankenhaus.
Sand: → Erde, → Insel; wie S. am Meer → reichlich; es ist S. im Getriebe → funktionieren; jmdm. S. in die Augen streuen → betrügen; am S. sein → erschöpft [sein]; auf S. gebaut haben, etwas ist auf S. gebaut → unsicher; im -e verlaufen → wirkungslos [bleiben]; im S. spielen → buddeln; den Kopf in den S. stecken → entziehen (sich).
Sandale → Schuh.
Sandalette → Schuh.
Sandart → Fisch.
Sandbahnrennen → Rennen.
Sandbank → Insel.
sandeln → buddeln.
sandfarben → beige.
Sandfelchen → Fisch.
Sandhase → Soldat.
Sandkuchen → Gebäck.
Sandler → Versager.
Sandpapier → Schmirgelpapier.
Sandpilz → Ständerpilz.
Sandschan → Orientteppich.
Sandstein → Baustein.
Sandstrand → Strand.
Sandsturm → Wind.
Sandtorte → Gebäck.
Sanduhr → Uhr.
Sandwich, belegtes Brot / Brötchen, Schnittchen, Hamburger; → Brötchen, → Essen, → Schnitte.
Sandwichwecken → Kaviarbrot.
sanft: → behutsam, → mild.
sanftmütig → gütig.
Sangaree → Mixgetränk.
¹Sänger, Vokalist, Troubadour (scherzh.), Opernsänger, Konzertsänger, Oratoriensänger, Knödler (scherzh., abwertend), Schlagersänger, Heulboje (abwertend) ·· in hoher Stimmlage: Tenor, Tenor in Altlage, lyrischer Tenor, Heldentenor, Tenorbuffo, Knödeltenor (scherzh., abwertend) · kastrierter: Kastrat ·· in mittlerer Stimmlage: Bariton, lyrischer Bariton, Heldenbariton, Charakterbariton ·· in tiefer Stimmlage: Baß, Bassist, Baßbuffo; → Künstler,

→ Lied, → Moritatensänger, → Musizierender, → Sängerin, → Schlager, → Singstimme, → Vortragskünstler; → singen.
²Sänger: → Vogel; fahrender S. → Minnesänger; darüber schweigt des -s Höflichkeit → vertuschen.
Sängerin, Vokalistin, Opernsängerin, Konzertsängerin, Oratoriensängerin, Primadonna [assoluta] · in hoher Stimmlage: Sopran, Sopranistin, Koloratursopran, lyrischer / dramatischer Sopran, Soubrette · in mittlerer Stimmlage: Mezzosopran · in tiefer Stimmlage: Alt, Altistin, Kontraalt, Koloraturalt, Spielaltistin; → Künstler, → Lied, → Sänger, → Schlager, → Singstimme, → Vortragskünstlerin; → singen.
Sängerschaft → Verbindung.
sanglos: sang- und klanglos → unbemerkt.
Sanguiniker → Optimist.
sanguinisch → lebhaft.
Sanguis → Blut.
Sani → Soldat.
sanieren: → niederreißen; sich s. → Profit [machen].
Sanierung → Wiederherstellung.
sanitär: -e Anlagen → Toilette.
Sanität → Unfallwagen.
Sanitäter: → Krankenpfleger, → Soldat.
Sanitätsauto → Unfallwagen.
Sanitätssoldat → Soldat.
Sanitätstruppe → Waffengattung.
Sanitätswagen → Unfallwagen.
Sankt: S. Nikolaus → Nikolaus.
Sanktion: → Erlaubnis; -en → Vergeltungsmaßnahmen.
sanktionieren → billigen.
Sankt-Lorenz-Golf → Atlantik.
Sankt-Nimmerleins-Tag: am S. → niemals.
Santiklaus → Nikolaus.
Saodranto → Ehescheidung.
Saphir → Schmuckstein.
saphirblau → blau.
Saphirquarz → Schmuckstein.
sapperlot: s.! → verflucht!
sapperment: s.! → verflucht!
sapphisch → gleichgeschlechtlich.
Saprämie → Blutvergiftung.
sapristi: s.! → verflucht!
Sarabande → Tanz.
Sarazene → Mohammedaner.

Sardine → Fisch.
sardonisch: -es Gelächter → Gelächter.
Sareptasenf → Senf.
¹Sarg, Totenschrein, Schrein, Totenlade, Totenbaum (schweiz.), Totenkiste (salopp), Nasenquetscher (salopp), Prunksarg, Eichensarg, Zinksarg, Metallsarg, Holzsarg, Baumsarg · aus Stein: Steinsarg, Sarkophag · bei Feuerbestattung: Urne; → Behälter.
²Sarg: ein Nagel zu jmds. S. sein → bekümmern.
Sargnagel → Zigarette.
Sarkasmus → Humor.
sarkastisch → spöttisch.
Sarkom → Geschwulst.
Sarkophag → Sarg.
Sarkophagaltar → Altar.
Sarma → Wind.
Sarrusophon → Blasinstrument.
Sarugh → Orientteppich.
Satan → Teufel.
Satanas → Teufel.
Satansaffe → Affe.
Satansbraten → Kind.
Satanspilz → Ständerpilz.
Satansröhrling → Ständerpilz.
Satellit: → Gefolgsmann, → Planet, → Weltraumstation.
Satellitenstaat → Staat.
Satellitenstadt → Vorort.
Satin → Stoff.
Satire, Karikatur, Persiflage, Spottgedicht · Travestie, Parodie; → Flugschrift, → Humor, → Zerrbild.
Satrap → Gefolgsmann.
Satsuma → Mandarine.
¹satt, gesättigt, [bis oben hin] voll (ugs.); s. sein, gestärkt sein, genug haben, nicht mehr können (ugs.), jmds. Magen streikt (scherzh.), nicht mehr mögen, nicht mehr papp sagen können (fam., scherzh.); → ernähren, → schmecken · Ggs. → Hunger.
²satt: → bunt; eine Sache s. sein; etwas s. haben → angeekelt [sein]; s. machen → ernähren.
Satte → Schüssel.
Sattel: → Paß; jmdn. aus dem S. heben → Einfluß; fest im S. sitzen → avancieren; jmdn. in den S. heben, jmdm. in den S. helfen → fördern; in allen Sätteln gerecht sein → auskennen (sich).

Satteldach → Dach.
sattelfest → firm.
Sattelgurt → Gurt.
Sattelschlepper → Auto.
sättigen → ernähren.
sättigend → nahrhaft.
Sättigungsgrad: der S. ist erreicht → ausreichen.
sattsam, zur Genüge, reichlich; → ausreichend.
Saturn → Planet.
Saturnismus → Vergiftung.
Satyriasis → Weibstollheit.
¹Satz · gegliederter: Satzgefüge, Periode · aus mehreren Hauptsätzen bestehender: Satzreihe, Satzverbindung · einfacher, an den ein Gliedsatz angeschlossen werden kann: Hauptsatz, Matrixsatz · in Gestalt eines abhängigen vollständigen Satzes: Gliedsatz, Nebensatz, Hangsatz, Konstituentensatz · der einen Sachverhalt einfach berichtend wiedergibt: Aussagesatz · der einen Sachverhalt mit starker innerer Anteilnahme des Sprechers ausdrückt: Ausrufesatz · der einen Befehl, ein Begehren oder einen Wunsch ausdrückt: Aufforderungssatz · in dem das Subjekt mit der Ergänzung im Nominativ gleichgesetzt wird: Gleichsetzungssatz · in dem eine Frage zum Ausdruck gebracht wird: Interrogativsatz, Fragesatz · in einen Satz oder zwischen zwei Sätze eingeschobener: Zwischensatz · als Gliedsatz in der Rolle eines Attributs: Attributsatz · als Gliedsatz, dessen Geschehen den wesentlichen Inhalt des ganzen Satzgefüges bildet: Inhaltssatz · als Gliedsatz in der Rolle des Subjekts: Subjektsatz · als Gliedsatz in der Rolle eines Objekts: Objektsatz · als Gliedsatz, der durch ein Relativpronomen eingeleitet wird: Relativsatz, Bezugswortsatz · als Umstandssatz des Mittels: Instrumentalsatz · als Umstandssatz des Grundes: Kausalsatz · als Umstandssatz der Bedingung: Konditionalsatz · durch Konjunktion eingeleiteter: Konjunktionalsatz · als Umstandssatz der Folge: Konsekutivsatz, Folgesatz · als Umstandssatz der Einräumung: Konzessiv-

satz · als Umstandssatz des Ortes: Lokalsatz · als Umstandssatz der Art und Weise: Modalsatz · als Umstandssatz der Absicht: Finalsatz, Absichtssatz · als Umstandssatz der Zeit: Temporalsatz · übermäßig langer: Bandwurmsatz (ugs., scherzh.) · der vorwärts wie rückwärts gelesen [den gleichen] Sinn ergibt: Palindrom.
²Satz: → Bodensatz, → Sprung; [glatter / wissenschaftlicher S.] → Schriftsatz; in S. geben → edieren.
Satzbau → Konstruktion.
Satzbruch, Anakoluth; → Ausdrucksweise, → Bildbruch, → Formelbruch.
Satzfehler → Fehler.
Satzgefüge → Satz.
Satzlehre → Sprachwissenschaft.
Satzprobe → Probedruck.
Satzreihe → Satz.
Satzung → Weisung.
Satzverbindung → Satz.
Satzzeichen · Punkt · Ausrufezeichen, Ausrufungszeichen, Rufzeichen, Ausrufezeichen (schweiz.) · Fragezeichen · Gedankenstrich, Bindestrich, Trennungsstrich, Trennungszeichen, Divis, Tiret, Spiegelstrich · Klammer · Beistrich, Komma · Strichpunkt, Semikolon · Schrägstrich, Virgel · Anführungszeichen, Anführungsstriche, Gänsefüßchen (ugs.) · am Schluß: Abführung; → Auslassungszeichen, → Zeichensetzung.
Sau: → Schmutzfink, → Schwein; keine S. → niemand; laufen wie eine gesengte S. → fortbewegen (sich); die S. rauslassen → anstößig [reden], → sprechen; unter aller S. → minderwertig, → schlecht; zur S. machen → schelten.
sau-: → erz-.
Sau-: → Dreck-, → Erz-.
Sauarbeit → Anstrengung.
¹sauber, rein, reinlich, fleckenlos, gesäubert, gereinigt, hygienisch, blitzsauber, pieksauber (ugs.), blitzblank, proper, wie geleckt (ugs.); → hübsch, → keimfrei, → stubenrein; → säubern, → waschen · Ggs. → schmutzig; → beschmutzen.

**¹sauber:** → adrett, → ehrenhaft, → hübsch, → lauter, → sehr, → stubenrein, → unverdächtig.
**Sauberkeit,** Reinheit, Fleckenlosigkeit, Makellosigkeit; → sauber · Ggs. → Unsauberkeit.
**Sauberkeitsfimmel** → Anankasmus.
**saubermachen** → säubern.
**Saubermann** → Moralprediger.
**säubern,** reinigen, saubermachen, waschen, putzen, rein[e]machen, gründlich machen (ugs.), ein Zimmer machen (ugs.), schummeln (ugs., landsch.), fudeln (ugs., landsch.) · aufwischen, aufwaschen, aufnehmen · wischen von, abwischen, wegwischen, tilgen, löschen, auslöschen, ablöschen, schrubben (ugs.), reiben (österr.) scheuern, abscheuern, feudeln (nordd.) · fegen (bes. nordd.), kehren (bes. südd.), abfegen (bes. nordd.), ausfegen (bes. nordd.), auffegen (bes. nordd.), abkehren (bes. südd.), auskehren (bes. südd.), aufkehren (bes. südd.), wischen (schweiz.), flaumen (schweiz.) · spülen, ausspülen, auswaschen, abwaschen, abspülen, ausputzen (österr.), abschwenken (landsch.), abbürsten, bürsten, ausbürsten · [chemisch] reinigen, putzen (österr.) · von Ruß: entrußen, rußen (schweiz.); → abstauben, → aufräumen, → ausstreichen, → polieren, → waschen; → sauber; → Fleckentferner, → Fußabstreifer, → Handfeger, → Hausputz, → Putzlappen, → Wachs · Ggs. → beschmutzen.
**Säuberungsaktion** → Ausschluß.
**Säuberungsprozeß** → Gerichtsverfahren.
**saublöd** → dumm.
**Saublume** → Löwenzahn.
**Saubohne,** Puffbohne, Ackerbohne, Feldbohne, Viehbohne, Pferdebohne, Roßbohne; → Gemüse.
**Sauce** → Soße.
**Saucenlöffel** → Löffel.
**saudumm** → dumm.
**¹sauer,** säuerlich, gesäuert, durchsäuert, essigsauer, herb, bitter, galle[n]bitter, hantig (bayr., österr.), streng, salzig, gesalzen, versalzen, nicht → süß; **s. werden,** säuern, stocken

(oberd.), dick / zu Dickmilch werden.
**²sauer:** → ungenießbar; in den sauren Apfel beißen → tun; etwas wie s. / saures Bier anpreisen → feilhalten; saure Gurke → Gurke; saure Milch → Milch; s. sein → ärgerlich [sein]; s. werden → gären, → versumpfen; es ist s. werden lassen → anstrengen (sich); etwas stößt jmdm. s. auf → Folge; jmdm. das Leben s. machen → schikanieren; sein Brot s. verdienen → verdienen; gib ihm Saures! → schlagen.
**Sauerampfer** → Gemüse.
**Sauerbraten** → Fleischgericht.
**¹Sauerbrunnen,** Säuerling; → Quelle.
**²Sauerbrunnen** → Wasser.
**Sauerei** → Unflat.
**Sauerkirsche** → Obst.
**Sauerklee:** roter S. → Gemüse.
**Sauerkohl** → Bart, → Sauerkraut.
**Sauerkraut,** Sauerkohl (nordd.); → Gemüse, → Kohl, → Rotkohl.
**säuerlich** → sauer.
**Säuerling:** → Sauerbrunnen, → Wasser.
**Sauermilch** → Milch.
**säuern:** → gären, → sauer [werden].
**Sauerstoff** → Atemluft.
**sauersüß** → süß.
**Sauerteig** → Gärstoff.
**sauertöpfisch** → ärgerlich.
**Sauerwasser** → Wasser.
**Saufbold** → Trinker.
**Saufbruder** → Trinker.
**saufen:** → trinken, → trunksüchtig [sein].
**Säufer** → Trinker.
**Sauferei** → Trinkgelage.
**Säuferwahn** → Säuferwahnsinn.
**¹Säuferwahnsinn,** Säuferwahn, Delirium [tremens], Alkoholdelir, Methomanie, Önomanie, Alkoholomanie (selten); → Alkoholvergiftung, → Bewußtseinstrübung, → Einbildung, → Trunksucht.
**²Säuferwahnsinn** → Geistesgestörtheit.
**Saufgelage** → Trinkgelage.
**Saufkumpan** → Zecher.
**Saufkumpel** → Zecher.
**Saufloch** → Trinker.
**Sauflust** → Trunksucht.
**Saufraß** → Essen.

**Saufutter** → Essen.
**Saufwelle** → Verbrauch.
**¹saugen,** lutschen, nuckeln (ugs.), suckeln (ugs., landsch.); → lecken; → Schnuller.
**²saugen:** Staub s. → abstauben; sich etwas aus den Fingern s. → lügen; jmdm. das Mark aus den Knochen s. → ausbeuten.
**säugen** → stillen.
**Sauger** → Schnuller, → Staubsauger.
**saugfähig,** absorptionsfähig, absorptiv, aufnahmefähig, resorptionsfähig; → Absorption; → aufsaugen.
**Saugkraft** → Adhäsion.
**sauglatt** → spaßig.
**Säugling** → Kind.
**Säuglingsalter** → Lebensalter.
**Säuglingsflasche,** Milchflasche, Fläschchen, Schoppen (schweiz.); → Schnuller.
**Säuglingsheim** → Heim.
**Säuglingsschwester** → Kindermädchen.
**Saugpapier** → Löschpapier.
**Saugpumpe** → Wasserpumpe.
**saugrob** → unhöflich.
**Saugwurm** → Wurm.
**Sauhaufen** → Gruppe.
**sauigeln:** → anstößig [reden], → sprechen.
**Sauk** → Indianer.
**saukalt** → kalt.
**Saukälte** → Kälte.
**Sauklaue** → Handschrift.
**¹Säule,** Pfeiler, Kolonne, Pilaster, Halbpfeiler, Strebepfeiler, Strebe, Stütze, Stützpfeiler, Stützpfosten, Bagstall (österr.), Wandpfeiler, Rundpfeiler, Gewölbepfeiler, Jochpfeiler, Eckpfeiler, Bündelpfeiler, Kämpferpfeiler, Mauerpfeiler, Hauptpfeiler, Verstärkungspfeiler · Halbsäule, Dienst · in Gestalt einer weiblichen Figur: Karyatide, Kore · in Gestalt einer männlichen Figur: Atlant, Gebälkträger; → Baukunst, → Bogen, → Cupido, → Kapitell.
**²Säule:** → Stütze, → Wirbelsäule.
**Säulenbasilika** → Gotteshaus.
**Säulenbogen** → Bogen.
**Säulenbuche** → Buche.
**Säulenheiliger** → Asket.
**Saulus:** aus einem S. ein Paulus werden → bessern (sich).
**saumäßig** → minderwertig.

säumen: → einfassen, → nähen.
säumig, saumselig (abwertend),
nachlässig, unpünktlich, verspätet, mit Verspätung, nicht
zur rechten / vereinbarten
Zeit; → Unpünktlichkeit ·
Ggs. → pünktlich.
Säumigkeit → Unpünktlich-
keit.
Saumqualle → Hohltier.
saumselig → säumig.
Saumseligkeit: → Langsamkeit,
→ Unpünktlichkeit.
saumüde → müde.
¹Sauna, Saunabad, Dampf-
bad · Heißluftbad, Schwitzbad;
→ Bad, → Sudatorium; →
saunieren.
²Sauna: in die S. gehen →
saunieren.
Saunabad → Sauna.
saunabaden → saunieren.
saunen → saunieren.
saunieren, saunen (selten), saunabaden, in die Sauna gehen; →
baden; → Sauna.
Saupreuße → Preuße.
Sauregurkenzeit → Ruhe.
Säurekopf → ¹Rauschgiftsüch-
tiger.
Saus: in S. und Braus leben →
leben.
Sauschwabe → Schwabe.
Sause: → Fest; eine S. machen
→ feiern.
säuseln: → sprechen, → wehen.
sausen: → fallen, → fortbewe-
gen (sich); in die Tiefe s. →
hinunterfallen.
Sauser: → Obstwein, → Wein.
Sausewind → Wind.
Säusler → Schauspieler.
Saustall: das ist der reinste S. →
ungeordnet [sein].
Sauwetter: → Schlechtwetter,
→ Wetter.
sauwohl: sich s. fühlen →
wohl fühlen (sich).
SAVAK → Geheimpolizei.
Savanne → Steppe.
Savannenklima → Klimazone.
Savoir-vivre → Lebensweise.
Savoyerkohl → Wirsing.
Saxophon → Blasinstrument.
Saxophonist → Musizierender.
S-Bahn → Verkehrsmittel.
SBZ → Deutschland.
Scat → Rauschgift.
Schabau → Alkohol.
Schabe: → Insekt, → Ungezie-
fer.

schaben → kratzen.
Schabernack: → Scherz; mit
jmdm. seinen S. treiben →
aufziehen.
schäbig: → abgenutzt, → geizig,
→ gemein.
Schabkunst → Graphik.
Schablone: → Nachahmung, →
Vorlage; nach S. → schematisch.
schablonenhaft → schematisch.
schablonenmäßig → schema-
tisch.
schablonisieren → verallgemeinern.
Schabracke → Gardine.
Schach → Brettspiel.
Schächerkreuz → Kreuzzeichen.
schachern → handeln.
Schachfigur, Figur ·· König·
Dame · Läufer · Springer ·
Turm · Bauer; → Brettspiel.
schachmatt: s. sein → erschöpft
[sein].
¹Schachtel, Karton, Papp-
schachtel; → Behälter, → Hülle, → Kassette, → Kasten, →
Karton, → Packen, → Pak-
kung, → Steige.
²Schachtel: alte S. → Frau; wie
aus dem Schächtelchen →
adrett.
¹Schachtelhalm, Ackerschachtelhalm, Zinnkraut, Scheuerkraut, Waldschachtelhalm,
Sumpfschachtelhalm · Riesenschachtelhalm; → Farnpflanze.
²Schachtelhalm → Farnpflanze.
Schachtelhalmgewächs → Farnpflanze.
schächten: → schlachten, →
töten.
Schachzug → Maßnahme.
¹schade, jammerschade, ein
Jammer, bedauerlicherweise,
unglücklicherweise, zu allem
Unglück, unglückseligerweise,
dummerweise (ugs.); das Unglück wollte es, daß...; es ist
Pech / ein Unglück, daß...;
leider, leider Gottes, dem Himmel / Gott sei's geklagt, zu
meinem Bedauern / Leidwesen,
so leid es mir tut; → entschuldigen (sich) / → Entschuldigung.
²schade: sich zu s. sein für →
tun.
Schädel: → Kopf; einen dicken /
harten S. haben → unzugänglich [sein].
Schädellage → Kindslage.

¹schaden, Schaden zufügen,
schädigen, jmdm. mit etwas
mehr schaden als nützen, jmdm.
mit etwas einen schlechten
Dienst / keinen guten Dienst /
einen Bärendienst erweisen,
Abtrag / Abbruch tun, ruinieren, zerrütten, zleidwerken
(schweiz.), jmdm. etwas antun /
[zuleide] tun / beibringen,
jmdm. eins auswischen (abwertend); sich [selbst] s., sich
die Finger / den Mund verbrennen (ugs.), sich selbst im
Licht stehen, sich ins eigene
Fleisch schneiden, sich in die
Nesseln setzen, sich sein eigenes Grab schaufeln; den Ast
absägen, auf dem man sitzt;
jmdm. nicht s.[können], jmdm.
nichts anhaben / nichts wollen /
nicht beikommen können; →
Beeinträchtigung.
²schaden: etwas schadet nichts
→ unwichtig [sein].
Schaden: → Beschädigung, →
Mangel, → Störung, → Un-
fallschaden; einen S. beseitigen
→ reparieren; S. erleiden →
einbüßen; S. nehmen, zu S.
kommen → verunglücken; S.
zufügen → schaden; durch S.
wird man klug → ernüchtern.
Schadenersatz: → Ersatz; S.
leisten → einstehen.
Schadenersatzklage → Anklage.
schadenersatzpflichtig → haftbar.
Schadenfeuer · Großfeuer, Großbrand, Brand, Brandkatastrophe, Feuerkatastrophe · Zimmerbrand, Dachstuhlbrand,
Grubenbrand, Waldbrand,
Steppenbrand, Präriebrand; →
Brand; → feuergefährlich.
Schadenfreude → Bosheit.
schadenfroh, hämisch, maliziös, gehässig, odiös, rach-
süchtig, rachgierig, rachedur-
stig, mißgünstig; → beleidigend, → böse, → gemein, →
spöttisch; s. sein, auslachen,
verspotten, verlachen, verhöhnen, lachen / spotten über,
dreckig grinsen, sich lustig
machen / amüsieren / mokieren
über, ironisieren, frohlocken,
triumphieren, sich ins Fäustchen lachen, sich die Hände
reiben, jmdm. eine Nase drehen
(ugs.), jmdm. eine lange Nase

machen (ugs.); → aufziehen, → lachen, → neiden; → Neid.
**schadhaft** → defekt.
**Schadhaftigkeit** → Beschädigung.
**schädigen** → schaden.
**Schädigung** → Beeinträchtigung.
**schädlich** → verderblich.
**¹Schaf,** Milchschaf, Fleischschaf, Hausschaf, Wildschaf, Mufflon, Merinoschaf, Merino, Schnucke, Heidschnucke ·· weibliches mit Jungen: Mutterschaf, Zibbe, Muttertier ·· männliches: Schafbock, Bock, Widder · kastriertes: Hammel, Schöps (landsch.) ·· junges: Lamm; → Kleinvieh, → Wild.
**²Schaf:** → Dummkopf; das schwarze S. [in der Familie] sein → ähneln; das schwarze S. sein → anpassen.
**Schafbock** → Schaf.
**Schafchampignon** → Ständerpilz.
**Schäfchen:** → Wolken; sein S. scheren / ins trockene bringen → Profit [machen].
**Schäfchenwolken** → Wolken.
**Schäfer** → Hirt.
**Schäferdichtung** → Dichtung.
**Schäferhund:** deutscher / schottischer S. → Hunderassen.
**Schäferroman** → Roman.
**Schäferspiel** → Schauspiel.
**Schäferstündchen** → Koitus.
**Schaff** → Gefäß.
**schaffen:** → anordnen, → arbeiten, → bewältigen, → bringen, → erschaffen; neu s. → gründen; jmdm. zu s. machen → bekümmern; sich zu s. machen → arbeiten; mit etwas nichts zu s. haben wollen → zurückziehen (sich); s., daß ... → erwirken; etwas mühelos s. → mühelos; Abhilfe s. → abhelfen; beiseite s. → wegnehmen; Ersatz s. → austauschen; [einen Streit] aus der Welt s. → bereinigen; die Voraussetzungen s. für → möglich [machen]; bis es geschafft ist → Überdruß; sich jmdn. / etwas vom Halse s. → entledigen (sich jmds. / einer Sache).
**Schaffen** → Werk.
**Schaffenslust** → Arbeitseifer.
**schaffig** → fleißig.
**Schaffleisch** → Fleisch.

**Schäffler** → Böttcher.
**¹Schaffner,** Zugschaffner, Schlafwagenschaffner, Trambahnschaffner, Bahnschaffner, Straßenbahnschaffner, Eisenbahnschaffner, Trämler (schweiz.), Kondukteur (österr., schweiz.); → Bedienung, → Fahrer, → Fahrkarte, → Straßenbahn; → entwerten.
**²Schaffner:** eiserner S. → Stempeluhr.
**Schaffung** → Herstellung.
**Schafhirt** → Hirt.
**Schafkäse,** Brimsen (österr.), Brimsenkäse (österr.); → Käse.
**Schafkopf** → Kartenspiel.
**Schafleder** → Leder.
**Schafmaul** → Feldsalat.
**Schafmilch** → Milch.
**Schafporling** → Ständerpilz.
**Schafshirn** → Hirn.
**Schafsnase** → Dummkopf.
**Schafstelze** → Vogel.
**Schaft:** → Griff, → Stamm.
**Schaftstiefel** → Schuh.
**Schafwolle** → Wolle.
**Schah** → Oberhaupt.
**Schakal** → Raubtier.
**schäkern** → anbandeln.
**schal** → abgestanden.
**Schal:** → Gardine, → Halstuch.
**Schalander:** → Raum, → Speiseraum.
**¹Schale,** Hülle, Hülse, Schote (z. B. bei Erbsen), Schlaube (niederd.; z. B. bei Stachelbeeren), Schluse (niederd.; z. B. bei Stachelbeeren), Pelle (ugs., landsch.), Haut, Rinde, Borke, Kruste; → Schorf.
**²Schale:** → Schüssel, → Tasse, → Trinkgefäß; in S. sein → anziehen; sich in S. werfen → anziehen, → schönmachen.
**schälen:** → abziehen; sich s. → abschälen (sich).
**Schalenkuppel** → Kuppel.
**Schalentier** → Krebs.
**Schalk:** → Spaßvogel; jmdm. sitzt der S. im Nacken, jmd. hat den S. im Nacken → Spaßvogel.
**Schälkartoffeln** → Kartoffeln.
**Schall:** → Klang; etwas ist S. und Rauch → vergänglich [sein].
**schallen,** erschallen, hallen, tönen, ertönen, dröhnen, erdröhnen, klingen, erklingen, gellen · unrein: scherbeln

(schweiz.); → krachen, → läuten, → prasseln, → rascheln, → rauschen, → surren; → Klang, → Laut, → Nachhall, → Raumakustik, → Widerhall.
**schallern:** jmdm. eine s. → schlagen.
**¹Schallplatte,** Platte, Grammophonplatte (veraltet), Scheibe (ugs.) · mit Tanzmusik: Tanzplatte · mit Schlagermusik: Schlagerplatte · mit Popmusik: Popplatte · mit Märchen: Märchenplatte · mit gesprochenem Text: Sprechplatte · kleine, mit je einem Schlagertitel auf jeder Seite: Single · große, mit mehreren Titeln oder einem großen Musikwerk: Langspielplatte, LP; → Ansager, → Musikautomat.
**²Schallplatte:** auf -n aufnehmen → aufzeichnen.
**Schallplattenaufnahme:** eine S. machen → aufzeichnen.
**Schallplattenjockei** → Ansager.
**Schalltrichter:** → Lautsprecher, → Ohr.
**Schallverhältnisse** → Raumakustik.
**Schallwirkung** → Raumakustik.
**Schalmei** → Blasinstrument.
**Schalotte** → Gemüse.
**schalten:** → verstehen; langsam s. → begriffsstutzig [sein].
**Schalter** → Kasse.
**Schalthebel:** an den -n der Macht sitzen → mächtig [sein].
**Schaluppe:** → Beiboot, → Boot.
**Scham:** → Vulva; S. empfinden, vor S. erröten → schämen (sich).
**Schamane** → Zauberer.
**schämen** (sich), Scham empfinden, rot / schamrot werden, [vor Scham] erröten, [vor Scham] die Augen niederschlagen / in die Erde versinken, vor Scham vergehen, sich am liebsten in ein Mäuseloch verkriechen mögen (ugs.), genant / genierlich sein, sich genieren / zieren / (ugs.) anstellen / (ugs.) haben; → Angst [haben]; → verlegen.
**schamhaft** → verlegen.
**Schamhaftigkeit,** Verschämtheit, Befangenheit, Verwirrtheit, Verlegenheit; → Verlegenheit; → verlegen.

schamlos → frech.
Schamottestein → Baustein.
Schampus → Wein.
schamrot: s. werden → schämen (sich).
Schamröte → Verfärbung.
Schamteile → Genitalien.
Schande: → Bloßstellung; jmdm. keine S. machen → anständig [bleiben].
schänden: → entweihen, → vergewaltigen.
Schandfleck → Makel.
schändlich → gemein.
Schandmaul → Mund.
Schandpreis → Preis.
Schandschnauze → Mund.
Schandtat → Übeltat.
Schändung → Vergewaltigung.
Schangel → Elsässer.
Schanigarten → Garten.
Schankbier → Bier.
Schanker: harter S. → Geschlechtskrankheit.
Schanktisch, Ausschank, Theke (landsch.), Tresen (landsch.), Buffet, Büffet, Büfett; → Ladentisch.
Schankwirt → Wirt.
Schar: → Abteilung, → Gruppe, → Herde.
Scharade → Rätsel.
Schäre → Insel.
Scharen → Menge.
Schärenkreuzer: 30-m²-Schärenkreuzer → Segelboot.
Schärenküste → Ufer.
scharenweise → reichlich.
¹scharf, gewürzt, papriziert, gepfeffert, beißend, räß (schweiz.), raß (südd., österr.); → würzen.
²scharf: → begierig, → durchdringend, → einschneidend, → extrem, → geharnischt, → geschärft, → spöttisch, → streng, → würzig; -es Auge → Scharfsichtigkeit; -e Augen haben → scharfsichtig [sein]; -e Munition → Munition; -es s → Eszet; -e Sachen → Alkohol; s. machen → schärfen; jmdn. s. machen → reizen; s. sein auf → begierig [sein]; s. umrissen → profiliert.
Scharfblick → Scharfsinn.
scharfblickend → scharfsinnig.
schärfen, scharf machen, schleifen, wetzen, anspitzen, spitzen; → spitz; → Schleifstein.
scharfkantig → kantig.
scharfmachen → aufwiegeln.

Scharfmacher → Hetzer.
Scharfrichter → Henker.
Scharfschütze → Schütze.
scharfsichtig, adleräugig, luchsäugig; s. sein, gute / scharfe Augen haben, gut sehen; → Scharfsichtigkeit.
¹Scharfsichtigkeit, scharfes Auge, Adlerauge, Adlerblick, Geierauge, Geierblick, Luchsauge, Falkenauge, Röntgenauge (scherzh.), Röntgenblick (scherzh.); → Auge, → Augenlicht; → scharfsichtig.
²Scharfsichtigkeit → Scharfsinn.
¹Scharfsinn, Scharfsinnigkeit, Kombinationsgabe, Scharfblick, Weitblick, Scharfsichtigkeit, Hellsichtigkeit; → Begabung, → Klugheit, → Geschäftssinn, → Vernunft; → scharfsinnig.
²Scharfsinn → Vernunft.
¹scharfsinnig, hellsichtig, scharfblickend; → klug, → weitblickend; → Erfahrung, → Scharfsinn.
²scharfsinnig → klug.
Scharfsinnigkeit → Scharfsinn.
scharfzüngig → spöttisch.
scharlachrot → rot.
Scharlatan → Betrüger.
Scharlatanerie → Hokuspokus.
Scharmützel → Kampf.
Scharnier → Gelenk.
Scharniergelenk → Gelenk.
scharren → kratzen.
Scharte: eine S. [wieder] auswetzen → einstehen (für).
Scharteke: → Buch, → Frau.
schartig → kantig.
Schaschlik → Fleischgericht.
schassen → entlassen.
¹Schatten, Halbschatten · kräftigster Teil: Schlagschatten, Kernschatten; → schattig.
²Schatten: → Dämmerung, → Nuance; nur noch ein S. seiner selbst sein → schlank [sein]; etwas wirft seine S. voraus → bevorstehen; in den S. stellen → übertreffen; über seinen eigenen S. springen → überwinden (sich); vor seinem eigenen S. fürchten → ängstlich [sein].
Schattenbild → Schattenriß.
Schattenblümchen → Liliengewächs.
Schattenboxen → Boxen.
schattenhaft → unklar.

Schattenhaftigkeit → Ungenauigkeit.
Schattenkabinett → Regierung.
Schattenmorelle → Obst.
schattenreich → schattig.
Schattenreich → Hölle.
¹Schattenriß, Schattenbild, Silhouette, Scherenschnitt; → Umriß, → Zeichnung.
²Schattenriß → Umriß.
Schattenspiel → Schauspiel.
schattieren → nuancieren.
schattiert → differenziert.
Schattierung: → Farbe, → Nuance.
schattig, schattenreich, beschattet, umschattet, sonnenlos; → bewölkt; → Schatten · Ggs. → sonnig.
Schatulle → Kassette.
¹Schatz, Hort, → Schmuck, → Vermögen.
²Schatz: → Liebling, → Vermögen.
Schätzchen → Liebling.
¹schätzen, abschätzen, veranschlagen taxieren, überschlagen, über den Daumen peilen (salopp); → ausrechnen, → beurteilen.
²schätzen: → achten, → lieben, → vermuten; zu s. wissen → genießen.
Schatzmeister → Kassierer.
Schätzung → Kalkulation.
schätzungsweise → ungefähr.
Schau: → Ausstellung, → Revue; eine S. abziehen → prahlen; jmdm. die S. stehlen → übertreffen; zur S. stellen → aufdecken.
Schaubild → Graph.
Schaubude: → Jahrmarktsbude, → Theater.
Schaubudenbesitzer → Schausteller.
Schaubühne → Theater.
Schauder → Entsetzen.
schaudererregend → makaber.
schauderhaft → schrecklich.
schaudern: → frieren; es schaudert jmdn. → zittern.
schauen: → blicken, → sehen; s. aus → herausschauen; der Gefahr ins A. schauen → mutig [sein]; nach jmdm. s. → kümmern (sich um jmdn.).
Schauer: → Hagel, → Niederschlag, → Schauermann.
Schauergeschichte → Bericht.
schauerlich → unheimlich.

**Schauermann,** Schauer, Hafenarbeiter, Schiffsarbeiter, Dockarbeiter, Docker; → Arbeiter.

**Schauermärchen** → Bericht.

**schauern:** → frieren, → hageln.

**Schaufel,** Schippe, Spaten; → Hacke, → Spaten.

**schaufeln:** sich sein eigenes Grab s. → schaden.

**Schaufeln** → Geweih.

**¹Schaufenster,** Fenster, Schaukasten, Vitrine, Auslage; → Anschlagbrett.

**²Schaufenster:** S. des Westens → Berlin.

**Schaufensterbummel:** → Bummel; einen S. machen → spazierengehen.

**Schaufensterdekorateur** → Schaufenstergestalter.

**Schaufensterdekoration,** Dekoration, Warenausstellung, Display.

**Schaufenstergestalter,** Dekorateur, Schaufensterdekorateur, Schauwerbegestalter; → Raumausstatter.

**Schaufler** → Hirsch.

**Schauflug** → Flug.

**Schauhaus** → Leichenschauhaus.

**Schaukasten:** → Anschlagbrett, → Schaufenster.

**¹Schaukel,** Wippe, Hutsche (*österr.*), Gigampfi (*mundartl., schweiz.*); → Schaukelpferd; → schaukeln.

**²Schaukel:** russische S. → Schiffsschaukel.

**Schaukelgaul** → Schaukelpferd.

**¹schaukeln,** wippen, hutschen (*österr.*), gigampfen (*schweiz.*); → schwingen; → Schaukel.

**²schaukeln:** → hängen, → schwingen, → verwirklichen; hin und her s. → schütteln; wir werden das Kind schon s. → Ordnung.

**Schaukelpferd,** Schaukelgaul (*landsch.*), Hutschpferd (*österr.*), Gampiroß (*schweiz.*); → Schaukel.

**Schaukelstuhl:** → Sessel, → Stuhl.

**schaulustig** → neugierig.

**Schaulustiger** → Zuschauer.

**Schaum:** → Brandung; S. schlagen → prahlen.

**schäumen** → perlen.

**Schaumkrone** → Brandung.

**Schaumlöscher** → Feuerlöscher.

**Schaumschläger:** → Angeber, → Schneebesen; ein S. sein → prahlen.

**Schaummünze** → Gedenkmünze.

**Schaumwein** → Wein.

**Schaupackung** → Packung.

**¹Schauplatz,** Szene, Ort der Handlung · *eines Verbrechens:* Tatort, Ort der Tat.

**²Schauplatz:** vom S. abtreten → sterben.

**Schauprozeß** → Gerichtsverfahren.

**schaurig** → unheimlich.

**Schauspiel,** Bühnenstück, Bühnenwerk, Bühnendichtung, Spiel, Theaterstück, Stück, Lehrstück, Boulevardstück, Drama, Dramolett, Festspiel, Mysterienspiel, Haupt- und Staatsaktion, Schäferspiel, Fastnachtsspiel, Rührstück, Bauerntheater, Volksstück, Lokalstück, Lokalposse, Märchenspiel · *durch Gebärdensprache:* Pantomime · *mit Schattenfiguren:* Schattenspiel · *im Dienst der Agitation und Propaganda:* Agitproptheater, Agitpropstück; → Aufführung, → Drama, → Komödie → Oper, → Operette, → Puppentheater, → Theater, → Teichoskopie, → Tragödie; → aufführen.

**¹Schauspieler,** Darsteller, Filmschauspieler, Filmkünstler, Filmstar, Leinwandgröße, Star, Mime, Akteur, Komödiant, Tragöde · *der vorübergehend an einem Ort gastiert:* Gast, Stargast, Mauerweiler (*scherzh.*) · *der Nebenrollen spielt:* Chargenspieler, Episodenspieler, Episodendarsteller · *mit stummer Rolle:* Statist, Komparse, Figurant · *schlechter:* Provinzschauspieler, Provinzjockel · *der sich sehr in den Vordergrund spielt:* Rampentiger · *der sich nicht richtig bewegen kann:* Stehschauspieler · *unnatürlich leise und sentimental sprechender:* Säusler · *mit Sigmatismus:* Zuzler · *der sich auch auf der Bühne wie ein Homosexueller benimmt:* Schwuchtel · *der in veralteter Manier laut und dröhnend spricht:* Barde, Heldenvater, Knattermime, Knattercharge, Gewittercharge; → Berühmtheit, →

Double, → Hauptdarsteller, → Künstler, →Regisseur, → Rolle, → Rollenverteilung, → Schauspielerin; → schauspielern, → spielen.

**²Schauspieler:** S. sein, als S. arbeiten / tätig sein → schauspielern.

**Schauspielerin,** Darstellerin, Filmschauspielerin, Aktrice, Diva, Filmdiva, Star, Filmstar, Leinwandgröße, Heroine, Naive · *zum Nachwuchs gehörende, die auf sich aufmerksam zu machen versucht:* Starlet, Sternchen, Filmsternchen; → Berühmtheit, → Double, → Künstler, → Schauspieler; → schauspielern, → spielen.

**¹schauspielern,** Schauspieler sein, als Schauspieler tätig sein / arbeiten, Theater spielen, an der Bühne sein, am / beim Theater sein; → Rolle, → Schauspieler, → Schauspielerin.

**²schauspielern** → vortäuschen.

**Schauspielhaus** → Theatergebäude.

**Schauspielmusik** → Musik.

**Schauspielrolle** → Rolle.

**Schausteller,** Zirkusbesitzer, Schaubudenbesitzer, Glücksbudenbesitzer, Schießbudenbesitzer, Karussellbesitzer; → Artist, → Jahrmarkt, → Zirkus.

**Schaustellerbude** → Jahrmarktsbude.

**Schautafel,** Tableau (*österr.*), Skizze, graphische Darstellung, Übersicht; → Zeichnung.

**Schautanz** → Tanz.

**Schauwerbegestalter** → Schaufenstergestalter.

**¹Scheck,** Bankscheck, Postscheck, Barscheck, Blankoscheck, Verrechnungsscheck, Scheckkartenscheck, Reisescheck, Travellerscheck, Euroscheck; → Geld, → Wechsel.

**²Scheck:** durch / per S. → bargeldlos.

**Schecke** → Pferd.

**Scheckente** → Vogel.

**scheckig** → bunt.

**Scheckkartenscheck** → Scheck.

**Scheckzahlung** → Zahlung.

**scheel:** → neidisch; s. sehen → neiden; jmdn. / etwas mit -en Augen ansehen → neiden.

**scheelblickend** → neidisch.

**Scheelsucht** → Neid.

scheelsüchtig → neidisch.

Scheffel: sein Licht nicht unter den S. stellen → bescheiden.

scheffeln: Geld s. → verdienen.

Scheibe: → Apfelscheibe, → Apfelsinenscheibe, → Fensterscheibe, → Schallplatte, → Schnitte, → Windschutzscheibe; sich von jmdm. eine S. abschneiden können → Vorbild.

scheiben → schieben.

Scheibenbremse → Bremse.

Scheibenfries → Fries.

Scheibengardine → Gardine.

Scheibenhonig → Honig.

Scheibenpilz → Schlauchpilz.

Scheibenqualle → Hohltier.

Scheibtruhe → Schubkarre.

Scheich: → Geliebter, → Mann.

Scheide: → Vagina; das Schwert in die S. stecken → Frieden [schließen].

Scheidemauer → Mauer.

¹scheiden (jmdn.), die Ehe auflösen / trennen, die Scheidung aussprechen; → trennen (sich); → Scheidung, → Scheidungsgrund.

²scheiden: [sich s. lassen] → trennen (sich); geschiedene Leute sein → verfeindet [sein]; die Spreu vom Weizen s. → aussortieren; s. von → ausschließen; aus dem Leben s. → entleiben (sich); von hinnen s. → sterben.

Scheidenspiegelung → Ausspiegelung.

Scheideweg: → Gabelung; am S. stehen → Entscheidung.

Scheiding → September.

Scheidung: → Ehescheidung; die S. aussprechen → scheiden (jmdn.); in S. leben / liegen → geschieden [sein].

Scheidungsgrund, Ehehindernis, Dirimentien (veraltet); → Ehescheidung; → scheiden (jmdn.).

¹Schein, Lichtschein, Glanz, Glast (dichter. oder landsch.), Schimmer, Lichtschimmer, Geflimmer, Gefunkel, Geglitzer; → Lichtstrahl, → Tageslicht; → leuchten.

²Schein: → Anschein, → Bescheinigung, → Papiergeld; den S. wahren → vortäuschen; in -en → bar; [nur] zum S. → wirklich.

scheinbar → angeblich.

Scheinehe → Ehe.

¹scheinen, brennen, glühen, vom Himmel herniederbrennen (geh.), sengen; → Sonne, → Sonnenlicht.

²scheinen: → leuchten; etwas scheint jmdm. → vermuten; die Sonne scheint → sonnig [sein]; sich die Sonne auf den Bauch s. lassen → sonnen (sich); s. über → bescheinen.

Scheinfrage → Frage.

scheinheilig → unredlich.

Scheinheiliger: → Heuchler, → Lügner.

Scheinheiligkeit → Verstellung.

Scheinmedikament → Medikament.

Scheinproblem → Schwierigkeit.

Scheinschwangerschaft, eingebildete Schwangerschaft, Pseudogravidität, Grossesse nerveuse, Graviditas nervosa, Graviditas imaginata, Pseudokyese (selten), Pseudokyesis; → Schwangerschaft.

Scheinwerfer, Jupiterlampe ·· am Auto: Autoscheinwerfer · besonders helle: Halogenscheinwerfer · gegen Nebel: Nebelscheinwerfer, Nebelleuchte, Nebellampe; → Lampe, → Licht, →Lichtstrahl, → Rückleuchte, → Scheinwerferlicht, → Signallicht.

Scheinwerferkegel → Lichtstrahl.

¹Scheinwerferlicht, Rampenlicht, Schlaglicht, Flutlicht; → Lichtstrahl, → Rückleuchte, → Scheinwerfer, → Signallicht.

²Scheinwerferlicht: im S. stehen, ins S. treten → exponieren (sich).

Scheinzwittertum → Zwittertum.

Scheinzwittrigkeit → Zwittertum.

scheiß-: → erz-.

Scheiß-: → Dreck-.

Scheißarbeit → Anstrengung.

Scheißdreck → Angelegenheit.

Scheiße: → Exkrement, → Unsinn; [verdammte S.!] → verflucht!

scheißegal: jmdm. ist etwas s. → unwichtig [sein].

scheißen: → defäkieren; → Darmwind [entweichen lassen]; s. auf → mißachten.

Scheißer → Feigling.

Scheißerei → Durchfall.

Scheißeritis → Durchfall.

Scheißhaus → Toilette.

Scheißhausparole → Gerücht.

Scheißkerl → Feigling.

Scheißkram: S.! → verflucht!

Scheit → Brett.

Scheitel: vom S. bis zur Sohle → ganz.

Scheiterhaufen: auf den S. bringen → töten.

scheitern, Schiffbruch erleiden, stranden, straucheln, über etwas stolpern, zu Fall kommen, zerbrechen an, etwas mißglückt / mißlingt / mißrät / schlägt fehl / geht schief (ugs.) / geht daneben (ugs.) / verunglückt / platzt / fliegt auf / fällt ins Wasser / wird zu Essig / zerschlägt sich / fällt wie ein Kartenhaus zusammen · in bezug auf Freundschaft o. ä.: etwas geht in die Brüche / Mißerfolg [haben]; s. müssen, zum Scheitern verurteilt / verdammt sein; jmdn. s. lassen, stürzen, zu Fall bringen.

Scheitstock → Hackklotz.

Schelf → Wattenmeer.

schelfern → abschälen (sich).

Schelfmeer → Wattenmeer.

Schelladler → Vogel.

Schelle: → Glocke; jmdm. eine S. geben → schlagen.

schellen → läuten.

Schellen → Spielkarte.

Schellenbaum → Schlaginstrument.

Schellenkönig: jmdn. über den S. loben → loben.

Schellente → Vogel.

Schellentrommel → Schlaginstrument.

Schellfisch → Fisch.

Schellhengst → Pferd.

Schelm: → Junge, → Spaßvogel; jmdm. sitzt der S. im Nacken, jmd. hat den S. im Nacken → Spaßvogel.

Schelmenroman → Roman.

Schelmenstreich → Scherz.

Schelte → Spitzname.

schelten, schimpfen, Fraktur reden (ugs.), vom Leder ziehen (ugs.), beschimpfen, attackieren, angreifen, jmdm. ins Gesicht springen (ugs.), beflegeln (österr.), [jmdn. einen Dummkopf] nennen / heißen / schelten, schmälen, zanken, auszanken, zetern, keifen (*abwertend*), schimpfen wie ein Rohrspatz (*ugs.*), Gift und Galle speien / (*ugs.*) spucken, fluchen, wettern, poltern, donnern, belfern, bellen, keppeln (*österr.*), ein Donnerwetter loslassen (*ugs.*), jmdm. etwas vorwerfen / vorhalten / (*ugs.*) an den Kopf werfen, jmdm. Vorwürfe / Vorhaltungen / eine Szene machen, jmdm. den Kopf zurechtsetzen / zurechtrücken (*ugs.*), jmdn. zurechtstutzen (*ugs.*), jmdm. Moral predigen (*ugs.*), zur Ordnung rufen, eine Gardinenpredigt / Strafpredigt / Standpauke halten (*ugs.*), jmdm. seinen Standpunkt klarmachen (*ugs.*), jmdm. Bescheid / die Meinung / (*landsch.*) die Paten sagen (*ugs.*), mit jmdm. deutsch reden (*ugs.*), es jmdm. geben (*ugs.*), jmdm. die Leviten lesen (*ugs.*), mit jmdm. eine Rechnung zu begleichen / ein Hühnchen zu rupfen haben / noch ein Wörtchen zu reden haben, jmdm. etwas flüstern (*ugs.*), jmdm. aufs Dach steigen / Bescheid stoßen / die Meinung geigen / den Marsch blasen (*salopp*), jmdm. den Magen rein machen (*landsch.*), jmdm. die Ohren langziehen (*ugs.*), an jmdm. sein Mütchen kühlen (*ugs.*), ausschimpfen, ausschelten, zurechtweisen, mit jmdm. Klartext sprechen (*ugs.*), jmdm. den Kopf waschen (*ugs.*), Tacheles reden (*jidd.*), tadeln, jmdm. einen Tadel / Verweis / eine Rüge / eine Lektion erteilen, rügen, rüffeln, einen Rüffel erteilen, jmdm. auf die Finger klopfen (*ugs.*), jmdm. ins Gewissen reden, jmdm. eine Zigarre / einen Rüffel verpassen (*salopp*), jmdm. die Flötentöne beibringen (*ugs.*), jmdm. die Hammelbeine langziehen (*ugs.*), abkapiteln, abkanzeln (*ugs.*), herunterkanzeln (*ugs.*), zusammenstauchen (*salopp*) stauchen (*salopp*), stuken (*ugs., landsch.*), deckeln (*ugs.*), jmdm. eins auf den Deckel geben (*ugs.*), jmdm. eins reinwürgen (*salopp*), jmdn. heruntermachen / runtermachen / runterputzen (*salopp*),

[moralisch] fertigmachen (*salopp*), jmdn. zur Minna / Schnecke machen (*salopp*), jmdn. zur Sau machen (*derb*), anfahren, anherrschen, anzischen, anknurren (*ugs.*), anschreien (*ugs.*), anbrüllen (*ugs.*), andonnern (*ugs.*), anfauchen (*ugs.*), anschnauben (*ugs.*), jmdn. ins Gebet nehmen (*ugs.*), sich jmdn. vornehmen (*ugs.*), sich jmdn. vorknöpfen / schnappen / kaufen (*salopp*), jmdn. Mores lehren (*ugs.*), anschnauzen (*salopp*), anpfeifen (*salopp*), anhauchen (*salopp*), anhusten (*salopp*), anblasen (*salopp*), anblaffen (*salopp*), anranzen (*salopp*), anlappen (*salopp, landsch.*), anscheißen (*derb*), jmdm. einen Anschiß verpassen (*derb*), nicht → loben; → attackieren, → beanstanden, → rankriegen, → verdächtigen, → vorwerfen; → verflucht! · Ggs. → vertragen (sich); **gescholten werden:** jmd. wird gescholten, eins draufkriegen / draufbekommen (*ugs.*), eins auf den Deckel (oder:) aufs Dach bekommen / kriegen (*ugs.*), einen Radi kriegen (*bayr., österr.*), etwas zu hören bekommen / (*ugs.*) kriegen; → Rechenschaft; → Vorwurf.

**Scheltopusik** → Eidechse.

**Scheltwort** → Schimpfwort.

**Schema:** → Vorlage, nach S. F → schematisch.

**schematisch,** nach Schablone / Schema F, schablonenhaft, schablonenmäßig, stets auf dieselbe Art, ohne zu denken; → automatisch, → bürokratisch.

**Schemel** → Hocker.

**schemenhaft** → unklar.

**Schemenhaftigkeit** → Ungenauigkeit.

**Schenke** → Gaststätte.

**Schenkel** → Keule.

¹**schenken,** ein Geschenk / Präsent machen, jmdm. etwas verehren / (*ugs.*) vermachen, jmdm. etwas zu Füßen legen, vergaben (*schweiz.*), hergeben, jmdn. beschenken / (*österr.*) beteilen, weggeben, geben, verschenken, herschenken (*ugs.*), wegschenken (*ugs.*) · *reichlich:* sich anstrengen / in Unkosten stürzen (*ugs.*) · *einem Täufling als Pa-*

*tengeschenk:* einbinden (*veraltet, landsch.*) · *in Form einer Zugabe beim Einkauf:* zugeben, mitgeben; → abgeben, → geben, → hinterlassen, → spenden, → teilen, → widmen, → zubekommen; → Gabe.

²**schenken:** → ausschenken; sich jmdm. s. → koitieren; geschenkt → kostenlos; [halb] geschenkt → billig; nicht geschenkt → schenken; geschenkt kriegen → zubekommen; es wird einem nichts geschenkt, nichts [im Leben] geschenkt erhalten → Opfer [bringen müssen]; jmdm. etwas s. → befreien (von); keine Beachtung s. → ignorieren; jmdm. Gehör s. → horchen; sich nichts s. → gewissenhaft [sein]; einem Kind das Leben s. → gebären; Vertrauen s. → glauben (jmdm.).

**Schenkung** → Erbe (das).

**Schenkwirt** → Wirt.

**Schenkzwang** → Anankasmus.

**scheppern** → klappern.

**Scher** → Maulwurf.

**Scherbe** → Blumentopf.

**scherbeln:** → tanzen, → tönen.

**Scherben:** → Blumentopf, → Nachtgeschirr.

**Schere** · Schneiderschere, Zuschneideschere · Papierschere · Drahtschere · Nagelschere, Hautschere, Effilierschere, Haarschneideschere; → Gartenschere.

**scheren:** → beschneiden; sein Schäfchen s. → Profit [machen]; alles über einen Kamm s. → unterscheiden; sich den Teufel / den Henker um etwas s. → annehmen (sich einer Sache).

**Scherenschmied** → Schmied.

**Scherenschnitt** → Schattenriß.

**Schererei:** -en → Umstände, → Unannehmlichkeiten.

**Scherflein** → Beitrag.

**Scherge** → Verfolger.

**Schermaus:** → Maulwurf, → Nagetier.

**Schernken** → Nagel.

**Schernkenschuh** → Schuh.

¹**Scherz,** Spaß, Gspaß (*bayr., österr.*), Ulk, Schabernack, Possen, Streich, Schelmenstreich, Eulenspiegelei, Eulenspiegelstreich, Jux, Jokus, Klamauk

(ugs.), Spaßetteln (österr.), Spompanadeln (österr.); → Unterhaltung, → Witz, → Wortspiel; → aufziehen (jmdn.); → spaßeshalber.

²Scherz: → Brotende; mit jmdm. seinen S. treiben → aufziehen (jmdn.).

scherzando → lebhaft.

Scherzel → Brotende.

scherzen → spaßen.

Scherzfrage → Frage.

Scherzgedicht → Gedicht.

Scherzname → Spitzname.

scheu: → ängstlich; s. sein → fremdeln; die Pferde s. machen → verwirren.

¹Scheu, Zurückhaltung, Schüchternheit, Genierer (österr.); → Angst; jmdm. die S. nehmen, den Bann brechen; die S. verlieren, auftauen.

²Scheu: → Angst; die S. verlieren → herausfinden (aus sich).

scheuchen: → schikanieren, → vertreiben.

scheuen: → Angst [machen], → entziehen (sich); sich nicht s. → erdreisten (sich); das Rampenlicht s. → exponieren (sich).

Scheuer → Scheune.

Scheuerfrau → Putzfrau.

Scheuerkraut → Schachtelhalm.

Scheuerlappen → Putzlappen.

Scheuerleiste → Fußleiste.

scheuern: → säubern; sich s. → jucken (sich); jmdm. eine s. → schlagen.

Scheuertuch → Putzlappen.

¹Scheune, Scheuer, Stadel (oberd.), Heustadel (oberd.), Schober (oberd.), Heuspeicher, Heuboden, Heubühne (schweiz.); → Remise, → Silo.

²Scheune → Stall.

Scheunendrescher: essen / fressen wie ein S. → essen.

Scheusal → Rohling.

scheußlich → abscheulich.

Scheußlichkeit → Abscheulichkeit.

Schi, Ski, Schneeschuh, Bretter, Bretteln (bes. österr.) · für den Wassersport: Wasserschi; → Piste, → Schibindung, → Schifahrer, → Schirennen, → Schlitten, → Sportgerät.

Schibboleth: → Erkennungszeichen, → Losung.

Schibindung, Skibindung, Bindung, Rohrbügelbindung (um 1890), Lilienfeldbindung (um 1890), Bilgeribindung (um 1900), Bergendahlbindung (um 1914), Huitfeldbindung (um 1920), Kandaharbindung (um 1930) · moderne: Sicherheitsbindung; → Schi.

Schibob → Schlitten.

¹Schicht, Turnus (österr.) · Tagschicht, Nachtschicht, Feierschicht, Frühschicht, Spätschicht.

²Schicht: → Gesellschaftsschicht, → Personenkreis; S. machen → unterbrechen; in drei -en → unaufhörlich.

schick → geschmackvoll.

¹schicken, abschicken, verschicken, zuschicken, senden, absenden, versenden, zusenden, zum Versand bringen, übermitteln, zugehen / hinausgehen lassen, weiterleiten, weitergeben, weiterreichen, überweisen, übertragen; → abgeben, → einliefern, → einwerfen, → liefern; → Versand, → Versandabteilung.

²schicken: → abordnen; ein Telegramm s. → telegraphieren; sich in etwas s. → ertragen; etwas schickt sich → ziemen (sich).

Schickeria → Oberschicht.

schicklich → angemessen.

¹Schicksal, Geschick, Los, Zukunft, Kommendes, Vorsehung, Fügung, höhere Gewalt, Bestimmung, Schickung, Vorherbestimmung, Fatum, Prädestination, Gott; → Abgott; ein schweres S. haben / sein[en] Teil zu tragen / (ugs.) sein Päckchen zu tragen / seine Sorgen / (ugs.) nichts zu lachen / (ugs.) es nicht leicht haben / mit jmdm. / etwas gestraft sein.

²Schicksal: jmdn. seinem S. überlassen → helfen, → sitzenlassen; vom S. geschlagen → leidgeprüft.

Schicksalsdrama → Drama.

Schicksalsgefährte: -n sein → ertragen.

Schicksalsgenosse: -n sein → ertragen.

Schicksalsgöttin, Moira, Parze, die drei Parzen (Klotho, Lachesis, Atropos); → Gott, → Göttin, → Halbgott.

Schickse → Prostituierte.

Schickung → Schicksal.

Schiebebühne → Bühne.

Schiebedach → Autodach.

Schiebefenster → Fenster.

¹schieben, rollen, scheiben (bayr., österr.); → kegeln, → murmeln.

²schieben: → drücken, → Schleichhandel [treiben]; Kohldampf s. → Hunger [haben]; eine ruhige Kugel s. → anstrengen (sich); Reklame s. → Werbung [treiben]; Wache s. → Wache [haben]; aufs tote Gleis geschoben sein → angesehen; sich in den Vordergrund s. → exponieren (sich); s. unter → unterlegen.

Schieber: → Betrüger, → Händler, → Nachtgeschirr, → Riegel, → Tanz.

Schiebermütze → Kopfbedeckung.

Schiebetür → Tür.

Schiebfach → Schublade.

Schiebkarren → Schubkarre.

Schiebkasten → Schublade.

Schieblade → Schublade.

Schiebung → Betrug.

schiech → häßlich.

Schied → Fisch.

schiedlich-friedlich → einträchtig.

Schiedsgericht: → Gericht, → Preisgericht.

Schiedsrichter, Kampfrichter, Unparteiischer, Schiri, Pfeifenmann, Referee · beim Boxen: Ringrichter · beim Ringen: Mattenrichter; → Preisgericht, → Preisrichter.

schief: → schräg, → verwachsen; -e Ebene → Gefälle; auf die -e Bahn geraten / kommen → abrutschen; auf die -e Bahn / Ebene kommen → verwahrlosen; der Haussegen hängt s. → Stimmung.

Schiefe → Schräge.

Schiefer: → Dachziegel, → Holzsplitter, → Span.

schiefergrau → grau.

schiefgehen: → gelingen; etwas geht schief → scheitern.

schiefgewickelt: s. sein → irren (sich).

Schiefheit → Schräge.

schiefliegen → irren (sich).

schielen: → blicken; nach dem Bettzipfel s. → müde [sein].

**Schielen**, Silberblick, Strabismus, Loxophthalmus (*selten*) · Einwärtsschielen, Konvergenzschielen · Auswärtsschielen, Divergenzschielen · Aufwärtsschielen, Höhenschielen · Abwärtsschielen; → Blindheit, → Farbenblindheit, → Fehlsichtigkeit, → Sehstörung; → blicken.

**Schiene:** → Gleis; aus den -n springen → entgleisen.

**Schienenbus** → Eisenbahnzug.

**Schienentransport** → Transport.

**Schienenzepp** → Eisenbahnzug.

**Schiepe** → Huhn.

**Schiepel** → Huhn.

**Schiepen** → Huhn.

**Schieper** → Huhn.

**schier** → beinah.

**Schießbude** → Jahrmarktsbude.

**Schießbudenbesitzer** → Schausteller.

**Schießeisen** → Schußwaffe.

**¹schießen**, abschießen, feuern, Feuer geben, abfeuern, knallen (*ugs.*), ballern (*ugs.*); **daneben s.**, eine Fahrkarte schießen (*ugs.*); → beschießen, → treffen, → zielen; → Munition, → Schußwechsel.

**²schießen:** → Fußball, → kaufen, → spritzen, → töten, → verblassen; so schnell s. die Preußen nicht! → ruhig; ein Bild / Foto s. → fotografieren; einen Bock s. → unterlaufen; ein Goal / Tor s. → Tor; Kobolz / koppheister / Purzelbaum s. → Purzelbaum [schlagen]; s. auf → beschießen; jmdn. auf den Mond s. mögen → verwünschen (jmdn.); wie Pilze aus dem Boden / aus der Erde s. → entstehen; wie aus der Pistole geschossen antworten → antworten, → gleich; ins Kraut s. → wuchern; das Schießen → Schußwechsel; ausgehen wie das Hornberger Schießen → wirkungslos [bleiben].

**Schießen** → Fünfkampf.

**schießenlassen** → abschreiben.

**Schießer** → Murmel.

**Schießerei** → Schußwechsel.

**Schießgewehr** → Schußwaffe.

**Schießprügel** → Schußwaffe.

**Schießwaffe** → Schußwaffe.

**Schiet:** → Exkrement, → verflucht!

**Schietkram** → verflucht!

**Schifahrer**, Schiläufer, Skifahrer, Skiläufer, Abfahrtsläufer, Rennläufer, Slalomspezialist, Langläufer, Pistensau (*abwertend*), Pistengockel (*scherzh.*) · *weiblicher:* Schihaserl (*scherzh.*); → Schi.

**¹Schiff**, Wasserfahrzeug · Flußschiff, Zille, Binnenschiff, Küstenschiff, Seeschiff, Hochseeschiff, Handelsschiff, Fährschiff, Dampfer, Dampfschiff, Motorschiff, Turbinenschiff, Raddampfer, Trawler, Ozeandampfer, Überseedampfer, Ozeanriese, Ozeaner (*scherzh.*), Ozeanliner, Pott (*Seemannsspr., scherzh.*) · *für Lasten:* Frachtschiff, Frachtdampfer, Stückgutschiff, Massengutfrachtschiff, Containerschiff, Bananendampfer, Frachter, Lastschiff, Lastdampfer, Lastkahn, Prahm, Äppelkahn (*salopp*), Trauner (*österr.*), Plätte (*österr.*), Ledischiff (*schweiz.*) · *zum Transport von Rohöl:* Tankdampfer, Tankschiff, Tanker · *zum Entladen größerer Schiffe:* Leichter, Ölleichter, Tankleichter · *für den Fischfang:* Logger, Seitenfänger, Seitentrawler, Heckfänger, Hecktrawler · *schlecht gebautes:* Seelenverkäufer; → Boot, → Fähre, → Fahrgastschiff, → Flotte, → Kriegsschiff, → Reeder, → Schiffahrt, → Segelschiff; → ankern, → einschiffen, → fahren, → reisen.

**²Schiff:** die -e hinter sich verbrennen → abwenden (sich); das S. verlassen → ausschiffen; Hinterteil des -es, Kiel des -es, Segel des -es → Sternbild; aufs S. verladen → einschiffen; mit dem S. fahren → fahren.

**Schiffahrt**, Binnenschiffahrt, Flußschiffahrt · Küstenschiffahrt · Seeschiffahrt, Hochseeschiffahrt · Handelsschiffahrt · Frachtschiffahrt · Personenschiffahrt; → Schiff.

**schiffbar** → befahrbar.

**Schiffbruch:** → Havarie; S. erleiden → Mißerfolg, → scheitern.

**Schiffbrüchiger:** → Verunglückter; Gesellschaft zur Rettung S.→Lebensrettungsgesellschaft.

**Schiffbrücke** → Brücke.

**Schiffchen** → Kopfbedeckung.

**Schiffchenspitze** → Spitzenstickerei.

**schiffen:** → urinieren; es schifft → regnen.

**Schiffer**, Schiffsmann, Schiffsfahrer (*selten*), Binnenschiffer, Flußschiffer, Frachtschiffer; → Lotse, → Schiffsbesatzung, → Seemann.

**Schifferfräse** → Bart.

**Schifferklavier** → Tasteninstrument.

**Schifferknoten** → Knoten.

**Schifferkrause** → Bart.

**Schiffermütze** → Kopfbedeckung.

**Schiffsarbeiter** → Schauermann.

**Schiffsbesatzung**, Schiffsmannschaft, Besatzung, Mannschaft, Crew; → Mannschaft, → Schiffer, → Seemann.

**Schiffsboot** → Kopffüßer.

**Schiffsbrücke** → Anlegebrücke.

**Schiffschaukel** → Schiffsschaukel.

**Schiffseigner** → Reeder.

**Schiffsfahrer** → Schiffer.

**Schiffsherr** → Reeder.

**Schiffsjunge**, Moses; → Jüngster, → Matrose.

**Schiffskoch** → Koch.

**Schiffskollision** → Havarie.

**Schiffskompaß** → Sternbild.

**Schiffslände** → Anlegebrücke.

**Schiffsmann** → Schiffer.

**Schiffsmannschaft** → Schiffsbesatzung.

**Schiffsreise:** → Reise; eine S. antreten → einschiffen.

**Schiffsschaukel**, Schiffschaukel, Luftschaukel, russische Schaukel; → Jahrmarkt, → Karussell.

**Schiffssteuer** → Steuer.

**Schiffstransport** → Transport.

**Schiffsunfall** → Havarie.

**Schihaserl** → Schifahrer.

**Schihose** → Hose.

**Schikane:** mit allen -n → Zubehör.

**schikanieren**, schinden, plagen, piesacken (*ugs.*), malträtieren, tyrannisieren, jmdn. auf dem Kieker / Strich haben (*ugs.*), es auf jmdn. abgesehen haben (*ugs.*), [seine Wut] an jmdm. auslassen, jmdm. die Gräten brechen (*ugs.*), schlecht behandeln, schurigeln (*ugs.*), kujonieren (*ugs.*), drangsalieren (*ugs.*), sekkieren (*ugs.*, *österr.*), mit jmdm. Schlitten fahren (*ugs.*), triezen (*ugs.*), zwiebeln (*ugs.*), scheuchen (*ugs.*), fertigmachen (*ugs.*), jmdm. den Klabustermarsch orgeln (*salopp*), jmdm. den Arsch aufreißen (*derb*), quälen, traktieren, peinigen, foltern, martern, jmdm. das Leben sauer / schwer / zur Hölle machen; → behelligen, → bestrafen, → jagen, → mißhandeln, → schmerzen.

**Schiläufer** → Schifahrer.

**Schilcher** → Wein.

**¹Schild** (das), Gebotsschild, Verbotsschild, Hinweisschild, Stoppschild; → Beschilderung, → Bildsymbol, → Verkehrszeichen.

**²Schild** (das): → Etikett, → Verkehrszeichen.

**³Schild** (der): Sobieskischer S. → Sternbild; auf den S. erheben → loben; im -e führen → vorhaben.

**Schildbürgerstreich** → Tat.

**Schildchen** → Etikett.

**Schilddrüsenhyperplasie** → Kropf.

**Schilddrüsenüberfunktion,** Hyperthyreoidie, Hyperthyreoidismus, Hyperthyreose, Hyperthyroidismus, Thyreotoxikose, Thyreoidismus, Basedowoid · *bei voll ausgeprägtem Krankheitsbild:* Basedow-Krankheit, Basedow, Graves-Krankheit, Flajani-Krankheit, Marsh-Krankheit, Glotzaugenkrankheit; → Krankheit, → Kropf.

**Schilddrüsenvergrößerung** → Kropf.

**¹schildern,** darstellen, beschreiben, ausmalen · *etwas pessimistisch:* etwas in schwarzen / den schwärzesten / den düstersten Farben malen; → mitteilen.

**²schildern:** → aussagen, → mitteilen.

**Schilderung** → Beschreibung.

**Schilderwald:** den S. abholzen → Verkehrszeichen.

**¹Schildkröte,** Sumpfschildkröte, Teichschildkröte, Landschildkröte, Pantherschildkröte, Schmuckschildkröte, Suppenschildkröte, Karettschildkröte,

Lederschildkröte, Riesenschildkröte; → Kriechtiere.

**²Schildkröte:** behaarte S. → Vulva.

**Schildkrötensuppe** → Suppe.

**Schildzecke** → Zecke.

**Schilehrer** → Sportlehrer.

**Schilfdach** → Dach.

**schilfern** → abschälen (sich).

**Schilift** → Seilbahn.

**Schill** → Fisch.

**Schillebold** → Libelle.

**Schiller** → Wein.

**Schillerfalter** → Schmetterling.

**Schillerlocke** → Gebäck.

**schillern** → leuchten.

**schillernd:** → glänzend, → mehrdeutig.

**¹Schilling,** Alpendollar (*scherzh.*), Es (nach dem Anfangsbuchstaben; *ugs.*); → Zahlungsmittel.

**²Schilling:** → Münze, → Zahlungsmittel.

**schilpen** → singen.

**Schimäre** → Einbildung.

**schimärisch** → unwirklich.

**Schimmel:** → Algenpilz, → Fäulnis, → Pferd, → Schlauchpilz, → Text, → Vorlage; den S. wild machen → Angst; jmdm. zureden wie einem lahmen S. → zuraten.

**Schimmelbogen** → Seite.

**schimmelig** → ungenießbar.

**schimmeln** → faulen.

**Schimmelpilz:** → Algenpilz, → Schlauchpilz.

**Schimmer:** → Farbe, → Nuance, → Schein; keinen [blassen] S. haben → wissen.

**schimmern** → leuchten.

**schimmernd** → glänzend.

**Schimpanse** → Affe.

**Schimpf** → Bloßstellung.

**schimpfen:** [s. wie ein Rohrspatz] → schelten.

**schimpfieren** → verunstalten.

**schimpflich:** → beschämend, → gemein.

**Schimpfname** → Spitzname.

**Schimpfwort,** Scheltwort, Schmähwort; → Dummkopf, → Fluch, → Spitzname.

**Schimütze** → Kopfbedeckung.

**Schinakel** → Boot.

**Schindel** → Dachziegel.

**Schindeldach** → Dach.

**schinden:** → schikanieren; sich s. → anstrengen (sich).

**Schinder:** → Abdecker, → Buch, → Pferd.

**Schinderei** → Anstrengung.

**schindern** → schlittern.

**Schindluder:** S. treiben mit → mißbrauchen.

**Schindmähre** → Pferd.

**¹Schinken,** roher / gekochter Schinken, Knochenschinken, Bauernschinken, Landschinken, Vorderschinken, Zigeunerschinken, Schwarzwälder Schinken, Rollschinken, Lachsschinken, Rauchfleisch, Bündnerfleisch, Parmaschinken, Ardennenschinken, [französischer] Pfefferschinken, Rinderschinken; → Fleisch, → Pökelfleisch.

**²Schinken** → Bild.

**Schinkenhörnchen** → Gebäck.

**Schinkenröllchen** → Gebäck.

**Schinkenschmalz** → Fett.

**Schinkenwurst** → Wurst.

**Schinn** → Schorf.

**Schinnen** → Schorf.

**Schintoismus** → Weltreligion.

**Schippe** → Spielkarte; auf die S. nehmen → aufziehen; dem Tod von der S. hopsen → sterben.

**Schipullover** → Pullover.

**Schiras** → Orientteppich.

**Schirennen,** Abfahrtslauf, Slalom, Slalomrennen, Torlauf, Riesenslalom, Riesentorlauf; → Abwärtsfahrt, → Schi.

**Schiri** → Schiedsrichter.

**¹Schirm,** Regenschirm, Regendach (*ugs.*, *scherzh.*), Dach (*ugs.*, *scherzh.*), Gewitterverteiler (*ugs.*, *scherzh.*), Musspritze (*ugs.*, *scherzh.*), Veteranenflinte (*ugs.*, *scherzh.*), Parapluie (*veraltet*), Stockschirm, Damenschirm, Herrenschirm, Kinderschirm · *zusammenschiebbarer:* Taschenschirm, Knirps Ⓦ ·· *gegen die Sonne:* Sonnenschirm, Parasol (*veraltet*) · *großer, zum Aufstellen:* Gartenschirm, Sonnenschirm.

**²Schirm:** Schutz und S. → Schutz.

**Schirmchenalge** → Alge.

**Schirmherr** → Gönner.

**Schirmherrschaft,** Ehrenvorsitz, Ehrenpräsidium, Schutzherrschaft, Patronat, Protektorat; → Gönner; **unter jmds. S.,** unter jmds. Auspizien.

**Schirmmütze** → Kopfbedeckung.

**Schirmpilz:** [Großer S.] → Ständerpilz.

Schirmqualle → Hohltier.

Schirokko → Wind.

Schirrmeister → Verwalter.

Schirwan → Orientteppich.

Schischuh → Schuh.

Schismatiker → Ketzer.

Schisocke → Strumpf.

Schiß: S. haben → Angst [haben].

schitter → hinfällig.

Schiwiese → Piste.

Schizogonie → Fortpflanzung.

Schizonychie → Nagelkrankheit.

schizophren → geistesgestört.

Schizophrenie → Geistesgestörtheit.

schizothym → unzugänglich.

schlabbern → vergießen.

Schlacht → Kampf.

Schlachtbank, Metzge (südd.), Metzg (schweiz.); → Fleischer.

¹schlachten, abschlachten, abstechen, metzgen (landsch.), metzeln (landsch.), keulen (schweiz.) · im Haus: hausschlachten · ohne Erlaubnis: schwarzschlachten · nach jüdischer Vorschrift: schächten; → ausweiden, → töten; → Schlachtung.

²schlachten: → töten; Geschlachtetes → Fleisch.

Schlachtenbummler → Zuschauer.

Schlachtenmaler → Kunstmaler.

Schlachter → Fleischer.

Schlächter → Fleischer.

Schlachterei → Fleischerei.

Schlächterei: → Blutbad, → Fleischerei.

Schlachterladen → Fleischerei.

Schlächterladen → Fleischerei.

Schlachtfeld, Kampfplatz, Walstatt; auf dem S., auf dem Feld der Ehre (pathetisch); → Blutbad, → Kampf, → Schlachtgewühl, → Strategie.

Schlachtgetümmel: → Kampf, → Schlachtgewühl.

Schlachtgewicht → Lebendgewicht.

Schlachtgewühl, Schlachtgetümmel, Waffenlärm; → Schlachtfeld.

Schlachtkreuzer → Kriegsschiff.

Schlachtplan → Entwurf.

Schlachtschiff → Kriegsschiff.

Schlachtung, Keulung (schweiz.). · Notschlachtung · im Haus: Hausschlachtung; → schlachten.

schlackern: mit den Ohren s. → überrascht [sein].

Schlackwurst → Wurst.

¹Schlaf, Schlummer, Nachtschlaf, Nachtruhe · leichter zwischen Wachen und Träumen: Halbschlaf, Dämmerschlaf, Dämmerzustand, Dämmer · kurzer: Schläfchen, Schlaferl (bayr., österr.); → Heilschlaf, → Mittagsruhe, → Ruhe, → Schlaflosigkeit, → Schlafmittel, → Schläfrigkeit; → schlafen.

²Schlaf: der S. hat jmdn. übermannt / überkommen → schlafen; keinen S. finden → wach [sein]; S. haben → müde [sein]; den S. des Gerechten schlafen → schlafen; den letzten S. schlafen → tot [sein]; aus dem S. reißen → aufwecken; gegen den / mit dem S. kämpfen → müde [sein]; den Seinen gibt's der Herr im S., etwas im S. können → mühelos; in S. sinken, vom S. übermannt werden → einschlafen; etwas bringt jmdn. um den S. / raubt jmdm. den S. → sorgen (sich).

Schlafanzug → Nachtgewand.

schlafbedürftig → müde.

Schlafbursche → Untermieter.

Schläfchen: → Schlaf; ein S. machen → schlafen.

Schlafcouch → Liege.

Schläfe: mit grauen -n → grauhaarig; ein Herr mit grauen -n sein → älter [sein].

Schlaf-Eeg → Elektrogramm.

Schlaf-EEG → Elektrogramm.

Schlafelektroenzephalogramm → Elektrogramm.

¹schlafen, schlummern, in Morpheus' Armen liegen / ruhen, der Schlaf hat jmdn. übermannt / überkommen, [ein] Nickerchen / ein Schläfchen / Augenpflege machen (ugs.), druseln (ugs., nordd.), die Matratze belauschen (ugs.), sich von ihnen begucken (ugs.), wie ein Toter / ein Murmeltier / (salopp) ein Sack / ein Stein schlafen, den Schlaf des Gerechten schlafen, dösen (ugs.), koksen (salopp), filzen (salopp), pofen (salopp), pennen (sa-

lopp), ratzen (ugs., landsch.), dachsen (ugs., landsch.) · sehr lange: bis in die Puppen schlafen (ugs.) · geräuschvoll mit offenem Mund: schnarchen, sägen (ugs., scherzh.) · nach Tisch: Siesta halten · auf der Spalte, die zwischen zwei nebeneinanderstehenden Betten entsteht: auf der Besuchsritze schlafen, übernachten → wach [sein]; → einschlafen, → übernachten; s. gehen, ins / zu Bett gehen, zum Federball gehen (scherzh.), sich zurückziehen / zur Ruhe begeben, sich hinlegen / niederlegen / (salopp) hinhauen / (ugs.) aufs Ohr legen, sich aufs Ohr hauen (salopp), sich schlafen legen, ins Nest (oder:) in die Klappe / Falle / Heia / Federn gehen (salopp), sich in die Falle hauen (salopp) · früh: mit den Hühnern schlafen / zu Bett gehen; nicht s. gehen können, sich die Nacht um die Ohren schlagen [müssen] (ugs.), nicht aus den Kleidern kommen (ugs.); → ruhen; → Bett, → Liege, → Schlaf · Ggs. → aufstehen.

²schlafen: den letzten Schlaf s. → tot [sein]; [bei Mutter Grün / unter freiem Himmel s.] → übernachten; mit jmdm. s. → koitieren; mit offenen Augen s. → unaufmerksam [sein].

Schlaferl → Schlaf.

¹schlaff, lose, lasch, schlaksig, bomm[e]llig (ugs., landsch.), entspannt, nicht → fest, nicht → steif; → biegsam, → kraftlos, → lose, → weich.

²schlaff → faltig.

Schlaffhaut → Chalodermie.

Schlaffheit → Zerfurchtheit.

Schlafgänger → Untermieter.

Schlafgelegenheit → Bett.

Schlafgemach → Raum.

Schlafittchen: am S. kriegen → ergreifen (jmdn.).

schlaflos: etwas bereitet jmdm. -e Nächte → sorgen (sich).

Schlaflosigkeit, Insomnie, Asomnie, Pervigilium, Agrypnie; → Schlaf, → Schlafmittel.

¹Schlafmittel, Hypnagogum, Hypnotikum, Hypnogenikum, Somniferum, Somnifikum, Somnifaziens, Soporiferum, Soporifikum, Einschlafmittel, Durchschlafmittel, Schlafpul-

ver, Schlaftablette, Schlafpille,
→ Medikament, → Psychopharmakon, → Schlaf, →
Schlaflosigkeit, → Schlafmittelvergiftung.

²**Schlafmittel** → Medikament.

**Schlafmittelsucht:** → Schlafmittelvergiftung, → Sucht.

**Schlafmittelvergiftung,** Schlafmittelsucht, Barbitursäurevergiftung, Barbiturismus, Barbitalismus, Barbituismus; →
Schlafmittel, → Sucht, → Vergiftung.

¹**Schlafmütze** (*abwertend*), Transuse (*abwertend*), Trantüte
(*nordd.*, *abwertend*), Trantute
(*landsch.*, *abwertend*), Tranfunzel (*landsch.*, *abwertend*),
Christkindchen (*scherzh.*),
Blinzelbienchen (*scherzh.*), Waserl (*österr.*), Tränentier (*ugs.*),
Langweiler, Schnecke; → Mädchen, → Mensch; → langsam.

²**Schlafmütze** → Mensch.

**Schlafpille** → Schlafmittel.

**Schlafpulver:** → Medikament,
→ Schlafmittel.

**schläfrig** → müde.

**Schläfrigkeit,** Schlafsucht ·
*krankhafte:* Somnolenz, Lethargie;→Benommenheit,→Mittagsruhe, → Schlaf; → schlafen;
→ müde.

**Schlafrock:** Apfel im S. → Gebäck.

**Schlafsack** → Decke.

**Schlafstätte** → Bett.

**Schlafstelle** → Unterkunft.

**Schlafsucht** → Schläfrigkeit.

**Schlaftablette:** → Medikament,
→ Schlafmittel; -n nehmen →
entleiben (sich).

**Schlaftherapie** → Heilschlaf.

**schlaftrunken** → müde.

**Schlafwagen** → Eisenbahnwagen.

**Schlafwagenabteil** → Eisenbahnabteil.

**Schlafwagenschaffner** → Schaffner.

**Schlafwandeln** → Mondsüchtigkeit.

**Schlafzimmer** → Raum.

**schlag** → genau.

**Schlag:** → Art, → genau, →
Herzinfarkt, → Schlaganfall, →
Schlagsahne, → Schneise, →
Stoß, → Unglück; Schläge →
Züchtigung; S. ins Wasser →
Mißerfolg; etwas ist ein S. ins

Gesicht → beleidigend [sein];
etwas ist ein S. ins Wasser →
nutzlos [sein], → wirkungslos
[bleiben]; etwas ist ein S. unter
die Gürtellinie → unfair [sein];
gleich gibt es Schläge! → aufhören; es gibt Schläge, Schläge
kriegen → schlagen; S. auf S.
→ schnell [nacheinander]; wie
vom S. gerührt sein → überrascht [sein]; wie vom S. gerührt / getroffen sein →
betroffen [sein].

**Schlagader** → Ader.

**Schlagaderblutung** → Blutung.

**Schlagaderentzündung** → Arterienerkrankung.

¹**Schlaganfall,** Gehirnschlag,
Hirnschlag, Apoplexie, Schlag
(*ugs.*), Schlagfluß (*veraltet*); →
Herzinfarkt, → Überhitzung.

²**Schlaganfall** → Anfall.

**schlagartig** → plötzlich.

**Schlagball,** Baseball, Kricket;
→ Ballspiel, → Spiel.

**Schlagband** → Quaste.

**Schlagbaum:** → Bahnschranke,
→ Hürde.

**Schläge,** Prügel, Abreibung
(*ugs.*), Dresche (*ugs.*), Keile
(*ugs.*), Haue (*ugs.*), Wichse
(*ugs.*); → Züchtigung; →
schlagen.

¹**schlagen,** prügeln, verprügeln,
versohlen (*salopp*), durchprügeln, zuschlagen, hauen, verhauen, zusammenschlagen (*ugs.*),
jmdn. zu Brei schlagen / zu
Hackfleisch machen (*derb*), auf
jmdn. einschlagen, durchhauen,
jmdm. die Hosen / den Hosenboden strammziehen (*ugs.*),
jmdm. den Hintern versohlen
(*salopp*), von seinem Züchtigungsrecht Gebrauch machen,
jmdm. den Frack vollhauen / vollschlagen (*salopp*),
jmdn. übers Knie legen (*ugs.*),
jmdm. das Fell / Leder gerben
(*salopp*), dreschen (*salopp*), verdreschen (*salopp*), vermöbeln
(*salopp*), verkloppen (*salopp*),
verschlagen (*salopp*), verwichsen
(*salopp*), verwamsen (*salopp*),
verbimsen (*salopp*), vertrimmen
(*salopp*), vertobaken (*salopp*),
verkamisolen (*salopp*), verkeilen (*salopp*), durchbleuen (*salopp*), durchwalken (*salopp*),
durchwichsen (*salopp*), abschwarten (*salopp*), überlegen

(*salopp*), verwalken (*salopp*),
trischacken (*salopp*, *österr.*),
jmdm. einen vor den Latz knallen (*salopp*, *berlin.*), abstrafen,
sich keilen / kloppen (*salopp*),
sich katzbalgen (*ugs.*), sich
balgen / raufen (*ugs.*), knuffen
(*ugs.*), boxen, rangeln, handgemein / handgreiflich werden,
jmdn. ohrfeigen / (*salopp*)
watschen, jmdm. eine Ohrfeige /
(*ugs.*) Maulschelle / (*ugs.*) Schelle geben, jmdm. eine herunterhauen / (*ugs.*, *landsch.*) dachteln, es jmdm. [ordentlich /
tüchtig / feste] geben (*salopp*),
jmdm. eins (oder:) eine (oder:)
ein paar hinter die Ohren /
die Löffel geben (*ugs.*), jmdm.
eine in die Schnauze / Fresse
geben (*derb*), jmdm. eine in die
Fresse knallen (*derb*), jmdm. eine
geben / kleben / langen / schmieren / (*österr.*) reißen / (*österr.*)
reiben / scheuern / käsen /
knallen / schallern / wienern /
verpassen (*salopp*), jmdm. die
Fresse / die Eier polieren
(*vulgär*), jmdm. eins aufbrennen / verpassen / überbraten
(*salopp*), jmdm. ein Ding verpassen (*salopp*), [aus]
peitschen, jmdn. in den Hintern treten (*derb*), es setzt
Prügel / Hiebe / etwas (*ugs.*), es
gibt Prügel / Schläge / (*salopp*)
Senge, gib ihm Saures! (*salopp*);
→ bestrafen, → wehren (sich);

**geschlagen werden,** Prügel /
Schläge / (*salopp*) Wichse /
(*salopp*) Senge kriegen, eine
Wucht kriegen (*salopp*), eins
draufkriegen / draufbekommen
(*ugs.*), ein paar [hinter die
Löffel / die Ohren] kriegen
(*ugs.*), eine / ein paar fangen
(*ugs.*), eins auf den Deckel kriegen / bekommen (*ugs.*), eine
Ohrfeige kriegen, eine Watsche
fangen (*ugs.*, *österr.*); → Ohrfeige, → Peitsche, → Schlägerei.

²**schlagen:** → abholzen, → besiegen, → fallen, → klopfen, →
singen; -de Verbindung → Verbindung; Alarm / Lärm s. →
alarmieren; alles kurz und klein
s. → zerstören; alles über einen
Leisten s. → unterscheiden;
Bahn s. → schlittern; einer
Sache eine Bresche s. → unterstützen (etwas); jetzt schlägt's

aber dreizehn → unerhört [sein]; zwei Fliegen mit einer Klappe s. → schlau [handeln]; Geld / Kapital aus etwas s. → kommerzialisieren; Krach s. → aufbegehren; das Kreuz s. → bekreuzigen (sich); sich die Nacht um die Ohren s. → schlafen; Purzelbaum s. → Purzelbaum; alle Rekorde s. → übertreffen; Schaum s. → prahlen; [den Takt] s. → dirigieren; die Trommel s. → trommeln; wissen, was die Glocke geschlagen hat → wissen; Wurzeln s. → niederlassen (sich); sich an die Brust s. → bereuen; ans Kreuz s. → töten; aus der Art / in die Art / nach jmdm. s. → ähneln; jmdm. schlägt das Herz bis zum Hals → aufgeregt [sein]; sich durchs Leben s. → leben; s. in → einrammen; sich [seitwärts] in die Büsche s. → weggehen; in die Flucht s. → einschreiten; [wie] mit Blindheit geschlagen sein → merken; mit der Faust auf den Tisch s. → eingreifen; → streng [werden]; jmdn. mit seinen eigenen Waffen s. → wehren (sich); nach jmdm. s. → gleichen; über die Stränge s. → übermütig sein; vom Schicksal geschlagen → leidgeprüft; s. von → abmachen; zu Buch s. → wichtig [sein].

**schlagend:** → stichhaltig, → treffend.

**[1]Schlager,** Hit, Gassenhauer, Schmachtfetzen *(abwertend),* Schnulze *(abwertend)* • *längere Zeit beliebter:* Evergreen; → Kitsch, → Lied, → Musik, → Sänger, → Schlagersendung.

**[2]Schlager:** → Glanzpunkt, → Verkaufsschlager.

**Schläger:** → Raufbold, → Sportgerät.

**Schlägerei,** Keilerei *(ugs.),* Rauferei, Wirtshausrauferei, Prügelei, Schleglete *(schweiz.);* → schlagen.

**Schlagermusik** → Unterhaltungsmusik.

**Schlägermütze** → Kopfbedeckung.

**schlägern** → abholzen.

**Schlagerparade** → Schlagersendung.

**Schlagerplatte** → Schallplatte.

**Schlagersänger** → Sänger.

**Schlagersendung,** Schlagerparade, Hitparade; → Schlager.

**Schlägertyp** → Raufbold.

**Schlägerung** → Urbarmachung.

**Schlagetot** → Raufbold.

**schlagfertig** → geistreich.

**Schlagfluß** → Schlaganfall.

**Schlaginstrument** : Trommel, Pauke, Schellentrommel, Tamburin, Tamtam, Tomtom, Conga, Tumba, Timbales, Bongos • Vibraphon, Xylophon, Schellenbaum, Triangel, Becken, Tschinelle *(österr.)* • Schlagzeug; → Musikinstrument; → trommeln.

**Schlaglawine** → Lawine.

**Schlaglicht** → Scheinwerferlicht.

**Schlagmusikinstrumentenbauer** → Musikinstrumentenbauer.

**Schlagobers** → Schlagsahne.

**Schlagrahm** → Schlagsahne.

**Schlagsahne,** Schlagrahm *(landsch.),* Schlagobers *(österr.),* Schlag *(österr.),* Schlagschmetten *(landsch.),* Obersschaum *(österr., veraltet);* → Sahne.

**Schlagschatten** → Schatten.

**Schlagschmetten** → Schlagsahne.

**Schlagseite:** → Schräge; S. haben → betrunken [sein].

**Schlagstock** → Gummiknüppel.

**Schlagwort:** → Anpreisung, → Leitwort.

**Schlagwunde** → Wunde.

**[1]Schlagzeile,** Überschrift, Headline, Balkenüberschrift, Titel; → Schrift, → Zeitung.

**[2]Schlagzeile:** -n machen → auffallen.

**Schlagzeug** → Schlaginstrument.

**Schlagzeuger,** Pauker, Paukist, Kesselpauker • *im Jazz:* Drummer.

**Schlagzeugmacher** → Musikinstrumentenbauer.

**Schlaks:** → Mann, → Riese.

**schlaksig** → schlaff.

**Schlamassel** → Not.

**Schlamm,** Morast, Matsch, Mansch *(salopp, landsch.),* Brei, Pampe *(ugs., abwertend),* Eierpampe *(ugs., berlin.),* Pflotsch *(schweiz.),* Pflüder *(schweiz.),* Mudd *(nordd.),* Modder *(nordd.),* Schlick, Schneematsch, Schneebrei; → Schmutz, → Sumpf.

**Schlammbeißer** → Fisch.

**Schlammläufer** → Vogel.

**Schlammschnecke** → Schnecke.

**Schlampe** → Frau.

**schlampen** → nachlässig [sein].

**Schlampen** → Frau.

**Schlamperei** → Nachlässigkeit.

**schlampern** → nachlässig [sein].

**schlampert** → nachlässig.

**schlampig** → nachlässig.

**[1]Schlange,** Giftschlange, Natter, Giftnatter, Ringelnatter, Würfelnatter, Glattnatter, Äskulapschlange, Otter, Kreuzotter, Puffotter, Viper, Anakonda, Boa [constrictor], Königsschlange, Python, Pythonschlange, Gitterschlange, Felsenschlange, Klapperschlange, Kobra, Brillenschlange, Hutschlange, Speischlange, Seeschlange; → Kriechtiere.

**[2]Schlange:** → Verkehrsstauung; da beißt sich die S. in den Schwanz → Teufelskreis; S. stehen → warten; Kopf / Schwanz der S. → Sternbild; in S. fahren → fahren.

**schlängeln:** sich s. um → schlingen (sich um).

**Schlangenadler** → Vogel.

**Schlangenbogen** → Eislauf.

**Schlangenfraß** → Essen.

**Schlangengift** → Gift.

**Schlangengurke** → Gurke.

**Schlangenknoblauch** → Gemüse.

**Schlangenlauch** → Gemüse.

**Schlangenleder** → Leder.

**Schlangenmelone** → Melone.

**Schlangenmensch** → Artist.

**Schlangenmoos** → Bärlappgewächs.

**Schlangenstern** → Stachelhäuter.

**Schlangenträger** → Sternbild.

**[1]schlank,** schlankwüchsig, gertenschlank, rank, grazil, schmal, dünn, mager, hager, schlank wie eine Tanne, zaundürr *(bayr., österr.),* dürr, spindeldürr, knochig, spillerig *(ugs., abwertend),* leptosom, asthenisch, nicht → dick; → abgezehrt, → schmächtig, → sportlich; **s. sein,** ein Hering sein *(ugs.),* nur noch Haut und Knochen sein *(ugs.),* nur noch ein Schatten seiner selbst sein, bei jmdm. kann man alle Rippen zählen *(ugs.),* an jmdm. ist nichts dran *(ugs.),* schmal wie ein Handtuch sein (ugs.), ein schmales Handtuch sein; **s. sein wollen,** auf die schlanke Linie achten; **s. werden,** abmagern, abnehmen, mager / dünner werden, an Gewicht verlieren, immer weniger werden (ugs.), vom Fleisch / aus den Kleidern fallen (ugs.), nicht → zunehmen; → Schlankheit, → Schlankheitskur, → Zartheit.

**²schlank:** → sportlich.

**Schlankaffe** → Affe.

**Schlankel** → Junge.

**schlankerhand** → kurzerhand.

**Schlankheit,** Überschlankheit, Hagerkeit, Magerkeit, Schmalheit; → Zartheit; → schlank.

**Schlankheitsdiät** → Diät.

**Schlankheitskur,** Abmagerungskur, Entfettungskur, Hungerkur, Fastenkur; → Diät, → Fasttag, → Kur; → schlank.

**Schlanklori** → Affe.

**schlankweg:** → kurzerhand, → rundheraus.

**schlankwüchsig** → schlank.

**Schlapfen** → Schuh.

**schlapp** → kraftlos.

**Schlappe:** → Debakel; eine S. erleiden → besiegen.

**Schlappen** → Schuh.

**Schlappheit:** → Erschöpfung, → Kraftlosigkeit.

**Schlapphut** → Kopfbedeckung.

**schlappmachen:** → ohnmächtig [werden]; nicht s. → durchhalten.

**Schlappmaul:** Pfälzer S. → Pfälzer.

**Schlappohren** → Ohr.

**Schlaraffenland** → Fabelland.

**¹schlau,** findig, diplomatisch, taktisch, geschickt, pädagogisch, pfiffig, listig, clever, geschäftstüchtig, lebenstüchtig, verschmitzt, gnitz (schwäb.), bauernschlau, gewitzt, alert, smart, raffiniert, jesuitisch (abwertend), durchtrieben, gerissen (ugs.), verschlagen (ugs.), ausgefuchst (ugs.), gerieben (salopp), ausgekocht (salopp, abwertend), abgefeimt, ausgepicht (ugs.), ausgebufft (salopp), gewiegt (ugs.), gewieft (ugs.), gefinkelt (österr.), gehaut (ugs., österr.), vigilant (landsch.), helle (ugs., landsch.), nicht → dumm, nicht → unklug; → böse, →

gewandt, → klug, → oberschlau, → tüchtig; **s. sein,** auf Draht / auf Zack / nicht von gestern / mit allen Wassern gewaschen / mit allen Hunden gehetzt / (österr.) hell auf der Platte sein (ugs.), es faustdick hinter den Ohren haben, sich nichts erzählen / vormachen / weismachen lassen, sich nicht für dumm verkaufen lassen, sich kein X für ein U vormachen lassen; **s. handeln,** zwei Fliegen mit einer Klappe schlagen; → Erfahrung, → Klugheit, → List, → Schlaukopf.

**²schlau:** genauso s. sein wie vorher → wissen.

**Schlaube** → Schale.

**Schlauberger** → Schlaukopf.

**¹Schlauch:** Gummischlauch, Wasserschlauch, Gartenschlauch.

**²Schlauch:** → Übersetzung; einen S. benutzen → absehen.

**Schlauchalge** → Alge.

**schlauchen:** → ablisten; etwas schlaucht → beschwerlich [sein].

**Schlauchmündung** → Mündung.

**¹Schlauchpilz,** Schimmelpilz, Schimmel, Hefepilz, Hefe, Kulturhefe, Reinzuchthefe, Bierhefe, Wildhefe, Weinhefe, Kahmhefe, Nektarhefe, Grauschimmel, Traubenschimmel, Scheibenpilz, Fruchtschimmel, Fruchtschimmelpilz, Gießkannenschimmel, Kolbenschimmel, Pinselschimmel, Brotschimmel, Mehltau, Mehltaupilz, Getreidemehltau, Echter Rebenmehltau, Obstschorf, Apfelschorf, Schorf, Hexenbesen, Mutterkorn, Morchel, Lorchel, Trüffel; → Algenpilz, → Lagerpflanze, → Pilz, → Ständerpilz.

**²Schlauchpilz** → Pilz.

**Schlauchwurm** → Wurm.

**Schlaufe** → Schlinge.

**Schlauheit** → Klugheit.

**Schlaukopf,** Schlauberger (ugs.), Schlaumeier (ugs.), Schläuling (schweiz.), Schlaule (südd.), Pfiffikus (ugs.), Schlitzohr (ugs.), Fuchs, Filou, Politikus (ugs.), Vokativus (veraltet, scherzh.); → Besserwisser, → Betrug, → Draufgänger, → Klugheit, → Leichtfuß; **ein S. sein,** ein Aas auf der Baßgeige

/ Geige sein (salopp, berlin.); → betrügen; → schlau, → unredlich.

**Schlaule** → Schlaukopf.

**Schlaumeier** → Schlaukopf.

**Schlawiner** → Versager.

**¹schlecht,** desolat, miserabel (ugs.), mies (ugs.), unter aller Kanone / Kritik / (salopp) Sau, traurig, elend; → minderwertig.

**²schlecht:** → anstößig, → minderwertig, → unerfreulich, → ungenießbar, → ungeübt, → wertlos; eine -e Arbeitsmoral haben → faulenzen; jmdm. mit etwas einen -en Dienst erweisen → schaden; -e Erfahrungen mit jmdm. / etwas gemacht haben – Erfahrung [haben]; ein -es Gedächtnis haben → vergessen; -er gestellt → einkommensschwach; ein -es Gewissen haben → verlegen [sein]; einen -en Leumund habend → anrüchig; ein -es Licht werfen auf → zurückfallen (auf); in ein -es Licht rücken / setzen / stellen → schlechtmachen; -e Ware → Schleuderware; die -e Zeit → Nachkriegszeit; s. sein → spielen; jmdm. ist / wird s. → unwohl; nicht s. / nicht von -en Eltern sein → unterschätzen; s. werden → faulen; -er werden → nachlassen, → Rückgang, → zurückfallen; bei jmdm. s. angesehen sein → unbeliebt [sein]; s. aussehen → krank [aussehen]; s. beraten sein → irren (sich); es steht s. mit → hapern; s. wegkommen → zurückstehen; s. und recht → notdürftig; s. und recht, mehr s. als recht → kaum.

**schlechterdings** → ganz.

**schlechthin,** par excellence, in höchster Vollendung, im eigentlichen Sinne, in Reinkultur (ugs.), im wahrsten Sinne des Wortes, ganz einfach, ganz allgemein, katexochen; → echt, → ganz, → gewissermaßen.

**schlechtmachen,** verleumden, verlästern, verteufeln, verketzern, verunglimpfen, jmdm. die Ehre abschneiden, diskriminieren, in Verruf / Mißkredit bringen, in ein schlechtes Licht setzen / stellen / rücken, diffamieren, diskreditieren, herab-

setzen, abqualifizieren, herabwürdigen, entwürdigen, jmdm.
etwas nachsagen / nachreden /
(*abwertend*) andichten / anhängen, jmdm. ein Maul anhängen (*landsch., abwertend*),
über jmdn. herfallen, verächtlich machen, mit dem Finger auf
jmdn. zeigen, bereden, nichts
Gutes über jmdn. sagen /
sprechen, hinter jmdm. herreden (*ugs.*), ausmachen (*südd.*),
ausrichten (*südd., österr.*), vernütigen (*schweiz.*), schnöden
(*schweiz.*), anschwärzen, an
jmdm. kein gutes Haar / keinen
guten Faden lassen, madig
machen (*ugs.*), in den Schmutz /
(*salopp*) Dreck ziehen, jmdn.
mit Schmutz / (*salopp*) Dreck
bewerfen, jmdn. durch den
Kakao / durch die Gosse
ziehen (*ugs.*) · *die eigene
Familie, das eigene Land:* das
eigene / sein eigenes Nest beschmutzen; → demütigen
(jmdn.), → kompromittieren
(jmdn.), → kränken, → reden,
→ verleiden.

**schlechtweg** → ganz.

**Schlechtwetter,** Tiefdruckgebiet, Tief, Sauwetter (*derb,
abwertend*); → Wetter; → veränderlich · Ggs. → Schönwetter.

**Schlechtwetterflug** → Flug.

**Schleck** → Leckerbissen.

**schlecken:** → essen, → lecken.

**Schleckereien** → Süßigkeiten.

**schleckig** → wählerisch.

**Schlegel** → Keule.

**Schleglete** → Schlägerei.

**Schlehdorn** → Schwarzdorn.

**Schlehe** → Schwarzdorn.

**Schlei** → Fisch.

**schleichen:** → fahren, → fortbewegen (sich); sich s. → weggehen; -der Puls → Puls-
schlag; s. um → beschleichen.

**Schleichhandel,** Schmuggel,
Schwarzhandel, Schwarzmarkt,
schwarzer Markt · *stillschweigend geduldeter, aber eigentlich
verbotener:* grauer Markt; →
Betrug, → Schmuggelware; **S.
treiben,** schmuggeln, schieben
(*salopp*), paschen (*ugs.*), schwärzen (*veraltend*).

**Schleichhändler:** → Händler, →
Schmuggler.

**Schleichkatze** → Raubtier.

**Schleichware** → Schmuggelware.

**Schleichweg:** auf -en → gesetzwidrig.

**Schleichwerbung** → Werbung.

**Schleie** → Fisch.

**Schleier:** einen S. vor den Augen
haben → sehen; den S. des
Vergessens / der Vergessenheit
über etwas breiten → ver-
tuschen; den S. lüften → aufdecken; den S. nehmen →
Nonne [werden].

**Schleiereule** → Vogel.

**schleierhaft** → unfaßbar.

**Schleiermotte** → Schmetterling.

**Schleif** → Schöpfkelle.

**Schleife:** → Haarschleife, →
Krawatte, → Schlinge.

**schleifen:** → glätten, → niederreißen, → schärfen, → ziehen;
geschliffen → geschärft; die
Zügel s. lassen → nachlässig
[werden]; s. in → eingravieren.

**Schleifen-s** → Eszett.

**Schleifglas** → Glas.

**Schleifscheibe** → Schleifstein.

**[1]Schleifstein,** Wetzstein, Schleifscheibe · Streichriemen; →
schärfen.

**[2]Schleifstein:** wie ein Affe auf
dem S. sitzen → sitzen.

**Schleim:** → Absonderung, →
Auswurf, → Brei.

**schleimern** → schlittern.

**Schleimfisch** → Fisch.

**schleimig** → flüssig.

**Schleimigkeit** → Flüssigsein.

**Schleimscheißer** → Schmeichler.

**Schleimsuppe** → Suppe.

**schleißen** → schlittern.

**schleistern** → schlittern.

**schlemmen** → essen.

**Schlemmer** → Feinschmecker.

**schlendern** → spazierengehen.

**Schlendrian** → Lebensweise.

**Schlenker:** → Richtungsänderung, → Weg.

**Schleppdach** → Dach.

**schleppen** → tragen.

**schleppend** → hinhaltend.

**Schlepper** → Traktor.

**Schlepplift** → Seilbahn.

**Schlepptau:** ins S. nehmen →
ziehen.

**Schlesier,** Lärge (*landsch., abwertend*), Lerge (*landsch., abwertend*); → Deutscher.

**Schlesisch** → Mundart.

**Schleuder** → Wäscheschleuder.

**Schleuderballwerfen** → Leichtathletik.

**Schleuderhonig** → Honig.

**[1]schleudern,** ins Schleudern
geraten · *beim Auto:* ausbrechen, aus der Kurve getragen
werden, schwimmen (*ugs.*), ins
Schwimmen kommen · *bei
Schiffen:* schlingern; → rollen,
→ schwanken, → schwingen.

**[2]schleudern:** → werfen.

**Schleuderpreis:** → Preis; zu
einem S. verkaufen → billig
[verkaufen].

**Schleuderware,** Ausschuß, Aus-
schußware, schlechte Ware,
der letzte Dreck (*salopp, abwertend*); → Altware, Ramsch,
Tinnef (*abwertend*), Schofel (*abwertend*), Plunder (*abwertend*),
Ladenhüter, Ladengaumer
(*schweiz.*); → Kitsch, →
Ware.

**schleunig** → schnell.

**schleunigst** → schnell.

**Schleuse:** der Himmel öffnet
seine -n → regnen.

**Schleusenhafen** → Hafen.

**Schliche** → Arglist; jmdm. auf
die S. kommen → entlarven
(jmdn.).

**schlicht:** → einfach; kurz und
s. → kurzum.

**schlichten** → bereinigen.

**[1]Schlichtheit,** Einfachheit, Einfalt, Herzenseinfalt, Geradheit,
Biederkeit, Biedersinn (*veraltend*), Redlichkeit; → Arglosigkeit, → Aufrichtigkeit, →
Rechtschaffenheit, → Unauffälligkeit; → einfach.

**[2]Schlichtheit** → Unauffälligkeit.

**Schlichtung:** → Einigung, →
Gerichtsverfahren.

**Schlichtungsverfahren** → Gerichtsverfahren.

**Schlick** → Schlamm.

**Schlickermilch** → Milch.

**schlickern** → schlittern.

**Schlidder** → Eisbahn.

**Schlidderbahn** → Eisbahn.

**schliddern** → schlittern.

**schliefen** → drücken.

**Schlieferl:** → Schmeichler, →
Teigwaren.

**Schlier** → Erde.

**Schliersand** → Erde.

**Schließe,** Schnalle, Gürtelschlie-
ße, Gürtelschnalle, Koppelschloß; → Gürtel, → Schuhschnalle.

¹**schließen,** zumachen, einklinken, zuklinken, zuschlagen, zuballern (*ugs.*), zuknallen, zuwerfen, zuschmettern, zuschmeißen (*salopp*), die Tür [hinter sich] ins Schloß fallen lassen / werfen / schmettern · Ggs. → öffnen; **nicht s. können,** nicht zubekommen / (*ugs.*) zukriegen; **die Tür nicht s.,** die Tür offenlassen, zu Hause wohl Säcke / Perlenvorhänge / Perlenschnüre vor der Tür / an den Türen haben (*scherzh.*), wohl im Neubau geboren sein.

²**schließen:** → abschließen, → aufgeben (Geschäft), → beenden, → folgern, → stillegen, → zumachen; geschlossene Abteilung → Krankenhaus; geschlossene Front → Clique; den Bund fürs Leben s. → heiraten; einen Burgfrieden / Frieden s. → bereinigen; Freundschaft s. → anfreunden (sich mit); Frieden s. → Frieden [schließen]; einen Kompromiß s. → übereinkommen; die Pforten s. → zahlungsunfähig [werden]; [mit jmdm.] einen Vergleich s. → einigen (sich); [einen Vertrag] s. → aushandeln; ins Herz geschlossen haben → lieben.

**Schließer** → Wächter.

¹**Schließfach,** Fach, Box; → Aufbewahrungsort, → Fach, → Schrank, → Schublade.

²**Schließfach** → Tresor.

**schließlich:** → spät; [s. und endlich] → letztlich.

**Schließmuskel** → Muskel.

**Schließung** → Stillegung.

**Schliff:** → Benehmen; letzter S. → Krönung; den letzten S. geben → vollenden; S. haben → benehmen (sich).

**schliffern** → schlittern.

¹**schlimm,** bedenklich, beängstigend, besorgniserregend, übel, verhängnisvoll, arg (*ugs.*) · Ggs. → verzeihlich; **nicht s. sein,** das ist nicht [weiter] gefährlich, das ist kein Beinbruch (*ugs.*), das macht nichts (*ugs.*).

²**schlimm:** → böse, → wirr; als s. empfinden → schwernehmen.

**schlimmern** → schlittern.

**schlindern** → schlittern.

¹**Schlinge,** Schlaufe, Schleife, Schluppe (*landsch.*), Masche

(*österr.*); → Knoten, → Schnur.

²**Schlinge** → Eislauf.

**Schlingel** → Junge.

¹**schlingen** (sich um), sich winden um, sich ranken um, sich schlängeln um, sich ringeln um; → umfassen, → umschlingen; → Umschlingung.

²**schlingen:** → essen, → nähen.

**schlingern** → schleudern.

**Schlinggewächs** → Kletterpflanze.

**Schlingpflanze** → Kletterpflanze.

**Schlingrose** → Rose.

**Schlipf** → Erdrutsch.

**schlipfen** → gleiten.

**Schlippstek** → Knoten.

**Schlips:** → Krawatte; jmdm. auf den S. treten → kränken.

**schlitteln** → rodeln.

¹**Schlitten,** Rodelschlitten, Rodel (*bayr., österr.*), Rennschlitten, Rennrodel, Sportschlitten, Bob, Bobsleigh, Schibob, Zweierbob, Viererbob, Skeleton · Rettungsschlitten, Bergungsschlitten, Ackja · *kufenloser:* Toboggan · *bootförmiger, von den Lappen als Transportfahrzeug benützter:* Pulk, Pulka; → Schi, → Sportgerät; → rodeln.

²**Schlitten:** → Auto, → Prostituierte; S. fahren → rodeln; mit jmdm. S. fahren → schikanieren; unter den S. kommen → verwahrlosen.

**Schlittenfahrt** → Fahrt.

**Schlittenpartie** → Ausflug.

**Schlitterbahn** → Eisbahn.

¹**schlittern,** schliddern (*landsch.*), glitschen (*landsch.*), klennern (*landsch.*), hackern (*landsch.*), schlindern (*landsch.*), schlickern (*landsch.*), zuscheln (*landsch.*), schlimmern (*landsch.*), kascheln (*landsch.*), schleißen (*landsch.*), schleistern (*landsch.*), schüttern (*landsch.*), glennen (*landsch.*), schussein (*landsch.*), schindern (*landsch.*), schleimern (*landsch.*), hätscheln (*landsch.*), schliffern (*landsch.*), Bahn schlagen (*landsch.*); → gleiten; → Eisbahn.

²**schlittern** → gleiten.

¹**Schlittschuh** · Kunstlaufschlittschuh, Schnellaufschlittschuh, Eishockeyschlittschuh; → Sportgerät.

²**Schlittschuh** → Sportgerät.

**Schlittschuhläufer,** Eisläufer, Eiskunstläufer, Kunstläufer, Eistänzer, Eisschnelläufer; → Eislauf.

**Schlitz** → Riß.

**Schlitzbube** → Mädchen.

**Schlitzchinese** → Chinese.

**Schlitzohr** → Schlaukopf.

**schlohweiß** → weißhaarig.

¹**Schloß,** Türschloß, Sicherheitsschloß, Patentschloß, Zylinderschloß, Einsteckschloß, Vorhängeschloß, Kastenschloß; → Riegel, → Schlüssel.

²**Schloß:** → Palast; hinter S. und Riegel bringen → festsetzen; hinter S. und Riegel sitzen → abbüßen.

**Schloße:** → Hagel, → Hagelkorn.

**schloßen** → hageln.

**Schlosser** · Mechaniker · Autoschlosser, Autospengler (*oberd.*); → Installateur, → Kunstschmied, → Schmied.

**Schloßkapelle** → Gotteshaus.

**Schloßkirche** → Gotteshaus.

**Schloßplatz** → Platz.

**Schlot:** → Schornstein; qualmen / rauchen wie ein S. → rauchen.

**Schlotbaron:** → Großindustrieller, → Unternehmer.

**Schlotfeger** → Schornsteinfeger.

**Schlottenzwiebel** → Zwiebel.

**schlottern** → frieren.

**Schlotzer** → Schnuller.

¹**Schlucht,** Bergschlucht, Felsschlucht, Felsenschlucht, Gebirgsschlucht, Klamm, Klause, Klus (*schweiz.*), Krachen (*schweiz.*), Runse (*schweiz.*), Gletscherspalte, Felsspalte, Tobel (*oberd.*), Kamin, Couloir; → Abgrund, → Felswand, → Steilabfall.

²**Schlucht:** → Abgrund, → Steilabfall.

**schluchzen** → weinen.

**Schluchzer** → Klagelaut.

**Schluckauf,** Singultus (*Med.*), Singultation (*Med.*), Schlucken (*ostd.*), Schluckser (*westd.*), Schnackerl (*österr.*), Schnaggler (*österr.*), Gluckser (*westd.*), Häcker (*schwäb.*); → Eruktation.

**Schluckbeschwerden** → Halsschmerzen.

Schluckbruder → Trinker.
schlucken: → einnehmen; etwas s. müssen → ertragen; etwas schluckt viel Geld → teuer [sein].
Schlucken → Schluckauf.
Schlucker: [armer S.] → Armer.
Schluckimpfung → Impfung.
Schluckser → Schluckauf.
schluderig → nachlässig.
schludern: → nachlässig [sein], → pfuschen.
Schludrigkeit → Nachlässigkeit.
Schlummer → Schlaf.
schlummern → schlafen.
schlummernd → latent.
Schlummerrolle → Kissen.
Schlummertrunk → Umtrunk.
Schlund → Abgrund, → Rachen.
¹schlüpfen, ausschlüpfen, auskriechen; → brüten, → geboren [werden].
²schlüpfen: jmdm. durch die Finger s. → entkommen; durch die Maschen des Gesetzes s. → verurteilen.
Schlüpfer → Unterhose.
Schlupfloch → Zuflucht.
¹schlüpfrig, anstößig, unschicklich, ungehörig, unziemlich, ungebührlich, unanständig, zweideutig, nicht salonfähig (scherzh.), stubenrein, pikant, lasziv, schmutzig, unsittlich, unmoralisch, schlecht, wüst, liederlich, zuchtlos, verdorben, verderbt, verrucht, ruchlos, verworfen, unzüchtig, pornographisch, tierisch, zotig, schweinisch (salopp, abwertend), lasterhaft, sittenlos, unkeusch, unsolide, ausschweifend, obszön, nicht → anständig; → anrüchig, → begierig, → frech, → gemein, → gewöhnlich, → hemmungslos, → pervers, → unhöflich; → anstoßen, → verwahrlosen; → Anstößigkeit, → Inzest, → Sittenlosigkeit, → Unzucht.
²schlüpfrig → glatt.
Schlupfwinkel → Zuflucht.
Schluppe → Schlinge.
Schlurf → Jüngling.
schlurfen → fortbewegen (sich).
schlürfen: → Laut, → trinken.
schlurren → fortbewegen (sich).
Schluse → Schale.

Schluß: → Ende, → Folgerung, → Pointe; der Weisheit letzter S. → Entschließung; jetzt ist S. → ärgerlich [werden]; S. machen → beenden, → entleiben (sich); mit jmdm. S. machen → brechen (mit jmdm.); [gewaltsam] S. machen mit etwas → eingreifen; den S. ziehen, seine Schlüsse ziehen, zu dem S. kommen → folgern; am S. → spät; zum S. → abschließend.
¹Schlüssel, Türschlüssel, Wohnungsschlüssel, Hausschlüssel, Haustürschlüssel, Abschlußschlüssel, Hauptschlüssel, Sicherheitsschlüssel, Flachschlüssel; → Nachschlüssel, → Schloß; → abschließen.
²Schlüssel → Aufklärung.
Schlüsselblume, Himmel[s]schlüssel, St.-Peter-Schlüssel, Frauenschlüssel, Gichtkraut, Kraftblume, Märzenblume, Bärenöhrli (landsch.); → Blume.
schlüsselfertig → bezugsfertig.
Schlüsselfigur, Hauptperson, Hauptfigur, Hauptakteur; → Drahtzieher.
Schlüsselkind → Kind.
Schlüsselroman → Roman.
schlußendlich → letztlich.
schlußfolgern → folgern.
Schlußfolgerung → Folgerung; die S. ziehen → folgern.
Schlußgenehmigung → Kontrolle.
schlüssig: → stichhaltig; sich s. werden → entschließen (sich).
Schlußlicht: → Nachzügler, → Signallicht.
Schlußmann → Torwart.
Schlußstrich: einen S. unter etwas ziehen → beenden.
Schlußverkauf → Ausverkauf.
Schlußwort → Nachwort.
Schlutte → Jacke.
Schmach → Bloßstellung.
schmachten: → Hunger [leiden]; [s. nach] → anschwärmen, → streben.
schmachtend → verliebt.
Schmachtfetzen → Schlager.
schmächtig, schwächlich, schmalbrüstig; → schlank; s. sein, nur eine halbe Portion sein (ugs.), ein Wicht / Hänfling / Sperber sein (ugs.).
Schmächtigkeit → Zartheit.
Schmachtlappen → Frauenheld.

Schmachtlocke → Haarlocke.
schmachvoll → gemein.
schmackbar → schmackhaft.
¹schmackhaft, wohlschmeckend, mundig (schweiz.), schmackbar (schweiz.), gut, vorzüglich, geschmackig (österr.) · von Getränken: süffig; → appetitlich, → bekömmlich, → eßbar, → nahrhaft, → würzig.
²schmackhaft: jmdm. etwas s. machen → annehmbar.
schmafu → geizig.
Schmäh: → Trick; einen S. führen → spaßen; jmdn. am S. halten → anführen (jmdn.).
schmähen → kränken.
schmählich → gemein.
Schmähschrift → Flugschrift.
Schmähtandler → Spaßvogel.
Schmähung → Beleidigung.
Schmähwort → Schimpfwort.
schmal: → eng, → karg; [s. wie ein Handtuch sein] → schlank [sein].
schmalbrüstig → schmächtig.
schmälen → schelten.
schmälern → verringern.
Schmälerung → Verminderung.
Schmalfilm → Film.
Schmalfilmkamera → Kamera.
Schmalgeiß → Gemse.
Schmalhans: bei jmdm. ist S. Küchenmeister → sparen [müssen].
Schmalheit → Schlankheit.
Schmalnase → Affe.
Schmalspießer → Hirsch.
Schmalspur → Ausbildung.
Schmaltier → Hirsch.
Schmalz → Fett.
Schmalzdackel → Mann.
schmalzig → empfindsam.
Schmalzpreuße → Preuße.
Schmankerl → Leckerbissen.
Schmant → Sahne.
schmarotzen, nassauern (ugs.); → bitten; → Last, → Schmarotzer.
Schmarotzer, Nassauer (ugs.) · zur Zeit des Absolutismus: Hofschranze, Schranze, Kamarilla; → Last; → schmarotzen; → kostenlos.
Schmarren: → Kitsch, → Omelett.
Schmattes → Trinkgeld.
Schmatz → Kuß.
schmatzen → Laut.
Schmätzer → Vogel.

Schmauch → Rauch.
schmauchen → rauchen.
Schmaus → Essen.
schmausen → essen.
¹schmecken, munden, zusagen, den Gaumen kitzeln (geh.), dem Gaumen schmeicheln (geh.), etwas für einen verwöhnten Gaumen sein, etwas schmeckt nach mehr (fam.); → essen, → gefallen; nicht s.: etwas schmeckt nicht / (geh.) beleidigt den Gaumen / widersteht jmdm. / (salopp) kommt jmdm. zu den Ohren raus / ist jmdm. zuwider / ekelt jmdn. an, es graust jmdm. (landsch.); → anwidern, → satt [sein]; → Essen, → Leckerbissen.
²schmecken: → atmen, → kosten; etwas schmeckt jmdm. nicht → entgegenstehen, → gefallen.
Schmeichelei: → Kompliment, → Unterwürfigkeit.
¹schmeicheln, schöntun, flattieren, Komplimente machen, Süßholz raspeln (ugs.), hofieren, höfeln (schweiz.), poussieren, zu Gefallen / nach dem Munde reden, einseifen (ugs.), jmdm. um den Bart gehen (ugs.), jmdm. Brei / Honig um den Mund (oder:) ums Maul schmieren (salopp), jmdm. das Goderl kratzen (österr.); → flirten, → loben, → nähern, → umwerben, → unterwürfig [sein]; sich geschmeichelt fühlen, sich gebauchpinselt fühlen (salopp); → Kompliment, → Schmeichler.
²schmeicheln: etwas schmeichelt jmdm. → kleiden; dem Gaumen s. → schmecken.
Schmeichler, Charmeur, Liebediener, Leisetreter, Radfahrer (ugs., abwertend), Süßholzraspler, Heuchler, Pharisäer, Kriecher (abwertend), Speichellecker (abwertend), Schlieferl (österr.), Duckmäuser, Arschkriecher (derb), Arschlecker (derb), Schleimscheißer (derb), Lakai (abwertend), Steigbügelhalter (abwertend); → Frauenheld, → Heuchler, → Unterwürfigkeit; → schmeicheln.
schmeißen: → werfen; den Laden s. → bewerkstelligen; Trips s. → spritzen.
Schmelz: → Anmut, → Glasur.

¹schmelzen, zerschmelzen, zergehen, zerlaufen, zerfließen, sich auflösen; → fließen; → flüssig.
²schmelzen: → tauen, → zerlassen; geschmolzen → flüssig.
Schmelzkäse → Käse.
Schmelztiegel → Sammelbecken.
Schmer → Fett.
Schmerbauch → Bauch.
Schmerle → Fisch.
Schmerling → Ständerpilz.
¹Schmerz, Schmerzen, Dolor (Med.), -algie (z. B.: Neuralgie), -odynie (z. B.: Achillodynie), Algo- (z. B.: Algolagnie), Tormina (Med.) · in den Muskeln nach körperlicher Anstrengung: Muskelkater, Gliederreißen; → Geburtswehen, → Muskelkrampf, → Muskelschmerz; starke Schmerzen haben, sich vor Schmerzen krümmen, es vor Schmerzen nicht aushalten können, die Engel im Himmel singen hören (ugs.), nicht leben und nicht sterben können (ugs.); → schmerzhaft, → schmerzlos.
²Schmerz: → Leid; S. bereiten / verursachen → schmerzen; den S. dämpfen / stillen → lindern.
¹schmerzen, weh tun, Schmerz bereiten / verursachen; → schikanieren, → stechen.
Schmerzensgeld: → Ersatz; jmdm. S. zahlen → befriedigen.
Schmerzensmann → Heiland.
Schmerzensmutter → Madonna.
Schmerzensschrei → Klage.
schmerzfrei → schmerzlos.
schmerzhaft, schmerzlich, quälend, qualvoll, algetisch, schmerzend, peinigend, peinvoll, schmerzvoll · stechend, brennend, beißend, bohrend; → Schmerz · Ggs. → schmerzlos.
schmerzlich → schmerzhaft.
¹schmerzlos, schmerzfrei, indolent (Med.); → Schmerz · Ggs. → schmerzhaft.
²schmerzlos: kurz und s. → kurz.
Schmerzmittel → Linderungsmittel.
schmerzstillend: -es Mittel → Linderungsmittel → Medikament.

¹schmerzunempfindlich, unempfindlich, insensibel, anergisch, anenergisch; → schmerzlos.
²schmerzunempfindlich: s. machen → betäuben.
schmerzvoll → schmerzhaft.
Schmetten → Sahne.
¹Schmetterling · im geschlechtsreifen Endstadium: Falter · kleiner, nachts fliegender: Motte (volkst.) · abends und nachts fliegender: Nachtfalter, Nachtschmetterling · tagsüber fliegender: Tagfalter, Diurna (fachspr.) · mit Wandertrieb: Wanderfalter ··· Wurzelbohrer ·· Kaufalter · echte Motte · Kleidermotte, Kornmotte, Pelzmotte, Tapetenmotte ·· Trugmotte ·· Zwergmotte ·· Schopfstirnmotte ·· Miniersackmotte · Himbeermotte, Johannisbeermotte ·· Langhornmotte · Sackträger · Gespinstmotte ·· Schleiermotte · Kohlschabe ·· Silbermotte · Kirschblütenmotte, Apfelmotte ·· Blattütenmotte, Miniermotte · Fliedermotte ·· Palpenmotte · Getreidemotte, Kartoffelmotte ·· Faulholzmotte, Krüppelmotte, Flachleibmotte, Kümmelmotte ·· Sackmotte, Futteralmotte · Lärchenminiermotte ·· Holzbohrer · Blausieb, Weidenbohrer ·· Widderchen ·· Glasflügler · Wespenschwärmer ·· Wickler · Apfelwickler, Blütenwickler, Traubenwickler ·· Zünsler · Wachszünsler · Graszünsler · Fruchtzünsler, Mehlmotte · echter Zünsler · Lichtzünsler, Maiszünsler, Rübenzünsler · Geistchen, Federmotte, Federgeistchen ·· Spanner · Frostspanner, Kiefernspanner, Birkenspanner, Stachelbeerspanner ·· Sichelflügler ·· Bärenspinner · Webbär, Jakobskrautbär, Brauner Bär ·· Trägspinner · Nonne, Schwammspinner, Goldafter ·· Prozessionsspinner · Eichenprozessionsspinner, Kiefernprozessionsspinner, Fichtenprozessionsspinner ·· Eule, Eulenfalter · Forleule, Kieferneule, Ordensband, Hausmutter, Malachiteule, Saateule, Kohleule, Gammaeule ·· Zahnspinner · Mondfleck, Gabel-

schwanz, Zickzackspinner ·· Schwärmer · Abendpfauenauge, Ligusterschwärmer, Kiefernschwärmer, Wolfsmilchschwärmer, Totenkopf, Windenschwärmer, Taubenschwänzchen ·· Glucke · Kupferglucke, Kiefernspinner, Ringelspinner, Eichenspinner ·· Augenspinner, Pfauenspinner · Nachtpfauenauge, Eichenseidenspinner, Tussahspinner ·· Seidenspinner, echter Spinner · Maulbeerseidenspinner ·· Dickkopffalter ·· Bläuling ·· Fleckenfalter, Edelfalter · Tagpfauenauge, Admiral, Trauermantel, Distelfalter, Kleiner / Großer Fuchs, Schillerfalter ·· Augenfalter · Ochsenauge, Kuhauge, Waldpförtner, Waldportier ·· Weißling · *weißer:* Kohlweißling, Baumweißling, Aurorafalter · *gelber:* Postillion, Zitronenfalter ·· Ritter · Schwalbenschwanz, Apollo, Apollofalter, Segelfalter; → Insekt.

²**Schmetterling** → Krawatte.
**Schmetterlingsschwimmen** → Schwimmen.

**schmettern:** → singen; einen s. → trinken.

**Schmied,** Gesenkschmied, Grobschmied · Kupferschmied · Blechschmied, Wagenschmied, Hufschmied, Nagelschmied, Kesselschmied, Scherenschmied, Waffenschmied, Hammerschmied, Rohrschmied, Messerschmied, Beschlagschmied, Kettenschmied; → Edelmetallschmied, → Kunstschmied, → Schlosser.

**schmieden:** → anfertigen; ein Komplott s. → konspirieren; Pläne s. → vorhaben; Ränke s. → intrigieren; Reime / Verse s. → dichten.

**schmiegen:** sich s. an → anschmiegen (sich).

**Schmiere:** → Schmutz, → Theater; S. stehen → achtgeben.

**schmieren:** → abschmieren, → bestechen, → einreiben, → malen, → schreiben, → spielen; etwas geht wie geschmiert → reibungslos; jmdm. eine s. → schlagen; die Gurgel / sich die Kehle s. → trinken; s. auf → bestreichen; jmdm. etwas aufs

Butterbrot s. → vorwerfen (jmdm. etwas).

**Schmierentheater** → Theater.
**Schmierer:** → Kunstmaler, → Übersetzung; einen S. verwenden → absehen.

**Schmierfink:** → Berichter, → Schmutzfink.

**Schmiergeld** → Bestechungsgeld.

**schmierig** → schmutzig.

**Schmierling:** Großer S. → Ständerpilz.

**Schmiermittel** → Bestechungsgeld.

**Schmierpapier** → Schreibpapier.

**Schmierseife** → Waschmittel.
¹**Schminke,** Make-up, Rouge; → schminken.

²**Schminke:** S. auflegen / auftragen → schminken.

**schminken,** Schminke / Farbe / Rouge auflegen (oder:) auftragen, sich anstreichen / anmalen (*abwertend*), sich anschmieren (*ugs., abwertend*); → anmalen, → schönmachen, → streichen, → zeichnen; → Maske, → Schminke.

**schmirgeln** → glätten.

**Schmirgelpapier,** Glaspapier, Sandpapier.

**schmissig** → schwungvoll.
**Schmock:** → Berichter, → Schriftsteller.

**schmöken** → rauchen.
**Schmöker** → Buch.
**schmökern** → lesen.
**Schmokert** → Kuß.
**schmollen:** → gekränkt [sein], → murren.

**Schmollwinkel:** sich in den S. zurückziehen → gekränkt [sein].

**Schmonzes** → Gewäsch.
**schmoren:** → braten, → brennen; jmdn. im eigenen Saft s. lassen → helfen.

**Schmortopf** → Kochtopf.
**schmotzen** → schreiben.
**Schmu:** S. machen → betrügen, → erübrigen.

**schmuck** → geschmackvoll.
¹**Schmuck,** Modeschmuck, Geschmeide, Juwelen, Juwelierarbeit, Juwelierwaren, Schmucksachen, Goldwaren, Pretiosen, Bijouterie (*veraltend*), Zierat, Kostbarkeit, Accessoires, Behang (*ugs.*),

Kleinod; → Brosche, → Halskette, → Ring, → Schatz, → Schmuckstein; → schmücken, → schönmachen.

²**Schmuck:** → Verzierung; sich mit S. behängen → schönmachen.

¹**schmücken,** ausschmücken, zieren, verzieren, verschönern, dekorieren, garnieren; → bekränzen, → schönmachen (sich); → verschnörkelt; → Schmuck, → Verzierung.

²**schmücken:** den Weihnachtsbaum s. → Weihnachtsbaum; mit Fahnen / mit Wimpeln s. → beflaggen; sich mit fremden Federn s. → plagiieren; mit Kränzen s. → bekränzen.

**Schmuckhornfrosch** → Frosch.
**schmucklos** → einfach.
**Schmucklosigkeit** → Unauffälligkeit.

**Schmuckplatz** → Park.
**Schmucksachen** → Schmuck.
**Schmuckschildkröte** → Schildkröte.

**Schmuckspange** → Brosche.
**Schmuckstein,** Edelstein, Halbedelstein ·· *durchsichtig bis durchscheinend · violett:* Amethyst · *blau:* Aquamarin, Saphir, Saphirquarz, Cordierit, Cyanit, Euklas, Hauyn · *gelb:* Bernstein, Goldberyll, Zitrin · *grün:* Chrysoberyll, Chrysolith, Smaragd, Alexandrit, Demantoid, Dioptas, Hiddenit, Moldawit, Uwarowit · *rot:* Rubin, Almandin, Pyrop · *rosa:* Rosenquarz, Morganit, Rhodochrosit, Sonnenstein · *grau:* Rauchquarz · *schwarz-weiß:* Onyx, Chiastolith · *farblos:* Bergkristall, Diamant, Adular · *schwarz:* Morion · *verschiedenfarbig:* Topas, Edeltopas, Turmalin, Zirkon, Andalusit, Apatit, Axinit, Edelskapolith, Feueropal, Grossular, Hyazinth, Kunzit, Spessartin, Sphen, Spinell · *bunt:* Labradorit ·· *durchscheinend bis undurchsichtig · blau:* Lapislazuli, Sodalith, Türkis, Azurit · *grün:* Chrysopras, Heliotrop, Jade, Malachit, Quarzkatzenauge, Amazonit, Aztekenstein, Nephrit, Plasma, Prasem · *rot:* Koralle, Rhodonit, Karneol · *gelbbraun:* Tigerauge · *weiß:*

Meerschaum · *schwarz:* Gagat, Jett, Melanit, Hämatit, Schörl · *verschiedenfarbig:* Achat, Opal, Edelopal, Jaspis, Anatas, Andradit, Aventurin, Chrysokoll ·· *durchsichtig bis undurchsichtig · bläulichweiß:* Mondstein · *verschiedenfarbig:* Eläolith, Vesuvian ·· *einzeln gefaßter:* Solitär ·· *nachgeahmter aus stark lichtbrechendem Bleiglas:* Straß; → Schmuck.

**schmuddelig** → schmutzig.

**Schmuddeligkeit** → Unsauberkeit.

**Schmuggel** → Schleichhandel.

**schmuggeln** → Schleichhandel [treiben].

**Schmuggelware,** Schleichware, Bannware, Konterbande, heiße Ware (*ugs.*); → Raub, → Schleichhandel, → Schmuggler.

**Schmuggler,** Schleichhändler, Schwarzhändler, Pascher (*ugs.*), Schwärzer (*veraltend*); → Komplice, → Schleichhandel, → Schmuggelware.

**schmulen** → nachschauen (jmdm.).

**Schmunz** → Kuß.

**schmunzeln:** → lachen; das Schmunzeln → Lächeln (das).

**schmurgeln** → braten.

**Schmus** → Gewäsch.

**schmusen:** → kosen, → liebkosen.

**Schmußchen** → Kuß.

¹**Schmutz,** Staub, Dreck, Kot, Unreinigkeit, Schmiere (*ugs.*); → Schlamm, → Schmutzfink, → Staubflocke, → Umweltverschmutzung, → Unsauberkeit; → beschmutzen; → schmutzig.

²**Schmutz:** → Fett, → Kuß; in den S. ziehen, mit S. bewerfen → schlechtmachen.

**Schmutzfink,** Dreckspatz (*salopp*), Dreckfink (*salopp*), Schmierfink (*ugs.*), Mistfink (*derb*), Ferkel (*abwertend*), Schwein (*derb*), Dreckschwein (*derb*), Pottsau (*derb*), Sau (*derb*), Drecksau (*derb*); → Schimpfwort, → Schmutz; → schmutzig.

**Schmutzgeier** → Vogel.

¹**schmutzig,** unsauber, unrein, verschmutzt, trübe, schmierig, fettig, ölig, fleckig, verfleckt, mit Flecken übersät / bedeckt, mit Dreck und Speck (*ugs.*),

schmutzstarrend, in unbeschreiblichem Zustand, speckig, schmuddelig, schnuddelig (*landsch.*), murklig (*ugs., landsch.*), angeschmutzt, angestaubt, nicht frisch, unansehnlich, dreckig (*salopp*), verdreckt (*salopp*), versaut (*derb*), kotig, mistig (*derb*) · Ggs. → sauber, → stubenrein; **s. sein,** voller Dreck und Speck sein (*salopp*); → beschmutzen; → Schmutz, → Schmutzfink, → Umweltverschmutzung, → Unsauberkeit.

²**schmutzig:** → anstößig, → gemein; seine -e Wäsche [vor anderen Leuten] waschen → erörtern; s. machen → beschmutzen; sich nicht die Finger s. machen → heraushalten (sich).

**Schmutzliteratur** → Literatur.

**Schmutzpresse** → Presse.

**schmutzstarrend** → schmutzig.

**Schmutzwasser** → Abwasser.

**Schnabel:** → Mund; reden, wie einem der S. gewachsen ist → sprechen.

**Schnabelflöte** → Blasinstrument.

**Schnabelkerf** → Insekt.

**Schnabelkrokodil** → Krokodil.

**schnäbeln** → küssen.

**Schnabeltasse** → Tasse.

**schnabulieren** → essen.

**Schnackerl** → Schluckauf.

**Schnaderhüpfl** → Lied.

**schnafte** → trefflich.

**Schnaggler** → Schluckauf.

**Schnake:** → Mücke, → Stechmücke.

**schnäkisch** → wählerisch.

**Schnalle:** → Griff, → Schließe, → Schuhschnalle, → Türklinke.

**Schnallenschuh** → Schuh.

¹**schnalzen,** schnippen (*ugs.*), schnipsen (*ugs.*).

²**schnalzen** → Laut.

**Schnäpel** → Fisch.

**schnappen:** → ergreifen, → hinken, → nehmen; etwas s. → krank [werden]; sich jmdn. s. → schelten; frische Luft s. gehen → spazierengehen.

**Schnäpper** → Vogel.

**Schnappmesser** → Messer.

**Schnappschuß** → Fotografie.

**Schnaps** → Alkohol.

**Schnapsbruder** → Trinker.

**schnapseln** → trinken.

**schnäpseln** → trinken.

**schnapsen** → trinken.

**Schnapsen** → Kartenspiel.

**Schnäpser** → Dienstgrad.

**Schnapsglas** → Trinkgefäß.

**Schnapsidee** → Einfall.

**Schnapsleiche** → Betrunkener.

**Schnapspreuße** → Preuße.

**Schnapsstamperl** → Trinkgefäß.

**Schnapszahl** → Zahl.

**schnarchen** → schlafen.

**schnarren:** → knarren, → krächzen, → sprechen; -d sprechen → sprechen.

**Schnatterente** → Vogel.

**schnattern:** → krächzen, → sprechen.

**schnauben:** → atmen, → fauchen; [sich s.] → schneuzen (sich).

**schnäubig** → wählerisch.

**schnaufen** → atmen.

**Schnauferl** → Auto.

**Schnaufpause** → Pause.

**schnaukig** → wählerisch.

**Schnauzbart** → Bart.

**schnauzbärtig** → bärtig.

**Schnauze:** → Mund; die S. voll haben → angeekelt [sein].

**schnauzen** → schreien.

**Schnauzer:** → Bart, → Hunderassen.

**Schneck** → Schnecke.

¹**Schnecke,** Schneck (*südd., österr.*), Lungenschnecke, Kiemenschnecke, Wasserschnecke, Käferschnecke, Wurmschnecke, Nacktschnecke, Weinbergschnecke, Hainschnecke, Gartenschnecke, Baumschnecke, Schnirkelschnecke, Wegschnecke, Tellerschnecke, Deckelschnecke, Schlammschnecke, Purpurschnecke, Kegelschnecke, Schraubenschnecke, Faltenschnecke, Napfschnecke, Bernsteinschnecke, Seeohr, Perlmutterschnecke, Porzellanschnecke, Turmschnecke, Kaurischnecke, Flügelschnecke; → Weichtiere.

²**Schnecke:** → Gebäck, → Prostituierte, → Schlafmütze, → Vagina; -n → Frisur; jmdn. zur S. machen → schelten.

**Schneckengewölbe** → Gewölbe.

**Schneckenhaus:** sich in sein S. zurückziehen→abkapseln(sich).

**Schneckennudel** → Gebäck.

**Schneckentempo** → Langsamkeit.

**¹Schnee,** Altschnee, Neuschnee, Pulverschnee, Pappschnee, Harschschnee, Harsch, Firnschnee, Firn, Büßerschnee, Zakkenfirn; → Niederschlag; → schneien; → verschneit.

**²Schnee:** → Niederschlag; anno / im Jahre S. → damals; aus dem Jahre S. → altmodisch; weiß wie S. → weiß; es gibt S. → schneien; mit S. bedeckt, unter S. begraben → verschneit.

**schneearm** → schneefrei.

**Schneeballsystem** → Verkauf.

**Schneeberger:** S. Spitze → Spitzenstickerei.

**Schneebesen,** Schaumschläger, Schneeschläger, Schneerute (österr.), Rute (österr.).

**schneeblind** → blind.

**Schneebrei** → Schlamm.

**Schneedecke:** unter einer S. liegend → verschneit.

**Schnee-Eule** → Vogel.

**Schneefall** → Niederschlag.

**Schneeflocken** → Niederschlag.

**schneefrei,** aper, ausgeapert, schneearm, grün; → Niederschlag; → tauen · Ggs. → verschneit.

**Schneegans** → Mädchen, → Vogel.

**Schneegestöber** → Niederschlag.

**Schneeglätte** → Glatteis.

**Schneeklima:** -te → Klimazone.

**Schneekönig:** sich freuen wie ein S. → freuen (sich).

**Schneeleopard** → Raubtier.

**Schneematsch** → Schlamm.

**Schneemond** → Januar.

**Schneepneu** → Winterreifen.

**Schneeregen** → Niederschlag.

**Schneereifen** → Winterreifen.

**Schneerute** → Schneebesen.

**Schneerutsch** → Lawine.

**Schneeschläger** → Schneebesen.

**Schneeschuh** → Schi.

**Schneesturm:** → Niederschlag, → Wind.

**Schneetreiben** → Niederschlag.

**Schneewächte** → Schneewehe.

**Schneewasser** → Wasser.

**Schneewehe,** Schneewächte, Wächte; → Eisscholle.

**schneeweiß** → weiß.

**Schneid** → Mut.

**Schneide:** etwas steht auf des Messers S. → ungewiß [sein].

**¹schneiden,** schroten, sägen · *um aus Holz etwas zu formen:* schnitzen; → spalten, → zerlegen; → Schnitzer, → Sense.

**²schneiden:** → beschneiden, → ignorieren, → mähen, → operieren; geschnitten → zensiert; [gut s.] → geschärft [sein]; die Cour s. →. umwerben; jmdm. wie aus dem Gesicht geschnitten sein → ähneln; sich in den Finger s. → irren (sich); in Scheiben / Stücke s. → zerlegen; sich ins eigene Fleisch s. → schaden.

**¹Schneider,** Tailleur, Tailor, Kleidermacher, Maßschneider, Herrenschneider, Damenschneider, Uniformschneider, Änderungsschneider, Anzugsspezialist, Flickschneider (ugs., abwertend); → Kürschner, → Schneiderin, → Schneiderpuppe.

**²Schneider:** wie ein S. frieren → frieren; aus dem S. sein → älter [sein], → Schwierigkeit.

**Schneiderbügeleisen** → Bügeleisen.

**Schneiderin,** Näherin, Nähterin (veraltet), Nähmädchen (landsch.); → Putzmacherin, → Schneider, → Schneiderpuppe.

**Schneiderleinen** → Stoff.

**Schneiderlohn** → Preis.

**schneidern** → nähen.

**Schneiderpuppe,** Kleiderpuppe, Probierpuppe; → Schneider, → Schneiderin; → nähen.

**Schneiderschere** → Schere.

**Schneidezahn** → Zahn.

**schneidig** → schwungvoll.

**schneien:** es schneit, es gibt Schnee, Frau Holle schüttelt die Betten · dicht, heftig: es stiemt (landsch.), es staubt (landsch.); → einschneien, → hageln, → regnen; → verschneit; → Niederschlag, → Schnee.

**Schneise,** Lichtung, Schlag, Kahlschlag, Waldschlag; → Wald.

**¹schnell,** eilig, schnellstens, hastig, eilends, flink, wieselflink, forsch, behende, leichtfüßig, fix, hurtig, geschwind, flugs, zügig, rasch, rasant, schleunig,

schleunigst, beförderlich (schweiz.), beförderlichst (schweiz.), in [größter / höchster / fliegender / rasender] Eile, unter Zeitdruck, mit fliegender Hast, auf dem schnellsten Wege, so schnell wie möglich, raschest (österr.), im Flug / Nu; ruck, zuck! (ugs.), blitzschnell, blitzartig, blitzrasch (schweiz.), pfeilschnell, im Sturmschritt, pfeilgeschwind, wie ein geölter Blitz (ugs.), wie von der Tarantel gestochen (ugs.), wie der Blitz / Wind, wie's Gewitter (ugs., landsch.), wie die Feuerwehr (ugs.), a tempo (ugs.), haste was kannste (salopp, berlin.), im Handumdrehen (ugs.), in Null Komma nichts (ugs.), im Kehrum / Handkehrum (schweiz.), mit einem Affentempo / Affenzahn (salopp), mit affenartiger Geschwindigkeit (salopp), mit Karacho / -zig / achtzig Sachen (salopp), auf die schnelle [Tour] (ugs.), nicht → langsam · in bezug auf die Weiterverbreitung von Nachrichten o.ä.: **zu s.,** übereilt, überstürzt, voreilig, vorschnell, ohne Überlegung, kopflos, kopfüber, Hals über. Kopf, holterdiepolter; **s. nacheinander,** rasch nacheinander, in rascher Folge, Schlag auf Schlag; → dringend, → gelenkig, → gleich, → kurzerhand, → plötzlich, → schwungvoll, → wichtig; → Geschwindigkeit, → Überstürzung; → eilen.

**²schnell:** → Hast; -e Kathrin → Durchfall; -er Puls → Pulsschlag; etwas geht nicht so s. → vorangehen; s. machen, mach s.! → beeilen (sich); so s. schießen die Preußen nicht! → ruhig; so s. wie möglich → schnell.

**Schnellaufschlittschuh** → Schlittschuh.

**Schnellboot** → Kriegsschiff.

**Schnellbüffet** → Gaststätte.

**Schnelldampfer** → Fahrgastschiff.

**schnellen** → springen.

**Schneller** → Murmel.

**Schnellerwerden** → Beschleunigung.

Schnelleser → Leser.
Schnellgaststätte → Gaststätte.
Schnellhefter → Aktenordner.
Schnelligkeit → Geschwindigkeit.
Schnellkaffee → Pulverkaffee.
Schnellmacher → Aufputschmittel.
Schnellmerker: jmd. ist ein S. → merken.
Schnellpaket → Postsendung.
schnellstens → schnell.
Schnellstraße → Straße.
Schnellwaage → Waage.
Schnellzug → Eisenbahnzug.
Schnellzuglokomotive → Lokomotive.
Schnepfe: → Prostituierte, → Vogel.
Schneppe → Prostituierte.
Schnerfer → Tornister.
schnetzeln → zerlegen.
schneuzen (sich), sich die Nase putzen, [sich] schnauben, ausschnauben, rotzen (derb) · laut: trompeten · ohne Taschentuch: einen Charlottenburger machen (salopp); → spucken; → Taschentuch.
Schneuztuch → Taschentuch.
Schnickschnack → Unsinn.
schnieben → atmen.
schnieke: → hübsch, → trefflich.
Schniepel → Penis.
Schnippel → Flicken.
schnippen → schnalzen.
schnippisch → spöttisch.
Schnipsel: → Flicken, → Papierschnitzel.
schnipsen → schnalzen.
Schnirkelschnecke → Schnecke.
Schnitt: → Einschnitt, → Ernte, → Form, → Gravüre, → Operation, → Schnittmuster; einen guten S. machen → Profit [machen].
Schnittbohne → Gemüse.
Schnittchen → Sandwich.
Schnitte, Brotschnitte, Brot, Stück [Brot], Scheibe, Stulle (nordd.), Bemme (ostmitteld.) · Butterbrot, Marmelade[n]brot, Käsebrot, Wurstbrot · geröstete, aus Weißbrot: Toast · ohne Belag: Karo trocken (salopp), Brot belegt mit Daumen und Zeigefinger (salopp, scherzh.); → Brötchen, → Brotende, → Sandwich.
Schnitten → Gebäck.

Schnitter: S. Tod → Tod.
Schnittgeburt → Geburt.
¹schnittig, rassig, sportlich, elegant, rasant.
²schnittig → schwungvoll.
Schnittkäse → Käse.
Schnittlauch: → Gemüse, → Küchengewürz.
Schnittmuster, Schnitt, Muster, Schnittmusterbogen; → Stoff, → Vorlage; → nähen.
Schnittmusterbogen → Schnittmuster.
Schnittpunkt → Mittelpunkt.
Schnittsalat → Gemüse.
Schnittwunde → Wunde.
Schnitzaltar → Altar.
Schnitzbrot → Gebäck.
Schnitzel: → Kotelett, → Papierschnitzel, → Span; Wiener S. → Fleischgericht.
Schnitzeljagd → Geländespiel.
schnitzeln → zerlegen.
schnitzen: → anfertigen, → schneiden; aus hartem Holz geschnitzt sein → dickfellig [sein].
¹Schnitzer, Holzschnitzer, Schnitzler (schweiz.); → schneiden.
²Schnitzer: → Fehler, → Versprecher.
Schnitzler → Schnitzer.
Schnitzmesser → Messer.
schnoben: → atmen, → fauchen.
schnobern: s. an → beriechen.
schnodderig → spöttisch.
schnöde: →gemein; -r Mammon → Geld.
schnöden → schlechtmachen.
schnofeln: → atmen, → spionieren.
Schnoferl → Spion.
Schnorcheltauchen → Schwimmen.
Schnörre → Mund.
schnorren: → betteln, → geben.
Schnorrer: → Armer, → Bettler.
Schnorrerei → Bettelei.
Schnorrerin → Bettlerin.
Schnörri → Armer.
Schnösel → Flegel.
schnöselig → unhöflich.
Schnöseligkeit → Unhöflichkeit.
Schnucke → Schaf.
schnuckelig → appetitlich.
Schnuckes → Kuß.

schnuddelig: → appetitlich, → schmutzig.
schnüffeln: → atmen, → spionieren; s. an → beriechen.
Schnüffler → Spion.
Schnuller, Sauger, Gummisauger, Nuckel (landsch.), Nuddel (landsch.), Nuppel (mitteld.), Lutscher (landsch.), Luller (oberd.), Nuggi (schweiz.), Fopper (österr.), Zuzel (bayr., österr.), Schlotzer (schwäb.); → Säuglingsflasche; → saugen.
Schnulze: → Kinofilm, → Schlager.
¹Schnupfen, Rhinitis, Nasenkatarrh, Erkältungskatarrh, Nasenschleimhautentzündung, Koryza, Gravedo (veraltend) · chronisch-atrophischer: Ozaena, Stinknase · auf einer Allergie beruhender: Heuschnupfen, Heufieber, Rhinallergose; → Erkältung, → Krankheit.
²Schnupfen → Erkältung.
Schnupftabak, Niespulver; → Tabak.
Schnupftuch → Taschentuch.
schnuppe: jmdm ist etwas s. → unwichtig [sein].
schnuppern: → atmen; s. an → beriechen.
¹Schnur, Bindfaden, Band, Kordel (südwestd.), Sackband (nordd.), Segelgarn (nordd.), Segeldraht (nordd.), Strippe (ugs.), Bendel, Bändel (schweiz.), Rebschnur (österr.), Spagatschnürl (österr.), Spagat (südd., österr.), Strupfe (südd., österr.), Bändsel (Seemannsspr.); → Faden, → Haarschleife, → Schlinge, → Schnürsenkel, → Seil.
²Schnur: → Schwiegertochter; über die S. hauen → übermütig [sein].
Schnürband → Schnürsenkel.
Schnürbändel → Schnürsenkel.
Schnürchen: etwas geht wie am S. → reibungslos; etwas wie am S. können → vortragen.
schnüren: → binden; sein Bündel s. müssen → entlassen [werden].
Schnürleib → Mieder.
Schnürlregen → Niederschlag.
Schnürlsamt → Kord.
Schnurrant → Bettler.
Schnurrbart → Bart.
schnurrbärtig → bärtig.

schnurren: → Laut; etwas s. → geben.
Schnurrer → Bettler.
Schnurrerei → Bettelei.
Schnurrerin → Bettlerin.
Schnürriemen → Schnürsenkel.
schnurrig → spaßig.
Schnurrpfeiferei → Einfall.
Schnürschuh: → Schuh; Kamerad S. → Österreicher, → Soldat.
Schnürsenkel, Schnürband, Schnürbändel, Schnürriemen, Schuhriemen, Schuhband, Senkel (ugs.); → Schnur.
Schnürstiefel → Schuh.
schnurstracks → geradewegs.
schnurz: jmdm. ist etwas s. → unwichtig [sein].
Schnuß → Kuß.
Schnute → Mund.
¹Schober (oberd.), Heuschober (oberd.), Strohschober (oberd.), Heuhaufen, Strohhaufen, Triste (oberd.), Heutriste (oberd.), Strohtriste (oberd.), Feimen (nordd.), Heufeimen (nordd.), Strohfeimen (nordd.), Heustock (österr., schweiz.), Stock (schweiz.), Schochen (südd., schweiz.), Hausten (westd.); → Garbenstand, → Heureiter.
²Schober: → Gipfel, → Scheune.
schöbern → aufhäufen.
Schochen → Schober.
¹Schock, Erschütterung, Trauma; → Anfall, → Ereignis, → Ohnmacht.
²Schock: → Entsetzen, → Stück; anaphylaktischer S. → Unzuträglichkeit; etwas versetzt jmdm. einen S. → erschüttern.
schocken: → schockieren; etwas schockt jmdn. → erschüttern.
Schocker → Gruselfilm.
schockieren, schocken, Entrüstung verursachen, in [sittliche] Entrüstung versetzen, Bestürzung auslösen / hervorrufen; → anstoßen, → erschüttern; → ärgerlich.
schockiert → ärgerlich.
schocking → anstößig.
Schockschwerenot → verflucht!
schofel → geizig.
Schofel → Schleuderware.
Schöffe, Geschworener, Beisitzer, Laienrichter; → Gericht, → Jurist.

Schöffengericht → Gericht.
Schofför → Fahrer.
Schokolade → Kakao.
schokoladebraun → braun.
schokoladefarben → braun.
schokoladenbraun → braun.
schokoladenfarben → braun.
Schokoladenguß → Guß.
Schokoladenüberzug, Kuvertüre; → Süßigkeiten.
Scholar → Vagabund.
Scholle: → Erde, → Fisch; an der S. haften / kleben, mit der S. verwachsen sein → heimatverbunden [sein].
schon: → bereits; s. immer → unaufhörlich; was ist das s. → wirkungslos [sein].
¹schonen (etwas), behüten, verschonen, wenig beanspruchen / benutzen, sorgsam behandeln, sorgsam umgehen mit etwas, etwas wie seinen Augapfel hüten; → behutsam.
²schonen: → verschonen; sich s. → Gesundheit.
schonend → behutsam.
¹schön, herrlich, wunderschön, wie gemalt, prächtig, phantastisch, prachtvoll, majestätisch, wohlgestaltet, wohlgestalt, ebenmäßig, formschön, formrein (schweiz.); → abgestimmt, → ebenmäßig, → geschmackvoll, → hübsch, → trefflich; → Herrlichkeit, → Wohlgestaltetheit.
²schön: → hübsch, → ja; jmdm. -e Augen machen → flirten; nicht um jmds. -er Augen willen / wegen jmds. -er Augen → Zuneigung; das -e Geschlecht → Frauen (die); -ere Hälfte → Ehefrau; -e Literatur → Literatur; Schönes Steifblattmoos → Moos; das ist ja noch -er! → unerhört [sein]; das wäre ja noch -er! → nein; bitte s.! → bitte!; danke s.!, ich danke [auch] s.!, -en Dank → danke!; s. finden → gefallen.
Schoner → Segelschiff.
schönfärben → beschönigen.
Schönheit: → Frau, → Herrlichkeit, → Wohlgestaltetheit; keine S. sein → häßlich [aussehen].
Schönheitsfehler → Mangel.
Schönheitsmittel → Schönheitspflegemittel.

Schönheitsoperation → Operation.
Schönheitspflege → Kosmetik.
Schönheitspflegemittel, Hautpflegemittel, Schönheitsmittel (ugs.), Kosmetika · Reinigungsmilch, Gesichtsmilch, Reinigungscreme, Waschcreme · Gesichtswasser, Tonic Lotion, Lotion · Feuchtigkeitscreme, Tagescreme, Nachtcreme, Nährcreme · Gesichtsmaske; → Epidermis, → Kosmetik, → Salbe, → Schönheitssalon.
Schönheitsreparatur → Renovierung.
Schönheitssalon, Kosmetikinstitut, Massageinstitut; → Kosmetik, → Schönheitspflegemittel.
Schonkost → Diät.
Schönling → Adonis.
schönmachen, feinmachen, herausputzen, aufputzen, putzen, zurechtmachen, sich aufmachen / pudern / (schweiz.) rüsten / (abwertend) auftakeln / (abwertend) aufdonnern / (österr., abwertend) aufmascherln, sich in Staat / Gala / Schale / Wichs werfen (oder:) schmeißen (ugs.), sich mit Schmuck behängen, Toilette machen; → anziehen, → schminken, → schmücken; → aufgeputzt; → Adonis, → Anzug, → Kleidung.
schönschreiben → schreiben.
schöntun → schmeicheln.
Schonung: → Baumschule, → Wald.
schonungslos → unbarmherzig.
Schonungslosigkeit → Unbarmherzigkeit.
schonungsvoll → behutsam.
Schonwald → Wald.
Schönwetter, Hochdruckgebiet, Hoch, Sonnenschein, Badewetter, Urlaubswetter, Mützenwetter (landsch.); → Wetter · Ggs. → Schlechtwetter.
Schönwetterwolken → Wolken.
Schopf: → Haar, → Remise; die Gelegenheit beim -e packen / fassen / greifen / nehmen → ausnutzen; Mansarddach mit S. → Dach.
schöpfen: → erschaffen; Hoffnung s. → zuversichtlich [sein]; Wasser in ein Sieb s. / mit einem Sieb s. → tun.

Schöpfer: → Gott, → Gründer, → Schöpfkelle; dem S. sei's gedankt! → glücklicherweise.

¹schöpferisch, kreativ, gestalterisch, künstlerisch, gestaltend, erfinderisch, ingeniös, ideenreich, einfallsreich, phantasievoll, originell, produktiv; → bahnbrechend, → kunstvoll, → musisch, → richtungweisend, → selbständig; s. sein, die ausgetretenen Pfade verlassen; nicht s. sein, auf ausgetretenen Pfaden wandeln; → Außenseiter, → Genie · Ggs. → amusisch, → prosaisch, → unoriginell, → unselbständig.

²schöpferisch: -er Einfall → Erfindung; -er Geist → Einfallsreichtum.

Schöpfkelle, Schöpflöffel, Kelle, Schöpfer, Schleif (westfäl.), Bolle (pfälz.); → Löffel.

Schöpflöffel → Schöpfkelle.

Schopfstirnmotte → Schmetterling.

Schopftintling → Ständerpilz.

Schöpfung: → Herstellung; die Herren der S. → Männer (die); Krone der S. → Mensch.

Schopfwalmdach → Dach.

schoppen → ernähren.

Schoppen: → Hohlmaß, → Säuglingsflasche.

Schöps → Schaf.

Schöpsenschlegel → Keule.

Schöpsernes → Fleisch.

¹Schorf, Hautschorf, Kruste, Hautkruste, Borke, Hautborke, Schuppe, Hautschuppe, Schuppenkruste, Schinn (nordd.), Schinnen(Plural; nordd.), Grind; → Hautausschlag, → Hautkrankheit.

²Schorf: → Hautblüte, → Schlauchpilz.

Schörl → Schmuckstein.

Schorle → Wein.

Schorlemorle → Wein.

¹Schornstein, Kamin (südd., schweiz., westd.), Esse (mitteld.), Schlot (mitteld.), Rauchfang (österr.); → Schornsteinfeger.

²Schornstein: in den S. schreiben → abschreiben.

Schornsteinfeger, Kaminfeger (südd., schweiz., westd.), Kaminkehrer (südd., schweiz., westd.), Rauchfangkehrer (österr.), Essenfeger (mitteld.), Essenkehrer

(mitteld.), Schlotfeger (mitteld.), der schwarze Mann (Kinderspr.); → Schornstein.

Schoß: → Ableger, → Hüften, → Rock, → Schößling; im S. der Familie → daheim; das ruht noch im S. der Götter → ungewiß [sein]; wie in Abrahams S. → sicher; etwas fällt jmdm. in den S. → mühelos [erringen]; die Hände in den S. legen → faulenzen.

Schoßkind: → Liebling; S. des Glücks / der Götter → Glückspilz.

¹Schößling, Schoß, Trieb, Lode, Lohde · an Ästen im Kroneninneren: Lodentrieb, Geiltrieb, Wasserschoß, Wasserreis, Räuber; → Ableger.

²Schößling → Ableger.

Schote → Schale.

Schotenstek → Knoten.

Schotten → Weißkäse.

Schottenkaro → Stoffmuster.

Schottenmuster → Stoffmuster.

Schottenrock → Rock.

Schotter → Split.

Schotterdecke → Straßenpflaster.

Schotterstraße → Straße.

schottisch: -er Schäferhund / Terrier → Hunderassen.

Schottischer → Tanz.

schräg, schief, windschief, geneigt, abfallend, absteigend, aufsteigend; → steil; → Schräge.

Schräge, Neigung, Schräglage, Schiefe, Schiefheit, Seitenlage · beim Schiff: Schlagseite, Krängung; → Gefälle, → Steilabfall; → schräg, → steil.

Schräglage: → Kindslage, → Schräge.

Schrägkreuz → Kreuzzeichen.

Schrägstrich → Satzzeichen.

schraffieren → zeichnen.

Schragen → Holzbock.

Schramme, Kratzer, Ritz (landsch.), Riß, Kratzwunde, Schürfwunde; → Verletzung, → Wunde; → kratzen, → verletzen.

schrammen → kratzen.

¹Schrank, Spind, Kasten (österr.), Kleiderschrank, Kleiderkasten (österr.), Chiffonniere (schweiz.) · Wäscheschrank · Garderobenschrank · Schuhschrank · Küchenschrank, Ge-

schirrschrank · Bauernschrank · Bücherschrank · Wohnzimmerschrank · Arzneischrank · Giftschrank · Eckschrank, Wandschrank, Einbauschrank, Hängeschrank; → Möbel, → Schließfach, → Schublade.

²Schrank: nicht alle Tassen im S. haben → geistesgestört [sein]; die Tassen im S. lassen → übertreiben.

Schrankbett → Bett.

Schranke: → Bahnschranke, → Hürde; in -n halten → bändigen; für jmdn. in die -n treten → eintreten (für).

schrankenlos → selbständig.

Schrankkoffer → Gepäck.

Schranktür → Tür.

Schranne → Markt.

Schranze → Schmarotzer.

schrapen → kratzen.

Schrapnell: → Frau, → Munition.

schrappen → kratzen.

Schratz → Fisch.

Schrätzer → Fisch.

Schraubdeckel → Verschluß.

Schraube: → Nagel; bei jmdm. ist eine S. locker → verrückt [sein].

Schraubel → Blütenstand.

schrauben: s. an / auf → befestigen.

Schraubenalge → Alge.

Schraubendampfer → Frau.

Schraubengewinde → Gewinde.

Schraubennagel → Nagel.

Schraubenschnecke → Schnecke.

Schraubensilo → Heim.

Schraubverschluß → Verschluß.

Schraufen → Mißerfolg.

Schrebergarten → Garten.

Schreck: → Entsetzen; ach du mein S.! → überrascht [sein]; einen S. bekommen / kriegen → erschrecken; einen S. / -en einjagen → angst [machen].

schrecken → entmutigen.

Schrecken: → Entsetzen; einen S. bekommen / kriegen → erschrecken.

Schreckgespenst · → Schreckgestalt.

Schreckgestalt, Schreckgespenst, der böse / schwarze Mann, Buhmann (ugs.), Kinderschreck.

schreckhaft → ängstlich.

Schrecklähmung, Schreckstarre, Kataplexie, kataplektische

Hemmung, affektiver Tonusverlust · *besonders bei heftigem Lachen:* Gelolepsie, Geloplegie, Lachschlag; → Entsetzen, → Lähmung.

**¹schrecklich,** erschreckend, bestürzend, beängstigend, katastrophal, furchterregend, furchteinflößend, schauderhaft, grauenerregend, horrend, horribel, furchtbar, fürchterlich, entsetzlich, gräßlich, formidabel (*veraltet*); → makaber; → Abneigung, → Angst, → Entsetzen, → Schreckgestalt, → Schrecklähmung.

**²schrecklich** → sehr.

**Schrecknis** → Unglück.

**Schreckschraube** → Frau.

**Schreckstarre** → Schrecklähmung.

**Schredder** → Shredder.

**Schredderanlage** → Shredder.

**Schrei:** → Hilferuf; das ist der letzte S. → modern [sein].

**Schreiadler** → Vogel.

**Schreibbogen** → Briefpapier.

**Schreibdame** → Stenotypistin.

**Schreibe:** → Ausdrucksweise; nach der S. sprechen → sprechen.

**¹schreiben** · *sorgfältig:* schönschreiben, malen, pinseln (*ugs.*)· *schlecht:* kritzeln, krakeln, schmieren (*abwertend*), klieren (*abwertend*), sudeln (*abwertend*), schmotzen (*landsch., abwertend*), fuzeln (*österr.*) · *nach einer Vorlage:* abschreiben, abmalen, ins reine schreiben, kopieren · *mit großem Anfangsbuchstaben:* groß schreiben · *mit kleinem Anfangsbuchstaben:* klein schreiben · *in einem Wort:* zusammenschreiben · *nicht in einem Wort:* getrennt / auseinander schreiben; → beschreiben, → malen; → Abschrift, → Kritzelei; → Schrift.

**²schreiben:** → dichten, → Lebenszeichen; auseinander / getrennt / groß / klein s. → schreiben; sich etwas ins Stammbuch s. können → behalten; sage und schreibe → wahrlich; geschrieben von → von; eine Besprechung / Kritik s. → besprechen; einen Brief / eine Karte / ein paar Zeilen s., jmdm. / sich mit jmdm. s. → korrespondieren (mit); eine

(oder:) an der Dissertation / Doktorarbeit s. → dissertieren; Schreibmaschine s. → maschineschreiben; jmdm. s., sich mit jmdm. s. → Schriftwechsel; etwas ist jmdm. wie auf den Leib geschrieben → passen; sich etwas hinter die Ohren s. müssen → behalten; in die Esse / in den Kamin / in den Mond / in den Schornstein / in den Wind s. → abschreiben; ins unreine s. → aufschreiben.

**Schreiben,** Brief, Schrieb (*ugs., abwertend*), Wisch (*abwertend*), Zuschrift, Zeilen, Billett, Epistel (*iron.*), Liebesbrief, Billetdoux, Privatbrief, Geschäftsbrief, Empfehlungsbrief, Empfehlungsschreiben, Bittbrief, Bettelbrief, Brandbrief (*ugs.*), Drohbrief, Erpresserbrief, anonymer Brief, anonymes Schreiben, Antwortbrief, Antwortschreiben, Rückantwort, Dankesbrief, Dankschreiben, Abschiedsbrief · Kondolenzbrief, Kondolenzkarte, Kondolenzschreiben, Beileidsbrief, Beileidskarte, Beileidsschreiben, Beileidstelegramm · Glückwunschbrief, Glückwunschkarte, Glückwunschtelegramm, Gratulationskarte · Kartenbrief, Briefkarte, Karte, Postkarte, Ansichtskarte · *heimliches von Gefangenen:* Kassiber · *des Lehrers an die Eltern, wenn die Versetzung eines Schülers gefährdet ist:* blauer Brief; → Briefgeheimnis, → Briefpapier, → Briefschreiber, → Gesuch, → Kartengruß, → Leserzuschrift, → Mitteilung, → Postskriptum, → Schriftwechsel, → Urkunde.

**Schreiber:** → Briefschreiber, → Schriftsteller.

**Schreiberin** → Stenotypistin.

**Schreiberling:** → Pedant, → Schriftsteller, → Stümper.

**Schreiberseele** → Pedant.

**Schreibgebühr** → Bearbeitungsgebühr.

**Schreibheft** → Heft.

**Schreibkraft** → Stenotypistin.

**Schreibmaschine:** S. schreiben → maschineschreiben.

**Schreibmaschinenpapier** → Schreibpapier.

**¹Schreibpapier,** Rechenpapier (*ugs.*), liniertes / kariertes Papier, Konzeptpapier, Notizpapier, Schmierpapier (*ugs.*), Stenogrammpapier, Millimeterpapier, Zeichenpapier, Transparentpapier, Transparentzeichenpapier, Schreibmaschinenpapier, Briefpapier, Trauerpapier · *zur Beförderung per Luftpost:* Luftpostpapier, Florpostpapier, Florpost · *zur Aufzeichnung von Noten:* Notenpapier · *für Vervielfältigungen:* Durchschlagpapier, Durchschreibepapier, Kopierpapier, Pauspapier, Blaupapier; → Briefpapier, → Kohlepapier, → Linierung, → Löschpapier, → Papier.

**²Schreibpapier** → Briefpapier.

**Schreibpult** → Möbel.

**Schreibschrift** → Schrift.

**Schreibschwäche:** → Aphasie, → Legasthenie.

**Schreibstift,** Stift, Griffel, Bleistift, Blei (*ugs.*), Tintenstift, Kopierstift, Filzstift, Rotstift, Blaustift, Grünstift, Vierfarbenstift, Drehbleistift, Füllbleistift (*schweiz.*), Zimmermannsstift · Kugelschreiber, Kuli, Tintenkuli · Federhalter, Federstiel (*österr.*), Feder (*österr.*), Füllfederhalter, Füllhalter (*ugs.*), Füller (*ugs.*), Füllfeder (*landsch.*), Kolbenhalter, Patronenhalter; → Federtasche, → Kreide, → Radiergummi, → Zeichenstift.

**Schreibstube** → Büro.

**Schreibtisch** → Tisch.

**Schreibtischkalender** → Kalender.

**Schreibtischlampe** → Lampe.

**Schreibtischtäter** → Verbrecher.

**Schreibwarenhandlung** → Papiergeschäft.

**Schreibweise** → Ausdrucksweise.

**¹schreien,** rufen, brüllen, sich die Kehle / die Lunge aus dem Hals schreien (*ugs.*), sich die Seele aus dem Leib schreien, zetermordio / Zeter und Mordio schreien (*ugs.*), kreischen, johlen, grölen, blöken, aufschreien, aufbrüllen, schnauzen (*ugs.*), krakeelen (*ugs.*); → quietschen, → singen, → weinen; → Geschrei, → Laut.

²**schreien:** das Schreien → Geschrei; hurra s. → freuen (sich); etwas schreit zum Himmel → unerhört [sein].

**schreiend** → bunt.

**Schrein:** → Sarg, → Truhe.

**Schreiner** → Tischler.

**schreiten:** → fortbewegen (sich); geschritten kommen → kommen; zur Tat s. → unternehmen (etwas).

**Schrenzpapier** → Einwickelpapier.

**Schrieb** → Schreiben.

¹**Schrift,** Schreibschrift, Blockschrift, Druckschrift · lateinische Schrift, Antiqua, Mediäval, Renaissance-Antiqua, Barock-Antiqua, klassizistische Antiqua, Egyptienne, Grotesk, freie Antiqua, Linear-Antiqua, Block-Antiqua · deutsche Schrift, Frakturschrift, Textura, Gotisch, Rotunda, Rundgotisch, Schwabacher, Renata · Rundschrift, Kurrentschrift, Kursivschrift, Sütterlinschrift, Quadratschrift, Kapitalschrift, Unzialschrift, Majuskelschrift, Minuskelschrift · Buchstabenschrift, Silbenschrift · Runenschrift, Hieroglyphenschrift, Bilderschrift, Symbolschrift, Piktographie, Keilschrift, Ideenschrift · *aus erhabenen Punkten gebildete:* Blindenschrift, Brailleschrift; → Buchstabe, → Druckverfahren, → Handschrift, → Schriftgrad, → Schriftsatz, → Schriftsetzer; → schreiben.

²**Schrift:** → Aufschrift, → Buch, → Handschrift; [Heilige S.] → Bibel; unzüchtige -en → Literatur.

**Schriftblindheit** → Aphasie.

**Schriftdeutsch** → Hochsprache.

**Schriftführer,** Protokollführer, Protokollant, Aktuar (*schweiz.*).

**Schriftgeheimnis** → Briefgeheimnis.

**Schriftgrad** · Achtelpetit (1 Punkt) · Viertelpetit (2 Punkt) · Viertelcicero (3 Punkt) · Diamant (4 Punkt) · Perl (5 Punkt) · Nonpareille (6 Punkt) · Kolonel (7 Punkt) · Petit (8 Punkt) · Borgis (9 Punkt) · Garmond, Korpus (10 Punkt) · Cicero (12 Punkt) · Mittel (14 Punkt) · Tertia (16 Punkt) · Text (20

Punkt) · Doppelcicero (24 Punkt) · Doppelmittel (28 Punkt) · Kanon (36 Punkt) · Viercicero, Missale (48 Punkt); → Buchstabe, → Druckverfahren, → Schrift.

**Schriftgut** → Literatur.

**Schriftleiter,** Redakteur, Redaktor (*schweiz.*), Lektor, Bearbeiter; → Berichter, → Herausgeber, → Schriftsteller.

**Schriftleitung** → Redaktion.

**Schriftsatz,** Satz · Handsatz, Maschinensatz, Lichtsatz, Photosatz, Linotypesatz, Zeilengußsatz · Monotypesatz, Buchstabensatz · Zeitungssatz, Werksatz, Akzidenzsatz · glatter Satz, wissenschaftlicher Satz, Formelsatz, Tabellensatz, Gedichtsatz, Dramensatz, Reihensatz, Fremdsprachensatz, Flattersatz, Fließsatz; → Druckverfahren, → Schrift, → Schriftsetzer.

**Schriftsetzer,** Setzer, Typograph · Maschinensetzer · Handsetzer, Akzidenzsetzer, Anzeigensetzer; → Druckverfahren, → Schriftsatz.

**Schriftsprache:** → Hochsprache; S. sprechen → sprechen.

**Schriftsteller,** Dichter, Autor, Verfasser, Schreiber, Mann der Feder, Romancier, Lyriker, Erzähler, Feuilletonist, Essayist, Dramatiker, Stückeschreiber, Drehbuchautor, Literat, Poet, Dichtersmann (*selten*), Reimschmied, Verseschmied, Schreiberling (*abwertend*), Federfuchser (*abwertend*), Schmock (*abwertend*), Skribent, Dichterling (*abwertend*), Reimling (*abwertend*), Versemacher (*abwertend*) · *als Verfasser einer Lebensgeschichte:* Biograph, Memoirenschreiber · *als Verfasser von Werbetexten, Schlagertexten o.ä.:* Werbetexter, Texter · *der, ohne genannt zu werden, für eine bekannte Persönlichkeit schreibt:* Ghostwriter · *in bezug auf Preislieder:* Skalde (*altnordisch*) · *in bezug auf Heldenlieder:* Barde, Sänger, Skop (*angelsächsisch*); → Berichter, → Biographie, → Dichtung, → Herausgeber, → Künstler, → Schriftleiter; → aufschreiben, → dichten; → von.

**schriftstellern** → dichten.

**Schriftstück** → Urkunde.

**Schrifttext** → Bibelabschnitt.

**Schrifttum:** → Literatur, → Literaturangabe.

**Schrifttumsnachweis** → Literaturangabe.

**Schriftverkehr** → Schriftwechsel.

**Schriftwechsel,** Schriftverkehr, Briefwechsel, Briefverkehr, Briefaustausch, Briefverbindung, Brieffreundschaft, Korrespondenz; → Kartengruß, → Schreiben; **mit jmdm. in S. stehen,** mit jmdm. korrespondieren, jmdm. schreiben, sich mit jmdm. schreiben (*ugs.*).

**Schriftwort** → Bibelabschnitt.

**Schriftzeichen** → Buchstabe.

**Schriftzüge** → Duktus.

**schrill** → laut.

**schrillen** → Laut.

**Schrippe:** → Brötchen, → Frau.

**Schritt:** → Gangart; erster S. → Anfang; ein paar -e gehen → spazierengehen; S. halten mit → mitkommen (mit); mit der Zeit S. halten → fortschrittlich [sein]; einen S. machen → treten; S. reiten → reiten; einen S. zur Versöhnung tun → einigen (sich); [sich -e vorbehalten] → Maßnahme; gemessene -es → langsam; eine Politik der kleinen -e anwenden → stufenweise [vorgehen]; S. für S., S. um S. → allmählich; [im] S. fahren → fahren.

**Schrittmacher,** Wegbereiter, Vorkämpfer, Avantgardist, Avantgarde, Protagonist, Bahnbrecher, Wegbahner (*schweiz.*), Vorbereiter, Vorbild, Pionier; → Abgesandter, → Gönner, → Gründer, → Reformer, → Spitzenreiter, → Vorangegangener; → fortschrittlich.

**schrittweise** → allmählich.

**Schrofen** → Gipfel.

¹**schroff,** unhöflich, unfreundlich, abweisend, rüde, barsch, raß (*oberd.*), bärbeißig (*ugs.*), hantig (*ugs., bayr., österr.*), brüsk, grob, saugrob (*derb*), grobschlächtig (*abwertend*), kurz [angebunden], unverbindlich, unliebenswürdig, taktlos, plump, ungeschliffen, ungehobelt (*abwertend*), geschert (*bayr., österr.*), bäurisch

(*abwertend*), unkultiviert, unritterlich, flegelig (*abwertend*), flegelhaft (*abwertend*), rüpelig (*abwertend*), rüpelhaft (*abwertend*), lümmelhaft (*abwertend*), ruppig, ohne [jedes] Benehmen, schnöselig (*abwertend*), stieselig (*salopp, abwertend*), nicht → höflich; → anstößig, → aufdringlich, → böse, → frech, → gewöhnlich, → spöttisch, → taktlos, → unbarmherzig.

²**schroff** → steil.

**Schroffheit** → Unhöflichkeit.

**schröpfen** → ablisten.

**Schrot** → Munition.

**schroten** → schneiden.

**Schrotkugel** → Munition.

**Schrotmühle** → Mühle.

**Schrotsäge** → Säge.

**Schrott** → Altmaterial.

**Schrotthändler** → Trödler.

**Schrotthaufen** → Müllabladeplatz.

**Schrottplatz** → Müllabladeplatz.

**schrottreif** → morsch.

**schrubben:** → reiben, → säubern.

**Schrubber,** Leuwagen (*nordd.*), Schrubbesen; → Handfeger; → säubern.

**Schrubbesen** → Schrubber.

**Schrulle:** → Frau, → Spleen.

**Schrullenhaftigkeit** → Seltsamkeit.

**schrullig** → seltsam.

**Schrulligkeit** → Seltsamkeit.

**schrumpelig** → verschrumpelt.

**Schrumpeligkeit** → Zerfurchtheit.

**schrumpeln** → zusammenschrumpfen.

¹**schrumpfen,** kleiner werden, einschrumpfen, einschrumpeln (*ugs.*).

²**schrumpfen:** → einlaufen, → zusammenschrumpfen.

**Schrumpfleber** → Leberkrankheit.

**schrumplig** → verschrumpelt.

**Schrumpligkeit** → Zerfurchtheit.

**Schrunde** → Hautblüte.

**Schuber:** → Riegel, → Umschlag, → Verpackung.

**Schubfach:** → Fach, → Schublade.

**Schubhaft** → Freiheitsentzug.

**Schubkarre,** Schubkarren, Schiebkarren, Karre, Karren,

Karrette (*schweiz.*), Benne (*schweiz.*), Scheibtruhe (*bayr., österr.*), Radber (*ostd.*); → Wagen.

**Schubkarren** → Schubkarre.

**Schubkasten:** → Fach, → Schublade.

**Schublade,** Schieblade, Schubkasten, Lade, Kasten, Schubfach, Schiebfach, Schiebkasten, Fach; → Fach, → Schließfach, → Schrank.

**schubladisieren** → verschieben.

**Schubladkasten** → Möbel.

**Schubs:** → Stoß; einen S. geben → stoßen.

**schubsen** → stoßen.

**schüchtern:** → ängstlich; s. sein → fremdeln.

**Schüchternheit:** → Bescheidenheit, → Scheu.

**schuckeln** → schwingen.

**schuckrig:** jmdm. ist s. → frieren.

**schuddern:** jmdn. schuddert → frieren.

**Schuft,** Lump, Halunke (*abwertend*), Seelenverkäufer, Schurke (*abwertend*), Spitzbube, Gauner, Biwak (*pforzheimerisch*), Kanaille (*abwertend*), Schweinehund (*derb*), Bösewicht, Tunichtgut; → Betrüger, → Dieb, → Verbrecher.

**Schufterei** → Anstrengung.

¹**Schuh,** Schuhwerk ·· Herrenschuh · Damenschuh · Kinderschuh, Babyschuh ·· Lederschuh, Lackschuh, Leinenschuh, Holzschuh, Holzpantine, Gummischuh, Flechtschuh · Sommerschuh, Winterschuh · Schnürschuh, Bindeschuh, Bundschuh, Schnallenschuh, Stöckelschuh (*ugs.*), Spangenschuh, Sling, Slingpumps, Pumps, Slipper, Ballerinaschuh, Mokassin, Sandale, Sandalette, Opanke, Halbschuh, Botten (Plural; *abwertend*), hoher Schuh, Nagelschuh, Schernkenschuh (*österr.*), Schnürstiefel, Stiefel, Boots (Plural), Schaftstiefel, Knobelbecher (*Soldatenspr.*) · Sportschuh, Straßenschuh, Trotteur, Laufschuh, Bergschuh, Haferlschuh, Schischuh, Goiserer (*österr.*), Badeschuh, Turnschuh, Tennisschuh, Bal-

lettschuh, Fußballschuh, Fußballstiefel, Packeln (*salopp, österr.*) · *festlicher:* Abendschuh, Ballschuh · *im Haus zu tragender:* Hausschuh, Pantoffel, Pantolette, Babusche, Schlappen (*ugs.*), Latschen (*salopp*), Finken (*schweiz.*), Patschen (*ugs., österr.*), Schlapfen (*bayr., österr.*) · *über anderem Schuhwerk getragener:* Überschuh, Galosche · *großer:* Äppelkahn (*salopp, scherzh.*), Oderkahn (*salopp, scherzh.*), Quadratlatschen (*salopp*) · *alter, ausgetretener:* Treter (*ugs.*), Latschen (*ugs.*), Galosche (*ugs.*), Hatscher (*ugs., österr.*); → Lasche, → Schuhmacher; → besohlen.

²**Schuh:** ohne -e und Strümpfe → barfüßig.

**Schuhband** → Schnürsenkel.

**Schuhmacher,** Schuster (*landsch.*), Flickschuster; → Schuh.

**Schuhnagel** → Nagel.

**Schuhplattler** → Tanz.

**Schuhschnalle,** Schnalle; → Lasche, → Schließe.

**Schuhschrank** → Schrank.

**Schuhsohle:** → Schweineohr, → Sohle.

**Schuhspray** → Spray.

**Schuhwerk** → Schuh.

**Schulalter** → Lebensalter.

**Schulanfänger,** Abc-Schütze, Abeceschütze, Abecedarier (*veraltet*), Abcdarier (*veraltet*), Abecedarius (*veraltet*), Abcdarius (*veraltet*), Erstklässer (*landsch.*), Erstkläßler (*bes. südd., schweiz.*), Erstklaßler (*südd., österr.*), Taferlklaßler (*österr.*), I-Dötzchen (*rhein.*); → Anfänger, → Schüler.

**Schularbeit:** → Hausaufgabe, → Klassenarbeit.

**Schularzt** → Arzt.

**Schulaufgabe** → Hausaufgabe.

**Schulaufsatz,** Aufsatz, Niederschrift, Nacherzählung, Inhaltsangabe, Erlebnisbericht, Beobachtungsaufsatz, Tierbeschreibung, Stimmungsbild, Stimmungsschilderung, Besinnungsaufsatz, Charakterbeschreibung, Bildbeschreibung, Vergleich, Gedichtinterpretation; → Aufsatz, → Klassenarbeit, → Werk.

**Schulausflug** → Ausflug.

**Schulausgabe** → Edition.

**Schulbank:** die S. drücken → Schule.

**Schulbeispiel** → Exempel.

**Schulbibliothek** → Bücherbestand.

**Schulbildung** → Ausbildung.

**Schulbrüder** → Mönchsorden.

**Schulchor** → Chor.

**schuld:** s. sein / haben → schuldig [sein]; jmdm. s. geben → verdächtigen.

**¹Schuld,** Verpflichtung, Rückstand, Verbindlichkeit, Haftung, Schuldverschreibung, Anleihe, Obligation; → Last, → Schuldschein; → schulden.

**²Schuld:** -en → Fehlbetrag; seine -en bezahlen → zahlen; jmdm. schuld / die S. geben, jmdm. die S. in die Schuhe schieben → verdächtigen; schuld haben, [die] S. tragen → schuldig [sein]; keine S. haben / tragen → schuldlos [sein]; -en machen → leihen; seiner S. bewußt → schuldbewußt; den Buckel voll -en haben, bis über den Hals in -en stecken → schulden (jmdm. etwas); sich in -en stürzen → leihen.

**Schuldanerkenntnis** → Schuldschein.

**Schuldbekenntnis** → Beichte.

**schuldbeladen** → schuldig.

**schuldbewußt,** seiner Schuld bewußt, reuevoll, bußfertig, reumütig, reuig, Reue empfindend, zerknirscht; → Schuldgefühl.

**Schuldbewußtsein** → Schuldgefühl.

**¹schulden** (jmdm. etwas), Schulden / Rückstände haben, im Rückstand sein, bis über den Hals / die Ohren in Schulden stecken (ugs.), den Buckel voll Schulden haben (ugs.), das Wasser steht jmdm. bis zum Hals, jmdm. sitzt das Messer an der Kehle, in der Kreide stehen (ugs.), jmdm. etwas schuldig sein; → Schuld, → Schuldner, → Schuldschein · Ggs. → Gläubiger.

**²schulden:** jmdm. etwas s. → verdanken.

**Schuldentilgung** → Abzahlung.

**Schuldgefühl,** Schuldbewußtsein, Schuldkomplex, Gewissensbisse, Gewissenswurm, Gewissensnot, Gewissensangst, Gewissenslast, Gewissensqual, Ge-

wissenspein, Gewissensskrupel, Skrupel, Zerknirschung, Zerknirschtheit; → Verdacht; → schuldbewußt · Ggs. → Gewissenlosigkeit; **Schuldgefühle hegen,** sich Vorwürfe / Gewissensbisse machen, sich tadeln; → vorwerfen (jmdm. etwas).

**schuldhaft** → schuldig.

**Schuldiener** → Hausmeister.

**¹schuldig,** schuldbeladen, schuldhaft, fehlbar (schweiz.), fehlhaft (schweiz.), schuldvoll, belastet · Ggs. → schuldlos; **s. sein,** schuld sein [an] / haben, [die] Schuld tragen, auf den Gewissen haben, verschuldet haben; → Schuldiger.

**²schuldig:** → angemessen; [für] s. befinden, für s. erklären; s. sprechen → verurteilen; die Antwort s. bleiben, nichts / keine Antwort s. bleiben → antworten; eine Antwort s. bleiben → schweigen.

**Schuldiger,** Mitschuldiger, Sündenbock, Schuldtragender, Verantwortlicher; → Prügelknabe; → schuldig.

**Schuldigkeit:** → Aufgabe; etwas hat seine S. getan → abgenutzt [sein].

**Schuldigsprechung** → Verurteilung.

**Schuldkomplex** → Schuldgefühl.

**schuldlos,** unschuldig; → harmlos · Ggs. → schuldig; **s. sein,** keine Schuld haben / tragen, nichts dafürkönnen (ugs.); **sich s. fühlen,** seine Hände in Unschuld waschen.

**Schuldner,** Gemeinschuldner, Gesamtschuldner, Hauptschuldner, Mitschuldner, Wechselschuldner, Pumpgenie (ugs., abwertend); → schulden · Ggs. → Gläubiger.

**Schuldrama** → Drama.

**Schuldschein,** Zahlungsverpflichtung, Schuldanerkenntnis, Anerkenntnis; → Schuld; → schulden (jmdm. etwas).

**Schuldspruch** → Verurteilung.

**Schuldtragender** → Schuldiger.

**Schuldverschreibung:** → Schuld, → Wertpapier.

**schuldvoll** → schuldig.

**¹Schule,** Lehranstalt, Bildungs-

anstalt, Penne (salopp) · Grundschule, Primarschule (schweiz.), Elementarschule, Volksschule · Hauptschule, Bürgerschule (veraltet, österr.), Sekundarschule (schweiz.) · Mittelpunktschule, Nachbarschaftsschule, Dörfergemeinschaftsschule, Zentralschule, Bezirksschule, Sprengelschule · weiterführende Schule · Oberschule, Pennal (salopp), höhere Schule, Gymnasium, altsprachliches/humanistisches / neusprachliches Gymnasium, Oberrealschule (veraltet), Realgymnasium, Mittelschule (veraltend, österr., schweiz.), Kantonschule (schweiz.) · Ganztagsschule, Tagesheimschule · Abendgymnasium, Abendoberschule, zweiter Bildungsweg · Sonderschule, Hilfsschule (veraltet), Klippschule (abwertend) · Fachschule, Gewerbeschule, Berufsschule · Wirtschaftsoberschule, Wirtschaftsgymnasium · für Mädchen: Lyzeum (veraltend) · in der mehrere Schultypen zusammengefaßt sind: Gesamtschule, Einheitsschule · die nicht in Klassen eingeteilt ist: Zwergschule, Einklassenschule · nicht an eine Konfession gebundene: Gemeinschaftsschule, Simultanschule · an eine Konfession gebundene: Bekenntnisschule, Konfessionsschule; → Fortbildung, → Hausarbeit, → Heim, → Hochschule, → Hospitant, → Institut, → Klassenarbeit, → Lehrberechtigung, → Lehrmittel, → Schulklasse, → Schüler, → Stundenplan; **die S. besuchen,** in die Schule gehen, die Schulbank drücken (ugs.), auf der Penne sein (salopp), Schüler sein; → studieren.

**²Schule:** → Erziehungswesen; hohe S. → Strafanstalt; S. machen → nachahmen; Hohe S. reiten → reiten; aus der S. plaudern → mitteilen.

**schulen** → erziehen.

**¹Schüler,** Schulkind, Zögling (veraltend) · mit dem man die gleiche Klasse einer Schule besucht: Mitschüler · einer höheren Schule: Gymnasiast, Oberschüler, Pennäler (salopp) · der ersten Klasse: Abc-Schütze, Abeceschütze, Abecedarier, Abc-darier, Erstklässer (landsch.), Erstkläßler (bes. südd., schweiz.), Erstklaßler (südd., österr.), Ta-ferlklaßler (österr.), I-Dötzchen (rhein.) · der die Schule nach Beendigung der Schulzeit ver-läßt: Abgänger (österr.), Entlaß-schüler · der Abgangsklasse einer höheren Schule: Abiturient, Maturant (österr., schweiz.) · mit besonders guten Noten: Vor-zugsschüler · einer Hochschule: Student · beim Theater und Ballett: Eleve · der sich privat auf Prüfungen vorbereitet, ohne eine Schule zu besuchen: Exter-nist (österr.), Privatist (österr.); → Anfänger, → Kind, → Klassensprecher, → Prüfling.

²Schüler: → Nachahmer; fah-render S. → Vagabund; S. sein → Schule; S. [von] → Anhän-ger.

Schülerchor → Chor.

Schülerheim → Heim.

Schülersprache → Gruppen-sprache.

Schülervertreter → Klassen-sprecher.

Schülerzeitung → Zeitschrift.

Schulfach → Fachrichtung.

Schulferien → Ferien.

Schulflugzeug → Flugzeug.

Schulfreund → Freund.

Schulfreundin → Freundin.

Schulheft → Heft.

Schulkamerad → Freund.

Schulkameradin → Freundin.

Schulkind → Schüler.

Schulklasse, Klasse, Klassen-verband · erste der Grundschule: Taferlklasse (ugs., österr.) ·· an der höheren Schule · erste: Sexta, Prima (österr.) · zweite: Quinta, Sekunda (österr.) · dritte: Quarta, Tertia (österr.) · vierte: Unter-tertia, Quarta (österr.) · fünfte: Obertertia, Quinta (österr.) · sechste: Untersekunda, Sexta (österr.) · siebte: Obersekunda, Septima (österr.) · achte: Unter-prima, Oktava (österr.) · neunte: Oberprima · letzte, in der die Reifeprüfung abgelegt wird: Abi-turientenklasse, Maturaklasse (österr., schweiz.); → Schule.

Schulkleid → Kleid.

Schulkreide → Kreide.

Schullandheim → Heim.

Schullehrer → Lehrer.

Schulleiter, Direktor, Rektor, Konrektor; → Lehrer, → Schule.

Schullektüre → Lektüre.

Schulmann → Lehrer.

Schulmappe → Schultasche.

Schulmedizin → Heilkunde.

Schulmediziner → Arzt.

Schulmeinung → Lehre.

Schulmeister → Lehrer.

schulmeisterlich → lehrhaft.

Schulorchester → Orchester.

Schulpack → Schultasche.

Schulranzen → Schultasche.

Schulsack → Schultasche.

Schulschiff → Segelschiff.

Schulschwester → Nonne.

Schultasche, Schulranzen, Ran-zen, Ränzel (nordd.), Mappe, Schulmappe, Kollegmappe, Kol-legtasche, Tornister (landsch.), Schulpack (veraltend, landsch.), Schulsack (schweiz.); → Akten-tasche, → Behälter, → Feder-tasche.

¹Schulter, Achsel; → Achsel, → Rücken; → schultern.

²Schulter: jmdm. die kalte S. zeigen → abweisen; S. an S. → voll; auf die S. nehmen, [sich] über die S. hängen → schultern; auf die leichte S. nehmen → mißachten.

Schulterbandorden → Orden.

Schulterbogen → Bogen.

Schultergelenk → Gelenk.

Schultergicht → Arthritis.

Schultergurt → Sicherheits-gurt.

Schulterklappe → Achselklappe.

Schulterlage → Kindslage.

schultern, auf die Schulter nehmen, [sich] über die Schul-ter hängen; → Schulter.

Schulterstand → Turnübung.

Schulterstück → Achselklap-pe.

Schultertasche → Tasche.

Schulung: → Ausbildung, → Erziehung.

Schulwesen → Erziehungs-wesen.

Schulzeugnis → Zeugnis.

schummeln: → betrügen, → säubern.

Schummer → Dämmerung.

schummerig → dunkel.

Schummerstündchen → Abend-ruhe.

schummrig → dunkel.

Schund → Kitsch.

Schundliteratur → Literatur.

Schundroman → Roman.

schupfen → werfen.

Schupfen → Remise.

Schupfer → Stoß.

Schupo → Polizist.

Schupp → Bär.

Schuppe: → Hautblüte, → Schorf; es fällt jmdm. wie -n von den Augen → erkennen.

schuppen: sich s. → abschälen (sich).

Schuppen: → Haus, → Gast-stätte.

Schuppenblatt → Blatt.

Schuppenfries → Fries.

Schuppenkruste: → Hautblüte, → Schorf.

schüren → anzünden.

schürfen → kratzen.

Schürfwunde: → Schramme, → Verletzung, → Wunde.

Schürhaken → Feuerhaken.

schurigeln → schikanieren.

Schurke → Schuft.

Schurkerei: → Bosheit, → Übeltat.

schurkisch → gemein.

schurren: → gleiten, → kratzen.

Schurwolle → Wolle.

¹Schurz, Lendenschurz, Leder-schurz, Schurzfell; → Schürze.

²Schurz → Schürze.

¹Schürze, Kittelschürze, Kü-chenschürze, Schurz (landsch.), Kittelschurz (landsch.), Cock-tailschürze, Schürzenkleid, Für-tuch (oberd.), Vortuch (veraltet, landsch.); → Kleidung, → Schurz.

²Schürze: der Mutter an der S. hängen → erwachsen; hinter jeder S. herlaufen → Frauen-held.

Schürzenjäger: ein S. sein → Frauenheld.

Schurzfell → Schurz.

schuß: s. sein → verfeindet [sein].

¹Schuß, Pistolenschuß, Ge-wehrschuß, Flintenschuß · aus mehreren Waffen gleichzeitig ab-gegebener: Salve, Gewehrsalve · zur Warnung abgegebener: Warn-schuß; → Schußwechsel.

²Schuß: → Einspritzung, → Munition; etwas ist ein S. in den Ofen → wirkungslos [blei-ben]; einen S. machen → spritzen; keinen S. Pulver wert sein → wertlos [sein]; in

S. sein → heil [sein]; Berliner Weiße mit S. → Bier.

¹**Schüssel**, Schale, Teller, Kumme (*landsch.*), Napf, Becken, Terrine, Weitling (*bayr.*, *österr.*), Satte (*landsch.*); → Behälter, → Frühstücksbrett.

²**Schüssel**: jmdm. auf / in der S. liegen → Last; einen Sprung in der S. haben → verrückt [sein].

**Schusseligkeit** → Gedankenlosigkeit.

**schusseln** → schlittern.

**Schusser** → Murmel.

**schussern** → murmeln.

**Schußfahrt** → Abwärtsfahrt.

**schußlig** → aufgeregt.

**Schußligkeit** → Gedankenlosigkeit.

**Schußlinie**: sich in die S. begeben → exponieren (sich).

**Schußwaffe**, Handfeuerwaffe, Schießwaffe (*schweiz.*), Armbrust, Pfeil [und Bogen], Flitzbogen (*ugs.*) · *mit Zündung:* Feuerwaffe, Gewehr, Waffe, Karabiner, Muskete, Flinte, Büchse, Stutzen, Donnerbüchse (*scherzh.*), Knarre (*ugs.*), Schießgewehr (*Kinderspr.*), Schießeisen (*ugs.*), Schießprügel (*ugs.*), Ballermann (*ugs.*), Tesching, Pistole, Revolver, Terzerol, Browning, Colt, Kanone (*salopp*), Puste (*salopp*), Zimmerflak (*salopp*); → Geschütz, → Gewehrlauf, → Gummiknüppel, → Hiebwaffe, → Munition, → Panzerabwehrkanone, → Salut, → Schütze, → Stichwaffe, → Waffen, → Wurfwaffe.

**Schußwechsel**, Kugelwechsel, Feuergefecht, Feuerwechsel, Feuer, Gewehrfeuer, Schießerei, das Schießen, Knallerei (*ugs.*), Ballerei (*ugs.*); → Beschuß, → Kampf, → Schuß; → schießen.

**Schußwunde** → Wunde.

**Schuster**: → Schuhmacher; auf -s Rappen kommen → kommen.

**Schusterjunge**: → Brötchen, → Zeile.

**Schusterlaibchen** → Brötchen.

**Schute**: → Boot, → Kopfbedeckung.

**Schutt**: → Trümmer; in S. und Asche legen → verbrennen.

**Schuttabladeplatz** → Müllabladeplatz.

¹**schütteln**, rütteln, hin und her bewegen / schaukeln; → abschütteln, → ausschütteln.

²**schütteln**: Frau Holle schüttelt die Betten → schneien; etwas aus dem Ärmel s. → mühelos; s. von → abschütteln.

**Schüttelreim** → Reim.

**Schüttelung** → Massage.

¹**schütten**, ausschütten, einschütten, leeren, ausleeren, gießen, ausgießen, eingießen, einschenken, kippen, auskippen; → auspacken, → ausschenken.

²**schütten**: → gebären; es schüttet → regnen.

**schütter**, dünn, licht, gelichtet, spärlich.

**schüttern** → schlittern.

**Schutthalde** → Müllabladeplatz.

**Schutthaufen** → Müllabladeplatz.

**Schuttplatz** → Müllabladeplatz.

**Schüttstein** → Ausguß.

¹**Schutz**, Hut (*geh.*), Obhut (*geh.*), Geborgenheit, Sicherheit, Sicherung, Abschirmung, Deckung, Beschützung, Beschirmung, Schutz und Schirm (*geh.*); → Geborgenheit, → Geleit, → Hilfe, → Sicherheitsgurt; → sicher · Ggs. → Ungeborgenheit, → Ungesichertheit; → ungeborgen, → unsicher.

²**Schutz**: → Schutzmaßnahme, → Verhütung; S. gewähren → behüten; S. suchen unter → unterstellen (sich); im -e der Dunkelheit / der Nacht → heimlich; jmdn. in S. nehmen → eintreten (für).

**Schütz** → Flurwächter.

**Schutzanzug** → Anzug.

¹**Schütze** · Sportschütze, Kunstschütze, Meisterschütze · *aus dem Hinterhalt schießender:* Heckenschütze · *mit besonderer Ausbildung und Spezialauftrag:* Scharfschütze; → Schußwaffe.

²**Schütze**: → Sternbild, → Tierkreiszeichen; [S. Arsch] → Dienstgrad.

**schützen**: → behüten; s. vor → abhalten; seine schützende Hand über jmdn. halten → behüten.

**Schützendruckmine** → Mine.

**Schützenfisch** → Fisch.

**Schutzengel**: → Engel; einen S. bei sich haben → Glück [haben].

¹**Schützengraben**, Graben, Unterstand, Schützenloch, Deckung, Infanteriestellung, Stellung, Vorfeld; → Front, → Kriegsschauplatz.

²**Schützengraben**: im S. liegen → Front.

**Schützenhilfe**: S. leisten → helfen.

**Schützenloch** → Schützengraben.

**Schützenspringmine** → Mine.

**Schützer** → Gönner.

**Schutzgebühr** → Preis.

**Schutzgeleit** → Geleit.

**Schutzhafen** → Hafen.

**Schutzheilige**: → Schutzpatron, → Schutzpatronin.

¹**Schutzheiliger**, Schutzpatron, Patron, Nothelfer.

²**Schutzheiliger** → Schutzpatron.

**Schutzhelm** → Kopfbedeckung.

**Schutzherr** → Gönner.

**Schutzherrschaft** → Schirmherrschaft.

**Schutzhunde** → Hunderassen.

**Schutzimpfung**: [aktive, passive S.] → Impfung.

**Schutzkarton** → Verpackung.

**Schützling** → Günstling.

¹**schutzlos**, ausgeliefert, preisgegeben, verraten und verkauft, ausgesetzt; → machtlos, → unsicher; **s. sein**, Freiwild sein; → ausliefern; → Ungesichertheit.

²**schutzlos** → unsicher.

**Schutzlosigkeit** → Ungesichertheit.

**Schutzmann** → Polizist.

**Schutzmarke** → Warenzeichen.

**Schutzmaßnahme**, Schutz · *gegen Umweltverschmutzung:* Umweltschutz; → Aktion, → Maßnahme.

**Schutzmauer** → Mauer.

¹**Schutzpatron**, Schutzheiliger, Patron, Heiliger · *weiblicher:* Schutzpatronin, Schutzheilige, Patronin, Heilige; → Nothelfer.

²**Schutzpatron** → Schutzheiliger.

**Schutzpatronin**, Patronin, Schutzheilige; → Schutzpatron.

**Schutzpolizei** → Polizeibehörde.

Schutzraum → Bunker.

schutzsuchend → anlehnungsbedürftig.

Schutzumschlag → Umschlag.

Schutz- und Trutzbündnis → Bund.

Schutzurkunde → Patent.

Schutzwall → Wall.

Schutzweg → Fußgängerübergang.

Schwabacher → Schrift.

schwabbelig → weich.

Schwabe, Sauschwabe (*landsch.*, *abwertend*), Spätzlesschwabe (*landsch.*, *scherzh.*), Suppenschwabe (*landsch.*, *scherzh.*), Knöpflesschwabe (*landsch.*, *scherzh.*), Hurenschwabe (*derb*, *abwertend*); → Deutscher.

schwäbeln → Mundart [sprechen].

Schwabenstreich → Tat.

schwäbisch: → Mundart; s. sprechen → Mundart [sprechen].

schwach: → anfällig, → kraftlos, → machtlos, → tolerant, → unbegabt, → vordergründig; etwas steht auf -en Beinen → unsicher [sein]; -e Brise → Windstärke; etwas steht auf -en Füßen → glaubwürdig, → unsicher [sein]; das -e Geschlecht → Frauen (die); -er Puls → Pulsschlag; -er Punkt, -e Stelle → Achillesferse; etwas ist jmds. -e Seite, s. in etwas sein → firm; -er Wille → Willenlosigkeit; s. auf der Brust sein → arm [sein]; jmdm. ist / wird s. → unwohl; s. werden → nachgeben; schwächer werden → abnehmen; sozial schwächer → einkommensschwach.

schwachbesiedelt → bevölkert.

Schwäche: → Erschöpfung, → Kraftlosigkeit, → Machtlosigkeit, → Mangel, → Unfähigkeit, → Verwundbarkeit, → Willenlosigkeit; S. für → Zuneigung; eine S. haben für → lieben.

Schwächeanfall → Erschöpfung.

schwächen: → vergewaltigen; etwas schwächt → zehren.

Schwächezustand → Erschöpfung.

Schwachheit: bilde dir nur keine -en ein! → Hoffnung.

Schwachkopf → Dummkopf.

schwächlich: → anfällig, → kraftlos, → schmächtig.

Schwächlichkeit → Kraftlosigkeit.

Schwächling: → Versager; ein S. sein → willensschwach [sein].

Schwachsichtigkeit → Sehstörung.

Schwachsinn → Geistesgestörtheit.

schwachsinnig → geistesgestört.

Schwachsinniger → Geistesgestörter.

Schwachstrom → Elektrizität.

Schwachstrombeiz → Gaststätte.

Schwächung → Erschöpfung.

Schwadron → Heeresverband.

Schwadroneur → Schwätzer.

schwadronieren → sprechen.

schwafeln → sprechen.

Schwafler → Schwätzer.

Schwager: → Fuhrmann, → Verwandter.

Schwägerin → Verwandter.

Schwaige → Almhütte.

schwaigen → Alm.

Schwaiger → Hirt.

Schwalbe → Vogel.

Schwalbenmöwe → Vogel.

Schwalbenschwanz → Schmetterling.

¹Schwamm ·· Kalkschwamm, Sackkalkschwamm, Wabenschwamm · Kieselschwamm, Neptunsbecher·Hornschwamm, Badeschwamm, Pferdeschwamm, Süßwasserschwamm, Netzfaserschwamm · Bohrschwamm.

²Schwamm: → Pilz; S. drüber! → beenden.

Schwammerl → Pilz.

schwammig: → aufgedunsen, → weich.

Schwammigkeit → Gedunsenheit.

Schwammspinner → Schmetterling.

Schwan: → Sternbild, → Vogel.

schwanen: etwas schwant jmdm. → vermuten.

Schwanengesang → letzte.

Schwanenhals → Bogen.

schwanenweiß → weiß.

Schwang: im -e sein → modern [sein], → üblich [sein]; in S. kommen → entstehen.

¹schwanger, gravid, krabkrällig (Goethe); s. werden, empfangen, konzipieren, befruchtet werden; s. sein, schwanger gehen, mit einem Kind gehen, ein Kind (oder:) ein Baby (oder:) Zuwachs erwarten / bekommen / (*ugs.*) kriegen, in anderen / besonderen Umständen sein, guter Hoffnung / (*landsch.*) in [der] Hoffnung sein, gesegneten / schweren Leibes sein (*geh.*), Mutterfreuden entgegensehen, Mutter werden, ein Kind unter dem Herzen tragen (*geh.*), dick sein (*derb*), es ist etwas unterwegs, ein Kind / etwas Kleines ist unterwegs, ein süßes Geheimnis haben, der Storch hat sie ins Bein gebissen (*fam.*, *veraltend*), das Verhältnis blieb nicht ohne Folgen; → befruchten, → gebären, → koitieren, → schwängern, → vergewaltigen; → Befruchtung, → Koitus, → Schwangerschaft.

²schwanger: s. gehen mit → befassen (sich), → vorhaben.

schwängern, zeugen, ein Kind in die Welt setzen, Vater werden, Vaterfreuden entgegensehen, jmdm. ein Kind machen (*derb*), jmdn. dick machen (*derb*), anbuffen (*derb*), anschießen (*derb*), anbumsen (*derb*), anteigen (*derb*, *landsch.*); → deflorieren, → gebären, → koitieren, → produzieren, → vergewaltigen; → schwanger; → Koitus.

¹Schwangerschaft, Gravidität, Graviditas, Gestation (*selten*), Kyese (*selten*), Kyesis (*selten*) ·· mit Entwicklung der Frucht außerhalb der Gebärmutter: Extrauteringravidität, ektopische Schwangerschaft, Graviditas extrauterina · Bauchhöhlenschwangerschaft, Abdominalgravidität, Graviditas abdominalis · Tubenschwangerschaft, Eileiterschwangerschaft, Tubargravidität, Graviditas tubarica · Ovarialschwangerschaft, Ovarialgravidität, Graviditas ovarica; → Fertilität, → Geburt, → Koitus, → Scheinschwangerschaft; → schwanger.

²Schwangerschaft: eingebildete S. → Scheinschwangerschaft.

**Schwangerschaftsabbruch:** → Abtreibung, → Fehlgeburt.

**Schwangerschaftsunterbrechung:** → Abtreibung, → Fehlgeburt.

**Schwängerung** → Befruchtung.

**Schwank** → Komödie.

**¹schwanken,** wanken, taumeln, torkeln; → fallen, → gleiten, → hängen, → schleudern, → schwingen, → stolpern.

**²schwanken:** → fluktuieren, → zögern; -der Wechselkurs → Wechselkurs.

**schwankend:** → labil, → unentschlossen, → veränderlich, → wacklig; etwas steht auf -en Füßen → glaubwürdig, → unsicher [sein].

**¹Schwanz,** Schweif, Zagel (selten), Rute (Wolf), Lunte (Luchs, Fuchs), Fahne (Fuchs), Standarte (Fuchs, Wolf), Wedel (Rotwild), Krickel (Schwarzwild), Blume (Hase, Gamswild), Bürzel (Schwarzwild, Ente), Stoß (Raubvogel), Spiel (Fasan), Steiß (Rebhuhn), Sterz (Vögel).

**²Schwanz:** → Penis; kein S. → niemand; S. für die Schlange → Sternbild; den S. einziehen → nachgeben; einen S. machen → versagen; sich den S. verbrennen → Geschlechtskrankheit; das Pferd am / beim S. aufzäumen → verkehrt [machen]; das kann eine Katze auf dem S. forttragen / wegtragen → wenig; da beißt sich die Katze / die Schlange in den S. → Teufelskreis.

**Schwanzappell** → Geschlechtskrankheit.

**Schwänzchen** → Haarzopf.

**schwänzen** → abwesend [sein].

**Schwanzfeder** → Feder.

**Schwanzgefieder** → Gefieder.

**Schwanzlurch** → Salamander.

**Schwanzmeise** → Vogel.

**Schwanzparade** → Geschlechtskrankheit.

**Schwarm:** → Bienenvolk, → Herde, → Liebling, → Publikumsliebling.

**schwärmen:** → fortbewegen (sich); s. für → anschwärmen; s. von → loben.

**Schwärmer:** → Eiferer, → Feuerwerkskörper, → Optimist, → Schmetterling.

**Schwärmerei** → Begeisterung.

**schwärmerisch:** → begeistert, → empfindsam.

**Schwarmgeist** → Eiferer.

**Schwarte:** → Buch, → Speckschwarte.

**¹schwarz,** schwärzlich, tiefschwarz, pechschwarz, kohlschwarz, rabenschwarz, kohlrabenschwarz, ' pechrabenschwarz, kohlpechrabenschwarz, nachtschwarz, elfenbeinschwarz, blauschwarz, grauschwarz, braunschwarz, schwarz wie Ebenholz / wie die Nacht; → bunt, → einfarbig, → grau.

**²schwarz:** → heimlich, → schwarzhaarig; -e Blattern / Pocken → Pocken; Schwarzes Brett → Anschlagbrett; etwas durch eine -e Brille sehen → schwermütig [sein]; Schwarzer Erdteil → Afrika; etwas in -en / den schwärzesten Farben malen → schildern; -er Freitag → Unglückstag; -er Humor → Humor; -e Kunst → Zauberei; eine -e Krawatte / Schwarz tragen, in Schwarz gehen → Trauerkleidung [tragen]; der -e Mann → Schornsteinfeger, → Schreckgestalt; -er Markt → Schleichhandel; Schwarzer Peter → Kartenspiel; -e Rasse → Rasse; das -e Schaf sein → anpassen; das -e Schaf [in der Familie] sein → ähneln; eine -e Seele haben → böse [sein]; -er Senf → Senf; -er Star → Blindheit; -er Tag → Unglückstag; -er Tee → Tee; der Schwarze Tod → Pest; -e Verbindung → Verbindung; jmdm. wird s. vor den Augen → ohnmächtig [werden]; sich s. ärgern → ärgerlich [sein]; jmdm. nicht das Schwarze unter dem Nagel gönnen → neiden; s. auf weiß erbringen → nachweisen [können]; etwas Schwarzes → Trauerkleidung; ins Schwarze treffen → treffend.

**Schwarzafrika** → Afrika.

**Schwarzbär** → Bär.

**Schwarzbeere** → Blaubeere.

**schwarzblau** → blau.

**schwarzbraun:** → braun, → braunhaarig.

**Schwarzbrot** → Brot.

**Schwarzdorn,** Schlehdorn, Schlehe.

**schwärzen** → Schleichhandel [treiben].

**Schwarzer** → Neger.

**Schwärzer** → Schmuggler.

**schwarzfahren** → fahren.

**Schwarzfahrer** → Passagier.

**Schwarzfuß** → Indianer.

**schwarzgrau** → grau.

**schwarzhaarig,** schwarz, tiefschwarz, pechschwarz, kohlrabenschwarz, kohlschwarz, blauschwarz, nachtschwarz; → braunhaarig; → Haar.

**Schwarzhalstaucher** → Vogel.

**Schwarzhandel** → Schleichhandel.

**Schwarzhändler:** → Händler, → Schmuggler.

**Schwarzkehlchen** → Vogel.

**Schwarzkopfmöwe** → Vogel.

**Schwarzkünstler** → Zauberkünstler.

**schwärzlich** → schwarz.

**Schwarzmalerei** → Pessimismus.

**Schwarzmarkt** → Schleichhandel.

**Schwarzmarktpreis** → Preis.

**Schwarzrock** → Geistlicher.

**schwarzschlachten** → schlachten.

**schwarzsehen:** → fernsehen, → voraussehen.

**Schwarzseher** → Pessimist.

**Schwarzseherei** → Pessimismus.

**schwarzseherisch** → defätistisch.

**Schwarzsender** → Rundfunksender.

**Schwarzspecht** → Vogel.

**Schwarzstorch** → Vogel.

**Schwarzwald:** Schwarzwälder Kirschtorte → Gebäck; Schwarzwälder Schinken → Schinken; Schwarzwälder Uhr → Uhr.

**Schwarzweißaufnahme** → Fotografie.

**Schwarzweißempfänger** → Fernsehgerät.

**Schwarzweißfilm** → Film.

**Schwarzweißfoto** → Fotografie.

**Schwarzweißfotografie** → Fotografie.

**Schwarzweißgerät** → Fernsehgerät.

**Schwarzweißkamera** → Kamera.

Schwarzwild → Wild.

Schwarzwurzel → Gemüse.

Schwatz: einen S. halten → unterhalten (sich).

schwatzen: → mitteilen, → sprechen.

schwätzen → sprechen.

Schwätzer (abwertend), Schwafler (abwertend), Salbader (abwertend), Schwadroneur (abbwertend), Plaudertasche (salopp, abwertend), Klatschweib (salopp, abwertend), Klatschbase (ugs., abwertend), Klatschtante (ugs., abwertend), Klatschmaul (salopp, abwertend), Faselhans (abwertend), Quasselstrippe (landsch., abwertend), Sabbler (nordd., abwertend), Quatschkopf (ugs., abwertend) · politisierender: Stammtischpolitiker, Kannegießer (abwertend); → Lästerer; → sprechen.

schwatzhaft → gesprächig.

Schwatzhaftigkeit → Redseligkeit.

Schwebe: in der S. lassen → offenlassen; in der S. sein → ungewiß [sein].

Schwebebahn: → Seilbahn, → Verkehrsmittel.

Schwebebalken → Sportgerät.

schweben: → fliegen, → ungewiß [sein]; in tausend Ängsten s. → sorgen (sich); in höheren Regionen s. → unrealistisch [sein].

schwebend → anhängig.

Schwebestütz → Turnübung.

Schwedenpunsch → Gewürzwein.

Schwedenreiter → Heureiter.

schwedisch: -e Krone → Zahlungsmittel; hinter -en Gardinen sitzen → abbüßen.

schwedischrot → rot.

Schwefel: wie Pech und S. zusammenhalten → unzertrennlich [sein].

Schwefelbad → Badeort.

schwefelgelb → gelb.

Schwefelholz → Streichholz.

Schwefelkopf: Büscheliger / Grünblättriger / Rauchblättriger / Ziegelroter S. → Ständerpilz.

Schweif → Schwanz.

Schweifstern → Komet.

Schweigegeld → Bestechungsgeld; S. geben → bestechen.

¹schweigen, stillschweigen, still / ruhig sein, den Mund nicht auftun, den Mund halten (ugs.), nichts sagen, verstummen, verschweigen, keinen Ton verlauten lassen, nicht piep / keinen Piep sagen, kein Sterbenswörtchen sagen (ugs.), geheimhalten, seinen Mund halten, verheimlichen, sich nicht in die Karten gucken lassen, unerwähnt lassen, kein Wort über etwas verlieren, verhehlen, verbergen, übergehen, totschweigen, für sich behalten, Stillschweigen bewahren, sich ausschweigen / in Schweigen hüllen, verschwiegen wie ein Grab sein, [eine Mitteilung / Nachricht] unterschlagen, dichthalten (salopp), nicht → mitteilen · auf eine Frechheit o.ä.: eine Antwort unterdrücken, [seinen Ärger] runterschlucken (salopp), eine Antwort schuldig bleiben, nicht → antworten; → verbieten, → vertuschen; → ruhig, → wortkarg; → Geheimhaltung, → Geheimnis · Ggs. → sprechen.

²schweigen: -de Mehrheit → Menge; nicht mehr s. → Schweigen.

¹Schweigen, Stillschweigen; das S. brechen, nicht mehr schweigen, auspacken (salopp), etwas nicht für sich behalten; → mitteilen.

²Schweigen → Stille.

schweigend → wortlos.

schweigsam → wortkarg.

Schweigsamkeit → Wortkargheit.

¹Schwein, Hausschwein, Borstentier (scherzh.), Borstenvieh (scherzh.), Wutz (landsch.) · nicht domestiziertes: Wildschwein, Sau, Wildsau · weibliches: Sau, Mutterschwein, Bache, Mocke (landsch.), Docke (landsch.), Kosel (landsch.), Mor (landsch.), Laus (landsch.), Dausch (landsch.) · männliches: Eber, Keiler, Hauer, Basse, Bär (landsch.), Kämpe (landsch.), Watz (landsch.), Hacksch (landsch.), Kunz (landsch.), Hegel (landsch.) · männliches kastriertes: Pölk, Bork, Bark, Borg, Barch, Barg, Borsch; → Kastration · junges: Frischling, Ferkel, Läufer; → Wild.

²Schwein: → Schmutzfink; kein S. → niemand; S. haben → Glück [haben].

Schweinebandwurm → Wurm.

Schweinebauch → Fleischgericht.

Schweinebein → Eisbein.

Schweinebeinchen → Eisbein.

Schweinebraten → Fleischgericht.

Schweinefett → Fett.

Schweinefilet → Fleischgericht.

Schweinefleisch → Fleisch.

Schweinefraß → Essen.

Schweinehachse → Fleischgericht.

Schweinehaxe → Fleischgericht.

Schweinehirt → Hirt.

Schweinehund → Schuft.

Schweinemett → Hackfleisch.

Schweineohr, Schweinsohr, Schweinsöhrchen, Schuhsohle (landsch.); → Gebäck.

Schweinerei → Unflat.

Schweinerollbraten → Fleischgericht.

Schweinescheune → Stall.

Schweineschmalz → Fett.

Schweinestall → Stall.

Schweinigelei → Unflat.

schweinigeln: → anstößig [reden], → sprechen.

schweinisch → anstößig.

Schweinkram → Unflat.

Schweinsfüße → Eisbein.

Schweinshaxe: → Eisbein, → Fleischgericht.

Schweinsknochen → Eisbein.

Schweinsleder → Leder.

Schweinsohr → Schweineohr.

Schweinsöhrchen → Schweineohr.

Schweinsstelze → Eisbein.

¹Schweiß, Sudor, Hidro-; → schwitzen.

²Schweiß: → Schweißabsonderung; S. vergießen, [wie] in S. gebadet sein → schwitzen; naß von S. → verschwitzt.

¹Schweißabsonderung, Schweiß, Schweißsekretion, Hautausdünstung, Ausdünstung, Transpiration; → schwitzen; → verschwitzt.

²Schweißabsonderung → Transpiration.

Schweißdrüsenfrieseln → Frieseln.

schweißen → löten.

Schweißfrieseln → Frieseln.

Schweißfüße → Fuß.

schweißgebadet → verschwitzt.

Schweißgeruch → Körpergeruch.

Schweißhunde → Hunderassen.

Schweißsekretion: → Schweißabsonderung, → Transpiration.

Schweiz, Helvetia, Helvetien, Eidgenossenschaft, Confoederatio Helvetica · *1798–1803:* Helvetische Republik, Helvetik; → Innerschweiz, → Schweizer; → schweizerisch.

¹Schweizer, Eidgenosse, Schwyzer *(scherzh.),* Hirtenknabe *(iron.),* Schweizerknabe, Tellensohn · Schweizervolk · *in bezug auf sein Stimmrecht:* Souverän; → Schweiz; → schweizerisch.

²Schweizer: → Homosexueller, → Melker; S. Franken → Zahlungsmittel; S. Käse → Käse; S. Moosfarn → Bärlappgewächs; S. Spitze → Spitzenstickerei.

Schweizerfranken → Franken.

Schweizergarde → Leibwache.

schweizerisch, eidgenössisch, helvetisch · *die französische Schweiz betreffend:* welschschweizerisch, welsch; → Schweiz, → Schweizer.

Schweizerisch: -e Armee → Militär.

Schweizerknabe → Schweizer.

Schweizervolk → Schweizer.

schwelen → brennen.

schwelgen: → essen, → leben.

Schwelger → Feinschmecker.

Schwelgerei → Genuß.

schwelgerisch → genießerisch.

schwellen: jmdm. schwillt der Kamm → dünkelhaft [sein].

Schwellung → Beule.

Schwemme → Gaststätte.

schwemmen → spülen.

Schwemmland → Marsch.

Schwengel → Penis.

schwenken: um die Ecke s. → abbiegen.

Schwenker → Trinkgefäß.

¹schwer, bleischwer, schwer wie Blei, wuchtig, massig, drückend, lastend, bleiern; → hinderlich · Ggs. → federleicht; s. sein, viel wiegen, Gewicht haben.

²schwer: → gewaltig, → schwierig; s. bekömmlich / verdaulich, s. im Magen liegen, nicht s. → bekömmlich; s. durch-

schaubar → hintergründig; -es Geschütz auffahren → attakieren; -en Herzens → notgedrungen; -er Junge → Verbrecher; -er Kreuzer → Kriegsschiff; ein -es Schicksal haben → Schicksal; gewaltig -e See → Seegang; -er Sturm → Windstärke; mit jmdm. ist s. auszukommen → böse [sein]; jmdm. das Leben s. machen → schikanieren; s. von Begriff / Kapee sein → begriffsstutzig [sein].

Schwerarbeiter → Arbeiter.

Schwerarbeiterherz → Herzhypertrophie.

Schwerathlet → Sportler.

Schwerathletik ·· Gewichtheben ·· Kunstkraftsport · Akrobatik · Sportakrobatik · Artistik · Amateurartistik ·· Rasenkraftsport · Hammerwerfen · Gewichtwerfen · Steinstoßen ·· Ringen · Glima · Güresch · Schwingen · Sumo; → Leichtathletik, → Sportler.

schwerbeladen → beladen.

schwerbepackt → beladen.

Schwere → Gewicht.

Schweremesser → Waage.

Schwerenöter → Frauenheld.

schwererziehbar: Heim für Schwererziehbare → Erziehungsanstalt.

schwerfallen: etwas fällt jmdm. schwer, jmd. tut sich schwer mit etwas, etwas macht jmdm. Mühe, jmd. kommt mit etwas nicht zurecht / zu Rande, jmd. findet nicht den [rechten] Rank *(schweiz.);* → schwierig.

schwerfällig: → tölpelhaft, → träge.

Schwerfälligkeit → Ungeschicklichkeit.

schwergeprüft → leidgeprüft.

Schwergewicht → Ringen.

Schwergewichtler → Boxer.

schwergründig → gewaltig.

schwerhörig → taub.

Schwerhöriger, Gehörgebrechlicher *(schweiz.),* Gehörloser; → Schwerhörigkeit; → taub.

Schwerhörigkeit → Gehörstörung.

Schwerindustrie → Wirtschaft.

Schwerkranker → Kranker.

schwerlich, kaum, wahrscheinlich / wohl nicht.

Schwermetall → Metall.

Schwermut: → Melancholie, → Trauer.

¹schwermütig, trübsinnig, hypochondrisch, depressiv, melancholisch, pessimistisch, schwarzseherisch, nihilistisch, defätistisch, miesepetrig *(ugs.),* hintersinnig *(schweiz.),* bregenklüterig *(ugs., landsch.),* trübselig, wehmütig, wehselig *(schweiz.),* elegisch, trist, traurig, freudlos, freudelos *(schweiz.),* elend, unglücklich, todunglücklich, kreuzunglücklich, desolat, betrübt, trübe, bedrückt, gedrückt, bekümmert, unfroh, mauserig *(schweiz.),* nicht → lustig; → ängstlich, → ernsthaft, → kläglich, → deprimiert, → ruhig · Ggs. → zuversichtlich; s. sein, mit der Welt zerfallen sein, Trübsal blasen *(ugs.),* etwas durch eine schwarze Brille sehen, sich hintersinnen *(südd., schweiz.);* → erstaunen, → Melancholie, → Pessimist, → Trauer.

²schwermütig → gemütskrank.

Schwermütigkeit→Melancholie.

schwernehmen, als bedrückend / schlimm / belastend empfinden, sich etwas zu Herzen nehmen, etwas liegt jmdm. wie ein Alp auf der Brust / Seele, sich wegen etwas Gedanken machen; → sorgen (sich).

Schwert: → Hiebwaffe; das S. in die Scheide stecken → Frieden [schließen].

Schwertbrüderorden → Ritterorden.

Schwertfisch → Sternbild.

Schwertschlucker → Artist.

schwertun: jmd. tut sich schwer mit etwas → schwerfallen.

schwerverständlich → verworren.

schwerwiegend → gewaltig.

¹Schwester, Schwesterherz *(scherzh.);* → Verwandter.

²Schwester: → Anrede, → Krankenschwester, → Nonne; Bruder und S. → Geschwister.

Schwesterherz → Schwester.

Schwesterkind → Verwandter.

Schwesterliebe → Familienanhänglichkeit.

Schwesternhelferin → Krankenschwester.

Schwesternorden → Nonnenorden.

Schwesterpartei → Partei.
Schwiegereltern → Verwandter.
Schwiegerkind → Verwandter.
Schwiegermama → Verwandter.
Schwiegermutter → Verwandter.
Schwiegerpapa → Verwandter.
Schwiegersohn, Eidam (*veraltet*), Tochtermann (*südwestd., veraltend*); → Verwandter.
Schwiegertochter, Schnur (*veraltet*); → Verwandter.
Schwiegervater → Verwandter.
¹Schwiele, Hornhaut, Hautschwiele, übermäßige Hautverhornung, Schwielenbildung, Keratose, Hyperkeratose, Keratom, Horngeschwulst, Hauthorn, Kallosität, Callositas, Kallus, Tylom, Tylose, Tylositas, Klavus, Hühnerauge, Leichdorn; → Hautblüte.
²Schwiele: sich -n an die Hände arbeiten → arbeiten.
Schwielenbildung → Schwiele.
¹schwierig, schwer, diffizil, heikel, gefährlich, kitzlig (*ugs.*), kompliziert, subtil, problematisch, verwickelt, langwierig, harzig (*schweiz.*), knifflig (*ugs.*), verzwickt (*ugs.*), vertrackt (*ugs.*), prekär, nicht → leicht, nicht → mühelos; → beschwerlich, → brisant; **s. sein**, etwas bereitet Schwierigkeiten, etwas ist kein Kinderspiel / ein harter Brocken / eine harte Nuß / eine Wissenschaft für sich (*ugs.*), etwas ist eine schwierige Kiste (*ugs., berlin.*), etwas harzt (*schweiz.*); **nicht s. sein**, das ist keine Kunst (*ugs.*), das ist kein Kunststück (*ugs.*), dazu gehört nicht viel, das kann jeder, das ist nichts Besonderes, das ist nicht [weiter] verwunderlich, Geschwindigkeit ist keine Hexerei, etwas ist kinderleicht / ein Kinderspiel / puppenleicht / babyleicht (*ugs.*); → Angelegenheit, → Schwierigkeit.
²schwierig: → empfindlich, → wirr; etwas ist eine -e Kiste → schwierig [sein]; etwas ist s. → Kleinigkeit; zu s. → unausführbar.
¹Schwierigkeit, Frage, Problem, Streitfrage, kritischer / strittiger Punkt, ungelöste Aufgabe,

Hauptschwierigkeit, Hauptfrage, Kernfrage, Zentralfrage, Kardinalfrage, Hauptproblem, Kernproblem, Grundproblem, Zentralproblem, Kardinalproblem, Gegenwartsfrage, Gegenwartsproblem, Lebensfrage, Tagesfrage, Tagesproblem, Randproblem, Nebenproblem · *eigentlich gar nicht existierende:* Scheinproblem · *eigentliche, größte:* das dicke Ende (*ugs.*); → Aufgabe, → Not, → Unannehmlichkeit, → Zwiespalt; **Schwierigkeiten haben**, ein Problem haben, jmds. Rat brauchen, sich mit jmdm. / etwas herumschlagen; **keine Schwierigkeiten mehr haben**, die größten Schwierigkeiten überwunden haben, nicht mehr so zu kämpfen haben, aus dem Gröbsten heraus sein (*ugs.*), aus dem Schneider sein (*ugs.*), über den Berg sein, es geht aufwärts; → schwierig.
²Schwierigkeit: → Kalamität, → Not; -en → Umstände; etwas bereitet -en → schwierig [sein]; eine S. überwinden → bewältigen; in finanziellen -en sein → arm [sein]; ohne -en → reibungslos.
Schwimmbad → Bad.
Schwimmbecken → Bassin.
Schwimmblatt → Farn.
¹schwimmen, baden, kraulen, planschen, sich erfrischen · *unter Wasser:* tauchen · *unbekleidet als Nudist:* nacktbaden; → baden; → Bad, → Bassin, → Schwimmen.
²schwimmen: → fließen; -des Hotel → Fahrgastschiff; jmdm. s. die Felle weg → Mißerfolg [haben]; gegen den Strom s. → entgegenstellen (sich); in jmds. Kielwasser s. → selbständig; mit dem Strom / nicht gegen den Strom s. → Opportunist [sein]; [ins Schwimmen kommen] → schleudern.
¹Schwimmen, Brustschwimmen, Kraulschwimmen, Rückenkraulschwimmen, Schmetterlingsschwimmen, Delphinschwimmen · *unter Wasser:* Tauchen, Schnorcheltauchen, Tiefseetauchen; → Bad, → Bassin; → baden, → schwimmen.
²Schwimmen → Fünfkampf.

Schwimmerbecken → Bassin.
Schwimmfarn → Farn.
Schwimmfarngewächs → Farn.
Schwimmgürtel → Rettungsgerät.
Schwimmhose → Badehose.
Schwimmweste → Rettungsgerät.
Schwindel: → Benommenheit, → Lüge.
schwindelerregend → sehr.
schwindeln: → lügen; jmdm. schwindelt → unwohl.
schwinden: → abnehmen; -d → nachlassend; jmdm. s. die Sinne → ohnmächtig [werden]; im Schwinden begriffen sein → abnehmen.
Schwindler: → Betrüger, → Lügner.
schwindlig: → benommen; jmdm. ist / wird s. → unwohl.
Schwindsucht → Tuberkulose.
Schwinge: → Flügel, → Korb.
¹schwingen, pendeln, wackeln, wie ein Lämmerschwanz wackeln (*salopp*), schuckeln (*ugs.*), eiern (*ugs.*), kippeln (*ugs.*); → hängen, → schleudern, → schaukeln, → schwanken; → wacklig.
²schwingen: → ringen; große Reden s. → prahlen; den Taktstock s. → dirigieren; das Tanzbein s. → tanzen; den Zauberstab s. → zaubern; das Zepter s. → maßgeblich [sein].
Schwingen: → Ringen, → Schwerathletik.
Schwinger: → Fausthieb, → Ringer.
Schwippschwager → Verwandter.
Schwippschwägerin → Verwandter.
Schwips → Betrunkenheit.
Schwirl → Vogel.
schwirren → fliegen.
Schwitzbad: → Sauna, → Sudatorium.
Schwitze → Mehlschwitze.
¹schwitzen, transpirieren, ausdünsten, Schweiß vergießen (*ugs.*), [wie] in Schweiß gebadet sein; → Körpergeruch, → Schweißabsonderung, → Transpiration, → Wärme.
²schwitzen: Blut und Wasser s. → Angst [haben]; naß geschwitzt → verschwitzt.
Schwitzen (das): → Transpiration.

schwitzig → verschwitzt.

Schwitzkasten → Sudatorium.

Schwof → Tanzvergnügen.

schwofen → tanzen.

schwören: → versprechen; Urfehde s. → bereinigen.

Schwuchtel: → Homosexueller, → Schauspieler.

schwul → gleichgeschlechtlich.

schwül, drückend, feuchtwarm, tropisch, föhnig, gewittrig; → schwül.

Schwüle → Wärme.

Schwuler → Homosexueller.

Schwulität → Kalamität.

schwülstig → hochtrabend.

schwummerig: → benommen; jmdm. ist s. → Angst [haben].

schwummrig: → benommen; jmdm. ist s. → Angst [haben].

¹Schwund, Nachlassen, Fading; → nachlassen.

²Schwund → Verminderung.

Schwung: → Temperament; jmdm. fehlt der S., keinen S. haben, ohne [rechten] S. → temperamentlos; voll S. → beschwingt; in S. bringen → ankurbeln, → mobilisieren; etwas kommt in S. → anfangen.

Schwungfeder → Feder.

schwunghaft: -en Handel treiben → verkaufen.

Schwungkraft, Zentrifugalkraft, Fliehkraft.

Schwungstütz → Turnübung.

¹schwungvoll, flott, schneidig, schnittig, schmissig, zackig, resch (bayr., österr.); → lebhaft, → lustig, → schnell.

²schwungvoll → beschwingt.

Schwur → Eid.

Schwurgericht → Gericht.

Schwyzer → Schweizer.

Science-fiction → Literatur.

Science-fiction-Roman → Roman.

Scout → Pfadfinder.

Scylla: zwischen S. und Charybdis sein → Lage.

Seal → Pelz.

Séance, [spiritistische] Sitzung; → Geisterbeschwörung, → Spiritist; → okkult.

Seccomalerei → Maltechnik.

Sechsachteltakt → Takt.

Sechser → Münze.

Sechserkarte → Fahrkarte.

Sechsflächner → Würfel.

Sechstagerennen → Rennen.

sechste: -r Sinn → Ahnung.

Sechsundsechzig → Kartenspiel.

Sechsvierteltakt → Takt.

Sechter → Gefäß.

Sechzehntel → Notenzeichen.

Sechzehntelnote → Notenzeichen.

Second-hand-Shop → Laden.

Secret Service → Geheimpolizei.

Sedan → Spitzenstickerei.

Sedativ: → Beruhigungsmittel, → Linderungsmittel.

Sedativum: → Beruhigungsmittel, → Linderungsmittel.

Sediment: → Bodensatz, → Gestein.

Sedimentgestein → Gestein.

¹See (der), Teich, Weiher, Woog (landsch.), Tümpel, Tümpfel (bayr., österr.), Pfuhl; → Bach, → Bad, → Fluß, → Gewässer, → Meer, → Mündung, → Pfütze.

²See (der): das Land der tausend -n → Finnland.

³See (die): → Meer; leicht (oder:) mäßig bewegte / vollkommen glatte / [ziemlich] grobe / [sehr] hohe / [sehr] ruhige / gewaltig schwere / unruhige S. → Seegang; auf S. bleiben → sterben; in S. stechen → abgehen, → abreisen; zur S. fahren → Seemann [sein].

Seeadler → Vogel.

Seebad → Badeort.

Seebär: [ein S. sein] → Seemann [sein].

Seebarsch → Fisch.

Seedrachen → Fisch.

Seefahrer: [S. sein] → Seemann [sein].

Seefeder → Hohltier.

Seefischer → Fischer.

Seefischerei → Fischerei.

Seeforelle → Fisch.

Seefrosch → Frosch.

Seefuchs → Pelz.

Seegang, Wellengang, Wellenbewegung, Dünung, Windsee ·· vollkommen glatte See · sehr ruhige See · ruhige See · leicht bewegte See · mäßig bewegte See · ziemlich grobe See · grobe / unruhige See · hohe See · sehr hohe See · heftige Sturmsee · gewaltig schwere See; · Welle, Windstärke.

seegrün → grün.

Seehafen → Hafen.

Seehose → Wirbelwind.

Seehund → Pelz.

Seeigel → Stachelhäuter.

Seejungfrau → Wassergeist.

Seekadett: → Dienstgrad, → Matrose.

Seekarte → Landkarte.

Seeklima → Klima.

seekrank: s. sein → übergeben (sich).

Seekrankheit → Bewegungskrankheit.

Seekrieg → Krieg.

Seelamt → Totenmesse.

¹Seele, Psyche, Inneres, Herz, Gemüt, Brust; → Gefühl, → Seelsorge.

²Seele: durstige S. → Trinker; keine S. → niemand; zwei -n und ein Gedanke → denken; ein Herz und eine S. sein → unzertrennlich [sein]; eine S. von [einem] Kamel / von Mensch / von einem Menschen sein → gütig [sein]; die S. aushauchen → sterben; jmdm. die S. aus dem Leib fragen → fragen; eine schwarze S. haben → böse [sein]; zwei -n in einer Brust haben → zwiespältig [sein]; sich die S. aus dem Leib schreien → schreien; jmdm. etwas auf die S. binden → anordnen; jmdm. auf der S. knien → bitten; etwas liegt wie ein Alp auf der S. → schwernehmen; aus / in tiefster S., in der S. → sehr; hinter etwas her sein wie der Teufel hinter der armen S. → begierig [sein]; mit Leib und S., mit ganzer S. → Begeisterung; sich etwas von der S. reden → mitteilen.

Seelenamt: → Totenmesse, → Trauerfeier.

Seelenarzt → Arzt.

Seelenbräutigam → Heiland.

seelengut → gütig.

Seelengüte → Güte.

Seelenhirt → Geistlicher.

Seelenhirte → Geistlicher.

Seelenkunde → Psychologie.

seelenkundlich → psychisch.

Seelenleben → Gefühlsleben.

Seelenmassage → Beeinflussung.

Seelenmesse: → Totenmesse, → Trauerfeier.

**Seelenruhe:** → Gelassenheit; in aller S. → ruhig.
**seelenruhig** → ruhig.
**Seelentrost** → Trost.
**Seelenverkäufer:** → Schiff, → Schuft.
**seelenvoll** → empfindsam.
**Seelilie** → Stachelhäuter.
**seelisch:** → psychisch; -er Beistand, -e Betreuung → Lebenshilfe; -es Tief → Trauer.
**Seelotse** → Lotse.
**¹Seelsorge,** Telefonseelsorge, Telephonseelsorge; → Geistlicher, → Lebenshilfe, → Seele; → psychisch.
**²Seelsorge** → Lebenshilfe.
**Seelsorger** → Geistlicher.
**seelsorgerisch,** seelsorgerlich, seelsorglich, pastoral, geistlich; → Geistlicher.
**seelsorgerlich** → seelsorgerisch.
**seelsorglich** → seelsorgerisch.
**Seeluft** → Luft.
**Seemann,** Seefahrer, Seebär (*scherzh.*), Fahrensmann; **S. sein,** Seefahrer sein, ein Seebär sein (*scherzh.*), zur See fahren, der Marine angehören, bei der Marine sein; → Lotse, → Matrose, → Reeder, → Schiffer, → Schiffsbesatzung.
**Seemannsgarn** → Lüge.
**Seemannsknoten** → Knoten.
**Seemannssprache** → Gruppensprache.
**Seemannstod:** den S. sterben → sterben.
**Seemarsch** → Marsch.
**Seemeile** → Längenmaß.
**Seemine** → Mine.
**Seenadel** → Fisch.
**Seeneunauge** → Fisch.
**Seenotbake** → Warnzeichen.
**Seenotdienst** → Lebensrettungsgesellschaft.
**Seeoffizier** · *im Rang eines Hauptmanns:* Kapitänleutnant · *im Rang eines Majors:* Korvettenkapitän · *im Rang eines Oberstleutnants:* Fregattenkapitän · *im Rang eines Obersts:* Kapitän · Flotillenadmiral · Konteradmiral · Vizeadmiral · *im Rang eines Generals:* Admiral; → Befehlshaber, → Dienstgrad · Ggs. → Matrose.
**Seeohr** → Schnecke.
**Seepolyp** → Kopffüßer.
**Seeratte** → Fisch.
**Seeräuber,** Pirat, Freibeuter,

**Korsar** · *in westindischen Gewässern im 17. Jh.:* Bukanier, Flibustier; → Dieb, → Plünderer.
**Seereise** → Reise.
**Seerose:** → Hohltier, → Wasserrose.
**Seesack** → Tornister.
**Seeschaden** → Havarie.
**Seeschaum** → Brandung.
**Seeschiff** → Schiff.
**Seeschiffahrt** → Schiffahrt.
**Seeschlacht** → Kampf.
**Seeschlange** → Schlange.
**Seeschwalbe** → Vogel.
**Seestern** → Stachelhäuter.
**Seestreitkräfte** → Militär.
**Seestück** → Bild.
**Seetaucher** → Vogel.
**Seetransport** → Transport.
**Seewalze** → Stachelhäuter.
**Seewind** → Wind.
**Segel:** S. des Schiffes → Sternbild; die S. streichen → nachgeben; jmdm. den Wind aus den -n nehmen → widerlegen.
**Segelboot** ·· Soling · Drachen, Drachenboot · Star, Starboot · Flying Dutchman · Finn-Dingi, Finn-Dinghi · Tempest · 5,5-m-Klasse · Olympiajolle · 12-m²-Sharpie · 20-m²-Jollenkreuzer · 30-m²-Schärenkreuzer · 6-m-R-Klasse · Katamaran · KR-Klasse · Pirat · 25-m²-Einheitskielyacht; → Boot, → Segelschiff.
**Segeldraht** → Schnur.
**Segelfalter** → Schmetterling.
**Segelflieger** → Flugzeug.
**Segelfliegerohren** → Ohr.
**Segelflug** → Flug.
**Segelflugzeug** → Flugzeug.
**Segelgarn** → Schnur.
**segeln:** → Boot [fahren], → fallen, → fliegen; in jmds. Kielwasser s. → selbständig; in die Tiefe s. → hinunterfallen; mit dem Wind s. → Opportunist [sein].
**Segelpartie** → Ausflug.
**Segelregatta** → Regatta.
**Segelschiff** · Windjammer · Bark · Brigg · Schoner · Kutter · Fregatte (*hist.*), Korvette (*hist.*) · *der Ausbildung des seemännischen Nachwuchses dienendes:* Segelschulschiff, Schulschiff · *chinesisches:* Dschunke; → Boot, → Kriegsschiff, → Schiff, → Segelboot.

**Segelschulschiff** → Segelschiff.
**Segen:** → Glück, → Gottesdienst; den S. geben / austeilen → segnen; seinen S. zu etwas geben → billigen.
**Segensandacht** → Gottesdienst.
**Segenswunsch:** Segenswünsche → Glückwunsch.
**Segler** → Vogel.
**Segment,** Teilstück, Ausschnitt.
**segmentieren** → gliedern.
**segmentiert** → gegliedert.
**Segmentierung** → Gliederung.
**¹segnen,** den Segen geben / austeilen; → weihen.
**²segnen:** → weihen; das Zeitliche s. → defekt [werden], → sterben.
**Seguidilla** → Tanz.
**sehbehindert** → blind.
**¹sehen** (jmdn. / etwas), beobachten, schauen (*geh.*), erkennen, unterscheiden, erblicken, erspähen, eräugen (*scherzh.*), ausmachen, sichten, zu Gesicht bekommen · *undeutlich:* einen Schleier vor den Augen haben · *alles:* jmdm. entgeht nichts, jmd. hat vorn und hinten Augen / hat seine Augen überall; → ansehen, → blinzeln, → merken, → wahrnehmen; **von jmdm. gesehen werden,** jmdm. zu Gesicht kommen; **sich bei jmdm. s. lassen,** jmdm. unter die Augen kommen / treten; **nicht zu s. sein,** nicht zu finden sein, wie vom Erdboden verschluckt sein, [spurlos] verschwunden sein; → optisch; → Augenlicht.
**²sehen:** → blicken, → empfangen, → erkennen, → finden, → wahrnehmen; schon zu s. sein → kommen; siehst du, da hast du's → Folge; gern gesehen → gebeten, → willkommen, → wohlgelitten; nicht gern gesehen → unerfreulich; nicht gern gesehen sein → unbeliebt [sein]; sich getäuscht s. → hereinfallen; gut s. → scharfsichtig [sein]; kein leeres Glas s. können → trinken; sich s. lassen können → tüchtig [sein]; sich [verraten] s. → Passiv; jmdn. am liebsten von hinten s. → hassen; einmal etwas anderes hören und s. → zerstreuen (sich); etwas in

rosigem Licht s. → werten; den sehe ich gar nicht mehr → verfeindet [sein]; s., was mit jmdm. los ist → erkennen; Sterne s. → ohnmächtig [werden]; jmdm. auf die Finger s. → beobachten; auf die Länge hin gesehen → allmählich; s. aus → herausschauen; etwas durch eine rosa Brille s. → zuversichtlich [sein]; etwas durch eine schwarze Brille s. → schwermütig [sein]; im ganzen gesehen → insgesamt; jmdm. zu tief in die Augen / ins Auge s. → verlieben (sich); jmdm. nicht ins Gesicht s. können → verlegen [sein]; s. nach → beaufsichtigen; nach jmdm. s. → kümmern (sich um jmdn.).

**sehenswert** → interessant.
**Seher:** → Auge, → Wahrsager.
**seherisch** → prophetisch.
**Sehhügelhirn** → Gehirn.
**Sehkraft:** → Augenlicht; der S. berauben → blind [machen].
**sehnen:** sich s. [nach] → streben.
**Sehnen** → Sehnsucht.
**sehnig:** → sportlich, → zäh.
**Sehnlichkeit** → Sehnsucht.
**Sehnsucht,** Sehnen (*geh.*), Nostalgie, Langezeit (*schweiz.*), Sehnlichkeit (*schweiz.*), Heimweh, Fernweh; → Bitte, → Leidenschaft, → Reiselust; **voll S.,** sehnsüchtig, sehnsuchtsvoll, verlangend.
**sehnsüchtig** → Sehnsucht.
**sehnsuchtsvoll** → Sehnsucht.
**Sehorgan** → Sinnesorgan.
¹**sehr,** recht, arg (*südd.*), überaus, äußerst, höchst, beachtlich, beträchtlich, haushoch, weit, gröblich, besonders, gar (*geh.*), unendlich, unermeßlich, abgründig, ungeheuer, unheimlich, riesig, mächtig, unbändig, tüchtig, kräftig, gewaltig, unbeschreiblich, unsäglich, unsagbar, unaussprechlich, nach allen Regeln der Kunst, nach Noten, nach Strich und Faden, grenzenlos, zutiefst, maßlos, aus / in tiefster Seele, in der Seele, über die / über alle Maßen, mordsmäßig (*salopp*), aufs höchste / äußerste, in höchstem Grad, noch so (*schweiz.*), wie nicht gescheit

(*ugs., österr.*), auf Teufel komm raus (*ugs.*), was das Zeug hält (*ugs.*), höchlichst (*veraltet*), bannig (*ugs., nordd.*), diebisch, höllisch (*ugs.*), verdammt (*ugs.*), verflucht (*ugs.*), verteufelt (*ugs.*), verzweifelt, wahnsinnig (*ugs.*), fürchterlich, mörderisch, eklig (*ugs.*), furchtbar, schrecklich, entsetzlich, irrsinnig (*ugs.*), irre (*ugs.*), baß (*veraltet*) · *negativ verstärkend:* hochgradig, erheblich, bitter, denkbar, faustdick, herzlich, gelinde, sauber (*südd., österr.*) · *positiv verstärkend:* ausnehmend, ausgesucht, bemerkenswert, ungemein, umwerfend, bärig (*tirol.*), bäumig (*schweiz.*), königlich; → angemessen, → ansehnlich, → außergewöhnlich, → einigermaßen, → gehörig, → gewaltig, → groß, → unsagbar.
²**sehr:** → trefflich; s. geehrt / verehrt → verehrt; s. gut → optimal; s. ruhige See → Seegang; bitte s.! → bitte!; danke s.! → danke!
**Sehschärfe** → Augenlicht.
**Sehschwäche** → Sehstörung.
**Sehstörung,** Dysopsie, Dysopie (*selten*) · Schwachsichtigkeit, Amblyopie · Sehschwäche, Asthenopie, Kopiopie ·· *in der Dunkelheit:* Nachtblindheit, Hemeralopie, Nyktalopie · Dämmerungsblindheit, Aknephaskopie ·· *bei hellem Tageslicht:* Tagblindheit, Nachtsichtigkeit, Nyktalopie, Hemeralopie; → Blindheit, → Farbenblindheit, → Fehlsichtigkeit, → Schielen.
**Sehvermögen** → Augenlicht.
**Seiche** → Urin.
**seichen** → urinieren.
**Seichkachel** → Nachtgeschirr.
¹**seicht,** flach, niedrig, untief (*landsch.*), untief, knöcheltief, knietief, nicht → tief; → Flachheit.
²**seicht:** → oberflächlich; s. machen → verwässern.
**Seichtheit** → Trivialität.
**Seichur** → Orientteppich.
¹**Seide,** Rohseide, Naturseide, Wildseide, Bouretteseide, Honanseide, Shantungseide, Perlseide, Kästelseide, Granitseide, Taft, Tussahseide, Japanseide, Brokat, Atlasseide, Crêpe de

Chine, Crêpe Georgette, Crêpe Satin, Crêpe marocain; → Gewebe, → Stoff.
²**Seide** → Stoff.
**Seidel:** → Hohlmaß, → Trinkgefäß.
**seiden:** etwas hängt an einem -en Faden → ungewiß [sein].
**Seidenäffchen** → Affe.
**Seidenbatist** → Stoff.
**Seidenbluse** → Bluse.
**Seidenfaden** → Faden.
**Seidenhemd** → Oberhemd.
**Seidenkleid** → Kleid.
**Seidenmull** → Stoff.
**Seidenpapier**→Einwickelpapier.
**Seidenpudel** → Hunderassen.
**Seidenreiher** → Vogel.
**Seidenschal** → Halstuch.
**Seidenschwanz** → Vogel.
**Seidenspinner** → Schmetterling.
**Seidenstrumpf** → Strumpf.
**Seidentuch** → Halstuch.
**seidenweich** → weich.
**Seife,** Toilettenseife, Feinseife, Kinderseife, Babyseife, Badeseife, Körperseife, Rasierseife, Glyzerinseife, Kernseife, Waschseife; → Desodorans, → Haarwaschmittel, → Waschmittel.
**Seifenartikel** → Waschmittel.
**Seifenblase** → Einbildung.
**Seifenflocken** → Waschmittel.
**Seifenmittel** → Waschmittel.
**Seifenpulver** → Waschmittel.
**Seifensieder:** jmdm geht ein S. auf → erkennen.
**seiger** → senkrecht.
**Seiger** → Uhr.
**seihen** → filtern.
**Seiher** → Sieb.
**Seiherl** → Sieb.
¹**Seil,** Tau, Leine, Strick, Strang, Strange (*schweiz.*), Reep (*Seemannsspr.*), Trosse (*Seemannsspr.*); → Draht, → Drahtseil, → Schnur.
²**Seil:** jmdn. am S. herunterlassen → anführen.
¹**Seilbahn,** Drahtseilbahn, Sesselbahn, Schwebebahn, Kabinenbahn, Seilschwebebahn, Gondelbahn, Luftseilbahn (*schweiz.*), Sessellift, Schilift, Skilift, Lift, Schlepplift, Skifuni (*schweiz.*); → Verkehrsmittel.
²**Seilbahn:** → Drahtseilbahn, → Verkehrsmittel.
**Seilbrücke** → Brücke.

**Seildach** → Dach.
**Seilkünstler** → Artist.
**Seilschwebebahn** → Seilbahn.
**Seiltänzer** → Artist.
**Seimhonig** → Honig.
**seimig** → flüssig.
**Seimigkeit** → Flüssigsein.
**sein:** → bedeuten, → benehmen (sich), → erweisen (sich als), → existieren, → figurieren (als), → gehören, → herrschen, → innehaben, → spielen, → weilen; nicht bebaut / unbebaut / ungenutzt s. → brachliegen; es kann s., wenn's denn s. muß, es soll mir recht s., sei's drum, es ist mir ein Vergnügen → ja; ganz jmd. sein → ähneln; seien Sie so gut! → bitte!; nicht mehr s. → tot [sein]; was ist das schon → wirkungslos [sein]; am ... s. → tun; am Leben s. → leben, → tot; an der Front s. → Front; etwas ist zu [erklären, vernehmen usw.] → lassen.
**Sein:** → Existenz, → Lage; Lehre vom S. → Ontologie.
**seinerzeit** → damals.
**Seinslehre** → Ontologie.
**seit:** s. alters / eh und je / je / jeher → unaufhörlich; s. damals / zum Zeitpunkt → seither; s. kurzem / neuem → neuerdings; s. langem / längerem, s. längerer Zeit → längst.
**seitdem** → seither.
**¹Seite,** Blatt, Bogen, Pagina (veraltet) · leere: Vakat, Schimmelbogen; → Rubrik.
**²Seite:** → Bestandteil, → Flanke; -n → Hüften; dem Wind abgekehrte S. → Lee; die andere S. → Gegner; dem Wind zugekehrte S. → Luv; etwas ist jmds. schwache S. → firm; etwas ist jmds. starke S. → begabt; alle -n berücksichtigend, nach allen -n hin, von allen -n → allseitig; S. an S. → gemeinsam; an der äußeren S. → außen; an der inneren S. → innen; auf der ander[e]n S. → jenseits; auf der ander[e]n / gegenüberliegenden S. → gegenüber; auf der ander[e]n / nächsten S. → umseitig; auf beiden -n → beiderseits; auf der linken S. → links; auf der rechten S.

→ rechts; auf die S. legen → sparen; auf die S. stellen → wegstellen; nach allen -n → überallhin; von allen -n → überallher; etwas von der leichten S. nehmen → mißachten; zur S. gehen → ausweichen; zur S. ragen → abstehen; zur S. stehen → helfen.
**Seitenaltar** → Altar.
**Seitenansicht** → Umriß.
**Seitenarm** → Fluß.
**Seitenbau** → Seitentrakt.
**Seitenfänger** → Schiff.
**Seitenflügel** → Seitentrakt.
**Seitengewehr** → Stichwaffe.
**Seitenkanal** → Kanal.
**Seitenlage** → Schräge.
**Seitenloge** → Loge.
**Seitenmauer** → Mauer.
**Seitensprung:** → Ehebruch, → Eskapade; Seitensprünge machen → untreu [sein].
**Seitentrakt,** Seitenbau, Flügel, Seitenflügel; → Haus.
**Seitentrawler** → Schiff.
**seitenverkehrt,** verkehrt, umgekehrt, spiegelbildlich, verdreht, verkehrtherum, verkehrtrum (ugs.).
**Seitenwind** → Wind.
**seither,** seitdem, seit damals, seit dem Zeitpunkt, von dem Zeitpunkt an; → bisher.
**seitwärts:** sich s. in die Büsche schlagen → weggehen.
**Sejm** → Volksvertretung.
**Sekante** → Linie.
**sekkant** → aufdringlich.
**Sekkatur** → Belästigung.
**sekkieren:** → behelligen, → schikanieren.
**Sekkiererei** → Belästigung.
**Sekret** → Absonderung.
**Sekretär** → Möbel.
**Sekretariat** → Vorzimmer.
**Sekretärin,** Vorzimmerdame, Chefsekretärin; → Stenotypistin, → Vorzimmer.
**Sekt** → Wein.
**¹Sekte** ·· Adventisten · Methodisten · Baptisten · Quäker · Mormonen · Zeugen Jehovas, Ernste Bibelforscher (veraltet) · Heilsarmee · Christliche Wissenschaft, Christian Science; → Religionsgemeinschaft.
**²Sekte** → Partei.
**Sektenbildung** → Ketzerei.
**Sektfrühstück** → Zwischenmahlzeit.

**Sektglas** → Trinkgefäß.
**Sektierer** → Ketzer.
**Sektion:** → Bereich, → Obduktion, → Operation.
**Sektkelch** → Trinkgefäß.
**Sektor:** → Bereich; demokratischer / sowjetischer S. → Berlin.
**Sektschale** → Trinkgefäß.
**Sekundant** → Helfer.
**¹sekundär,** zweitrangig; → unwichtig; **s. sein,** erst in zweiter Linie in Betracht kommen, an zweiter Stelle stehen.
**²sekundär** → unselbständig.
**Sekundärliteratur** → Literatur.
**Sekundarschule** → Schule.
**Sekunde:** → Tonabstand, → Zeitraum; nur eine S. weit / entfernt → nah, → nahebei; keine S. → niemals.
**Sekundenzeiger** → Uhrzeiger.
**sekundieren** → helfen.
**Sekundogenitur** → Recht.
**Sekurit** → Glas.
**Seladon** → Geliebter.
**Selband** → Webkante.
**selber:** auch einmal an sich s. denken → gönnen (sich etwas); von s. → Hilfe.
**selbst:** → auch, → persönlich; auch einmal an sich s. denken → gönnen (sich etwas); für sich s. → pro domo; in sich s. verliebt → narzißtisch; von s. → automatisch, → freiwillig; von s. → Hilfe, → per se; zu sich s. gut sein → gönnen (sich etwas); s. wenn → obgleich.
**¹selbständig,** eigenständig, eigenlebig (schweiz.), frei, ungebunden, unbehindert, ungehindert, unabhängig, für sich allein, absolut, souverän, schrankenlos, uneingeschränkt, unumschränkt, unbeschränkt, eigenmächtig (abwertend), übergeordnet, autonom, autark, emanzipiert, nonkonformistisch, eigenwillig, nicht → unselbständig; → aufgeklärt, → eigenmächtig, → schöpferisch, → unbedingt, → unzugänglich; **s. werden,** sich loslösen / lösen / losmachen von, sich freischwimmen (ugs.), loskommen von, abnabeln, die Nabelschnur durchschneiden / durchtrennen; **s. sein,** freie Bahn / Hand haben, unabhängig / nicht eingeschränkt sein, sein eigener Herr sein, auf eigenen Füßen / Beinen

stehen; **sich s. fühlen**, sich nichts mehr sagen lassen, jmdm. (seinen Eltern o.ä.) über den Kopf wachsen; **s. machen**, unabhängig machen, emanzipieren, befreien, gleichberechtigt stellen; **nicht s. sein**, abhängig sein, nach jmds. Pfeife tanzen müssen, in jmds. Kielwasser schwimmen; → Außenseiter, → Emanzipation → Frauenrechtlerin, → Hilfe.

²**selbständig**: → erwachsen; sich s. machen → niederlassen (sich); etwas hat sich s. gemacht → verloren [sein]

**Selbständiger** → Berufsstand.

**Selbstbedienungsladen** → Laden.

**Selbstbefleckung** → Selbstbefriedigung.

**Selbstbefreiung**: → Autonomie, → Emanzipation.

**Selbstbefriedigung**, Masturbation, Onanie, Ersatzbefriedigung, Selbstbefleckung, Ipsation, Ipsismus, Manustupration, Monosexualismus; → Perversität, → Selbstverliebtheit; → masturbieren.

**Selbstbehauptung** → Selbstbewußtsein.

**Selbstbeherrschung**: → Gelassenheit; die S. verlieren → unbeherrscht [sein]; Mangel an S. → Ungezügeltheit.

**Selbstbescheidung** → Bescheidenheit.

**Selbstbeschränkung** → Bescheidenheit.

**Selbstbesinnung**, Einkehr, [innere] Sammlung; → Bekehrung, → Läuterung.

**Selbstbestimmung** → Autonomie, → Freiheit.

**Selbstbestimmungsrecht** → Autonomie.

¹**Selbstbetrug**, Selbsttäuschung, Augenwischerei (*ugs.*); → Betrug.

²**Selbstbetrug** → Selbsteinschätzung.

**Selbstbeweihräucherung** → Selbsteinschätzung.

¹**selbstbewußt**, siegesgewiß, siegessicher, siegesbewußt, optimistisch, stolz, erhobenen Hauptes (*geh.*); → dünkelhaft.

²**selbstbewußt** → dünkelhaft.

**Selbstbewußtsein**, Selbstgefühl, Selbstvertrauen, Selbstsicherheit, Selbstwertgefühl, Sicher-

heit · Selbstbehauptung, Durchsetzungsvermögen, Durchsetzungskraft; → Beharrlichkeit, → Selbsteinschätzung, → Überheblichkeit.

**selbstbezogen**, autistisch, introvertiert, zentrovertiert, nicht → gesellig; → dünkelhaft, → narzißtisch, → selbstsüchtig, unzugänglich; → Selbstsucht, → Selbstverliebtheit.

**Selbstbildnis** → Bildnis.

**Selbstbinder** → Krawatte.

**Selbsteinschätzung**, Selbstverständnis, Selbstinterpretation · *übersteigerte:* Selbstbeweihräucherung (*abwertend*), Größenwahn, Cäsarenwahn · *falsche:* Selbstbetrug · *kritische:* Einsicht, Selbsterkenntnis, Selbstkritik; → Selbstbewußtsein, → Überheblichkeit.

**Selbstentleibung** → Selbstmord.

**Selbsterhaltung**, Selbsterhaltungstrieb, Selbstschutz, Selbstverteidigung; → Selbstsucht.

**Selbsterhaltungstrieb**: → Lebenswille, → Selbsterhaltung.

**Selbsterkenntnis** → Selbsteinschätzung.

**Selbstgedrehte** → Zigarette.

**selbstgefällig** → dünkelhaft.

**Selbstgefälligkeit** → Überheblichkeit.

**Selbstgefühl** → Selbstbewußtsein.

**selbstgenügsam** → zufrieden.

**selbstgerecht** → dünkelhaft.

**Selbstgerechtigkeit** → Überheblichkeit.

**Selbstgespräch** → Gespräch.

**selbstherrlich** → totalitär.

**Selbstherrlichkeit** → Überheblichkeit.

**Selbsthilfe**, Bürgerinitiative; → Aktion.

**Selbstinterpretation** → Selbsteinschätzung.

**selbstisch** → selbstsüchtig.

**Selbstischkeit** → Selbstsucht.

**Selbstisolierung** → Abkapselung.

**Selbstkostenpreis** → Preis.

**Selbstkritik** → Selbsteinschätzung.

**Selbstlaut** → Vokal.

**selbstlos**, uneigennützig, altruistisch, edelmütig, großherzig, aufopfernd, idealistisch, unegoistisch, nicht → selbstsüchtig; → gütig; → Selbstlosigkeit.

**Selbstlosigkeit**, Altruismus, Aufopferung, Edelmut, Edelsinn, Uneigennützigkeit, Selbstverleugnung, Selbstüberwindung; → Demut, → Entsagung, → Gutmütigkeit; → selbstlos.

¹**Selbstmord**. Suizid, Selbsttötung, Freitod, Selbstentleibung, Harakiri (*japanisch*); → Lebensunlust, → Selbstmörder, → Selbstmordversuch, → Tötung.

²**Selbstmord**: S. begehen / verüben → entleiben (sich).

**Selbstmörder**, Lebensmüder; → Selbstmord; → entleiben (sich).

**selbstmörderisch**: → gefährlich, → selbstzerstörerisch

**Selbstmordversuch**, Selbsttötungsversuch, Conamen (*Med.*), Conatus (*Med.*), Tentamen suicidii (*Med.*); → Selbstmord.

**selbstquälerisch** → selbstzerstörerisch.

**selbstredend**: → anstandslos, → ja.

**Selbstschutz** → Selbsterhaltung.

**selbstsicher** → dünkelhaft.

**Selbstsicherheit** → Selbstbewußtsein.

**Selbstsucht**, Selbstischkeit (*selten*), Berechnung, Eigennutz, Egozentrik, Egoismus, Ichsucht, Ichbezogenheit; → Selbsterhaltung; → eigennützig, → selbstbezogen, → selbstsüchtig.

**selbstsüchtig**, eigennützig, selbstisch, ichsüchtig, ichbezogen, egoistisch, egozentrisch, nicht → selbstlos; → asozial, → dünkelhaft, → eigennützig; → Selbstsucht, → Selbstverliebtheit.

**selbsttätig** → automatisch.

**Selbsttäuschung** → Selbstbetrug.

**Selbsttötung** → Selbstmord.

**Selbsttötungsversuch** → Selbstmordversuch.

**Selbstüberschätzung**: an S. leiden → überschätzen (sich).

**Selbstüberwindung** → Selbstlosigkeit.

**selbstüberzeugt** → dünkelhaft.

**selbstüberzogen** → dünkelhaft.

**selbstvergessen** → gedankenvoll.

**Selbstvergiftung** → Vergiftung.

**Selbstverleugnung** → Selbstlosigkeit.

**Selbstverliebtheit**, Narzißmus, Autoerotismus, Autoerastie, Autophilie; → Perversität, → Selbstbefriedigung; → narzißtisch, → selbstbezogen, → selbstsüchtig.

**selbstverständlich:** → anstandslos, → ja; als s. ansehen / betrachten → voraussetzen.

**Selbstverständlichkeit** → Plattheit.

**Selbstverständnis** → Selbsteinschätzung.

**¹Selbstverteidigung**, Kampfsport · Budo, Judo, Jiu Jitsu, Aikido, Karate, Kendo, Kyudo; → Bodybuilding.

**²Selbstverteidigung** → Selbsterhaltung.

**Selbstvertrauen:** → Selbstbewußtsein; jmdm. das S. nehmen → entmutigen.

**Selbstverwaltung** → Autonomie.

**selbstzerstörerisch**, selbstquälerisch, selbstmörderisch, sich selbst ruinierend / zerfleischend, gegen sich selbst wütend; → quälerisch, → rücksichtslos, → unsinnig.

**selbstzufrieden** → dünkelhaft.

**Selbstzufriedenheit** → Überheblichkeit.

**selchen** → räuchern.

**Selcher** → Fleischer.

**Selchfleisch** → Pökelfleisch.

**Selchkarree** → Rippchen.

**Selecta-Vision** → Kassettenfernsehen.

**selektieren** → auswählen.

**Selene:** → Göttin, → Mond.

**Selenonaut** → Astronaut.

**Selfkante** → Webkante.

**Selfmademan** → Emporkömmling.

**selig** → glücklich.

**Seligkeit:** → Freude, → Lust; Eure S. → Anrede; ewige S. → Himmel.

**Seller:** → Buch, → Verkaufsschlager.

**Sellerie** → Gemüse.

**Selleriesalz** → Salz.

**¹selten**, rar, verstreut, vereinzelt, sporadisch, alle Jubeljahre (ugs.), Gelegenheits-, nicht → oft; → auserwählt; → beinahe, → karg, → kostbar, → manchmal, → überall, → ungeübt; **s. sein**, etwas wird kleingeschrieben / (veraltend) groß-

geschrieben, etwas ist dünn / nicht dick gesät, jmdn. / etwas mit der Laterne (oder:) mit der Lupe suchen können (ugs.).

**²selten:** sich s. blicken lassen → besuchen.

**Selters** → Mineralwasser.

**Selterswasser** → Mineralwasser.

**¹seltsam**, sonderbar, verwunderlich, spektakulös (veraltend), eigen, eigentümlich, komisch, bizarr, befremdend, befremdlich, merkwürdig, eigenartig, absonderlich, verschroben, schrullig, wundersam (dichter.), wunderlich, kauzig, eigenbrötlerisch; → abwegig, → spaßig, → überspannt; **s. sein:** etwas ist seltsam, etwas kommt jmdm. verdächtig / (ugs.) spanisch vor, etwas ist nicht koscher / ganz astrein (ugs.), etwas ist eine faule Sache / (salopp) ein faules Ei; → Außenseiter, → Seltsamkeit.

**²seltsam** → abwegig.

**Seltsamkeit**, Sonderbarkeit, Eigentümlichkeit, Eigenartigkeit, Bizarrerie, Eigenart, Eigenheit, Verwunderlichkeit, Befremdlichkeit, Merkwürdigkeit, Absonderlichkeit, Verschrobenheit, Schrulligkeit, Schrullenhaftigkeit, Wunderlichkeit, Kauzigkeit, Eigenbrötelei; → Ausgefallenheit, → Wesen; → seltsam.

**Semantem** → Spracheinheit.

**Semantik:** → Sprachwissenschaft, → Wortbedeutungslehre.

**Semasiologie:** → Sprachwissenschaft, → Wortbedeutungslehre.

**Sematologie** → Wortbedeutungslehre.

**Semem** → Spracheinheit.

**Semester:** → Zeitraum; höheres / älteres → Student.

**Semesterferien** → Ferien.

**Semikolon** → Satzzeichen.

**Seminar:** → Institut, → Institution, → Unterricht.

**Seminarbibliothek** → Bücherbestand.

**Seminole** → Indianer.

**Semiologie**, Semiotik; → Wortbedeutungslehre.

**Semiotik** → Wortbedeutungslehre.

**Semit** → Israelit.

**Semitistik** → Philologie.

**Semmel:** → Brötchen; etwas geht weg wie warme -n → verkaufen.

**semmelblond** → blond.

**Semmelbrösel** → Paniermehl.

**Semmelkloß** → Kloß.

**Semmelknödel** → Kloß.

**Semmelmehl** → Paniermehl.

**Semmelporling** → Ständerpilz.

**Semmelstoppelpilz** → Ständerpilz.

**Semmelwecken** → Brot.

**sempern** → klagen.

**Sen** → Zahlungsmittel.

**Senar** → Vers.

**Senat:** → Amt, → Gemeindevertretung, → Gericht, → Volksvertretung.

**Senator** → Minister.

**Sendbote** → Abgesandter.

**Sendbrief** → Rundschreiben.

**senden:** → ausstrahlen, → schicken.

**Sender** → Rundfunksender.

**Sendeturm** → Turm.

**Sendezeichen** → Pausenzeichen.

**Sendling** → Abgesandter.

**Sendschreiben** → Rundschreiben.

**¹Sendung**, Übertragung, Aufnahme, Ausstrahlung, Aufzeichnung, Mitschnitt, Stereosendung · die gleichzeitig mit der Aufnahme gesendet wird: Direktsendung, Direktübertragung, Originalübertragung, Live-Sendung ·· die erstmalig gesendet wird: Erstausstrahlung, Erstsendung · mit der die Aufnahme einer neuen Serie beim Publikum getestet werden soll: Testsendung, Pilotsendung; → Fernsehen, → Fernsehsendung, → Rundfunk, → Rundfunksender, → Rundfunksendung.

**²Sendung:** → Beruf, → Postsendung; eingeschriebene / rekommandierte S. → Postsendung.

**¹Senf**, Mostrich (nordd.), Mostert (nordd.), Möstrich (nordd.) · schwarzer Senf, Braunsenf · Gelbsenf, Sareptasenf; → Gewürz.

**²Senf:** überall seinen S. dazugeben müssen → Bemerkung.

**senfgelb** → gelb.

**Senfgurke** → Gurke.

**Senfkorn** → Gewürz.

**Senge:** es gibt S., S. kriegen → schlagen.

**sengen:** → brennen, → scheinen.

**Senhor** → Herr.

**Senhora** → Dame.

**Senhorita** → Fräulein.

**senil** → alt.

**Senilität** → Verkalkung.

**Senior:** → Nestor, → Vater.

**Seniorenheim** → Altersheim.

**Seniorenhotel** → Altersheim.

**Senkblei** → Lot.

**Senke** → Abwasserkanal.

**Senkel:** → Krawatte, → Schnürsenkel.

**senken:** die Nacht senkt sich auf die Erde → dunkel [werden]; die Preise s. → ermäßigen; im Preis gesenkt → billig; s. in → einsenken; in die Grube s. → bestatten.

**Senker** → Ableger.

**Senkfuß:** → Fuß, → Fußdeformität.

**Senkgrube:** → Abwasserkanal, → Jauchengrube.

**Senkleber** → Eingeweidesenkung.

**Senkloch** → Abwasserkanal.

**Senkniere** → Eingeweidesenkung.

**¹senkrecht,** vertikal, lotrecht, seiger *(fachspr.)*; → Senkrechte · Ggs. → waagrecht.

**²senkrecht:** → ehrenhaft; s. bleiben → fallen.

**Senkrechte,** Vertikale, Lotrechte; → senkrecht · Ggs. → Waagrechte.

**Senkrechtstarter:** → Flugzeug, → Karrieremacher.

**Senkung** →Eingeweidesenkung.

**Senkungsküste** → Ufer.

**Senkwaage** → Waage.

**Senn** → Hirt.

**Senne** → Orientteppich.

**sennen** → Alm.

**Senner** → Hirt.

**Sennerei** → Milchwirtschaft.

**Sennerin,** Almerin *(oberd.)*, Sennin; → Hirt.

**Sennesblättertee** → Tee.

**Sennhütte** → Almhütte.

**Sennin** → Sennerin.

**Senntum** → Vieh.

**Señor** → Herr.

**Señora** → Dame.

**Señorita** → Fräulein.

**Sensal** → Vermittler.

**Sensation** → Ereignis.

**sensationell** → außergewöhnlich.

**sensationslüstern** → neugierig.

**Sensationsmache** → Übertreibung.

**Sensationspresse** → Presse.

**Sensationsprozeß** → Gerichtsverfahren.

**¹Sense,** Sichel; → mähen.

**²Sense:** jetzt ist aber S. → ärgerlich [sein].

**Sensenmann** → Tod.

**sensibel:** → empfindlich; sensibler Nerv → Nerv.

**Sensibilin** → Antikörper.

**Sensibilisin** → Antikörper.

**Sensibilität** → Empfindsamkeit.

**sensitiv** → empfindlich.

**Sensitivität** → Empfindsamkeit.

**Sensitizer** → Antikörper.

**sensorisch:** -er Nerv → Nerv.

**Sentenz** → Ausspruch.

**sentimental** → empfindsam.

**Sentimentalität** → Rührseligkeit.

**separat** → einzeln.

**Separatdruck** → Sonderdruck.

**Separatum** → Sonderdruck.

**Séparée** → Raum.

**separieren:** → ausschließen; sich s. → abkapseln (sich).

**sepia** → grau.

**Seppelhose** → Hose.

**Sepsis** → Blutvergiftung.

**Septämie** → Blutvergiftung.

**September,** Herbstmond, Scheiding; → Monat, → Zeitraum.

**Septett** → Mannschaft.

**Septhämie** → Blutvergiftung.

**Septikämie** → Blutvergiftung.

**Septikhämie** → Blutvergiftung.

**Septime** → Tonabstand.

**Septimenakkord** → Akkord.

**Septuagesima** → Kirchenjahr.

**Septuaginta** → Bibelübersetzung.

**Sequenz:** → Lied, → Reihenfolge.

**Sequestration,** Beschlagnahme, Zwangsverwaltung; → Enteignung.

**Serabend** → Orientteppich.

**Seraph** → Engel.

**serbeln** → krank [sein].

**Serenade,** Abendmusik, Nachtmusik, Ständchen; → Musikveranstaltung.

**Serenadenabend** → Musikveranstaltung.

**Serenadenkonzert** → Musikveranstaltung.

**Serenissima** → Venedig.

**Serge** → Stoff.

**Sergeant** → Dienstgrad.

**seriell:** -e Musik → Musik.

**Serien-:** → Allerwelts-.

**Serigraphie** → Kunstdruck.

**seriös** → ernsthaft.

**Sermon** → Gerede.

**Serotinus** → Zahn.

**Serpentine** → Weg.

**Serpentinenstraße** → Straße.

**Serum,** Impfstoff; → Medikament.

**Serumkrankheit** → Unzuträglichkeit.

**Serumprophylaxe** → Impfung.

**Servatius:** Mamertus, Pankratius, S. → Eisheilige.

**Service:** → Geschirr, → Kundendienst.

**Servierbrett** → Tablett.

**¹servieren,** auftafeln, auftischen, auftragen, auf den Tisch bringen, vorsetzen, auffahren / anfahren [lassen] *(salopp)* geben, reichen, bewirten · *von Getränken:* kredenzen; **serviert werden,** auf den Tisch kommen; → abservieren, → bedienen, → ernähren, → essen; → Tablett.

**²servieren** → kellnern.

**Serviererin** → Bedienung.

**Servierfräulein** → Bedienung.

**Serviertasse** → Tablett.

**Serviertisch:** → Anrichtetisch, → Tisch.

**Serviertochter** → Bedienung.

**Servierwagen** → Anrichtetisch.

**Serviette,** Tuch, Mundtuch · Papierserviette · *für Kinder:* Lätzchen, Latz, Eßmantel *(schweiz.)*, [Klecker]buschen *(nordd.)*, Barterl *(österr.)*, Hangerl *(österr.)*; → Taschentuch.

**servil** → unterwürfig.

**Servilismus** → Unterwürfigkeit.

**Servilität** → Unterwürfigkeit.

**Servus:** → Gruß; seinen S. d[a]runtersetzen → unterschreiben.

**¹Sessel,** Fauteuil, Polstersessel, Lehnstuhl, Großvaterstuhl, Schaukelstuhl, Ruhesessel, Klubsessel, Kanadier *(österr.)* · *prunkvoller eines regierenden Fürsten:* Thron; → Sitzgelegenheit.

**²Sessel** → Stuhl.

**Sesselbahn** → Seilbahn.

**Sessellift** → Seilbahn.

**seßhaft:** s. werden → niederlassen (sich).

Sestine → Gedicht.
Set, Platzdeckchen; → Tischtuch.
Setter → Hunderassen.
Setzei → Spiegelei.
¹setzen (sich), Platz nehmen, sich hinsetzen,sich niederlassen / niedersetzen, sich auf seine vier Buchstaben setzen (ugs.), zu Stuhle kommen (scherzh.), nicht stehen bleiben · Ggs. → erheben (sich).
²setzen: → bebauen, → gebären; sich s. → ablagern (sich); es setzt etwas / Hiebe / Prügel → schlagen; [neue] Akzente s. → richtungweisend [sein]; gleich setzt es etwas! → aufhören; sein Ansehen / seinen Namen / seinen Ruf aufs Spiel s. → bloßstellen (sich); den Ball in die Maschen/ein Ding in den Kasten s. → Tor [schießen]; ein Ende s. → beenden; seinem Leben ein Ende s. → entleiben (sich); [ein Gerücht] in die Welt s. → verbreiten; einen Kranz aufs Haupt s. → bekränzen; jmdm. das Messer an die Kehle / die Pistole auf die Brust s. → nötigen; einen Schuß s. → spritzen; den Stuhl vor die Tür s. → entlassen; ein Zeichen s. → richtungweisend sein; [an einen bestimmten Platz] s. → placieren; auf den Index s. → verbieten; sich auf den Präsentierteller s. → präsentieren (sich); auf den Spielplan s. → aufführen; sich aufs Altenteil / zur Ruhe s. → pensionieren; aufs Spiel s. → Gefahr; jmdn. außer Gefecht s. → besiegen; s. in → hineinbringen; in ein schlechtes Licht s. → schlechtmachen; in Rechnung s. → berücksichtigen; in Szene / ins Werk s. → verwirklichen; sich in Szene s. → prahlen; ins Bild s. → mitteilen; unter Druck s. → einschüchtern, → nötigen; sich zur Ruhe s. → anstrengen (sich); sich zwischen zwei Stühle s. → entschließen (sich).
Setzer → Schriftsetzer.
Setzling → Ableger.
Setzmilch → Milch.
Seuche → Krankheit.
Seuchenflagge → Fahne.
seufzen → stöhnen.
Seufzer: → Klagelaut; jmds.

Brust entringt sich ein S., einen S. ausstoßen → stöhnen.
Sevillana → Tanz.
Sex → Liebe.
Sexagesima → Kirchenjahr.
Sex-Appeal → Anmut.
Sexfilm → Kinofilm.
Sexologe → Arzt.
Sexprotz → Frauenheld.
Sexreißer → Kinofilm.
Sextanerblase → urinieren.
Sextant → Sternbild.
Sexte → Tonabstand.
Sextett → Mannschaft.
Sexualhormon: männliches / weibliches S. → Hormon.
Sexualität → Liebe.
Sexualmörder → Mörder.
sexuell, geschlechtlich, erotisch, libidinös, unterhalb der Gürtellinie (ugs.) · auf Partner des anderen Geschlechts gerichtet: heterosexuell · auf Partner des gleichen Geschlechts gerichtet: gleichgeschlechtlich, homosexuell · auf beide Geschlechter gerichtet: bisexuell; → gleichgeschlechtlich, → zwittrig.
Sexus → Liebe.
sexy → anziehend.
Sezessionismus → Jugendstil.
Sezessionsstil: [Wiener S.] → Jugendstil.
sezieren → operieren.
sforzando → Lautstärke.
sforzato → Lautstärke.
Sgraffito → Zeichnung.
Shag → Tabak.
Shagpfeife → Tabakpfeife.
Shagtabak → Tabak.
Shake → Tanz.
Shakehands → Begrüßung.
Shaker → Mixer.
Shakespearebühne → Bühne.
Shampoo → Haarwaschmittel.
Shampoon → Haarwaschmittel.
Shantungseide → Seide.
Shanty → Lied.
Sharpie: 12-m²-S. → Segelboot.
Shawl → Halstuch.
Sheddach → Dach.
Shetland → Stoff.
Shetlandpony → Pferd.
Shetlandwolle → Wolle.
Shilling → Zahlungsmittel.
Shimmy → Tanz.
Shit → Rauschgift.
shocking → anstößig.
Shooting Star → Berühmtheit.
Shopping: S. machen → kaufen.

Shopping-Center → Geschäftsviertel.
Short drink → Alkohol.
Shorts: → Badehose, → Hose.
Short story → Erzählung.
Shorty → Nachtgewand.
Show: → Fernsehsendung, → Revue.
Showbusineß → Vergnügungsindustrie.
Showgeschäft → Vergnügungsindustrie.
Showmaster → Ansager.
Shredder, Schredder, Shredderanlage, Schredderanlage, Autoreißwolf, Autowolf; → Altmaterial.
Shredderanlage → Shredder.
Sialorrhö → Speichelfluß.
Siam → Thailand.
siamesisch: -e Zwillinge → Mißgeburt.
Siamkatze → Katzenrassen.
Sibylle → Wahrsagerin.
sich: die Tür öffnet s. → Passiv; an/durch s., von s. aus → per se.
Sichauseinanderleben: das S. → Entfremdung.
Sichel: → Sense; Hammer und S. → Nationalflagge; die S. putzen → koitieren.
Sichelflügler → Schmetterling.
sicheln → mähen.
¹sicher, geborgen, geschützt, behütet, beschirmt, wie in Abrahams Schoß · Ggs. → ungeborgen, → unsicher; sich s. glauben, sich sicher fühlen, sich in Sicherheit wiegen; s. sein, außer Gefahr sein; → behüten; → Geborgenheit, → Schutz · Ggs. → Ungeborgenheit, → Ungesichertheit.
²sicher: → bestimmt, → firm, → gewandt, → gewiß, → ja, → ruhig, → verbürgt, → zwar, → zweifellos; -es Auftreten → Weltgewandtheit; s. sein → zweifeln; einer Sache s. sein → gewiß [sein]; es darf doch als s. angenommen werden → zweifellos; auf Nummer Sicher gehen → wagen; auf Nummer Sicher sitzen → abbüßen.
sichergehen → zweifeln.
¹Sicherheit, Kaution, Bürgschaft, Garantie, Gewähr, Haftung, Mängelhaftung, Währschaft (schweiz.), Pfand, Unterpfand, Faustpfand; → Bürge,

→ Hinterlegung, → Leihgebühr, → Rückgabe, → Unterpfand; **ohne S.**, ohne Haftung / Obligo / Gewähr, außer Obligo (*österr.*); → einstehen (für), → verpfänden.

²**Sicherheit:** → Geborgenheit, → Schutz, → Selbstbewußtsein, → Weltgewandtheit; in S. bringen → retten; sich in S. bringen → fliehen; sich in S. wiegen → sicher; mit S. → wahrlich.

**Sicherheitsabstand** → Abstand.
**Sicherheitsbindung** → Schibindung.
**Sicherheitsfach** → Tresor.
**Sicherheitsglas** → Glas.
**Sicherheitsgurt,** Dreipunktgurt, Zweipunktgurt, Schultergurt, Kreuzgurt, Beckengurt; → Gurt, → Schutz.
**sicherheitshalber** → umsichtig.
**Sicherheitsmaßnahme:** -n treffen → sichern.
**Sicherheitspolizei** → Polizeibehörde.
**Sicherheitsschloß** → Schloß.
**Sicherheitsschlüssel** → Schlüssel.
**Sicherheitsvorkehrung:** -en treffen → sichern.
**sicherlich** → zweifellos.
¹**sichern,** absichern, sicherstellen, Sicherheitsmaßnahmen / Sicherheitsvorkehrungen / Maßnahmen / Vorkehrungen / Vorsorge treffen, vorsorgen, vorbauen (*ugs.*); → retten.
²**sichern:** → beschlagnahmen, → festigen; sich etwas / sich das Anrecht auf etwas s. → Anspruch [geltend machen]; sich jmds. Mitarbeit / Unterstützung s. → gewinnen (jmdn. für etwas).
**sicherstellen:** → beschlagnahmen, → sichern.
**Sicherstellung** → Beschlagnahme.
**Sicherung:** → Beschlagnahme, → Schutz; jmdm. brennen / gehen die -en durch → aufgeregt [sein].
**Sicherungsverwahrung** → Freiheitsstrafe.
**Sichfremdwerden:** das S. → Entfremdung.
**Sichler** → Vogel.
**Sichling** → Fisch.
**Sicht:** → Anblick, → Ausblick; in S. kommen / sein → abzeichnen (sich), → kommen.
**sichtbar:** → offenbar; s. werden → abzeichnen (sich).
**Sichteckenkartei** → Kartei.
**sichten** → sehen.
**Sichtkarte** → Fahrkarte.
**sichtlich** → offenbar.
**Sichtvermerk** → Visum.
**Sichversprechen** → Versprecher.
**Sickergraben** → Graben.
**Sickergrube** → Jauchegrube.
**sickern** → fließen.
**Sideboard** → Möbel.
**siderisch:** -es Jahr → Zeitraum.
**Siderose** → Staublungenerkrankung.
**Sie** → Frau.
¹**Sieb,** Filter · *für Getreide o.ä.:* Reiter · *für Flüssigkeiten:* Seiher (*südd., österr.*), Seiherl (*österr.*), Teesieb, Teeseiherl (*österr.*); → filtern.
²**Sieb:** ein Gedächtnis wie ein S. haben → vergessen; Wasser in ein S. / mit einem S. schöpfen → tun.
**Siebdruck** → Kunstdruck.
¹**sieben** → filtern.
²**sieben:** s. Tage → Zeitraum; etwas ist für jmdn. ein Buch mit s. Siegeln → unzugänglich, → verstehen; um s. Ecken verwandt → verwandt; die Stadt der Sieben Hügel → Rom.
**siebengescheit** → oberschlau.
**Siebenpunktkäfer** → Marienkäfer.
**Siebensachen** → Kram.
**siebent:** im -en Himmel sein → glücklich [sein].
**siebt:** im -en Himmel sein → glücklich [sein].
**siebzehnt:** am -en Fünften / -en Mai geboren → gleichgeschlechtlich.
**Siebzehnundvier** → Glücksspiel.
**siech** → krank.
**Siechenhaus** → Sanatorium.
**Siecher** → Kranker.
**Siechtum** → Krankheit.
**siedeln** → niederlassen (sich).
**sieden,** kochen, garen, gar / weich kochen, gar machen (*ugs.*), abkochen, absieden, abbrühen, aufkochen, aufsieden, aufwallen lassen, brühen, ziehen lassen · *leicht:* simmern; **zum Sieden bringen,** zum Kochen bringen, zum Sieden / Kochen kommen lassen; → aufwärmen, →

blanchieren, → braten, → brodeln, → überkochen.
**Siedesalz** → Salz.
**Siedler** → Einwanderer.
**Siedlung** → Ort.
¹**Sieg,** Triumph, Gewinn, Erfolg · *hoher, überlegener :* Kantersieg ; → Erfolg ; → siegen.
²**Sieg:** die Palme des -es erringen → siegen.
¹**Siegel,** Stempel, Amtssiegel, Dienstsiegel, Briefsiegel, Urkundenstempel, Dienststempel; → abstempeln.
²**Siegel:** → Zollverschluß ; jmdm. Brief und S. darauf geben, daß ... → zweifeln; mit einem S. versehen → abstempeln; etwas ist für jmdn. ein Buch mit sieben -n → unzugänglich, → verstehen; unter dem S. der Verschwiegenheit → Verschwiegenheit.
**Siegelmuster** → Stoffmuster.
**siegeln** → abstempeln.
**Siegelring** → Ring.
**siegen,** gewinnen, Sieger sein / bleiben, als Sieger hervorgehen aus, den Sieg erringen / davontragen, die Siegespalme / die Palme des Sieges erringen, obsiegen, triumphieren, das Rennen machen, den Vogel abschießen; → besiegen, → durchsetzen (sich), → standhalten, → übertreffen, → unterwerfen; → Sieger.
**Sieger,** Gewinner, Triumphator, Matador · *bei einer Meisterschaft:* Meister, Champion, Weltmeister, Europameister, Staatsmeister, Landesmeister · *voraussichtlicher:* Favorit · *bei den Olympischen Spielen:* Olympiasieger, Olympionike; → Held, → Sportler; → siegen.
**siegesbewußt** → selbstbewußt.
**siegesgewiß** → selbstbewußt.
**Siegespalme:** die S. erringen → siegen.
**siegessicher** → selbstbewußt.
**Siele:** in den -n sterben → sterben.
**siena** → braun.
**Siesta** → Mittagsruhe; S. halten → schlafen.
**siezen:** sich nicht mehr s. → duzen.
**Sigel** → Abkürzung.
**Sightseeing** → Stadtrundfahrt.

**Sightseeingtour** → Stadtrundfahrt.

**Sigma** → Buchstabe.

**[1]Signal**, Pfiff, Glockenton, Sirene, Gong, Startschuß, Alarm, Fanfare, Fanfarenstoß · *militärisches:* Zapfenstreich · *zu feierlichen Anlässen:* Großer Zapfenstreich; → Hupe, → Lichtzeichen, → Zeichen.

**[2]Signal:** → Hörzeichen; -e setzen → richtungweisend [sein].

**Signalflagge** → Fahne.

**signalisieren:** → Anzeichen [sein für etwas], → mitteilen.

**Signallicht**, Warnlicht, Warnblinklicht, Blaulicht, Blinklicht, Bremslicht, Stopplicht, Schlußlicht; → Lichtzeichen, → Rückleuchte, → Scheinwerfer, → Scheinwerferlicht, → Warnzeichen.

**Signalpfeife** → Pfeife.

**signalrot** → rot.

**Signatur** → Unterschrift.

**Signet** → Warenzeichen.

**signieren:** → beschriften, → unterschreiben.

**Signierung** → Unterzeichnung.

**signifikant** → wichtig.

**Signifikanz** → Bedeutsamkeit.

**Signor** → Herr.

**Signora** → Dame.

**Signorina** → Fräulein.

**Signorino** → Herr.

**Signum:** → Symptom, → Unterschrift.

**Sigrist** → Kirchendiener.

**Silbe**, Sprecheinheit · Vorsilbe, Präfix · Nachsilbe, Suffix · Anfangssilbe · Endsilbe · Affix · Infix; → Affix.

**Silbenrätsel** → Rätsel.

**Silbenschrift** → Schrift.

**Silber:** → Edelmetall, → Münze.

**Silberbesteck** → Eßbesteck.

**Silberbesteckschmied** → Edelmetallschmied.

**Silberblick:** → Schielen; einen S. haben → blicken.

**silberblond** → blond.

**Silberfolie** → Folie.

**Silberfuchs:** → Fuchs, → Pelz.

**Silbergeld** → Münze.

**silbergrau** → grau.

**silberhaarig** → weißhaarig.

**silberhell** → hell.

**Silberhochzeit** → Hochzeitstag.

**Silberlamé** → Stoff.

**Silbermotte** → Schmetterling.

**Silbermöwe** → Vogel.

**Silbermünze** → Münze.

**silbern:** Silberner Bär → Filmpreis; -e Hochzeit → Hochzeitstag; mit einem -en Löffel im Mund geboren sein → reich [sein]; Silberner Sonntag → Adventssonntag.

**Silberpapier:** → Buntpapier, → Folie.

**Silberreiher** → Vogel.

**Silberschmied:** [Gold- und S.] → Edelmetallschmied.

**Silberstift** → Zeichenstift.

**Silberstreif:** einen S. am Horizont sehen → zuversichtlich [sein].

**Silbervergiftung** → Vergiftung.

**Silberweide** → Weide.

**silberweiß** → weiß.

**silbrig** → metallartig.

**Sile** → Orientteppich.

**Silhouette:** → Schattenriß, → Umriß.

**Silikatose** → Staublungenerkrankung.

**Silikoanthrakose** → Staublungenerkrankung.

**Silikose** → Staublungenerkrankung.

**Silikotuberkulose** → Staublungenerkrankung.

**-silo:** → Haus, → Heim.

**[1]Silo**, Getreidesilo, Getreidespeicher, Getreidelagerhaus, Kornspeicher, Kornhaus (*veraltet*), Getreideboden, Getreidekammer; → Scheune.

**[2]Silo:** → Behälter, → Warenlager.

**Silur** → Erdzeitalter.

**Silvaner** → Wein.

**[1]Silvester**, Sylvester (*veraltete Schreibung*), Jahreswechsel, Jahresende, Jahresausklang, Altjahrtag (*österr.*), 31. Dezember; → Kirchenjahr.

**[2]Silvester** → Neujahr.

**Simandl** → Ehemann.

**Simile** → Vorlage.

**simmern** → sieden.

**Simon:** [S. Petrus] → Apostel.

**simpel** → kindisch.

**Simpel** → Narr.

**Simpelfransen** → Ponys.

**Simperl** → Korb.

**Simplifikation** → Popularisation.

**Simplifikator** → Popularisator.

**simplifizieren** → popularisieren.

**Simplifizierung** → Popularisierung.

**Sims** → Fensterbank.

**simulieren** → vortäuschen.

**simultan** → gleichzeitig.

**Simultandolmetscher** → Dolmetscher.

**Simultaneität** → Zusammentreffen.

**Simultanschule** → Schule.

**sine ira et studio** → sachlich.

**Sinfoniekonzert** → Musikveranstaltung.

**Sinfonieorchester** → Orchester.

**[1]singen**, zu Gehör bringen, summen, brummen, trällern, schmettern, grölen (*abwertend*), jodeln, tremolieren, knödeln (*abwertend*), psalmodieren ·· *gut:* Gold in der Kehle haben · *von Singvögeln:* tirilieren, quirilieren, quinkelieren, trillern, flöten, pfeifen, schlagen, rufen, zwitschern, piepen, piepsen · *vom Sperling:* tschilpen, schilpen; · krächzen, → lobpreisen, → schreien; → Chor, → Gesang, → Gesangbuch, → Laut, → Sänger, → Sängerin, → Singstimme, → Vibrato.

**[2]singen:** → gestehen, → verraten; wie die Alten sungen, so zwitschern auch die Jungen → ähneln.

**Singen** → Gesang.

**Singerei** → Gesang.

**Singgemeinschaft** → Chor.

**Singkreis** → Chor.

**Single:** → Schallplatte, → Spiel.

**Singsang** → Gesang.

**Singschwan** → Vogel.

**Singspiel** → Oper.

**[1]Singstimme**, Stimme · hohe Stimme, Sopranstimme, Sopran · Knabenstimme, Knabensopran, Knabenalt · Altstimme, Alt · Tenorstimme, Tenor, Alto, Altus · Baßstimme, Baß, Bierbaß (*ugs., scherzh.*), Baritonstimme, Bariton; → Chor → Sänger, → Sängerin, → Sprechorgan, → Stimme, → Stimmwechsel; → singen.

**[2]Singstimme** → Stimme.

**Singuhr** → Störenfried.

**Singular** → Einzahl.

**Singultation** → Schluckauf.

**Singultus** → Schluckauf.

**Singverein** → Chor.

**sinister** → verderblich.

**¹sinken,** hinabsinken, hinuntersinken, absinken, herabsinken, heruntersinken, runtersinken (*ugs.*), runtergehen (*ugs.*), an Höhe verlieren, niedersinken, herniedersinken, nach unten / zu Boden / in die Tiefe sinken; → umfallen, → untergehen; → abwärts.

**²sinken:** → abnehmen, → fallen, → umfallen, → untergehen; jmds. Stern sinkt / ist im Sinken → nachlassen; den Mut s. lassen → Mut [verlieren]; die Temperatur sinkt unter Null → frieren; ins Grab s. → sterben.

**sinkend** → nachlassend.

**Sinn:** → Bedeutung; [Zweck und S.] → Zweck; jmdm. steht jeder S. für etwas ab → unzugänglich [sein]; der langen Rede kurzer S. → kurzum; sechster S. → Ahnung; jmdm. schwinden die -e → ohnmächtig [werden]; jmdm. steht der S. nicht nach etwas → Lust; seine fünf -e nicht beisammenhaben → verrückt [sein]; etwas hat keinen / wenig S. → nutzlos [sein], → wirkungslos [sein]; keinen S. für etwas haben → unzugänglich [sein]; S. für Gerechtigkeit → Gerechtigkeitssinn; keinen S. für Humor haben → humorlos [sein]; seine fünf -e zusammennehmen → achtgeben; anderen -es werden → umschwenken; gleichen / eines -es sein → Ansicht; seiner -e nicht mehr / kaum noch mächtig sein → aufgeregt [sein]; zweierlei -es sein → zwiespältig [sein]; sich etwas aus dem S. schlagen → abschreiben; nicht bei -en sein → verrückt [sein]; etwas geht / fährt jmdm. durch den S. → erinnern (sich); im eigentlichen -e → schlechthin; im S. haben → vorhaben; nichts im S. haben mit → hassen; etwas kommt jmdm. in den S. → erinnern (sich); etwas kommt jmdm. nicht in den S. → tun; ohne S. und Verstand → unbesonnen, → unsinnig.

**sinnähnlich** → synonym.

**¹Sinnbild,** Symbol, Emblem, Zeichen · *in Kunst und Literatur:* Allegorie · *literarisches:* Gleichnis, Vergleich, Bild, Emblem, Metapher, Tropus, Metonymie, Parabel · *in menschlicher Gestalt:* Personifikation, Personifizierung · *der Evangelisten:* Engel (Matthäus), geflügelter Löwe (Markus), Stier (Lukas), Adler (Johannes); → Abzeichen, → Bedeutung, → Begriff, → Davidsstern, → Fahne, → Merkmal; → hypostasieren, →vergleichen; →metaphorisch; → sinnbildlich.

**²Sinnbild** → Zeichen.

**sinnbildlich,** symbolisch, zeichenhaft, gleichnishaft, allegorisch, metaphorisch, bildlich, parabolisch, metonymisch; → anschaulich, → bildlich, → metaphorisch; → Sinnbild; → versinnbildlichen.

**Sinndeutung** → Auslegung.

**sinnen:** → denken; auf etwas s. → vorhaben.

**sinnenfreudig** → genießerisch.

**sinnenhaft** → empfindsam.

**Sinnesart** → Denkweise.

**Sinneseindruck:** → Impression, → Wahrnehmung.

**Sinnesnerv** → Nerv.

**Sinnesorgan,** Sinneswerkzeug, Rezeptionsorgan ·· Auge, Oculus, Sehorgan, Gesichtsorgan · Ohr, Auris, Gehörorgan, Hörorgan · Nase, Nasus, Geruchsorgan, Riechorgan · Zunge, Lingua, Geschmacksorgan, Geschmackspapillen, Zungenpapillen, Geschmacksknospe · Haut, Kutis, Tastkörperchen, Tastscheiben; → Auge, → Augenlicht, → Epidermis, → Nase, → Ohr, → Organ.

**Sinnestaumel** → Lust.

**Sinnestäuschung** → Einbildung.

**Sinneswahrnehmung** → Impression.

**Sinneswandel** → Widerruf.

**Sinneswechsel** → Widerruf.

**Sinneswerkzeug** → Sinnesorgan.

**sinnfällig** → anschaulich.

**Sinnfälligkeit** → Bildhaftigkeit.

**Sinngedicht** → Epigramm.

**sinngleich** → synonym.

**sinnieren** → denken.

**sinnlich:** → begierig; nicht s. → platonisch.

**Sinnlichkeit** → Leidenschaft.

**sinnlos** → unsinnig.

**Sinnlosigkeit** → Absurdität.

**Sinnspruch** → Epigramm.

**sinnverwandt** → synonym.

**sinnvoll** → zweckmäßig.

**sinnwidrig** → lächerlich.

**Sinnwidrigkeit** → Absurdität.

**Sinologie** → Philologie.

**sintern** → ablagern (sich).

**Sioux** → Indianer.

**Sippe** → Familie.

**Sippschaft:** → Abschaum, → Familie.

**Sir** → Herr.

**Sirene:** → Fabelwesen, → Hörzeichen, → Mißgeburt, → Vamp.

**Sirenomelus** → Mißgeburt.

**Sirtaki** → Tanz.

**Sirup:** → Brotaufstrich, → Fruchtsaft.

**sistieren** → abführen.

**Sistierung** → Verhaftung.

**Sisyphusarbeit:** das ist eine S. → tun.

**Sitar** → Zupfinstrument.

**Sit-in** → Demonstration.

**¹Sitte,** Gesittung, Lebensform, Sittlichkeit, Ethik, Moral; → Benehmen, → Pflichtbewußtsein; → anständig, → sittlich.

**²Sitte:** → Brauch, → Polizeibehörde, → Polizist; S. werden → üblich [werden]; nach [alter] Väter S. → herkömmlich.

**Sittenlehre** → Theologie.

**sittenlos:** → anstößig, → lästerlich.

**Sittenlosigkeit,** Lasterhaftigkeit, Unkeuschheit, Obszönität, Liederlichkeit, Zuchtlosigkeit, Unsittlichkeit, Unmoral, Unzüchtigkeit, Verdorbenheit, Verderbtheit, Verruchtheit, Verworfenheit; → Anstößigkeit; → anstößig.

**Sittenpolizei** → Polizeibehörde.

**Sittenprediger** → Moralprediger.

**Sittenrichter** → Moralprediger.

**Sittenroman** → Roman.

**sittenstreng** → sittlich.

**Sittenstrolch** → Verbrecher.

**Sittenwächter** → Moralprediger.

**Sittich** → Vogel.

**¹sittlich,** moralisch, ethisch · *in engherziger Weise:* sittenstreng, puritanisch, moralsauer (*abwertend*); → anständig; → Moralprediger, → Sitte.

**²sittlich:** in -e Entrüstung versetzen → schockieren.

**Sittlichkeit** → Sitte.

**Sittlichkeitsverbrecher** → Verbrecher.

**sittsam** → anständig.

**Situation:** → Lage; jmdn. / sich in eine unangenehme S. bringen → hineinmanövrieren (jmdn. / sich in etwas).

**Situationsangst** → Phobie.

**Situationsbericht** → Bericht.

**Situativ** → Wortart.

**Situs** → Kindslage.

**Sitz:** → Sitzgelegenheit, → Sitzplatz; [einen guten S. haben] → Paßform; ohne festen S. → ambulant.

**Sitzbank,** Bank, Eckbank, Ruhebank, Holzbank, Gartenbank, Parkbank, Ofenbank, Kirchenbank; → Liegestuhl, → Sitzgelegenheit.

**¹sitzen,** hocken, thronen, kauern, nicht stehen · *in einer lächerlich wirkenden Pose:* wie ein Affe auf dem Schleifstein sitzen (*salopp*) · *auf einem Platz, an dem man sich allen Blicken ausgesetzt fühlt:* auf dem Präsentierteller sitzen (*ugs.*); → knien; → rittlings.

**²sitzen:** → abbüßen, → befinden (sich), → brüten, → harmonieren, → Paßform, → Toilette, → treffend [sein], → weilen, → wirken; einen s. haben → betrunken [sein]; an den Schalthebeln der Macht s. → mächtig [sein]; auf dem falschen Dampfer s. → irren (sich); auf dem Geld / auf seinem Geldsack s. → geizig [sein]; wie auf glühenden Kohlen s. → warten; auf Nummer Sicher / bei Wasser und Brot / hinter schwedischen Gardinen / hinter Gittern / hinter Schloß und Riegel / im Gefängnis / im Zuchthaus / in Haft s. → abbüßen; auf den Ohren s. → reagieren; jmdm. auf der Pelle s. → bitten; auf dem / einem Pulverfaß s. → Gefahr; auf dem hohen Roß s. → dünkelhaft [sein]; in einem Boot s. → Lage; in der Klemme s. → Not [leiden]; s. über → anfertigen.

**sitzenbleiben:** → heiraten, → versetzen, → wiederholen; s. auf → verkaufen.

**¹sitzenlassen** (*ugs.*), jmdn. sich selbst / seinem Schicksal überlassen, jmdn. verlassen / im Stich lassen, versetzen, draufsetzen (*ugs., landsch.*); → abschreiben, → ausschließen, → brechen (mit jmdm.), → helfen, → trennen (sich), → untreu [werden].

**²sitzenlassen:** → allein [lassen], → brechen (mit jmdm).

**Sitzfleisch:** kein S. haben → beharrlich.

**Sitzgelegenheit,** Sitz, Platz ·· *bequeme, gepolsterte:* Sessel, Fauteuil, Polstersessel, Ohrensessel, Fernsehsessel, Lehnstuhl, Großvaterstuhl, Sorgenstuhl, Schaukelstuhl, Ruhesessel, Klubsessel, Kanadier (*österr.*) ·· *meist ungepolsterte, nur mit Rückenlehne:* Stuhl, Sessel (*österr.*), Stabelle (*schweiz.*) · *drehbare:* Drehstuhl · *mit Armlehnen:* Stuhlsessel ·· *einfache, ohne Lehne:* Hocker, Taburett, Schemel, Stockerl (*bayr., österr.*); → Bett, → Fußbank, → Liege, → Möbel, → Sitzbank, → Sitzplatz.

**Sitzkissen** → Kissen.

**Sitzpirouette** → Eislauf.

**Sitzplatz,** Platz, Sitz · Rasiersitz (*scherzh.*), Rasiererersitz (*scherzh.*), Rasiererloge (*scherzh.*), Parkettsitz, Sperrsitz, fußfreier Sitz (*österr.*), Logensitz, Balkonsitz; → Kino, → Loge, → Sitzgelegenheit, → Theatergebäude.

**Sitzriese:** → Mann, → Mensch.

**Sitzung:** → Tagung; S. haben / halten → Toilette.

**Sitzungsbericht** → Protokoll.

**Sitzungssaal** → Saal.

**Sivas** → Orientteppich.

**Siziliane** → Strophe.

**Skabies** → Hautkrankheit.

**skål** → prost.

**Skalde** → Schriftsteller.

**Skandal** → Ereignis.

**skandalös** → unerhört.

**Skandalprozeß** → Gerichtsverfahren.

**Skat** → Kartenspiel.

**skatologisch:** → gewöhnlich; -e Ausdrucksweise → Ausdrucksweise.

**Skatophagie** → Perversität.

**Skatophilie** → Perversität.

**Skelet** → Knochengerüst.

**Skeleton** → Schlitten.

**Skelett** → Knochengerüst.

**Skepsis:** → Bedenken, → Pessimismus → Verdacht.

**skeptisch:** → argwöhnisch; -e Generation → Lost generation;

man muß s. sein, ob... → ungewiß [sein].

**Skeptizismus** → Pessimismus.

**Sketch** → Komödie.

**Ski** → Schi.

**Skiagramm** → Röntgenogramm.

**Skiagraphie** → Röntgenographie.

**Skibindung** → Schibindung.

**Skifahrer** → Schifahrer.

**Skifuni** → Seilbahn.

**Skihütte** → Haus.

**Skiläufer** → Schifahrer.

**Skilehrer** → Sportlehrer.

**Skilift** → Seilbahn.

**Skiwachs** → Wachs.

**Skiwiese** → Piste.

**Skizze:** → Bauplan, → Bild, → Entwurf, → Zeichnung.

**skizzieren:** → entwerfen, → zeichnen.

**Sklave:** jmds. S. sein → abhängig [sein von].

**Sklavenhandel** → Menschenhandel.

**Sklaverei** → Unfreiheit.

**sklavisch** → unselbständig.

**Sklerose:** multiple S. → Entmarkungskrankheit.

**Skonto** → Preisnachlaß.

**Skooterbahn,** Autoskooterbahn, Autodrom, Autobahn; → Jahrmarkt, → Karussell.

**Skop** → Schriftsteller.

**Skorbut,** · Vitamin-C-Mangel-Krankheit, Vitamin-C-Avitaminose, Avitaminose C · *bei Säuglingen und Kleinkindern:* Möller-Barlow-Krankheit; → Avitaminose.

**skoren** → Tor.

**Skorpion:** → Sternbild, → Tierkreiszeichen.

**Skribent** → Schriftsteller.

**Skript,** Ausarbeitung, Skriptum, Manuskript, Manus (*österr.*), Typoskript, Daktyloskript, Handschrift; → Manuskript, → Stenotypistin, → Text, → Urkunde, → Werk.

**Skriptum** → Skript.

**Skrotum,** Hodensack, Sack (*vulgär*); → Genitalien, → Hoden.

**Skrupel:** → Gewichtseinheit, → Schuldgefühl, → Verdacht; ohne S. sein → rücksichtslos [sein].

**skrupellos** → rücksichtslos.

**Skrupellosigkeit** → Gewissenlosigkeit.

Skua → Vogel.
Skulptur → Plastik.
Skunk: → Pelz, → Raubtier.
skurril → überspannt.
Skurrilität → Ausgefallenheit.
S-Kurve → Kurve.
Skyjacker → Entführer.
Skyline → Umriß.
Skylla: zwischen S. und Charybdis sein → Lage.
Slacks → Hose.
Slalom → Schirennen.
Slalomrennen → Schirennen.
Slalomspezialist → Schifahrer.
Slang → Ausdrucksweise.
Slapstick → Einfall.
Slawistik → Philologie.
Slibowitz → Alkohol.
Sling: → Mixgetränk, → Schuh.
Slingpumps → Schuh.
Slink → Pelz.
Slip → Unterhose.
Slipon → Mantel.
Slipper → Schuh.
Slipstek → Knoten.
Slogan → Anpreisung.
Slop → Tanz.
Slowfox → Tanz.
Slughi → Hunderassen.
Slump → Preissturz.
Slums → Armenviertel.
Smalltalk → Gespräch.
smaragd → grün.
Smaragd → Schmuckstein.
Smaragdeidechse → Eidechse.
smaragdgrün → grün.
smart → schlau.
Smash → Mixgetränk.
Smog: → Nebel, → Umweltverschmutzung.
Smoking → Anzug.
Smutje → Koch.
Smyrna: → Orientteppich, → Spitzenstickerei.
Snack → Imbiß.
Snackbar → Gaststätte.
Snob → Geck.
snobistisch → dünkelhaft.
Snow → Rauschgift.
¹so, auf diese Weise / Art; derart, daß ...; dergestalt, daß ...; folgendermaßen, solchermaßen, dermaßen, derweise (schweiz.), dieserart; → solche.
²so: so ... auch ..., so ... → obgleich; so lala → mäßig; nicht so sein → entgegenkommen (jmdm.); noch so → sehr.
SO → Himmelsrichtung.
Sobranje → Volksvertretung.
Society → Oberschicht.

Söckchen → Strumpf.
Socke: → Strumpf; sich auf die -n machen → weggehen; von den -n sein → überrascht [sein].
¹Sockel, Piedestal, Fußgestell; → Fundament, → Untergestell.
²Sockel → Plastik.
Sockelmauer → Mauer.
Socken → Strumpf.
Sockenhalter → Strumpfhalter.
Sod → Brunnen.
Soda → Mineralwasser.
Sodalith → Schmuckstein.
sodann → hinterher.
Sodawasser → Mineralwasser.
Sodom: S. und Gomorrha → Stadt.
Sodomie → Perversität.
¹soeben, eben, gerade, gerade eben, kaum.
²soeben → jetzt.
Sofa → Liege.
Sofakissen → Kissen.
sofern → wenn.
sofort → gleich.
Soforthilfe → Hilfe.
Soft-Eis → Eis.
Software → Computer.
Sog → Anziehungskraft.
sogar → auch.
sogenannt: → angeblich, → genannt.
sogleich → gleich.
¹Sohle, Schuhsohle, Doppler (südd., österr.); → besohlen.
²Sohle: eine kesse S. aufs Parkett legen → tanzen; sich an jmds. -n heften → verfolgen; vom Scheitel bis zur S. → ganz.
sohlen: → besohlen, → lügen.
¹Sohn, Filius, Junior, Stammhalter, Sohnemann (fam.), Sprößling (scherzh.), Ableger (scherzh.), das eigene / sein eigen Fleisch und Blut · verwöhnter: Muttersöhnchen (abwertend) · nicht leiblicher: Stiefsohn, Adoptivsohn, Pflegesohn; → Ältester, → Jüngster, → Kind, → Kinder (die), → Tochter, → Verwandter.
²Sohn: ältester S. → Ältester; jüngster S. → Jüngster; natürlicher S. → Kind; S. Davids, S. Gottes → Heiland; Vater, S. und Heiliger Geist → Trinität.
Sohnemann → Sohn.
Sohnesliebe → Familienanhänglichkeit.
Soiree → Abendgesellschaft.

Sol: → Gott, → Sonne, → Zahlungsmittel.
solange: s. ich denken kann → unaufhörlich.
Solawechsel → Wechsel.
solche, derartige, diese, jene; → so.
solchermaßen → so.
Sold: → Gehalt, → Wehrsold.
Soldat, Wehrpflichtiger, Militärpflichtiger, Krieger, Berufssoldat, Bürger / Staatsbürger in Uniform, Uniformträger, Zwölfender, Kommißkopf (abwertend), Kommißhengst (abwertend), Landsknecht (hist.), Präsenzdiener (österr.), Landser (ugs.), Kamerad Schnürschuh · Infanterist, Fußsoldat, Stoppelhopser (ugs., scherzh.), Sandhase (ugs., scherzh.), Muschkote (abwertend) · Kavallerist, Kürassier (hist.), Dragoner (hist.), Musketier (hist.), Husar (hist.), Ulan (hist.) · Artillerist · Pionier, Grenadier, Panzergrenadier · Sanitätssoldat, Sanitäter, Sani (ugs.), Nillenflicker (vulgär) · der gegen Bezahlung in einem fremden Heer kämpft: Fremdenlegionär, Legionär, Söldner · der viel nach Dienstschluß ausgeht: Flitzer · der hinter der Front stationiert ist: Etappenhengst (abwertend), Etappenschwein (derb, abwertend) · der lange gedient hat: Veteran, Altgedienter · in der Ausbildung: Rekrut, Tiro (veraltet) · einer Leibwache: Gardist · erfahrener, altgedienter: Troupier · amerikanischer: G.I., GI · einer amerikanischen Eliteeinheit: Ledernacken · einer Besatzungsmacht: Besatzer (abwertend); → Besatzung, → Dienstgrad, → Held, → Kämpfer, → Lazarett, → Militär, → Militäristen, → Offizier, → Waffengattung, → Wehrdienstverweigerer; S. werden, einrücken, zu den Fahnen / Waffen eilen, den bunten Rock anziehen, zum Kommiß / zur Armee gehen; S. sein, den Heeresdienst leisten, den Wehrdienst / Militärdienst / (österr.) Präsenzdienst leisten (oder:) ableisten, Soldat spielen (ugs.), dem Vaterland dienen, unter der Fahne stehen, beim Militär / (salopp) Kommiß / (salopp) Bar-

ras sein, bei der Armee sein; → einberufen, →strammstehen;→ militärisch.
**Soldatenfriedhof** → Friedhof.
**Soldatenmantel** → Mantel.
**Soldatensprache** → Gruppensprache.
**Soldateska** → Militär.
**soldatisch** → militärisch.
**Söldner** → Soldat.
**Solebad** → Badeort.
**solenn** → erhaben.
**Solicitor** → Jurist.
**solid** → gediegen.
**solidarisch:** s. sein, sich s. erklären → solidarisieren (sich); sich s. erklären mit → teilnehmen.
**solidarisieren** (sich), sich solidarisch erklären, solidarisch sein, Solidarität üben; → verbrüdern (sich).
**Solidarisierung** → Verbrüderung.
**Solidarität:** → Gemeinsinn; S. üben → solidarisieren (sich).
**Solidaritätsstreik** → Streik.
**solide** → gediegen.
**Soling** → Segelboot.
**Solist:** → Ballettänzer, →Musizierender.
**Solistenkonzert** → Musikveranstaltung.
**Solistenvereinigung** → Orchester.
**Solistin** → Ballettänzerin.
**Solitär** → Schmuckstein.
**Soll** → Fehlbetrag.
**Sollbestimmung** → Weisung.
**sollen:** was soll's? → warum; der Teufel soll's holen → verflucht!; [etwas sollte (überdacht) werden] → müssen.
**Söller** → Veranda.
**solo,** allein, ohne Begleitung; → allein, → einsam, → einzeln.
**Solo** → Kartenspiel.
**Solocellist** → Musizierender.
**Solotänzer** → Ballettänzer.
**Solotänzerin** → Ballettänzerin.
**Solözismus** → Versprecher.
**solvent** → zahlungsfähig.
**Solvenz** → Zahlungsfähigkeit.
**Somatomegalie** → Großwuchs.
**Somatropin** → Hormon.
**Sombrero** → Kopfbedeckung.
**somit** → also.
**Sommer** → Jahreszeit.
**Sommerball** → Ball.
**Sommerblume** → Blume.
**Sommerendivie** → Salat.

**Sommerfeldzug** → Feldzug.
**Sommerferien** → Ferien.
**Sommerfest** → Ball.
**Sommerfrische:** → Strafanstalt, → Urlaub.
**Sommerfrischler** → Urlauber.
**Sommergast** → Urlauber.
**Sommerkleid** → Kleid.
**sommerlich** → warm.
**sömmerlich** → warm.
**Sommerlinde** → Linde.
**Sommermantel** → Mantel.
**Sommermonat** → Juli.
**Sommerpause,** Theaterferien; → Urlaub · Ggs. → Spielzeit.
**Sommerregen** → Niederschlag.
**Sommerreifen** → Autoreifen.
**Sommerreise** → Reise.
**Sommersaison** → Saison.
**Sommerschlußverkauf** → Ausverkauf.
**Sommerschuh** → Schuh.
**Sommersonne** → Sonnenlicht.
**Sommersprossen,** Guckerschecken (*ugs., österr.*), Epheliden (*fachspr.*); → Muttermal; → sommersprossig.
**sommersprossig,** guckerscheckert (*ugs., österr.*); → Muttermal, → Sommersprossen.
**Sommertag** → Tag.
**sommertrocken:** warmes -es Klima → Klimazone.
**Sommerwetter** → Wetter.
**Sommerzwiebel** → Zwiebel.
**Somnambulismus** → Mondsüchtigkeit.
**Somnifaziens** → Schlafmittel.
**Somniferum** → Schlafmittel.
**Somnifikum** → Schlafmittel.
**Somnolenz** → Schläfrigkeit.
**sonach:** → also, → hinterher.
**Sonata da camera** → Sonate.
**Sonata da chiesa** → Sonate.
**Sonate** · Klaviersonate, Violinsonate, Cellosonate, Cembalosonate, Orgelsonate · *für drei Instrumente:* Triosonate, Kammersonate, Kirchensonate, Sonata da chiesa, Sonata da camera · *kleine:* Sonatine.
**Sonatine** → Sonate.
**sonder** → ausgenommen.
**Sonderabmachung** → Klausel.
**Sonderausführung:** in S. → kostbar.
**sonderbar** → seltsam.
**Sonderbarkeit** → Seltsamkeit.
**Sonderdruck,** Separatum, Separatdruck; → Druck, → Edition.

**Sonderfall:** → Abweichung, → Ausnahmefall.
**Sondergenehmigung** → Erlaubnis.
**sonderlich:** nicht s. →mäßig, → unerfreulich.
**Sonderling** → Außenseiter.
**Sondermarke** → Briefmarke.
**¹sondern** (Verb): → unterscheiden; die Spreu vom Weizen s. → aussortieren; s. von → ausschließen.
**²sondern** (Konjunktion): →aber.
**Sonderpreis** → Preis.
**Sonderrecht** → Vorrecht.
**Sonderschule** → Schule.
**Sonderschullehrer** → Lehrer.
**Sonderstempel** → Stempel.
**Sonderzug** → Eisenbahnzug.
**sondieren:** →forschen; [das Terrain s.] → vorfühlen.
**Sondierung:** → Erforschung, → Nachforschung.
**Sonett** → Gedicht.
**Song** → Lied.
**¹Sonnabend** (*nordd., mitteld.*), Samstag (*südd., österr., schweiz., westd.*); → Ruhetag, → Werktag, → Wochenende.
**²Sonnabend:** an jedem S., jeden S., immer am S., alle -e → sonnabends.
**sonnabends** (*nordd., mitteld.*), samstags (*südd., westd.*), an jedem Sonnabend / Samstag, jeden Sonnabend / Samstag, immer am Sonnabend / Samstag, alle Sonnabende / Samstage; → wochentags.
**¹Sonne,** Helios (*bildungsspr.*), Tagesgestirn (*geh.*) · *in der Mythologie:* Sonnengott, Helios, Sol; → Himmelskörper, → Regenbogen,→ Sonnenlicht; → bescheinen, → scheinen, → sonnen (sich) · Ggs. → Mond.
**²Sonne:** → Feuerwerkskörper; die Sonne lacht / scheint / strahlt → sonnig [sein]; sich die S. auf den Bauch scheinen / brennen lassen, sich in der S. aalen, sich in der S. braten, sich in die S. legen, sich in der S. liegen, in der S. bräunen, sich in der S. / von der S. braten lassen, sich [in der S. / von der S.] bräunen lassen → sonnen (sich); das Land der aufgehenden S. → Japan; [gegen] die S. abschirmen → verdunkeln; mit der S. → morgens.

¹**sonnen** (sich), sonnenbaden, ein Sonnenbad nehmen, sich in der Sonne aalen (*ugs.*), in der Sonne braten (*ugs.*), sich in die Sonne legen, in der Sonne liegen, sich die Sonne auf den Bauch scheinen / brennen lassen (*ugs.*), in der Sonne bräunen, sich in der Sonne / von der Sonne braten lassen, sich [in der Sonne / von der Sonne] bräunen / (*österr.*) abbrennen lassen; → bescheinen, → liegen; → gebräunt; → Sonne, → Sonnenbrand.

²**sonnen**: sich s. → wohl fühlen (sich).

**Sonnenanbeter** → Nudist.

**Sonnenaufgang** → Morgengrauen.

**Sonnenbad**: → Phototherapie; ein S. nehmen → sonnen (sich).

**Sonnenbanner** → Nationalflagge.

**Sonnenbehandlung** → Phototherapie.

**sonnenblumengelb** → gelb.

**Sonnenblumenöl** → Speiseöl.

**Sonnenbrand** · *im Hochgebirge:* Gletscherbrand; → Sonne; → sonnen (sich).

**Sonnenbrille** → Brille.

**sonnengelb** → gelb.

**Sonnenglanz** → Sonnenlicht.

**Sonnenglast** → Sonnenlicht.

**Sonnengott** → Sonne.

**sonnenhalb** → sonnseitig.

**sonnenklar** → klar.

**Sonnenlicht,** Sonnenschein, Sonnenglanz (*dichter.*), Sonnenglast (*dichter.*) · Morgensonne, Mittagssonne, Nachmittagssonne, Abendsonne · Frühlingssonne, Frühjahrssonne, Sommersonne, Herbstsonne, Wintersonne; → Sonne; → bescheinen, → scheinen.

**sonnenlos** → schattig.

**Sonnenplissee** → Falte.

**Sonnenschein**: → Schönwetter, → Sonnenlicht; es ist strahlender S. → sonnig [sein].

**Sonnenschirm** → Schirm.

**Sonnenseite**: auf der S. → sonnseitig.

**Sonnenstein** → Schmuckstein.

**Sonnenstich** → Überhitzung.

**Sonnentag** → Tag.

**Sonnentierchen** → Einzeller.

**Sonnenuhr** → Uhr.

**Sonnenuntergang** → Abendlicht.

**sonnenverbrannt** → gebräunt.

**Sonnenwendkäfer** → Leuchtkäfer.

¹**sonnig,** heiter, wolkenlos, strahlend, klar, nicht → bewölkt; → hell · Ggs. → schattig; **s. sein**: es ist sonnig, das Wetter ist schön, die Sonne lacht / scheint / strahlt, es ist strahlendes Wetter / strahlender Sonnenschein, der Himmel ist blau / wolkenlos, Petrus / der Wettergott meint's gut [mit uns] (*ugs.*); → Wetter.

²**sonnig** → lustig.

**sonnseitig** (*österr.*), auf der Sonnenseite, sonnenhalb (*schweiz.*).

**Sonntag**: → Ruhetag; Goldener / Silberner S. → Adventssonntag; Weißer S., 1.—6. S. nach Epiphanias, 1. / 2. / 3. / 4. / 5. / 6. S. nach Ostern, S. nach Pfingsten, 1.—27. S. nach Trinitatis, S. vom Jüngsten Tag → Kirchenjahr; an jedem S., jeden S., immer am S., alle -e → sonntags.

**sonntags,** an jedem Sonntag, jeden Sonntag, immer am Sonntag, alle Sonntage → wochentags.

**Sonntagsausflug** → Ausflug.

**Sonntagsbeilage** → Zeitungsbeilage.

**Sonntagsdienst** → Bereitschaftsdienst.

**Sonntagsfahrer**: → Autofahrer, → Stümper.

**Sonntagsjäger** → Jäger.

**Sonntagskind**: → Glückspilz; ein S. sein → Glück [haben].

**Sonntagskleid** → Kleid.

**Sonntagskonzert** → Musikveranstaltung.

**Sonntagsmaler** → Kunstmaler.

**Sonntagsraucher** → Raucher.

**sonnverbrannt** → gebräunt.

**Sonnwendkäfer**: → Glühwürmchen, → Leuchtkäfer.

**Sonnyboy** → Mann.

**sonst**: → außerdem, → oder; s. [... genannt] → alias; was denn s. → ja.

**sonstwo** → anderwärts.

**Sophie**: Kalte S. → Eisheilige.

**Sophist** → Wortverdreher.

**Sophisterei** → Spiegelfechterei.

**Sophistik** → Spiegelfechterei.

**sophistisch** → spitzfindig.

**Sophronetikus** → Zahn.

**Sopor** → Benommenheit.

**Soporiferum** → Schlafmittel.

**Soporifikum** → Schlafmittel.

**Sopran**: → Sängerin, → Singstimme.

**Sopranistin** → Sängerin.

**Sopranschlüssel** → Notenschlüssel.

**Sopranstimme** → Singstimme.

**Sore** → Raub.

**Sorge**: → Fürsorge, → Leid; jmdm. S. bereiten / machen, jmdm. mit S. erfüllen → bekümmern; seine -n haben → Schicksal; sich -n machen → sorgen (sich); S. tragen für → möglich [machen].

¹**sorgen** (sich), sich grämen / härmen / abgrämen / abhärmen / (*ugs.*) absorgen, betrübt / bekümmert sein, sich betrüben (*geh.*), sich Sorgen / Gedanken / (*ugs.*) Kopfschmerzen machen, sich ängstigen um, in tausend Ängsten schweben, [sich] kümmern (*schweiz.*), etwas beunruhigt jmdn. / bringt jmdn. um den Schlaf / raubt jmdn. den Schlaf / bereitet jmdm. Kummer / schlaflose Nächte · *unbegründet:* Gespenster sehen (*ugs*); → annehmen (sich um etwas), → ärgern (jmdn.), → schwernehmen; **sich nicht s.,** sich wegen etwas / über etwas keine grauen Haare wachsen lassen, die Karre / den Karren laufen lassen (*ugs.*); → ängstlich, → sorgenvoll, → vernachlässigt.

²**sorgen**: s. für → möglich [machen]; für jmdn. s. → ernähren, → kümmern (sich um jmdn.); für Abwechslung s. → zerstreuen (sich); dafür s., daß ... → betreiben; dafür s., daß die Bäume nicht in den Himmel wachsen → einschränken.

**sorgenfrei**: → unbesorgt, → zufrieden.

**sorgenschwer** → sorgenvoll.

**Sorgenstuhl**: → Sitzgelegenheit, → Stuhl.

**sorgenvoll,** bedrückt, sorgenschwer, zentnerschwer, gramvoll, gramerfüllt, grambeugt, nicht → unbesorgt; → sorgen (sich).

**Sorgerecht** → Recht.

¹**Sorgfalt,** Akribie, Genauigkeit, Akkuratesse; → Pflichtbewußtsein.

²**Sorgfalt**: → Fürsorge; mangelnde S. → Nachlässigkeit.

**sorgfältig:** → behutsam, → gewissenhaft.

**sorglos:** → unachtsam, → unbesorgt.

**Sorglosigkeit:** → Unachtsamkeit, → Unbesorgtheit.

**sorgsam:** → behutsam; s. behandeln / umgehen → schonen.

**Sorte:** → Art; jeder S. → alle.

**Sorten** → Devisen.

**sortieren** → teilen.

**¹Sortiment,** Auswahl, Kollektion, Musterkollektion.

**²Sortiment** → Buchhandlung.

**Sortimenter** → Buchhändler.

**SOS-Dorf** → Kinderdorf.

**Sosein** → Tatsache.

**SOS-Ruf** → Hilferuf.

**Soße,** Sauce, Tunke, Stippe (*landsch.*) · *aus Wein:* Chaudeau, Weinschaum · *zu Fleisch:* Bratensoße, Worcestersoße, Cumberlandsoße, Mustardsoße, Ketchup, Catchup, Tomatenketchup, Chutneysoße · *zu Salaten:* Dressing; → Suppe.

**Soßenlöffel** → Löffel.

**sostenuto** → langsam.

**Sotho** → Neger.

**Sottise** → Absurdität.

**sotto voce** → leise.

**Soubrette** → Sängerin.

**Souchong** → Tee.

**Souffleur,** Einsager · *weiblicher:* Souffleuse, Einsagerin; → Aufführung, → Theater; → vorsprechen.

**Souffleuse** → Souffleur.

**soufflieren** → vorsprechen.

**Sound** → Klangrichtung.

**Souper** → Abendessen.

**soupieren** → essen.

**Sour** → Mixgetränk.

**Souschef** → Stellvertreter.

**Souterrain** → Geschoß.

**Southpaw** → Boxer.

**Souvenir** → Andenken.

**souverän** → selbständig.

**Souverän:** → Oberhaupt, → Schweizer, → Wähler.

**Sovereign** → Münze.

**Sowchos** → Produktionsgenossenschaft.

**Sowchose** → Produktionsgenossenschaft.

**sowie** → und.

**sowieso** → ohnehin.

**Sowjetbürger** → Russe.

**sowjetisch:** → russisch; -e Besatzungszone → Deutschland; -er Sektor → Berlin.

**Sowjetmensch** → Russe.

**Sowjetrusse** → Russe.

**sowjetrussisch** → russisch.

**Sowjets** → Russe.

**Sowjetunion,** UdSSR, Rußland; → Russe; → russisch.

**Sowjetzone** → Deutschland.

**sowohl:** s. ... als auch → auch.

**soziabel** → gesellig.

**Soziabilität** → Geselligkeit.

**sozial:** → gemeinnützig, → menschlich; -e Anklage → Gesellschaftskritik; -er Roman → Roman; s. schwächer → einkommensschwach; seinen -en Tag haben → spendieren.

**Sozialdemokratismus** → Ketzerei.

**Sozialfürsorgerin** → Fürsorgerin.

**Sozialgericht** → Gericht.

**Sozialhilfe,** Fürsorge, Altersfürsorge, Rentnerfürsorge, Wohlfahrt, Armenpflege, Gemeindedienst, Diakonie; → gemeinnützig.

**Sozialisation** → Einordnung.

**Sozialist,** Linksorientierter, Linker (*ugs., abwertend*), Kommunist, Marxist, Bolschewist, Bolschewik (*abwertend*), Trotzkist, Leninist, Menschewist, Stalinist, Maoist, Titoist; → Extremist, → Kommunismus, → Marxismus; → kommunistisch, → sozialistisch · Ggs. → Konservativer; → konservativ.

**¹sozialistisch,** linksorientiert, linksliberal, linksradikal, links; → Sozialist · Ggs. → konservativ; → Konservativer.

**²sozialistisch:** → kommunistisch; -es Lager, -e Länder → Osten; -er Realismus → Malerei.

**Sozialkritik** → Gesellschaftskritik.

**Sozialkunde** → Geschichtsunterricht.

**Sozialökonomie** → Wirtschaftswissenschaft.

**Sozialpartner,** Tarifpartner, Arbeitnehmer, Arbeitgeber; → Arbeitgeber, → Arbeitnehmer.

**Sozialprestige** → Ansehen.

**sozialpsychiatrisch:** -e Klinik → Krankenhaus.

**Sozialpsychologie** → Psychologie.

**Sozialversicherung** → Versicherung.

**Sozialwissenschaft** → Gesellschaftswissenschaft.

**Soziogramm** → Graph.

**Soziolekt:** → Ausdrucksweise, → Gruppensprache.

**Soziolinguistik** → Sprachwissenschaft.

**Soziologie** → Gesellschaftswissenschaft.

**Sozius:** → Beifahrer, → Teilhaber.

**sozusagen:** → gewissermaßen, → gleichsam.

**spachteln:** → essen; leer s. → aufessen.

**Spagat:** → Schnur, → Turnübung.

**Spagatschnürl** → Schnur.

**Spaghetti:** → Italiener, → Teigwaren.

**Spaghettifresser** → Italiener.

**spähen** → blicken.

**Späher** → Auskundschafter.

**Spalett** → Fensterladen.

**Spalettladen** → Fensterladen.

**Spalierobst** → Obst.

**Spalt** → Riß.

**Spaltalge** → Spaltpflanze.

**Spalte:** → Apfelscheibe, Apfelsinenscheibe, → Riß, → Rubrik.

**spalten,** entzweihacken, zerhacken, entzweihauen, klieben (*bayr., österr.*); → schneiden, → zerlegen.

**Spalterflagge** → Nationalflagge.

**Spaltleder** → Leder.

**Spaltpflanze** · Spaltalge, Blaualge, Wasserblüte, Trichodesmium · Spaltpilz, Bakterie; → Krankheitserreger, → Lagerpflanze.

**Spaltpilz** → Spaltpflanze.

**Spaltung:** → Abtrennung; operative S. → Operation.

**¹Span,** Schnitzel, Splitter, Spreißel, Schiefer (*südd., österr.*), Abschnitzel (*südd.*); → Brett, → Pfahl.

**²Span:** einen S. ausgraben → Streit [anfangen mit jmdm.].

**Spanämie:** → Blutarmut, → Blutleere.

**Spange** → Brosche.

**Spangenschuh** → Schuh.

**Spanienkärpfling** → Fisch.

**spanisch:** -er Pfeffer → Gemüse; -es Rohr → Spazierstock, → Stock; -es Vögerl → Rinderbraten; -e Wand → Wandschirm;

etwas kommt jmdm. s. vor → argwöhnisch [sein].

**Spankorb** → Korb.

**Spann**, Rist, Reihen (*landsch.*); → Fuß, → Gliedmaße.

**Spanne** → Weile.

**spannen:** → merken, → steif [werden]; jmdn. auf die Folter s. / auf etwas gespannt machen → neugierig [machen].

**spannend** → interessant.

**Spanner:** → Muskel, → Schmetterling, → Zuschauer.

**Spanngardine** → Gardine.

**Spannkraft:** → Tatkraft, → Temperament.

**Spannmuskel** → Muskel.

**Spannsäge** → Säge.

**Spannteppich** → Teppichboden.

**¹Spannung**, Unruhe, Beunruhigung; **in S. halten**, nicht zur Ruhe kommen lassen, in Atem halten.

**²Spannung:** -en → Streit; in atemloser S. → erwartungsvoll; einer Sache voll S. entgegensehen → erwartungsvoll [sein]; nicht frei von S. → spannungsgeladen.

**spannungsgeladen**, explosiv, gespannt, nicht frei von Spannung, getrübt, verhärtet · Ggs. → ungetrübt.

**spannungsreich** → interessant.

**Sparbüchse**, Sparschwein, Spartopf, Sparstrumpf, Sparkasse; → sparen.

**sparen**, ansparen, Ersparnisse machen, sich etwas ersparen / (*schweiz.*) erhausen, zurücklegen, beiseite legen, auf die Seite legen, auf die hohe Kante legen (*ugs.*), sich einschränken, haushalten, maßhalten, sich zurückhalten, einsparen, hausen (*schweiz.*), das Geld zusammenhalten, Konsumverzicht betreiben, bescheiden leben, geizen, kargen, knapsen (*ugs.*), knausern (*ugs.*), kürzer treten (*ugs.*), den Gürtel / Riemen enger schnallen (*ugs.*), sich krummlegen (*salopp*), krummliegen (*salopp*), knickern (*ugs.*), knorzen (*schweiz.*), nicht → verschwenden; → aussparen, → bausparen, → erübrigen, → haushalten → prämiensparen, → verringern; **s. müssen**, [mit dem Pfennig] rechnen müssen, sich einrichten / nach der

Decke strecken müssen, kurztreten müssen (*ugs.*), sich nicht viel leisten / (*ugs.*) keine großen Sprünge machen können, bei jmdm. ist Schmalhans Küchenmeister; → sparsam; → Einsparung, → Geizhals, → Geldinstitut, → Sparbüchse, → Vermögen, → Wirtschaftlichkeit.

**Spargel** → Gemüse.

**Spargeld** → Ersparnisse.

**Spargelkohl** → Blumenkohl.

**Spargelpilz** → Ständerpilz.

**Spargroschen** → Ersparnisse.

**Sparguthaben** → Ersparnisse.

**Sparkasse:** → Geldinstitut, → Sparbüchse.

**Sparkonto** → Bankkonto.

**spärlich:** → karg, → schütter.

**Spärlichkeit** → Armut.

**Sparren** → Brett.

**Sparring** → Boxen.

**¹sparsam**, haushälterisch, wirtschaftlich, ökonomisch, häuslich (*schweiz.*), nicht → freigebig; → engherzig; **s. sein**, auf den Pfennig sehen, mit dem Pfennig rechnen; → erübrigen, → haushalten, → sparen; → Einsparung, → Geizhals, → Vermögen, → Wirtschaftlichkeit.

**²sparsam** → geizig.

**Sparsamkeit** → Geiz.

**Sparschwein** → Sparbüchse.

**Sparstrumpf** → Sparbüchse.

**spartanisch** → bescheiden.

**Sparte:** → Bereich, → Partei.

**Spartopf** → Sparbüchse.

**Spasmolytikum** → Relaxans.

**Spaß** → Lust, → Scherz; da hört der S. auf → unerhört [sein]; jmd. hat S. an etwas, etwas macht jmdm. S. → erfreuen; S. machen → spaßen; wenn's dir S. macht → ja; etwas würde jmdm. S. machen → tun; jmdm. den S. an etwas verderben → verleiden; keinen S. verstehen → humorlos [sein].

**¹spaßen**, scherzen, Spaß / Witze machen, einen Schmäh führen (*österr.*); → albern, → aufziehen (jmdn.); → Witz.

**²spaßen:** mit jmdm. ist nicht zu s. → böse [sein]; mit etwas ist nicht zu s. → ernst [sein].

**spaßeshalber**, zum Spaß, aus Hetz (*österr.*), hetzhalber (*österr.*); → Scherz.

**Spaßetteln** → Scherz.

**spaßhaft** → spaßig.

**spaßig**, witzig, trocken, spaßhaft, ulkig, [derb] komisch, possenhaft, burlesk, glatt (*schwäb.*), sauglatt (*salopp, schwäb.*), urkomisch (*ugs.*), gelungen (*ugs.*), schnurrig, gspaßig (*bayr., österr.*), possierlich, drollig, putzig, herzig, aus Kindermund; → geistreich, → seltsam, → überspannt.

**¹Spaßmacher**, Narr, Possenreißer · *im Zirkus:* Clown, Bajaß (*landsch.*), dummer August · *an Fürstenhöfen [der Renaissance]:* Hofnarr, Narr, Hofzwerg · *der Seiltänzer und Akrobaten:* Bajazzo · *am Theater:* Hanswurst, lustige Person / Figur · *in der Commedia dell'arte:* Arlecchino, Pulcinell[a], Policinello ·· *in der französischen Pantomime:* Pierrot · *weiblicher:* Pierrette ·· *im deutschen Stegreifspiel:* Harlekin · *bei den englischen Komödianten:* Pickelhering; → Artist, → Narr, → Kasper, → Spaßvogel.

**²Spaßmacher** → Spaßvogel.

**Spaßvogel**, Spaßmacher, Schalk, Schelm, Witzbold, Clown, Kasper, Nummer (*ugs.*), Marke (*ugs.*), Unikum (*ugs.*), Schmähtandler (*abwertend, österr.*), Original · *in einer Schulklasse:* Klassenclown, Klassenkasper; **ein S. sein**, jmdm. sitzt der Schalk / der Schelm im Nacken, jmd. hat den Schalk / den Schelm im Nacken; → Dummkopf, → Narr, → Spaßmacher.

**¹spät**, verspätet, endlich, schließlich, zuletzt, zu guter Letzt, am / zum Schluß, auf die Letzt (*mundartl., österr.*), am Ende, nicht → früh; → hinterher, → letztlich; **s. kommen**, in letzter Minute / im letzten Augenblick / (*ugs.*) kurz vor Toresschluß / gerade noch zur rechten Zeit / auf die Letzt (*salopp*) auf den letzten Drücker (*oder:*) Point (*oder:*) Hosenknopf kommen; **es ist [schon] spät, es ist höchste Zeit / fünf Minuten vor zwölf / (*salopp*) höchste Eisenbahn, spät dran sein; **s. aufstehen**, [ein] Langschläfer sein; → Nachzügler.

²**spät:** → abends; -er Frühling → Geschlechtstrieb; -es Mädchen → Frau; s. zünden → begriffsstutzig [sein]; von früh bis s. → Tag; nicht zu früh und nicht zu s. → pünktlich; zu s. kommen → verspäten (sich).

**Spätcafé** → Nachtlokal.

**Spatelente** → Vogel.

**Spaten,** Grabscheit; → Schaufel.

**Spätentwickler** → Mensch.

**Spätentwicklung** → Entwicklung.

¹**später,** einst, einmal, dereinst, dermaleinst, künftig, inskünftig (*österr.*), zukünftig, in Zukunft, kommend, fortan, fortab, hinfort, fürderhin, fürder, weiterhin, späterhin, in spe, demnächst [in diesem Theater (*scherzh.*)], anhin (*schweiz.*), nächsthin (*schweiz.*), dannzumalig (*schweiz.*), in kurzer / absehbarer / nächster Zeit, kurzfristig, in Bälde, bald, über kurz oder lang, über ein kleines (*veraltet*), bei kleinem (*nordd.*), nicht → damals, nicht → jetzt. ²**später:** → hinterher; s. kommen → nachkommen.

**späterhin** → später.

**Spätgeburt** → Geburt.

**Spätherbst** → Jahreszeit.

**Spätkapitalismus** → Kapitalismus.

**spätkapitalistisch:** -e Gesellschaft → Gesellschaft.

**Spätlese** → Wein.

**Spätling:** → Jahreszeit, → Kind.

**Spätmittelalter** → Geschichtsepoche.

**spätmittelhochdeutsch:** -e Dichtung → Literaturepochen.

**Spatschek** → Kippel-Kappel.

**Spätschicht** → Schicht.

**Spätsommer** → Altweibersommer.

**Spätsommertag** → Tag.

**Spätwerk** → Werk.

**Spatz:** → Kind, → Sperling; die -en pfeifen es von den Dächern → bekannt; wie ein S. essen → essen.

**Spatzenhirn:** ein S. haben → dumm [sein].

**Spätzle** → Teigwaren.

**Spätzlesschwabe** → Schwabe.

**Spätzünder:** ein S. sein → begriffsstutzig [sein].

**spazierenfahren** → fahren.

**spazierengehen,** spazieren, sich ergehen, lustwandeln, schlendern, bummeln, einen Bummel machen, einen Schaufensterbummel machen, lädelen (*schweiz.*), flanieren, auf Lepschi gehen (*wiener.*), promenieren, an die Luft / ein paar Schritte gehen, frische Luft schnappen gehen (*ugs.*), sich die Beine / Füße vertreten, wandern, einen Spaziergang / eine Wanderung machen; → fortbewegen (sich); → Ausflug, → Bummel, → Spaziergang.

**Spazierfahrt** → Fahrt.

¹**Spaziergang,** Morgenspaziergang, Abendspaziergang, Verdauungsspaziergang, Waldspaziergang, Promenade, Gang, Waldgang, Wanderung, Fußwanderung, Waldwanderung, Bergwanderung, Bergpartie, Nachtwanderung, Marsch, Fußmarsch, Tagesmarsch, Nachtmarsch, Gewaltmarsch, Fußtour, Hatscher (*ugs., österr.*), Bergtour, Klettertour, Fußreise (*veraltet*); → Ausflug, → Bummel; → spazierengehen.

²**Spaziergang:** einen S. machen → spazierengehen.

**Spaziergänger** → Wanderer.

**Spazierritt** → Ritt.

**Spazierstecken** → Spazierstock.

**Spazierstock,** Stock, Spazierstecken (*landsch.*), Wanderstab (*dichter.*), Knotenstock, spanisches Rohr, Bergstock, Krückstock, Krücke; → Stange, → Stock.

**Speaker** → Vorstand.

**Specht** → Vogel.

**Spechtmeise** → Vogel.

**Speck:** → Fett; S. ansetzen → dick [werden]; S. in der Tasche haben → beliebt [sein]; wie die Made im S. leben → leben; mit Dreck und S. → schmutzig; voller Dreck und S. sein → schmutzig [sein].

**Speckgriebe** → Griebe.

**speckig:** → gar, → schmutzig.

**Speckigkeit** → Unsauberkeit.

**Speckschwarte,** Schwarte, Haut; → Epidermis.

**Spectra-Colorvision** → Kassettenfernsehen.

**spedieren** → transportieren.

**Spediteur,** Transportunternehmer, Fuhrunternehmer, Fuhr-

halter (*veraltet*), Fuhrherr (*veraltet*), Fuhrmann (*veraltet*), Spetter (*schweiz*), Fregger (*schweiz.*); → Spedition; → transportieren.

**Spedition,** Transportunternehmen, Fuhrbetrieb, Fuhrgeschäft; → Spediteur; → transportieren.

**Speech** → Rede.

**Speed** → Rauschgift.

**Speedway-Rennen** → Rennen.

**Speer:** → Sportgerät, → Wurfwaffe.

**Speerwerfen:** → Fünfkampf, → Leichtathletik, → Zehnkampf.

**speiben** → übergeben (sich).

**Speichel,** Saliva, Spucke (*salopp*), Geifer, Sabber (*salopp*); → Auswurf, → Speichelfluß; → spucken.

**Speichelfluß,** Salivation, Sialorrhö, Polysialie, Ptyalismus; → Speichel.

**Speichellecker** → Schmeichler.

**Speichelleckerei** → Unterwürfigkeit.

**speichelleckerisch** → unterwürfig.

**speicheln** → spucken.

**Speicher** → Boden.

**Speicherblatt** → Blatt.

¹**speichern,** aufbewahren, aufheben, verwahren, bewahren, behalten, versorgen (*schweiz.*), zurückbehalten, zurückhalten, jmdm. etwas vorenthalten, unter Verschluß halten, in Verwahrung / an sich nehmen, sammeln, ansammeln, häufen, anhäufen, akkumulieren, aufspeichern, beiseite legen / bringen, um die Ecke bringen (*ugs.*), horten, hamstern (*ugs.*), kuten (*berlin.*), nicht → abgeben; → abhalten, → aufhäufen, → aufstauen, → behüten, → lagern, → unterbringen, → verstecken → zurücklegen; → Album, → Anhäufung, → Aufbewahrung, → Lagerung, → Tresor. ²**speichern** → aufstauen.

**Speichertreppe** → Treppe.

**Speicherung** → Lagerung.

**speien:** → spucken, → übergeben [sich]; Gift und Galle s. → schelten.

**Speis:** → Beton, → Speisekammer.

**Speischlange** → Schlange.

Speise: → Dessert, → Essen;
S. und Trank → Nahrung.
Speisefett → Fett.
Speisefisch → Fisch.
Speisehaus → Gaststätte.
Speisekammer, Speiskammer
(südd.), Speis (bayr., österr.),
Vorratskammer.
Speisekarte, Karte, Speise-
zettel, Menükarte; nach der
S., à la carte.
speisen → essen.
Speisenbrett → Tablett.
Speisenfolge → Essen.
Speiseöl, Tafelöl, Öl, Pflanzen-
öl, Olivenöl, Sonnenblumenöl,
Leinöl, Rüböl, Rübsenöl, Raps-
öl, Erdnußöl, Nußöl, Weizen-
keimöl · Walöl, Dorschöl, Tran;
→ Fett.
Speisepilz → Pilz.
Speiseplatte, Salatplatte · dreh-
bare: Kabarett, stummer Diener,
drehbare Platte; → Anrichte-
tisch.
Speiseraum, Speisesaal · in
Betrieben usw.: Kantine · in
Brauereien: Schalander · für
Offiziere: Kasino · in Universi-
täten: Mensa · auf Schiffen:
Messe · in Klöstern: Refekto-
rium; → Gaststätte.
Speiserestaurant → Gaststätte.
Speiseröhrenspiegelung → Aus-
spiegelung.
Speisesaal → Speiseraum.
Speisesalz → Salz.
Speisetäubling → Ständerpilz.
Speisewagen: → Eisenbahn-
wagen, → Gaststätte.
Speisewirtschaft → Gaststätte.
Speisezettel → Speisekarte.
Speisezwiebel → Zwiebel.
Speiskammer → Speisekammer.
Speitäubling → Ständerpilz.
Speiteufel → Ständerpilz.
speiübel: jmdm. ist / wird s. →
unwohl.
Spektabilität: → Dekan; [Eure
S.] → Anrede.
Spektakel → Lärm.
spektakulär→ außergewöhnlich.
spektakulös → seltsam.
Spektakulum → Wunder.
Spekulant → Börsenmakler.
Spekulation → Einbildung.
Spekulatius → Gebäck.
spekulativ → theoretisch.
Spekuliereisen → Brille.
¹spekulieren (an der Börse),
agiotieren; → handeln; →

Börse, → Börsenmakler, →
Vermittler.
²spekulieren → vermuten; s.
auf → erwarten.
Spelunke → Gaststätte.
Spencer: → Jacke, → Strickweste.
spendabel → freigebig.
Spende → Beitrag.
Spendel → Stecknadel.
¹spenden, stiften, geben, opfern;
→ abgeben, → beitragen, →
hinterlassen, → opfern, →
sammeln, → schenken, →
spendieren, → stiften, → teilen,
→ widmen.
²spenden: das Abendmahl s. →
Abendmahl; Beifall s. →
applaudieren; Trost s. → Trost
[geben].
Spendenaktion → Kollekte.
Spendenfreudigkeit → Großzügigkeit.
Spender: edler S. → Gönner.
spendieren, jmdn. freihalten /
einladen, einen ausgeben (ugs.),
etwas springen lassen (ugs.), in
Geberlaune / Spendierlaune
sein, seinen sozialen Tag haben
(scherzh.), die Spendierhosen
anhaben (scherzh.); → spenden;
→ Gönner, → Großzügigkeit, →
Trinkgelage.
Spendierhosen: die S. anhaben
→ spendieren.
Spendierlaune: in S. sein →
spendieren.
Spengler → Installateur.
Spennadel → Stecknadel.
Spenzer: → Jacke, → Strick-
weste.
Sperber: → Vogel; ein S. sein →
schmächtig [sein].
Sperbereule → Vogel.
sperbern → blicken.
Sperenzchen: → Ausflucht; S.
machen → aufbegehren.
Sperling, Haussperling, Feld-
sperling, Riedsperling, Rohr-
sperling, Spatz; → Vogel.
Sperlingskauz → Vogel.
Sperma, Samenflüssigkeit, Eja-
kulat; → Keimzelle, → Penis,
→ Samenerguß.
Spermatorrhö → Samenerguß.
Spermatozoon → Keimzelle.
Spermium → Keimzelle.
sperrangelweit: s. offen → offen.
Sperre, Beschränkung · Ver-
breitungsbeschränkung, Nach-
richtensperre · Urlaubssperre ·

Gehaltssperre; → Behinderung,
→ Blockierung, → Einschrän-
kung, → Hürde, → Verbot.
sperren: → abschließen; jmdn.
in etwas s. → festsetzen; sich
gegen etwas s. → unzugänglich
[sein].
Sperren → Regelverstoß.
Sperrmüll → Müll.
Sperrsitz → Sitzplatz.
Sperrung: → Absperrung, →
Stillegung.
Spesen, Tagegeld, Diurnum
(veraltend, österr.), Taggeld
(oberd.), Diäten, Reisekosten-
vergütung, Aufwandsentschä-
digung, Entschädigung; → Ent-
gelt, → Gehalt, → Vergütung.
Spessartin → Schmuckstein.
Spetter: → Hilfskraft, →
Spediteur.
Spezereihändler → Kaufmann.
Spezi: → Freund, → Kamerad.
Spezialarzt → Arzt.
Spezialbericht → Zeitungsarti-
kel.
Spezialgeschäft → Laden.
Spezialist: → Arzt, → Fach-
mann.
Spezialkatalog → Prospekt.
Spezialwörterbuch → Nach-
schlagewerk.
speziell → eigens.
Spezielles: auf dein / Ihr S. →
prost.
Spezierer → Kaufmann.
Spezies → Art.
spezifisch → kennzeichnend.
Sphäre → Bereich.
Sphen → Schmuckstein.
Sphinkter → Muskel.
Sphinx → Meduse.
spicken: → absehen, → be-
stechen.
Spickzettel, einen S. benutzen
→ absehen.
Spider → Auto.
Spiegel: → Revers; sich etwas
hinter den S. stecken können →
behalten.
spiegelbildlich: → seitenver-
kehrt, → symmetrisch.
Spiegelbildlichkeit → Symme-
trie.
spiegelblank → blank.
Spiegelboxen → Boxen.
Spiegelei, Setzei (bes. nordd.),
Ochsenauge, Stierenauge
(schweiz.); → Eierspeise.
Spiegelfechterei, Sophisterei,
Sophistik, Kasuistik, Rabu-

Spiegelgewölbe

listik, Wortverdreherei; →
Pedanterie; → spitzfindig.
Spiegelgewölbe → Gewölbe.
Spiegelglas → Glas.
spiegelglatt → glatt.
spiegelgleich → symmetrisch.
Spiegelgleichheit → Symmetrie.
spiegelig → symmetrisch.
Spiegeligkeit → Symmetrie.
Spiegelkabinett → Jahrmarktsbude.
spiegeln, widerspiegeln, reflektieren, zurückstrahlen, zurückwerfen; → leuchten; → Spiegelung.
spiegelnd → blank.
Spiegelreflexkamera → Fotoapparat.
Spiegelsaal → Saal.
Spiegelstrich → Satzzeichen.
¹Spiegelung, Lichtreflex, Reflex,
Reflexion, Widerschein, Abglanz; → spiegeln.
²Spiegelung → Ausspiegelung.
spiegelungsgleich → symmetrisch.
Spiegelungsgleichheit → Symmetrie.
¹Spiel, Partie, Match, Wettkampf, Turnier, Wettspiel, Einzelspiel, Einzel, Single (Tennis),
Zweierspiel (Golf) · Rückspiel,
Retourspiel (österr.), Retourmatch (österr.), Retourkampf
(österr.), Revanche · auf eigenem
Platz ausgetragenes: Heimspiel ·
auf dem Platz des Gegners ausgetragenes: Auswärtsspiel, Awayspiel (schweiz.); → Balljunge, →
Fangspiel, → Golfspiel, →
Hockey, → Hüpfspiel, → Korbball, → Rennen, → Schlagball,
→ Sport, → Tischtennis; ein
S. verlieren, verlieren, vergeigen (ugs.); → kämpfen; →
unentschieden.
²Spiel: → Glücksspiel, →
Kinderspiel, → Schauspiel, →
Schwanz; die -e, Olympische -e
→ Olympiade; etwas ist ein S.
mit dem Feuer → gefährlich
[sein]; das königliche S. →
Schach; mit jmdm. ein falsches
S. treiben → betrügen; etwas
steht auf dem S. → ungewiß
[sein]; aufs S. setzen → Gefahr,
→ wagen; sein Ansehen / seinen
Namen / seinen Ruf aufs S.
setzen → bloßstellen (sich); aus
dem S. lassen → hineinziehen

(in); die Finger / die Hände im
S. haben → beteiligen (sich);
gute Miene zum bösen S.
machen → notgedrungen [etwas
tun müssen].
Spielaltistin → Sängerin.
Spielart → Abweichung.
Spielball, Ball, Gummiball,
Kinderball, Kullerball (Kinderspr.), Lederball, Handball, Medizinball, Wasserball, Tennisball; → Fußball, → Luftballon,
→ Sportgerät; → werfen.
Spieldose, Spieluhr; → Musikinstrument.
¹spielen (als Schauspieler), darstellen, verkörpern, mimen (veraltet), agieren (veraltet), figurieren / erscheinen / auftreten als,
sein · die Rolle eines Doubles:
doubeln; schlecht s., nicht ankommen / über die Rampe
kommen, schmieren, dem Affen
Zucker geben, schlecht / rampengeil sein; → figurieren (als);
→ Schauspieler, → Schau-
spielerin.
²spielen: → aufführen, → aufspielen; [auswendig / aus dem
Kopf s.] → musizieren; seinen
ganzen Charme / alle seine
Künste / alle seine Reize s.
lassen → charmant [sein]; sein
Geld s. lassen → bestechen;
Bowling s. → kegeln; mit
jmdm. Fangball s. → umgehen
(mit jmdm.); Fußball s. →
Fußballspiel; die erste Geige s.
→ maßgeblich [sein]; mit
jmdm. Katz und Maus s. →
vertrösten; Komödie / Theater
s. → vortäuschen; den wilden
Mann s. → ärgerlich [sein];
Murmeln / Klicker s. →
murmeln; Poker s. → pokern;
[die] Trommel s. → trommeln;
Trompete s. → trompeten; gern
eine Rolle s. wollen → geltungssüchtig [sein]; etwas spielt
keine Rolle → unwichtig
[sein]; Theater s. → schauspielern; va banque s. → wagen;
verrückt s. → ärgerlich [sein];
Würfel s. → würfeln; jmdn. an
die Wand s. → Einfluß [sein];
im Sand s. → buddeln; sich s.
mit etwas → bewältigen; mit
dem Feuer s. → unbesonnen
[sein]; mit dem Gedanken s.
erwägen; mit falschen / gezinkten Karten s. → betrügen;

mit offenen Karten s. → auf-
richtig sein.
spielend: → mühelos; etwas s.
aufs Parkett legen → mühelos
[schaffen].
¹Spieler, Glücksspieler, Hasar-
deur; → Abenteurer, → Glücks-
spiel.
²Spieler → Musizierender.
Spielfeld → Sportfeld.
Spielfilm → Kinofilm
Spielhunde → Hunderassen.
Spielkarte, Karte · Karo,
Eckstein, Schellen · Cœur,
Herz · Pik, Schippe · Treff,
Kreuz.
Spielleiter → Regisseur.
Spielmann → Minnesänger.
Spielmannsdichtung → Dich-
tung.
Spieloper → Oper.
Spielplan: auf den S. setzen →
ansetzen, → aufführen.
Spielraum: → Ausmaß, →
Bewegungsfreiheit.
Spielsachen → Spielzeug.
Spielsaison → Spielzeit.
Spielstraße → Straße.
Spieltisch → Tisch.
Spieluhr → Spieldose.
Spielverderber: S. sein → teil-
nehmen.
Spielwaren → Spielzeug.
Spielwiese → Glatze.
Spielzeit, Saison, Spielsaison
(schweiz.); → Theater · Ggs. →
Sommerpause.
Spielzeug, Spielsachen, Kinder-
spielzeug, Spielwaren; →
Teddybär, → Zinnfigur.
Spieß: → Dienstgrad → Fehler,
→ Wurfwaffe; den S. um-
drehen → wehren (sich).
Spießbürger → Spießer.
spießbürgerlich: → banausisch,
→ engherzig.
Spieße → Geweih.
spießen: sich s. → stocken.
¹Spießer, Spießbürger, Sumper
(österr.), Philister; → Alltags-
mensch, → Ungebildeter, →
Vorurteil; → banausisch, →
engherzig.
²Spießer: → Hirsch.
Spießgeselle → Komplice.
spießig: → banausisch, → engherzig.
Spießruten: S. laufen → aussetzen (sich einer Sache).
Spießvogel → Vogel.
Spikereifen → Winterreifen.

Spill → Winde.
spillerig → schlank.
Spilling → Obst.
spinal: -e Kinderlähmung →
Kinderlähmung.
Spinalis → Meninx.
Spinat → Gemüse.
spinatgrün → grün.
Spinatstecher → Homosexueller.
Spinatwachtel → Frau.
Spind: → Schrank; nicht alle
Tassen im S. haben → verrückt [sein].
spindeldürr → schlank.
Spindelstar → Katarakt.
Spindeltreppe → Treppe.
Spinell → Schmuckstein.
Spinett → Tasteninstrument.
Spinnangelei → Angelsport.
spinnefeind: s. sein → verfeindet [sein].
spinnen: → verrückt [sein];
Garn s. → lügen.
Spinnenaffe → Affe.
Spinnengewebe → Spinnwebe.
Spinnengewebshaut → Meninx.
Spinnennetz → Spinnwebe.
Spinner: → Dummkopf; echter
S. → Schmetterling.
Spinngewebshaut → Meninx.
Spinnwaren → Textilien.
Spinnweb → Spinnwebe.
Spinnwebe, Spinnweb (österr.),
Spinnengewebe, Spinnennetz;
→ Altweibersommer.
Spinnwebenhaut → Meninx.
spinös → tantenhaft.
spintisieren → lügen.
¹Spion, Agent, Diversant, Saboteur, Schnüffler, Schnoferl (ugs.,
österr.); → Auskundschafter, →
Geheimpolizist, → Gewährsmann, → Vermittler, → Verschwörung; ein S. sein, Spionage treiben, spionieren; → auskundschaften, → infiltrieren;
→ umstürzlerisch.
²Spion: → Abhörgerät, → Guckloch.
Spionage: S. treiben → Spion.
Spionageabwehr → Geheimpolizei.
¹spionieren, nachspionieren,
nachschnüffeln (ugs.), schnüffeln (ugs.), schnofeln (ugs.,
österr.), herumschnüffeln (ugs.),
kontrollieren; → nachforschen,
→ neugierig [sein]; → Abhörgerät, → Geheimpolizei.
²spionieren → Spion.

Spiritismus → Geisterbeschwörung.
Spiritist, Okkultist, Geisterbeschwörer, Geisterseher, Spökenkieker (nordd., scherzh.); →
Geisterbeschwörung, → Séance,
→ Wahrsager; → okkult.
spiritistisch → okkult.
Spiritual → Lied.
Spirituosen → Alkohol.
Spiritus → Alkohol.
Spiritus rector → Führer.
Spital → Krankenhaus.
¹spitz, nadelspitz, zugespitzt,
angespitzt, mit einer Spitze
versehen; s. machen, anspitzen,
zuspitzen, spitzen; → geschärft, → gezackt, → kantig.
²spitz: → kantig, → spöttisch;
-e Bemerkung → Spitze; s.
bekommen / kriegen → merken.
Spitz: → Gipfel, → Hunderassen; etwas steht auf S. und
Knopf → ungewiß [sein].
Spitzahorn → Ahorn.
Spitzbart → Bart.
Spitzbauch → Bauch.
Spitzbogen: [gleichseitiger / gedrückter / überhöhter S.] →
Bogen.
Spitzbogenfries → Fries.
Spitzbube: → Dieb, → Junge, →
Schuft; -n → Gebäck.
Spitzbubensprache → Gaunersprache.
¹Spitze, Anzüglichkeit, Zweideutigkeit, Anspielung, Stichelei, Stich, Bissigkeit, Spöttelei,
[spitze, anzügliche, bissige]
Bemerkung; → Beleidigung; →
spöttisch.
²Spitze: → Dorn, → Gipfel, →
Spitzenstickerei, → Wipfel, →
Zeitungsartikel; die -n der
Gesellschaft → Oberschicht;
die S. halten → Höchstleistung
[erzielen]; -n verteilen →
spöttisch [sein]; an der S.
stehen → führen; mit einer S.
versehen → spitz.
Spitzel → Auskundschafter.
spitzen: → schärfen, → spitz
[machen]; sich s. auf → begierig [sein]; die Ohren s. →
achtgeben, → horchen.
Spitzen-: → beste.
Spitzenbluse → Bluse.
Spitzenkandidat → Anwärter.
Spitzenklasse → Höchstleistung.
Spitzenleistung → Höchstleistung.

Spitzenlohn → Lohn.
Spitzenmodell → Mannequin.
¹Spitzenreiter, Leader, Tabellenführer; → Schrittmacher.
²Spitzenreiter: S. sein → Höchstleistung [erzielen].
Spitzensportler → Sportler.
Spitzenstickerei, Spitze ··· handgearbeitete: Klöppelspitze ·
Valenciennespitze, Point d'Angleterre, Baby lace, Bayeux,
Bedfordspitze, Binchespitze,
Bisette, Blonde, böhmische
Spitze, Bretonne, Brügger Spitze, Brüsseler Spitze, Buckinghamshirespitze, Caenspitze,
Chantillyspitze, flandrische
Spitze, Point de Gênes, Idrianer
Spitze, Lillespitze, Malines,
Malteserspitze, Mailänder
Spitze, Mirecourtspitze,
Paraguayspitze, Pottenkant,
Reticella, Schneeberger Spitze,
Torchonspitze, Trolly, Vermicelli ·· Nadelspitze, Nähspitze ·
Alençon, Argentan, Argentella,
Burano, Coralino, Point de
France, Point gothique, Irish
point, Margarethenspitze, Ragusaner Spitze, Rosalina, Sedan,
Smyrna, venezianische Spitze ··
Filetspitze, Netzspitze ·· Häkelspitze ·· Irish point, Baby Irish,
Crochet lace ·· Knüpfspitze,
Macramé ·· Strickspitze, Wollspitze ·· Schiffchenspitze, Occyspitze ··· maschinell hergestellte: Maschinenspitze, Webspitze · maschinengestickte
Spitze, Schweizer Spitze, vogtländische Spitze, Plauener Spitze, Luftspitze, Diamantenspitze,
Zellenspitze; → Handarbeit;
→ handarbeiten.
Spitzentaschentuch → Taschentuch.
Spitzenwein → Wein.
spitzfindig, kasuistisch, sophistisch, rabulistisch, haarspalterisch, wortklauberisch; → engherzig; → Pedanterie, →
Spiegelfechterei.
Spitzfindigkeit → Pedanterie.
Spitzfuß: → Fuß, → Fußdeformität.
Spitzhacke, Pickel, Picke,
Krampen (österr.); → Beil, →
Hacke.
Spitz-Klump-Fuß → Fußdeformität.
Spitzkühler → Bauch.

Spitzkuppel → Kuppel.

Spitzkurve → Kurve.

Spitzmaus: → Maus, → Nagetier.

Spitzname, Übername, Beiname, Neckname, Spottname, Scherzname, Uzname (*landsch.*), Schelte, Schimpfname; → Familienname, → Pseudonym, → Schimpfwort, → Vorname.

Spitztonne → Gewölbe.

Splanchnoptose → Eingeweidesenkung.

Spleen, fixe Idee, Marotte, Schrulle, Flitz (*ugs.*), Tick, Fimmel (*salopp*), Macke (*salopp*), Wunderlichkeit, Verrücktheit (*salopp*), Pecker (*salopp, österr.*); → dumm, → überspannt, → verrückt.

spleenig → dünkelhaft.

splendid → freigebig.

Splenogramm → Röntgenogramm.

Splenographie → Röntgenographie.

Splenohepatogramm → Röntgenogramm.

Splenohepatographie → Röntgenographie.

Splenoptose → Eingeweidesenkung.

Splenorrhagie → Blutung.

Splitt, Rollsplitt, Flußschotter, Grobschotter, Rundschotter, Flußkies, Schotter, Kies; → Gestein, → Straßenpflaster.

Splitter: → Holzsplitter, → Span.

splitterfasernackt → nackt.

Splittergruppe → Partei.

splitterig → zerbrechlich.

splittern → zerbrechen.

splitternackt → nackt.

Splitterpartei → Partei.

Splitterrichter: → Moralprediger, → Nörgler.

splittrig → zerbrechlich.

Spoils-System → Vetternwirtschaft.

Spökenkieker → Spiritist.

Spökenkiekerei → Geisterbeschwörung.

Spompanadeln → Scherz.

Spondeus → Versfuß.

Spondylose → Bandscheibenschaden.

Sponsor: → Bürge, → Gönner.

spontan → freiwillig.

Spoon-nail → Nagelkrankheit.

sporadisch → selten.

Sporkel → Februar.

Spornkiebitz → Vogel.

Spornpieper → Vogel.

spornstreichs → gleich.

¹Sport, Leibeserziehung, Körpererziehung, Körperkultur, Turnen, Leibesübungen, Körperertüchtigung, Leistungssport; → Bodybuilding, → Eisschießen, → Gymnastik, → Rennen, → Spiel, → Sportfeld, → Sportler, → Turnübung; → turnen.

²Sport: S. treiben → turnen.

Sportakrobatik → Schwerathletik.

Sportangler → Angler.

Sportarzt → Arzt.

Sportbeilage → Zeitungsbeilage.

Sportbericht → Bericht.

Sportfeld, Erholungszentrum, Spielfeld, Feld, Sportplatz, Platz, Fußballplatz, grüner Rasen, Tennisplatz, Sportstadion, Stadion, Aschenbahn, Wettkampfstätte; → Sport, → Sportler, → Turnhalle.

Sportfischer → Angler.

Sportfischerei → Angelsport.

Sportflugzeug → Flugzeug.

Sportfreund → Liebhaber.

Sportgerät ··· Ball, Fußball, Handball, Medizinball, Tennisball ··· Golfball → Puck (beim Eishockey) ··· Schläger, Tennisschläger, Tischtennisschläger · Hockeyschläger, Eishockeyschläger, Stock, Polostock ·· Kugel ·· Diskus ·· Speer ·· Schlittschuh · Rollschuh ·· Turngerät ·· Barren · Reck · Ringe · Schwebebalken · Pferd · Kasten · Bock · Sprossenwand · Klettertange, Stange · Tau ··· Expander; → Schi, → Schlitten, → Schlittschuh, → Turnübung.

¹Sporthemd, Turnhemd, Jersey, Trikot, Leibchen (*österr.*), Turnleibchen (*österr.*), Turnerleibchen (*schweiz.*); → Oberhemd, → Unterhemd.

²Sporthemd → Oberhemd.

Sportherz → Herzhypertrophie.

Sporthose → Hose.

sportiv → sportlich.

Sportkarre → Kinderwagen.

Sportkostüm → Kostüm.

¹Sportlehrer, Turnlehrer, Skilehrer, Schilehrer; → Lehrer.

²Sportlehrer → Betreuer.

Sportler, Athlet, Leichtathlet, Schwerathlet, Wettkämpfer, Kämpfer, Sportsmann · *bedeutender, hervorragender:* Crack, Spitzensportler, As (*ugs.*), Kanone (*ugs.*), Sportskanone (*salopp*) · *berufsmäßiger:* Berufssportler, Professional, Profi · *nicht berufsmäßiger:* Amateursportler, Amateur; → Fachmann, → Fußballspieler, → Höchstleistung, → Schwerathletik, → Sieger, → Sport, → Sportfeld.

Sportlerherz → Herzhypertrophie.

¹sportlich, sportiv, gut gebaut / gewachsen, von gutem Wuchs, schlank, rank, drahtig, sehnig; → athletisch, → hübsch, → schlank.

²sportlich: → schnittig; sich s. betätigen → turnen.

Sportmediziner → Arzt.

Sportmütze → Kopfbedeckung.

Sportplatz → Sportfeld.

Sportrad → Fahrrad.

Sportreiter → Reiter.

Sportreportage → Bericht.

Sportsack → Tornister.

Sportschlitten → Schlitten.

Sportschuh → Schuh.

Sportschütze → Schütze.

Sportskanone → Sportler.

Sportsmann → Sportler.

Sportstadion → Sportfeld.

Sportuhr → Uhr.

Sportwagen: → Auto, → Kinderwagen.

Spot: → Anpreisung, → Werbetext.

Spott → Humor.

Spottbild → Zerrbild.

spottbillig → billig.

Spöttelei → Spitze.

spötteln: → aufziehen, → spöttisch [sein].

spotten: → aufziehen, → schadenfroh [sein]; etwas spottet jeder Beschreibung → minderwertig [sein].

Spottgeburt → Hervorbringung.

Spottgedicht → Satire.

spöttisch, spitz, beißend, bissig, scharf, schnippisch, mokant, patzig (*ugs., abwertend*), schnodderig (*ugs., abwertend*), anzüglich, höhnisch, ironisch, bitter, gallig, scharfzüngig, kalt, sarkastisch, zynisch; → beleidigend, → böse, → frech, → geharnischt, → schadenfroh, → streitbar, → unhöflich; **s. sein,** Spitzen verteilen, Giftpfeile abschießen, sticheln, spötteln; → Spitze.

**Spottname** → Spitzname.

**Spottpreis** → Preis.

**spottwenig** → wenig.

**¹Sprache** ··· natürliche Sprache · Kultursprache · Primitivsprache ··· Kunstsprache, Welthilfssprache, Plansprache, internationale Sprache, künstliche Sprache, Esperanto, Volapük, Mundolingue, Interlingua ·· *für Computer:* Programmiersprache · *problemorientierte:* COBOL (Common Business Oriented Language), ALGOL (Algorithmic Oriented Language), FORTRAN (Formula Translation), PL 1 (Programming Language) · *maschinenorientierte:* AUTOCODE, Assembler, RPG (Report Program Generator); → Deutsch, → Hochsprache, → Sprachsystem, → Sprechakt, → Zeichensprache.

**²Sprache:** → Ausdrucksweise; öffentliche S. → Hochsprache; jmdm. bleibt die S. weg → überrascht [sein]; etwas verschlägt jmdm. die S. → überrascht [sein]; in die deutsche S. übernehmen → eindeutschen; heraus mit der S.! → mitteilen; mit der S. herausrücken → gestehen; nicht recht mit der S. herausrücken → sprechen; zur S. bringen → vorschlagen; zur S. bringen / kommen → erörtern.

**¹Spracheigentümlichkeit** · *die sich durch eine Abweichung vom System der Hochsprache ergibt:* Anglizismus (aus dem Englischen), Gallizismus (aus dem Französischen), Austriazismus (aus dem Österreichischen), Helvetismus (aus dem Schweizerischen), Berolinismus (aus dem Berlinischen), Latinismus (aus dem Lateinischen), Gräzismus (aus dem Griechischen), Turzismus (aus dem Türkischen, Persischen oder Arabischen).

**²Spracheigentümlichkeit** → Provinzialismus.

**Spracheinheit,** Morphem, Stammorphem, Monem · *der ge-*

*schriebenen Sprache:* Graphem · *lexikalische:* Lexem ·· *in bezug auf die Bedeutung:* Semem · *in bezug auf die Bedeutung des Wortstammes:* Semantem ··· Lauteinheit, Phonem; → Redewendung.

**Spracherzieher** → Logopäde.

**Spracherziehung** → Logopädie.

**Sprachfeger** → Sprachpfleger.

**Sprachforscher** → Philologe.

**Sprachforschung** → Philologie.

**Sprachführer** → Nachschlagewerk.

**Sprachgelehrter** → Philologe.

**Sprachgeographie** → Sprachwissenschaft.

**Sprachgeschichte** → Sprachwissenschaft.

**Sprachgestörter,** Sprachkranker, Stotterer, Stammler; → Logopäde, → Logopädie; → stottern.

**Sprachgewalt** → Redegewandtheit.

**sprachgewaltig** → beredt.

**Sprachheilkunde** → Logopädie.

**Sprachheilkundiger** → Logopäde.

**Sprachhemmungen** → Aphasie.

**Sprachkranker** → Sprachgestörter.

**Sprachkritik** → Sprachpflege.

**Sprachkritiker** → Sprachpfleger.

**Sprachkultur** → Sprachpflege.

**Sprachlabor** → Unterrichtsmethode.

**Sprachlehranlage** → Unterrichtsmethode.

**Sprachlehre:** → Grammatik, → Sprachwissenschaft.

**Sprachlenkung** → Sprachpflege.

**sprachlos:** → überrascht; etwas macht jmdn. s. → überrascht [sein].

**Sprachlosigkeit** → Überraschung.

**Sprachpflege,** Sprachkritik, Sprachkultur, Sprachlenkung, Sprachregelung · *die sich besonders gegen Fremdwörter richtet:* Sprachreinigung, Purismus, Fremdwortjagd *(abwertend),* Fremdwortjägerei *(abwertend),* Fremdworthatz *(abwertend);* → Sprachpfleger; → puristisch.

**Sprachpfleger,** Sprachkritiker · *der sich besonders gegen Fremdwörter richtet:* Sprachreiniger, Purist, Fremdwortjäger *(ab-*

*wertend),* Sprachfeger *(veraltet, abwertend),* Sprachseiher *(veraltet, abwertend);* → Philologe, → Sprachpflege.

**Sprachpsychologie** → Psychologie.

**Sprachregelung** → Sprachpflege.

**sprachreinigend** → puristisch.

**Sprachreiniger** → Sprachpfleger.

**Sprachreinigung** → Sprachpflege.

**Sprachrohr** → Lautsprecher.

**Sprachseiher** → Sprachpfleger.

**Sprachstörung:** [zentrale S.] → Aphasie.

**Sprachsystem,** Langue, Kompetenz; → Sprache, → Sprechakt.

**Sprachvergleichung** → Sprachwissenschaft.

**¹Sprachwissenschaft,** Linguistik · Soziolinguistik · Etymologie, Wortgeschichte · Grammatik, Sprachlehre,Syntax, Satzlehre · Textlinguistik · Phonetik, Lautlehre · Semasiologie, Semantik, Wortbedeutungslehre · Onomasiologie, Bezeichnungslehre · Onomastik, Onomatologie, Namenkunde · Mundartforschung, Sprachgeographie · vergleichende Sprachwissenschaft, Sprachvergleichung · Sprachgeschichte · Stilistik, Stillehre, Stilkunde; → Literaturwissenschaft, → Philologie, → Wortbedeutungslehre.

**²Sprachwissenschaft** → Philologie.

**Sprachwissenschaftler** → Philologe.

**Spray,** Sprühmittel, Sprühflüssigkeit · *zur Luftverbesserung:* Raumspray, Air-fresh · *zur Pflege der Schuhe:* Schuhspray · *zur Festigung der Frisur:* Haarspray · *zur Körperpflege:* Körperspray, Desodorantspray, Intimspray; → Desodorans, → Haarpflegemittel; → zerstäuben.

**sprayen** → zerstäuben.

**Sprechakt,** Rede, Parole, Performanz; → Sprache, → Sprachsystem.

**Sprechblase** → Text.

**Sprecheinheit** → Silbe.

**¹sprechen,** reden, predigen *(abwertend),* schwatzen, schwätzen *(landsch.),* daherreden, drauflosreden *(ugs.),* sülzen *(salopp, landsch., abwertend),* schwadronieren, plappern, babbeln (ugs., landsch.), quatschen (salopp), dummes Zeug / kariert reden, quasseln (salopp), Quasselwasser / Babbelwasser / Brabbelwasser getrunken haben (ugs.), wie ein Buch / wie ein Wasserfall / ohne Punkt und Komma reden, schnattern, palavern (ugs.), parlieren, tönen (ugs.), schwafeln (abwertend), Phrasen / leeres Stroh dreschen, faseln (abwertend), quakeln, quackeln, quäken, stammeln, radebrechen, lallen, labern (salopp), blädern (ugs., österr.), blödeln (salopp), Unsinn / (ugs.) Makulatur reden, brabbeln (salopp), brubbeln (salopp), sabbern (salopp, abwertend), sabbeln (salopp, abwertend), salbadern (abwertend) · gepflegt: Schriftsprache / Hochdeutsch / (salopp) nach der Schreibe sprechen · mit jmdm. in einer bestimmten Weise: einen Ton / eine Tonart anschlagen, mit einem gewissen Unterton sprechen · herrisch, unhöflich: im Kasernenhofton reden · pathetisch: auf hohem Kothurn gehen · schmeichelnd: flöten, säuseln · mit besonderer Artikulation: krächzen, knarren, knarzen, schnarren, kehlig / nasal / näselnd / krächzend / knarrend / knarzend / schnarrend sprechen · mit jüdischem Akzent: mauscheln (ugs.), jiddeln (abwertend) · mit tschechischem Akzent: böhmakeln (österr.) · über sein Lieblingsthema: sein Steckenpferd reiten · über Anstößiges: schweinigeln (abwertend), sauigeln (derb, abwertend), die Sau rauslassen (derb, abwertend) · vergeblich: tauben Ohren / in der Wüste predigen, in den Wind reden, sich den Mund fußlig / fusselig reden (ugs.), etwas trifft auf taube Ohren, bei jmdm. kein Gehör finden, gegen eine Wand / zu leeren Wänden reden, · undeutlich: einen Kloß im Mund haben (ugs.), nuscheln (ugs.) · mit der Zunge anstoßend: lispeln, **offen s.,** kein / keinen Hehl aus etwas machen, frisch / frei von der Leber weg reden (ugs.); reden, wie einem der Schnabel gewachsen ist (ugs.); kein Blatt vor den Mund neh-

men (ugs.), seinem Herzen Luft machen, aus seinem Herzen keine Mördergrube machen (ugs.), den Kropf leeren (ugs., schweiz.), Tacheles reden (jidd.); **nicht offen s.,** nicht recht mit der Sprache herausrücken / herauswollen (ugs.), drucksen (ugs.), herumdrucksen (ugs.), sich winden wie ein Aal, um den Brei herumreden (ugs.), wie die Katze um den heißen Brei herumgehen / herumschleichen (ugs.); **nicht s. können,** kein Wort herausbringen; → äußern (sich), → beanstanden, → bemerken, → flüstern, → gestehen, → mitteilen, → näseln, → predigen, → schelten, → stottern, → unterhalten (sich), → vortragen; → abgehackt, → fließend, → heiser, → leise, → unartikuliert, → verständlich; → Kopfstimme, → Laut, → Mischsprache, → Rede, → Rhetorik, → Schwätzer, → Sprechorgan, → Stimme, → Zweisprachigkeit · Ggs. → schweigen.

**²sprechen:** → zuerkennen; alemannisch / bairisch / bayerisch / bayrisch / frankfurterisch /fränkisch / friesisch / hessisch / kölnisch / pfälzisch / rheinisch / sächsisch / schwäbisch / thüringisch s., Mundart / Platt s. → Mundart [sprechen]; auf jmdn. nicht gut zu s. sein → ärgerlich [sein]; nichts Gutes über jmdn. s. → schlechtmachen; „was tun?" spricht Zeus → unentschlossen [sein]; ein Machtwort s. → eingreifen, → streng [werden]; durch die Nase s. → näseln; in Bildern / Gleichnissen s. → versinnbildlichen; ins unreine s. → formulieren; s. mit, über Gott und die Welt / über Tod und Teufel s. → unterhalten (sich); mit jmdm. nicht mehr s. → verfeindet [sein]; von etwas darf nicht gesprochen werden → tabu; s. über → äußern (sich), → erörtern; über etwas nicht mehr s. → vertuschen.

**sprechend** → anschaulich.

**¹Sprecher,** Rundfunksprecher, Fernsehsprecher · der Nachrichten spricht: Nachrichtensprecher · der die Ansage spricht: Rund-

funkansager, Fernsehansager, Ansager · der eine Sendung moderiert: Moderator; → Ansager.

**²Sprecher** → Vorstand.

**Sprecherziehung,** Sprechkunde; → Logopädie, → Rhetorik, → Zweisprachigkeit.

**Sprechfilm** → Kinofilm.

**Sprechfunkgerät,** Funksprechgerät, Walkie-Talkie; → funken.

**Sprechkunde** → Sprecherziehung.

**Sprechorgan,** Stimme, Stimmorgan, Sprechwerkzeuge, Stimmbänder, Kehlkopf; → Kopfstimme, → Singstimme, → Stimme; → sprechen.

**Sprechplatte** → Schallplatte.

**Sprechstimme** → Stimme.

**Sprechstörung** → Aphasie.

**Sprechstunde** · beim Arzt: Ordination (österr.); → Arzt.

**¹Sprechstundenhilfe,** Ordinationshilfe (österr.), medizinisch-technische Assistentin, MTA.

**²Sprechstundenhilfe** → Krankenschwester.

**Sprechweise** → Ausdrucksweise.

**Sprechwerkzeuge** → Sprechorgan.

**Sprechzelle** → Telefonzelle.

**Sprechzimmer,** Behandlungsräume, Untersuchungszimmer, Praxis, Ordination (bes. österr.), Ordinationszimmer (bes. österr.); → Arzt, → Krankenschwester.

**Spreeathen** → Berlin.

**Spreißel** → Span.

**Spreißelholz** → Kleinholz.

**Spreiz** → Zigarette.

**spreizen:** → abspreizen, → stützen.

**Spreizfuß:** → Fuß, → Fußdeformität.

**Sprengbombe** → Bombe.

**Sprengel** → Verwaltungsbezirk.

**Sprengschule** → Schule.

**¹sprengen,** gießen, begießen, besprengen, einsprengen, anfeuchten, befeuchten, netzen, benetzen, spritzen, einspritzen, bespritzen, besprühen, bewässern, wässern, berieseln, beregnen; → naß [machen]; → Berieselung, → Bewässerungsanlage · Ggs. → dränieren.

**²sprengen:** → zerstören; etwas sprengt den Rahmen → überschreiten.

**Sprengkörper,** Sprengstoffpaket, Sprengladung, Sprengsatz, Zeitbombe, Granate, Handgranate, Plastikbombe, Bombe, Molotowcocktail; → Munition, → Überfall.

**Sprengkraft:** etwas enthält S. → brisant [sein].

**Sprengladung** → Sprengkörper.

**Sprengsatz** → Sprengkörper.

**Sprengstoffpaket** → Sprengkörper.

**Spreu:** die S. vom Weizen trennen / scheiden / sondern → aussortieren.

**Sprichwort** → Ausspruch.

**Sprießel** → Stufe.

**sprießen,** keimen, knospen, Knospen treiben, austreiben, ausschlagen, grünen, grün werden, sich begrünen (*selten*); → wuchern.

**Springbock** → Heuschrecke.

**Springbrunnen,** Fontäne, Spritzbrunnen (*schweiz.*), Wasserkunst, Wasserspiele.

**¹springen,** schnellen, hopsen, hechten, hüpfen, hoppeln · *mit dem Kopf voran ins Wasser:* einen Kopfsprung / (*ugs.,landsch.*) Köpper / (*österr.*) Köpfler machen, köpfeln (*österr.*); → hinunterspringen, → holpern; → Springen (das), → Sprung.

**²springen:** → fortbewegen (sich), → perlen, → zerbrechen; das ist der -de Punkt → Hauptsache; etwas s. lassen → spendieren, → zahlen; jmdn. s. lassen → freilassen; jmdn. über die Klinge s. lassen → entlassen; alle Minen s. lassen → anwenden; das ist gehupft wie gesprungen → einerlei; vor Freude fast an die Decke s. → freuen (sich); aus dem Gleis / den Geleisen / den Schienen s. → entgleisen; in die Augen s. → auffallen; für jmdn. in die Bresche s. → vertreten; über seinen eigenen Schatten s. → überwinden (sich).

**¹Springen** (das), Weitsprung, Weit (*schweiz.*), Hochsprung, Hoch (*schweiz.*), Stabhochsprung, Stabhoch (*schweiz.*), Stabsprung (*schweiz.*);→Leichtathletik, → Sprung; → springen.

**²Springen** → Leichtathletik.

**Springer** → Schachfigur.

**Springerle** → Gebäck.

**Springerspaniel** → Hunderassen.

**Springflut** → Flut.

**Springform** → Backform.

**Springfrosch** → Frosch.

**Springhahn** → Heuschrecke.

**Springinsfeld** → Kind.

**springlebendig:** s. sein → gesund [sein].

**Springmaus** → Maus.

**Springmeeräsche** → Fisch.

**Springpferd** → Pferd.

**Springreiter** → Reiter.

**Springreiterin** → Reiterin.

**Springschwanz** → Insekt.

**Springstunde** → Freistunde.

**Springtide** → Flut.

**Sprinkleranlage** → Bewässerungsanlage.

**Sprint** → Lauf.

**sprinten** → fortbewegen (sich).

**Sprit:** → Alkohol, → Treibstoff.

**Spritzbrunnen** → Springbrunnen.

**¹Spritze,** Injektionsspritze · Druckspritze, Blasenspritze, Hohlnadelspritze · *mit Glaszylinder und eingeschliffenem Metallkolben:* Rekordspritze · *mit eingeschliffenem Glaskolben:* Lüer-Spritze · *mit Zwei- oder Dreiwegehahn:* Rotandaspritze · *mit der Rauschgift injiziert wird:* Pumpe (*salopp*), Gun (*salopp*), Fixe (*salopp*); → Einlauf, → Einspritzung, → Katheter, → Rauschgift, → Verabreichung; → spritzen.

**²Spritze:** → Einspritzung, → Verabreichung; eine S. geben / verabreichen → spritzen; der erste Mann an der S. sein → maßgeblich [sein].

**¹spritzen,** einspritzen, injizieren, eine Spritze geben / verabreichen / (*ugs.*) verpassen, eine Injektion geben / verabreichen · subkutan (unter die Haut) / perkutan (durch die Haut hindurch) / intravenös (in die Vene) / intraarteriell (in die Arterie) / intramuskulär (in den Muskel) / intrakardial (ins Herz) spritzen · *von Rauschgift:* fixen (*ugs.*), schießen (*ugs.*), einen Schuß machen / setzen (*salopp*), Trips werfen / (*salopp*) schmeißen; → einnehmen; → Einspritzung, → Spritze.

**²spritzen:** → fortbewegen (sich), → perlen, → sprengen, → streichen.

**Spritzenhaus** → Strafanstalt.

**Spritzenmeister** → Feuerwehrmann.

**Spritzenwagen** → Feuerwehrauto.

**Spritzer** → Fleck.

**spritzig** → geistreich.

**Spritzkanne** → Gießkanne.

**Spritzkrug** → Gießkanne.

**Spritzkuchen** → Gebäck.

**Spritztour:** → Reise; eine S. machen → reisen.

**spröd** → unzugänglich.

**spröde:** → engherzig, → unzugänglich.

**Sprödigkeit** → Verschlossenheit.

**Sproß:** → Angehöriger, → Zweig.

**Sprosse** → Stufe.

**Sprossenkohl** → Rosenkohl.

**Sprossenwand** → Sportgerät.

**Sprosser** → Vogel.

**Sproßler** → Hirsch.

**Sprößling** → Sohn.

**Sprotte** → Fisch.

**Spruch:** → Epigramm; Sprüche machen / hermachen → prahlen.

**Spruchband:** → Plakat, → Transparent.

**Sprücheklopfer** → Besserwisser.

**Sprücheklopferei** → Wichtigtuerei.

**Sprüchemacher** → Besserwisser.

**Sprüchemacherei** → Wichtigtuerei.

**Spruchkalender** → Kalender.

**spruchreif** → aktuell.

**Sprudel:** → Limonade, → Mineralwasser.

**sprudeln:** → fließen, → perlen, → rühren.

**Sprudelwasser:** → Limonade, → Mineralwasser.

**Sprudler** → Quirl.

**sprühen:** → zerstäuben; es sprüht → regnen.

**sprühend** → geistreich.

**Sprühflüssigkeit** → Spray.

**Sprühmittel** → Spray.

**Sprühnebel** → Nebel.

**Sprühregen** → Niederschlag.

**¹Sprung,** Absprung, Kunstsprung, Hechtsprung, Robinsonade, Hecht, Luftsprung, Freudensprung, Satz (*ugs.*), Hüpfer, Hupfer (*landsch.*), Salto [mortale] ·· *ins Wasser:* Tauchsprung, Tiefsprung, Fußsprung,

Kopfsprung, Köpper (*ugs.*, *landsch.*), Köpfler (*österr.*), Bohrer · *ungeschickter, bei dem man mit dem Bauch aufschlägt:* Bauchklatscher (*ugs.*), Bauchplatscher (*ugs., südd.*), Bauchfleck (*ugs., österr.*); → Springen (das), → Turnübung; → hinunterspringen, → springen.

²**Sprung:** → Herde, → Riß; einen S. haben → defekt [sein]; einen S. in der Schüssel haben → verrückt [sein]; keine großen Sprünge machen können → sparen [müssen]; den S. wagen → entschließen (sich); auf einen S. [vorbei]kommen → besuchen; auf die Sprünge helfen → helfen.

**Sprunggelenk** → Gelenk.
**sprunghaft:** → plötzlich, → unausgeglichen.
**Sprunghaftigkeit** → Zerfahrenheit.
**Sprungstütz** → Turnübung.
**Spucke:** → Speichel; jmdm. bleibt die S. weg → überrascht [sein]; wie Braunbier mit S. aussehen → blaß [sein].
¹**spucken,** ausspucken, speien, ausspeien, rotzen (*derb*), speicheln, geifern, sabbern; → schneuzen (sich); → Auswurf, → Speichel.
²**spucken:** → übergeben (sich); Gift und Galle s. → schelten; große Töne s. → prahlen.
**Spuk** → Gespenst.
**spuken,** herumspuken, geistern, herumgeistern, irrlichtern; → gespenstisch; → Gespenst.
**spukhaft** → gespenstisch.
**Spülbecken** → Ausguß.
**Spüle** → Ausguß.
**spulen:** [s. auf] → aufwickeln; s. von → abwickeln.
¹**spülen,** schwemmen (*österr.*), klarspülen, weichspülen; → waschen (Wäsche).
²**spülen:** → gurgeln, → säubern.
**Spülicht** → Abwaschwasser.
**Spülstein** → Ausguß.
**Spültisch** → Ausguß.
**Spülung** → Einlauf.
**Spülwasser** → Abwaschwasser.
**Spulwurm** → Wurm.
**Spund:** → Stöpsel; junger S. → Jüngling.
¹**Spur,** Fußspur, Fährte, Tritt, Fußabdruck, Abdruck, Fußstapfe, Fußstapfen, Stapfe,

Stapfen, Fußtapfe, Fußtapfen, Tapfe, Tapfen · *die zur Ergreifung des Täters führt:* heiße Spur.
²**Spur:** → Nuance; eine S. → etwas; keine S. → nein; nicht die S. → nichts; die S. aufnehmen → wittern; auf die S. kommen → finden; auf der falschen / richtigen S. sein → vermuten; in jmds. -en wandeln → nachahmen.
**spürbar** → einschneidend.
**spuren** → gehorchen.
**spüren:** → fühlen, → merken.
**Spürhunde** → Hunderassen.
**spurlos:** s. verschwunden sein → sehen.
**Spürsinn** → Gefühl.
**spurten** → fortbewegen (sich).
**sputen:** sich s. → beeilen (sich).
**Sputnik** → Feuerwerkskörper.
**Sputum** → Auswurf.
**Squama** → Hautblüte.
**ß** → Eszett.
**SSD** → Geheimpolizei.
**SSO** → Himmelsrichtung.
**SSW** → Himmelsrichtung.
¹**Staat,** Staatswesen, der Bund, Vater Staat (*scherzh.*) · Reich, Weltreich, Imperium · Bundesstaat, Föderation, Staatenbund, Konföderation · Land · *außenpolitisch nicht souveräner:* Satellitenstaat (*abwertend*), Vasallenstaat (*abwertend*) · *kleiner zwischen* [*rivalisierenden*] *Großmächten:* Pufferstaat · *als Eigentümer des Staatsvermögens:* Fiskus · *einzelner innerhalb eines Bundesstaates:* Gliedstaat · *der seine Machtmittel zur Aufrechterhaltung von Ordnung und Sicherheit einsetzt, dessen Bürger gegen staatliche Übergriffe aber nicht geschützt sind:* Polizeistaat (*abwertend*); → Gebiet, → Legislative, → Weltmacht.
²**Staat:** → Bundesland; die [Vereinigten] -en → Amerika; mehrere -en betreffend, zwischen mehreren -en → multilateral; zwei -en betreffend, zwischen zwei -en → bilateral; keinen S. machen können mit → prahlen; etwas ist faul im -e Dänemark → Ordnung; sich in S. werfen → schönmachen.
**Staatenbund** → Staat.
**Staatenloser** → Fremder.
**Staatensukzession** → Nachfolge.

**staatlich:** → national; -e Pension, -es Pensionat → Strafanstalt.
**Staatsaktion:** eine S. aus etwas machen → übertreiben.
**Staatsangehöriger** → Bewohner.
**Staatsangehörigkeit:** jmdm. die S. verleihen → naturalisieren.
**Staatsanleihe** → Wertpapier.
**Staatsanwalt** → Jurist.
**staatsanwaltlich:** -er Funktionär → Jurist.
**Staatsärar** → Staatskasse.
**Staatsbank** → Geldinstitut.
**Staatsbegräbnis** → Begräbnis.
**Staatsbewußtsein** → Patriotismus.
**Staatsbibliothek** → Bibliothek.
¹**Staatsbürger,** Bürger, Steuerzahler, Untertan; → Bewohner.
²**Staatsbürger:** S. in Uniform → Soldat.
**Staatsbürgerkunde** → Geschichtsunterricht.
**Staatschef** → Oberhaupt.
**Staatsempfang** → Empfang.
**Staatsexamen** → Prüfung.
**Staatsfeind** → Feind.
**Staatsfinanzen** → Staatskasse.
**Staatsgeheimnis** → Geheimnis.
**Staatsgelder** → Staatskasse.
**Staatsgesinnung** → Patriotismus.
**Staatsgewalt:** → Befehlsgewalt; die S. an sich reißen / bringen → usurpieren.
**Staatsgrenze** → Grenze.
**Staatsgut** → Gut.
**Staatshaushalt** → Etat.
**Staatshaushaltsplan** → Etat.
**Staatsinteresse** → Staatsräson.
**Staatskarosse** → Kutsche.
**Staatskasse,** Staatssäckel, Staatsgeld, Staatsfinanzen, Staatsvermögen, Staatsschatz, Fiskus, Staatsärar (*veraltend*), Ärar (*veraltend*), öffentliche Mittel, die öffentliche Hand; → Abgabe, → Geld, → Vermögen.
**Staatskutsche** → Kutsche.
**Staatsmann** → Politiker.
**Staatsmeister** → Sieger.
**Staatsoberhaupt** → Oberhaupt.
**Staatspartei** → Partei.
**Staatspension** → Strafanstalt.
**Staatspensionat** → Strafanstalt.
**Staatsperücke** → Perücke.
**Staatspolizei:** geheime S. → Polizeibehörde; Geheime S. → Geheimpolizei.
**Staatsraison** → Staatsräson.

Staatsräson, Staatsraison, Staatsinteresse; → Vorrang.

Staatsrat → Regierung.

Staatsrecht → Rechtsgebiet.

Staatsregierung → Regierung.

Staatsreligion → Glaube.

Staatssäckel → Staatskasse.

Staatsschatz → Staatskasse.

Staatssicherheitsdienst → Geheimpolizei.

Staatsstreich → Verschwörung.

Staatsvermögen → Staatskasse.

Staatswald → Wald.

Staatswesen → Staat.

Stab: → Stange, → Team; den S. führen → dirigieren; den S. brechen über → brandmarken, → verurteilen.

Stäbchen → Zigarette.

Stabelle → Sitzgelegenheit.

Stabfußboden → Fußboden.

Stabheuschrecke → Heuschrecke.

Stabhoch → Springen (das).

Stabhochsprung: → Leichtathletik, → Springen (das), → Zehnkampf.

stabil: → widerstandsfähig; -er Wechselkurs → Wechselkurs; s. machen → festigen.

stabilisieren → festigen.

Stabkirche → Gotteshaus.

Stablampe → Lampe.

Stabreim → Reim.

Stabreimvers → Vers.

Stabsarzt → Arzt.

Stabsbootsmann: → Dienstgrad, → Matrose.

Stabsfeldwebel → Dienstgrad.

Stabsgefreiter → Dienstgrad.

Stabsichtigkeit → Fehlsichtigkeit.

Stabsingenieur → Dienstgrad.

Stabsoffizier → Offizier.

Stabsprung → Springen (das).

Stabsunteroffizier → Dienstgrad.

Stabthermometer → Thermometer.

Stachel: → Dorn; wider / gegen den S. löcken → aufbegehren.

Stachelbeere, Heckenbeere, Stickbeere (landsch.), Stickelbeere (landsch.), Krausbeere (landsch.), Kräuselbeere (landsch.), Druschel (landsch.), Agrasel (mundartl., bayr., österr.); → Beerenobst.

Stachelbeerspanner → Schmetterling.

Stacheldraht → Draht.

Stacheldrahtzaun → Zaun.

Stachelhäuter, Haarstern, Seelilie, Seestern, Schlangenstern, Seeigel, Seewalze.

Stachelpilz: → Pilz, → Ständerpilz.

Stachelschwein → Nagetier.

Stachysknöllchen → Gemüse.

stad → still.

Stadel → Scheune.

Stadion → Sportfeld.

Stadium → Lage.

¹Stadt, Kleinstadt, Provinzstadt, Großstadt, Hauptstadt, Landeshauptstadt, Hafenstadt, Weltstadt, Metropole, Kapitale · in der das Leben teuer ist: teures Pflaster (ugs.) · in der es alle Arten von Ausschweifungen gibt: Sündenbabel, Sodom und Gomorrha, Stätte des Lasters, Sündenpfuhl; → Gemeinde, → Innenstadt, → Ort, → Stadtgebiet, → Stadtteil; → kommunal, → städtisch.

²Stadt: → Stadtgebiet; die Ewige S. / die S. der Sieben Hügel → Rom; Freie S. Danzig → Danzig; die geteilte S. → Berlin; die Goldene S. → Prag; die S. Heinrichs des Löwen → Braunschweig; S. der Reichsparteitage → Nürnberg; die S. zwischen Wald und Reben → Stuttgart; die S. betreffend → kommunal.

Stadtadel → Adel.

Stadtbahn → Verkehrsmittel.

stadtbekannt: s. sein → bekannt.

Stadtbewohner → Städter.

Stadtbezirk → Stadtteil.

Stadtbibliothek → Bibliothek.

Stadtbilderklärer → Begleiter.

Stadtbücherei → Bibliothek.

Stadtbummel → Bummel.

Stadtchronik → Chronik.

Städter, Stadtbewohner, Großstädter, Stadtmensch, Großstadtmensch; → Bewohner; → städtisch · Ggs. → Landbewohner.

Städteschnellverkehrszug → Eisenbahnzug.

Stadtgebiet, Weichbild, Stadt; → Innenstadt, → Randgebiet, → Stadt.

Stadtgespräch → Klatsch.

Stadtgrenze → Grenze.

Stadtguerillero → Partisan.

¹städtisch, großstädtisch, kleinstädtisch, weltstädtisch, urban; → gewandt; → Stadt, → Städter · Ggs. → ländlich.

²städtisch: → kommunal; -e Klinik, -es Krankenhaus → Krankenhaus.

Stadtkern → Innenstadt.

Stadtkirche → Gotteshaus.

Stadtluft → Luft.

Stadtmensch → Städter.

Stadtmitte → Innenstadt.

Stadtoberhaupt → Bürgermeister.

Stadtpfarrer → Geistlicher.

Stadtpräsident → Bürgermeister.

Stadtrand → Vorort.

Stadtrat: → Gemeindevertretung, → Minister.

Stadtrundfahrt, Besichtigungsfahrt, Besichtigungstour, Sightseeing, Sightseeingtour; → Begleiter, → Fahrt, → Reise; → reisen.

Stadtstreicher → Vagabund.

Stadtstreicherei → Landstreicherei.

Stadtteil, Ortsteil, Stadtviertel, Viertel, Stadtbezirk, Bezirk, Gegend, Grätzel (ugs., österr.), Hieb (salopp, österr.), Quartier (österr., schweiz.), Villenviertel, Cottage (wiener.) · abgegrenzter, in dem die Juden lebten: Getto, Ghetto; → Innenstadt, → Stadt, → Verwaltungsbezirk, → Vorort.

Stadtväter → Gemeindevertretung.

Stadtverkehr → Straßenverkehr.

Stadtverordnetenversammlung → Gemeindevertretung.

Stadtviertel → Stadtteil.

Stadtzentrum → Innenstadt.

Stafel → Bergwiese.

Stafettenlauf → Lauf.

Staffel → Leiter.

Staffelbasilika → Gotteshaus.

Staffelgiebel → Giebel.

Staffelkirche → Gotteshaus.

Staffellauf → Lauf.

staffeln → gliedern.

Staffelung → Gliederung.

Stagnation → Rückgang.

stagnieren → stocken.

stagnierend → nachlassend.

Stahlbad: → Badeort, → Beschuß.

Stahlbetondecke → Zimmerdecke.

Stahlbetonrippendecke → Zimmerdecke.
stahlblau → blau.
stählen: → erziehen, → widerstandsfähig [machen].
Stahlhelm → Kopfbedeckung.
Stahlnagel → Nagel.
Stahlroß → Fahrrad.
Stahlstich: → Graphik, → Kunstdruck.
Stahltrosse → Drahtseil.
staken: → fortbewegen (sich), → Boot [fahren].
Staketenzaun → Zaun.
staksen → fortbewegen (sich).
Stalaktitengewölbe → Gewölbe.
Stalaktitenkapitell → Kapitell.
Stalingrad → Wolgograd.
Stalinismus → Marxismus.
Stalinist → Sozialist.
stalinistisch → kommunistisch.
¹Stall, Stallung · Viehstall, Rinderstall, Kuhstall · Pferdestall · Schweinestall, Schweinescheune (schweiz.), Scheune (schweiz.), Koben · Hühnerstall, Hühnerhaus, Hühnersteige (südd., österr.), Steige (südd., österr.) · Taubenschlag, Taubenkobel (südd., österr.), Kobel (südd., österr.); → Vieh.
²Stall: das beste Pferd im S. sein → unersetzlich [sein].
Stalldung → Dünger.
Stalldünger → Dünger.
Stallhase → Kaninchen.
Stallknecht → Knecht.
Stallmagd → Magd.
Stallmist → Dünger.
Stallung → Stall.
Stallwirtschaft → Landwirtschaft.
¹Stamm, Baumstamm, Bloch (oberd.), Schaft, Stiel, Stengel, Halm, Rohr, Strunk, Stumpf, Stotz (oberd.), Stumpen, Stummel, Stubben; → Zweig.
²Stamm: → Abkunft, → Stammtischrunde, → Volk, → Wortstamm; der Apfel fällt nicht weit vom S. → ähneln; vom -e Nimm sein → habgierig [sein].
Stammbaum → Abkunft.
Stammbaumkunde → Genealogie.
Stammbuch: → Album; sich etwas ins S. schreiben können → behalten.
stammeln: → sprechen, → stottern; -d → unartikuliert.

¹stammen (von), abstammen, entstammen, herrühren von, resultieren aus, sich herleiten von, sich ergeben aus, herkommen / kommen / datieren / sich herschreiben von, zurückzuführen sein / zurückgehen / beruhen / fußen auf, entspringen, entstehen, seinen Ursprung / seine Wurzel / seine Anfänge haben in; → folgern, → gleichen; nicht von jmdm. s., etwas ist nicht auf jmds. Mist gewachsen (ugs.); → Abkunft, → Folge, → Folgerung.
²stammen: →entstammen; aus / von Dummsdorf s. → dumm [sein]; etwas stammt von Adam und Eva → altmodisch [sein].
Stammesgeschichte → Phylogenie.
Stammgast → Gast.
Stammhalter → Sohn.
Stammhock → Stammtischrunde.
stämmig → untersetzt.
Stämmigkeit, Untersetztheit, Gedrungenheit, Bulligkeit; → klein, → untersetzt.
Stammkunde → Kunde.
Stammler → Sprachgestörter.
Stammorphem → Spracheinheit.
Stammtisch → Stammtischrunde.
Stammtischpolitiker → Schwätzer.
Stammtischrunde, Stammtisch, Stamm, Stammhock (schweiz.).
Stammzahn → Geliebte.
Stammzellen → Blutkörperchen.
Stampe → Gaststätte.
Stamperl → Trinkgefäß.
stampern → vertreiben.
¹stampfen, stoßen, trampeln, treten.
²stampfen: aus dem Boden s. → erschaffen.
Stampiglie → Stempel.
Stampfkartoffeln → Kartoffelpüree.
Stand: → Ansehen, → Bundesland, → Kaste, → Verkaufsstand, → Zustand; geistlicher S. → Klerus; jeden -es und Ranges → alle; in den S. setzen → möglich [machen]; [nach S. der Dinge, nach letztem S.] → Lage.
Standard: → Niveau, → Regel.
standardisieren → normen.

Standardisierung → Normung.
Standarte: → Fahne, → Schwanz.
Standbild → Plastik.
Ständchen: → Musikveranstaltung, → Serenade.
Stande → Behälter.
Standel → Verkaufsstand.
Stander → Fahne.
Ständer: → Penis, → Untergestell; einen S. haben → steif [sein].
Ständerat: → Abgeordneter, → Volksvertretung.
¹Ständerpilz, Pilz ··· Hutpilz ·· Lamellenpilz, Blätterpilz, Leistenpilz · eßbarer: Perlpilz, Parasol, Parasolpilz, [Großer] Schirmpilz, Safranschirmpilz, Champignon, Wiesenchampignon, Feldchampignon, Waldchampignon, Schafchampignon, Brotpilz, Runzelschüppling, Reifpilz, Stockschwämmchen, Hallimasch, Kahler Krempling, Samtfußkrempling, Spargelpilz, Speisetäubling, Ledertäubling, Grünling, Rötlicher Ritterling, Violetter Ritterling, Nebelgrauer Trichterling, Bräterling, Echter Reizker, Edelreizker, Birkenreizker, Tannenreizker, Mordschwamm, Rotbrauner Milchling, Pfeffermilchling, Nelkenschwindling, Knoblauchschwindling, Musseron, Mousseron, Pfifferling, Falscher Pfifferling, Austernseitling, Großer Schmierling, Ziegelroter Schwefelkopf, Rauchblättriger Schwefelkopf · ungenießbarer: Lila Dickfuß, Büscheliger Schwefelkopf, Grünblättriger Schwefelkopf · giftiger: Grüner Knollenblätterpilz, Weißer Knollenblätterpilz, Gelber Knollenblätterpilz, Fliegenpilz, Pantherpilz, Ziegelroter Rißpilz, Speitäubling, Speiteufel ·· Röhrenpilz · eßbarer: Steinpilz, Maronenröhrling, Rotfußröhrling, Goldröhrling, Hexenröhrling, Flockenstieliger Röhrling, Glattstieliger Röhrling, Netzstieliger Röhrling, Birkenröhrling, Birkenpilz, Butterpilz, Schmerling, Ziegenlippe, Sandpilz, Hirsepilz, Kuhpilz, Rotkappe, Semmelporling, Schafporling, Schopftintling · ungenießbarer: Gallenröhrling,

Dickfußröhrling · *giftiger:* Satansröhrling, Satanspilz ·· Stachelpilz · *eßbarer:* Habichtspilz, Habichtsschwamm, Rehpilz, Stoppelpilz, Semmelstoppelpilz ·· Keulenpilz · *eßbarer:* Korallenpilz, Hahnenkamm, Gelber Ziegenbart, Traubenziegenbart, Krauser Ziegenbart, Krause Glucke, Totentrompete ·· Bauchpilz · *eßbarer:* Morchel, Stinkmorchel, Gichtmorchel, Hexenei, Teufelsei, Aasfliegenpilz, Erdstern, Bofist, Bovist, Stäubling, Flaschenbofist, Flaschenstäubling, Kartoffelbofist; → Algenpilz, → Lagerpflanze, → Pfifferling, → Pilz, → Schlauchpilz, → Steinpilz.

**²Ständerpilz** → Pilz.

**standesamtlich:** -e Trauung → Vermählung.

**Standesbewußtsein,** Klassenbewußtsein, Standesdünkel (*abwertend*), Dünkel, Kastengeist (*abwertend*), Korpsgeist; →dünkelhaft.

**Standesbezeichnung** → Titel.

**Standesdünkel** → Standesbewußtsein.

**Standesehe** → Ehe.

**Standesheirat** → Ehe.

**Standesherr** → Adliger.

**Standeskommission** → Regierung.

**Standessprache** → Gruppensprache.

**standhaft,** unerschütterlich, unbeugsam, aufrecht, fest bleibend, nicht nachgebend; **s. sein,** Rückgrat haben; → bestehen (auf), → standhalten.

**Standhaftigkeit** → Beharrlichkeit.

**¹standhalten,** durchhalten, nicht wanken und weichen, das Feld behaupten, nicht von der Stelle weichen, sich nicht vertreiben lassen; → durchhalten, → durchsetzen (sich), → ertragen, → siegen; **nicht s.,** das Feld räumen; → nachgeben; → standhaft.

**²standhalten** → durchhalten.

**ständig:** → formelhaft, → unaufhörlich; -er Begleiter → Geliebter.

**ständisch:** -e Gesellschaft → Gesellschaft.

**¹Standort,** Heimatort, Heimathafen, Heimatbahnhof; → Heimatort.

**²Standort:** den S. bestimmen → finden; einen geistigen S. beziehen → eintreten (für); jmdm. einen S. zuweisen → stationieren.

**standörtlich** → ortsfest.

**Standpauke:** eine S. halten → schelten.

**Standpunkt:** → Ansicht; seinen S. aufgeben → umschwenken; jmdm. den S. klarmachen → schelten.

**Standuhr** → Uhr.

**Standwaage** → Waage.

**¹Stange,** Stab, Stock, Stecken; → Griff, → Pfahl, → Spazierstock, → Stock.

**²Stange:** → Penis, → Sportgerät; -n → Geweih; jmdm. die S. halten → aufbegehren, → helfen; etwas kostet eine schöne S. Geld → teuer [sein]; bei der S. bleiben → beibehalten; von der S. → Allerwelts-.

**Stangenbohne** → Gemüse.

**Stangenbrot** → Kaviarbrot.

**Stangenzelt** → Zelt.

**Stanitzel** → Papiertüte.

**Stänker** → Querulant.

**stänkern** → aufwiegeln.

**Stanniolpapier** → Folie.

**stante pede** → gleich.

**Stanze** → Strophe.

**¹Stapel,** Stoß, Haufen, Turm, Beige (*schweiz.*); → aufhäufen.

**²Stapel:** auf S. legen → anfertigen; etwas vom S. lassen → mitteilen.

**stapeln** → aufhäufen.

**Stapelung:** → Anhäufung, → Lagerung.

**Stapfe** → Spur.

**stapfen** → fortbewegen (sich).

**Stapfen** → Spur.

**¹Star** · *grüner:* Glaukom · *grauer:* Katarakt · *schwarzer:* Amaurose · *weißer:* Leukom; → Augenlicht, → Fehlsichtigkeit.

**²Star:** → Berühmtheit, → Glanzpunkt, → Katarakt, → Schauspieler, → Schauspielerin, → Segelboot, → Vogel; schwarzer S. → Blindheit; jmdm. den S. stechen → mitteilen.

**Starallüren** → Benehmen.

**Starboot** → Segelboot.

**Stargast** → Schauspieler.

**¹stark,** kräftig, sthenisch, kraftvoll, markig, kernig, stramm, rüstig, bärenstark, baumstark, bäumig (*schweiz.*), robust, hart, zäh, taff (*ugs.*), nicht → anfällig, nicht → kraftlos, nicht → willensschwach; → athletisch, → beharrlich, → marschfähig; **s. sein,** Bäume ausreißen [können]; → Kraftprobe.

**²stark:** → ausgeprägt, → dick, → durchdringend, → gewaltig, → konzentriert, → mächtig; [s. gewürzt] → würzig; das -e Geschlecht → Männer (die); etwas ist ein -es Stück / → Tobak → unerhört [sein]; -er Wind → Windstärke; sich s. machen für → eintreten (für); s. werden → kräftigen (sich); groß und s. werden → groß [werden]; Recht des Stärkeren → Faustrecht; s. in der Aussage → inhaltsreich.

**Starkbier** → Bier.

**Starke** → Rind.

**¹Stärke,** Kartoffelstärke, Weizenstärke, Reisstärke, Maisstärke, Sago, Palmsago, Tapioka · Gelatine; → Appretur; → appretieren.

**²Stärke:** → Ausmaß, → Fähigkeit.

**Stärkegrad** → Lautstärke.

**stärken:** → appretieren, festigen; sich s. → essen; jmdm. den Rücken s. → eintreten (für), → zuraten.

**Stärkezucker** → Zucker.

**Starkstrom** → Elektrizität.

**Starlet** → Schauspielerin.

**starr:** → betroffen, → steif, → stier, → unbeweglich.

**starren** → blicken.

**starrend:** s. vor → überladen.

**Starrheit** → Bewegungslosigkeit.

**Starrkopf** → Trotzkopf.

**starrköpfig** → unzugänglich.

**Starrköpfigkeit** → Eigensinn.

**Starrsinn** → Eigensinn.

**starrsinnig** → unzugänglich.

**Starrsinnigkeit** → Eigensinn.

**Stars and Stripes** → Nationalflagge.

**¹Start,** Ablauf, Abmarsch, Aufbruch, Abfahrt, Abflug, Departure; → Anfang, → Reise.

**²Start** → Auftreten.

**Startbahn** → Rollbahn.

**startbereit** → einsatzbereit.

starten: → anfangen; außer Konkurrenz s. → teilnehmen; einen Versuchsballon s. → vorfühlen; einen Werbefeldzug / eine Werbekampagne s. → Werbung [treiben].

Starthilfe: jmdm. S. geben → helfen.

startklar → einsatzbereit.

Startschuß: → Anfang, → Hörzeichen.

Stasi → Geheimpolizei.

Statement → Feststellung.

Station: → Bahnhof, → Haltestelle, → Krankenhaus, → Rundfunksender; S. machen → unterbrechen.

¹stationär, klinisch, einen Krankenhausaufenthalt / eine Krankenhausbehandlung erfordernd; → Krankenhaus.

²stationär → ortsfest.

stationieren, jmdm. einen Standort zuweisen, [Truppen] verlegen / [an einen Ort] bringen; → aufstellen (sich).

Stationsarzt → Arzt.

Stationsschwester → Krankenschwester.

Stationsvorstand → Bahnhofsvorstand.

Stationsvorsteher → Bahnhofsvorsteher.

statiös: → ansehnlich, → prunkvoll, → trefflich.

Statist → Schauspieler.

Statistik → Mathematik.

Stativ → Untergestell.

Statt: an Kindes S. annehmen → adoptieren.

Stätte: → Stelle; S. des Lasters → Stadt.

stattfinden: → geschehen; nicht s. → ausfallen.

stattgeben: [einer Bitte] s. → gewähren.

statthaft, zulässig, erlaubt, gestattet, nicht → gesetzwidrig; → bejahend, → rechtmäßig; **nicht mehr s. sein**, über das Maß des Erlaubten hinausgehen, die Grenze des Möglichen überschreiten, das Maß vollmachen, jetzt ist das Maß voll, nicht geduldet werden können, zu weit gehen / führen; → billigen; → Erlaubnis.

Statthalter: → Gefolgsmann, → Oberhaupt.

stattlich: → ansehnlich, → außergewöhnlich, → groß.

Statue → Plastik.

Statur → Gestalt.

Status: → Lage; [S. nascendi, S. quo, S. quo ante, S. quo minus] → Zustand.

Statussymbol → Merkmal.

Statut → Weisung.

Stau: → Staudamm, → Verkehrsstauung.

Staub: → Pulver, → Schmutz; S. aufwirbeln → auffallen; S. saugen / wischen → abstauben; sich aus dem -e machen → weggehen; zu S. werden → sterben.

Staubecken → Stausee.

stauben → schneien.

Staubfetzen → Putzlappen.

Staubflocke, Staubfluse, Fussel, Fuzel (österr.), Gfrast (ugs., österr.), Wollmaus (landsch.), Lurch (österr.); → Fluse, Schmutz; → fusseln.

staubförmig → pulverförmig.

Staubgeborener → Mensch.

Staubkamm → Kamm.

Staublawine → Lawine.

Stäubling → Ständerpilz.

Staublunge → Staublungenerkrankung.

Staublungenerkrankung, Staublunge, Pneumokoniose, Pneumonokoniose, Koniose ·· durch Kohlenstaub: Kohlenstaublunge, Kohlenlunge, Anthrakose ·· durch Steinstaub: Steinstaublunge, Quarzstaublunge, Quarzlunge, Silikose, Silikatose · in Verbindung mit Tuberkulose: Silikotuberkulose ·· durch Steinstaub und Kohlenstaub: Anthrakosilikose, Silikoanthrakose ·· durch Kalkstaub: Kalkstaublunge, Kalklunge, Steinhauerlunge, Chalikose · durch Aluminiumstaub: Aluminiumstaublunge, Aluminiumlunge, Aluminose ·· durch Eisenstaub: Eisenstaublunge, Eisenlunge, Siderose ·· durch Asbeststaub: Asbeststaublunge, Asbestlunge, Bergflachslunge, Asbestose ·· durch Tabakstaub: Tabakstaublunge, Tabaklunge, Tabakose ·· durch Baumwollstaub: Baumwollstaublunge, Byssinose ·· durch Zuckerrohrstaub: Zuckerrohrstaublunge, Bagassose.

Staubmantel → Mantel.

staubsaugen → abstauben.

Staubsauger, Vakuumsauger,

Sauger; → Besen, → Handfeger, → Mop, → Putzlappen.

Staubtuch → Putzlappen.

Staubzucker → Zucker.

stauchen → schelten.

Staudamm, Damm, Staumauer, Stau (schweiz.); → Stausee.

Staude → Busch.

Staumauer → Staudamm.

staunen: → denken; -d → überrascht; [Bauklötzer s.] → überrascht [sein]; s. über → bestaunen.

Staunen: S. erregen → befremden; in S. geraten → überrascht [sein].

Stausee, Talsperre, Staubecken; → Staudamm.

Stauung: → Rückgang, → Verkehrsstauung.

Steadyseller: → Buch, → Verkaufsschlager.

Steak, Fleischschnitte · vom Rücken eines Rindes: Rumpsteak · Lendenstück von Schlachtvieh und Wild: Filetsteak · Rippenstück beim Rind: Entrecote · Zwischenrippenstück mit Filet und Knochen: Porterhousesteak; → Fleischgericht, → Kotelett, → Rinderbraten.

Stearin → Wachs.

Stearinkerze → Kerze.

Stechbecken → Nachtgeschirr.

Stechbeitel → Stemmeisen.

¹stechen, piken (ugs.), piksen (ugs.), gicksen (ugs.); → kneifen, → schmerzen, → stochern.

²stechen: → kribbeln; jmdm. sticht der Hafer → übermütig [sein]; jmdm. den Star s. → mitteilen; etwas sticht jmdm. ins Auge / in die Augen → wünschen; in See s. → abgehen, → abreisen; wie von der Tarantel gestochen → schnell.

stechend: → durchdringend, → schmerzhaft.

Stechfisch → Fisch.

Stechflasche → Nachtgeschirr.

Stechglas → Nachtgeschirr.

Stechmücke, Mücke (nordd., ostd.), Schnake (südd., westd.), Gelse (österr.); → Fliege, → Insektenkunde, → Mücke.

Stechsalat → Gemüse.

Stechschritt → Paradeschritt.

Stechuhr → Stempeluhr.

Stechvieh → Vieh.

stecken: → bebauen; jmdm. etwas s. → vorschlagen; es

jmdm. s. → mitteilen; Geld in etwas s. → zahlen; den Kopf in den Sand s. → entziehen (sich); sich etwas hinter den Spiegel s. können → behalten; nicht in jmds. Haut s. mögen → Lage; noch in den Kinderschuhen s. → Anfang; bis über den Hals / die Ohren in Schulden s. → schulden (jmdm. etwas); jmdn. in den Sack / in die Tasche s. → übertreffen; sich eine ins Gesicht s. → rauchen; ins Loch s. → festsetzen; das Schwert in die Scheide s. → Frieden [schließen]; in den roten Zahlen s. → Fehlbetrag; unter einer Decke s. → konspirieren.

**Stecken:** → Stange; Dreck am S. haben → ehrenhaft; selber Dreck am S. haben → belangen; tanzen wie der Lumpen am S. → tanzen.

**steckenbleiben:** → stocken; ohne steckenzubleiben → fließend; auf halbem Weg s. → vollenden.

**Steckenpferd:** → Liebhaberei; sein S. reiten → sprechen.

**Steckkalender** → Kalender.

**Steckkissen** → Kissen.

**Steckling** → Ableger.

**¹Stecknadel,** Kopfnadel, Gufe (*südwestd.*), Spennadel (*österr.*), Spendel (*österr.*).

**²Stecknadel:** → Nadel; keine S. kann zur Erde fallen → voll [sein]; so still sein, daß man eine S. fallen hören kann → still [sein]; etwas wie eine S. suchen → suchen; eine S. in einem Heuhaufen suchen → tun.

**Steckrübe** → Kohlrübe.

**Steckschale** → Blumenstrauß.

**Stecktuch** → Taschentuch.

**Steckvase** → Blumenvase.

**Steckzwiebel** → Zwiebel.

**Steg:** → Anlegebrücke, → Brücke.

**Stegreif:** aus dem S. → improvisiert; aus dem S. reden / schreiben → extemporieren.

**Stegreifgedicht** → Gedicht.

**Stegreifrede** → Improvisation.

**Stegreifschöpfung** → Improvisation.

**Stegreifvortrag** → Improvisation.

**Stehaufmännchen:** ein S. sein → besiegen.

**Stehbierhalle** → Gaststätte.

**Stehbildkamera** → Fotoapparat.

**stehen:** → befinden (sich), → steif [werden]; abseits / beiseite s. → teilnehmen; nicht s. → sitzen; obenan / an erster Stelle s. → Vorrang [haben]; etwas im Raum s. lassen → unerledigt [lassen]; jmdm. steht er nicht mehr → impotent [sein]; es steht schlecht mit → hapern; jmdm. s. die Haare zu Berge → betroffen [sein]; sich die Beine / die Füße in den Bauch s. → warten; bei etwas Pate gestanden haben → Einfluß; seinen Mann s. → tüchtig [sein]; Rede und Antwort s. → antworten; Schmiere s. → achtgeben; Wache s. → Wache [haben]; etwas steht jmdm. → kleiden; etwas steht jmdm. noch klar vor Augen → erinnern (sich); an erster Stelle s. → Höchstleistung [erzielen]; an zweiter Stelle s. → sekundär [sein]; auf jmdn. / etwas s. → gefallen; auf dem Boden der Tatsachen s. → realistisch [sein]; mit jmdm. auf du und du / auf freundschaftlichem Fuß s. → vertraut; mit jmdm. auf [dem] Duzfuß s. → duzen; auf eigenen Füßen s. → erwachsen [sein]; auf eigenen Füßen / Beinen s. → selbständig [sein]; mit jmdm. auf gespanntem Fuß s. → vertragen (sich); etwas steht auf der Kippe / auf des Messers Schneide / in den Sternen, auf dem Spiel s. → ungewiß [sein]; etwas steht bei jmdm. → abhängen; mit einem Fuß im Grab s. → krank [sein]; im Kreuzfeuer s. → attackieren; sich selbst im Licht s. → schaden; etwas steht im Raum → unerledigt sein; im Weg s. → Last; im Wege s. → behindern; in Blüte s. → blühen; im Briefwechsel / Briefverkehr s. → korrespondieren (mit); in Flammen s. → brennen; in üblem Geruch -d → anrüchig; in die Luft s. → abstehen; in Rede -d → obig; in einem Ruf s. → gelten (als jmd. / etwas); mit jmdm. in Verbindung s. → korrespondieren (mit); in der Verantwortung s. → einstehen (für);

mit jmdm. in Verkehr s. → verkehren (mit); in Verwendung s. → Anwendung [finden]; etwas steht in Widerspruch zu etwas → entgegenstehen; in Zusammenhang s. mit → zusammenhängen (mit); etwas steht ins Haus → bevorstehen; jmdm. steht der Kopf / der Sinn nicht nach etwas → Lust; unter Aufsicht / Kontrolle s. → beobachten; unter Dampf / Zeitdruck s. → beeilen (sich); unter Drogen s. → Rausch; unter jmds. Fuchtel / Knute / Pantoffel s. → unterdrückt [werden]; unter einem guten / glücklichen / günstigen / ungünstigen Stern s. → verlaufen; unter keinem guten Stern s. → unerfreulich [verlaufen]; vor dem Abschluß s. → fertig [werden]; wie der Ochs vorm Berge / Tor s. → ratlos [sein]; s. zu → beurteilen, → einstehen (für); nicht zu jmdm. / etwas s. → verleugnen; zur Debatte / Diskussion s. → erörtern; zum Stehen bringen → anhalten.

**stehenbleiben:** → halten; nicht s. → setzen (sich); auf halbem Weg s. → vollenden.

**stehend:** → feststehend; -en Fußes → gleich.

**stehenlassen:** das Essen s. → essen.

**Steher** → Pfahl.

**Steherrennen** → Rennen.

**Stehgeiger** → Musizierender.

**Stehkonvent** → Versammlung.

**Stehkragenprolet** → Arbeitnehmer.

**Stehkragenproletarier** → Arbeitnehmer.

**Stehlampe** → Lampe.

**Stehleiter** → Leiter.

**stehlen:** → wegnehmen; jmd. / etwas kann jmdm. gestohlen bleiben → ablehnen; mit jmdm. kann man Pferde s. → Kamerad; jmdm. die Schau s. → übertreffen; dem lieben Gott den Tag / die Zeit s. → faulenzen; sich in die Herzen [der Menschen] s. → sympathisch [sein]; Gestohlenes → Raub.

**Stehltrieb** → Anankasmus.

**Stehlzwang** → Anankasmus.

**Stehpult** → Möbel.

633

**Stehschauspieler** → Schauspieler.

**Stehvermögen** → Beharrlichkeit, → Durchsetzungskraft.

**¹steif**, starr, nicht → schlaff, nicht → weich; → fest; **s. werden**, sich versteifen, erstarren · *vom männlichen Glied:* erigieren, anschwellen; **s. sein** · *vom männlichen Glied:* eine Erektion / (*vulgär*) einen Steifen / (*vulgär*) einen Ständer haben, stehen (*vulgär*), spannen (*vulgär*), mit Gewehr über nach Hause gehen (*ugs., scherzh.*); → erheben (sich); → Penis.

**²steif:** → formell, → linkisch; s. werden → gelieren; jmdm. am -en Arm verhungern lassen → unzugänglich [sein]; -er Hut → Kopfbedeckung; -er Wind → Windstärke; s. und fest behaupten → behaupten.

**Steifblattmoos:** Schönes S. → Moos.

**steifen:** → festigen; jmdm. den Rücken s. → zuraten.

**steifhalten:** den Nacken s. → besiegen; halt die Ohren steif → Mut.

**Steifheit:** → Bewegungslosigkeit, → Geziertheit.

**Steifleinen** → Stoff.

**steifnackig** → unzugänglich.

**Steifnackigkeit** → Eigensinn.

**Steig** → Weg.

**Steigbügel:** jmdm. den S. halten → fördern.

**Steigbügelhalter** → Schmeichler.

**¹Steige**, Horde, Hürde (*südwestd., schweiz.*), Obststeige, Trockenrost, Lattenrost, Trokkengestell, Lattengestell, Lattenkiste, Haraß; → Behälter, → Kasten, → Schachtel.

**²Steige** → Stall.

**¹steigen** (auf), ersteigen, erklimmen, erklettern, bezwingen, besteigen, hochklettern (*ugs.*), hinaufklettern, hinaufsteigen, hochsteigen (*ugs.*), klettern / klimmen / (*ugs.*) kraxeln auf, hinaufkraxeln (*ugs.*), hochkraxeln (*ugs.*), emporsteigen (*geh.*), emporklimmen (*geh.*), emporklettern (*geh.*); → hinaufgehen; → Besteigung.

**²steigen:** → avancieren, → hinaufgehen, → klettern; -de Tonne → Gewölbe; abwärts / bergab / bergabwärts / nach

unten s. → hinuntergehen; einen Versuchsballon s. lassen → vorfühlen; auf die Barrikaden s. → aufbegehren; auf die Waage s. → Gewicht; wie Phönix aus der Asche s. → wiedererstehen; im Preis s. → aufschlagen (Preis); s. in [die Hosen], in die Kleider s. → anziehen; etwas steigt jmdm. in den Kopf → betrunken [machen]; etwas steigt jmdm. in die Krone / zu Kopf → dünkelhaft [werden]; mit jmdm. ins Bett s. → koitieren; in die Wanne s. → baden; [groß] ins Geschäft s. → Profit [machen].

**Steiger:** → Anlegebrücke, → Bergmann.

**¹steigern**, erhöhen, heben, aufwerten, eskalieren · *bei der Anwendung eines Medikaments:* einschleichen · *von Preisen:* in die Höhe treiben, raufsetzen (*ugs.*); → fördern, → vermehren, → zunehmen; → Steigerung · Ggs. → verringern.

**²steigern** → übertreffen.

**¹Steigerung**, Zunahme, Wachstum, Zuwachs, Intensivierung, Anstieg, Vergrößerung, Vermehrung, Erhöhung, Verstärkung, Gradation, Ausweitung, Eskalierung, Eskalation, das Fortschreiten, Progression · *im sprachlichen Ausdruck:* Klimax · *übertreibende im sprachlichen Ausdruck:* Hyperbel, Übertreibung · *übertreibende in der Darstellung von Krankheitssymptomen:* Exaggeration (*Med.*); → Ausdehnung, → Ausschweifung, → Fortschritt, → Höhepunkt, → Übertreibung; → fördern, → steigern, → zunehmen.

**²Steigerung** → Versteigerung.

**Steigerungsstufe** → Komparativ.

**Steigung** → Berg.

**Steigungswinkel** → Gefälle.

**¹steil**, abschüssig, stotzig (*schweiz.*), gebirgig, jäh, schroff; → schräg; → Abhang, → Steilabfall.

**²steil:** -er Zahn → Mädchen.

**Steilabfall**, Abfall, Abschüssigkeit, Steilheit, Absturz, Schlucht; → Abgrund, → Abhang; → Gefälle, → Schräge, → Schlucht; → steil.

**Steilheit** → Steilabfall.

**Steilkartei** → Kartei.

**Steilkurve** → Kurve.

**Steilküste** → Ufer.

**Steilwand** → Felswand.

**Steilwandfahrer** → Artist.

**stein-:** → erz-.

**¹Stein**, Klamotte (*derb, abwertend*), Wackerstein, Pflasterstein, Katzenkopf · *kleiner, vom Wasser rundgeschliffener:* Kieselstein, Kiesel.

**²Stein:** → Franken, → Gestein, → Kern; -e → Geld; S. der Weisen → Zaubermittel; der S. kommt ins Rollen → verursachen; jmdm. fällt ein S. vom Herzen → aufatmen; den Stein ins Rollen bringen → anregen; weinen, daß es einen S. erweichen könnte → weinen; ein Tropfen auf einen heißen S. sein → wenig; jmdm. -e in den Weg legen → einschränken; ein Herz von S. haben → gefühlskalt [sein]; bei jmdm. einen S. im Brett haben → bevorzugen; jmdm. fällt kein S. aus der Krone → erniedrigen (sich); keinen S. auf dem anderen lassen → zerstören; jmdm. keinen S. in den Weg legen → einschränken; wie ein Stein schlafen → schlafen; es friert S. und Bein → frieren.

**Steinadler** → Vogel.

**steinalt** → alt.

**Steinbeißer** → Fisch.

**Steinbock:** → Sternbild, → Tierkreiszeichen.

**Steinboden** → Fußboden.

**Steindruck** → Graphik.

**steinern:** -e Hochzeit → Hochzeitstag.

**Steinfußboden** → Fußboden.

**Steingarten** → Garten.

**steingrau** → grau.

**Steingrößling** → Fisch.

**Steingut**, Porzellan, Keramik, Töpferware, Töpferei (*schweiz.*), Tonware, Fayence, Majolika, Halbfayence, Mezzamajolika, Wedgwood; → Glasur, → Keramiker, → Porzellan.

**Steingutglasur** → Glasur.

**steinhart** → fest.

**Steinhauerlunge** → Staublungenerkrankung.

**Steinhuhn** → Vogel.

**steinigen** → töten.

**Steinkauz:** → Kauz, → Vogel.

Steinkistengrab → Grab.
Steinklaffmoos → Moos.
Steinkohle → Kohle.
Steinkoralle → Hohltier.
Steinlawine → Erdrutsch.
Steinmauer → Mauer.
Steinmetz → Bildhauer.
Steinobst → Obst.
¹Steinpilz, Herrenpilz, Herrenschwamm, Eichpilz, Edelpilz, Pilzling (*bayr., österr.*), Pülz (*bayr., österr.*); → Pilz, → Ständerpilz.
²Steinpilz → Ständerpilz.
steinreich → reich.
Steinsalz → Salz.
Steinsarg → Sarg.
Steinschneidekunst → Bildnerei.
Steinschneider → Bildhauer.
Steinstaublunge → Staublungenerkrankung.
Steinstiege → Treppe.
Steinstoßen: → Leichtathletik, → Schwerathletik.
Steintreppe → Treppe.
Steinwälzer → Vogel.
Steinwand → Mauer.
Steirergoal → Tor (das).
Steirertor → Tor (das).
Steiß → Schwanz.
Steiß-Fuß-Lage → Kindslage.
Steißlage → Kindslage.
Steißtrommler → Lehrer.
Stellage → Gestell.
Stelldichein: → Verabredung; sich ein S. geben → versammeln (sich).
¹Stelle, Stätte, Platz, Ort, Örtlichkeit, Punkt, Winkel, Kante (*ugs.*), Ecke (*ugs.*); → Gebiet, → Gegend → Ort; → regional.
²Stelle: → Amt, → Beruf, → Grab, → Zitat; S., wo man hingehört → Wohnsitz; offene -n → Stellenangebote; schwache / empfindliche / verwundbare / verletzbare S. → Achillesferse; die erste S. einnehmen, an erster S. stehen → Höchstleistung [erzielen]; eine S. finden → einstellen; an S. → anstatt; an diese / jene S. → dahin; an dieser S. → hier; das Brett an der dünnsten S. bohren → entziehen (sich); an erster S. rangieren / stehen → Vorrang [haben]; an irgendeiner S. → irgendwo; an jener S. → dort; an keiner S. →

nirgends; an zweiter S. stehen → sekundär [sein]; auf der S. → gleich; auf der S. treten → avancieren; nicht von der S. kommen → vorangehen; nicht von der S. weichen → standhalten; zur S. sein → anwesend [sein], → kommen.
¹stellen (sich), sich ausliefern, sich melden; → gestehen.
²stellen: schlechter gestellt → einkommensschwach; sich s. → aufstellen (sich); sich s. als ob → vortäuschen; beiseite s. → wegstellen; kalt s. → abkühlen; sich taub s. → reagieren; sein Amt zur Verfügung s. → kündigen; Ansprüche / Bedingungen s. → bestehen (auf); Ansprüche / Forderungen s. → fordern; die Diagnose s. → erkennen, → untersuchen; jmdm. eine Falle s. → betrügen; ein Gesuch s. → einreichen; sein Licht nicht unter den Scheffel s. → bescheiden; seinen Mann s. → tüchtig [sein]; die Weichen s. → planen; an den Anfang s. → vorausschicken; an seinen Platz s. → einordnen; an einen anderen Platz / Ort s. → verrücken; [an einen bestimmten Platz s.] → placieren; auf sich gestellt sein → ernähren; sich auf die Waage s. → Gewicht; sich hinter etwas / jmdn. s. → identifizieren (sich mit etwas / jmdn.); in Aussicht s. → androhen (jmdm. etwas), → versprechen; in Frage s. → zweifeln; in ein schlechtes Licht s. → schlechtmachen; unter Aufsicht s. → beobachten; unter Aufsicht / Kuratel s. → entmündigen; sich unter die Brause s. → baden; vom Platz s. → ausschließen; vor Gericht s. → prozessieren; sich vor jmdn. s. → eintreten (für); zur Debatte / Diskussion s. → erörtern; jmdn. zur Rede s. → Rechenschaft; zur Schau s. → aufdecken; zur Verfügung s. → abgeben, → leihen; jmdm. etwas zur Verfügung s. → zuschieben (jmdm. etwas).
Stellenangebote, Stellenrubrik, offene Stellen, Vakanzenverzeichnis (*schweiz.*); → Beruf.
stellenlos → arbeitslos.
Stellenrubrik → Stellenangebote.

Stellenwerbung → Bewerbungsschreiben.
Stellmacher → Wagner.
¹Stellung, Haltung, Pose, Attitüde, Positur; → Ansehen.
²Stellung: → Anstellung, → Beruf, → Lage, → Musterung, → Schützengraben; reichsunmittelbare S. → Reichsfreiheit; S. beziehen → eintreten (für); eine S. finden → einstellen; eine S. haben → innehaben; S. nehmen → äußern; jmdn. aus seiner S. verdrängen → Einfluß.
Stellungnahme: → Ansicht, → Auslegung.
Stellungskommission → Musterungskommission.
Stellungskrieg → Krieg.
stellungslos → arbeitslos.
Stellungswechsel: → Ortsveränderung, → Veränderung.
stellvertretend → anstatt.
¹Stellvertreter, Vertreter, die rechte Hand, Verwalter, Sachwalter, Ersatzmann, Ersatz, zweite Garnitur (*ugs., abwertend*), zweiter Mann, Souschef (*schweiz.*), Substitut, Vize (*ugs.*) · *eines Lehrers:* Vikar (*schweiz.*), Supplent (*österr.*); → Arbeitgeber, → Beauftragter, → Helfer, → Komplice.
²Stellvertreter: S. Christi [auf Erden] → Oberhaupt.
Stelze: → Eisbein, → Gliedmaße, → Vogel.
stelzen → fortbewegen (sich).
Stelzenläufer → Vogel.
Stemma → Abkunft.
Stemmeisel → Stemmeisen.
Stemmeisen, Stemmeisel, Stechbeitel, Beitel.
stemmen: einen s. → trinken.
¹Stempel, Stampiglie (*österr.*), Poststempel, Sonderstempel, Datumstempel.
²Stempel: → Siegel; mit einem S. versehen → abstempeln.
Stempelmarke → Gebührenmarke.
stempeln → abstempeln; s. gehen → arbeitslos [sein].
stempelpflichtig → gebührenpflichtig.
Stempeluhr, Zeiterfassungsuhr, Kontrolluhr, Stechuhr · *in der Straßenbahn:* Fahrscheinentwerter, Entwerter, eiserner

Schaffner; → Uhr; → entwerten.

**Stengel:** → Stamm; vom S. fallen → überrascht [sein].

**Stengelglas** → Trinkgefäß.

**Stenogrammpapier** → Schreibpapier.

**Stenographie** → Kurzschrift.

**stenographieren**→aufschreiben.

**Stenokardie:** → Angina pectoris; funktionelle S. → Herzbeschwerden.

**Stenotypistin,** Daktylographin (*schweiz.*), Daktylo (*schweiz.*), Tippfräulein (*ugs.*), Tippmamsell (*veraltet, abwertend*), Tippeuse (*ugs.*), Tippse (*salopp, abwertend*), Klapperschlange (*ugs.*), Schreiberin, Schreibdame, Schreibkraft, Bürokraft, Maschinenschreiberin, Maschinschreiberin (*österr.*) · *Datentypistin · die nach einem Diktiergerät schreibt:* Phonotypistin; → Büroangestellter, → Sekretärin, → Skript; → maschineschreiben.

**Stentorstimme** → Stimme.

**Stenz:** → Geck, → Zuhälter.

**stenzen** → wegnehmen.

**Stephanstag** → Weihnachten.

**Steppdecke** → Federbett.

**Steppe,** Waldsteppe, Strauchsteppe, Wüstensteppe, Kakteensteppe, Hartstrauchsteppe, Salzsteppe · Grassteppe, Pampa · Kältesteppe, Tundra, Waldtundra · Savanne, Feuchtsavanne, Trockensavanne, Llano, Dornsavanne; → Einöde, → Wiese.

**Steppenadler** → Vogel.

**Steppenbrand** → Schadenfeuer.

**Steppenfuchs** → Fuchs.

**Steppenhuhn** → Vogel.

**Steppenkäse** → Käse.

**Steppenkiebitz** → Vogel.

**Steppenklima** → Klimazone.

**Steppenlandschaft** → Landschaft.

**Steppenweihe** → Vogel.

**Steppke** → Kind.

**Ster** → Raummaß.

**Sterbchen:** S. machen → sterben.

**¹sterben,** versterben, ableben, einschlafen, entschlafen, hinüberschlummern, entschlummern (*selten*), der Tod holt jmdn. heim, vom Tode ereilt werden, sein Leben aushauchen, den Geist aufgeben / aushauchen, die Seele aushauchen, heimgehen, dahinscheiden, hinscheiden, aus dem Leben scheiden, die Augen zumachen / [für immer] schließen, das Auge bricht (*dichter.*), [vom Schauplatz / von der Bühne] abtreten, sein Leben / Dasein vollenden, die sterbliche Hülle ablegen, zu Staub werden, die Feder aus der Hand legen, enden, das Zeitliche segnen, den Weg allen / alles Fleisches gehen, abfahren (*salopp*), ins Grab sinken, in die / zur Grube fahren, zugrunde gehen, [für immer] von jmdm. gehen, aus dieser Welt gehen, jmdn. verlassen (er hat uns [zu früh] verlassen), mit Tod abgehen, [in die Ewigkeit] abgerufen werden, verscheiden, dahingerafft werden, das letzte Stündlein ist gekommen / hat geschlagen, jmds. Uhr ist abgelaufen, von hinnen scheiden, abscheiden, erlöst werden, nicht mehr aufstehen, tot hinsinken, zu seinen Vätern versammelt werden, sich zu den Vätern versammeln, zur großen Armee abberufen werden, jmdm. passiert etwas / stößt etwas zu (*verhüllend*), tödlich verunglücken, verbluten, seinen Verletzungen erliegen, seine letzte Reise / seinen letzten Weg antreten, in die ewigen Jagdgründe / zum ewigen Frieden / zur ewigen Ruhe eingehen, aus unserer / ihrer Mitte gerissen werden, aus dem Leben gerissen werden, die Reihen lichten sich, umkommen, ums Leben / zu Tode kommen, den Tod finden, mit jmdm. ist es aus (*ugs.*), mit dem Tode ringen, im Sterben / (*ugs.*), in den letzten Zügen liegen, mit jmdm. geht es zu Ende, dran glauben müssen (*ugs.*), abkratzen (*salopp*), abschnappen (*salopp*), abnibbeln (*salopp*), hopsgehen (*salopp*), draufgehen (*salopp*), vor die Hunde gehen (*ugs.*), ins Gras beißen (*salopp*), den Löffel wegschmeißen (*salopp*), Sterben machen (*salopp*), ein Bankerl reißen (*salopp, österr.*), die Patschen aufstellen (*salopp, österr.*), den Arsch zukneifen (*vulgär*) · *jung:* ein frühes Grab finden · *im Wasser:* ein feuchtes / nasses Grab finden, sein Grab in den Wellen finden, mit Mann und Maus umkommen / untergehen, absaufen (*salopp*), ersaufen (*derb*), versaufen (*derb*), auf See bleiben · *durch Feuer:* verbrennen, in den Flammen umkommen · *durch Sturz:* sich zu Tode fallen / stürzen · *als Soldat:* den Heldentod sterben, auf dem Feld der Ehre fallen, den Tod auf dem Feld der Ehre finden, fallen, im Krieg bleiben, nicht [aus dem Krieg] heimkehren, draußen geblieben sein (*ugs.*), nicht wiedergekommen sein, einen kalten Arsch kriegen (*vulgär*) · *mitten in der Arbeit:* in den Sielen sterben · *beim Tier:* eingehen, verenden, krepieren, verrecken · *in absehbarer Zeit:* nicht mehr lange leben / zu leben haben, es nicht mehr lange machen (*salopp*), jmds. Tage / Jahre sind gezählt · *in großer Zahl:* wie die Fliegen sterben; → bluten, → entleiben, → töten, → verkümmern, → zurücklassen (jmdn.) · **nicht s.**, am Leben bleiben, überleben, [noch einmal] davonkommen (*ugs.*), dem Tod von der Schippe hopsen (*salopp*); → tödlich, → tot; → Exitus, → Friedhof, → Sterbender, → Totenschein, → Toter, → Tötung.

**²sterben:** → eingehen; nicht leben und nicht s. können → leben, → Schmerz; der ist für mich gestorben → verfeindet [sein]; vor Angst s. → Angst [haben]; vor Hunger s. → Hunger [haben]; vor Neugier fast s. → neugierig [sein]; das Sterben → Exitus; im Sterben liegen → sterben; zum Leben zuwenig, zum Sterben zuviel haben → leben; etwas ist zum Leben zuwenig, zum Sterben zuviel → wenig.

**Sterbender,** Moribundus, Todgeweihter; → Kranker; → sterben.

**sterbenskrank** → krank.

**sterbenslangweilig** → langweilig.

**Sterbenswörtchen:** kein S. sagen → schweigen.

**Sterbesakrament** → Viatikum.

**Sterbet** → Exitus.

**Sterbeurkunde:** → Totenschein, → Urkunde.

**sterblich:** → vergänglich; -e Hülle / Überreste → Toter.

**Sterblicher:** → Mensch; der gewöhnliche Sterbliche → Durchschnittsbürger.

**Sterblichkeit** → Vergänglichkeit.

**Stereoanlage** → Plattenspieler.

**Stereogerät** → Plattenspieler.

**Stereokamera** → Fotoapparat.

**Stereometrie** → Mathematik.

**Stereosendung** → Sendung.

**stereotyp:** → feststehend, → formelhaft, → phrasenhaft.

**steril:** → impotent, → keimfrei, → langweilig.

**Sterilisation** → Kastration.

**sterilisieren:** → desinfizieren, → kastrieren.

**sterilisiert** → kastriert.

**Sterke** → Rind.

**Sterlet** → Fisch.

**Sterling:** Pfund S. → Zahlungsmittel.

**Stern:** → Berühmtheit, → Glanzpunkt, → Himmelskörper; -e sehen → ohnmächtig [werden]; unter einem guten / glücklichen / günstigen S. geboren sein → Glück [haben]; jmds. S. sinkt / ist im Sinken → nachlassen; einen S. reißen → fallen; etwas steht in den -en → ungewiß [sein]; mit -en bedeckt/ übersät, von -en erhellt → gestirnt; unter einem glücklichen / günstigen / guten / ungünstigen S. stehen → verlaufen.

**sternbedeckt** → gestirnt.

**Sternbild** · Andromeda, Luftpumpe, Paradiesvogel, Wassermann, Adler, Altar, Widder, Fuhrmann, Bärenhüter, Grabstichel, Giraffe, Krebs, Jagdhunde, Großer Hund, Kleiner Hund, Steinbock, Kiel des Schiffes, Cassiopeia, Zentaur, Cepheus, Wal, Chamäleon, Zirkel, Taube, Haupthaar der Berenice, Südliche / Nördliche Krone, Rabe, Becher, Kreuz, Schwan, Delphin, Schwertfisch, Drache, Füllen, Fluß Eridanus, Chemischer Ofen, Zwillinge, Kranich, Herkules, Pendeluhr · Hydra, Weibliche / Nördliche Wasserschlange · Hydrus, Männliche / Südliche Wasserschlange · In-

der, Eidechse, Löwe, Kleiner Löwe, Hase, Waage, Wolf, Luchs, Leier, Tafelberg, Mikroskop, Einhorn, Fliege, Winkelmaß, Oktant, Schlangenträger, Orion, Pfau, Pegasus, Perseus, Phönix, Malerstaffelei, Fische, Südlicher Fisch, Hinterteil des Schiffes, Schiffskompaß, Netz, Pfeil, Schütze, Skorpion, Bildhauerwerkstatt, Sobieskischer Schild, [Kopf der] Schlange, [Schwanz der] Schlange, Sextant, Stier, Fernrohr, Dreieck, Südliches Dreieck, Tukan · Großer Bär / Wagen · Kleiner Bär / Wagen · Segel des Schiffes, Jungfrau, Fliegender Fisch, Fuchs; → Himmelskörper, → Planet, → Sternwarte; → gestirnt.

**Sternchen** → Schauspielerin.

**Sterndeuter** → Wahrsager.

**Sterndeutung** → Astrologie.

**Sternenbanner** → Nationalflagge.

**sternenbedeckt** → gestirnt.

**Sternenglanz:** im S. erstrahlend → gestirnt.

**sternenhell** → gestirnt.

**Sternenhimmel** → Firmament.

**sternenklar** → gestirnt.

**Sternenzelt** → Firmament.

**Sternfahrt** → Rennen.

**Sterngewölbe** → Gewölbe.

**sternhagelvoll** → betrunken.

**Sternhausen** → Fisch.

**sternhell** → gestirnt.

**sternklar** → gestirnt.

**Sternkunde** → Astronomie.

**Sternmoos** → Moos.

**Sternrochen** → Fisch.

**Sternschnuppe** → Komet.

**Sterntaucher** → Vogel.

**Sternutation** → Niesen.

**Sternutatio convulsiva** → Niesen.

**Sternwarte,** Observatorium, Planetarium; → Himmelskörper, → Planet; → gestirnt.

**Sternzeitalter** → Erdzeitalter.

**Stereophonie** · Vierkanalstereophonie, Quadrophonie; → Plattenspieler.

**Stert** → Gesäß.

**Sterz:** → Gesäß, → Omelett, → Schwanz.

**stet:** [in -er Folge] → unaufhörlich.

**Stethoskop,** Hörrohr, Phonendoskop, Membranstethoskop ·

mit eingebautem Verstärker: Phonoskop.

**stetig** → unaufhörlich.

**Stetigkeit** → Beharrlichkeit.

**stets** → unaufhörlich.

**stetsfort** → unaufhörlich.

**¹Steuer** · beim Auto: Lenkrad, Steuerrad, Volant · beim Fahrrad: Lenkstange, Fahrradlenker, Lenker · beim Flugzeug: Steuerknüppel, Knüppel, Steuerhebel · beim Schiff: Steuerrad, Steuerruder, Schiffsteuer; → Fahrer.

**²Steuer** (das): das S. fest in der Hand haben → führen.

**³Steuer** (die): [direkte / indirekte S.] → Abgabe; S. bezahlen / entrichten → versteuern; mit einer S. belegen → besteuern.

**Steuerband** → Zollverschluß.

**Steuerbekenntnis** → Steuererklärung.

**Steuerberater** → Wirtschaftsprüfer.

**Steuerbescheinigung** → Bescheinigung.

**steuerbord** → rechts.

**steuerbords** → rechts.

**Steuererklärung,** Einkommensteuererklärung, Fassion (veraltet), Steuerbekenntnis (österr.), Bekenntnis (österr.), Fatierung (österr.); → Abgabe; → Geschäftsbücher; **die S. abgeben,** fatieren (österr.).

**Steuerflucht** → Betrug.

**Steuerhebel** → Steuer.

**Steuerhinterziehung** → Betrug.

**Steuerknüppel** → Steuer.

**¹steuern,** lenken, chauffieren, fahren, kutschieren, manövrieren; → fahren.

**²steuern** → abhelfen.

**Steuerprüfer** → Wirtschaftsprüfer.

**Steuerrad** → Steuer.

**Steuerruder** → Steuer.

**Steuersache:** Helfer in -n → Wirtschaftsprüfer.

**Steuerzahler** → Staatsbürger.

**Steward** → Bedienung.

**Stewardeß** → Bedienung.

**sthenisch** → stark.

**stibitzen** → wegnehmen.

**Stich:** → Gravüre, → Kunstdruck, → Nuance, → Spitze; etwas gibt jmdm. einen S. ins Herz → kränken; einen S. haben → ungenießbar [sein], →

verrückt [sein]; im S. lassen → sitzenlassen.

**Stichelei** → Spitze.

**sticheln:** → nähen, → spöttisch [sein].

**stichfest:** hieb- und s. → fundiert, → stichhaltig.

**Stichflamme** → Flamme.

**stichhaltig,** stichhältig (*österr.*), beweiskräftig, unwiderlegbar, unwiderleglich, unangreifbar, hieb- und stichfest, zwingend, bündig, schlüssig, stringent, schlagend, triftig; → einleuchtend, → klug, → nachweislich, → wichtig,

**stichhältig** → stichhaltig.

**Stichling** → Fisch.

**Stichsäge** → Säge.

**Stichtag** → Frist.

**Stichwaffe,** Dolch, Stilett, Florett, Rapier, Hirschfänger, Seitengewehr; → Hiebwaffe, → Schußwaffe, → Wurfwaffe.

**Stichwahl** → Wahl.

**¹Stichwort,** Leitwort, Schlagwort, Kennwort, Merkwort, Lemma; → Nachschlagewerk.

**²Stichwort:** →Gedächtnisstütze, → Losung.

**Stichwunde** → Wunde.

**Stickarbeit:** → Handarbeit, → Stickerei.

**Stickbeere** → Stachelbeere.

**Stickelbeere** → Stachelbeere.

**sticken** → handarbeiten.

**¹Stickerei,** Stickarbeit · Perlenstickerei, Paillettenstickerei; → Flitter;

**²Stickerei:** → Handarbeit; mit einer S. versehen → besticken.

**Stickgarn** → Faden.

**Stickhusten** → Keuchhusten.

**¹stickig,** verräuchert, rauchig, dunstig; → Luft.

**²stickig:** -e Luft → Luft.

**Stickluft** → Luft.

**Sticknadel** → Nadel.

**stieben** → fortbewegen (sich).

**Stiefel:** → Schuh; einen S. vertragen [können] → trinkfest [sein]; jmdn. haut es aus den -n → überrascht [sein].

**stiefeln** → fortbewegen (sich).

**Stiefeltern** → Adoptiveltern.

**Stiefkind:** → Kind; [das] S. sein → vernachlässigt [sein].

**Stiefmutter** → Mutter.

**Stiefmütterchen,** Viola tricolor, Pensee; → Blume.

**stiefmütterlich:** von der Natur s. bedacht / behandelt worden sein → häßlich [sein].

**Stiefsohn** → Sohn.

**Stieftochter** → Tochter.

**Stiefvater** → Vater.

**Stiege:** → Stück, → Treppe.

**Stiegengeländer** → Geländer.

**Stiegenhaus** → Treppenhaus.

**Stieglitz** → Vogel.

**stiekum** → heimlich.

**Stiel:** → Griff, → Stamm; mit Stumpf und S. → ganz; mit Stumpf und S. ausrotten → zerstören.

**Stielauge:** -n machen →ansehen.

**Stielbrille** → Brille.

**Stielkamm** → Kamm.

**stiemen** → schneien.

**¹stier,** starr, glasig, verglast, gläsern; → blicken.

**²stier** → zahlungsunfähig.

**Stier:** → Rind, → Sinnbild, → Sternbild, → Tierkreiszeichen; den S. bei den Hörnern fassen / packen → anfangen.

**stieren:** → blicken, → brünstig [sein], → suchen.

**Stierenauge** → Spiegelei.

**Stierkämpfer,** Matador, Toreador, Espada, Torero · *berittener mit Lanze:* Picador · *den Stier mit Banderillas reizender:* Banderillero.

**stierln:** → nachforschen, → stochern.

**Stiernacken** → Nacken.

**Stiesel** → Flegel.

**stieselig** → unhöflich.

**Stieseligkeit** → Unhöflichkeit.

**¹Stift (das):** → Kloster.

**²Stift (der):** → Handelsgehilfe, → Lehrling, → Nagel, → Schreibstift.

**¹stiften ·** *Geld in einer bestimmten Summe:* dotieren; → geben, → spenden, → zahlen.

**²stiften:** →gründen, →spenden; eine Ehe s. → verkuppeln; Frieden s. → Frieden [stiften]; Unfrieden s. → ärgern, → Streit.

**stiftengehen** → weggehen.

**Stiftenkopf** → Frisur.

**Stiftskirche** → Gotteshaus.

**Stiftungsfest** → Fest.

**Stiftzahn** → Zahnersatz.

**Stil:** → Ausdrucksweise, → Baustil, → Lebensweise, → Manier.

**Stilblüte ·** *von Lehrern:* Kathederblüte; → Ausdrucksweise.

**Stilett** → Stichwaffe.

**Stilfigur** → Ausdrucksmittel.

**stilgerecht** → abgestimmt.

**Stilistik:** → Literaturwissenschaft, → Sprachwissenschaft.

**Stilkleid** → Kleid.

**Stilkunde:** → Literaturwissenschaft, → Sprachwissenschaft.

**¹still,** ruhig, mäuschenstill, mucksmäuschenstill, totenstill, stad (*bayr., österr.*), nicht → laut; → friedlich, → leise, → ruhig, → wortkarg; **s. sein:** so still sein, daß man eine Stecknadel fallen hören kann; **s. werden:** es wird still / ruhig, Stille tritt ein; → Stille.

**²still:** → friedlich, → leise, → passiv, → ruhig; Stiller Freitag →Karfreitag; im -en Kämmerlein → allein; Stiller Ozean → Pazifik; -e Penne → Strafanstalt; -er Teilhaber → Teilhaber; ein -es Wasser sein → verschlossen [sein]; es ist s. um jmdn. geworden → Einfluß; s. liegen → ruhen; heimlich, s. und leise → heimlich, → unbemerkt; im -en → heimlich.

**¹Stille,** Ruhe, Friede[n], Schweigen, Stillschweigen, Lautlosigkeit, Geräuschlosigkeit, Totenstille, Grabesstille; → Muße; → ruhig, → still.

**²Stille:** → Ruhe; S. tritt ein → still [werden]; in aller S. → unbemerkt.

**Stilleben** → Bild.

**stillegen,** lahmlegen, schließen, auflassen (*österr.*); → abschaffen, → beenden; → Stillegung.

**Stillegung,** Schließung, Auflassung (*österr.*), Sperrung (*südd., österr.*); → stillegen.

**Stillehre:** → Literaturwissenschaft, → Sprachwissenschaft.

**¹stillen,** an die Brust nehmen, die Brust geben, nähren, säugen; → ernähren.

**²stillen:** → befriedigen; den Schmerz s. → lindern.

**Stillfreitag** → Karfreitag.

**Stillhalteabkommen** → Abmachung.

**stillhalten** → ertragen.

**stillos** → geschmacklos.

**Stillosigkeit** → Geschmacklosigkeit.

**stillschweigen** → schweigen.

Stillschweigen: →Schweigen, → Stille; S. bewahren→schweigen.
stillschweigend → wortlos.
Stillstand: → Rückgang; zum S. bringen → anhalten, → lahmlegen.
stillstehen: -d → ortsfest; jmdm. steht der Verstand still → verstehen.
stillvergnügt → lustig.
Stilmittel → Ausdrucksweise.
stilrein → puristisch.
stilvoll → abgestimmt.
stilwidrig → geschmacklos.
Stilwidrigkeit → Geschmacklosigkeit.
Stilwörterbuch → Nachschlagewerk.
Stimmabstinenz → Stimmenthaltung.
Stimmband: Stimmbänder → Sprechorgan.
stimmberechtigt → wahlberechtigt.
Stimmberechtigter → Wahlberechtigter.
Stimmbeteiligung → Wahlbeteiligung.
Stimmbruch → Stimmwechsel.
Stimmbürger → Wahlberechtigter.
¹Stimme, Organ, Menschenstimme, Tierstimme, Sprechstimme, Singstimme, Bruststimme, Flüsterstimme · sehr laute: Stentorstimme; →Kopfstimme, → Singstimme, → Sprechorgan, → Stimmwechsel; → sprechen.
²Stimme: → Sprechorgan, → Urteil; [hohe S.] → Singstimme; innere S. → Ahnung; seine S. abgeben → wählen; jmdm. seine S. geben → erwählen; der S. der Natur folgen → koitieren; sich der S. enthalten → wählen; mit belegter S. → heiser; mit dröhnender S. → laut; mit stockender S. → abgehackt; mit verhaltener S. → gedämpft.
¹stimmen, zutreffen, hinkommen (ugs.), richtig / zutreffend / wahr sein; → bewahrheiten (sich); → ausgewogen, → passend, → richtig.
²stimmen: → harmonieren, → wählen; etwas stimmt nicht → Ordnung; es stimmt, was jmd. sagt → Recht; etwas stimmt jmdn. nachdenklich → beschäftigen; s. für → erwählen; in sich -d → passend.

Stimmenfang: auf S. gehen → bemühen (sich um).
Stimmenthaltung, Stimmabstinenz (schweiz.); → Wahlbeteiligung.
stimmfähig → wahlberechtigt.
Stimmfähiger → Wahlberechtigter.
Stimmführer → Musizierender.
stimmig → passend.
Stimmorgan → Stimme.
Stimmrecht → Wahlrecht.
¹Stimmung, Atmosphäre, Stimmungsbarometer, Klima · besonders gute: Bombenstimmung (ugs.); in S. kommen, in Fahrt kommen / geraten; in S. sein, in Fahrt sein; in gereizter S. sein, es herrscht dicke Luft · in bezug auf Eheleute: der Haussegen hängt schief / wackelt (ugs.); → Laune; → ärgerlich.
²Stimmung: -en, gereizte S. → Verstimmung; S. machen → erheitern, → propagieren; in gehobener S. sein → betrunken [sein]; in schlechter S. sein → aufgelegt.
Stimmungsbarometer → Stimmung.
Stimmungsbild → Schulaufsatz.
stimmungsfördernd: -es Mittel → Psychopharmakon.
Stimmungskanone → Unterhalter.
Stimmungskapelle → Orchester.
Stimmungsmache → Propaganda.
Stimmungsorchester → Orchester.
Stimmungsschilderung→Schulaufsatz.
Stimmvieh: → Menge, → Mitläufer, → Wähler.
Stimmvolk → Wähler.
Stimmwechsel, Stimmbruch, Mutation; → Pubertät, → Singstimme, → Stimme.
Stimmzettel: einen weißen S. abgeben → wählen.
Stimulans → Aufputschmittel.
stimulieren → anregen; -d → anregend.
Stimulierung → Erregung.
Stimulus → Reiz.
stink-: → erz-.
stinkbesoffen → betrunken.
stinken: [s. wie die Pest], drei Meilen gegen den Wind s. → riechen; etwas stinkt jmdm. → angeekelt [sein]; nach Geld s.

→ reich [sein]; vor Faulheit s. → faul [sein]; etwas stinkt zum Himmel → unerhört [sein].
Stinker → Gesäß.
stinkfaul → faul.
Stinkkäse → Handkäse.
stinklangweilig → langweilig.
Stinkmorchel → Ständerpilz.
Stinknase → Schnupfen.
Stinkpreuße → Preuße.
Stinkrolle → Zigarre.
Stinktiegel → Tabakspfeife.
Stinktier → Raubtier.
Stint → Fisch.
Stippe → Soße.
stippen → tauchen.
Stippvisite → Besuch.
Stipulation → Abmachung.
stipulieren → übereinkommen.
Stirn: die S. besitzen / haben → erdreisten (sich); jmdm. die S. bieten → aufbegehren; eine hohe S. haben → Glatze; die S. runzeln → murren.
Stirnlage → Kindslage.
Stirnlocke → Haarlocke.
Stirnseite → Vorderseite.
Stirnwand → Mauer.
St.-Nimmerleins-Tag: am S. → niemals.
Stöberhund: -e → Hunderassen.
Stöberjagd → Jagd.
stöbern → suchen.
stochern, bohren, klauben, pulen (nordd.), polken (landsch.), stierln (ugs., österr.); → stechen.
stock-: → erz-.
¹Stock, Prügel, Knüppel, Knüttel, Bengel, Rohrstock, spanisches Rohr, Gerte, Rute; → Griff, → Peitsche, → Pfahl.
²Stock: → Brei, → Misthaufen, → Schober, → Spazierstock, → Sportgerät, → Stange, → Vorrat; erster S. → Geschoß; gehen, als ob man einen S. verschluckt hätte → gerade [gehen].
stockbesoffen → betrunken.
stockbetrunken → betrunken.
Stockbett → Bett.
Stockbiene → Biene.
Stockcheck → Regelverstoß.
stockdunkel → dunkel.
stöckeln → fortbewegen (sich).
Stöckelschuh → Schuh.
¹stocken, stagnieren, erlahmen, versiegen, versanden, versickern, etwas klingt aus / geht aus, steckenbleiben, ins Stocken

geraten, sich spießen (österr.), etwas ist festgefahren; → beenden · weiter.

²stocken: → sauer [werden]; mit -der Stimme → abgehackt; gestockte Milch → Milch; ohne zu s. → fließend.

Stockente → Vogel.

stöckerig → abgehackt.

Stockerl → Hocker.

stockfinster → dunkel.

Stockhaar: Deutsch S. → Hunderassen.

stockheiser → heiser.

Stockholm, das Venedig des Nordens; → Stadt.

Stöckli: → Altenteil; sich ins S. zurückziehen → pensionieren.

Stockmutter → Biene.

Stockschirm → Schirm.

Stockschlag: → Regelverstoß; Stockschläge → Züchtigung.

Stockschwämmchen → Ständerpilz.

stocksteif → gerade.

Stockuhr → Uhr.

Stockung: → Rückgang, → Unterbrechung, → Verkehrsstauung.

stockvoll: s. sein → betrunken [sein].

Stockwerk → Geschoß.

Stockzahn → Zahn.

¹Stoff, Gewebe, Tuch · Wollstoff, Kammgarn, Kamelhaar, Bouclé, Gabardine, Tweed, Shetland, Mohair, Mohär, Jersey, Jacquard, Fresko, Marengo, Loden, Filz, Serge, Twill, Velours, Ulster · Samt, Waschsamt, Kordsamt, Cord, Rippensamt, Kabelkord, Genuakord, Manchester, Duvetine, Velvet, Whipcord · Baumwolle, Nessel, Barchent, Köper, Mako, Flor, Musselin, Chintz, Kattun, Flanell, Damast, Drell, Drillich, Inlett, Frottee, Gaze, Popeline · Leinen, Halbleinen, Batist, Baumwollbatist, Seidenbatist, Lavabel, Bauernleinen, Steifleinen, Schneiderleinen, Vlieseline, Wattierleinen · Seide · Organdy, Organza, Pikee, Rips, Epinglé, Moiré, Chiffon, Satin, Duchesse, Voile, Toile · Kräuselkrepp, Everglaze ⓦ · Gardinenstoff, [Englisch] Tüll, Erbstüll, Florentinertüll, Grobtüll, Häkeltüll, Marquisette, Gardinenmull, Punktmull, Tup-

fenmull, Seidenmull, Edeljacquard, Gaze · Lamé, Goldlamé, Silberlamé · aus Kunstfasern hergestellter: Zellwolle, Kunstseide, Charmeuse, Reyon; → Chemiefaser, → Leinen, → Seide, → Schnittmuster, → Stoffmuster, → Textilien, → Wolle.

²Stoff: → Fabel, → Gegenstand, → Gewebe, → Material, → Rauschgift.

Stoffbär → Teddybär.

Stoffbruch → Falte.

Stoffhuberei → Positivismus.

Stoffkoffer → Gepäck.

Stoffmuster, Muster, Dessin, Musterung · Karo, Schottenkaro, Schottenmuster, Bauernkaro, Vichykaro, Madraskaro, Glencheck, Pepita · Streifen, Längsstreifen, Querstreifen, Nadelstreifen · Fischgrätmuster, Hahnentrittmuster · Fil-à-fil, Pfeffer und Salz · Mir-i-bota, Flohmuster, Birnenmuster, Flammenmuster, Mandelmuster, Zapfenmuster, Siegelmuster · Vogelauge, Pfauenauge · Mille-fleurs, Mille-points; → Stoff; → gemustert.

Stoffpuppe → Puppe.

Stoffwechsel, Metabolismus, Metabolie · Aufbaustoffwechsel, Anabolismus, Anabolie · Abbaustoffwechsel, Katabolismus, Katabolie; → Stuhlverstopfung, → Verdauung.

stöhnen, aufstöhnen, ächzen, seufzen, aufseufzen, einen Seufzer ausstoßen, jmds. Brust entringt sich ein Seufzer (geh.); → atmen, → klagen; → Laut.

stoi → halt.

stoisch: → ruhig; -e Ruhe → Gelassenheit.

Stola → Umhang.

Stollen: → Bergwerk; [Dresdner S.] → Gebäck.

¹stolpern, straucheln, [mit dem Fuß] umknicken; → fallen, → gleiten, → schwanken.

²stolpern: über etwas s. → scheitern.

stolz: → dünkelhaft, → selbstbewußt; das ist ein -er Preis → teuer [sein].

Stolz: → Ansehen, → Überheblichkeit, → Vornehmheit; seinen S. dareinsetzen → anstrengen (sich); sich vor S. kaum

selbst kennen → dünkelhaft [sein].

stolzieren → fortbewegen (sich).

Stomachoskopie → Ausspiegelung.

Stomachus → Magen.

Stomatorrhagie → Blutung.

stoned: s. sein → Rausch.

stop → halt.

stopfen: → essen, → obstipieren, → reparieren, → stoßen; jmdm. das Maul / den Mund s. → verbieten.

Stopfen → Stöpsel.

Stopfenzieher → Flaschenöffner.

Stopfgarn → Faden.

Stopfnadel → Nadel.

Stoppel: → Stöpsel; -n → Bart.

Stoppelbart → Bart.

stoppelbärtig → bärtig.

Stoppelhopser: → Auto, → Soldat.

stoppelig → bärtig.

Stoppelkopf → Frisur.

Stoppelpilz → Ständerpilz.

Stoppelzieher → Flaschenöffner.

stoppen: → anhalten, → halten.

Stopper → Fußballspieler.

Stopplicht → Signallicht.

stopplig → bärtig.

Stoppschild → Schild.

Stoppstraße → Straße.

Stoppuhr → Uhr.

¹Stöpsel, Pfropfen, Pfropf, Proppen (niederd.), Korken, Kork, Kronenkorken, Stopfen, Stoppel (österr.), Zapfen, Zapf (selten), Spund; → Verschluß.

²Stöpsel → Zwerg.

Stör → Fisch.

Storch: → Vogel; der S. hat sie ins Bein gebissen → schwanger [sein]; gehen wie ein S. im Salat → fortbewegen (sich); da brat mir einer einen S.! → überrascht [sein].

Storchschnabel → Storchschnabelgewächs.

Storchschnabelgewächs · Storchschnabel, Reiherschnabel, Geranie, Geranium, Pelargonie, Pelargonium; → Blume.

Store: → Gardine, → Vorrat.

¹stören (jmdn.), ungelegen / zu unpassender Zeit / zur Unzeit / jmdm. in die Quere kommen; → behindern.

²stören: → behindern; etwas stört → unerträglich [sein]; jmdm. stört die Fliege an der

Wand → ärgerlich [sein]; sich s. an → beanstanden.

störend → unerfreulich.

**Störenfried**, Eindringling, Ruhestörer, Unruhestifter, Randalierer, Krawallmacher (*ugs.*), Krawallbruder (*ugs.*), Radaumacher (*ugs.*), Radaubruder (*ugs.*), Krachmacher (*ugs.*), Quälgeist, Plagegeist, Landplage, Nervtöter (*abwertend*), Singuhr (*landsch., abwertend*), Nervensäge (*salopp, abwertend*); → Gegner.

**stornieren**, rückgängig / ungültig machen, löschen, tilgen; → berichtigen.

störrisch → unzugänglich.

**Storting** → Volksvertretung.

¹**Störung**, Panne, Schaden.

²**Störung**: → Unterbrechung; psychische S. → Gemütskrankheit.

**Störungsfront** → Wetterfront.

**Storzelbock** → Purzelbaum.

¹**Stoß**, Schlag, Kopfnuß (*salopp*), Hieb, Rippenstoß, Rippentriller (*salopp*), Ruck, Puff (*ugs.*), Schubs (*ugs., landsch.*), Tritt, Knuff (*ugs.*), Stups (*ugs.*), Stupf (*südd., schweiz.*), Stupfer (*österr.*), Stumper (*ugs., landsch.*), Putsch (*schweiz.*), Pracker (*österr.*), Schupfer (*österr.*); → Zusammenstoß.

²**Stoß**: → Schwanz; seinem Herzen einen S. geben → überwinden (sich); einen S. versetzen → stoßen.

¹**stoßen**, anstoßen, puffen, schubsen (*ugs., landsch.*), einen Stoß / Puff versetzen, einen Schubs geben (*ugs., landsch.*), stupfen (*oberd.*), stumpen (*ugs., südd.*) · *von Pferden:* ausschlagen; → strampeln.

²**stoßen**: → drücken, → koitieren, → stampfen; sich s. an → beanstanden; s. auf → finden, → unterkommen; jmdn. mit der Nase auf etwas s. → hinweisen (auf); auf Ablehnung s. → ablehnen; auf Gegenliebe s. → Beifall [finden]; auf Verständnis s. → Verständnis; s. in → einrammen; ins gleiche Horn s. → Ansicht; ins Loch s. → festsetzen; vor den Kopf s. → frustrieren.

**Stoßen** → Leichtathletik.

**Stoßseufzer** → Klagelaut.

**Stoßstange** → Prellbock.

**Stoßzeit** → Hauptverkehrszeit.

**Stotterer** → Sprachgestörter.

stotterig → abgehackt.

¹**stottern**, lispeln, zuzeln (*österr.*), stammeln, lallen, sich versprechen / verhaspeln / verheddern; → flüstern, → mitteilen, → sprechen; → abgehackt, → heiser, → unartikuliert; → Sprachgestörter, → Versprecher.

²**stottern**: -d → abgehackt.

**Stotz** → Stamm.

stotzig → steil.

**Stövchen** → Wärmeplatte.

**STP** → Rauschgift.

**St.-Peter-Schlüssel** → Schlüsselblume.

**strabanzen** → herumtreiben (sich).

**Strabanzer** → Vagabund.

**Strabismus** → Schielen.

stracks → gleich.

**Stradivari** → Streichinstrument.

**Stradivarius** → Streichinstrument.

**Strafanstalt**, Haftanstalt, Vollzugsanstalt, Gefängnis, Untersuchungsgefängnis, Kerker, Zuchthaus, Bagno, Arbeitshaus, Karzer, Verlies, Zelle, Arrestlokal, Militärgefängnis, Loch (*salopp*), Kittchen (*salopp*), Knast (*salopp*), Bau (*salopp*), Bunker (*salopp*), Kahn (*salopp*), Kiste (*salopp*), Klemme (*salopp*), Gefangen[en]haus (*österr.*), Häfen (*salopp, österr.*), Kotter (*österr., veraltet*), Kriminal (*ugs., landsch.*), Prison (*veraltet*), Spritzenhaus (*veraltet*), Erholungsheim (*ugs., scherzh.*), Sommerfrische (*ugs., scherzh.*), geschlossene Gesellschaft (*ugs., scherzh.*), staatliche Pension (*ugs., scherzh.*), Staatspension (*ugs., scherzh.*), staatliches Pensionat (*ugs., scherzh.*), Staatspensionat (*ugs., scherzh.*), Gymnasium (*ugs., scherzh.*), hohe Schule (*ugs., scherzh.*), Vater Philipp (*ugs., scherzh.*), stille Penne (*salopp, scherzh.*); → Freiheitsentzug, → Gefangenenlager, → Gefangener; → abbüßen, → festsetzen (jmdn.).

**Strafanzeige**: S. erstatten → anzeigen.

strafbar → gesetzwidrig.

**Strafbarkeit** → Gesetzwidrigkeit.

**Strafbefehl** → Strafzettel.

¹**Strafe**, Bestrafung, Geldstrafe, Geldbuße, Pön (*veraltet*), Pönale (*österr.*), Buße (*schweiz.*) · *bei Nichterfüllung eines Vertrags:* Konventionalstrafe; → Bewährungsfrist; → Vergeltung; → bestrafen, → festsetzen, → verdienen; → straffällig, → vorbestraft.

²**Strafe**: → Sühne, → Züchtigung; das ist die S.! → Folge; eine S. absitzen / verbüßen → abbüßen; eine S. aufbrummen / auferlegen, mit einer S. belegen → bestrafen; über jmdn. eine S. verhängen → bestrafen.

**strafen**: → bestrafen; jmdn. Lügen s. → widerlegen; mit etwas / jmdm. gestraft sein → Schicksal; mit Nichtachtung / Verachtung s. → ignorieren.

**Straferlaß** → Begnadigung.

**straff**: die Zügel -er anziehen → streng.

**straffällig** · *erneut:* rückfällig; → vorbestraft; → Strafe, → Verstoß.

**Straffälliger** → Verbrecher.

**straffrei**: s. ausgehen → verurteilen.

**Strafgefangener** → Gefangener.

**Strafkammer** → Gericht.

**Straflager** → Gefangenenlager.

**Strafmandat** → Strafzettel.

**Strafpredigt**: eine S. halten → schelten.

**Strafprozeß** → Gerichtsverfahren.

**Strafprozeßrecht** → Rechtsgebiet.

**Strafrecht** → Rechtsgebiet.

**Strafsache**: Verteidiger in → Jurist.

**Strafsenat** → Gericht.

**Strafstoß** → Elfmeter.

**Straftat**: → Verbrechen, → Verstoß.

**Strafverfahren** → Gerichtsverfahren.

**Strafverfügung** → Strafzettel.

**Strafverteidiger** → Jurist.

**Strafzettel**, gebührenpflichtige Verwarnung, Strafmandat, Strafverfügung, Strafbefehl, Bußenzettel (*schweiz.*), Organmandat (*österr.*), Knollen (*ugs., landsch.*).

strahlen: → lachen, → leuchten, → prunken; die Sonne strahlt, es ist -der Sonnenschein / -des Wetter → sonnig [sein].
strählen → frisieren.
Strahlenbehandlung → Radiotherapie.
Strahlenblitz → Blitz.
Strahlenheilkunde→Heilkunde.
Strahlenkatarakt → Katarakt.
Strahlenkegel → Lichtstrahl.
Strahlenkunde → Heilkunde.
Strahlenpilz → Algenpilz.
Strahlentierchen → Einzeller.
Strahlungsheizung → Heizung.
Strähn → Strähne.
¹Strähne, Strange (schweiz.), Strähn (österr.), Wollsträhne, Garnsträhne.
²Strähne: -n → Haar.
strähnig → strubbelig.
Stralzierung → Auflösung.
Stralzio → Auflösung.
stramm: → eng, → stark; -e Haltung annehmen / einnehmen → strammstehen; eine -e Haltung haben → gerade [gehen].
strammstehen, stramme Haltung annehmen / einnehmen, in Habachtstellung stehen (österr.), die Hände an die Hosennaht legen, die Hacken zusammenschlagen; → Appell, → Militär, → Soldat.
strammziehen: jmdm. die Hosen / den Hosenboden s. → schlagen.
¹strampeln, zappeln; → stoßen.
²strampeln: → radfahren; zu s. haben → anstrengen (sich).
¹Strand, Badestrand, Korbstrand, Sandstrand, Meeresstrand, Lido; → Meer.
²Strand → Ufer.
Strandbad → Bad.
stranden → scheitern.
Strandgut → Treibgut.
Strandhaubitze: → Geschütz; voll wie eine S. sein → betrunken [sein].
Strandkanone → Geschütz.
Strandkleid → Kleid.
Strandläufer → Vogel.
Strang: → Seil; wenn alle Stränge reißen → Ausnahmefall; am gleichen / am selben S. ziehen → streben; über die Stränge schlagen → übermütig [sein].
Strange: → Seil, → Strähne.

strangulieren → töten.
Strapaze → Anstrengung.
strapazfähig → haltbar.
strapazieren: sich s. → anstrengen (sich).
strapazierfähig → haltbar.
Strapazierfähigkeit → Haltbarkeit.
strapaziös: → beschwerlich; etwas ist s. → zehren.
Straps → Strumpfhalter.
Strasbourg → Straßburg.
Straß → Schmuckstein.
Straßburg, Strasbourg (franz.); → Stadt.
¹Straße, Promenade, Allee, Korso, Ringstraße, Prachtstraße, Avenue, Avenida, Boulevard, Gasse, Durchgangsstraße, Fahrstraße, Autostraße, Highway, Autobahn, Stadtautobahn, Fernverkehrsstraße, Fernstraße, Landstraße, Schnellstraße, Chaussee, Dorfstraße, Geschäftsstraße, Spielstraße, Verkehrsstraße, Hauptverkehrsstraße, Verkehrsader, Nebenstraße, Verbindungsstraße, Querstraße, Stoppstraße, Zufahrtsstraße, Zugangsweg, Gebirgsstraße, Hochgebirgsstraße, Paßstraße, Alpenstraße, Serpentinenstraße, Uferstraße, Schotterstraße, Asphaltstraße·· Hochstraße · die zur Anschlußstelle einer Autobahn führt: Zubringerstraße, Autobahnzubringer · die über andere Verbindungen führt: Fly-over ·· in eine Stadt mündende: Einfallstraße · aus einer Stadt führende: Ausfallstraße · die eine Stadt nur am Rande berührt: Umgehungsstraße, Tangente · die zur Stadtmitte führt: Radiallinie (bes. österr.) · nur in einer Richtung zu befahrende: Einbahnstraße · nicht weiterführende: Sackgasse · für Autos gesperrte: Fußgängerzone · gebührenpflichtige: Mautstraße (österr.); → Brücke, → Durchfahrt, → Durchgang, → Fahrbahn, → Fußgängerübergang, → Gehsteig, → Kreuzung, → Linienführung, → Platz, → Umgehungsstraße, → Unterführung, → Vorfahrtsrecht, → Weg.
²Straße: → Durchfahrt; der Mann auf der S. → Durch-

schnittsbürger; mit etwas die S. pflastern können → haben; auf die S. gehen → demonstrieren; jmdn. auf die S. setzen / werfen → entlassen.
¹Straßenbahn, Bahn, Zug, Elektrische, Tram (südd., schweiz.), Tramway (österr.) · die letzte in der Nacht: Lumpensammler (scherzh.); → Obus, → Schaffner, → Verkehrsmittel.
²Straßenbahn: S. fahren → fahren.
Straßenbahnlinie → Bahnlinie.
Straßenbahnschaffner → Schaffner.
Straßenbahnschiene → Gleis.
Straßenbeleuchtung, Straßenlaterne, Laterne, Straßenlampe, Gaslaterne, Peitschenlampe.
Straßenbrücke → Brücke.
Straßendecke → Straßenpflaster.
Straßendorf → Dorf.
Straßenfeger (bes. nordd.), Straßenkehrer (bes. südd.), Straßenwischer (schweiz.).
Straßenfloh → Auto.
Straßenglätte, Glätte, Glatteis, Rutschgefahr; → Fahrverhalten, → Glatteis; → glatt.
Straßengraben → Graben.
Straßenhändler → Händler.
Straßenkarte → Landkarte.
Straßenkehrer → Straßenfeger.
Straßenkleid → Kleid.
Straßenkostüm → Kostüm.
Straßenkreuzer → Auto.
Straßenkreuzung → Kreuzung.
Straßenlampe → Straßenbeleuchtung.
Straßenlärm → Lärm.
Straßenlaterne → Straßenbeleuchtung.
Straßenmädchen → Prostituierte.
Straßenmusikant, Bettelmusikant, Straßensänger; → Leierkastenmann, → Moritatensänger, → Musizierender.
Straßenpflaster, Straßendecke, Schotterdecke, Kopfsteinpflaster, Katzenkopfpflaster, Asphalt; → Splitt; → pflastern.
Straßenrennen → Rennen.
Straßensänger → Straßenmusikant.
Straßenschuh → Schuh.
Straßenseite → Vorderseite.
Straßentheater → Theater.

**Straßenverkehr,** Verkehr, Autoverkehr, Nahverkehr, Fernverkehr, Reiseverkehr, Berufsverkehr, Durchgangsverkehr, Stadtverkehr; → Transit, → Verkehrsmittel, → Verkehrsteilnehmer; → belebt.

**Straßenwacht,** Verkehrswacht, die gelben Engel.

**Straßenwischer** → Straßenfeger.

**Strategie,** Politik, Taktik, Hinhaltetaktik, Kriegskunst, Kampfplanung, Vorgehen; → Handhabung, → Kunstfertigkeit, → Maßnahme, → Politiker, → Schlachtfeld, → Verfahren.

**strategisch:** -e Waffen → Waffen.

**stratifikationell:** -e Grammatik → Grammatik.

**Stratifikationsgrammatik** → Grammatik.

**Stratigramm** → Röntgenogramm.

**Stratigraphie** → Röntgenographie.

**Stratokumulus** → Wolken.

**Stratus** → Wolken.

**Straube** → Gebäck.

**sträuben:** sich [mit Händen und Füßen] s. → aufbegehren.

**Strauch** → Busch.

**Strauchbesen** → Besen.

**Strauchdieb:** → Dieb, → Junge.

**straucheln:** → scheitern, → stolpern.

**Strauchritter** → Dieb.

**Strauchsteppe** → Steppe.

**Strauß:** → Blumenstrauß, → Streit, → Vogel; einen S. machen → bündeln.

**Sträußchen** → Blumenstrauß.

**Straußwirtschaft,** Buschenschenke (österr.), Heuriger (österr.), Heurigenlokal; → Gaststätte.

**Strebe** → Säule.

**Strebemauer** → Mauer.

**streben,** erstreben, anstreben, zustreben, verlangen / trachten / gieren / lechzen / dürsten / schmachten / (ugs.) sich zerreißen [nach], zu erreichen suchen, sich sehnen [nach], es gelüstet jmdn. nach · *gemeinsam nach etwas:* das gleiche Ziel verfolgen, am gleichen / *an einem* Strang ziehen (ugs.); → anschwärmen, → anstrengen, → erwirken, → liebäugeln, → ver-

langen, → wünschen; → begierig.

**Streben:** → Absicht, → Ehrgeiz; faustisches S. → Neugier.

**Strebepfeiler** → Säule.

**Streber:** → Fisch, → Opportunist; ein S. sein → ehrgeizig [sein], → lernen.

**streberhaft** → ehrgeizig.

**strebern** → lernen.

**Strebewerk** → Balkenwerk.

**strebsam** → fleißig.

**Strebsamkeit** → Fleiß.

**Strebung:** → Zuneigung; -en → Absicht.

**¹Strecke,** Entfernung, Abstand, Distanz; → Abstand, → Ferne, → Zahlgrenze; **eine S. zurücklegen,** einen Weg zurücklegen, eine Strecke fahren / laufen / hinter sich bringen; → erstrecken (sich), → fahren, → fortbewegen (sich).

**²Strecke:** → Bahnkörper, → Bahnlinie, → Linienführung; jmdn. zur S. bringen → besiegen.

**¹strecken,** ziehen, dehnen; → ausdehnen.

**²strecken:** → verdünnen; sich s. → recken (sich); die Beine unter jmds. Tisch s. → ernähren; den Finger s. → Handzeichen [geben]; von sich / zur Seite s. → abspreizen.

**Streckenabschnitt** → Zahlgrenze.

**Streckenführung** → Linienführung.

**Strecker** → Muskel.

**Streckmuskel** → Muskel.

**Streckverband** → Verband.

**Streich** → Scherz.

**streicheln** → liebkosen.

**¹streichen,** anstreichen, tünchen, ausmalen (südd., österr.), weißen, weißeln (südd., schweiz.), weißigen (mundartl., oberd.) · *mit Kalk:* kalken · *mit Lack:* lackieren, lacken · *durch Besprühen:* spritzen · *die unterste Schicht, das erste Mal:* grundieren; → anmalen, → malen, → schminken, → zeichnen; → Maler, → Politur, → Renovierung.

**²streichen:** → ausstreichen, → massieren, → verringern; einen s. lassen → Darmwind [entweichen lassen]; s. auf → bestreichen; aus der Matrikel s. → exmatrikulieren.

**Streicher** → Musizierender.

**Streicherensemble** → Orchester.

**Streichholz,** Zündholz, Wachsstreichholz, Schwefelholz (veraltet), Zündhölzchen (bes.österr.), Zünder (österr.); → Feuerzeug.

**Streichinstrument** ·· Geige, Violine, Fiedel · *alte, besonders wertvolle italienische:* Stradivari, Stradivarius, Guarneri, Amati ·· Bratsche, Viola, Viola d'amore ·· Violoncello, Cello, Kniegeige, Gambe, Viola da gamba, Baryton ·· Baßgeige, Baß, Kontrabaß, Violone ·· Tanzmeistergeige, Pochette, Taschengeige; → Musikinstrument, → Saiteninstrument, → Vibrato.

**Streichkäse** → Käse.

**Streichmusik** → Musik.

**Streichorchester** → Orchester.

**Streichriemen** → Schleifstein.

**Streichung** → Einschränkung.

**Streichwurst** → Wurst.

**Streife** → Polizeistreife.

**streifen** → berühren.

**Streifen:** → Kinofilm, → Stoffmuster.

**Streifenregister** → Kartei.

**streifig** → gemustert.

**Streifjagd** → Jagd.

**Streifzug** → Bummel.

**¹Streik,** Kampfmaßnahmen, Arbeitsniederlegung, Generalstreik, Ausstand · *im Einvernehmen mit der Gewerkschaft:* organisierter Streik · *ohne Einverständnis der Gewerkschaft:* wilder Streik · *kurzfristiger, um die Bereitschaft zum eigentlichen Streik zu demonstrieren:* Warnstreik · *in Form langsamer Arbeit:* Bummelstreik, Dienst nach Vorschrift, Go-slow · *als Solidaritätsbekundung für eine andere streikende Gruppe:* Sympathiestreik, Solidaritätsstreik; → Arbeitnehmer, → Demonstration, → Lohnkampf, → Streikbrecher; → streiken · Ggs. → Aussperrung.

**²Streik:** in [den] S. treten → streiken.

**¹Streikbrecher,** Arbeitswilliger, Nichtorganisierter; → Streik; → streiken.

**²Streikbrecher:** S. sein → teilnehmen.

**¹streiken,** bestreiken, in den Ausstand / in [den] Streik treten, die Arbeit niederlegen nicht mehr mitmachen; → aufbegehren, → kündigen; → Arbeit, → Lohnkampf, → Streik, → Streikbrecher · Ggs. → Aussperrung.

²**streiken:** etwas streikt → funktionieren; jmds. Magen streikt → satt [sein].

¹**Streit,** Unzuträglichkeit, Reiberei, Streiterei, Unfriede, Zwietracht, Hader, Zwist, Zerwürfnis, Entzweiung, Tätlichkeit, Handgreiflichkeit, Handgemenge, Saalschlacht, Auseinandersetzung, Knatsch (*salopp*), Disput, Wortwechsel, Wortgefecht, Wortstreit, Kontroverse, Zwistigkeit, Streitigkeiten, Differenzen, Spannungen, kalter Krieg, Konflikt, Generationskonflikt, Polemik, Zusammenstoß, Krawall, Strauß, Zank, Händel, Gezänk, Gezanke (*abwertend*), Zankerei (*abwertend*), Krach (*abwertend*), Knies (*salopp, landsch.*), Stunk (*salopp*), Zoff (*salopp, landsch.*), Explosion · *um Zuständigkeit:* Kompetenzstreitigkeit, Kompetenzkonflikt · *überflüssiger:* Streit um des Kaisers Bart; → Ärger, → Aufsehen, → Blutbad, → Gespräch, → Kampf, → Lärm, → Meinungsverschiedenheit, → Streitobjekt, → Streitsucht; **S. anfangen mit jmdm.,** mit jmdm. anbinden / (*österr.*) anbandeln, sich mit jmdm. anlegen, einen Span ausgraben (*schweiz.*), einen Streit vom Zaun brechen, Unfrieden stiften; → entfremden (sich), → entzweien (sich), → erörtern, → provozieren, → zanken (sich); **um S. zu vermeiden,** um des lieben Friedens willen; **es gibt S.,** es gibt Mord und Totschlag (*ugs.*); → streitbar.

²**Streit:** → Bekämpfung, → Tauziehen; einen S. vom Zaun brechen → provozieren; einen S. aus der Welt schaffen → bereinigen; Gegenstand / Ursache des -es → Streitobjekt; in S. geraten → zanken (sich).

**Streitaxt** → Hiebwaffe.

**streitbar,** streitsüchtig, händelsüchtig, zanksüchtig, angriffslustig, kriegerisch, kämpferisch, engagiert, kampfesfreudig, kampflustig, kampfbereit, kombattant, militant, aggressiv, herausfordernd, angriffig (*schweiz.*), ostentativ, provokant, provokatorisch, provokativ, martialisch, grimmig, furios, hitzig, leidenschaftlich, offensiv; → kampfbereit, → mutig, → provozierend, → spöttisch, → unverträglich; → Kampfbereitschaft, → Kämpfer, → Streit, → Streitbarkeit, → Streitsucht; → eintreten (für) · Ggs. → menschlich.

**Streitbarkeit,** Angriffslust, Aggressivität; → Kampfbereitschaft, → Streitsucht; → kampfbereit, → streitbar.

**streiten** → Kampf; sich s. → zanken (sich); sich s. über → erörtern.

**Streiter:** S. für → Eiferer.

**Streiterei** → Streit.

**Streitfrage** → Schwierigkeit.

**Streitgespräch** → Gespräch.

**Streithahn** → Querulant.

**Streithammel** → Querulant.

**Streithansl** → Querulant.

**streitig:** → ungewiß; jmdm. etwas s. machen → übertreffen.

**Streitigkeiten** → Streit.

**Streitkräfte** → Militär.

**Streitlust** → Streitsucht.

**Streitmacher** → Querulant.

**Streitobjekt,** Zankapfel, Gegenstand / Ursache des Streites; → Streit.

**Streitschrift** → Flugschrift.

**Streitsucht,** Streitsüchtigkeit, Händelsucht, Händelsüchtigkeit, Zanksucht, Zanksüchtigkeit, Streitlust; → Kampfbereitschaft, → Streit, → Streitbarkeit; → kampfbereit, streitbar.

**streitsüchtig:** → streitbar, → unverträglich.

**Streitsüchtigkeit** → Streitsucht.

¹**streng,** strikt, drastisch, massiv, rigoros, energisch, entschieden, bestimmt, mit erhobenem Zeigefinger, mit sanfter Gewalt, hart, scharf, rücksichtslos; → einschneidend, → gravierend, → herrisch, → rücksichtslos, → unbarmherzig, → unzugänglich; **s. werden,** ein Machtwort sprechen, mit der Faust auf den Tisch schlagen / (*ugs.*) hauen; **strenger werden,** die Zügel straffer anziehen; **s. behandeln,** jmdn. an die Kandare nehmen; → eingreifen; → Unerbittlichkeit.

²**streng:** → beschwerlich, → durchdringend, → einschneidend, → herrisch, → sauer; -er werden → eingreifen; s. nach Vorschrift → bürokratisch.

**Strenge** → Unerbittlichkeit.

**strenggläubig** → fromm.

**strenzen** → wegnehmen.

**Strephenopodie** → Fußdeformität.

**Strephexopodie** → Fußdeformität.

**Strephopodie** → Fußdeformität.

**Stresemann:** → Anzug, → Kopfbedeckung.

**Streß:** → Anstrengung, → Managerkrankheit.

**stretto** → lebhaft.

**streuen:** sich Asche aufs Haupt s. → bereuen; Mist s. → düngen; jmdm. Sand in die Augen s. → betrügen.

**streunen** → herumtreiben (sich).

**Streuselkuchen** → Gebäck.

**Streuung:** breite S. habend → weitverzweigt.

**Strich:** → Dirnenwelt, → Linie, → Prostitution, → Zitze; einen S. durch die Rechnung machen → hindern, → verhindern; einen S. darunter machen / ziehen → beenden; keinen S. tun → faulenzen; auf den S. gehen → anbandeln, → prostituieren (sich); jmdn. auf dem S. haben → schikanieren; etwas geht jmdm. gegen den S. → entgegenstehen; nach S. und Faden → gehörig, → sehr.

**Strichbiene** → Prostituierte.

**stricheln** → zeichnen.

**Stricher** → Strichjunge.

**Strichjunge,** Stricher (*ugs.*), Lustknabe (*geh.*), Pupe (*derb*); → Geliebter, → Homosexueller, → Prostituierte.

**strichlieren** → zeichnen.

**Strichmädchen** → Prostituierte.

**Strichpunkt** → Satzzeichen.

**Strichregen** → Niederschlag.

**strichweise** → regional.

**Strick:** → Junge, → Seil; wenn alle -e reißen → Ausnahmefall; Nerven haben wie -e → dickfellig [sein].

**Strickarbeit** → Handarbeit.

**stricken** → handarbeiten.

**Strickjacke** → Strickweste.

**Strickkleid** → Kleid.

Strickleiter → Leiter (die).
Stricknadel, Rundstricknadel, Strickstock (*landsch.*); → Häkelhaken, → Nadel; → handarbeiten.
Strickpulli → Pullover.
Strickpullover → Pullover.
Stricksocke → Strumpf.
Strickspitze → Spitzenstickerei.
Strickstock → Stricknadel.
Strickweste, Weste, Strickjacke, Jacke, Wollweste, Wolljacke, Spencer, Spenzer, Berchtesgadener Jäckchen, Wolljäckchen, Lismer (*schweiz.*), Herrenweste, Damenweste, Chasuble; → Jakke, → Pullover, → Weste.
Striezel → Gebäck.
striezen → wegnehmen.
strikt → streng.
stringent → stichhaltig.
Strip → Striptease.
Strippe: → Schnur; jmdn. an der S. haben, an der S. hängen → telefonieren (mit jmdm.); sich an die S. hängen → anrufen; an der S. sein → Fernsprecher.
Stripperin → Stripteasetänzerin.
stripsen → wegnehmen.
¹Striptease, Strip, Entkleidungsnummer, Entkleidungstanz; → Nachtlokal, → Stripteasetänzerin.
²Striptease: S. machen → ausziehen.
Stripteasetänzerin, Stripperin (*ugs.*), Entkleidungskünstlerin (*scherzh.*), Wäschekünstlerin (*scherzh.*), Stripteuse (*ugs.*), Ausziehmädchen (*ugs.*); → Bardame, → Nackte (die), → Striptease.
Stripteuse →Stripteasetänzerin.
strittig: → ungewiß; -er Punkt → Schwierigkeit.
Strizzi → Zuhälter.
strobelig → strubbelig.
stroblig → strubbelig.
Stroh: leeres S. → Gewäsch; leeres S. dreschen → sprechen.
strohblond → blond.
Strohbund → Garbe.
Strohbündel → Garbe.
Strohdach → Dach.
strohdumm → dumm.
Strohfeimen → Schober.
Strohfeuer → Begeisterung.
Strohgarbe → Garbe.
strohgelb → gelb.

Strohhalm → Trinkhalm.
Strohhaufen → Schober.
Strohhut → Kopfbedeckung.
Strohkoffer → Gepäck.
Strohkopf → Dummkopf.
Strohmann, Strohpuppe; → Double; → vortäuschen.
Strohpappe → Pappe.
Strohpuppe → Strohmann.
Strohsack: heiliger S.! → überrascht [sein].
Strohschober → Schober.
Strohtriste → Schober.
Strohwitwe: → Ehefrau.
Strohwitwer → Ehemann.
Strolch: → Flegel, → Junge, → Verbrecher.
strolchen → herumtreiben (sich).
Strolchenfahrer → Passagier.
Strom: → Fluß; [elektrischer S.]→ Elektrizität; S. der Unterwelt / des Vergessens → Lethe; gegen den S. schwimmen → entgegenstellen (sich); nicht gegen den S. schwimmen → Opportunist [sein]; es regnet in Strömen → regnen.
stromab → abwärts.
stromauf → aufwärts.
stromaufwärts → aufwärts.
strömen → fließen.
Stromer → Vagabund.
Strömer → Fisch.
Stromerei → Landstreicherei.
stromern→herumtreiben (sich).
Stromschnelle → Wasserfall.
Stromspeicher, Batterie, Akkumulator, Akku (*ugs.*); → Elektrizität.
Strömung: → Neigung, → Wirbel.
Stromzähler → Zähler.
Strophe, Vers · Volksliedstrophe, Terzine, Ritornell, Stanze, Siziliane, Distichon; → Kehrreim, → Reim, → Vers, → Versmaß.
strotzen: -d vor → überladen; vor Gesundheit s. → gesund [sein].
strub → beschwerlich.
strubbelig, strubblig, strobelig, stroblig (*ugs.*), strähnig, struppig, zottig, zerzaust, verstrubbelt, unfrisiert, ungekämmt; → frisieren, → zerren; → zerzaust.
strubbeln → zerzausen.
strubblig → strubbelig.
strubeln: sich s. → zanken (sich).
Strudel: → Gebäck, → Wirbel.
strudeln → perlen.

Strudelteig → Teig.
Strudelwurm → Wurm.
¹Struktur, Gefüge, Einheit, Aufbau, Konstruktion, Anlage, Bau, Gerüst, Gerippe; → Beschaffenheit, → Gebilde, → Gliederung; → gegliedert.
²Struktur: ohne S. → amorph.
strukturell: -e Grammatik → Grammatik.
strukturiert: → gegliedert; nicht s. → amorph.
strukturlos → amorph.
Strukturpsychologie → Psychologie.
Struma → Kropf.
¹Strumpf, Damenstrumpf, Herrenstrumpf, Kinderstrumpf, Seidenstrumpf, Perlonstrumpf, Nylonstrumpf, Wollstrumpf · *bis zum Knie reichender:* Kniestrumpf, Wadenstrumpf, Halbstrumpf, Wickelstrumpf, Überstrumpf · *über den Knöchel reichender:* Socke, Socken (*landsch.*), Söckchen, Herrensocke, Kindersocke, Kindersöckchen, Schisocke, Übersocke, Wollsocke, Stricksocke · *über die Hüfte reichender:* Strumpfhose · *fußloser:* → Stutzen → Kleidung.
²Strumpf: sich auf die Strümpfe machen → weggehen; ohne Schuhe und Strümpfe → barfüßig.
Strumpfband → Strumpfhalter.
Strumpfbändel → Strumpfhalter.
Strumpfbandgummi → Strumpfhalter.
Strumpfhalter, Strumpfband, Straps (*ugs.*), Strumpfbandgummi, Strumpfbändel (*landsch.*) · *für Männer:* Sockenhalter; → Mieder.
Strumpfhose → Strumpf.
Strumpfmasche → Masche.
Strunk → Stamm.
Strupfe → Schnur.
struppig: → behaart, → strubbelig.
Strutzel → Gebäck.
Strychnin → Gift.
Stubben: → Greis, → Stamm.
Stube: [gute S.] → Raum; mit jmdm. auf die S. gehen → koitieren.
Stubenappell → Appell.
Stubenarrest → Freiheitsentzug.
Stubengelehrter → Gelehrter.

**Stubenhocker** (*ugs.*), Ofenhocker (*ugs.*), Nesthocker (*ugs.*), Stubenstinker (*derb*).

**Stubenluft** → Luft.

**¹stubenrein**, sauber; → sauber; → Hund · Ggs. → schmutzig.

**²stubenrein:** nicht s. → anstößig.

**Stubenstinker** → Stubenhocker.

**Stubenwagen** → Bett.

**Stuck** → Hirsch.

**¹Stück** · *zwei:* Paar · *zehn:* Decher · *zwölf:* Dutzend · *fünfzehn oder sechzehn:* Mandel · *zwanzig:* Stiege · *sechzig:* Schock, Zimmer · *einhundertvierundvierzig:* Gros · *tausend:* Mille; → Anzahl, → Flächenmaß, → Gewichtseinheit, → Hohlmaß, → Längenmaß.

**²Stück:** → Abschnitt, → Acker, → Anteil, → Exemplar, → Flicken, → Klumpen, → Schauspiel, → Schnitte; altertümliches / altes / antikes / antiquarisches S. → Antiquität; das größte S. [vom Kuchen] → Anteil; S. Papier → Papierschnitzel; etwas ist ein starkes S. → unerhört [sein]; sich für jmdn. in -e reißen lassen → treu [sein].

**Stuckdecke** → Zimmerdecke.

**stucken** → lernen.

**stuckern** → holpern.

**Stückeschreiber** → Schriftsteller.

**Stückfaß** → Hohlmaß.

**Stückgutschiff** → Schiff.

**Stücklohn** → Lohn; im S. arbeiten → arbeiten.

**stückweise** → diskontinuierlich.

**Stückwerk** → Pfuscherei.

**¹Student**, Studierender, Hochschüler, Studiosus, Studio (*veraltet, scherzh.*), Studiker (*ugs.*), Hörer · *angehender:* Mulus · *auf dem Wege des Austauschs im Ausland studierender:* Austauschstudent · *der seine Sprachstudien durch Auslandsaufenthalt vervollkommnet:* Paying guest, Au-pair, Au-pair-Mädchen · *sein Studium durch Arbeit verdienender:* Werkstudent · *nach längerer Studienzeit:* höheres / (*ugs.*) älteres Semester, altes Haus (*scherzh.*), bemoostes Haupt (*scherzh.*) · *als Mitglied einer studentischen Verbindung:* Korpsstudent, Korporierter, Farbentragender, Couleurstudent, Burschen-

schafter · *der sein Studium abbricht:* Drop-out, Studienabbrecher; → Bundesbruder, → Hochschule, → Hochschullehrer, → Kommilitone, → Schüler, → Verbindung, → Zulassungsbeschränkung; → immatrikulieren (sich), → studieren.

**²Student:** S. sein → studieren.

**Studentenausweis** → Ausweis.

**Studentenehe** → Ehe.

**Studentenheim** → Heim.

**Studentensprache** → Gruppensprache.

**Studentenwohnheim** → Heim.

**studentisch:** -e Verbindung → Verbindung, → Vereinigung.

**Studie** → Aufsatz, → Bild.

**Studienabbrecher** → Student.

**Studienanstalt** → Institut.

**Studienfreund** → Freund.

**Studienfreundin** → Freundin.

**Studiengenosse** → Kommilitone.

**Studienkollege** → Kommilitone.

**Studienprofessor** → Lehrer.

**Studienprogramm** → Lehrplan.

**Studienrat** → Lehrer.

**¹studieren**, Student / Studierender sein, die Universität / Hochschule besuchen, auf der Universität / (*ugs.*) Uni sein; → immatrikulieren (sich); → Hochschule, → Schule, → Student.

**²studieren:** → ansehen, → einstudieren, → forschen, → lernen, → lesen.

**Studierender:** → Student; S. sein → studieren.

**studiert** → gebildet.

**Studierter** → Gelehrter.

**Studiker** → Student.

**Studio** → Filmatelier, → Stud  dent, → Werkstatt.

**Studiokamera** → Fotoapparat.

**Studiosus** → Student.

**¹Stufe**, Treppenstufe, Tritt · *einer Leiter:* Sprosse, Sprießel (*österr.*) · *am Wagen zum Ein- und Aussteigen:* Trittbrett; → Treppe, → Treppenabsatz.

**²Stufe:** → Dienstgrad; in -n → stufenweise.

**Stufenfolge** → Rangordnung.

**Stufenordnung** → Rangordnung.

**stufenweise**, abgestuft, etappenweise; → allmählich; **s. vorgehen**, in Stufen / Etappen / Abschnitten handeln · *im politischen Bereich:* eine Politik der kleinen Schritte anwenden,

nach der Salamitaktik vorgehen (*ugs.*).

**Stuff** → Rauschgift.

**Stufung** → Gliederung.

**¹Stuhl**, Holzstuhl, Faltstuhl, Klappstuhl, Schaukelstuhl, Lehnstuhl, Sorgenstuhl, Polsterstuhl, Korbstuhl, Gartenstuhl, Liegestuhl, Sessel (*österr.*) · *drehbarer:* Drehstuhl · *mit Armlehnen:* Armstuhl, Stuhlsessel; → Sitzgelegenheit.

**²Stuhl:** → Exkrement, → Liegestuhl; S. haben → defäkieren; keinen S. haben → Stuhlverstopfung [haben]; jmdn. haut es vom S. → überrascht [sein]; jmdm. den S. vor die Tür setzen → entlassen; zu -e kommen → fertig [werden], → setzen (sich); sich zwischen zwei Stühle setzen → entschließen (sich).

**Stuhlgang:** → Exkrement; S. haben → defäkieren.

**Stuhlsessel** → Stuhl.

**Stuhlverhaltung** → Stuhlverstopfung.

**Stuhlverstopfung**, Verstopfung, Konstipation, Obstipation, Darmträgheit, Hartleibigkeit, Obstructio alvi, Verdauungsstörung · *verstärkte:* Kotstauung, Stuhlverhaltung, Koprostase, Retentio alvi · *mit vollständiger Unmöglichkeit der Kotentleerung durch den After:* Darmverschluß, Ileus, Occlusio intestinorum; → Stoffwechsel, → Verdauung, → Verdauungsstörung · Ggs. → Durchfall; **S. haben**, keinen Stuhl haben; → defäkieren, → obstipieren.

**Stuka** → Flugzeug.

**stuken** → schelten.

**Stulle** → Schnitte.

**Stulpe** → Aufschlag.

**stumm:** → überrascht; -er Diener → Anrichtetisch, → Kleiderbügel, → Speiseplatte; -es h → Dehnungs-h; jmdn. s. machen → töten; [s. wie ein Fisch] → wortlos.

**Stummel:** → Stamm, → Zigarette; den S. quälen → rauchen.

**Stummelaffe** → Affe.

**Stummellerche** → Vogel.

**Stummelpfeife** → Tabakspfeife.

**Stummelwort** → Abkürzung.

**Stummfilm** → Kinofilm.

**Stummheit** → Wortkargheit.

**stumpen** → stoßen.

**Stumpen:** → Stamm, → Zigarre.
**Stumpengeleise** → Kopfgleis.
**Stumpengleis** → Kopfgleis.
**Stumper** → Stoß.
**Stümper,** Pfuscher, Nichtskönner, Nichtswisser · *in der Dichtung:* Schreiberling, Dichterling, Reimling, Federfuchser · *in der Malerei:* Kleckser · *in bezug auf Ärzte:* Kurpfuscher, Quacksalber · *in bezug auf Autofahrer:* Sonntagsfahrer; → Schauspieler.
**Stümperei** → Pfuscherei.
**stümperhaft** → dilettantisch.
**¹stumpf,** ungeschärft, unangespitzt, abgebrochen, nicht → spitz.
**²stumpf** → matt.
**Stumpf:** → Stamm; mit S. und Stiel → ganz; mit S. und Stiel ausrotten → zerstören.
**Stumpfelritze** → Fisch.
**Stumpfheit:** → Abgestumpftheit, → Teilnahmslosigkeit.
**¹Stumpfsinn,** Stupidität, Langweiligkeit, Geistlosigkeit; → geisttötend.
**²Stumpfsinn** → Teilnahmslosigkeit.
**¹stumpfsinnig,** beschränkt, einfältig, borniert, engstirnig, vernagelt (*ugs.*), stupid, [geistig] zurückgeblieben / (*salopp*) minderbemittelt; → dumm; **s. sein,** einen engen Horizont haben; **s. werden,** verbauern, [geistig] verkommen, verkümmern; → Beschränktheit, → Rückständigkeit.
**²stumpfsinnig:** → geisttötend, → langweilig, → träge.
**Stumpfsinnigkeit** → Teilnahmslosigkeit.
**Stunde:** → Unterricht, → Zeitraum; die blaue S. → Dämmerstunde; unterrichtsfreie S. → Freistunde; vierundzwanzig -n → Tag; die S. des Pan → Mittag; jmds. S. hat geschlagen → bestrafen; jmds. -n irgendwo sind gezählt → abreisen; -n nehmen → Unterricht [erhalten]; bei / zu nachtschlafender S., zu nächtlicher S. → nachts; bis zur S. → bisher; in der S. des Pan → mittags; zur S. → jetzt.
**stunden,** verlängern, Aufschub gewähren, [eine Frist] erstrecken (*österr.*); → hinaus-

zögern, → verschieben; → Stundung.
**Stundenfrau** → Putzfrau.
**Stundenglas** → Uhr.
**Stundenhotel** → Hotel.
**Stundenlohn** → Lohn.
**Stundenplan,** Stundentafel (*landsch.*); → Lehrplan, → Schule.
**Stundentafel** → Stundenplan.
**Stundenzeiger** → Uhrzeiger.
**Stündlein:** das letzte S. ist gekommen / hat geschlagen → sterben.
**Stundung,** Aufschub, Verlängerung, Prolongation, Zahlungsaufschub, Moratorium; → Verlängerung, → stunden, → verschieben.
**Stunk** → Streit.
**Stuntman** → Double.
**stupend** → außergewöhnlich.
**Stupf** → Stoß.
**Stupfer** → Stoß.
**stupid:** → geisttötend, → stumpfsinnig.
**Stupidität:** → Beschränktheit, → Stumpfsinn.
**Stupp** → Pulver.
**stuppen** → pudern.
**stuprieren** → vergewaltigen.
**Stuprum** → Vergewaltigung.
**Stups** → Stoß.
**stur:** → planmäßig, → unzugänglich; s. wie ein Bock / Panzer sein → unzugänglich [sein].
**sturheil** → unzugänglich.
**Sturheit** → Eigensinn.
**sturm** → benommen.
**Sturm:** → Wein, → Wind, → Zustrom [orkanartiger / schwerer S.] → Windstärke; S. im Wasserglas → Erregung, → Getue; S. und Drang → Literaturepochen; S. laufen gegen → aufbegehren; das Barometer steht auf S. → ärgerlich [sein]; alle Herzen im S. erobern → symphatisch [sein].
**¹stürmen,** brausen, blasen; → wehen; → luftig; → Wind.
**²stürmen:** → erobern, → fortbewegen (sich).
**Stürmer** → Fußballspieler.
**sturmfrei:** eine -e Bude haben → wohnen.
**Stürmi** → Choleriker.
**stürmisch:** → luftig, → übermütig; -er Wind → Windstärke.
**Sturmleiter** → Leiter (die).

**Sturmmöwe** → Vogel.
**Sturmschritt:** im S. → schnell.
**Sturmschwalbe** → Vogel.
**Sturmsee:** heftige S. → Seegang.
**Sturmspitze** → Fußballspieler.
**Sturmtaucher** → Vogel.
**Sturmvogel** → Vogel.
**Sturmwind** → Wind.
**Sturz:** → Entlassung, → Glasglocke, → Preissturz.
**Sturzbach** → Bach.
**stürzen:** → entlassen, → fallen, → fortbewegen (sich), → scheitern; sich in Schulden s. → leihen; in die Tiefe s. → hinunterfallen; etwas stürzt jmdn. ins Unglück → Unglück; sich in Unkosten s. → schenken; sich in geistige Unkosten s. → anstrengen (sich); sich zu Tode s. → sterben.
**Sturzflug** → Flug.
**Sturzgeburt** → Geburt.
**Sturzglas** → Glasglocke.
**Sturzhelm** → Kopfbedeckung.
**Sturzkampfflugzeug** → Flugzeug.
**Sturzwelle** → Welle.
**Stuß** → Unsinn.
**stussig** → unsinnig.
**Stute** → Pferd.
**Stuten** → Brot.
**Stutenweck** → Brötchen.
**Stuttgart,** die Stadt zwischen Wald und Reben, Landeshauptstadt [von Baden-Württemberg].
**Stutz** → Franken.
**¹Stütze,** Halt, Korsettstange (*scherzh.*), Säule (*scherzh.*), Beistand, Hilfe, Rückhalt, Hilfestellung; → helfen.
**²Stütze:** → Hausangestellte, → Säule; die -n der Gesellschaft → Oberschicht.
**stutzen:** → argwöhnisch [werden], → beschneiden; jmdm. die Flügel s. → einschränken.
**¹stützen,** abstützen, unterstellen, unterbauen, pfählen, spreizen (*bayr., österr.*).
**²stützen:** → abstützen, → anlehnen, → festigen; sich s. auf → berufen (sich auf); gestützt werden von → aufruhen.
**Stutzen:** → Schußwaffe, → Strumpf.
**Stutzer:** → Geck, → Mantel.
**stutzerhaft** → eitel.
**Stützerl** → Pulswärmer.
**Stutzflügel** → Tasteninstrument,

**stutzig:** s. machen → befremden; s. werden → argwöhnisch [werden].

**stützig** → unzugänglich.

**Stützkorsett** → Mieder.

**Stutzkuppel** → Kuppel.

**Stützmauer** → Mauer.

**Stutzperücke** → Perücke.

**Stützpfeiler** → Säule.

**Stützpfosten** → Säule.

**Stützpunkt,** Basis, Ausgangspunkt; → Befestigungsanlage, → Festung.

**Stutzuhr** → Uhr.

**Stützwaage** → Turnübung.

**Stützwurzel** → Wurzel.

**Styling** → Form.

**Stylist** → Zeichner.

**Stylit** → Asket.

**Styx** → Lethe.

**Suada** → Tirade.

**Suaheli** → Neger.

**subaltern** → unselbständig.

**Subdepression** → Melancholie.

**subfebril:** → fieberhaft; -e Temperatur → Fieber.

**Subjekt** → Mensch.

**subjektiv:** → individuell, → parteiisch; -es Verb → Verb.

**Subjektivismus** → Subjektivität.

**Subjektivist** → Außenseiter.

**Subjektivität,** Subjektivismus, Unsachlichkeit, Willkür; → willkürlich • Ggs. → Objektivität.

**Subjektsatz** → Satz.

**Subkontinent:** → Indien, → Kontinent.

**Subkultur,** Underground; → Minderheit, → Partei • Ggs. → etabliert.

**subkutan:** s. spritzen→spritzen.

**sublim** → erhaben.

**Sublimation** → Verfeinerung.

**sublimieren** → verfeinern.

**Sublimierung** → Verfeinerung.

**sublingual** → bukkal.

**Subluxation** → Verrenkung.

**submiß** → unterwürfig.

**Subordination** → Gehorsam.

**sub rosa** → Verschwiegenheit.

**Subsidien** → Ressourcen.

**sub sigillo** → Verschwiegenheit.

**sub sigillo confessionis** → Verschwiegenheit.

**subskribieren** → bestellen.

**Subskription** → Bestellung.

**Subskriptionspreis** → Preis.

**substantiell:** → inhaltsreich, → nahrhaft, → wichtig.

**Substantiv** → Wortart.

**Substanz:** → Bedeutung, → Material.

**substanzhaltig** → inhaltsreich.

**substanzlos** → immateriell.

**substanzreich** → inhaltsreich.

**substituierbar** → austauschbar.

**Substitut** → Stellvertreter.

**Substitution,** Ersetzung, Ersatz, Kommutation; → Permutation, → Umwandlung; → austauschbar.

**Substitutionstransfusion** → Blutübertragung.

**Substrat** → Grundlage.

**subsumieren,** unterordnen, einordnen, zusammenfassen.

**Subsumtion** → Einordnung.

**Subteens** → Kinder.

**subtil** → schwierig.

**subtrahieren,** abziehen, wegzählen (österr.).

**Subtraktion** → Rechenverfahren.

**Subvention** → Zuschuß.

**subventionieren** → zahlen.

**Subversion** → Verschwörung.

**subversiv** → umstürzlerisch.

**Subway:** → Unterführung, → Verkehrsmittel.

**Suchbildrätsel** → Rätsel.

**Suche:** auf der S. sein → suchen.

**¹suchen,** fahnden, auf die Suche sein, ausschauen / ausblicken / ausspähen / auslugen nach, sich umschauen / umsehen / umgucken / (landsch.) umkucken / umtun nach, Ausschau halten, sich nach jmdm. / nach etwas den Hals verrenken (ugs.), stöbern, stieren (südd., österr.), kramen, wühlen, etwas nach etwas durchsuchen, das Haus auf den Kopf stellen (ugs.), etwas wie eine Stecknadel suchen (ugs.); → durchsuchen • Ggs. → finden.

**²suchen:** → anstrengen, → auswählen; Anschluß s. → Kontakt [aufnehmen]; sich eine Frau s. → werben; Pilze s. → Pilz; sein Recht bei Gericht / vor Gericht s. → prozessieren; Schutz / Zuflucht s. unter → unterstellen (sich); etwas sucht seinesgleichen → übertreffen; in etwas s.→nachschlagen (in); jmdn. / etwas mit der Laterne (oder:) mit der Lupe s. können → selten [sein].

**Sucherkamera** → Fotoapparat.

**Suchjagd** → Jagd.

**Suchmeldung** → Vermißtenanzeige.

**¹Sucht,** Abhängigkeit, Gewöhnung • *in bezug auf Opium:* Opiumismus, Opiumsucht • *in bezug auf Morphium:* Morphinismus, Morphiumsucht • *in bezug auf Heroin:* Heroinismus, Heroinsucht • *in bezug auf Kodein:* Kodeinismus. Kodeinsucht • *in bezug auf Kokain:* Kokainismus, Kokainsucht • *in bezug auf Alkohol:* Alkoholismus, Trunksucht • *in bezug auf Schlafmittel:* Barbiturismus, Schlafmittelsucht; → Kokainvergiftung, → Opiumvergiftung, → Schlafmittelvergiftung, → Trunksucht; → süchtig.

**²Sucht** → Neigung.

**süchtig,** rauschgiftsüchtig, drogenabhängig; → begierig; → Rauschgiftsüchtiger, → Sucht.

**Suchtmittel** → Rauschgift.

**suckeln** → saugen.

**Sud** → Flüssigkeit.

**Süd:** → Himmelsrichtung, → Wind.

**Südamerika,** Lateinamerika, Iberoamerika; → Amerika, → Kontinent.

**Südamerikaner** • *nichtromanischer:* Gringo (*abwertend*); → Amerikaner.

**Sudamina** → Frieseln.

**Sudarium** → Sudatorium.

**Sudation** → Transpiration.

**Südatlantik** → Weltmeer.

**südatlantisch:** Südatlantischer Ozean → Atlantik, → Weltmeer.

**Sudatorium,** Sudarium, Schwitzbad, Schwitzkasten; → Sauna.

**Südbayerisch** → Mundart.

**Südbayrisch** → Mundart.

**Sudel** → Entwurf.

**Sudelei:** → Kritzelei, → Unflat.

**sudeln:** → pfuschen, → schreiben.

**Süden** → Himmelsrichtung.

**Südfränkisch** → Mundart.

**Südfrucht** • Apfelsine, Orange, Pomeranze • Mandarine, Klementine, Satsuma • Pampelmuse, Grapefruit • Zitrone, Zitrusfrucht, Limone, Lumie • Banane, Paradiesfeige (*veraltet*), Adamsfeige (*veraltet*),

Bananasfeige (*veraltet*) · Ananas· Feige · Dattel; → Fruchtsaft.

**Südfruchthändler** → Obsthändler.

südlich: Südliches Dreieck, Südlicher Fisch, Südliche Krone / Wasserschlange → Sternbild; Südliches Eismeer → Weltmeer.

**Südlicht** → Polarlicht.

**Sudor** → Schweiß.

**Sudoration** → Transpiration.

**Südost** → Himmelsrichtung.

**Südosten** → Himmelsrichtung.

**Südpazifik:** → Pazifik, → Weltmeer.

südpazifisch: Südpazifischer Ozean → Pazifik, → Weltmeer.

**Südpol** → Pol.

**Südpolarmeer** → Weltmeer.

**Südsüdost** → Himmelsrichtung.

**Südsüdosten** → Himmelsrichtung.

**Südsüdwest** → Himmelsrichtung.

**Südsüdwesten** → Himmelsrichtung.

**Südweinglas** → Trinkgefäß.

**Südwest** → Himmelsrichtung.

**Südwesten** → Himmelsrichtung.

**Südwester** → Kopfbedeckung.

**Südwind:** → Fallwind, → Wind.

**Suff:** → Betrunkenheit; dem S. ergeben / verfallen sein → trunksüchtig [sein].

süffeln → trinken.

süffig → schmackhaft.

**Süffisance** → Überheblichkeit.

süffisant → dünkelhaft.

**Suffix:** → Affix, → Silbe.

**Suffragette** → Frauenrechtlerin.

suggerieren: → beeinflussen, → zuraten.

**Suggestion** → Beeinflussung.

**Suggestivfrage** → Frage.

**Sühne**, Strafe, Buße, Genugtuung, Wiedergutmachung; → Ersatz, → Strafe.

sühnen → einstehen.

**Suite** → Wohnung.

**Suitier** → Frauenheld.

**Suizid:** → Selbstmord; S. begehen → entleiben (sich).

suizidieren → entleiben (sich).

**Sujet** → Gegenstand.

**Sukkade:** → Orangeat, → Zitronat.

**Sukkoth** → Erntedankfest.

**Sukkubus** → Traum.

**Sukzession** → Nachfolge.

sukzessive → allmählich.

**Sukzessor** → Nachfolger.

**Sultanabad** → Orientteppich.

**Sultanine** → Weinbeere.

**Sulz** → Sülze.

**Sülze**, Sulz (*oberd.*), Gesülztes (*schweiz.*),

sülzen → sprechen.

**Sumak** → Orientteppich.

**Sumatra** → Zigarre.

**Sumatratabak** → Tabak.

**Sumatrazigarre** → Zigarre.

summarisch → kurz.

summa summarum → insgesamt.

[1]**Summe**, Gesamtbetrag, Gesamtsumme, Endbetrag · *beträchtliche*: Batzen (*ugs.*) · *sehr hohe*: Unsumme; → Anzahl.

[2]**Summe:** → Beitrag.

summen: → singen; das Summen → Geräusch.

**Sumo** → Schwerathletik.

**Sumpf**, Sumpfland, Moor, Moos (*oberd.*), Ried, Bruch, Fenn (*niederd.*), Brühl (*veraltet*), Auwald, Au (*landsch.*), Aue (*dichter.*), Torfmoor, Hochmoor, Tiefmoor, Flachmoor, Niedermoor, Wiesenmoor; → Schlamm; → versumpfen.

**Sumpfbiber** → Biber.

sumpfen → feiern.

**Sumpfhuhn** → Trinker.

**Sumpfland** → Sumpf.

**Sumpfläufer** → Vogel.

**Sumpfmeise** → Vogel.

**Sumpfohreule** → Vogel.

**Sumpfotter** → Raubtier.

**Sumpfschachtelhalm** → Schachtelhalm.

**Sumpfschildkröte** → Schildkröte.

**Sumpfwurz** → Orchidee.

**Sums:** viel S. machen → übertreiben.

**Sünde:** → Verstoß; eine S. begehen / tun → sündigen.

**Sündenbabel** → Stadt.

**Sündenbock** → Prügelknabe.

**Sündenpfuhl** → Stadt.

**Sündenvergebung** → Läuterung.

[1]**sündigen**, sich versündigen / vergehen, freveln, fehlen, einen Fehltritt / eine Sünde begehen (oder:) tun, delinquieren (*schweiz.*); → Verstoß.

[2]**sündigen** → koitieren.

**Süntelbuche** → Buche.

**Suomen Tasaralta** → Finnland.

**Suomi** → Finnland.

**Super** → Treibstoff.

**Superfekundation** → Befruchtung.

**Superfetation** → Befruchtung.

**Superimprägnation** → Befruchtung.

**Superintendent** → Geistlicher.

superklug → oberschlau.

**Superkraftstoff** → Treibstoff.

**Superlativ**, Höchststufe, Elativ; → Vergleichsstufe.

**Supermacht** → Weltmacht.

**Supermann** → Kraftmensch.

**Supermarkt** → Laden.

supermodern → modern.

**Supersuszeptibilität** → Überempfindlichkeit.

**Supervision** → Überwachung.

**Superweitwinkelkamera** → Fotoapparat.

**Supinator** → Muskel.

**Süppchen:** sein S. am Feuer anderer kochen → bereichern (sich).

[1]**Suppe** ·· klare Suppe, Kraftbrühe, Brühe, Fleischbrühe, Bouillon, Consommé, Hühnerbrühe, Wildbrühe, Fischbrühe, Geflügelkraftbrühe, Wildkraftbrühe, Fischkraftbrühe, Rinderkraftbrühe, Rindfleischsuppe, Rindsuppe (*österr.*), Fleischsuppe, Einmachsuppe (*österr.*), Frittatensuppe (*österr.*), Panadelsuppe (*österr.*) ·· gebundene Suppe, Püreesuppe, Rahmsuppe, Mehlsuppe, Backerbsensuppe (*österr.*), Brennsuppe (*österr.*), Einbrennsuppe (*österr.*), Graupensuppe, Gerstelsuppe (*österr.*), Samtsuppe, Schleimsuppe, Geflügelsuppe, Wildsuppe · Gemüsesuppe, Minestra, Minestrone, Borschtsch, Kohlsuppe, Minestrasuppe (*österr.*), französische Suppe (*ugs.*), Franzosensuppe(*ugs.*) · Zwiebelsuppe · Fischsuppe, Bouillabaisse ·· Ochsenschwanzsuppe, Ochsenschleppsuppe (*österr.*), Gulaschsuppe · Wurstsuppe, Metzelsuppe (*ugs.*) · Schildkrötensuppe, Mockturtlesuppe · Erbsensuppe, Bohnensuppe, Linsensuppe, Kartoffelsuppe, dicke Suppe (*ugs.*); → Brei, → Eintopf, → Soße, → Suppengemüse.

[2]**Suppe:** → Nebel; die S. auslöffeln [müssen] [die man sich eingebrockt hat] → einstehen (für); jmdm. / sich eine schöne

S. einbrocken → hineinmanö-
vrieren (jmdn. / sich in etwas);
jmdm. die S. versalzen → ver-
leiden; es fehlt das Salz an der
S. →geistreich; ein Haar in der
S. finden → beanstanden;
jmdm. nicht das Salz in der S.
gönnen → neiden.
**Suppenfleisch** → Fleisch.
**Suppengemüse,** Suppengrün,
Grünzeug (*südd., österr.*), Grü-
nes (*landsch.*), Suppenkraut,
Wurzelwerk; → Gemüse, →
Suppe.
**Suppenhuhn** → Huhn.
**Suppenlöffel** → Löffel.
**Suppenreis** → Getreide.
**Suppenschildkröte** → Schild-
kröte.
**Suppenschwabe** → Schwabe.
**Suppentasse** → Tasse.
**Suppenteller** → Teller.
**Suppentopf** → Kochtopf.
**supplementär** → ergänzend.
**Supplik** → Gesuch.
**Supplikant** → Antragsteller.
**Supply** → Vorrat.
**Supposition** → Ansicht.
**Suppositorium** → Medikament.
**supranational** → allgemein.
**supranatural** → übernatürlich.
**supranaturalistisch** → übernatürlich.
**Surdomutitas** → Gehörstörung.
**Surrealismus** → Malerei.
**surrealistisch** → übernatürlich.
**surren,** sausen, summen, brummen, burren (*österr.*); → schallen; → Laut.
**Surrogat,** Ersatzstoff, Ersatzmittel; → Ersatz, → Kunststoff.
**suspekt** → anrüchig.
**suspendieren** → entlassen.
¹**süß,** süßlich, gesüßt, honigsüß,
zuckersüß, übersüß, süß-sauer,
sauersüß, bittersüß, nicht →
sauer; → Süßigkeit.
²**süß:** → hübsch; ein -es Geheimnis haben → schwanger [sein];
-es Nichtstun → Muße.
**Süße** → Süßigkeit.
**süßen** → zuckern.
**Süßholz:** S. raspeln → schmeicheln.
**Süßigkeit, Süße;** → süß.
**Süßigkeiten,** Süßwaren, Lek-
kereien, Schleckereien, Kanditen (*österr.*), Näschereien,
Naschwerk, Konfitüren; →
Bonbon, → Kakao, → Marzi-

pan, → Praline, → Schoko-
ladenüberzug, → Zucker.
**Süßkirsche** → Obst.
**süßlich** → süß.
**Süßmost** → Obstwein.
**süß-sauer** → süß.
**Süßschnabel:** ein S. sein →
naschhaft [sein].
**Süßspeise** → Dessert.
**Süßwaren** → Süßigkeiten.
**Süßwasser** → Wasser.
**Süßwasserpolyp** → Hohltier.
**Süßwasserschwamm** →
Schwamm.
**Süßwein** → Wein.
**suszeptibel** → empfindlich.
**Suter** → Dünger.
**Sutter** → Dünger.
**SW** → Himmelsrichtung.
**Sweater** → Pullover.
**Swimming-pool** → Bassin.
**Swing** → Jazz.
**Sybarit** → Genußmensch.
**Sycosis** → Haarbalgentzün-
dung.
**Sycosis barbae** → Haarbalg-
entzündung.
**Sykose:** → Bartflechte,
Haarbalgentzündung.
**Syllabus** → Verzeichnis.
**Sylphe** → Elfe.
**Sylphide** → Elfe.
**Sylvester** → Silvester.
**Symbiose** → Leben.
**Symbol:** → Sinnbild, → Zeichen.
**symbolisch** → sinnbildlich.
**Symbolismus** → Malerei.
**Symbolschrift** → Schrift.
**Symmelie** → Mißgeburt.
**Symmetrie,** Spiegelgleichheit,
Spiegelungsgleichheit, Spiegel-
bildlichkeit, Spiegeligkeit
(*selten*); → symmetrisch.
**symmetrisch,** spiegelgleich,
spiegelungsgleich, spiegelbildlich, spiegelig (*selten*); → ebenmäßig, → kongruent, → übereinstimmend; → Symmetrie.
**Sympathie** → Zuneigung.
**Sympathiestreik** → Streik.
**Sympathikus** → Nervensystem.
**Sympathisant** → Anhänger.
¹**sympathisch,** gewinnend, liebenswert, liebenswürdig, nett,
einnehmend, anziehend, angenehm; → beliebt, → entgegenkommend, → hübsch, → wohlgelitten • Ggs. → unbeliebt; **s.
sein,** jmdm. fliegen alle Herzen
zu / schlagen alle Herzen entgegen, alle Herzen im Sturm

erobern, sich in die Herzen [der
Menschen] stehlen (*geh.*).
²**sympathisch:** → lieb; -es Nervensystem / System → Nervensystem; jmdm. s. sein → gefallen; nicht s. finden → hassen.
**sympathisieren:** s. mit → billigen, → übereinstimmen (mit
jmdm.), → verbrüdern (sich).
**Symphoniekonzert** → Musikveranstaltung.
**Symphoniker** → Musizierender.
**Sympodie** → Mißgeburt.
**Symposion** → Tagung.
¹**Symptom,** Krankheitszeichen,
Signum • *frühes:* Prodrom, Prodromalsymptom, Prodromalerscheinung, Frühsymptom •
*mehrere zusammen:* Syndrom,
Symptomenkomplex; →
Krankheit, → Merkmal.
²**Symptom** → Anzeichen.
**Symptomenkomplex** → Symptom.
**Sympus** → Mißgeburt.
**syn-:** → homo-.
**Synagoge** → Gotteshaus.
**synchron** → gleichzeitig.
**Synchronisation** → Übersetzung.
**synchronisch** → gleichzeitig.
**Synchronisierung** → Übersetzung.
**Syndikus** → Jurist.
**Syndrom:** → Merkmal, →
Symptom.
**Synektik** → Verfahren.
**Synocha** → Eintagsfieber.
**Synode** → Tagung.
**synonym,** gleichbedeutend,
sinngleich, sinnverwandt, bedeutungsähnlich, sinnähnlich,
bedeutungsverwandt, ähnlichbedeutend, hyperonym, hypo-
nym • *in bezug auf Wörter
aus verschiedenen Sprachsyste-
men:* heteronym; → übereinstimmend; → Wortgleichheit •
Ggs. → Gegensatz.
**Synonymwörterbuch** → Nachschlagewerk.
**Syntax** → Sprachwissenschaft.
**Synthese,** Kombination, Zusammenfügung, Verbindung, Verschmelzung; → Bund.
**synthetisch:** -e Geometrie →
Mathematik.
**Synzephalie** → Mißgeburt.
**Synzephalus** → Mißgeburt.
**Syphilidomanie** → Hypochondrie.

Syphilidophobie → Hypochondrie.

Syphilis → Geschlechtskrankheit.

Syphilomanie → Hypochondrie.

Syphilophobie → Hypochondrie.

Syrinx → Blasinstrument.

syrisch: -e Zwiebel → Gemüse.

Syro-Hexaplaris → Bibelübersetzung.

System: → Verfahren, → Weltanschauung; audiovisuelle -e → Kassettenfernsehen; orthosympathisches / parasympathisches / sympathisches S. → Nervensystem.

Systematik → Theologie.

¹systematisch, taxonomisch, klassifikatorisch.

²systematisch: → planmäßig; -e Theologie → Theologie.

systematisieren → gliedern.

systematisiert → gegliedert.

Systematisierung → Gliederung.

Szene: → Auftritt, → Schauplatz; die S. beherrschen → Mittelpunkt [sein]; jmdm. eine S. machen → schelten; in S. setzen → verwirklichen; sich in S. setzen → prahlen.

szintillieren → leuchten.

Szylla: zwischen S. und Charybdis sein → Lage.

# T

Tabak, Rauchtabak, Pfeifentabak, Zigarettentabak, Tobak (veraltet), Kraut (ugs., abwertend), Knaster (ugs., abwertend), Eigenbau (ugs., scherzh.), Grobschnitt, Krüllschnitt, Feinschnitt, Shagtabak, Shag, Virginiatabak, Brasiltabak, Havannatabak, Sumatratabak, Kubatabak, Orienttabak, mazedonischer / türkischer Tabak; → Raucher, → Schnupftabak, → Tabakspfeife, → Tabakwaren, → Zigarette, → Zigarre; → rauchen.

Tabakismus → Nikotinvergiftung.

Tabakknösel → Tabakspfeife.

Tabaklunge → Staublungenerkrankung.

Tabakose: → Nikotinvergiftung, → Staublungenerkrankung.

Tabakraucher → Raucher.

Tabakspfeife, Pfeife, Shagpfeife, Holzpfeife, Bruyèrepfeife, Meerschaumpfeife, Porzellanpfeife, Tonpfeife, Stummelpfeife, Nasenwärmer (scherzh.), Tabakknösel (ugs.), Knösel (ugs.), Kolben (ugs.), Stinktiegel (salopp), Rotzkocher (derb) · lange, türkische: Tschibuk · orientalische, bei der der Rauch durch Wasser geleitet wird: Wasserpfeife, Nargileh; → Raucher, → Tabak, → Tabakwaren, → Zigarette, → Zigarre; → rauchen.

Tabakstaublunge → Staublungenerkrankung.

Tabaksteuer → Abgabe.

Tabakvergiftung → Nikotinvergiftung.

Tabakwaren, Rauchwaren, Raucherwaren, Rauchzeug (schweiz.); → Raucher, → Tabak, → Tabakspfeife, → Zigarette, → Zigarre; → rauchen.

Tabelle: → Verzeichnis; die T. anführen → Höchstleistung [erzielen].

Tabellenführer → Spitzenreiter.

Tabellensatz → Schriftsatz.

Tabernakel, Hostienschrein, Sakramentshäuschen; → Altargerät, → Behälter.

Tableau → Schautafel.

Tablett, Servierbrett, Speisenbrett, Auftragebrett, Serviertasse (österr.), Tasse (österr.); → servieren.

Tablette: → Medikament; –n nehmen → entleiben (sich).

Täbris → Orientteppich.

tabu, unverletzlich, unberührbar, unantastbar, unaussprechlich, verboten; für t. erklären, tabuieren, tabuisieren; → verbieten; etwas ist t., von etwas darf nicht gesprochen werden, an etwas darf man nicht rühren; → Tabu, → Verbot.

¹Tabu, das Unverletzliche / Unberührbare / Unantastbare / Unaussprechliche / Verbotene, heilige Kuh; → Verbot; → verbieten; → tabu.

²Tabu → Verbot.

Tabubezirk → Privatleben.

tabuieren → tabu.

tabuisieren → tabu.

Tabula rasa: T. r. machen → eingreifen.

Taburett → Hocker.

Tacheles: T. reden → schelten, → sprechen.

tachinieren → langsam.

Tachinierer → Faulenzer.

Tachismus → Malerei.

Tacho → Tachometer.

Tachometer, Tacho (ugs.), Geschwindigkeitsmesser; → Auto, → Geschwindigkeit, → Kilometerzähler.

Tachtel → Ohrfeige.

Ta Chung-hua Min-kuo → China.

Tachykardie → Pulsschlag.

Täcks → Nagel.

Tactus → Tastsinn.

Tadel: → Maßregelung, → Vorwurf; ohne Furcht und T. sein → mutig [sein].

tadelfrei → vollkommen.

tadellos → vollkommen.

tadeln: → schelten; sich t. → Schuldgefühl.

Tafel: → Festmahl; T. halten → essen.

Tafelberg → Sternbild.

Tafelbesteck → Eßbesteck.

Tafelente → Vogel.

Tafelglas → Glas.

Tafelklavier → Tasteninstrument.

Tafelleim → Bindemittel.

Tafelmalerei → Maltechnik.

Tafelmesser → Messer.

tafeln → essen.

täfeln, vertäfeln, mit Holz verkleiden, täfern (schweiz.), vertäfern (schweiz.); → Täfelung.

Tafelobst → Obst.

Tafelöl → Speiseöl.

Tafelparkett → Fußboden.

Tafelreis → Getreide.

Tafelsalz → Salz.

Tafeltuch → Tischtuch.

Täfelung, Holzverkleidung, Vertäfelung, Getäfel, Täfer (schweiz.), Getäfer (schweiz.), Täferung (schweiz.); → täfeln.

Tafelwein → Wein.

Täfer → Täfelung.

Taferlklasse → Schulklasse.

Taferlklaßler → Schulanfänger.

Täferung → Täfelung.

taff → stark.

Taft → Seide.

¹Tag, Kalendertag, vierundzwanzig Stunden ·· Frühlingstag, Vorfrühlingstag · Sommertag, Frühsommertag, Hoch-

sommertag, Spätsommertag · Herbsttag · Wintertag · Sonnentag, Regentag, Nebeltag ·· *für ein regelmäßig stattfindendes Treffen o. ä. vereinbarter:* Jour fixe; → Fasttag, → Mitternacht, → Ruhetag, → Werktag; **den ganzen T.**, Tag und Nacht, rund um die Uhr, von morgens bis abends, von früh bis spät; → mittags, → unaufhörlich.

²**Tag:** [acht / sieben -e] → Zeitraum; alle -e, jeden T., während des -es, immer am T., T. für T. → täglich; arbeitsfreier T. → Ruhetag; bewegliche und unbewegliche -e → Kirchenjahr; der frühe / junge T. → Tagesanbruch; frühere / gewesene / verflossene / vergangene -e → Vergangenheit; [der hellichte T.], das Licht des -es → Tageslicht; schwarzer T. → Unglückstag; die drei tollen -e → Fastnacht; Passahfest erster T./ achter T., T. der deutschen Einheit, T. der Republik → Feiertag; die vierzig -e vor Ostern → Passionszeit; T. und Nacht → unaufhörlich; die -e werden kürzer → herbsten; jmds. -e sind gezählt → krank; guten T.! → Gruß; sie hat ihre -e → menstruieren; seinen sozialen T. haben → spendieren; ein Gesicht wie drei / sieben -e Regenwetter machen → aussehen; guten T. sagen → begrüßen; bessere -e gesehen haben → abgewirtschaftet [haben]; dem lieben Gott den T. stehlen → faulenzen; es ist noch nicht aller -e Abend → ungewiß [sein]; dieser -e → kürzlich; Held des -es sein → Mittelpunkt [sein]; während des -es, am [hellichten] T., [mitten] am -e → tagsüber; früh am T., vor -e → morgens; an den T. legen → bekunden; in den T. hinein leben → faulenzen; in jenen -en → damals; Sonntag vom Jüngsten T. → Kirchenjahr; vor Tau und T. → morgens; die Nacht zum -e machen → arbeiten; bis zum heutigen -e → bisher.

**tagaus:** t., tagein → unaufhörlich.

**Tagblindheit** → Sehstörung.

**Tageblatt** → Zeitung.

**Tagebuch,** Diarium · *in der Buchhaltung:* Journal · *für nautische Beobachtungen:* Logbuch.

**Tagebuchroman** → Roman.

**Tagedieb** → Faulenzer.

**Tagegeld** → Spesen.

**tagein:** tagaus, t. → unaufhörlich.

**Tagelied** → Lied.

**Tagelohn** → Lohn.

**Tagelöhner** → Hilfskraft.

**tagen,** konferieren, zusammentreten, sich zusammensetzen; → erörtern; → Geheimkonferenz, → Tagung, → Verabredung.

¹**Tagesanbruch,** Morgenfrühe, Frühe, der frühe Morgen / (*dichter.*) Tag, der junge Tag (*dichter.*), Tagesbeginn, Morgengrauen, Tagesgrauen; → Morgen, → Tageszeit.

²**Tagesanbruch:** → Morgengrauen; bei T. → morgens.

**Tagesbeginn** → Tagesanbruch.

**Tagescreme** → Schönheitspflegemittel.

**Tagesdecke** → Bettdecke.

**Tagesfieber** → Eintagsfieber.

**Tagesfrage** → Schwierigkeit.

**Tagesgestirn** → Sonne.

**Tagesgrauen** → Morgengrauen, → Tagesanbruch.

**Tageshälfte:** erste T. → Morgen; zweite T. → Nachmittag; in der zweiten T. → nachmittags.

**Tagesheimschule** → Schule.

**Tageshelle** → Tageslicht.

**Tageskasse** → Kasse.

**Tageskino** → Kino.

**Tageskleid** → Kleid.

¹**Tageslicht,** Tag, das Licht des Tages, der hellichte Tag, Tageshelle (*geh.*), Taghelle (*geh.*), Tagesschein (*dichter.*) · *von oben einfallendes:* Oberlicht; → Schein.

²**Tageslicht:** [gegen] das T. abschirmen → verdunkeln.

**Tagesmarsch** → Spaziergang.

¹**Tagesordnung,** Geschäftsordnung, Tagungsprogramm, Traktandenliste (*schweiz.*), Tagliste (*schweiz.*), Geschäftsliste (*schweiz.*); → Tagesordnungspunkt, → Tagung.

²**Tagesordnung:** zur T. übergehen → berücksichtigen.

**Tagesordnungspunkt,** Verhandlungsgegenstand, Traktandum (*schweiz.*); → Tagesordnung.

**Tagespreis** → Preis.

**Tagesproblem** → Schwierigkeit.

**Tagesrückfahrkarte** → Fahrkarte.

**Tagesschein** → Tageslicht.

**Tagesschimmer** → Morgengrauen.

**Tageswechsel** → Mitternacht.

**Tageszeit** · Tagesanbruch, Morgenfrühe, Frühe, der frühe Morgen / (*dichter.*) Tag, der junge Tag (*dichter.*), Tagesbeginn, Morgengrauen, Tagesgrauen · Morgen, Vormittag, erste Tageshälfte · Mittag, zwölf Uhr [mittags], zwölf (*ugs.*), Mittagsstunde, die Stunde des Pan (*dichter.*), Highnoon (*engl.*) · Nachmittag, Mittag (*landsch.*), zweite Tageshälfte · Dämmerstunde, Dämmerung, die blaue Stunde, Dämmerungszeit · Abend, Abendstunde, Abendzeit · Mitternacht, vierundzwanzig Uhr, zwölf Uhr [nachts], zwölf (*ugs.*), null Uhr, Tageswechsel, Geisterstunde (*scherzh.*).

**Tageszeitung** → Zeitung.

**Tagfahrt** → Fahrt.

**Tagfalter** → Schmetterling.

**Taggecko** → Eidechse.

**Taggeld** → Spesen.

**Taghelle** → Tageslicht.

¹**täglich,** alltäglich, jeden Tag, alle Tage, Tag für Tag, immer am Tage / während des Tages; → tagsüber.

²**täglich:** etwas nötig haben wie das -e Brot → brauchen.

**Taglilie** → Liliengewächs.

**Tagliste** → Tagesordnung.

**Taglöhner** → Hilfskraft.

**Tagpfauenauge** → Schmetterling.

**tagsüber,** untertags (*österr.*), während des Tages, am hellichten Tag, [mitten] am Tage; → mittags, → täglich · Ggs. → nachts.

**Tagundnachtgleiche,** Äquinoktium; → Jahreszeit.

**Tagung,** Konferenz, Gipfeltreffen, Gipfelkonferenz, Kongreß, Symposion, Besprechung, Beratung, Versammlung, Bot[t] (*schweiz.*), Sitzung, Marathonsitzung, Marathon, Plenarsitzung, Konvent, Konventikel · *der Mitglieder eines Vereins o. ä.:* Generalversammlung, Vollversammlung, Plenum, Mitgliederversammlung, Vereinsversammlung (*schweiz.*) · *einer Partei:* Parteitag ·· *von geistlichen Würdenträgern:* Konzil, Synode, Konsistorium · *zur Papstwahl:* Konklave; → Geheimkonferenz, → Gespräch, → Gipfeltreffen, → Tagesordnung, → Verabredung, → Versammlung, → Versammlungsort.

**Tagungsbüro** → Rezeption.

**Tagungsort** → Versammlungsort.

**Tagungsprogramm** → Tagesordnung.

**Taifun** → Wirbelwind.

**Taifunrad** → Teufelsrad.

**¹Taille,** Gürtellinie, Mitte (*selten*); → Flanke, → Hüften.

**²Taille:** → Mieder; per T. gehen → Mantel.

**Tailleur:** → Kleid, → Schneider.

**Tailor** → Schneider.

**Taiwan** → China.

**¹Takt** · Zweiachteltakt, Zweivierteltakt, Zweihalbetakt, Vierachteltakt, Viervierteltakt, Vierhalbetakt, Sechsachteltakt, Sechsvierteltakt, Dreiachteltakt, Dreivierteltakt, Dreihalbetakt, Neunachteltakt, Neunvierteltakt, Fünfvierteltakt; → Notenzeichen, → Tonabstand.

**²Takt:** → Höflichkeit, → Verschwiegenheit, → Versmaß; den T. schlagen → dirigieren; jmdn. aus dem Takt bringen → verwirren.

**Taktgefühl** → Höflichkeit.

**taktieren:** → dirigieren, → lavieren, → vermitteln.

**Taktik** → Strategie.

**taktil** → Tastsinn.

**taktisch** → schlau.

**taktlos,** geschmacklos, abgeschmackt, unpassend, unangebracht, deplaciert, ohne Feingefühl; → unerfreulich; → Taktlosigkeit.

**Taktlosigkeit,** Geschmacklosigkeit, Abgeschmacktheit, Deplaciertheit, Mangel an Feingefühl, Indiskretion, Aufdeckung, → Fehler, → Unhöflichkeit; → aufdringlich, → taktlos, → unhöflich.

**Taktschritt** → Paradeschritt.

**Taktstock:** den T. schwingen → dirigieren.

**taktvoll:** → dezent, → höflich, → rücksichtsvoll.

**Tal** → Abgrund.

**talab** → abwärts.

**talabwärts** → abwärts.

**talauf** → aufwärts.

**¹Talent,** Genie, kluger / fähiger / heller Kopf, großer Geist; **ein T. sein,** eine Leuchte / ein Licht / ein Lumen sein (*iron., scherzh.*); → Fachmann, → Genie.

**²Talent** → Begabung.

**talentiert** → begabt.

**Taler** → Münze.

**Talfahrt** → Abwärtsfahrt.

**Talg** → Fett.

**Talglicht** → Kerze.

**Talipes** → Fußdeformität.

**Talisman** → Amulett.

**Tallandschaft** → Landschaft.

**Tallyman** → Kontrolleur.

**Talmarsch** → Abstieg.

**Talsohle** → Tiefstand.

**Talsperre** → Stausee.

**Taltel** → Nachschlüssel.

**talwärts** → abwärts.

**Tam** → Klugheit.

**Tamburin** → Schlaginstrument.

**Tamtam:** → Getue, → Lärm, → Schlaginstrument.

**tändeln** → anbandeln.

**Tandem** → Fahrrad.

**Tandler** → Trödler.

**Tang** → Alge.

**Tangente** → Linie, → Straße.

**tangieren:** etwas tangiert jmdn. → betreffen.

**Tango** → Tanz.

**Tank:** → Gefäß, → Panzer.

**¹tanken,** auftanken, nachfüllen, auffüllen, vollschütten, ergänzen; → füllen.

**²tanken** → trinken.

**Tanker** → Schiff.

**Tankleichter** → Schiff.

**Tankpumpe** → Tanksäule.

**Tanksäule,** Zapfsäule, Tankpumpe, Benzinpumpe, Rechenkopfsäule; → Auto, → Tankstelle, → Treibstoff.

**Tankschiff** → Schiff.

**Tankstelle,** Zapfstelle; → Auto, → Tanksäule, → Treibstoff.

**Tann** → Wald.

**Tanne:** → Nadelhölzer; schlank wie eine T. → schlank.

**Tannenbaum** → Weihnachtsbaum.

**Tannenbibelchen** → Tannenzapfen.

**Tannenbirne** → Tannenzapfen.

**tannengrün** → grün.

**Tannenhäher** → Vogel.

**Tannenhonig** → Honig.

**Tannenmeise** → Vogel.

**Tannenreizker** → Ständerpilz.

**Tannenwald** → Wald.

**Tannenzapfen,** Kiefernzapfen, Fichtenzapfen, Zapfen, Hutzel (*landsch.*), Tannenapfel (*landsch.*), Kiefernapfel (*landsch.*), Kienapfel (*landsch.*), Kienappel (*landsch.*), Tannenbirne (*landsch.*), Tannenbibelchen (*landsch.*); → Nadelhölzer.

**Tannicht** → Wald.

**Tanse** → Gefäß.

**Tantalusqualen:** T. leiden → bekommen.

**¹Tante,** Muhme, Base; → Verwandter.

**²Tante:** T. Meyer → Toilette.

**Tante-Emma-Lädchen** → Laden.

**tantenhaft** (*abwertend*), tuntig (*ugs., abwertend*), altjüngferlich, umständlich, etepetete (*ugs.*), spinös, zickig (*salopp, abwertend*), betulich; → engherzig.

**Tantieme** → Gewinnanteil.

**¹Tanz,** Kunsttanz, Ausdruckstanz, Ballett · Volkstanz, Reigen, Kontertanz, Sirtaki, Krakowiak, Kasatschok, Csárdás, Tarantella, Flamenco, Fandango, Bolero, Cachucha, Seguidilla (*veraltet*), Sevillana, Jota, Malagueña · Schautanz, Cancan, Limbo · Gesellschaftstanz, Allemande (*hist.*), Française (*hist.*), Courante (*hist.*), Gaillarde (*hist.*), Pavane (*hist.*), Sarabande (*hist.*), Gigue (*hist.*), Bourrée (*hist.*), Gavotte (*hist.*), Menuett (*hist.*), Musette (*hist.*), Passacaglia (*hist.*), Bergamasca (*hist.*), Ekossaise (*hist.*), Passamezzo (*hist.*), Passepied (*hist.*), Kotillon, Polonaise, Polonäse, Polacca, Polka, Polka-Mazurka, Mazurka, Schottischer, Rheinländer, Ländler, Schuhplattler, Galopp, Quadrille, Cakewalk, Onestep, Schieber (*ugs.*), Twostep, Ragtime, Jitterbug, Shimmy, Black-Bottom, Charleston, Boogie-Woogie, Rock and Roll, Rock 'n' Roll, Blues, Madison, La Bamba, Hully-Gully, La Bamba, Letkiss, Twist, Shake, Slop ·· Turniertanz · *der bei Turnieren als Pflichttanz gewertet wird:* langsamer Walzer, Tango, Foxtrott, Slowfox, Wiener Walzer, Quickstep · *lateinamerikanischer:* Rumba, Beguine, Raspa, Samba, Cha-Cha-Cha, Bossa Nova, Paso doble, Jive, Mambo, Calypso, Habanera · *ursprünglich kultischer, heute profanisierter auf Hawai:* Hula; → Ball, → Eintänzer, → Gymnastik, → Tanzvergnügen; → tanzen.

²**Tanz:** → Tanzvergnügen, → Unannehmlichkeiten; T. auf dem Vulkan → Ausgelassenheit; T. um das Goldene Kalb → Habgier; einen T. aufführen → aufbegehren; ein Tänzchen wagen → tanzen; um einen / den nächsten T. bitten → auffordern.

**Tanzabend** → Tanzvergnügen.

**Tanzbar** → Gaststätte.

**Tanzbär** → Bär.

**Tanzbein:** das T. schwingen → tanzen.

**Tanzdiele** → Gaststätte.

**tänzeln** → fortbewegen (sich).

¹**tanzen,** scherbeln (*salopp*), schwofen (*ugs.*), rocken (*ugs.*), das Tanzbein schwingen, ein Tänzchen wagen, eine süße Sohle aufs Parkett legen (*ugs.*)· *ausgelassen ohne Pause:* tanzen wie der Lumpen am Stecken (*landsch.*); → auffordern; → tanzlustig; → Ball,→ Eintänzer, → Tanz, → Tanzvergnügen.

²**tanzen:** gern -d → tanzlustig; nicht auf zwei Hochzeiten t. können → entschließen (sich); nach jmds. Pfeife t. müssen → selbständig; mit jmdm. t. wollen → auffordern; aus der Reihe t. → eingliedern.

**Tanzerei** → Tanzvergnügen.

**tänzerisch:** -e Gymnastik → Gymnastik.

**Tanzete** → Tanzvergnügen.

**tanzfreudig** → tanzlustig.

**tanzig** → tanzlustig.

**Tanzkapelle** → Orchester.

**Tanzkleid** → Kleid.

**Tanzkränzchen** → Ball.

**Tanzlokal** → Gaststätte.

**tanzlustig,** tanzfreudig, gern tanzend, tanzig (*schweiz.*); → tanzen.

**Tanzmädchen** → Go-go-Girl.

**Tanzmeistergeige** → Streichinstrument.

**Tanzmusik:** → Unterhaltungsmusik; T. machen → aufspielen.

**Tanzorchester** → Orchester.

**Tanzplatte** → Schallplatte.

**Tanzsaal** → Saal.

**Tanzstundenball** → Ball.

**Tanzvergnügen,** Tanz, Tanzerei (*ugs.*), Tanzete (*schweiz.*), Schwof (*ugs.*), Tanzabend, .Tanztee · *für junge Leute:* Lämmerhüpfen (*scherzh., veraltend*); → Ball, → Eintänzer, → Tanz; → tanzen.

**Taoismus** → Weltreligion.

**Tapergreis** → Greis.

**taperig** → hinfällig.

**Tapet:** aufs T. bringen → vorschlagen.

**Tapete:** die -n wechseln → reisen, → übersiedeln, → umsatteln.

**Tapetenflunder** → Ungeziefer.

**Tapetenleim** → Bindemittel.

**Tapetenmotte** → Schmetterling.

**Tapetenwechsel:** einen T. vornehmen → reisen, → zerstreuen (sich).

**Tapezier** → Raumausstatter.

**Tapezierer:** → Maler, → Raumausstatter.

**Tapfe** → Spur.

**Tapfen** → Spur.

**tapfer** → mutig.

**Tapferkeit** → Mut.

**Tapioka** → Stärke.

**Tapisserie** → Wandteppich.

**Tapotement** → Massage.

**tappeln** → fortbewegen (sich).

**tappen** → fortbewegen (sich.)

**Tapperln** → Fangspiel.

**tappich** → dumm.

**tappicht** → dumm.

**tappig** → tolpatschig.

**täppisch** → tolpatschig.

**taprig** → hinfällig.

**tapsig** → tolpatschig.

**Tarantel:** wie von der T. gestochen → schnell.

**Tarantella** → Tanz.

**Tarbusch** → Kopfbedeckung.

**Tarif** → Gehaltsstufe.

**Tarifgespräch** → Lohnkampf.

**Tarifgrenze** → Zahlgrenze.

**Tariflohn** → Lohn.

**Tarifpartner** → Sozialpartner.

**Tarifverhandlung** → Lohnkampf.

**tarnen:** → einnebeln; sich t. → verkleiden (sich).

**Tarnkappe:** unter der T. → heimlich.

**Tarnname** → Deckname.

¹**Tarnung,** Camouflage, Maskierung, Vermummung, Verhüllung, Verbergung; → verkleiden (sich), → verstecken.

²**Tarnung** → Beschönigung.

**Tarock** → Kartenspiel.

**Tartan** → Umhang.

**Tartarus** → Hölle.

**Tartüff** → Lügner.

**Tarzan** → Kraftmensch.

¹**Tasche,** Damenhandtasche · Handtasche · Unterarmtasche · Umhängetasche, Umhängtasche, Schultertasche · Theatertasche, Abendtasche · Pompadour (*veraltet*), Beutel, Ridikül (*veraltet*); → Einkaufstasche.

²**Tasche:** → Aktentasche, → Einkaufstasche, → Papiertüte; sich die -n füllen → bereichern (sich); die Hand auf die T. halten → geizig [sein]; jmdm. auf der T. liegen → Last; etwas aus der eigenen / aus eigener T. bezahlen → zahlen; in die eigene T. arbeiten / wirtschaften → bereichern (sich); in die T. greifen → zahlen; da geht einem das Messer in der T. auf → unerhört [sein]; Speck in den T. haben → beliebt [sein]; jmdm. in die T. stecken → übertreffen.

**Taschenausgabe** → Edition.

**Taschenbuch:** → Buch, → Ratgeber.

**Taschenfeitel** → Taschenmesser.

**Taschenfeuerzeug** → Feuerzeug.

**Taschengeige** → Streichinstrument.

¹**Taschengeld,** Nadelgeld, Sackgeld (*landsch.*); → Wirtschaftsgeld.

²**Taschengeld** → Geld.

**Taschenkalender** → Kalender.

**Taschenkrebs** → Krebs.

**Taschenlampe** → Lampe.

¹**Taschenmesser,** Messer, Sackmesser (*oberd.*), Taschenfeitel (*österr.*), Taschenveitel (*österr.*), Klappmesser, Federmesser, Fahrtenmesser.

²**Taschenmesser** → Messer.

**Taschenspieler** → Zauberkünstler.

**Taschentuch,** Schnupftuch, Sacktuch (*landsch.*), Schneuztuch (*österr.*), Nastuch (*südd.*, *schweiz.*), Rotzfahne (*derb*), Fahne (*salopp*), Popelfahne (*derb*), Rotzlappen (*derb*), Damentaschentuch, Herrentaschentuch, Spitzentaschentuch · *das in der oberen Jackettasche getragen wird:* Ziertuch, Ziertaschentuch.Kavalier[s]taschentuch, Kavalier[s]tuch, Poussiertuch, Einstecktuch, Stecktuch (*österr.*); → Serviette; → schneuzen (sich).

**Taschenuhr** → Uhr.

**Taschenveitel** → Taschenmesser.

**Täschner,** Taschenmacher, Taschner (*bes. südd.*, *österr.*), Feintäschner, Etuimacher, Börsenmacher, Brieftaschenmacher, Galanterietäschner, Albenportefeuiller.

**¹Tasse,** Schale, Häferl (*ugs.*, *österr.*), Obertasse und Untertasse · Kaffeetasse, Mokkatasse, Teetasse, Kaffeeschale (*landsch.*), Teeschale (*landsch.*), Kaffeehäferl (*ugs.*, *österr.*), Sammeltasse, Barttasse, Schnabeltasse, Suppentasse, Bouillontasse; → Geschirr, → Trinkgefäß.

**²Tasse:** → Trinkgefäß; trübe T. → Dummkopf; nicht alle -n im Schrank / im Spind haben → verrückt [sein]; die -n im Schrank lassen → übertreiben.

**Tastatur,** Klaviatur, Manual · *mit den Füßen zu bedienende:* Pedal · *bei Saiten- und Zupfinstrumenten:* Griffbrett; → Tasteninstrument.

**tasten,** fühlen, berühren, betasten, befühlen; → Tastsinn.

**Tasteninstrument** · Klavier, Drahtkommode (*ugs.*, *scherzh.*), Klimperkasten (*ugs.*, *abwertend*), Piano, Pianoforte, Pianino, Hammerklavier, Tafelklavier, Flügel, Konzertflügel, Stutzflügel, Klavichord · Cembalo, Klavizimbel, Clavicembalo, Kielflügel, Spinett · Orgel, Kirchenorgel, Positiv, Portativ, Harmonium, Celesta · Akkordeon, Ziehharmonika, Handharmonika, Orgel (*schweiz.*),

Schifferklavier, Maurerklavier (*österr.*), Konzertina, Bandoneon, Bandonium, Ziehharmonium (*scherzh.*), Quetschkommode (*ugs.*), Quetschkasten (*ugs.*), Quetsche (*ugs.*); → Elektroorgel, → Musikinstrument, → Tastatur.

**Tastenkünstler** → Pianist.

**Tastkörperchen** → Sinnesorgan.

**Tastscheibe:** -n → Sinnesorgan.

**Tastsinn,** Tactus (*Med.*); **den T. betreffend,** taktil; → tasten.

**¹Tat,** Handlung, Aktion, Akt · *eines einzelnen:* Alleingang · *törichte:* Schildbürgerstreich, Schwabenstreich · *unbedachte im Affekt:* Kurzschlußhandlung, Affekthandlung · *als Vergeltung:* Gegenaktion, Retourkutsche (*ugs.*, *abwertend*), Revanchefoul (*Sport*); → Aktion, → Angelegenheit, →Maßnahme.

**²Tat:** Ort der T. → Schauplatz; auf frischer T. ertappen → ergreifen (jmdn.); in der T. → ja, → wirklich; in die T. umsetzen → verwirklichen; in T. und Wahrheit → wahrlich; jmdm. mit Rat und T. beistehen → beraten; zur T schreiten → unternehmen (etwas).

**Tatarbeefsteak** → Fleischgericht.

**Tatbestand** → Tatsache.

**Tate** → Vater.

**Tatendrang** → Arbeitseifer.

**Tatendurst** → Arbeitseifer.

**tatenlos:** → faul; t. zusehen / dabeistehen → zögern.

**Tatenlosigkeit** → Passivität.

**Tatenlust** → Arbeitseifer.

**Täter:** → Mörder, → Verbrecher.

**Tatform** → Aktiv.

**tätig:** → aktiv, → berufstätig, → fleißig; t. sein → agieren, → arbeiten; t. sein als → innehaben; als Schauspieler t. sein → schauspielern.

**tätigen:** → verwirklichen; einen Kauf t. → kaufen.

**Tätigkeit:** → Arbeit; in T. setzen → mobilisieren.

**Tätigkeitsbereich:** → Beruf, → Wirkungsbereich.

**Tätigkeitsdrang** → Aktivität.

**Tätigkeitsverb** → Verb.

**Tätigkeitswort** → Verb.

**Tätigung** → Bewerkstelligung.

**¹Tatkraft,** Energie, Willenskraft, Leistungsfähigkeit, Elastizität, Spannkraft; → Beharrlichkeit, → Ehrgeiz, → Entschlußkraft, → Fleiß, → Temperament; → verjüngt.

**²Tatkraft** → Aktivität.

**tatkräftig** → zielstrebig.

**Tatl** → Greis.

**tätlich** → handgreiflich.

**Tätlichkeit** → Streit.

**¹Tatort,** Begehungsort (*schweiz.*); → Gerichtsverhandlung.

**²Tatort** → Schauplatz.

**tätowieren** → zeichnen.

**¹Tatsache,** Gegebenheit, Tatbestand, Sachlage, Sachverhalt, Umstand, vollendete Tatsache, Fait accompli, Hasenpfeffer (*schweiz.*), Faktizität, Faktum, Fakt, Realität, Wirklichkeit, Sosein; → Ereignis.

**²Tatsache:** -n → Angaben; es scheint nicht den -n zu entsprechen, daß → ungewiß [sein]; den -n entsprechend → wahr; den -n ins Gesicht sehen → realistisch [sein]; auf dem Boden der -n bleiben → übertreiben; auf dem Boden der -n stehen → realistisch [sein].

**tatsächlich:** → erwartungsgemäß, → wahr, → wahrlich, → wirklich.

**Tätschelgreis** → Mann.

**tätscheln** → liebkosen.

**Tattedl** → Mann.

**Tattergreis** → Greis.

**Tatterich:** den T. haben → zittern.

**tatterig** → hinfällig.

**tattrig** → hinfällig.

**Tatze** → Gliedmaße.

**Tatzelwurm** → Fabelwesen.

**Tatzeuge** → Zeuge.

**¹Tau (das)** → Buchstabe,→Seil, → Sportgerät.

**²Tau (der):** → Niederschlag; keinen T. haben → wissen; vor T. und Tag → morgens.

**¹taub,** gehörlos, schwerhörig, törisch (*ugs.*, *bayr.*, *österr.*) · *in Verbindung mit dem Verlust des Sprechvermögens:* taubstumm; → Schwerhöriger, → Schwerhörigkeit.

**²taub:** → blutleer; -e Flut → Flut; t. werden → absterben; sich t. stellen → reagieren; -en

Ohren predigen, etwas trifft auf -e Ohren → sprechen.

**Taube:** → Sternbild, → Vogel; Goldene T. → Filmpreis; eine T. sein → Pazifist [sein].

**taubenblau** → blau.

**Taubenkobel** → Stall.

**Taubenschlag** → Stall.

**Taubenschwänzchen** → Schmetterling.

**Taubheit** → Gehörstörung.

**Täubi** → Ärger.

**taubstumm** → taub.

**Taubstummheit** → Gehörstörung.

**¹tauchen,** tunken (*landsch.*), stippen (*ugs., landsch.*), eintauchen, eintunken (*landsch.*), einstippen (*ugs., landsch.*); → einsenken.

**²tauchen** → schwimmen.

**Tauchen** → Schwimmen.

**Tauchsieder** → Heißwasserbereiter.

**Tauchsprung** → Sprung.

**¹tauen,** schmelzen, auftauen, apern (*oberd.*), es ist Tauwetter, lahnen (*bayr., österr.*); → abtauen; → schneefrei.

**²tauen:** getaut → flüssig.

**Taufbecken,** Taufstein; → taufen.

**Taufe:** → Sakrament; die T. vollziehen / vornehmen → taufen; aus der T. heben → einweihen, → gründen.

**¹taufen,** die Taufe vollziehen / vornehmen, jmdn. in die christliche Gemeinschaft aufnehmen; → Konfirmation, → Taufbecken.

**²taufen:** jmdn. t. → nennen; etwas t. → verdünnen.

**Taufkapelle** → Gotteshaus.

**Taufkerze** → Kerze.

**Taufkirche** → Gotteshaus.

**Taufkleid** → Kleid.

**Taufname** → Vorname.

**Taufpate** → Pate.

**Taufpatin** → Patin.

**Taufstein** → Taufbecken.

**Taufzeuge** → Pate.

**Taufzeugin** → Patin.

**Taugenichts** → Versager.

**tauglich:** → lohnend, → zweckmäßig.

**Tauglichkeit** → Fähigkeit.

**Taukreuz** → Kreuzzeichen.

**taumeln** → schwanken.

**taumlig** → benommen.

**Tauner** → Hilfskraft.

**taupe** → grau.

**Tauperle** → Niederschlag.

**Tausch** → Umtausch.

**¹tauschen,** wechseln, eintauschen, umtauschen, Tauschgeschäfte machen, barattieren; → austauschen, → handeln, → verwechseln; → Umtausch.

**²tauschen** → wechseln.

**¹täuschen:** → betrügen; sich t. → irren (sich); getäuscht werden → hereinfallen; sich über etwas t. → unterschätzen.

**²täuschen:** sich getäuscht sehen → hereinfallen.

**täuschend** → unwirklich.

**Tauschgeschäft:** -e machen → tauschen.

**¹Täuschung,** Einbildung, Einbildungskraft, Vorstellung, Vorstellungskraft, Spekulation, Abstraktion, Theorie, Fiktion, Erdichtung, Irrealität, Unwirklichkeit, Phantasie, Auswüchse / (*abwertend*) Ausgeburt der Phantasie, Schimäre, Chimäre, Halluzination, Imagination, Sinnestäuschung, Bild, Vision, Gesicht, Fata Morgana, Wahn, Trugbild, Gaukelei, Gaukelspiel, Gaukelwerk, Phantom, Utopie, Hirngespinst (*abwertend*), Phantasmagorie, Illusion, Wunschtraum, Seifenblase (*ugs.*), Wolkenkuckucksheim, Luftschloß, leerer Dunst; → Ansicht, → Bewußtseinstrübung, → Fata Morgana, → Gespenst, → Hokuspokus, → Lüge, → Muster, → Säuferwahnsinn, → Träumer; → unwirklich.

**²Täuschung:** → Betrug, → Mystifikation.

**tausend:** → viele; in t. Ängsten schweben → sorgen (sich); t. Dank! → danke!; scharf wie t. Russen → begierig; das Land der t. Seen → Finnland; t. und aber t. → viele; vom Hundertsten ins Tausendste kommen → abschweifen.

**Tausende:** → viele; T. und aber T. → viele.

**tausendfünfhundert:** 1500-m-Lauf → Lauf.

**tausendmal:** ich bitte t. um Entschuldigung / um Verzeihung! → Verzeihung!

**Tausendsassa** → Draufgänger.

**Tausendschön** → Maßliebchen.

**Tautologie** → Pleonasmus.

**tautologisch** → pleonastisch.

**Tauwetter:** → Wetter; es ist T. → tauen.

**Tauwind** → Fallwind.

**Tauziehen,** [zähes] Ringen, Kampf, Streit, Auseinandersetzung, Hin und Her; → eintreten (für).

**Taverne** → Gaststätte.

**taxieren** → schätzen.

**Taxifahrt** → Fahrt.

**taxonomisch** → systematisch.

**Taxushecke** → Hecke.

**Tazette** → Narzisse.

**Tb** → Tuberkulose.

**Tbc** → Tuberkulose.

**Tea** → Rauschgift.

**Teach-in:** → Demonstration, → Gespräch.

**teakholzfarben** → braun.

**¹Team,** Stab, Arbeitsgruppe, die Mitarbeiter; → Personal.

**²Team** → Mannschaft.

**Teamarbeit** → Mitarbeit.

**Teamwork:** → Arbeit, → Mitarbeit.

**Tearoom** → Café.

**Technik:** → Handhabung, → Verfahren.

**Techniker** → Ingenieur.

**technisch:** -e Aufklärungstruppe / Truppe → Waffengattung; -er Zeichner → Zeichner; -es Zeitalter → Atomzeitalter.

**Techtelmechtel:** → Liebelei; ein T. haben → lieben.

**Teckel** → Hunderassen.

**Teddy** → Teddybär.

**Teddybär,** Teddy, Stoffbär, Plüschbär, Bär, Bärchen; → Spielzeug.

**Teddy-Boy** → Halbstarker.

**¹Tee** ·· schwarzer / grüner / chinesischer Tee ·· *aus den beiden obersten Blättern der Teepflanze:* Pekoe, Pekoe-Souchong · *aus großen Blättern:* Souchong · *aus groben, harten Blättern:* Bohea · *aus feinen Blattspitzen:* Flowery-Orange-Pekoe ·· grüner Tee, Chinatee ·· Matetee, Paraguaytee · *aus Kräutern o.ä.:* Kräutertee, Haustee, Heiltee, Gesundheitstee · Pfefferminztee, Kamillentee, Lindenblütentee, Hagebuttentee, Malventee, Hibiskustee, Salbeitee, Wermuttee, Fencheltee, Baldriantee, Fliedertee, Brombeerblättertee, Holundertee, Eukalyptustee,

Sennesblättertee · Hustentee, Brusttee, Blasentee, Nierentee.
²**Tee:** → Zwischenmahlzeit; abwarten und T. trinken! → abwarten; einen im T. haben → betrunken [sein].
**TEE** → Eisenbahnzug.
**Teebäckerei** → Gebäck.
**Teebutter** → Fett.
¹**Teegebäck,** Konfekt (*oberd.*), Teebäckerei (*österr.*), Patisserie (*schweiz.*), Plätzchen; → Bäkker.
²**Teegebäck** → Gebäck.
**teegelb** → gelb.
**Teelöffel** → Löffel.
**Teemaschine,** Samowar; → Kaffeemaschine.
**Teemütze** → Kaffeewärmer.
**Teen** → Jüngling.
**Teenager** → Mädchen.
**Teenagersprache** → Gruppensprache.
**teeren:** t. und federn → bestrafen.
**Teerjacke** → Matrose.
**Teerose** → Rose.
**Teerpappe** → Pappe.
**Teeschale** → Tasse.
**Teestube** → Café.
**Teetasse** → Tasse, → Trinkgefäß.
**Teetisch** → Tisch.
**Teewagen** → Anrichtetisch.
**Teewärmer** → Wärmeplatte.
**Teewurst** → Wurst.
**Teheran** → Orientteppich.
**Teich:** → See; der große T. → Meer; jenseits des großen -es → Amerika.
**Teichhuhn** → Vogel.
**Teichmolch** → Molch.
**Teichmuschel** → Muschel.
**Teichoskopie,** Mauerschau; → Schauspiel, → Theater.
**Teichrose** → Wasserrose.
**Teichschildkröte** → Schildkröte.
**Teig** · Hefeteig, Germteig (*bayr.*, *österr.*) · Knetteig, Mürb[e]teig · Blätterteig · Biskuitteig · Brandteig · Nudelteig, Strudelteig · Rührteig, Abtrieb (*österr.*); → Gebäck, → Kloß.
**teigig** → weich.
**Teigrolle** → Nudelholz.
**Teigwaren,** Nudeln, Spätzle (*südd.*) · Knöpfli (*schweiz.*), Nokkerl (*bayr.*, *österr.*) · Spaghetti, Makkaroni, Cannelloni, Lasagne, grüne Nudeln, Bandnudeln, Fadennudeln · Ravioli, Maul-

taschen, Frittaten (*österr.*), Reibgerstel (*österr.*), geriebenes Gerstel (*österr.*), Hörnchen (*österr.*), Schlieferl (*österr.*).
**Teil:** → Abschnitt, → Anteil; der geringere T. → Minderheit; hinterer T. → Hinterteil; integrierender T. → Bestandteil; der überwiegende T. → Mehrheit; vorderer T. → Vorderteil; sein[en] T. zu tragen haben → Schicksal; aus allen -en der Welt → überallher; ich für meinen T. → ich; in alle -e der Welt → überallhin; in vier -e teilen → vierteilen; zum T. → teilweise.
**Teilabkommen** → Abmachung.
¹**teilen,** aufteilen, aufschlüsseln, sortieren, austeilen, ausgeben, einteilen, verteilen, zur Verteilung bringen, halbpart machen (*ugs.*), halbe-halbe machen (*ugs.*), fifty-fifty machen (*ugs.*), mit jmdm. Kippe machen (*salopp*); → abgeben, → halbieren, → spenden, → teilnehmen, → vierteilen, → widmen; → geteilt.
²**teilen:** → dividieren → entflechten, → unterteilen; [den Schmerz] t. → mitfühlen; sich t. → gabeln (sich); mit jmdm. das Zimmer t. → wohnen; in vier Teile t. → vierteilen.
**Teilergebnis** → Ergebnis.
**Teilfrage** → Frage.
**teilhaben** → teilnehmen.
**Teilhaber,** Mitinhaber, Partner, Gesellschafter, Sozius, Kompagnon, stiller Teilhaber, Kommanditist, Kommanditär (*schweiz.*); → Kollege, → Komplice.
**teilhaftig:** t. werden → bekommen.
**Teilmassage** → Massage.
**Teilnahme:** → Engagement, → Mitgefühl; T. am Gottesdienst → Kirchgang; T. zeigen / bezeigen → mitfühlen; seine T. ausdrücken → kondolieren.
**teilnahmslos:** → passiv, → träge.
**Teilnahmslosigkeit,** Unempfindlichkeit, Trägheit, Indolenz, Gleichgültigkeit, Desinteresse, Interesselosigkeit, Uninteressiertheit, Stumpfheit, Abgestumpftheit, Abstumpfung, Stumpfsinnigkeit, Stumpfsinn, Geistesabwesenheit, Lethargie,

Apathie, Abnegation (*veraltet*); → Abgestumpftheit, → Nachlässigkeit, → Passivität, → Stumpfsinn; → träge, → unempfindlich.
¹**teilnehmen,** sich beteiligen, teilhaben, dazugehören, sich solidarisch erklären mit, dabeisein, mitwirken, beteiligt sein, mitarbeiten, mitspielen, mitmachen, mittun, mithalten (*ugs.*), mit von der Partie sein (*ugs.*), mitziehen (*salopp*), beiwohnen, sich einlassen auf · *an einem Wettkampf, ohne gewertet zu werden:* außer Konkurrenz starten · *vorübergehend:* eine Gastrolle geben (*ugs.*); **nicht t.,** sich abseits halten, abseits / beiseite stehen, sich mit der Rolle des Zuschauers begnügen, Spielverderber sein · *an einem Streik:* Streikbrecher sein; → kommen, → teilen · Ggs. → entziehen (sich), → heraushalten (sich).
²**teilnehmen:** → mitfühlen; an einem Kurs / Kursus / Lehrgang t. → Unterricht [erhalten].
**Teilnehmer:** → Publikum; der T. nimmt nicht ab / meldet sich nicht, den T. nicht erreichen → telefonieren (mit jmdm.).
**Teilperücke** → Perücke.
**teils:** [t. ... t.] → teilweise.
**Teilstrecke,** Abschnitt, Teilstück, Etappe.
**Teilstück:** → Detail, → Segment, → Teilstrecke.
**Teilung:** → Abtrennung, → Rechenverfahren.
**Teilverrenkung** → Verrenkung.
**teilweise,** teils [... teils], zum Teil, partiell, nicht uneingeschränkt.
**Teilzahlung:** → Abzahlung, → Zahlung.
**Tein** → Koffein.
**Teinismus** → Koffeinvergiftung.
**Teint** → Epidermis.
**Teintpflege** → Kosmetik.
**Teinvergiftung** → Koffeinvergiftung.
**Tekke-Turkmene** → Orientteppich.
**Telaribühne** → Bühne.
**Telefon** → Fernsprecher.
**Telefonanschluß,** Hausanschluß, Anschluß, Nebenstelle, Appa-

rat, Klappe (österr.); → Fernsprecher, → Telefonverbindung.
**Telefonat:** → Telefongespräch; ein T. führen → telefonieren (mit jmdn.).
**Telefonbuch,** Telephonbuch, Fernsprechbuch; → Fernsprecher, → Telefongespräch.
**Telefondraht** → Draht.
¹**Telefongespräch,** Telephongespräch, Telefonat, Telephonat, Anruf, Telefonanruf, Telephonanruf, [dringendes] Gespräch · *mit einem Teilnehmer außerhalb des Ortsnetzes:* Ferngespräch, Fernruf · *mit einem Teilnehmer innerhalb des Ortsnetzes:* Ortsgespräch · *vorrangig hergestelltes, gegen zehnfache Gebühr:* Blitzgespräch · *vom Angerufenen zu bezahlendes:* R-Gespräch; → Fernsprecher, → Telefonbuch, → Telefonnummer, → Telefonverbindung, → Telefonzelle → Telefonzentrale; → anrufen.
²**Telefongespräch:** ein T. führen → telefonieren (mit jmdn.).
¹**telefonieren** (mit jmdn.), telephonieren, ein Gespräch / Telefongespräch / Telefonat führen, jmdn. an der Strippe haben (ugs.), an der Strippe hängen (ugs.); → anrufen; **mit jmdm. nicht t. können,** keine Verbindung / keinen Anschluß bekommen (oder:) kriegen, den Teilnehmer nicht erreichen, nicht durchkommen (ugs.), der Teilnehmer meldet sich nicht / nimmt nicht ab, die Leitung ist blockiert / besetzt, das Gespräch kommt nicht zustande; → Telefonverbindung, → Telefonzentrale.
²**telefonieren** → anrufen.
**Telefonleitung** → Telefonverbindung.
**Telefonnummer,** Telephonnummer, Rufnummer, Nummer (ugs.), Ruf, Fernsprechnummer; → Telefongespräch.
**Telefonseelsorge** → Seelsorge.
**Telefonverbindung,** Telephonverbindung, Telefonleitung, Telephonleitung, Leitung · *direkte:* heißer Draht (ugs.); → Telefonanschluß, → Telefongespräch, → Telephonzentrale; → anrufen, → telefonieren (mit jmdm.).

**Telefonzelle,** Telephonzelle, Fernsprechzelle, Telefonhäuschen, Telephonhäuschen, öffentlicher Fernsprecher, Kabine, Sprechzelle; → Telefongespräch, → Fernsprecher; → anrufen.
**Telefonzentrale,** Fernsprechzentrale, Zentrale, Fernsprechvermittlung, Vermittlung; → Telefongespräch, → Telefonverbindung; → telefonieren (mit jmdn.).
**telegrafieren,** telegraphieren, telegrafisch / telegraphisch übermitteln, ein Telegramm schikken, kabeln, drahten, depeschieren; → Telegramm.
**telegrafisch:** t. übermitteln → telegrafieren.
¹**Telegramm,** Depesche, Funkspruch, Fernschreiben; → funken.
²**Telegramm:** [T. mit Rückantwort] → Postsendung; ein T. schicken → telegrafieren.
**Telegrammbote** → Zusteller.
**Telegrammstil** → Ausdrucksweise.
**telegraphieren** → telegrafieren.
**telegraphisch:** t. übermitteln → telegrafieren.
**Telekinese** → Geisterbeschwörung.
**Telencephalon** → Gehirn.
**Telepathie,** Gedankenübertragung, Fernfühlen; → Geisterbeschwörung → Hellsehen; → Wahrsager; → voraussehen.
**Telephon** → Fernsprecher.
**Telephonat** → Telefongespräch.
**Telephonbuch** → Telefonbuch.
**Telephongespräch** → Telefongespräch.
**telephonieren:** → anrufen, telefonieren (mit jmdn.).
**Telephonleitung** → Telefonverbindung.
**Telephonseelsorge** → Seelsorge.
**Telephonverbindung** → Telefonverbindung.
**Telestichon** → Gedicht.
**Television** → Fernsehen.
**Tellensohn** → Schweizer.
¹**Teller,** Assiette (veraltet) · Porzellanteller, Holzteller, Plastikteller, Zinnteller · Suppenteller, tiefer Teller · flacher Teller, Frühstücksteller, Dessertteller, Brotteller · Warmhalteteller · *als Teil der Tasse:*

Unterteller, Untertasse; → Geschirr.
²**Teller:** → Ohr; seinen T. leer essen → aufessen.
**Tellermine** → Mine.
**Tellermütze** → Kopfbedeckung.
**Tellerschnecke** → Schnecke.
**tellurisch** → irdisch.
**Tempel:** → Gotteshaus; jmdn. zum T. hinausjagen → hinauswerfen.
**Temperamalerei** → Maltechnik.
¹**Temperament,** Munterkeit, Lebhaftigkeit, Vitalität, Spannkraft, Fitness, Schwung, Feuer, Elan, Pep, Verve, Animo (veraltend, österr.); → Begeisterung, → Tatkraft; → beschwingt.
²**Temperament:** → Wesen; kein T. haben → temperamentlos [sein].
**temperamentlos,** lahm, langweilig, müde, lustlos, unlustig, ohne [rechten] Schwung · Ggs. → lebhaft; **t. sein,** kein Temperament / keinen Schwung haben, jmdm. fehlt der Schwung, eine lahme Ente sein (ugs.).
**temperamentvoll** → lebhaft.
**Temperans** → Beruhigungsmittel.
**Temperantium** → Beruhigungsmittel.
**Temperatur:** die T. sinkt unter Null → frieren; [erhöhte / subfebrile T.] → Fieber; [erhöhte] T. haben → fiebern.
**Temperaturabnahme** → Abkühlung.
**Temperaturmesser** → Thermometer.
**Temperaturrückgang** → Abkühlung.
**Temperatursenkung** → Abkühlung.
**Temperaturskala** · Celsius (international; Abkürzung: °C), Fahrenheit (in englischsprachigen Ländern; Abkürzung: °F), Reaumur (veraltet; Abkürzung: °R), Kelvin (Abkürzung: °K); → Gefrierpunkt, → Thermometer.
**Temperatursturz** → Kälteeinbruch.
**Temperenzler**→Antialkoholiker.
**Tempest** → Segelboot.
**Templer** → Ritter.
**Templerorden** → Ritterorden.

**Tempo:** → Geschwindigkeit; [los, / mach] T. ! → beeilen (sich).

**Temporalsatz** → Satz.

**temporär** → vorübergehend.

**Temposteigerung** → Beschleunigung.

**Tempus,** Zeitform · Gegenwart, Präsens · [erste] Vergangenheit, Präteritum, Imperfekt, Mitvergangenheit (*österr.*) · [zweite] Vergangenheit, Perfekt · dritte Vergangenheit, Plusquamperfekt, vollendete Vergangenheit, Vorvergangenheit · Zukunft, [erstes] Futur, zweites Futur, Futurum exactum, Vorzukunft (*österr.*).

**Tendenz** → Neigung.

**Tendenzdichtung** → Dichtung.

**Tendenzdrama** → Drama.

**tendenziös** → gefärbt.

**tendieren** → vorhaben.

**Tennis** → Tennisspiel.

**Tennisball** → Spielball.

**Tennisplatz** → Sportfeld.

**Tennisschläger** → Sportgerät.

**Tennisschuh** → Schuh.

**Tennisspiel,** Tennis · Rasentennis, Lawn-Tennis · Hallentennis · *Teilnehmer am T.:* Tennisspieler · *jmd., der im T. die Bälle aufhebt:* Balljunge; → Federballspiel, → Tischtennisspiel.

**Tennisspieler** → Tennisspiel.

**Tenno** → Oberhaupt.

**¹Tenor:** → Singstimme; [T. in Altlage] → Sänger.

**²Tenor** → Bedeutung.

**Tenorschlüssel** → Notenschlüssel.

**Tenorstimme** → Singstimme.

**Tensor** → Muskel.

**Tentamen suicidii** → Selbstmordversuch.

**tentativ** → probeweise.

**Tenue** → Kleidung.

**Tepp** → Dummkopf.

**¹Teppich** · *langer, schmaler:* Läufer · *kleiner, schmaler:* Brücke, Matte, Bettvorleger, Vorleger, Bettvorlage (*schweiz.*), Vorlage (*schweiz.*) · *dreiteiliger, die Betten an drei Seiten umgebender:* Bettumrandung · *aus Stoffstreifen gewebter:* Flekkerlteppich (*landsch.*); → Orientteppich, → Teppichboden, → Teppichklopfer, → Wandteppich.

**²Teppich:** echter T. → Orientteppich; auf dem T. bleiben → übertreiben.

**Teppichboden,** Spannteppich, Teppichfliesen, Bodenbelag, Belag, Auslegeware; → Fußboden, → Teppich.

**Teppichfliesen** → Teppichboden.

**Teppichklopfer,** Ausklopfer, Pletscher (*landsch.*), Patscher (*landsch.*), Pracker (*österr.*); → Teppich.

**Teras** → Mißgeburt.

**Teratismus** → Mißgeburt.

**Teratologie** → Wissenschaft.

**Teratose** → Mißgeburt.

**Terenzbühne** → Bühne.

**Termin:** → Frist, → Verabredung.

**Terminal:** → Abfertigungsgebäude, → Haltestelle.

**terminativ:** -es Verb → Verb.

**terminieren** → befristen.

**Terminkalender** → Kalender.

**Terminologie,** Nomenklatur; → Fachausdruck, → Verzeichnis.

**Terminus** → Begriff.

**Terminus technicus** → Fachausdruck.

**Termite** → Insekt.

**Terpsichore** → Muse.

**Terrain:** → Gebiet, → Land; das T. sondieren → vorfühlen.

**terrakottafarben** → braun.

**Terrarium** → Vivarium.

**Terrasse** → Veranda.

**Terrassenhaus** → Haus.

**Terrassenkleid** → Kleid.

**Terrazzo** → Fußboden.

**Terrazzoboden** → Fußboden.

**terrestrisch** → irdisch.

**Terrier** → Hunderassen.

**Terrine** → Schüssel.

**Territorialarmee** → Militär.

**Territorium** → Gebiet.

**Terror** → Unfreiheit.

**terrorisieren** → unterdrücken.

**Terrorist** → Revolutionär.

**Terrororganisation** → Geheimbund.

**Tertia:** → Schriftgrad, → Schulklasse.

**Tertiär** → Erdzeitalter.

**Terz** → Tonabstand.

**Terzerol** → Schußwaffe.

**Terzerone** → Mischling.

**Terzine** → Strophe.

**Tesching** → Schußwaffe.

**Test** → Experiment.

**¹Testament,** [letztwillige] Verfügung, Letzter Wille; **ein** T. machen, sein Testament machen, ein Testament errichten (*jurist.*), testieren (*jurist.*); → Abmachung, → Erbe, → Weisung.

**²Testament:** Altes / Neues T. → Bibel.

**Testamentsvollstrecker** → Ausführender.

**Testat** → Bescheinigung.

**testen** → prüfen.

**testieren:** → bescheinigen, → Testament [machen].

**Testikel** → Hoden.

**Testis** → Hoden.

**Testosteron** → Hormon.

**Testperson** → Versuchsobjekt.

**Testpilot** → Flugzeugführer.

**Testsendung** → Sendung.

**Testwahl** → Wahl.

**Tête-à-tête** → Verabredung.

**Tetragrammaton** → Zaubermittel.

**Tetraparese** → Lähmung.

**Tetraplegie** → Lähmung.

**¹teuer,** kostspielig, aufwendig, unerschwinglich, sündhaft teuer, sündteuer (*landsch.*), unbezahlbar, nicht zu bezahlen, überteuert, gepfeffert (*ugs.*), gesalzen (*ugs.*), nicht → billig; **t. sein,** ins Geld gehen / laufen (*ugs.*), etwas reißt jmdn. herein / rein (*ugs.*), viel kosten, etwas kostet eine schöne Stange Geld / schluckt viel Geld (*salopp*), ein Faß ohne Boden sein, das ist ein stolzer Preis (*iron.*), das sind astronomische Preise; **nicht t. sein,** das kostet nicht die Welt; **wie t. ist?,** was (oder:) wieviel kostet / (*ugs.*) macht...?, wie teuer kommt ...?, was / wie hoch ist der Preis?, was verlangen Sie?; → aufschlagen (Preis).

**²teuer:** → kostbar, → lieb; teures Pflaster → Stadt; da ist guter Rat t. → ratlos [sein]; teurer werden → aufschlagen (Preis).

**Teuerung** → Preisanstieg.

**¹Teufel,** Satan, Satanas, Diabolus, Mephisto, Mephistopheles, Luzifer, Beelzebub, Versucher, Widersacher, Höllenfürst, Fürst dieser Welt, Antichrist, Erbfeind, der Böse / Leibhaftige / Gehörnte / Gottseibeiuns; → Hölle, → Teufelsbeschwörer.

²**Teufel:** kein T. → niemand; hol's der T., der T. soll's holen!, zum T. [noch mal / zu]! → verflucht!; hinter etwas hersein wie der T. hinter der armen Seele → begierig [sein]; weder Tod noch T. fürchten → mutig [sein]; den T. im Leib haben → böse [sein], → lebhaft [sein]; sich den T. um etwas kümmern / scheren → annehmen (sich einer Sache); sich den T. auf den Hals laden → Unannehmlichkeiten [bekommen]; den T. an die Wand malen → voraussehen; ich will des -s sein, wenn...→ versprechen; in -s Küche kommen → Lage; auf T. komm raus → konzentriert, → sehr, → unbedingt; in drei -s Namen → ja; über Tod und T. reden / sprechen → unterhalten (sich); zum T. sein→verloren [sein]; jmdn. zum T. wünschen → verwünschen (jmdn.).

**Teufelsaustreiber** → Teufelsbeschwörer.

**Teufelsbanner** → Teufelsbeschwörer.

**Teufelsbeschwörer,** Teufelsbanner, Teufelsaustreiber, Hexenaustreiber, Exorzist; → Teufel.

**Teufelsei** → Ständerpilz.

**Teufelsfisch** → Fisch.

**Teufelsfuß:** → Fuß, → Fußdeformität.

**Teufelskerl** → Draufgänger.

**Teufelskreis,** Circulus vitiosus, Zirkelschluß, da beißt sich die Katze / die Schlange in den Schwanz; → Ausweglosigkeit.

**Teufelskunst** → Zauberei.

**Teufelspakt** → Zauberei.

**Teufelsrad,** Teufelsscheibe, Taifunrad; → Jahrmarkt, → Karussell.

**Teufelsscheibe** → Teufelsrad.

**Teufelswerk** → Zauberei.

**teuflisch,** dämonisch, unwiderstehlich, mephistophelisch, diabolisch.

**Teutone** → Deutscher.

¹**Text,** Textmaterial, Textsorte (*Sprachw.*), Korpus (*Sprachw.*) · handgeschriebener: Handschrift, Manuskript · *über einen getilgten handschriftlichen geschriebener:* Palimpsest · *provisorischer, der einer Musik unterlegt wird:* Nottext, Schimmel (*Fachjargon*) · *in Comic strips o. ä. den*

abgebildeten Personen als Äußerung beigegebener: Sprechblase; → Notentext, → Skript.

²**Text:** → Kontext, → Manuskript, → Schriftgrad, → Wortlaut; dechiffrierter T. → Klartext; aus dem T. bringen → verwirren.

**texten** → aufschreiben.

**Texter** → Schriftsteller.

**textilarm** → nackt.

**textilfrei** → nackt.

**Textilien,** Textilwaren, Webwaren, Spinnwaren, Wirkwaren, Trikotagen; → Gewebe, → Stoff, → Wolle.

**Textilstrand** (*scherzh.*), Bekleidungsstrand (*scherzh.*), Manhattan (= man hat an; *scherzhaft*) · Ggs. → Nacktbadestrand.

**Textilwaren** → Textilien.

**Textlinguistik** → Sprachwissenschaft.

**Textmaterial** → Text.

**Textsorte** → Text.

**Textstelle** → Zitat.

**Textura** → Schrift.

**Textvorlage** → Manuskript.

**Textzusammenhang** → Kontext.

**Tezett:** bis zum T. → ganz.

**Thailand,** Siam (bis 1939).

**Thalamushirn** → Gehirn.

**Thalia** → Muse.

**Thallophyt** → Lagerpflanze.

**Thanatophobie** → Phobie.

¹**Theater,** Schaubühne, Provinztheater, Provinzbühne, Volksbühne, Laienbühne, Laientheater, Amateurtheater, Liebhaberbühne, Bauernbühne, Wanderbühne, Schmierentheater (*salopp, abwertend*), Bühne, Pawlatsche (*österr.*), Pawlatschentheater (*österr.*), Schaubude, Schmiere (*ugs., abwertend*), Provinzschmiere (*ugs., abwertend*), Zimmertheater, Straßentheater; die Bretter, die die Welt bedeuten; → Aufführung, → Bühne, → Bühnenbearbeitung, → Oper, → Operette, → Puppentheater, → Schauspiel, → Souffleur, → Spielzeit, → Teichoskopie, → Theatergebäude.

²**Theater:** → Getue, → Theatergebäude; → Unannehmlichkeiten; absurdes / episches T. → → Drama; T. spielen → vor-

täuschen; T. spielen, am / beim T. sein → schauspielern; demnächst in diesem T. → später.

**Theaterabonnement** → Abonnement.

**Theateranrecht**→Abonnement.

**Theaterferien** → Sommerpause.

**Theatergarderobe** → Umkleideraum.

**Theatergebäude,** Theater, Musentempel (*scherzh.*), Schauspielhaus, Komödienhaus, Opernhaus, Oper, Kammerspiele, Kleines Haus, Großes Haus, Zimmertheater, Festspielhaus; → Amphitheater, → Loge, → Sitzplatz, → Theater.

**Theaterkasse** → Kasse.

**Theaterkritik** → Besprechung.

**Theaterkritiker** → Kritiker.

**Theatermiete** → Abonnement.

**Theaterrolle** → Rolle.

**Theatersaal** → Saal.

**Theaterstück** → Schauspiel.

**Theatertasche** → Tasche.

**theatralisch** → geziert.

**Thein** → Koffein.

**Theinismus** → Koffeinvergiftung.

**Theinvergiftung** → Koffeinvergiftung.

**Theismus,** Monotheismus; → Deismus, → Pantheismus, → Rationalismus · Ggs. → Atheismus

**Theke:** → Ladentisch, → Schanktisch.

**Theklalerche** → Vogel.

**Thema:** → Gegenstand; beim T. bleiben, vom T. abkommen → abschweifen; zum T. haben → Gegenstand; zum T. kommen → Einleitung.

**Thematik** → Gegenstand.

**Themenstellung** → Gegenstand.

**Theokratie** → Herrschaft.

**Theologe** → Geistlicher.

**Theologie,** Gottesgelehrtheit (*veraltet*), Gottesgelahrtheit (*veraltet*), Gotteslehre (*selten*) · systematische Theologie, Systematik, Dogmatik, Glaubenslehre, Ethik, Sittenlehre, Moraltheologie, Religionsphilosophie, Religionswissenschaft, Einleitungswissenschaft, Isagogik, Bibelkritik, Bibelforschung, Exegese, Hermeneutik, Apologetik, Kirchengeschichte, Kirchenrecht, Dogmengeschichte,

Patristik, Patrologie, praktische Theologie, Pastoraltheologie, Homiletik, Liturgik, Katechetik; → Bibel, → Christentum, → Exegese, → Glaube, → Gott, → Gottesdienst, → Gotteseigenschaften, → Trinität, → Wissenschaft.

¹**theoretisch,** wissenschaftlich, gedanklich, begrifflich, gedacht, deduktiv, spekulativ, praxisfern, nicht praxisnah, ohne Praxis, vom grünen Tisch aus (*abwertend*); → zweckmäßig · Ggs. → Erfahrung.

²**theoretisch:** → begrifflich, → lebensfremd.

**Theorie:** → Einbildung, → Lehre.

**Therapeut** → Arzt.

**Therapie** → Behandlung.

**Thermalbad** → Badeort.

**Thermiatrie** → Thermotherapie.

**Thermokaustik** → Verätzung.

**Thermokauterisation** → Verätzung.

**Thermokoagulation** → Verätzung.

**Thermometer,** Wärmemesser, Temperaturmesser, Quecksilberthermometer, Alkoholthermometer, Fieberthermometer, Stabthermometer, Einschlußthermometer · *ohne Meßskala:* Thermoskop; → Barometer, → Temperaturskala.

**Thermopane** → Glas.

**Thermoplegie** → Überhitzung.

**Thermoskop** → Thermometer.

**Thermotherapie,** Thermiatrie, Wärmebehandlung, Wärmeheilbehandlung · *mittels künstlich erzeugten Fiebers:* Fiebertherapie, Heilfieber, Hyperthermiebehandlung, Überwärmungsbehandlung; → Naturheilverfahren.

**Thesaurus** → Nachschlagewerk.

**These** → Lehre.

**Theta** → Buchstabe.

**Thomas:** → Apostel; ein ungläubiger T. sein → argwöhnisch [sein].

**Thor** → Gott.

**Thora** → Gesetzessammlung.

**Thorakoskopie** → Ausspiegelung.

**Thorax** → Brust.

**Thorshühnchen** → Vogel.

**Thriller** → Gruselfilm.

**Thrombembolie** → Embolie.

**Thrombembolismus** → Embolie.

**Thromboembolie** → Embolie.

**Thrombophlebitis** → Venenentzündung.

**Thrombose** → Gefäßverstopfung.

**Thrombozyten** → Blutkörperchen.

**Thrombus** → Blut.

**Thron:** → Nachtgeschirr, → Sessel; auf dem T. sitzen → Toilette.

**thronen:** → sitzen, → Toilette.

**Thronfolge** → Nachfolge.

**Thronfolger,** Kronprinz, Erbprinz · *dessen Titel in Frankreich:* Dauphin (*hist.*) · *dessen Titel in Spanien:* Infant (*hist.*) · *in Rußland:* Zarewitsch (*hist.*) · *in England:* Prince of Wales; → Nachfolger.

**Thuja** → Nadelhölzer.

**Thule** → Fabelland.

**thüringisch:** t. sprechen → Mundart [sprechen] .

**Thüringisch** → Mundart.

¹**Thymian,** Quendel (*mitteld.*), Kudelkraut (*österr.*); → Blume.

²**Thymian** → Gewürz.

**Thymoleptikum** → Psychopharmakon.

**Thyreoidismus** → Schilddrüsenüberfunktion.

**Thyreotoxikose** → Schilddrüsenüberfunktion.

**Thyreotropin** → Hormon.

**Thyroxin** → Hormon.

**Tiara** → Kopfbedeckung.

**Tibet,** das Dach der Welt; → China.

**Tick:** → Spleen; einen T. haben → verrückt [sein].

**ticken** → Laut.

**Ticket** → Fahrkarte.

**Tide:** → Gezeiten; mittlere T. → Flut.

**Tidehafen** → Hafen.

¹**tief,** abgrundtief, grundlos, bodenlos, nicht → seicht.

²**tief:** -er Teller → Teller; mit dem Ausdruck -ster Verehrung → hochachtungsvoll; zu t. ins Glas geschaut haben → betrunken [sein]; jmdm. zu t. ins Auge / in die Augen sehen → verlieben (sich); t. verschneit → verschneit; t. verwurzelt → üblich.

**tief-:** → erz-.

**Tief:** → Schlechtwetter, → Tiefstand; seelisches T. → Trauer.

**Tiefbauingenieur** → Ingenieur.

**tiefblau** → blau.

**Tiefdruck** → Druckverfahren.

**Tiefdruckgebiet** → Schlechtwetter.

**Tiefdrucknetzraster** → Raster.

**Tiefe:** → Abgrund, → Ausmaß, → Hintergrund; in die T. fallen/ stürzen/sausen/segeln/purzeln → hinunterfallen; in die T. sinken → sinken; in der T. → unterhalb.

**Tiefenpsychologie** → Psychologie.

**Tieffliegerangriff** → Luftangriff.

**Tiefflug** → Flug.

**Tiefgang:** → Tiefsinn; ohne T. → oberflächlich.

**Tiefgarage** → Parkhaus.

**tiefgefroren:** -es Obst → Obst.

**tiefgehend** → tiefgründig.

**tiefgekühlt** → gekühlt.

**tiefgrün** → grün.

**tiefgründig,** tiefgehend, tiefsinnig; → hintergründig; → Tiefsinn.

**Tiefgründigkeit** → Tiefsinn.

**tiefkühlen,** gefrieren, einfrieren, eingefrieren, frosten, einfrosten; → abkühlen, → konservieren; → gekühlt; → Kühlhaus, → Kühlschrank; → Wärmeentzug.

**Tiefkühltruhe** → Kühlschrank.

**Tiefkühlung** → Wärmeentzug.

**Tiefmoor** → Sumpf.

**tieforange** → orange.

**Tiefpunkt** → Tiefstand.

**tiefrot** → rot.

**Tiefschlaf** → Heilschlaf.

**Tiefschlag:** → Fausthieb, → Regelverstoß.

**tiefschwarz:** → schwarz, → schwarzhaarig.

**Tiefseetauchen** → Schwimmen.

**Tiefsinn,** Tiefsinnigkeit, Tiefgründigkeit, Tiefgang (*ugs.*), Gedankenfülle, Gedankentiefe, Tiefe; → Doppelbödigkeit; → tiefgründig.

**tiefsinnig** → tiefgründig.

**Tiefsinnigkeit** → Tiefsinn.

**Tiefsprung** → Sprung.

**Tiefstand,** Tiefpunkt, Tief, Talsohle; → Minimum · Ggs. → Höhepunkt.

**tiefviolett** → violett.

**Tiefwasser** → Ebbe.

**Tiegel** → Kochtopf.

**Tiegel**

Tier: → Hirsch; ein hohes T. sein → mächtig [sein].

Tierarzt: → Arzt, → Veterinär.

Tierbändiger, Dompteur, Dresseur; → Artist, → Tiergarten, → Zirkus.

Tierbeschreibung → Schulaufsatz.

Tierbild → Bild.

Tierfilm → Kinofilm.

Tiergarten, Tierpark, Zoologischer Garten, Zoo, Menagerie; → Freigehege, → Käfig, → Naturschutzgebiet.

Tiergift → Gift.

Tierheilkunde → Heilkunde.

tierisch: → anstößig, → triebhaft; -er Ernst → Humorlosigkeit.

Tierkalender → Kalender.

Tierkreiszeichen· Widder, Stier, Zwillinge, Krebs, Löwe, Jungfrau, Waage, Skorpion, Schütze, Steinbock, Wassermann, Fische; → Astrologie.

Tierkunde, Zoologie; → Naturkunde, → Tierreich, → Wissenschaft.

Tierliebe → Tierpflege.

Tiermediziner → Veterinär.

Tierpark → Tiergarten.

Tierpflege, Tierliebe, Tierschutz; → Zuneigung.

Tierpsychologie → Psychologie.

Tierreich, Tierwelt, Fauna; → Tierkunde, → Vegetation.

Tierschutz → Tierpflege.

Tierstimme → Stimme.

Tierstimmenimitator → Artist.

Tierwelt → Tierreich.

Tierzucht → Landwirtschaft.

Tiger: → Pferd, → Raubtier.

Tigerauge → Schmuckstein.

Tigerlilie → Liliengewächs.

Tilbury → Kutsche.

tilgen: → amortisieren, → ausrotten, → ausstreichen, → säubern, → stornieren.

Tilgung → Abzahlung.

Tilsiter: T. Käse → Käse.

Timbales → Schlaginstrument.

Timing → Zeitplanung.

Tinea → Hautpilzkrankheit.

Tingeltangel: → Gaststätte, → Varieté.

Tinktur: → Flüssigkeit, → Medikament.

Tinnef → Schleuderware.

Tinte: rote T. → Blut; etwas ist klar wie dicke T. → klar

[sein]; in der T. sitzen → Not [leiden].

tintenblau → blau.

Tintenfisch → Kopffüßer.

Tintenkuli → Schreibstift.

Tintenstift → Schreibstift.

Tip: → Hinweis, → Vorschlag.

Tipi → Zelt.

Tippel → Beule.

Tippelbruder → Vagabund.

tippeln → fortbewegen (sich).

Tippeltappeltour: auf die T. → üblich.

tippen: → maschineschreiben, → vermuten, → wetten.

Tippeuse → Stenotypistin.

Tippfräulein → Stenotypistin.

Tippmamsell → Stenotypistin.

Tippse → Stenotypistin.

tipptopp → korrekt.

Tirade, Suada, Redefluß, Wortschwall, Redeschwall; → Gerede, → Redseligkeit; → beredt.

Tiret → Satzzeichen.

tirilieren → singen.

Tiro → Soldat.

¹Tisch, Ausziehtisch, Klapptisch, Marmortisch, Einlegetisch, Couchtisch, Rauchtisch · Eßtisch, Teetisch, Serviertisch, Anrichtetisch, Abstelltisch, Küchentisch, Gartentisch · Arbeitstisch, Schreibtisch, Werktisch, Nähtisch, Zuschneidetisch · Operationstisch · Spieltisch, Kartentisch, Billardtisch, Pingpongtisch; → Möbel.

²Tisch: T. des Herrn → Abendmahl, → Altar; den T. abdecken → abservieren; reinen T. machen → eingreifen; Gespräch am runden T. → Gespräch; auf den T. bringen / kommen → servieren; mit der Faust auf den T. hauen / schlagen → eingreifen, → streng [werden]; auf den T. des Hauses legen → zahlen; die Karten offen auf den T. legen → gestehen; unter den T. fallen → wegfallen; unter den T. fallen lassen → berücksichtigen; die Beine unter jmds. T. strecken → ernähren; jmdn. unter den T. trinken → trinken; vom grünen T. aus → theoretisch; vom T. sein → fertig [sein]; getrennt von T. und Bett → geschieden [sein]; zu T. sein → Mittagessen.

Tischaltar → Altar.

Tischdecke → Tischtuch.

Tischfeuerzeug → Feuerzeug.

Tischgebet → Gebet.

Tischlampe → Lampe.

Tischler, Schreiner (südd., schweiz., westd.), Möbelmacher (veraltet), Tischmacher (veraltet, schweiz.), Möbeltischler, Kunsttischler, Bautischler; → Möbel.

Tischlerleim → Bindemittel.

Tischmacher → Tischler.

Tischpapierkorb → Abfalleimer.

Tischrücken → Geisterbeschwörung.

Tischtennis, Pingpong; → Spiel, → Tennisspiel.

Tischtennisschläger → Sportgerät.

¹Tischtuch, Tafeltuch, Tischdecke, Kaffeedecke, Zierdecke, Milieu (veraltend, österr.); → Bettdecke, → Set.

²Tischtuch: das T. zwischen sich und jmdm. zerschneiden → beenden.

Tischwein → Wein.

Titan → Held.

titanisch → gewaltig.

¹Titel, Titulatur, Rang, Standesbezeichnung, Charakter (veraltet); → Anrede, → Dienstgrad, → Kommerzienrat; → anreden.

²Titel: → Buch, → Schlagzeile; den T. tragen / haben → lauten; mit einem T. versehen → anreden.

Titelpart → Rolle.

Titelpartie → Rolle.

Titelrolle → Rolle.

Titelvorspann → Vorspann.

Titoismus → Marxismus.

Titoist → Sozialist.

titoistisch → kommunistisch.

Titrosalz → Salz.

Titschkerl → Kippel-Kappel.

Titschkern → Kippel-Kappel.

Titte → Busen.

Titulatur → Titel.

titulieren → anreden.

Titulierung → Anrede.

tizianrot: → rot, → rothaarig.

Toast: → Schnitte, → Trinkspruch; einen T. auf jmdn. ausbringen → zutrinken.

toasten → braten.

Tobak: → Tabak; etwas ist starker T. → unerhört [sein]; Anno T. → damals; von Anno

T. sein → überlebt [sein]; etwas ist von Anno T. → altmodisch [sein].

**Tobel** → Schlucht.

¹**toben,** herumtoben, rumtoben (*ugs.*), herumlaufen, tollen, herumtollen, rumtollen (*ugs.*), sich austoben / austollen; → lärmen; **t. können,** Auslauf haben (*ugs.*).

²**toben:** → ärgerlich [sein], → brausen, → lärmen.

**Tobender** → Tobsüchtiger.

**Toboggan** → Schlitten.

**Tobsucht** → Raserei.

**Tobsüchtiger,** Tobender, Rasender, Berserker, Wüterich, Amokläufer; → Raserei, → Rohling.

**Tobsuchtsanfall:** → Raserei, → Wutanfall.

¹**Tochter,** Filia, das eigene / sein eigen Fleisch und Blut · *nicht leibliche:* Stieftochter, Adoptivtochter, Pflegetochter, Ziehtochter; → Kind, → Kinder (die), → Sohn, → Verwandter.

²**Tochter:** → Mädchen; älteste T. → Älteste; jüngste T. → Jüngste; natürliche T. → Kind.

**Tochtergeschwulst** → Geschwulst.

**Tochterliebe** → Familienanhänglichkeit.

**Tochtermann** → Schwiegersohn.

**Tocker** → Dummkopf.

¹**Tod,** Sensenmann, Freund Hein, Gevatter / Schnitter Tod (*dichter.*), Knochenmann.

²**Tod:** [gewaltsamer / natürlicher T.] → Exitus; der Schwarze → Pest; der Weiße T. → Erfrierungstod; Leben und T. → Kartenspiel; wie der T. [von Basel] aussehen → blaß [sein]; nur der T. ist umsonst → Opfer [bringen müssen]; den T. finden, mit T. abgehen, mit dem -e ringen, zu -e kommen, den T. auf dem Feld der Ehre finden, dem T. von der Schippe hopsen, sich zu -e fallen / stürzen → sterben; weder T. noch Teufel fürchten → mutig [sein]; auf den T. liegen → krank; über T. und Teufel reden / sprechen → unterhalten (sich); vom T. gezeichnet sein → krank [sein]; vom Leben zu -e bringen / befördern → töten.

**tod-:** → erz-.

¹**todbringend,** tödlich, deletär, verderblich, verderbenbringend, zerstörerisch; → tödlich.

²**todbringend** → verderblich.

**Toddy** → Mixgetränk.

**todernst** → humorlos.

**Todesangst:** krankhafte T. → Phobie.

**Todesanzeige** → Nachricht.

**todesdüster** → makaber.

**Todesfahrer** → Artist.

**Todesfall** → Exitus.

**Todeskampf,** Agonie; → Bewußtlosigkeit, → Bewußtseinstrübung.

**todesmutig** → mutig.

**Todesopfer:** → Toter, → Verunglückter.

**Todesspirale** → Eislauf.

**Todesstrafe:** an jmdm. die T. vollziehen, die T. vollstrecken → töten.

**Todesverachtung:** mit T. → widerwillig.

**Todesweihe** → Viatikum.

**Todfeind** → Feind.

**Todgeweihter** → Sterbender.

**todkrank** → krank.

**Todkranker** → Kranker.

¹**tödlich,** letal; → lange; → Exitus; → sterben, → verunglücken.

²**tödlich:** → gefährlich, → todbringend; t. verunglücken → sterben.

**todmüde** → müde.

**Todsünde** → Verstoß.

**todunglücklich** → schwermütig.

**Toffee** → Bonbon.

**Töfftöff** → Auto.

**Toga** → Kleidung.

**Tohuwabohu** → Verwirrung.

**Toile** → Stoff.

¹**Toilette,** WC, 00 (Null-Null), sanitäre Anlagen, Abort (*veraltend*), Klosett, Bedürfnisanstalt (*Amtsspr.*), Retirade (*veraltet, verhüllend*), Klo (*salopp*), [stilles / verschwiegenes] Örtchen, gewisser Ort, Lokus (*ugs.*), Abe (*ugs.*), Häuschen (*ugs.*), Brille (*ugs.*), Tante Meyer (*ugs.*), Kloster (*ugs.*), Nummer Null (*ugs.*) · *primitives:* Plumpsklosett (*salopp*), Plumpsklo (*salopp*), Abtritt (*ugs.*), Latrine, Donnerbalken (*salopp*), Scheißhaus (*vulgär*) · *nur für Frauen:* Damentoilette · *nur für Männer:* Herrentoilette,

Pissoir, Pißort (*landsch.*), Rotunde, Pinkelbude (*derb*); → Nachtgeschirr; **auf der T. sein;** dort sein, wo [auch] der Kaiser zu Fuß hingeht (*scherzh.*); auf dem Thron sitzen (*fam., scherzh.*), thronen (*ugs.*), sitzen (*ugs.*), Sitzung haben / halten (*ugs.*), auf dem Topf sitzen (*scherzh.*); → defäkieren, → urinieren.

²**Toilette:** → Ankleidetisch, → Kleidung; T. machen → schönmachen; in großer T. → aufgeputzt.

**Toilettenseife** → Seife.

**Toilettentisch** → Ankleidetisch.

**Toilettenwasser** → Parfum.

**Tokaier** → Wein.

**Tokee** → Eidechse.

**Tokus** → Gesäß.

**Töle** → Hund.

**tolerant,** duldsam, verständnisvoll, einsichtig, aufgeschlossen, weitherzig, freizügig, nachsichtig, schwach (*abwertend*), versöhnlich, nicht → engherzig; → aufgeklärt, → entgegenkommend, → geduldig, → gütig, → nachsichtig, → ruhig, → unterwürfig; **t. sein,** ein Auge zudrücken, Verständnis / ein Einsehen haben; → Duldung; → Verständnis [finden] · Ggs. → Unduldsamkeit.

**Toleranz:** [regressive T.] → Duldsamkeit.

**tolerieren** → billigen.

**toll:** → anziehend, → trefflich; die drei -en Tage → Fastnacht.

**tollen** → toben.

**Tollität:** Seine T. → Faschingszug.

**tollkühn** → mutig.

**Tollkühnheit** → Mut.

**Tolpatsch** → Narr.

**tolpatschig** (*ugs.*), tapsig (*ugs.*), tappig (*ugs.*), täppisch (*ugs.*).

**Tölpel:** → Narr, → Vogel.

**tölpelhaft,** einfältig, schwerfällig, ungeschickt; → träge, → unklug; **t. sein,** sich benehmen wie ein Elefant im Porzellanladen; → benehmen (sich).

**Tölt** → Gangart.

**Tomahawk** → Hiebwaffe.

**Tomate,** Paradeiser (*österr.*), Paradiesapfel (*veraltet, landsch.*), Liebesapfel (*veraltet*); → Gemüse.

**Tomatenketchup** → Soße.

**tomatenrot** → rot.
**Tombola** → Glücksspiel.
**Tommy** → Engländer.
**Tomogramm** → Röntgenogramm.
**Tomographie** → Röntgenographie.
**Tomtom** → Schlaginstrument.
**Ton:** → Erde, → Farbe, → Klang, → Tonfall; den T. angeben → anfangen; einen T. anschlagen → sprechen; einen anderen T. anschlagen → eingreifen; große Töne spucken → prahlen; keinen T. verlauten lassen → schweigen; hast du [da] noch Töne! → überrascht [sein]; sich im T. vergreifen → benehmen (sich); in den höchsten Tönen von jmdm. / von etwas reden → loben; in Töne setzen → vertonen.
**Tonabstand,** Intervall · *zweite Stufe über dem Grundton:* Sekunde · *dritte Stufe über dem Grundton:* Terz · *vierte Stufe über dem Grundton:* Quarte · *fünfte Stufe über dem Grundton:* Quinte · *sechste Stufe über dem Grundton:* Sexte · *siebente Stufe über dem Grundton:* Septime · *achte Stufe über dem Grundton:* Oktave · *neunte Stufe über dem Grundton:* None · *zehnte Stufe über dem Grundton:* Dezime; → Akkord, → Notenzeichen, → Takt.
**tonangebend** → maßgeblich.
**Tonart:** eine T. anschlagen → sprechen.
**Tonband:** → Tonbandgerät; auf T. aufnehmen → aufzeichnen.
**Tonbandaufnahme:** → Aufzeichnung; eine T. machen → aufzeichnen.
**Tonbandgerät,** Magnetophon, Tonband (*ugs.*), Kassettenrecorder; → Abhörgerät, → Plattenspieler.
**¹tönen** (Haare), färben, aufhellen, blondieren, bleichen (*veraltend*); → Frisur, → Haar, → Haarpflegemittel.
**²tönen:** → nuancieren, → schallen, → sprechen.
**Tonerde** → Erde.
**tönern:** etwas steht auf -en Füßen → glaubwürdig, → unsicher [sein].
**Tonfall,** Akzent, Betonung, Aussprache, Ton; → Artikulation,

→ Betonungszeichen; → artikulieren.
**Tonfilm** → Kinofilm.
**Tonfolge** → Klang.
**Tonholzschnitt** → Holzschnitt.
**Tonic Lotion** → Schönheitspflegemittel.
**Tonic water** → Mineralwasser.
**Tonkunst** → Musik.
**tonlos** → heiser.
**Tonmalerei** → Maltechnik.
**Tonne:** → Behälter, → Faß, → Gewichtseinheit; steigende T. → Gewölbe.
**Tonnenbake** → Warnzeichen.
**Tonnendach** → Dach.
**Tonnengewölbe** → Gewölbe.
**Tonpfeife** → Tabakspfeife.
**Tonschöpfer** → Komponist.
**Tonsetzer** → Komponist.
**Tonsillitis** → Halsentzündung.
**Tonstich** → Holzschnitt.
**Tonsur** → Glatze.
**Tönung:** → Farbe, → Nuance.
**Tonusverlust:** affektiver T. → Schrecklähmung.
**Tonware** → Steingut.
**Top-:** → beste.
**Topas** → Schmuckstein.
**Topf:** → Kochtopf, → Nachtgeschirr, → Vorrat; auf dem T. sitzen → Toilette; in einen T. werfen → verquicken; alles in einen T. werfen → unterscheiden.
**Topfblume** → Topfpflanze.
**Töpfchen:** → Nachtgeschirr; aufs T. gehen → austreten [gehen].
**Topfen** → Weißkäse.
**Töpfer** → Keramiker.
**¹Töpferei** (*nordd.*), Häfnerei (*oberd.*), Ofensetzerbetrieb; → Keramiker.
**²Töpferei** → Steingut.
**Töpferware** → Steingut.
**Topfgucker:** ein T. sein → neugierig [sein].
**topfit** → fit.
**Topfpflanze,** Kübelpflanze, Zimmerpflanze, Topfblume, Zimmerblume; → Blumentopf, → Pflanze.
**Topgirl** → Mannequin.
**Topinambur** → Gemüse.
**topless** → nackt.
**Topmanager** → Manager.
**Topmodel** → Mannequin.
**Topmodell** → Mannequin.
**Topophobie** → Phobie.
**Topos** → Redensart.

**Topstar** → Berühmtheit.
**Toque** → Kopfbedeckung.
**¹Tor** (das), Treffer, Goal (*schweiz., österr.*) · *durch das ein Sieg errungen wird:* Siegestor, das goldene Tor · *das man sich selbst zufügt:* Eigentor, Selbsttor, Eigengoal (*schweiz., österr.*) · *das leicht zu verhindern gewesen wäre:* Steirertor (*österr.*), Steirergoal (*österr.*) · *dreimal hintereinander durch den gleichen Spieler erzieltes:* Hat-Trick, Hattrick · *das durch einen Stürmer erzielt wird, der sich eine günstige Situation zunutze macht:* Abstaubertor, Abstauber (*ugs.*) → Fußballspieler, → Fußballtor; **ein T. schießen,** ein Tor / einen Treffer erzielen, ein Tor / einen Treffer markieren (*ugs.*), skoren (*österr.*), verwandeln, den Ball in die Maschen setzen (*ugs.*), ein Ding in den Kasten setzen / (*salopp*) hängen, ein Goal schießen (*schweiz., österr.*); → schießen.
**²Tor** (das): → Fußballtor, → Tür; das T. zur Welt → Hamburg; einer Sache Tür und T. öffnen → unterstützen (etwas); wie der Ochs vorm T. stehen → ratlos [sein].
**³Tor** (der): → Narr.
**Torchonspitze** → Spitzenstickerei.
**Tordalk** → Vogel.
**Toreador** → Stierkämpfer.
**Toreinfahrt** → Tür.
**Torero** → Stierkämpfer.
**Toresschluß:** kurz vor T. → spät [kommen].
**Torfbeere** → Brombeere.
**Torfmoor** → Sumpf.
**Torfmoos** → Moos.
**¹Torheit,** Narrheit, Unverstand, Unvernunft; → Unbesonnenheit, → Unkenntnis.
**²Torheit** → Absurdität.
**Torhüter** → Torwart.
**töricht:** → dumm, → lächerlich.
**törisch** → taub.
**Torjäger** → Fußballspieler.
**torkeln** → schwanken.
**Torlauf** → Schirennen.
**Tormann** → Torwart.
**Tormina** → Schmerz.
**Tornado** → Wirbelwind.
**¹Tornister,** Rucksack, Affe (*ugs.*), Ranzen (*landsch.*), Felleisen (*veraltet*), Reisesack (*veraltet*), Campingbeutel, Schner-

fer (veraltend, österr.) · Seesack; Sportsack; → Tragekorb.

²Tornister → Schultasche.

torpedieren → beschießen.

Torpedoboot → Kriegsschiff.

Torpedobootzerstörer → Kriegsschiff.

torpid → träge.

Torschlußpanik → Angst.

Torschütze → Fußballspieler.

Torso → Trümmer.

Torsteher → Torwart.

Tort → Beleidigung.

Torte: → Gebäck; Linzer T. → Gebäck.

Tortenguß → Guß.

Torturm → Turm.

Torwächter → Torwart.

Torwart, Torsteher, Torhüter, Tormann, Torwächter, Keeper, Goalkeeper (österr., schweiz.), Goaler (landsch.), Goali (schweiz.), Goalmann (bes. schweiz., österr.), Schlußmann, Mann zwischen den Pfosten (ugs.), elfter Mann (ugs.), Nummer Eins (ugs.).

tosen: → brausen, → rauschen.

toskanisch: -es Kapitell → Kapitell.

¹tot, ¹gestorben, abgeschieden, leblos, entseelt, unbelebt, ohne Leben, mausetot (ugs.), maustot (ugs., österr.) · Ggs. → lebendig; t. sein, ausgelitten / (ugs.) ausgeschnauft haben, nicht mehr unter uns / unter den Lebenden weilen (geh.), nicht mehr sein (verhüll.), nicht mehr dasein (ugs.), jmd. hat der Natur seinen Tribut entrichtet, es ist aus mit jmdm. (ugs.), hinsein (salopp), hinübersein (salopp), ex sein (salopp, Med.), den letzten Schlaf schlafen, jmdm. tut kein Zahn mehr weh (ugs.), sich die Radieschen von unten besehen (salopp); nicht t. sein, unter uns / noch unter den Lebenden weilen (geh.), [am Leben] sein, atmen, es gibt jmdn. noch (salopp); → sterben, → töten; → Exitus, → Toter, → Tötung.

²tot: -er Punkt → Rückgang; aufs -e Gleis geschoben sein → angesehen; einen -en Punkt haben → müde [sein]; vor Angst mehr t. als lebendig sein → Angst [haben]; t. hinsinken → sterben.

¹total, ganz, ganz und gar, gänzlich, zur Gänze (österr.), völlig, voll, voll und ganz, vollkommen, hundertprozentig, lückenlos, vollständig, in extenso, in Grund und Boden, vollauf, komplett, restlos, in jeder Hinsicht / Beziehung, an Haupt und Gliedern, über und über, von oben bis unten, mit Stumpf und Stiel, mit Haut und Haar (oder:) Haaren, von Kopf bis Fuß, vom Scheitel bis zur Sohle, bis zum äußersten / letzten Tezett, bis aufs Messer, bis an die Grenze des Erlaubten, durch alle Böden (schweiz.), von Grund auf / aus, überhaupt, schlechterdings, platterdings, schlechtweg, durchaus, geradezu, nachgerade; → A bis Z, → allgemein, → ausführlich, → insgesamt, → meisterhaft, → regelrecht, → schlechthin, → unbedingt, → wirklich; → Ganzheit; → vervollständigen · Ggs. → unvollständig, → vollinhaltlich.

²total: die Karre ist t. verfahren → aussichtslos [sein].

Totalexstirpation → Operation.

totalitär, autoritär, obrigkeitlich, autokratisch, diktatorisch, absolutistisch, unumschränkt, repressiv, patriarchalisch, selbstherrlich, willkürlich; → selbständig, → zielstrebig; → Machtgier.

Totalität, Gesamtheit, das Gesamt, Vollständigkeit, Ganzheit, das Ganze; → Ganzheit, → Vollständigkeit.

Totaloperation → Operation.

Totalschaden → Unfallschaden.

Totalstar → Katarakt.

Totem → Amulett.

¹töten, morden, ermorden, einen Mord begehen / verüben, umbringen, ums Leben bringen, beseitigen, liquidieren, ins Jenseits befördern (salopp), jmdn. stumm machen, hinschlachten, um die Ecke bringen (salopp), jmdn. aus dem Weg räumen (ugs.), beiseite schaffen (salopp), jmdm. das Lebenslicht ausblasen / (ugs.) auspusten, erledigen (salopp), kaltmachen (salopp), killen (derb), abmurksen (salopp), den Garaus machen (ugs.), meucheln, ertränken, ersticken, erdrosseln, erwürgen, strangu-

lieren, jmdm. das Gas abdrehen (derb), hinrichten, an jmdm. die Todesstrafe vollziehen, die Todesstrafe vollstrecken, erstechen, erdolchen, niederstechen, enthaupten, köpfen, guillotinieren, jmdm. den Kopf abschlagen, jmdm. einen Kopf kürzer machen (salopp), jmdm. die Rübe abhacken (derb), exekutieren, einschläfern, vergasen, vom Leben zum Tode bringen / befördern, niedermachen (abwertend), hinmorden (abwertend), massakrieren (abwertend), niedermetzeln (abwertend), hinmetzeln (abwertend) · durch Spritzen: abspritzen (derb) · durch Gift: vergiften · durch Schießen: [standrechtlich] erschießen, füsilieren, jmdn. an die Wand stellen, über den Haufen schießen (salopp), den Genickschuß geben, totschießen, abschießen, niederschießen, zusammenschießen (ugs.), niederstrecken, abknallen (salopp), umlegen (salopp) · durch Hängen: hängen, erhängen, aufhängen, aufbaumeln (salopp), aufbammeln (salopp), aufknüpfen (ugs.) · durch Halsumdrehen: abkrageln (österr.) · durch Schlagen: erschlagen, totschlagen · mit Qualen: rädern (hist.), aufs Rad flechten (hist.), vierteilen, pfählen, kreuzigen, ans Kreuz schlagen, steinigen · durch Feuer: dem Flammentod übergeben, auf den Scheiterhaufen bringen, verbrennen · beim Tier: schlachten, abschlachten, abstechen, schächten, totmachen, ersäufen, den Gnadenstoß geben / versetzen, den Gnadenschuß / Fangschuß geben, abfangen, den Fang geben, schießen, erlegen, zur Strecke bringen; t. wollen, nach dem Leben trachten; → ausrotten, → besiegen, → bestrafen, → betäuben, → entfernen, → entleiben, → sterben; → tot; → Exitus, → Fallbeil, → Henker, → Hinrichtung, → Toter, → Tötung.

²töten: sich t. → entleiben (sich); jmdm. den letzten Nerv t. → ärgern (jmdn.).

Totenacker → Friedhof.

Totenbaum → Sarg.

totenblaß → blaß.
Totenblässe → Blässe.
totenbleich → blaß.
Totenfeier → Trauerfeier.
Totengebeine → Gebeine.
Totengedenkmesse → Totenmesse.
Totengruft → Grab.
Totenhalle → Leichenhalle.
Totenhaus → Leichenhalle.
Totenkiste → Sarg.
Totenklage → Klage.
Totenkopf → Schmetterling.
Totenkopfäffchen → Affe.
Totenköpfchen → Affe.
Totenlade → Sarg.
Totenmahl → Leichenschmaus.
¹Totenmesse, Totengedenkmesse, Seelenmesse, Seelenamt, Seelamt (schweiz.);→Begräbnis.
²Totenmesse → Trauerfeier.
Totenrede → Nachruf.
Totenreich → Hölle.
Totenschau → Obduktion.
Totenschein, Sterbeurkunde, Leichenpaß (schweiz.); → Urkunde; → sterben.
Totenschrein → Sarg.
Totenskelett → Gebeine.
Totensonntag → Kirchenjahr.
totenstill → still.
Totenstille → Stille.
Totentrompete → Ständerpilz.
Toter, Verstorbener, Verblichener, Heimgegangener, Entschlafener, Abgeschiedener, Hingeschiedener, Entseelter, Verewigter, Leiche, Leichnam, sterbliche Hülle / Überreste, Gebeine · bei einem Unglücksfall oder einer Epidemie: Unfalltoter, Todesopfer · im Kriege: Gefallener · einbalsamierter: Mumie; → Aas, → Exitus, → Gebeine, → Leichenschauhaus, → Tötung; → entleiben (sich), → mumifizieren, → sterben, → töten; → tot.
totgeboren: etwas ist ein -es Kind → aussichtslos [sein].
totkriegen: nicht totzukriegen sein → besiegen.
totlachen: sich t. → lachen.
totmachen → töten.
Toto → Glücksspiel.
totschießen → töten.
Totschlag: → Tötung; es gibt Mord und T. → Streit.
totschlagen: → langweilen (sich), → töten; die Zeit t. → faulenzen.

totschweigen → schweigen.
totteilen: totgeteilt werden → bekommen.
Tötung, Vernichtung, Totschlag, Mord, Bluttat, Ermordung, Meuchelmord, Raubmord, Giftmord, Ritualmord, Massenmord, Vatermord, Brudermord, Kindesmord, Lustmord, Lynchmord · als Folge eines Justizirrtums: Justizmord; → Exitus, → Hinrichtung, → Toter, → Verstoß; → entleiben (sich), → sterben, → töten;→ tot.
Tötungssucht → Raserei.
Touch → Nuance.
Toupet: → Haar, → Perücke.
Tour: → Reise; jmd. hat seine T. → aufgelegt; eine T. machen → reisen; jmdm. die T. vermasseln → verhindern; auf -en bringen → anstacheln; auf die schnelle T. → schnell; etwas läuft auf vollen -en → funktionieren; in einer T. → unaufhörlich.
Tourenrad → Fahrrad.
Tourist → Urlauber.
Tournedos → Fleischgericht.
Tournee → Reise.
Towaristsch → Herr.
Tower → Kontrollturm.
Toxämie → Blutvergiftung.
Toxhämie → Blutvergiftung.
Toxikämie → Blutvergiftung.
Toxikation → Vergiftung.
Toxikhämie → Blutvergiftung.
Toxikologie → Heilkunde.
Toxikonose → Vergiftung.
Toxikophobie → Hypochondrie.
Toxikose: [endogene / exogene T.] → Vergiftung.
Toxikum → Gift.
Toxin → Gift.
Toxinämie → Blutvergiftung.
Toxipathie → Vergiftung.
Toxonose → Vergiftung.
Toxophobie → Hypochondrie.
Toxoprotein → Gift.
Trab: → Gangart; T. reiten → reiten; auf T. bringen → anstacheln.
Trabant: → Gefolgsmann; die -en → Kinder (die).
Trabantenstadt → Vorort.
traben → reiten.
Traber → Pferd.
Traberrennen → Rennen.
Trabrennen → Rennen.

Trabrennpferd → Pferd.
Tracheoskopie → Ausspiegelung.
Tracht → Kleidung.
Trachtbezirk → Bienenweide.
Trachtbiene → Biene.
trachten: → streben; nach dem Leben t. → töten [wollen].
Trachtenjacke → Jacke.
Trachtenjanker → Jacke.
Trachtenkleid → Kleid.
Trachtenpuppe → Puppe.
trademark: registered t. → Warenzeichen.
tradieren → überliefern.
Tradierung, Überlieferung, Weitergabe, Weiterführung; → Tradition; → überliefern.
¹Tradition, Überlieferung, Geschichte, Historie; → Abkunft, → Tradierung; → herkömmlich.
²Tradition → Brauch.
Traditional Jazz → Jazz.
traditionell → herkömmlich.
Traduktion → Übersetzung.
träf → treffend.
Tragaltar → Altar.
Tragbahre → Bahre.
tragbar: → transportabel; t. sein → annehmbar [sein].
Tragbarkeit → Fruchtbarkeit.
Trage: → Bahre, → Tragekorb.
träge, phlegmatisch, dickfellig, tranig (abwertend), schwerfällig, viskös, zähflüssig, indolent, gleichgültig, lethargisch, teilnahmslos, desinteressiert, unbeteiligt, leidenschaftslos, apathisch, stumpfsinnig, torpid; → dickfellig, → faul, → tölpelhaft, → unempfindlich; t. sein, sich nicht rühren, keinen Finger rühren / krumm machen (ugs.), keinen Wank tun (schweiz.); → Dickfelligkeit, → Teilnahmslosigkeit.
Tragekorb, Trage, Rückentrage, Kiepe (landsch.), Butte (oberd.), Bütte (landsch.), Kratte (landsch.), Kraxe (bayr., österr.), Buckelkraxe (bayr., österr.), Kötze (landsch.), Hotte (landsch.), Kietze (landsch.), Hutte (schweiz.), Kräze (schweiz.), Krätze (schweiz.), Reff, Räf (schweiz.); → Korb, → Tornister.
¹tragen, schleppen (ugs.), über / unter den Arm genommen haben, sich etwas unter den Arm

geklemmt haben · *auf dem Rücken:* buckeln (*salopp*), aufhucken (*ugs.*), auf den Rücken / (*ugs.*) auf die Hucke nehmen, huckepack / (*bayr., österr.*) buckelkraxen nehmen (oder:) tragen; → beladen; → transportieren; → Bahre, → Last.

²**tragen:** → anhaben, → ertragen; -de Rolle → Rolle; huckepack t. → Rücken; einen Bart t. → bärtig [sein]; Bedenken t. → zögern; Blüten t. → blühen; Eulen nach Athen t. → tun; Frucht / Früchte t. → Erfolg [haben]; reiche Frucht / Früchte t. → einträglich [sein]; ein Kind unter dem Herzen t. → schwanger [sein]; eine schwarze Krawatte / Schwarz / Trauer / einen Trauerflor / Trauerkleidung t. → Trauerkleidung [tragen]; sein Päckchen zu t. haben → Schicksal; den Namen / Titel t. → lauten; keine Schuld t. → schuldlos [sein]; sein Teil zu t. haben → Schicksal; [die] Verantwortung t. → einstehen (für); jmdn. auf Händen t. → verwöhnen; bei sich t. → mitführen; in sich t. → aufweisen; sich t. mit → befassen (sich), → liebäugeln (mit); seine Haut zu Markte t. → prostituieren; zum Tragen kommen → wirken.

**Träger:** → Brett, → Dienstmann, → Mittel.

**Trägerrock** → Rock.

**Traggurt** → Gurt.

**Trägheit:** → Faulheit, → Teilnahmslosigkeit.

**Tragikomödie** → Komödie.

**Tragöde** → Schauspieler.

**Tragödie**, Trauerspiel · attische Tragödie, römische Tragödie, bürgerliches Trauerspiel; → Schauspiel · Ggs. → Komödie.

**Tragschrauber**→Hubschrauber.

**Trägspinner** → Schmetterling.

**Tragtasche** → Papier.

**Tragweite** → Folge.

**Trainer** → Betreuer.

**Traineranzug** → Anzug.

¹**trainieren** (sich), in Übung bleiben, sich trimmen, in Form bleiben, nicht einrosten (*ugs.*), sich fit halten, im Training sein; → anstrengen.

²**trainieren:** → erziehen, → lernen, → turnen.

**Training:** → Kunstfertigkeit; autogenes / isometrisches T. → Entspannungsübung; im T. sein → trainieren (sich).

**Trainingsanzug** → Anzug.

**Traité** → Abmachung.

**Trakehner** → Pferd.

**Traktanden:** aus Abschied und T. fallen lassen → ablehnen.

**Traktandenliste** → Tagesordnung.

**Traktandum** → Tagesordnungspunkt.

**Traktat** → Aufsatz.

**traktieren** → schikanieren.

**Traktor**, Trecker, Zugmaschine, Schlepper, Bulldozer.

**Tralje** → Gitter.

**trällern** → singen.

**Tram** → Straßenbahn.

**Trambahn** → Straßenbahn.

**Trambahnschaffner** → Schaffner.

**Traminer** → Wein.

**Trämler** → Schaffner.

**Tramontana** → Wind.

**Tramp** → Vagabund.

**Trampel** → Hausangestellte, → Mädchen.

**trampeln** → stampfen.

**Trampelpfad** → Weg.

**Trampeltier** → Kamel.

**trampen:** → mitfahren; t. durch → bereisen, → reisen.

**Tramper** → Vagabund.

**Tramway** → Straßenbahn.

**Tran:** → Speiseöl; im T. sein → betrunken [sein], → müde [sein].

**Trance** → Trancezustand.

**tranceartig** → psychedelisch.

**Trancezustand**, Trance, Dämmerzustand; → Geisterbeschwörung; → okkult, → psychedelisch.

**tranchieren** → zerlegen.

**Tranchiermesser** → Messer.

¹**Träne**, Zähre (*dichter.*), Freudenträne, Zornesträne · *unechte:* Krokodilsträne;→weinen.

²**Träne:** es gibt -n → weinen; jmdm. / einer Sache keine T. nachweinen → beklagen; -n vergießen, in -n ausbrechen, in -n zerfließen, sich in -n auflösen → weinen.

**Tränendrüse:** auf die -n drücken → Rührseligkeit [bewirken].

**tränenselig** → empfindsam.

**Tränenseligkeit** → Rührseligkeit.

**Tränentier** → Schlafmütze.

**Tranfunzel** → Schlafmütze.

**tranig:** → langsam, → träge.

**Trank:** → Getränk; Speise und T. → Nahrung.

**tränken** → trinken.

**Tranksame** → Getränk.

**Tranquilizer:** → Beruhigungsmittel, → Medikament.

**Tranquillans** → Beruhigungsmittel.

**Transaktion** → Geschäft.

**Trans-Europ-Express** → Eisenbahnzug.

**Transfer** → Zahlung.

**Transferierung** → Zahlung.

**Transformation** → Umwandlung.

**transformationell:** → -e Grammatik → Grammatik.

**Transformationsgrammatik:** [generative T.] → Grammatik.

**transformieren** → ändern.

**Transfusion** → Blutübertragung.

**Transistor** → Radio.

**Transit**, Durchfuhr, Durchfahrt; → Straßenverkehr.

**Transitgeschäft** → Geschäft.

**Transithandel**, Zwischenhandel, Durchfuhrhandel; → Einzelhandel, → Großhandel, → Handel.

**transitiv:** -es Verb → Verb.

**transitorisch** → kurzlebig.

**Transkription** → Umschrift.

**Translation** → Übersetzung.

**Transliteration** → Umschrift.

**transluzent** → durchsichtig.

**transluzid** → durchsichtig.

**Transozeanflug** → Flug.

**transparent** → durchsichtig.

¹**Transparent**, Spruchband; → Propaganda.

²**Transparent** → Plakat.

**Transparentpapier** → Schreibpapier.

**Transparentzeichenpapier** → Schreibpapier.

**Transparenz** → Durchschaubarkeit.

**Transpiration**, Schweißabsonderung, Schweißsekretion, Ausdünstung, Hautausdünstung, Schwitzen, Perspiration, Diaphorese, Hidrose, Sudation, Sudoration ·· *vermehrte:* Hyper[h]idrose, Hyper[h]idrosis, Ephidrose, Ephidrosis · *halbseitig vermehrte:* Hemihyper[h]idrose, Hemihyper[h]idrosis ·· *verminderte:* Hyphidrose, Hyphidrosis, Hypohidrose, Oligohidrie, Oligidrie · *bis zum völligen Fehlen:* An[h]idrose, An[h]idrosis ·· *farbige:* Chrom[h]idrose, Chrom[h]idrosis · *rötliche:* Häm[h]idrose, Häm[h]idrosis, Hämat[h]idrose, Hämat[h]idrosis, Erythrohidrose, Erythridrose, Blutschwitzen · *bläuliche:* Zyan[h]idrose, Cyan[h]idrosis · *dunkelfarbige:* Melanidrose, Melanidrosis; → Schweißabsonderung; → schwitzen.

**transpirieren** → schwitzen.

**Transplantation**, Verpflanzung, Übertragung, Überpflanzung, Anaplastik, Gewebsverpflanzung, Organverpflanzung, Gewebsübertragung, Organübertragung · *am gleichen Organismus:* Autotransplantation, Autoplastik · *zwischen artgleichen Individuen:* Homotransplantation, Homoplastik, Homöotransplantation, Homöoplastik, Homoiotransplantation, Homoioplastik, Isotransplantation, Isoplastik · *zwischen artverschiedenen Individuen:* Heterotransplantation, Heteroplastik · *als Umkehrvorgang:* Retransplantation, Rückverpflanzung, Gewebsrückverpflanzung, Organrückverpflanzung; → Explantation, → Implantation; → transplantieren.

**transplantieren**, verpflanzen, übertragen; → operieren; → Transplantation.

**¹Transport**, Beförderung, Überführung, Ferntransport, Expedierung, Expedition, Landtransport, Seetransport, Lufttransport, Autotransport, Bahntransport, Schienentransport, Schiffstransport; → Beseitigung; → transportieren.

**²Transport** → Umzug.

**transportabel**, tragbar, fahrbar, beweglich, mobil, beförderbar; → transportieren.

**Transportflugzeug** → Flugzeug.

**¹transportieren**, befördern, expedieren, überführen, spedieren; → tragen; → Spediteur; → Spedition, → Transport.

**²transportieren** → entfernen.

**Transportkäfig** → Käfig.

**Transportunternehmen** → Spedition.

**Transportunternehmer** → Spediteur.

**Transsubstantiation:** → Umwandlung, → Wandlung.

**Transsuse** → Schlafmütze.

**Transvestit** → Homosexueller.

**transzendent** → übernatürlich.

**transzendental:** -e Gleichung → Gleichung.

**Trantute** → Schlafmütze.

**Trantüte** → Schlafmütze.

**Trapezkapitell** → Kapitell.

**Trapezkünstler** → Artist.

**Trappe** → Vogel.

**Trapper** → Jäger.

**Trappist:** -en → Mönchsorden.

**Trappistenorden** → Mönchsorden.

**trapsen:** Nachtigall, ick hör' dir t. → merken.

**Trara:** → Lärm; um etwas viel T. machen → übertreiben.

**Trasse** → Linienführung.

**Tratsch** → Klatsch.

**tratschen** → reden.

**Tratschsucht** → Redseligkeit.

**tratschsüchtig** → gesprächig.

**Tratschsüchtigkeit** → Redseligkeit.

**Tratte** → Wechsel.

**Traube:** → Blütenstand, → Weinbeere.

**Träubelhyazinthe** → Liliengewächs.

**Traubenernte** → Ernte.

**Traubenlese** → Weinlese.

**Traubenschimmel** → Schlauchpilz.

**Traubenwickler** → Schmetterling.

**¹Traubenzucker**, Dextrose, Glucose, Glykose, Fruktose, Lävulose, Dextropur ⓦ.

**²Traubenzucker** → Zucker.

**Träuble** → Johannisbeere.

**¹trauen**, kopulieren (*veraltet*), zusammengeben; → heiraten; → verheiraten; → Vermählung.

**²trauen:** → glauben; sich t. → wagen; sich t. lassen → heiraten; seinen [eigenen] Augen nicht t. → überrascht [sein]; dem Frieden nicht t. → argwöhnisch [sein]; seinen Ohren nicht t. → überrascht [sein]; jmdm. nicht über den Weg t. → argwöhnisch [sein].

**¹Trauer**, Traurigkeit, Wehmut, Melancholie, Schwermut, Trüb-

sal, Freudlosigkeit, Gedrücktheit, Trübsinn, Trübsinnigkeit, Bedrücktheit, Betrübnis, Bekümmertheit, Bekümmernis, Niedergeschlagenheit, Mutlosigkeit, Verzagtheit, Depression, seelisches Tief; → Leid, → Melancholie; → ernsthaft, → schwermütig.

**²Trauer:** T. angelegt haben, T. tragen → Trauerkleidung [tragen].

**Trauerente** → Vogel.

**Traueressen** → Leichenschmaus.

**¹Trauerfeier**, Totenfeier, Trauermesse, Leichenfeier, Totenmesse, Requiem, Seelenmesse, Seelenamt, Obsequien, Exequien, Abdankung (*schweiz.*).

**²Trauerfeier** → Begräbnis.

**Trauerflor:** einen T. tragen → Trauerkleidung [tragen].

**Trauergefolge** → Leichenzug.

**Trauergemeinde** → Leidtragender.

**Trauerkarte** → Beileidskarte.

**Trauerkleid:** → Kleid; -[er] → Trauerkleidung.

**¹Trauerkleidung**, Trauerkleid, Trauerkleider, etwas Schwarzes (*ugs.*); → Kleidung; **T. tragen,** Trauer / Schwarz tragen, in Schwarz gehen, Trauer angelegt haben, einen Trauerflor / eine schwarze Krawatte tragen.

**²Trauerkleidung** → Kleidung.

**Trauerkloß** → Muffel.

**Trauerkondukt** → Leichenzug.

**Trauermantel** → Schmetterling.

**Trauermeise** → Vogel.

**Trauermesse** → Trauerfeier.

**Trauernder** → Leidtragender.

**Trauerpapier:** → Briefpapier, → Schreibpapier.

**Trauerspiel:** [bürgerliches T.] → Tragödie.

**Traufe** → Regenrinne.

**träufeln.** tropfen, tröpfeln; → fließen.

**traulich** → gemütlich.

**Traulichkeit** → Gemütlichkeit.

**Traum-:** → ersehnt, → ideal.

**¹Traum**, Tagtraum, Wachtraum, Fiebertraum, Fieberwahn · *schwerer, beängstigender:* Alptraum, Angsttraum, Alpdruck, Alpdrücken, Inkubus, Sukkubus, Oneirodynie (*Med.*); → Angst, → Gespenst, → Träumer; → träumen.

²**Traum:** einen T. haben → träumen; nicht im T. → keineswegs; nicht im T. daran denken / sich etwas nicht im T. einfallen lassen → tun; etwas wie im T. können → mühelos [erringen].

**Trauma:** → Schock; → Verletzung, → Wunde.

¹**träumen,** einen Traum haben; → Traum.

²**träumen:** → hoffen, → unaufmerksam [sein].

**Träumer,** Phantast, Tagträumer, Traumtänzer, Hans Guckindieluft (*scherzh.*), Wolkenschieber (*scherzh.*); → Einbildung, → Traum.

**träumerisch** → gedankenvoll.

¹**Traumfabrik,** Welt des Films; → Kinofilm.

²**Traumfabrik:** → Filmatelier, → Kino.

**Traumined** → Feigling.

**Traumtänzer** → Träumer.

**traun:** [t. fürwahr] → wahrlich.

**Trauner** → Schiff.

¹**traurig,** schwermütig, trübsinnig, hypochondrisch, depressiv, melancholisch, pessimistisch, schwarzseherisch, nihilistisch, defätistisch, miesepetrig (*ugs.*), hintersinnig (*schweiz.*), bregenklüterig (*ugs., landsch.*), trübselig, wehmütig, wehselig (*schweiz.*), elegisch, trist, freudlos, freudelos (*schweiz.*), elend, unglücklich, todunglücklich, kreuzunglücklich, desolat, betrübt, trübe, bedrückt, gedrückt, bekümmert, unfroh, mauserig (*schweiz.*), nicht → lustig; → ängstlich, → ernsthaft, → kläglich, → deprimiert, → ruhig · Ggs. → zuversichtlich; **t. sein,** mit der Welt zerfallen sein, Trübsal blasen (*ugs.*), etwas durch eine schwarze Brille sehen, sich hintersinnen (*südd., schweiz.*); → erstaunen; → Melancholie, → Pessimist, → Trauer.

²**traurig:** → bedauerlich, → schlecht; t. sein, daß ... → bedauern, → bereuen.

**Traurigkeit:** → Trauer; kein Kind von T. sein → lustig [sein].

**Trauring** → Ring.

**Trauschein:** Ehe ohne T. → Ehe.

**traut:** → gemütlich; im -en Heim → daheim.

**Traute:** keine T. haben → Mut.

**Trautheit** → Gemütlichkeit.

**Trauung:** [kirchliche / ökumenische / standesamtliche T.] → Vermählung.

**Trauzeuge,** Beistand (*österr.*); → heiraten.

**Travellerscheck** → Scheck.

**Travestie:** → Nachahmung, → Satire.

**travestieren** → nachahmen.

**Trawler:** → Fischereischiff, → Schiff.

**Treatment** → Entwurf.

**Trebe:** auf die T. gehen → herumtreiben (sich).

**Trebegänger:** → Junge, → Vagabund.

**Treck** → Flüchtlingszug.

**Trecker** → Traktor.

**Treff** → Spielkarte.

¹**treffen,** das Ziel erreichen; → schießen, → zielen; **nicht t.,** danebentreffen, vorbeitreffen, das Ziel verfehlen, vorbeizielen, danebenzielen, danebengreifen, vorbeigreifen, danebenschlagen, vorbeischlagen, danebenhauen, vorbeihauen, vorbeischießen, danebenschießen.

²**treffen:** → finden, → kränken, → zurückfallen (auf); sich t. → versammeln (sich); etwas trifft jmdn. → betreffen; eine Entscheidung t. → entschließen (sich); genau das Richtige / den Nagel auf den Kopf / den Hornuß t. → treffend; eine Vereinbarung / Übereinkunft / ein Übereinkommen t. → übereinkommen; Vorbereitungen zu etwas t. → anschicken (sich, etwas zu tun); die nötigen Vorbereitungen / Vorentscheidungen t. für → planen; Vorkehrungen t. → anordnen; Vorsorge t. → sichern; jmdn. ins Herz t. → kränken; jmdn. bis ins Mark t. → kränken; sich [regelmäßig] mit jmdm. t. → verkehren (mit); von Amors Pfeil getroffen sein → verliebt [sein].

**Treffen:** → Kampf, → Wiedersehen; ins T. führen → erwähnen.

**treffend,** genau [richtig], prägnant, treffsicher, frappant, schlagend, träf (*schweiz.*); **etwas t. sagen,** genau das Richtige / treffen, ins Schwarze treffen, den Nagel auf den Kopf treffen, den Hornuß [sicher] treffen (*schweiz.*); **t. sein,** hinhauen (*ugs.*), sitzen (*ugs.*).

**Treffer:** → Hauptgewinn, → Tor (das); einen T. erzielen / markieren → Tor [schießen]; einen T. haben → Glück [haben]; ein T. sein → wirken.

**trefflich,** vortrefflich, gut, sehr gut, bestens (*ugs.*), fein, herrlich, vorzüglich, statiös, ausgezeichnet, hervorragend, erstklassig, überdurchschnittlich, zünftig, pfundig, toll, schnafte (*salopp, berlin.*), knorke (*salopp, berlin.*), schnieke (*salopp, berlin.*), dufte (*salopp, berlin.*), bärig (*tirol.*), prima (*ugs.*), Ia (eins a), klassisch (*ugs.*), Klasse (*ugs.*), klaß (*österr.*), leinwand (*wiener.*), tulli (*österr.*), exzellent, picobello; → auserwählt, → blendend, → bravo!, → ehrenhaft, → ideal, → kostbar, → preisgekrönt, → schön; **t. sein:** etwas ist trefflich / (*ugs.*) ist ein Gedicht / (*salopp*) ist 'ne Wucht / (*salopp*) ist einsame Klasse; → Höchstleistung.

**Treffpunkt** → Versammlungsort.

**treffsicher** → treffend.

**Treibbake** → Warnzeichen.

**Treibball** → Ballspiel.

**Treibeball** → Ballspiel.

**Treibeis** → Eisscholle.

**treiben:** → arbeiten, → fließen, → verfolgen, → vertreiben; es mit jmdm. t. → koitieren; Knospen t. → sprießen; Mißbrauch / Schindluder t. → mißbrauchen; mit seiner Gesundheit / seinen Kräften Raubbau t. → übernehmen (sich); keinen Raubbau mit seiner Gesundheit t. → Gesundheit; Reitsport t. → reiten; mit jmdm. seinen Schabernack / Scherz t. → aufziehen; mit jmdm. ein falsches Spiel t. → betrügen; Spionage t. → Spion; Sport t. → turnen; Werbung t. → Werbung; Wucher t. → habgierig [sein]; Zauberei t. → zaubern; t. in → einrammen; in die Enge t. → fragen; zu Paaren t. → einschreiten; jmdn. zur Verzweiflung t. → Verzweiflung.

**Treiben** → Ungeduld.

**Treibenlassen** → Duldung.

**Treibgut,** Treibholz, Strandgut; → Fundsache.

**¹Treibhaus,** Glashaus, Gewächshaus, Kaldarium; → Frühbeet, → Garten, → Orangerie.

**²Treibhaus:** es ist [eine Hitze / heiß] wie im T. → überheizt.

**Treibhausluft** → Luft.

**Treibholz** → Treibgut.

**Treibjagd** → Jagd.

**Treibmine** → Mine.

**Treibmittel,** Trieb (landsch.), Kuchentrieb (landsch.), Backpulver, Pottasche, Hirschhornsalz; → Gärstoff.

**Treibstoff,** Benzin, Kraftstoff, Triebstoff (schweiz.), Dieselkraftstoff, Dieselöl, Diesel (ugs.), Normalbenzin, Normal (ugs.), Superkraftstoff, Super (ugs.), Gemisch, Sprit (ugs.) · für Flugzeuge: Flugbenzin, Flugzeugtreibstoff, Düsentreibstoff, Kerosin; → Erdöl, → Tanksäule, → Tankstelle.

**Treidelpfad** → Weg.

**Treidelweg** → Weg.

**treife:** nicht t. → unverdächtig.

**tremolieren** → singen.

**Tremolo** → Vibrato.

**Trenchcoat** → Mantel.

**Trend** → Neigung.

**¹trennen** (sich), scheiden, sich empfehlen, auseinandergehen, verlassen, weggehen, jmdm. den Rücken kehren, Abschied nehmen, verabschieden, ade / auf Wiedersehen sagen, sich lösen / losreißen, sich reißen von · in der Ehe: sich scheiden lassen, die Ehe auflösen · von einem Verein ö.ä.: austreten; → abmelden, → brechen (mit jmdm.), → kündigen, → scheiden (jmdn.), → sitzenlassen, → weggehen; → Ehescheidung.

**²trennen:** → abmachen, → durchschneiden, → unterscheiden; die Ehe t. → scheiden (jmdn.); die Spreu vom Weizen t. → aussortieren; sich t. von → abschreiben, → ausschließen.

**Trennung:** → Abtrennung, → Ehescheidung.

**Trennungsstrich** → Satzzeichen.

**Trennungswand** → Mauer.

**Trennungszeichen** → Satzzeichen.

**Trennwand** → Mauer.

**¹Treppe,** Stiege (südd., österr.), Aufgang, Freitreppe, Marmortreppe, Steintreppe, Steinstiege (südd., österr.), Holztreppe, Speichertreppe, Bodentreppe, Kellertreppe, Leitertreppe, Falltreppe · prunkvolle in einem Palais o.ä.: Prunktreppe, Feststiege (österr.) · deren Stufen um eine Achse angeordnet sind: Wendeltreppe, Spindeltreppe · beim Schiff: Fallreep · bei Schiff und Flugzeug: Laufsteg, Gangway · sich bewegende, auf der man auf- oder abwärtsfahren kann: Rolltreppe, Fahrtreppe; → Aufzug, → Stufe, → Treppenabsatz, → Treppenhaus.

**²Treppe:** die T. hinauffallen → avancieren.

**Treppelweg** → Weg.

**Treppenabsatz,** Absatz, Treppenpodest, Podest; → Stufe, → Treppe.

**Treppengeländer** → Geländer.

**Treppengiebel** → Giebel.

**Treppenhaus,** Stiegenhaus (südd., österr.), Treppenflur (bes. berlin.); → Diele, → Hausflur, → Treppe.

**Treppenleiter** → Leiter (die).

**Treppenpodest** → Treppenabsatz.

**Treppenstufe** → Stufe.

**Tresen:** → Ladentisch, → Schanktisch.

**Tresor,** Safe, Geldschrank, Panzerschrank, Bankfach, Geheimfach, Sicherheitsfach, Schließfach; → Behälter; → aufbewahren, → verstecken.

**Tresse** → Besatz.

**Tretboot** → Boot.

**¹treten,** einen Schritt / Tritt machen, vortreten, zurücktreten, herantreten.

**²treten:** → koitieren, → stampfen; kürzer t. → sparen; jmdm. zu nahe t. → aufdringlich [sein]; zutage t. → hervortreten; Pflaster t. → fortbewegen (sich); auf die Bremse t. → bremsen; auf den Plan t. → vorkommen; auf der Stelle t. → avancieren; aufs Pedal t. → Geschwindigkeit; t. in → betreten; in Erscheinung t. → auffallen; in

jmds. Fußstapfen t. → nachfolgen; in den Hintergrund t. → Einfluß; jmdm. in den Hintern t. → schlagen; ins Fettnäpfchen t. → kränken; mit Füßen t. → mißachten; über die Ufer t. → überfließen; jmdm. unter die Augen t. → sehen; unter die Brause t. → baden; von einem Fuß auf den anderen t. → warten; vor das Haus t. → demonstrieren.

**Treter** → Schuh.

**Tretmine** → Mine.

**Tretmühle:** in der T. sein → arbeiten.

**Tretroller** → Trittroller.

**treu,** getreu, getreulich, treu und brav, ergeben, anhänglich, beständig · der Regierung gegenüber: loyal, nicht → unbeständig; → anlehnungsbedürftig, → folgsam, → übereifrig, → unselbständig; **jmdm. t. sein,** jmdm. die Treue halten mit jmdm. durch dick und dünn gehen, sich für jmdn. in Stücke reißen lassen (ugs.); → Treue.

**Treu:** auf T. und Glauben → gutgläubig.

**Treubruch** → Untreue.

**treubrüchig** → untreu.

**Treubrüchiger** → Abtrünniger.

**¹Treue,** Loyalität, Anhänglichkeit, Beständigkeit, Unwandelbarkeit; → Anständigkeit, → Aufrichtigkeit, → Redlichkeit; → ehrenhaft, → treu · Ggs. → Untreue.

**²Treue:** jmdm. die T. halten → treu [sein]; in T. → hochachtungsvoll; in guten -n → befugt; etwas in guten -n tun → arglos.

**Treueprämie** → Gratifikation.

**¹Treuhänder,** Treuhandverwalter, Vermögensverwalter, Kurator, Trustee · eines Vermögens unter fremdstaatlicher Verwaltung: Custodian; → Treuhänderschaft.

**²Treuhänder** → Verwalter.

**Treuhänderschaft,** Treuhandverwaltung, Kommission; → Verwalter.

**Treuhandgebiet** → Gebiet.

**Treuhandverwalter** → Treuhänder.

**Treuhandverwaltung** → Treuhänderschaft.

**treuherzig** → arglos.

**Treuherzigkeit** → Arglosigkeit.
**treulos** → untreu.
**Treuloser** → Abtrünniger.
**Treulosigkeit** → Untreue.
**Trevira** → Chemiefaser.
**Triade** → Dreiheit.
**Triangel** → Schlaginstrument.
**Trias:** → Dreiheit, → Erdzeitalter.
**Tribade** → Lesbierin.
**Tribunal** → Gericht.
**Tribüne,** Zuschauertribüne; → Empore.
**Tribut:** → Abgabe; jmd. hat der Natur seinen T. entrichtet → tot [sein]; T. zollen → honorieren, → Opfer [bringen].
**Trichine** → Wurm.
**Trichodesmium** → Spaltpflanze.
**Trichter:** auf den T. kommen → verstehen.
**Trichtermündung** → Mündung.
**Trick,** Raffinesse, Finesse, Kniff, Praktik, Schliche (Plural), Kunstgriff, Masche (*ugs., abwertend*), Dreh (*ugs., abwertend*), Schmäh (*österr.*), Rank (*bes. schweiz.*), Ganoventrick (*abwertend*), Roßtäuschertrick (*landsch., abwertend*); → Absicht, → Arglist, → Manier, → Maßnahme.
**Trickbetrüger** → Betrüger.
**Trickfilm** → Kinofilm.
**tricksen** → betrügen.
**Tricktrack** → Brettspiel.
**Trieb:** → Leidenschaft, → Neigung, → Schößling, → Treibmittel; dem T. nachgeben → koitieren.
**Triebfeder** → Anlaß.
**triebhaft,** animalisch, tierisch, libidinös; → sexuell.
**triebmäßig** → gefühlsmäßig.
**Triebstoff** → Treibstoff.
**Triebtäter** → Verbrecher.
**Triebverbrecher** → Verbrecher.
**Triebwagen** → Eisenbahnzug, → Lokomotive.
**Triebwerk** → Motor.
**triefen** → fließen.
**triefend:** [vor Nässe t.] → naß.
**Triel** → Vogel.
**Triere** → Kriegsschiff.
**triezen** → schikanieren.
**Trift** → Wiese.
**triftig** → stichhaltig.
**Trigonometrie** → Mathematik.
**Trijodthyronin** → Hormon.
**Trikolore** → Nationalflagge.
**Trikot** → Sporthemd.

**Trikotagen:** → Textilien, → Unterwäsche.
**trillern** → singen.
**Trillerpfeife** → Pfeife.
**Trimester** → Zeitraum.
**Trimeter** → Vers.
**trimmen:** → beschneiden; sich t. → trainieren (sich).
**Trinität,** Dreieinigkeit, Dreifaltigkeit; Vater, Sohn und Heiliger Geist; → Gott, → Gotteseigenschaften, → Gottheit, → Heiland, → Madonna, → Theologie.
**¹Trinitatis,** Trinitatisfest, Dreifaltigkeit, Dreifaltigkeitsfest, Dreifaltigkeitssonntag; → Kirchenfest.
**²Trinitatis:** [1.–27. Sonntag nach T.] → Kirchenjahr.
**Trinitatisfest** → Trinitatis.
**Trinkbares** → Getränk.
**Trinkbude** → Verkaufsstand.
**Trinkei** → Hühnerei.
**¹trinken,** Flüssigkeit / eine Erfrischung zu sich nehmen ·· *in kleineren Mengen:* schlürfen, nippen ·· *hastig:* hinunterstürzen, hinuntergießen (*ugs.*), hintergießen (*ugs.*), hinunterspülen (*ugs.*) ·· *vom Tier:* saufen ·· *in bezug auf eine Arznei:* einnehmen ·· *von Alkohol:* zechen, pokulieren, bechern, kneipen, picheln (*ugs.*), süffeln (*ugs.*), sich einen zu Gemüte führen / genehmigen (*ugs.*), in die Kanne steigen (*ugs.*), pietschen (*ugs.*), tanken (*salopp*), kümmeln (*salopp*), schnapsen (*ugs.*), bibeln (*ugs., österr.*), schnäpseln (*ugs.*), schnapseln (*ugs., österr.*), sich einen hinter die Binde gießen (*ugs.*), einen auf die Lampe gießen (*ugs.*), sich die Kehle anfeuchten / ölen / schmieren (*ugs.*), einen verlöten / heben / abbeißen / zwitschern / kippen / stemmen / schmettern / zischen / inhalieren / zur Brust nehmen (*salopp*), verkasematuckeln (*ugs.*), kein leeres Glas sehen können, die Gurgel ausspülen / schmieren (*ugs.*), einen unter das Jackett brausen (*ugs.*) · *mehr als der Mittrinkende:* jmdn. unter den Tisch trinken (*ugs.*); **zu t. geben,** trinken lassen, einflößen, tränken; → austrinken, → erquicken, → feiern; → prost, →

trunksüchtig; → Durst, → Getränk, → Trinkgefäß, → Trinkgelage, → Zecher.
**²trinken:** → trunksüchtig [sein]; Kaffee t. gehen → Café; mit jmdm. Brüderschaft getrunken haben → duzen; einen über den Durst getrunken haben → betrunken [sein]; Kaffee / Tee t. → Frühstück [einnehmen], → Zwischenmahlzeit [einnehmen], → Quasselwasser getrunken haben → gesprächig [sein], → sprechen; abwarten und Tee t.! → abwarten; auf jmdn. / etwas t. → begehen; auf jmds. Wohl t. → zutrinken; Babbelwasser / Brabbelwasser getrunken haben → sprechen; Essen und Trinken → Nahrung.
**Trinker,** Gewohnheitstrinker, Trunksüchtiger, Alkoholiker, Potator (*Med.*), Säufer (*abwertend*), Saufbruder (*derb*), Saufbold (*abwertend*), Saufloch (*derb, abwertend*), Trunkenbold (*abwertend*), Schnapsbruder (*ugs., abwertend*), Schluckbruder (*ugs., scherzh.*), Sumpfhuhn (*ugs.*), Biertippler (*ugs., österr.*), Tippler (*österr.*), durstige Seele (*ugs., verhüllend*) · *periodisch von Trunksucht befallener:* Quartalsäufer, Dipsomane; → Betrunkener, → Prohibition, → Trunksucht, → Zecher; → betrunken.
**trinkfest,** trinkfreudig; **t. sein,** etwas / einiges / viel / (*salopp*) einen Stiefel vertragen [können], ein gutes Gefälle haben (*salopp, scherzh.*); → betrinken (sich); → betrunken.
**trinkfreudig** → trinkfest.
**Trinkgefäß,** Trinkglas, Glas, Becher, Becherglas, Krug · *für feierliche Zwecke:* Kelch, Pokal · *größeres, verziertes [mit Deckel]:* Humpen, Seidel · *für Bier:* Bierglas, Bierseidel, Seidel, Tulpe, Tulpenglas, Maßkrug (*bayr.*), Bierkrug, Bierkrügel (*österr.*) · *für Wein:* Weinglas, Rotweinglas, Südweinglas, Weißweinglas, Römer, Kelchglas, Stengelglas · *für Schnaps ö.ä.:* Schnapsglas, Likörglas, Schwenker, Schnapsstamperl (*bayr., österr.*), Stamperl (*bayr., österr.*) · *für Sekt:* Sektglas, Sektschale, Sektkelch · *für Kaffee, Tee ö.ä.:* Tasse, Kaffee-

tasse, Mokkatasse, Schale (österr.), Kaffeeschale (österr.), Teeschale (österr.), Häferl (ugs., österr.), Kaffeehäferl (ugs., österr.); → Gefäß, → Hohlmaß, → Tasse, → Trinkhalm; → trinken.

**Trinkgelage,** Zechgelage, Bacchanal, Zechtour, Sauferei (salopp), Saufgelage (salopp), Kneiperei (ugs.), Kneipgelage (ugs.), Drahrerei (ugs., österr.), Mullatschag (österr.) · kleineres bei Dienstantritt: Einstand; → Bummel, → Umtrunk; → feiern, → spendieren, → trinken; → feuchtfröhlich.

**Trinkgeld,** Bedienungsgeld, Bedienungszuschlag, Douceur (veraltend), Schmattes (österr., salopp), Bakschisch; → Bedienung; → zahlen.

**Trinkgenosse** → Zecher.

**Trinkglas** → Trinkgefäß.

**Trinkhalle** → Verkaufsstand.

**Trinkhalm,** Strohhalm, Röhrchen; → Trinkgefäß.

**Trinkschokolade** → Kakao.

**¹Trinkspruch,** Toast; → Rede.

**²Trinkspruch:** einen T. auf jmdn. ausbringen → zutrinken.

**Trinkwasser** → Wasser.

**Trio:** → Geschlechtskrankheit, → Mannschaft.

**Triolett** → Gedicht.

**Triosonate** → Sonate.

**Trip:** → Rausch, → Reise; einen T. machen → Rausch, → reisen; einen T. nehmen → rauchen; -s werfen / schmeißen → spritzen.

**Triplebarre** → Hindernis.

**Triplexkarton** → Karton.

**Tripmadam** → Küchengewürz.

**trippeln** → fortbewegen (sich).

**Tripper** → Geschlechtskrankheit.

**Triptychon** → Altarbild.

**trist:** → langweilig, → schwermütig.

**Triste** → Schober.

**Tristheit** → Eintönigkeit.

**Tritanopie** → Farbenblindheit.

**Triton:** → Trittroller, → Wassergeist.

**Tritt:** → Leiter, → Podium, → Spur, → Stoß, → Stufe; einen T. machen → treten.

**Trittbrett** → Stufe.

**Trittleiter** → Leiter.

**Trittroller,** Roller, Kinderroller, Tretroller, Triton (österr.), Trottinett (schweiz.).

**Triumph** → Sieg.

**Triumphator** → Sieger.

**Triumphgeschrei** → Jubel.

**triumphieren:** → schadenfroh [sein], → siegen.

**Triumphtulpe** → Gartentulpe.

**trivial:** → oberflächlich, → phrasenhaft, → unwichtig.

**¹Trivialität,** Plattheit, Seichtheit, Flachheit, Oberflächlichkeit, Alltäglichkeit, Gehaltlosigkeit, Inhaltslosigkeit, Geistlosigkeit; → Plattheit; → oberflächlich, → unwichtig.

**²Trivialität** → Bedeutungslosigkeit.

**Trivialroman** → Roman.

**Trobador** → Minnesänger.

**Trochäus** → Versfuß.

**¹trocken,** vertrocknet, ausgetrocknet, dürr, verdorrt, ausgedörrt, abgestorben, pulvertrocken, knochentrocken, rappeltrocken (landsch.), furztrocken (scherzh.), nicht → naß; → faltig, → unfruchtbar, → verwelkt; **t. werden,** trocknen, abtrocknen, übertrocknen (österr.); → trocknen; **t. machen,** trocknen, abtrocknen, trockenreiben, trocknen lassen; → reiben; → Handtuch, → Trockenheit.

**²trocken:** → altbacken, → humorlos, → langweilig, → lebensfremd, → prosaisch, → realistisch, → spaßig, → unfruchtbar; keinen -en Faden mehr am Leibe haben → naß [sein]; Karo t. → Schnitte; eine -e Kehle haben → Durst [haben]; da bleibt kein Auge t. → verschonen; noch nicht t. hinter den Ohren sein → erwachsen, → jung [sein]; sein Schäfchen ins -e bringen → Profit [machen].

**Trockenbeerenauslese** → Wein.

**Trockengemüse** → Gemüse.

**Trockengestell** → Steige.

**¹Trockenheit,** Dürre, Tröckne (schweiz.); → trocken.

**²Trockenheit** → Kargheit.

**Trockenklima:** -te → Klimazone.

**Trockenlöscher** → Feuerlöscher.

**Trockenmilch** → Milch.

**Trockenrasierer** → Rasierapparat.

**Trockenrasur** → Rasur.

**trockenreiben** → trocken [machen].

**Trockenrost** → Steige.

**Trockensavanne** → Steppe.

**Trockentuch** → Handtuch.

**Trockenwäsche** → Haarwäsche.

**Tröckne** → Trockenheit.

**¹trocknen,** eintrocknen, austrocknen, vertrocknen, auftrocknen, antrocknen, betrocknen, abtrocknen, ausdörren, tröcknen (schweiz.); → antrocknen, → welken.

**²trocknen:** → trocken [werden]; [t. lassen] → trocken [machen]; die Haare t. → fönen.

**tröcknen** → trocknen.

**Troddel** → Quaste.

**Trödel** → Kram.

**Trödelbude** → Jahrmarktsbude.

**Trödelei** → Langsamkeit.

**Trödelkram** → Kram.

**trödeln** → langsam [arbeiten].

**Trödler,** Altwarenhändler, Altmaterialhändler, Althändler, Gebrauchtwarenhändler, Lumpensammler (südd.), Tandler (österr.), Schrotthändler; → Altmaterial, → Einzelhändler, → Händler.

**Trog** → Gefäß.

**Troika** → Mannschaft.

**trojanisch:** Trojanisches Pferd → Geschenk.

**trölen** → verschieben.

**Trölerei** → Langsamkeit.

**trölerhaft** → hinhaltend.

**trölerisch** → hinhaltend.

**trollen:** sich t. → weggehen.

**Trolleybus:** → Obus, → Verkehrsmittel.

**Trolly** → Spitzenstickerei.

**Trombe** → Wirbelwind.

**Trombone** → Blasinstrument.

**Trommel:** → Schlaginstrument; [die] T. spielen, die T. schlagen / rühren → trommeln.

**Trommelfeuer** → Beschuß.

**¹trommeln,** [die] Trommel spielen, die Trommel schlagen / (veraltet) rühren; → Schlaginstrument.

**²trommeln:** → prasseln; Gott sei's getrommelt und gepfiffen! → glücklicherweise.

**Trommler** → Musizierender.

**Trompete** → Blasinstrument; Pauken und -n → Geschlechtskrankheit; T. blasen / spielen →

trompeten; mit Pauken und -n durchgefallen → versagen.

¹trompeten, Trompete blasen / spielen; → Blasinstrument.

²trompeten → schneuzen (sich).

Trompetentierchen → Einzeller.

Trondheim → Drontheim.

Trondhjem → Drontheim.

Tropenhelm → Kopfbedeckung.

Tropf → Narr.

tröpfeln: → fließen, → träufeln; es tröpfelt → regnen.

tropfen: → fließen, → träufeln.

Tropfen: → Medikament; ein T. auf einen heißen Stein sein → wenig.

Tropfenherz → Herzsenkung.

tropfenweise → diskontinuierlich.

tropfnaß → naß.

tropisch: → schwül; -es Jahr → Zeitraum; -e Klimate, -es Regenwaldklima → Klimazone; -er Moosfarn → Bärlappgewächs.

Tropus → Sinnbild.

Trosse → Seil.

Troßschiff → Kriegsschiff.

¹Trost, Tröstung, Zuspruch, Aufrichtung, Hoffnung, Lichtblick, Hoffnungsschimmer, Linderung, Balsam, Labsal, Wohltat, Herzenstrost, Seelentrost, Erquickung; → Beileid, → Mitgefühl; T. geben, Trost spenden (geh.), Mut zusprechen / machen; → tröstlich.

²Trost: T. spenden / zusprechen → trösten; nicht bei T. sein → verrückt [sein].

¹trösten, Trost spenden / zusprechen / bieten / gewähren / verleihen, aufrichten; → bemitleiden, → mitfühlen; → tröstlich; → Trost.

²trösten: -d → tröstlich.

tröstlich, tröstend, trostreich, beruhigend, ermutigend; → trösten; → Trost.

trostlos → langweilig.

Trostlosigkeit: → Ausweglosigkeit, → Eintönigkeit.

Trostpflaster → Ersatz.

Trostpreis → Ersatz.

trostreich → tröstlich.

Tröstung → Trost.

Trott → Lebensweise.

Trottel → Dummkopf.

Trottelblume → Vogel.

trotten → fortbewegen (sich).

Trotteur → Schuh.

Trottinett → Trittroller.

Trottoir → Gehsteig.

trotz: t. allem → dennoch.

Trotz: → Eigensinn; zum T. → absichtlich.

Trotzalter, Trotzphase; → Entwicklungsphase, → Trotzkopf.

trotzdem: → dennoch, → obgleich.

trotzen: → aufbegehren; der Gefahr t. → mutig [sein].

trotzig → unzugänglich.

¹Trotzkismus, ideologische Aufweichung; → Revolutionär, → Verschwörung.

²Trotzkismus: → Ketzerei, → Marxismus.

Trotzkist → Sozialist.

trotzkistisch → kommunistisch.

Trotzkopf, Rechthaber, Dickkopf (ugs.), Dickschädel (ugs.), Querkopf (ugs.), Starrkopf, Kaprizenschädel (österr.); → Eigensinn, → Trotzalter; → unzugänglich.

Trotzphase → Trotzalter.

Troubadour: → Minnesänger, → Sänger.

Troupier → Soldat.

Trouvère → Minnesänger.

trüb: t. werden → umschlagen.

trübe: → dunkel, → schmutzig → schwermütig.

Trubel → Hast, → Lärm.

trüben: → behindern; jmd. sieht aus, als ob er kein Wässerchen t. könnte → harmlos [aussehen]; durch nichts getrübt → ungetrübt.

Trübglas → Glas.

Trübsal: → Trauer; T. blasen → schwermütig [sein].

trübselig → schwermütig.

Trübsinn: → Melancholie, → Trauer.

trübsinnig → schwermütig.

Trübsinnigkeit → Trauer.

trudeln → rollen, → würfeln.

Trüffel → Schlauchpilz.

Trug: Lug und T. → Lüge.

Trugbild → Einbildung.

trügen: wenn nicht alle Zeichen t. → anscheinend.

trügerisch → unwirklich.

Trugmotte → Schmetterling.

Truhe, Schrein, Lade (veraltend); → Kasten, → Schachtel.

Trumm → Klumpen.

Trümmer, Schutt, Überbleibsel, Ruine, Wrack, Torso, Reste,

Überreste; → Unvollständigkeit; → unvollständig.

Trumpf: → Vorteil; alle Trümpfe in der Hand / in [den] Händen haben / halten → Vorteil.

Trunk: → Getränk; dem T. ergeben / verfallen sein → trunksüchtig [sein].

trunken: → begeistert, → betrunken; t. machen → begeistern.

Trunkenbold → Trinker.

Trunkener → Betrunkener.

Trunkenheit → Betrunkenheit.

¹Trunksucht, Alkoholismus, Alkoholophilie (selten), Potomanie (Med.), Potatorium (Med.), Versoffenheit (derb), Sauflust (derb) · periodische: Dipsomanie (Med.), Quartalsaufen; → Alkoholvergiftung, → Ausschweifung, → Prohibition, → Säuferwahnsinn, → Trinker; → trunksüchtig.

²Trunksucht: → Sucht; periodische T. → Anankasmus.

trunksüchtig, versoffen (derb); → verlebt; t. sein, trinken, saufen (derb), dem Trunk / (derb) Suff ergeben (oder:) verfallen sein; → trinken; → Getränk, → Trunksucht.

Trunksüchtiger → Trinker.

Trupp → Abteilung.

Truppe: → Abteilung, → Heeresverband, → Militär; technische T. → Waffengattung; bei der T. sein → Front.

Truppenarzt → Arzt.

Truppenoffizier → Offizier.

Truppenreduzierung → Abrüstung.

Truppenstandort → Garnison.

Truppenteil → Heeresverband.

Truppentransporter → Kriegsschiff.

Truppenverbandsplatz → Lazarett.

Truppenvorbeimarsch → Parade.

Trüsche → Fisch.

Trust → Unternehmen.

Trustee → Treuhänder.

Trute → Truthahn.

Truthahn → Truthuhn.

Truthenne → Truthuhn.

Truthuhn · Truthenne, Pute, Trute (schweiz.) · männliches: Truthahn, Puter, Indian (österr.); → Geflügel.

Tschako → Kopfbedeckung.

**tscharigehen** → defekt [werden].

**tschau** → Gruß.

**Tscheche,** Böhme, Böhmak (*ugs., österr.*); → Tschechoslowakei; → tschechisch.

**Tschechei** → Tschechoslowakei.

**¹tschechisch,** tschechoslowakisch, böhmisch; → Tscheche, → Tschechoslowakei.

**²tschechisch:** -e Krone → Zahlungsmittel.

**Tschechoslowakei,** Böhmen, Tschechoslowakische Sozialistische Republik, ČSSR, ČSR (*veraltet*), Tschechei (*ugs.*); → Tscheche; → tschechisch.

**tschechoslowakisch:** → tschechisch; Tschechoslowakische Sozialistische Republik → Tschechoslowakei.

**Tschibuk** → Tabakspfeife.

**Tschik** → Zigarette.

**tschilpen** → singen.

**Tschinkele** → Italiener.

**Tschinken** → Italiener.

**tschüs** → Gruß.

**Tschusch** → Fremder.

**Tsjao** → Zahlungsmittel.

**Tuba** → Blasinstrument.

**Tubargravidität** → Schwangerschaft.

**Tube:** → Behälter, → Verkehrsmittel; auf die T. drücken → Geschwindigkeit, → verstärken.

**Tubenschwangerschaft** → Schwangerschaft.

**Tuber** → Hautblüte.

**Tuberculum** → Hautblüte.

**tuberkulös:** t. sein → Tuberkulose [haben].

**Tuberkulose,** Lungentuberkulose, Tbc, Tb, Phthise, Schwindsucht, Auszehrung (*veraltet*), Lungenschwindsucht, Morbus Koch; **T. haben,** lungenkrank/tuberkulosekrank/tuberkulös sein, die Motten haben (*salopp*); → Krankheit.

**tuberkulosekrank:** t. sein → Tuberkulose [haben].

**Tuch:** → Halstuch, → Serviette, → Stoff; ein rotes T. für jmdn. sein, wie ein rotes T. auf jmdn. wirken → ärgern (jmdn.).

**Tuchent** → Federbett.

**Tuchentzieche** → Bezug.

**Tuchfühlung:** → Kontakt; auf T. gehen → rücken (an); in T. bleiben → Kontakt.

**Tuchmacherknoten** → Knoten.

**¹tüchtig,** begabt, befähigt, fähig, patent (*ugs.*), wäg (*schweiz*); **t. sein,** seinen Mann stehen/stellen, etwas leisten, sich sehen lassen können, sich bewähren, sich [im Leben] behaupten · *im Beruf:* sein Handwerk verstehen; → anstrengen (sich), → werden (etwas).

**²tüchtig:** → fleißig, → gehörig, → sehr; es jmdm. t. geben → schlagen.

**Tüchtigkeit** → Fähigkeit.

**Tucke** → Homosexueller.

**Tücke:** → Arglist; die T. des Objekts → Unberechenbarkeit.

**tuckern** → Laut.

**tückisch** → unaufrichtig.

**tücksch** → ärgerlich.

**Tudorbogen** → Bogen.

**Tuffstein** → Baustein.

**tüfteln** → denken.

**Tugend:** auf dem Pfad der T. wandeln → anständig [sein].

**Tugendbold** → Junge.

**tugendhaft** → anständig.

**Tugendpinsel** → Junge.

**Tugendwächter** → Moralprediger.

**Tukan:** → Sternbild, → Vogel.

**Tukano** → Indianer.

**Tulifäntchen** → Angeber.

**Tüll:** [Englisch T.] → Stoff.

**Tulpe:** → Gartentulpe, → Liliengewächs, → Trinkgefäß.

**Tulpenglas** → Trinkgefäß.

**Tumba** → Schlaginstrument.

**tummeln:** sich t. → beeilen (sich).

**Tummelplatz,** Sammelbecken, Auffangbecken, Eldorado, Dorado; → Mittelpunkt, → Paradies, → Sammelbecken.

**Tümmler** → Wal.

**Tumor:** → Hautblüte; [benigner/maligner T.] → Geschwulst.

**Tümpel** → See.

**Tümpelquelle** → Quelle.

**Tumult:** → Lärm, → Verschwörung.

**tumultuarisch** → aufgeregt.

**¹tun,** machen, verbrechen (*scherzh.*) · *als erster:* den Bann brechen · *mit umständlicher Sorgfalt:* sich verkünsteln, sich einen abbrechen (*ugs.*) · *notgedrungen und widerstrebend:* in den sauren Apfel beißen · *etwas Überflüssiges:* Eulen nach Athen

tragen · *etwas Unsinniges:* den Bock melken (*ugs.*) · *etwas Aussichtsloses:* Wasser in ein Sieb schöpfen/mit einem Sieb schöpfen, eine Stecknadel in einem Heuhaufen suchen, das Faß der Danaiden füllen, das ist eine Sisyphusarbeit; → anrichten, → unternehmen; **nicht t. wollen,** nicht im Traum daran denken, sich etwas nicht im Traum einfallen lassen, etwas kommt nicht in Frage, sich nicht hergeben für/zu etwas, etwas kommt jmdm. nicht in den Sinn, etwas liegt jmdm. fern, sich zu schade/gut sein für; **jmd. würde etwas ganz gern t.,** etwas reizt jmdn., etwas würde jmdm. Spaß machen; **nichts zu t. haben,** Leerlauf haben; **nichts mehr zu t. übrig lassen,** ganze Arbeit leisten (*ugs.*); **gerade t.** (z.B. er liest gerade), im Augenblick tun, am ... sein (*ugs.*, z.B. er ist am Lesen); → überflüssig.

**²tun:** → arbeiten, → vollführen; [kund und] zu wissen t. → mitteilen; es tut mir leid! → Verzeihung!; nicht t. → unterlassen; etwas tut nichts → unwichtig [sein]; etwas tut es noch/wieder/nicht mehr → funktionieren; sich wichtig t. → prahlen; Abbruch/Abtrag/jmdm. etwas [zuleide] t. → schaden; etwas t. → unternehmen; t. Sie mir den Gefallen/den einen (oder:) einzigen Gefallen...! → bitte!; würden Sie mir den Gefallen t. ...? → bitte!; keinen Wank t. → träge [sein]; „was t.?" spricht Zeus → unentschlossen [sein]; des Guten zuviel t. → essen; an einen bestimmten Platz t. → betreffen; etwas auf jmds. Verantwortung t. → einstehen (für); etwas t. für etwas → Opfer [bringen]; t. in → hineinbringen; von sich t. → entledigen (sich jmds./einer Sache); etwas hat zu t. mit → betreffen; nichts zu t. haben wollen mit → heraushalten (sich), → hassen.

**Tun,** Handeln, Unternehmen, Unterfangen, Beginnen; → unternehmen.

**tünchen** → streichen.

Tüncher → Maler.

Tundra → Steppe.

Tundrenklima → Klimazone.

tunesisch: -er Dinar → Zahlungsmittel.

Tunika → Kleidung.

Tunke → Soße.

tunken → tauchen.

tunlich: es ist t. → zweckmäßig [sein].

tunlichst, lieber, gefälligst, möglichst, nach Möglichkeit, wenn [es] möglich [ist]; → angemessen,→vielleicht,→zweckmäßig.

Tunnel → Unterführung.

Tunte → Homosexueller.

tuntig → tantenhaft.

Tupamaro → Partisan.

Tüpfelchen: T. auf dem i → Krönung.

Tüpfelfarn → Farn.

Tüpfelsumpfhuhn → Vogel.

Tupfenmull → Stoff.

Tupi → Indianer.

¹Tür, Tor, Pforte, Portal, Eingang, Einstieg, Ausgang, Ausstieg, Hauseingang, Einfahrt, Toreinfahrt, Hauseinfahrt, Zugang, Flügeltür, Pendeltür, Drehtür, Schiebetür, Schranktür, Tapetentür, Geheimtür, Falltür; → Diele, → Guckloch, → Türrahmen.

²Tür: offene Türen einrennen → ankämpfen (gegen etwas); einer Sache T. und Tor öffnen → unterstützen (etwas); die T. offenlassen / nicht schließen, zu Hause wohl Säcke an den -en / vor der T. haben → schließen; du kriegst die T. nicht zu! → überrascht [sein]; mach die T. von außen zu! → weg!; jmdm. die T. vor der Nase zuschlagen → ablehnen; Heim der offenen T. → Heim; hinter verschlossenen -en → heimlich; mit der T. ins Haus fallen → mitteilen; den Stuhl vor die T. setzen → entlassen; etwas steht vor der T. → bevorstehen; zwischen T. und Angel → Hast.

Turban → Kopfbedeckung.

Turbinenschiff → Schiff.

Türbogen → Bogen.

Turbopropflugzeug → Flugzeug.

turbulent → aufgeregt.

Türdrücker → Türklinke.

Turf → Rennplatz.

Türfalle → Türklinke.

Türgg: → Manöver, → Propaganda, → Werbung.

Türgriff → Türklinke.

Türhüter: → Portier, → Wächter.

Türk: → Manöver, → Propaganda, → Werbung.

Türke: einen -n bauen → vortäuschen.

Türkei, Osmanisches Reich · asiatischer Teil: Anatolien.

Türken → Mais.

Türkenbund → Liliengewächs.

Türkenbundlilie → Liliengewächs.

Türkentaube → Vogel.

Türkenweizen → Mais.

türkis → grün.

Türkis → Schmuckstein.

türkisch: Türkische Musik · Geschlechtskrankheit; -es Pfund → Zahlungsmittel; -er Tabak → Tabak; -er Weizen → Getreide.

Türkischer → Kaffee.

türkischrot → rot.

türkisfarben → grün.

türkisgrün → grün.

Türklinke, Klinke, Türdrücker, Türgriff, Türschnalle (österr.), Schnalle (österr.), Türfalle (schweiz.); → Griff.

Turkologie → Philologie.

¹Turm, Bergfried, Glockenturm, Kampanile, Minarett, Moscheeturm · Kirchturm · Rathausturm · Vierungsturm, Luginsland (veraltend) · Leuchtturm · Funkturm · Aussichtsturm · Wachtturm · Torturm · Sendeturm, Funkturm, Fernsehturm · Pulverturm (hist.) · Wasserturm, Wehrturm (hist.), Mauerturm · in früheren Zeiten als Gefängnis dienender: Hungerturm (hist.).

²Turm: → Schachfigur, · → Stapel.

Turmalin → Schmuckstein.

Turmdach → Dach.

türmen: → aufhäufen, → fliehen.

Turmfalke → Vogel.

Turmhahn → Wetterfahne.

Turmhaus → Haus.

turmhoch: → hoch; jmdm. t. überlegen sein → übertreffen.

Turmuhr → Uhr.

turnen, Sport treiben, sich sportlich betätigen, sich [körperlich] ertüchtigen, trainieren, Gymnastik machen; → trainieren (sich); → Gymnastik, → Sport.

Turnen → Sport.

Turnerleibchen → Sporthemd.

Turnerschaft → Verbindung.

Turngerät → Sportgerät.

Turnhalle, Turnsaal (bes. österr.); → Sportfeld.

Turnhemd → Sporthemd.

Turnhose → Hose.

Turnier: → Spiel; ein T. reiten → reiten.

Turnierreiter → Reiter.

Turnierreiterin → Reiterin.

Turniertanz → Tanz.

Turnlehrer → Sportlehrer.

Turnleibchen → Sporthemd.

Turnschuh → Schuh.

Turnübung, Übung · Pflichtübung · Kürübung, Kür · Kopfstand, Handstand, Schulterstand, Überschlag, Salto, Rolle, Radschlagen, Spagat, Grätsche, Hocke, Flanke, Fechterwende, Fechterkehre · bes. am Pferd: Kreisflanke, Kehre, Wende, Wendeschwung, Schwungstütz, Sprungstütz · bes. am Reck: Aufschwung, Knieaufschwung, Knieumschwung, Kniewelle, Bauchwelle, Felgumschwung, Riesenfelge, Riesenwelle · bes. am Barren: Fechterflanke, Schwebestütz, Liegehang · bes. an den Ringen: Hangwaage, Stützwaage; → Purzelbaum, → Sport,→ Sportgerät,→ Sprung.

Turnus → Reihenfolge.

Türrahmen, Türeinfassung, Türverkleidung, Türstock (österr.), Türpfosten; → Fenstereinfassung, → Tür.

Türschloß → Schloß.

Türschlüssel → Schlüssel.

Türschnalle → Türklinke.

Türsteher → Portier.

turteln → kosen.

Türvorhang → Gardine.

Türvorlage → Fußabstreifer.

Türvorleger → Fußabstreifer.

Turzismus → Spracheigentümlichkeit.

Tuscarora → Indianer.

tuscheln → flüstern.

tuschen → zeichnen.

Tuschkasten → Frau.

Tuschmalerei → Maltechnik.

Tussahseide → Seide.

**Tussahspinner** → Schmetterling.

**Tussi** → Neger.

**Tüte:** → Papiertüte; angeben wie eine T. voll Wanzen / Mükken → prahlen; -n drehen / kleben → abbüßen; kommt nicht in die T. → nein.

**Tutel** → Vormundschaft.

**¹tuten,** blasen, dudeln; → flöten.

**²tuten:** → Laut; ins gleiche Horn t. → Ansicht.

**Tutor:** → Berater, → Vormund.

**tuttelig** → hinfällig.

**tuttlig** → hinfällig.

**Tutu** → Rock.

**Tuwort** → Verb.

**Tweed** → Stoff.

**Twen** → Jüngling.

**Twill** → Stoff.

**Twinset** → Pullover.

**Twist** → Tanz.

**Two-beat-Jazz** → Jazz.

**Twostep** → Tanz.

**Tylom** → Schwiele.

**Tylose** → Schwiele.

**Tylositas** → Schwiele.

**Tympanie** → Blähsucht.

**Tympanitis** → Blähsucht.

**Typ:** → Modell, → Wesen; mieser T. → Mann; jmds. T. sein → gefallen; dein T. wird hier nicht verlangt → weg!

**Type:** → Mensch, → Modell; ausgeflippte / abgefuckte T. → Rauschgiftsüchtiger.

**¹Typhus,** Typhus abdominalis, Abdominaltyphus, Bauchtyphus, Unterleibstyphus, Enterotyphus, Ileotyphus, Nervenfieber (*veraltend*); → Krankheit.

**²Typhus:** europäischer T. → Fleckfieber.

**Typhus abdominalis** → Typhus.

**¹typisch,** ausgesprochen, unverkennbar.

**²typisch** → kennzeichnend.

**typisieren:** → charakterisieren, → normen.

**Typisierung** → Normung.

**Typograph** → Schriftsetzer.

**Typoskript** → Skript.

**Tyr** → Gott.

**Tyrann:** → Ehemann, → Gewaltherrscher, → Oberhaupt.

**tyrannisch,** despotisch, diktatorisch; → Gewaltherrscher, → Herrschaft.

**tyrannisieren** → schikanieren.

# U

**U:** jmdm. ein X für ein U vormachen → betrügen; sich kein X für ein U vormachen lassen → schlau [sein].

**UB** → Bibliothek.

**U-Bahn** → Verkehrsmittel.

**übel:** → böse, → schlimm; übler Beigeschmack → Anrüchigkeit; einen üblen Geruch ausströmen / haben → riechen; die Luft mit üblem Geruch erfüllen → verpesten; in üblem Geruch stehend, ü. beleumundet → anrüchig; übler Wille → Übelwollen; nicht ü. sein → unterschätzen; jmdm. ist / wird ü. → unwohl; wohl oder ü. → notgedrungen.

**Übel:** → Krankheit, → Not; notwendiges Ü. → Erfordernis.

**übelgelaunt:** ü. sein → aufgelegt.

**übelgesinnt** → böse.

**Übelkeit** → Erbrechen.

**übellaunig** → ärgerlich.

**Übellaunigkeit** → Launenhaftigkeit.

**übelnehmen,** verübeln, nachtragen, ankreiden, verargen, krummnehmen (*ugs.*), etwas in den falschen Hals / in die falsche Kehle bekommen (*ugs.*), aufmutzen (*ugs.*); → anlasten; **nicht ü.,** es jmdm. nicht verdenken können.

**übelnehmerisch** → empfindlich.

**Übelstand** → Unzulänglichkeit.

**Übeltat,** Schandtat, Schurkerei, Bubenstück, Büberei; → Bosheit.

**Übeltäter** → Verbrecher.

**¹Übelwollen,** Böswilligkeit, [böse] Absicht, böser / übler Wille; → böswillig.

**²Übelwollen** → Bosheit.

**übelwollend** → böse.

**üben:** → lernen; Kritik ü. → beanstanden; Manöverkritik ü. → überprüfen; Nachsicht ü. → nachsichtig [sein]; Solidarität ü. → solidarisieren (sich); sich in Geduld ü. → abwarten.

**über:** → oberhalb; [auf dem Wege ü.] → via; ü. die Hälfte → Mehrheit; ü. und ü. → ganz.

**¹überall,** allenthalben, allgemein, allseits, allerseits, passim, an allen Orten, an allen Ecken und Enden, da und dort, weit und breit, allerorts, vielenorts, vielerorts, meistenorts (*schweiz.*), allerorten, allerwärts, ringsum, so weit das Auge reicht; → oft, → verstreut · Ggs. → nirgends.

**²überall:** ü. und nirgends → nirgends.

**überallher:** von überallher. von fern und nah, von allen Seiten / Richtungen / Orten, aus allen Himmelsrichtungen / Richtungen, aus dem hintersten Winkel, aus allen Teilen der Welt, aus aller Herren Länder[n]; → überall · Ggs. → überallhin.

**überallhin,** in alle Himmelsrichtungen / Richtungen, in alle [vier] Winde, nach allen Orten / Seiten / Richtungen, bis in den hintersten Winkel, in alle Teile der Welt, so weit das Auge reicht; → überall · Ggs. → überallher.

**überaltert** → überlebt.

**Überalterung** → Rückständigkeit.

**Überangebot** → Überfluß.

**überanstrengen:** sich ü. → übernehmen (sich).

**überanstrengt,** überarbeitet, überlastet, überfordert; → erschöpft, → müde; → Überanstrengung; → übernehmen (sich).

**Überanstrengung,** Überlastung, Überarbeitung, Überbürdung, Arbeitsüberlastung; → überanstrengt.

**¹überantworten,** übertragen, ausfolgen (*österr.*), einantworten (*österr.*); → verabreichen; → Aushändigung.

**²überantworten:** → abgeben, → ausliefern (jmdn.), → vergeben.

**Überantwortung:** → Aushändigung, → Vergabe.

**überarbeiten** → ändern.

**überarbeitet** → überanstrengt.

**Überarbeitung** → Überanstrengung.

**überaus** → sehr.

**Überbau,** Oberbau, Aufbau · Ggs. → Fundament.

**überbeanspruchen** → beanspruchen.

**Überbefruchtung** → Befruchtung.

**überbesetzt** → besetzt.

**Überbett** → Federbett.

**überbieten** → übertreffen.

**überbinden** → anordnen.

**Überbleibsel:** → Rest, → Trümmer.

**¹Überblick,** Übersicht, Überschau; → überblicken.

**²Überblick:** → Erfahrung, → Umsicht; einen Ü. haben → überblicken.

**überblicken,** überschauen, übersehen, einen Überblick haben; → ansehen; → Überblick.

**überborden:** → überhandnehmen; etwas überbordet → überschreiten.

**überbraten:** jmdm. eins ü. → schlagen.

**Überbrettl** → Kabarett.

**überbringen** → abgeben.

**Überbringer** → Bote.

**Überbringung** → Lieferung.

**überbrücken,** über etwas hinwegkommen, überwinden, ausgleichen; **etwas ü. helfen,** über etwas hinweghelfen.

**Überbrückung** → Wartezeit.

**Überbrückungszeit** → Wartezeit.

**überbürden** → aufbürden.

**Überbürdung** → Überanstrengung.

**Übercharakterisierung** → Redundanz.

**überdachen** → bedachen.

**Überdachung** → Bedachung.

**überdauern,** überwintern, perennieren; → ertragen.

**Überdeckung** → Bedachung.

**Überdehnung** → Verletzung.

**überdenken** → erwägen.

**überdies** → außerdem.

**Überdosis:** → Dosis; eine Ü. Tabletten / Schlaftabletten nehmen → entleiben (sich).

**überdreht:** ü. sein → lebhaft [sein].

**Überdruß,** Übersättigung, Übersättigtsein, Ennui, Widerwille, Abscheu, Ekel, Verleider (schweiz.); **bis zum Ü.,** bis es geschafft ist, bis es nicht mehr geht, bis zur Vergasung (ugs.).

**überdrüssig:** jmds. / einer Sache ü. sein → angeekelt [sein].

**überdurchschnittlich** → trefflich.

**Übereifer:** → Beflissenheit, → Begeisterung.

**¹übereifrig,** hundertfünfzigprozentig (ugs., abwertend), linientreu, überzeugt; → eingefleischt, → fanatisch, → fleißig, → treu, → unterwürfig; → Beflissenheit.

**²übereifrig:** → beflissen, → begeistert.

**Übereifrigkeit** → Beflissenheit.

**übereilen,** überstürzen, übers Knie brechen, unüberlegt handeln, etwas zu wenig / nicht genügend überlegt haben; → Überstürzung.

**übereilt** → schnell.

**Übereiltheit** → Überstürzung.

**Übereilung:** → Überstürzung; ohne Ü. → ruhig.

**übereinkommen,** sich abstimmen / besprechen / arrangieren / einig werden / einigen / (ugs.) zusammenraufen, verabreden, vereinbaren, aushandeln, stipulieren, ausmachen, absprechen, abmachen, zurechtkommen (mit), klarkommen (salopp), sich verständigen / vergleichen / auf halbem Weg entgegenkommen, handelseinig werden, eine Vereinbarung / Übereinkunft / ein Übereinkommen treffen, verkommen (schweiz.), einen Kompromiß schließen, eine Einigung erzielen; → bereinigen, → einigen; → Abmachung, → Verabredung.

**Übereinkommen:** → Abmachung; ein Ü. treffen → übereinkommen.

**Übereinkunft:** → Abmachung; eine Ü. treffen → übereinkommen; nach Ü. mit → Erlaubnis.

**¹übereinstimmen** (mit jmdm.), sympathisieren mit, gleichgestimmt / gleichgesinnt sein; → ähneln, → gleichen.

**²übereinstimmen:** → gleichen; im Alter -d → gleichaltrig; ü. mit → billigen.

**übereinstimmend,** zusammenfallend, kongruent, konvergierend, konvergent, gleich, gleichartig, homogen, identisch, analog, analogisch (schweiz.), homolog, konform, parallel, einheitlich, einhellig, äquipollent; → einträchtig, → fugenlos, → geistesverwandt, → gemäß, → gleichartig, → homo-, → kongruent, → symmetrisch, → synonym; → gleichen; →

Gegenstück, → Gleichartigkeit, → Übereinstimmung · Ggs. → ungleich.

**¹Übereinstimmung,** Eintracht, Brüderlichkeit, Harmonie, Gleichklang, Gleichtakt, Einigkeit, Einmütigkeit, Einstimmigkeit, Frieden; → Einigung, → Gegenstück, → Gelassenheit, → Gemeinsamkeit, → Gleichartigkeit, → Kongruenz; → einträchtig, → friedfertig, → übereinstimmend · Ggs. → Unausgeglichenheit.

**²Übereinstimmung:** → Gleichartigkeit, → Identität, → Kongruenz, → Parallele; in Ü. mit → Erlaubnis; in Ü. bringen → abstimmen (auf etwas).

**überempfindlich:** → empfindlich, → wehleidig.

**¹Überempfindlichkeit,** Empfindlichkeit, Idiosynkrasie, Idiokrasie, Allergie, Intoleranz, Atopie, Irritabilität, Hyperästhesie, Hyperergie, Hyperreaktivität, Hypersensibilität, Hypersuszeptibilität, Supersuszeptibilität; → Unschädlichkeit, → Unzuträglichkeit; → bekömmlich, → empfindlich.

**²Überempfindlichkeit:** → Empfindsamkeit, → Zimperlichkeit.

**Überempfindlichkeitsreaktion** → Unzuträglichkeit.

**übererfüllen** → übertreffen.

**überessen:** sich ü. → essen.

**¹überfahren,** überrollen, zusammenfahren (ugs.), über den Haufen fahren (ugs.), niederfahren, umfahren, umscheiben (ugs., österr.); → verunglücken.

**²überfahren:** → betrügen, → mißachten.

**Überfall,** Anschlag, Mordanschlag, Raubzug, Raubüberfall, Handstreich, Gewaltstreich (veraltend), Attentat; → Angriff, → Kampf, → Okkupation, → Sprengkörper, → Verschwörung.

**überfallen:** → angreifen, → auflauern, → befallen; etwas überfällt jmdn. → überkommen.

**Überfallhose** → Hose.

**überfällig** → verschollen.

**Überfälligkeit** → Unauffindbarkeit.

**überfliegen:** → lesen, → passieren.

**überfließen,** überlaufen, überschwappen, übergehen, über die Ufer treten, überfluten, überschwemmen; → Überschwemmung.

**überflügeln** → übertreffen.

**¹Überfluß,** Überschuß, Überfülle, Überangebot, Überproduktion, Reichtum; → Wohlstandsgesellschaft; **Ü. haben,** zuviel haben, sich nicht zu retten wissen vor (ugs.), etwas ist im Überfluß / (salopp) in rauhen Mengen vorhanden, die Zahl ist Legion; → reichlich, → überladen, → überschüssig.

**²Überfluß** → Redundanz.

**Überflußgesellschaft** → Wohlstandsgesellschaft.

**¹überflüssig,** entbehrlich, unnötig; → nutzlos, → überschüssig · Ggs. → zugehörig; **ü. sein,** nicht dazugehören, das fünfte Rad am Wagen sein; → tun.

**²überflüssig:** → nutzlos, → pleonastisch, → überschüssig.

**überfluten** → überfließen.

**Überflutung** → Überschwemmung.

**überfordern:** jmdn. ü. → fordern.

**überfordert** → überanstrengt.

**überfragt:** ü. sein → wissen.

**überfressen:** sich ü. → essen.

**Überfuhr** → Fähre.

**überführen** → transportieren; in Volkseigentum ü. → enteignen.

**Überführung:** → Brücke, → Transport.

**Überfülle** → Überfluß.

**überfüllt:** ü. sein → voll [sein].

**Überfunktion** → Funktionsstörung.

**überfuttern:** sich ü. → essen.

**übertüftern** → ernähren.

**Übergabe:** → Aushändigung, → Lieferung, → Vergabe.

**Übergang:** → Brücke, → Veränderung, → Wartezeit.

**Übergangskleid** → Kleid.

**Übergangsmantel** → Mantel.

**Übergangszeit** → Wartezeit.

**Übergardine** → Gardine.

**¹übergeben** (sich), [sich] erbrechen, vomieren, etwas von sich geben, brechen (ugs.), speien [wie ein Reiher], speiben (bayr., österr.), reihern (derb), spucken (landsch.), kotzen (derb), keuzen (salopp), rückwärts zählen (salopp), jmdm. fällt das Essen aus dem Gesicht (salopp, scherzh.) · auf See: seekrank sein, die Fische füttern (scherzh.), Neptun opfern (scherzh.); → Bewegungskrankheit, → Erbrechen.

**²übergeben:** → abgeben, → ausliefern (jmdn.), → geben, → vergeben, → verleihen; seiner Bestimmung ü. → einweihen; dem Flammentod ü. → töten.

**übergehen:** → mißachten, → schweigen, → überfließen; übergangen werden → leer [ausgehen]; jmdm. gehen die Augen über → ansehen; etwas geht in jmds. Besitz über → zufallen; in Fäulnis ü. → faulen; in Fleisch und Blut ü. → üblich [werden]; [in Gärung ü.] → gären; in andere Hände ü. → wechseln; in Korrosion ü. → rostig [werden]; mit fliegenden / wehenden Fahnen zum Gegner (oder:) in das andere Lager ü. → umschwenken; zum Angriff ü. → angreifen; zur Tagesordnung ü. → berücksichtigen.

**übergenau** → engherzig.

**übergeordnet** → selbständig.

**übergescheit** → oberschlau.

**Übergewicht:** → Prävalenz, → Vorherrschaft; Ü. haben → dick [sein].

**übergießen:** mit kochendem Wasser ü. → blanchieren.

**übergreifen** → ausbreiten (sich).

**Übergriff** → Verschwörung.

**übergroß:** -e Eile / Eiligkeit → Überstürzung.

**überhaben** → angeekelt [sein].

**Überhandknoten** → Knoten.

**überhandnehmen,** sich ausweiten / häufen, üppig / zuviel werden, ausarten, überborden, überwuchern, wuchern, ins Kraut schießen, zu einer Landplage werden, es wimmelt von, es wird jmdm. zu bunt [mit etwas], um sich greifen, grassieren, wüten; → ausdehnen, → einschleichen (sich), → unterstützen (etwas), → zunehmen.

**überhängen** → umhüllen.

**überhapps** → nachlässig.

**Überhastetheit** → Überstürzung.

**Überhastung** → Überstürzung.

**überhäufen:** jmdn. mit Lob ü. → loben.

**überhaupt:** → ganz; ü. niemand → niemand; ü. nichts → nichts.

**überheblich** → dünkelhaft.

**Überheblichkeit,** Hochmut, Dünkel, Einbildung, Eingebildetheit, Stolz, Aufgeblasenheit (abwertend), Blasiertheit (abwertend), Herablassung, Selbstzufriedenheit, Selbstgefälligkeit, Selbstgerechtigkeit, Selbstherrlichkeit, Arroganz, Anmaßung, Vermessenheit, Präpotenz (österr.), Süffisanz, Hybris, Hoffart, → Frechheit, → Selbstbewußtsein, → Selbsteinschätzung; → dünkelhaft.

**überheizt,** zu heiß; → warm; **ü. sein,** es ist [eine Hitze / heiß] wie in einem Treibhaus; → heizen.

**Überhitzung,** Wärmestauung, Hyperthermie, Hitzschlag, Thermoplegie, Heliosis, Sonnenstich, Insolation; → Schlaganfall.

**überhöhen:** [den Preis] ü. → Wucher.

**überhöht:** -er Spitzbogen → Bogen.

**¹überholen** (jmdn.), an jmdm. vorbeifahren / vorbeilaufen, jmdm. vorfahren (schweiz.), jmdn. zurücklassen / hinter sich lassen (ugs.).

**²überholen** → übertreffen.

**überholt** → überlebt.

**überirdisch** → übernatürlich.

**überklug** → oberschlau.

**überkochen,** überwallen, überlaufen; → brodeln, → sieden.

**¹überkommen:** etwas überkommt / überfällt / überläuft / überwältigt / erfüllt / befällt / übermannt / packt / erfaßt / faßt jmdn., etwas kommt / rührt jmdn. an; → erschüttern, → fühlen.

**²überkommen** → herkömmlich.

**überladen,** voll, zuviel, barock, übervoll, überreichlich, strotzend vor, starrend vor, wuchernd, üppig, redundant, erdrückend; → überschüssig, → üppig; → Überfluß.

**Überlagerung,** Überschneidung,

Überlappung, Interferenz, Beeinflussung.
Überlandbus → Omnibus.
Überlandfahrt → Fahrt.
Überlandflug → Flug.
überlappen: sich ü. → überschneiden (sich).
Überlappung → Überlagerung.
¹überlassen (jmdm. etwas), jmdm. etwas freistellen / anheimstellen / anheimgeben, etwas ist jmdm. vorbehalten, jmdn. selbst entscheiden lassen; → billigen.
²überlassen: → abgeben; jmdn. sich selbst ü. → sitzenlassen; jmdn. seinem Schicksal ü. → helfen.
Überlassung → Entäußerung.
überlastet → überanstrengt.
Überlastung → Überanstrengung.
überlaufen: → überfließen, → überkochen, → überwechseln; etwas überläuft jmdn. → überkommen; jmdm. läuft die Galle über → ärgerlich [werden].
Überläufer → Deserteur.
überlaut → laut.
überleben: → ertragen, → sterben.
überlebt, überholt, überaltert, passé (ugs.), vorbei, vergangen, verstaubt, abgetan, anachronistisch; → altmodisch, → herkömmlich, → rückschrittlich, → vorig; ü. sein, aus der Mode gekommen sein, einen Bart haben (ugs., abwertend), von Anno (oder:) anno dazumal / Tobak / (österr.) Schnee sein, aus Omas / Opas / Großmutters / Großvaters Zeiten sein, Opas ..., das sind olle Kamellen (ugs.) · Ggs. → vorwegnehmen.
Überlebtheit → Rückständigkeit.
¹überlegen: → denken, → erwägen, → schlagen; gemeinsam ü. → beratschlagen; etwas muß / will überlegt sein → Bedenkzeit [erfordern]; etwas nicht genügend / zuwenig überlegt haben → übereilen; ohne zu ü. → bereitwillig; ohne lange zu ü. → kurzerhand.
²überlegen: → ruhig; jmdm. haushoch / turmhoch ü. sein → übertreffen.
Überlegenheit: → Prävalenz, → Vorherrschaft.

überlegt: → ausgewogen, → planmäßig.
Überlegtheit → Ausgereiftheit.
Überlegung: → Bedenkzeit, → Darlegung, → Denkvorgang, → Kalkül; etwas erfordert Ü. → Bedenkzeit [erfordern]; mit Ü. → umsichtig; ohne Ü. → schnell, → willkürlich.
überlesen → lesen.
überliefern, tradieren, weitergeben, weiterführen; → Tradierung.
überliefert → herkömmlich.
Überlieferung: → Tradierung, → Tradition.
überlisten: → betrügen; überlistet werden → hereinfallen.
¹Überlistung, Übertölpelung, Bauernfang (abwertend), Dummenfang; → betrügen.
²Überlistung → Arglist.
übermächtig → mächtig.
übermalen → anmalen.
übermannen: etwas übermannt jmdn. → überkommen; vom Schlaf übermannt werden → einschlafen.
Übermaß → Redundanz.
übermäßig: -e Hautverhornung → Schwiele; -e Nagelbildung → Nagelkrankheit.
übermitteln: → schicken; telegraphisch ü. → telegraphieren.
Übermittlung → Lieferung.
übermüde → müde.
übermüdet → müde.
Übermüdung → Erschöpfung.
Übermut → Ausgelassenheit.
¹übermütig, ausgelassen, unbändig, ungebärdig, wüst (schweiz.), ungestüm, stürmisch; → lebhaft, → lustig; ü. sein, über die Stränge schlagen (ugs.), über die Schnur hauen (ugs.), jmdn. sticht der Hafer (ugs.), eine feste Hand brauchen.
²übermütig → lebhaft.
übernachten, nächtigen, sein Lager aufschlagen, die Nacht verbringen, absteigen, schlafen, logieren, kampieren (salopp) · im Freien: unter freiem Himmel / (ugs.) bei Mutter Grün schlafen → beherbergen; → einmieten (sich), → schlafen, → übersiedeln, → weilen, → wohnen; → Übernachtung.
übernächtig → müde.
übernächtigt → müde.

Übernachtung, Nächtigung; → übernachten.
Übernahmsstelle → Annahmestelle.
Übername → Spitzname.
übernatürlich, supranatural, supranaturalistisch, surrealistisch, metaphysisch, transzendent, überirdisch, übersinnlich, wundersam (dichter.); → göttlich, → okkult.
¹übernehmen (sich), sich überanstrengen / überschätzen / zuviel zumuten, mit seinen Kräften / seiner Gesundheit Raubbau treiben; → anstrengen (sich); → überanstrengt.
²übernehmen: → kaufen, → verwirklichen; jmds. Amt ü. → nachfolgen.
Überparteilichkeit → Objektivität.
Überpflanzung → Transplantation.
überpinseln → anmalen.
Überpreis → Preis.
Überproduktion → Überfluß.
¹überprüfen, kritisch beleuchten, Bilanz ziehen, Rückschau halten, Manöverkritik üben; → erinnern (sich), → kontrollieren; → Kontrolle.
²überprüfen → kontrollieren.
Überprüfung → Kontrolle.
überqueren → passieren.
überragend → außergewöhnlich.
überraschen: → angreifen; etwas überrascht jmdn. → überrascht [sein].
überraschend: → außergewöhnlich, → plötzlich.
überrascht, verwundert, erstaunt, staunend, mit offenem Mund, verblüfft, sprachlos, stumm, verdutzt; → ahnungslos, → erwartungsvoll, → verlegen; ü. sein, wie vom Donner gerührt / wie vom Blitz getroffen sein (ugs.), wie vom Schlag gerührt sein (ugs.), baff / platt / geplättet / erschossen / gebügelt / leicht gerührt sein (salopp), platt sein wie eine Flunder / wie ein Pfannkuchen / wie eine Briefmarke / wie Zeitungspapier (salopp), von den Socken / Klötzen sein (salopp), perplex sein (ugs.), dumm aus der Wäsche (oder:) dem Anzug gucken / kucken (salopp), stau-

nen, sich wundern, seinen [eige-
nen] Augen / Ohren nicht
trauen, [große] Augen machen,
befremdet sein, in Staunen geraten, Bauklötzer staunen (salopp), aufhorchen, etwas macht
jmdn. sprachlos / verschlägt
jmdm. den Atem (oder:) die
Sprache, keine Worte finden
[können], jmdm. bleibt die
Sprache / (ugs.) die Luft / (salopp) die Spucke weg, sein
blaues Wunder erleben (ugs.),
du wirst dich noch wundern /
umgucken / (landsch.) umkuk-
ken / umsehen, aus allen Wolken / Himmeln fallen (ugs.),
vom Stengel / Eimer fallen
(salopp), [fast] auf den Rücken /
aufs Kreuz fallen (ugs.), aus
dem Anzug / den Latschen /
Pantinen kippen (salopp), etwas verblüfft / überrascht
jmdn., etwas wirft jmdn. um,
es haut jmdn. hin / um (salopp),
jmdn. haut es vom Stuhl / aus
den Stiefeln (salopp), mit den
Ohren schlackern (salopp), die
Maulsperre kriegen (salopp),
Mund und Nase aufsperren
(ugs.), bei hundert zu Boden
gehen (salopp), dastehen wie
Piksieben (salopp), das kann /
darf doch nicht wahr sein!
(ugs.); ach, du grüne Neune!
(ugs.); ach, du lieber Gott /
Himmel! (ugs.); ach, du meine
Güte / mein Schreck! (ugs.);
ach, du meine Fresse! (derb);
ach, du armer Körper (ugs.);
hast du [da] noch Worte / Töne /
Geschmack! (ugs.); potz Blitz!,
nicht möglich! (ugs.), nicht zu
fassen / glauben! (ugs.), du
kriegst die Motten! (salopp),
du kriegst die Tür nicht zu!
(salopp), [ich denke] mich laust
der Affe (salopp), heiliger Bimbam! (salopp), heiliges Kanonenrohr! (salopp), heiliger Strohsack! (salopp), Manometer!
(salopp), da brat'mir einer einen
Storch! (salopp), da wird der
Hund in der Pfanne verrückt!
(salopp), ich werd' zur Minna!
(salopp), da legst[e] dich nieder!
(salopp); Sachen gibt's, die
gibt's gar nicht! (ugs.); ach, du
dicker Vater (salopp); Junge,
Junge! (salopp, berlin.); → befremden, → bestaunen.

**Überraschung,** Erstaunen, Verwunderung, Sprachlosigkeit,
Fassungslosigkeit, Verwirrung,
Verblüffung, Befremden; →
Enttäuschung; → ärgerlich.
**überreden,** bereden, bearbeiten,
persuadieren, beschwatzen
(ugs.), erweichen, umstimmen,
überzeugen, bekehren, herumkriegen (salopp), rumkriegen
(salopp), breitschlagen (salopp),
belatschern (salopp) · zur Mitgliedschaft in einem Verein o.ä.:
werben / keilen (salopp); **sich
ü. lassen,** eingehen auf, sich
einlassen. auf, [ein Angebot]
annehmen / akzeptieren; →
abwerben, → anregen, → anstacheln, → becircen, → beeinflussen, → bestechen, → bezaubern, → bitten, → feilhalten, → nachgeben, → nötigen,
→ umwerben, → untergraben,
→ verkaufen, → verleiten, →
zermürben, → zuraten; → Abtrünniger, → Beeinflussung.
**überreich** → üppig.
**überreichen:** → abgeben, → verleihen, → vorlegen.
**überreichlich:** → überladen, →
üppig.
**Überreichlichkeit** → Redundanz.
**überreif** → reif.
**Überreizung** → Erregung.
**Überrest:** → Fragment, → Rest;
-e → Trümmer; sterbliche -e →
Toter.
**Überrock** → Mantel.
**überrollen** → überfahren.
**überrumpeln** → angreifen.
**Überrumpelung** → Okkupation.
**überrunden** → übertreffen.
**übersät:** mit Flecken ü. →
schmutzig; mit Sternen ü. →
gestirnt.
**Übersättigtsein** → Überdruß.
**Übersättigung** → Überdruß.
**Überschallflug** → Flug.
**Überschallflugzeug** → Flugzeug.
**¹überschätzen (sich),** sich etwas
einbilden, sich für etwas Besonderes halten, sich für wer weiß
was / wen halten (ugs.), an
Selbstüberschätzung leiden (abwertend), sich für unwiderstehlich halten; → dünkelhaft, →
eitel.
**²überschätzen:** sich ü. → übernehmen (sich).
**Überschau** → Überblick.

**überschauen** → überblicken.
**überschlafen:** etwas ü. → erwägen.
**Überschlag:** → Kalkulation, →
Purzelbaum, → Turnübung.
**¹überschlagen:** → schätzen.
**²überschlagen** → warm.
**überschlägig** → ungefähr.
**überschläglich** → ungefähr.
**überschlagsmäßig** → ungefähr.
**Überschlankheit** →Schlankheit.
**überschnappen** → verrückt
[werden].
**überschneiden (sich),** sich kreuzen / überlappen, zusammenfallen, zusammentreffen.
**überschnell:** -e Verdauung →
Durchfall.
**¹überschreiten:** etwas über-
schreitet etwas / überbordet /
geht über etwas hinaus / hält
sich nicht an das gewohnte
Maß / sprengt den Rahmen; →
übertreffen, → übertreten.
**²überschreiten:** → übertreten;
die Grenze des Möglichen ü. →
statthaft.
**Überschreitung** → Außerachtlassung.
**Überschrift:** → Aufschrift, →
Schlagzeile.
**Überschuh** → Schuh.
**Überschuß** → Überfluß.
**überschüssig,** zuviel, überzählig, überflüssig; → überladen,
→ überflüssig; → Überfluß.
**überschütten:** mit Beifall ü. →
applaudieren; mit Fragen ü. →
fragen.
**Überschwang** → Begeisterung.
**Überschwängerung** → Befruchtung.
**überschwappen** → überfließen.
**überschwemmen** →überfließen.
**Überschwemmung,** Überflutung, Land unter (nordd.); →
überfließen.
**überschwenglich** → empfindsam.
**Überschwenglichkeit** → Begeisterung.
**Überseehafen** → Hafen.
**Überseehandel** → Außenhandel.
**Überseekoffer** → Gepäck.
**¹übersehen,** etwas entgeht
jmdn., nicht bemerken →
ignorieren.
**²übersehen:** → ignorieren, →
überblicken.
**übersein:** etwas ist jmdm. über
→ angeekelt [sein].

¹**übersetzen,** übertragen, verdeutschen, verdolmetschen, dolmetschen; → auslegen; → Dolmetscher.

²**übersetzen:** [den Preis] ü. → Wucher.

**Übersetzer** → Dolmetscher.

¹**Übersetzung,** Übertragung, Verdeutschung, Nachdichtung, Translation (*veraltet*), Traduktion (*veraltet*), Version (*veraltet*)· *die in frühen mittelalterlichen Handschriften zwischen die Zeilen geschrieben wurde:* Interlinearversion · *verbotenerweise in der Schule benutzte:* Klatsche, Schlauch, Schmierer (*österr.*); → absehen · *eines Filmdialogs, die mit den Bewegungen und Bildern des Films übereinstimmt:* Synchronisation, Synchronisierung · *eines Filmdialogs in zugleich mit dem Bild erscheinender Schrift:* Untertitel, Begleittext (*schweiz.*).

²**Übersetzung:** eine Ü. benutzen → absehen.

**Übersicht:** → Beschreibung, → Schautafel, → Überblick.

**übersiedeln,** seinen Wohnsitz verlegen, ziehen, umziehen, ausziehen, wegziehen, fortziehen, seine Zelte abbrechen, seine Wohnung aufgeben, seinen Haushalt auflösen, die Tapeten wechseln (*ugs.*), zügeln (*schweiz.*); → beherbergen, → einmieten (sich), → mieten, → niederlassen, → übernachten, → weilen; → Umzug · Ggs. → heimatverbunden [sein].

**Übersiedlung** → Umzug.

**übersinnlich:** → okkult, → übernatürlich.

**Übersocke** → Strumpf.

**überspannen:** den Bogen ü. → fordern.

¹**überspannt,** verstiegen, phantastisch, skurril, übertrieben, extravagant, ausgefallen, überspitzt, närrisch, verdreht (*ugs.*), verrückt (*ugs.*), gschupft (*salopp, österr.*), hirnrissig (*österr.*); → abgöttisch, → dumm, → geistesgestört, → lächerlich, → launisch, → seltsam, → spaßig; → Ausgefallenheit, → Spleen.

²**überspannt** → empfindsam.

**Überspanntheit:** → Ausgefallenheit, → Erregung.

**Überspannung** → Erregung.

**überspitzt** → überspannt.

**Überspitztheit** → Ausgefallenheit.

**überspringen:** der Funke ist übergesprungen → vertraut.

**überstanden:** etwas überstanden / ausgestanden haben, etwas hinter sich [gebracht] haben, überm / übern Berg sein (*ugs.*); → ertragen.

¹**überstehen,** hinausragen / (*ugs.*) hinausstehen über, zu lang / zu breit / zu hoch sein; → abstehen.

²**überstehen** → ertragen.

**übersteigen:**. → übertreffen, → umsteigen; etwas übersteigt alle Begriffe → außergewöhnlich [sein]; etwas übersteigt jmds. Horizont → verstehen.

**übersteigern:** sich ü. → übertreffen.

**übersteigert** → extrem.

**Übersteigerung,** Übertreibung, Auswuchs, Ausgeburt (*abwertend*).

**überstellen:** → abgeben, → verstellen.

**Überstellung** → Lieferung.

**überstreifen** → anziehen.

**Überstrumpf** → Strumpf.

**überstülpen** → anziehen.

**Überstunde:** -n machen → arbeiten.

**Überstunden,** Überstundenarbeit, Überzeit (*schweiz.*), Überzeitarbeit (*schweiz.*), Mehrarbeit, Mehrdienstleistung (*Amtsspr., österr.*); → Arbeit.

**Überstundenarbeit** → Überstunden.

**überstürzen:** → übereilen; sich ü. → beeilen (sich).

**überstürzt** → schnell.

**Überstürztheit** → Überstürzung.

¹**Überstürzung,** Überstürztheit, Übereilung, Übereiltheit, Hast, Hastigkeit, Überhastung, Überhastetheit, Hetze, übergroße Eile / Eiligkeit; → Geschwindigkeit, → Hast; → übereilen; → schnell.

²**Überstürzung:** ohne Ü. → ruhig.

**übersüß** → süß.

**übersteuern:** [den Preis] ü. → Wucher.

**übersteuert** → teuer.

**übertippen** → ausstreichen.

**übertölpeln** → betrügen.

**Übertölpelung:** → Benachteiligung, → Überlistung.

¹**übertragen,** delegieren, zedieren, weitergeben an; → anordnen, → ermächtigen; → Delegierung.

²**übertragen:** → abgeben, → ausstrahlen, → bildlich, → schicken, → transplantieren, → überantworten, → übersetzen, → vergeben; jmdm. etwas ü. → zuschieben (jmdm. etwas).

**Übertragung:** → Abtretung, → Ansteckung, → Delegierung, → Sendung, → Transplantation, → Übersetzung, → Vergabe.

**übertreffen,** übersteigen, überbieten, den Vogel abschießen, übertrumpfen, ausstechen, überflügeln, überholen, überrunden, alle Rekorde schlagen (*ugs.*), etwas besser können, hinter sich lassen, in den Schatten stellen, jmdn. in die Tasche / in den Sack stecken (*ugs.*), jmdm. haushoch / turmhoch überlegen sein, steigern, sich steigern / übersteigern, über etwas hinausgehen, übererfüllen, jmdm. den Rang ablaufen, jmdm. die Schau stehlen (*ugs.*), jmdn. aus dem Felde schlagen, jmdm. etwas streitig machen, konkurrieren / (*schweiz., österr.*) konkurrenzieren / wetteifern mit; → besiegen, → siegen, → überschreiten; **nicht zu ü. sein:** etwas ist nicht zu übertreffen / sucht seinesgleichen; **übertroffen werden:** seinen Meister finden, Paroli geboten bekommen; → Konkurrenz, → Preisunterbietung.

¹**übertreiben,** aufbauschen (*abwertend*), zu weit gehen, sich hineinsteigern, dick auftragen (*salopp*), überziehen, Wesens (oder:) Wesen machen von / aus, Aufhebens / Aufheben machen von, viel Sums machen (*ugs.*), um etwas viel Trara machen (*ugs.*), aus einer Mücke einen Elefanten machen (*ugs., abwertend*), hochspielen, eine Staatsaktion aus etwas machen (*abwertend*); → anführen, → lügen, → prahlen · Ggs. → abschwächen; **nicht ü.,** die Kirche im Dorf lassen (*ugs.*), sachlich / im Rahmen / auf dem

Boden der Tatsachen / (ugs.) auf dem Teppich bleiben, die Tassen im Schrank lassen (ugs.), mach mal halblang! (salopp); → unredlich; → Gerede, → Lüge, → Übertreibung.

²übertreiben: nicht übertreiben → wahrlich.

¹Übertreibung, Prahlerei, Sensationsmache (salopp), Angeberei (ugs.), Aufschneiderei (ugs.), Großsprecherei, Großmäuligkeit(salopp), Großmannssucht, Rodomontade, Imponiergehabe, Hypertrophie; Effekthascherei, → Großspurigkeit; → prahlen, → übertreiben; → protzig · Ggs. → Untertreibung.

²Übertreibung: → Steigerung, → Übersteigerung; ohne Ü. → wahrlich.

¹übertreten, überschreiten, nicht beachten, nicht einhalten, sich nicht an etwas halten / kehren, sich hinwegsetzen über; → mißachten, → überschreiten; → Außerachtlassung.

²übertreten → konvertieren.

Übertretung: → Außerachtlassung, → Verstoß.

¹übertrieben, ohne Maß und Ziel, nicht mehr normal, aus der Weis (bayr.,österr.),...wütig (lesewütig, tanzwütig usw.).

²übertrieben: → überspannt; nicht ü. → wahr.

Übertriebenheit → Ausgefallenheit.

Übertritt: → Konversion, → Veränderung.

übertrumpfen → übertreffen.

übervoll → überladen.

übervorteilen → betrügen.

Übervorteilung → Benachteiligung.

¹überwachen, bespitzeln, beschatten, beobachten, observieren, beaufsichtigen, kontrollieren, inspizieren; → beobachten; → Auskundschafter, → Detektei.

²überwachen → beobachten.

¹Überwachung, Aufsicht, Supervision (Flugw.), Beaufsichtigung, Bespitzelung (abwertend), Beschattung, Beobachtung, Observation, Kontrolle, Inspektion; → Kontrolle; ohne Ü. sein, ohne Aufsicht / Kontrolle sein; wenn die Katze aus

dem Haus ist, tanzen die Mäuse auf dem Tisch.

²Überwachung: der Ü. unterliegen → beobachten.

Überwachungsorgan · in der Industrie: Aufsichtsrat; → kontrollieren.

überwallen → überkochen.

überwältigen: → besiegen; etwas überwältigt jmdn. → überkommen.

überwältigend → außergewöhnlich.

überwältigt → bewegt.

Überwärmungsbehandlung → Thermotherapie.

überwechseln, überlaufen, fahnenflüchtig / abtrünnig werden, desertieren · zu einem anderen Glauben: konvertieren; → Bekehrter, → Deserteur.

Überweg → Brücke.

überweisen → schicken.

Überweisung: → Lieferung, → Zahlung.

¹überwerfen → anziehen.

²überwerfen: sich ü.→ entzweien (sich).

¹überwiegen, vorherrschen, vorwiegen, dominieren, prädominieren, prävalieren, das Feld beherrschen; → Prävalenz.

²überwiegen: das Überwiegen → Prävalenz.

überwiegend: → oft; der -e Teil → Mehrheit.

¹überwinden (sich), sich zwingen / aufraffen / aufschwingen / (ugs.) aufrappeln / ermannen zu, sich ein Herz fassen / einen Ruck geben (ugs.), es über sich bringen / gewinnen, es übers Herz bringen, seinem Herzen einen Stoß geben, über seinen eigenen Schatten springen; sich nicht ü. können, nicht über seinen eigenen Schatten springen können, nicht aus seiner Haut können / herauskönnen, seine Natur nicht verleugnen können; → entschließen (sich), → wagen; → Entscheidung, → Entschließung.

²überwinden: → besiegen, → ertragen, → überbrücken; sich ü. → entschließen (sich); eine Schwierigkeit ü. → bewältigen.

überwintern → überdauern.

überwuchern → überhandnehmen.

Überzahl → Mehrheit.

überzählig → überschüssig.

Überzeit → Überstunden.

Überzeitarbeit → Überstunden.

überzeugen: → glaubwürdig [sein], → überreden; sich ü. → kontrollieren; fest überzeugt sein, daß → zweifeln; felsenfest von etwas überzeugt sein → gewiß [sein].

überzeugend: → einleuchtend, → glaubwürdig.

überzeugt: → eingefleischt, → übereifrig; -er Anhänger, Überzeugter → Linientreuer.

Überzeugung → Ansicht; aus Ü. → prinzipiell; gegen seine eigene Ü. handeln → verleugnen.

Überzeugungskraft → Nachdrücklichkeit.

Überzeugungstäter → Attentäter.

überziehen: → anziehen, → übertreiben; sein Konto ü. → abheben; von Rost überzogen → rostig.

Überzieher: → Mantel, → Präservativ.

überzuckern → zuckern.

Überzug → Belag.

Ubiquität → Gotteseigenschaften.

¹üblich, gewöhnlich, gebräuchlich, alltäglich, gewohnt, landläufig, verbreitet, weitverbreitet, eingewurzelt, tief verwurzelt, normal, usuell, regulär, regelmäßig, gängig, bevorzugt, nicht → unüblich, nicht → außergewöhnlich; → allgemein, → eingeführt; → herkömmlich, → nötig, → phrasenhaft, → verbindlich; in der üblichen Weise, auf die Tippeltappeltour (ugs.); ü. werden, sich einbürgern, zur Gewohnheit werden, in Fleisch und Blut übergehen, Sitte werden; ü. sein, gang / (schweiz.) gäng und gäbe sein, im Schwange sein; → Regel, → Üblichkeit.

²üblich → herkömmlich.

Üblichkeit, Alltäglichkeit, Landläufigkeit, Gebräuchlichkeit, Gängigkeit, Verbreitung, Verbreitetsein, Gewohntsein; → Regel; → üblich.

U-Boot → Kriegsschiff.

U-Boot-Jäger → Kriegsschiff.

übrig: → restlich; etwas / viel ü. haben für → achten, → lieben, → mögen (etwas); nichts / nicht viel ü. haben für → hassen, → mögen (etwas); ü. sein → übrigbleiben; im -en → außerdem, → übrigens.

**übrigbehalten** → übriglassen.

**¹übrigbleiben**, übrig sein, als Rest verbleiben; → übriglassen; → restlich; → Rest.

**²übrigbleiben:** → zurücklassen; -d, übriggeblieben → restlich; es bleibt jmdm. nichts anderes übrig → müssen, → notgedrungen [etwas tun müssen].

**übrigens**, im übrigen, nebenbei [bemerkt], notabene, NB, was ich sagen wollte; → auch.

**Übriges** → Rest.

**Übriggebliebenes** → Rest.

**¹übriglassen**, zurücklassen, einen Rest / etwas als Rest lassen; → übrigbehalten, → übrigbleiben; → restlich; → Rest.

**²übriglassen:** übriggelassen → restlich.

**Übung:** → Brauch, → Kunstfertigkeit, → Turnübung, → Unterricht; gymnastische -en → Gymnastik; militärische Ü. → Manöver; jmdm. fehlt die Ü., [ganz] aus der Ü. [gekommen] sein → Verfassung; in Ü. bleiben → trainieren.

**Übungsflug** → Flug.

**Übungstherapie** → Heilgymnastik.

**UdSSR** → Sowjetunion.

**¹Ufer**, Küste, Gestade, Kliff, Strand · Flachküste, Steilküste, Klippenküste, Schärenküste, Fjordküste, Riasküste, Watten- und Fördenküste, Boddenküste, Haffküste, Deltaküste, Haff-Nehrungsküste, Hebungsküste, Senkungsküste, Mangrovenküste, Anschwemmungsküste, Abrasionsküste; → Fluß, → Meer, → Meerbusen, → Strand.

**²Ufer:** am anderen U. → jenseits; über die U. treten → überfließen; vom anderen U. sein → gleichgeschlechtlich [sein].

**Uferlandschaft** → Landschaft.

**uferlos:** sich ins Uferlose verlieren → abschweifen.

**Uferschnepfe** → Vogel.

**Uferschwalbe** → Vogel.

**Uferstraße** → Straße.

**UFO** → Flugkörper.

**U-Haft** → Freiheitsentzug.

**¹Uhr**, Chronometer, Zwiebel (*scherzh., abwertend*), Kartoffel (*scherzh., abwertend*), Brater (*österr., abwertend*), Zeitmesser, Normaluhr, Turmuhr, Zeitglocke (*schweiz.*), Kirchturmuhr, Bahnhofsuhr · Küchenuhr · Taschenuhr, Remontoiruhr, Armbanduhr, Sportuhr, Herrenuhr, Damenuhr, Repetieruhr, Nürnbergisch Ei (*hist.*), Wasseruhr (*hist.*) · Wanduhr, Standuhr, Stutzuhr, Stockuhr (*österr.*), Pendule, Penduluhr, Barockuhr, Rokokouhr, Kukkucksuhr, Schwarzwälder Uhr · Wecker, Weckuhr · Sonnenuhr · Sanduhr, Stundenglas, Seiger (*landsch.*), Eieruhr · Quarzuhr · Stoppuhr; → Stempeluhr, → Zeit.

**²Uhr:** null / vierundzwanzig U. → Mitternacht; zwölf U. [mittags] → Mittag; jmds. U. ist abgelaufen → sterben; rund um die U. → Tag, → unaufhörlich; um vierundzwanzig / zwölf / null U. → mitternachts; um zwölf U. [mittags] → mittags.

**Uhrzeiger**, Zeiger · Sekundenzeiger · Minutenzeiger, kleiner Zeiger · Stundenzeiger, großer Zeiger.

**Uhrzeit** → Zeit.

**Uhu:** → Kauz, → Vogel.

**Ukas** → Weisung.

**Ukelei** → Fisch.

**Ukulele:** → Saiteninstrument, → Zupfinstrument.

**Ulan** → Soldat.

**Ulcus** → Magengeschwür.

**Ule:** → Hautblüte, → Narbe.

**Ulfilasbibel** → Bibelübersetzung.

**Ulk** → Scherz.

**ulken** → aufziehen.

**ulkig** → spaßig.

**Ulkus** → Magengeschwür.

**¹Ulme**, Rüster · Bergulme, Bergrüster, Kugelrüster, Korkrüster; → Laubhölzer.

**²Ulme** → Laubhölzer.

**Ulorrhagie** → Blutung.

**Ulster:** → Mantel, → Stoff.

**ultimativ** → nachdrücklich.

**Ultimatum** → Aufruf.

**Ultra** → Militarist.

**ultramarin** → blau.

**ultramarinblau** → blau.

**ultramodern** → modern.

**ulzerierend:** -e Impetigo → Impetigo.

**um:** Substantiv + um + Substantiv → nacheinander; um + Infinitiv + zu + können → damit; um meinetwillen → meinetwegen; um ... willen → wegen.

**umackern** → pflügen.

**umändern** → ändern.

**umarbeiten** → ändern.

**umarmen** → umfassen.

**Umarmung** → Umschlingung.

**Umbau**, Ausbau, Neugestaltung, Renovation, Renovierung, Restaurierung, Adaptierung (*österr.*), Adaption (*österr.*).

**Umbesetzung** → Umgestaltung.

**umbiegen:** →falten, →koitieren.

**Umbilicus** → Nabel.

**umbinden** → anziehen.

**umbra** → braun.

**umbrechen** → pflügen.

**umbringen:** → töten; sich u. → entleiben (sich); nicht umzubringen sein → besiegen.

**umdisponieren** → verschieben.

**umdrehen:** → umstülpen; jmdm. dreht sich der Magen um → angeekelt [sein]; den Spieß u. → wehren; sich auf dem Absatz u. → umkehren.

**Umdruckpapier** →Druckpapier.

**umerziehen** → lenken.

**umfahren** → überfahren.

**¹umfallen**, umsinken, zu Boden sinken, hinsinken, umstürzen, umschlagen, umkippen (*ugs.*), umfliegen (*salopp*), umsausen (*salopp*); → fallen, → sinken, → zusammensinken.

**²umfallen:** → umschwenken; [wie die Fliegen u.] → ohnmächtig [werden]; zum Umfallen müde → müde.

**Umfang:** → Ausmaß; in vollem U. → vollinhaltlich.

**umfangen** → umfassen.

**¹umfangreich**, ausgedehnt, groß; → gewaltig.

**²umfangreich** → dick.

**umfärben** → anmalen.

**umfassen**, umschließen, umarmen, umfangen, umschlingen, umklammern, umhalsen, jmdm. um den Hals fallen / in die Arme sinken, an sich ziehen / pressen, drücken, knud[d]eln (*ugs., landsch.*); → küssen, → liebkosen; → schlingen (sich um), → umschlingen.

umfassend → allgemein.
Umfassung → Umschlingung.
Umfassungsmauer → Mauer.
umfliegen → umfallen.
umformen → ändern.
Umformung → Umwandlung.
[1]Umfrage, Befragung, Exploration, Interview, Rundfrage, Urabstimmung, Volksbefragung, demoskopische Untersuchung, Enquete, Feldarbeit, Feldforschung, Erhebung, Repräsentativerhebung, Repräsentativbefragung, Publikumsbefragung, Publikumsumfrage, Leserumfrage, Hörerumfrage, Zuschauerumfrage, Wählerumfrage, Verbraucherumfrage; → Demoskopie, → Frage, → Gespräch, → Marktforscher, → Marktforschung, → Nachforschung; → fragen.
[2]Umfrage: eine U. halten / veranstalten → fragen.
umfragen → fragen.
umfrieden → einzäunen.
umfriedigen → einzäunen.
Umfriedungsmauer → Mauer.
umfunktionieren → ändern.
Umgang: mit jmdm. U. haben → verkehren (mit); U. nehmen von → abschreiben.
Umgänger → Vagabund.
Umgängerei → Landstreicherei.
umgänglich → gesellig.
Umgänglichkeit → Geselligkeit.
Umgangsformen → Benehmen.
Umgangssprache → Ausdrucksweise.
umgarnen → bezaubern.
Umgarnung → Faszination.
umgeben: → einfassen → einkreisen.
[1]Umgebung, Nachbarschaft, Umgegend, Umkreis, Umschwung (schweiz.), Umgelände (schweiz.).
[2]Umgebung → Umwelt.
[1]umgehen (mit jmdm.), behandeln, verfahren mit · in kommandierender Art und Weise: umspringen mit (ugs.), mit jmdm. Fangball spielen. · behutsam: jmdn. in Watte packen, jmdn. mit Samthandschuhen / mit Glacéhandschuhen anfassen, jmdn. wie ein rohes Ei behandeln · verächtlich: jmdn. über die Achsel ansehen, jmdn. wie Luft / (salopp) Dreck / (salopp) den letzten Dreck be-

handeln; mit jmdm. u. können, jmdn. zu nehmen wissen.
[2]umgehen: u. mit → befassen (sich); sorgsam u. mit etwas → schonen; mit etwas verschwenderisch u. → verschwenden; mit dem Gedanken u. → erwägen; mit Nadel und Faden u. können → nähen [können].
[3]umgehen → entziehen (sich).
umgehend → gleich.
[1]Umgehungsstraße, Ortsumfahrung, Umfahrungsstraße (österr.), Umfahrung (österr.); → Straße.
[2]Umgehungsstraße → Straße.
umgekehrt: → gegensätzlich, → seitenverkehrt.
Umgelände → Umgebung.
umgestalten → verbessern.
[1]Umgestaltung, Umbesetzung, Revirement, Neugestaltung, Erneuerung → Neubelebung.
[2]Umgestaltung → Reform.
umgetrieben → ungeborgen.
Umgetriebensein → Ungeborgenheit.
umgraben → pflügen.
umgrenzen → einzäunen.
Umgruppierung → Umschichtung.
umgucken: du wirst dich noch u. → überrascht [sein]; sich u. nach → suchen.
umgürten → einfassen.
umhalsen → umfassen.
Umhang, Umschlagtuch, Dreieckstuch, Wetterfleck (südd., österr.), Kotzen (südd., österr.), Cape, Regencape, Mantille, Poncho, Pelerine, Radmantel. Rad (ugs.), Plaid · der Bergschotten: Tartan · im alten Rom: Palla · langer, schmaler: Stola; → Halstuch, → Mantel.
umhängen → anziehen.
Umhängetasche → Tasche.
umhauen: → abholzen; es haut jmdn. um → überrascht [sein]; das haut den stärksten Neger um → unerhört [sein].
umhecken → einzäunen.
umhergetrieben → ruhelos.
Umhergetriebener → Umherirrender.
Umhergetriebensein → Unrast.
umherirren → herumtreiben (sich).
umherirrend → ruhelos.
Umherirrender, Herumirrender,

Getriebener, Umhergetriebener, Ruheloser, Nomade, Vagabund, Ahasver (geh.), Ahasverus (geh.), der Ewige Jude (geh.); → Unrast; → herumtreiben (sich); → ruhelos.
umherreisen → reisen.
umherstreifen → herumtreiben (sich).
umherstreuen → verstreuen.
umherziehen: -d → ambulant.
umhinkönnen: nicht u. → müssen.
umhören: sich u. → fragen.
umhüllen, einhüllen, verhüllen, überhängen, verhängen; → bedecken, → einhüllen (sich), → verstecken.
Umhüllung → Verpackung.
Umkehr: → Abkehr, → Bekehrung.
umkehrbar: nicht u. → irreparabel.
[1]umkehren, kehrtmachen, kehren (schweiz.), sich wenden / (ugs.) auf dem Absatz umdrehen; → abbiegen, → zurückgeben (sich), → zurückkommen; → heimwärts.
[2]umkehren: → bessern (sich), → verfälschen.
Umkehrfilm → Film.
Umkehrung, Verirrung, Verkehrtheit, Perversion · des Geschlechtsempfindens: Metatropismus; → Homosexueller, → Unzucht; → pervers.
umkippen: → kentern, → ohnmächtig [werden], → umfallen, → umschlagen.
umklammern → umfassen.
Umklammerung → Umschlingung.
Umkleidekabine → Umkleideraum.
umkleiden → umziehen (sich).
Umkleideraum, Umkleidekabine, Garderobe, Theatergarderobe; → Garderobe; → ausziehen, → umziehen (sich).
umknicken: [mit dem Fuß u.] → stolpern.
umkommen: → faulen, → sterben; vor Hunger u. → Hunger [haben].
Umkreis: → Ausmaß; in weitem U. → weitum.
umkrempeln: → ändern, → umstülpen.
umkucken: du wirst dich noch u. → überrascht [sein]; sich u. nach → suchen.

**Umlad** → Verladung.
**Umladung** → Verladung.
**Umlauf:** → Nagelkrankheit, → Umlaufschreiben, → Zirkulation; im / in U. befindlich → eingeführt; in U. sein → kursieren; in U. bringen / setzen → verbreiten.
**umlaufen:** → kreisen, → kursieren.
**Umlaufschreiben,** Umlauf, Umlaufer (*österr.*), Zirkular, Rundschreiben, Runderlaß, Kreisschreiben (*schweiz.*), Aussendung (*österr.*); → Mitteilung, → Rundschreiben.
**Umlegekalender** → Kalender.
**umlegen:** → abholzen, → koitieren, → töten, → umstülpen, → verschieben.
**umma** → her.
**ummi** → hin.
**ummodeln** → ändern.
**ummünzen:** → ändern, → umprägen.
**umnachtet** → geistesgestört.
**Umnachtung:** geistige U. → Geistesgestörtheit.
**umpflanzen,** verpflanzen, umtopfen; → bebauen; → Pflanze.
**umpflügen** → pflügen.
**umprägen,** ummünzen; → Münze.
**umrahmen** → einfassen.
**Umrahmung** → Einfassung.
**umranden** → einfassen.
**umranken** → umschlingen.
**umreißen** → entwerfen.
**umringen** → einkreisen.
**Umriß,** Kontur, Silhouette, Schattenriß, Profil, Seitenansicht · *einer Stadt am Horizont:* Skyline; → Schattenriß.
**umrissen:** fest u. → klar; scharf u. → profiliert.
**umrißhaft** → kurz.
**Umrißstich** → Kunstdruck.
**umrühren** → rühren.
**umsatteln,** sich verändern, [den Beruf] wechseln, einen anderen Beruf ergreifen, die Tapeten wechseln (*ugs.*), umsteigen auf (*ugs.*); → Beruf.
**Umsatz** → Absatz.
**Umsatzsteuer** → Abgabe.
**umsäumen** → einfassen.
**umsausen** → umfallen.
**umschattet** → schattig.
**umschauen:** sich u. nach → suchen.
**umschichtig** → abwechselnd.

**Umschichtung,** Verlagerung, Umgruppierung; → Veränderung.
**¹Umschlag,** Hülle, Einband · *für Briefsendungen:* Briefumschlag, Kuvert · *für Bücher:* Schutzumschlag, Buchhülle, Hemdchen (*ugs., scherzh.*) · *aus Karton:* Schuber.
**²Umschlag:** → Aufschlag, → Kompresse, → Wickel.
**¹umschlagen** (von Wein), umkippen, trüb werden; → faulen; → Wein.
**²umschlagen:** → kentern, → umfallen, → umstülpen; etwas schlägt um → ändern.
**Umschlaghafen** → Hafen.
**Umschlagkarton** → Karton.
**Umschlagpapier** → Einwickelpapier.
**Umschlagtuch** → Umhang.
**umschleichen** → beschleichen.
**umschließen:** → einfassen, → umfassen.
**Umschließung** → Umschlingung.
**¹umschlingen,** umwinden, umwickeln, umranken; → schlingen (sich um), → umfassen.
**²umschlingen** → umfassen.
**Umschlingung,** Umklammerung, Umschließung, Umfassung, Umarmung; → schlingen (sich um).
**Umschneidung** → Operation.
**Umschrift** · *die die Aussprache genau wiedergibt:* Lautschrift · *lautgerechte Übertragung in eine andere Schrift:* Transkription · *buchstabengetreue Umsetzung in lateinische Schrift mit zusätzlichen Zeichen:* Transliteration.
**umschütten** → vergießen.
**umschwärmt** → vielgeliebt.
**Umschweife:** ohne U. → rundheraus.
**umschwenken,** umfallen (*abwertend*), umkippen (*ugs., abwertend*), seine Gesinnung [wie das / wie sein Hemd] wechseln, einmal hü und einmal hott sagen (*ugs., abwertend*), seine Meinung ändern, anderen Sinnes werden, etwas mit [ganz] anderen Augen sehen, die Hefte revidieren (*schweiz.*), seinen Standpunkt aufgeben, mit fliegenden / wehenden Fahnen zum Gegner (oder:) in das andere Lager übergehen, sich beeinflussen lassen; → nach-

geben, → Opportunist [sein]; → Ansicht, → Gesinnungswandel.
**Umschwung:** → Bauernhof, → Veränderung.
**umsehen:** du wirst dich noch u. → überrascht [sein]; sich u., wie die Verhältnisse sind → vorfühlen; sich u. nach → suchen; sich nach einer Frau u. → werben.
**umseitig,** auf der nächsten / ander[e]n Seite, auf der Rückseite, rückseitig; → Rückseite.
**umsetzbar** → marktgerecht.
**umsetzen:** → ändern; filmisch u. → verfilmen; in klingende Münze u. → verkaufen; in die Tat u. → verwirklichen.
**¹Umsicht,** Umsichtigkeit, Weitblick, Weitsicht, Überblick, Besonnenheit, Bedachtsamkeit, Bedachtheit, Bedacht, Ruhe; → Erfahrung; → umsichtig, → weitblickend.
**²Umsicht:** mit U. → umsichtig.
**¹umsichtig,** vorsichtig, weitblickend, besonnen, bedachtsam, bedacht, bedächtig, mit Umsicht / Vorsicht / Überlegung / Ruhe / Besonnenheit / Bedacht; → klug, → ruhig, → vorsichtshalber, → vorsorglich, → weitblickend; → Umsicht.
**²umsichtig** → klug.
**Umsichtigkeit** → Umsicht.
**umsiedeln** → ausweisen.
**Umsiedler** → Auswanderer.
**umsinken:** → ohnmächtig [werden], → umfallen.
**umsonst,** → kostenlos; fast u. → billig; u. sein → nutzlos [sein]; nur der Tod ist u., nichts [im Leben] u. erhalten → Opfer [bringen müssen].
**umspringen:** u. mit → umgehen.
**¹Umstand,** Faktor, Moment, mitwirkende Kraft, Begleitumstand, Begleiterscheinung.
**²Umstand:** → Tatsache, → Ziererei; [die näheren Umstände] → Modalität; in anderen / besonderen Umständen sein → schwanger [sein]; ohne [große] Umstände, ohne viel Umstände zu machen → kurzerhand; unter allen Umständen → unbedingt; unter keinen Umständen → keineswegs, → nein.

**Umstände,** Schwierigkeiten, Scherereien, langwierige / umständliche Arbeiten, Umtriebe (*schweiz.*), Gwirkst (*ugs., österr.*).
**umständlich:** → ausführlich, → unpraktisch.
**Umständlichkeit:** → Pedanterie, → Ungeschicklichkeit.
**Umstandskleidung** → Kleidung.
**Umstandskommissar** → Pedant.
**Umstandskrämer** → Pedant.
**Umstandswort** → Wortart.
**Umsteckkalender** → Kalender.
**¹umsteigen,** übersteigen, [den Zug] wechseln, [mit einem andern Zug] weiterfahren, seine Fahrt mit etwas fortsetzen; → Verkehrsmittel.
**²umsteigen:** u. auf → umsatteln.
**umstellen:** → einkreisen, → verrücken.
**Umstellung** → Permutation.
**umstimmen** → überreden.
**¹umstoßen** (jmdn.), umrennen, umwerfen, umlaufen, jmdn. zu Fall bringen, niederstoßen (*bes. österr.*), jmdm. ein Bein stellen, jmdm. das Haxel legen / stellen (*ugs., österr.*); → fallen.
**²umstoßen** → verändern.
**umstritten** → ungewiß.
**umstülpen,** umschlagen, umdrehen, umkrempeln, umlegen, litzen (*schweiz.*); → Aufschlag.
**Umsturz** → Veränderung.
**umstürzen** → umfallen.
**Umstürzler** → Revolutionär.
**umstürzlerisch,** subversiv, revolutionär, zersetzend, zerstörerisch, destruktiv; → aufrührerisch; → Geheimbund, → Spion, → Verschwörung.
**Umtausch,** Tausch, Rückgabe; → Rückgabe; → tauschen.
**umtauschen** → tauschen.
**umtopfen** → umpflanzen.
**umtreiben** → verwirren.
**Umtriebe** → Verschwörung.
**Umtrunk,** Frühschoppen, Dämmerschoppen, Schlummertrunk; →. Trinkgelage; → trinken.
**umtun:** sich u. → fragen; sich u. nach → suchen.
**Umurke** → Gurke.
**U-Musik** → Musik.
**umwälzend** → bahnbrechend.
**umwandeln:** → ändern, → verändern; in weltlichen Besitz u. → säkularisieren.

**Umwandlung,** Verwandlung, Transformation, Umsetzung, Umformung · *von Brot und Wein in Leib und Blut Christi im Meßopfer:* Konsekration, Wandlung, Transsubstantiation; → Abwandlung, → Änderung, → Permutation, → Substitution, → Veränderung; → ändern.
**Umweg:** → Weg; ohne U. → geradewegs.
**Umwelt,** Umgebung, Wirkungskreis, Lebensumstände, Lebensbedingungen, Umweltbedingungen, Lebensbereich, Milieu, Elternhaus, Atmosphäre, Klima, Peristase (*Vererbungslehre*), Ambiente (*Pädagogik*); → Öffentlichkeit.
**Umweltbedingung:** -en → Umwelt.
**umweltgeschädigt,** umweltgestört, zivilisationskrank; → Managerkrankheit.
**umweltgestört** → umweltgeschädigt.
**Umweltschutz** → Schutzmaßnahme.
**Umweltverschmutzung,** Umweltverseuchung · Luftverschmutzung, Dunstglocke, Smog · Wasserverseuchung, Ölpest · *durch Radioaktivität:* Kontamination; → Abfall, Luft, → Schmutz; → verpesten.
**¹umwerben,** werben / buhlen um, sich um jmdn. bewerben, jmdm. den Hof machen, jmdm. die Cour machen / schneiden (*veraltend*), nachstellen, verfolgen; → behelligen, → flirten, → schmeicheln, → überreden, → werben.
**²umwerben** → flirten.
**umwerfen:** etwas wirft jmdn. um → überrascht [sein].
**umwerfend:** → außergewöhnlich, → sehr.
**umwickeln:** → umschlingen, → verbinden.
**umwinden** → umschlingen.
**umwölken:** sich u. → verfinstern (sich).
**umzäunen** → einzäunen.
**Umzäunung** → Zaun.
**¹umziehen** (sich), umkleiden, die Kleider wechseln; → ausziehen; → Garderobe, → Umkleideraum.
**²umziehen** → übersiedeln.

**umzingeln:** → belagern, → einkreisen.
**Umzingelung** → Belagerung.
**¹Umzug,** Übersiedelung, Transport, Züglete (*schweiz.*); → übersiedeln.
**²Umzug** → Demonstration.
**unabänderlich,** endgültig, definitiv, ein für allemal, unwiderruflich, unumstößlich, verbindlich, → verloren; **u. sein:** etwas ist unabänderlich, an etwas ist nicht zu rütteln, da ist nichts zu machen, da beißt die Maus keinen Faden ab (*ugs.*); → Endgültigkeit.
**Unabänderlichkeit** → Endgültigkeit.
**unabdingbar** → unveräußerlich.
**Unabdingbarkeit,** Unentbehrlichkeit, Unverzichtbarkeit, Unveräußerlichkeit, Unaufgebbarkeit; → Unentbehrlichkeit; → unveräußerlich.
**unabgeschlossen:** → unerledigt, → unvollständig.
**Unabgeschlossenheit** → Unvollständigkeit.
**unabhängig:** → selbständig; u. machen→selbständig [machen].
**Unabhängigkeit:** → Autonomie, → Bewegungsfreiheit.
**unablässig** → unaufhörlich.
**unabsichtlich,** unbeabsichtigt, absichtslos, ohne Absicht, von ungefähr / (*selten*) ohngefähr, unbewußt, ungewollt, versehentlich, aus Versehen, nicht → absichtlich; → unterbewußt; → Unabsichtlichkeit.
**Unabsichtlichkeit,** Absichtslosigkeit, Unbewußtheit, Versehentlichkeit, Ungewolltheit; → unabsichtlich · Ggs. → Absichtlichkeit.
**unabwendbar** → nötig.
**unachtsam,** achtlos, unbedacht, gleichgültig, sorglos, gedankenlos; → nachlässig, → unbesonnen; → Unachtsamkeit.
**Unachtsamkeit,** Achtlosigkeit, Unbedachtsamkeit, Gleichgültigkeit, Sorglosigkeit, Gedankenlosigkeit; → Nachlässigkeit, → Unbesonnenheit; → unachtsam.
**unähnlich** → ungleich.
**Unähnlichkeit** → Nichtübereinstimmung.
**Unanfechtbarkeit** → Richtigkeit.

**unangebracht** → unerfreulich.

**unangenehm:** → unerfreulich; einen -en Geruch ausströmen / haben → riechen; etwas ist jmdm. u. → entgegenstehen; sich aus einer -en Lage befreien → Lage.

**unangezogen** → nackt.

**unangreifbar:** → fundiert, → stichhaltig.

**Unannehmlichkeit** → Unzulänglichkeit.

**Unannehmlichkeiten,** Ärger, Verdruß, Verdrießlichkeit, Widerwärtigkeit, Widrigkeit, Unbill, Unbilden (Plural), Zores (*südwestd.*), Unstimmigkeiten, Mißstimmung, Krach (*abwertend*), Scherereien (*ugs.*), Tanz (*salopp*), Theater (*salopp*); **U. bekommen,** Unannehmlichkeiten kriegen (*ugs.*), sich den Teufel auf den Hals laden (*ugs.*), das gibt Ärger; → Ärger, → Unerquicklichkeit; → ärgerlich.

**unansehnlich** → schmutzig.

**unanständig:** → anstößig; -er Ausdruck, -es Wort → Vulgärausdruck; sich u. aufführen → Darmwind [entweichen lassen].

**Unanständigkeit** → Anstößigkeit.

**unantastbar:** → tabu; das Unantastbare → Tabu.

**Unantastbarkeit** → Vornehmheit.

**Unappetitlichkeit** → Unsauberkeit.

**unaromatisch** → ungewürzt.

**Unart** → Brauch.

**unartig** → frech.

**Unartikulierbarkeit** → Unaussprechlichkeit.

**unartikuliert,** undeutlich, murmelnd, lispelnd, lallend, stammelnd, nicht → verständlich; → abgehackt, → heiser, → leise; → flüstern, → sprechen, → stottern.

**Unau** → Faultier.

**unaufdringlich** → zurückhaltend.

**unauffällig:** → einfach, → unbemerkt.

**Unauffälligkeit,** Schmucklosigkeit, Unscheinbarkeit, Farblosigkeit, Schlichtheit, Einfachheit; → einfach.

**unauffindbar** → verschollen.

**Unauffindbarkeit,** Verschollensein, Überfälligkeit; → verschollen.

**unaufgebbar** → unveräußerlich.

**Unaufgebbarkeit** → Unabdingbarkeit.

**unaufgefordert** → freiwillig.

**unaufgeräumt** → ungeordnet.

**unaufgeschlossen** → unzugänglich.

**unaufhaltsam** → unaufhörlich.

**unaufhörlich,** immer, immerzu, seit je / jeher, von je / jeher, seit eh und je, seit alters, von alters [her], solange ich denken kann, schon immer, noch immer, immer noch, nach wie vor, wie eh und je, immer wieder, oft und oft, in einem fort, immerfort; tagaus, tagein; jahraus, jahrein; zeitlebens, beständig, stets, stetig, stet, andauernd, dauernd, fortdauernd, fortgesetzt, unausgesetzt, unaufhaltsam, anhaltend, kontinuierlich, konstant, permanent, gleichbleibend, beharrlich, ununterbrochen, pausenlos, in einer Tour (*ugs.*), stetsfort (*schweiz.*), fortwährend, immerwährend, ständig, allerwege, alleweil, allweil, allezeit, allzeit, laufend (*ugs.*), am laufenden Band (*ugs.*), alle Nase lang (*ugs.*), in steter Folge, unablässig, ewig (*ugs.*), endlos, ohne Unterlaß / Ende / Pause / Unterbrechung, ad infinitum, in drei Schichten, Tag und Nacht, rund um die Uhr, alsfort (*landsch.*), fortweg (*ugs.*, *landsch.*), egalweg (*ugs.*, *landsch.*), egal (*ugs.*, *landsch.*); → beharrlich, → bleibend, →ewig, → fleißig, → kursorisch, → lange, → langfristig, → oft, → unendlich; → Tag.

**unauflösbar** → bleibend.

**unauflöslich** → bleibend.

**unaufmerksam,** zerstreut, zerfahren, abgelenkt, abwesend, geistesabwesend, unkonzentriert; → aufgeregt, → gedankenvoll, → labil · Ggs. → aufmerksam; **u. sein,** nicht bei der Sache / (*ugs.*) geistig weggetreten sein, in Gedanken verloren / versunken / vertieft sein, ganz in Gedanken sein, mit den Gedanken weit fort sein, mit offenen Augen schlafen (*ugs.*), träumen, abgeschaltet haben (*ugs.*); → Zerfahrenheit, → Zerstreutheit.

[1] **Unaufmerksamkeit,** menschliches Versagen; → Unglück.

[2] **Unaufmerksamkeit** → Unhöflichkeit.

[1] **unaufrichtig,** hinterlistig, hinterhältig, arglistig, tückisch, heimtückisch, hinterfotzig (*derb*), hinterrücks, doppelzüngig, falsch, nicht → aufrichtig; → böse, → heimlich; → Arglist, → Heimlichtuer, → Hinterhalt; → betrügen.

[2] **unaufrichtig:** → unredlich; u. sein → lügen.

**Unaufrichtigkeit** → Arglist.

**unausbleiblich** → nötig.

**unausführbar,** undurchführbar, unerreichbar, unmöglich, aussichtslos, zu schwierig, impraktikabel, undenkbar, nicht → möglich; → unsinnig, → unzumutbar; **u. sein,** etwas ist ein Ding der Unmöglichkeit / die Quadratur des Kreises; → Unerreichbarkeit.

**Unausführbarkeit** → Unerreichbarkeit.

**unausgebildet** → verkümmert.

**unausgeführt** → unerledigt.

**unausgeglichen,** unbeständig, sprunghaft, wechselhaft, wetterwendisch (*abwertend*); → launisch; → Unausgeglichenheit.

**Unausgeglichenheit,** Zerrissenheit, Zwiespältigkeit, Disharmonie, Mißklang, Uneinigkeit; → Abweichung, → Zerfahrenheit; → unausgeglichen · Ggs. → Gelassenheit, → Übereinstimmung.

**unausgegoren,** unreif, unausgereift, unfertig, unausgewogen · Ggs. → ausgewogen.

**unausgereift:** → unausgegoren, → unreif.

**Unausgereiftsein** → Unreife.

**unausgeschlafen** → müde.

**unausgesetzt** → unaufhörlich.

**unausgewogen** → unausgegoren.

**unaussprechlich** → sehr, → tabu, → unsagbar; das Unaussprechliche → Tabu.

**Unaussprechliche:** die -n → Hose.

**Unaussprechlichkeit,** Unartikulierbarkeit, Unbeschreiblichkeit, Unnennbarkeit; → unsagbar.

**unausstehlich:** → böse, → unleidlich.

**Unausstehlichkeit** → Unleidlichkeit.

**unausweichlich** → nötig.

**unbändig:** → sehr, → übermütig.

**unbar** → bargeldlos.

**unbarmherzig,** mitleid[s]los, erbarmungslos, schonungslos, gnadenlos, brutal, kaltblütig, roh, krud[e], verroht, entmenscht, herzlos, gefühllos, barbarisch, grausam, inhuman, unsozial, unmenschlich; → böse, → gefühlskalt, → gemein, → handgreiflich, → herrisch, → rücksichtslos, → streng, → ungerührt, → unhöflich, → zielstrebig; → Gefühlskälte, → Gewalt, → Unbarmherzigkeit; → brutalisieren.

**Unbarmherzigkeit,** Erbarmungslosigkeit, Schonungslosigkeit, Gnadenlosigkeit, Unmenschlichkeit, Roheit, Gefühlsroheit, Brutalität; → Gefühlskälte, → Grausamkeit, → Unerbittlichkeit, → Ungerührtheit; → gefühlskalt, → unbarmherzig.

**unbeabsichtigt** → unabsichtlich.

**unbeachtet** → unbemerkt.

**unbebaut:** u. sein → brachliegen.

**unbedacht:** → unachtsam, → unbesonnen.

**Unbedachtheit** → Unbesonnenheit.

**Unbedachtsamkeit:** → Unachtsamkeit, → Unbesonnenheit.

**unbedarft** → dumm.

**Unbedarftheit** → Beschränktheit.

**unbedeckt:** → nackt; mit -em Kopf → barhäuptig.

**unbedeutend:** → dumm, → klein, → unbekannt, → unwichtig; als u. hinstellen → bagatellisieren.

**Unbedeutendheit** → Bedeutungslosigkeit.

**[1]unbedingt,** auf jeden Fall, unter allen Umständen, um jeden Preis, mit [aller] Gewalt, auf Teufel komm raus (ugs.), auf Biegen oder Brechen; koste es, was es wolle; durchaus, partout (ugs.), absolut; → ganz, → nötig, → selbständig.

**[2]unbedingt:** → Bewährungsfrist; u. erforderlich / nötig → unveräußerlich.

**unbeeindruckt** → ungerührt.

**Unbeeindrucktheit** → Ungerührtheit.

**unbeeinträchtigt** → ungetrübt.

**unbeendet** → unvollständig.

**unbefangen:** → ungezwungen, → unparteiisch.

**Unbefangenheit** → Ungezwungenheit.

**unbefriedigend** → unzulänglich.

**unbefriedigt** → unzufrieden.

**unbefugt** → eigenmächtig.

**unbegabt, untalentiert** · *in bezug auf schulische Anforderungen:* minderbegabt, leistungsschwach, schwach; → dumm · Ggs. → begabt; **u. sein,** kein [großes] Licht / Kirchenlicht sein (ugs.), keine [große] Leuchte sein (ugs.).

**Unbegabtheit** → Beschränktheit.

**unbegreiflich:** → unfaßbar; etwas ist für jmdn. u. → verstehen.

**Unbegreiflichkeit,** Unerklärlichkeit, Unergründlichkeit, Unerforschlichkeit, Unfaßbarkeit, Rätselhaftigkeit; → unfaßbar.

**unbegrenzt:** → unendlich; das Land der -en Möglichkeiten → Amerika.

**Unbegrenztheit,** Unendlichkeit, Unbeschränktheit, Unermeßlichkeit, Grenzenlosigkeit, Endlosigkeit, Unzählbarkeit, Ungezähltheit, Zahllosigkeit, Ewigkeit; → ewig, → unendlich.

**unbegründet:** → grundlos; -e Krankheitsbefürchtung → Hypochondrie.

**Unbehagen:** → Neid, → Unzufriedenheit.

**unbehaglich** → ungemütlich.

**Unbehaglichkeit** → Ungemütlichkeit.

**unbehaust** → ungeborgen.

**Unbehaustheit** → Ungeborgenheit.

**Unbehaustsein** → Ungeborgenheit.

**[1]unbeherrscht,** aufbrausend, auffahrend, heftig, jähzornig, cholerisch, hitzig, hitzköpfig, güggelhaft (schweiz.), meisterlos (schweiz.); → aufgeregt, → hemmungslos; **u. sein,** sich gehenlassen, die Kontrolle über sich / die Selbstbeherrschung verlieren, sich nicht beherrschen /

zusammennehmen, jmdm. gehen die Pferde durch (ugs.) · Ggs. → ruhig [bleiben]; → Ungezügeltheit.

**[2]unbeherrscht** → aufgeregt.

**Unbeherrschtheit** → Ungezügeltheit.

**unbehindert** → selbständig.

**unbeholfen** → unpraktisch.

**Unbeholfenheit** → Ungeschicklichkeit.

**unbehütet** → unsicher.

**Unbehütetheit** → Ungesichertheit.

**Unbehütetsein** → Ungesichertheit.

**unbeirrbar** → beharrlich.

**unbeirrt:** → beharrlich, → zielstrebig.

**[1]unbekannt,** nicht berühmt, unbedeutend · Ggs. → bekannt; **[für jmdn.] u. sein,** [für jmdn.] ein unbeschriebenes Blatt sein.

**[2]unbekannt:** jmdm. u. sein → → fremd; Gleichung mit einer / zwei / mehreren Unbekannten → Gleichung.

**Unbekannter:** jmdm. kein U. mehr sein → kennen; bei der Polizei kein U. mehr sein → vorbestraft [sein].

**unbekehrbar** → eingefleischt.

**unbekleidet** → nackt.

**unbekümmert** → unbesorgt.

**Unbekümmertheit:** → Ausgelassenheit, → Unbesorgtheit.

**unbelebt** → tot.

**unbelehrbar** → unzugänglich.

**Unbelehrbarkeit** → Eigensinn.

**Unbelesenheit** → Unkenntnis.

**unbeliebt,** verhaßt, bestgehaßt, mißliebig, unsympathisch · Ggs. → beliebt, → sympathisch; **u. sein,** jmdm. zuwider / ein Dorn im Auge sein, es mit jmdm. verdorben haben, jmds. Gunst verscherzt haben, jmdm. nicht liegen, nicht gern gesehen sein, Persona ingrata sein, bei jmdm. nicht gut angeschrieben sein, bei jmdm. schlecht angesehen sein, bei jmdm. in Mißkredit geraten sein, bei jmdm. verspielt haben, bei jmdm. unten durch sein (salopp), es bei jmdm. verschissen haben (derb), nicht → gefallen; → Unbeliebtheit.

**Unbeliebtheit,** Unbeliebtsein, Verhaßtheit, Verhaßtsein, Mißliebigkeit; → unbeliebt.

**Unbeliebtsein** → Unbeliebtheit.

unbemalt → farblos.

¹unbemerkt, unbeachtet, unauffällig, ungesehen, unbeobachtet, heimlich, insgeheim, im geheimen; heimlich, still und leise; in aller Stille, unter der Hand, verstohlen, klammheimlich (*ugs.*), sang- und klanglos, ohne viel Wesens / Aufhebens zu machen.

²unbemerkt → heimlich.

unbemittelt → arm.

unbenommen: etwas ist jmdm. u. → freistehen.

unbenutzt → neu.

unbeobachtet → unbemerkt.

unbequem: → unerfreulich, → ungemütlich, → unzugänglich.

unberechenbar → launisch.

Unberechenbarkeit, die Tücke des Objekts; → Behinderung; → launisch.

unberechtigt → eigenmächtig.

unberührbar: → tabu; das Unberührbare → Tabu.

unberührt: → jungfräulich, → neu.

Unberührtheit → Virginität.

unbeschädigt → heil.

unbeschäftigt → arbeitslos.

unbescheiden → anspruchsvoll.

unbeschirmt → unsicher.

Unbeschirmtheit → Ungesichertheit.

Unbeschirmtsein → Ungesichertheit.

unbescholten → anständig.

Unbescholtenheit → Ansehen.

unbeschränkt: → selbständig, → unendlich.

Unbeschränktheit → Unbegrenztheit.

unbeschreiblich: → sehr, → unsagbar; in -em Zustand → schmutzig.

Unbeschreiblichkeit → Unaussprechlichkeit.

unbeschrieben: ein -es Blatt sein → unbekannt [sein]; kein -es Blatt mehr sein → Erfahrung [haben]; bei der Polizei kein -es Blatt mehr sein → vorbestraft [sein].

unbeschuht: Unbeschuhte Karmeliten / Karmeliter → Mönchsorden; Unbeschuhte Karmelitinnen / Karmeliterinnen → Nonnenorden.

unbeschwert → unbesorgt.

Unbeschwertheit: → Leichtigkeit, → Unbesorgtheit.

unbesehen → anstandslos.

unbesiegbar: → unschlagbar, → unüberwindbar.

Unbesiegbarkeit → Unschlagbarkeit.

unbesonnen, unüberlegt, ohne Sinn und Verstand, planlos, ziellos, wahllos, unbedacht, unvorsichtig, impulsiv, gedankenlos, leichtsinnig, leichtfertig, fahrlässig, nicht → ruhig; → nachlässig, → unachtsam, → unverzeihlich; u. sein, mit dem Feuer spielen, eine leichte Ader haben; → Erregung, → Unbesonnenheit. .

Unbesonnenheit, Unüberlegtheit, Unbedachtheit, Unbedachtsamkeit, Unverstand, Unvernunft, Unklugheit; → Gedankenlosigkeit, → Unachtsamkeit; → unbesonnen.

unbesorgt, beruhigt, mit gutem Gewissen, leichten / frohen Herzens, sorglos, unbekümmert, unbeschwert, sorgenfrei, nicht → sorgenvoll; → arglos, → beschaulich, → glücklich, → lebhaft, → lustig, → ruhig, schwungvoll, → unbesonnen; → Unbesorgtheit.

Unbesorgtheit, Unbekümmertheit, Sorglosigkeit, Unbeschwertheit; → unbesorgt.

unbeständig: → unausgeglichen, → untreu, → veränderlich.

¹Unbeständigkeit, Wechselhaftigkeit, Veränderlichkeit, Wandelbarkeit, Unstetheit; → Untreue; → veränderlich.

²Unbeständigkeit: → Beeinflußbarkeit, → Untreue.

unbestechlich → ehrenhaft.

Unbestechlichkeit → Rechtschaffenheit.

unbestimmt: → ungewiß, → unklar.

Unbestimmtheit: → Ungenauigkeit, → Ungewißheit.

unbestreitbar → zweifellos.

unbestritten → zweifellos.

unbeteiligt → träge.

Unbeteiligter → Dritter.

unbeträchtlich → klein.

unbeugsam → standhaft.

Unbeugsamkeit → Beharrlichkeit.

unbewachsen → kahl.

¹unbeweglich, starr, verknöchert; u. werden, einrosten, → nachlassen.

²unbeweglich: -e Feste / Tage → Kirchenjahr; -es Vermögen → Immobilien.

unbewegt → bewegungslos.

Unbewegtheit → Bewegungslosigkeit.

unbewußt: → unabsichtlich, → unterbewußt.

Unbewußtheit → Unabsichtlichkeit.

unbezahlbar → teuer.

unbezwingbar: → unschlagbar, → unüberwindbar.

Unbezwingbarkeit → Unschlagbarkeit.

unbezwinglich → unüberwindbar.

Unbezwinglichkeit → Unschlagbarkeit.

Unbilden → Unannehmlichkeiten.

Unbill → Unannehmlichkeiten.

unbotmäßig → unzugänglich.

Unbotmäßigkeit → Eigensinn.

unbrauchbar → ungeeignet.

Unbrauchbarkeit, Ungeeignetheit, Nutzlosigkeit, Undienlichkeit; → ungeeignet.

Uncle Sam → Amerika.

¹und, sowie, wie, auch, zusätzlich, zugleich; → auch, → gemeinsam, → gleichzeitig, → oder, → samt.

²und: u. wenn → obgleich; u. zwar → nämlich.

undenkbar: → nein, → unausführbar.

Underground: → Subkultur, → Verkehrsmittel.

Undergroundmusik → Unterhaltungsmusik.

Understatement → Untertreibung.

undeutlich → unartikuliert.

undicht → durchlässig.

Undienlichkeit → Unbrauchbarkeit.

Undine → Wassergeist.

Unding: etwas ist ein U. → unsinnig [sein], → unzumutbar [sein].

undiplomatisch → unklug.

unduldsam → engherzig.

Unduldsamkeit, Intoleranz, Unversöhnlichkeit, Intransigenz, Radikalismus; → Abneigung, → Eigensinn, → Vorurteil · Ggs. → Duldsamkeit; → tolerant; → rankriegen.

¹undurchdringlich, dicht, unzugänglich, weglos, unwegsam.

²**undurchdringlich** → verschlossen.

**undurchführbar** → unausführbar.

**Undurchführbarkeit** → Unerreichbarkeit.

**undurchlässig**, dicht, geschlossen, luftdicht, wasserdicht, water-proof · *für Gewehrkugeln:* kugelsicher, kugelfest, gepanzert; → dicht · Ggs. → durchlässig.

**undurchschaubar:** → unfaßbar, → verschlossen, → wirr.

**Undurchschaubarkeit** → Heillosigkeit.

¹**undurchsichtig**, opak, dunkel; → dunkel.

²**undurchsichtig** → anrüchig.

**Undurchsichtigkeit** → Ungenauigkeit.

**uneben** → rauh.

¹**unecht**, künstlich, falsch, gefälscht, nachgemacht, untergeschoben, imitiert, apokryph, nicht → echt.

²**unecht:** → geziert; -e Pocken → Pocken; -es reflexives Verb → Verb.

**unedel:** unedles Metall → Metall.

**unegal** → ungleich.

**unegoistisch** → selbstlos.

¹**unehelich**, außerehelich, vorehelich, ledig, natürlich (*selten*), illegitim; → gesetzwidrig · Ggs. → rechtmäßig; **u. sein**, ein Kind der Liebe sein; → Alimente.

²**unehelich:** -es Kind → Kind.

**Unehre** → Bloßstellung.

**unehrlich** → unredlich.

**Unehrlichkeit** → Untreue.

**uneigennützig** → selbstlos.

**Uneigennützigkeit** → Selbstlosigkeit.

**uneingeschränkt:** → ausschließlich, → selbständig; nicht u. → teilweise, → vorbehaltlich.

**Uneinigkeit** → Unausgeglichenheit.

**uneins:** mit sich selbst u. sein → zwiespältig [sein]; u. werden → entzweien (sich).

**Uneinsichtigkeit** → Eigensinn.

**unempfänglich:** → unzugänglich, → widerstandsfähig.

**Unempfänglichkeit** → Widerstandsfähigkeit.

¹**unempfindlich**, abgestumpft, dumpf, abgebrüht (*salopp, abwertend*); → dickfellig, → gefühlskalt, → träge; → Abgestumpftheit, → Teilnahmslosigkeit.

²**unempfindlich:** → dickfellig, → schmerzunempfindlich, → widerstandsfähig.

**Unempfindlichkeit:** → Dickhäutigkeit, → Gelassenheit, → Teilnahmslosigkeit, → Widerstandsfähigkeit.

¹**unendlich**, ohne Ende, unbegrenzt, grenzenlos, unbeschränkt, unermeßlich, zahllos, unzählbar, endlos, ungezählt; → unaufhörlich; → Unbegrenztheit.

²**unendlich:** → ewig, → göttlich, → sehr.

**Unendlichkeit:** → Ewigkeit, → Gotteseigenschaften, → Unbegrenztheit.

**unentbehrlich:** → nötig, → unersetzlich, → unveräußerlich.

¹**Unentbehrlichkeit**, Unersetzlichkeit, Unersetzbarkeit, Einmaligkeit; → Unabdingbarkeit; → unersetzlich, → unveräußerlich.

²**Unentbehrlichkeit:** → Erfordernis, → Unabdingbarkeit.

**unentgeltlich** → kostenlos.

¹**unentschieden**, remis, → Spiel.

²**unentschieden:** → ungewiß [sein], → unparteiisch.

**Unentschiedenheit** → Ungewißheit.

¹**unentschlossen**, unschlüssig, entschlußlos, schwankend, zögernd; **u. sein;** „was tun?", spricht Zeus; → zögern.

²**unentschlossen:** u. sein → zögern.

**Unentschlossener** → Zauderer.

**unentschuldbar** → unverzeihlich.

**Unentschuldbarkeit**, Unverzeihlichkeit, Unverantwortlichkeit, Unvertretbarkeit, Verantwortungslosigkeit; → Pflichtvergessenheit; → unverzeihlich.

**unentwegt** → beharrlich.

**Unentwickeltheit** → Infantilität.

**unerbittlich:** → herrisch, → unzugänglich.

**Unerbittlichkeit**, Unnachsichtigkeit, Unnachgiebigkeit, Kompromißlosigkeit, Strenge, Härte, Festigkeit; → Unbarmherzigkeit; → herrisch, → streng.

**unerfahren:** → dumm, → jung, → ungeübt.

**Unerfahrener** → Anfänger.

**Unerfahrenheit** → Unkenntnis.

**Unerforschlichkeit** → Unbegreiflichkeit.

**unerfreulich**, ärgerlich, unliebsam, unerquicklich, verdrießlich, bemühend (*schweiz.*), negativ, leidig, lästig, unbequem, störend, unpassend, unqualifiziert, unangebracht, deplaciert, fehl am Platze, verpönt, unwillkommen, unerwünscht, nicht gern gesehen, mißlich, unangenehm, ungut, fatal, peinlich, geniert (*österr.*), blamabel, nachteilig, ungünstig, abträglich, abträgig (*schweiz.*), ungefreut (*schweiz.*), schlecht, mulmig, ungemütlich, dumm, belemmert (*salopp*), blöd (*salopp*), beschissen (*vulgär*), nicht → erfreulich; → ärgerlich, → böse, → mäßig, → taktlos, → unerhört, → ungünstig, → verlegen · Ggs. → bekömmlich.

**Unerfreulichkeit** → Unerquicklichkeit.

**unergiebig** → karg.

**unergründlich** → unfaßbar.

**Unergründlichkeit** → Unbegreiflichkeit.

**unerheblich:** → klein, → unwichtig.

**Unerheblichkeit** → Bedeutungslosigkeit.

**unerhört**, haarsträubend, empörend, unglaublich, skandalös, bodenlos, ungeheuerlich, hanebüchen; → beschämend, unerfreulich → unzumutbar; **u. sein,** etwas ist eine Frechheit / eine Zumutung / (*ugs.*) ein starkes Stück / (*salopp*) ein dicker Hund / (*ugs.*) starker Tobak, etwas schreit / stinkt zum Himmel (*ugs.*), etwas geht auf keine Kuhhaut (*ugs.*), das ist der Gipfel / die Höhe / das Letzte! (*ugs.*), das ist ja doll! (*salopp*), das ist ja allerhand! (*ugs.*), das ist ja noch schöner! (*ugs.*), da hört sich doch alles auf! (*ugs.*), etwas setzt einer Sache die Krone auf (*ugs.*), das schlägt dem Faß den Boden aus! (*ugs.*), das schlägt dem Faß die Krone ins Gesicht! (*ugs., scherzh.*), das haut den stärksten Neger um! (*salopp*), da hört der Spaß / die Gemütlichkeit auf! (*ugs.*), jetzt schlägt's [aber] dreizehn! (*ugs.*), da soll doch gleich ein Donnerwetter dreinschlagen / dreinfahren! (*ugs.*), es wird jmdm. zu bunt (*ugs.*), etwas geht jmdm. zu weit / (*ugs.*) über die Hutschnur, da geht einem der Hut hoch / das Messer in der Tasche auf! (*ugs.*).

**unerkannt** → heimlich.

**unerklärlich** → unfaßbar.

**Unerklärlichkeit** → Unbegreiflichkeit.

**unerläßlich** → nötig.

**Unerläßlichkeit** → Erfordernis.

**unerlaubt** → gesetzwidrig.

**unerledigt,** unvollendet, unabgeschlossen, unfertig, nicht zu Ende geführt, unausgeführt, anstehend; → anhängig · Ggs. → fertig; **u. sein,** anstehen, vorliegen, etwas steht im Raum; **u. lassen,** etwas im Raum stehenlassen; → verschieben.

**unermeßlich:** → sehr, → unendlich.

**Unermeßlichkeit** → Unbegrenztheit.

**unermüdlich** → fleißig.

**Unermüdlichkeit:** → Beharrlichkeit, → Fleiß.

**unerquicklich** → unerfreulich.

**Unerquicklichkeit,** Unerfreulichkeit, Verdrießlichkeit, Leidigkeit, Mißlichkeit; → Unannehmlichkeiten.

**unerreichbar** → unausführbar.

**Unerreichbarkeit,** Undurchführbarkeit, Unausführbarkeit, Unmöglichkeit, Aussichtslosigkeit; → unausführbar.

¹**unersättlich,** unstillbar, unmäßig, maßlos, ungenügsam · eßlustig; **u. sein,** nicht genug bekommen / (*ugs.*) kriegen können, den Rachen nicht voll kriegen (*salopp*).

²**unersättlich** → lebenshungrig.

**Unersättlichkeit** → Habgier.

**unerschrocken** → mutig.

**Unerschrockenheit** → Mut.

**unerschütterlich** → standhaft.

**Unerschütterlichkeit** → Beharrlichkeit.

**unerschwinglich** → teuer.

**Unersetzbarkeit** → Unentbehrlichkeit.

¹**unersetzlich,** unersetzbar, einmalig, einzig, unentbehrlich; → kostbar, → nötig, → unveräußerlich; **u. sein,** nicht mit

Gold aufzuwiegen / nicht mit Geld zu bezahlen sein, das beste Pferd im Stall sein; → Unentbehrlichkeit.

²**unersetzlich** → lieb.

**Unersetzlichkeit** → Unentbehrlichkeit.

¹**unerträglich,** intolerabel (*veraltet*); **u. sein,** etwas ist nicht zu ertragen / nicht auszuhalten / (*ugs.*) zum Davonlaufen / (*salopp*) zum Kinderkriegen / (*derb*) zum Kotzen / (*salopp*) zum Blasenheulen; das ist, um auf die Bäume zu klettern! (*ugs.*); es ist, um die Wände / an den Wänden hochzugehen! (*ugs.*); das ist, um Junge zu kriegen! (*ugs.*); es ist zum Auswachsen! (*ugs.*), da kann man doch die Wände / an den Wänden hochgehen! (*ugs.*), das ist ja furchtbar! · *den Anblick betreffend:* etwas stört / beleidigt das Auge, der Anblick ist jmdm. zuwider; → angeekelt [sein].

²**unerträglich:** jmdm. u. sein → verabscheuen.

**unerwähnt:** u. lassen → schweigen.

**unerwartet** → plötzlich.

**unerwünscht** → unerfreulich.

**unfähig,** untauglich, ungeeignet, unvermögend (*veraltet*); → impotent; **u. sein,** versagen; → versagen; → Unfähigkeit.

**Unfähigkeit,** Unvermögen, [menschliches] Versagen, Ohnmacht, Schwäche, Willensschwäche, Untüchtigkeit, Untauglichkeit, Machtlosigkeit, Ungenügen, Insuffizienz; → Antriebsschwäche, → Funktionsstörung, → Impotenz, → Mangel, → Willenlosigkeit, impotent, → ohnmächtig, → unfähig, → willensschwach · Ggs. → Fähigkeit.

¹**unfair,** unkameradschaftlich, unsportlich, nicht → ehrenhaft; → ehrlos, → gemein, → unredlich; **u. sein,** etwas ist ein Schlag unter die Gürtellinie (*ugs.*); → Fausthieb, → Unkameradschaftlichkeit.

²**unfair:** -es Verhalten → Unkameradschaftlichkeit.

**Unfairneß** → Unkameradschaftlichkeit.

**Unfall:** → Unglück; einen U. haben → verunglücken.

**Unfallarzt** → Arzt.

**Unfallflucht** → Fahrerflucht.

**Unfallschaden,** Schaden, Sachschaden, Totalschaden, Blechschaden; → Mangel, → Zusammenstoß.

**Unfalltoter:** → Toter, → Verunglückter.

**Unfalltransportwagen** → Unfallwagen.

**Unfallversicherung** → Versicherung.

**Unfallwagen,** Unfalltransportwagen, Rettungswagen, Rettungsauto, Rettung (*österr.*), Sanitätsauto, Sanitätswagen, Rotekreuzauto, Rotekreuzwagen, Sanität (*schweiz.*), Krankenwagen, Krankenauto, Ambulanzwagen (*veraltend, landsch.*), Ambulanz (*veraltend, landsch.*) · *mit klinischer Ausrüstung:* Klinomobil; → Krankenhaus, → Rollstuhl; → helfen; → krank.

**unfaßbar,** unfaßlich, unergründlich, unbegreiflich, unerklärlich, rätselhaft, unverständlich, undurchschaubar, geheimnisvoll, geheimnisumwittert, mysteriös, mystisch, schleierhaft (*ugs.*); → hintergründig, → mehrdeutig, → rätselhaft, → unklar; **u. sein:** etwas ist unfaßbar / geht nicht mit rechten Dingen zu, vor einem Rätsel stehen; → Unbegreiflichkeit.

**Unfaßbarkeit** → Unbegreiflichkeit.

**unfaßlich** → unfaßbar.

**unfehlbar** → bestimmt.

**unfein:** -es Wort → Vulgärausdruck.

**unfertig** → jung, → unausgegoren, → unerledigt, → unvollständig.

**Unfertigkeit** → Unvollständigkeit.

**unfest** → weich.

**Unflat,** Cochonnerie, Schweinerei (*ugs.*), Sauerei (*derb*), Schweinigelei, Schweinkram (*ugs.*), Unflätigkeit, Ferkelei, Sudelei.

**unflätig** → gewöhnlich.

**Unflätigkeit** → Unflat.

**unfolgsam** → unzugänglich.

**unfrei** → verkrampft.

**Unfreiheit,** Unterdrückung, Repression, Sklaverei, Versklavung, Unterjochung, Joch,

Bedrückung, Knechtung, Knebelung, Drangsalierung, Terror, Terrorismus; → Herrschaft; → unterdrücken; → unterdrückt.

**unfreiheitlich** → repressiv.

**unfreiwillig** → notgedrungen.

**unfreundlich** → unhöflich.

**Unfreundlichkeit** → Unhöflichkeit.

**Unfriede:** → Streit; -n stiften → ärgern, → Streit; mit jmdm. in -n leben → vertragen (sich).

**unfrisiert** → strubbelig.

**unfroh** → schwermütig.

**¹unfruchtbar,** mager, karg, ertragsarm, arid, trocken, wüstenhaft, dürr; → trocken; → Kargheit.

**²unfruchtbar:** → impotent; u. machen → kastrieren.

**Unfruchtbarkeit** → Kargheit.

**Unfug** → Unsinn.

**Ungar,** Magyar, Madjar; → Plattensee.

**ungarisch:** -e Krankheit → Fleckfieber; -es Meer → Plattensee.

**ungattlich** → grob.

**ungeachtet** → obgleich.

**ungebändigt** → wild.

**ungebärdig** → übermütig.

**ungebeten** → ungeladen.

**ungebildet** → banausisch.

**Ungebildeter,** Banause (*abwertend*), Botokude (*abwertend*), Prolet (*abwertend*), Primitivling (*abwertend*); → Spießer; → banausisch.

**¹ungeborgen,** unbehaust, wurzellos, umgetrieben, heimatlos, ohne Heimat; → unsicher; → Ungeborgenheit,→Ungesichertheit · Ggs. → sicher; → Geborgenheit, → Schutz.

**²ungeborgen** → unsicher.

**¹Ungeborgenheit,** Ungeborgensein, Unbehaustheit, Unbehaustsein, Wurzellosigkeit, Umgetriebensein, Heimatlosigkeit; → Ungesichertheit; → ungeborgen, → unsicher · Ggs. → Geborgenheit, → Schutz; → sicher.

**²Ungeborgenheit** → Ungesichertheit.

**Ungeborgensein:** → Ungeborgenheit, → Ungesichertheit.

**ungebräuchlich** → unüblich.

**ungebraucht** → neu.

**ungebührlich:** → anstößig, → unzumutbar.

**Ungebührlichkeit** → Anstößigkeit.

**ungebunden** → selbständig.

**¹Ungeduld,** Voreiligkeit, Heftigkeit, Treiben; → Unrast; → warten · Ggs. → Beharrlichkeit.

**²Ungeduld** → Unleidlichkeit.

**ungeduldig:** → aufgeregt, → erwartungsvoll, → reizbar, → unleidlich.

**¹ungeeignet,** unbrauchbar, unpassend, unmöglich; → wertlos; → Unbrauchbarkeit.

**²ungeeignet** → unfähig.

**Ungeeignetheit** → Unbrauchbarkeit.

**¹ungefähr,** etwa, in etwa, schätzungsweise, annähernd, beiläufig (*österr.*), überschlägig, überschläglich, überschlagsmäßig (*landsch.*), rund, pauschal, in Bausch und Bogen, en bloc, über den Daumen gepeilt (*ugs.*), vielleicht, zirka, ca., sagen wir, gegen, an die; → anstandslos, → beinahe.

**²ungefähr:** → einigermaßen; von u. → unabsichtlich.

**¹ungefährlich,** gefahrlos, harmlos, unverfänglich, unschädlich, nicht → gefährlich; → arglos, → bekömmlich, → eßbar; → Unschädlichkeit.

**²ungefährlich** → harmlos.

**Ungefährlichkeit** → Unschädlichkeit.

**Ungefälligkeit** → Unhöflichkeit.

**ungefärbt** → farblos.

**ungefreut** → unerfreulich.

**ungefrühstückt:** → Magen; u. sein → essen.

**ungefüge:** → grob, → plump.

**ungegenständlich:** → abstrakt; -e Kunst → Malerei.

**ungegliedert** → amorph.

**ungehalten** → ärgerlich.

**ungeheißen** → freiwillig.

**ungehemmt** → ungezwungen.

**ungeheuer:** → gewaltig, → sehr.

**Ungeheuer,** Monstrum, Ungetüm, Moloch, Untier, Drache, Lindwurm; → Fabelwesen, → Meduse, → Rohling.

**ungeheuerlich** → unerhört.

**ungehindert:** → selbständig; jmd. kann u. etwas tun → freistehen.

**ungehobelt** → unhöflich.

**Ungehobeltheit** → Unhöflichkeit.

**ungehörig** → anstößig.

**Ungehörigkeit** → Anstößigkeit.

**ungehorsam** → unzugänglich.

**Ungehorsam** → Eigensinn.

**ungeistig** → banausisch.

**ungekämmt**→strubbelig.

**ungeklärt:** → ungewiß, → unklar; noch u. sein → offenbleiben.

**ungekünstelt** → echt.

**Ungekünsteltheit** → Ursprünglichkeit.

**ungekürzt** → A (von A bis Z).

**ungeladen,** ungebeten, lästig, ungerufen · Ggs. → gebeten, → willkommen.

**ungeläufig** → außergewöhnlich.

**ungelegen:** u. kommen → stören; etwas kommt jmdm. u. → entgegenstehen.

**ungelegt:** das sind -e Eier → aktuell.

**ungelenk** → linkisch.

**ungelenkig** → linkisch.

**ungelernt:** -er Arbeiter → Arbeiter.

**ungelogen** → wahrlich.

**ungelöst:** -e Aufgabe → Schwierigkeit.

**Ungemach** → Unglück.

**ungemein** → sehr.

**¹ungemütlich,** unbequem, unbehaglich, unwirtlich, nicht → gemütlich; → Ungemütlichkeit.

**²ungemütlich:** → unerfreulich; u. werden →ärgerlich [werden].

**Ungemütlichkeit,** Unbehaglichkeit, Unwirtlichkeit; → ungemütlich.

**ungenannt** → anonym.

**ungenau:** → nachlässig, → unklar.

**¹Ungenauigkeit,** Unbestimmtheit, Unschärfe, Verschwommenheit, Undurchsichtigkeit, Schemenhaftigkeit, Schattenhaftigkeit, Verblasenheit, Nebelhaftigkeit; → unklar.

**²Ungenauigkeit** → Nachlässigkeit.

**Ungeneigtheit** → Widerwille.

**ungeniert** → ungezwungen.

**Ungeniertheit** → Ungezwungenheit.

**¹ungenießbar,** verdorben, alt, nicht → eßbar · *von Obst o.ä.:* faulig, faul, verfault · *von Butter o.ä.:* ranzig, nicht frisch · *von Brot, Käse o.ä.:* schimmelig, verschimmelt · *durch Maden:* madig · *durch Gärung:* gärig ·

*von der Milch:* sauer · *von Fleisch, Wurst o. ä.:* schlecht, angegangen · *durch Würmer:* wurmstichig, wurmig *(mundartl.),* wurmfräßig *(fachspr., mundartl.);* → altbacken; **u. sein,** verdorben sein, hinüber sein *(ugs.),* nicht mehr gut sein, einen Stich haben *(ugs.),* möpseln, riechen · *durch Würmer:* Maden haben; → faulen, → gären.
²**ungenießbar:** -er Pilz → Pilz; u. machen → denaturieren.
**Ungenügen:** → Unfähigkeit, → Unzulänglichkeit.
**ungenügend:** → unzulänglich; -e Organleistung → Funktionsstörung.
**ungenügsam** → unersättlich.
**ungenutzt:** u. sein → brachliegen.
¹**ungeordnet,** unaufgeräumt; **u. sein:** etwas ist in Unordnung / durcheinander, bei jmdm. herrscht Unordnung / *(ugs., abwertend)* [eine] polnische Wirtschaft, das ist der reinste Saustall *(salopp),* bei jmdm. liegt der Kamm bei der Butter *(ugs., abwertend),* bei jmdm. liegt alles herum wie Kraut und Rüben *(ugs., abwertend);* → nachlässig.
²**ungeordnet** → durcheinander.
**Ungepaartheit** → Ehelosigkeit.
**ungepflegt:** etwas ist u. → vernachlässigen (etwas).
**ungeprüft** → anstandslos.
**ungerade:** u. Zahl → Zahl; in -r Zahl vorhanden → unpaarig.
**ungerechnet** → zuzüglich.
**ungerecht:** → parteiisch; u. behandeln → diskriminieren.
**ungereimt:** → abwegig, → unzusammenhängend.
**Ungereimtheit** → Zusammenhanglosigkeit.
**ungern:** → notgedrungen, → widerwillig.
**ungerufen** → ungeladen.
**ungerührt,** unbeeindruckt, gleichgültig, kalt, kaltschnäuzig; → gefühlskalt, → unbarmherzig; **u. bleiben,** sich nicht beeindrucken / rühren lassen, etwas beeindruckt / rührt jmdn. nicht, etwas läßt jmdn. kalt; → Ungerührtheit.
**Ungerührtheit,** Unbeeindrucktheit, Gleichgültigkeit, Kälte, Gefühllosigkeit, Mitleidlosig-

keit; → Gefühlskälte, → Unbarmherzigkeit; → ungerührt.
**ungesalzen** → ungewürzt.
**Ungeschicklichkeit,** Unbeholfenheit, Schwerfälligkeit, Umständlichkeit; → unpraktisch.
**ungeschickt:** → tölpelhaft, → unklug, → unpraktisch.
**ungeschlacht** → plump.
**ungeschlechtlich:** -e Fortpflanzung → Fortpflanzung.
**ungeschliffen** → unhöflich.
**Ungeschliffenheit** → Unhöflichkeit.
**ungeschminkt** → klar.
**Ungeschminktheit** → Deutlichkeit.
**ungeschützt** → unsicher.
**Ungeschütztheit** → Ungesichertheit.
**Ungeschütztsein** → Ungesichertheit.
**ungesehen** → unbemerkt.
**ungesellig** → unzugänglich.
**Ungeselligkeit** → Verschlossenheit.
**ungesetzlich:** [auf -em Wege] → gesetzwidrig.
**Ungesetzlichkeit** → Gesetzwidrigkeit.
**Ungesichertheit,** Ungesichertsein, Ungeborgenheit, Ungeborgensein, Ungeschütztheit, Ungeschütztsein, Schutzlosigkeit, Unbehütetheit, Unbehütetsein, Unbeschirmtheit, Unbeschirmtsein, Ausgeliefertsein, Ausgesetztsein, Preisgegebenheit, Preisgegebensein, Wehrlosigkeit; → Ungeborgenheit; → ungeborgen, → unsicher · Ggs. → Geborgenheit, → Schutz; → sicher.
**Ungesichertsein** → Ungesichertheit.
**ungesittet** → frech.
**Ungestalt** → Mißgebilde.
**ungestüm** → übermütig.
**ungesund** → verderblich.
**ungetragen** → neu.
**ungetreu** → untreu.
**ungetrübt,** unbeeinträchtigt, durch nichts getrübt / beeinträchtigt / entstellt / vergiftet, unvermindert fortdauernd; → lauter · Ggs. → spannungsgeladen.
**Ungetüm** → Ungeheuer.
**ungeübt,** unerfahren, schlecht, Sonntags- (Sonntagsfahrer, Sonntagsjäger); → selten.

**ungewandt** → linkisch.
**ungewiß,** unsicher, unbestimmt, unentschieden, fraglich, zweifelhaft, windig *(ugs.),* unzuverlässig, umstritten, streitig, nicht geklärt, ungeklärt, strittig; → anrüchig, → anscheinend, vielleicht, → zwiespältig · Ggs. → zweifellos; **u. sein,** schweben, in der Schwebe sein, etwas steht dahin / steht auf des Messers Schneide / ist noch offen / ist noch unentschieden / ist noch nicht entschieden / ist noch zu entscheiden / hängt noch in der Luft / steht in den Sternen / gerät ins Wanken / ist gefährdet / steht auf dem Spiel / *(ugs.)* ist wack[e]lig / *(ugs.)* steht auf der Kippe / hängt an einem seidenen Faden / hängt an einem Haar / steht auf Spitz und Knopf, das wissen die Götter *(ugs.),* das ruht noch im Schoß der Götter *(ugs.),* darüber sind sich die Gelehrten noch nicht einig *(scherzh.),* es ist noch nicht aller Tage Abend *(ugs.),* es ist noch alles drin *(salopp);* es bleibt dahingestellt, ob ...; man muß es dahingestellt sein lassen, ob ...; man muß skeptisch sein, ob ...; man kann / darf sich nicht darauf verlassen, daß ...; man kann kaum sagen, inwieweit ...; es scheint nicht den Tatsachen zu entsprechen, daß ...; man kann kaum annehmen, daß ...; wer weiß, ob ...; man muß in dieser Frage seine Bedenken anmelden; es herrschen widersprechende Ansichten darüber, ob ...; hier muß der Einwand erhoben werden, daß ...; man muß sehr in Frage stellen, ob ...; → Ungewißheit; → fehlen, → offenbleiben, → offenlassen, → vermuten, → zweifeln.
**Ungewißheit,** Unsicherheit, Unbestimmtheit, Unentschiedenheit, Zweifelhaftigkeit, Fraglichkeit; → ungewiß.
**ungewöhnlich:** → außergewöhnlich, → unüblich.
**ungewohnt** → unüblich.
**ungewollt** → unabsichtlich.
**Ungewolltheit** → Unabsichtlichkeit.
¹**ungewürzt,** ungesalzen, nüchtern *(landsch.),* fad, geschmack-

los, ohne Geschmack, ohne Aroma, unaromatisch; → abgestanden; → Geschmack.

²**ungewürzt** → fade.

**ungezählt:** → reichlich, → unendlich; -e → viele.

**Ungezähltheit**→Unbegrenztheit.

**ungezähmt** → wild.

**Ungeziefer,** Viehzeug (*ugs.*) · Laus · Wanze, Bettwanze, Wratt (*niederd.*), Tapetenflunder (*ugs., scherzh.*) · Floh · Schabe · Milbe; → Insekten.

**ungezogen** → frech.

**Ungezogenheit** → Frechheit.

**ungezügelt** → hemmungslos.

**Ungezügeltheit,** Zügellosigkeit, Unbeherrschtheit, Unkontroliertheit, Hemmungslosigkeit, Heftigkeit, Hitzigkeit, Hitzköpfigkeit, Jähzorn, Mangel an Selbstbeherrschung; → hemmungslos, → unbeherrscht.

**ungezwungen,** zwanglos, natürlich, leger, lässig, ungehemmt, unbefangen, gelöst, burschikos, nonchalant, large (*schweiz.*), ungeniert, unzeremoniell, hemdsärmelig (*ugs.*), frei, nachlässig, salopp, formlos, informell; → freiheitlich, → hemmungslos, → lustig, → nachlässig; → Freiheit, → Ungezwungenheit · Ggs. → ängstlich, → verlegen; → Zwang.

**Ungezwungenheit,** Lässigkeit, Natürlichkeit, Nonchalance, Zwanglosigkeit, Freiheit, Gelöstheit, Unbefangenheit, Ungeniertheit, Burschikosität, Saloppheit, Hemdsärmeligkeit (*abwertend*); → ungezwungen.

**Unglaube** → Atheismus.

**unglaubhaft**→unwahrscheinlich.

¹**ungläubig,** gottlos, atheistisch, heidnisch, gottesleugnerisch, glaubenslos · Ggs. → gottgläubig.

²**ungläubig:** → argwöhnisch; ein -er Thomas sein → argwöhnisch [sein].

**Ungläubiger:** → Andersgläubiger, → Atheist.

**Ungläubigkeit** → Atheismus.

**unglaublich:** → unerhört, → unwahrscheinlich.

¹**ungleich,** inkongruent, ungleichmäßig, divergierend, verschieden, unähnlich, unegal (*ugs.*), nicht zusammenpassend; → verschieden; → Abweichung,

→ Nichtübereinstimmung · Ggs. → übereinstimmend.

²**ungleich** → außergewöhnlich.

**ungleichartig** → gegensätzlich.

**Ungleichartigkeit** → Gegensätzlichkeit.

**Ungleichheit:** → Abweichung, → Nichtübereinstimmung.

**ungleichmäßig** → ungleich.

**Ungleichmäßigkeit:** → Abweichung, → Nichtübereinstimmung.

¹**Unglück,** Unglücksfall, Unfall, Unheil, Unstern, Verhängnis, Ungemach, Schrecknis, Schlag, Mißgeschick, Katastrophe, Zusammenbruch, Desaster, Pech, Malheur, Autounfall, Zugunglück, Absturz, Flugzeugabsturz, Flugzeugkatastrophe; → Debakel, → Erdbeben, → Ereignis, → Landung, → Leid, → Mißerfolg, → Not, → Unaufmerksamkeit, → Unglückstag, → Zusammenstoß; **U. haben,** vom Mißgeschick verfolgt werden, eine Pechsträhne haben; **ins U. stürzen:** etwas stürzt jmdn. ins Unglück, etwas bricht jmdm. das Genick; → entgleisen, → verunglücken; → leidgeprüft.

²**Unglück:** es ist ein U., daß ...; das U. wollte es, daß ...; zu allem U. → schade; Glück im U. haben → Glück [haben].

**unglücklich:**→schwermütig, → verderblich.

**unglücklicherweise** → schade.

**unglückselig** → verderblich.

**Unglücksfall** → Unglück.

**Unglückshäher** → Vogel.

**Unglücksrabe** → Pechvogel.

**Unglückstag,** schwarzer Tag, Dies ater, schwarzer Freitag; → Unglück.

**Unglücksvogel** → Pechvogel.

**Unglückswurm** → Pechvogel.

**Unguentum** → Medikament.

**ungültig:** einen -en Stimmzettel abgeben → wählen; u. machen → stornieren; u. werden → ablaufen; für u. erklären → abschaffen.

**Ungültigkeitserklärung** → Aufhebung.

¹**ungünstig,** nachteilig; → unerfreulich, →hinderlich; **u. sein,** sich als Nachteil erweisen, Nachteile haben, etwas hat einen Pferdefuß; → Mangel.

²**ungünstig** → unerfreulich.

**ungut** → unerfreulich.

**unhaltbar** → aussichtslos.

**unharmonisch** → zwiespältig.

**Unheil** → Unglück.

¹**unheilbar,** unrettbar, verloren; → irreparabel, → krank; **u. [krank] sein,** nicht zu heilen / zu retten sein, ein hoffnungsloser Fall / von den Ärzten aufgegeben sein.

²**unheilbar:** u. Kranker → Kranker.

**unheilbringend** → verderblich.

**unheildrohend** → verderblich.

**unheilig** → weltlich.

**unheilschwanger** → verderblich.

**Unheilsprophet** → Pessimist.

**unheilvoll** → verderblich.

¹**unheimlich,** gruselig, schauerlich, schaurig, nicht geheuer, beklemmend, entrisch (*bayr., österr.*), gespenstisch; → makaber.

²**unheimlich:** → anrüchig, → sehr.

**unhöflich,** unfreundlich, abweisend, rüde, barsch, raß (*oberd.*), bärbeißig (*ugs.*), hantig (*ugs., bayr., österr.*), schroff, brüsk, grob, saugrob (*derb*), grobschlächtig (*abwertend*), kurz [angebunden], unverbindlich, unliebenswürdig, taktlos, plump, ungeschliffen, ungehobelt (*abwertend*), geschert (*bayr., österr.*), bäurisch (*abwertend*), unkultiviert, unritterlich, flegelig (*abwertend*), flegelhaft (*abwertend*), rüpelig (*abwertend*), rüpelhaft (*abwertend*), lümmelhaft (*abwertend*), ruppig, ohne [jedes] Benehmen, schnöselig (*abwertend*), stieselig (*salopp, abwertend*), nicht → höflich; anstößig, → aufdringlich, → böse, → frech, → gewöhnlich, → spöttisch, → taktlos, → unbarmherzig; **u. sein,** keine Manieren / kein Benehmen haben; nicht wissen, was sich gehört; kein Kavalier sein, Haare auf den Zähnen haben; → benehmen (sich); → Flegel, → Taktlosigkeit, → Unhöflichkeit.

**Unhöflichkeit,** Unfreundlichkeit, Unaufmerksamkeit, Ungefälligkeit, Unliebenswürdigkeit, Barschheit, Schroffheit, Grobheit, Grobschlächtigkeit, Plumpheit, Ungeschliffenheit,

Ungehobeltheit (*abwertend*), Flegelei (*abwertend*), Flegelhaftigkeit (*abwertend*), Rüpelhaftigkeit (*abwertend*), Lümmelhaftigkeit (*abwertend*), Ruppigkeit, Schnöseligkeit (*abwertend*), Stieseligkeit (*salopp, abwertend*); → Taktlosigkeit; → unhöflich · Ggs. → Höflichkeit.

**Unhold** → Verbrecher.

**uni** → einfarbig.

**Uni:** → Hochschule; auf der U. sein → studieren.

**uniert:** -e Kirche → Kirche.

**Uniform:** → Kleidung; Bürger / Staatsbürger in U. → Soldat.

**uniformieren** → normen.

**Uniformierung** → Normung.

**Uniformschneider** → Schneider.

**Uniformträger** → Soldat.

**Unikum** → Spaßvogel.

**Uninformiertheit** → Unkenntnis.

**unintelligent** → dumm.

**uninteressant** → langweilig.

**Uninteressiertheit** → Teilnahmslosigkeit.

**Union** → Vereinigung.

**Union Jack** → Nationalflagge.

**United Kingdom** → Großbritannien.

**universal** → allgemein.

**Universalerbe** → Erbe (der).

**Universalgenie** → Genie.

**Universalien,** Allgemeinbegriffe, Grundlagen, Grundbegriffe.

**Universalmittel** → Allheilmittel.

**universell** → allgemein.

**Universität:** → Hochschule; die U. besuchen, auf der U. sein → studieren.

**Universitätsbibliothek** → Bibliothek.

**Universitätsgelände,** Campus; → Hochschule.

**Universitätsklinik** → Krankenhaus.

**Universitätsprofessor** → Hochschullehrer.

**Universum:** → Weltall; Mister U. → Kraftmensch.

**unkameradschaftlich:** → unfair; -es Verhalten → Unkameradschaftlichkeit.

**Unkameradschaftlichkeit,** Unsportlichkeit, Unfairneß, unkameradschaftliches / unsportliches / unfaires Verhalten; → unfair.

**Unke:** → Frosch, → Pessimist.

**unken** → voraussehen.

[1]**Unkenntnis,** Unwissenheit, Bildungslücke, Nichtwissen, Ignoranz, Uniformiertheit, Wissensmangel, Unbelesenheit, Unerfahrenheit, Dummheit, Verblendung, Kurzsichtigkeit, Engstirnigkeit; → Ahnungslosigkeit, → Arglosigkeit, → Nichtfachmann.

[2]**Unkenntnis** → Ahnungslosigkeit.

**Unkenruf:** -e → Pessimismus.

**Unkerei** → Pessimismus.

**unkeusch** → anstößig.

**Unkeuschheit** → Sittenlosigkeit.

**unkindlich,** frühreif, altklug; → Altklugheit, → Entwicklung.

**Unkindlichkeit** → Altklugheit.

[1]**unklar,** unscharf, unbestimmt, ungenau, vage, dunkel, verschwommen, schemenhaft, nebelhaft, schattenhaft, verblasen, ungeklärt, nicht → einleuchtend, nicht → klar; → unfaßbar, → verworren; **u. machen,** verunklären (*schweiz.*), verwischen, verwedeln (*schweiz.*); → offenbleiben; → Ungenauigkeit.

[2]**unklar** → wirr.

**Unklarheit** → Heillosigkeit,

**unklug,** ungeschickt, undiplomatisch, nicht → schlau; → dumm, → tölpelhaft.

**Unklugheit** → Unbesonnenheit.

**unkompliziert:** → lustig, → mühelos.

**unkontrolliert** → hemmungslos.

**Unkontrolliertheit** → Ungezügeltheit.

**unkonventionell** → unüblich.

**unkonzentriert** → unaufmerksam.

**unkörperlich** → immateriell.

[1]**Unkosten,** Kosten, Ausgaben, Aufwendung, Kostenaufwand; → Etat, → Preis, → Rechnung; **jmdm. die U. vorrechnen,** jmdm. eine Rechnung zusammenstellen / aufmachen / präsentieren; → zahlen.

[2]**Unkosten:** sich in U. stürzen → schenken; sich in geistige U. stürzen → anstrengen (sich).

**unkritisch:** → gutgläubig, → willkürlich.

**Unktion** → Verabreichung.

**unkultiviert** → unhöflich.

**unkünstlerisch:** → amusisch, → banausisch.

**unlängst** → kürzlich.

**unlauter** → unredlich.

**unlebendig** → langweilig.

[1]**unleidlich,** unruhig, ungeduldig, drängelnd, unausstehlich, quengelig (*ugs.*), verquengelt (*ugs.*); → wehleidig, → weinerlich; → Unleidlichkeit.

[2]**unleidlich** → böse.

**Unleidlichkeit,** Unruhe, Ungeduld, Ungezogenheit, Quengelei (*ugs.*), Quengeligkeit (*ugs.*); → Zimperlichkeit; → unleidlich.

**Unlenksamkeit** → Eigensinn.

**unleugbar** → wahr.

**unlieb:** nicht u. sein → passen.

**unliebenswürdig** → unhöflich.

**Unliebenswürdigkeit** → Unhöflichkeit.

**unliebsam** → unerfreulich.

**unlogisch** → gegensätzlich.

**Unlösbarkeit** → Ausweglosigkeit.

**Unlust:** → Unzufriedenheit, → Widerwille; mit U. → widerwillig.

**unlustig:** → temperamentlos, → widerwillig.

**unmanierlich** → frech.

**unmännlich,** weibisch (*abwertend*), feminin, halbseiden (*abwertend*), nicht → männlich; → Homosexueller.

**Unmasse** → Anzahl.

**unmaßgeblich** → unwichtig.

**unmäßig** → unersättlich.

**Unmäßigkeit** → Ausschweifung.

**unmelodisch** → mißtönend.

**Unmenge** → Anzahl.

**Unmensch:** → Rohling; kein U. sein → entgegenkommen (jmdm.).

**unmenschlich** → unbarmherzig.

**Unmenschlichkeit** → Unbarmherzigkeit.

**unmerklich** → latent.

**unmißbar** → nötig.

**unmißverständlich:** → klar, → nachdrücklich.

**Unmißverständlichkeit:** → Deutlichkeit, → Nachdrücklichkeit.

**unmittelbar** → gleich.

**unmodern:** → altmodisch, → rückschrittlich.

**unmöglich:** → keineswegs, → nein, → unausführbar → ungeeignet, → unzumutbar; u. finden → beanstanden; u. machen → verhindern.

**Unmöglichkeit:** → Ausweglosigkeit, → Unerreichbarkeit; etwas ist ein Ding der U. → unausführbar [sein].

Unmoral → Sittenlosigkeit.
unmoralisch → anstößig.
unmotiviert: → arbiträr, → grundlos.
unmündig: → minderjährig; für u. erklären → entmündigen.
Unmündigkeit: → Unreife, → Unselbständigkeit.
unmusisch → amusisch.
Unmut → Verstimmung.
unnachahmlich → vorbildlich.
Unnachahmlichkeit → Musterhaftigkeit.
unnachgiebig: → herrisch, → unzugänglich.
Unnachgiebigkeit: → Eigensinn, → Unerbittlichkeit.
unnachsichtig → herrisch.
Unnachsichtigkeit → Unerbittlichkeit.
unnahbar → unzugänglich.
Unnahbarkeit → Verschlossenheit.
unnatürlich: → geziert, → pervers.
Unnatürlichkeit → Geziertheit.
Ünne → Zwiebel.
unnennbar → unsagbar.
Unnennbarkeit → Unaussprechlichkeit.
unnormal → anormal.
unnötig: → nutzlos, → überflüssig.
unnütz: → nutzlos; u. sein → gebrauchen.
unordentlich: → nachlässig; -es Arbeiten → Nachlässigkeit.
Unordentlichkeit → Nachlässigkeit.
Unordnung: bei jmdm. herrscht U., etwas ist in U. → ungeordnet [sein]; etwas ist in U. → vernachlässigen (etwas).
Unoriginalität → Einfallslosigkeit.
unoriginell, einfallslos, phantasielos, unschöpferisch, eklektisch, plagiatorisch; → amusisch, → prosaisch; → Diebstahl, → Einfallslosigkeit; → plagiieren · Ggs. → schöpferisch.
unpaar → unpaarig.
unpaarig, unpaar, in ungerader Zahl vorhanden.
¹unparteiisch, unvoreingenommen, unbefangen, indifferent, passiv, neutral, wertfrei, wertneutral, objektiv, nüchtern, sachlich, unentschieden, nicht → parteiisch; → aufgeklärt, →

neutral, → sachlich; → Objektivität · Ggs. → Vorurteil.
²unparteiisch: → gerecht; nicht u. sein → beurteilen.
Unparteiischer → Schiedsrichter.
Unparteilichkeit → Objektivität.
unpassend: → unerfreulich, → ungeeignet; zu -er Zeit kommen → stören (jmdn.).
unpäßlich → krank.
Unpäßlichkeit → Krankheit.
unpersönlich: -es Verb → Verb.
unpraktisch, ungeschickt, unbeholfen, umständlich; u. sein, zwei linke Hände haben.
unproblematisch → mühelos.
unpünktlich: → säumig; u. sein → pünktlich.
Unpünktlichkeit, Verspätung, Säumigkeit, Saumseligkeit (abwertend), Nachlässigkeit, Bummelei (abwertend); → pünktlich.
unqualifiziert → unerfreulich.
unrasiert → bärtig.
Unrast, Unruhe, Ruhelosigkeit, Getriebensein, Umhergetriebensein, Nervosität; → Erregung, → Hast, → Umherirrender, → Ungeduld; → herumtreiben (sich), → verwirren; → aufgeregt.
Unrat → Abfall.
unrealistisch, wirklichkeitsfremd, versponnen, weltfremd, verträumt; → arglos, → gedankenvoll · Ggs. → reälistisch; u. sein, in einer anderen Welt leben, nicht in dieser Welt sein, in höheren Regionen schweben, hinter dem Mond leben (abwertend); → abkapseln (sich).
unrecht: etwas in den ein Hals bekommen → mißverstehen.
Unrecht → Verstoß.
unrechtmäßig → gesetzwidrig.
Unrechtmäßigkeit → Gesetzwidrigkeit.
unredlich, unlauter, unreell, unsolid, unehrlich, illoyal, betrügerisch, unaufrichtig, unwahrhaftig, lügnerisch, verlogen, scheinheilig, gleisnerisch, heuchlerisch, falsch, katzenfreundlich, lügenhaft, erlogen, nicht → ehrenhaft; → bestechlich, → ehrlos → unaufrichtig, → unfair; → lügen, → übertreiben; → Lüge, → Schlaukopf, → Verstellung.

Unredlichkeit: → Pflichtvergessenheit, → Untreue.
unreell → unredlich.
unregelmäßig: → unüblich; -er Puls → Pulsschlag.
Unregelmäßigkeit → Betrug.
¹unreif, unausgereift, grün, nicht → reif.
²unreif: → jung, → unausgegoren.
Unreife, Unausgereiftsein, Unmündigkeit; → jung.
unrein: → mißtönend, → schmutzig; ins -e schreiben → aufschreiben; ins -e sprechen → formulieren.
Unreinigkeit → Schmutz.
unrettbar: → lange, → unheilbar.
unrichtig: → falsch; als u. bezeichnen → abstreiten.
unritterlich → unhöflich.
Unruhe: → Spannung, → Unleidlichkeit, → Unrast; -n → Verschwörung; motorische U. → Anankasmus; in U. versetzen → verwirren.
Unruhestifter: → Hetzer, → Störenfried.
unruhig: → aufgeregt, → lebhaft, → ruhelos, → unleidlich; -e See → Seegang.
unrühmlich → kläglich.
uns: unter u. → vertraulich.
¹unsachlich, abschweifend, nicht zur Sache gehörend, sachfremd, persönlich; → Argument, → Darlegung; → erörtern.
²unsachlich → parteiisch.
Unsachlichkeit → Subjektivität.
¹unsagbar, unsäglich, unaussprechlich, unbeschreiblich, unnennbar, namenlos, unglaublich; → außergewöhnlich, → sehr; → Unaussprechlichkeit.
²unsagbar → sehr.
unsäglich: → sehr, → unsagbar.
unsauber: → mißtönend, → schmutzig.
¹Unsauberkeit, Verschmutztheit, Verdrecktheit (ugs.), Speckigkeit, Schmuddeligkeit, Unappetitlichkeit; → Schmutz; → schmutzig · Ggs. → Sauberkeit.
²Unsauberkeit → Regelverstoß.
unschädlich: → ungefährlich; u. machen → festsetzen (jmdn.).
Unschädlichkeit, Ungefährlichkeit, Harmlosigkeit, Zuträglichkeit, Verträglichkeit, Bekömmlichkeit; → Überempfindlich-

keit; → bekömmlich, → ungefährlich.

**¹unscharf,** verschwommen, verzittert, verwackelt; **u. werden,** [vor den Augen] verschwimmen; → fotografieren.

**²unscharf** → unklar.

**Unschärfe** → Ungenauigkeit.

**unscheinbar** → einfach.

**Unscheinbarkeit** → Unauffälligkeit.

**unschicklich** → anstößig.

**Unschicklichkeit** → Anstößigkeit.

**unschlagbar,** unübertrefflich, unübertroffen, unbesiegbar, unbezwingbar; → außergewöhnlich.

**Unschlagbarkeit,** Unbezwingbarkeit, Unbezwinglichkeit, Unüberwindbarkeit, Unbesiegbarkeit; → unüberwindbar.

**unschlüssig:** → unentschlossen; u. sein → zögern.

**unschön** → abscheulich.

**unschöpferisch:** → amusisch, → unoriginell.

**Unschuld:** → Virginität; U. vom Lande → Mädchen; seine U. beweisen wollen → wehren (sich); jmdm. die U. rauben → deflorieren; die U. verlieren → koitieren; seine Hände in U. waschen → schuldlos.

**unschuldig:** → jungfräulich, → schuldlos.

**unschwer** → mühelos.

**¹unselbständig,** heteronom, abhängig, subaltern, untergeordnet, sekundär, sklavisch, versklavt, hörig, leibeigen, nicht → selbständig; → abhängig, → treu, → unterwürfig, → willensschwach · Ggs. → schöpferisch; **u. sein,** Befehlsempfänger sein; → lenken; → Unselbständigkeit.

**²unselbständig** → abhängig.

**Unselbständigkeit,** Abhängigkeit, Unmündigkeit, Hörigkeit; → unselbständig.

**unser:** -e Zeit → Gegenwart.

**unsereiner** → ich.

**unsereins** → ich.

**¹unsicher,** ungeborgen, ungeschützt, schutzlos, unbehütet, unbeschirmt, ausgeliefert, ausgesetzt, preisgegeben, wehrlos; → ungeborgen; → Ungeborgenheit, → Ungesichertheit · Ggs. → sicher; → Geborgenheit, →

Schutz; **u. sein:** etwas ist unsicher, etwas ist auf Sand gebaut, jmd. hat auf Sand gebaut, etwas steht auf schwachen Beinen, etwas steht auf schwachen / schwankenden / tönernen / (ugs.) wackligen Füßen.

**²unsicher:** → ungewiß; ein -er Kantonist sein → unzuverlässig [sein]; u. werden → untergraben; u. machen → verwirren; die Gegend u. machen → besuchen.

**Unsicherheit:** → Angst, → Gefahr, → Ungesichertheit, → Ungewißheit, → Verlegenheit.

**unsichtbar:** u. machen → einnebeln.

**¹Unsinn,** Unfug, Blödsinn (ugs.), dummes Zeug (ugs.), Dummheiten, Wippchen (ugs.), Heckmeck (salopp), Allotria, Firlefanz, Faxen, Schnickschnack, Fez (landsch.), Quark (ugs.), Krampf (salopp), Käse (nordd.), kalter Kaffee (salopp), Pallawatsch (österr.), Ballawatsch (österr.), Quatsch (salopp), Mumpitz (ugs.), Humbug (ugs.), Kokolores (ugs.), Blech (salopp), Stuß (salopp), Kohl (salopp), Kappes (salopp), Galimathias, Nonsens, Bockmist (derb), Mist (derb), Scheiße (derb); → Absurdität, → Flitter, → Kitsch, → Zusammenhanglosigkeit; **U. machen,** Zicken machen (ugs.).

**²Unsinn:** → Absurdität; U. reden → sprechen.

**¹unsinnig,** sinnlos, absurd, blödsinnig (ugs.), stussig (ugs.), ohne Sinn und Verstand, hirnverbrannt (ugs.), hirnrissig (ugs., österr.), witzlos (ugs.), reizlos; → abwegig, → lächerlich, → selbstzerstörerisch, → unausführbar, → unzumutbar, → unzusammenhängend; **u. sein,** etwas ist gegen alle Regeln der Vernunft, das ist ein Unding; → Absurdität.

**²unsinnig** → abwegig.

**Unsinnigkeit** → Absurdität.

**unsinnlich** → platonisch.

**unsittlich** → anstößig.

**Unsittlichkeit** → Sittenlosigkeit.

**unsolid** → unredlich.

**unsolide** → anstößig.

**Unsorgfältigkeit** → Nachlässigkeit.

**unsozial:** → asozial, → unbarmherzig.

**unsportlich:** → linkisch, → unfair; -es Verhalten → Unkameradschaftlichkeit.

**Unsportlichkeit** → Unkameradschaftlichkeit.

**unstatthaft** → gesetzwidrig.

**Unstatthaftigkeit** → Gesetzwidrigkeit.

**unsterblich:** sich u. machen → verewigen (sich).

**Unsterblichkeit:** in die U. eingehen → verewigen (sich).

**Unstern** → Unglück.

**unstet:** → aufgeregt, → labil, → untreu.

**Unstetheit** → Unbeständigkeit.

**Unstetigkeit** → Untreue.

**unstillbar** → unersättlich.

**Unstimmigkeit:** → Abweichung, → Meinungsverschiedenheit, → Unzulänglichkeit; -en → Unannehmlichkeiten.

**unstreitig** → zweifellos.

**unstrukturiert** → amorph.

**Unsumme** → Summe.

**unsympathisch:** → unbeliebt; u. finden → hassen.

**untadelhaft** → vollkommen.

**Untadelhaftigkeit** → Untadeligkeit.

**untadelig** → vollkommen.

**Untadeligkeit,** Untadeligkeit, Untadelhaftigkeit, Fehlerlosigkeit, Makellosigkeit, Mustergültigkeit, Vollkommenheit, Vollendetheit, Vollendung; → Meisterhaftigkeit, → Musterhaftigkeit; → meisterhaft, → vollkommen.

**untadlig** → vollkommen.

**Untadligkeit** → Untadeligkeit.

**untalentiert** → unbegabt.

**Untat** → Verstoß.

**untätig:** → faul, → passiv; u. dabeistehen / zusehen → zögern.

**Untätigkeit** → Passivität.

**untauglich** → unfähig.

**Untauglichkeit** → Unfähigkeit.

**unten:** → unterhalb; nach u. → abwärts; nach u. gehen / steigen / klettern → hinuntergehen; nach u. sinken → sinken; bei jmdm. u. durch sein → unbeliebt [sein].

**unter:** u. keiner Bedingung → nein; u. den Hammer bringen / kommen → Versteigerung; u. der Hand → unbemerkt; u. aller unterarbeiten

Kanone → minderwertig; u. aller Kanone / Kritik → schlecht; u. der Oberfläche → latent; u. uns → vertraulich; u. Vorbehalt → vorbehaltlich.
**unterarbeiten** → mischen.
**unterärmeln** → unterhaken.
**Unterarmtasche** → Tasche.
**Unterbau:** → Fundament, → Grundlage; volkswirtschaftlicher U. eines Landes → Infrastruktur.
**Unterbekleidung** → Kleidung.
**unterbelichtet** → dumm.
**unterbewerten** → unterschätzen.
**unterbewußt,** im Unterbewußtsein [vorhanden], nicht bewußt, ohne Bewußtheit, unbewußt, unterschwellig; → unabsichtlich.
**Unterbewußtsein:** im U. [vorhanden] → unterbewußt.
**Unterbietung** → Preisunterbietung.
**unterbinden** → verhindern.
**Unterbindung** → Vereitelung.
**Unterblatt** → Blatt.
**unterbleiben** → geschehen.
**Unterboden** → Fußboden.
**¹unterbrechen,** pausieren, eine Pause einlegen / machen, innehalten, einhalten, Schicht machen (*ugs.*), Fuffzehn machen (*salopp*) · *eine Reise:* Station machen; → beenden; → Einschnitt · Ggs. → fortsetzen.
**²unterbrechen:** jmdn. u. → dazwischenreden.
**¹Unterbrechung,** Unterbruch (*schweiz.*), Störung, Stockung, Aufenthalt · *in bezug auf das zeitweilige Aussetzen von Krankheitserscheinungen:* Intermission; → Einschnitt.
**²Unterbrechung** → Einschnitt, → Fahrtunterbrechung, → Pause; mit -en → diskontinuierlich; ohne U. → fließend, → kursorisch, → unaufhörlich.
**unterbreiten:** einen Plan u. → vorschlagen.
**¹unterbringen,** verstauen (*ugs.*), verfrachten (*ugs.*); → aufbewahren, → verstecken.
**²unterbringen:** → beherbergen, → einquartieren; untergebracht werden → Unterkunft [finden].
**Unterbringung,** Beherbergung, Einquartierung; → Unterkunft.
**unterbrochen** → diskontinuierlich.

**Unterbruch** → Unterbrechung.
**unterbuttern:** → aufbürden, → Einfluß.
**unterdessen** → inzwischen.
**¹unterdrücken,** knechten, knebeln, terrorisieren, bedrängen, bedrücken, jmdm. das Rückgrat brechen, drangsalieren, nicht hochkommen lassen · *durch die Mehrheit:* majorisieren · *von Gefühlen:* verdrängen, ersticken, niederhalten, abtöten, nicht zeigen [was in einem vorgeht], das Gesicht wahren, sich nichts anmerken lassen, sich etwas verbeißen / (*ugs.*) verkneifen; → abschreiben, → beherrschen, → bemerken, → besiegen, → lenken; → unterdrückt; → Ansehen, → Unfreiheit.
**²unterdrücken:** eine Antwort u. → schweigen.
**Unterdrücker** → Gewaltherrscher.
**unterdrückt,** geknechtet, unfrei, versklavt, unterjocht, rechtlos; **u. werden,** unter Kuratel stehen, unter jmds. Knute / Pantoffel / Fuchtel stehen (*ugs.*); → unterdrücken; → Unfreiheit.
**Unterdrückung** → Unfreiheit.
**untere:** -r Hirnanhang → Hypophyse.
**untereinander,** miteinander; → wechselseitig.
**unterentwickelt:** -e Länder → Entwicklungsländer.
**Unterernährung** → Ernährungsstörung.
**Unterfangen** → Tun.
**unterfassen** → unterhaken.
**unterfertigen** → unterschreiben.
**Unterfertigter** → Unterzeichner.
**Unterfertigung** → Unterzeichnung.
**Unterführung,** Tunnel, Tunell (*landsch.*), Subway; → Kreuzung, → Straße · Ggs. → Brükke.
**Unterfunktion** → Funktionsstörung.
**untergeärmelt** → untergehakt.
**Untergebener** → Arbeitnehmer.
**untergefaßt:** → untergehakt; u. gehen → unterhaken.
**untergehakelt** → untergehakt.
**untergehakt** (*landsch.*), untergefaßt (*landsch.*), eingehakt (*landsch.*), untergehakelt (*land-*

*sch.*), eingearmt (*landsch.*), eingehängt (*landsch.*), eingehenkelt (*landsch.*), eingehäkelt (*landsch.*), eingeärmelt (*landsch.*), untergeärmelt (*landsch.*), Arm in Arm, per Arm (*ugs.*); → unterhaken.
**¹untergehen,** sinken, absinken, [in den Wellen / Fluten] versinken, absaufen (*salopp*), wegsacken, absacken, versacken; → ertrinken, → kentern, → sinken; → Havarie.
**²untergehen:** mit Mann und Maus u. → ertrinken.
**untergeordnet** → unselbständig.
**untergeschoben** → unecht.
**Untergestell,** Gestell, Stativ, Ständer, Fußgestell, Untersatz, Unterteil, Dreifuß, Bock; → Aktenständer, → Holzbock, → Sockel.
**Untergewand** → Kleidung.
**untergliedern** → gliedern.
**untergliedert** → gegliedert.
**Untergliederung** → Gliederung.
**¹untergraben,** unterminieren, erschüttern, ins Wanken bringen, aufweichen, zersetzen; **untergraben werden,** ins Wanken geraten, unsicher werden; → überreden, → verstoßen (gegen etwas).
**²untergraben:** etwas u. → verstoßen (gegen etwas).
**Untergrenze** → Minimum.
**Untergrundbahn** → Verkehrsmittel.
**Untergrundkämpfer** → Partisan.
**Untergrundorganisation** → Geheimbund.
**unterhaken** (*landsch.*), unterfassen (*landsch.*), unterärmeln (*landsch.*), sich bei jmdm. einhaken / einhängen (*landsch.*), untergefaßt gehen (*landsch.*), per Arm gehen (*ugs.*), Arm in Arm gehen, sich einhenken / einhenkeln (*landsch.*); → untergehakt.
**unterhalb,** unten, drunten, herunten (*südd., österr.*), unterwärts, darunter, in der Tiefe, nid (*schweiz.*); → abwärts · Ggs. → oberhalb.
**Unterhalt:** → Alimente, → Instandhaltung, → Lebensunterhalt.
**¹unterhalten** (sich), reden / sprechen mit, über etwas Ge-

danken austauschen, Konversation machen, konversieren (*veraltend*), plaudern, plauschen, klönen (*ugs., nordd.*), Zwiesprache / ein Plauderstündchen / einen Plausch / einen Schwatz / ein Schwätzchen / (*ugs., nordd.*) einen Klönschnack halten · *über vielerlei:* über Gott und die Welt / über Tod und Teufel reden (oder:) sprechen · *über Politik:* politisieren, kannegießern (*abwertend*); → ansprechen, → mitteilen, → sprechen, → vergnügen (sich); → Gespräch.

²**unterhalten:** → ernähren; sich u. → vergnügen (sich).

**unterhaltend:** → charmant, → kurzweilig.

**Unterhalter,** Alleinunterhalter, Entertainer, Stimmungskanone (*ugs.*), Betriebsnudel (*ugs.*), Gaudibursch (*landsch., ugs.*); → Ansager, → Vergnügungsindustrie.

**unterhaltsam** → kurzweilig.

**Unterhaltsbeitrag** → Alimente.

**Unterhaltszahlung** → Alimente.

¹**Unterhaltung,** Zerstreuung, Ablenkung, Vergnügen, Belustigung, Amüsement, Kurzweil, Zeitvertreib, Lätitzerl (*österr.*), Ramasuri (*österr.*), Gaudium, Mordsgaudi (*ugs., südd., österr.*), Gaudi (*ugs., südd., österr.*), Gaudee (*ugs., österr.*), Hetz (*ugs., österr.*); → Lust, → Scherz; → kurzweilig.

²**Unterhaltung:** → Gespräch, → Instandhaltung.

**Unterhaltungsbeilage** → Zeitungsbeilage.

**Unterhaltungsfilm** → Kinofilm.

**Unterhaltungsindustrie** → Vergnügungsindustrie.

**Unterhaltungslektüre** → Lektüre.

**Unterhaltungsliteratur** → Literatur.

¹**Unterhaltungsmusik,** Tanzmusik, Salonmusik, Kaffeehausmusik, Platzmusik, Promenadenmusik, leichte Musik, Schlagermusik, Popmusik, Beatmusik, Beat, Undergroundmusik, Jazzmusik, Jazz; → Musik.

²**Unterhaltungsmusik** → Musik.

**Unterhaltungsorchester** → Orchester.

**Unterhaltungsraum** → Gesellschaftsraum.

**Unterhaltungsroman** → Roman.

**Unterhaltungssendung:** → Fernsehsendung, → Rundfunksendung.

**Unterhaltungsteil** → Feuilleton.

**Unterhändler** → Abgesandter.

**Unterhaus** → Volksvertretung.

**Unterhemd,** Netzhemd, Unterjacke, Leibchen (*österr.*); → Kleidung, → Oberhemd, → Sporthemd, → Unterwäsche.

**Unterholz** → Dickicht.

**Unterhöschen** → Unterhose.

**Unterhose,** Schlüpfer, Slip, Höschen, Unterhöschen, Minislip, die Unaussprechlichen (*scherzh.*), Gate (*ugs., österr.*), Gatehose (*ugs., österr.*), Gatinger (*ugs., österr.*) · *lange:* Liebestöter (*scherzh.*) · *halblange:* Kniekitzler (*scherzh., landsch.*); → Hose, → Unterwäsche.

**Unterjacke** → Unterhemd.

**unterjochen** → besiegen.

**Unterjochung** → Unfreiheit.

**unterjubeln** → aufbürden.

**Unterkleid,** Unterrock, Petticoat, Halbrock; → Unterwäsche.

**unterkneten** → mischen.

¹**unterkommen:** etwas kommt jmdm. unter, über den Weg laufen, begegnen, stoßen auf; **etwas ist jmdm. noch nicht untergekommen,** etwas ist jmdm. noch nicht vorgekommen; → begegnen.

²**unterkommen** → Unterkunft [finden].

**unterkriechen** → Unterkunft [finden].

**unterkriegen:** sich nicht u. lassen → besiegen.

**unterkühlt:** → kalt, → unzugänglich.

**Unterkühlung,** Auskühlung, Wärmeentzug, Wärmeentziehung; → Erfrierungstod.

¹**Unterkunft,** Logis, Quartier, Obdach, Unterstand (*österr.*), Unterschlupf, Absteige, Absteigequartier, Asyl, Herberge (*schweiz.*), Bleibe (*ugs.*), Schlafstelle, Penne (*salopp*); **U. finden,** Obdach / Aufnahme finden, unterkommen, unterkriechen (*salopp*), aufgenommen / beherbergt / untergebracht werden; → Unterbringung, →Wohnung;

→ einmieten (sich), → wohnen.

²**Unterkunft** → Haus.

**Unterlage:** → Grundlage, → Urkunde; mit einer U. versehen → unterlegen.

**Unterlaß:** ohne U. → unaufhörlich.

¹**unterlassen,** verabsäumen, lassen (*ugs.*), sein lassen (*ugs.*), nicht tun / machen, bleibenlassen (*ugs.*), unterwegen lassen (*schweiz.*); → abschreiben.

²**unterlassen:** → aufhören; Rauchen u. → rauchen.

**Unterlassung** → Versäumnis.

**Unterlassungssünde** → Fehler.

¹**unterlaufen:** etwas unterläuft / passiert jmdm., einen Fehler machen, einen Bock schießen (*ugs.*); → Fehler.

²**unterlaufen:** etwas u. → verstoßen (gegen etwas).

**Unterlaufen** → Regelverstoß.

¹**unterlegen,** legen unter, unterschieben, schieben unter, mit einer Unterlage versehen.

²**unterlegen:** u. sein → erreichen (jmds. Leistung).

**Unterlegenheit** → Mangel.

**Unterleib** → Bauch.

**Unterleibstyphus** → Typhus.

**unterliegen:** → besiegen, → nachgeben; etwas unterliegt jmdm. → abhängen; etwas unterliegt einer Sache → müssen; der Überwachung u. → beobachten.

**untermauern** → nachweisen.

**untermengen** → mischen.

**Untermensch** → Rohling.

**Untermiete:** in U. bei → bei.

**Untermieter,** Aftermieter (*landsch.*) · *männlicher:* Zimmerherr, möblierter Herr (*ugs.*) · *der nur zum Schlafen anwesend ist:* Schlafbursche, Schlafgänger, Bettgeher (*österr.*); → Mieter, → Zimmervermieterin.

**Untermietzimmer** → Raum.

**unterminieren** → untergraben.

**Unterminierung** → Vernichtung.

¹**unternehmen** (etwas), etwas tun / (*ugs.*) machen / in die Hand nehmen, handeln, zur Tat schreiten, aktiv / initiativ werden, die Initiative ergreifen, etwas nicht auf sich beruhen lassen; → tun; → aktiv; → Tun.

²**unternehmen** → veranstalten.

¹**Unternehmen,** Unternehmung (*fachspr.*), Firma, Handelsgesellschaft, Konzern, Dachorganisation, Dachgesellschaft, Holdinggesellschaft, Gesellschaft, Trust, Etablissement; → Betrieb, → Büro, → Fabrik, → Hauptgeschäftsstelle, → Laden, → Wirtschaft, → Zweigstelle.

²**Unternehmen:** → Aktion, → Betrieb, → Tun.

**unternehmend** → aktiv.

**Unternehmer,** Industrieller, Produzent, Hersteller, Erzeuger, Fabrikherr, Fabriksherr (*österr.*), Fabrikdirektor, Fabriksdirektor (*österr.*), Schlotbaron (*abwertend*), Fabrikant, Fabrikbesitzer, Fabriksbesitzer (*österr.*); → Betreuer, → Geschäftsmann.

**Unternehmung:** → Aktion, → Eskapade, → Unternehmen, → Versuch.

**Unternehmungsfreude** → Abenteuerlust.

**Unternehmungsgeist:** → Abenteuerlust, → Aktivität, → Entschlußkraft.

**Unternehmungslust:** → Abenteuerlust, → Aktivität.

**unternehmungslustig** → aktiv.

**Unteroffizier** → Dienstgrad.

**unterordnen:** → subsumieren; sich u. → anpassen, → nachgeben; etwas ist von untergeordneter Bedeutung → unwichtig [sein].

**Unterordnung:** → Anpassung, → Einordnung, → Gehorsam.

¹**Unterpfand,** Pfand, Zeichen, Beweis; → Sicherheit.

²**Unterpfand** → Sicherheit.

**Unterprima** → Schulklasse.

**Unterprivilegierter** → Außenseiter.

**Unterredung** → Gespräch.

¹**Unterricht,** Unterweisung, Anleitung, Unterrichtsstunde, Stunde, Lektion, Kurs, Kursus, Kursunterricht, Lehrgang · *an der Hochschule:* Vorlesung, Kolleg · Übung, Seminar · *ohne Besuch von Hochschulvorlesungen:* Fernsehkursus, Fernstudium; → Ausbildung, → Lehrplan, → Pensum, → Unterrichtsmethode, → Weisung; U. **erhalten,** Unterricht / Stunden / Nachhilfestunden / Nachhilfe

nehmen, unterrichtet werden, den Unterricht besuchen, an einem Lehrgang / Kursus / Kurs teilnehmen, einen Lehrgang / Kursus / Kurs mitmachen (*ugs.*) · *an der Hochschule:* bei jmdm. [Vorlesungen] hören, eine Vorlesung belegt haben, in eine Vorlesung gehen.

²**Unterricht:** audiovisueller / programmierter U. → Unterrichtsmethode; U. geben → lehren.

**unterrichten:** → lehren, → mitteilen; sich u. → fragen; unterrichtet → aufgeklärt; unterrichtet sein → wissen; unterrichtet werden → Unterricht [erhalten].

**Unterrichtender** → Instrukteur.

**unterrichtsfrei:** -e Stunde → Freistunde.

**Unterrichtslehre** → Didaktik.

**Unterrichtsmethode** · programmierter Unterricht, audiovisueller Unterricht, Sprachlabor, Sprachlehranlage; → Unterricht.

**Unterrichtsstunde** →Unterricht.

**Unterrichtstheorie** → Didaktik.

**Unterrichtung** → Weisung.

**Unterrock** → Unterkleid.

**unterrühren** → beimischen.

**untersagen** → verbieten.

**untersagt** → gesetzwidrig.

**Untersagung** → Verbot.

¹**Untersatz,** Untersetzer · *für Biergläser:* Bierdeckel, Bierfilz, Filz, Bierbricken (*nordd.*).

²**Untersatz** → Untergestell.

**Unterschallflug** → Flug.

**unterschätzen,** zu gering einschätzen, unterbewerten, sich über etwas täuschen; **nicht zu u. sein,** nicht schlecht / nicht übel sein, nicht von schlechten Eltern / nicht von Pappe / nicht so ohne sein (*ugs.*); → mißachten.

¹**unterscheiden,** auseinanderhalten, auseinanderkennen, einen Unterschied machen, sondern, trennen, ausscheiden (*schweiz.*), gegeneinander abgrenzen, nicht → gleichsetzen, nicht → verquicken; **nicht u.,** keinen Unterschied machen, alles über einen Kamm scheren / über einen Leisten schlagen / in einen Topf werfen (*ugs.*); → ausschließen, → Abweichung.

²**unterscheiden:** → sehen; sich u. → kontrastieren.

**unterschieben:** → unterlegen; jmdm. etwas u. → verdächtigen.

**Unterschied:** → Abweichung, → Kontrast; einen / keinen U. machen → unterscheiden.

**unterschiedlich:** → verschieden; u. behandeln → diskriminieren.

**Unterschiedlichkeit:** → Abweichung, → Nichtübereinstimmung.

**Unterschiedsbetrag** → Saldo.

¹**unterschlagen,** veruntreuen, hinterziehen, nicht → zahlen; → Diebstahl.

²**unterschlagen:** eine Nachricht, Mitteilung u. → schweigen.

**Unterschlagung** → Diebstahl.

**Unterschleif** → Diebstahl.

**Unterschlupf:** → Unterkunft, → Zuflucht.

¹**unterschreiben,** unterzeichnen, seinen [Friedrich] Wilhelm / seinen Servus d[a]runtersetzen (*ugs., scherzh.*), unterfertigen, gegenzeichnen, abzeichnen, seine Unterschrift geben, ratifizieren, paraphieren, quittieren, saldieren (*österr.*), signieren; → bescheinigen, → beschriften; → Unterschrift, → Unterzeichner, → Unterzeichnung.

²**unterschreiben** → billigen.

¹**Unterschrift,** Namenszug, Autogramm, Namenszeichen, Signum, Paraphe, Signatur, Handzeichen; → Unterzeichner, → Unterzeichnung; → unterschreiben.

²**Unterschrift** → Aufschrift.

**unterschwellig:** → latent, → unterbewußt.

**Unterseeboot** → Kriegsschiff.

**Unterseite** → Rückseite.

**Untersekunda** → Schulklasse.

**Untersetzer** → Untersatz.

**untersetzt,** gedrungen, stämmig, kompakt, bullig, pyknisch; → athletisch, → dick; → Stämmigkeit.

**Untersetztheit** → Stämmigkeit.

**Unterstand:** → Bunker, → Schützengraben.

**unterstandslos** → Wohnung.

**unterstehen:** sich u. → wagen; etwas untersteht jmdm. → abhängen; nur dem Kaiser -d → reichsunmittelbar.

¹**unterstellen** (sich), Schutz / Zuflucht suchen unter, sich flüchten (in, unter).

²**unterstellen:** → behaupten; jmdm. etwas u. → verdächtigen.

**Unterstellung** → Behauptung.

**unterstreichen** → betonen.

**Unterstreichung** → Hervorhebung.

¹**unterstützen** (etwas), fördern, einer Sache Tür und Tor öffnen / Vorschub leisten (*abwertend*) / zum Durchbruch verhelfen / Bahn brechen / eine Bresche schlagen; → fördern, → überhandnehmen; → Beihilfe.

²**unterstützen:** → festigen, → helfen, → zahlen.

**Unterstützung:** → Dienst, → Hilfe, → Zuschuß.

**Unterstützungsmauer** → Mauer.

**Untersuch** → Kontrolle.

¹**untersuchen**, eine Untersuchung vornehmen, diagnostizieren, die Diagnose stellen · *auf den Geisteszustand hin:* psychiatrieren (*österr.*); → erkennen, → kontrollieren; Untersuchung.

²**untersuchen:** → erörtern, → nachforschen.

¹**Untersuchung** · Reihenuntersuchung, Routineuntersuchung · *um Krankheiten rechtzeitig erkennen zu können:* Vorsorgeuntersuchung · *auf den Geisteszustand hin:* Psychiatrierung (*österr.*); → Kontrolle; → untersuchen.

²**Untersuchung:** → Erforschung, → Experiment, → Kontrolle, → Nachforschung, → Verhör; demoskopische U. → Umfrage; eine gerichtliche U. anordnen → belangen; eine U. vornehmen → untersuchen.

**Untersuchungsgefängnis** → Strafanstalt.

**Untersuchungshaft** → Freiheitsentzug.

**Untersuchungszimmer** → Sprechzimmer.

**untertags** → tagsüber.

**untertan:** jmdm. u. sein → abhängig [sein von]; sich jmdn. u. machen → besiegen; nur dem Kaiser u. → reichsunmittelbar.

**Untertan** → Staatsbürger.

**untertänig:** → unterwürfig; -st → hochachtungsvoll.

**Untertänigkeit** → Unterwürfigkeit.

**Untertasse:** → Teller; fliegende U. → Flugkörper; Obertasse und U. → Tasse.

**Unterteil** → Untergestell.

¹**unterteilen**, abteilen, teilen, aufgliedern, einteilen; → entflechten, → gliedern, → teilen.

²**unterteilen** → gliedern.

**unterteilt** → gegliedert.

**Unterteilung** → Gliederung.

**Unterteller** → Teller.

**Untertemperatur,** Hypothermie, Kollapstemperatur; → Krankheit · Ggs. → Fieber.

**Untertertia** → Schulklasse.

**Untertitel** → Übersetzung.

**Unterton:** mit einem gewissen U. sprechen → sprechen.

**Untertreibung,** Understatement, Litotes; → Bescheidenheit; → bescheiden · Ggs. → Übertreibung.

**untervermieten** → vermieten.

**unterwandern** → infiltrieren.

**Unterwanderung** → Verschwörung.

**unterwärts** → unterhalb.

**Unterwäsche,** Wäsche, Trikotagen (Plural), Wirkwaren (Plural), Linge (*veraltet, schweiz.*) · *für Damen:* Dessous; → Unterhemd, → Unterhose, → Unterkleid.

**Unterwasserkamera** → Fotoapparat.

**Unterwassermassage** → Massage.

**unterwegen:** u. lassen → unterlassen.

¹**unterwegs,** auf dem Wege, auf Reisen, verreist, fort, weg, auf Achse (*salopp*), **dauernd u. sein,** aus dem Koffer leben.

²**unterwegs:** ein Kind ist u. → schwanger [sein].

**unterweisen** → lehren.

**Unterweisung** → Unterricht.

¹**Unterwelt,** Verbrecherwelt · *mondäne:* Halbwelt, Demimonde; → Dirnenwelt.

²**Unterwelt:** → Hölle; Strom der U. → Lethe.

**unterwerfen** → besiegen; sich u. → nachgeben; der Mode unterworfen → modern; nicht der Mode unterworfen → zeitlos.

**unterwürfig,** devot, demütig, ehrerbietig, submiß, gotterge-

ben, kniefällig, fußfällig, untertänig, servil, knechtisch, kriechend (*abwertend*), kriecherisch (*abwertend*), speichelleckerisch (*abwertend*), byzantinisch; → ehrfürchtig, → nachdrücklich, → tolerant, → übereifrig, → unselbständig, → würdelos; **u. sein,** kriechen, katzbuckeln, liebedienern, antichambrieren, herumschwänzeln um, herumscharwenzeln um, radfahren (*ugs., abwertend*), in den Hintern / Arsch kriechen (*derb*), vor jmdm. auf dem Bauch rutschen / liegen (*ugs.*), einen krummen Buckel vor jmdm. machen (*ugs.*); → erniedrigen (sich), → nähern, → schmeicheln; → Unterwürfigkeit.

¹**Unterwürfigkeit,** Untertänigkeit, Demütigkeit, Gottergebenheit, Gottergebung, Devotion, Kriecherei (*abwertend*), Liebedienerei, Speichelleckerei (*abwertend*), Schmeichelei, Byzantinismus, Servilität, Servilismus; → Demut, → Schmeichler; → unterwürfig.

²**Unterwürfigkeit** → Gehorsam.

**unterzeichnen** → unterschreiben.

**Unterzeichner,** Unterzeichneter, Unterfertigter, Linksunterzeichneter, Rechtsunterzeichneter; → Unterschrift, → Unterzeichnung; → unterschreiben.

**Unterzeichneter** → Unterzeichner.

**Unterzeichnung,** Unterfertigung, Gegenzeichnung, Abzeichnung, Quittierung, Saldierung (*österr.*), Signierung, Ratifizierung, Paraphierung; → Erlaubnis, → Unterschrift, → Unterzeichner; → unterschreiben.

**unterziehen:** einer Prüfung u. → prüfen; jmdn. einer Gehirnwäsche u. → lenken; einer Revision u. → kontrollieren.

**untief** → seicht.

**Untier** → Ungeheuer.

**untrennbar** → unzertrennlich.

**untreu,** ungetreu, treubrüchig, treulos, perfide, verräterisch, wortbrüchig, abtrünnig, unbeständig, unstet, flatterhaft, wankelmütig, nicht → treu; → labil; **u. werden,** abfallen, abspringen; **u. sein** · *in sexueller*

*Hinsicht:* die Ehe brechen, Ehebruch begehen, fremdgehen *(ugs.)*, Seitensprünge machen, [seine Frau, seinen Mann] betrügen, [dem Mann] Hörner / ein Geweih aufsetzen, [den Mann] zum Hahnrei machen; → sitzenlassen, → überwechseln; → Abtrünniger, → Ehefrau, → Ehemann, → Untreue.

**Untreue,** Treubruch, Felonie *(veraltet),* Treulosigkeit, Illoyalität, Unehrlichkeit, Unredlichkeit, Ehrlosigkeit, Wortbrüchigkeit, Abtrünnigkeit, Abfall, Apostasie, Unbeständigkeit, Unstetigkeit, Flatterhaftigkeit, Wankelmut, Wankelmütigkeit, Charakterlosigkeit, Perfidie, Perfidität; → Abtrünniger, → Arglist, → Bosheit, → Ehebruch, → Pflichtvergessenheit, → Unbeständigkeit; → ehrlos, → untreu · Ggs. → Treue.

**untröstlich:** u. sein → bedauern, → bereuen.

**Untüchtigkeit** → Unfähigkeit.

**unüberlegt:** → unbesonnen, → willkürlich; u. handeln → übereilen.

**Unüberlegtheit** → Unbesonnenheit.

**unübersichtlich** → wirr.

**Unübersichtlichkeit** → Heillosigkeit.

**unübertrefflich** → unschlagbar.

**unübertroffen** → unschlagbar.

**unüberwindbar,** unüberwindlich, unbezwingbar, unbezwinglich, unbesiegbar; → Unschlagbarkeit.

**Unüberwindbarkeit** → Unschlagbarkeit.

**unüberwindlich** → unüberwindbar.

**unüblich,** ungewöhnlich, ausgefallen, unkonventionell, ungebräuchlich, ungewohnt, okkasionell, irregulär, unregelmäßig, nicht → üblich; → anormal, → außergewöhnlich; → Abweichung.

**unumgänglich** → nötig.

**Unumgänglichkeit** → Erfordernis.

**unumschränkt** → selbständig, → totalitär.

**unumstößlich** → unabänderlich.

**Unumstößlichkeit** → Endgültigkeit.

**unumwunden** → rundheraus.

**ununterbrochen** → unaufhörlich.

**unveränderlich:** → ewig, → feststehend, → göttlich; -e Größe → Konstante.

**Unveränderlichkeit** → Ewigkeit, → Gotteseigenschaften.

**unverantwortlich** → unverzeihlich.

**Unverantwortlichkeit** → Unentschuldbarkeit.

**unveräußerlich,** unabdingbar, unverzichtbar, unaufgebbar, unentbehrlich, unbedingt nötig / erforderlich; → unersetzlich; → Unabdingbarkeit, → Unentbehrlichkeit.

**Unveräußerlichkeit** → Unabdingbarkeit.

**unverbesserlich** → eingefleischt.

**[1]unverbindlich,** nicht bindend / fest, ohne Verpflichtung / Kaufzwang.

**[2]unverbindlich** → unhöflich.

**unverblümt** → klar.

**Unverblümtheit:** → Aufrichtigkeit, → Deutlichkeit.

**unverdächtig,** koscher *(ugs.),* sauber, rein, astrein *(ugs.)* · *von Speisen:* koscher *(jüd.),* nicht treife *(jüd.),* nicht → anrüchig; → ehrenhaft.

**unverdaulich,** unverträglich, nicht bekömmlich · Ggs. → bekömmlich.

**unverdorben** → lauter.

**unverdrossen** → beharrlich.

**Unverdrossenheit** → Beharrlichkeit.

**unvereinbar** → gegensätzlich.

**Unvereinbarkeit** → Gegensätzlichkeit.

**unverfälscht:** → echt, → gereinigt.

**Unverfälschtheit** → Ursprünglichkeit.

**unverfänglich** → ungefährlich.

**unverfroren** → frech.

**Unverfrorenheit** → Frechheit.

**unvergänglich:** → bleibend, → ewig.

**Unvergänglichkeit:** → Ewigkeit, → Haltbarkeit.

**unvergeßbar** → unvergessen.

**unvergessen,** unvergeßlich, denkwürdig, unvergeßbar; → bleibend.

**unvergeßlich:** → nachhaltig, → unvergessen.

**unvergleichlich** → außergewöhnlich.

**unverheiratet** → ledig.

**unverhofft** → plötzlich.

**unverhohlen** → aufrichtig.

**unverhüllt** → aufrichtig.

**unverkennbar:** → kennzeichnend, → typisch.

**unverletzlich:** → tabu; das Unverletzliche → Tabu.

**unverletzt** → heil.

**unvermeidlich** → nötig.

**unvermindert:** u. fortdauernd → ungetrübt.

**unvermischt** → gereinigt.

**unvermittelt** → plötzlich.

**Unvermögen** → Unfähigkeit.

**unvermögend:** → arm, → unfähig.

**unvermutet** → plötzlich.

**Unvernunft:** → Absurdität, → Torheit, → Unbesonnenheit.

**unverpackt,** nicht abgepackt, offen *(ugs.),* lose · Ggs. → abgepackt.

**unverrichteterdinge:** u. weggehen → Erfolg.

**unverschämt** → frech.

**Unverschämtheit:** → Frechheit, → Bosheit.

**unverschlossen** → offen.

**unversehens** → plötzlich.

**unversehrt** → heil.

**unversöhnlich** → unzugänglich.

**Unversöhnlichkeit** → Unduldsamkeit.

**Unverstand:** → Torheit, → Unbesonnenheit.

**unverständig** → dumm.

**Unverständigkeit** → Beschränktheit.

**unverständlich:** → unfaßbar, → verworren.

**unversucht:** nichts u. lassen → anstrengen (sich).

**[1]unverträglich,** zänkisch, streitsüchtig; → streitbar.

**[2]unverträglich** → unverdaulich.

**unvertretbar** → unverzeihlich.

**Unvertretbarkeit** → Unentschuldbarkeit.

**unverwendet** → neu.

**unverwüstlich** → haltbar.

**Unverwüstlichkeit** → Haltbarkeit.

**unverzagt:** → mutig, → zuversichtlich.

**Unverzagtheit** → Mut.

**unverzeihlich,** unentschuldbar, unverantwortlich, unvertretbar, verantwortungslos; → unbesonnen; → Unentschuldbarkeit.

**Unverzeihlichkeit** → Unentschuldbarkeit.

**unverzichtbar** → unveräußerlich.

**Unverzichtbarkeit** → Unabdingbarkeit.

**unverzüglich** → gleich.

**unvollendet:** → unerledigt, → unvollständig.

**Unvollendetheit** → Unvollständigkeit.

**unvollkommen** → unvollständig.

**Unvollkommenheit** → Unvollständigkeit.

**unvollständig,** unvollkommen, lückenhaft, bruchstückhaft, fragmentarisch, unvollendet, unabgeschlossen, unbeendet, unfertig, halb, halbfertig, nicht → ganz; → gekürzt, → unzulänglich; → Fragment, → Trümmer, → Unvollständigkeit.

**Unvollständigkeit,** Unvollkommenheit, Lückenhaftigkeit, Fehlerhaftigkeit, Bruchstückhaftigkeit, Unvollendetheit, Unabgeschlossenheit, Unfertigkeit; → Fragment, → Mangel, → Trümmer, → Unzulänglichkeit; → unvollständig, → unzulänglich.

**unvorbereitet:** → ahnungslos, → improvisiert.

**Unvorbereitetsein** → Ahnungslosigkeit.

**unvoreingenommen** → unparteiisch.

**Unvoreingenommenheit** → Objektivität.

**unvorhergesehen** → plötzlich.

**unvorsichtig** → unbesonnen.

**unvorstellbar** → unwahrscheinlich.

**unvorteilhaft:** u. aussehen → häßlich [aussehen].

**unwahr:** → falsch; als u. bezeichnen → abstreiten; Unwahres → Lüge.

**unwahrhaftig** → unredlich.

**Unwahrheit:** → Lüge; die U. sagen — lügen.

**unwahrscheinlich,** unglaubhaft, unglaublich, kaum glaublich, kaum denkbar, unvorstellbar; → außergewöhnlich; **u. sein,** ins Reich der Fabel gehören, reine Dichtung sein; → lügen.

**unwandelbar:** → bleibend, → ewig.

**Unwandelbarkeit:** → Ewigkeit, → Treue.

**unwegsam** → undurchdringlich.

**unweigerlich:** → bestimmt, → wahrlich.

**unwesentlich** → unwichtig.

**Unwesentlichkeit** → Bedeutungslosigkeit.

**Unwetter** → Wetter.

**unwichtig,** belanglos, ohne Belang, trivial, unerheblich, unwesentlich, nebensächlich, bedeutungslos, unbedeutend, unmaßgeblich, nicht erwähnenswert, akzidentell, zufällig, irrelevant, nicht → wichtig; → einerlei, → gleichviel, → grundlos, → klein, → sekundär, → verzeihlich; **u. sein,** etwas macht / tut / schadet / verschlägt nichts, etwas ist von untergeordneter Bedeutung / tut nichts zur Sache / hat nichts zu sagen / ist nicht (oder:) kaum der Rede wert / spielt keine Rolle, danach fragt niemand / (*ugs.*) kräht kein Hahn, jmdm. ist etwas gleichgültig / gleich / egal / einerlei / (*salopp*) Wurst / (*salopp*) wurscht / (*salopp*) wurschtegal / (*salopp*) schnuppe / (*salopp*) piepe / (*salopp*) schnurz / (*vulgär*) scheißegal, wen juckt's? (*salopp*), laß mir die / meine Ruhe (*ugs.*), rutsch mir den Buckel runter! (*salopp*), du kannst mich gern haben (*salopp*), du kannst mich am Abend / im Mondschein besuchen (*salopp*), laß mich in Frieden! (*ugs.*), blas mich auf! (*ugs.*), leck mich am Arsch! (*vulgär*); → bagatellisieren; → Bedeutungslosigkeit, → Trivialität.

**Unwichtigkeit** → Bedeutungslosigkeit.

**unwiderlegbar** → stichhaltig.

**unwiderleglich:** → stichhaltig, → wahr.

**unwiderruflich:** → unabänderlich, → verbindlich.

**Unwiderruflichkeit** → Endgültigkeit.

**unwiderstehlich:** → teuflisch; sich für u. halten → überschätzen [sich].

**unwiederbringlich** → verloren.

**unwiederherstellbar** → irreparabel.

**Unwille:** → Verstimmung; -n hervorrufen → anstoßen; seinen -n kundtun → auspfeifen.

**unwillig** → ärgerlich.

**Unwilligkeit** → Widerwille.

**unwillkommen** → unerfreulich.

**unwillkürlich:** → automatisch; -es Nervensystem → Nervensystem.

**unwirklich,** irreal, eingebildet, imaginär, abstrakt, phantastisch, schimärisch, trügerisch, irreführend, täuschend, illusorisch, nicht → wirklich; → grundlos; → Einbildung.

**Unwirklichkeit** → Einbildung.

**unwirksam** → wirkungslos.

**Unwirksamkeit,** Wirkungslosigkeit, Erfolglosigkeit; → wirkungslos.

**unwirsch** → ärgerlich.

**unwirtlich** → ungemütlich.

**Unwirtlichkeit** → Ungemütlichkeit.

**unwissend** → ahnungslos.

**Unwissenheit:** → Ahnungslosigkeit, → Unkenntnis.

**unwohl:** jmdm. ist (oder:) wird unwohl / übel / schlecht / schwach / (*ugs.*) mies / (*ugs.*) kodd[e]rig / (*ugs.*) speiübel / schwindlig / (*ugs.*) blümerant, jmdm. ist nicht gut, jmdm. schwindelt; → krank.

**Unwohlsein:** → Krankheit, → Menstruation.

**unwürdig** → würdelos.

**Unzahl** → Anzahl.

**unzählbar** → unendlich.

**Unzählbarkeit** → Unbegrenztheit.

**unzählig** → reichlich.

**unzählige** → viele.

**Unze** → Gewichtseinheit.

**Unzeit:** zur U. kommen → stören.

**unzeitgemäß** → rückschrittlich.

**unzeremoniell** → ungezwungen.

**unzerstörbar:** → bleibend, → ewig.

**Unzerstörbarkeit** → Ewigkeit.

**unzertrennbar,** untrennbar, fest [verbunden]; **u. sein,** [wie Pech und Schwefel] zusammenhalten, [wie Kletten] aneinander hängen, ein Herz und eine Seele sein.

**Unzialschrift** → Schrift.

**unziemlich** → anstößig.

**Unziemlichkeit** → Anstößigkeit.

**unzivilisiert** → wild.

**Unzucht,** Unsittlichkeit · *mit Kindern:* Pädophilie; → Homosexueller, → Inzest, → Umkehrung; → anstößig, → pervers.

**unzüchtig:** → anstößig; -e Schriften → Literatur.

**Unzüchtigkeit** → Sittenlosigkeit.

**unzufrieden,** unbefriedigt, enttäuscht, verbittert, verhärmt, abgehärmt, vergrämt, versorgt; → ärgerlich, → deprimiert, → gekränkt, → schwermütig; **u. sein,** hadern, mit sich und der Welt zerfallen sein, sich in seiner Haut nicht wohl fühlen (*ugs.*), sich verletzt fühlen, enttäuscht sein, ein langes Gesicht machen, die Faust ballen; → murren; → Enttäuschung.

**¹Unzufriedenheit,** Verdrossenheit, Unlust, Unbehagen, Mißbehagen, Mißfallen, Mißmut, Verbitterung, Bitterkeit, Bitternis; → Ärger, → Verstimmung.

**²Unzufriedenheit** → Ärger.

**¹unzugänglich,** verschlossen, finster, trotzig, aufsässig, widersetzlich, unbotmäßig, aufmüpfig, widerspenstig, widerborstig, kratzbürstig, störrisch, renitent, fest, unnachgiebig, unversöhnlich, intransigent, radikal, kompromißlos, unerbittlich, eigensinnig, starrsinnig, starrköpfig, halsstarrig, rechthaberisch, verbohrt, orthodox, doktrinär, obstinat, steifnackig, dickköpfig, dickschädelig, unbequem, hartgesotten, unbelehrbar, ungehorsam, unfolgsam, bockbeinig (*ugs.*), bockig (*ugs.*), eisern, verstockt, stur (*ugs., abwertend*), sturheil (*ugs., abwertend*), stützig (*veraltet, südd., österr.*), verhalten, distanziert, kühl, unterkühlt, frostig, unnahbar, spröde, spröd, herb, verkniffen, kontaktarm, kontaktschwach, menschenscheu, introvertiert, schizothym, ungesellig, menschenfeindlich, misanthropisch, unempfänglich, zugeknöpft, unaufgeschlossen, verständnislos, nicht → gesellig; → ängstlich, → aufrührerisch, → beharrlich, → frech, → gefühlskalt, → herrisch, → passiv, →

→ selbständig, → streng, → unbarmherzig, → verschlossen; **u. sein,** nicht aus sich herausgehen, sich nichts sagen lassen, sich einer Sache / gegen etwas verschließen, seine Ohren verschließen, sich gegen etwas sperren, einer Sache widerstreben, einen Dickkopf haben / aufsetzen, einen dicken / harten Schädel haben, stur wie ein Bock / Panzer sein (*salopp*), mit dem Kopf durch die Wand wollen, Mais machen (*schweiz.*) · *in bezug auf ein Anliegen:* bei jmdm. auf Granit beißen, jmdn. am steifen Arm verhungern lassen (*ugs.*); **jmdn. u. sein:** etwas ist jmdm. unzugänglich, keinen Zugang zu etwas / (*ugs.*) keinen Einstieg in etwas finden, kein Verhältnis zu etwas haben, kein Organ / kein Verständnis / (*ugs.*) keine Antenne / keinen Sinn für etwas haben, jmdm. geht jedes Verständnis / jeder Sinn für etwas ab, etwas sagt jmdm. nichts / ist für jmdn. ein Buch mit sieben Siegeln, mit etwas nichts anfangen können; → abkapseln, → anpassen, → anwidern, → aufbegehren, → bestehen (auf), → entgegenstehen, → wehren (sich); → Trotzkopf, → Verschlossenheit.

**²unzugänglich** → undurchdringlich.

**Unzugänglichkeit** → Verschlossenheit.

**Unzukömmlichkeit** → Unzulänglichkeit.

**unzulänglich,** unzureichend, unbefriedigend, mangelhaft, mangelbar (*schweiz.*), unzukömmlich (*österr.*), ungenügend, halbbatzig (*schweiz.*), halbbacken (*schweiz.*), halbwertig, nicht → ausreichend; → dilettantisch, → mäßig, → unvollständig.

**Unzulänglichkeit,** Mangelhaftigkeit, Minderwertigkeit, Gebrechen, Gebrechlichkeit, Übelstand, Ungenügen, Flüchtigkeit, Unzukömmlichkeit (*bes. österr., schweiz.*), Unannehmlichkeit, Unstimmigkeit, → Mangel, → Unvollständigkeit; → unvollständig, → unzulänglich.

**unzulässig** → gesetzwidrig.

**Unzulässigkeit:** → Gesetzwidrigkeit, → Pflichtvergessenheit.

**¹unzumutbar,** unmöglich, ungebührlich; → unausführbar, → unerhört, → unsinnig; **u. sein:** etwas ist unzumutbar / eine Zumutung / ein Unding.

**²unzumutbar** → beleidigend.

**unzurechnungsfähig:** u. sein → geistesgestört [sein]; für u. erklären → entmündigen.

**unzureichend** → unzulänglich.

**¹unzusammenhängend,** zusammenhanglos, beziehungslos, ungereimt; → abwegig, → diskontinuierlich, → unsinnig; → Zusammenhanglosigkeit.

**²unzusammenhängend** → abwegig.

**¹Unzuträglichkeit,** Überempfindlichkeitsreaktion, allergische Reaktion, Anaphylaxie, Serumkrankheit, anaphylaktischer Schock; → Überempfindlichkeit; → empfindlich.

**²Unzuträglichkeit** → Streit.

**unzutreffend:** → falsch; als u. bezeichnen → abstreiten.

**¹unzuverlässig,** pflichtvergessen, ehrvergessen, windig (*ugs.*); → bestechlich · Ggs. → verantwortungsbewußt; **u. sein,** ein unsicherer Kantonist sein (*ugs.*).

**²unzuverlässig** → ungewiß.

**unzweideutig** → klar.

**Upas** → Gift.

**Uppercut** → Fausthieb.

**Upper ten** → Oberschicht.

**¹üppig,** luxuriös, feudal, fürstlich, überreichlich, überreich, reich, verschwenderisch · *von Speisen:* opulent, lukullisch, kulinarisch; → freigebig, → nützlich, → reichlich, → überladen · Ggs. → einfach; **ü. leben,** flott / auf großem Fuße leben; → Redundanz.

**²üppig:** → dick, → überladen; ü. werden → überhandnehmen, → wuchern.

**Üppigkeit:** → Redundanz, → Wohlgenährtsein.

**Upschida** → Volksvertretung.

**up to date** → modern.

**ur-:** → erste, → erz-.

**Urabstimmung** → Wahl.

**uralt:** → alt, → altmodisch.

**Urämie** → Harnvergiftung.

**Urania** → Muse.

**Uranist** → Homosexueller.

Uranus → Planet.
uraufführen → aufführen.
Uraufführung: zur U. bringen → aufführen.
Uraufführungsfilmtheater → Kino.
Uraufführungskino → Kino.
Uraufführungstheater → Kino.
urban: → gewandt, → städtisch.
Urbanität: → Lebensweise, → Weltgewandtheit.
urbar, nutzbar, fruchtbar, anbaufähig; u. machen, roden, reuten (oberd.), urbarisieren (schweiz.); → abholzen, → brachliegen; → Urbarmachung.
urbarisieren → urbar [machen].
Urbarisierung → Urbarmachung.
Urbarmachung, Urbarisierung (schweiz.), Rodung · Schlägerung (österr.); → urbar.
Urbild → Muster.
urchig → echt.
Urchristentum → Christentum.
Ureinwohner → Bewohner.
Urenkel → Verwandter.
Ureterolith → Harnstein.
Ureterstein → Harnstein.
Urethralstein → Harnstein.
Urethrolith → Harnstein.
Urethroskopie → Ausspiegelung.
Urfassung → Original.
Urfehde: U. schwören → bereinigen.
Urfeind → Feind.
Urgemeinde → Christentum.
Urgeschichte → Geschichte.
Urgesellschaft → Gesellschaft.
Urgroßeltern → Verwandter.
Urgroßmutter → Verwandter.
Urgroßvater → Verwandter.
Urheber → Gründer.
Urheberrecht → Copyright.
Uriel → Erzengel.
Urin, Harn, Wasser, Pipi (ugs.), Seiche (vulgär), Pisse (vulgär); → Blase, → Exkrement, → Harnentleerung, → Harnvergiftung; → urinieren.
Urinal → Nachtgeschirr.
Urinflasche → Nachtgeschirr.
urinieren, harnen, Wasser lassen, sein Wasser abschlagen (ugs.), Pipi machen (ugs.), klein machen (ugs.), puschen (ugs.), wiescherln (Kinderspr.), ein Bächlein machen (Kinderspr.), pinkeln (salopp), pullen (salopp), pullern (salopp), lul-

lern (salopp), seichen (vulgär), pissen (vulgär), schiffen (vulgär), brunzen (vulgär) · oft: eine Sextanerblase haben (scherzh.) · unfreiwillig: sich einnässen / (ugs.) naß machen, das Bett naß machen, Bettnässer sein; → austreten, → defäkieren; → Bettnässen, → Harnblase, → Harnentleerung, → Harnvergiftung, → Toilette, → Urin.
Urkantone → Innerschweiz.
urkomisch → spaßig.
Urkunde, Schriftstück, Dokument, Unterlage, Patent, Papier · Ernennungsurkunde, Bestallungsurkunde · Ehrenbürgerurkunde, Ehrenbürgerbrief, Ehrenurkunde · Adelsbrief, Lehensbrief (hist.) · Gesellenbrief, Meisterbrief · Geburtsurkunde, Heiratsurkunde, Sterbeurkunde; → Abmachung, → Akte, → Aktenbündel, → Ausweis, → Bescheinigung, → Nachweis, → Patent, → Schreiben, → Totenschein, → Zensur; eine U. ausstellen, etwas beurkunden.
Urkundenfälscher → Betrüger.
Urkundenfälschung → Betrug.
Urkundensammlung: → Archiv, → Dokumentensammlung.
Urkundenstempel → Siegel.
urkundlich → belegbar.
¹Urlaub, Urlaubszeit, Ferien, Ferienzeit, Ferialzeit (österr.), Betriebsferien, Reise, Sommerfrische (veraltend), Erholung, Kur, Kurlaub (scherzh.); → Ferien, → Passagier, → Pause, → Reise, → Saison, → Sommerpause; → reisen, → ruhen.
²Urlaub: U. machen → erholen (sich); wie eine Leiche auf U. aussehen → krank [aussehen].
Urlauber, Feriengast, Gast, Erholungssuchender, Sommergast, Sommerfrischler, Kurgast, Kurant (schweiz.), Tourist, Ausflügler, Wanderer, Urlaubsreisender; → Passagier, → Wanderer.
Urlaubsgeld → Gratifikation.
Urlaubsgruß → Kartengruß.
Urlaubslektüre → Lektüre.
urlaubsreif → erschöpft.
Urlaubsreise → Reise.
Urlaubsreisender → Urlauber.
Urlaubssperre → Sperre.
Urlaubstag → Ruhetag.

Urlaubswetter → Schönwetter.
Urlaubszeit → Urlaub.
Urlinde → Lesbierin.
Urne → Sarg.
Urnenfriedhof → Friedhof.
Urnengang → Wahl.
Urnengrab → Grab.
Urninde → Lesbierin.
Urning → Homosexueller.
Urodochium → Nachtgeschirr.
Urolith → Harnstein.
Urologe → Arzt.
Urologie → Heilkunde.
urrot → rot.
Ursache: → Anlaß; U. des Streites → Streitobjekt.
ursächlich, begründend, kausal · im Hinblick auf eine Krankheit: ätiologisch; → wechselseitig; → Entstehung; → begründen.
Urschel → Frau.
Urschleim: beim U. anfangen → äußern (sich).
Urschrift → Original.
Urschweiz → Innerschweiz.
Ursprung: → Abkunft, → Grundlage; seinen U. haben in → stammen (von).
¹ursprünglich, originär, original, primär, eigentlich, von Haus aus; → echt; → Ursprünglichkeit.
²ursprünglich → echt.
Ursprünglichkeit, Natürlichkeit, Echtheit, Ungekünsteltheit, Reinheit, Originalität, Unverfälschtheit, Urwüchsigkeit; → echt, → ursprünglich.
Ursprungsland → Heimat.
Ursulinen → Nonnenorden.
Ursulinerinnen → Nonnenorden.
¹Urteil, Stimme, Votum, Entscheidung, Entscheid, Erkenntnis, Erkanntnis (schweiz.); → Entschließung.
²Urteil: → Auslegung, → Bann; sich ein U. anmaßen → erdreisten (sich); ein U. aussprechen / ergehen lassen, das U. fällen → verurteilen; ein U. fällen / abgeben, sich kein U. gebildet haben, kein U. haben → beurteilen.
urteilen: → beurteilen, → folgen.
Urteilsspruch: → Bann, → Verurteilung.
Urteilsvollstreckung → Hinrichtung.
Urtext → Original.

705

Urtierchen → Einzeller.
Urtika → Hautblüte.
Urvater → Angehöriger.
Urwald, Dschungel, Regenwald, Monsunwald, Galeriewald, Busch, Wildnis; → Dickicht, → Landschaft, → Wald.
urwüchsig → echt.
Urwüchsigkeit → Ursprünglichkeit.
USA → Amerika.
Usak → Orientteppich.
Usance → Brauch.
User → Rauschgiftsüchtiger.
usuell → üblich.
usurpieren, die Staatsgewalt an sich reißen / bringen; → annektieren, → beschlagnahmen, → wegnehmen; → Verschwörung.
Usus → Brauch.
Utensilien → Zubehör.
Uteroskopie → Ausspiegelung.
Uto-Azteke → Indianer.
Utopia → Fabelland.
Utopie → Einbildung.
Utopien → Fabelland.
utopisch: -er Roman → Literatur, → Roman.
Ütsche → Frosch.
Ütze → Frosch.
Uwarowit → Schmuckstein.
uzen → aufziehen.
Uzname → Spitzname.

# V

va banque: v.b. spielen → wagen.
Vademekum → Ratgeber.
Vagabondage: → Anankasmus, → Landstreicherei.
¹Vagabund, Tramper, Tramp, Landfahrer, Landstreicher, Stadtstreicher, Tippelbruder (ugs.), Penner (salopp, abwertend), Pennbruder (salopp, abwertend), Walzbruder, Pendler, Stromer (ugs.), Herumtreiber (abwertend), Rumtreiber (ugs., abwertend), Umgänger (landsch.), ugs.), Trebegänger (ugs.), Strabanzer (österr.), Lumpazius, Lumpazi, Chlochard, Kunde (ugs., veraltet), Zigeuner (abwertend), Vagant (veraltet), Gesell (veraltet), fahrender Schüler (veraltet), Scholar (veraltet),

Wanderbursche (veraltet); → Bettler, → Gammler, → Landstreicherei, → Zigeuner.
²Vagabund → Umherirrender.
Vagabundentum → Landstreicherei.
vagabundieren → herumtreiben (sich).
Vagant → Vagabund.
vage → unklar.
Vagina, Scheide, Ding (salopp), Feige (salopp), Pussi (ugs.), Dose (salopp), Büchse (salopp), Loch (vulgär), Pflaume (vulgär), Fotze (vulgär), Votze (falsche Schreibung), Punze (vulgär), Muffe (vulgär), Schnecke (vulgär), Fut (vulgär); → Genitalien, → Vulva.
Vaginoskopie → Ausspiegelung.
Vakanzenverzeichnis → Stellenangebote.
Vakat → Seite.
Vakuum, luftleerer / (schweiz.) luftloser Raum, absolute Leere, Hohlraum.
Vakuumsauger → Staubsauger.
Vakzination → Impfung.
Valenciakärpfling → Fisch.
Valenciennespitze → Spitzenstickerei.
Valise → Gepäck.
Valuta → Zahlungsmittel.
Vamp, Femme fatale, Verführerin, Sirene, Circe; → Frau.
Vampir, Blutsauger; → Gespenst.
Vampirismus → Perversität.
Vampirzahn → Zahn.
Vandale: wie die -n hausen → zerstören.
Vandalismus →Zerstörungswut.
Vanille: → Gewürz, → Orchidee.
Vanillekipferl → Gebäck.
Vanillezucker → Zucker.
Vapotherapie → Hydrotherapie.
Varamin → Orientteppich.
Variable, veränderliche Größe, Variante · Ggs. → Konstante.
Variante: → Abwandlung, → Abweichung, → Variable.
Variation: → Abwandlung, → Abweichung.
variationsfreudig → variativ.
variationsreich → variativ.
variativ, variationsreich, variationsfreudig; → Abwandlung; → ändern.
¹Varieté, Varietétheater, Tingeltangel (abwertend); → Revue, → Zirkus.

²Varieté → Revue.
Varietékünstler → Artist.
Varietétheater → Varieté.
variieren → ändern.
Variola → Pocken.
Variola haemorrhagica → Pokken.
Variola minor → Pocken.
Variola nigra → Pocken.
Varioloid → Pocken.
Vasall → Gefolgsmann.
Vasallenstaat → Staat.
Vase: → Blumenvase, → Gefäß.
Vaseline → Salbe.
Vasogramm → Röntgenogramm.
Vasographie → Röntgenographie.
¹Vater, Papa, Paps (fam.), Erzeuger, Ätti (fam., schweiz.), Alter (ugs.), alter Herr, Senior, Tate (jidd.), Familienoberhaupt, Haushaltungsvorstand ·schlechter: Rabenvater · nicht leiblicher: zweiter Vater, Stiefvater, Pflegevater, Ziehvater; → Eltern, → Verwandter · Ggs. → Mutter.
²Vater: → Angehöriger, → Trinität; Väterchen Frost → Weihnachtsmann; [geistiger V.] → Gründer; Heiliger V. → Oberhaupt; [himmlischer V.] → Gott; kesser V. → Lesbierin; V. Philipp → Strafanstalt; V. Staat → Staat; V. und Mutter → Eltern; V. werden → schwängern; nach [alter] Väter Sitte → herkömmlich; zu seinen Vätern versammelt werden, sich zu den Vätern versammeln → sterben.
Vaterfreuden: V. entgegensehen → schwängern.
Vaterland: → Heimat; dem V. dienen → Soldat [sein].
vaterländisch → national.
Vaterlandshymne → Lied.
Vaterlandsliebe → Patriotismus.
Vaterlandsverräter → Hochverräter.
Vaterliebe → Familienanhänglichkeit.
vaterlos: -e Gesellschaft → Lost generation.
Vatermord → Tötung.
Vatersname → Familienname.
Vatersprache → Muttersprache.
Vaterunser: → Gebet; jmdm. kann man das V. durch die

Backen blasen → abgezehrt [sein].

**Vatertag** → Himmelfahrt.

**Vaudeville** → Komödie.

**V-Ausschnitt** → Ausschnitt.

**Vegetarianer** → Vegetarier.

**Vegetarier,** Vegetarianer, Rohköstler, Anhänger der pflanzlichen Ernährung; → Nahrung; → vegetarisch.

**vegetarisch,** pflanzlich, fleischlos; → Nahrung, → Vegetarier.

¹**Vegetation,** Pflanzenwuchs, Flora, Pflanzenwelt, Pflanzenreich; → Tierreich; → gedeihen, → wuchern.

²**Vegetation** → Leben.

**vegetativ:** -es Nervensystem → Nervensystem.

**Vegetativum** → Nervensystem.

**vegetieren** → leben.

**vehement** → lebhaft.

**Vehikel:** → Auto, → Mittel.

**Veigerl** → Veilchen.

¹**Veilchen,** Veigerl (*bayr., österr.*), Hundsveilchen, Waldveilchen, Bergveilchen; → Blume.

²**Veilchen:** blau wie ein V. sein → betrunken [sein].

**veilchenblau** → blau.

**Veilchenhochzeit** → Hochzeitstag.

**Vektorrechnung** → Mathematik.

**Velin** → Papier.

**Velinpapier** → Papier.

**Velo:** → Fahrrad; V. fahren → radfahren.

**Velour** → Leder.

**Velourleder** → Leder.

**Velours** → Stoff.

**Velvet** → Stoff.

**Vene** → Ader.

¹**Venedig,** Venezia (*ital.*), Lagunenstadt, die Königin der Meere, Serenissima, Gondolierestadt, Inselvenedig; → Stadt.

²**Venedig:** das V. des Nordens → Stockholm.

**Venenation** → Vergiftung.

**Venenblutung** → Blutung.

**Venenentzündung,** Phlebitis, Venitis · *in Verbindung mit einer Thrombose:* Thrombophlebitis; → Ader, → Arterienerkrankung, → Embolie, → Gefäßverstopfung.

**Venenum** → Gift.

**venerisch:** -e Krankheit → Geschlechtskrankheit.

**Venerologe** → Arzt.

**Venerologie** → Heilkunde.

**Venerophobie** → Hypochondrie.

**venetianerrosa** → rosa.

**venetianerrot** → rot.

**Venezia** → Venedig.

**venezianisch:** -e Spitze → Spitzenstickerei.

**Venia legendi:** → Erlaubnis, → Lehrberechtigung; V.l. erlangen/ erwerben → habilitieren (sich).

**Venitis** → Venenentzündung.

**Venogramm** → Röntgenogramm.

**Venographie** → Röntgenographie.

**Ventilator,** Luftumwälzer, Miefquirl (*berlin., scherzh.*); → Belüftung, → Klimagerät.

**ventilieren:** → erwägen, → lavieren.

**Ventrikel** → Herz.

**Ventrikulogramm** → Röntgenogramm.

**Ventrikulographie** → Röntgenographie.

**Ventrikulus** → Magen.

**Venus:** → Göttin, → Planet.

**Venusgürtel** → Hohltier.

**Venushaar** → Farn.

**Venusschuh** → Orchidee.

**verabfolgen** → verabreichen.

**Verabfolgung** → Zuteilung.

**verabreden** → übereinkommen.

¹**Verabredung,** Stelldichein, Tête-à-tête, Rendezvous, Termin, Dating Date, Zusammenkunft, Zusammentreffen · *nächtliche bei der Geliebten:* Fensterln (*südd., österr.*), Kilt (*schweiz.*); → Kränzchen, → Tagung, → Versammlung, → Verschwörung, → Wiedersehen; → übereinkommen.

²**Verabredung** → Abmachung.

**verabreichen,** geben, verabfolgen, verpassen (*ugs.*); → geben, → überantworten, → vergeben; → Zuteilung.

¹**Verabreichung,** Applikation, Applizierung, Anwendung ·· *von Flüssigkeiten durch Einspritzen o.ä.:* Injektion, Injizierung, Spritze, Einspritzung · Infusion, Eingießung, Instillation, Einträufelung ·· *von pulverigen, flüssigen oder gasförmigen Stoffen in Körperhöhlen:* Insufflation, Einblasung · *über die Atemwege:* Inhalation, Einatmung ·· *von flüssigen oder salbenförmigen Stoffen über die*

*Haut:* Inunktion, Unktion, Einreibung, Einsalbung; → Blutübertragung, → Spritze.

²**Verabreichung** → Zuteilung.

**verabsäumen** → unterlassen.

**verabscheuen,** Abscheu / Widerwillen / Ekel empfinden, jmdn. / etwas nicht mit der Zange anfassen mögen (*ugs.*), abscheulich / verabscheuenswert / verabscheuenswürdig / widerwärtig finden, mißbilligen, ablehnen, von sich weisen, zurückweisen; **verabscheut werden,** jmdm. unerträglich / zuwider sein; → ablehnen, → anwidern, → beanstanden, → mißachten; → abscheulich; → Abscheulichkeit.

**verabscheuenswert:** → abscheulich; v. finden → verabscheuen.

**verabscheuenswürdig:** → abscheulich; v. finden → verabscheuen.

**Verabscheuenswürdigkeit** → Abscheulichkeit.

**verabschieden:** → entlassen, → trennen (sich); [ein Gesetz] v. → erwirken.

**verabsolutieren** → verallgemeinern.

**verachten:** → ablehnen, → ignorieren; die Gefahr v. → mutig [sein]; etwas ist nicht zu v. → mißachten.

**verächtlich:** → abschätzig, → ehrlos; v. machen → schlechtmachen.

**Verächtlichmachung** → Nichtachtung.

**Verachtung:** → Nichtachtung; mit V. strafen → ignorieren.

**veralbern** → aufziehen.

¹**verallgemeinern,** generalisieren, verabsolutieren, schablonisieren; → abstrahieren.

²**verallgemeinern** → abstrahieren.

**Verallgemeinerung** → Abstraktion.

**veraltet** → altmodisch.

**Veranda,** Balkon, Erker, Loggia, Altan, Söller, Pawlatsche (*österr.*), Austritt, Wintergarten, Terrasse, Dachgarten.

¹**veränderlich,** wechselhaft, wechselvoll, unbeständig, schwankend, wandelbar; → Schlechtwetter; → Unbeständigkeit; → fluktuieren · Ggs. → widerstandsfähig.

²**veränderlich:** -e Größe → Variable.

**Veränderlichkeit** → Unbeständigkeit.

¹**verändern,** ändern, wandeln, verwandeln, abwandeln, umwandeln, umstoßen, etwas über den Haufen werfen; → ändern, → wandeln (sich); **nichts v.,** alles beim alten lassen.

²**verändern:** → ändern; sich v. → umsatteln, → wandeln (sich); sich [zu seinem Vorteil] v. → entwickeln (sich).

¹**Veränderung,** Wandel, Wandlung, Wechsel, Umschwung, Wende, Übergang, Stellungswechsel, Übertritt, Abwechslung, Fluktuation · *sprunghafte erbliche:* Mutation · *der Staatsform:* Umsturz, Machtwechsel; → Abwandlung, → Änderung, → Mobilität, → Umwandlung, → Verschwörung; → ändern.

²**Veränderung** → Änderung.

**verängstigen** → entmutigen.

**verängstigt** → ängstlich.

**verankern** → festigen.

**veranlagt,** geartet, beschaffen, vorbelastet (*scherzh.*); → Veranlagung, → Wesen.

**Veranlagtsein** → Veranlagung.

¹**Veranlagung,** Veranlagtsein, Anlage, Geartetsein, Geartetheit, Artung, Geprägtsein, Gepräge, Beschaffensein, Beschaffenheit, Vorbelastetsein (*scherzh.*), Vorbelastung (*scherzh.*); → Wesen; → veranlagt.

²**Veranlagung:** → Begabung, → Wesen.

¹**veranlassen:** etwas veranlaßt jmdn. / jmd. nimmt etwas zum Anlaß / etwas bewegt jmdn., etwas zu tun; → verursachen; → Anlaß.

²**veranlassen:** → anordnen, → verursachen.

**Veranlassung** → Anlaß.

¹**veranschaulichen,** verlebendigen, vergegenständlichen, konkretisieren, illustrieren, anschaulich / lebendig / gegenständlich machen; → bebildern, → begründen, → hypostasieren; → anschaulich; → Anschaulichkeit, → Veranschaulichung.

²**veranschaulichen:** → aussagen; -d → anschaulich.

**Veranschaulichung,** Verlebendigung, Vergegenständlichung, Konkretisierung, Illustrierung, Illustration, Demonstrierung, Demonstration; → Anschaulichkeit, → Darlegung, → Illustration; → veranschaulichen; → anschaulich.

**veranschlagen** → schätzen.

**Veranschlagung** → Kalkulation.

**veranstalten,** abhalten, durchführen, ausrichten, aufziehen (*ugs.*), organisieren, inszenieren, arrangieren, halten, geben, unternehmen, machen; → verwirklichen; → Abhaltung.

**Veranstalter** → Beauftragter.

**Veranstaltung:** → Abhaltung, → Fest; musikalische V. → Musikveranstaltung.

**verantworten:** → einstehen; sich v. → wehren (sich).

**verantwortlich:** → befugt, → haftbar; v. sein für → einstehen (für); v. machen → belangen; jmdn. für etwas v. machen → verdächtigen.

**Verantwortlicher** → Schuldiger.

**Verantwortlichkeit:** → Pflichtbewußtsein → Zuständigkeit.

**Verantwortung:** → Pflichtbewußtsein, → Rechenschaft; [die] V. tragen, V. übernehmen, etwas auf jmds. V. tun, in der V. stehen → einstehen (für); jmdn. zur V. ziehen → belangen, → bestrafen, → prozessieren.

**verantwortungsbewußt,** pflichtbewußt, verantwortungsvoll, zuverlässig; → Pflichtbewußtsein · Ggs. → unbesonnen, unzuverlässig.

**Verantwortungsbewußtsein** → Pflichtbewußtsein.

**Verantwortungsgefühl** → Pflichtbewußtsein.

**verantwortungslos** → unverzeihlich.

**Verantwortungslosigkeit:** → Pflichtvergessenheit, → Unentschuldbarkeit.

**verantwortungsvoll** → verantwortungsbewußt.

**veräppeln** → anführen.

¹**verarbeiten,** verwenden, nehmen, benutzen; → anwenden.

²**verarbeiten:** → bearbeiten, → ertragen, → verdauen; zu Mehl v. → mahlen.

**Verarbeitung,** Auswertung, Nutzbarmachung, Ausarbeitung, Bearbeitung, Aufbereitung; → Auslegung, → Darlegung, → Gestaltung, → Herstellung, → Sammlung; → bearbeiten.

**verargen** → übelnehmen.

**verärgern** → ärgern.

**verärgert** → ärgerlich.

**Verärgerung** → Verstimmung.

**verarmen** → arm [werden].

**verarmt** → arm.

**Verarmung** → Armut.

**verarschen** → anführen.

**verarzten** → behandeln.

**Verästelung** → Ausläufer.

**Verätzung,** Ausbrennung, Verschorfung, Kauterisation, Kaustik · *mittels hoher Temperaturen:* Thermokauterisation, Thermokaustik, Thermokoagulation, Ignipunktur, Heißkaustik, [chirurgische] Verkochung · *mittels Gleichstroms:* Galvanokaustik, Galvanokauterisation, Galvanokoagulation · *mit Hilfe von Wechselströmen:* Elektrokauterisation, Elektrokaustik, Elektrokoagulation, Elektropunktur, elektrische Verkochung · *mit Hilfe der Kältetechnik:* Kryokauterisation, Kryokaustik, Kaltkaustik, Kaltverschorfung; → Operation.

**verausgaben:** → zahlen; sich v. → anstrengen (sich).

**verauslagen** → zahlen.

**veräußern** → verkaufen.

**Veräußerung** → Verkauf.

**Verb,** Verbum, Zeitwort, Tätigkeitswort, Tuwort, Richtwort, Vorgangswort, [zustandsschilderndes / vorgangsschilderndes] Aussagewort, Verhaltenswort ··· *das nach dem Inhalt bezeichnet wird:* Tätigkeitsverb, Handlungsverb, Vorgangsverb, Zustandsverb ··· *das nach der Aktionsart bezeichnet wird · um eine zeitliche Begrenzung zu kennzeichnen:* perfektives / terminatives Verb · *um einen Beginn zu kennzeichnen:* ingressives / inchoatives / inkohatives Verb · *um ein Ende zu kennzeichnen:* resultatives / egressives Verb · *um den Übergang in einen anderen Zustand zu kennzeichnen:* mutatives Verb · *um* *ein punkthaftes Geschehen ohne zeitliche Ausdehnung zu kennzeichnen:* punktuelles / momentanes Verb ·· *um eine zeitliche Unbegrenztheit zu kennzeichnen:* imperfektives / duratives Verb · *um eine Wiederholung zu kennzeichnen:* iteratives Verb · *um eine Intensität zu kennzeichnen:* intensives Verb · *um eine geringe Intensität zu kennzeichnen:* diminutives Verb ··· *das in den einfachen Zeitformen das Prädikat allein bildet:* Vollverb ·· *als Mittel zur Bildung umschriebener Verbformen:* Hilfsverb, Auxiliarverb · *mit inhaltlicher Färbung der Aussage:* Modalverb, modifizierendes Verb ··· *ohne Ergänzung:* absolutes / subjektives Verb (die Rose blüht) ·· *mit Ergänzung:* relatives / objektives Verb (er baut ein Haus; er hat ein Buch; er hilft ihm; er wohnt in Berlin) · *mit einem Akkusativobjekt, das im Passivsatz Subjekt wird:* transitives / zielendes Verb (er baut ein Haus; das Haus wird von ihm gebaut) ·· *ohne ein Akkusativobjekt, das im Passivsatz Subjekt wird:* intransitives / nichtzielendes Verb (die Rose blüht; er hat ein Buch; er hilft ihm; er wohnt in Berlin) ··· *mit einem Reflexivpronomen:* reflexives / rückbezügliches / reziprokes Verb, Reflexivverb · *mit ersetzbarem Reflexivpronomen:* unechtes reflexives Verb, partimreflexives Verb (ich wasche mich / ihn) · *mit nicht ersetzbarem Reflexivpronomen:* echtes reflexives Verb (ich schäme mich) ··· *mit er, sie, es o.ä. als Subjekt:* persönliches Verb, Personale · *nur mit „es" als Subjekt:* unpersönliches Verb, Impersonale ··· *das im Zusammenhang mit bestimmten Substantiven auftritt und in seinem Inhalt verblaßt ist:* Funktionsverb; → Wortart.

**Verbalinjurie** → Beleidigung.

**¹Verband,** Bandage, Druckverband, Wundverband, Streckverband, Gipsverband, Binde, Mullbinde, Fasche *(südd.);* → Kompresse, → Pflaster; → behandeln, → verbinden.

**²Verband:** → Genossenschaft, → Heeresverband, → Vereinigung; einen V. anlegen → verbinden.

**verbannen** → ausweisen.

**Verbannter** → Auswanderer.

**Verbannung,** Exil, Ausweisung, Vertreibung, Ausstoßung; → Bann, → Deportation; → ausschließen, → ausweisen.

**verbarrikadieren,** verrammeln, zunageln, versperren, verschanzen, zumauern, vermauern, zubauen, zustellen, verstellen; → abschließen, → verstellen.

**verbauen:** verbaut → aussichtslos; sich die Zukunft v. → verderben.

**verbauern** → stumpfsinnig [werden].

**verbeißen:** sich etwas v. → unterdrücken.

**verbeiständen** → helfen.

**verbergen:** → verstecken; jmdm. etwas v. → schweigen.

**Verbergung** → Tarnung.

**¹verbessern,** reformieren, umgestalten, neu gestalten, revolutionieren · *in bezug auf Ackerland:* meliorieren; → ändern, → bearbeiten, → erneuern, → formen, → vervollständigen; → Reform.

**²verbessern:** → aufbessern, → berichtigen, → erfinden.

**Verbesserung:** → Korrektur; [V. des Bodens] → Bodenverbesserung.

**verbeugen:** sich v. → verneigen (sich).

**Verbeugung,** Verneigung, Diener *(Kinderspr.),* Bückling *(ugs.),* Kompliment *(veraltet),* Buckerl *(ugs., österr.);* → Begrüßung, → Knicks; → knicksen, → verneigen (sich).

**verbeulen:** → ausweiten; verbeulte Röhre → Penis.

**verbeult** → ausgeweitet.

**verbiegen:** verbogene Röhre → Penis; sich die Gießkanne v. → Geschlechtskrankheit.

**Verbiegung** → Verdrehung.

**verbiestern:** sich v. → verirren (sich).

**¹verbieten,** untersagen, verwehren, versagen, indizieren, auf den Index setzen, nicht → billigen; → ablehnen; **jmdm. das Wort v.,** jmdm. den Mund

verbieten / das Wort entziehen' jmdn. zum Schweigen bringen' jmdm. den Mund stopfen *(ugs.)'* jmdm. das Maul stopfen *(derb)'* jmdn. mundtot machen; → verhindern; → tabu; → Tabu, → Verbot.

**²verbieten:** Rauchen verboten → rauchen.

**verbilligen** → ermäßigen.

**Verbilligung** → Preisnachlaß.

**verbimsen** → schlagen.

**¹verbinden,** bandagieren, umwickeln, einen Verband anlegen, faschen *(südd., österr.),* einfaschen *(südd., österr.),* fatschen *(südd., österr.),* bekleben, verkleben, umwickeln, einbinden, ein Pflaster auflegen / aufkleben, bepflastern *(ugs.);* behandeln; → Kompresse, → Pflaster, → Verband.

**²verbinden:** → behandeln, verknüpfen, → verquicken; sich v. → verbünden (sich); etwas verbindet jmdn. mit jmdm. → Gemeinsamkeit; alles, was damit verbunden ist → Nebenumstände.

**Verbindendes** → Bindeglied.

**Verbinder** → Fußballspieler.

**¹verbindlich,** bindend, endgültig, definitiv, feststehend, unwiderruflich, verpflichtend, pflichtig *(schweiz.),* obligatorisch, nicht → freiwillig; → nötig, → üblich, → unabänderlich.

**²verbindlich** → entgegenkommend.

**Verbindlichkeit:** → Freundlichkeit, → Schuld; -en eingehen → leihen.

**¹Verbindung,** studentische Verbindung, Korporation · schwarze / farbentragende / schlagende / evangelische / katholische Verbindung · Korps, Corps, Burschenschaft, Landsmannschaft, Turnerschaft, Sängerschaft; → Kommilitone, → Student.

**²Verbindung:** → Beziehung, → Bund, → Ehe, → Gemeinsamkeit, → Kontakt, → Synthese, → Verknüpfung, → Vermählung; [studentische V.] → Vereinigung; V. aufnehmen → Kontakt [aufnehmen]; keine V. bekommen / kriegen → telefonieren (mit jmdm.); eine V. eingehen mit → ver-

schmelzen (mit); -en haben →
Beziehung [haben]; eine V.
herstellen → verknüpfen; die
V. nicht abreißen lassen →
Kontakt; mit jmdm. in V.
stehen → korrespondieren (mit).
**Verbindungslinie** → Linie.
**Verbindungsmann:** → Gewährsmann, → Vermittler.
**Verbindungsstraße** → Straße.
**Verbindungsstürmer** → Fußballspieler.
**verbissen** → beharrlich.
**verbittert** → unzufrieden.
**Verbitterung** → Unzufriedenheit.
**verblasen** → unklar.
**Verblasenheit** → Ungenauigkeit.
**¹verblassen,** verschießen, schießen (*südd., österr.*), abschießen
(*südd., österr.*), ausschießen
(*südd., österr.*), verbleichen,
ausbleichen, ausblassen, abblassen; → verblaßt.
**²verblassen:** jmds. Ruhm verblaßt → nachlassen.
**¹verblaßt,** ausgeblaßt, verschossen, ausgeblichen, verblichen,
ausgeschossen (*südd., österr.*); →
verblassen.
**²verblaßt** → abgeblaßt.
**verbleiben:** → versagen; -d →
restlich; als Rest v. → übrigbleiben.
**verbleichen** → verblassen.
**verblendet:** → kurzsichtig; v.
sein → irren (sich).
**Verblendung** → Unkenntnis.
**verblichen** → verblaßt.
**Verblichener** → Toter.
**verblödet** → geistesgestört.
**Verblödung** → Geistesgestörtheit.
**verblüffen:** etwas verblüfft
jmdn. → überrascht [sein].
**verblüffend** → außergewöhnlich.
**verblüfft** → überrascht.
**Verblüffung** → Überraschung.
**verblühen** → welken.
**verblüht** → verwelkt.
**verbluten** → sterben.
**verbocken:** → ausfressen, →
verderben.
**verbogen** → gebogen.
**verbohrt** → unzugänglich.
**Verbohrtheit** → Eigensinn.
**¹verborgen** → leihen.
**²verborgen** → latent.
**Verbot,** Untersagung, Tabu,
Interdikt; → Bann, → Ein-

spruch, → Sperre, → Tabu; →
verbieten; → tabu.
**verboten:** → gesetzwidrig, →
tabu; das Verbotene → Tabu.
**verbotenerweise** → heimlich.
**Verbotsschild** → Schild.
**verbrämen** → beschönigen.
**Verbrämung** → Beschönigung.
**verbraten:** → ausgeben, →
zahlen.
**¹Verbrauch,** Konsum · *plötzlich
ansteigender:* Konsumwelle,
Konsumwut (*abwertend*), Freßwelle (*salopp*), Edelfreßwelle
(*salopp*), Saufwelle (*salopp*); →
Bedarfsartikel; → Wohlstandsgesellschaft; → verbrauchen.
**²Verbrauch** → Verschleiß.
**¹verbrauchen,** aufbrauchen, aufzehren, konsumieren, verkonsumieren (*ugs.*), vermachen
(*salopp, landsch.*); → Verbrauch, → Verzehr.
**²verbrauchen:** → abnutzen, →
durchbringen, → entkräften.
**Verbraucher** → Konsument.
**Verbraucherumfrage** → Umfrage.
**Verbrauchssteuer** → Abgabe.
**Verbrauchsteuer** → Abgabe.
**verbraucht:** → abgestanden, →
verlebt; -e Luft → Luft.
**verbrechen:** → anrichten, →
tun.
**¹Verbrechen,** Straftat, Delikt,
Gewalttat, Gewaltverbrechen,
Bluttat, Kapitalverbrechen; →
Sakrileg, → Verstoß; **ein V.
begehen,** ein [krummes] Ding
drehen (*salopp*), einen Coup
landen (*salopp*).
**²Verbrechen** → Verstoß.
**Verbrecher,** Rechtsbrecher,
Gesetzesbrecher, Straffälliger,
Missetäter, Übeltäter, Frevler,
Delinquent, Krimineller, Täter,
Berufsverbrecher, Gewalt-
heitsverbrecher, Gewalttäter,
Sittlichkeitsverbrecher, Triebverbrecher, Triebtäter, Sittenstrolch (*abwertend*), Strolch
(*abwertend*), Unhold, Apache,
Ganove (*abwertend*), Ganeff
(*salopp*), Gangster (*abwertend*),
Schwerverbrecher, schwerer
Junge, Gewohnheitsverbrecher,
Wiederholungstäter, Rückfall-
täter · *der an einem Ver-
brechen beteiligt ist:* Mittäter ·
*aus Ruhmsucht:* Herostrat · *der
Flugzeuge entführt:* Luftpirat ·

*der auf Grund seines Amtes
Verbrechen plant und aus-
führen läßt:* Schreibtischtäter;
→ Attentäter, → Betrüger, →
Dieb, → Gefangener, → Kinderschänder, → Komplice, →
Kriminalbeamter, → Mörder, →
Rohling, → Schuft, → Verstoß.
**Verbrechersprache** → Gaunersprache.
**Verbrecherwelt** → Unterwelt.
**¹verbreiten,** ausstreuen, aussprengen, herumerzählen, herumtragen, unter die Leute
bringen, in Umlauf bringen /
setzen, [ein Gerücht] in die
Welt setzen, ausposaunen (*abwertend*), an die große Glocke
hängen, breittreten (*ugs., abwertend*); → mitteilen.
**²verbreiten:** → popularisieren;
sich v. → ausbreiten (sich); →
äußern, → ausströmen, →
herumsprechen (sich); Gestank
v. → verpesten.
**verbreitern** → erweitern.
**Verbreiterung** → Ausdehnung.
**verbreitet** → üblich.
**Verbreitetsein** → Üblichkeit.
**Verbreitung:** → Popularisation,
→ Üblichkeit.
**Verbreitungsbeschränkung** →
Sperre.
**¹verbrennen,** abbrennen, niederbrennen, einäschern, in [Schutt
und] Asche legen, in Flammen
aufgehen lassen; → anzünden.
**²verbrennen:** → brennen, →
einäschern, → sterben, →
töten; sich die Finger v. →
schaden; sich nicht die Finger
v. → heraushalten (sich); sich
den Mund v. → schaden; die
Schiffe hinter sich v. → abwenden (sich); sich den
Schwanz v. → Geschlechts-
krankheit.
**Verbrennung:** → Feuerbestattung, → Verletzung.
**verbriefen** → gewährleisten.
**verbrieft,** zugesichert, garantiert; → versprechen.
**verbringen:** → bringen, →
durchbringen, → einliefern, →
weilen; die Kindheit v. → aufwachsen; den Lebensabend v.
→ Lebensabend; die Nacht v.
→ übernachten.
**verbrüdern** (sich), fraternisieren,
sich mit jmdm. gemein machen,
encanaillieren (*abwertend, sel-*

*ten*), sympathisieren mit jmdm.; → erniedrigen, → solidarisieren (sich), → verbünden (sich); → Gemeinsinn, → Verbrüderung.

**Verbrüderung,** Solidarisierung, Fraternisation; → Gemeinsinn; → verbrüdern (sich).

**Verbrühung** → Verletzung.

**verbuchen** → buchen.

**Verbum** → Verb.

**verbummeln:** → verlieren, → verwahrlosen; etwas v. → vergessen.

**verbunden:** fest v. → unzertrennlich; jmdm. v. sein → danke!; ich bin Ihnen sehr v.! → danke!

**verbünden** (sich), sich zusammentun / zusammenschließen / zusammenrotten / alliieren / assoziieren / vereinigen / verbinden / integrieren, mit jmdm. zusammengehen, koalieren, eine Koalition eingehen · *von Firmen:* fusionieren, zusammengelegt werden, eine Fusion eingehen; → konspirieren, → Kontakt [aufnehmen], → verbrüdern (sich), → verknüpfen, → vervollständigen, → zugesellen (sich); → vereinigt, → zugehörig; → Bund, → Gemeinsinn.

**Verbundenheit:** → Gemeinsinn; in aufrichtiger V. → hochachtungsvoll.

**verbündet** → vereinigt.

**Verbündeter** → Bundesgenosse.

**Verbundhaus** → Haus.

**Verbundsicherheitsglas** → Glas.

**verbürgen:** → gewährleisten; sich v. → einstehen.

**verbürgerlichen,** bürgerlich werden, sich etablieren / anpassen; → etabliert.

**verbürgerlicht** → etabliert.

**verbürgert** → einheimisch.

**verbürgt,** authentisch, aus erster Hand / Quelle, echt, zuverlässig, in der Wolle gefärbt (*ugs.*), sicher, gewährleistet, garantiert, glaubwürdig; → amtlich, → erprobt; → Authentizität.

**verbüßen:** eine Strafe v. → abbüßen.

**Verbzusatz** → Affix.

**¹Verdacht,** Vermutung, Argwohn, Mißtrauen, Skepsis, Skrupel, Bedenken, Zweifel;→ Ahnung, → Bedenken, → Hoffnung, → Schuldgefühl.

**in V. kommen,** in V. geraten, verdächtigt werden, in den Geruch geraten / kommen(*ugs.*); → verdächtigen; → argwöhnisch.

**²Verdacht:** V. haben / hegen → argwöhnisch [sein]; V. fassen / schöpfen → argwöhnisch [werden]; [jmdn. in / im] V. haben → verdächtigen; einem V. den Boden entziehen → widerlegen; auf V. → vorbeugend; etwas ist über jeden V. erhaben → wahr [sein].

**verdächtig:** → anrüchig; etwas kommt jmdm. v. vor → seltsam [sein].

**¹verdächtigen,** beschuldigen, anklagen, anschuldigen, bezichtigen, zeihen, jmdm. etwas unterstellen / unterschieben / (*salopp*) unterjubeln, jmdm. schuld / die Schuld geben / etwas zur Last legen / (*ugs.*) die Schuld in die Schuhe schieben, jmdn. für etwas verantwortlich machen, jmdm. den Bart anhängen (*schweiz.*), jmdn. als Prellbock benutzen (*ugs.*), [jmdn. in / im] Verdacht haben, den Verdacht lenken auf, Verdacht fällt auf / richtet sich auf (oder:) gegen; → anlasten, → schelten; → argwöhnisch;→ Beschuldigung, → Verdacht · Ggs. → glauben.

**²verdächtigen:** verdächtigt werden → Verdacht.

**Verdächtigung** → Beschuldigung.

**verdammen:** → brandmarken; zum Scheitern verdammt sein → scheitern [müssen].

**Verdammnis:** Ort der V. → Hölle.

**¹verdammt,** verflucht, verteufelt, verflixt (*ugs.*), verwünscht, gottverdammt (*ugs.*), gottverflucht (*ugs.*), gottverhaßt (*ugs.*); → verflucht!

**²verdammt:** → sehr; -e Scheiße!, v. noch mal!, v. und zugenäht! → verflucht!

**Verdammter:** Ort der Verdammten → Hölle.

**Verdammung** → Bann.

**verdampfen** → verfliegen.

**¹verdanken,** jmdm. etwas danken / schulden, jmdm. etwas zu verdanken / danken haben, Dank schulden, zu Dank verpflichtet sein, sich zu Dank verpflichtet fühlen; → danken.

**²verdanken:** jmdn. / etwas v. → danken.

**Verdankung** → Dank.

**verdattert** → betroffen.

**¹verdauen,** verarbeiten; → Magen, → Verdauung.

**²verdauen** → ertragen.

**verdaulich:** gut / leicht / schwer v. → bekömmlich.

**¹Verdauung,** Digestion; → Durchfall, → Stoffwechsel, → Stuhlverstopfung.

**²Verdauung:** überschnelle / beschleunigte V. → Durchfall.

**Verdauungsspaziergang** → Spaziergang.

**¹Verdauungsstörung,** Ernährungsstörung, Dyspepsie, Indigestion; → Durchfall, → Ernährungsstörung, → Stuhlverstopfung; → obstipieren.

**²Verdauungsstörung** → Stuhlverstopfung.

**Verdeck** → Autodach.

**verdecken** → verstecken.

**verdeckt** → latent.

**verdenken:** es jmdm. nicht v. können → übelnehmen.

**Verderb:** auf Gedeih und V. → vorbehaltlos.

**¹verderben,** verpfuschen, verpatzen, vermasseln (*ugs.*), vermurksen (*ugs.*), verkorksen (*ugs.*), verfuhrwerken (*schweiz.*), versieben (*ugs.*), verbocken (*ugs.*), versauen (*derb*), die Karre in den Dreck fahren (*ugs.*) · *in bezug auf berufliches Fortkommen:* sich die Zukunft verbauen; → verleiden, → verseuchen.

**²verderben:** → faulen; jmdm. die Freude v. → ärgern; [jmdm. die Freude / den Spaß an etwas v.] → verleiden; jmdm. das Konzept v. → hindern; sich den Magen v. → Magen; es mit jmdm. verdorben haben → unbeliebt [sein].

**verderbenbringend:** → verderblich, → todbringend.

**¹verderblich,** verderbenbringend, unheilvoll, unheilbringend, unheildrohend, unheilschwanger, todbringend, unglücklich, unglückselig, sinister, ruinös, schädlich, ungesund; **v. sein,** etwas ist Gift für jmdn.

²**verderblich** → todbringend.

**verderbt:** → anstößig, → verschandelt.

**Verderbtheit** → Sittenlosigkeit.

**verdeutlichen** → begründen.

**verdeutschen** → übersetzen.

**Verdeutschung** → Übersetzung.

**Verdeutschungswörterbuch** → Nachschlagewerk.

**Versdichtung** → Dichtung.

¹**verdienen,** beziehen, einnehmen, bekommen, kriegen (*ugs.*), erhalten, Einkünfte haben, Gewinn erzielen · *von Prostituierten:* anschaffen · *viel:* [Geld] scheffeln, absahnen (*ugs.*), Geld machen (*ugs.*), an das große Geld herankommen (*ugs.*) · *sein Geld mühevoll:* ein hartes Brot haben, sein Brot sauer verdienen; → erwerben; → einkommensschwach, → reich.

²**verdienen:** etwas verdient besondere Erwähnung → betonen; sich einen Kuppelpelz v. → verkuppeln.

¹**Verdienst,** Meriten (Plural), Leistung, Großtat; → verdient.

²**Verdienst:** → Broterwerb, → Gehalt (das); sich -e erwerben → verdient.

**Verdienstadel** → Adel.

**Verdienstkreuz** → Orden.

**verdienstlich** → anerkennenswert.

**Verdienstorden** → Orden.

**verdienstvoll** → anerkennenswert.

¹**verdient,** wohlverdient; **sich v. machen um,** sich Verdienste / Meriten erwerben; → Verdienst.

²**verdient** → angesehen.

**Verdikt** → Bann.

**verdinglichen** → hypostasieren.

**verdolmetschen** → übersetzen.

**verdonnern** → verurteilen.

**verdoppeln,** doppeln, duplizieren, duplieren, dualisieren, dublieren; → Abschrift.

**verdorben:** → anstößig, → ungenießbar, → verschandelt.

**Verdorbenheit** → Sittenlosigkeit.

**verdorren** → eingehen.

**verdorrt:** → trocken, → verwelkt.

**verdrängen:** → unterdrücken; jmdn. aus seiner Stellung v. → Einfluß.

**verdreckt** → schmutzig.

**Verdrecktheit** → Unsauberkeit.

**verdrehen:** → verfälschen; jmdm. den Kopf v. → verliebt [machen].

**verdreht:** → seitenverkehrt, → überspannt.

**Verdrehtheit** → Ausgefallenheit.

¹**Verdrehung,** Entstellung, Verfälschung, Verzerrung, Verbiegung, Erdichtung; → Betrug, → Lüge, → Verfälschung; → verfälschen.

²**Verdrehung** → Verrenkung.

**verdreschen** → schlagen.

**verdrießen:** etwas verdrießt jmdn. → ärgern.

**verdrießlich:** → ärgerlich, → unerfreulich.

**Verdrießlichkeit:** → Unannehmlichkeiten, → Unerquicklichkeit.

**verdrossen** → ärgerlich.

**Verdrossenheit** → Unzufriedenheit.

**verdrücken:** → aufessen; sich v. → weggehen.

**verdrückt** → zerknittert.

**Verdruß** → Unannehmlichkeiten.

**verduften** → weggehen.

**verdummen** → dumm [machen].

**Verdummung** → Mystifikation.

**Verdummungseifer** → Mystifikation.

¹**verdunkeln,** abdunkeln, dunkel machen, [gegen] das Tageslicht / die Sonne abschirmen, abblenden, abschatten, verfinstern; → verfinstern (sich); → Verdunkelung.

²**verdunkeln:** sich v. → bewölken (sich), → dunkel [werden].

**Verdunkelung,** Verdunklung, Abdunkelung, Abdunklung, Abschirmung, Abblendung, Verfinsterung; → verdunkeln.

**Verdunkelungsgefahr** → Möglichkeit.

**Verdunklung** → Verdunkelung.

**verdünnen,** verwässern (*selten*), etwas taufen (*ugs., scherzh.*), verlängern (*ugs.*), strecken (*ugs.*), panschen (*ugs.*).

**verdünnisieren:** sich v. → weggehen.

**verdunsten** → verfliegen.

**Verdure** → Wandteppich.

**verdusseln** → vergessen.

**verdüstern:** sich v. → bewölken (sich).

**Verdüsterung** → Verzweiflung.

**verdutzen** → erstaunen.

**verdutzt** → überrascht.

**verebben** → abnehmen.

**veredeln:** → verfeinern, → züchten.

**Veredelung** → Verfeinerung.

**verehelichen:** sich v. → heiraten.

**verehelicht** → verheiratet.

**Verehelichung** → Vermählung.

**verehren:** → achten; jmdm. etwas v. → schenken.

**Verehrer:** → Anhänger, → Geliebter.

¹**verehrt** (als Anrede), hochverehrt, sehr verehrt, [sehr] geehrt, wert (*veraltend*), gnädig, lieb, liebwert (*veraltet*); → Anrede.

²**verehrt** → angesehen.

**Verehrung:** → Achtung; mit dem Ausdruck tiefster V. → hochachtungsvoll.

**vereiden** → vereidigen.

¹**vereidigen,** vereiden (*veraltet*), durch Eid verpflichten, unter Eid nehmen, in Pflicht nehmen (*schweiz.*), angeloben (*österr.*) · *eine Wache:* vergattern; → versprechen; → Vereidigung.

²**vereidigen** → beschwören.

**Vereidigung,** Angelobung (*österr.*); → vereidigen.

**Verein:** → Vereinigung; im V. mit → gemeinsam.

**vereinbaren** → übereinkommen.

**vereinbart:** zur -en Zeit → pünktlich; nicht zur -en Zeit → säumig.

**Vereinbarung:** → Abmachung; eine V. treffen → übereinkommen.

**vereinen** → vereinigen.

**vereinfachen** → popularisieren.

**Vereinfachung** → Popularisation.

**vereinheitlichen** → normen.

**Vereinheitlichung** → Normung.

¹**vereinigen,** verschmelzen, vereinen, einen, unter einen Hut bringen, zusammenschließen; → Vereinigung.

²**vereinigen:** sich v. → verbünden (sich); in einem Punkt v. → zentralisieren.

**vereinigt,** zusammengeschlossen, assoziiert, verbündet, alliiert; → verbünden (sich).

¹**Vereinigung,** Verein, Klub, Verband, Organisation, Union,

Liga, Körperschaft, Korporation, Korps, [studentische] Verbindung, Leist (*schweiz.*); → Bund; → vereinigen.

**²Vereinigung:** → Bund, → Koitus.

**vereinnahmen** → kassieren.

**vereinsamt:** → einsam, → zurückgezogen.

**Vereinsamung** → Einsamkeit.

**Vereinsmeier:** ein V. sein → aktiv [sein].

**Vereinsmeierei** → Aktivität.

**vereint:** → beieinander, → gemeinsam.

**vereinzelt:** → einzeln, → manchmal, → selten.

**Vereisung:** → Glatteis, → Wärmeentzug.

**vereiteln:** → hindern, → verhindern.

**Vereitelung, Vereitlung, Verhütung, Verhinderung, Unterbindung, Verwehrung, Durchkreuzung, Hintertreibung, Boykottierung, Blockierung.** Abwendung, Abwehr, Abblockung, Sabotierung; → Behinderung, → Verhinderung; → verhindern.

**Vereitlung** → Vereitelung.

**verekeln** → verleiden.

**Verelendung** → Armut.

**verenden** → sterben.

**vererbbar** → angeboren.

**vererben** → hinterlassen.

**¹verewigen** (sich), sich unsterblich machen, in die Geschichte / Unsterblichkeit eingehen, sich ein bleibendes Andenken erwerben, sich mit etwas in das Buch der Geschichte eintragen, sich ein Denkmal setzen; → bekannt.

**²verewigen:** sich v. → beschmutzen, → einschneiden.

**Verewigter** → Toter.

**¹verfahren,** vorgehen, handeln, agieren, sich verhalten, eine bestimmte Methode anwenden, einen bestimmten Weg einschlagen; → agieren, → lavieren; → Verfahren.

**²verfahren:** sich v. → verirren (sich); die Karre ist [total] verfahren → aussichtslos [sein]; v. mit → umgehen.

**³verfahren:** → aussichtslos, → wirr.

**¹Verfahren,** Methode, Weg, System, Arbeitsweise, Technik,

Heuristik, heuristisches Prinzip · *bestes zur Erreichung eines Zieles:* Königsweg, Via regia (*bildungsspr.*) · *als Konferenz- und Diskussionstechnik angewandtes, um schwierige Probleme zu lösen:* Synektik; → Handhabung, → Kunstfertigkeit, → Strategie; → verfahren.

**²Verfahren:** → Aktion, → Gerichtsverfahren.

**Verfahrenheit** → Heiligkeit.

**Verfahrensweise** → Handhabung.

**Verfall, Zerfall, Zersetzung, Auflösung, Verwesung, Fäulnis;** → Fäulnis, → Rückgang, → Verwesung.

**¹verfallen,** verkommen, verwahrlosen, herunterkommen; → verwahrlosen; → morsch.

**²verfallen:** → ablaufen, → verwahrlosen; v. sein → Geltung; jmdm. v. sein → abhängig [sein von]; v. in → hineinkommen (in).

**³verfallen:** → hinfällig, → morsch.

**verfällen** → verurteilen.

**verfälschen,** verzerren, verdrehen, entstellen, etwas auf den Kopf stellen, umkehren, jmdm. das Wort im Mund herumdrehen (*ugs.*); → Verdrehung, → Zerrbild.

**¹Verfälschung,** Verzerrung, Entstellung · *die bei demoskopischen Umfragen durch die Person des Interviewers entsteht:* Bias; → Verdrehung.

**²Verfälschung:** → Verdrehung, → Zerrbild.

**verfangen:** etwas verfängt nicht → Erfolg.

**Verfärbung,** Gesichtsverfärbung, Rotfärbung, Rötung · hektische Röte · Schamröte · Zornesröte; → Röte, → Wutanfall.

**verfassen:** → aufschreiben; verfaßt von → von.

**Verfasser** → Schriftsteller.

**¹Verfassung,** Befinden, Zustand · *gute:* Fitness; **in guter V. sein,** fit sein, in Form sein; → gesund [sein]; **in schlechter V. sein,** außer / nicht in Form sein, [ganz] aus der Übung [gekommen] sein, jmdm. fehlt die Übung, nicht fit sein, im

Eck sein (*ugs., österr.*); → krank [sein].

**²Verfassung:** in guter körperlicher V. → fit.

**Verfassungsrecht** → Rechtsgebiet.

**verfaulen** → faulen.

**verfault** → ungenießbar.

**Verfechter:** [V. einer Idee] → Eiferer.

**verfehlen:** den Weg v. → verirren (sich); seine Wirkung v. → wirkungslos [bleiben]; seine Wirkung nicht v. → wirken; das Ziel v. → treffen.

**¹verfehlt,** mißraten, mißlungen, fehlgeschlagen, gefehlt (*bes. schweiz.*), vorbeigelungen (*scherzh.*); → falsch.

**²verfehlt:** → abwegig, → falsch.

**Verfehlung** → Verstoß.

**verfeinden:** sich v. → entzweien (sich).

**verfeindet,** entzweit, zerstritten, verzankt, verkracht (*ugs.*); **v. sein,** spinnefeind sein (*ugs.*), mit jmdm. übers Kreuz sein / stehen (*ugs.*), mit jmdm. auf [dem] Kriegsfuß stehen, wie Hund und Katze leben (*ugs.*), mit jmdm. fertig / (*berlin.*) schuß sein (*ugs.*), geschiedene Leute sein, mit jmdm. nicht mehr reden / sprechen, der ist für mich gestorben / erledigt (*salopp*), den sehe ich gar nicht mehr (*salopp*); → brechen (mit jmdm.), → entzweien (sich).

**verfeinern,** sublimieren, erhöhen, läutern, veredeln, kultivieren, zivilisieren, hochstilisieren (*ugs.*), vergeistigen, ins Geistige erheben, entmaterialisieren; → erhaben; → Verfeinerung.

**verfeinert** → erhaben.

**Verfeinerung,** Sublimierung, Sublimation, Erhöhung, Läuterung, Veredelung, Kultivierung, Zivilisierung, Vergeistigung, Entmaterialisierung, Entmaterialisation; → Läuterung; → verfeinern.

**verfemen** → brandmarken.

**Verfemter** → Außenseiter.

**Verfemung** → Bann.

**verfertigen** → anfertigen.

**verfestigen:** sich v. → fest [werden].

**verfieren:** sich v. → erschrecken.

**verfilmen,** filmisch darstellen / gestalten / umsetzen, auf die Leinwand bringen, einen Film drehen / (*ugs.*) machen über · *einen Stoff zum zweitenmal:* ein Remake machen; → filmen; → Kinofilm.

**¹verfinstern (sich),** finster werden, sich verdüstern, sich umwölken (*dichter.*); → bewölken (sich), → verdunkeln.

**²verfinstern:** → verdunkeln; sich v. → bewölken (sich).

**Verfinsterung** → Verdunkelung.

**verflachen** → verwässern.

**Verflachung,** Verwässerung, Nivellierung, Gleichmacherei (*abwertend*); → Gleichmacherei → Popularisation; → verwässern.

**Verflechtung** → Verknüpfung.

**verfleckt** → schmutzig.

**¹verfliegen,** verdunsten, verdampfen, sich verflüchtigen, ausrauchen (*südd., österr.*).

**²verfliegen:** → vergehen; sich v. → verirren (sich).

**verfließen** → vergehen.

**verflixt:** → verdammt; v. und zugenäht! → verflucht!

**verflochten** → komplex.

**verflossen:** → vorig; -e Tage / -e Zeit (oder:) Zeiten → Vergangenheit.

**Verflossene** (*ugs.*), Exfreundin (*ugs.*), Exverlobte (*ugs.*), Exbraut (*ugs.*), ehemalige Freundin / Braut.

**Verflossener** (*ugs.*), Exfreund (*ugs.*), Exverlobter (*ugs.*), Exbräutigam (*ugs.*), ehemaliger Freund / Bräutigam.

**verfluchen** → brandmarken.

**¹verflucht!,** verdammt [und zugenäht]!, verflixt [und zugenäht]!, Kruzifix!, Kruzitürken! (*südd., österr.*), fix! (*österr.*), Fixlaudon! (*österr.*), Himmellaudon! (*österr.*), Sakrament!, sackerlot! Sakra! (*südd., österr.*), sapperlot!, sapperment!, sapristi!, Himmelherrgottsakra! (*südd., österr.*), Himmeldonnerwetter!, zum Donnerwetter noch mal!, da soll doch das Donnerwetter dreinschlagen!, Donnerkeil!, Donnerschlag!, zum Kuckuck!, Schockschwerenot!, zum Henker!, hol's der Henker / Geier / Teufel!, der Teufel soll's holen!, zum Teufel

zu!, verdammt / verflucht noch mal!, [verdammte] Scheiße!, Scheißkram!, Schiet! (*niederd.*), Schietkram! (*niederd.*), zum Teufel [noch mal]!, Himmel, Arsch und Zwirn!, Himmel, Arsch und Wolkenbruch!, Himmel, Gesäß und Nähgarn! (*scherzh.*); → verdammt; → schelten, → verwünschen (jmdn.).

**²verflucht:** → sehr, → verdammt.

**verflüchtigen:** sich v. → verfliegen.

**Verfluchung** → Bann.

**verflüssigen** → zerlassen.

**verflüssigt** → flüssig.

**¹verfolgen,** jagen, hetzen, nachstellen, jmdm. auf den Fersen bleiben, sich an jmds. Sohlen heften, jmdm. nachsetzen / nachlaufen / nachrennen / nachjagen, hinter jmdm. her sein, treiben, jmdm. nachsteigen; → beschleichen, → jagen, → nachgehen, → schikanieren; → Jäger.

**²verfolgen:** → befallen, → beobachten, → umwerben; vom Mißgeschick verfolgt werden → Unglück [haben]; das gleiche Ziel v. → streben; jmdn. mit Blicken v. → nachschauen (jmdm.).

**Verfolger,** Häscher (*dichter.*), Scherge (*dichter.*).

**Verfolgung,** Nachstellung, Jagd, Hetze, Kesseltreiben, Hexenverfolgung (*hist.*), Hexenjagd, Pogrom; → Blutbad; → verfolgen.

**Verfolgungsjagd** → Geländespiel.

**Verfolgungsspiel** → Geländespiel.

**Verfolgungswahn** → Bewußtseinstrübung.

**verformen** → deformieren.

**Verformung** → Deformierung.

**verfrachten** → unterbringen.

**verfranzen:** sich v. → verirren (sich).

**¹verfressen:** [sein Geld] v. → ausgeben.

**²verfressen** → eßlustig.

**Verfressenheit** → Gefräßigkeit.

**verfrieren** → erfrieren.

**verfrüht** → vorzeitig.

**verfügbar,** bereit, fertig, an-

gezogen, abmarschbereit, gestiefelt und gespornt; → fertig; — bereitstellen.

**verfügen:** → anordnen; sich v. → weggehen; v. über → haben.

**Verfügung:** → Testament, → Weisung; zur V. haben, etwas steht jmdm. zur V. → haben; jmdm. zur V. stehen → gehören; zur V. stellen → abgeben, → einräumen, → leihen, → zuschieben (jmdm. etwas); sein Amt zur V. stellen → kündigen.

**Verfügungsgewalt** → Berechtigung.

**verführbar** → bestechlich.

**¹verführen:** etwas verführt / ·verleitet / hat Aufforderungscharakter.

**²verführen:** → verleiten; sich nicht v. lassen → verweigern (sich jmdm.).

**Verführer** → Frauenheld.

**Verführerin** → Vamp.

**Verführung** → Anfechtung.

**verfuhrwerken** → verderben.

**Vergabe,** Übertragung, Überantwortung, Übergabe, Zuteilung, Zuschlag; → Aushändigung, → Zuteilung; → vergeben.

**vergaben:** → hinterlassen, → schenken.

**Vergabung** → Erbe (das).

**vergackeiern** → anführen.

**vergaffen:** sich v. → verlieben (sich).

**vergällen** → denaturieren, → verleiden. ·

**vergaloppieren:** sich v. → irren (sich).

**vergammeln** → faulen.

**vergammelt** → altbacken.

**vergangen:** → gewesen, → überlebt, → vorig; -e Tage / -e Zeit (oder:) Zeiten → Vergangenheit.

**¹Vergangenheit,** vergangene / gewesene / verflossene / frühere Zeit (oder:) Zeiten (oder:) Tage, → Atomzeitalter, Belle Epoque, → Gründerzeit · Ggs. → Gegenwart.

**²Vergangenheit:** [erste] V., dritte V., vollendete V., zweite V. → Tempus; die V. bewältigen → bewältigen.

**vergänglich,** zeitlich, endlich, sterblich: → kurz → vorübergehend; **v. sein:** etwas ist ver-

gänglich / ist Schall und Rauch
(geh.); → Vergänglichkeit.
**Vergänglichkeit,** Sterblichkeit,
Endlichkeit, Zeitlichkeit, Flüchtigkeit; → vergänglich.
**Vergantung** → Versteigerung.
**vergasen** → töten.
**Vergasung:** bis zur V. → Überdruß.
**vergattern** → vereidigen.
**¹vergeben,** übertragen, zuschlagen, zuteilen, übergeben, überantworten, jmdm. den Zuschlag geben; → geben, → überantworten, → verabreichen; → Vergabe.
**²vergeben:** → verzeihen; sich nichts v. → erniedrigen (sich); v. sein → ledig.
**vergebens:** v. sein → nutzlos [sein].
**vergeblich:** v. sein → nutzlos [sein].
**Vergebung:** → Begnadigung, → Entschuldigung, → Verzeihung!
**vergegenständlichen:** → hypostasieren, → veranschaulichen.
**Vergegenständlichung** → Veranschaulichung.
**vergegenwärtigen:** sich etwas v. → vorstellen (sich etwas).
**¹vergehen,** vorbeigehen, vorübergehen, verrauchen, verrauschen, verrinnen, verfließen, verstreichen, ins Land ziehen / gehen, verfliegen, dahingehen.
**²vergehen:** sich v. → sündigen; jmdm. ist der Appetit vergangen → bereit; bis dahin vergeht noch einige Zeit → dauern; sich v. an → vergewaltigen.
**Vergehen** → Verstoß.
**vergeigen** → Spiel.
**vergeistigen** → verfeinern.
**Vergeistigung** → Verfeinerung.
**vergelten:** → belohnen, → bestrafen; vergelt's Gott! → danke!
**¹Vergeltung,** Vergeltungsmaßnahme, Vergeltungsschlag, Gegenschlag, Rache, Abrechnung, Heimzahlung, Revanche, Ahndung, Bestrafung; → Strafe, → Vergeltungsmaßnahmen, → Züchtigung; → bestrafen.
**²Vergeltung:** → Belohnung; V. üben → bestrafen.
**Vergeltungsmaßnahme** → Vergeltung.

**Vergeltungsmaßnahmen,** Druckmittel, Repressalien, Sanktionen, Zwangsmaßnahmen, Pressionen, Druck, Nötigung, Zwang, Gegenmaßnahmen, Gegenstoß, Boykott, Ächtung, Warensperre, Kundensperre; → Bann, → Vergeltung.
**Vergeltungsschlag**→Vergeltung.
**vergesellschaften**→enteignen.
**vergessen,** nicht [im Kopf / Gedächtnis] behalten, verschwitzen (ugs.), etwas verbummeln (ugs.), nicht denken an, jmdm. entfällt etwas, aus dem Gedächtnis verlieren, einen Filmriß haben (salopp), keine Erinnerung [mehr] an etwas haben, sich nicht erinnern können, ein schlechtes / (ugs.) kurzes Gedächtnis haben, nicht mehr wissen, versieben (ugs.), verschusseln (ugs.), verdusseln (ugs.), ein Gedächtnis wie ein Sieb haben (ugs.), vergeßlich sein, alt werden (scherzh.); **etwas ist vergessen,** über etwas ist Gras gewachsen; → Gedächtnisschwäche, → Verkalkung.
**Vergessen:** → Gedächtnisschwäche; den Schleier des -s über etwas breiten → vertuschen; Strom des -s → Lethe.
**Vergessenheit:** nicht der V. anheimfallen lassen → wachhalten; den Schleier der V. über etwas breiten → vertuschen.
**vergeßlich:** v. sein → vergessen.
**Vergeßlichkeit:** → Gedächtnisschwäche, → Gedankenlosigkeit.
**vergeuden** → verschwenden.
**vergewaltigen,** schänden, notzüchtigen, sich vergehen an, jmdm. Gewalt antun, mißbrauchen, entehren (dichter.), schwächen (veraltet), stuprieren; → deflorieren, → nötigen, → schwängern, → verleiten; → Kinderschänder, → Koitus.
**Vergewaltigung,** Schändung, Notzucht, Stuprum; → Koitus.
**vergewissern:** sich v. → kontrollieren.
**¹vergießen,** verschütten, verschlabbern (ugs.), schlabbern (ugs.), umschütten.
**²vergießen:** Krokodilstränen v. → weinen; sein Blut v. für → einstehen (für).

**vergiften:** → töten, → verseuchen; sich v. → entleiben (sich); durch nichts vergiftet → ungetrübt.
**vergiftet** → verseucht.
**Vergiftung,** Vergiftungskrankheit, Intoxikation, Intoxation (selten), Toxikose, Toxikonose, Toxonose, Toxipathie, Toxikation (selten), Venenation (selten) ·· durch körpereigene giftige Stoffwechselprodukte: Autointoxikation, endogene Toxikose, Nosotoxikose, Selbstvergiftung ·· durch von außen in den Organismus eingebrachte Giftstoffe: exogene Toxikose, Heterointoxikation, Heterotoxis (selten) · Bleivergiftung, Saturnismus · Quecksilbervergiftung, Hydrargyrose, Merkurialismus · Arsenvergiftung, Arsenismus, Arsenikismus, Arsenikalismus · Bromvergiftung, Bromismus, Brominismus · Silbervergiftung, Argyrismus, Argyrie, Argyriasis; → Blutvergiftung, → Koffeinvergiftung, → Kokainvergiftung, → Lebensmittelvergiftung, → Nikotinvergiftung, → Opiumvergiftung, → Schlafmittelvergiftung.
**Vergiftungskrankheit** → Vergiftung.
**vergißmeinnichtblau** → blau.
**Vergitterung** → Gitter.
**verglast** → stier.
**¹Vergleich,** Parallele, Gegenüberstellung, Konfrontierung, Konfrontation, Nebeneinanderstellung, Abwägung; → Kontrolle, → Parallele; → konfrontieren, → kontrollieren, → vergleichen.
**²Vergleich:** → Abmachung, → Einigung, → Schulaufsatz, → Sinnbild; einen V. anstellen, zum V. heranziehen, -e ziehen → vergleichen; [mit jmdm.] einen V. schließen → einigen (sich); im V. zu → verhältnismäßig.
**vergleichbar:** → gleichartig; -er Fall → Parallele.
**Vergleichbarkeit** → Gleichartigkeit.
**¹vergleichen,** Vergleiche / Parallelen ziehen, einen Vergleich anstellen, nebeneinanderstellen, nebeneinanderhalten, gegenüberstellen, konfrontieren, mes-

sen, zum Vergleich heranziehen, vergleichsweise beurteilen, abwägen · *eine Abschrift mit der Urschrift auf die Richtigkeit:* kollationieren; → konfrontieren, → kontrollieren, → verknüpfen; → Parallele, → Sinnbild, → Vergleich.

²**vergleichen:** sich v. → übereinkommen; -de Sprachwissenschaft → Sprachwissenschaft; verglichen mit → verhältnismäßig.

**vergleichend** → kontrastiv.

**Vergleichsstufe** · Positiv, Grundstufe·Komparativ, Steigerungsstufe · Superlativ, Höchststufe, Elativ · Äquativ.

**Vergleichsverfahren** → Gerichtsverfahren.

**vergleichsweise:** → verhältnismäßig; v. beurteilen → vergleichen.

**verglimmen** → brennen.

**verglühen** → brennen.

**vergnatzt** → ärgerlich.

**vergnügen** (sich), sich unterhalten / amüsieren / verlustieren, [miteinander] fröhlich sein; → freuen (sich), → unterhalten (sich), → zerstreuen (sich).

**Vergnügen:** → Fest, → Lust, → Unterhaltung; es ist mir ein V. → ja; mit V. → anstandslos, → ja.

**vergnüglich** → lustig.

**vergnügt:** → lustig; -es Huhn → Mensch (der).

**Vergnügtheit** → Lust.

**Vergnügungsdampfer** → Fahrgastschiff.

**Vergnügungsfahrt** → Fahrt.

**Vergnügungsindustrie,** Unterhaltungsindustrie, Showgeschäft, Showbusineß; → Ansager, → Unterhalter.

**Vergnügungsreise** → Reise.

**Vergnügungssteuer** → Abgabe.

**vergnügungssüchtig** → lustig.

**vergönnen:** [nicht vergönnt sein] → gewähren.

**vergöttern** → achten.

**vergöttert** → angesehen.

**Vergötterung** → Verherrlichung.

**Vergottung** → Verherrlichung.

¹**vergraben,** eingraben, verscharren; → begraben.

²**vergraben** → bestatten.

**vergrämt** → unzufrieden.

**vergrätzt** → ärgerlich.

**vergreifen:** sich im Ton v. → benehmen (sich).

**vergreisen** → altern.

**Vergreisung:** → Rückständigkeit, → Verkalkung.

**vergriffen,** verkauft, ausverkauft, ausgebucht; **v. sein,** nicht am Lager sein.

¹**vergrößern,** mit dem Vergrößerungsglas / mit der Lupe betrachten · mikroskopieren, unter dem Mikroskop betrachten, unter das Mikroskop legen; → Lupe.

²**vergrößern:** → erweitern; sich v. → zunehmen; seinen Einflußbereich v. → expandieren.

**Vergrößerung:** → Ausdehnung, → Fotografie, → Steigerung.

**Vergrößerungsglas:** → Lupe; mit dem V. betrachten → vergrößern.

**vergucken:** sich v. → verlieben (sich).

**Vergünstigung** → Vorrecht.

**vergüten** → zahlen.

¹**Vergütung,** Gutschrift, Bonifikation, Aufwandsentschädigung, Bonus, Prämie; → Abfindung, → Bon, → Preisnachlaß, → Spesen, → Zuschuß.

²**Vergütung** → Entgelt.

**verhackstücken:** → beanstanden, → besprechen.

**Verhaft:** in V. nehmen → verhaften.

**verhaften,** inhaftieren, in Haft / Verhaft / Gewahrsam nehmen, festnehmen, gefangennehmen, arretieren, dingfest machen, abholen, holen, in Arrest bringen / stecken; → abführen, → ergreifen, → festsetzen (jmdn.); → Verhaftung.

**Verhaftung,** Inhaftierung, Festsetzung, Ergreifung, Gefangennahme, Sistierung, Arretierung; → ergreifen (jmdn.), → verhaften.

**verhageln:** jmdm. ist die Petersilie / die ganze Ernte verhagelt → deprimiert [sein].

**verhallen,** verklingen, ausklingen, abklingen, aushallen, austönen, verwehen (*dichter.*), absterben, ersterben (*geh.*), kaum noch zu hören sein; → abnehmen.

¹**verhalten:** sich v. → benehmen (sich), → verfahren.

²**verhalten:** → leise, → unzugänglich; mit -em Atem → erwartungsvoll; mit -er Stimme → gedämpft.

**Verhalten:** → Benehmen, → Verhaltensweise; unfaires / unkameradschaftliches / unsportliches V. → Unkameradschaftlichkeit.

**Verhaltenheit** → Verschlossenheit.

**Verhaltensform** → Verhaltensweise.

**Verhaltensforschung,** Ethologie; → Psychologie, → Verhaltensweise.

**Verhaltensmaßregel** → Weisung.

**Verhaltensweise,** Verhaltensform, Verhalten · *bei Tieren zu einer triebbefriedigenden Endhandlung führende:* Appetenzverhalten, Instinkthandlung; → Verhaltensforschung.

**Verhaltenswort** → Verb.

¹**Verhältnis,** Relation, Beziehung, Wechselbeziehung, Interaktion, Bezug, Zusammenhang, Abhängigkeit, Interdependenz; → Verknüpfung.

²**Verhältnis:** → Geliebte, → Geliebter, → Liebelei; akustische -se → Raumakustik; ein V. haben → lieben; sich umsehen, wie die -se sind → vorfühlen; ein festes V. haben → gebunden [sein], → ledig; kein V. zu etwas haben → unzugänglich; in gesicherten -sen leben → leben.

**verhältnismäßig,** relativ, vergleichsweise, im Vergleich zu, verglichen mit, gegenüber, gemessen an.

**Verhältniswahl,** Proportionalwahl, Proporz; → Wahl, → Wahlberechtigter, → Wahlbeteiligung, → Wähler, → Wahlrecht; → wählen.

**Verhältniswahlrecht** → Wahlrecht.

**Verhältniswort** → Wortart.

**Verhaltungsmaßregel** → Weisung.

**verhandeln:** → erörtern, → vermitteln.

**Verhandlung** → Gespräch.

**verhandlungsbereit:** v. sein → entgegenkommen (jmdm.).

**Verhandlungsbereitschaft** → Konzessionsbereitschaft.

**Verhandlungsgegenstand** → Tagesordnungspunkt.

**Verhandlungstisch:** am V. besprechen → erörtern.
**verhangen** → bewölkt.
**verhängen:** → umhüllen; über jmdn. eine Strafe v. → bestrafen.
**Verhängnis:** → Unglück; über etwas waltet ein V. → gelingen.
**verhängnisvoll** → schlimm.
**verharmlosen** → bagatellisieren.
**verhärmt** → unzufrieden.
**verharren:** → weilen; v. bei → bestehen auf.
**Verharren,** das Festhalten an · *krankhaftes:* Perseveration; → Beharrlichkeit.
**verharrend** → rückschrittlich.
**verhärtet:** → gefühlskalt, → spannungsgeladen.
**verhaspeln:** sich v. → stottern.
**verhaßt** → unbeliebt.
**Verhaßtheit** → Unbeliebtheit.
**Verhaßtsein** → Unbeliebtheit.
**verhätscheln** → verwöhnen.
**verhatscht** → ausgeweitet.
**Verhau** → Hürde.
**verhauen** → schlagen.
**verheddern:** sich v. → stottern.
**verheeren** → zerstören.
**Verheerung** → Vernichtung.
**verhehlen** → schweigen.
**verheilen** → abheilen.
**verheilt** → abgeheilt.
**verheimlichen** → schweigen.
**Verheimlichung** → Geheimhaltung.
**¹verheiraten,** kopulieren *(veraltet),* zur Ehe geben, zur Frau geben, an den Mann bringen *(scherzh.);* → heiraten, → trauen, → verkuppeln.
**²verheiraten:** → verkuppeln; sich v. → heiraten; schon / so gut wie verheiratet sein → ledig.
**verheiratet,** verehelicht; **[mit jmdm.] v. sein,** jmds. Mann / Frau sein, ein Ehepaar / Mann und Frau sein, eine [glückliche] Ehe führen; → heiraten.
**Verheiratete** → Ehepaar.
**verheißen** → versprechen.
**Verheißung** → Zusicherung.
**verheizen** → opfern.
**verhelfen:** v. zu etwas → beschaffen, → helfen; jmdm. / einer Sache zur Anerkennung v. → Anerkennung [erzwingen]; zum Durchbruch v. → unterstützen (etwas).

**verherrlichen:** → loben, → lobpreisen; in einer Dichtung v. → besingen.
**Verherrlichung,** Glorifizierung, Verklärung, Vergötterung, Vergottung, Idolatrie, Apotheose · *einer politischen Persönlichkeit:* Personenkult *(abwertend);* → Heiligenschein, → Lob.
**verhetzen** → aufwiegeln.
**verhexen:** → bezaubern, → bannen; das ist [doch rein] wie verhext! → gelingen.
**Verhexung** → Faszination.
**verhimmeln** → anschwärmen.
**¹verhindern,** hindern an, verhüten, unterbinden, abstellen, einen Riegel vorschieben, im Keime ersticken, Einhalt tun / gebieten, durchkreuzen, zu Fall bringen, vereiteln, zunichte machen, hintertreiben, jmdm. in den Arm fallen, jmdm. das Handwerk legen, jmdm. einen Strich durch die Rechnung machen, jmdm. die Tour vermasseln *(salopp),* etwas unmöglich machen, verwehren, blockieren, abblocken, boykottieren, abwehren, abwenden, abbiegen *(salopp),* sabotieren, verunmöglichen *(schweiz.),* konterkarieren; → abhelfen, → ankämpfen, → behindern, → eingreifen, → einschränken, → hindern, → kämpfen, → verbieten; **etwas ist nicht zu v.,** etwas ist nicht aufzuhalten / nimmt seinen Lauf; → Vereitelung.
**²verhindern** → hindern.
**¹Verhinderung,** Hinderung, Hindernis, Abhaltung; → Behinderung, → Einspruch, → Vereitelung.
**²Verhinderung:** → Vereitelung, → Verhütung.
**verhöhnen:** → aufziehen, → schadenfroh [sein].
**verhohnepipeln** → anführen.
**Verhöhnung** → Zerrbild.
**verhökern** → verkaufen.
**¹Verhör,** Kreuzverhör, Untersuchung, Ermittlung, Anhörung, Hearing, Vernehmung, Einvernahme *(österr., schweiz.),* Ausfragerei *(abwertend),* Inquisition; → Anfeindung, → Erforschung, → Umfrage; → vernehmen.
**²Verhör:** ein V. anstellen → vernehmen.

**verhören:** → fragen, → vernehmen.
**verhüllen:** → umhüllen, → verstecken.
**verhüllend** → beschönigend.
**Verhüllung:** → Beschönigung, → Euphemismus, → Tarnung.
**verhungern:** jmdn. am steifen Arm v. lassen → unzugänglich [sein].
**verhunzen** → verunstalten.
**verhunzt** → verschandelt.
**Verhunzung** → Entstellung.
**verhurt** → verlebt.
**verhüten** → verhindern.
**¹Verhütung,** Verhinderung, Vorbeugung, Prävention, Schutz, Prophylaxe; → Vorbeugungsmittel; → vorbeugend.
**²Verhütung** → Vereitelung.
**Verhütungsmittel** → Präservativ.
**verhutzelt** → verschrumpelt.
**verinnerlicht** → empfindsam.
**verirren (sich),** irregehen, in die Irre gehen, die Orientierung / Richtung verlieren, den Weg verfehlen, vom Wege abkommen / abirren, fehlgehen, sich verlaufen / verfahren / verfliegen / *(ugs.)* verfranzen / *(ugs.)* verbiestern; → irren (sich).
**verjagen** → vertreiben.
**verjubeln** → durchbringen.
**verjüngt,** jünger geworden, wieder frisch / leistungsfähig; → Tatkraft.
**verjuxen** → durchbringen.
**verkalken** → altern.
**verkalkt** → alt.
**¹Verkalkung,** Vergreisung, Senilität, Kalzifikation (Med.); → Altersschwäche, → Gedächtnisschwäche; → vergessen.
**²Verkalkung:** → Rückständigkeit.
**verkälten:** sich v. → erkälten (sich).
**verkamisolen** → schlagen.
**verkasematuckeln** → trinken.
**¹Verkauf,** Veräußerung · *wobei der Käufer verpflichtet wird, eine Anzahlung zu leisten und weitere Kunden zu werben:* Verpflichtung, Schneeballsystem, Lawinensystem; → Absatz; → verkaufen.
**²Verkauf** → Absatz.
**¹verkaufen,** veräußern, verscheuern *(salopp),* verschachern *(salopp),* versilbern *(ugs.),* zu

Geld machen, in klingende Münze umsetzen, verkitschen (*landsch.*), verkümmeln (*salopp*), verkloppen (*salopp*), verscherbeln (*salopp*), verhökern (*ugs.*), versetzen, [zum Kauf] anbieten, anpreisen, auf den Markt werfen, absetzen, feilhalten, feilbieten, ausbieten, ausschreien, anbringen, an den Mann bringen, loswerden (*ugs.*), losschlagen (*ugs.*), ausverkaufen, handeln / hausieren mit, vertreiben, verschleißen (*veraltend, österr.*), [schwunghaften] Handel treiben, Geschäfte machen, in Handelsbeziehung stehen, Handelsbeziehungen unterhalten, machen in (*salopp*) · *billig:* verschleudern, abstoßen, abverkaufen (*österr.*), verramschen (*abwertend*), für ein Butterbrot verkaufen / hergeben (*ugs.*) · *heimlich:* verschieben, kungeln (*ugs., landsch.*); **nicht v. können,** sitzenbleiben auf, nicht loswerden; **sich leicht v. lassen,** sich gut verkaufen, gut gehen (*ugs.*), reißenden Absatz finden, etwas geht weg wie warme Semmeln (*ugs.*); → aufgeben, → feilhalten, → handeln, → überreden, → verpfänden, → verschwenden, → versteigern, → wechseln, → zahlen; → Geschäft, → Handelsvertreter, → Kauf, → Kunde, → Verkauf, → Vermögen, → Ware · Ggs. → kaufen.
²**verkaufen:** sich v. → kaufen; verraten und verkauft → schutzlos; zu v. → **verkäuflich**; billig / zu einem Schleuderpreis / zum halben Preis / unter Preis / → billig [verkaufen]; sich nicht für dumm v. lassen → schlau [sein]; für dumm v. → dumm.
**Verkäufer** → Handelsgehilfe.
**Verkäuferin,** Ladenmädchen, Ladenfräulein, Ladentochter (*schweiz.*), Ladnerin (*südd., österr.*); → Handelsgehilfe.
¹**verkäuflich,** zu verkaufen, absetzbar, feil (*veraltend*); → begehrt, → marktgerecht.
²**verkäuflich:** leicht v. → begehrt.
**Verkaufsbude** → Verkaufsstand.
**Verkaufsförderer** → Werbefachmann.
**Verkaufsförderung** → Werbung.

**Verkaufshäuschen** → Verkaufsstand.
**Verkaufskampagne** → Versuch.
**Verkaufskiosk** → Verkaufsstand.
**Verkaufsmesse** → Messe.
**verkaufsoffen** → geöffnet.
**Verkaufspreis** → Preis.
**Verkaufsschlager,** Schlager, Kassenmagnet, Kassenschlager, Erfolg, Publikumserfolg, Kassenerfolg, Hit, Seller, Longseller, Steadyseller, Bestseller, Renner; → Buch.
**Verkaufsstand,** Stand, Verkaufsbude, Bude, Verkaufskiosk, Kiosk, Verkaufshäuschen, Häuschen, Standel (*bayr., österr.*), Warenstand, Marktstand, Marktbude, Zeitungsstand, Zeitungsbude, Zeitungskiosk, Zigarettenkiosk, Getränkekiosk, Getränkestand, Getränkebude, Trinkbude, Trinkhalle, Erfrischungsbude, Erfrischungsstand, Würstchenbude, Würstchenstand; → Jahrmarktsbude, → Laden, → Ladentisch.
**Verkaufsstätte** → Laden.
**Verkaufstisch** → Ladentisch.
**verkauft** → vergriffen.
**Verkehr:** → Koitus, → Straßenverkehr; V. haben → koitieren; aus dem V. ziehen → gebrauchen; mit jmdm. in V. stehen → verkehren (mit).
¹**verkehren (mit),** kommunizieren, mit jmdm. Umgang haben / Kontakt pflegen / in Verkehr stehen / zusammenkommen, sich [regelmäßig] mit jmdm. treffen, sich gegenseitig besuchen, bei jmdm. ein- und ausgehen; → besuchen; → Kontakt.
²**verkehren:** brieflich v. mit → korrespondieren (mit).
**Verkehrsader** → Straße.
**Verkehrsampel:** → Lichtzeichen, → Verkehrszeichen.
**Verkehrschaos** → Verkehrsstauung.
**Verkehrsdichte** → Häufigkeit.
**Verkehrsflughafen** → Flugplatz.
**Verkehrsflugzeug** → Flugzeug.
**verkehrsgünstig:** v. gelegen sein → abgelegen.
**Verkehrslärm** → Lärm.
**Verkehrsmaschine** → Flugzeug.
**Verkehrsmittel,** Beförderungsfahrzeug ·· *auf Schienen:* Eisen-

bahn, Bahn, Zug, Eisenbahnzug, Intercityzug, Alwegbahn, Magnetkissenzug, Luftkissenfahrzeug · *in der Stadt:* Straßenbahn, Elektrische, Trambahn (*südd.*), Tram (*landsch.*), Tramway (*österr.*), Pferdebahn (*hist.*) · *in der Stadt unter der Erde:* Untergrundbahn, U-Bahn, Metro (in Paris), Underground (in London), Tube (in London), Subway (in New York) · *in der Stadt über der Erde:* Hochbahn, Stadtbahn, S-Bahn, Vorortbahn, Schwebebahn ·· *in der Stadt ohne Schienen:* Autobus, Omnibus, Bus, Car (*schweiz.*), Autocar (*schweiz.*), Doppelstockomnibus, doppelstöckiger Bus, Doppeldecker (*ugs.*), Gesellschaftskraftwagen, Pferdeomnibus (*hist.*), Oberleitungsomnibus, Oberleitungsbus, Obus, Trolleybus, Überlandbus, Greyhound (*amerik.*) ·· *im Gebirge:* Bergbahn, Gebirgsbahn, Seilbahn, Zahnradbahn · *in der Luft:* Flugzeug; → Eisenbahnzug, → Hubschrauber, → Kutsche, → Seilbahn, → Straßenverkehr, → Taxe; → umsteigen.
**Verkehrspilot** → Flugzeugführer.
**Verkehrspolizei** → Polizeibehörde.
**Verkehrspsychologie** → Psychologie.
**verkehrsreich** → belebt.
**Verkehrsschild** → Verkehrszeichen.
**Verkehrssprache** → Landessprache.
**Verkehrsstauung,** Verkehrsstockung, Verkehrschaos, Stauung, Stau, Stockung, Autoschlange, Schlange.
**Verkehrssteuer** → Abgabe.
**Verkehrsstockung** → Verkehrsstauung.
**Verkehrsstraße** → Straße.
**Verkehrsstrom,** Gegenstrom, Rückstrom; → fließen.
**Verkehrsteilnehmer** · Fußgänger, Passant · Radfahrer, Radler · Motorradfahrer, Mopedfahrer · Autofahrer, Pkw-Fahrer, Fernfahrer, Fernlastfahrer, Lastwagenfahrer, Lkw-Fahrer, Autler (*veraltet*); →

Fahrerflucht, → Passagier, → Straßenverkehr; → belebt.

**Verkehrsverbindung,** Verbindung, Zugverbindung, Zugsverbindung (*österr.*), Busverbindung, Flugverbindung, Anschluß, Anstoß (*schweiz.*).

**Verkehrswacht** → Straßenwacht.

**Verkehrszählung** → Zählung.

**Verkehrszeichen,** Verkehrsschild, Schild, Verkehrsampel, Ampel; → Beschilderung, → Bildsymbol, → Kilometerstein, → Schild, → Wegweiser; **die Zahl der V. verringern,** den Schilderwald abholzen (*ugs.*).

**[1]verkehrt,** falsch, nicht richtig, verkehrtherum (*ugs.*), verkehrtrum (*ugs.*), falschherum (*ugs.*), falschrum (*ugs.*); **etwas v. machen,** etwas falsch (oder:) verkehrt anfassen, etwas falsch machen, das Pferd am / beim Schwanz aufzäumen; → Fehler.

**[2]verkehrt:** → falsch, → pervers, → seitenverkehrt; etwas in den -en Hals bekommen → mißverstehen; Kaffee v. → Kaffee.

**Verkehrtheit** → Umkehrung.

**verkehrtherum:** → gleichgeschlechtlich [sein], → seitenverkehrt, → verkehrt.

**verkehrtrum:** → seitenverkehrt, → verkehrt.

**verkeilen:** → schlagen; sich ineinander v. → zusammenstoßen.

**verkennen** → mißachten.

**Verkettung** → Verknüpfung.

**verketzern** → schlechtmachen.

**verkitschen** → verkaufen.

**verklagen:** → belangen, → verraten.

**verklären** → loben.

**Verklärung** → Verherrlichung.

**verkleben:** → antrocknen, → verbinden, → zukleben.

**Verklebung,** Zusammenballung, Verklumpung, Agglutination; → Adhäsion, → Klebrigkeit, → Kohäsion; → fest, → klebrig.

**[1]verkleiden** (sich), sich maskieren / kostümieren / vermummen / tarnen; → Fastnachter, → Kostümierung, → Tarnung.

**[2]verkleiden:** → bespannen; mit Holz v. → täfeln.

**Verkleidung:** → Aufbau, → Kostümierung.

**verkleinern:** → verringern; sich v. → abnehmen.

**Verkleinerung** →Verminderung.

**Verkleinerungsform,** Diminutivform, Diminutiv, Deminutiv (*veraltet*), Diminutivum, Verkleinerungswort.

**Verkleinerungswort** → Verkleinerungsform.

**verklemmt** → ängstlich.

**verklickern** → mitteilen.

**verklingen** → verhallen.

**verklitschen** → verkaufen.

**verkloppen:** → schlagen, → verkaufen.

**verklötern** → durchbringen.

**Verklumpung** → Verklebung.

**verknacken** → verurteilen.

**verknacksen:** sich etwas v. → verstauchen (sich etwas).

**verknallen:** sich v. → verlieben (sich); verknallt sein → verliebt [sein].

**Verknappung** → Armut.

**verknautschen** → zerknittern.

**verknautscht** → zerknittert.

**verkneifen** → unterdrücken.

**verkneten** → mischen.

**verkniffen** → unzugänglich.

**verknöchert:** → alt, → unbeweglich.

**verknorzt** → alt.

**verknüpfen,** verbinden, einen Kontakt / eine Verbindung / eine Beziehung herstellen, verzahnen, beiordnen, koordinieren, assoziieren, junktimieren; → binden, → verbünden, → vergleichen, → verquicken, → verursachen, → vervollständigen, → zusammenfügen; → Verknüpfung.

**Verknüpfung,** Verbindung, Verflechtung, Verkettung, Verquickung, Verzahnung, Koppelung · *von Gesetzesvorlagen, Anträgen o.ä., die nur gemeinsam angenommen oder abgelehnt werden können:* Junktim; → Verhältnis; → verknüpfen.

**verknusen:** nicht v. können → hassen.

**Verkochung:** [chirurgische] V., elektrische V. → Verätzung.

**verkohlen:** → anführen, → brennen.

**Verkohlung** → Verletzung.

**[1]verkommen:** → übereinkommen, → verfallen, → verwahrlosen; [geistig] v. → stumpfsinnig [werden].

**[2]verkommen** → morsch.

**Verkommenheit** → Verwilderung.

**Verkommnis** → Abmachung.

**verkonsumieren:** → aufessen, → verbrauchen.

**verkorksen:** → verderben; sich den Magen v. → Magen.

**verkörpern** → spielen.

**Verkörperung** → Inbegriff.

**verkosten** → kosten.

**verkostgelden** → ernähren.

**verköstigen** → ernähren.

**Verköstigung** → Ernährung.

**verkrachen:** verkracht sein mit jmdm. → vertragen (sich).

**verkracht:** → gescheitert, → verfeindet; -e Existenz → Versager.

**verkraften** → ertragen.

**verkrampft,** verspannt, unfrei; → ängstlich.

**verkriechen:** → abkapseln; sich am liebsten in ein Mäuseloch v. mögen → schämen (sich).

**verkrümeln:** sich v. → weggehen.

**verkrümmt** → gebogen.

**verkrumpeln** → zerknittern.

**verkrumpelt** → zerknittert.

**verkrunkeln** → zerknittern.

**verkrunkelt** → zerknittert.

**verkrüppelt** → verwachsen.

**verkrusten** → antrocknen.

**verkühlen:** sich v. → erkälten (sich).

**Verkühlung** → Erkältung.

**verkümmeln** → verkaufen.

**[1]verkümmern,** dahinsiechen; → sterben.

**[2]verkümmern:** → stumpfsinnig [werden], → welken.

**[1]verkümmert,** rudimentär, zurückgeblieben, unausgebildet, rückgebildet.

**[2]verkümmert** → kümmerlich.

**verkünden:** → mitteilen; [ein Gesetz] v. → anordnen; das Wort Gottes v. → predigen.

**Verkünder** → Abgesandter.

**verkündigen:** → mitteilen; das Wort Gottes v. → predigen.

**Verkündigung:** → Mitteilung; Mariä V. → Marienfest.

**verkünsteln:** sich v. → äußern (sich), → tun.

**verkuppeln** (*abwertend*), kuppeln (*abwertend*), eine Ehe stiften, verheiraten, eine Heirat vermitteln, unter die Haube bringen (*ugs.*), an den Mann /

an die Frau bringen (*ugs.*), sich einen Kuppelpelz verdienen (*ugs.*); → verheiraten, → vermitteln; → Eheanbahnungsinstitut.

**verkürzen** → verringern.

**verkürzt** → kurz.

**Verkürzung** → Verminderung.

**verlachen** → schadenfroh [sein].

**Verlad** → Verladung.

**Verladebahnhof** → Bahnhof.

**verladen:** → laden; aufs Schiff v. → einschiffen.

**Verladung,** Verlad (*schweiz.*), Einladung, Einlad (*schweiz.*), Beladung, Ausladung, Auslad (*schweiz.*), Abladung, Ablad (*schweiz.*), Entladung, Entlad (*schweiz.*), Umladung, Umlad (*schweiz.*); → abladen, → ausladen, → laden.

**verlagern,** verlegen, auslagern, aussiedeln, räumen, evakuieren; → ausweisen, → entfernen, → lagern, → verschleppen; → Verlagerung.

**¹Verlagerung,** Auslagerung, Verlegung, Aussiedlung, Evakuierung, Räumung; → verlagern.

**²Verlagerung** → Umschichtung.

**Verlagsauflage** → Auflage.

**verlanden** → versanden.

**¹verlangen,** fordern, abverlangen, zurückverlangen, zurückfordern, reklamieren, urgieren (*österr.*), begehren, heischen, erheischen, jmdm. etwas zumuten / (*schweiz.*) anmuten / (*geh.*) ansinnen; → ausbitten (sich etwas), → bemühen (sich um), → bestehen (auf), → bitten, → fordern, → müssen, → vorschlagen, → wünschen.

**²verlangen:** → streben, → vorschreiben; verlangt → begehrt; verlangt werden → vorgeschrieben [sein]; etwas verlangt etwas → erfordern; was v. Sie? → teuer.

**Verlangen:** → Leidenschaft, → Wunsch.

**verlangend** → Sehnsucht.

**¹verlängern,** länger machen, herauslassen (*ugs.*), ansetzen, anstückeln.

**²verlängern:** → hinauszögern, → stunden, → verdünnen; verlängertes Rückenmark / Mark → Gehirn.

**Verlängerter** → Kaffee.

**¹Verlängerung,** Hinauszögerung, Verschiebung, Prolongierung (*österr.*), Prolongation (*österr.*); → Stundung; → hinauszögern.

**²Verlängerung:** → Ausdehnung, → Stundung.

**verlangsamen** → verringern.

**verläppen** → durchbringen.

**¹verlassen (sich auf etwas),** vertrauen / bauen auf, rechnen mit; **sich nicht nur auf eine Möglichkeit v.,** mehrere Eisen im Feuer haben.

**²verlassen:** → hinausgehen, → kündigen, → trennen (sich); jmdn. v. → sitzenlassen; sterben; das Bett v. → aufstehen; die ausgetretenen Pfade v. → schöpferisch [sein]; das Schiff v. → ausschiffen.

**³verlassen:** → abgelegen, → einsam, → menschenleer.

**Verlassenheit:** → Einsamkeit, → Leere.

**Verlassenschaft** → Erbe (das).

**verläßlich** → erprobt.

**verlästern** → schlechtmachen.

**verlatscht** → ausgeweitet.

**Verlauf:** → Vorgang; einen bestimmten V. nehmen → verlaufen; im V. von → binnen, → während.

**¹verlaufen,** einen bestimmten Verlauf nehmen, unter einem guten / glücklichen / günstigen / ungünstigen Stern stehen, es geht in bestimmter Weise zu / (*ugs.*) her.

**²verlaufen:** → geschehen; sich v. → verirren (sich); gleichmäßig -d → prozentual; etwas verläuft reibungslos → einspielen (sich); im Sande v. → wirkungslos [bleiben].

**Verlaufsform · er ist beim Arbeiten / arbeitet [gerade] / ist am Arbeiten / ist an der Arbeit / ist bei der Arbeit.**

**verlautbaren** → mitteilen.

**Verlautbarung** → Novelle.

**verlauten:** [v. lassen] → mitteilen; keinen Ton v. lassen → schweigen.

**verleasen** → vermieten.

**verleben** → weilen.

**verlebendigen** → veranschaulichen.

**Verlebendigung** → Veranschaulichung.

**verlebt,** verbraucht, abgelebt, verhurt (*vulgär*); → abgezehrt, → hinfällig, → trunksüchtig.

**verleckert** → naschhaft.

**¹verlegen,** betreten, schamhaft, beschämt, verschämt, verwirrt, befangen, kleinlaut, bedripst (*salopp*), bedeppert (*salopp*); → betroffen, → überrascht, → unerfreulich · Ggs. → ungezwungen; **v. sein,** dastehen wie ein begossener Pudel (*ugs.*), ein schlechtes Gewissen haben, jmdm. nicht ins Gesicht sehen / blicken können, Butter auf dem Kopf haben (*ugs., bes. österr.*); → Schamhaftigkeit, → Verlegenheit.

**²verlegen:** → befestigen, → edieren, → verlagern, → verlieren, → verschieben; Truppen v. → stationieren; seinen Wohnsitz v. → übersiedeln.

**¹Verlegenheit,** Unsicherheit, Gehemmtheit; → Angst, → Schamhaftigkeit; → verlegen.

**²Verlegenheit** → Mangel, Not; → Schamhaftigkeit; in V. bringen → verwirren; in [großer] V. sein → ratlos [sein].

**Verlegerzeichen** → Warenzeichen.

**Verlegung** → Verlagerung.

**verleiden,** [jmdm. die Freude / den Spaß an etwas] verderben, vergällen, vermiesen (*ugs.*), miesmachen (*ugs.*), madig machen (*ugs.*), verekeln (*ugs.*), die Lust nehmen an, jmdm. die Suppe versalzen (*ugs.*); → schlechtmachen, → verderben.

**Verleider** → Überdruß.

**¹verleihen,** überreichen, übergeben, geben; → geben.

**²verleihen:** → leihen; Ausdruck v. → mitteilen; einer Sache Dauer v. → festigen; jmdm. einen Orden v. → Orden; Vollmacht v. → ermächtigen.

**Verleiher,** Leiher, Darleiher, Pfandleiher, Geldgeber · *der Geld zu einem Wucherzins verleiht:* Wucherer (*abwertend*) · *der technische Anlagen, Autos o. ä. verleiht:* Leaser; → Vermietung; → leihen, → vermieten.

**Verleihung** → Vermietung.

**¹verleiten,** verführen, jmdn. vom rechten Weg abbringen, jmdn. verzahen (*ugs., österr.*), jmdn. mitlotsen (*ugs.*), jmdn. versuchen. / in Versuchung führen, verlocken, ködern (*ugs.*), Gelegenheit macht Diebe; → anlocken, → anordnen, → anregen, → anstacheln, → aufwiegeln, → becircen, → beeinflussen, → bezaubern, → bitten, → koitieren, → reizen, → überreden, → vergewaltigen, → verkaufen, → verursachen, → zuraten.

²**verleiten:** etwas verleitet → verführen.

**verlesen:** → auslesen, → vortragen.

**Verlesung:** zur V. bringen → vortragen.

**verletzbar:** → empfindlich; -e Stelle → Achillesferse.

**Verletzbarkeit:** → Empfindsamkeit, → Verwundbarkeit.

¹**verletzen,** verwunden, versehren, jmdm. eine Wunde beibringen (*geh.*), blessieren; → kratzen.

²**verletzen:** → kränken; etwas v. → verstoßen (gegen etwas); sich verletzt fühlen → unzufrieden [sein].

**verletzend** → beleidigend.

**verletzlich** → empfindlich.

**Verletzlichkeit:** → Empfindsamkeit, → Verwundbarkeit.

¹**verletzt,** verwundet, versehrt (*geh.*); → wund.

²**verletzt** → gekränkt.

¹**Verletzung,** Trauma, Läsion · *von Weichteilen:* Wunde, Vulnus ·· *durch stumpfe Gewalteinwirkung:* Quetschung, Kontusion, Kompression, Konquassation, Eindellung, Impression, Prellung, Erschütterung, Konkussion, Kommotio ·· *durch Überbeanspruchung · auf Gelenke bezogen:* Verrenkung, Luxation, Kontorsion, Verdrehung, Distorsion, Verstauchung, Ausrenkung, Auskug[e]lung, Teilverrenkung, Subluxation · *auf Bänder, Sehnen und Muskelfasern bezogen:* Zerrung, Verzerrung (*ugs.*), Überdehnung · *mit Gewebsschädigung:* Ruptur, Rhexis, Lazeration, Zerreißung, Riß, Avulsion, Abriß, Abreißung ·· *mit meist oberflächlichen Hautdefekten:* Hautabschürfung, Abschürfung, Schürfwunde, Exkoria-

tion, Abscherung, Ablederung, Décollement ·· *durch Hitzeeinwirkung:* Verbrennung, Kombustion, Verkohlung, Verbrühung; → Knochenbruch, → Schramme, → Wunde.

²**Verletzung:** → Außerachtlassung, → Wunde; seinen -en erliegen → sterben.

¹**verleugnen,** nicht zu jmdm. / etwas stehen, sich nicht zu jmdm. / etwas bekennen, gegen seine eigene Überzeugung handeln, einen Tatbestand o.ä. leugnen; → abstreiten.

²**verleugneh:** sich v. lassen → öffnen; seine Natur nicht v. können → überwinden (sich).

**verleumden** → schlechtmachen.

**Verleumder,** Ehrabschneider; → Denunziant.

**Verleumdung:** → Beleidigung, → Propaganda.

**verlieben** (sich), sein Herz verlieren, sich vergucken / vergaffen / (*landsch.*) verschauen / vernarren → (*ugs.*) verknallen, Neigung / Zuneigung fassen zu, sich für jmdn. interessieren ein Auge werfen auf (*ugs.*), jmdm. zu tief ins Auge / in die Augen sehen, auf jmdn. fliegen (*ugs.*), Feuer fangen (*ugs.*), in Liebe erglühen / entbrennen (*geh.*); → anbandeln, → bemühen (sich um), → lieben; → verliebt; → Liebelei, → Zuneigung.

¹**verliebt,** entflammt, vernarrt, liebestoll, schmachtend, entbrannt; **v. sein,** bis über die / bis über beide Ohren verliebt sein, verknallt / verschossen / von Amors Pfeil getroffen sein (*ugs.*); **v. machen,** es jmdm. angetan haben, jmdm. den Kopf verdrehen (*ugs.*), jmdn. verrückt machen (*ugs.*), betören, ins Netz locken, Herzen brechen; → anbandeln, → bezaubern, → gefallen, → lieben, → verlieben (sich); → Liebelei → Zuneigung.

²**verliebt:** in sich selbst v. → narzißtisch.

**Verliebtheit** → Zuneigung.

¹**verlieren,** verlegen, verlustig gehen, verwirken, kommen um etwas, verbummeln (*ugs.*), verschlampen (*salopp*), versäubeln (*salopp*), versäuseln

(*ugs.*); jmdn. **[durch Tod] v.,** hergeben müssen; → einbüßen, → verlorengehen; → verscholien.

²**verlieren:** → besiegen, → Spiel; keine Zeit v. dürfen / zu v. haben → beeilen (sich); nichts zu v. haben → wagen; etwas läßt jmdn. jede Hemmung / seine Hemmungen v. → enthemmen; noch ist Polen nicht verloren → Hoffnung; sein Ansehen [nicht] / das Gesicht v. → Ansehen; keinen Augenblick v. → beeilen (sich); das Augenlicht v. → blind [werden]; Blut v. → bluten; Boden v. → Rückgang; den Boden unter den Füßen / den Halt v. → abrutschen; den Faden v. → abschweifen; Farbe v. → abfärben; die Fassung v. → betroffen [sein]; die Federn v. → mausern (sich); Fusseln / Fasern / Haare v. → fusseln; die Geduld v. → ärgerlich [werden]; die Haare v. → Glatze; den Halt v. → gleiten; die Kontrolle über sich / die Selbstbeherrschung v. → unbeherrscht [sein]; den Kopf / die Nerven v. → aufgeregt [sein]; die Nadeln v. → nadeln; nicht die Nerven v. → ruhig [bleiben]; die Orientierung / Richtung v. → verirren (sich); die Scheu v. → herausgehen (aus sich); die Unschuld v. → koitieren; den Verstand v. → verrückt [werden]; zu jmdm. das Vertrauen v. → glauben (jmdm.); an Höhe v. → sinken; nicht aus den Augen v. → beobachten; etwas aus dem Gedächtnis v. → vergessen; sich v. in → hineinkommen (in), → verfallen (in); sich ins Uferlose v. → abschweifen.

**Verlies** → Strafanstalt.

¹**verloben** (sich), jmdm. die Ehe versprechen, sich versprechen (*veraltet*); → Verlobung.

²**verloben:** verlobt sein → gebunden [sein]; schon / so gut wie verlobt sein → ledig.

**Verlöbnis** → Verlobung.

**Verlobte** → Braut.

**Verlobter** → Bräutigam.

**Verlobung,** Verlöbnis (*geh.*, *veraltend*); → Braut, → Bräutigam; → verloben (sich).

**verlochen** → bestatten.

**verlocken:** → reizen, → verleiten.

**verlockend,** anziehend, appetitlich, anmächelig (schweiz.), glustig (schweiz.), gluschtig (schweiz.).

**Verlockung:** → Anfechtung, → Reiz.

**verlogen** → unredlich.

**¹verloren,** verschwunden, unwiederbringlich; → unabänderlich; **v. sein,** hinsein (ugs.), dahin / weg / fort / wie weggeblasen / (salopp) futsch / (salopp, österr.) pfutsch / (salopp) futschikato / (ugs.) ade / (ugs.) heidi / (ugs.) flöten / (salopp) zum Teufel / (salopp) zum Kuckuck / (schweiz.) bachab sein, etwas hat sich selbständig gemacht (ugs.); → verlorengehen.

**²verloren:** → unheilbar; -e Eier → Eierspeise; -e Generation → Lost generation; das ist -e Liebesmühe, bei jmdm. ist Hopfen und Malz v. → nutzlos [sein]; auf -em Posten kämpfen → stehen → Lage; v. sein → abgewirtschaftet [haben]; in Gedanken v. sein → unaufmerksam [sein]; v. geben → abschreiben.

**verlorengehen,** abhanden kommen, wegkommen, in Verlust / (veraltend, österr.) Verstoß geraten, verschüttgehen (ugs.), heidi gehen (ugs.), flötengehen (ugs.), verschwinden, bachab gehen (schweiz.), Beine kriegen / bekommen (ugs., scherzh.); → verlieren; → verloren; **nicht v.,** etwas erhalten bleibt / (ugs.) in der Familie; → weg.

**verlosen** → losen.

**Verlosung** → Ziehung.

**verlöten:** → löten; einen v. → trinken.

**verlottern** → verwahrlosen.

**Verlotterung** → Verwilderung.

**verlumpen** → verwahrlosen.

**Verlumptheit** → Verwilderung.

**Verlust:** → Mangel; etwas ohne Rücksicht auf -e tun → rücksichtslos; in V. geraten → verlorengehen.

**Verlustgeschäft** → Mangel.

**verlustieren:** sich v. → essen, → vergnügen (sich).

**verlustig:** v. gehen → verlieren.

**vermachen:** → hinterlassen, → schenken, → verbrauchen.

**Vermächtnis** → Erbe (das).

**vermählen:** sich v. → heiraten.

**Vermählte** → Ehepaar.

**Vermählung,** Heirat, Hochzeit, Eheschließung, Verehelichung, Verbindung, Kopulation (veraltet), Beilager (veraltet), [standesamtliche] Trauung, Ziviltrauung, kirchliche Trauung · *die bei einem Paar mit unterschiedlicher Konfession von je einem Geistlichen beider Konfessionen vollzogen wird:* ökumenische Trauung · *in Abwesenheit eines Ehepartners:* Ferntrauung · *weil bereits ein Kind erwartet wird:* Mußheirat · *von zwei verwandten oder befreundeten Paaren zu gleicher Zeit stattfindende:* Doppelhochzeit; → Ehe, → Hochzeit, → Koitus; → heiraten, → trauen.

**Vermännlichung** →Zwittertum.

**vermasseln:** → verderben; jmdm. die Tour v. → verhindern.

**Vermassung** → Gleichmacherei.

**vermauern** → verbarrikadieren.

**¹vermehren,** mehren, äufnen (schweiz.), vervielfachen, aufblähen, aufblasen, aufstocken, verstärken; → ausdehnen, → fördern, → steigern, → zunehmen; → Vermehrung · Ggs. → abnehmen, → verringern.

**²vermehren:** vermehrte Durchblutung → Blutandrang; sich v. → fortpflanzen (sich) → zunehmen.

**¹Vermehrung,** Mehrung, Vervielfachung, Aufblähung, Aufstockung, Verstärkung; → Ergänzung; → vermehren.

**²Vermehrung:** → Ausdehnung, →Fortpflanzung,→ Steigerung.

**vermehrungsfähig** → fruchtbar.

**Vermehrungsfähigkeit** → Fertilität.

**vermeiden** → entziehen (sich).

**vermeinen** → meinen.

**vermeintlich** → anscheinend.

**vermelden** → mitteilen.

**vermengen:** → mischen, → verquicken; vermengt → durcheinander.

**Vermengung** → Vermischung.

**vermenschlichen** → humanisieren.

**vermerken** → aufschreiben.

**¹vermessen:** → messen; sich v., so v. sein → erdreisten (sich).

**²vermessen** (Adj.): → mutig.

**Vermessenheit:** → Überheblichkeit; die V. besitzen / haben → erdreisten (sich).

**Vermessungsingenieur** → Landvermesser.

**Vermicelli** → Spitzenstickerei.

**vermickert** → kümmerlich.

**vermiesen** → verleiden.

**vermieten,** verpachten, abvermieten, untervermieten, ausmieten (schweiz.) · *von technischen Anlagen, Autos o.ä.:* verleasen; → mieten; → Miete, → Verleiher.

**Vermieter** → Hausbesitzer.

**Vermietung,** Verleihung · *von Industrieanlagen:* Leasing; → Verleiher; → mieten.

**vermindern:** → beschränken, → verringern; sich v. → abnehmen; verminderte Durchblutung → Blutleere; die Kaufkraft v. → abwerten.

**¹Verminderung,** Herabminderung, Minderung, Abminderung, Verringerung, Abnahme, Rückgang, Schwund, Verkleinerung, Verkürzung, Kürzung, Beschneidung, Beschränkung, Einschränkung, Schmälerung, Herabsetzung, Drosselung, Drößlung, Degression, Regression, Gesundschrumpfung; → Einschränkung → verringern; → nachlassend.

**²Verminderung** → Einschränkung.

**¹vermischen** (mit), versetzen mit; → beimischen.

**²vermischen:** → mischen, → verquicken.

**vermischt** → durcheinander.

**Vermischtes** → Aufsatz.

**Vermischung,** Mischung, Vermengung, Beimischung, Beimengung; → Mischung; → beimischen, → mischen.

**vermissen** → mangeln.

**vermißt:** → verschollen; v. werden → abwesend [sein].

**Vermißtenanzeige,** Abgängigkeitsanzeige (österr.), Suchmeldung; → verschollen.

**¹vermitteln,** sich einschalten, intervenieren, verhandeln, taktieren, sich ins Mittel legen, ein Wort einlegen für; → eingreifen; → Eheanbahnungsinstitut.

**²vermitteln:** → beruhigen; einen Eindruck v. von → aussagen;

eine Heirat v. → verkuppeln.
**vermittels,** mittels, mittelst, kraft, mit, vermöge, mit Hilfe von, an Hand von, durch; → wegen.
**¹Vermittler,** Mittler, Mittelsmann, Mittelsperson. Verbindungsmann, Makler, Mäkler (*schweiz.*), Sensal (*österr.*) · *für Immobilien:* Immobilienmakler, Grundstücksmakler, Immobilienhändler, Realitätenhändler (*österr.*), Realitätenvermittler (*österr.*), Immobilienvermittlungsbüro, Immobilienbüro, Immobilienvermittlung, Realbüro (*österr.*), Realkanzlei (*österr.*); → Beauftragter, → Börsenmakler, → Geschäftsvermittler, → Gewährsmann, → Spion, → Verwalter; → spekulieren, → vermitteln.
**²Vermittler** → Geschäftsvermittler.
**Vermittlung:** → Telefonzentrale, → Vermittlungsstelle.
**Vermittlungsstelle,** Vermittlung, Agentur; → Geschäftsvermittler, → Zweigstelle.
**vermöbeln** → schlagen.
**vermodern** → faulen.
**vermögen:** → erwirken, → können.
**¹Vermögen,** Geld, Kapital, Reichtum, Schatz, Mammon, Millionen, Finanzen, Groschen (*ugs.*) · *gesamtes des zahlungsunfähigen Schuldners:* Konkursmasse; → Besitz, → Etat, → Geld, → Schatz, → Staatskasse, → Wertpapier, → Zahlungsmittel; → sparen, → sparsam [sein], → verkaufen; → finanziell.
**²Vermögen:** → Besitz; unbewegliches V. → Immobilien; aus eigenem V. → Hilfe.
**vermögend:** → reich; nicht v. → einkommensschwach.
**Vermögenssteuer** → Abgabe.
**Vermögensteuer** → Abgabe.
**Vermögensverwalter** → Treuhänder.
**Vermögenswerte** → Besitz.
**vermöglich** → reich.
**vermooren** → versumpfen.
**vermummen:** sich v. → verkleiden (sich).
**Vermummung:** → Kostümierung, → Tarnung.

**vermurksen** → verderben.
**vermuten,** mutmaßen, wähnen, spekulieren, ahnen, erahnen, etwas schwant jmdm. (*ugs.*), annehmen, schätzen, sich etwas einbilden / zusammenreimen, tippen (*ugs.*), Lunte / den Braten riechen (*ugs.*), riechen (*ugs.*), etwas dünkt jmdn. / jmdm., etwas scheint (oder:) erscheint jmdm. / kommt jmdm. vor / mutet jmdn. an [wie], etwas wirkt [wie], rechnen mit, erwarten, kalkulieren, einkalkulieren, gefaßt sein / sich gefaßt machen auf, fürchten, befürchten · *etwas Richtiges / Falsches:* auf der richtigen / falschen Fährte (oder:) Spur sein; → Angst [haben], → ausrechnen, → beurteilen, → meinen, → merken, → voraussehen; → anscheinend, → ungewiß, → vielleicht; → Ahnung.
**vermutlich** → anscheinend.
**Vermutung:** → Ahnung, → Verdacht.
**vernachlässigen** (etwas), sich nicht um etwas kümmern / bekümmern; **vernachlässigt sein:** etwas ist vernachlässigt / ungepflegt / verwahrlost / in Unordnung, etwas liegt im argen; → kümmern (sich um jmdn.).
**vernachlässigt,** benachteiligt; **v. sein,** [das] Stiefkind sein; → sorgen (sich); → Benachteiligung.
**Vernachlässigung:** → Benachteiligung, → Versäumnis.
**vernadern** → verraten.
**vernageln:** dort ist die Welt mit Brettern vernagelt → abgelegen [sein].
**vernagelt:** → stumpfsinnig, → versiegelt.
**Vernageltheit** → Beschränktheit.
**Vernähung** → Operation.
**vernarben** → abheilen.
**vernarbt** → abgeheilt.
**vernarren:** sich v. → verlieben (sich).
**vernarrt** → verliebt.
**vernaschen** → koitieren.
**vernehmbar:** → laut, → leise.
**¹vernehmen,** verhören, einvernehmen (*österr., schweiz.*), ein Verhör anstellen, ins Kreuzverhör nehmen; → fragen; → Verhör.

**²vernehmen** → hören.
**vernehmlassen** → mitteilen.
**Vernehmlassung** → Mitteilung.
**vernehmlich:** → laut; kaum v. → leise.
**Vernehmung** → Verhör.
**verneigen** (sich), sich verbeugen, einen Diener machen (*Kinderspr.*), ein Buckerl machen (*ugs., österr.*); → begrüßen, → knicksen; → Knicks, → Verbeugung.
**Verneigung** → Verbeugung.
**verneinen:** → abstreiten; der Geist, der stets verneint → Querulant.
**verneinend** → unerfreulich.
**vernichten:** → besiegen, → zerstören.
**¹Vernichtung,** Zerstörung, Destruktion, Zersetzung, Zerrüttung, Unterminierung, Verwüstung, Verheerung, Zertrümmerung, Demolierung, Zerschlagung; → Austilgung, → Bücherverbrennung, → Zerstörung; → zerstören.
**²Vernichtung:** → Tötung; V. von Krankheitserregern → Desinfektion.
**Vernichtungswahn** → Zerstörungswut.
**verniedlichen** → bagatellisieren.
**Vernissage,** Eröffnung; → Anfang, → Museum; → ansehen.
**¹Vernunft,** Verstand, Denkvermögen, Auffassungsgabe, Geist, Intellekt, Klugheit, Scharfsinn, Esprit, Witz, Köpfchen (*ugs.*), Grütze (*salopp*), Grips (*salopp*); → Begabung, → Erfahrung, → Klugheit, → Scharfsinn; **jmdn. zur V. bringen,** jmdn. zur Räson bringen; **V. annehmen,** vernünftig werden, zur Vernunft / Einsicht kommen; → denken.
**²Vernunft:** etwas ist gegen alle Regeln der V. → unsinnig [sein]; zur V. bringen → aufrütteln.
**Vernunftehe** → Ehe.
**vernünftig:** → zweckmäßig, → klug; v. werden → Vernunft [annehmen].
**vernünftig:** → bagatellisieren, → schlechtmachen.
**veröden:** → entfernen, → menschenleer [werden].
**¹veröffentlichen,** bekanntmachen, publizieren, kundmachen,

unter die Leute bringen (ugs.); → Veröffentlichung.

²**veröffentlichen** → edieren.

**Veröffentlichung**, Publikation, Publizierung, Herausgabe, Edition; → Dokumentensammlung, → Mitteilung, → Werk; → veröffentlichen.

**verordnen**, verschreiben, rezeptieren; → Medikament, → Rezept.

**Verordnung**: → Rezept, → Weisung.

**verpaaren**: sich v. → koitieren.

**verpachten** → vermieten.

**verpacken**: → einpacken; sich v. → einhüllen (sich); verpackt → abgepackt.

**Verpackung**, Hülle, Umhüllung, Emballage · für Bücher: Schuber, Schutzkarton; → Karton, → Packung, → Papiertüte; → einpacken.

**verpassen**: → geben, → verabreichen, → versäumen; den Anschluß v. → heiraten; den Anschluß verpaßt haben → ledig [sein]; den Anschluß / den richtigen Zeitpunkt v. → versäumen; jmdm. einen Denkzettel v. → bestrafen; jmdm. eine Impfung v. → impfen; jmdm. eine / ein Ding v. → schlagen; eine Spritze v. → spritzen.

**verpatzen** → verderben.

¹**verpesten**, die Luft verpesten / (geh.) mit üblem Geruch erfüllen, Gestank verbreiten; → riechen; → Umweltverschmutzung.

²**verpesten** → verseuchen; verpestete Luft → Luft.

**verpetzen** → verraten.

¹**verpfänden**, als Pfand geben, ins Leihhaus bringen; → verkaufen; → Pfand.

²**verpfänden**: sein Wort v. → versprechen.

**verpfeifen** → verraten.

**verpflanzen**: → transplantieren, → umpflanzen.

**Verpflanzung** → Transplantation.

**verpflegen** → ernähren.

**Verpflegung** → Nahrung.

**verpflichten**: → einstellen; sich v. → versprechen; jmdm. verpflichtet sein → danken; durch Eid v. → vereidigen.

**verpflichtend** → verbindlich.

**verpflichtet** → gebunden.

**Verpflichtung**: → Aufgabe, → Schuld; ohne V. → unverbindlich.

**verpfuschen** → verderben.

**verpimpeln** → verwöhnen.

**verpissen**: sich v. → weggehen.

**verplanen** → einteilen.

**verplappern**: sich v. → mitteilen.

**verplaudern** → mitteilen.

**verplempern** → durchbringen.

**verplombt** → versiegelt.

**verpönen** → brandmarken.

**verpönt** → unerfreulich.

**verprassen** → durchbringen.

**verprellen**: → frustrieren, → kränken.

**verprügeln** → schlagen.

**verpulvern** → durchbringen.

**verpusten** → Atem.

**Verputz**, Putz, Bewurf, Rauhputz.

**verputzen**: → aufessen; nicht v. können → hassen.

**verquasen** → verschwenden.

**verquengelt** → unleidlich.

**verquer**: etwas kommt jmdn. v. → entgegenstehen.

¹**verquicken**, vermischen, vermengen, verbinden, durcheinanderbringen, durcheinanderwerfen, in einen Topf werfen (ugs.), nicht → unterscheiden; → verknüpfen, → verwirren.

²**verquicken**: verquickt sein mit → zusammenhängen (mit).

**Verquickung** → Verknüpfung.

**verquirlen** → rühren.

**verquasten** → verschwenden.

**verquollen** → aufgedunsen.

**Verquollenheit** → Gedunsenheit.

**verrammeln**: → verbarrikadieren; verrammelt sein → geschlossen [sein].

**verramschen** → verkaufen.

**Verrat** → Arglist.

¹**verraten**, petzen (ugs., abwertend), verpetzen (ugs., abwertend), verpfeifen (salopp), singen (salopp), anbringen (landsch.), verklagen (landsch.), verschwatzen (landsch.), verzinken (salopp), anzeigen, denunzieren, preisgeben, angeben (ugs.), vernadern (österr.), verzeigen (schweiz.); → anzeigen, → belangen, → gestehen, → mitteilen, → prozessieren; → Verräter.

²**verraten**: → mitteilen; v. und verkauft → schutzlos; etwas verrät keinen guten Geschmack → geschmacklos [sein].

¹**Verräter**, Zuträger, Petzer (ugs., abwertend); → Abtrünniger, → Hochverräter, → Kollaborateur; → verraten.

²**Verräter** → Kollaborateur.

**verräterisch** → untreu.

**verrauchen** → vergehen.

**verräuchern**: verräuchert → stickig; verräucherte Luft → Luft.

**verräumen** → wegstellen.

**verrauschen** → vergehen.

¹**verrechnen** (sich), falsch rechnen, einen Rechenfehler machen; → ausrechnen.

²**verrechnen**: sich v. → irren (sich).

**Verrechnungsscheck** → Scheck.

**verrecken**: → sterben; nicht ums Verrecken → nein.

**verreden**: sich v. → mitteilen.

**verreisen** → reisen.

**verreißen** → besprechen.

**verreist** → unterwegs.

**verrenken**: sich etwas v. → verstauchen (sich etwas); sich nach jmdm. / nach etwas den Hals v. → suchen.

**Verrenkung**, Luxation, Kontorsion, Verdrehung, Distorsion, Verstauchung, Ausrenkung, Auskug[e]lung · Teilverrenkung, Subluxation · Wiederausrenkung, Reluxation; → Bluterguß, → Verletzung; → verstauchen.

**verrichten** → vollführen.

**verriegeln**: → abschließen; verriegelt sein →geschlossen [sein].

¹**verringern**, vermindern, herabmindern, schmälern, abmindern, verkleinern, gesundschrumpfen, dezimieren, verkürzen, kürzen, reduzieren, drosseln, verlangsamen, herabsetzen, herabdrücken, herunterschrauben, heruntergehen in, Abstriche machen, etwas von etwas abziehen, abgrenzen, begrenzen, eingrenzen, beschränken, einschränken, streichen · die Anwendung eines Medikamentes: ausschleichen; → abnehmen, → abschwächen, → bagatellisieren, → beschneiden, → einschränken, → sparen; → Abwanderung, → Verminde-

rung · Ggs. → steigern, → vermehren, → zunehmen.

²**verringern:** → beschränken, → ermäßigen; sich v. → abnehmen.

**Verringerung:** → Einschränkung, → Verminderung.

**verrinnen** → vergehen.

**Verriß** → Besprechung.

**verrohen:** → brutalisieren, → verwahrlosen.

**verroht** → unbarmherzig.

**Verrohung** → Verwilderung.

**verrosten** → rostig [werden].

**verrostet** → rostig.

**verrotten** → faulen.

**Verruca** → Warze.

**verrucht** → anstößig.

**Verruchtheit** → Sittenlosigkeit.

**verrücken,** rücken, umstellen, an einen anderen Platz / Ort stellen (oder:) rücken.

¹**verrückt,** bekloppt (*salopp*), bescheuert (*salopp*), behämmert (*salopp*), deppert (*salopp*), dalkert (*österr., salopp*), hirnverbrannt, Wahnsinns-; **v. sein,** spinnen (*salopp*), nicht gescheit / (*ugs.*) nicht ganz richtig im Oberstübchen / (*ugs.*) nicht bei Trost / (*salopp*) nicht bei Groschen / nicht bei Sinnen sein, seine fünf Sinne nicht beisammen haben, nicht alle beisammen haben (*ugs.*), manoli / plemplem / meschugge / nicht [ganz] dicht (oder:) richtig sein (*salopp*), von allen guten Geistern verlassen sein (*ugs.*), einen Vogel / einen Stich / einen Knall / einen Rappel / einen Hau (oder *österr.:*) einen Klopfer / einen Tick / einen Haschmich / einen Knacks / eine Meise / eine Macke / einen Dachschaden / einen Sprung in der Schüssel / nicht alle Tassen im Schrank (oder:) im Spind / zu heiß gebadet / einen kleinen Mann im Ohr haben (*salopp*); bei jmdm. rappelt es / piept es / ist eine Schraube locker (*salopp*); **v. werden,** überschnappen (*ugs.*), den Verstand verlieren, um den Verstand kommen; → Spleen.

²**verrückt:** → geistesgestört, → überspannt; v. machen → verliebt [machen], → reizen; da wird der Hund in der Pfanne v. → überrascht [sein]; v. spielen → ärgerlich [sein].

**Verrückter** → Geistesgestörter.

**Verrücktheit:** → Ausgefallenheit, → Spleen.

**Verruf:** in V. bringen → schlechtmachen.

**verrufen:** → anrüchig; v. sein als → gelten (als jmd. / etwas).

**verrühren** → mischen.

¹**Vers** · Stabreimvers, Blankvers, Knittelvers, Trimeter, Senar, Vierheber, Pentameter, Hexameter, Alexandriner, Zehnsilbler, Elfsilbler, Zwölfsilbler, freie Rhythmen; → Gedicht, → Reim, → Versmaß; → dichten.

²**Vers:** sich seinen V. drauf machen → Ahnung; -e schmieden → dichten.

**versacken:** → untergehen, → verwahrlosen.

¹**versagen,** [mit Pauken und Trompeten / mit Glanz und Gloria] durchfallen (*ugs.*), durchfliegen (*ugs.*), durchsausen (*salopp*), durchrasseln (*salopp*), durchplumpsen (*salopp*), die Prüfung nicht bestehen, verbleiben (*schweiz.*), nichts → können, nicht → bewältigen · in einem Teil der Prüfung: einen Schwanz machen (*ugs.*) · innerhalb eines Schuljahres: nicht versetzt werden; → versetzen, → bewältigen, → prüfen; → unfähig; → Abitur, → Enttäuschung; → Versager.

²**versagen:** → ablehnen, → unfähig [sein], → verbieten; versagt bleiben → gewähren; sich etwas v. → abschreiben; sich nichts v. → leben; sich jmdm. v. → verweigern (sich jmdm.).

**Versagen:** [menschliches V.] → Unfähigkeit; menschliches V. → Unaufmerksamkeit.

**Versager,** Schwächling, verkrachte Existenz (*abwertend*), Taugenichts, Nichtsnutz, Null (*abwertend*), Niete (*abwertend*), Flasche (*salopp, abwertend*), Blindgänger (*abwertend*), Sandler (*ugs., österr.*), Schlawiner (*südd., österr.*), Sack (*salopp*), Saftsack (*salopp*), Saftarsch (*vulgär*); → versagen.

**Versagung** → Ablehnung, → Enttäuschung.

**Versal** → Buchstabe.

**versalzen:** → sauer, → würzen; jmdm. die Suppe v. →verleiden.

¹**versammeln (sich),** sich sammeln, zusammentreffen, sich treffen, sich ein Stelldichein geben, zusammenkommen, sich besammeln (*schweiz.*); → tagen, → zusammenlaufen.

²**versammeln:** → anstacheln; sich v. → zusammenlaufen.

¹**Versammlung,** Zusammenkunft, Zusammentreffen, Konvent, Stehkonvent (*scherzh.*), Konventikel; → Kränzchen, → Tagung, → Verabredung.

²**Versammlung:** → Tagung; [politische V.] → Demonstration.

**Versammlungsort,** Tagungsort, Treffpunkt; → Tagung.

¹**Versand,** Versendung, Absendung, Verschickung, Postversand, Bahnversand; → Lieferung; → schicken.

²**Versand:** zum V. bringen → schicken.

**Versandabteilung,** Versand, Abfertigungsstelle, Abfertigung, Expedition, Expedit (*österr.*); → schicken.

¹**versanden,** verlanden, austrocknen.

²**versanden:** → stocken, → wirkungslos [bleiben].

**Versandhauskatalog** → Prospekt.

**Versatz** → Bühnendekoration.

**Versatzamt** → Leihhaus.

**Versatzstück:** → Bühnendekoration, → Redensart.

**versäubern:** mit einer Borte v. → nähen.

**versaubeuteln** → verlieren.

**versauen:** → beschmutzen, → verderben.

**versaufen:** → ertrinken, → verschwinden; [sein Geld] v. → ausgeben.

¹**versäumen,** verpassen, verbummeln (*ugs.*), verschlafen, den richtigen Zeitpunkt / den Anschluß verpassen, der Zug ist abgefahren (*ugs.*), nicht [mehr] kriegen (*ugs.*), sich etwas entgehen lassen / durch die Finger gehen lassen, sich etwas durch die Lappen gehen lassen (*salopp*); → verspäten (sich); → Versäumnis.

²**versäumen:** keine Zeit v. dürfen → beeilen (sich); jmd. möchte nicht v. ... → wichtig [sein].

Versäumnis, Unterlassung, Vernachlässigung; → versäumen.

versäuseln → verlieren.

versaut → schmutzig.

verschabt → abgenutzt.

verschachern → verkaufen.

verschaffen: → beschaffen; sich Vorteile v. → bereichern (sich); sich Zugang v. → eindringen; sich Zutritt v. → eindringen.

verschalen: → abstützen, → bespannen.

Verschalung → Abstützung.

verschämt → verlegen.

Verschämtheit → Schamhaftigkeit.

verschandeln → verunstalten.

verschandelt, verunstaltet, verdorben, verderbt, entstellt, verstümmelt, verunziert, verhunzt (abwertend), verwordakelt (ugs., österr.); → verunstalten; → Entstellung.

Verschandelung → Entstellung.

verschanzen: → verbarrikadieren; sich hinter etwas v. → Ausflucht.

verschärfen, verstärken, verschlechtern, verschlimmern, Öl ins Feuer gießen; → vermehren.

verscharren: → bestatten, → vergraben.

verschauen → verlieben (sich).

verschaukeln → betrügen.

verscheiden → sterben.

Verschen → Gedicht.

verschenken → schenken.

verscherbeln → verkaufen.

verscherzen: jmds. Gunst verscherzt haben → unbeliebt [sein].

verscheuchen → vertreiben.

verscheuern → verkaufen.

verschicken → schicken.

Verschickung: → Kur, → Versand.

Verschiebebahnhof → Bahnhof.

¹verschieben, aufschieben, zurückstellen, hinausschieben, vertagen, verlegen, umlegen, umdisponieren, hinausziehen, verzögern, hinauszögern, verschleppen, trölen (schweiz.), in die Länge ziehen, auf die lange Bank schieben, noch nicht behandeln, auf Eis legen (ugs.), einmotten (ugs.), schubladisieren (schweiz.); → stunden, → unerledigt [lassen], → vertrösten; → hinhaltend; → Stundung.

²verschieben → verkaufen.

Verschiebung → Verlängerung.

¹verschieden, grundverschieden, unterschiedlich, verschiedenartig, abweichend, divergent, andersartig, anders; → aber, → allerlei, → einige, → gegensätzlich, → ungleich; → Nichtübereinstimmung; → diskriminieren.

²verschieden: → ungleich; die -sten → alle.

verschiedenartig: → mannigfaltig, → verschieden.

Verschiedenartigkeit: → Abweichung, → Nichtübereinstimmung, → Vielfalt.

verschiedene → einige.

verschiedenerlei → allerlei.

verschiedenes → allerlei.

Verschiedenheit: → Abweichung, → Nichtübereinstimmung.

verschiedentlich → oft.

verschießen → verblassen.

verschiffen: → einschiffen, → laden.

verschimmeln → faulen.

verschimmelt → ungenießbar.

verschimpfieren → verunstalten.

verschissen: es bei jmdm. v. haben → unbeliebt [sein].

verschlabbern → vergießen.

¹verschlafen: → versäumen, → verspäten (sich).

²verschlafen → müde.

Verschlag → Remise.

¹verschlagen: → schlagen; etwas verschlägt nichts → unwichtig [sein]; etwas verschlägt jmdm. den Atem / die Sprache → überrascht [sein].

²verschlagen: → schlau, → warm.

Verschlagenheit → List.

Verschlagnagel → Nagel.

verschlampen: → verlieren, → verwahrlosen.

Verschlamptheit → Verwilderung.

verschlechtern → verschärfen.

verschleiern → vertuschen.

¹Verschleiß, Abnutzung, Abnützung, Verbrauch, Materialverschleiß;→ Beschädigung,→ Kräfteverschleiß; → abnutzen.

²Verschleiß: → Absatz, → Kräfteverschleiß.

verschleißen: → abnutzen, → entkräften, → verkaufen.

Verschleißer → Kaufmann.

¹verschleppen, entführen, deportieren; → ausweisen, → verlagern; → Deportation,→ Menschenhandel.

²verschleppen: → verschieben; nicht v. → gesund [machen].

Verschleppung → Deportation.

verschleudern: → verkaufen, → verschwenden.

verschließen: hinter verschlossenen Türen → heimlich; etwas v. → abschließen; seine Ohren v. → unzugänglich [sein]; vor etwas die Augen v. → erkennen; sich einer Sache v. → unzugänglich [sein]; sich [vor der Welt] v. → abkapseln (sich).

verschlimmern → verschärfen.

verschlingen: → aufessen, → lesen; jmdn. / etwas mit den Augen v. → ansehen.

verschlissen → abgenutzt.

¹verschlossen, undurchdringlich, undurchschaubar; v. sein, ein stilles Wasser sein; → unzugänglich, → wortkarg.

²verschlossen: → abgepackt, → aussichtslos, → geschlossen, → unzugänglich, → versiegelt.

Verschlossenheit, Unzugänglichkeit, Zugeknöpftheit, Ungeselligkeit, Unnahbarkeit, Distanziertheit, Kühle, Frostigkeit, Sprödigkeit, Verhaltenheit, Introvertiertheit, Kontaktarmut, Kontaktschwäche, Menschenscheu; → Eigensinn; → unzugänglich.

verschlucken: → aufessen; wie vom Erdboden verschluckt sein → sehen; einen Frosch / eine Kröte verschluckt haben → heiser [sein]; gehen, als ob man einen Stock / einen Besenstiel verschluckt hätte → gerade [gehen].

¹Verschluß, Deckel, Kappe, Kronenverschluß, Schraubverschluß, Schraubdeckel, Stöpsel; → aufschrauben.

²Verschluß: unter V. halten → aufbewahren.

verschlüsseln → chiffrieren.

verschmähen → ablehnen.

verschmausen → aufessen.

¹verschmelzen (mit), aufgehen in, eine Verbindung eingehen mit.

²verschmelzen: → koitieren, → vereinigen.

Verschmelzung → Synthese.
verschmerzen → ertragen.
verschmitzt → schlau.
Verschmitztheit → Klugheit.
verschmutzt: → schmutzig, → verseucht.
Verschmutztthei t→ Unsauberkeit.
verschnappen: sich v. → mitteilen.
verschnaufen: → Atem, → ruhen.
Verschnaufpause: → Erholung, → Pause.
Verschneidung → Kastration.
verschneien → einschneien.
verschneit, tief verschneit, zugeschneit, eingeschneit, beschneit, weiß, winterlich, mit Schnee bedeckt, unter Schnee begraben, unter einer Schneedecke liegend; → Schnee; → schneien · Ggs. → schneefrei.
Verschnitt → Mischung.
Verschnittener: → Kastrat, → Wächter.
verschnörkelt → verziert.
Verschnörkelung → Verzierung.
verschnupft → gekränkt.
¹verschnüren, zuschnüren, zubinden; → einpacken · Ggs. → aufbinden.
²verschnüren → einpacken.
verschnürt → abgepackt.
verschollen, vermißt, abgängig (österr.), überfällig, unauffindbar; → verlieren; → Unauffindbarkeit, → Vermißtenanzeige.
Verschollensein → Unauffindbarkeit.
¹verschonen, schonen; → begnadigen, → verzeihen; nicht v., keinen Pardon geben; nicht verschont werden, nicht verschont bleiben, in Mitleidenschaft gezogen werden, da bleibt kein Auge trocken (ugs.).
²verschonen → schonen.
verschönern → schmücken.
Verschönerung → Verzierung.
verschorfen: → abheilen, → antrocknen; verschorft → abgeheilt.
Verschorfung → Verätzung.
verschossen: .→ abgeblaßt, → verblaßt; v. sein → → verliebt.
verschränkt: mit -en Armen zusehen / dabeistehen → faulenzen.
verschreckt → ängstlich.

verschreiben → verordnen.
Verschreibung → Rezept.
Verschrieb → Fehler.
verschrien: → anrüchig; v. sein als → gelten (als jmd. / etwas).
verschroben → seltsam.
Verschrobenheit → Seltsamkeit.
verschrumpeln → zusammenschrumpeln.
verschrumpelt, schrump[e]lig (landsch.), verhutzelt, hutzlig; → faltig.
verschüchtern → einschüchtern.
verschüchtert → ängstlich.
verschulden: etwas verschuldet haben → schuldig [sein].
Verschuldung → Hypothek.
verschusseln → vergessen.
verschütten → vergießen.
verschüttgehen → verlorengehen.
verschwägert → verwandt.
verschwatzen → verraten.
verschweigen → schweigen.
verschweißen → löten.
verschwenden, vergeuden, vertun, verschleudern, mit etwas verschwenderisch umgehen, [sein Geld] zum Fenster hinauswerfen / mit vollen Händen ausgeben / (ugs.) auf den Kopf hauen / (salopp, berlin.) auf den Kopf kloppen, aasen (ugs.), hausen (landsch.), urassen (mundartl., österr.), verquisten (ugs., landsch.), mit der großen Kelle anrichten (schweiz.), aufhauen (österr.), verquasen (ugs., landsch.) · durch Trinken von Alkohol: vertrinken, versaufen (derb), durch die Gurgel jagen (salopp); → durchbringen, → verkaufen; → freigebig.
verschwenderisch: → freigebig, → üppig; mit etwas v. umgehen → verschwenden.
verschwendungssüchtig → freigebig.
verschwiegen: → dezent; v. sein wie ein Grab → schweigen.
Verschwiegenheit, Zurückhaltung, Takt, Dezenz, Diskretion; → Achtsamkeit, → Bescheidenheit, → Höflichkeit; unter dem Siegel der V., sub rosa, sub sigillo [confessionis], unter vier Augen, vertraulich, im Vertrauen, hinter vorgehaltener Hand, inoffiziell; → heimlich, → intern; → weitererzählen.

verschwimmen: [vor den Augen v.] → unscharf [werden].
verschwinden: → verlorengehen, → weggehen; verschwinde! → weg!; verschwunden sein → weg [sein]; v. müssen → austreten [gehen]; von der Bildfläche v. → weggehen; zum Verschwinden bringen → entfernen.
verschwistert → verwandt.
verschwitzen → vergessen.
verschwitzt, durchgeschwitzt, schweißgebadet, schwitzig, naßgeschwitzt, wie aus dem Wasser gezogen (ugs.), naß von Schweiß; → Schweißabsonderung.
verschwollen → aufgedunsen.
Verschwollenheit → Gedunsenheit.
verschwommen: → unklar, → unscharf.
Verschwommenheit → Ungenauigkeit.
verschwören: sich v. → konspirieren.
Verschwörer → Revolutionär.
Verschwörung, Konspiration, Unterwanderung, Komplott, Konjuration, Aufstand, Volksaufstand, Empörung, Umtriebe, Übergriff, Pogrom, Erhebung, Aufruhr, Ausschreitung, Auswüchse, Krawall, Tumult, Unruhen, Unrast (schweiz.), Volkserhebung, Insurrektion, Revolution, Konterrevolution, Revolte, Staatsstreich, Putsch, Gewaltakt, Meuterei, Emeute, Subversion, Rebellion; → Anarchie, → Arglist, → Aufruf, → Demonstration, → Geheimbund, → Hochverrat, → Hochverräter, → Reform, → Spion, → Trotzkismus, → Überfall, → Veränderung, → Widerstand; eine V. anzetteln, einen Putsch machen, putschen; annektieren, → aufbegehren, → infiltrieren, → konspirieren, → usurpieren; → umstürzlerisch.
verschwunden: → verloren, → weg; [spurlos] v. sein → sehen.
versehen: → geben, → innehaben; v. sein mit → haben; mit einer Adresse / Anschrift v. → Anschrift; mit Bildern v. → bebildern; mit einem Dach v. → bedachen; mit einem Stempel / Siegel / Amtssiegel v. → abstempeln; mit einer Stickerei v.

→ besticken; mit einem Titel v.
→ anreden; mit einer Unterlage
v. → unterlegen; mit einer Zahl
v. → numerieren; mit einem
Zaun v. → einzäunen.
**Versehen:** → Fehler; aus V. →
unabsichtlich, → versehentlich.
¹**versehentlich**, fälschlich, aus
Versehen, irrtümlich; → falsch;
→ Fehler.
²**versehentlich** → unabsichtlich.
**Versehentlichkeit** → Unabsichtlichkeit.
**versehren** → verletzen.
**versehrt** → verletzt.
**Versemacher** → Schriftsteller.
**versenden** → schicken.
**Versendung** → Versand.
**versengen** → brennen.
**Versenkbühne** → Bühne.
¹**versenken** (sich in), sich vertiefen / sammeln / konzentrieren, sich nicht ablenken lassen,
meditieren; → achtgeben, →
denken.
²**versenken:** → einsenken; sich
v. in → lesen.
¹**Versenkung**, Betrachtung, Vertiefung, Versunkenheit, Beschaulichkeit, Kontemplation,
Meditation, Nachdenken, Reflexion; → Ausspruch, → Beschaulichkeit, → Darlegung, →
Entspannungsübung; → beschaulich.
²**Versenkung:** aus der V. auftauchen → wiedererstehen.
**Verserzählung** → Erzählung.
**Verseschmied** → Schriftsteller.
**versessen:** v. sein auf → begierig [sein].
¹**versetzen:** versetzt werden, das
Klassenziel erreichen, aufsteigen (*österr.*); **nicht versetzt werden**, sitzenbleiben, repetieren,
hängenbleiben (*ugs.*), klebenbleiben (*salopp*), hockenbleiben
(*ugs., landsch.*); → versagen;→
Schule.
²**versetzen:** → antworten,
sitzenlassen, → verkaufen;
jmdm. Nadelstiche v. → kränken; einen Puff / Stoß v. →
stoßen; etwas versetzt jmdm.
einen Schock → erschüttern;
jmdn. in Anklagezustand v. →
prozessieren; in die Lage v. →
möglich [machen]; in sittliche
Entrüstung v. → schockieren;
sich in jmds. Rolle v. → ein-

fühlen (sich); in den Ruhestand
v. → pensionieren.
**versetzt:** v. werden → versetzen.
**verseuchen**, vergiften, verpesten; → verderben; → Ansteckung; → verseucht.
**verseucht**, verschmutzt, vergiftet, verpestet; → verseuchen.
**Versfuß**, Jambus, Trochäus,
Daktylus, Anapäst, Spondeus;
→ Vers, → Versmaß.
¹**versichern** (sich), in die / in eine
Versicherung eintreten (oder:)
(*ugs.*) gehen, eine Versicherung
abschließen; → Versicherung.
²**versichern:** → beglaubigen, →
beschwören, → versprechen.
¹**Versicherung**, Assekuranz ·
Krankenversicherung · Lebensversicherung · Unfallversicherung · Haftpflichtversicherung ·
Sozialversicherung, Angestelltenversicherung, Rentenversicherung · Arbeitslosenversicherung · Brandversicherung,
Feuerversicherung · Hausratversicherung, Glasbruchversicherung; → Altersversicherung, → Police; → versichern
(sich).
²**Versicherung:** → Altersversorgung, → Bekräftigung; eine V.
abschließen, in die / in eine V.
eintreten (oder:) gehen → versichern (sich).
**Versicherungskaufmann** → Büroangestellter.
**Versicherungspolice** → Police.
**Versicherungspolizze** → Police.
**Versicherungsschein** → Police.
**versickern:** → aufhören, → fließen, → stocken.
**versieben:** → verderben, → vergessen.
**versiegelt**, verplombt, vernagelt,
verschlossen, abgeschlossen; →
abgepackt.
**versiegen** → stocken.
**versiert** → firm.
**versilbern** → verkaufen.
**versinken:** [in den Wellen / Fluten v.] → untergehen.
**versinnbildlichen**, allegorisieren,
in Bildern / Gleichnissen sprechen (oder:) reden; Bilder /
Gleichnisse / Metaphern gebrauchen (oder:) verwenden; →
metaphorisch, → sinnbildlich.
**Version** → Übersetzung.
**versippt** → verwandt.

**versklavt:** → unselbständig, →
unterdrückt.
**Versklavung** → Unfreiheit.
**Verslehre** → Metrik.
**Versmaß**, Rhythmus, Metrum,
Takt; → Dichtung, → Epigramm, → Erzählung, → Gedicht, → Reim, → Strophe, →
Vers; → dichten.
**versoffen** → trunksüchtig.
**Versoffenheit** → Trunksucht.
**versohlen:** [den Hintern v.] →
schlagen.
**versöhnen:**→ bereinigen; sich v.
→ einigen (sich).
**Versöhnler** → Ketzer.
**Versöhnlertum** → Ketzerei.
**versöhnlich** → tolerant.
**Versöhnung:** → Einigung; eine
V. anbahnen → Frieden [stiften]; jmdm. die Hand zur V.
reichen, einen Schritt zur V. tun
→ einigen (sich).
**Versöhnungsfest** → Feiertag.
**Versöhnungstag** → Feiertag.
**versonnen** → gedankenvoll.
**versorgen:** → einweisen, → geben, → kümmern (sich um
jmdn.); sich v. mit → kaufen.
**versorgt** → unzufrieden.
**Versorgung:** → Altersversorgung, → Lebensunterhalt.
**Versorgungsehe** → Ehe.
**verspachteln** → aufessen.
**verspannt** → verkrampft.
**verspäten** (sich), zu spät kommen, [die Zeit] verschlafen; →
Verspätung; → pünktlich.
**verspätet:** → säumig, → spät.
¹**Verspätung**, Verzögerung, Verzug; → verspäten (sich).
²**Verspätung:** → Unpünktlichkeit; V. haben / ohne V. →
pünktlich; mit V. → säumig.
**verspeisen** → aufessen.
**versperren:** → abschließen, →
verbarrikadieren.
**versperrt** → geschlossen.
¹**verspielen** (sich), danebengreifen (*ugs.*), falsch spielen, patzen
(*ugs.*).
²**verspielen:** bei jmdm. verspielt
haben → unbeliebt [sein].
**versponnen** → unrealistisch.
**verspotten:** → aufziehen, →
schadenfroh [sein].
¹**versprechen**, versichern, beteuern, geloben, beschwören,
schwören, beeiden, beeidigen,
auf seinen Eid nehmen, an
Eides Statt erklären, die Hand

darauf / sein Wort geben, sein Wort verpfänden, sein Ehrenwort geben, hoch und heilig versprechen (*ugs.*), das Abendmahl auf etwas nehmen (*ugs.*), sich verpflichten, einen Eid leisten, zusichern, zusagen, in Aussicht stellen, ausloben, [eine Belohnung] aussetzen, verheißen; ich fresse einen Besen, daß ... (*ugs.*); ich will Emil heißen, wenn ... (*ugs.*); ich will des Teufels sein, wenn ... (*ugs.*); darauf kannst du Gift nehmen (*ugs.*); beim Barte des Propheten!, beim Zeus!; → androhen, → festigen, → vereidigen; → verbrieft; → Zusicherung.

²**versprechen:** sich v. → mitteilen, → stottern; sich v. / jmdm. die Ehe v. → verloben (sich); versprochen sein → gebunden [sein], → ledig; etwas verspricht zu werden → offenbar [werden].

**Versprechen** → Zusicherung.

**Versprecher,** Sichversprechen, Lapsus, Lapsus linguae, falscher Zungenschlag, Solözismus, Schnitzer; → Fehler; → stottern.

**Versprechung:** -en → Zusicherung.

**versprudeln** → rühren.

**versprühen** → zerstäuben.

**verspüren:** → fühlen; ein menschliches Rühren v. → austreten [gehen].

**Versroman:** → Erzählung, → Roman.

**verstaatlichen** → enteignen.

**Verstaatlichung** → Enteignung.

**Verstand:** → Vernunft; jmdm. steht der V. still → verstehen; mehr Glück als V. haben → Glück [haben]; den V. verlieren / um den V. kommen → verrückt [werden]; ohne Sinn und V. → unbesonnen, → unsinnig.

**Verstandesehe** → Ehe.

**verständig** → klug.

**verständigen:** sich v. → übereinkommen.

**Verständigung:** V. durch Zeichen → Zeichensprache; eine V. anbahnen → Frieden [stiften].

¹**verständlich,** verstehbar, klar, deutlich, wohlartikuliert, artikuliert, gut zu verstehen, nicht → unartikuliert; **nicht v. sein,** nicht gut zu verstehen sein, ich verstehe immer nur Bahnhof (*salopp*); → akustisch, → klar, → laut; → Artikulation; → sprechen.

²**verständlich:** → anschaulich, → einleuchtend; aus -en Gründen → verständlicherweise.

**verständlicherweise,** begreiflicherweise, natürlich, aus verständlichen / naheliegenden Gründen; → einleuchtend, → erklärlich, → erwartungsgemäß.

**Verständlichkeit** → Anschaulichkeit.

¹**Verständnis,** Verstehen, Einfühlungsvermögen, Einfühlungsgabe; **V. finden,** auf Verständnis stoßen, verstanden werden; → tolerant [sein]; **ohne V.,** verständnislos · *für die Jugend:* jugendfremd; → Duldung; → verstehen; → verständnisvoll.

²**Verständnis:** jmdm. geht jedes V. für etwas ab, kein V. für etwas haben → unzugänglich [sein]; V. haben → tolerant [sein], → verstehen; V. zeigen für → entgegenkommen (jmdm.).

**verständnisinnig** → verständnisvoll.

**verständnislos:** → unzugänglich, → Verständnis.

¹**verständnisvoll,** verstehend, wissend, verständnisinnig; → Verständnis.

²**verständnisvoll** → tolerant.

¹**verstärken,** vertiefen, intensivieren, nachhelfen, beschleunigen, forcieren, vorantreiben, Druck / Dampf dahintersetzen (*ugs.*), auf die Tube drücken (*salopp*); → ankurbeln, → anstacheln, → fördern; → Entwicklung.

²**verstärken:** → vermehren, → verschärfen.

**Verstärker** → Lautsprecher.

**verstärkt:** -es Nagelwachstum → Nagelkrankheit.

**Verstärkung:** → Neuer, → Steigerung, → Vermehrung.

**Verstärkungspfeiler** → Säule.

**verstäten** → befestigen.

**verstatten** → billigen.

**verstaubt** → überlebt.

**verstauchen** (sich etwas), luxieren (*Med.*), sich etwas verrenken / ausrenken / auskugeln /

(*landsch.*) auskegeln / (*ugs.*) verknacksen / (*österr.*) überknöcheln, sich den Fuß vertreten; → Bluterguß, → Verrenkung.

**Verstauchung** → Verrenkung.

**verstauen** → unterbringen.

**Versteck:** → Hinterhalt, → Zuflucht.

**verstecken,** verbergen, verdecken, verhüllen, tarnen; → aufbewahren, → umhüllen, → unterbringen; → Tarnung, → Tresor.

**Versteckspiel** · Räuber und Gendarm, Räuber und Polizei (*berlin.*), Räuber und Landjäger (*schwäb.*), Räuber und Bolle (*schwäb.*), Räuber und Prinzessin, Cowboy [und Indianer]; → Fangspiel, → Geländespiel, → Kinderspiel.

**versteckt** → latent.

**verstehbar:** → einleuchtend, → verständlich.

¹**verstehen,** Verständnis haben für, fassen, erfassen, begreifen, einsehen, nachvollziehen, kapieren (*salopp*), auf den Trichter kommen (*ugs.*), etwas intus kriegen (*salopp*), mitbekommen (*ugs.*), mitkriegen (*ugs.*), [geistig] folgen können, durchschauen, durchblicken, durchgucken (*ugs.*), schalten (*ugs.*), das habe ich gefressen / gelöffelt (*salopp*); → auskennen (sich), → einfühlen (sich), → erkennen, → vorstellen (sich etwas); **nicht v.,** nicht klug werden aus jmdm. / aus etwas, durch etwas nicht mehr durchsehen / durchblicken, etwas ist jmdm. zu hoch / will jmdm. nicht eingehen / ist für jmdn. chinesisch (*ugs.*), etwas übersteigt / geht über jmds. Horizont (*ugs.*), da kann ich nicht mehr mit! (*ugs.*), das sind mir / für mich böhmische Dörfer, etwas ist jmdm. / für jmdn. ein Buch mit sieben Siegeln; **nicht v. können,** nicht einsehen / in den Kopf hineinbringen, etwas geht / will jmdm. nicht in den Kopf, sich an den Kopf fassen / greifen, nicht [mehr] mitkommen (*ugs.*), sich keinen Reim / Vers auf etwas machen können, etwas ist für jmdn. unbegreiflich, jmdm. steht der Verstand still (*ugs.*); → Verständnis.

²**verstehen:** → hören; verstanden werden → Verständnis; ich habe Sie nicht verstanden → bitte?; etwas v. → begabt [sein]; falsch v. → mißverstehen; sein Handwerk v. → tüchtig [sein]; seine Sache v. → firm [sein]; keinen Spaß v. → humorlos [sein]; v. als → beurteilen; gut zu v., nicht gut zu v. sein, ich verstehe immer nur Bahnhof → verständlich; zu v. geben → vorschlagen, → Hinweis; versteht sich → ja; sich mit jmdm. v. → vertraut.

**Verstehen** → Verständnis.

**verstehend** → verständnisvoll.

**versteifen:** sich v. → bestehen (auf), → steif [werden].

**Versteigerer** → Auktionator.

**versteigern,** unter den Hammer bringen, lizitieren, verganten (*schweiz.*), ganten (*schweiz.*), steigern (*selten, schweiz.*); → verkaufen; → Versteigerung.

**Versteigerung,** Auktion, Lizitation, Steigerung (*schweiz.*) · Zwangsversteigerung, Vergantung (*schweiz.*), Gant (*schweiz.*); → Auflösung, → Auktionator, → Fundsache, → Gebot, → Zahlungsunfähigkeit; **zur V. kommen,** unter den Hammer kommen, zur Versteigerung / unter den Hammer bringen; → versteigern.

**versteinern,** petrifizieren; → Versteinerung.

**Versteinerung,** Petrefakt, Fossil · *bestimmte erdgeschichtliche Zeiträume charakterisierende:* Leitfossil; → Gesteinskunde; → versteinern.

¹**verstellen,** besetzen, blockieren, den Zugang / die Zufahrt behindern, überstellen (*schweiz.*); → verbarrikadieren.

²**verstellen:** → verbarrikadieren; sich v. → vortäuschen; verstellt → aussichtslos.

**Verstellung,** Heuchelei, Scheinheiligkeit, Gleisnerei, Vortäuschung, Lippenbekenntnis; → unredlich.

**versteppt** → kahl.

**versterben** → sterben.

**versteuern,** verzollen, Steuer / Zoll bezahlen (oder:) entrichten; → besteuern; → Abgabe.

**verstiegen** → überspannt.

**Verstiegenheit** → Ausgefallenheit.

**verstimmen:** etwas verstimmt jmdn. → ärgern.

**verstimmt** → gekränkt.

¹**Verstimmung,** Unmut, Unwille, Erbitterung, Groll, Verärgerung, Grant (*südd., österr.*), Chagrin (*veraltet*), Mißgestimmtheit, gereizte Stimmung, Gereiztheit, Stimmungen, Launen, schlechte Laune; → Ärger, → Launenhaftigkeit, → Unzufriedenheit.

²**Verstimmung** → Ärger.

**verstockt** → unzugänglich.

**Verstocktheit** → Eigensinn.

**verstohlen:** → heimlich, → unbemerkt.

**verstopfen:** -d wirken → obstipieren; sich den Lauf v. → Geschlechtskrankheit.

**Verstopfung** → Stuhlverstopfung.

**Verstorbener** → Toter.

**verstört** → betroffen.

¹**Verstoß,** Verfehlung, Zuwiderhandlung, Übertretung, Vergehen, Untat, Missetat, Unrecht, Todsünde, Sünde, Sakrileg, Frevel, Freveltat, Delikt, Straftat, Kapitalverbrechen, Verbrechen; → Außerachtlassung, → Beleidigung, → Fehler, → Sakrileg, → Tötung, → Verbrechen, → Verbrecher; → sündigen, → verstoßen; → straffällig.

²**Verstoß:** etwas ist ein V. gegen etwas → verstoßen (gegen etwas); in V. geraten → verlorengehen.

¹**verstoßen** (gegen etwas), einer Sache zuwiderhandeln, etwas verletzen / unterlaufen / zerstören / untergraben / antasten, etwas ist ein Verstoß gegen etwas / richtet sich gegen etwas, etwas stellt einen Angriff auf / gegen etwas dar; → untergraben; → Verstoß.

²**verstoßen** → ausschließen.

**Verstrebung** → Balkenwerk.

**verstreichen** → vergehen.

¹**verstreuen,** zerstreuen, umherstreuen, verteilen.

²**verstreuen:** über die ganze Welt verstreut → weitverzweigt.

**verstreut** → selten.

**verstricken:** sich in etwas v. → hineinmanövrieren (sich in etwas).

**verstrubbeln** → zerzausen.

**verstrubbelt** → strubbelig.

**verstümmeln** → verunstalten.

**verstümmelt** → verschandelt.

**Verstümmelung** → Entstellung.

**verstummen** → schweigen.

¹**Versuch,** Vorstoß, Anstrengung, Unternehmung, Kampagne, Werbekampagne, Verkaufskampagne, Feldzug; → Absicht, → Angriff, → Experiment, → Wagnis.

²**Versuch:** → Anfechtung, → Experiment; einen V. machen → anstrengen (sich).

**versuchen:** → anstrengen (sich), → kosten, → probieren, → verleiten; [sein Heil / sein Glück v.] → probieren.

**Versucher** → Teufel.

**Versuchsballon:** → Experiment; einen V. aufsteigen / steigen lassen (oder:) starten → vorfühlen.

**Versuchskaninchen** → Versuchsobjekt.

**Versuchskarnickel** → Versuchsobjekt.

**Versuchsleiter,** VL; → Experiment, → Versuchsobjekt.

**Versuchsobjekt,** Versuchsperson, VP, Vp., Testperson, Proband, Versuchskaninchen (*ugs.*), Versuchskarnickel (*ugs.*); → Versuchsleiter; → prüfen.

**Versuchsperson** → Versuchsobjekt.

**versuchsweise** → probeweise.

**versucht:** v. sein → wünschen.

**Versuchung** → Anfechtung; in V. führen → verleiten.

¹**versumpfen,** vermooren, feucht / sauer werden; → Sumpf.

²**versumpfen** → verwahrlosen.

**versündigen:** sich v. → sündigen.

**versunken:** [in Gedanken v.] → gedankenvoll; in Gedanken v. sein → unaufmerksam [sein].

**Versunkenheit** → Versenkung.

**Versus memoriales** → Gedächtnisstütze.

**Versuswissenschaft** → Metrik.

**vertäfeln** → täfeln.

**Vertäfelung** → Täfelung.

**vertäfern** → täfeln.

**vertagen** → verschieben.

**vertauschen** → verwechseln.

**Vertauschung** → Verwechslung.

**¹verteidigen** (sich), sich wehren, Widerstand leisten, bis zum letzten Atemzug / Blutstropfen / Mann kämpfen; → abwehren, → wehren (sich).

**²verteidigen:** → behüten; sich v. → wehren (sich); etwas v. → eintreten (für).

**Verteidiger:** → Fürsprecher, → Fußballspieler; [V. in Strafsachen] → Jurist.

**Verteidigung:** → Abwehr, → Prüfung.

**Verteidigungsanlage** → Befestigungsanlage.

**verteidigungsbereit** → kampfbereit.

**Verteidigungsbereitschaft** → Kampfbereitschaft.

**Verteidigungskrieg** → Krieg.

**verteilen:** → austragen, → teilen, → verstreuen; Spitzen v. → spöttisch [sein].

**Verteilung:** → Zuteilung; zur V. bringen → teilen.

**vertelefonieren** → ausgeben.

**Verteuerung** → Preisanstieg.

**verteufeln** → schlechtmachen.

**verteufelt:** → sehr, → verdammt.

**vertiefen:** → festigen, → verstärken; sich v. → versenken (sich); sich v. in → lesen.

**vertieft:** → gedankenvoll; in Gedanken v. sein → unaufmerksam [sein].

**Vertiefung:** → Grube, → Versenkung.

**vertikal** → senkrecht.

**Vertikale** → Senkrechte.

**vertilgen:** → aufessen, → ausrotten.

**vertobaken** → schlagen.

**vertonen**, komponieren, in Musik / Töne setzen, instrumentieren, arrangieren; → Komponist.

**vertrackt** → schwierig.

**Vertrag:** → Abmachung; einen V. abschließen / machen / schließen → aushandeln.

**¹vertragen** (sich), mit jmdm. auskommen / in Frieden leben, sich nicht zanken; **sich nicht v.,** sich zanken, verkracht sein mit jmdm., mit jmdm. auf gespanntem Fuß leben / stehen, mit jmdm. in Unfrieden leben; → schelten; → friedfertig.

**²vertragen:** → bekömmlich [sein], → ertragen; sich [wieder] v. → einigen (sich); einiges / etwas / viel v. [können] → trinkfest [sein]; viel v. [können] → dickfellig [sein].

**³vertragen:** → abgenutzt, → ausgetragen.

**Verträger** → Bote.

**verträglich:** → bekömmlich, → friedfertig.

**Verträglichkeit** → Unschädlichkeit.

**Vertragsvermittler** → Geschäftsvermittler.

**vertrauen:** → glauben; v. auf etwas → verlassen (sich auf etwas).

**Vertrauen:** → Hoffnung; V. genießen → glaubwürdig [sein]; V. haben / schenken, zu jmdm. das V. verlieren → glauben (jmdm.); im V. → Verschwiegenheit; im V. [gesagt] → vertraulich; jmdn. ins V. ziehen → mitteilen.

**vertrauenerweckend** → glaubwürdig.

**Vertrauensarzt** → Arzt.

**Vertrauensmann** · *der die Bürger vor der Willkür der Behörden schützt:* Ombudsman[n] · *der die Einhaltung der Grundrechte in der Bundeswehr überwacht:* Wehrbeauftragter; → Fürsprecher.

**vertrauensselig** → gutgläubig.

**Vertrauensseligkeit** → Arglosigkeit.

**vertrauensvoll** → gutgläubig.

**vertrauenswürdig** → aufrichtig.

**Vertrauenswürdigkeit** → Glaubwürdigkeit.

**¹vertraulich**, persönlich, privatim, von Mann zu Mann, unter uns, im Vertrauen [gesagt]; → heimlich, → inoffiziell.

**²vertraulich:** → intern, → Verschwiegenheit; etwas ist [streng] v., v. behandeln → weitererzählen.

**verträumt:** → gedankenvoll, → unrealistisch.

**¹vertraut**, familiär; **mit jmdm. v. sein,** mit jmdm. befreundet sein, Freunde / (ugs.) dicke Freunde / jmds. Freund sein, sich mit jmdm. verstehen, der Funke ist übergesprungen (ugs.), gut mit jmdm. können (ugs.), mit jmdm. auf du und du / auf freundschaftlichem Fuß stehen, mit jmdm. gut bekannt sein.

**²vertraut:** → heimatlich; v. machen mit → lehren.

**Vertraute** → Freundin.

**Vertrauter** → Freund.

**Vertrautheit** → Erfahrung.

**¹vertreiben**, austreiben, exterminieren, treiben, verjagen, jagen aus / von, wegjagen, fortjagen, verscheuchen, scheuchen, stampern (österr.), → ausweisen, → deportieren, → einschreiten, → entfernen, → entlassen.

**²vertreiben:** → verkaufen; sich nicht v. lassen → einnisten (sich), → standhalten.

**Vertreibung** → Verbannung.

**¹vertreten**, einspringen, aushelfen, für jmdn. eintreten / in die Bresche springen, Vertretung machen (ugs.), die zweite Besetzung / Garnitur sein (abwertend); → helfen; → Hilfskraft.

**²vertreten:** → helfen; v. sein → anwesend [sein]; sich die Beine / Füße v. → spazierengehen; sich den Fuß v. → verstauchen (sich etwas).

**Vertreter:** → Exponent, → Handelsvertreter, → Stellvertreter, → Verwalter; V. des Radikalismus → Extremist.

**Vertretung:** → Interessenvertretung; V. machen → vertreten.

**Vertrieb** → Absatz.

**Vertriebener** → Auswanderer.

**vertrimmen** → schlagen.

**vertrinken:** → verschwenden; [sein Geld v.] → ausgeben.

**vertrocknen:** → eingehen, → trocknen.

**vertrocknet:** → trocken, → verwelkt.

**vertrösten**, hinhalten, jmdn. zappeln lassen (ugs.), mit jmdm. Katz und Maus spielen (ugs.), etwas hinziehen, mit [leeren] Worten abspeisen; → verschieben.

**vertun:** → durchbringen, → verschwenden.

**vertuschen**, verschleiern, kaschieren, zudecken, über etwas nicht mehr sprechen / Gras wachsen lassen, etwas mit dem Mantel der christlichen Nächstenliebe zudecken / bedecken, den Schleier des Vergessens /

der Vergessenheit über etwas breiten, darüber schweigt des Sängers Höflichkeit (scherzh.); → lügen, → schweigen, → vortäuschen; → entgegenkommend.

**verübeln** → übelnehmen.

**verulken** → aufziehen.

**verumständlichen** → ausführlich.

**veruneinigen:** sich v. → entzweien (sich).

**verunfallen** → verunglücken.

**Verunfallter** → Verunglückter.

**verunglimpfen** → schlechtmachen.

**Verunglimpfung** → Beleidigung.

**¹verunglücken,** zu Schaden kommen, Schaden nehmen, einen Unfall haben / (salopp) bauen, verunfallen (schweiz.); → überfahren; → Not, → Unglück, → Verunglückter; → tödlich.

**²verunglücken:** etwas verunglückt → scheitern; tödlich v. → sterben.

**Verunglückter,** Verunfallter (schweiz.) · durch einen schweren Schiffsunfall: Schiffbrüchiger · auf tödliche Weise: Unfalltoter, Todesopfer; → verunglücken.

**verunklären**→unklar [machen].

**verunmöglichen** → verhindern.

**verunreinigen** → beschmutzen.

**Verunreinigung,** Beschmutzung. Besudelung, Befleckung; → beschmutzen.

**verunschicken** → einbüßen.

**verunsichern** → verwirren.

**verunstalten,** verschandeln, entstellen, verstümmeln, verunzieren, verhunzen (abwertend), verschimpfieren (abwertend), schimpfieren (abwertend); → beschädigen; → zerstören; → verschandelt; → Entstellung.

**verunstaltet** → verschandelt.

**Verunstaltung:** → Entstellung, → Zerrbild.

**veruntreuen** → unterschlagen.

**Veruntreuung** → Diebstahl.

**verunzieren** → verunstalten.

**verunziert** → verschandelt.

**Verunzierung** → Entstellung.

**¹verursachen,** bewirken, hervorrufen, veranlassen, herbeiführen, entfesseln, erwecken, zeitigen, heraufbeschwören, etwas in Bewegung / in Gang setzen, ins Rollen bringen, abgeben (schweiz.), etwas bedingt etwas, provozieren, zur Folge haben, auslösen, evozieren, machen; es so einrichten, daß...; → anregen, → anstacheln, → aufwiegeln, → überreden, → veranlassen, → verknüpfen, → verleiten, → zuraten; **verursacht werden,** in Gang / Bewegung / Fluß kommen, ins Rollen kommen, der Stein kommt ins Rollen; → Anlaß, → Erfolg.

**²verursachen:** Entrüstung v. → schockieren; Schmerz v. → schmerzen.

**¹verurteilen,** aburteilen, schuldig sprechen, für schuldig erklären / befinden, das Urteil / einen Spruch fällen, verfällen (schweiz.), abstrafen (veraltend, österr.), ein Urteil ergehen lassen / aussprechen / sprechen, den Stab brechen über, verdonnern (salopp), verknacken (salopp); → beanstanden; **nicht verurteilt werden,** nicht bestraft werden, straffrei ausgehen, freigesprochen werden, durch die Maschen des Gesetzes schlüpfen; → Fehlurteil, → Verurteilung.

**²verurteilen:** → brandmarken; zum Scheitern verurteilt sein → scheitern [müssen].

**¹Verurteilung,** Aburteilung, Schuldspruch, Schuldigsprechung, Urteilsspruch, Richterspruch; → Bann; → verurteilen.

**²Verurteilung** → Bann.

**Verve** → Temperament.

**vervielfachen:** → vermehren, → zunehmen.

**Vervielfachung** → Vermehrung.

**¹vervielfältigen,** reproduzieren, kopieren, klischieren, durchpausen, abziehen, hektographieren, matrizieren (österr.), einen Abzug / Abdruck / Durchschlag / eine Kopie / Abschrift machen; → ablichten, → nachahmen; → Reproduktion.

**²vervielfältigen:** → ablichten, → reproduzieren.

**Vervielfältigung** → Reproduktion.

**vervollkommnen** → vervollständigen.

**Vervollkommnung** → Ergänzung.

**¹vervollständigen,** komplettieren, vervollkommnen, perfektionieren, ergänzen, abrunden, arrondieren, aufrunden, auffüllen, hinzufügen, einschieben, nachtragen; → ausdehnen, → ausfertigen, → beitragen, → einfügen, → verbessern, → verbünden (sich), → verknüpfen; → ergänzend, → ganz; → Ergänzung.

**²vervollständigen:** vervollständigt → komplett.

**Vervollständigung** → Ergänzung.

**¹verwachsen,** bucklig, krumm, schief, mißgestaltet, verkrüppelt, krüppelig; **v. sein,** einen Buckel / einen Ast haben (landsch., salopp); → Buckel, → Krüppel, → Mißgebilde, → Mißgeburt.

**²verwachsen:** mit der Scholle v. sein → heimatverbunden [sein].

**verwackelt** →unscharf.

**verwahren:** → aufbewahren; sich v. gegen → abstreiten.

**¹verwahrlosen,** herunterkommen, verkommen, verlottern, verbummeln, abwirtschaften, verlumpen, verschlampen, versacken, versumpfen, vor die Hunde gehen (ugs.), auf den Hund kommen (ugs.), auf Abwege kommen / geraten, auf die schiefe Ebene / Bahn kommen, unter die Räder / unter den Schlitten kommen, in der Gosse landen / enden (ugs.), vom rechten Weg abkommen, verwildern, verrohen, abstumpfen; → abrutschen, → verfallen; → abgewirtschaftet, → anstößig; → Verwilderung.

**²verwahrlosen** → verfallen.

**verwahrlost:** etwas ist v. → vernachlässigen (etwas).

**Verwahrlosung** → Verwilderung.

**Verwahrung:** →Aufbewahrung, → Lagerung; in V. nehmen → aufbewahren.

**Verwahrungsort** → Aufbewahrungsort.

**Verwahrungsplatz** → Aufbewahrungsort.

**verwalken** → schlagen.

**verwalten:** → führen, → regieren; von einem Zentrum aus v. → zentralisieren.

¹**Verwalter,** Pfleger, Sachwalter, Bevollmächtigter, Kommissionär, Administrator, Kurator, Anwalt, Vertreter · *der Kraftfahrzeuge einer Kompanie:* Schirrmeister · *von Waffen und Geräten bei der Truppe:* Waffenmeister · *der Bekleidungsstücke einer Kompanie:* Kammerbulle (*scherzh.*); → Treuhänder, → Treuhänderschaft, → Vermittler.

²**Verwalter** → Stellvertreter.

**Verwalterin,** Wirtschafterin, Beschließerin, Wäschebeschließerin; → Hausangestellte.

**Verwaltung:** → Amt, → Regie.

**Verwaltungsbezirk,** Landkreis, Kreis, Regierungsbezirk, Bezirk, Hieb (*salopp, wiener.*), Departement, Distrikt, Gouvernement, Landesteil, Provinz, Sprengel · *kirchlicher:* Diözese, Dekanat, Dechantei (*veraltet*); → Bundesland, → Stadtteil.

**Verwaltungsbürokratie** → Bürokratie.

**Verwaltungsgericht** → Gericht.

**Verwaltungsgerichtshof** → Gericht.

**Verwaltungskaufmann** → Büroangestellter.

**verwaltungsmäßig** → behördlich.

**Verwaltungsrecht** → Rechtsgebiet.

**Verwaltungssprache** → Amtsdeutsch.

**verwamsen** → schlagen.

**verwandeln:** → ändern, → Tor [schießen], → verändern.

**Verwandlung:** → Änderung, → Umwandlung.

**Verwandlungskünstler** → Artist.

¹**verwandt,** blutsverwandt, nahe/entfernt / weitläufig / um sieben Ecken / um die Ecke [herum] verwandt, versippt, verschwägert, angeheiratet, zur Familie gehörend, verschwistert.

²**verwandt:** → gleichartig; nahe/entfernt / weitläufig / um die Ecken [herum] / um sieben Ecken v. → verwandt.

**Verwandter,** Blutsverwandter ···· Urgroßvater · Urgroßmutter · Urgroßeltern ··· Großvater, Opa, Opapa, Opi, Ehnel (*mundartl., österr.*) · Großmutter, Oma, Omama, Omi, Ahnl (*mundartl.,*

*österr.*) ·· Großeltern ··· Vater, Papa, Paps (*fam.*), Erzeuger, Alter (*ugs.*), alter Herr, Tate (*jidd.*), Rabenvater, Stiefvater, Pflegevater, Ziehvater · Mutter, Mama, Alte (*ugs.*), alte Dame, Rabenmutter, Stiefmutter, Pflegemutter, Ziehmutter ·· Eltern, Vater und Mutter, die Alten (*ugs.*), die alten Herrschaften, Rabeneltern ·· Elternteil, Elter (das und der) ··· Sohn, Filius, Ableger (*scherzh.*), Sprößling (*scherzh.*), Junior, Stammhalter, Muttersöhnchen (*abwertend*), Stiefsohn · Tochter, Filia, Stieftochter, Adoptivtochter, Pflegetochter, Ziehtochter ·· Kind ··· Bruder, der leibliche / eigene Bruder, Bruderherz, Keule (*ugs.*), Atze (*ugs., berlin.*) · Schwester, Schwesterherz ·· Geschwister, Bruder und Schwester, Gebrüder ·· Zwillinge, Drillinge, Vierlinge, Fünflinge ··· Enkelkind, Kindeskind, Enkel, Enkelin, Enkelsohn, Enkeltochter ·· Urenkel ··· Schwiegervater, Schwiegerpapa · Schwiegermutter, Schwiegermama ·· Schwiegereltern ··· Schwiegersohn, Eidam (*veraltet*), Tochtermann · Schwiegertochter, Schnur (*veraltet*) ·· Schwiegerkind ··· Schwager · Schwägerin··· Schwippschwager · Schwippschwägerin ··· Cousin, Vetter · Cousine, Kusine, Base (*veraltet*) · Onkel, Oheim (*veraltet*) · Tante, Muhme (*veraltet*), Base (*veraltet*) ·· Neffe · Nichte ·· Bruderkind · Schwesterkind ·· Geschwisterkind; → Angehöriger, → Familienanhänglichkeit.

**Verwandtschaft:** → Ähnlichkeit, → Familie, → Gleichartigkeit.

**Verwandtsein** → Gleichartigkeit.

**Verwarnung:** gebührenpflichtige V. → Strafzettel.

**verwaschen** → abgeblaßt.

¹**verwässern,** verflachen, seicht machen, nivellieren; → popularisieren; → Gleichmacherei.

²**verwässern** → verdünnen.

**Verwässerung** → Verflachung.

¹**verwechseln,** vertauschen, durcheinanderbringen; → austauschen, → tauschen; → Verwechslung → Verwirrung.

²**verwechseln:** mein und dein v. → wegnehmen.

**Verwechslung,** Vertauschung · *einer Sache mit einer anderen:* Quidproquo · *einer Person mit einer anderen:* Quiproquo; → Ersatz; → verwechseln.

**verwedeln** → unklar [machen].

**verwegen** → mutig.

**verwehen** → verhallen.

**verwehren:** → verbieten, → verhindern.

**Verwehrung** → Vereitelung.

**Verweiblichung** → Zwittertum.

**verweichlichen** → verwöhnen.

¹**verweigern** (sich jmdm.), sich jmdm. versagen, sich nicht hingeben, sich nicht verführen lassen, nicht → koitieren; → ablehnen.

²**verweigern** → ablehnen.

**Verweigerung** → Ablehnung.

**verweilen** → weilen.

**Verweis** → Vorwurf.

**verweisen:** → ausschließen, → ausweisen; v. auf → hinweisen (auf); vom Platz v. → ausschließen.

**verwelken** → welken.

**verwelkt,** welk, verdorrt, vertrocknet, verblüht, abgeblüht, nicht frisch; → trocken.

**verweltlichen:** → enteignen, → säkularisieren.

**Verweltlichung** → Säkularisierung.

**verwendbar** → anstellig.

**Verwendbarkeit** → Brauchbarkeit.

**verwenden:** → anwenden, gebrauchen, → verarbeiten; Bilder / Gleichnisse / Metaphern v. → versinnbildlichen; sich v. für → fördern.

**Verwendung:** → Anwendung; V. finden, in V. stehen → Anwendung [finden]; etwas findet V., V. haben für → anwenden; in V. nehmen → gebrauchen.

**verwerfen:** die Arme / Hände v. → gestikulieren.

**verwerflich** → abscheulich.

**verwerten** → anwenden.

**verwesen** → faulen.

**Verweser** → Oberhaupt.

**Verweserei** → Amt.

**Verwesung,** Fäulnis, Putreszens, Putrefaktion, Fermentation (*selten*); → Fäulnis, → Verfall.

733

**verwichsen** → schlagen.
**verwickeln:** v. in → hineinziehen (in); jmdn. / sich in etwas v. → hineinmanövrieren (jmdn. / sich in etwas); in ein Komplott verwickelt sein → konspirieren.
**verwickelt:** → komplex, → schwierig, → wirr.
**Verwickeltheit** → Heillosigkeit.
**verwildern** → verwahrlosen.
**Verwilderung,** Verrohung, Verwahrlosung, Verlotterung, Verkommenheit, Verschlamptheit, Verlumptheit; → verwahrlosen.
**verwinden** → ertragen.
**verwirken** → verlieren.
**¹verwirklichen,** realisieren, Wirklichkeit werden lassen, in die Tat umsetzen, Ernst machen mit etwas, ins Werk / in Szene setzen, inszenieren, einrichten, arrangieren, organisieren, erledigen, tätigen, übernehmen, ausführen, durchführen, vollstrecken, abwickeln, durchziehen (*ugs.*), fahren (*ugs.*), über die Bühne bringen, verrichten, vollziehen, wahr machen, erfüllen, einlösen, zustande / zuwege bringen, leisten, fertigbringen, auf sich nehmen, etwas auf die Beine stellen (*ugs.*), etwas schaukeln (*ugs.*); → ankurbeln, → arbeiten, → aufführen, → bewältigen, → bewerkstelligen, → handhaben, → können, → möglich [machen], → veranstalten; **verwirklicht werden,** zur Durchführung gelangen; → Ausführender, → Bewerkstelligung, → Tat.
**²verwirklichen:** etwas verwirklicht sich → eintreffen.
**Verwirklichung** → Bewerkstelligung.
**¹verwirren,** irremachen, beirren, irritieren, konsternieren, durcheinanderbringen, drausbringen (*österr.*), beunruhigen, derangieren, umtreiben, in Verwirrung / Unruhe versetzen, jmdn. in Verlegenheit / aus der Fassung / aus dem Gleichgewicht / aus dem Text / aus dem Konzept / aus dem Takt bringen, jmdn. aufs Glatteis führen, verunsichern, unsicher / kopfscheu / konfus / verwirrt / (*südd., österr.*) dasig machen,

die Pferde scheu machen (*ugs.*); → anregen, → einschüchtern, → verquicken; **sich nicht v. lassen,** nicht nach rechts und links blicken; → betroffen; → Unrast.
**²verwirren** → einschüchtern.
**verwirrt:** → betroffen, → verlegen; v. machen → verwirren.
**Verwirrtheit:** → Bewußtseinstrübung, → Schamhaftigkeit.
**¹Verwirrung,** Konfusion, Durcheinander, Gewirr, Wirrsal, Wirrnis, Chaos, Rapusche (*ugs.*), Wirrwarr, Kuddelmuddel (*ugs.*), Tohuwabohu (*abwertend*), Hexenkessel; → Not; → verwechseln.
**²Verwirrung:** → Überraschung; in V. bringen → verwirren.
**verwirtschaften** → durchbringen.
**verwischen** → unklar [machen].
**verwöhnen,** jmdn. auf Rosen betten / auf Händen tragen, jmdm. jeden Wunsch von den Augen ablesen, es jmdm. vorn und hinten reinstecken (*salopp, abwertend*) · *in bezug auf Kinder:* verziehen (*abwertend*), verhätscheln (*abwertend*), verzärteln (*abwertend*), verweichlichen (*abwertend*), verpimpeln (*ugs., abwertend*), bepummeln (*ugs.*); → kümmern (sich um jmdn.); → verwöhnt.
**¹verwöhnt,** verhätschelt, verzärtelt, verzogen, verweichlicht; **v. sein,** ein Mutterkind / Muttersöhnchen sein, an jmds. Schürze / Schürzenband / Schürzenzipfel / Rockzipfel / Rockschößen / Frackschößen hängen, jmdm. an der Kittelfalte hängen (*österr.*), [dauernd] an jmds. Kittelfalte sein (*österr.*); → verwöhnen.
**²verwöhnt:** → wählerisch; etwas für einen -en Gaumen sein → schmecken.
**verwordakelt** → verschandelt.
**verworfen** → anstößig.
**Verworfenheit** → Sittenlosigkeit.
**verworren,** dunkel, unklar, schwer verständlich, unverständlich, abstrus; → unklar.
**verwundbar:** -e Stelle → Achillesferse.
**Verwundbarkeit,** Verletzbarkeit, Verletzlichkeit, Empfind-

lichkeit, Schwäche; → Achillesferse, → Empfindsamkeit.
**verwunden:** → kränken, verletzen; etwas verwundet jmdn. → ärgern.
**verwunderlich:** → seltsam; das ist nicht [weiter] v. → schwierig.
**Verwunderlichkeit** → Seltsamkeit.
**verwundert** → überrascht.
**Verwunderung:** → Überraschung; in V. setzen → befremden.
**verwundet** → verletzt.
**Verwundung** → Wunde.
**¹verwünschen** (jmdn.), jmdn. zur Hölle / zum Kuckuck / zum Teufel wünschen (*ugs.*); jmdn. dorthin wünschen, wo der Pfeffer wächst; jmdn. auf den Mond schießen mögen; → hassen; → verflucht!
**²verwünschen** → brandmarken.
**verwünscht** → verdammt.
**Verwünschung:** → Bann, → Fluch.
**verwurzelt:** tief v. → üblich.
**verwüsten** → zerstören.
**Verwüstung** → Vernichtung.
**verzagen** → Mut [verlieren].
**verzagt:** → defätistisch, → deprimiert.
**Verzagtheit** → Trauer.
**verzahen:** jmdn. v. → verleiten.
**verzahnen** → verknüpfen.
**Verzahnung** → Verknüpfung.
**verzanken:** sich v. → entzweien (sich).
**verzankt** → verfeindet.
**verzapfen** → anrichten.
**verzärteln** → verwöhnen.
**verzaubern:** → bannen, → bezaubern.
**Verzauberung** → Faszination.
**¹Verzehr,** Zeche, Konsumation; → verbrauchen.
**²Verzehr** → Verbrauch.
**verzehren:** → essen; etwas verzehrt die Kräfte → zehren; seine Pension v. → Lebensabend.
**verzeichnen:** → aufschreiben, → buchen.
**Verzeichnis,** Liste, Index, Katalog, Konspekt, Manuale, Handbuch, Kladde, Matrikel, Zusammenstellung, Aufstellung, Evidenz (*österr.*), Syllabus, Tabelle, Inventar, Kartei, Register, Sachweiser, Kalendarium · *von Büchern:* Bücherverzeich-

nis, Bibliographie · *der Fachausdrücke eines Wissensgebietes:* Nomenklatur · *von geächteten Personen:* Proskriptionsliste; → Auswahl, → Kartei, → Prospekt, → Sammlung, → Terminologie.

**verzeigen** → verraten.

**[1]verzeihen,** entschuldigen, vergeben, jmdm. etwas nachsehen, rechtfertigen, von einer Schuld befreien, exkulpieren; → begnadigen, → verschonen, → lossprechen · Ggs. → unzugänglich [sein].

**[2]verzeihen:** v. Sie bitte! → Verzeihung!

**verzeihlich,** läßlich, geringfügig, klein; → unwichtig; **v. sein:** etwas ist verzeihlich / entschuldbar, das kommt in den besten Familien vor (*ugs., scherzh.*) · Ggs. → schlimm.

**[1]Verzeihung!,** Vergebung! (*geh.*), Pardon!, Entschuldigung!, Hoppla! (*salopp*), ich bitte [tausendmal] um Entschuldigung / um Verzeihung!, es tut mir leid!, verzeihen Sie / entschuldigen Sie bitte!; → Entschuldigung; → entschuldigen (sich).

**[2]Verzeihung:** → Begnadigung, → Entschuldigung; um V. bitten → entschuldigen (sich).

**[1]verzerren,** karikieren, persiflieren; → anführen.

**[2]verzerren** → verfälschen.

**Verzerrung:** → Verdrehung, → Verfälschung, → Verletzung, → Zerrbild.

**Verzicht:** → Entäußerung, → Entsagung, → Opfer.

**verzichten:** → abschreiben; auf etwas v. können → brauchen.

**Verzichtpolitiker** → Jasager.

**verziehen:** → verwöhnen; sich v. → weggehen; keine Miene v. → ruhig [bleiben].

**verzieren:** → garnieren, → schmücken.

**verziert,** verschnörkelt (*abwertend*), gedreht, geschweift, gedrechselt; → Verzierung; → schmücken.

**[1]Verzierung,** Schmuck, Garnierung, Verschönerung, Zierde, Zierat, Verschnörkelung (*abwertend*); → Besatz; → schmükken; → verziert.

**[2]Verzierung** → Aufbau.

**verzinken** → verraten.

**verzittert** → unscharf.

**verzögern:** → behindern, → verschieben.

**Verzögerung** → Verspätung.

**verzollen** → versteuern.

**verzuckern** → zuckern.

**Verzückung** → Lust.

**Verzug:** → Verspätung; etwas ist in V. → bevorstehen.

**verzupfen:** sich v. → weggehen.

**verzweifeln** → Mut [verlieren].

**verzweifelt:** → beharrlich, → deprimiert, → sehr.

**Verzweiflung,** Hoffnungslosigkeit, Mutlosigkeit, Ausweglosigkeit, Verdüsterung; **jmdn. zur V. treiben,** jmdn. zur Verzweiflung bringen; → Mut [verlieren]; → deprimiert.

**verzweigen:** sich v. → gabeln (sich).

**verzweigt** → komplex.

**Verzweigung** → Gabelung.

**verzwickt** → schwierig.

**Vesicula** → Hautblüte.

**Vesper:** → Gottesdienst, → Zwischenmahlzeit.

**Vesperbild,** Pieta; → Madonna.

**vespern** → Zwischenmahlzeit [einnehmen].

**Vestan** → Chemiefaser.

**Vestibül:** → Diele, → Foyer.

**Vesuvian** → Schmuckstein.

**Veteran** → Soldat.

**Veteranenflinte** → Schirm.

**[1]Veterinär,** Tierarzt, Tiermediziner.

**[2]Veterinär** → Arzt.

**Veterinärmedizin** → Heilkunde.

**[1]Veto,** Vetorecht, Einspruchsrecht; → Einspruch, → Verbot.

**[2]Veto** → Einspruch.

**Vetorecht** → Veto.

**Vettel** → Frau.

**Vetter:** → Cousin; den Papst zum V. haben → Beziehung [haben].

**Vetterleswirtschaft** → Vetternwirtschaft.

**Vetterliwirtschaft** → Vetternwirtschaft.

**Vetternwirtschaft,** Vetterleswirtschaft (*landsch.*), Vetterliwirtschaft (*schweiz.*), Parteibuchwirtschaft, Spoils-System, Nepotismus, Patronage, Günstlingswirtschaft, Begünstigung, Protektion; → Beziehung, → Förderung, → Gönner; → fördern.

**Vetus Latina** → Bibelübersetzung.

**Vexierrätsel** → Rätsel.

**v. H.** → Prozent.

**via,** über, auf dem Wege über.

**Viadukt** → Brücke.

**Via regia** → Verfahren.

**Viatikum,** Wegzehrung, Sterbesakrament, Krankensalbung, Letzte Ölung, Aussegnung, Todesweihe (*schweiz.*); → Sakrament.

**Vibraphon** → Schlaginstrument.

**Vibration** → Massage.

**Vibrato,** Tremolo; → Streichinstrument; → singen.

**vibrieren** → zittern.

**Vichykaro** → Stoffmuster.

**Victoria** → Göttin.

**Vieh,** Großvieh, Kühe, Rinder, Hornvieh, Beinlvieh (*mundartl.*), Viehstand, Viehbestand, Viehhabe (*schweiz.*), Senntum (*schweiz.*) · *junges:* Jungvieh · *das keine Milch gibt:* Galtvieh (*landsch.*) · *Kälber und Schweine:* Stechvieh (*österr.*); → Kleinvieh, → Stall.

**Viehbestand** → Vieh.

**Viehbohne** → Saubohne.

**Viehdoktor** → Arzt.

**Viehhabe** → Vieh.

**Viehmarkt** → Markt.

**Viehstall** → Stall.

**Viehstand** → Vieh.

**Viehwirtschaft:** → Landwirtschaft, → Milchwirtschaft.

**Viehzeug:** → Kleinvieh, → Ungeziefer.

**Viehzucht** → Landwirtschaft.

**viel:** → reichlich, → Viel-; -en Dank [für die Blumen]! → danke!; -e Grüße → hochachtungsvoll; -e Wenig machen ein Viel → lohnend [sein]; dazu gehört nicht v. → schwierig; v. um die Ohren haben → arbeiten; mit jmdm. ist nicht mehr v. los → hinfällig [sein]; v. vertragen [können] → dickfällig [sein]; nicht v. → wenig.

**Viel-,** Poly-, Multi-; → viel.

**vieldeutig** → mehrdeutig.

**Vieldeutigkeit** → Mehrdeutigkeit.

**viele,** zahlreiche, nicht wenige, eine große Zahl, unzählige, ungezählte, zahllose, Abertausende, Tausende, Aberhunderte,

Hunderte, abertausend, tausend (*ugs.*), aberhundert, hundert (*ugs.*), tausend und aber tausend, hundert und aber hundert, Tausende und aber Tausende, Hunderte und aber Hunderte, eine [ganze] Reihe, Heerscharen, Legionen / Myriaden von, eine Menge / Anzahl / [endlose] Folge, eine breite Palette von, ein Ende (*ugs.*), ein Rattenschwanz (*ugs.*); → einige.

**Vielehe** → Ehe.

**vielenorts** → überall.

**vielerlei** → allerlei.

**vielerorts** → überall.

**vieles** → allerlei.

**vielfach** → oft.

**Vielfalt,** Mannigfaltigkeit, Vielgestaltigkeit, Verschiedenartigkeit, Diversifikation, Buntheit, Reichtum; → mannigfaltig.

**vielfältig:** → mannigfaltig, → oft.

**vielförmig** → mannigfaltig.

**Vielfraß,** Nimmersatt; → Feinschmecker; → unersättlich.

**vielgestaltig** → mannigfaltig.

**Vielgestaltigkeit** → Vielfalt.

**¹vielleicht,** eventuell, unter Umständen, möglicherweise, womöglich, wenn es geht, es ist möglich / ist denkbar; es besteht die Möglichkeit, daß...; es kann sein, es läßt sich denken, es ist nicht auszuschließen, gegebenenfalls, notfalls, allenfalls, allfällig (*österr.*, *schweiz.*); → anscheinend, → etwaig, → tunlichst, → ungewiß; → vermuten.

**²vielleicht:** → etwa, → ungefähr.

**Vielleser** → Leser.

**vielmals:** danke v.! → danke!

**vielmehr,** mehr, eher, lieber, im Gegenteil.

**vielsagend,** bedeutungsvoll; → bedeuten.

**vielseitig:** v. sein → aufgeschlossen [sein].

**vielsprachig** → polyglott.

**vielvermögend** → mächtig.

**vielversprechend** → aussichtsreich.

**Vielweiberei** → Ehe.

**Vielzahl** → Anzahl.

**vier:** unter v. Augen → Verschwiegenheit; die v. Buchstaben → Gesäß; in v. Teile

teilen → vierteilen; in seinen v. Wänden → daheim, → Privatleben; in alle v. Winde → überallhin; alle -e von sich strecken → liegen.

**Vierachteltakt** → Takt.

**Vierbeiner** → Hund.

**Viercicero** → Schriftgrad.

**Viereck,** Parallelogramm · *rechtwinkliges mit vier gleich langen Seiten:* Quadrat, Karree, Karo · *schiefwinkliges mit vier gleich langen Seiten:* Raute, Rhombus · *rechtwinkliges, in dem die beiden gegenüberliegenden Seiten gleich lang sind:* Rechteck.

**Vierer** → Kajak.

**Viererbob** → Schlitten.

**Vierertreffen** → Gipfeltreffen.

**Vierfarbendruck** → Druckverfahren.

**Vierfarbenstift** → Schreibstift.

**Vierhalbetakt** → Takt.

**Vierheber** → Vers.

**Vierhundertmeterhürdenlauf:** 400-m-Hürdenlauf → Lauf.

**Vierhundertmeterlauf:** 400-m-Lauf → Lauf, → Zehnkampf.

**Vierkanalstereophonie** → Stereophonie.

**Vierklang** → Akkord.

**Vierlinge** → Geschwister.

**Viermächteabkommen** → Abmachung.

**Viermächtestadt** → Berlin.

**Vierradbremse** → Bremse.

**vierschrötig** → plump.

**Viersektorenstadt** → Berlin.

**vierte:** 4. Advent → Kirchenjahr; -r Fall → Akkusativ.

**¹vierteilen,** vierteln, in vier Teile teilen; → teilen.

**²vierteilen** → töten.

**Viertel:** → Notenzeichen, → Stadtteil; erstes / letztes V. → Mond.

**Viertelcicero** → Schriftgrad.

**Viertele** → Hohlmaß.

**Vierteljahresschrift** → Zeitschrift.

**Viertelliter** → Hohlmaß.

**vierteln** → vierteilen.

**Viertelnote** → Notenzeichen.

**Viertelpetit** → Schriftgrad.

**Vierundsechzigstel** → Notenzeichen.

**Vierundsechzigstelnote** → Notenzeichen.

**vierundzwanzig:** v. Stunden → Tag; v. Uhr → Mitternacht;

um v. Uhr → mitternachts.

**Vierungsturm** → Turm.

**Viervierteltakt** → Takt.

**Vierzeiler** → Lied.

**vierzig:** die v. Tage vor Ostern → Passionszeit.

**vif** → lebhaft.

**Vigil** → Gottesdienst.

**vigilant** → schlau.

**Vignette** → Zeichnung.

**Vikar:** → Geistlicher, → Stellvertreter.

**Viktualien** → Lebensmittel.

**Villa:** → Haus; V. Hammerschmidt → Regierung.

**Villanelle** → Lied.

**Viola:** [V. d'amore] → Streichinstrument.

**Viola da gamba** → Streichinstrument.

**Viola tricolor** → Stiefmütterchen.

**¹violett,** lila, aubergine, mauve, heliotrop, flieder, fliederfarben, malvenfarbig, lavendel, amethystfarben, amethystviolett, parmaviolett, blaßviolett, dunkelviolett, tiefviolett, rotviolett, glockenblumenviolett, blauviolett, pflaumenfarben, hellila, mattlila, rotlila, bischofslila, orchideenlila, parmalila; → blau, → bunt, → einfarbig, → rosa, → rot.

**²violett:** Violetter Ritterling → Ständerpilz.

**Violettblindheit** → Farbenblindheit.

**violettrosa** → rosa.

**Violine** → Streichinstrument.

**Violinist** → Musizierender.

**Violinschlüssel** → Notenschlüssel.

**Violinsonate** → Sonate.

**Violinvirtuose** → Musizierender.

**Violoncello** → Streichinstrument.

**Violone** → Streichinstrument.

**V.I.P.:** [VIP] → Berühmtheit.

**Viper:** → Rauschgiftsüchtiger, → Schlange.

**Viraginität** → Zwittertum.

**Virgel** → Satzzeichen.

**Virginiatabak** → Tabak.

**Virginität,** Jungfräulichkeit, Keuschheit, Unschuld, Unberührtheit; → Hymen; → deflorieren; → jungfräulich.

**viril** → männlich.

**Virilisation** → Zwittertum.

**Virilisierung** → Zwittertum.

**Vogel**

Virilismus → Zwittertum.
virtuell → potentiell.
virtuos → meisterhaft.
Virtuose → Musizierender.
Virtuosität → Meisterhaftigkeit.
virulent, eine Krankheit erregend, giftig, ansteckend; → Krankheitserreger.
Virus → Krankheitserreger.
Visage → Gesicht.
vis-à-vis → gegenüber.
Vis-à-vis-Wagen → Kutsche.
Vision → Einbildung.
Visite: → Besuch; V. machen → besuchen.
Visitenkarte, Besuchskarte, Visitkarte (österr.), Geschäftskarte; → besuchen.
Visitkarte → Visitenkarte.
viskos → flüssig.
viskös: → flüssig, → träge.
Viskosität → Flüssigsein.
Visualiser → Zeichner.
visuell → optisch.
Visum, Sichtvermerk; → Ausweis.
Viszeroptose → Eingeweidesenkung.
Vita activa → Leben.
Vita communis → Leben.
Vita contemplativa → Leben.
vital → lebhaft.
Vitalität: → Lebenswille, → Temperament.
Vitamin: V. B haben → Beziehungen [haben]; mit -en anreichern → vitaminieren.
Vitamin-A-Avitaminose → Xerophthalmie.
Vitamin - A - Mangel - Krankheit → Xerophthalmie.
Vitamin-B₁-Avitaminose → Beriberi.
Vitamin-B₁-Mangel-Krankheit → Beriberi.
Vitamin-B₂-Avitaminose → Ariboflavinose, → Pellagra.
Vitamin-B₂-Mangel-Krankheit: → Ariboflavinose, → Pellagra.
Vitamin-B₁₂-Avitaminose → Perniziosa.
Vitamin-B₁₂-Mangel-Krankheit → Perniziosa.
Vitamin-C-Avitaminose → Skorbut.
Vitamin-C-Mangel-Krankheit → Skorbut.
Vitamin-D-Mangel-Krankheit → Rachitis.
vitaminieren, vitaminisieren, mit Vitaminen anreichern.

vitaminisieren → vitaminieren.
Vitaminmangelkrankheit → Avitaminose.
Vitaminmilch → Milch.
vitiös → lästerlich.
Vitrine → Schaufenster.
Vitus → Nothelfer.
vivace → lebhaft.
Vivarium · für Wassertiere: Aquarium · für Reptilien u.a.: Terrarium; → Behälter, → Käfig.
vivisezieren → operieren.
Vize → Stellvertreter.
Vizeadmiral: → Dienstgrad, → Seeoffizier.
VL → Versuchsleiter.
Vlies → Fell.
Vlieseline → Stoff.
V-Mann → Gewährsmann.
V-Milch → Milch.
¹Vogel, Piepmatz (Kinderspr.), Piepvogel (Kinderspr.) ···
Specht · Grünspecht, Grauspecht, Schwarzspecht, Buntspecht, Mittelspecht, Weißrückenspecht, Kleinspecht, Dreizehenspecht, Wendehals ··
Lerche · Dupont-Lerche, Stummellerche, Kurzzehenlerche, Kalanderlerche, Weißflügellerche, Mohrenlerche, Ohrenlerche, Heidelerche, Haubenlerche, Theklalerche, Feldlerche ·· Schwalbe · Uferschwalbe, Felsenschwalbe, Rauchschwalbe, Rötelschwalbe, Mehlschwalbe ·· Stelze · Schafstelze, Gebirgsstelze, Bachstelze, Spornpieper, Brachpieper ·· Würger · Neuntöter, Raubwürger ·· Seidenschwanz ·· Wasseramsel ·· Zaunkönig ·· Braunelle ·· Sänger · Schwirl, Gelbspötter, Orpheusspötter, Olivenspötter, Blaßspötter, Grasmücke, Zilpzalp, Fitislaubsänger, Schnäpper, Schwarzkehlchen, Braunkehlchen, Blaukehlchen, Rotkehlchen, Blauschwanz, Nachtigall, Sprosser, Schmätzer, Heckensänger, Blaumerle, Drossel, Amsel ·· Meise · Haubenmeise, Sumpfmeise, Weidenmeise, Trauermeise, Lapplandmeise, Blaumeise, Lasurmeise, Kohlmeise, Tannenmeise ·· Schwanzmeise · Beutelmeise ·· Spechtmeise · Kleiber, Mauerläufer ·· Baumläufer ·· Ammer · Grau-

ammer, Goldammer, Zaunammer, Ortolan ·· Fink · Buchfink, Bergfink · Girlitz, Kanarengirlitz, Kanarienvogel, Kanari (ugs.), Harzer Roller · Grünling, Stieglitz, Zeisig, Hänfling, Gimpel, Kreuzschnabel, Kernbeißer ··Webervogel · Sperling· Spatz, Haussperling, Feldsperling, Riedsperling, Rohrsperling ·· Star ·· Pirol ·· Rabenvögel · Rabe, Krähe, Elster, Häher, Dohle · Unglückshäher, Eichelhäher, Tannenhäher, Alpenkrähe, Alpendohle, Saatkrähe, Aaskrähe, Kolkrabe ·· Seetaucher · Prachttaucher, Eistaucher, Sterntaucher ·· Lappentaucher · Haubentaucher, Rothalstaucher, Ohrentaucher, Schwarzhalstaucher, Zwergtaucher·· Sturmschwalbe ·Wellenläufer ·· Sturmvogel · Sturmtaucher, Eissturmvogel ·· Tölpel, Baßtölpel ·· Kormoran · Krähenscharbe, Zwergscharbe ·· Pelikan ·· Reiher · Rohrdommel· Fischreiher, Purpurreiher, Silberreiher, Seidenreiher, Rallenreiher, Kuhreiher, Nachtreiher, Zwergdommel ·· Storch ·Weißstorch, Schwarzstorch ·· Löffler, Ibis, Sichler ·· Flamingo ·· Schwan · Höckerschwan, Singschwan, Zwergschwan · Gans · Saatgans, Kurzschnabelgans, Bläßgans, Zwerggans,Graugans, Schneegans, Kanadagans, Nonnengans, Ringelgans, Rothalsgans, Rostgans, Brandgans · Ente · Mandarinente, Pfeifente, Schnatterente, Gluckente, Krickente, Stockente, Spießente, Knäkente, Blauflügelente, Löffelente, Marmelente, Kolbenente, Tafelente, Moorente, Reiherente, Bergente, Eiderente, Scheckente, Kragenente, Eisente, Trauerente, Samtente, Brillenente, Spatelente, Schellente · Säger · Zwergsäger, Mittelsäger, Gänsesäger, Ruderente ··Greifvögel · Adler, Aar (dichter.), König der Lüfte (dichter.), Geier, Bussard, Habicht, Weih, Weihe · Schmutzgeier, Gänsegeier, Mönchsgeier, Bartgeier, Steinadler, Kaiseradler, Steppenadler, Schelladler, Schreiadler, Zwergadler, Habichtsadler, Mäusebussard, Rauh-

737

fußbussard, Adlerbussard, Sperber, Milan, Seeadler, Gleitaar, Wespenbussard, Rohrweihe, Kornweihe, Steppenweihe, Wiesenweihe, Schlangenadler, Fischadler ·· **Falke** · Baumfalke, Eleonorenfalke, Wanderfalke, Lanner, Würgfalke, Gerfalke, Merlin, Rotfußfalke, Rötelfalke, Turmfalke ·· **Fasan,** Rauhfußhuhn, Feldhuhn · Moorschneehuhn, Alpenschneehuhn, Birkhuhn, Auerhuhn, Haselhuhn, Steinhuhn, Felsenhuhn, Rothuhn, Rebhuhn, Rebhendl (*österr.*), Wachtel ·· Kampfwachtel, Laufhühnchen ·· Kranich ·· **Ralle** · Wasserralle, Tüpfelsumpfhuhn, Zwergsumpfhuhn, Wachtelkönig, Purpurhuhn, Teichhuhn, Bläßhuhn ·· Trappe ·· Austernfischer ·· **Regenpfeifer** · Kiebitz, Spornkiebitz, Steppenkiebitz ·· **Schnepfe,** Brachvogel, Uferschnepfe, Wasserläufer, Strandläufer · Steinwälzer, Bekassine, Doppelschnepfe, Zwergschnepfe, Waldschnepfe, Prärieläufer, Regenbrachvogel, Pfuhlschnepfe, Schlammläufer, Rotschenkel, Grünschenkel, Gelbschenkel, Knutt, Grasläufer, Sumpfläufer, Kampfläufer ·· Säbelschnäbler, Stelzenläufer · Thorshühnchen, Odinshühnchen ·· Triel ·· Brachschwalbe, Rennvogel ·· **Möwe** · Elfenbeinmöwe, Mantelmöwe, Heringsmöwe, Silbermöwe, Polarmöwe, Eismöwe, Sturmmöwe, Korallenmöwe, Schwarzkopfmöwe, Bonapartemöwe, Lachmöwe, Dünnschnabelmöwe, Zwergmöwe, Rosenmöwe, Schwalbenmöwe, Dreizehenmöwe ·· Raubmöwe, Skua ·· Seeschwalbe ·· **Alk** · Tordalk, Krabbentaucher, Trottellumme, Gryllteiste, Papageitaucher ·· Flughuhn, Steppenhuhn ·· **Taube** · Hohltaube, Felsentaube, Ringeltaube, Türkentaube, Palmtaube ·· **Kuckuck** · Häherkuckuck, Gelbschnabelkuckuck ·· **Eule** · Schleiereule, Zwergohreule, Uhu, Schnee-Eule, Sperbereule, Sperlingskauz, Steinkauz, Waldkauz, Habichtskauz, Waldohreule, Sumpfohreule, Rauhfußkauz, Kaninchen-

eule ·· Ziegenmelker ·· **Segler** · Mauersegler, Fahlsegler, Alpensegler ·· Eisvogel ·· Bienenfresser ·· Racke, Blauracke ·· Wiedehopf ·· Albatros · Emu · Flamingo · Marabu · Nandu · Paradiesvogel · Pinguin · Strauß ·· Pfefferfresser, Tukan ·· **Papagei,** Paperl (*veraltend, österr.*), Kakadu, Ara, Sittich, Wellensittich; → Auerhuhn, → Brieftaube, → Flügel, → Vogelkunde, → Wild.

**²Vogel:** lustiger V. → Mensch (der); der V. ist ausgeflogen → weg [sein]; wie der V. im Hanfsamen leben → leben; den V. abschießen → siegen, → übertreffen; einen V. haben → verrückt [sein].

**Vogelauge** → Stoffmuster.
**Vogelbauer** → Käfig.
**Vogelfalle** → Falle.
**vogelfrei:** für v. erklären → ausschließen.
**Vogelgehege** → Käfig.
**Vogelgesicht** → Kleinwuchs.
**Vogelkäfig** → Käfig.
**Vogelkunde,** Ornithologie; → Vogel.
**vögeln** → koitieren.
**Vogelnest,** Nest, Brutstelle, Brutplatz, Nistplatz · Adlerhorst, Horst.
**Vogelnestfarn** → Farn.
**Vogelschauer** → Wahrsager.
**Vogelscheuche** → Frau.
**Vogel-Strauß-Politik:** V. treiben → entziehen (sich).
**Vögerl:** spanisches V. → Rinderbraten.
**Vogerlsalat** → Feldsalat.
**Vogt** → Vormund.
**vogtländisch:** -e Spitze → Spitzenstickerei.
**Vögtling** → Mündel.
**Voile** → Stoff.
**Vokabel** → Begriff, → Wort.
**Vokabelheft** → Heft.
**Vokabular:** → Nachschlagewerk, → Wortschatz.
**Vokabularium** → Nachschlagewerk.
**Vokal,** Selbstlaut, Monophthong; → Buchstabe, → Diphthong · Ggs. → Konsonant.
**Vokalist** → Sänger.
**Vokalistin** → Sängerin.
**Vokalmusik** → Musik.
**Vokativ** → Kasus.

**Vokativus** → Schlaukopf.
**Volambite** → Ehe.
**Volant:** → Besatz, → Steuer.
**Volapük** → Sprache.
**Voliere** → Käfig.
**¹Volk,** Nationalität, Nation, Völkerschaft, Volksstamm, Stamm, Volksgemeinschaft; → Bewohner, → Nationalismus.
**²Volk:** → Bienenvolk, → Menge; die Völker der Erde → Menschheit; junge Völker → Entwicklungsländer; Held des -es → Volksheld.
**Völkerball** → Ballspiel.
**Völkerkunde,** Ethnologie; → Volkskunde.
**Völkermord** → Austilgung.
**Völkerpsychologie** → Psychologie.
**Völkerrecht** → Rechtsgebiet.
**Völkerschaft** → Volk.
**völkisch** → national.
**volkreich** → bevölkert.
**Volksabstimmung** → Volksentscheid.
**Volksarmee:** [Nationale V.] → Militär.
**Volksaufstand** → Verschwörung.
**Volksaufwiegler** → Redner.
**Volksausgabe** → Edition.
**Volksbad** → Bad.
**Volksbefragung** → Umfrage.
**Volksbegehren** → Volksentscheid.
**Volksbibliothek** → Bibliothek.
**Volksbücherei** → Bibliothek.
**Volksbühne** → Theater.
**Volksdemokratie** → Herrschaft.
**Volkseigentum:** in V. überführen → enteignen.
**Volksentscheid,** Volksabstimmung, Volksbegehren, Initiative (*schweiz.*), Referendum, Plebiszit; → Wahl, → Wahlbeteiligung.
**Volksepos** → Erzählung.
**Volkserhebung** → Verschwörung.
**Volksfest** → Jahrmarkt.
**Volksgemeinschaft** → Volk.
**Volksglaube** → Aberglaube.
**Volksheer** → Militär.
**Volksheld,** Nationalheld, Held des Volkes / der Nation; → Held.
**Volkshochschule,** Abendakademie; → Fortbildung.
**Volkskalender** → Kalender.
**Volkskrieg** → Krieg.

**Volkskunde**, Folklore; → Völkerkunde.

**volksläufig** → populär.

**Volkslied** → Lied.

**Volksliedstrophe** → Strophe.

**Volksmärchen** → Märchen.

**Volksmasse** → Menge.

**Volksmenge** → Menge.

**Volksmiliz** → Militär.

**Volksmusik** → Musik.

**Volkspolizei** → Polizist.

**Volkspolizist** → Polizist.

**Volksrepublik China** → China.

**Volksscharen** → Menge.

**Volksschule** → Schule.

**Volksschullehrer** → Lehrer.

**Volksseele**: die kochende V. → Erregung.

**Volksstamm** → Volk.

**Volksstück** → Schauspiel.

**Volkssturm** → Militär.

**Volkstanz** → Tanz.

**volkstümlich**: → angesehen, → populär; -e Musik → Musik; v. machen → popularisieren.

**Volkstümlichkeit** → Beliebtheit.

**volksverbunden** → angesehen.

**Volksverdummung** → Propaganda.

**Volksverführer**: → Hetzer, → Redner.

**Volksverführung** → Propaganda.

**Volksverhetzung** → Propaganda.

**Volksvertreter** → Abgeordneter.

**Volksvertretung**, Parlament, Abgeordnetenhaus, Volkskammer (DDR), Upschida (Jugoslawien), Knesset[h] (Israel), Sejm (Polen), Sobranje (Bulgarien), Storting (Norwegen) · Bundestag (BRD), Nationalrat (Österreich, Schweiz), Unterhaus (Großbritannien), Senat (USA, Kanada, Australien, Belgien) ·· Bundesrat (BRD, Österreich), Ständerat (Schweiz), Oberhaus (Großbritannien), Repräsentantenhaus (USA) ·· Bundesversammlung (BRD, Österreich, Schweiz), Kongreß (USA) ·· *eines Bundeslandes:* Landtag (BRD, Österreich), Abgeordnetenhaus (Berlin), Bürgerschaft (Bremen, Hamburg); → Abgeordneter, → Regierung.

**Volkswirtschaft**: → Wirtschaft, → Wirtschaftswissenschaft.

**volkswirtschaftlich**: -er Unterbau eines Landes → Infrastruktur.

**Volkszählung** → Zählung.

¹**voll**, dichtgedrängt, dicht bei dicht, Kopf an Kopf, Mann an Mann, Schulter an Schulter, brechend / knüppeldick[e] / geknüppelt / zum Platzen / gerammelt / gestopft voll (*ugs.*), proppenvoll (*ugs.*); → besetzt, → dicht; **v. sein**, überfüllt sein, kein Apfel / keine Stecknadel kann zur Erde fallen.

²**voll**: → besetzt, → betrunken, → ganz, → satt, → überladen; v. Blut → blutig; aus -em Hals → laut; [sein Geld] mit -en Händen ausgeben → verschwenden; v. Schwung → beschwingt; v. Sehnsucht → Sehnsucht; in -em Umfang → vollinhaltlich; v. wie eine Haubitze / bis an die Kiemen sein, den Kanal v. haben → betrunken [sein]; jetzt ist das Maß v. → statthaft; den Rachen nicht v. kriegen → unersättlich [sein]; v. und ganz → ganz; nicht für v. nehmen → mißachten.

**volladen** → laden.

**vollauf** → ganz.

**vollaufen**: sich [den Kanal] v. lassen → betrinken (sich).

**Vollbart** → Bart.

**vollbepackt** → beladen.

**vollbeschäftigt**, ausgelastet, ausgebucht; → fleißig; → arbeiten.

**vollbesetzt** → besetzt.

**Vollblüter** → Pferd.

**vollblütig** → lebhaft.

**Vollblütigkeit** → Blutandrang.

**vollbringen** → bewältigen.

**Volldampf**: mit V. voraus! → ankurbeln.

¹**vollenden**, zu Ende führen, fertigmachen, fertigstellen, den letzten Schliff geben, letzte Hand an etwas legen / anlegen; **etwas nicht v.**, auf halbem Weg stehenbleiben; **etwas nicht v. können**, auf halbem Weg steckenbleiben; → beenden; bewältigen.

²**vollenden**: sein Leben / Dasein v. → sterben.

**vollendet**: → meisterhaft, → vollkommen; -e Tatsache → Tatsache; -e Vergangenheit → Tempus.

**Vollendetheit**: → Meisterhaftigkeit, → Untadeligkeit.

**Vollendung**: → Meisterhaftigkeit, → Untadeligkeit; in höchster V. → schlechthin.

**Völlerei** → Genuß.

**Volleyball** → Faustball.

**vollfressen**: sich v. → essen.

**vollführen**, aufführen, verrichten, tun, machen; → befassen (sich mit), → bewerkstelligen.

**vollfüllen** → tanken.

**vollgepackt** → beladen.

**Vollgummireifen** → Autoreifen.

**vollhauen**: jmdm. den Frack v. → schlagen.

**Vollidiot** → Dummkopf.

**völlig**: → ganz, → grundlegend.

**vollinhaltlich**, in vollem Umfang, in jeder Hinsicht / Beziehung, vollumfänglich (*schweiz.*); → ganz.

**volljährig**, großjährig, majorenn, mündig; → erwachsen, → geschlechtsreif; → minderjährig, → reif; → Jüngling.

**volljammern**: jmdm. die Ohren v. → klagen.

**vollkleckern**: sich v. → besudeln (sich).

¹**vollkommen**, vollendet, perfekt, fehlerlos, einwandfrei, tadellos, untad[e]lig, untadelhaft, tadelfrei, makellos, lupenrein, mustergültig, perfektionistisch (*abwertend*); → ideal, → meisterhaft; → Meisterhaftigkeit, → Untadeligkeit.

²**vollkommen**: → ganz, → göttlich, → grundlegend, → ideal, → meisterhaft; v. glatte See → Seegang.

**Vollkommenheit**: → Gotteseigenschaften, → Meisterhaftigkeit, → Musterhaftigkeit, → Untadeligkeit.

**Vollkonserve** → Konserve.

**Vollkornbrot** → Brot.

**vollkrakeln** → beschreiben.

**vollkritzeln** → beschreiben.

**vollmachen**: sich v. → besudeln (sich); das Maß v. → statthaft.

**Vollmacht**: → Berechtigung; V. erteilen / verleihen → ermächtigen.

**Vollmatrose** → Matrose.

**Vollmond** → Mond.

**vollpacken** → laden.

**Vollportrait** → Bildnis.

**Vollporträt** → Bildnis.

**vollreif** → reif.

**vollsaufen**: sich die Hucke v. → betrinken (sich).

**vollschlabbern**: sich v. → besudeln (sich).

**vollschlagen:** sich den Bauch v. →essen; jmdm. den Frack v. → schlagen; sich den Wamst v. → essen.

**vollschlank** → dick.

**vollschmieren** → beschmutzen.

**vollschreiben** → beschreiben.

**vollschütten** → tanken.

**Vollschwester** → Krankenschwester.

**vollspritzen** → beschmutzen.

**vollständig** → ganz.

**¹Vollständigkeit,** Geschlossenheit; → Ganzheit, → Totalität; → insgesamt.

**²Vollständigkeit:** → Ganzheit, → Totalität.

**Vollstein** → Baustein.

**vollstopfen:** mit Möbeln v. → einrichten.

**vollstrecken:** → verwirklichen; die Todesstrafe v. → töten.

**Vollstrecker** → Ausführender.

**Vollstreckungsbeamter** → Vollziehungsbeamter.

**Volltreffer:** → Hauptgewinn; ein V. sein → wirken.

**volltrunken** → betrunken.

**Volltrunkener** → Betrunkener.

**vollumfänglich** → vollinhaltlich.

**Vollverb** → Verb.

**Vollversammlung** → Tagung.

**Vollwaise** → Waise.

**vollzählig:** → alle, → komplett.

**Vollziegel** → Ziegelstein.

**vollziehen:** → verwirklichen; den Akt v. → koitieren; die Taufe v. → taufen; an jmdm. die Todesstrafe v. → töten.

**Vollziehungsbeamter,** Vollstreckungsbeamter, Ammann (*schweiz.*) · *bei Gericht:* Gerichtsvollzieher, Exekutor (*österr.*).

**Vollzug** → Koitus.

**Vollzugsanstalt** → Strafanstalt.

**Volumen** → Fassungsvermögen.

**voluminös:** → dick, → gewaltig.

**Volutengiebel** → Giebel.

**Volvox** → Alge.

**vomieren** → übergeben (sich).

**Vomitio** → Erbrechen.

**Vomitus** → Erbrechen.

**¹von,** aus der Feder / geschrieben / verfaßt / komponiert / gezeichnet / gemalt von; → Künstler, → Schriftsteller.

**²von:** v. allein / selbst, v. sich aus → per se; v. dem Zeitpunkt an → seither; v. ... her → wegen; v. überallher → überallher.

**vonstatten:** v. gehen → geschehen.

**Vopo** → Polizist.

**vor:** → wegen; v. allem → jedenfalls; nicht v. → frühestens; noch das ganze Leben v. sich haben → jung [sein].

**vorab** → zunächst.

**vorahnend:** → ahnungsvoll, → prophetisch.

**Vorahnung** → Ahnung.

**voran:** → vorwärts; → weiter; mit dem Kopf v. → kopfüber.

**Vorangegangener** · *in einem Amt o.ä.:* Vorgänger · *in einer Entwicklung:* Vorläufer, Vorbote, Schrittmacher, Wegbereiter, Vorkämpfer, Avantgardist, Avantgarde, Protagonist, Bahnbrecher, Wegbahner (*schweiz.*); Vorbereiter, Vorbild, Pionier · *in der Abstammung:* Aszendent, Vorfahr, Ahn, Ahnherr, Urvater, Väter, die Altvorderen · Ggs. → Nachfolger.

**¹vorangehen,** vorankommen, vorwärtsgehen, vorwärtskommen, weiterkommen, Fortschritte machen, vom Fleck kommen (*ugs.*), etwas fleckt / flutscht (*ugs., landsch.*), es geht wie nach Noten (*ugs.*); → avancieren; **nicht v.,** auf der Stelle treten, nicht von der Stelle kommen, ein Stillstand ist eingetreten; **nur langsam v.,** etwas dauert seine Zeit / geht nicht so schnell, nicht hexen können (*ugs.*), mühsam baut sich das Eichhörnchen sein Nest (*ugs.*), mühsam nährt sich das Eichhörnchen (*ugs.*), gut Ding will Weile haben; → langsam.

**²vorangehen** → vorwegnehmen.

**vorankommen** → vorangehen.

**Voranschlag:** → Etat, → Kalkulation.

**voranstellen:** → vorausschicken; vorangestellte Worte → Einleitung.

**vorantreiben:** → ankurbeln, → verstärken.

**Vorarbeiter** → Leiter (der).

**voraus:** mit Volldampf v.! → ankurbeln.

**Vorausabteilung** → Abteilung.

**vorausahnen** → voraussehen.

**vorausahnend:** → ahnungsvoll, → prophetisch.

**vorausbemerken** → vorausschicken.

**vorausberechenbar** → absehbar.

**vorausberechnen** → ausrechnen.

**Vorausberechnung** → Kalkulation.

**vorausbestellen** → bestellen.

**Vorausbestellung** → Reservierung.

**vorausblickend** → weitblickend.

**vorausgesetzt** → erfunden.

**voraussagbar** → absehbar.

**Voraussage,** Vorhersage, Prognose, Präkognition, Prophezeiung, Weissagung, Orakel, Offenbarung, Manifestation · *in der Astrologie:* Horoskop; → Astrologie, → Ausspruch; → voraussehen.

**voraussagen** → voraussehen.

**vorausschauend** → weitblickend.

**vorausschicken,** vorwegsagen, vorausbemerken, einleitend bemerken, voranstellen, an den Anfang stellen; → mitteilen.

**voraussehbar** → absehbar.

**voraussehen,** vorausahnen, vorhersehen, absehen, vorhersagen, voraussagen, prophezeien, wahrsagen, hellsehen, weissagen, orakeln, die Zukunft deuten, sich etwas denken [können], sich etwas ausrechnen / an den zehn Fingern abzählen können, Gedanken lesen, etwas kommen sehen, unken (*ugs.*), schwarzsehen, den Teufel an die Wand malen; → auslegen, → merken, → vermuten; → absehbar, → ahnungsvoll, → prophetisch; →Ahnung, → Astrologie, → Pessimist, → Telepathie, → Voraussage.

**voraussehend** → weitblickend.

**¹voraussetzen,** ausgehen von, als selbstverständlich ansehen / betrachten.

**²voraussetzen:** etwas setzt etwas voraus → erfordern.

**Voraussetzung:** → Bedingung, → Grundlage; die V. schaffen für → möglich [machen].

**voraussetzungslos** → vorbehaltlos.

**Voraussicht:** aller V. nach → anscheinend.

**voraussichtlich** → anscheinend.

**vorauswerfen:** etwas wirft seine Schatten voraus → bevorstehen.

**¹Vorauszahlung,** Voreinsendung, Vorkasse (*schweiz.*) · *eines*

*Teils des Betrags:* Anzahlung, Akonto, Angabe (*österr.*); → Eintreibung, → Zahlung.
·²**Vorauszahlung:** → Anleihe, → Zahlung.
**vorauszusehen** → absehbar.
**Vorbau** → Busen.
**vorbauen** → sichern.
**Vorbedingung:** → Bedingung; ohne V. → vorbehaltlos.
¹**Vorbehalt,** Einschränkung, Bedingung, Auflage, Klausel, Kautel, Reservatio mentalis; → Bedenken, → Bedingung.
²**Vorbehalt:** → Klausel; ohne V. → vorbehaltlos; unter V. → vorbehaltlich.
**vorbehalten:** etwas ist jmdm. v. → überlassen (jmdm. etwas); sich etwas v. → ausbitten (sich etwas); sich Maßnahmen / Schritte v. → Maßnahme.
**vorbehaltlich,** unter Vorbehalt, bedingt, eingeschränkt, nicht uneingeschränkt, mit Einschränkungen, cum grano salis, nicht ganz wörtlich zu nehmen · Ggs. → vorbehaltlos.
**vorbehaltlos,** bedingungslos, rückhaltlos, voraussetzungslos, ohne Einschränkung / Vorbehalt / Vorbedingung / Bedingungen, auf Gedeih und Verderb; → anstandslos; → Vorbehalt.
**vorbei** → überlebt.
**vorbeibenehmen:** sich v. → benehmen (sich).
**vorbeifahren:** → passieren; an jmdm. v. → überholen (jmdn.).
**vorbeigehen:** → passieren, → vergehen.
**vorbeigelungen** → verfehlt.
**vorbeigreifen** → treffen.
**vorbeihauen** → treffen.
**vorbeikommen** → besuchen.
**vorbeilaufen:** an jmdm. v. → überholen.
**Vorbeimarsch** → Parade.
**vorbeischießen** → treffen.
**vorbeischlagen** → treffen.
**vorbeitreffen** → treffen.
**vorbeizielen** → treffen.
**vorbelastet:** → parteiisch,. → veranlagt.
**Vorbelastetsein** → Veranlagung.
**Vorbelastung** → Veranlagung.
**Vorbemerkung** → Einleitung.
**vorbereiten:** → bereitstellen, → planen; sich v. → wappnen

(sich); vorbereitet → vorgefertigt.
**Vorbereiter** → Schrittmacher.
**Vorbereitung:** → Ausbildung; die nötigen -en treffen für → planen; -en zu etwas treffen → anschicken (sich, etwas zu tun); ohne V. → improvisiert.
**vorbestellen** → Anspruch [geltend machen].
**Vorbestellung** → Reservierung.
**vorbestraft,** schon einmal bestraft; → straffällig; **v. sein,** bei der Polizei kein Unbekannter / kein unbeschriebenes Blatt mehr sein; → Strafe.
**vorbeugend,** prophylaktisch, krankheitsverhütend, präventiv, auf Verdacht (*ugs., scherzh.*); → Verhütung; → Vorbeugungsmittel.
**Vorbeugung** → Verhütung.
**Vorbeugungshaft** → Freiheitsentzug.
**Vorbeugungsmittel,** Prophylaktikum; → Verhütung; → vorbeugend.
¹**Vorbild,** Musterbild, Beispiel; **V. für jmdn. sein,** sich ein Beispiel an jmdm. nehmen, sich von jmdm. eine Scheibe abschneiden können (*ugs.*).
²**Vorbild:** → Muster, → Schrittmacher; V. sein → nachahmen; sich jmdn. zum V. nehmen → nachahmen.
**vorbildlich,** mustergültig, musterhaft, beispielhaft, beispielgebend, beispiellos, exemplarisch, nachahmenswert, unnachahmlich; → bahnbrechend, → kennzeichnend, → richtungweisend; → Musterhaftigkeit.
**Vorbildlichkeit** → Musterhaftigkeit.
**Vorbote:** → Anzeichen, → Vorangegangener.
**vorbringen:** → mitteilen, → vorschlagen; Beschwerden v. → beanstanden.
**vordem:** → damals, → vorher.
**Vorderansicht** → Vorderseite.
**vordere:** -r Backenzahn → Zahn; Vorderer Orient → Orient; -r Teil → Vorderteil.
**Vorderfront** → Vorderseite.
**Vordergrund:** im V. → vorn; sich in den V. schieben → exponieren (sich); sich in den V. stellen → prahlen.

**vordergründig,** durchschaubar, durchsichtig, fadenscheinig (*abwertend*), schwach, lendenlahm, (*ugs., abwertend*), positivistisch; → Durchschaubarkeit, → Positivismus · Ggs. → hintergründig.
**Vordergründigkeit:** → Durchschaubarkeit, → Positivismus.
**vorderhand** → zunächst.
**Vorderhauptslage** → Kindslage.
**Vorderhirn** → Gehirn.
**Vorderindien** → Indien.
**Vordermann:** → Nebenmann; auf V. bringen → lenken.
**Vorderrad** → Rad.
**Vorderradbremse** → Bremse.
**Vorderschinken** → Schinken.
**Vorderseite** · *eines Gebäudes:* Fassade, Vorderfront, Front, Stirnseite, Vorderansicht, Straßenseite · *beim Stoff:* Oberseite, rechte Seite; → Vorderteil; → frontal · Ggs. → Hinterseite, → Rückseite.
**Vordersteven** → Vorderteil.
**Vorderteil,** vorderer Teil · *eines Schiffes:* Bug, Vordersteven; → Vorderseite · Ggs. → Hinterteil.
**Vordruck** → Formular.
**vorehelich** → unehelich.
**voreilig** → schnell.
**Voreiligkeit** → Ungeduld.
**voreingenommen** → parteiisch.
**Voreingenommenheit** → Vorurteil.
**Voreinsendung** → Vorauszahlung.
**vorenthalten:** jmdm. etwas v. → aufbewahren.
**Vorentscheidung:** -en treffen für → planen.
**Vorerbe** → Erbe (der).
**vorerst** → zunächst.
**vorerwähnt** → obig.
**vorfabriziert** → vorgefertigt.
**Vorfahr** → Angehöriger.
**vorfahren:** jmdm. v. → überholen (jmdn.).
**Vorfahrt** → Vorfahrtsrecht.
**Vorfahrtsrecht,** Vorfahrt, Vortritt (*schweiz.*), Vorrang (*österr.*), Vortrittsrecht (*schweiz.*); → Straße.
**Vorfall** → Ereignis.
**vorfallen** → geschehen.
**Vorfeld** → Schützengraben.
**Vorfilm** → Kinofilm.
**vorfinden:** → antreffen, → finden.
**vorflüstern** → vorsprechen.

**Vorfreude,** Erwartung; **in V. sein,** in freudiger Erregung sein, sich freuen auf; → Lust; → freuen (sich).

**Vorfrühlingstag** → Tag.

**vorfühlen,** [das Terrain] sondieren, einen Versuchsballon aufsteigen / steigen lassen (oder:) starten (*ugs.*), die Fühler ausstrecken (*ugs.*); sich umsehen, wie die Verhältnisse sind; → auskundschaften, → bemühen (sich um).

**Vorführdame** → Mannequin.

**vorführen** → konfrontieren.

**Vorführgerät** → Projektionsapparat.

**Vorgang,** Prozeß, Verlauf, Ablauf, Hergang, Gang, Lauf; → Ereignis, → Fortschritt; → geschehen.

**Vorgänger** → Vorangegangener.

**Vorgangsverb** → Verb.

**Vorgangswort** → Verb.

**Vorgarten** → Garten.

**vorgaukeln** → vortäuschen.

**vorgeben:** → vortäuschen; wie man vorgibt → angeblich.

**vorgeblich** → angeblich.

**vorgefertigt,** vorfabriziert, präfabriziert, vorbereitet; → Herstellung; → anfertigen.

**Vorgefühl** → Ahnung.

**vorgehen:** → geschehen, → verfahren, → vorrücken; diplomatisch / vorsichtig v. → lavieren; strenger v. → eingreifen; nicht zeigen, was in einem vorgeht → unterdrücken; v. gegen → ankämpfen (gegen etwas), → einschreiten; mit Gewalt gegen jmdn. → einschreiten; mit Gewalt v. → nötigen.

**Vorgehen:** → Aktion, → Maßnahme, → Strategie.

**vorgenannt** → obig.

**Vorgericht,** Vorspeise, Beigericht, Zwischengericht, Hors d'œuvre, Entree; → Essen · Ggs. → Dessert.

**vorgerückt:** im -en Alter sein → alt [sein].

**Vorgeschichte** → Geschichte.

**vorgeschichtlich:** -er Fund → Bodenfund.

**Vorgeschichtsfund** → Bodenfund.

[1]**vorgeschrieben,** festgesetzt, festgelegt, bestimmt; **v. sein,** verlangt werden, Pflicht / Bestimmung sein; → vorschreiben.

[2]**vorgeschrieben:** wie v. → ordnungsgemäß.

**Vorgesetzter:** → Leiter, → Respektsperson; die Vorgesetzten → Obrigkeit.

**vorgestellt** → gedacht.

**vorgreifen** → vorwegnehmen.

**vorhaben,** beabsichtigen, intendieren, bezwecken, den Zweck haben / verfolgen, die Absicht haben, etwas ist vorgesehen, es ist daran gedacht, planen, große Rosinen im Kopf haben (*abwertend*), schwanger gehen mit (*ugs.*), etwas in Aussicht nehmen, sich etwas vornehmen / vorsetzen / zum Ziel setzen / in den Kopf setzen, zielen / abzielen / hinzielen / (*landsch.*) abheben auf, Pläne machen / schmieden, neigen zu, tendieren, sich mit dem Gedanken tragen, ins Auge fassen, im Auge haben, denken / gedenken [zu tun], im Sinn haben / tragen, sinnen auf, in petto / (*ugs.*) auf der Pfanne haben, im Schilde führen, ansteuern; → entschließen (sich), → entwerfen, → erwägen, → münzen, → wünschen; **nicht v.,** das ist nicht beabsichtigt / geplant / vorgesehen, daran ist nicht gedacht, → absichtlich; → Absicht.

**Vorhaben** → Absicht.

**Vorhalle** → Diele.

**Vorhalt** → Vorwurf.

**vorhalten** → schelten.

**Vorhaltung:** → Vorwurf; jmdm. -en machen → schelten, → vorwerfen (jmdm. etwas).

**vorhanden:** → wirklich; v. sein → existieren, → herrschen; etwas ist im / in Überfluß v. → Überfluß [haben]; im Unterbewußtsein v. → unterbewußt; noch v. → restlich.

**Vorhandensein** → Vorkommen.

**Vorhang:** → Gardine; Eiserner V. → Grenze; Länder hinter dem Eisernen V. → Osten.

**Vorhangbogen** → Bogen.

**Vorhängeschloß** → Schloß.

**Vorhangstange** → Gardinenleiste.

**Vorhaus:** → Diele, → Hausflur.

**Vorhaut,** Präputium; → Glans.

**Vorhautverengung,** Phimose; → Vorhaut.

**Vorhemd** → Jabot.

[1]**vorher,** zuvor, vordem, davor, im vorhinein (*bes. österr.*), nicht → jetzt; → bereits, → damals, → längst · Ggs. → hinterher.

[2]**vorher:** genauso schlau sein wie v. → wissen; der v. Genannte → derselbe.

**Vorherbestimmung** → Schicksal.

**Vorherrschaft,** Übergewicht, Überlegenheit, Hegemonie, Vorrangstellung, Prävalenz, Dominanz, Prädomination.

**vorherrschen:** → überwiegen; im Geschmack v. → vorschmecken; das Vorherrschen → Prävalenz.

**vorhersagbar** → absehbar.

**Vorhersage** → Voraussage.

**vorhersagen** → voraussehen.

**vorhersehbar** → absehbar.

**vorhersehen** → voraussehen.

**Vorherwissen** → Ahnung.

**vorherzusehen** → absehbar.

**vorhin** → kürzlich.

**vorhinein:** im v. → vorher.

**Vorhof** → Herz.

**Vorhölle** → Fegefeuer.

**Vorhut** → Abteilung.

**vorig,** letzte, vergangen, verflossen, abhin (*schweiz.*; z.B. ein Brief vom 4. August abhin); → altmodisch, → überlebt.

**Vorjahr** → Frühling.

**Vorkammer** → Herz.

**Vorkämpfer** → Schrittmacher.

**vorkämpferisch** → fortschrittlich.

**Vorkasse** → Vorauszahlung.

**Vorkehr:** -en treffen → anordnen.

**Vorkehrung:** -en treffen → anordnen, → sichern.

**vorknöpfen:** sich jmdn. v. → schelten.

[1]**vorkommen,** auftreten, erscheinen, auftauchen, zu finden sein, auf den Plan treten, aufscheinen (*österr.*); → begegnen; → Vorkommen.

[2]**vorkommen:** → existieren; es kommt jmdm. vor → vermuten; das kommt in den besten Familien vor → verzeihlich [sein]; etwas ist jmdm. noch nicht vorgekommen → unterkommen.

**Vorkommen,** Vorhandensein, Existenz; → vorkommen.

**Vorkommnis** → Ereignis.

**vorladen** → beordern.

**Vorladung,** Ladung, Zitation; → beordern.

**¹Vorlage,** Muster, Schablone, Schema, Sample, Pattern, Paradigma, Simile (*veraltet, österr.*), Schimmel (*jurist., ugs.*); → Muster, → Schnittmuster; → berufen (sich auf).

**²Vorlage:** → Beschaffung, → Grundlage, → Teppich.

**Vorläufer** → Vorangegangener.

**vorläufig:** → notdürftig, → zunächst.

**vorlaut** → frech.

**Vorlegegabel** → Gabel.

**Vorlegemesser** → Messer.

**¹vorlegen,** abgeben, einreichen, überreichen, präsentieren, produzieren (*schweiz.*).

**²vorlegen:** → vorschlagen, → zahlen; den Riegel v. → abschließen.

**Vorleger:** → Fußabstreifer, → Teppich.

**vorlesen** → vortragen.

**Vorlesung:** → Rede, → Unterricht; V. halten → lehren.

**Vorliebe:** → Neigung; Kind mit V. → Kind; eine V. haben für → mögen (etwas); eine V. für etwas haben → bevorzugen.

**vorliebnehmen:** v. mit → zufriedengeben (sich).

**vorliegen** → unerledigt [sein].

**vormachen:** → lehren, → vortäuschen; jmdm. blauen Dunst v. → lügen; sich nichts / sich kein X für ein U v. lassen → schlau [sein]; jmdm. ein X für ein U v. → betrügen.

**vormalig** → gewesen.

**vormals** → damals.

**vormarschieren** → vorrücken.

**¹vormerken,** vornotieren, auf die Warteliste setzen; **vorgemerkt sein,** auf der Warteliste stehen, auf Erledigung warten, anstehen.

**²vormerken:** → reservieren; v. lassen → Anspruch [geltend machen].

**Vormerkkalender** → Kalender.

**Vormerkung** → Reservierung.

**Vormittag:** → Morgen; am V. → morgens; immer am V. → allmorgendlich.

**vormittags:** → morgens; immer v. → allmorgendlich.

**Vormittagsveranstaltung,** Morgenvorstellung, Matinee, Akademie (*österr.*).

**Vormund,** Kurator, Tutor (*jurist.*), Vogt (*schweiz.*); → Vormundschaft · Ggs. → Mündel.

**Vormundschaft,** Pflegschaft, Kuratel, Tutel; → Mündel, → Vormund.

**Vormundschaftsgericht** → Gericht.

**¹vorn,** vorne, im Vordergrund; → frontal · Ggs. → hinten.

**²vorn:** es jmdm. v. und hinten reinstecken → verwöhnen; nach v. → vorwärts; die Flucht nach v. antreten → attackieren; von v. bis hinten → A.

**Vorname,** Name, Rufname, Taufname, Kosename, Koseform; → Familienname, → Spitzname.

**vorne:** → vorn; die Flucht nach v. antreten → attackieren; von v. → frontal.

**vornehm:** → geschmackvoll, → gewählt.

**vornehmen:** → vorhaben; sich etwas v. → entschließen (sich); sich jmdn. v. → koitieren, → schelten; eine Abwertung v. → abwerten; eine Aufwertung v. → aufwerten; einen Austausch v. → austauschen; eine Impfung v. → impfen; einen Tapetenwechsel v. → zerstreuen (sich); die Taufe v. → taufen; eine Untersuchung v. → untersuchen.

**¹Vornehmheit,** Noblesse, Adel, Würde, Stolz, Hoheit, Grandezza, Majestät, Unantastbarkeit, Höhe, Erhabenheit, Distinktion, Individualität, Menschenwürde.

**²Vornehmheit** → Exklusivität.

**vornehmlich** → besonders.

**vorneweg:** mit dem Mund v. sein → frech [sein].

**vornotieren** → vormerken.

**¹Vorort,** Vorstadt, Grüngürtel, Bannmeile, Stadtrand, Trabantenstadt, Satellitenstadt · Hinterland, Einzugsgebiet · Vorwerk; → Stadtteil.

**²Vorort** → Vorstand.

**Vorortbahn** → Verkehrsmittel.

**Vorortzug** → Eisenbahnzug.

**Vorplatz** → Platz.

**¹Vorrang,** Priorität, Vorrangigkeit, Erstrangigkeit; → Prävalenz, → Primus inter pares, → Staatsräson, → Vorrecht; **V. haben,** an erster Stelle stehen /

rangieren, obenan stehen, zuallererst kommen, von vorrangiger Bedeutung sein.

**²Vorrang:** → Prävalenz, → Vorfahrtsrecht; den V. geben / haben → bevorzugen.

**vorrangig:** von -er Bedeutung sein → Vorrang [haben].

**Vorrangigkeit** → Vorrang.

**Vorrangstellung** → Vorherrschaft.

**Vorrat,** Bestand, Reservoir, Rücklage, Fonds, Topf (*ugs.*), Potential, Reserve, Material, Menge, Stock, Lager, Store, Supply · *an Geldmitteln, über den die Regierung keine Rechenschaft ablegen muß:* Reptilienfonds · *an einstudierten, aufführungsbereiten Stücken:* Repertoire; → Beitrag, → Ersatz, → Fassungsvermögen, → Ressourcen, → Warenlager.

**Vorratskammer:** → Abstellraum, → Speisekammer.

**Vorratsraum** → Abstellraum.

**Vorraum** → Diele.

**Vorrecht,** Erstrecht, Ausnahme, Privileg, Vergünstigung, Sonderrecht, Domäne, Monopol; → Anspruch, → Erlaubnis, → Marktform, → Vorrang, → Zuständigkeit; **Vorrechte genießen,** privilegiert sein; → befugt [sein].

**Vorrede:** → Einleitung; sich nicht lange mit der V. aufhalten → Einleitung.

**Vorrichtung** → Apparat.

**vorrücken,** vorgehen, vormarschieren, angreifen; → kommen.

**¹vorsagen,** zuflüstern, einblasen (*ugs.*), einsagen (*südd., österr.*); → absehen.

**²vorsagen** → vorsprechen.

**Vorsaison** → Saison.

**Vorsatz** → Absicht.

**vorsätzlich** → absichtlich.

**Vorsätzlichkeit** → Absichtlichkeit.

**Vorschein:** zum V. kommen → entstehen, → hervortreten.

**vorschieben:** den Riegel v. → abschließen.

**vorschießen** → zahlen.

**¹Vorschlag,** Empfehlung, Rat, Ratschlag, Tip, Ezzes (*jidd.*) · *negativ empfundener:* Ansinnen, Zumutung; → Angebot, → Gegenvorschlag; → Hinweis, → Lebenshilfe.

²**Vorschlag:** einen V. annehmen, auf einen V. eingehen→billigen; den / einen V. machen, in V. bringen → vorschlagen.

**vorschlagen,** einen Vorschlag machen, in Vorschlag bringen, einen Plan unterbreiten, anregen, eine Anregung geben, aufs Tapet bringen, zur Sprache bringen, anraten, raten, einen Rat geben / erteilen, empfehlen, anempfehlen, jmdm. etwas ans Herz legen / nahelegen / zu verstehen geben / (*ugs.*) beibringen / (*salopp*) beibiegen/ (*salopp*) stecken · *ein Gesetz o. ä.:* einbringen, vorlegen, vorbringen · *zur Wahl:* portieren (*schweiz.*), proponieren (*schweiz.*); → anordnen, → anregen, → beeinflussen, → billigen, → erwähnen, → hinweisen, → verlangen, → zuraten; → Angebot, → Empfehlungsschreiben, → Hinweis, → Vorschlag.

**vorschmecken,** herausschmecken, durchschmecken, im Geschmack vorherrschen; → Geschmack.

**vorschnell** → schnell.

**vorschreiben,** zudiktieren, fordern, verlangen; → vorgeschrieben.

**Vorschrift:** → Brauch, → Weisung; laut / nach V. → ordnungsgemäß; Dienst nach V. → Streik.

**vorschriftsmäßig** → ordnungsgemäß.

**Vorschub:** einer Sache V. leisten → unterstützen (etwas).

**Vorschubleistung** → Beihilfe.

**Vorschulalter** → Lebensalter.

**Vorschuß** → Anleihe.

**Vorschußlorbeer:** [-en] → Lob.

**vorschützen:** → vortäuschen; keine Müdigkeit v.! → weiter.

**vorschwindeln:** jmdm. etwas v. → lügen.

¹**vorsehen** (sich), vorsichtig sein, sich hüten vor, sich in acht nehmen, aufpassen, auf der Hut / Wacht sein; **sich vor jmdm. v. müssen,** jmd. ist nur mit Vorsicht zu genießen.

²**vorsehen:** → ansetzen; etwas ist vorgesehen, das ist nicht vorgesehen → vorhaben; v. für ein Amt → designieren.

**Vorsehung** → Schicksal.

**vorsetzen:** → servieren; sich etwas v. → vorhaben.

**Vorsicht:** → Achtsamkeit; aus V. → vorsichtshalber, → vorsorglich; mit V. → umsichtig; jmd. ist nur mit V. zu genießen → vorsehen (sich).

**vorsichtig:** → behutsam, → umsichtig; v. sein → verfahren, → vorsehen (sich); in der Wahl seiner Eltern v. gewesen sein → reich [sein]; v. vorgehen → lavieren.

**vorsichtshalber,** für / auf alle Fälle, sicherheitshalber, aus Vorsicht; → umsichtig, → vorsorglich, → weitblickend.

**Vorsilbe:** → Affix, → Silbe.

**vorsingen** → vortragen.

**vorsintflutlich** → altmodisch.

¹**Vorsitz,** Präsidentschaft, Präsidium, Leitung, Ehrenvorsitz, Altersvorsitz, Ehrenpräsidium; → Leitung, → Vorsitzender.

²**Vorsitz:** → Leitung; den V. führen → vorstehen.

**Vorsitzender,** Vorsitzer, Präsident, Chairman, Obmann, Ehrenvorsitzender, Altersvorsitzender, Alterspräsident · *eines Studentenkommerses:* Präside; → Leiter, → Leitung, → Oberhaupt, → Primus inter pares, → Vorsitz, → Vorstand.

**Vorsitzer** → Vorsitzender.

**Vorsorge:** V. treffen → sichern.

**vorsorgen:** → sichern; -d → vorsorglich.

¹**Vorsorgeuntersuchung,** Voruntersuchung, Routineuntersuchung, Reihenuntersuchung; → Behandlung.

²**Vorsorgeuntersuchung** → Untersuchung.

**vorsorglich,** vorsorgend, aus Vorsicht / Bedachtsamkeit; → umsichtig, → vorsichtshalber.

¹**Vorspann,** Titelvorspann, Ansage, Ankündigung · Ggs. → Nachspann.

²**Vorspann** → Einleitung.

**Vorspeise** → Vorgericht.

**vorspiegeln** → vortäuschen.

**Vorspiegelung** → Mystifikation.

**Vorspiel** → Einleitung.

**vorspielen** → vortragen.

¹**vorsprechen,** vorsagen, vorflüstern, zuflüstern, soufflieren, einsagen; → Souffleur.

²**vorsprechen:** → besuchen; bei jmdm. v. → herantreten (an).

**Vorstadt** → Vorort.

¹**Vorstand,** Vorsteher, Vorort (*schweiz.*), Präsident, Wortführer, Sprecher, Speaker · *geistlicher:* Präses; → Leitung, → Vorsitzender.

²**Vorstand** → Leitung.

**Vorstecknadel** → Brosche.

**vorstehen** (einer Institution), leiten, präsidieren, [den Vorsitz] führen, dirigieren; → regieren; → Arbeitgeber, → Leiter.

**vorstehend** → obig.

**Vorsteher:** → Leiter, → Vorstand; V. eines Departements → Minister.

**Vorsteherdrüse** → Prostata.

**Vorstehunde** → Hunderassen.

**Vorstehung:** → Leitung, → Obrigkeit.

¹**vorstellen** (sich etwas), sich etwas ausmalen / denken / ins Bewußtsein bringen, sich ein Bild / einen Begriff / eine Vorstellung machen von, sich etwas vergegenwärtigen / vor Augen führen (oder:) halten, Revue passieren / an seinem geistigen Auge vorüberziehen lassen, sich einer Sache bewußt werden, realisieren; → erkennen, → merken, → verstehen; → gedacht.

²**vorstellen:** → bedeuten; vorgestellt werden → kennenlernen; sich v. → präsentieren (sich); etwas v. → auffallen; jmdm. etwas v. → vorwerfen (jmdm. etwas).

**vorstellig:** v. werden → bitten.

**Vorstellung:** → Ansicht, → Aufführung, → Einbildung; sich eine V. machen von → vorstellen (sich etwas); in der V. → Einbildung.

**Vorstellungsablauf** → Gedankengang.

**Vorstoß** → Versuch.

**vorstrecken** → zahlen.

**Vorstufe** → Grundlage.

**Vortag:** am V. → kürzlich.

**Vortänzerin** → Go-go-Girl.

¹**vortäuschen,** heucheln, fingieren, vorgeben, vorspiegeln, vorgaukeln, vormachen (*abwertend*), sich verstellen, schauspielern, Komödie / Theater spielen, den Schein wahren, so tun als ob, sich den Anstrich geben, sich stellen [als ob], einen Türken

bauen (*ugs.*), simulieren, mimen, vorschützen; → anführen, → äußern (sich), → einreden (jmdm. etwas), → lügen, → schlau [sein], → vertuschen; → Ansehen, → Strohmann.

²**vortäuschen:** vorgetäuscht → erfunden.

**Vortäuschung** → Heuchelei.

¹**Vorteil,** Nutzen, Profit, Plus, Trumpf; → Ertrag, → Gewinnspanne, → Möglichkeit, → Vorzug · Ggs. → Mangel; **im V. sein,** alle Trümpfe in der Hand / in [den] Händen halten (oder:) haben, Oberwasser haben; **Vorteile und Nachteile einer Sache,** Für und Wider, Pro und Kontra; → erfreulich, → nützlich.

²**Vorteil:** → Vorzug; sich -e verschaffen → bereichern (sich); aus etwas / jmdm. V. ziehen → ausnutzen; seinen V. aus etwas ziehen → kommerzialisieren; auf den eignen V. bedacht → eigennützig; zum V. gereichen → nützlich [sein]; sich zu seinem V. verändern → entwickeln (sich).

**vorteilhaft:** → erfreulich; v. kaufen → billig [kaufen]; es ist -er → besser.

**Vortrag:** → Rede; einen V. halten → vortragen.

¹**vortragen,** eine Rede / einen Vortrag / eine Ansprache / ein Referat halten, das Wort nehmen / ergreifen, etwas zum besten geben / zu Gehör bringen, rezitieren, deklamieren, lesen, vorlesen, ablesen, verlesen, zur Verlesung bringen · *auswendig:* aufsagen, hersagen, herunterleiern (*abwertend*), ableiern (*abwertend*), abhaspeln, herunterschnurren (*ugs.*), etwas wie am Schnürchen können (*ugs.*) · *in bezug auf musikalische Darbietungen:* vorspielen, vorsingen; → extemporieren, → mitteilen, → sprechen.

²**vortragen:** → mitteilen, → sprechen.

**Vortragender** → Redner.

**Vortragskünstler,** Deklamator, Rezitator, Diseur, Chansonnier; → Ansager, → Sänger, → Vortragskünstlerin.

**Vortragskünstlerin,** Diseuse, Chansonniere, Chansonsänge-

rin; → Ansager, → Sängerin, → Vortragskünstler.

**vortrefflich:** → bravo!, → trefflich.

**vortreten** → treten.

**Vortritt** → Vorfahrtsrecht.

**Vortrittsrecht** → Vorfahrtsrecht.

**vorüber,** aus, zu Ende, [aus und] vorbei; → fertig.

**vorüberfahren** → passieren.

**vorübergehen:** → passieren, → vergehen; nicht v. an → berücksichtigen; an der Mode v. → altmodisch [sein]; im Vorübergehen → Hast.

¹**vorübergehend,** flüchtig, kurz, auf / für kurze Zeit, eine [kurze] Weile, eine Zeitlang, kurze Zeit, auf / für einen Augenblick, kurzfristig, für den / als Übergang, nicht für dauernd / immer, auf Zeit, zeitweilig, zeitweise, zeitenweise (*landsch.*), passager; → kurz, → kurzlebig, → manchmal, → vergänglich, → zunächst; → Ereignis.

²**vorübergehend** → notdürftig.

**Vorübergehender** → Passant.

**vorüberziehen:** an seinem geistigen Auge v. lassen → vorstellen (sich etwas).

**Voruntersuchung:** → Nachforschung, → Vorsorgeuntersuchung.

**Vorurteil,** Voreingenommenheit, Parteilichkeit, Befangenheit, Einseitigkeit, Engherzigkeit; → Abneigung, → Spießer, → Unduldsamkeit; → engherzig · Ggs. → unparteiisch.

**vorurteilsfrei** → aufgeklärt.

**vorurteilslos** → aufgeklärt.

**Vorurteilslosigkeit** → Objektivität.

**Vorvergangenheit** → Tempus.

**Vorverkaufskasse** → Kasse.

**vorwagen:** sich v. → wagen.

**Vorwand:** → Ausflucht, → Beschönigung, → Mittel.

¹**vorwärts,** nach vorn, voran · Ggs. → rückwärts.

²**vorwärts** → weiter.

**vorwärtsgehen** → vorangehen.

**vorwärtskommen:** → avancieren, → vorangehen.

**Vorwärtskommen** → Aufstieg.

**vorwegnehmen,** vorgreifen, antizipieren, zuvorkommen, vorangehen · *eine richterliche Entscheidung:* präjudizieren · Ggs. → überlebt.

**vorwegsagen** → vorausschicken.

**Vorweihnachtszeit** → Adventszeit.

**Vorweis** → Vorweisung.

**vorweisen,** zeigen; **etwas v. können,** mit etwas aufwarten können; → Vorweisung.

**Vorweisen** → Vorweisung.

**Vorweisung,** Vorweisen, Vorzeigen, Vorweis (*schweiz.*); → vorweisen.

¹**vorwerfen** (jmdm. etwas), jmdm. etwas vorstellen / vorhalten / vor Augen halten, jmdm. Vorhaltungen / Vorwürfe machen, jmdm. etwas hindrücken / hinreiben / unter die Nase reiben / aufs Butterbrot schmieren (*ugs.*); → mitteilen, → schelten; → Schuldgefühl.

²**vorwerfen:** jmdm. etwas v. → schelten.

**Vorwerk** → Vorort.

**vorwiegen** → überwiegen.

**vorwiegend** → oft.

**Vorwitz** → Frechheit.

**vorwitzig** → frech.

**vorwölben:** sich v. → bauschen (sich).

**Vorwort:** → Einleitung, → Wortart.

¹**Vorwurf,** Beanstandung, Beanständung (*österr.*), Ausstellung, Bemängelung, Monitum, Vorhaltung, Vorhalt (*schweiz.*), Anwurf, Tadel, Rüge, Verweis, Zurechtweisung, Rüffel, Anpfiff (*ugs.*), Anschnauzer (*ugs.*), Zigarre (*salopp*), Anschiß (*derb*); → Aufruf, → Maßregelung.

²**Vorwurf:** Vorwürfe machen → schelten; jmdm. Vorwürfe machen → vorwerfen (jmdm. etwas); sich Vorwürfe machen → Schuldgefühl.

**Vorzeichen** → Anzeichen.

**vorzeigen** → aufdecken.

**Vorzeigen** → Vorweisung.

**Vorzeit:** aus grauer V. → altmodisch.

**vorzeitig,** vor der Zeit, verfrüht, zu → früh.

**vorziehen** → bevorzugen.

¹**Vorzimmer,** Sekretariat, Chefsekretariat, Anmeldung, Anmelderaum; → Büro, → Sekretärin.

²**Vorzimmer:** → Diele, → Raum.

**Vorzimmerdame** → Sekretärin.

**Vorzimmerwand** → Garderobe.

¹**Vorzug,** Vorteil; → Vorteil · Ggs. → Mangel.

²**Vorzug:** → Eisenbahnzug; den V. geben → bevorzugen.

**vorzüglich:** → schmackhaft, → trefflich; mit -er Hochachtung → hochachtungsvoll.

**Vorzugsmilch** → Milch.

**Vorzugspreis** → Preis.

**Vorzugsrecht** → Recht.

**Vorzugsschüler** → Schüler.

**vorzugsweise** → besonders.

**Vorzukunft** → Tempus.

**votieren** → wählen.

**Votivbild,** Votivtafel, Exvoto, Bildstock, Marterl (*bayr., österr.*); → Andachtsbild.

**Votum** → Urteil.

**Votze** → Vagina.

**Voyeur** → Zuschauer.

**Voyeurismus** → Perversität.

**Vp.** → Versuchsobjekt.

**VP** → Versuchsobjekt.

**Vulcanus** → Gott.

**vulgär** → gewöhnlich.

**Vulgärausdruck,** Gossenausdruck, Gossenwort, [unanständiger] Ausdruck, unanständiges / ordinäres / unfeines / derbes Wort, Kraftausdruck, Kraftwort, Vulgarismus; → Wort.

**Vulgarisator** → Popularisator.

**vulgarisieren** → popularisieren.

**Vulgarismus** → Vulgärausdruck.

**Vulgärsprache** → Ausdrucksweise.

**Vulgata** → Bibelübersetzung.

¹**Vulkan,** feuerspeiender Berg; → Vulkanausbruch.

²**Vulkan:** auf einem V. leben → leben; Tanz auf dem V. → Ausgelassenheit.

**Vulkanausbruch,** Ausbruch, Eruption; → Vulkan.

**Vulnus** → Verletzung.

**Vulva,** Scham, Mäuschen (*ugs.*), Miss Brown (*ugs.*), behaarte Schildkröte (*ugs.*), Möse (*vulgär*), Punzel (*vulgär*); → Genitalien, → Vagina.

# W

¹**Waage,** Schweremesser · Haushaltswaage, Küchenwaage, Babywaage, Personenwaage, Standwaage, Münzwaage, Brückenwaage, Dezimalwaage, Schnellwaage, Federwaage, Zugfederwaage, Druckwaage, Senkwaage, Präzisionswaage, Briefwaage, Juwelierwaage, Goldwaage, Apothekerwaage; → Gewicht, → Gewichtseinheit; → abwiegen, → wiegen.

²**Waage:** → Eislauf, → Sternbild, → Tierkreiszeichen; das Zünglein an der W. sein → maßgeblich [sein]; auf die W. legen → abwiegen; auf die W. steigen / klettern, sich auf die W. stellen → Gewicht; ein bestimmtes Gewicht auf die W. bringen → wiegen.

**Waagepirouette** → Eislauf.

**waagerecht** → waagrecht.

**Waagerechte** → Waagrechte.

**waagrecht** (*bes. südd.*), waagerecht (*bes. nordd.*), horizontal; → Waagrechte · Ggs. → senkrecht.

**Waagrechte** (*bes. südd.*), Waagerechte (*bes. nordd.*), Horizontale; → waagrecht · Ggs. → Senkrechte.

**Waagschale:** sein ganzes Gewicht in die W. werfen → Einfluß [ausüben].

**wabbelig** → weich.

**Wabenhonig** → Honig.

**Wabenschwamm** → Schwamm.

**Waberl** → Frau.

**wabern** → brennen.

¹**wach,** munter, ausgeschlafen, hellwach · Ggs. → müde; **w. werden,** erwachen, aufwachen, zu sich kommen, munter werden, die Augen aufmachen · Ggs. → einschlafen; **w. sein,** wachen, wach liegen, keinen Schlaf finden, kein Auge zutun können (*ugs.*), aufsein, aufsitzen, aufbleiben, nicht → schlafen; **w. bleiben,** sich wach halten.

²**wach:** w. machen → aufwecken.

**Wachauer** → Brötchen.

**Wachboot** → Kriegsschiff.

¹**Wache,** Wacht (*dichter.*); **W. haben,** Wache stehen, auf der Wache / (*dichter.*) Wacht sein, Wache halten / (*ugs.*) schieben.

²**Wache:** → Wachtposten; auf die W. mitnehmen, mit auf die W. nehmen, zur W. bringen → abführen.

**Wachebeamter** → Polizist.

**Wach-Eeg** → Elektrogramm.

**Wach-EEG** → Elektrogramm.

**Wachelektroenzephalogramm** → Elektrogramm.

**wachen** → wach [sein].

**Wachfeuer** → Feuer.

**wachhalten,** aufrechterhalten, nicht der Vergessenheit anheimfallen lassen; → fortsetzen.

**Wachhunde** → Hunderassen.

**Wachmann** → Polizist.

**Wacholder:** → Alkohol, → Nadelhölzer.

**Wacholderbeere** → Gewürz.

¹**wachrufen,** wecken, in Erinnerung / ins Bewußtsein bringen (oder:) rufen, wieder hervorrufen; → aufrütteln.

²**wachrufen:** etwas ruft etwas in jmdm. wach → gemahnen.

**wachrütteln** → aufrütteln.

**Wachs,** Bohnerwachs, Fußbodenwachs · *aus dem Kerzen hergestellt werden:* Kerzenwachs, Stearin · *für Autos:* Autowachs · *für Skier:* Skiwachs, Gleitwachs; → säubern.

**wachsam,** hellhörig, aufmerksam, achtsam; **w. sein,** auf der Hut / auf dem Quivive / auf dem Posten sein; → Achtsamkeit; → achtgeben.

**Wachsamkeit** → Achtsamkeit.

**wachsbleich** → blaß.

**wachseln** → wachsen.

¹**wachsen,** einwachsen, mit Wachs einreiben, einbohnern (*landsch.*), einlassen (*österr.*), wachseln (*österr.*); → bohnern, → polieren; → Bohnerbesen.

²**wachsen:** → entwickeln (sich), → gedeihen, → groß [werden]; gut gewachsen → sportlich; w., blühen und gedeihen → florieren; über etwas Gras w. lassen → vertuschen; über etwas ist Gras gewachsen → vergessen; er soll hingehen / bleiben, wo der Pfeffer wächst → willkommen; jmdn. dorthin wünschen, wo der Pfeffer wächst → verwünschen (jmdn.); das Gras w. hören → wissen; sich über etwas / wegen etwas keine grauen Haare w. lassen → sorgen (sich); jmdm. ans Herz gewachsen sein → lieb [sein]; etwas ist nicht auf jmds. Mist gewachsen → stammen (von); wie aus dem Boden gewachsen → plötzlich; dafür sorgen, daß die Bäume nicht in den Himmel w.

→ einschränken; jmdm. über den Kopf w. → selbständig; etwas wächst jmdm. über den Kopf → bewältigen.

**Wachsfigur,** Wachspuppe; → Puppe.

**Wachskerze** → Kerze.

**Wachskitt** → Bindemittel.

**Wachskreide** → Kreide.

**Wachsleinwand** → Wachstuch.

**Wachsmalstift** → Zeichenstift.

**Wachspapier** → Einwickelpapier.

**Wachsperle** → Perle.

**Wachspuppe** → Wachsfigur.

**Wachsstreichholz** → Streichholz.

**Wachstuch,** Wachsleinwand (österr.),Wichsleinwand (österr.); → Leinen.

**Wachstum:** → Entwicklung, → Steigerung, → Zunahme.

**Wachszünsler** → Schmetterling.

**Wacht:** → Wache; auf der W. sein → vorsehen (sich), → Wache [haben].

**Wächte** → Schneewehe.

**Wachtel** → Vogel.

**Wachtelkönig** → Vogel.

**Wächter,** Hüter, Türhüter, Zerberus (scherzh.), Aufseher, Wärter, Pfleger, Schließer · im Gefängnis: Gefängniswärter, Gefängnisaufseher, Kerkermeister, Gefangenenaufseher, Gefangenenwärter · im Londoner Tower: Beefeater · vor dem Harem: Eunuch, Verschnittener, Haremswächter · auf Parkplätzen: Parkplatzwächter · in Parks: Parkwächter; → Bewacher, → Leibwache, → Wachtposten; → beobachten, → kümmern (sich um jmdn.).

**Wächterlied** → Lied.

**Wachtmeister** → Polizist.

**Wachtposten,** Posten, Wache; → Wächter.

**Wachtraum** → Traum.

**Wachtturm** → Turm.

**wackelig:** → lose, → wacklig; etwas ist w. → ungewiß [sein].

**wackeln:** → schwingen; der Haussegen wackelt → Stimmung; wie ein Lämmerschwanz w. → schwingen.

**Wackelpeter** → Dessert.

**wacker** → ehrenhaft.

**Wackerstein** → Stein.

**Wackes** → Elsässer.

¹**wacklig,** wackelig, kippelig (ugs.), kipplig (ugs.), nicht fest stehend, schwankend, wankend; → schwingen.

²**wacklig:** → lose; etwas ist w. → ungewiß [sein]; etwas steht auf -en Füßen → glaubwürdig, → unsicher [sein].

**Wadenstrumpf** → Strumpf.

**Wädli** → Eisbein.

**Waffe:** → Schußwaffe; die W. auf etwas richten → zielen; die -n ruhen lassen → Frieden [schließen]; die -n strecken → nachgeben; jmdn. mit seinen eigenen -n schlagen → wehren (sich); zu den -n eilen → Soldat [werden]; zu den -n rufen → einberufen.

**Waffel** → Gebäck.

**Waffelplissee** → Falte.

**Waffen,** strategische / konventionelle Waffen, atomare / biologische / chemische Waffen, ABC-Waffen, nukleare Waffen, Nuklearwaffen, Kernwaffen; → Schußwaffe.

**Waffengattung** ·· technische Aufklärungstruppe · Fernmeldetruppe · Heeresfliegertruppe · Feldjägertruppe · Infanterie · Panzertruppe · Artillerie, Ari (Soldatenspr.) · Pioniertruppe · ABC-Abwehrtruppe · Heeresflugabwehrtruppe · technische Truppe · Sanitätstruppe; → Dienstgrad, → Soldat.

**Waffengewalt** → Gewalt.

**Waffenkammer** → Warenlager.

**Waffenlärm** → Schlachtgewühl.

**Waffenmeister** → Verwalter.

**Waffenruhe** → Waffenstillstand.

**Waffenschmied** → Schmied.

**waffenstarrend** → kampfbereit.

**Waffenstillstand,** Waffenruhe, Einstellung der Feindseligkeiten, Frieden, Friedensschluß; → Frieden, → Friedenssymbol, → Kampf.

**wäg** → tüchtig.

**Wagemut** → Mut.

**wagemutig** → mutig.

¹**wagen,** sich trauen / getrauen, sich unterstehen / vorwagen / erdreisten / erkühnen, etwas riskieren, ein Risiko eingehen, etwas aufs Spiel setzen, Kopf und Kragen riskieren / wagen, alles auf eine Karte setzen, va banque spielen, etwas kann Kopf und Kragen kosten, sein

Leben einsetzen; → entschließen (sich), → überwinden (sich), → exponieren (sich), → gefährdet [sein], → probieren; **alles w. [können],** nichts zu verlieren haben; **etwas nicht w.,** sich etwas nicht zutrauen, auf Nummer Sicher gehen (ugs.), keine Experimente machen, kein Fiduz haben (ugs.); → Gefahr, → Mut, → Wagnis.

²**wagen:** den Sprung w. → entschließen (sich); ein Tänzchen w. → tanzen.

¹**Wagen,** Gefährt, Leiterwagen, Karren, Karre, Handwagen, Ziehwagen, Blockwagen (landsch.), Bollerwagen (landsch.) · kleiner, mit dem man sein Gepäck auf Bahnsteigen befördern kann: Kofferkuli; Kutsche, → Schubkarre.

²**Wagen:** → Auto; Großer / Kleiner W. → Sternbild; das fünfte Rad am W. sein → überflüssig [sein].

**wägen:** → abwiegen, → erwägen.

**Wagenaufbau** → Karosserie.

**Wagenbauer** → Wagner.

**Wagendecke** → Plane.

**Wagenfahrt** → Fahrt.

**Wagenhalle** → Remise.

**Wagenladung** → Ladung.

**Wagenoberbau** → Karosserie.

**Wagenpferd** → Pferd.

**Wagenplache** → Plane.

**Wagenplane** → Plane.

**Wagenrad** → Kopfbedeckung.

**Wagenschuppen** → Remise.

**Waggon** → Eisenbahnwagen.

**waghalsig** → mutig.

**Wagner,** Stellmacher (landsch.), Wagenbauer.

**Wagnis,** Risiko, Experiment; → Experiment, → Versuch; → wagen.

¹**Wahl,** Urnengang · Abstimmung, Urabstimmung · Bundestagswahl, Landtagswahl · Testwahl · erneute, wenn kein Kandidat die notwendige Mehrheit erreicht hat: Stichwahl · durch Betreten des Saales durch eine bestimmte Tür im Parlament: Hammelsprung; → Abgeordneter, → Verhältniswahl, → Volksentscheid, → Wahlbeteiligung, → Wahlberechtigter, → Wähler, → Wahlrecht.

²**Wahl:** → Auswahl; keine andere W. haben → notgedrungen

[etwas tun müssen]; die W. treffen, jmds. W. fällt auf → auswählen; nach W. → beliebig; in der W. seiner Eltern vorsichtig gewesen sein → reich [sein].

**wahlberechtigt,** stimmberechtigt, abstimmungsberechtigt, stimmfähig (*schweiz.*); → Wahlberechtigter.

**Wahlberechtigter,** Stimmberechtigter, Abstimmungsberechtigter, Stimmbürger (*schweiz.*), Stimmfähiger (*schweiz.*) · *erstmals:* Jungwähler, Jungbürger (*österr.*); → Verhältniswahl, → Wahl, → Wähler; → wahlberechtigt.

**Wahlbeteiligung,** Stimmbeteiligung (*schweiz.*); → Stimmenthaltung, → Verhältniswahl, → Volksentscheid, → Wahl.

**Wahleltern** → Adoptiveltern.

**¹wählen,** seine Stimme abgeben, abstimmen, stimmen (*bes. schweiz.*), optieren, votieren · *wobei man einem Wahlkandidaten mehrere Stimmen gibt:* kumulieren · *wobei man seine Stimme für Kandidaten verschiedener Parteien abgibt:* panaschieren; **nicht w.,** sich der Stimme enthalten, einen weißen / ungültigen Stimmzettel abgeben; → erwählen; → Verhältniswahl, → Wahlrecht.

**²wählen:** → auswählen, → erwählen; den zweiten Bildungsweg w. → weiterbilden (sich); einen Beruf w. → werden (etwas).

**Wähler,** Wahlvolk, Stimmvolk, Wählerschaft, Souverän (*schweiz.*), Stimmvieh (*abwertend*) · *Anzahl, die zur Beschlußfähigkeit erforderlich ist:* Quorum (*schweiz.*); → Abgeordneter, → Verhältniswahl, → Wahl, → Wahlberechtigter → Wahlrecht; → bemühen (sich um).

**¹wählerisch,** verwöhnt, mäklig (*ugs.*), kiesetig (*nordd.*), kiesetsch (*nordostd.*), heikel (*südd., österr.*), extra (*bayr., österr.*), schleckig (*landsch.*), schnäkisch (*südd.*), schnaukig (*landsch.*), schnäubig (*hess.*), krüsch (*niederd.*); → empfindlich; **w. sein;** was der Bauer nicht kennt, das frißt er nicht (*ugs.*).

**²wählerisch** → anspruchsvoll.

**Wählerschaft** → Wähler.

**Wählerumfrage** → Umfrage.

**Wahlgeschenk,** Wahlversprechen, Wahlzuckerl (*österr.*); → Wahl.

**Wahlkind** → Kind.

**Wahlkonsul** → Diplomat.

**Wahlkonsulat** → Botschaft.

**wahllos:** → unbesonnen, → willkürlich.

**Wahlplakat** → Plakat.

**Wahlrecht,** Stimmrecht, Frauenwahlrecht, Frauenstimmrecht · *bei dem Stimmenmehrheit entscheidet:* Mehrheitswahlrecht, Direktwahlrecht · *bei dem das Verhältnis der abgegebenen Stimmen entscheidet:* Verhältniswahlrecht · *das nach Steuerstufen abgestuft ist:* Dreiklassenwahlrecht (*hist.*); → Verhältniswahl, → Verhältniswahlrecht, → Wahl, → Wähler; → wahlberechtigt.

**Wahlspruch** → Ausspruch.

**Wahlversprechen** → Wahlgeschenk.

**Wahlverteidiger** → Jurist.

**Wahlvolk:** → Menge, → Wähler.

**wahlweise,** alternativ, wechselweise, abwechselnd; → abwechselnd.

**Wahlzuckerl** → Wahlgeschenk.

**Wahn** → Einbildung.

**wähnen** → vermuten.

**Wahnidee** → Bewußtseinstrübung.

**Wahnsinn** → Geistesgestörtheit.

**wahnsinnig:** → geistesgestört, → sehr.

**Wahnsinniger** → Geistesgestörter.

**Wahnsinns-:** → verrückt.

**Wahnvorstellung** → Bewußtseinstrübung.

**¹wahr,** wirklich, gewiß, unleugbar, unwiderleglich, tatsächlich, den Tatsachen entsprechend, belegt, beglaubigt, zutreffend, richtig, nicht übertrieben, glaubhaft, glaubwürdig, zuverlässig, nicht → falsch; **w. sein:** etwas ist wahr, etwas ist über jeden Verdacht / Zweifel erhaben.

**²wahr:** → aufrichtig; sein -es Gesicht zeigen → erkennen; im -sten Sinne des Wortes → schlechthin; an etwas ist kein -es Wort → erfunden [sein]; w. sein → stimmen; etwas wird

w. → eintreffen; etwas ist nicht w. → erfunden [sein]: das kann / darf doch nicht w. sein! → überrascht [sein]; als w. bescheinigen → beglaubigen; als w. bescheinigt → bezeugt; sich als w. erweisen / herausstellen → bewahrheiten (*sich*); für w. halten → möglich; w. machen → verwirklichen.

**wahren:** das Gesicht w. → unterdrücken; den Schein w. → vortäuschen.

**währen** → andauern.

**¹während,** bei, in, im Verlauf, indem; → als, → indem, → inzwischen, → weil.

**²während:** immer w. der Nacht → allnächtlich; w. des Tages → täglich.

**währenddem** → inzwischen.

**währenddessen** → inzwischen.

**wahrhaben:** etwas nicht w. wollen → erkennen.

**wahrhaft** → aufrichtig.

**wahrhaftig:** → aufrichtig, → wahrlich.

**Wahrheit:** → Gotteseigenschaften; Dichtung und W. → Lüge; die W. sagen, der W. die Ehre geben, mit der W. nicht hinter dem Berge halten → aufrichtig [sein]; nicht die W. sagen, nicht bei der W. bleiben, es mit der W. nicht so genau nehmen → lügen; etwas schlägt der W. ins Gesicht → erfunden [sein]; in Tat und W. → wahrlich.

**wahrlich,** bestimmt, mit Sicherheit, gewiß, wirklich, in der Tat, tatsächlich, ungelogen, ohne daß ich lüge, ohne Übertreibung, nicht übertrieben, weiß Gott, bei Gott, unweigerlich, fürwahr, traun [fürwahr] (*scherzh., veraltend*), beim Barte des Propheten! (*scherzh.*), wenn ich dir [doch] sage (*ugs.*), ehrlich [wahr] (*ugs.*), auf Ehre und Gewissen, sage und schreibe (*ugs.*), Hand aufs Herz!, in Tat und Wahrheit (*schweiz.*), wahrhaftig; → erwartungsgemäß, → ja, → wirklich.

**¹wahrnehmen,** bemerken, sehen, gewahren, ausnehmen (*österr.*), gewahr werden, inne werden, ansichtig werden, zu Gesicht / zu sehen bekommen; → erfahren, → finden, → hören, → merken, → sehen; → Augenlicht.

²**wahrnehmen:** die Gelegenheit w. → ausnutzen, → auswerten.

¹**Wahrnehmung,** Sinneseindruck, Eindruck, Perzeption, das Erfassen / Aufnehmen, Apperzeption; → Impression.

²**Wahrnehmung** → Impression.

**wahrsagen** → voraussehen.

¹**Wahrsager,** Prophet, Hellseher, Seher, Sterndeuter, Astrologe, Vogelschauer, Augur, Haruspex; → Artist, → Geisterbeschwörung, → Hellsehen, → Spiritist, → Telepathie, → Wahrsagerin.

²**Wahrsager** → Artist.

**Wahrsagerin,** Kartenlegerin, Kartenschlägerin *(abwertend),* Pythia, Sibylle, Kassandra; → Wahrsager.

**währschaft:** → gediegen, → haltbar.

**Währschaft** → Sicherheit.

**wahrscheinlich:** → anscheinend; nicht w. → schwerlich.

**Wahrscheinlichkeit:** aller W. nach → anscheinend.

**Wahrscheinlichkeitsrechnung** → Mathematik.

**Währung:** → Zahlungsmittel; ausländische W. → Devisen; die W. betreffend → monetär.

**Währungsreform:** die Zeit vor der W. → Nachkriegszeit.

**Wahrzeichen** → Abzeichen.

**Waidmann** → Jäger.

**Waidmannssprache** → Gruppensprache.

**Waise,** Waisenkind, Findling, Findelkind, Vollwaise, Halbwaise; → Heim.

**Waisenhaus** → Heim.

**Waisenkind** → Waise.

**Waisenknabe:** ein / der reine / der reinste W. gegen jmdn. sein → erreichen.

¹**Wal,** Walfisch ·· Zahnwal · Pottwal, Narwal, Tümmler, Delphin · Bartenwal, Blauwal, Riesenwal, Finnwal, Grönlandwal; → Fisch.

²**Wal:** → Sternbild.

¹**Wald,** Waldung, Forst, Hain *(dichter.),* Tann *(dichter.),* Holz, Gehölz, Nadelwald, Laubwald, Mischwald, Eichenwald, Buchenwald, Kastanienwald, Birkenwald, Kiefernwald, Fichtenwald, Tannenwald, Tannicht *(dichter.),* Hochwald, Niederwald, Buschwald, Jungwald,

Maiß *(bayr., österr.),* Gemeindewald, Staatswald, Staatsforst · *junger, geschützter:* Schonung, Schonwald, Hegewald; → Dickicht, → Landschaft, → Urwald.

²**Wald:** den W. vor lauter Bäumen nicht sehen → erkennen; im W. und auf der Heide, in Feld und W. → Natur; sich benehmen wie die Axt im -e → benehmen (sich); nicht um einen W. voll / von Affen → nein; die Stadt zwischen W. und Reben → Stuttgart.

**Waldarbeiter** → Holzfäller.

**Waldblume** → Blume.

**Waldbrand** → Schadenfeuer.

**Waldchampignon** → Ständerpilz.

**Walderdbeere** → Erdbeere.

**Waldfriedhof** → Friedhof.

**Waldgang** → Spaziergang.

**Waldhonig** → Honig.

**Waldhufendorf** → Dorf.

**Waldhyazinthe** → Orchidee.

**Waldkauz:** → Kauz, → Vogel.

**Waldlandschaft** → Landschaft.

**Waldmaus** → Maus.

**Waldmeister** → Gewürz.

**Waldohreule** → Vogel.

**Waldorfsalat** → Salat.

**Waldpförtner** → Schmetterling.

**Waldportier** → Schmetterling.

**Waldschachtelhalm** → Schachtelhalm.

**Waldschlag** → Schneise.

**Waldschnepfe:** → Vogel, → Wild.

**Waldspaziergang** → Spaziergang.

**Waldsteppe** → Steppe.

**Waldtundra** → Steppe.

**Waldung** → Wald.

**Waldveilchen** → Veilchen.

**Waldvöglein** → Orchidee.

**Waldwanderung** → Spaziergang.

**Waldwiese** → Wiese.

**Waldzecke** → Zecke.

**Walfangschiff** → Fischereischiff.

**Walhalla** → Himmel.

**Walkie-Talkie** → Sprechfunkgerät.

**Walkung** → Massage.

**Walküre** → Frau.

¹**Wall,** Erdwall, Grenzwall, Schutzwall, Festungswall, Ringwall, Rundwall; → Grenze, → Grenzbefestigung, → Mauer.

²**Wall:** → Hindernis, → Hürde, → Mauer.

**Wallach** → Pferd.

**wallen:** → brodeln, → fließen, → fortbewegen (sich).

**Waller** → Fisch.

**Wallerfisch** → Fisch.

**wallfahren** → pilgern.

**Wallfahrt,** Pilgerzug, Pilgerfahrt; → pilgern.

**wallfahrten** → pilgern.

**Wallfahrtskirche** → Gotteshaus.

**Wallung:** das Blut in W. bringen → ärgern, → erregen.

**Walmdach** → Dach.

**Walmziegel** → Dachziegel.

**Walnuß** → Nuß.

**Walöl** → Speiseöl.

**Walstatt** → Schlachtfeld.

**walten:** → herrschen; über etwas waltet ein Verhängnis → gelingen.

**Walzbruder** → Vagabund.

**wälzen:** sich w. → rollen.

**Walzer:** langsamer / Wiener W. → Tanz.

**Wälzer** → Buch.

**Walzerstadt** → Wien.

**Wamme** → Bauch.

**Wampe** → Bauch.

**Wams:** → Jacke, → Kleidung.

**Wand:** → Hürde, → Mauer; spanische W. → Wandschirm; weiß wie die W. sein → blaß [sein]; da kann man doch die Wände / an den Wänden hochgehen; es ist, um die Wände / an den Wänden hochzugehen → unerträglich [sein]; jmdn. ärgert / stört die Fliege an der W. → ärgerlich [sein]; jmdn. an die W. spielen → Einfluß; mit dem Kopf durch die W. wollen → unzugänglich [sein]; gegen eine W. / zu leeren Wänden reden → sprechen; in seinen vier Wänden → daheim.

**Wandbehang** → Wandteppich.

**Wandbett** → Bett.

**Wandel:** → Veränderung; Handel und W. → Wirtschaft; im W. begriffen sein → wandeln (sich).

**Wandelaltar** → Altar.

**wandelbar:** → labil, → veränderlich.

**Wandelbarkeit** → Unbeständigkeit.

**Wandelgang** → Foyer.

**Wandelhalle** → Foyer.

**Wandelmonat** → April.

¹**wandeln** (sich), sich entwickeln / ändern / verändern, im Gang /

in der Entwicklung / im Fluß sein, im Wandel begriffen / noch nicht abgeschlossen sein; → verändern; → Entwicklung.

²**wandeln:** → ändern, → fortbewegen (sich), → verändern; sich w. → bessern (sich), → entwickeln (sich); Wandelndes Blatt → Heuschrecke; auf ausgetretenen Pfaden w. → schöpferisch [sein]; auf dem Pfad der Tugend w. → anständig [sein]; in jmds. Spuren w. → nachahmen.

**Wandelstern:** → Himmelskörper, → Planet.

**Wanderbühne** → Theater.

**Wanderbursche** → Vagabund.

¹**Wanderer,** Spaziergänger, Ausflügler; → Urlauber.

²**Wanderer** → Urlauber.

**Wanderfalke** → Vogel.

**Wanderfalter** → Schmetterling.

**Wanderherz** → Herzsenkung.

**Wanderheuschrecke** → Heuschrecke.

**Wanderkarte** → Landkarte.

**Wanderkino** → Kino.

**Wanderleber** → Eingeweidesenkung.

**Wanderlust** → Reiselust.

**Wandermilz** → Eingeweidesenkung.

**wandern:** → spazierengehen, -d → ambulant.

**Wanderniere** → Eingeweidesenkung.

**Wanderratte** → Nagetier.

**Wandersaibling** → Fisch.

**Wanderstab** → Spazierstock.

**Wandertrieb:** → Anankasmus, → Reiselust.

**Wanderung:** → Spaziergang; eine W. machen → spazierengehen.

**Wandervogel** → Jugendbewegung.

**Wanderzirkus** → Zirkus.

**Wandkalender** → Kalender.

**Wandkarte** → Landkarte.

**Wandlampe** → Lampe.

**Wandleuchte** → Lampe.

¹**Wandlung,** Konsekration, Transsubstantiation; → Abendmahl; → Umwandlung.

²**Wandlung:** → Umwandlung, → Veränderung.

**Wandmalerei:** → Felszeichnung, → Malerei, → Maltechnik.

**Wandpfeiler** → Säule.

**Wandpfeilerkirche** → Gotteshaus.

**Wandschirm,** spanische Wand, Paravent, Ofenschirm.

**Wandschrank** → Schrank.

**Wandteppich,** Wandbehang, Bildteppich, Arazzo, Tapisserie, Verdure, Gobelin, Kelim; → Orientteppich, → Teppich.

**Wanduhr** → Uhr.

**Wandvase** → Blumenvase.

**Wange,** Backe, Backen (*landsch.*), Apfelbäckchen (*scherzh.*); → Gesicht.

**Wangenrot** → Röte.

**Wangenröte** → Röte.

**Wank:** keinen W. tun → träge [sein].

**Wankelmut** → Untreue.

**wankelmütig** → untreu.

**Wankelmütigkeit** → Untreue.

**wanken:** → schwanken; nicht w. und weichen → standhalten; ins Wanken bringen → untergraben; etwas gerät ins Wanken → ungewiß [sein].

**wankend** → wacklig.

**wann:** dann und w. → manchmal.

**Wanne:** → Gefäß; in die W. steigen → baden.

**Wanst:** → Bauch; sich den W. vollschlagen → essen.

**Wanze:** → Abhörgerät, → Reißzwecke, → Ungeziefer; angeben wie eine Tüte voll -n → prahlen.

**Wappenkunde,** Heraldik, Heroldskunde.

**Wappenseite** → Rückseite.

¹**wappnen** (sich), sich rüsten / vorbereiten, sich auf etwas einstellen.

²**wappnen:** sich mit Geduld w. → warten [können].

¹**Ware,** Artikel, Erzeugnis, Industrieerzeugnis, Produkt, Handelsgut, Handelsware, Importartikel, Exportartikel, Importware, Exportware, Fabrikat, Marke, Markenware, Markenartikel, Massenware, Massenartikel, Dutzendware (*abwertend*), Konsumgut · *den Soldaten zum Kauf angebotene:* Marketenderware; → Güteklasse, → Produktionsmittel (die), → Schleuderware, → Warenzeichen; → verkaufen.

²**Ware:** heiße W. → Raub, → Schmuggelware; schlechte W. → Schleuderware.

**Warenabkommen** → Abmachung.

**Warenhaus** → Laden.

**Warenlager,** Lagerhaus, Lager, Lagerraum, Banse (*landsch.*), Niederlage, Zeughaus, Magazin, Arsenal, Waffenkammer, Depot, Silo; → Abstellraum, → Aufbewahrungsort, → Vorrat.

**Warenprobe** → Postsendung.

**Warensendung** → Postsendung.

**Warensperre** → Vergeltungsmaßnahmen.

**Warenstand** → Verkaufsstand.

**Warenzeichen,** WZ, Wz., Wz, Schutzmarke, Handelsmarke, Handelszeichen, Herstellermarke, registered [trademark], ® · *bei Papier:* Wasserzeichen · *der Verlage:* Signet, Verlegerzeichen, Druckerzeichen; → Patent, → Ware.

¹**warm,** heiß, sommerlich, sömmerlich (*schweiz.*), mollig (*ugs.*), bullenheiß (*salopp*), lauwarm, lau, überschlagen, verschlagen, handwarm, kuchenwarm, pudelwarm, nicht → kalt; → schwül; **w. sein,** es ist wie im Backofen.

²**warm:** → erhitzt, → heiß; -er Bruder → Homosexueller; mit den wärmsten Empfehlungen → hochachtungsvoll; -es sommertrockenes / -es wintertrockenes Klima → Klimazone; etwas geht weg wie -e Semmeln → verkaufen; wärmsten Dank! → danke!; sich w. laufen, ins Warme gehen → wärmen (sich); w. machen → aufwärmen, → heizen; w. werden → herausgehen (aus sich); mit jmdm. w. werden → kennenlernen, → Kontakt [finden].

**Warmblüter** → Pferd.

¹**Wärme,** Hitze, Gluthitze, Glut, Schwüle, Bruthitze (*ugs.*), Bullenhitze (*salopp*), Knallhitze (*ugs.*), Affenhitze (*salopp*); → brennen, → schwitzen.

²**Wärme** → Freundlichkeit.

**Wärmeabnahme** → Abkühlung.

**Wärmebehandlung** → Thermotherapie.

**Wärmeentziehung:** → Unterkühlung, → Wärmeentzug.

¹**Wärmeentzug,** Wärmeentziehung, Kühlung, Einfrierung, Tiefkühlung, Vereisung; → Abkühlung, → Kälteeinbruch; → tiefkühlen.

²**Wärmeentzug** → Unterkühlung.

**Wärmeheilbehandlung** → Thermotherapie.

¹**wärmen** (sich), sich aufwärmen, ins Warme gehen, sich warm laufen; → frieren.

²**wärmen**: → aufwärmen, → heizen.

**Wärmeplatte**, Rechaud, Stövchen, Stovchen, Teewärmer; → Kaffeewärmer.

**Wärmepol** → Pol.

**Wärmestar** → Katarakt.

**Wärmestauung** → Überhitzung.

**Wärmestrahler** → Heizgerät.

**Warmfront** → Wetterfront.

**warmgemäßigt**: -e Klimate → Klimazone.

**Warmhalteteller** → Teller.

**warmherzig** → gütig.

**Warmherzigkeit** → Freundlichkeit.

**Warmleim** → Bindemittel.

**Warmluftbehandlung** → Aerotherapie.

**Warmluftglocke** → Kopfbedeckung.

**Warmluftheizung** → Heizung.

**Warmwasserbehandlung** → Hydrotherapie.

**Warmwasserbereiter** → Heißwasserbereiter.

**Warmwasserheizung** → Heizung.

**Warmwasserspeicher** → Heißwasserbereiter.

**Warnblinklicht** → Signallicht.

**Warnboje** → Warnzeichen.

**warnen** → abraten.

**Warnlicht** → Signallicht.

**Warnruf** → Alarm.

**Warnschuß**: → Schuß, → Warnung.

**Warnstreik** → Streik.

¹**Warnung**, Mahnung, Abschreckung, abschreckendes Beispiel, Warnschuß; → Alarm; → abraten.

²**Warnung** → Alarm.

**Warnzeichen**, Boje, Bake, Warnboje, Leuchtboje, Leuchtbake, Feuerbake, Tonnenbake, Treibbake, Seenotbake, Rettungsboje, Heulboje; → Lichtzeichen, → Signallicht.

**Warschau**, Warszawa (*poln.*);→ Stadt.

**Warszawa** → Warschau.

**Warteliste**: auf die W. setzen, auf der W. stehen → vormerken.

¹**warten**, warten auf, erwarten, abwarten, zuwarten, verharren, ausharren, harren, passen (*ugs.*, *österr.*), sich anstellen, anstehen, Schlange stehen, stehen, sich die Füße / die Beine in den Bauch stehen (*ugs.*, *abwertend*), Queue bilden · *voller Ungeduld:* wie auf glühende Kohlen sitzen, von einem Fuß auf den anderen treten, Hummeln haben (*ugs.*, *landsch.*); **w. können**, sich gedulden, geduldig sein, sich mit Geduld wappnen, Geduld haben; → abwarten, → erwarten; → beharrlich; → Geduld, → Ungeduld; → Wartezeit.

²**warten**: → pflegen; na, warte! → wehe!; w. auf → erwarten; auf Erledigung w. → vormerken.

**Wärter** → Wächter.

**Warteraum** → Raum.

**Wartesaal** → Raum.

**Wartezeit**, Übergangszeit, Übergang, Überbrückung, Überbrückungszeit, Karenzzeit, Karenz, Durststrecke (*ugs.*), Inkubationszeit; → Geduld; → warten.

**Wartezimmer** → Raum.

**Wartsaal** → Raum.

**Wartung** → Instandhaltung.

**warum**, weshalb, weswegen, wozu, wofür, zu welchem Ende / Zweck, was soll's (*salopp*), wogegen, wieso, aus welchem Grund, wie kommt es, daß...; → wodurch.

**Warze**, Verruca; → Hautblüte.

**was**: [w. meinen Sie?, w. haben Sie gesagt?, wie gefällig?] → bitte?; w. soll's? → warum; w. denn sonst → ja.

**Was** → Rauschgift.

**Waschbär** → Pelz.

**Waschbecken**, Wasserbecken, Bassena (*wiener.*) · Waschschüssel, Lavoir; → Bassin.

**Waschcreme** → Schönheitspflegemittel.

**Wäsche**: → Unterwäsche; [große / kleine] W. haben / halten → waschen (Wäsche); seine schmutzige W. [vor anderen Leuten] waschen → erörtern; dumm aus der W. gucken / kucken → überrascht [sein]; bei der Wäsche zusammenschnurren → einlaufen.

**Wäschebeschließerin** → Verwalterin.

**waschecht**: → echt, → farbecht, → kochecht; nicht w. sein → abfärben.

**Wäscheklammer**, Klammer, Wäschekluppe (*bayr.*, *österr.*), Kluppe (*bayr.*, *österr.*).

**Wäschekorb** → Korb.

**Wäschekünstlerin** → Stripteasetänzerin.

¹**waschen** (Wäsche), [kleine / große] Wäsche haben / halten, Waschtag haben, durchwaschen, durchziehen, auswaschen; → spülen; → sauber.

²**waschen** (sich, jmdn.), sich erfrischen, sich das Gesicht, die Hände / von Kopf bis Fuß waschen, sich abseifen · *flüchtig:* Katzenwäsche machen (*ugs.*).

³**waschen**: → säubern; seine Hände in Unschuld w. → schuldlos; seine schmutzige Wäsche [vor anderen Leuten] w. → erörtern; beim Waschen zusammenschnurren → einlaufen.

**Wäscherolle** → Bügelmaschine.

**Wäscheschleuder**, Schleuder, Zentrifuge, Ausschwingmaschine (*schweiz.*).

**Wäscheschrank** → Schrank.

**Waschküche** → Nebel.

**Waschlappen**: → Feigling; ein W. sein → willensschwach [sein].

**waschlappig** → willensschwach.

**Waschleder** → Leder.

**Waschmittel**, Waschpulver, Seifenmittel, Seifenartikel, Seifenpulver, Feinwaschmittel, Vorwaschmittel, Seifenflocken, Schmierseife; → Seife.

**Waschpulver** → Waschmittel.

**Waschsamt** → Stoff.

**Waschseife** → Seife.

**Waschtag**: W. haben → waschen (Wäsche).

**Waschung** → Läuterung.

**Waschweib** → Frau.

**Waschzettel** → Prospekt.

**Waschzwang** → Anankasmus.

**Wasen**: → Jahrmarkt, → Nebel, → Rasen.

**Wasenmeister** → Abdecker.

**Waserl** → Schlafmütze.

¹**Wasser**, Naß (*scherzh.*), Gänsewein (*ugs.*, *scherzh.*), Quellwasser, Brunnenwasser, Lei-

tungswasser, Trinkwasser, Hahnenwasser (ugs., landsch.), Grundwasser, Zisternenwasser, Regenwasser, Schneewasser, Flußwasser, Meerwasser, Süßwasser, Salzwasser, Heilwasser · *an Kohlendioxyd reiches:* Sauerwasser, Sauerbrunnen, Säuerling · *chemisch reines:* Aqua destillata, destilliertes Wasser, Aquadest (*Fachspr.*), $H_2O$; → Feuchtigkeit, → Wasserreservoir.

²**Wasser:** → Gewässer, → Mineralwasser, → Urin; ablaufendes W. → Ebbe; auflaufendes W. → Flut; Kölnisch W. → Parfum; bis dahin fließt noch viel W. den Berg (oder:) den Rhein hinab / hinunter → dauern; das ist W. auf jmds. Mühle → nützlich [sein]; ein stilles W. sein → verschlossen [sein]; das W. steht jmdm. bis zum Hals → schulden (jmdm. etwas); jmdm. läuft das W. im Munde zusammen → Appetit [haben]; jmdm. das W. abgraben → Konkurrenz [machen]; W. in den Wein gießen → ernüchtern; Rotz und W. heulen → weinen; W. lassen → urinieren; jmdm. das W. nicht reichen können → erreichen (jmds. Leistung); W. in ein Sieb / mit einem Sieb schöpfen → tun; Blut und W. schwitzen → Angst [haben]; [dicht] am / ans W. gebaut haben → weinen; aus dem W. ziehen → länden; wie aus dem W. gezogen → verschwitzt; bei W. und Brot sitzen → abbüßen; sich fühlen wie der Fisch im W. → wohlfühlen (sich); munter wie ein Fisch im W. sein → gesund [sein]; Schlag ins W. → Mißerfolg; etwas ist ein Schlag ins W. → nutzlos [sein], → wirkungslos [bleiben]; ins W. fallen → ausfallen, → scheitern; ins W. gehen → entleiben (sich); mit allen -n gewaschen sein → schlau [sein]; mit kochendem W. übergießen → blanchieren; sich über W. halten → leben.

**Wasseramsel** → Vogel.
**Wasserangst** → Phobie.
**Wasseranwendung** → Kurmittel.
**Wasserarm** → Fluß.

**Wasserbad:** im W. erhitzen → aufwärmen.
**Wasserball:** → Fußballspiel, → Spielball.
**wasserblau** → blau.
**Wasserblüte** → Spaltpflanze.
**Wasserburg** → Burg.
**Wässerchen:** jmd. sieht aus, als ob er kein W. trüben könnte → harmlos [aussehen].
**wasserdicht** → undurchlässig.
**Wasserfahrzeug** → Schiff.
¹**Wasserfall,** Wassersturz, Kaskade, Katarakt, Stromschnelle; → Wirbel.
²**Wasserfall:** → Feuerwerkskörper; reden wie ein W. → sprechen.
**Wasserfarn** → Farn.
**Wasserfrosch:** Grüner W. → Frosch.
**Wassergeist** · *männlicher:* Wassermann, Neptun, Nöck, Triton · *weiblicher:* Wasserjungfrau, Meerjungfrau, Undine, Melusine, Nixe, Seejungfrau, Nymphe, Najade, Nereide.
**Wasserglas:** Sturm im W. → Erregung, → Getue.
**Wassergraben:** → Graben, → Hindernis, → Kanal.
**Wasserheilkunde** → Hydrotherapie.
**Wasserheilmethode** → Hydrotherapie.
**Wasserheilverfahren** → Hydrotherapie.
**Wasserhochbehälter** → Wasserreservoir.
**Wasserhochreservoir** → Wasserreservoir.
**Wasserhose** → Wirbelwind.
**Wasserjagd** → Jagd.
**Wasserjungfer:** → Insekt, → Libelle.
**Wasserjungfrau** → Wassergeist.
**Wasserkakao** → Kakao.
**Wasserkur** → Hydrotherapie.
**Wasserlatte** → Penis.
**Wasserlauf** → Fluß.
**Wasserläufer** → Vogel.
**Wasserlöscher** → Feuerlöscher.
**Wassermann:** → Sternbild, → Tierkreiszeichen, → Wassergeist.
**Wassermarder** → Raubtier.
**Wassermelone** → Melone.
**Wassermühle** → Windmühle.
**wassern** → landen.
**wässern** → sprengen.
**Wassernetz** → Alge.

**Wasserpfeife** → Tabakspfeife.
**Wasserpolizei** → Polizeibehörde.
**Wasserpumpe,** Handpumpe, Saugpumpe, Druckpumpe, Flügelpumpe, Pumpe; → absaugen.
**Wasserralle** → Vogel.
**Wasserratte** → Nagetier.
**Wasserreis** → Schößling.
**Wasserreservoir,** Wasserhochreservoir, Wasserhochbehälter, Hochbehälter, Wasserturm; → Behälter, → Wasser.
**Wasserrose,** Seerose, Teichrose; → Blüte.
**Wasserrübe** → Gemüse.
**Wasserscheu** → Phobie.
**Wasserschi** → Schi.
**Wasserschimmel** → Algenpilz.
**Wasserschimmelpilz** → Algenpilz.
**Wasserschlange:** Weibliche / Nördliche / Männliche / Südliche W. → Sternbild.
**Wasserschlauch** → Schlauch.
**Wasserschnecke** → Schnecke.
**Wasserschoß** → Schößling.
**wasserstoffblond** → blond.
**Wasserstoffbombe** → Bombe.
**Wasserstraße** → Kanal.
**Wassersturz** → Wasserfall.
**Wassertrog** → Hindernis.
**Wasserturm:** → Turm, → Wasserreservoir.
**Wasseruhr** → Uhr.
**Wasserverseuchung** → Umweltverschmutzung.
**Wasserweg** → Kanal.
**Wasserwelle** → Frisur.
**Wasserwiesel** → Raubtier.
**Wasserzähler** → Zähler.
**Wasserzeichen** → Warenzeichen.
**wäßrig:** → fade; jmdm. den Mund w. machen → reizen.
**waten** → fortbewegen (sich).
**waterproof** → undurchlässig.
**Watsche** → Ohrfeige.
**watscheln** → fortbewegen (sich).
**watschen** → schlagen.
**Watschengesicht** → Gesicht.
**Watschenmann:** → Kraftspiel, → Prügelknabe.
**Watschenpappen** → Gesicht.
**Watt** → Wattenmeer.
**Watte:** W. in den Ohren haben → reagieren; jmdn. in W. packen → umgehen (mit jmdm.).
**Watten** → Kartenspiel.
**Wattenmeer,** Watt · Flachmeer, Schelfmeer, Schelf; → Ebbe.

**Watten- und Fördenküste** → Ufer.

**Wattierleinen** → Stoff.

**Watz** → Schwein.

**Wauwau** → Hund.

**Waxdick** → Fisch.

**WC** → Toilette.

**Webarbeit:** → Handarbeit; eine W. machen → weben.

**Webbär** → Schmetterling.

**Webe** → Leinen.

**Webekante** → Webkante.

**¹weben,** wirken, eine Webarbeit machen; → Gewebe.

**²weben** → handarbeiten.

**Weberknoten** → Knoten.

**Webervogel** → Vogel.

**Webfehler:** einen W. haben → geistesgestört [sein].

**Webkante,** Webekante, Salband (*landsch.*), Selband (*landsch.*), Salleiste (*landsch.*), Sahlleiste (*landsch.*), Salkante (*landsch.*), Selfkante (*landsch.*).

**Webleinstek** → Knoten.

**Webpelz** → Pelz.

**Webspitze** → Spitzenstickerei.

**Webwaren** → Textilien.

**¹Wechsel,** Akzept, Appoint, Kambio · *ohne Angabe der Summe:* Blankoakzept · *gezogener:* Tratte, Rimesse · *vom Aussteller auf sich selbst gezogener:* Solawechsel; → Scheck.

**²Wechsel:** → Alternation, → Veränderung; im W. mit → abwechselnd.

**Wechselbalg** → Mißgebilde.

**¹Wechselbeziehung,** Korrelation; **in W. stehen,** korrelieren, sich bedingen.

**²Wechselbeziehung** → Verhältnis.

**wechselhaft:** → unausgeglichen, → veränderlich.

**Wechselhaftigkeit:** → Unbeständigkeit, → Zerfahrenheit.

**Wechseljahre** → Klimakterium.

**Wechselkröte** → Frosch.

**Wechselkurs** · stabiler / fester Wechselkurs · flexibler / schwankender Wechselkurs, Floating; → Konvertierbarkeit, → Wechselkurs, → Zahlungsmittel.

**¹wechseln,** tauschen, abtauschen (*schweiz.*) · *den Besitzer:* in andere Hände übergehen; → austauschen, → kaufen, → tauschen, → verkaufen.

**²wechseln:** → einwechseln, → fluktuieren, → tauschen; etwas wechselt → ändern; Bäumchen w. → Fangspiel; [den Beruf] w. → umsatteln; Briefe w. → korrespondieren; die Farbe w. → blaß [werden]; die Federn w. → mausern (sich); die Gesinnung w. → umfallen; seine Gesinnung [wie das / wie sein Hemd] w. → Opportunist [sein], → umschwenken; den Glauben / die Konfession w. → konvertieren; die Kleider w. → umziehen (sich); die Tapeten w. → reisen, → übersiedeln, → umsatteln; [den Zug] w. → umsteigen.

**Wechselschuldner** → Schuldner.

**wechselseitig,** abwechselnd, gegenseitig, assoziativ, reziprok, mutual; → abwechselnd, → gegensätzlich, → ursächlich, → untereinander; → Wechselseitigkeit; → abwechseln.

**Wechselseitigkeit,** Gegenseitigkeit, Reziprozität, Mutualität; → wechselseitig.

**Wechselstrom** → Elektrizität.

**Wechselstube,** Exchange, Geldwechselstelle; → Geldinstitut, → Konvertierbarkeit, → Wechselkurs, → Zahlungsmittel.

**Wechseltierchen** → Einzeller.

**wechselvoll** → veränderlich.

**wechselweise** → wahlweise.

**Weck** → Brötchen.

**Weckamin** → Aufputschmittel.

**wecken:** → aufwecken, → wachrufen.

**Wecken:** → Brot, → Brötchen.

**Wecker:** → Uhr; jmdm. auf den W. fallen / gehen → ärgern.

**Weckerl** → Brötchen.

**Weckglas** → Einmachglas.

**Weckmittel** → Aufputschmittel.

**Weckruf** → Aufruf.

**Weckuhr** → Uhr.

**Wedel** → Schwanz.

**Wedgewood** → Steingut.

**Weekend** → Wochenende.

**¹weg!,** fort!, hau ab! (*salopp*), verschwinde!, geh mir aus den Augen!, ab trimo! (*berlin.*); mach, daß du wegkommst! (*salopp*); mach die Tür von außen zu! (*ugs.*), ab durch die Mitte! (*ugs.*), dein Typ wird hier nicht verlangt! (*salopp*),

ab die Post! (*ugs.*), ab nach Kassel! (*ugs.*); **w. sein,** fort / über alle Berge / verschwunden / auf und davon sein, der Vogel ist ausgeflogen, von dannen / von hinnen gegangen sein; → abwesend, → aushäusig, → fern; → verlorengehen.

**²weg:** → unterwegs; w. sein → verloren [sein]; vom Fleck w. → gleich; w. vom Fenster sein → angesehen.

**¹Weg,** Gehweg, Fahrweg, Radfahrweg, Fahrradweg, Feldweg, Trampelpfad (*ugs.*), Pfad, Steig · *entlang einem Fluß:* Treidelweg, Treppelweg (*österr.*), Treidelpfad, Leinpfad · *in Schlangenlinie ansteigender:* Serpentine · *der länger ist als der gerade:* Umweg, Schlenke (*salopp*); → Durchgang, → Straße; → abkürzen.

**²Weg:** → Marschroute, → Verfahren; gangbarer W. → Abmachung; einen neuen W. / neue -e beschreiten, einen neuen W. / neue -e einschlagen → richtungweisend [sein]; jmdm. die -e ebnen → fördern; den kürzeren W. fahren / gehen / nehmen → abkürzen; Mittel und -e finden → Lösung; einen bestimmten W. einschlagen → verfahren; den W. allen / alles Fleisches gehen → sterben; den W. alles Irdischen gehen → faulen; den W. des geringsten Widerstandes gehen → entziehen (sich); mit etwas hat es noch gute -e → eilen; seinen W. machen → Erfolg [haben]; den W. verfehlen, vom -e abkommen / abirren → verirren (sich); einen W. zurücklegen → Strecke; seiner -e gehen → weggehen; des -es kommen → kommen; sich auf halbem W. entgegenkommen → übereinkommen; jmdm. auf halbem -e entgegenkommen → nachgeben; sich auf den W. machen → weggehen; auf halbem W. stehenbleiben / steckenbleiben → vollenden; auf ungesetzlichem -e → gesetzwidrig; aus dem -e gehen → ausweichen, → entziehen (sich); jmdn. aus dem W. räumen → töten; jmdm. im W. sein / stehen → Last; jmdm. Steine in den W.

legen / keinen Stein in den W. legen → einschränken; in die -e leiten → anfangen, → anordnen, → bewerkstelligen; über den W. laufen → unterkommen; jmdm. nicht über den W. trauen → argwöhnisch [sein]; jmdn. vom rechten W. abbringen → verleiten; vom rechten W. abkommen → verwahrlosen.

**wegbegeben:** sich w. → weggehen.

**wegbekommen:** sein Fett w. → bestrafen.

**Wegbereiter** → Schrittmacher.

**Wegbiegung** → Kurve.

**wegblasen:** wie weggeblasen sein → verloren [sein].

**wegbleiben:** weggeblieben sein → abwesend [sein].

**wegbringen:** → entfernen; von hier bringen mich keine zehn Pferde weg → weilen.

**Wegbringung** → Beseitigung.

**Wegebahner** → Schrittmacher.

**Wegelagerer** → Dieb.

**wegen,** auf Grund, aufgrund, durch, infolge, angesichts, dank, kraft, aus, vor, von [... her], auf [... hin], halber, um... willen, [um...] zu, zwecks, ob, von wegen (salopp); → deshalb, → vermittels, → weil.

**Wegesprung:** [Holsteiner W.] → Hindernis.

**wegfahren:** → abgehen, → abreisen.

**Wegfall:** in W. kommen → wegfallen.

**wegfallen,** fortfallen, in Wegfall / Fortfall kommen, unter den Tisch fallen (ugs.), flachfallen (salopp); → eintreffen.

**wegfliegen:** → abgehen, → abreisen.

**wegfließen** → fließen.

**Weggabe** → Entäußerung.

**Weggabelung** → Gabelung.

**Weggang** → Abwanderung.

**weggeben** → schenken.

**Weggefährte:** → Ehemann, → Freund.

**Weggefährtin** → Ehefrau.

**¹weggehen,** fortgehen, gehen, davongehen, ausziehen, von dannen gehen, von hinnen gehen, seiner Wege gehen, den Rücken kehren, aufbrechen, abmarschieren, sich entfernen / zurückziehen / absetzen / ab-

sentieren / verfügen / fortbegeben / wegbegeben / trollen / aufmachen / (ugs.) fortmachen / (ugs., österr.) verzupfen (salopp, österr.) drehen / (ugs., österr.) schleichen / auf den Weg / (ugs.) auf die Strümpfe (oder:) auf die Socken machen / (derb) verpissen, den Staub von den Füßen schütteln, abhauen (salopp), abzittern (salopp), absocken (salopp), abzwitschern (salopp), abschieben (salopp), abschwirren (salopp), abschwimmen (salopp), absegeln (salopp), losziehen (ugs.), abdampfen (ugs.), lostigern (salopp), abrücken (ugs.), Leine ziehen (salopp), weglaufen, laufen, davonlaufen, rennen, wegrennen, abzischen (salopp), das Weite suchen, Fersengeld geben, ausrücken (ugs.), ausreißen (ugs.), Reißaus nehmen (ugs.), ausbüxen (salopp), auskneifen (salopp), auswichsen (salopp), durchbrennen (salopp), durchgehen (salopp), auskratzen (salopp), die Kurve kratzen (salopp), sich fortstehlen / fortschleichen / wegstehlen / davonstehlen / (ugs.) [seitwärts] in die Büsche schlagen / auf französisch empfehlen / (ugs.) davonmachen / (ugs.) aus dem Staube machen / (ugs.) verkrümeln / (salopp) verdrücken / (salopp) verdünnisieren / (salopp) dünnmachen / (salopp) flüssigmachen / (salopp) verziehen / fortscheren / wegscheren, [von der Bildfläche] verschwinden (ugs.), stiftengehen (salopp), verduften (salopp), die Reihen lichten sich, abpaschen (ugs., österr.), palisieren (veraltend, österr.), nicht → einnisten (sich); → abwandern, → auswandern, → gehen, → fliehen, → fortbewegen (sich), → reisen, → trennen (sich); → Abwanderung.

**²weggehen:** → abwandern, → kündigen, → trennen (sich); etwas geht weg wie warme Semmeln → verkaufen.

**Weggen** → Brötchen.

**Weggenosse** → Freund.

**Weggli** → Brötchen.

**weghaben:** die Ruhe w. → dickfellig [sein].

**wegjagen** → vertreiben.

**wegkehren:** sich w. → abwenden.

**wegkommen:** → verlorengehen; [bei etwas] w. → abschneiden; mach, daß du wegkommst! → weg!; nicht w. →hängenbleiben; schlecht w. → zurückstehen.

**Wegkreuzung** → Kreuzung.

**Wegkrümmung** → Kurve.

**weglassen** → aussparen.

**weglaufen** → weggehen.

**weglegen,** beiseite / ad acta / zu den Akten legen, abtun, fallenlassen, als erledigt betrachten, nicht mehr berücksichtigen, sich nicht mehr um etwas kümmern; → fertig.

**wegleitend** → richtungweisend.

**Wegleiter** → Wegweiser.

**Wegleitung** → Weisung.

**weglos** → undurchdringlich.

**Wegmarkierung** → Wegweiser.

**¹wegnehmen,** nehmen • mit Gewalt, unrechtmäßig: ausrauben, rauben, ausplündern, plündern, brandschatzen, marodieren, ausräubern, räubern, ausräumen, räumen aus, nehmen, abnehmen, abjagen, filzen (ugs.), entreißen, entwinden, unterschlagen, veruntreuen, stehlen, bestehlen, erleichtern (scherzh.), berauben, fleddern (abwertend), fladern (salopp, österr.), grapsen (österr.), Diebstahl begehen, mitnehmen, beiseite bringen / schaffen, einsacken, einstecken, entwenden, klauen (salopp), klemmen (salopp), krallen (salopp), kratzen (salopp), stenzen (salopp), lange / krumme Finger machen (ugs.), atzeln (landsch.), mitgehen heißen / lassen (ugs.), in die Kasse greifen, mein und dein verwechseln, mausen (ugs.), mopsen (ugs.), stibitzen (ugs.), an etwas gehen (ugs.), strenzen (landsch.), stripsen (landsch.), striezen (landsch.), ausführen (ugs.), abstauben (salopp), organisieren (salopp), besorgen (ugs.), böhmisch einkaufen (ugs., österr.); → ablisten (→ annektieren, → auswählen → beschlagnahmen, → beschneiden, → bestehlen, → betrügen, → entfernen, → mitnehmen, → usurpieren; → Diebstahl, → Raub.

²**wegnehmen:** → entnehmen, → mitnehmen.

**wegordnen** → ablegen.

**wegpumpen** → absaugen.

**wegputzen** → aufessen.

**wegräumen:** → entfernen, → wegstellen.

**Wegräumung** → Beseitigung.

**wegrennen** → weggehen.

**wegsacken** → untergehen.

**wegsaugen** → absaugen.

**wegschaffen** → entfernen.

**Wegschaffung** → Beseitigung.

**Wegscheid** → Gabelung.

**wegschenken** → schenken.

**wegscheren:** sich w. → weggehen.

**wegschleudern** → werfen.

**wegschmeißen** → wegwerfen.

**wegschnappen** → nehmen.

**Wegschnecke** → Schnecke.

**wegstecken:** einen w. → koitieren.

**wegstehen** → abstehen.

**wegstehlen:** sich w. → weggehen.

**wegstellen,** wegräumen, verräumen, beiseite stellen, auf die Seite stellen, verstellen (*schweiz.*).

**wegstrecken** → abspreizen.

**wegtragen:** das kann eine Katze auf dem Schwanz w. → wenig.

**wegtreten:** geistig weggetreten sein → begriffsstutzig [sein], → unaufmerksam [sein].

**wegtun** → wegwerfen.

**wegweisend** → richtungweisend.

¹**Wegweiser,** Richtungsanzeiger, Wegleiter (*schweiz.*), Hinweistafel, Hinweisschild, Ortsschild · *auf Wanderwegen:* Markierung, Wegmarkierung; → Kilometerstein, → Verkehrszeichen.

²**Wegweiser** → Ratgeber.

**wegwerfen,** fortwerfen, wegtun, wegschmeißen (*salopp*), aussondern, ausrangieren (*ugs.*), zum alten Eisen werfen; → aussortieren, → auswählen, → entfernen, → werfen.

**wegwerfend** → abschätzig.

**Wegwerfflasche** → Flasche.

**wegwischen** → säubern.

**wegzählen** → subtrahieren.

**Wegzehrung** → Nahrung.

**wegziehen:** → abwandern, → übersiedeln.

**Wegzug** → Abwanderung.

**weh:** jmdm. ist wind und w. → Angst [haben]; jmdm. wird wind und w. → Angst [bekommen]; w. tun → schmerzen; jmdm. tut kein Zahn mehr w. → tot [sein]; w. dir! → wehe!

**Weh:** → Leid; mit Ach und W. → kaum.

**wehe!,** weh dir!, na, warte!, du wirst / sollst mich kennenlernen!, dir werde ich es zeigen!; → drohen.

¹**wehen,** säuseln, fächeln; → stürmen; → luftig; → Laut, → Wind.

²**wehen:** → flattern; wissen, woher der Wind weht → wissen; mit -den Fahnen zum Gegner / in das andere Lager übergehen → umschwenken; sich den Wind um die Nase w. lassen → erleben; auf das Land zu -d → auflandig; vom Lande her -d → ablandig.

**Wehen** → Geburtswehen.

**Wehklage** → Klage.

**wehklagen** → klagen.

**Wehlaut** → Klagelaut.

**wehleidig,** zimperlich, empfindlich, überempfindlich, klagend, jammernd, pimpelig (*ugs.*); empfindlich, → unleidlich, → weinerlich; **w. sein,** nichts vertragen / nichts abkönnen, nichts abkönnen (*salopp, nordd.*); → klagen; → Klage, → Zimperlichkeit.

**Wehleidigkeit** → Zimperlichkeit.

**Wehmut** → Trauer.

**wehmütig** → schwermütig.

¹**Wehr,** Wuhr (*südd., schweiz.*), Buhne (*nordd.*); → Damm.

²**Wehr:** sich zur W. setzen → wehren (sich).

**Wehrbeauftragter** → Vertrauensmann.

**Wehrdienst:** → Militärdienst; den W. ableisten / leisten → Soldat [sein].

**Wehrdienstverweigerer,** Kriegsdienstverweigerer, Pazifist; **W. sein,** Ersatzdienst leisten; → Soldat.

¹**wehren (sich),** sich verteidigen / rechtfertigen / verantworten / zur Wehr setzen / seiner Haut wehren (*salopp*) auf die Hinterbeine stellen / (*ugs.*) nicht die Butter vom Brot nehmen lassen / nichts gefallen lassen, seine

Unschuld beweisen / sich reinwaschen wollen, Widerstand leisten, aufmucken · *indem man seinerseits mit den gleichen Methoden angreift:* den Spieß umdrehen, mit seinen eigenen Waffen schlagen; → abwehren, → aufbegehren, → behüten, → bestrafen, → murren, → schlagen, → verteidigen (sich); → unzugänglich.

²**wehren:** sich w. → einschränken, → verteidigen (sich); sich [mit Händen und Füßen] w. → aufbegehren.

**wehrhaft** → kampfbereit.

**Wehrhaftigkeit** → Kampfbereitschaft.

**Wehrkirche:** → Fluchtburg, → Gotteshaus.

**wehrlos** → unsicher.

**Wehrlosigkeit** → Ungesichertheit.

**Wehrmacht** → Militär.

**Wehrpflichtiger** → Soldat.

**wehrsam** → bekömmlich.

¹**Wehrsold,** Sold, Löhnung; → Einkünfte, → Gehalt.

²**Wehrsold** → Gehalt.

**Wehrturm** → Turm.

**wehselig** → schwermütig.

**Wehwehchen** → Krankheit.

**Weib:** → Ehefrau, → Frau; W. und Kind → Familie.

**Weibchen:** → Frau, → Hund.

**Weibel** → Amtsdiener.

**weibeln** → propagieren.

**Weiberfeind,** Frauenhasser, Misogyn; → Junggeselle.

**Weiberhaß** → Misogynie.

**Weiberheld** → Frauenheld.

**Weiberknoten** → Knoten.

**Weiberscheu** → Misogynie.

**weibisch** → unmännlich.

¹**weiblich,** fraulich, feminin, nicht → männlich · Ggs. → zwittrig.

²**weiblich:** -er Akt → Nackte; -er Orden → Nonnenorden; Weibliche Wasserschlange → Sternbild; -es Wesen → Frau.

**Weiblichkeit:** die [holde] W. → Frauen (die).

**Weibsbild** → Frau.

**Weibsen** → Frauen (die).

**Weibsleute** → Frauen (die).

**Weibsstück** → Frau.

**Weibstollheit,** Satyriasis, Gynäkomanie; → Geschlechtstrieb, → Leidenschaft · Ggs. → Mannstollheit.

**¹weich,** samten, samtweich, seidenweich, unfest, butterweich, wabbelig, schwabbelig, quabbelig, breiig, matschig, schwammig, teigig, nicht → fest; → biegsam, → flaumweich, → schlaff.

**²weich:** → mild, → mürbe, → willensschwach; -e Droge → Rauschgift; -e Hirnhaut / Rückenmarkshaut → Meninx; -er Puls → Pulsschlag; -e Welle → Duldsamkeit; w. werden → nachgeben, → weichen; in den Knien w. werden → Angst [bekommen]; w. gebettet sein → leben; w. kochen → sieden.

**Weichbild** → Stadtgebiet.

**Weiche:** → Flanke; die -n stellen → planen.

**¹weichen,** aufweichen, weich werden.

**²weichen:** nicht wanken und w. → standhalten.

**weichherzig** → gütig.

**Weichherzigkeit** → Güte.

**Weichkäse** → Käse.

**weichmachen** → zermürben.

**Weichporzellan** → Porzellan.

**weichspülen** → spülen.

**Weichtiere,** Mollusken; → Kopffüßer, → Muschel, → Schnecke.

**¹Weide,** Salweide, Silberweide, Korbweide, Kopfweide, Trauerweide; → Laubhölzer.

**²Weide:** Bienenweide, → Laubhölzer, → Wiese.

**Weidemonat** → Mai.

**weiden:** → beaufsichtigen, → essen; sich w. an → freuen (sich).

**Weidenbohrer** →Schmetterling.

**Weidenkorb** → Korb.

**Weidenmeise** → Vogel.

**Weidewirtschaft** → Landwirtschaft.

**Weidmann** → Jäger.

**Weidmannsheil!** → Gruß.

**Weidmannssprache**→ Gruppensprache.

**weigern:** sich w. → ablehnen.

**Weigerung** → Ablehnung.

**Weih** → Vogel.

**Weihe** → Vogel.

**weihen,** segnen, einsegnen, konsekrieren; → segnen.

**Weiher** → See.

**Weihestätte** → Kultstätte.

**¹Weihnachten,** Weihnachtsfest, Christfest, Jul (*skand.*), Julfest (*skand.*), die Weihnachtstage · Weihnachtsabend, Christabend, Heiligabend, Heilige Nacht · 1. Weihnachtsfeiertag, 1. Weihnachtsfesttag, 1. Weihnachtstag, 1. Festtag, 1. Feiertag, 1. Christtag · 2. Weihnachtsfeiertag, Stephanstag, 2. Weihnachtstag, 2. Weihnachtsfesttag, 2. Festtag, 2. Feiertag, 2. Christtag; → Adventszeit, → Kirchenfest, → Kirchenjahr, → Rauhnächte, → Weihnachtsabend, → Weihnachtsbaum, → Weihnachtsgeschenk, → Weihnachtsmann.

**²Weihnachten:** → Feiertag, → Kirchenjahr, → Weihnachtsgeschenk; die Zeit zwischen W. und Dreikönigsfest → Rauhnächte.

**Weihnachtsabend,** Christabend, Heiligabend, Heilige Nacht; → Weihnachtsbaum.

**Weihnachtsbäckerei** → Gebäck.

**Weihnachtsbaum,** Christbaum, Tannenbaum, Lichterbaum; **den W. schmücken,** den Weihnachtsbaum / Baum putzen (*landsch.*); **den W. abschmükken,** den Weihnachtsbaum / Baum abputzen (*landsch.*); → Weihnachten, → Weihnachtsabend.

**Weihnachtsfeiertag:** 1./2. W. → Weihnachten.

**Weihnachtsfest** → Weihnachten.

**Weihnachtsfesttag:** 1./2. W. → Weihnachten.

**Weihnachtsgebäck** → Gebäck.

**Weihnachtsgeld** → Gratifikation.

**Weihnachtsgeschenk,** Christkind, Christkindchen, Julklapp, Christkindle (*südd.*), Weihnachten (*ugs.*); → Weihnachten, → Weihnachtsmann.

**Weihnachtsgruß** → Kartengruß.

**Weihnachtskerze** → Kerze.

**Weihnachtslied** → Lied.

**¹Weihnachtsmann,** Knecht Ruprecht, Christkind, Christkindchen, Christkindl (*südd.*) · *in der Sowjetunion:* Väterchen Frost; → Knecht Ruprecht, → Nikolaus, → Weihnachten, → Weihnachtsgeschenk.

**²Weihnachtsmann:** → Dummkopf, → Nikolaus.

**Weihnachtsmarkt** → Jahrmarkt.

**Weihnachtspapier** → Einwickelpapier.

**Weihnachtsspiel** → Drama.

**Weihnachtstag:** die -e, 1./2. W. → Weihnachten.

**weil,** da; → indem, → während, → wegen.

**weiland** → damals.

**¹Weile,** Augenblick, Moment, Dauer, Zeitspanne, Spanne; → Augenblick, → Frist, → Zeitraum.

**²Weile:** eine [kurze] W. → vorübergehend; gut Ding will W. haben → vorangehen; mit etwas hat es noch gute W. → eilen; das ist noch eine W. hin → dauern; eile mit W. → ruhig; vor einer W. → kürzlich.

**¹weilen,** verweilen, sich aufhalten, sich häuslich niederlassen, von hier bringen mich keine zehn Pferde fort / weg (*salopp*), verbringen, verleben, sich befinden, zubringen, bleiben, verharren, sein, leben, wohnen, hausen, sitzen (*ugs.*); → befinden (sich), → beherbergen, → erleben, → residieren, → übernachten, → übersiedeln, → wohnen; → bevölkert; → Wohnung.

**²weilen:** nicht mehr unter den Lebenden w., nicht mehr unter uns w. → tot [sein].

**Weiler** → Dorf.

**¹Wein,** Rebensaft, Gewächs, Naturwein, Landwein, Krätzer, Tafelwein, Tischwein, Dessertwein, Bratenwein, Kabinettwein, Edelwein, Spitzenwein, Damenwein, Spätlese, Trockenbeerenauslese, Beerenauslese, Eiswein · *bestimmter Sorte:* Muskateller, Silvaner, Ruländer, Riesling, Traminer, Rheinwein, Moselwein, Nahewein, Kaiserstühler, Pfälzer Wein, Pfälzer · *neuer:* Federweißer, Reißer, Junger, Neuer, Heuriger (*bes. österr.*), Most (*schwäb., schweiz.*), Rauscher (*rhein.*), Sauser (*schweiz.*), Sturm (*österr.*) · *von einzeln abgenommenen Trauben:* Gerebelter (*österr.*) · *roter:* Rotwein, Burgunder, Beaujolais, Bordeaux, Chianti · *hellroter:* Weißherbst, Rosé, Schiller, Schilcher (*österr.*) · *weißer:*

Weißwein, weißer Burgunder, Chablis (Niederburgund), Fendant (Wallis), Clairette (franz.) · *süßer:* Süßwein, Lacrimae Christi, Malaga, Samos, Marsala, Madeira, Portwein, Port, Malvasier, Tokaier · *bitterer:* Wermutwein, Pepsinwein · *moussierender:* Schaumwein, Sekt, Champagner, Schampus (*ugs*)., Perlwein · *mit Mineralwasser, Soda:* Schorlemorle, Schorle, Gespritzter (*bes. österr.*) · *aus Trestern gewonnener:* Lauer, Nachwein; → Alkohol, → Getränk, → Gewürzwein, → Obstwein, → Weinbrand; → umschlagen.

²**Wein:** Brot und W. → Abendmahl; jmdm. reinen W. einschenken → mitteilen; Wasser in den W. gießen → ernüchtern.

**Weinbau,** Rebbau (*schweiz.*); → Weinberg, → Weinlese, → Winzer.

**Weinbauer** → Winzer.

**Weinbeere,** Traube (*landsch.*) ·· *getrocknete:* Rosine · *große:* Zibebe · *kleine, schwarze:* Korinthe · *gelbe, kernlose:* Sultanine.

**Weinbeißer:** → Feinschmecker, → Gebäck.

**Weinberg,** Weingarten, Wingert (*südd., schweiz., westd.*), Rebberg (*schweiz.*), Rebhang (*schweiz.*), Ried (*österr.*); → Weinbau, → Weinlese, → Winzer.

**Weinbergschnecke** → Schnecke.

¹**Weinbrand,** Kognak, Cognac; → Alkohol, → Wein.

²**Weinbrand** → Alkohol.

**weinen,** Tränen vergießen, in Tränen zerfließen, sich in Tränen auflösen, sich ausweinen, sich ausheulen (*salopp*), es gibt Tränen, heulen (*ugs.*), flennen (*ugs., abwertend*), greinen (*ugs.*), plärren (*ugs.*), Konzert machen (*ugs.*), platzen (*ugs., österr.*), schluchzen, piensen (*landsch.*), pinsen (*landsch.*), plinsen (*landsch.*), wie ein Schloßhund heulen (*ugs.*), Rotz und Wasser heulen (*derb*); weinen, daß es einen Stein erweichen könnte · *heulerisch:* Krokodilstränen weinen / vergießen · *leicht:* [dicht] am / ans Wasser gebaut haben; **zu w. beginnen,** in Tränen aus-

brechen; → schreien; → weinerlich; → Laut, → Träne.

**weinerlich,** larmoyant, weich; → empfindsam, → unleidlich, → wehleidig; → weinen.

**Weinerlichkeit** → Rührseligkeit.

**Weinernte** → Weinlese.

**Weinfaß** → Faß.

**Weingarten** → Weinberg.

**Weinglas** → Trinkgefäß.

**Weinhauer** → Winzer.

**Weinhefe:** → Gärstoff, → Schlauchpilz.

**Weinkenner** → Feinschmecker.

**Weinkraut** → Gemüse.

**Weinlaube** → Laube.

¹**Weinlese,** Traubenlese, Lese, Beerenlese, Weinernte, Wimmet (*schweiz.*); → Ernte, → Weinbau, → Weinberg.

²**Weinlese** → Ernte.

**Weinmonat** → Oktober.

**Weinmond** → Oktober.

**Weinrose** → Rose.

**weinrot** → rot.

**Weinsauerkraut** → Gemüse.

**Weinschaum** → Soße.

**Weinstube** → Gaststätte.

**Weinzierl** → Winzer.

**Weis:** aus der W. → übertrieben.

**weise:** w. Frau → Hebamme.

**Weise:** → Lied; Art und W. → Beschaffenheit, → Manier, → Modalität; auf diese W. → so; in keiner W. → keineswegs, → nein.

**Weisel** → Biene.

**weisen:** von sich w. → abstreiten, → verabscheuen; etwas ist nicht von der Hand zu w. → mißachten.

**Weiser:** → Biene, → Denker; Stein der Weisen → Zaubermittel.

**Weisheit:** → Erfahrung, → Gotteseigenschaften; der W. letzter Schluß → Entschließung; die W. nicht mit Löffeln gegessen / gefressen haben → dumm [sein]; mit seiner W. am Ende sein → ratlos [sein].

**Weisheitszahn** → Zahn.

**weismachen:** sich nichts w. lassen → schlau [sein].

¹**weiß,** weißlich, reinweiß, schneeweiß, weiß wie Schnee, blütenweiß, perlweiß, lilienweiß, schwanenweiß, atlasweiß, silberweiß, kalkweiß, grauweiß,

gelblichweiß, marmorweiß, alabasterfarben, champagner, champagnerfarben; → beige, → blaß, → bunt, → einfarbig, → grau.

²**weiß:** → blaß, → verschneit, → weißhaarig; -e Blutkörperchen → Blutkörperchen; -er Burgunder → Wein; Weißes Haus → Regierung; Weißer Knollenblätterpilz → Ständerpilz; -e Maus → Polizist; -e Pocken → Pocken; -e Rasse → Rasse; Weißer Sonntag → Kirchenjahr; einen -en Stimmzettel abgeben → wählen; der Weiße Tod → Erfrierungstod; eine -e Weste haben → ehrenhaft [sein]; -er Wiener → Kaninchen; w. wie die Wand sein → blaß [sein]; schwarz auf w. erbringen → nachweisen [können]; Männer in Weiß → Arzt.

**weissagen** → voraussehen.

**Weissagung** → Voraussage.

**Weißbier** → Bier.

**Weißbinder:** → Böttcher, → Maler.

**Weißblütigkeit** → Leukämie.

**Weißbrot:** → Brot; französisches W. → Kaviarbrot.

**Weißbuch** → Dokumentensammlung.

**Weißbuche** → Buche.

**Weißdornhecke** → Hecke.

**Weiße:** Berliner W. [mit Schuß] → Bier.

**Weißei** → Eiweiß.

**Weißeler** → Maler.

**weißeln** → streichen.

**weißen** → streichen.

¹**Weißer,** Bleichgesicht (*scherzh.*), Europäer; → Rasse · Ggs. → Neger.

²**Weißer** → Maler.

**Weißfisch** → Fisch.

**Weißfleckigkeit:** W. der Nägel → Nagelkrankheit.

**Weißflügellerche** → Vogel.

**Weißgerber** → Gerber.

**Weißglut:** zur W. bringen → ärgern.

**weißhaarig,** weiß, schlohweiß, silberhaarig; → grauhaarig; → Haar.

**Weißherbst** → Wein.

**weißigen** → streichen.

**Weißkabis** → Kohl.

¹**Weißkäse,** weißer Käse, Quark, Topfen (*bayr., österr.*), Schotten (*bayr., österr.*), Glumse (*ostpr.*),

Weißkäse

Zibbeleskäs (*fränk.*), Lukeleskäs (*aleman.*), Bibeleskäs (*aleman.*), Zi[e]ger (*schweiz.*); → Brotaufstrich, → Käse.
²**Weißkäse** → Käse.
**Weißkohl** → Kohl.
**Weißkraut** → Kohl.
**Weißlachs** → Fisch.
**weißlich** → weiß.
**Weißling** → Schmetterling.
**Weißmoos** → Moos.
**Weißrückenspecht** → Vogel.
**Weißstorch** → Vogel.
**Weißtanne** → Nadelhölzer.
**Weißtannenhonig** → Honig.
**weißwaschen:** einen Mohren w. wollen → nutzlos [sein].
**Weißwein** → Wein.
**Weißweinglas** → Trinkgefäß.
¹**Weisung,** Auftrag, Anweisung, Direktive, Verhaltensmaßregel, Verhaltungsmaßregel (*veraltend*), Ukas, Order, Unterrichtung, Belehrung, Instruktion, Reglement, Gebot, Geheiß, Aufforderung, Satzung, Statut, Anordnung, Diktat, Befehl, Kommando, Gesetz, Lex, Wegleitung (*schweiz.*), Vorschrift, Mußvorschrift, Kannvorschrift, Verordnung, Notverordnung, Regulativ, Edikt, Erlaß, Bestimmung, Mußbestimmung, Sollbestimmung, Kannbestimmung, Verfügung, Reskript, Dekret · *noch nicht in Kraft getretene:* Gesetzentwurf, Gesetzesvorlage · *vertrauliche:* Geheimauftrag, Geheimbefehl; → Abmachung, → Aufruf, → Ausbildung, → Befehlsgewalt, → Gesuch, → Novelle, → Propaganda, → Regel, → Regie, → Testament, → Unterricht, → Zwang · **nach W. von,** im Namen von, im Auftrag, in Vertretung; → befehlsgemäß.
²**Weisung:** auf W. → befehlsgemäß.
**weisungsgemäß** → befehlsgemäß.
**weit:** → fern, → geräumig, → sehr; einen -en Horizont haben → aufgeschlossen [sein]; in -em Umkreis, w. und breit → überall, → weitum; w. verbreitet → üblich; mit den Gedanken w. fort sein → unaufmerksam [sein]; w. [weg] sein → fern [sein]; zu w. gehen → übertreiben; etwas geht jmdm. zu

w. → unerhört [sein]; so w. das Auge reicht → überallhin; das Weite gewinnen → entkommen; das Weite suchen → weggehen; nur einen Katzensprung / eine Sekunde w. → nahe, → nahebei.
**Weit** → Springen (das).
**weitab** → fern.
**Weitblick:** → Erfahrung, → Scharfsinn, → Umsicht.
¹**weitblickend,** weitsichtig, weitschauend, vorausschauend, vorausblickend, vorausschend, nicht → kurzsichtig; → klug, → scharfsinnig, → umsichtig, → vorsichtshalber; → Erfahrung, → Umsicht.
²**weitblickend** → umsichtig.
**Weite:** → Ausmaß, → Ferne, → Größe.
¹**weiter,** voran, vorwärts, fürbaß (*scherzh.*); **nur immer w.!,** keine Müdigkeit vorschützen!; → stocken.
²**weiter:** → außerdem; bis hierher und nicht w. → halt; nicht w. wissen → ratlos [sein]; des -en → außerdem; bis auf -es → zunächst; ohne -es → anstandslos, → kurzerhand; ohne -es bereit → bereitwillig.
**Weiterbestehen** → Fortbestand.
**weiterbilden** (sich), sich fortbilden, den zweiten Bildungsweg beschreiten / wählen, sich auf dem laufenden halten; → Fortbildung.
**Weiterbildung** → Fortbildung.
**weitere,** andere, zusätzlich; → zusätzlich.
¹**weitererzählen,** weitersagen, weitertragen, weitergeben, hinterbringen, zutragen · mitteilen; **nicht w.,** etwas bleibt unter uns / (*ugs.*) in der Familie, vertraulich behandeln, etwas ist [streng] vertraulich; → Verschwiegenheit.
²**weitererzählen:** [etwas brühwarm w.] → mitteilen.
**weiterfahren:** → fortsetzen; [mit einem anderen Zug w.] → umsteuern.
**Weiterfahrt** → Fahrt.
**weiterführen:** → fortsetzen, → überliefern; -de Schule → Schule.
**Weiterführung:** → Fortsetzung, → Tradierung.

**Weitergabe:** → Delegierung, → Lieferung, → Tradierung.
**weitergeben:** → mitteilen, → schicken, → überliefern, → weitererzählen; w. an → übertragen.
**weitergehen:** nicht w. → eingehen.
**weiterhin:** → außerdem, → später.
**Weiterklingen** → Nachhall.
**weiterkommen** → vorangehen.
**weiterleiten** → schicken.
**Weiterleitung** → Lieferung.
**weitermachen** → fortsetzen.
**weiterreichen** → schicken.
**weiters** → außerdem.
**weitersagen:** → mitteilen, → weitererzählen.
**weitertragen:** → mitteilen, → weitererzählen.
**Weiterung** → Folge.
**weiterverfolgen** → fortsetzen.
**weiterwursteln** → behelfen (sich).
**weitgehend** → generell.
**weitherum** → weitum.
**weitherzig** → freigebig, → tolerant.
**weithin** → generell.
**weitläufig:** → ausführlich; w. verwandt → verwandt.
**Weitling** → Schüssel.
**weitschauend** → weitblickend.
**weitschweifig** → ausführlich.
**Weitsicht:** → Erfahrung, → Umsicht.
**weitsichtig** → weitblickend.
**Weitsichtigkeit** → Fehlsichtigkeit.
**Weitsprung:** → Fünfkampf, → Leichtathletik, → Springen (das), → Zehnkampf.
**weitum,** weit und breit, weitherum (*schweiz.*), in weitem Umkreis; landauf, landab; das Gäu hinauf und hinab (*schweiz.*), im ganzen Gäu (*schweiz.*).
**weitverbreitet** → üblich.
**weitverzweigt,** ausgedehnt, breite Streuung habend, über die ganze Welt verstreut; → Ausdehnung; → ausdehnen.
**Weizen:** → Getreide; türkischer W. → Getreide; jmds. W. blüht → Erfolg [haben]; die Spreu vom W. trennen / scheiden / sondern → aussortieren.
**Weizenbrot** → Brot.
**Weizenflocken** → Getreideflocken.

758

Weizenkeimöl → Speiseöl.
Weizenschrotbrot → Brot.
Weizenstärke → Stärke.
Weka → Militärdienst.
¹welch, was für ein; → dieser, → jener.
²welch: zu -em Ende / Zweck, aus -em Grund → warum.
welfen → gebären.
welk: → faltig, → verwelkt; w. werden → welken.
welken, welk werden, verwelken, verblühen, abblühen; → abnehmen, → eingehen, → trocknen, → zusammenschrumpfen.
Welkheit → Zerfurchtheit.
¹Welle, Woge, Brecher, Grundwelle, Flutwelle, Sturzwelle, Brandung, Gischt; → Meer, → Seegang.
²Welle: → Aufschwung, → Packen; weiche W. → Duldsamkeit; -n legen → frisieren; sein Grab in den -n finden → ertrinken.
wellen: → frisieren; sich w. → locken (sich).
Wellenbewegung → Seegang.
Wellengang → Seegang.
Wellenläufer → Vogel.
Wellensittich → Vogel.
wellig: → bergig, → lockig.
Wellpappe → Pappe.
Wels → Fisch.
welsch: → schweizerisch; -e Zwiebel → Gemüse; -e Haube → Dach.
Welschkohl → Wirsing.
Welschkorn → Getreide.
Welschnuß → Nuß.
welschschweizerisch → schweizerisch.
¹Welt, Erde, Mundus, Erdkreis, Erdball, Erdenrund (dichter.), das irdische Jammertal (dichter.), das Diesseits (geh.) · in der Allegorie: Frau Welt; → Erdball, → Weltall.
²Welt: alle W. → alle; die Alte W. → Europa; die dritte W. → Entwicklungsländer; die freie W. → Westmächte (die); die heile W. → Weltbild; W. des Films → Traumfabrik; dort ist die W. mit Brettern vernagelt → abgelegen [sein]; Bretter, die die W. bedeuten → Theater; das kostet nicht die W. → teuer; Gott und die W. kennen → betriebsam [sein]; die W. aus

den Angeln heben → ändern; der W. entsagen → abkapseln (sich), → Mönch [werden], → Nonne [werden]; am Arsch / am Ende der W. sein → abgelegen [sein]; das Dach der W. → Tibet; das älteste Gewerbe der W. → Prostitution; aus allen Teilen der W. → überallher; in alle Teile der W. → überallhin; Fürst dieser W. → Teufel; auf die / zur W. kommen → geboren [werden]; aus dieser W. gehen → sterben; [einen Streit] aus der W. schaffen → bereinigen; das ist nicht aus der W. → möglich [sein]; in einer anderen W. leben → unrealistisch [sein]; [ein Gerücht] in die W. setzen → verbreiten; ein Kind in die W. setzen → schwängern; nicht um alles in der W. → nein; mit sich und der W. zerfallen sein → unzufrieden [sein]; mit der W. zerfallen sein → schwermütig [sein]; über Gott und die W. reden / sprechen → unterhalten (sich); über die ganze W. verstreut → weitverzweigt; etwas von der W. sehen → herumkommen; nicht von dieser W. sein → unrealistisch [sein]; Mann von W. → Gentleman; vor aller W. → öffentlich; sich vor der W. verschließen → abkapseln (sich); das Tor zur W. → Hamburg.
weltabgewandt → zurückgezogen.
Weltall, All, Weltraum, Raum, Weltenraum, Kosmos, Makrokosmos, Universum; → Astronaut, → Welt, → Weltraumstation.
¹Weltanschauung, Lehre, System; → Marxismus, → Sozialismus.
²Weltanschauung → Denkweise.
Weltatlas → Atlas.
Weltbad → Badeort.
weltbekannt → bekannt.
weltberühmt → bekannt.
Weltberühmtheit → Bekanntheit.
Weltbild · unrealistisches: die heile Welt; → Denkweise.
Weltblatt → Zeitung.
Weltbrand → Krieg.
Weltbürger, Kosmopolit; → Weltreisender.

Welte-Lichtton-Orgel → Elektroorgel.
Weltenbummler → Weltreisender.
Weltenraum → Weltall.
Weltergewicht → Ringen.
weltfremd → unrealistisch.
Weltgeltung: → Bekanntheit; von W. → bekannt.
Weltgeschichte: → Geschichte; viel in der W. herumreisen → reisen.
weltgewandt → gewandt.
¹Weltgewandtheit, Gewandtheit, Weltläufigkeit, Weltmännischkeit, Urbanität, sicheres Auftreten, Sicherheit, Geschliffenheit; → Erfahrung, → Wendigkeit; → gewandt.
²Weltgewandtheit → Erfahrung.
Welthandel: → Handel; [Hochschule für] W. → Hochschule.
Welthilfssprache → Sprache.
Welthistorie → Geschichte.
Weltkarte → Landkarte.
Weltkenntnis → Erfahrung.
Weltkrieg: → Krieg; die Jahre / die Zeit nach dem ersten (oder:) zweiten W. → Nachkriegszeit; Literatur nach dem zweiten W. → Literaturepochen.
Weltkugel → Erdball.
weltläufig → gewandt.
Weltläufigkeit: → Benehmen, → Erfahrung, → Weltgewandtheit.
¹weltlich, profan, säkular, irdisch, diesseitig, fleischlich, unheilig, nicht → sakral.
²weltlich: in -en Besitz umwandeln → säkularisieren; -e Lyrik → Lyrik; -e Musik → Musik.
Weltliteratur → Literatur.
Weltmacht, Großmacht, Supermacht; → Staat.
Weltmachtstreben → Imperialismus.
Weltmann → Gentleman.
weltmännisch → gewandt.
Weltmännischkeit → Weltgewandtheit.
Weltmarkt → Absatzgebiet.
¹Weltmeer ··· die sieben Weltmeere ·· Nordatlantischer Ozean, Nordatlantik · Südatlantischer Ozean, Südatlantik · Nordpazifischer Ozean, Nordpazifik · Südpazifischer Ozean, Südpazifik · Indischer Ozean, Indik (veraltet) · Arkti-

scher Ozean, Nordpolarmeer, Nördliches Eismeer · Südpolarmeer, Südliches Eismeer; → Atlantik, → Meer, → Pazifik.

²**Weltmeer** → Meer.

**Weltmeister** → Sieger.

**Weltniveau** → Qualität.

**Weltrang:** → Bekanntheit; von W. → bekannt.

**Weltraum** → Weltall.

**weltraum-:** → kosmisch.

**Weltraumfahrer** → Astronaut.

**Weltraumstation,** Orbitalstation, Satellit; → Weltall.

**Weltreich** → Staat.

**Weltreise** → Reise.

**Weltreisender,** Weltbummler, Globetrotter; → Weltbürger, → Zuschauer.

**Weltreligion** · Christentum, christliche Religion · Judentum, Mosaismus (*veraltet*), mosaische Religion · Islam · Hinduismus · Konfuzianismus · Buddhismus · Schintoismus · Taoismus; → Glaube, → Mohammedaner.

**Weltruf:** → Bekanntheit; von W. → bekannt.

**Weltschmerz:** W. haben → deprimiert [sein].

**Weltstadt:** → Stadt; W. mit Herz → München.

**weltstädtisch** → städtisch.

**weltumfassend** → allgemein.

**weltumspannend** → allgemein.

**Weltuntergangsstimmung:** in W. sein → deprimiert [sein].

**weltweit** → allgemein.

**Weltwirtschaft** → Wirtschaft.

**Wemfall** → Dativ.

**wen:** w. juckt's? → unwichtig [sein].

**Wende:** → Eislauf, → Turnübung, → Veränderung.

**Wendehals** → Vogel.

**Wendeltreppe** → Treppe.

**wenden:** sich w. → umkehren; sich w., den Rücken → abwenden; sich w. an → bitten, → herantreten (an); sich an das Gericht w. → prozessieren; sich im Gebet an Gott w. → beten; sich nach rückwärts w. → zurückbeugen (sich); kein Auge von jmdm. / etwas w. → ansehen; sich w. zu → hinwenden (sich).

**Wendepunkt** → Höhepunkt.

**Wendeschwung** → Turnübung.

**wendig** → geschickt.

¹**Wendigkeit,** Gewandtheit, Beweglichkeit, Mobilität, Flexibilität, Agilität, Geschicklichkeit, Geschick, Geschicktheit; → Biegsamkeit, → Erfahrung, → Körperbeherrschung, → Kunstfertigkeit, → Weltgewandtheit; → geschickt, → gewandt.

²**Wendigkeit** → Körperbeherrschung.

**Wendung:** → Redensart; [feste / idiomatische W.] → Redewendung.

**Wenfall** → Akkusativ.

¹**wenig,** zuwenig, bitterwenig, blutwenig, spottwenig, lächerlich wenig (*ugs.*), kaum etwas, nicht genug / genügend, gering, nicht viel, das ist nicht zum Fettwerden (*ugs.*); → klein, → minimal · Ggs. → reichlich; **zu w. sein,** ein Tropfen auf einen heißen Stein sein, für die Katz sein (*abwertend*), das kann eine Katze auf dem Schwanz forttragen / wegtragen; etwas ist zum Leben zuwenig, zum Sterben zuviel.

²**wenig:** → karg; [herzlich h.] → klein; ein [ganz klein] w. → etwas; ein w. → minimal; nicht w. → reichlich; -er werden → abnehmen; immer -er werden → schlank [werden]; w. kosten → billig [sein]; zu w. Wert legen auf → mißachten; nicht -e → viele; etwas zu w. überlegt haben → übereilen; mehr oder -er, mehr-weniger → generell; viele Wenig machen ein Viel → lohnend [sein]; das Wenigste → Minimum; zum -sten → wenigstens.

**Wenigkeit:** meine W. → ich.

¹**wenigstens,** mindestens, zum wenigsten / mindesten, zumindest, gut, gut und gern, mehr als; → reichlich.

²**wenigstens** → aber.

¹**wenn,** falls, sofern, wofern; für den Fall / im Falle, daß → deshalb.

²**wenn:** → als; wie w. → gleichsam.

**wenngleich** → obgleich.

**wennschon** → obgleich.

**wer:** w. auch immer → alle.

**Werbefachmann,** Verkaufsförderer, Kontakter, Sales-promo-

ter; → Public Relations, → Werbung.

**Werbefeldzug:** → Werbung; einen W. starten → Werbung [treiben].

**Werbefilm** → Kinofilm.

**Werbefotograf** → Fotograf.

**Werbegraphik** → Druckgraphik.

**Werbegraphiker** → Zeichner.

**Werbekampagne:** → Versuch, → Werbung; eine W. starten → Werbung [treiben].

**Werbekaufmann** → Büroangestellter.

¹**werben,** sich um jmdn. bewerben, Brautschau halten, auf Brautschau / Freiersfüßen gehen (*scherzh.*), auf die Freite gehen (*ugs.*), freien, sich eine Frau suchen, sich nach einer Frau umsehen, heiratslustig sein, heiraten wollen, um jmdn. anhalten, einen Heiratsantrag machen; → flirten, → heiraten, → umwerben.

²**werben:** → propagieren, → überreden, → Werbung [treiben]; jmdn. für etwas w. → gewinnen (jmdn. für etwas); w. um → umwerben.

**Werbeplakat** → Plakat.

**Werbepsychologie** → Psychologie.

**Werber** → Propagandist.

**Werbeschönheit** → Glamourgirl.

**Werbeschrift** → Prospekt.

**Werbeslogan** → Werbetext.

**Werbespot** → Anpreisung.

**Werbespruch:** → Anpreisung, → Werbetext.

¹**Werbetext,** Werbespruch, Werbeslogan, Spot; → Werbung.

²**Werbetext** → Anpreisung.

**Werbetexter** → Schriftsteller.

**Werbetrommel:** die W. rühren → Werbung [treiben].

**werbewirksam** → zugkräftig.

**Werbewirksamkeit** → Zugkraft.

**Werbezettel** → Prospekt.

**Werbung,** Kundenwerbung, Kundenfang (*abwertend*), Reklame, Advertising, Publicity, Werbekampagne, Promotion, Sales-promotion, Verkaufsförderung, Werbefeldzug, Türk (*schweiz.*), Türgg (*schweiz.*) · *die sich nicht offen als Werbung deklariert:* Schleichwerbung; **w. treiben,** einen Werbefeldzug / eine Werbekampagne starten, werben, Reklame machen, die Werbetrommel rühren, Reklame schieben (*salopp, berlin.*) · *durch Inserat:* inserieren, anzeigen; → Anpreisung, → Interessenvertretung, → Litfaßsäule, → Public Relations, → Werbefachmann, → Werbetext; → annoncieren.

**Werdegang** → Laufbahn.

**¹werden** (etwas), etwas lernen, einen Beruf wählen / ergreifen / erlernen; → avancieren.

**²werden:** → entstehen, → geraten; etwas w. → avancieren; Mutter w. → schwanger [sein]; alt geworden → altbacken; dünner w. → schlank [werden]; kleiner w. → schrumpfen; w. zu → auswachsen (sich zu); etwas w. → lebenstüchtig [sein]; die Tür wird geöffnet → Passiv; etwas verspricht zu w. → offenbar.

**Werder** → Insel.

**Werfall** → Nominativ.

**¹werfen**, hinwerfen, schleudern, hinschleudern, wegschleudern, katapultieren, schmeißen (*salopp*), hinschmeißen (*salopp*), feuern (*salopp*), hinfeuern (*salopp*), pfeffern (*salopp*), hinpfeffern (*salopp*), schupfen (*oberd.*); → wegwerfen; → Spielball.

**²werfen:** → gebären; den alten Adam von sich w. → bessern (sich); alles in einen Topf w. → unterscheiden; Anker w. → ankern; ein / das Auge w. auf → verlieben (sich); den Bengel [zu hoch] w. → fordern; Blasen w. → brodeln; die Flinte ins Korn w. → Mut [verlieren]; das Handtuch w. → beenden; jmdm. Knüppel / einen Knüppel zwischen die Beine w. → einschränken; jmdm. den ganzen Kram / Krempel vor die Füße w. → kündigen; ein schlechtes Licht w. auf → zurückfallen (auf); jmdm. etwas an den Kopf w. → schelten; w. auf → bewerfen; in den Briefkasten w. → einwerfen; sich in die Brust w. → prahlen; sich in Schale w. → anziehen; sich in einen Topf w. → verquicken; ins Gefängnis / in den Kerker w. → festsetzen; etwas über den Haufen w. → verändern; mit gelehrten Brok-

ken um sich w. → prahlen; zum alten Eisen w. → wegwerfen.

**Werfen** → Leichtathletik.

**¹Werk**, Arbeit, Œuvre, Opus, das Schaffen, Gesamtwerk, Gesamtœuvre, Hauptwerk, ...ana (z. B. Goetheana), ...iana (z. B. Mozartiana) · Erstling, Erstlingswerk, Frühwerk, Jugendwerk · Spätwerk, Alterswerk · schlechtes: Machwerk (*abwertend*), Elaborat (*abwertend*); → Aufsatz, → Besprechung, → Doktorarbeit, → Entwurf, → Skript, → Veröffentlichung.

**²Werk:** → Buch, → Fabrik; ins W. setzen → verwirklichen.

**Werkdruckpapier** → Druckpapier.

**Werkel** → Leierkasten.

**Werkelmann** → Leierkastenmann.

**werkeln** → arbeiten.

**werken** → arbeiten.

**Werkfeuerwehr** → Feuerwehr.

**Werkraum**, Bastelraum, Bastelzimmer, Hobbyraum; → Raum.

**Werksarzt** → Arzt.

**Werksatz** → Schriftsatz.

**Werksbibliothek** → Bücherbestand.

**Werksittlichkeit** → Pflichtbewußtsein.

**Werkstatt**, Werkstätte, Atelier, Studio, Arbeitsraum.

**Werkstätte** → Werkstatt.

**Werkstattflug** → Flug.

**Werkstoff**, Rohstoff; → Kunststoff.

**Werkstudent** → Student.

**Werktag**, Wochentag, Alltag, Arbeitstag; → Ruhetag, → Sonnabend, → Tag.

**werktags** → wochentags.

**Werktagskleid** → Kleid.

**werktätig** → berufstätig.

**Werktisch** → Tisch.

**Werkzeug** → Gerätschaft.

**Wermuttee** → Tee.

**Wermutwein** → Wein.

**wert:** → lieb, → verehrt; einen Dreck / keinen luckerten (oder:) roten Heller / nichts / keinen Pfifferling / keinen Schuß Pulver w. sein → wertlos [sein]; nichts mehr w. sein → hinfällig [sein]; etwas wäre w., [überdacht] zu werden → müssen; etwas ist nicht der Rede w. → unwichtig [sein].

**Wert:** → Qualität; W. legen auf → bemühen (sich um); von gleichem / entsprechendem W. → gleichwertig.

**wertbeständig:** → bleibend, → gediegen.

**Wertbrief** → Postsendung.

**¹werten**, bewerten, eine Wertung [nach Punkten] vornehmen · *zu positiv:* etwas in rosigem Licht sehen; **nicht gewertet werden**, aus der Wertung fallen; → beurteilen.

**²werten** → beurteilen.

**wertentsprechend** → gleichwertig.

**wertfrei** → unparteiisch.

**¹wertlos**, minderwertig, schlecht; → ungeeignet · Ggs. → kostbar; **w. sein**, nichts wert sein, keinen Schuß Pulver / Pfifferling wert sein, keinen roten / (*österr.*) luckerten Heller wert sein, einen Dreck wert sein (*salopp*).

**²wertlos:** w. [geworden] sein → Geltung.

**Wertlosigkeit** → Bedeutungslosigkeit.

**Wertminderung** → Beeinträchtigung.

**wertneutral** → unparteiisch.

**Wertpaket** → Postsendung.

**Wertpapier**, Wertschrift (*schweiz.*), Effekten, Aktie, Anleihe, Pfandbriefe, Obligationen, Schuldverschreibung, Kommunalobligationen, Industrieobligationen, Hypothekenpfandbriefe, Staatsanleihe, Provinzanleihe, Gemeindeanleihe, festverzinsliche Renten; → Vermögen.

**Wertpapierbörse** → Börse.

**Wertschätzung:** → Achtung, → Anerkennung.

**Wertschrift** → Wertpapier.

**Wertsendung** → Postsendung.

**Wertung:** eine W. [nach Punkten] vornehmen, aus der W. fallen → werten.

**wertvoll** → kostbar.

**Wertzeichen** → Briefmarke.

**verweißen** → denken.

**¹Wesen**, Wesensart, Art, Gepräge, Gemütsart, Natur, Naturell, Typ, Charakter, Temperament, Eigenart, Anlage, Veranlagung; → Bedeutung, → Denkweise, → Gestalt, → Merkmal, / Seltsamkeit, → Veranlagung; → veranlagt.

²**Wesen:** → Geschöpf; höchstes W. → Gottheit; kindisches W. → Albernheit; [menschliches W.] → Mensch; weibliches W. → Frau; Wesen[s] machen aus / von → übertreiben; ohne viel -s zu machen → unbemerkt.

**wesenhaft** → wichtig.

**wesenlos:** → grundlos, → immateriell.

**Wesensart** → Wesen.

**wesensgemäß** → kennzeichnend.

**wesensgleich** → geistesverwandt.

**Wesensgleichheit** → Identität.

**Wesenswort** → Leitwort.

**wesentlich:** → wichtig; das Wesentliche → Hauptsache.

**Wesfall** → Genitiv.

**weshalb** → warum.

**Wespe** → Hautflügler.

**Wespenbussard** → Vogel.

**Wespenschwärmer** → Schmetterling.

**West:** → Himmelsrichtung, → Wind.

**West-Berlin** → Berlin.

**West-coast-Jazz** → Jazz.

**Westdeutschland** → Deutschland.

¹**Weste,** Gilet (*veraltet*), Leibchen (*veraltet, österr.*) · *zum Schutz gegen Gewehrkugeln:* kugelsichere Weste, Panzerweste; → Jacke, → Strickweste.

²**Weste:** → Strickweste; eine reine / weiße W. haben → ehrenhaft [sein]; jmdm. etwas unter die W. jubeln → aufbürden.

**Westen:** → Himmelsrichtung; der W. → Westmächte (die); Schaufenster des -s → Berlin.

**Westentasche:** etwas wie seine W. kennen → auskennen (sich).

**Western:** → Kinofilm, → Wildwestfilm.

**westeuropäisch:** -e Zeit → Zeit.

**westlich:** -e Hemisphäre → Westmächte (die).

**Westmächte** (die), die Alliierten, der Westen, die westliche Hemisphäre, die freie Welt; → Bundesgenosse · Ggs. → Osten.

**Westmark** → Zahlungsmittel.

**Westnordwest** → Himmelsrichtung.

**Westnordwesten** → Himmelsrichtung.

**Westover** → Pullover.

**Westsektor** → Berlin.

**Westsüdwest** → Himmelsrichtung.

**Westsüdwesten** → Himmelsrichtung.

**Westwind** → Wind.

**weswegen** → warum.

**Wettbewerb:** → Konkurrenz, → Preisausschreiben.

**wettbewerbsfähig** → konkurrenzfähig.

**wettbewerbsorientiert** → konkurrenzfähig.

**Wette:** → Glücksspiel; eine W. abschließen → wetten.

**Wetteifer** → Konkurrenz.

**wetteifern:** w. mit → übertreffen.

¹**wetten,** eine Wette abschließen · *im Toto oder Lotto:* tippen; → Glücksspiel.

²**wetten:** zehn gegen eins w., daß → zweifeln.

¹**Wetter,** Wetterlage, Großwetterlage, Wettergeschehen Witterung, Klima, Aprilwetter, Regenwetter, Frostwetter, Tauwetter, Frühlingswetter, Sommerwetter, Herbstwetter, Winterwetter, Erntewetter, Reisewetter, Badewetter · *schlechtes:* Hundewetter, Dreckwetter (*salopp, abwertend*), Sauwetter (*derb, abwertend*), Mistwetter (*derb, abwertend*), Unwetter · *schönes:* Mützenwetter (*landsch.*), Kaiserwetter (*veraltet, aber noch scherzh.*); → Eisheilige, → Gewitter, → Kälte, → Klima, → Klimazone, → Schlechtwetter, → Schönwetter, → Wetterbericht, → Wetterfront, → Wetterumschwung; → aufhellen (sich); → sonnig.

²**Wetter:** das W. ist schön, ist strahlendes W. → sonnig [sein]; gegen W. empfindlich → wetterempfindlich.

**Wetterbericht,** Wettervorhersage, Wettervoraussage, Wetterprognose, Wetterdienst; → Wetter, → Wetterfront, → Wetterkunde.

**Wetterdienst** → Wetterbericht.

**wetterempfindlich** → wetterfühlig.

**Wetterempfindlichkeit** → Wetterfühligkeit.

**Wetterfahne,** Windfahne, Wetterhahn, Turmhahn.

**Wetterfisch** → Fisch.

**Wetterfleck:** → Mantel, → Umhang.

**Wetterfront,** Störungsfront, Warmfront, Kaltfront, Gewitterfront, Regenfront; → Kälteeinbruch, → Wetter, → Wetterbericht.

**Wetterfrosch** → Meteorologe.

**wetterfühlig,** wetterempfindlich, föhnempfindlich, gegen Wetter empfindlich; → Wetterfühligkeit.

**Wetterfühligkeit,** Wetterempfindlichkeit, Witterungsneurose, Zyklonose, Meteoropathie, Meteorotropismus, meteorotrope Krankheit, Föhnkrankheit, Föhnempfindlichkeit; → wetterfühlig.

**Wettergeschehen** → Wetter.

**Wettergott:** der W. meint's gut [mit uns] → sonnig [sein].

**Wetterhahn** → Wetterfahne.

**Wetterkunde,** Meteorologie; → Meteorologe, → Radiosonde, → Wetterbericht → Wetterwarte, → Wissenschaft, → Wolken.

**Wetterkundler** → Meteorologe.

**Wetterlage** → Wetter.

**Wetterleuchten** → Gewitter.

**Wettermantel** → Mantel.

**wettern** → schelten.

**Wetterprognose** → Wetterbericht.

**Wetterprophet** → Meteorologe.

**Wettersäule** → Wirbelwind.

**Wettersturz** → Wetterumschwung.

**Wetterumbruch** → Wetterumschwung.

**Wetterumschlag** → Wetterumschwung.

**Wetterumschwung,** Wetterumschlag, Witterungsumschlag, Wettersturz, Wetterumbruch (*bes. schweiz.*); → Abkühlung, → Kälteeinbruch, → Wetter.

**Wettervoraussage** → Wetterbericht.

**Wettervorhersage** → Wetterbericht.

**Wetterwarte,** Observatorium; → Wetterkunde.

**wetterwendisch:** → launisch, → unausgeglichen.

**Wettkampf:** → Konkurrenz, → Preisausschreiben, → Spiel; einen W. austragen → kämpfen.

**Wettkämpfer** → Sportler.

**Wettkampfstätte** → Sportfeld.

**wettmachen:** → aufholen, → belohnen.

**Wettspiel** → Spiel.

**Wettstreit** → Konkurrenz.

**wetzen:** → fortbewegen (sich), → schärfen.

**Wetzstein** → Schleifstein.

**WEZ** → Zeit.

**Whipcord** → Stoff.

**Whippet** → Hunderassen.

**Whisky** → Alkohol.

**Whist** → Kartenspiel.

**White-collar-crime** → Betrug.

**Wichs:** → Kleidung; sich in W. werfen / schmeißen → schönmachen.

**Wichse:** → Schläge; W. kriegen → schlagen.

**wichsen** → masturbieren.

**Wichsleinwand** → Wachstuch.

**Wicht:** → Kind, → Zwerg; ein W. sein → schmächtig [sein].

**Wichtel** → Zwerg.

**Wichtelmännchen** → Zwerg.

**¹wichtig,** belangvoll, bedeutungsvoll, bedeutsam, gewichtig, folgenreich, folgenschwer, wesentlich, zentral, essentiell, wesenhaft, substantiell, relevant, signifikant, nicht → unwichtig; → außergewöhnlich, → interessant; → maßgeblich, → stichhaltig; **w. sein,** eine Rolle spielen, Bedeutung / Gewicht haben, von Bedeutung / bedeutsam / von Wichtigkeit sein, etwas (oder:) jmd. wiegt etwas, zählen, ins Gewicht fallen, zu Buch schlagen, etwas wird großgeschrieben, jmdm. liegt etwas an jmdm. / etwas, jmd. möchte nicht versäumen ..., jmd. will / möchte ..., etwas liegt jmdm. an, etwas liegt jmdm. am Herzen, etwas ist jmds. Anliegen; → bedeuten, → betonen;→ schnell; → Bedeutsamkeit.

**²wichtig:** sich w. machen → prahlen; das Wichtigste → Hauptsache.

**Wichtigkeit:** → Ansehen, → Autorität, → Bedeutsamkeit; von W. sein → wichtig [sein].

**Wichtigmacher** → Besserwisser.

**Wichtigtuer** → Besserwisser.

**Wichtigtuerei,** Sprüchemacherei, Sprücheklopferei (*ugs.*), Besserwisserei, Rechthaberei, Alleswisserei, Klugschnackerei (*ugs., nordd.*), Klugscheißerei (*derb*); → Besserwisser, → Nörgler.

**wichtigtuerisch** → dünkelhaft.

**¹Wickel,** Umschlag, Einpakkung, Packung, Epithema (*sel-*

*ten*) · *feuchter:* Kompresse · *warmer:* Fomentation, Fomentum (*selten*) · *mit breiförmigem Wärmeträger:* Breiumschlag, Kataplasma.

**²Wickel:** → Blütenstand; beim W. kriegen → ergreifen (jmdn.).

**Wickelfalz** → Falte.

**Wickelkind:** → Kind; kein W. mehr sein → erwachsen [sein].

**wickeln:** w. auf → aufwickeln; in Papier wickeln → einpacken; jmdn. um den Finger w. → becircen; w. von → abwickeln.

**Wickelrock** → Rock.

**Wickelstrumpf** → Strumpf.

**Wickler** → Schmetterling.

**Widder:** → Schaf, → Sternbild, → Tierkreiszeichen.

**Widderchen** → Schmetterling.

**wider** → entgegen.

**Wider:** Für und W. → Vorteil.

**widerborstig** → unzugänglich.

**Widerborstigkeit** → Eigensinn.

**widerfahren:** etwas widerfährt jmdm. → begegnen; jmdm. Gerechtigkeit w. lassen → gerecht [sein].

**¹Widerhall,** Resonanz, Echo; → Geräusch, → Klang, → Nachhall, → Raumakustik, → Resonanz; → schallen.

**²Widerhall** → Nachhall.

**Widerhallen** (das): → Nachhall.

**Widerklage** → Anklage.

**widerlegen,** ad absurdum führen, entwaffnen, jmdm. den Wind aus den Segeln nehmen, jmdn. / etwas Lügen strafen, entkräften, [einem Verdacht] den Boden entziehen, das Gegenteil beweisen; → abstreiten, → antworten.

**widerlich:** → abscheulich, → ekelhaft; w. sein → anwidern.

**Widerlichkeit** → Abscheulichkeit.

**Widerling** → Mann.

**widernatürlich** → pervers.

**Widerpart:** W. bieten → aufbegehren.

**widerraten** → abraten.

**widerrechtlich:** -e Aneignung → Diebstahl.

**Widerruf,** Zurücknahme, Dementi, Absage, Ableugnung, Zurückziehung, Rückzug (*schweiz.*), Sinneswechsel, Sinneswandel; → abstreiten, → nachgeben.

**widerrufen,** zurücknehmen, revozieren, dementieren; → absagen, → abstreiten, → antworten, → berichtigen.

**Widersacher:** → Gegner, → Teufel.

**Widerschein** → Spiegelung.

**widersetzen:** sich w. → aufbegehren.

**widersetzlich** → unzugänglich.

**Widersetzlichkeit** → Eigensinn.

**Widersinn** → Zusammenhanglosigkeit.

**widersinnig** → gegensätzlich.

**Widersinnigkeit** → Absurdität.

**widerspenstig** → unzugänglich.

**Widerspenstigkeit** → Eigensinn.

**widerspiegeln** → spiegeln.

**widersprechen:** → antworten; etwas widerspricht einer Sache → entgegenstehen.

**widersprechend** → gegensätzlich.

**Widerspruch:** → Gegensätzlichkeit; W. erheben → antworten; im W. zu → entgegen; etwas steht im W. zu etwas → entgegenstehen.

**widersprüchlich** → gegensätzlich.

**Widersprüchlichkeit:** → Gegensätzlichkeit, → Inkonsequenz.

**Widerspruchsgeist** → Querulant.

**widerspruchsvoll** → gegensätzlich.

**¹Widerstand,** Obstruktion, Gehorsamsverweigerung, Insubordination, Auflehnung; → Abwehr, → Eigensinn, → Verschwörung, → Widerstandsbewegung.

**²Widerstand:** → Abwehr, → Widerstandsbewegung; W. leisten → verteidigen (sich), → wehren (sich); den Weg des geringsten -es gehen → entziehen (sich); ohne W. → widerstandslos.

**Widerstandsbewegung,** Widerstand · *in Frankreich gegen den Nationalsozialismus:* Résistance, Maquis · *im Deutschland der 60er Jahre:* außerparlamentarische Opposition, APO, Apo · *in Amerika gegen die Rassendiskriminierung:* Black Power, Black Panther, Black Moslems · *in Ostafrika gegen die Herrschaft der Weißen:* Mau-Mau; → Geheimbund, → Widerstand.

widerstandsfählg, abgehärtet, gestählt, unempfindlich, stabil (ugs.), resistent, gefeit, unempfänglich, immun, nicht → anfällig; → biegsam, → stark, → wirkungslos · Ggs. → veränderlich; **w. machen**, immunisieren, abhärten, stählen; → Widerstandsfähigkeit.

¹**Widerstandsfähigkeit,** Resistenz, Stabilität, Unempfindlichkeit, Unempfänglichkeit, Immunität, Abgehärtetsein, Gestähltsein, Gefeitsein; → Abhärtung, → Durchsetzungskraft; → widerstandsfähig.

²**Widerstandsfähigkeit** → Durchsetzungskraft.

**Widerstandskämpfer** → Partisan.

**Widerstandskraft:** → Durchsetzungskraft; jmds. W. brechen → zermürben.

**widerstandslos,** kampflos, ohne Gegenwehr / Widerstand.

**widerstehen:** etwas widersteht jmdm. → schmecken.

**widerstreben:** einer Sache w. → unzugänglich [sein].

**widerstrebend** → widerwillig.

**Widerstreit** → Zwiespalt.

**Widertonmoos** → Moos.

**widerwärtig:** → ekelhaft; w. finden → verabscheuen.

**Widerwärtigkeit:** → Abscheulichkeit, → Unannehmlichkeiten.

¹**Widerwille,** Widerwilligkeit, Ungeneigtheit, Abgeneigtheit, Abneigung, Unlust, Lustlosigkeit, Unwilligkeit; → Abneigung; → widerwillig.

²**Widerwille:** → Abneigung, → Überdruß; -n empfinden → verabscheuen; mit -n → widerwillig.

**widerwillig,** unwillig, ungeneigt, abgeneigt, ungern, unlustig, lustlos, mit Todesverachtung, widerstrebend, mit Widerwillen / Unlust; → ängstlich, → ärgerlich, → notgedrungen; → Widerwille · Ggs. → lustvoll.

**Widerwilligkeit** → Widerwille.

¹**widmen,** zueignen, dedizieren; → abgeben, → schenken, → spenden, → teilen; → Zueignung.

²**widmen:** sich jmdm. / einer Sache w. → befassen.

**Widmung** → Zueignung.

**widrig** → böse.

**Widrigkeit** → Unannehmlichkeiten.

**wie:** → als, → nämlich, → und; w. belieben?, w. [bitte]?, w. meinen? → bitte?; w. im Bilderbuch → ideal; w. auch immer, w. dem auch sei → gleichviel; ebenso / genau w. → à la...

**Wiedehopf** → Vogel.

¹**wieder,** wiederum, abermals, nochmals, noch einmal, zum x-tenmal, erneut, aufs neue, von neuem, da capo, neuerlich; → abermalig, → oft; → gedeihen, → wiederholen.

²**wieder:** immer w. → oft; w. auf dem Damm sein → gesund [sein].

¹**Wiederaufbau,** Aufbau, Wiederherstellung, Rekonstruktion; → bauen.

²**Wiederaufbau:** die Zeit des -s → Nachkriegszeit.

**wiederaufnehmen** → aufrollen.

**Wiederausrenkung** → Verrenkung.

¹**Wiederbelebung,** Reanimation; → Atem; → atmen.

²**Wiederbelebung** → Neubelebung.

**wiederbringen** → zurückgeben.

**Wiedereinpflanzung** → Implantation.

**Wiedereinsetzung** → Wiederherstellung.

**wiedererscheinen** → wiedererstehen.

**wiedererstehen,** auferstehen, wiedererscheinen, aus der Versenkung auftauchen (ugs.) · nach einem Zusammenbruch: wie Phönix aus der Asche steigen.

**Wiedererstehen** (das): → Neubelebung.

**Wiedererweckung** → Neubelebung.

**wiedererzählen** → rekonstruieren.

**Wiedergabe** → Reproduktion.

**wiedergeben:** → abbilden, → zurückgeben.

¹**Wiedergeburt,** Reinkarnation, Wiederverkörperung.

²**Wiedergeburt** → Neubelebung.

**wiedergutmachen:** → belohnen, → einstehen; nicht wiedergutzumachen → irreparabel.

**Wiedergutmachung:** → Ersatz, → Sühne.

**Wiederherrichtung:** → Renovierung, → Wiederherstellung.

**wiederherstellbar** → reparabel.

**wiederherstellen:** → erneuern, → gesund [machen], → rekonstruieren.

¹**Wiederherstellung,** Wiederherrichtung, Instandsetzung, Instandstellung (schweiz.), Sanierung, Rekonstruktion, Erneuerung, Reorganisation, Renovierung, Restauration, Instauration, Restitution, Reparatur · vergangener Zustände: Repristination · der Gesundheit: Gesundung, Genesung, Rekonvaleszenz, Regeneration, Rehabilitation · der Ehre, des guten Rufs: Ehrenrettung, Rehabilitierung, Wiedereinsetzung; → Instandhaltung, → Neubelebung, → Umgestaltung; → rekonstruieren.

²**Wiederherstellung** → Wiederaufbau.

¹**wiederholen,** repetieren, rekapitulieren, nachmachen, noch einmal machen · ein Schuljahr: sitzenbleiben, nicht versetzt werden, klebenbleiben (salopp), pickenbleiben (salopp, österr.), hockenbleiben (ugs., landsch.); → reproduzieren; → wieder.

²**wiederholen:** → nachsprechen; sich -d → formelhaft.

**wiederholt** → oft.

**Wiederholungskurs** → Militärdienst.

**Wiederholungstäter** → Verbrecher.

**Wiederhören:** auf W. → Gruß.

**Wiederkehr:** → Rückfall, → Rückkehr.

**wiederkehren:** → zurückkommen; [immer] -d → formelhaft; regelmäßig -d → periodisch.

**wiederkommen:** → zurückkommen; jmd. ist nicht wiedergekommen → sterben.

**Wiederkreuz** → Kreuzzeichen.

**wiedersehen** → finden.

¹**Wiedersehen,** Treffen, Begegnung, Meeting, Jamboree, Beisammensein; → Verabredung.

²**Wiedersehen:** auf W.! → Gruß; auf W. sagen → trennen (sich).

**wiederum:** → aber, → wieder.

**Wiederverkäufer** → Einzelhändler.

**Wiederverkörperung** → Wiedergeburt.

**Wiege:** → Bett; die Grazien haben nicht an jmds. W. gestanden → anziehend.

**Wiegemesser** → Messer.

¹**wiegen,** ein bestimmtes Gewicht haben / (*ugs.*) auf die Waage bringen, jmds. Gewicht (oder:) das Gewicht von etwas beträgt / ist...; → abwiegen; → Gewicht, → Gewichtseinheit, → Waage.

²**wiegen:** → abwiegen; etwas / jmd. wiegt etwas → wichtig [sein]; viel w. → schwer [sein]; zuviel w. → dick [sein]; sich w. → Gewicht; sich in Sicherheit w. → sicher.

**Wiegendruck** → Druck.

**Wiegenfest** → Geburtstag.

**Wiegenlied** → Lied.

**wiehern:** → lachen, → Laut.

**Wien,** Kaiserstadt, Donaustadt, Walzerstadt, Donaumetropole, Hauptstadt [von Österreich], Landeshauptstadt [von Niederösterreich].

¹**Wiener:** blauer / weißer W. → Kaninchen.

²**Wiener:** W. Schnitzel → Fleischgericht; W. Walzer → Tanz; [W. Würstchen] → Würstchen.

**wienern:** → polieren; jmdm. eine w. → schlagen.

**Wiesbaden,** Landeshauptstadt [von Hessen]; → Stadt.

**wiescherln** → urinieren.

**Wiese,** Wiesenstück, Grasstück (*landsch.*), Wiesenland, Grasland, Waldwiese, Weide, Weideland, Hutweide, Hutung (*landsch.*), Wiesenland (*schweiz.*), Koppel, Trift, Anger, Rain, Gstätten (*abwertend,* *ugs.,* *österr.*); → Bergwiese, → Rasen, → Steppe.

**Wiesel** → Raubtier.

**wieselflink** → schnell.

**Wiesenblume** → Blume.

**Wiesenchampignon** → Ständerpilz.

**Wiesenheuschrecke** → Heuschrecke.

**Wiesenland** → Wiese.

**Wiesenmoor** → Sumpf.

**Wiesenstück** → Wiese.

**Wiesenweihe** → Vogel.

**Wiesenzeitlose** → Herbstzeitlose.

**Wiesland** → Wiese.

**wieso** → warum.

**wiewohl** → obgleich.

**Wigwam** → Zelt.

**Wikingerschiff** → Kriegsschiff.

¹**wild,** ungezähmt, ungebändigt, unzivilisiert; → Raubtier · Ggs. → zahm.

²**wild:** → blindwütig, → lebhaft; -e Ehe → Ehe; den -en Mann spielen → ärgerlich [sein]; -e Rockenbolle → Gemüse; -er Streik → Streik; w. sein auf / nach → begierig [sein]; w. werden → ärgerlich [werden]; den Schimmel w. machen → Angst.

**Wild** ·· Hochwild · Rotwild, Elchwild, Damwild, Muffelwild, Gamswild, Schwarzwild ·· Niederwild · Rehwild, → Hase, → Kaninchen, Murmeltier, → Fuchs, → Dachs, Otter, Marder, Iltis, Wildkatze, Fasan, Rebhuhn, Waldschnepfe, → Ente, → Gans; → Gemse, → Hirsch, → Nagetier, → Raubtier, → Reh, → Schaf, → Schwein, → Vogel.

**Wildbach** → Bach.

**Wildbrühe** → Suppe.

**Wilddieb** → Wilderer.

**wilddieben** → jagen.

**Wilder** → Kannibale.

**Wilderer,** Wilddieb, Wildschütz, Jagdfrevler, Wildfrevler; → Dieb, → Falle.

**wildern** → jagen.

**Wildfalle** → Falle.

**Wildfang** → Kind.

**wildfremd** → fremd.

**Wildfrevler** → Wilderer.

**Wildgehege** → Freigehege.

**Wildhefe** → Schlauchpilz.

**Wildhüter** → Förster.

**Wildkalb** → Hirsch.

**Wildkaninchen** → Kaninchen.

**Wildkanzel** → Hochsitz.

**Wildkatze:** → Raubtier, → Wild.

**Wildkraftbrühe** → Suppe.

**Wildleder** → Leder.

**Wildledermantel** → Mantel.

**Wildnis** → Urwald.

**Wildpferd** → Pferd.

**Wildrose** → Rose.

**Wildsau** → Schwein.

**Wildschaf** → Schaf.

**Wildschütz:** → Förster, → Wilderer.

**Wildschwein** → Schwein.

**Wildseide** → Seide.

**Wildsuppe** → Suppe.

**Wildwasserkajak** → Kajak.

¹**Wildwestfilm,** Western, Edelwestern, Italo-Western; → Gruselfilm, → Kinofilm, → Kriminalstück.

²**Wildwestfilm** → Kinofilm.

**Wilhelm:** falscher W. → Haarzopf; seinen [Friedrich] W. d[a]runtersetzen → unterschreiben.

¹**Wille,** Willen, das Wollen; → Entschlußkraft.

²**Wille:** böser / übler W. → übelwollen; Letzter W. → Testament; schwacher W. → Willenlosigkeit; der W. zu leben → Lebenswille; seinen -n durchsetzen / durchdrücken / bekommen / haben → durchsetzen (sich); mit -n → absichtlich; jmdm. zu -n sein → koitieren.

**Willen** → Wille.

**willenlos** → willensschwach.

¹**Willenlosigkeit,** Willensschwäche, schwacher Wille, Energielosigkeit, Nachgiebigkeit, Schwäche, Haltlosigkeit; → Antriebsschwäche, → Unfähigkeit; → willensschwach.

²**Willenlosigkeit** → Antriebsschwäche.

**willens:** w. sein → bereit [sein].

**Willensäußerung** → Entschließung.

**Willensbestimmung** → Entschließung.

**Willenserklärung** → Entschließung.

**Willenskraft** → Tatkraft.

**Willenslähmung** → Antriebsschwäche.

**Willensmensch** → Kämpfernatur.

**willensschwach,** haltlos, willenlos, energielos, nachgiebig, weich, pflaumenweich (*ugs.,* *abwertend*), waschlappig (*ugs.,* *abwertend*), nicht → stark, nicht → zielstrebig; → anfällig, → bereit, → feige, → gütig, → kraftlos, → unselbständig; **w. sein,** ohne Rückgrat / ein Schwächling / (*salopp,* *abwertend*) ein Waschlappen sein; → Antriebsschwäche, → Unfähigkeit, → Willenlosigkeit.

765

**Willensschwäche:** → Antriebsschwäche, → Unfähigkeit, → Willenlosigkeit.
**Willensschwächung**→Antriebsschwäche.
**willensstark** → zielstrebig.
**Willensvollstrecker** → Ausführender.
**willentlich** → absichtlich.
**willfahren** → nachgeben.
**willfährig** → bereit.
**Willfährigkeit:** → Bereitschaft, → Gehorsam.
**willig** → bereit.
**Willigkeit** → Bereitschaft.
**Willkomm,** Bewillkommnung, Begrüßung, Empfang, Aufnahme · *bei der Ankunft einer hochgestellten Persönlichkeit durch viele Personen:* großer Bahnhof; → Begrüßung; begrüßen.
**[1]willkommen,** gelegen, erwünscht, gern gesehen, lieb; → gebeten · Ggs. → ungeladen; **w. sein,** wie gerufen kommen, ein gefundenes Fressen sein (*ugs.*), mit offenen Armen aufgenommen werden; **bei jmdm. nicht w. sein,** er soll hingehen / bleiben, wo der Pfeffer wächst (*ugs.*).
**[2]willkommen:** → erfreulich, → gebeten; w. heißen → begrüßen; w. sein → angesehen [sein]; herzlich w.! → Gruß.
**Willkür:** → Gewalt, → Subjektivität.
**[1]willkürlich,** wahllos, ohne Überlegung, unkritisch, unüberlegt; → Subjektivität.
**[2]willkürlich:** → arbiträr, → totalitär.
**wimmeln:** es wimmelt von → überhandnehmen.
**Wimmerl** → Hautblüte.
**wimmern:** → Laut; das Wimmern → Klagelaut.
**Wimmet:** → Ernte, → Weinlese.
**Wimpel:** → Fahne; mit -n schmücken → beflaggen.
**Wimper:** ohne mit der W. zu zucken → kurzerhand, → ruhig.
**Wimpertierchen** → Einzeller.
**wind:** jmdm. ist w. und weh → Angst [haben]; jmdm. wird w. und weh → Angst [bekommen].
**[1]Wind,** Nordwind, Nord (*dichter.*), Ostwind, Ost (*dichter.*), Westwind, West (*dichter.*), Südwind, Süd (*dichter.*), Landwind, Seewind, Abendwind, Bergwind, Sausewind (*Kinderspr.*), Brausewind (*Kinderspr.*) · Monsun, Monsunwind, Passat, Passatwind, Bise (*schweiz.*), Biswind (*schweiz.*) · Rückenwind, Rückwind (*schweiz.*), Gegenwind, Seitenwind · *leichter:* Lufthauch, Luftzug, Windhauch, Lüftchen, Zephir (*dichter.*), Windstoß, Brise ·· *heftiger:* Sturm, Sturmwind, Bö, Orkan · Sandsturm · Schneesturm, Blizzard (Nordamerika) ·· *warmer:* Schirokko (Mittelmeergebiet), Gibli (nördliche Sahara), Leste (aus der Sahara in Richtung der Kanarischen Inseln), Harmattan (Oberguinea), Samum (Nordafrika und Vorderasien), Chamsin (Nordafrika), Kamsin, Afghane (Mittelasien) ·· *kalter:* Tramontana, Sarma (Sibirien), Pampero (Argentinien) ·· *lokaler am Schweizer Jura:* Joran; → Fallwind, → Himmelsrichtung, → Luft, → Windstärke, → Wirbelwind; → stürmen, wehen; → luftig.
**[2]Wind:** → Darmwind; starker / steifer / stürmischer W. → Windstärke; wissen, woher der W. weht → wissen; wie der W. → schnell; W. bekommen von → erfahren; W. machen → prahlen, → übertreiben; jmdm. den W. aus den Segeln nehmen → widerlegen; sich den W. um die Nase wehen lassen → erleben, → herumkommen; dem W. abgekehrte Seite → Lee; dem W. zugekehrte Seite → Luv; drei Meilen gegen den W. stinken → riechen; in alle vier -e → überallhin; in den W. reden → sprechen; in den W. schlagen → mißachten; in den W. schreiben → abschreiben; mit dem W. segeln, sein Fähnchen / den Mantel nach dem W. hängen → Opportunist [sein].
**Windbeutel:** → Angeber, → Gebäck.
**Windbluse** → Anorak.
**Windchen** → Darmwind.
**Winde,** Flaschenzug, Aufzug, Elevator · *bei Schiffen:* Ankerwinde, Spill (*Seemannsspr.*), Gangspill (*Seemannsspr.*); → Aufzug.
**Windei** → Hühnerei.
**winden:** sich w. wie ein Aal → sprechen; sich w. um → schlingen (sich um).
**Windenschwärmer** → Schmetterling.
**Winder** → Nase.
**Windfahne** → Wetterfahne.
**Windfang:** → Diele, → Nase.
**windgeschützt** → windstill.
**Windgeschwindigkeit** → Windstärke.
**Windharfe** → Äolsharfe.
**Windhauch** → Wind.
**Windhose** → Wirbelwind.
**Windhund:** → Frauenheld, → Leichtfuß; afghanischer W. → Hunderassen.
**windig:** → luftig, → ungewiß,→ unzuverlässig.
**Windigkeit** → Pflichtvergessenheit.
**Windjacke** → Anorak.
**Windjammer** → Segelschiff.
**Windmonat** → November.
**Windmond:** → Oktober, → November.
**[1]Windmühle,** Mühle, Wassermühle, Ölmühle, Getreidemühle; → mahlen.
**[2]Windmühle:** gegen -n kämpfen → ankämpfen (gegen etwas).
**Windmühlenflügel:** gegen W. kämpfen → ankämpfen (gegen etwas).
**Window-Shopping** → Bummel.
**Windsbraut** → Wirbelwind.
**Windschatten:** im W. liegen → windstill [sein].
**Windscheibe** → Windschutzscheibe.
**windschief** → schräg.
**Windschirmzelt** → Zelt.
**Windschutzscheibe,** Scheibe, Windscheibe (*schweiz.*).
**Windsee** → Seegang.
**Windspiel** → Hunderassen.
**Windstärke,** Windgeschwindigkeit ·· Windstille, Kalme, Flaute · leiser Zug · leichte Brise · schwache Brise · mäßige Brise · frische Brise · starker Wind · steifer Wind · stürmischer Wind · Sturm · schwerer Sturm · orkanartiger Sturm · Orkan; → Seegang, → Wind.

**windstill,** windgeschützt, geschützt · Ggs. → luftig; **w. sein,** im Windschatten liegen; → Windstille.

**¹Windstille,** Flaute, Kalme; → Windstärke; → windstill · Ggs. → luftig.

**²Windstille** → Windstärke.

**Windstoß** → Wind.

**Windung** → Gewinde.

**Wingert** → Weinberg.

**Wingerter** → Winzer.

**Wink:** → Hinweis; ein W. des Himmels, einen W. geben → Hinweis; W. mit dem Zaunpfahl → Impuls.

**Winkel:** → Stelle; aus dem hintersten W. → überallher; bis in den hintersten W. → überallhin.

**Winkeladvokat** → Jurist.

**Winkelmaß** → Sternbild.

**Winkelrahmenbühne** → Bühne.

**Winkelschreiber** → Jurist.

**Winkelzug** → Arglist.

**¹winken,** zuwinken, ein Zeichen geben, sich bemerkbar machen; → Gebärde.

**²winken:** der Bettzipfel winkt → müde [sein].

**winseln:** → bellen; w. um → bitten.

**Winter** → Jahreszeit.

**Winterapfel** → Apfel.

**Winterendivie** → Gemüse.

**Winterfeldzug** → Feldzug.

**Winterferien** → Ferien.

**winterfeuchtkalt:** -es Klima → Klimazone.

**Wintergarten** → Veranda.

**Winterhafen** → Hafen.

**Winterkleid** → Kleid.

**Winterkohl** → Grünkohl.

**Winterkostüm** → Kostüm.

**Winterkurort** → Kurort.

**winterlich:** → kalt, → verschneit.

**Winterlinde** → Linde.

**Wintermantel** → Mantel.

**Wintermonat:** → Dezember, → Januar, → November.

**Wintermond** → Dezember.

**Winterpneu** → Winterreifen.

**¹Winterreifen,** Schneereifen, Matsch-und-Schnee-Reifen, M-und-S-Reifen, Schneepneu (*schweiz.*), Winterpneu (*schweiz.*), Spikereifen; → Autoreifen.

**²Winterreifen** → Autoreifen.

**Winterreise** → Reise.

**Wintersaison** → Saison.

**Winterschlacht** → Kampf.

**Winterschlaf** → Heilschlaf.

**Winterschlußverkauf** → Ausverkauf.

**Winterschuh** → Schuh.

**Wintersonne** → Sonnenlicht.

**Wintertag** → Tag.

**wintertrocken:** warmes -es Klima → Klimazone.

**wintertrockenkalt:** -es Klima → Klimazone.

**Winterwetter** → Wetter.

**Winterzwiebel:** → Gemüse, → Zwiebel.

**Winzer,** Weinbauer, Weinhauer (*südd., österr.*), Hauer (*südd., österr.*), Weinzierl (*mundartl., österr.*), Rebbauer (*schweiz.*), Wingerter (*schweiz.*), Wimmer (*mundartl.*); → Weinbau, → Weinberg.

**winzig** → klein.

**Winzigkeit:** eine W. → etwas.

**Wipfel,** Baumwipfel, Krone, Baumkrone, Spitze; → Laub.

**Wippchen** → Unsinn.

**Wippe** → Schaukel.

**wippen** → schaukeln.

**wir** → ich.

**¹Wirbel,** Strudel, Strömung, Drift; → Wasserfall.

**²Wirbel:** → Ereignis, → Getue, → Hast; vom W. bis zur Zehe → ganz.

**Wirbelknochen,** Halswirbel, Rückenwirbel, Brustwirbel, Lendenwirbel; → Knochen, → Wirbelsäule.

**wirbeln:** in die Höhe w. → aufwirbeln.

**¹Wirbelsäule,** Rückgrat, Säule (*ugs.*); → Wirbelknochen.

**²Wirbelsäule** → Rückgrat.

**Wirbelsturm** → Wirbelwind.

**Wirbelwind,** Wirbelsturm, Windsbraut (*dichter.*), Windhose, Trombe, Wasserhose, Seehose, Wettersäule, Typhon, Zyklon, Taifun, Tornado, Hurrikan; → Fallwind, → Wind.

**¹wirken,** einwirken, wirksam werden, sich auswirken, zur Auswirkung / zur Wirkung / zum Tragen kommen, auf fruchtbaren Boden fallen, hinhauen (*ugs.*), hinziehen (*ugs.*), sitzen (*ugs.*), ziehen (*ugs.*), seine Wirkung nicht verfehlen, eine Wirkung haben / erzielen, einen Effekt haben / erzielen,

etwas bewirken · *aufsehenerregend:* wie eine Bombe einschlagen, ein Volltreffer / ein Treffer sein; → beeinflussen; **w. lassen,** zur Einwirkung kommen / einwirken lassen; → nachhaltig, → zugkräftig; → Einfluß.

**²wirken:** → agieren, → arbeiten; nicht w. → wirkungslos [bleiben]; obstipierend / verstopfend w. → obstipieren; etwas wirkt [wie] → vermuten; wie eine kalte Dusche w. → ernüchtern; wie ein rotes Tuch auf jmdn. w. → ärgern (jmdn.).

**¹wirklich,** tatsächlich, in der Tat, de facto, in praxi, realiter, faktisch, effektiv, vorhanden, real, existent, bestehend, gegenständlich, konkret, nicht → unwirklich; → auch, → erwartungsgemäß, → ganz, → klar, → wahrlich, → zweifellos; **nicht w.,** nicht eigentlich, in Anführungszeichen, [nur] zum Schein, pro forma, [nur] der Form halber; → Erfahrung.

**²wirklich:** → wahr, → wahrlich.

**Wirklichkeit:** → Tatsache; als W. denken → hypostasieren; W. werden lassen → verwirklichen; auf den Boden der W. zurückbringen → ernüchtern.

**Wirklichkeitsform** → Modus.

**wirklichkeitsfremd** → unrealistisch.

**wirklichkeitsnah:** → anschaulich, → realistisch.

**Wirklichkeitsnähe** → Anschaulichkeit.

**wirksam:** → nachhaltig, → probat, → zugkräftig; w. werden → wirken.

**Wirksamkeit:** → Arbeit, → Erfolg.

**Wirkung:** → Ausstrahlungskraft, → Einfluß, → Erfolg, → Folge, → Reaktion; eine W. erzielen / haben → wirken; seine W. verfehlen → wirkungslos [bleiben]; seine W. nicht verfehlen → wirken; keine W. haben / zeigen, ohne W. bleiben → wirkungslos [bleiben]; das Bedachtsein auf W. → Effekthascherei; zur W. kommen → wirken.

**¹Wirkungsbereich,** Wirkungskreis, Aktionsradius, Aktionsbereich, Tätigkeitsbereich; → agieren, → arbeiten.

767

²**Wirkungsbereich** → Beruf.

**Wirkungskreis:** → Beruf, → Umwelt, → Wirkungsbereich.

**wirkungslos,** unwirksam, zwecklos, erfolglos, ergebnislos; → aussichtslos, → nutzlos, → widerstandsfähig; **w. sein,** etwas hat keinen / wenig Sinn, das macht den Kohl nicht fett (*ugs.*), was ist das schon (*ugs.*), etwas nützt / ändert gar nichts; **w. bleiben,** versanden, im Sande verlaufen, ausgehen wie das Hornberger Schießen, keine Wirkung haben / zeigen, seine Wirkung verfehlen, etwas ist ein Rohrkrepierer (*salopp*), etwas ist ein Schuß in den Ofen (*ugs.*), etwas ist ein Schlag ins Wasser (*ugs.*), keinen Erfolg zeitigen, ohne Folgen / ohne Wirkung bleiben, nicht wirken; → Erfolg, → Unwirksamkeit.

**Wirkungslosigkeit** → Unwirksamkeit.

**Wirkungssucht** → Effekthascherei.

**wirkungsvoll:** → kunstvoll, → nachdrücklich, → zugkräftig.

**Wirkware:** → Unterwäsche; **-n** → Textilien.

¹**wirr,** verfahren, heillos, schlimm, verwickelt, unklar, undurchschaubar, unübersichtlich, schwierig; → Heillosigkeit.

²**wirr** → durcheinander.

**Wirrkopf** → Mensch (der).

**Wirrnis** → Verwirrung.

**Wirrsal** → Verwirrung.

**Wirrwarr** → Verwirrung.

**Wirsing,** Wirsingkohl, Kohl (*südd., österr.*), Welschkohl, Savoyerkohl, Herzkohl; → Blumenkohl, → Gemüse, → Grünkohl, → Kohl, → Rosenkohl, → Rotkohl.

**Wirsingkohl** → Wirsing.

¹**Wirt,** Gastwirt, Restaurateur, Schenkwirt, Schankwirt (*südd., österr.*), Kneipenwirt, Kneipier (*ugs.*), Krüger (*nordd.*), Beizer (*schweiz.*), Kretschmer (*ostmitteld.*) · Branntweiner (*österr.*) · *eines Cafés:* Cafetier (*landsch.*), Kaffeesieder (*veraltend, österr.*); → Café, → Gaststätte.

²**Wirt:** → Gastgeber, → Hausbesitzer; die Rechnung ohne den W. machen → irren (sich).

¹**Wirtschaft,** Volkswirtschaft, Industrie, Schwerindustrie, Handel und Wandel · *der Welt in ihrer Gesamtheit:* Weltwirtschaft; → Absatzgebiet, → Fabrik, → Handel, → Infrastruktur, → Marktform, → Unternehmen, → Wirtschaftswissenschaft.

²**Wirtschaft:** → Gaststätte, → Haushalt, → Ziererei; bei jmdm. herrscht eine polnische W. → ungeordnet [sein].

**wirtschaften:** → hantieren, → haushalten; in die eigene Tasche w. → bereichern (sich).

**Wirtschafterin:** → Hausangestellte, → Verwalterin.

**wirtschaftlich:** → finanziell, → kommerziell, → sparsam.

**Wirtschaftlichkeit,** Effizienz, Efficiency; → sparen; → sparsam.

**Wirtschaftsabkommen** → Abmachung.

**Wirtschaftsfilm** → Kinofilm.

**Wirtschaftsführer:** → Führungskraft, → Manager.

**Wirtschaftsgeld,** Haushaltsgeld; → Bargeld, → Geld, → Taschengeld.

**Wirtschaftsgymnasium** → Schule.

**Wirtschaftshochschule** → Hochschule.

**Wirtschaftskampf** → Konkurrenz.

**Wirtschaftskapitän** → Manager.

**Wirtschaftskriminalität** → Betrug.

**Wirtschaftsoberschule** → Schule.

**Wirtschaftsprüfer,** Prüfer, Buchprüfer, Revisor, Steuerprüfer, Steuerberater, Helfer in Steuersachen, Fakturist (*bes. österr.*); → kontrollieren.

**Wirtschaftsrecht** → Rechtsgebiet.

**Wirtschaftswissenschaft,** Volkswirtschaft, Nationalökonomie, Sozialökonomie, Betriebswirtschaft; → Wirtschaft, → Wissenschaft.

**Wirtschaftswunderknabe** → Emporkömmling.

**Wirtschaftswunderland** → Deutschland.

**Wirtschaftszweig** → Bereich.

**Wirtshaus** → Gaststätte.

**Wirtshausrauferei** → Schlägerei.

**Wisch** → Schreiben.

**wischen:** Staub w. → abstauben; w. von → säubern.

**Wischiwaschi** → Gewäsch.

**Wischlappen** → Putzlappen.

**Wischtuch** → Putzlappen.

**Wischwasch** → Gewäsch.

**Wisent** → Bison.

**wispern** → flüstern.

**Wißbegier** → Neugier.

**Wißbegierde:** → Bildungsdrang, → Neugier.

**wißbegierig:** → bildungshungrig, → neugierig.

¹**wissen,** Kenntnis haben von, Bescheid wissen; wissen, wie der Hase läuft / woher der Wind weht / was die Glocke geschlagen hat (*ugs.*); unterrichtet / orientiert / informiert / eingeweiht / ins Geheimnis gezogen / auf dem laufenden sein, Kontrolle haben über, kennen, gehört / erfahren haben von, Einblick gewinnen [in], im Bilde sein (*ugs.*) · *in bezug auf etwas, was in Zukunft angeblich eintreffen soll:* das Gras wachsen / die Flöhe husten hören (*ugs.*); **nicht w.,** etwas entzieht sich jmds. Kenntnis, überfragt sein, im dunkeln tappen, genauso schlau sein wie vorher, keine Ahnung / (*österr.*) keinen Tau / (*schweiz.*) keinen Hochschein / (*ugs.*) keinen [blassen] Schimmer haben, mein Name ist Hase (*ugs.*), was weiß ich (*ugs.*); weiß Gott, was ... (*ugs.*) · *etwas Unangenehmes:* [noch gar] nichts von seinem Glück wissen (*iron.*); → aufweisen, → auskennen, → erfahren, → haben, → mitteilen; → Gewährsmann.

²**wissen:** auswendig w. → Gedächtnis; w., wie man's macht → geschickt [sein]; nicht w., wie man jmdm. etwas beibringen soll → mitteilen; nicht w., was sich gehört → unhöflich [sein]; nicht mehr w. → vergessen; nicht aus noch ein / nicht weiter / sich nicht zu helfen / sich keinen Rat w. → ratlos [sein]; jmdn. etwas w. lassen → mitteilen; [kund und] zu w. tun → mitteilen; wie man weiß, du mußt / ihr müßt / Sie müssen w. → denn; sich für wer weiß was halten → überschätzen (sich); Dank w. → danken; sich zu helfen w. → bewältigen.

**Wissen** → Erfahrung.

**wissend:** → aufgeklärt, → verständnisvoll.

¹**Wissenschaft,** Lehre ·· *die sich mit der Erforschung der Krankheiten und ihrer Heilung beschäftigt:* Medizin · *die sich mit den körperlichen oder organischen Mißbildungen beschäftigt:* Teratologie; → Heilkunde ·· *die sich mit den Erscheinungsformen des Rechts beschäftigt:* → Rechtswissenschaft ·· *die sich mit den Ursachen, der Aufklärung und Bekämpfung von Verbrechen beschäftigt:* → Kriminalistik ·· *die sich mit den Wirtschaftsformen und -systemen beschäftigt:* → Wirtschaftswissenschaft ·· *die sich mit den Erscheinungen und Gesetzmäßigkeiten in der Natur beschäftigt:* Naturwissenschaft · *die sich mit den Gesetzlichkeiten der Lebewesen beschäftigt:* Biologie; → Naturkunde, → Pflanzenkunde, → Tierkunde · *die mit mathematischen Mitteln die Grundgesetze der Natur untersucht:* Physik · *die sich mit den Raum- und Zahlengrößen beschäftigt:* Mathematik · *die sich mit der Untersuchung und Umwandlung der Stoffe und ihrer Verbindungen beschäftigt:* Chemie · *die sich mit der Wirkung und Anwendung der Arzneimittel beschäftigt:* → Pharmazeutik · *die sich mit der Ernährung und Hauswirtschaft beschäftigt:* → Ökotrophologie · *die sich mit der Entwicklung und dem Bau der Erde beschäftigt:* Geologie · *die sich nach physikalischen Gesichtspunkten mit den Vorgängen und Gesetzmäßigkeiten in der Lufthülle der Erde beschäftigt:* → Wetterkunde · *die sich mit der Verteilung und Bewegung der Materie im Weltraum beschäftigt:* → Astronomie ·· *die sich mit den Gebieten der Kultur beschäftigt:* Geisteswissenschaft · *die sich mit den Glaubensvorstellungen der [christlichen] Religion beschäftigt:* → Theologie · *die sich um die Erkenntnis des Zusammenhangs der Dinge in der Welt bemüht:* Philosophie · *die sich mit der Sprache und Literatur beschäftigt:* → Philologie · *die sich mit dem Entwicklungs-*

*prozeß sozialer Gebilde beschäftigt:* → Geschichte · *die sich mit der Beschreibung der Erdoberfläche, der Länder, Meere o.ä. beschäftigt:* → Erdkunde · *die sich mit der geschichtlichen Entwicklung der bildenden Kunst beschäftigt:* Kunstgeschichte · *die sich mit der Erforschung alter Kulturen beschäftigt:* → Archäologie · *die sich mit der geschichtlichen Entwicklung der Musik beschäftigt:* Musikwissenschaft · *die sich mit der Erforschung und Darstellung der Mythen beschäftigt:* Mythologie · *die sich mit dem bewußten und unbewußten Seelenleben beschäftigt:* → Psychologie · *die sich mit den Seelenstörungen und Geisteskrankheiten beschäftigt:* Psychiatrie; → Heilkunde · *die sich mit Theorie und Praxis der Erziehung und Bildung beschäftigt:* → Pädagogik · *die sich mit den Formen gesellschaftlichen Zusammenlebens beschäftigt:* → Gesellschaftswissenschaft · *die sich mit der Politik beschäftigt:* → Politologie · *die sich mit den zukünftigen Entwicklungen auf technischem und wirtschaftlichem Gebiet beschäftigt:* Futurologie.

²**Wissenschaft:** christliche W. → Sekte; politische W. → Politologie; etwas ist eine W. für sich → schwierig [sein]; Mann der W. → Gelehrter.

**Wissenschafter** → Gelehrter.

**Wissenschaftler** → Gelehrter.

¹**wissenschaftlich,** akademisch, gelehrt, fachwissenschaftlich; → gebildet, → geistreich.

²**wissenschaftlich:** → theoretisch; -er Rat → Ausschuß; -er Satz → Schriftsatz.

**Wissensdrang** → Neugier.

**Wissensdurst:** → Bidungsdrang, → Neugier.

**wissensdurstig:** → bildungshungrig, → neugierig.

**Wissensmangel** → Unkenntnis.

**wissenswert** → interessant.

**Wissenszweig** → Fachrichtung.

**wissentlich** → absichtlich.

**Witfrau** → Witwe.

**Witib** → Witwe.

**Witmann** → Witwer.

¹**wittern,** Witterung nehmen, die Spur / Fährte / die Witterung aufnehmen; → beriechen.

²**wittern:** → atmen, → merken.

¹**Witterung,** Geruchssinn, Geruch; → beriechen, → wittern.

²**Witterung:** → Gefühl, → Wetter; W. nehmen, die W. aufnehmen → wittern.

**Witterungslage** → Klima.

**Witterungsneurose** → Wetterfühligkeit.

**Witterungsumschlag** → Wetterumschwung.

**Wittib** → Witwe.

**Wittiber** → Witwer.

¹**Witwe,** Witfrau, Witib (*veraltet*), Wittib (*veraltet, österr.*); → Ehefrau, → Witwer.

²**Witwe:** grüne W. → Ehefrau.

**Witwentröster** → Frauenheld.

**Witwer,** Witmann (*veraltet*), Wittiber (*veraltet, österr.*); → Eüemann, → Witwe.

¹**Witz** / *fauler:* Kalauer, Calembour · *unanständiger:* Zote; → Erzählung, → Scherz, → Wortspiel; → spaßen.

²**Witz:** → Humor, → Vernunft, → Zeichnung; das ist der W. [bei] der Sache → Hauptsache; -e machen → spaßen.

**Witzblatt** → Zeitung.

**Witzbold** → Spaßvogel.

**witzeln** → aufziehen.

**Witzfigur:** → Frau, → Mann.

**witzig:** → geistreich, → spaßig.

**witzlos:** → kindisch, → langweilig, → unsinnig.

**Witzlosigkeit** → Absurdität.

**Witzzeichnung** → Zeichnung.

**WK** → Militärdienst.

**WNW** → Himmelsrichtung.

**wo** → als.

**woanders** → anderwärts.

**wobei** → wodurch.

**Woche:** → Zeitraum; in / unter der W. → wochentags.

**Wochenabonnement** → Abonnement.

**Wochenblatt** → Zeitung.

**Wochenendausflug** → Ausflug.

**Wochenende,** Weekend; → Sonnabend.

**Wochenendhaus** → Haus.

**Wochenfest** → Feiertag.

**Wochenkalender** → Kalender.

**Wochenkarte** → Fahrkarte.

**Wochenlohn** → Lohn.

**Wochenmarkt** → Markt.

**Wochenschrift** → Zeitschrift.

**Wochentag** → Werktag.

**wochentags,** werktags, alltags, in / (*landsch.*) unter der Woche;

→ sonntags, → montags, → dienstags, → mittwochs, → donnerstags, → freitags, → sonnabends.

**Wochentölpel** → Ohrspeicheldrüsenentzündung.

**Wochenzeitschrift**→ Zeitschrift.

**Wochenzeitung:** → Zeitschrift, → Zeitung.

**Wodan** → Gott.

**Wodka** → Alkohol.

**wodurch,** womit, wovon, wobei, woher, wonach, woran, worauf, woraus, worin, worüber, worum, worunter, wovor; → warum.

**wofern** → wenn.

**wofür** → warum.

**Woge** → Welle.

**wogegen** → warum.

**wogen** → fließen.

**woher** → wodurch.

**wohl:** → anscheinend; sehr w. → ja; w. nicht → schwerlich; w. sein → gesund [sein]; sich in seiner Haut w. fühlen → zufrieden [sein]; sich in seiner Haut nicht w. fühlen → unzufrieden [sein]; w. oder übel → notgedrungen.

**Wohl:** → Glück; das leibliche W. → Nahrung; auf dein / auf Ihr / zum W. → prost.

**Wohlanständigkeit** → Anständigkeit.

**wohlartikuliert** → verständlich.

**wohlauf:** w. sein → gesund [sein].

**Wohlbefinden** → Gesundheit.

**Wohlbehagen** → Heiterkeit.

**wohlbekannt** → bekannt.

**wohlbeleibt** → dick.

**wohlehrwürdig:** Wohlehrwürdige Frau ... → Anrede.

**wohlen** → wohltun (jmdm.).

**wohlerzogen** → artig.

**Wohlfahrt** → Sozialhilfe.

**Wohlfahrtsmarke** → Briefmarke.

**wohlfeil** → billig.

**wohl fühlen** (sich), sich behaglich / heimisch / wie zu Hause fühlen, sich aalen (*ugs.*), sich rekeln (*ugs.*), sich räkeln (*ugs.*), sich sonnen (*ugs.*), sich kannibalisch wohl fühlen (*salopp*), sich pudelwohl fühlen (*ugs.*), sich sauwohl fühlen (*salopp*), sich fühlen wie der Fisch im Wasser (*ugs.*); → leben.

**Wohlgefallen:** → Zuneigung; W. haben an → freuen (sich);

sich in W. auflösen → defekt [werden].

**wohlgeformt** → ebenmäßig.

**Wohlgeformtheit** → Ebenmäßigkeit.

**wohlgegliedert** → abgestimmt.

**wohlgelitten:** → beliebt; w. sein → angesehen [sein].

**wohlgenährt** → dick.

**Wohlgenährtheit** → Wohlgenährtsein.

**Wohlgenährtsein,** Wohlgenährtheit, Dicklichkeit, Molligkeit, Rundlichkeit, Üppigkeit, Drallheit, Pummeligkeit, Fülligkeit; → Fettleibigkeit, → Gedunsenheit; → aufgedunsen, → dick.

**Wohlgeruch** → Geruch.

**wohlgesinnt** → entgegenkommend.

**wohlgestalt** → schön.

**Wohlgestalt** → Wohlgestaltetheit.

**wohlgestaltet** → schön.

**Wohlgestaltetheit,** Wohlgestalt, Ebenmäßigkeit, Formschönheit, Schönheit; → Ebenmäßigkeit, → Herrlichkeit; → ebenmäßig, → schön.

**wohlhabend** → reich.

**wohlig** → gemütlich.

**Wohlklang,** Wohllaut, Euphonie; → wohlklingend · Ggs. → Mißklang.

**wohlklingend,** wohllautend, euphonisch, klangvoll; → Wohlklang · Ggs. → mißtönend.

**Wohllaut** → Wohlklang.

**wohllautend** → wohlklingend.

**Wohlleben:** ein W. führen → leben.

**wohlmeinend** → entgegenkommend.

**wohlproportioniert** → ebenmäßig.

**Wohlproportioniertheit**→Ebenmäßigkeit.

**wohlriechend** → duftend.

**wohlschmeckend** → schmackhaft.

**Wohlsein** → Gesundheit.

**wohlsinnig** → entgegenkommend.

**Wohlstandsgesellschaft,** Konsumgesellschaft, Überflußgesellschaft; → Überfluß, → Verbrauch.

**Wohltat** → Trost.

**Wohltäter:** → Gönner; [W. der Menschheit] → Philanthrop.

**wohltätig:** → gemeinnützig, → menschlich.

**Wohltätigkeit** → Nächstenliebe.

**wohltuend** → gemütlich.

**wohltun** (jmdm.), guttun, wohlen (*schweiz.*), etwas ist jmdm. angenehm, gefallen, taugen (*österr.*).

**wohlüberlegt:** → absichtlich, → ausgewogen.

**wohlverdient** → verdient.

**Wohlverhalten** → Benehmen.

**wohlweislich** → absichtlich.

**Wohlwollen** → Zuneigung.

**wohlwollend** → entgegenkommend.

¹**wohnen,** bewohnen · *im letzten Stockwerk:* unterm Dachjuchhe wohnen (*ugs.*) · *mit jmdm. zusammen:* mit jmdm. unter einem Dach wohnen / das Zimmer teilen; **allein w.,** eine sturmfreie Bude haben (*salopp*); → befinden (sich), → besiedeln, → einmieten (sich), → einziehen, → niederlassen (sich), → residieren, → übernachten, → weilen; → einheimisch; → Unterkunft.

²**wohnen** → weilen.

**Wohngemeinschaft** → Kommune.

**Wohngruppe** → Kommune.

**wohnhaft** → einheimisch.

**Wohnhaus** → Haus.

**Wohnheim** → Heim.

**Wohnküche** → Küche.

**wohnlich:** → behaglich, → gemütlich.

**Wohnlichkeit**→ Gemütlichkeit.

**Wohnmaschine** → Haus.

**Wohnort** → Heimatort.

**Wohnpartei** → Mieter.

**Wohnraum** → Raum.

¹**Wohnsitz,** Behausung, Domizil, Heim, Daheim (*bes. südd.*), Zuhause, Wohnung; Stelle, wo man längehört; → Unterkunft.

²**Wohnsitz:** → Heimatort; seinen W. verlegen → übersiedeln.

**Wohnsitzwechsel** → Mobilität.

¹**Wohnung,** Mietwohnung, Zinswohnung (*oberd.*), Eigentumswohnung · *sehr große:* Zimmerflucht, Suite, Appartement · *exklusive unter oder auf dem Dach eines Hochhauses:* Penthouse · *aus zwei Etagen bestehende:* Maisonette · *kleine, nur aus einem Zimmer bestehende:* Kleinwohnung, Einzimmer-

wohnung, Apartment, Flat, Garçonniere (österr.) · *unterm Dach:* Mansarde, Mansardenwohnung · *in einem Einfamilienhaus abgeteilte:* Einliegerwohnung; → Anschrift, → Gaststätte, → Hotel, → Küche, → Raum, → Unterkunft, → Wohnwagen; **ohne W.,** wohnungslos, obdachlos, unterstandslos (österr.); → beherbergen, → einziehen, → übersiedeln, → weilen.

**²Wohnung:** → Wohnsitz; seine W. aufgeben → übersiedeln; seine W. aufschlagen, W. nehmen → niederlassen (sich); W. nehmen → einmieten (sich).

**Wohnungsangabe** → Anschrift.

**Wohnungseinrichtung** → Mobiliar.

**Wohnungsinhaber** → Mieter.

**wohnungslos** → Wohnung.

**Wohnungsschlüssel** → Schlüssel.

**Wohnungszins** → Mietzins.

**Wohnwagen,** Reisewohnwagen, Caravan; → Auto, → Campinglager, → Campingplatz, → Wohnung, → Zelt.

**Wohnzimmer** → Raum.

**Wohnzimmerschrank** → Schrank.

**Woilach** → Decke.

**wölben:** sich w. → bauschen (sich).

**Wölbung** → Gewölbe.

**¹Wolf,** Isegrim; → Raubtier.

**²Wolf:** → Sternbild; durch den W. drehen → besprechen; mit den Wölfen heulen → Opportunist [sein]; nicht mit den Wölfen heulen → entgegenstellen (sich).

**wölfen** → gebären.

**Wolfsbarsch** → Fisch.

**Wolfsfalle** → Falle.

**Wolfshunger** → Hunger.

**Wolfsmilchschwärmer** → Schmetterling.

**Wolfswindhund:** irischer W. → Hunderassen.

**Wolgograd** (russ.), Stalingrad (russ., veraltet); → Stadt.

**Wolke:** aus allen -en fallen → überrascht [sein].

**Wolken,** Bewölkung, Wolkendecke, Gewölk, Wolkenfeld, Wolkenmassen, Wolkenmeer (dichter.), Regenwolken, Gewitterwolken, Schönwetterwolken ·

aus einzelnen Eisfasern bestehende: Zirrus · durchsichtige, strukturlose, große Teile des Himmels überziehende: Zirrostratus · in einzelne sehr feine Ballen oder „Schäfchen" aufgelöste: Schäfchen, Lämmerwölkchen (dichter.), Schäfchenwolken, Federwolken, Zirrokumulus · als Schicht in „Schäfchen" aufgelöste: Altokumulus · gleichmäßige, strukturlose: Altostratus · als trübe, gleichmäßig strukturlose Schicht, aus der Niederschlag fällt: Nimbostratus · in tieferen, gröberen „Schäfchen": Stratokumulus · als tiefe, gleichmäßige Schicht: Stratus · in Haufen mit glatter Untergrenze bei schönem Wetter: Haufenwolken, Kumulus · aufgetürmte, aus denen Schauer oder Gewitter niedergehen: Kumulonimbus, Amboßwolken; →Wetterkunde.

**Wolkenblitz** → Blitz.

**Wolkenbruch:** → Niederschlag; Himmel, Arsch und W.! → verflucht!

**Wolkendecke** → Wolken.

**Wolkenfeld** → Wolken.

**Wolkenkratzer** → Haus.

**Wolkenkuckucksheim:** → Einbildung; im W. leben → abkapseln.

**wolkenlos:** → sonnig; der Himmel ist w. → sonnig [sein].

**Wolkenmassen** → Wolken.

**Wolkenmeer** → Wolken.

**Wolkenornament** → Fries.

**Wolkenschieber** → Träumer.

**wolkig:** → bewölkt; w. werden → bewölken (sich).

**Wolldecke** → Decke.

**¹Wolle,** Schafwolle, Lammwolle, Shetlandwolle, Kaschmirwolle, Angorawolle, Merinowolle, Mohairwolle, Mohärwolle, Alpakawolle, Schurwolle · aus gebrauchten Wolltextilien gewonnene: Reißwolle, Altwolle, Lumpenwolle; → Gewebe, → Stoff, → Textilien.

**²Wolle:** in der W. gefärbt → verbürgt; sich in die W. kriegen → zanken (sich).

**wollen:** → bereit [sein], → vorhaben, → wünschen; nicht w. → gekränkt [sein]; wie du willst → ja; jmd. will ... → wichtig [sein]; wir w. gehen! → Impe-

rativ; ob man will oder nicht → notgedrungen; koste es, was es wolle → unbedingt; etwas haben w. → erwarten; jmdm. nichts w. können → schaden; etwas will jmdm. nicht in den Kopf → verstehen; das Wollen → Wille.

**Wollfädchen** → Fluse.

**Wollfaser** → Faser.

**Wollfluse** → Fluse.

**Wollfussel** → Fluse.

**Wollhandkrabbe** → Krebs.

**Wollhaube** → Kopfbedeckung.

**Wollhemd** → Oberhemd.

**Volljäckchen** → Strickweste.

**Wolljacke** → Strickweste.

**Wollkleid** → Kleid.

**Wollpulli** → Pullover.

**Wollpullover** → Pullover.

**Wollschal** → Halstuch.

**Wollsocke** → Strumpf.

**Wollspitze** → Spitzenstickerei.

**Wollstoff** → Stoff.

**Wollsträhne** → Strähne.

**Wollstrumpf** → Strumpf.

**wollüstig** → begierig.

**Wollweste** → Strickweste.

**womit** → wodurch.

**womöglich** → vielleicht.

**wonach** → wodurch.

**Wonne:** → Freude, → Lust.

**Wonnemond** → Mai.

**Woog** → See.

**woran** → wodurch.

**worauf** → wodurch.

**woraus** → wodurch.

**Worcestersoße** → Soße.

**worin** → wodurch.

**¹Wort,** Ausdruck, Vokabel, Bezeichnung · neu geprägtes: Neubildung, Neuprägung, Neuschöpfung, Neuwort, Neologismus · aus dem vorausgehenden Sprachzustand überkommenes: Erbwort · aus einer fremden Sprache übernommenes, das sich im Unterschied zum Fremdwort der einheimischen Sprache angeglichen hat und dessen fremder Ursprung nicht erkennbar ist: Lehnwort · aus einer anderen Sprache in die eigene nicht oder nur wenig verändert übernommenes: Fremdwort · aus den Anfangsbuchstaben mehrerer Wörter gebildetes: Initialwort, Kurzwort, Akronym · schwer auszusprechendes: Zungenbrecher · das vorwärts und rückwärts gelesen [den gleichen] Sinn *ergibt:* Palindrom · *das für eine gewisse Zeit sehr im Schwange ist:* Modewort · *eingeschobenes, das einer Aussage eine leichte emotionale Färbung gibt:* Füllwort, Flickwort, Füllsel, Würzwort; → Provinzialismus, → Vulgarismus, → Wortart, → Wortbedeutung, → Wortbildung; → eindeutschen.

²**Wort:** → Begriff, → Bibelabschnitt, → Zusicherung; *derbes / unfeines / ordinäres / unanständiges* W. → Vulgärausdruck; *einführende* -e → Einleitung; *geflügeltes* W. → Ausspruch; *geflügelte* -e → Nachschlagewerk; *vorangestellte* -e →Einleitung; W. Gottes → Bibel; *an etwas ist kein wahres* W. → erfunden [sein]; *jmdm. das* W. *abschneiden / ins* W. *fallen* → dazwischenreden; *ein* W. *einlegen für* → vermitteln; *das* W. *entziehen* → verbieten; *das* W. *ergreifen / nehmen* → vortragen; *keine* -e *finden* [*können*] → überrascht [sein]; *das große* W. *führen* → prahlen; *sein* W. *geben* → versprechen; *ein* W. *nicht gebrauchen / aussprechen; hast du [da] noch* -e! → überrascht [sein]; *kein* W. *herausbringen* → sprechen; *jmdm. das Wort im Mund herumdrehen* → verfälschen; *bei jmdm. jedes* W. *auf die Goldwaage legen müssen / behutsam [sein müssen]; einer Sache das* W. *reden* → annehmen (sich einer Sache); *mit jmdm. noch ein Wörtchen zu reden haben* → schelten; *das* W. *an jmdn. richten* → ansprechen; *das* W. *Gottes verkünden / verkündigen* → predigen; *kein* W. *über etwas verlieren* → schweigen; *sein* W. *verpfänden* → versprechen; *im wahrsten Sinne des* -es → schlechthin; *jmdn. beim* W. *nehmen* → festlegen; *nicht für Geld und gute* -e → nein; *in* -e *fassen / kleiden* → formulieren; *mit einem* W. → kurzum; *mit ergreifenden* -en → nachdrücklich; *mit* [*leeren*] -en *abspeisen* → vertrösten; *nicht zu* W. *kommen* → äußern (sich).

**Wört** → Insel.

**Wortart** · Verb, Zeitwort, Tätigkeitswort, Aussagewort, Tuwort (*ugs.*) · Adjektiv, Eigenschaftswort, Eindruckswort, Beiwort, Qualitativ · Adverb, Umstandswort, Situativ · Substantiv, Hauptwort, Dingwort, Nomen, Nennwort · Pronomen, Fürwort, Formwort · Präposition, Verhältniswort, Vorwort (*österr.*), Fügewort, Beziehungswort · Konjunktion, Bindewort · Artikel, Geschlecht, Geschlechtswort, Genus · Numerale, Zahlwort, Kardinalzahl, Grundzahl, Ordinalzahl, Ordnungszahl · Interjektion, Ausrufewort, Empfindungswort; → Beugung, → Verb, → Wort; → beugen.

**Wortbedeutung,** Bedeutung, Wortinhalt, Denotation · *neu aufgekommene:* Neubedeutung · *aus einer fremden Sprache übernommene:* Lehnbedeutung; Auslegung, → Redewendung, → Wort, → Wortbildung.

¹**Wortbedeutungslehre,** Bedeutungslehre, Semasiologie, Semantik, Sematologie, Glossologie, Rhematik, Rhematologie; → Namenkunde, → Semiologie, → Sprachwissenschaft, →Wortgeschichte, → Wortgleichheit, → Wortstamm · Ggs. — Bezeichnungslehre.

²**Wortbedeutungslehre** → Sprachwissenschaft.

**Wortbegehren** → Wortmeldung.

**Wortbestand** → Wortschatz.

**Wortbildung,** Wortschöpfung, Neubildung, Neuschöpfung, Nachbildung · *nach dem Vorbild einer fremden Sprache:* Lehnbildung, Lehnformung, Lehnprägung, Lehnschöpfung, Lehnübersetzung, Lehnübertragung · Kompositum, Zusammensetzung (z. B. Fensterrahmen) · Zusammenbildung (z. B. Arbeitnehmer) · Zusammenrückung (z. B. Brecht-Aufführung); → Redewendung, → Wort, → Wortbedeutung.

**Wortbildungsstörung** → Aphasie.

**Wortblindheit** → Aphasie.

**wortbrüchig** → untreu.

**Wortbrüchigkeit** → Untreue.

**Wörtchen:** *ein* W. *mitzureden haben* → Entscheidung.

**Wörterbuch** → Nachschlagewerk.

**Worterklärung** → Auslegung.

**Wörterverzeichnis** → Nachschlagewerk.

**Wortführer** → Vorstand.

**Wortgefecht** → Streit.

**Wortgeschichte,** Etymologie, Wortherkunft, Herkunft; → Sprachwissenschaft, → Wortbedeutungslehre, → Wortstamm.

**wortgetreu** → wortwörtlich.

**wortgewandt** → beredt.

**Wortgewandtheit** → Redegewandtheit.

**Wortgleichheit,** Homonymie · *in der Lautung:* Homophonie · *in der Schreibung:* Homographie · *durch mehrfache Entstehung gleichlautender Beziehungen:* Isonymie; → Homonym, → Wortbedeutungslehre; → synonym.

**Wortgruppenlexem** → Redewendung.

**Wortgut** → Wortschatz.

**Wörth** → Insel.

**Wortherkunft** → Wortgeschichte.

**Wortinhalt** → Wortbedeutung.

**wortkarg,** einsilbig, schweigsam, lakonisch, mundfaul (*ugs.*), maulfaul (*salopp*); **w. sein,** *jmd. läßt sich die Würmer aus der Nase ziehen* (*ugs.*); → ruhig, → still, → verschlossen, → wortlos; → Wortkargheit; → schweigen.

**Wortkargheit,** Einsilbigkeit, Lakonismus, Schweigsamkeit, Zugeknöpftheit, Stummheit; → wortkarg.

**Wortklauberei** → Pedanterie.

**wortklauberisch** → spitzfindig.

**Wortlaut,** Formulierung, Text, Fassung.

**wörtlich:** *nicht ganz* w. *zu nehmen* → vorbehaltlich.

**wortlos,** stumm, stumm wie ein Fisch, grußlos, stillschweigend, schweigend; → wortkarg.

**Wortmaterial** → Wortschatz.

**Wortmeldung,** Wortbegehren (*schweiz.*); → Gespräch.

**wortreich** → ausführlich.

**Wortschatz,** Vokabular, Wortmaterial, Wortgut, Wortbestand; → Ausdrucksweise.

**Wortschöpfung** → Wortbildung.

**Wortschwall:** → Gerede, → Tirade.

**Wortspiel,** Paronomasie, Annomination, Parechese, Amphibolie; → Ausdrucksweise, → Scherz, → Witz.

**Wortstamm,** Stamm, Wurzel, Etymon; → Wortbedeutungslehre, → Wortgeschichte.

**Wortstreit** → Streit.

**Wortverdreher,** Rabulist, Rechtsverdreher, Sophist; → Pedant.

**Wortverdreherei** → Spiegelfechterei.

**Wortwechsel** → Streit.

**wortwörtlich,** wortgetreu, buchstäblich, buchstabengetreu.

**worüber** → wodurch.

**worum** → wodurch.

**worunter** → wodurch.

**Wotan** → Gott.

**wovon** → wodurch.

**wovor** → wodurch.

**wozu** → warum.

**Wrack** → Trümmer.

**Wrasen** → Nebel.

**Wratt** → Ungeziefer.

**wriggen** → Boot [fahren].

**Wrocław** → Breslau.

**Wruke** → Kohlrübe.

**WSW** → Himmelsrichtung.

**Wubartl** → Knecht Ruprecht.

**¹Wucher,** Geldschneiderei (*abwertend*), Beutelschneiderei (*abwertend*), Preistreiberei (*abwertend*), Wurzerei (*bayr., österr.*); → Wucherer; **mit etwas W. treiben,** wuchern, bewuchern (*selten*), [den Preis] überhöhen / überteuern / (*schweiz.*) übersetzen / zu hoch ansetzen, zuviel [Geld] für etwas nehmen, wurzen (*bayr., österr.*), abreißen (*schweiz.*); → ausbeuten, → habgierig [sein].

**²Wucher:** W. treiben → habgierig [sein].

**¹Wucherer,** Halsabschneider (*abwertend*), Beutelschneider (*abwertend*), Finanzhyäne; → Betrüger, → Erpresser, → Wucher.

**²Wucherer** → Verleiher.

**¹wuchern,** üppig / (*landsch.*) geil werden, ins Kraut schießen; → gedeihen, → sprießen; → Vegetation.

**²wuchern:** → habgierig [sein], → überhandnehmen, → Wucher.

**wuchernd** → überladen.

**Wucherpreis** → Preis.

**Wuchs:** → Gestalt; von gutem W. → sportlich; von hohem W. → groß.

**Wucht:** etwas ist 'ne W. → trefflich [sein]; eine W. kriegen → schlagen.

**wuchtig** → schwer.

**Wühlarbeit** → Propaganda.

**wühlen** → suchen.

**Wühler** → Hetzer.

**Wühlmaus:** → Maus, → Nagetier.

**Wühltisch** → Ladentisch.

**Wuhr** → Wehr.

**¹wund,** entzündet, wundgescheuert, aufgescheuert, aufgeschürft, aufgerissen, offen; → verletzt.

**²wund:** -er Punkt → Achillesferse.

**¹Wunde,** Verwundung, Verletzung, Trauma, Läsion, Blessur · Hiebwunde, Schlagwunde, Stichwunde, Schußwunde, Brandwunde, Schürfwunde, Quetschwunde, Schnittwunde, Platzwunde, Bißwunde, Kratzwunde; → Krankheit, → Narbe, → Schramme, → Verletzung; → abheilen; → abgeheilt.

**²Wunde:** → Verletzung; eine W. beibringen → verletzen; an eine alte W. rühren → erwähnen; den Finger auf die W. legen → hinweisen (auf).

**¹Wunder,** Mirakel, Spektakulum; → Mysterium.

**²Wunder:** sein blaues W. erleben → überrascht [sein].

**Wunderarzt** → Arzt.

**Wunderdoktor** → Arzt.

**Wunderfitz:** aus W. → Neugier.

**Wunderglaube** → Aberglaube.

**wunderhalber** → Neugier.

**Wunderkerze** → Feuerwerkskörper.

**Wunderkind** → Kind.

**Wunderknabe** → Kind.

**Wunderland** → Fabelland.

**wunderlich** → seltsam.

**Wunderlichkeit:** → Seltsamkeit, → Spleen.

**wundern:** sich w., du wirst dich noch w.! → überrascht [sein]; es wundert jmdn. → neugierig [sein].

**wundernehmen:** es nimmt jmdn. wunder → neugierig [sein]; etwas nimmt wunder → befremden.

**wundersam:** → seltsam, → übernatürlich.

**wunderschön** → schön.

**wundgescheuert** → wund.

**Wundnarbe:** → Hautblüte, → Narbe.

**Wundstar** → Katarakt.

**Wundverband** → Verband.

**¹Wunsch,** Begehren, Begehr (*veraltet*), Verlangen, Herzenswunsch; → wünschen.

**²Wunsch:** → Bitte; jmdm. jeden W. vom Mund / von den Lippen ablesen → verwöhnen; einem W. entsprechen → billigen; einem W. Ausdruck verleihen → gratulieren; auf jmds. Wünsche eingehen → nachgeben; nach W. → beliebig; nach W. gehen → gelingen; ohne weitere Wünsche → zufrieden.

**¹wünschen,** begehren, ersehnen, erträumen, erhoffen, [haben] wollen, etwas sticht jmdm. ins Auge / in die Augen, sein Herz an etwas hängen, mögen, versucht sein zu tun, etwas liegt jmdm. am Herzen; → anordnen, → anstrengen, → begierig [sein], → bemühen (sich um), → billigen, → bitten, → hoffen, → müssen, → streben, → verlangen, → vorhaben; → begehrt.

**²wünschen:** Glück w. → gratulieren; jmdn. zur Hölle / zum Kuckuck / zum Teufel w.; jmdn. dorthin w., wo der Pfeffer wächst → verwünschen (jmdn.).

**wünschenswert** → begehrt.

**wunschgemäß:** → beliebig; w. verlaufen → gelingen.

**Wunschkind** → Kind.

**Wunschkindpille** → Ovulationshemmer.

**wunschlos** → zufrieden.

**Wunschsendung,** Wunschkonzert, Erbschleichersendung (*scherzh., österr.*); → Rundfunksendung.

**Wunschtraum** → Einbildung.

**Würde:** → Ansehen, → Ernst, → Vornehmheit; in Amt und -n sein → Anstellung; unter aller W. → minderwertig.

**¹würdelos,** unwürdig, menschenunwürdig; → unterwürfig.

**²würdelos** → ehrlos.

**Würdenträger:** geistlicher W. → Geistlicher.

**würdevoll** → majestätisch.

**würdig** → erhaben.

**würdigen:** → achten, → besprechen, → beurteilen, → honorieren, → loben; jmdn. keines Blickes w. → ignorieren.

**Würdigung:** → Anerkennung, → Besprechung, → Nachruf.

**¹Würfel,** Kubus, Hexaeder, Sechsflächner · *beim Spiel:* Knobel (*veraltet*), Knöchel (*veraltet*); → würfeln.

**²Würfel:** die W. sind gefallen → entschließen (sich); W. spielen → würfeln.

**Würfelfries** → Fries.

**Würfelkapitell** → Kapitell.

**¹würfeln,** Würfel spielen, trudeln (*ugs., berlin.*), knobeln (*ugs.*), knöcheln (*ugs., mitteld.*); → Würfel.

**²würfeln:** das Würfeln → Glücksspiel.

**Würfelspiel** · Gleichpasch, Mensch, ärgere dich nicht; Fang den Hut, Monopoly; → Brettspiel, → Kartenspiel, → Glücksspiel.

**Würfelzucker** → Zucker.

**Wurfspieß** → Wurfwaffe.

**Wurfwaffe,** Speer, Lanze, Wurfspieß, Spieß, Ger, Pike, Harpune, Katapult; → Hiebwaffe, → Schußwaffe, → Stichwaffe.

**würgen:** mit Hängen und Würgen → kaum.

**Würger:** → Mörder, → Vogel.

**Würgfalke** → Vogel.

**Wurlitzer-Orgel** → Elektroorgel.

**¹Wurm** ··· Plattwurm · Bandwurm, Rinderbandwurm, Schweinebandwurm, Hundebandwurm · Saugwurm, Leberegel · Strudelwurm ·· Rundwurm, Hohlwurm, Schlauchwurm · Fadenwurm, Essigälchen, Trichine, Spulwurm, Medinawurm · Rädertierchen ·· Gliederwurm, Ringelwurm · Borstenwurm, Regenwurm, Palolowurm, Röhrenwurm · Egel, Blutegel, Pferdeegel, Landblutegel.

**²Wurm:** → Kind; da ist der W. drin → Ordnung; den W. baden → fangen; jmd. läßt sich die Würmer aus der Nase ziehen → wortkarg [sein].

**Würmchen:** jmdm. die W. abtreiben → zusetzen (jmdm.).

**wurmen:** etwas wurmt jmdn. → ärgern.

**Wurmfarn** → Farn.

**Wurmfortsatz** → Darm.

**wurmfräßig** → ungenießbar.

**wurmig** → ungenießbar.

**wurmstichig:** → defekt, → ungenießbar.

**wurschtegal:** jmdm. ist etwas w. → unwichtig [sein].

**¹Wurst** · Streichwurst, Leberwurst, Kalbsleberwurst, Mettwurst, Teewurst · Hartwurst, Dauerwurst, Salami, Zervelat, Schlackwurst · Zungenwurst, Blutwurst, Blunze (*bayr., österr.*), Kabanossi, Rotwurst, Griebenwurst · Schinkenwurst, Jagdwurst, Lyoner, Extrawurst (*österr.*); → Brotaufstrich, → Brotbelag, → Würstchen.

**²Wurst:** jmdm. ist etwas W. → unwichtig; es geht um die W. → ernst [werden].

**Wurstaufschnitt** → Brotbelag.

**Wurstblatt** → Zeitung.

**Wurstbrot** → Schnitte.

**Würstchen,** Würstel (*südd., österr.*), Bockwurst, Knackwurst, Knacker, Burenwurst (*österr.*), Klobasse (*österr.*), Bratwurst, Rostbratwurst, Landjäger, Polnische · Frankfurter / Wiener [Würstchen] · *einzelnes von einem Paar:* Einspänner; → Wurst.

**Würstchenbude** → Verkaufsstand.

**Würstchenstand** → Verkaufsstand.

**Wurstel** → Kasper.

**Würstel** → Würstchen.

**Wurster** → Fleischer.

**Wursterei** → Fleischerei.

**Wurstmesser** → Messer.

**Wurstsalat** → Salat.

**Wurstsuppe** → Suppe.

**Wurstvergiftung** → Lebensmittelvergiftung.

**Würze:** → Geschmack, → Gewürz; einer Sache fehlt die rechte W. → geistreich.

**¹Wurzel,** Wurzelstock, Pfahlwurzel, Luftwurzel, Stützwurzel, Atemwurzel, Zugwurzel, Blattwurzel; → Pflanze, → Zweig.

**²Wurzel:** → Mohrrübe, → Wortstamm; seine W. haben in

→ abstammen (von); -n schlagen → niederlassen; die W. ziehen → radizieren.

**Wurzelbohrer** → Schmetterling.

**Würzelchen** → Mohrrübe.

**Wurzelgemüse** → Gemüse.

**Wurzelkompressionssyndrom** → Bandscheibenschaden.

**wurzellos** → ungeborgen.

**Wurzellosigkeit** → Ungeborgenheit.

**Wurzelqualle** → Hohltier.

**Wurzelstock** → Wurzel.

**Wurzelwerk** → Suppengemüse.

**Wurzelziehen** → Rechenverfahren.

**wurzen** → Wucher.

**¹würzen,** salzen, pfeffern, paprizieren · *zu stark:* versalzen; → braten, → kochen, → kosten; → scharf; → Geschmack, → Piment.

**²würzen:** gewürzt → scharf; [stark] gewürzt → würzig.

**Wurzerei** → Wucher.

**würzig,** aromatisch, herzhaft, rezent, prickelnd, feurig, pikant, scharf, stark [gewürzt], gewürzt, beißend, raß (*oberd.*), räß (*oberd.*) · blumig, parfümiert; → duftend, → schmackhaft; → Geruch, → Geschmack.

**Würzpilz** → Pilz.

**Würzwort** → Wort.

**Wuschelhaar** → Haar.

**Wuschelkopf** → Haar.

**wüst:** → anstößig, → böse, → übermütig.

**Wüste:** → Einöde; in die W. schicken → entlassen; in der W. predigen → sprechen.

**Wüstenei** → Einöde.

**wüstenhaft** → unfruchtbar.

**Wüstenklima** → Klimazone.

**Wüstenlandschaft** → Landschaft.

**Wüstenschiff** → Kamel.

**Wüstensteppe** → Steppe.

**Wüstling** → Frauenheld.

**Wut:** → Ärger; in W. bringen → ärgern; in W. geraten → ärgerlich [werden]; ich könnte mir vor W. in den Hintern beißen → ärgerlich [sein].

**¹Wutanfall,** Wutausbruch, Zornausbruch, Zornesausbruch, Tobsuchtsanfall, Koller (*ugs.*), Rappel (*salopp*), Raptus; → Anfall, → Ärger, → Raserei, → Verfärbung.

**²Wutanfall** → Raserei.

Wutausbruch → Wutanfall.
wüten: → ärgerlich [sein], → brausen; → überhandnehmen; gegen sich selbst -d → selbstzerstörerisch.
wütend: → ärgerlich, → blindwütig; w. machen → ärgern.
wutentbrannt → ärgerlich.
Wüterich: → Rohling, → Tobsüchtiger.
-wütig → übertrieben.
wutschäumend → ärgerlich.
wutschnaubend → ärgerlich.
Wutz → Schwein.
wuzeln: sich w. → drücken.
Wuzerl → Kind.
wuzerldick → dick.
Wz → Warenzeichen.

# X

X: jmdm. ein X für ein U vormachen → betrügen; sich kein X für ein U vormachen lassen → schlau [sein].
Xanthippe → Ehefrau.
Xanthozyanopie → Farbenblindheit.
Xenion → Epigramm.
Xenologie → Geisterbeschwörung.
Xenon → Edelgas.
Xerokopie → Reproduktion.
xerokopieren → ablichten.
Xerom → Xerophthalmie.
Xerophthalmie, Vitamin-A-Mangel-Krankheit, Vitamin-A-Avitaminose, Avitaminose A, Keratomalazie, Xerophthalmus, Xerom, Augendarre, Augenbindehautxerose; → Avitaminose.
Xerophthalmus → Xerophthalmie.
Xi → Buchstabe.
Xiphopagus → Mißgeburt.
x-mal → oft.
x-tenmal: zum x. → wieder.
Xylographie → Graphik, → Holzschnitt.
Xylophon → Schlaginstrument.

# Y

Yankee → Amerikaner.
Yen → Zahlungsmittel.
Yogaübung → Entspannungsübung.

Ypsilon → Buchstabe.
Ysop → Küchengewürz.
Yürück → Orientteppich.

# Z

Zabig → Abendessen.
zach → zäh.
Zack: auf Z. sein → schlau [sein].
Zacken: → Gipfel; jmdm. bricht kein Z. aus der Krone → erniedrigen (sich).
Zackenbogen → Bogen.
Zackenfirn → Schnee.
Zackenkrone → Krone.
Zackenlinie → Linie.
zackig → schwungvoll.
zag → ängstlich.
Zagel → Schwanz.
zagen → zögern.
zaghaft → ängstlich.
¹zäh, zäh wie Leder / wie Juchtenleder (abwertend), ledern, lederartig, sehnig (Fleisch), zach (oberd.).
²zäh: → beharrlich, → stark.
zähflüssig: → flüssig, → träge.
Zähflüssigkeit → Flüssigsein.
Zähigkeit: → Beharrlichkeit, → Kohäsion.
¹Zahl, runde / ganze / gerade / ungerade / natürliche / imaginäre / gebrochene / gemischte Zahl, arabische Zahl (1, 2, 3, usw.), römische Zahl (I, II, III usw.) · Grundzahl, Kardinalzahl · Ordnungszahl, Ordinalzahl · Primzahl · Dezimalzahl, Bruchzahl, Bruch · Distributivzahl, Multiplikativzahl, Ziffer, Zahlzeichen, Nummer, Chiffre · die aus den gleichen Ziffern besteht (z. B. 44): Schnapszahl.
²Zahl: → Anzahl; die Z. ist Legion → Überfluß [haben]; in großer Z. → reichlich, → viele; in den roten -en sein / stecken → Fehlbetrag; in ungerader Z. vorhanden → unpaarig; mit einer Z. versehen → numerieren.
¹zahlen, bezahlen, begleichen, entrichten, erlegen, blechen (salopp), in die Tasche greifen, berappen (salopp), brandeln (salopp, österr.), hinterlegen, hinblättern (ugs.), auf den Tisch des Hauses legen, abzahlen,

abbezahlen, in Raten zahlen, abstottern (salopp), abtragen, seine Schulden bezahlen, sich ehrlich machen, nachzahlen, nachbezahlen, draufzahlen (ugs.), zuzahlen, aufzahlen (österr.), drauflegen (ugs.), ausgeben, ans Bein binden (ugs.), verbraten (salopp), aufwenden, anlegen, verausgaben, investieren, Geld in etwas stecken / reinstecken (ugs.), etwas springen lassen (salopp), loseisen (ugs.), locker machen (salopp), ausschütten, ausrichten (schweiz.), bestreiten, finanzieren, subventionieren, bezuschussen, [für die Kosten] aufkommen, unterstützen, die Kosten tragen, erstatten, zurückerstatten, zurückzahlen · etwas selbst: etwas aus der eigenen / aus eigener Tasche bezahlen · für jmdn.: auslegen, vorlegen, verauslagen, in Vorlage bringen, vorstrecken (ugs.), vorschießen (ugs.) · für eine Leistung: entlohnen, entlöhnen (schweiz.), besolden, salarieren (schweiz.), honorieren, vergüten; z. müssen, zur Kasse gebeten werden, eine Zahlungsaufforderung / einen Zahlungsbefehl bekommen, bis aufs Hemd ausgezogen werden; → ausgeben, → belohnen, → danken, → durchbringen, → einbüßen, → ernähren, → kaufen, → leihen, → stiften, → unterschlagen, → verkaufen, → zuzahlen; → finanziell; → Etat, → Gehalt, → Portemonnaie, → Unkosten.
²zahlen: jmdm. eine Abfindung / Schmerzensgeld z. → befriedigen; Lehrgeld z. müssen → lernen; Lösegeld z. → freikaufen (sich, jmdn.); ohne einen Pfennig z. → kostenlos; z. für → einstehen.
¹zählen, abzählen, durchzählen; → Anzahl, → Inventur.
²zählen: → wichtig [sein]; bei jmdm. kann man alle Rippen z. → schlank [sein]; jmds. Tage sind gezählt → krank; jmdm. die Bissen in den Mund z. → geizig [sein]; z. auf → glauben; nicht bis drei z. können → dumm [sein]; z. zu → angehören.

**Zahlengedächtnis** → Erinnerungsvermögen.
**Zahlenlehre** → Mathematik.
**Zahlenlotterie** → Glücksspiel.
**Zahlenrätsel** → Rätsel.
**Zahlenrechnung** → Mathematik.
**Zahlentheorie** → Mathematik.
**Zahlenwimpel** → Fahne.
**Zähler,** Zählwerk · Gaszähler · Stromzähler · Wasserzähler.
**Zahlgrenze,** Tarifgrenze, Streckenabschnitt; → Strecke.
**Zahlkarte,** Erlagschein *(österr.),* Einzahlungsschein *(schweiz.)* · Zahlungsanweisung, Postanweisung; → Postsendung, → Zahlung.
**Zahlkellner** → Bedienung.
**zahllos:** → reichlich, → unendlich; -e → viele.
**Zahllosigkeit** → Unbegrenztheit.
**zahlreich:** -e → einige.
**Zahltag,** Lohntag · *von Wechseln:* Fälligkeitstag; → Lohntüte.
**Zahltagssäcklein** → Lohntüte.
**Zahlung,** Bezahlung, Begleichung · *in bar:* Barzahlung · *unbar:* Scheckzahlung, Überweisung, Einzahlung · *im voraus:* Vorauszahlung · *in Raten:* Ratenzahlung, Teilzahlung, Akontozahlung, Abzahlung, Abschlagszahlung, Anzahlung · *nachträgliche:* Nachzahlung · *bei Aushändigung einer Postsendung:* Nachnahme · *geliehenen Geldes:* Rückzahlung · *ins Ausland in fremder Währung:* Transfer, Transferierung; → Eintreibung, → Vorauszahlung, → Zahlkarte; → zahlen.
**Zählung** · Volkszählung, Schätzung *(veraltet)* · Verkehrszählung.
**Zahlungsabkommen** → Abmachung.
**Zahlungsanweisung** → Zahlkarte.
**Zahlungsaufforderung:** eine Z. bekommen → zahlen [müssen].
**Zahlungsaufschub** → Stundung.
**Zahlungsbefehl:** einen Z. bekommen → zahlen.
**zahlungsbereit** → zahlungsfähig.
**zahlungsfähig,** liquid, solvent, flüssig, zahlungsbereit, nicht → zahlungsunfähig.

**Zahlungsfähigkeit,** Liquidität, Bonität, Solvenz; → zahlen; → zahlungsfähig · Ggs. → Zahlungsunfähigkeit.
**zahlungskräftig** → reich.
**¹Zahlungsmittel,** Valuta, [harte/frei konvertierbare] Währung ·· *in Ägypten:* ägyptisches Pfund, Piastre, Millième · *in Albanien:* Lek · *in Algerien:* algerischer Dinar, Centime · *in Argentinien:* argentinischer Peso, Centavo · *in Belgien:* belgischer Franc, Centime · *in Bolivien:* Peso Boliviano, Centavo · *in Brasilien:* Cruzeiro, Centavo · *in Bulgarien:* Lew, Stótinka · *in Ceylon:* Ceylon-Rupie, Cent · *in Chile:* chilenischer Escudo, Centésimo · *in China* (Volksrepublik): Jen-Min-Pi, Tsjao, Fyng · *in Dänemark:* dänische Krone, Öre · *in Deutschland vor 1945:* Reichsmark, RM (Abk.), Rentenmark · *in der BRD:* Deutsche Mark, D-Mark, DM (Abk.), Westmark, Pfennig · *in der DDR:* Mark, M (Abk.), Mark der deutschen Notenbank (bis 1967), MDN (Abk.), Ostmark, Pfennig · *in Ecuador:* Sucre, Centavo · *in Finnland:* Finnmark, Penni · *in Frankreich:* Franc, Centime · *in Griechenland:* Drachme, Lepton · *in Großbritannien:* Pfund [Sterling], Pence, Shilling (bis 1971) · *in Guatemala:* Quetzal, Centavo · *in Indien:* indische Rupie, Paise · *in Indonesien:* Rupiah, Sen · *im Irak:* Irak-Dinar, Fils · *im Iran:* Rial, Dinar · *in Irland:* irisches Pfund, Shilling, Pence · *in Island:* isländische Krone, Aurar · *in Israel:* israelisches Pfund, Agorot · *in Italien:* Lira, Centesimo · *in Japan:* Yen, Sen · *in Jordanien:* Jordan-Dinar, Fils · *in Jugoslawien:* jugoslawischer Dinar, Para · *in Kanada:* kanadischer Dollar, Cent · *in Kolumbien:* kolumbianischer Peso, Centavo · *in Luxemburg:* luxemburgischer Franc, Centime · *in Marokko:* Dirham, Franc · *in Mexiko:* mexikanischer Peso, Centavo · *in Monaco:* Franc, Centime · *in den Niederlanden:* Gulden, Cent · *in Norwegen:* norwegische Krone, Öre · *in Österreich:* Schilling,

Groschen · *in Pakistan:* pakistanische Rupie · *in Paraguay:* Guaraní, Céntimo · *in Peru:* Sol, Centavo · *auf den Philippinen:* philippinischer Peso, Centavo · *in Polen:* Zloty, Grosz · *in Portugal:* Escudo, Centavo · *in Rumänien:* Leu, Ban · *in Saudi-Arabien:* Saudi Riyal · *in Schweden:* schwedische Krone, Öre · *in der Schweiz,* *in Liechtenstein:* Schweizer Franken, Rappen · *in Spanien:* Peseta, Céntimo · *in Südafrika:* Rand, Cent · *in Syrien:* syrisches Pfund, Piastre · *in Thailand:* Baht, Stang · *in der Tschechoslowakei:* tschechische Krone, Halér · *in Tunesien:* tunesischer Dinar, Millime · *in der Türkei:* türkisches Pfund, Kŭruš · *in der UdSSR:* Rubel, Kopeke · *in Ungarn:* Forint, Fillér · *in Uruguay:* uruguayischer Peso, Centésimo · *in Venezuela:* Bolívar, Céntimo · *in den Vereinigten Staaten von Amerika:* Dollar, Cent, Buck (= 1 Dollar), Half Dollar (= 50 Cents), Quarter (= 25 Cents), Dime (= 10 Cents), Nickel (= 5 Cents), Penny (= 1 Cent); → Devisen, → Geld, → Konvertierbarkeit, → Münze, → Schilling, → Vermögen, → Wechselkurs, → Wechselstube; → zahlen; → finanziell, → monetär.
**²Zahlungsmittel:** ausländische Z. → Devisen.
**zahlungsunfähig,** illiquid, insolvent, bankrott, abgebrannt *(ugs.),* blank *(salopp),* pleite *(salopp),* machulle *(salopp),* neger *(ugs., österr.),* stier *(oberd.),* nicht → zahlungsfähig; → abgewirtschaftet; **z. werden,** Konkurs machen, [in] Konkurs gehen, Bankrott machen, den Offenbarungseid leisten, bankrott gehen / werden, fallieren *(veraltet),* pleite machen / gehen / werden *(ugs.),* bei jmdm. sitzt der Pleitegeier auf dem Dach *(ugs.),* jmdm. geht die Luft aus *(ugs.),* die Pforten schließen, zumachen *(ugs.),* abwirtschaften, herunterwirtschaften, abhausen *(oberd.),* badengehen *(salopp),* auf die Gant kommen *(oberd.);* **z. sein,** Konkurs anmelden; → aufgeben (Geschäft).

**Zahlungsunfähigkeit,** Illiquidität, Insolvenz, Nonvalenz, Bankrott, Bankrotterklärung, Konkurs, Ruin, Pleite (*salopp*); → Mangel, → Versteigerung; → abgewirtschaftet, → zahlungsunfähig · Ggs. → Zahlungsfähigkeit.

**Zahlungsverpflichtung** → Schuldschein.

**Zählwerk** → Zähler.

**Zahlwort** → Wortart.

**Zahlzeichen** → Zahl.

**Zählzwang** → Anankasmus.

**zahm,** gezähmt, domestiziert, gebändigt, fromm, lammfromm, kirre (*ugs.*); → artig; → beruhigen, → lenken · Ggs. → wild.

**zähmen,** domestizieren, bändigen, an den Menschen gewöhnen; → Domestikation.

**Zähmen** (das):→Domestikation.

**Zähmung** → Domestikation.

**¹Zahn,** Dens (*Med.*), Beißerchen (*Kinderspr.*), Hauerchen (*Kinderspr.*), Hackerle (*Kinderspr.*), Hackerchen (*Kinderspr., landsch.*) · *vom ersten Gebiß:* Milchzahn · *vom zweiten Gebiß:* bleibender Zahn ·· *im vorderen Teil des Gebisses:* Schneidezahn, Inzisiv (*Med.*), Eckzahn, Hakenzahn, Hundszahn, Kaninus (*Med.*), Augenzahn · *im seitlichen Teil des Gebisses:* Backenzahn, Backzahn (*landsch.*), Stockzahn (*österr.*), vorderer / kleiner Backenzahn, Prämolarzahn, Prämolar (*Med.*), Biskuspidatus (*Med.*), hinterer / großer Backenzahn, Molarzahn (*Med.*), Molar (*Med.*), Mahlzahn · *hinterster, der oft erst nach dem 20. Lebensjahr durchbricht:* Weisheitszahn, Serotinus (*Med.*), Sophronetikus (*Med.*) · *sehr großer:* Hauer (*ugs.*) · *sehr großer Eckzahn:* Vampirzahn (*scherzh.*); → Karies, → Kauwerkzeuge, → Parodontose, → Zahnersatz, → Zahnpasta; zahnlos; → zahnen.

**²Zahn:** → Geliebte; dritte Zähne → Zahnersatz; steiler Z. → Mädchen; Zähne → Kauwerkzeuge; jmdm. schlagen die Zähne aufeinander → frieren; jmdm. tut kein Z. mehr weh → tot [sein]; Zähne bekommen / kriegen → zahnen; die Zähne blecken / zeigen → fletschen (die Zähne); einen guten Z. draufhaben → fahren; jmdm. die Zähne zeigen → aufbegehren; jmdm. den Z. ziehen → ernüchtern; bis an die Zähne bewaffnet → kampfbereit; die Zähne zusammenbeißen → mutig [sein]; jmdm. auf den Z. fühlen → prüfen; Haare auf den Zähnen haben → unhöflich [sein]; mit den Zähnen klappern → frieren; ohne Zähne → zahnlos.

**Zahnarzt** → Arzt.

**Zahnbetterkrankung** → Parodontopathie.

**Zahnbettschwund:** dystrophischer Z. → Parodontose.

**Zahnblutung** → Blutung.

**Zahnchirurg** → Arzt.

**Zahnchirurgie** → Heilkunde.

**Zahncreme** → Zahnpasta.

**zähneklappernd** → ängstlich.

**zähneknirschend** → ärgerlich.

**zahnen,** Zähne bekommen / (*ugs.*) kriegen; → Zahn; zahnlos.

**Zahnersatz,** Ersatz, [falsches / künstliches] Gebiß, dritteZähne (*scherzh.*), falsche / künstliche Zähne, Zahnprothese, Prothese, Stiftzahn, Goldzahn, Brücke · Zahnfüllung, Füllung, Plombe, Goldplombe, Goldfüllung, Gußfüllung, Porzellanfüllung, Inlay · Krone, Goldkrone, Porzellankrone, Jacketkrone → Zahn.

**Zahnfäule** → Karies.

**Zahnfleisch:** auf dem Z. gehen → erschöpft [sein].

**Zahnfleischbluten** → Blutung.

**Zahnfleischschwund** → Parodontose.

**Zahnfüllung** → Zahnersatz.

**zahnlos,** zahnluckert (*ugs.*, österr.), ohne Zähne; → Zahn; → zahnen.

**zahnluckert** → zahnlos.

**Zahnmedizin** → Heilkunde.

**Zahnpasta,** Zahnpaste, Zahncreme · Zahnpulver, Zahnreinigungspulver; → Zahn.

**Zahnpaste** → Zahnpasta.

**Zahnprothese** → Zahnersatz.

**Zahnpulver** → Zahnpasta.

**Zahnradbahn** → Verkehrsmittel.

**Zahnreinigungspulver** → Zahnpasta.

**Zahnspinner** → Schmetterling.

**Zahnwal** → Wal.

**Zähre** → Träne.

**Zährte** → Fisch.

**Zaine** → Korb.

**Zambo** → Mischling.

**Zander** → Fisch.

**Zange:** → Kneifzange; jmdn. in die Z. nehmen → zusetzen (jmdm.); jmdn. / etwas nicht mit der Z. anfassen mögen → verabscheuen.

**Zangenfries** → Fries.

**Zangengeburt** → Geburt.

**Zank** → Streit.

**Zankapfel** → Streitobjekt.

**¹zanken** (sich), in Streit geraten, aneinandergeraten, zusammenstoßen, sich streiten / (*landsch.*) kabbeln / (*ugs.*) beharken / (*ugs.*) strubeln / (*ugs.*) in den Haaren liegen / (*ugs.*) in die Haare geraten (oder:) kriegen / (*ugs.*) in die Wolle kriegen, einen Auftritt haben mit; → eingreifen, → erörtern; → böse; → Streit.

**²zanken:** → schelten; sich z. → kämpfen; sich [nicht] z. → vertragen (sich).

**Zänker** → Querulant.

**Zankerei** → Streit.

**zänkisch** → unverträglich.

**Zanksucht** → Streitsucht.

**zanksüchtig** → streitbar.

**Zanksüchtigkeit** → Streitsucht.

**Zankteufel** → Querulant.

**Zapf** → Stöpsel.

**Zäpfchen** → Medikament.

**zapfen** → ausschenken.

**Zapfen:** → Kälte, → Nagel, → Stöpsel, → Tannenzapfen.

**Zapfenblindheit** → Farbenblindheit.

**Zapfenmuster** → Stoffmuster.

**Zapfenstreich** → Signal.

**Zapfenträger** → Nadelhölzer.

**Zapfenzieher** → Flaschenöffner.

**Zapfsäule** → Tanksäule.

**Zapfstelle** → Tankstelle.

**zappe:** jetzt ist es z. → ratlos.

**zappeln** → strampeln; jmdn. z. lassen → neugierig [machen], → vertrösten.

**Zappelphilipp** → Kind.

**zappenduster:** → dunkel; jetzt ist es z. → ratlos [sein]; es ist z. → aussichtslos.

**zapplig** → aufgeregt.

**Zar** → Oberhaupt.

**Zarewitsch** → Thronfolger.

**¹zart,** zierlich, zartgliedrig, feingliedrig, grazil, zerbrechlich, fragil; → empfindlich.

**²zart:** → duftig; -e Hirnhaut, -e Rückenmarkshaut → Meninx; nicht z. → rauh.

**zartbesaitet** → empfindlich.

**zartfühlend** → rücksichtsvoll.

**Zartgefühl** → Höflichkeit.

**zartgelb** → gelb.

**zartgliedrig** → zart.

**¹Zartheit,** Schmächtigkeit, Zierlichkeit, Grazilität; → Schlankheit.

**²Zartheit** → Anmut.

**zärtlich:** z. sein → liebkosen.

**Zärtlichkeit,** Liebkosung; → liebkosen.

**zartrosa** → rosa.

**Zase** → Fluse.

**Zasel** → Fluse.

**Zaser** → Fluse.

**Zaster** → Geld.

**Zäsur** → Einschnitt.

**Zauber:** → Anmut, → Reiz, → Zauberei; fauler Z. → Hokuspokus.

**¹Zauberei,** Zauber, Zauberkunst, Zauberwesen, Hexenwerk, Hexerei, Teufelswerk, Teufelskunst, Teufelspakt, Magie, Schwarze Kunst; → Aberglaube, → Zauberer, → Zauberin, → Zaubermittel; → zaubern.

**²Zauberei:** Z. betreiben / treiben → zaubern.

**¹Zauberer,** Zauberer, Zauberpriester, Schamane, Magier, Hexenmeister, Hexer; → Artist, → Zauberei, → Zauberin, → Zauberkünstler; → zaubern.

**²Zauberer** → Zauberkünstler.

**Zauberformel** → Zaubermittel.

**zauberhaft** → charmant.

**Zauberin,** Hexe, Drude, böse Fee · *in der antiken Mythologie:* Kirke, Circe; → Zauberei, → Zauberer; → zaubern.

**Zauberkunst** → Zauberei.

**Zauberkünstler,** Zauberer, Schwarzkünstler, Taschenspieler, Eskamoteur; → Artist.

**Zaubermittel,** Zauberstab, Zaubertrank, Zauberwurzel, Zauberformel, magische Formel, Zauberwort, Zauberspruch, Beschwörungsformel, Johannishändchen, Stein der Weisen, Abwehrzauber, Drudenfuß, Pentagramm, Tetragramma-

ton, magisches Zeichen; → Aberglaube, → Alraune, → Amulett, → Zauberei; → zaubern.

**zaubern,** hexen, Zauberei betreiben / treiben, den Zauberstab schwingen; → bannen; → Zauberei, → Zauberer, → Zauberin, → Zaubermittel.

**Zauberpriester** → Zauberer.

**Zauberspruch** → Zaubermittel.

**Zauberstab:** → Zaubermittel; den Z. schwingen → zaubern.

**Zaubertrank** → Zaubermittel.

**Zauberwesen** → Zauberei.

**Zauberwort** → Zaubermittel.

**Zauberwurzel** → Zaubermittel.

**Zaubrer** → Zauberer.

**Zauderer,** Unentschlossener, Punktator; → zögern.

**zaudern:** → zögern; im Z. halten → bändigen; sich im Z. halten → ruhig [bleiben].

**Zäumung** → Zaumzeug.

**Zaumzeug,** Zaum, Zäumung, Riemenzeug; → Pferd.

**¹Zaun,** Gartenzaun, Bauzaun, Bretterzaun, Lattenzaun, Gitterzaun, Drahtzaun, Stacheldrahtzaun, Drahtverhau, Gitter, Gatter, Hecke, Hag (*schweiz.*), Heckenzaun, lebender Zaun, Einfriedung, Einzäunung, Knick (*nordd.*), Staketenzaun; → Draht, → Einfassung, → Hecke, → Hürde, → Mauer; → einzäunen.

**²Zaun:** mit einem Z. versehen → einzäunen; Streit vom Z. brechen → provozieren; einen Streit vom Z. brechen → Streit.

**Zaunammer** → Vogel.

**zaundürr** → schlank.

**Zauneidechse** → Eidechse.

**Zaungast** → Zuschauer.

**Zaunkönig** → Vogel.

**Zaunpfahl:** Wink mit dem Z. → Impuls; mit dem Z. winken → hinweisen (auf).

**Zaunrose** → Rose.

**Zaunschere** → Gartenschere.

**Zausel** → Greis.

**zausen** → zerzausen.

**Zebaoth:** Herr Z. → Gott.

**Zebedäus** → Penis.

**Zebrakärpfling** → Fisch.

**Zebrastreifen** → Fußgängerübergang.

**Zechbeere** → Blaubeere.

**Zechbruder** → Zecher.

**Zeche:** → Bergwerk, → Verzehr; die Z. bezahlen müssen → Folge.

**zechen** → trinken.

**Zecher,** Trinkgenosse, Zechgenosse, Zechkumpan, Zechbruder (*ugs.*), Saufkumpan (*derb*), Saufkumpel (*derb*); → Freund, → Trinker; → trinken.

**Zechgelage** → Trinkgelage.

**Zechgenosse** → Zecher.

**Zechkumpan** → Zecher.

**Zechpreller** → Betrüger.

**Zechtour** → Trinkgelage.

**Zeck** → Fangspiel.

**Zecke,** Holzbock, Schildzecke, Waldzecke.

**Zeder** → Nadelhölzer.

**zedieren** → übertragen.

**Zeh,** Zehe, großer Zeh, großer Onkel (*scherzh.*), kleiner Zeh; → Fuß.

**Zehe:** → Zeh; auf -n gehen → fortbewegen (sich); vom Wirbel bis zur Z. → ganz.

**Zehenspitze:** auf -n gehen → fortbewegen (sich).

**zehn:** die -te Muse → Kabarett; angeben wie z. nackte Neger → prahlen; z. gegen eins wetten, daß → zweifeln.

**Zehner** → Münze.

**Zehnerjause** → Zwischenmahlzeit.

**Zehnkampf** · 100-m-Lauf, Weitsprung, Kugelstoßen, Hochsprung, 400-m-Lauf, 110-m-Hürdenlauf, Diskuswerfen, Stabhochsprung, Speerwerfen, 1500-m-Lauf; → Fünfkampf.

**Zehnpfennigstück** → Münze.

**Zehnsilber** → Vers.

**zehntausend:** die oberen Zehntausend → Oberschicht.

**Zehntausendmeterlauf:** 10000-m-Lauf → Lauf.

**zehnte:** die z. Muse → Kleinkunstbühne.

**¹zehren:** etwas zehrt / schwächt / kostet Kräfte / verzehrt die Kräfte / etwas zehrt an den Kräften / entkräftet / ist strapaziös / ist anstrengend /greift an / reibt auf; → beschwerlich [sein].

**²zehren:** z. von → erinnern (sich).

**¹Zeichen,** Symbol, Namenszeichen, Märke (*österr.*) · *geheimes:* Geheimzeichen, Chiffre,

Code; → Abzeichen, → Davidsstern, → Erkennungszeichen, → Hörzeichen, → Klartext, → Lichtzeichen, → Losung; → chiffrieren, → dechiffrieren.

**²Zeichen:** → Anzeichen, → Bekundung, → Gebärde, → Sinnbild, → Unterpfand; magisches Z. → Zaubermittel; etwas ist ein Z. von etwas → zeigen; wenn nicht alle Z. trügen → anscheinend; ein Z. geben → winken; ein Z. machen → markieren; ein Z. setzen → richtungweisend [sein]; Verständigung durch Z. → Zeichensprache.

**zeichenhaft** → sinnbildlich.

**Zeichenheft** → Heft.

**Zeichenkohle** → Zeichenstift.

**Zeichenpapier** → Schreibpapier.

**Zeichensetzung,** Interpunktion; → Satzzeichen.

**Zeichensprache,** Gebärdensprache, Gestensprache, Mienensprache, Klopfsprache, Fingersprache, Verständigung durch Zeichen; → Sprache.

**Zeichenstift,** Malstift, Farbstift, Buntstift, Filzstift, Wachsmalstift, Rötelstift, Silberstift, Pastellstift, Zeichenkohle; → Kreide, → Schreibstift.

**Zeichentrickfilm** → Kinofilm.

**¹zeichnen,** abzeichnen, nachzeichnen, aufzeichnen, einzeichnen · *als Skizze:* skizzieren · *als Illustration:* illustrieren · *ein Porträt:* porträtieren · *mit Tusche:* tuschen · *eine Linie in kurzen aufeinanderfolgenden Linien:* strichen, strichlieren *(österr.)* · *mehrere parallele Striche:* schraffieren · *durch Ritzen und Färben auf die Haut:* tätowieren; → anmalen, → anstreichen, → malen, → schminken, → streichen, → Bild, → Zeichner.

**²zeichnen:** → kaufen; gezeichnet von → von.

**Zeichner,** technischer Zeichner, Bauzeichner · Modezeichner · Graphiker, Werbegraphiker, Layouter, Visualiser, Gebrauchsgraphiker · *von Karikaturen:* Karikaturist, Cartoonist · *von Gebrauchsgegenständen oder Autos:* Designer, Formgestalter, Formgeber, Musterzeichner,

Stylist, Karosserieschneider · *von Illustrationen:* Illustrator · *von Landkarten:* Kartograph; → Druckgraphik, → Künstler, → Maler; → zeichnen.

**Zeichnung,** Graphik · *flüchtig entworfene:* Skizze · *kleine, zierliche:* Miniatur · *satirische oder witzige:* Karikatur, Cartoon, Witz, Witzzeichnung, Drudel · *an der Wand [von Renaissancebauten]:* Sgraffito · *auf Metall, Stein:* Gravur · *als Entwurf für die Gestaltung von Gebrauchsgegenständen:* Dessin · *als Verzierung des Titels oder Randes in Druckschriften:* Vignette; → Bild, → Felszeichnung, → Graphik, → Gravüre, → Kunstdruck, → Maler, → Schattenriß, → Schautafel, → Zeichner; → malen, → zeichnen.

**Zeidelbär** → Bär.

**Zeidler** → Imker.

**Zeigefinger:** → Finger; Brot belegt mit Daumen und Z. → Schnitte; mit erhobenem Z. → streng.

**¹zeigen:** etwas zeigt / beweist etwas / zeugt von etwas / ist Beweis für etwas / legt Zeugnis ab von etwas / *(geh.)* kündet von etwas / ist ein Zeichen von etwas.

**²zeigen:** → aufweisen, → bekunden, → hinweisen (auf), → lehren; sich z. → benehmen (sich), → entstehen, → offenbar [werden], → präsentieren (sich), → vorweisen; dir werde ich es z.! → wehe!; sich interessiert z. → aufgeschlossen [sein], → bemühen (sich um); nicht z. → unterdrücken; seinen Ausweis z. → legitimieren (sich); seine Dankbarkeit z. → danken; Gegenwirkung z. → reagieren; sein wahres Gesicht z. → erkennen; Interesse z. [für] → aufgeschlossen [sein]; Lebensart z. → benehmen (sich); jmdm. die kalte Schulter z. → ablehnen; [ein Stück] z. → aufführen; Verständnis z. für → entgegenkommen (jmdm.); keine Wirkung z. → wirkungslos [bleiben]; die Zähne z. → fletschen (die Zähne); jmdm. die Zähne z. → aufbegehren.

**Zeiger:** [kleiner / großer Z.] → Uhrzeiger.

**zeihen** → verdächtigen.

**¹Zeile** · *letzte eines Absatzes, die auf einer neuen Seite steht:* Hurenkind · *erste eines neuen Absatzes, die als letzte Zeile auf einer Seite steht:* Schusterjunge; → Fehler, → Reihe.

**²Zeile:** → Linie; -n → Schreiben; ein paar -n schreiben → korrespondieren.

**Zeilendorf** → Dorf.

**Zeilengußsatz** → Schriftsatz.

**Zeiselbär** → Bär.

**Zeisig** → Vogel.

**¹Zeit,** Uhrzeit · Normalzeit, Ortszeit, mitteleuropäische / osteuropäische / westeuropäische Zeit, MEZ, OEZ, WEZ; → Uhr.

**²Zeit:** → Augenblick, → Frist, → Muße, → Zeitraum; frühere / gewesene / verflossene / vergangene Z. (oder:) -en → Vergangenheit; gegenwärtige Z. → Gegenwart; die gute alte Z. → Gründerzeit; kommende -en → Nachwelt; kommende / zukünftige Z. → Zukunft; die närrische Z. → Fastnacht; die schlechte Z., die Z. nach dem Krieg, die Z. nach dem zweiten Weltkrieg, die Z. des Wiederaufbaus / vor der Währungsreform → Nachkriegszeit; unsere Z. → Gegenwart; die Z. zwischen Weihnachten und Dreikönigsfest → Rauhnächte; bis dahin vergeht noch einige Z. → dauern; es ist höchste Z. → spät; seine Z. absitzen → abbüßen; etwas dauert seine Z. → vorangehen; etwas hat noch Z. → eilen; viel Z. kostend / in Anspruch nehmend → zeitraubend; sich Z. lassen → anstrengen (sich), → langsam [arbeiten]; sich die Z. lang werden lassen, die Z. totschlagen → langweilen (sich); dem lieben Gott die Z. stehlen → faulenzen; keine Z. verlieren / versäumen dürfen, keine Z. zu verlieren haben → beeilen (sich); die Z. verschlafen → verspäten (sich); Zug der Z. → Neigung; im Laufe der Z. → allmählich; auf Z., [auf] kurze Z. → vorübergehend; auf längere Z. → langfristig; aus Großmutters / Großvaters / Omas / Opas -en sein → überlebt [sein]; bei / zu nachtschlafender Z. → nachts; für Z. und Ewigkeit → bleibend; für alle -en → bleibend; für längere Z. → langfristig; hinter seiner / der Z. zurückbleiben → rückschrittlich[sein]; in absehbarer / kurzer Z. → später; in letzter Z. → kürzlich; → neuerdings; in der Z. von → binnen; mit der Z. gehen / Schritt halten → fortschrittlich [sein]; seit längerer Z.→längst; von Z. zu Z. → manchmal; jenseits von Raum und Z. → ewig; vor der Z. → vorzeitig; vor kurzer Z. → kürzlich; zu gegebener / zu seiner Z., wenn die Z. dafür gekommen / reif ist → Augenblick; zu keiner Z. → niemals; zu Olims -en → damals; zu unpassender Z. kommen → stören (jmdn.); zur Z. → jetzt; zur [rechten] Z. → früh; zur rechten / vereinbarten Z. → pünktlich; nicht zur rechten / vereinbarten Z. → säumig.

**Zeitabschnitt** → Zeitraum.

**Zeitabstand** → Intervall.

**Zeitalter:** → Zeitraum; technisches Z. → Atomzeitalter.

**Zeitaufnahme** → Fotografie.

**Zeitbombe** → Sprengkörper.

**Zeitdauer** → Dauer.

**Zeitdruck:** unter Z. → schnell; unter Z. stehen → beeilen (sich).

**Zeiteinteilung** → Zeitplanung.

**Zeiterfassungsuhr** → Stempeluhr.

**Zeitform** → Tempus.

**zeitgebunden:** nicht z. → zeitlos.

**Zeitgeist** → Denkweise.

**zeitgemäß** → fortschrittlich.

**Zeitgenosse,** Mitlebender, Mitmensch; → zeitgenössisch.

**zeitgenössisch,** gegenwärtig, heutig, Gegenwarts-; → modern; → Zeitgenosse.

**zeitgerecht** → pünktlich.

**Zeitgeschichte** → Geschichte.

**zeitgleich** → gleichzeitig.

**Zeitglocke** → Uhr.

**zeitig** → früh.

**zeitigen:** → verursachen; keinen Erfolg z. → wirkungslos [bleiben]; etwas zeitigt ein gutes Ergebnis → Erfolg [haben].

**Zeitkarte** → Fahrkarte.

**Zeitlang:** eine Z. → vorübergehend.

**zeitlebens:** → bleibend, → unaufhörlich.

**zeitlich:** → vergänglich; z. begrenzen → befristen; das Zeitliche segnen →defekt [werden], → sterben.

**Zeitlichkeit** → Vergänglichkeit.

**Zeitlohn** → Lohn.

**¹zeitlos,** nicht zeitgebunden, nicht der Mode unterworfen, nicht betont modisch; → bleibend.

**²zeitlos:** [raum- und z.] → ewig.

**Zeitlosigkeit:** [Raum- und Z.]→ Ewigkeit.

**Zeitmesser** → Uhr.

**Zeitplanung,** Zeiteinteilung, Planung, Timing.

**Zeitpunkt:** → Augenblick, → Frist; den richtigen Z. verpassen → versäumen; seit dem Z., von dem Z. an → seither; zu keinem Z. → niemals.

**zeitraubend,** langwierig, viel Zeit kostend / in Anspruch nehmend; → lange; **z. sein,** etwas hält auf.

**Zeitraum,** Zeitalter, Ära, Epoche, Zeit, Zeitabschnitt, Periode, Phase, Zeitspanne, Äon (*dicker*.) · Jahrtausend, Millennium · Jahrhundert, Säkulum · Jahrzehnt, Dezennium · Jahr, Gregorianisches / Julianisches / anomalistisches / siderisches / tropisches Jahr, Mondjahr · Monat · *von sechs Monaten:* Halbjahr, Semester (im Unterrichtswesen) · *von drei Monaten:* Trimester (im Unterrichtswesen) · Woche, sieben Tage, acht Tage · Tag · Stunde · Minute · Sekunde; → Frist, → Intervall, → Jahreszeit, → Kalenderjahr, → Monat, → Weile.

**Zeitrechnung:** ... nach / vor der Z. → Jahr.

**Zeitroman** → Roman.

**Zeitschrift,** Periodikum, Illustrierte, illustrierte Zeitung / Zeitschrift, illustriertes Blatt, Wochenzeitschrift, Wochenzeitung, Wochenschrift, Monatsschrift, Zweimonatsschrift, Vierteljahresschrift, Journal, Magazin, Nachrichtenmagazin, Wochenmagazin · Fachzeitschrift, Fachzeitung, Fachblatt, Fachorgan · *für Schüler von Schülern geschriebene und hergestellte:* Schülerzeitung; →

Buch, → Modejournal, → Redaktion, → Zeitung.

**Zeitschriftenabonnement** → Abonnement.

**Zeitspanne:** → Weile, → Zeitraum.

**¹Zeitung,** Blatt, Organ, Gazette, Blättchen (*abwertend*), Lokalblatt, Lokalzeitung, Provinzblatt, Tageszeitung, Tagblatt, Morgenzeitung, Morgenblatt, Abendzeitung, Abendblatt, Nachtausgabe, Wochenzeitung, Intelligenzblatt, Wochenblatt, Boulevardblatt, Weltblatt, Käseblatt (*abwertend*), Wurstblatt (*abwertend*), Revolverblatt (*abwertend*), Groschenblatt (*abwertend*), Witzblatt, Parteiblatt, Kirchenblatt, Propagandablatt, Extrablatt, Extraausgabe; → Buch, → Feuilleton, → Massenmedien, → Modejournal, → Presse, → Redaktion, → Schlagzeile, → Zeitschrift, → Zeitungsbeilage, → Zeitungswesen.

**²Zeitung:** illustrierte Z. → Zeitschrift.

**Zeitungsabonnement** → Abonnement.

**Zeitungsartikel,** Leitartikel, Beitrag, Kommentar, Glosse, Spitze, Kolumne · *von geringem Umfang:* Kurzartikel, Kurzbericht, Entrefilet (*veraltet*) · *von einem Redaktionsmitglied verfaßter, nicht von einer Agentur übernommener:* Eigenbericht, Spezialbericht (*schweiz.*); → Bericht, → Nachricht, → Redaktion.

**Zeitungsbeilage,** Beilage, Beiblatt, Literaturbeilage, Kulturbeilage, Unterhaltungsbeilage, Sonntagsbeilage, Reisebeilage, Frauenbeilage, Jugendbeilage, Kinderbeilage, Kunstbeilage, Sportbeilage; → Feuilleton, → Zeitung.

**Zeitungsbude** → Verkaufsstand.

**Zeitungsdruckpapier** → Druckpapier.

**Zeitungskiosk** → Verkaufsstand.

**Zeitungsmann** → Berichter.

**Zeitungspapier:** platt sein wie Z. → überrascht [sein].

**Zeitungssatz** → Schriftsatz.

**Zeitungsschreiber** → Berichter.

**Zeitungsstand** → Verkaufsstand.

Zeitungswesen, Pressewesen, Journalistik; → Berichter, → Presse, → Zeitung.
Zeitvertreib → Unterhaltung.
zeitweilig → vorübergehend.
zeitweise → vorübergehend.
Zeitwort → Verb.
Zelebrität → Berühmtheit.
Zelle: → Körperzelle, → Strafanstalt; rote Z. → Arbeitskreis.
Zelleib → Protoplasma.
Zellengewölbe → Gewölbe.
Zellenspitze → Spitzenstickerei.
Zeller → Gemüse.
Zellplasma → Protoplasma.
Zellulitis, Orangenhaut, Matratzenhaut, Matratzenphänomen; → Epidermis.
Zellulosepapier → Papier.
Zellwolle → Stoff.
Zelot → Eiferer.
¹Zelt, Campingzelt, Stangenzelt, Windschirmzelt · *der Indianer:* Wigwam, Tipi · *asiatischer Nomaden:* Kibitka, Jurte; → Haus, → Wohnwagen; → zelten.
²Zelt: seine -e abbrechen → übersiedeln; seine -e aufschlagen → einziehen, → niederlassen.
Zeltdach → Dach.
¹zelten, campen, Camping machen (*ugs.*), campieren (*bes. österr., schweiz.*), biwakieren; → Camping, → Zelt.
²zelten: das Zelten → Camping.
Zelten → Lebkuchen.
Zelter → Pferd.
Zeltlager → Campinglager.
Zeltlein → Bonbon.
Zeltler: → Bäcker, → Camper.
Zeltli → Bonbon.
Zeltpflock, Pflock, Hering.
Zeltplatz → Campingplatz.
Zement: → Beton, → Bindemittel.
Zementboden → Fußboden.
zementgrau → grau.
zementieren: → festigen, → pflastern.
Zenit: den Z. erreichen → gipfeln.
Zenotaph → Grabstein.
Zenotaphion → Grabstein.
Zenotaphium → Grabstein.
¹zensieren, benoten, beurteilen, zensurieren (*österr.*), eine Note geben; → prüfen.
²zensieren → prüfen.

zensiert, zensuriert (*österr.*), gekürzt · *bei Filmen:* geschnitten; → unvollständig; → beanstanden.
Zensor → Kritiker.
¹Zensur, Note, Zeugnisnote, Nummer, Benotung, Bewertung; → Bescheinigung, → Hochschulreife, → Reifezeugnis, → Urkunde.
²Zensur → Kontrolle.
zensurieren → zensieren.
zensuriert → zensiert.
Zentaur: → Fabelwesen, → Sternbild.
Zenterhalf → Fußballspieler.
Zenterstürmer → Fußballspieler.
Zentifolie → Rose.
Zentigramm → Gewichtseinheit.
Zentimeter → Längenmaß.
Zentimetermaß → Metermaß.
Zentner → Gewichtseinheit.
Zentnerlast → Last.
zentnerschwer → sorgenvoll.
¹zentral, im Mittelpunkt, im Zentrum; → in; → Mittelpunkt.
²zentral: → wichtig; -e Sprachstörung → Aphasie.
Zentralbahnhof → Bahnhof.
Zentrale: → Hauptgeschäftsstelle, → Mittelpunkt, → Telefonzentrale.
Zentralfrage → Schwierigkeit.
Zentralisation → Zentralisierung.
zentralisieren, zusammenziehen, in einem Mittelpunkt vereinigen, von einem Zentrum aus leiten / verwalten; → Mittelpunkt, → Zentralisierung.
Zentralisieren (das): → Zentralisierung.
Zentralisierung, Zentralisation, Zentralisieren (das), Zusammenziehung; → zentralisieren.
Zentralheizung → Heizung.
Zentralkomitee → Leitung.
Zentralnervensystem → Nervensystem.
Zentralproblem → Schwierigkeit.
Zentralpunkt → Mittelpunkt.
Zentralschule → Schule.
Zentralschweiz → Innerschweiz.
Zentrifugalkraft → Schwungkraft.
Zentrifuge → Wäscheschleuder.
zentrovertiert → selbstbezogen.
Zentrum: → Innenstadt, → Mittelpunkt; im Z. → zentral;

von einem Z. aus leiten / verwalten → zentralisieren.
Zephanja → Prophet.
Zephir → Wind.
Zeppelin → Luftschiff.
¹Zepter, Herrscherstab; → Abzeichen.
²Zepter: das Z. schwingen → maßgeblich [sein].
zerbersten → platzen.
Zerberus → Wächter.
¹zerbrechen, entzweibrechen, brechen, bersten, platzen, zerplatzen, springen, zerspringen, splittern, zersplittern; → platzen; → zerbrechlich.
²zerbrechen: → zerstören; sich den Kopf z. → denken; z. an → scheitern.
¹zerbrechlich, fragil, brechbar, splitterig, splittrig, gläsern; → zerbrechen.
²zerbrechlich → zart.
zerbrochen → defekt.
zerbröckeln: → zerfallen, → zerlegen.
zerdehnt → gedehnt.
zerdrücken → zermalmen.
zerdrückt → zerknittert.
Zerealien → Getreideflocken.
Zerebrum → Gehirn.
Zeremonie → Brauch.
zeremoniell → formell.
Zeremoniell: → Benehmen, → Brauch.
zeremoniös → formell.
zerfahren → unaufmerksam.
¹Zerfahrenheit, Wechselhaftigkeit, Sprunghaftigkeit, Oberflächlichkeit, Flatterhaftigkeit; → Gedankenlosigkeit, → Unausgeglichenheit, → Zerstreutheit; → labil, → unaufmerksam.
²Zerfahrenheit → Zerstreutheit.
¹zerfallen, zerbröckeln, abbröckeln, auseinanderbröckeln; → morsch.
²zerfallen: → morsch; mit der Welt z. sein → schwermütig [sein]; mit sich und der Welt z. sein → unzufrieden [sein].
zerfetzen → zerlegen.
zerfledern → zerlegen.
zerfleischen: → zerlegen; sich selbst -d → selbstzerstörerisch.
zerfließen: → schmelzen; in Tränen z. → weinen.
zerfranst → ausgefranst.
zerfressen: → annagen; von Rost z. → rostig.
zerfurcht → faltig.

**Zerfurchtheit,** Runz[e]ligkeit, Schrump[e]ligkeit, Faltigkeit, Zerknittertheit, Knitterigkeit, Schlaffheit, Welkheit; → Chalodermie, → Runzel; → faltig.

**zergehen:** → schmelzen; im Mund / auf der Zunge z. lassen → lutschen.

**¹zergliedern,** zerlegen, erklären, entwirren, zerpflücken, analysieren; → aufrollen, → forschen, → kontrollieren.

**²zergliedern** → entflechten.

**Zergliederung** → Analyse.

**zerhacken** → zerlegen.

**zerhauen:** den gordischen Knoten z. → Lösung.

**zerkleinern:** → mahlen, → zerlegen.

**zerklopfen** → zermahlen.

**zerklüftet** → faltig.

**zerknallen** → platzen.

**zerknautschen** → zerknittern.

**zerknautscht** → zerknittert.

**zerknirscht** → schuldbewußt.

**Zerknirschtheit** → Schuldgefühl.

**Zerknirschung** → Schuldgefühl.

**zerknittern,** knittern, zerknüllen (ugs.), knüllen (ugs.), knautschen (ugs.), zerknautschen (ugs.), verknautschen (ugs.), verkrumpeln (ugs.), verkrunkeln (ugs., berlin.); → falten.

**¹zerknittert,** knittrig, zerdrückt, verdrückt, knautschig (ugs.), zerknautscht (ugs.), verknautscht (ugs.), geknautscht (ugs.), krump[e]lig (ugs.), verkrumpelt (ugs.), verkrunkelt (ugs., berlin.); → faltig; → zerknittern.

**²zerknittert** → faltig.

**Zerknittertheit** → Zerfurchtheit.

**zerknüllen** → zerknittern.

**zerkratzen** → kratzen.

**zerkrümeln** → zerlegen.

**zerlassen,** auslassen, schmelzen, flüssig machen, verflüssigen; → schmelzen.

**zerlaufen** → schmelzen.

**¹zerlegen,** auseinandernehmen, zertrennen, zerteilen, demontieren, abtakeln, abbauen, auflösen, dekomponieren, zerschneiden, zerschnippeln (salopp), auseinanderschneiden, zerreißen, in Stücke reißen, zerpflücken, zerzupfen, zer-

rupfen, zerfetzen, zerfledern, zerstückeln, zerfleischen, zerhacken, zerkleinern, schnitzeln, schnetzeln (schweiz.), ausbeinein (österr.), zerbröckeln, zerkrümeln · von geschlachteten Tieren: aushacken (österr.), auslösen (österr.), ausschroten (österr.) · von Eßwaren: aufschneiden, in Scheiben / Stücke schneiden, tranchieren, transchieren (österr.), abmontieren; → niederreißen, → defekt [werden], → öffnen, → schneiden, → spalten, → zermahlen, → zerstören; → Zerlegung.

**²zerlegen** → zergliedern.

**¹Zerlegung,** Demontage, Abbau, Abbruch, Zerstückelung, Zerteilung, Zertrennung, Auflösung, Dekomposition; → zerlegen.

**²Zerlegung** → Analyse.

**zermahlen,** zerreiben, pulverisieren, zerstoßen, zerstampfen, zerklopfen; → mahlen, → zerlegen, → zermalmen, → zerstören.

**zermalmen,** zerquetschen, zerdrücken, zu Mus / Brei machen, breitdrücken, breitquetschen, breitwalzen, zermatschen; → quetschen, → zermahlen, → zerstören.

**zermartern:** sich das Hirn z. → denken.

**zermatschen** → zermalmen.

**zermürben,** mürbe machen, weichmachen (salopp), kleinkriegen (salopp), jmds. Widerstandskraft brechen; → überreden.

**zermürbt,** mürbe, demoralisiert, entnervt; → erschöpft.

**Zermürbungskrieg** → Krieg.

**zernieren** → einkreisen.

**Zero** → Null.

**zerpflücken:** → zergliedern, → zerlegen.

**zerplatzen:** → platzen, → zerbrechen.

**zerquetschen:** → zermalmen; ein paar Zerquetschte → Münze.

**zerraufen** → zerzausen.

**Zerrbild,** Fratze, Verhöhnung, Spottbild, Verfälschung, Verzerrung, Karikatur, Verunstaltung, Entstellung; → Entstellung, → Nachahmung, → Satire, → Zeichnung; → verfälschen.

**zerreden** → zerstören.

**zerreiben** → zermahlen.

**zerreißen:** → zerlegen; sich z. [nach] → streben; sich z. für → eintreten (für).

**Zerreißprobe** → Anstrengung.

**Zerreißung** → Verletzung.

**zerren,** ziehen, zupfen, ziepen (ugs.), reißen, rupfen; → zerzausen, → ziehen; → strubbelig.

**zerrissen:** → defekt; [innerlich] z. sein → zwiespältig [sein].

**Zerrissenheit** → Unausgeglichenheit.

**Zerrung** → Verletzung.

**zerrupfen** → zerlegen.

**zerrütten** → schaden.

**Zerrüttung** → Vernichtung.

**zerschlagen:** → zerstören; z. sein → erschöpft [sein]; etwas zerschlägt sich → scheitern; Porzellan z. → benehmen (sich).

**Zerschlagenheit** → Erschöpfung.

**Zerschlagung** → Vernichtung.

**zerschlissen** → abgenutzt.

**zerschmeißen** → zerstören.

**zerschmelzen** → schmelzen.

**zerschmettern** → zerstören.

**zerschneiden:** → durchschneiden, → zerlegen; den gordischen Knoten z. → Lösung; das Tischtuch zwischen sich und jmdm. z. → beenden.

**zerschnippeln** → zerlegen.

**zersetzen:** → untergraben; sich z. → faulen.

**zersetzend** → umstürzlerisch.

**Zersetzung:** → Vernichtung, → Zerstörung.

**zersplittern** → zerbrechen.

**zersprageln:** sich z. → eintreten (für).

**zerspringen:** → platzen, → zerbrechen.

**zerstampfen:** → zermahlen, → zerstören.

**zerstäuben,** sprühen, versprühen, sprayen; → Spray.

**¹zerstören,** vernichten, zugrunde richten, destruieren, ruinieren, verwüsten, verheeren, wie die Hunnen / Vandalen hausen, zerschlagen, zerbrechen, zerteppern (ugs.), zerschmeißen (salopp), zerschmettern, zertreten, zerstampfen, zertrampeln (ugs.), eintreten, dem Erdboden gleichmachen, keinen Stein auf dem anderen lassen, ausradieren, mit Stumpf und Stiel ausrotten (ugs.), niedermähen, niederwalzen, hinmachen (ugs.), [in die Luft] sprengen, zertrümmern, einschlagen, demolieren, kaputtmachen (ugs.), einer Sache den Rest geben (ugs.), Kleinholz machen (ugs.), alles kurz und klein schlagen (ugs.), zusammenschießen · von Gedrucktem: einstampfen · durch vieles Reden: zerreden; → ausrotten, → beschädigen, → besiegen, → defekt [werden], → niederreißen, → verunstalten, → zerlegen, → zermahlen, → zermalmen; → Bücherverbrennung, → Vernichtung.

²zerstören: am Boden zerstört sein → erschöpft [sein]; etwas z. → verstoßen (gegen etwas).

Zerstörer → Kriegsschiff.

zerstörerisch: → todbringend, → umstürzlerisch.

¹Zerstörung, Destruktion, Zersetzung · der Erdoberfläche durch Wasser, Wind und Eis: Erosion · der Oberfläche von Gesteinen, Metallen o.ä. durch chemische Einwirkung: Korrosion; → Vernichtung.

²Zerstörung → Vernichtung.

Zerstörungslust → Zerstörungswut.

Zerstörungstrieb → Zerstörungswut.

Zerstörungswut, Zerstörungstrieb, Zerstörungslust, Vernichtungswahn, Vandalismus, Barbarei; → Grausamkeit.

zerstoßen → zermahlen.

zerstreiten: sich z. → entzweien (sich).

¹zerstreuen (sich), sich ablenken, einen Tapetenwechsel vornehmen (ugs.), für Abwechslung sorgen, einmal etwas anderes hören und sehen; → vergnügen (sich).

²zerstreuen: → erheitern, → verstreuen; sich z. → vergnügen (sich).

zerstreut → unaufmerksam.

Zerstreutheit, Zerfahrenheit, Unaufmerksamkeit, Abgelenktheit, Unkonzentriertheit, mangelnde Sammlung / Konzentration, Konzentrationsschwäche, Geistesabwesenheit, Absence; → Gedankenlosigkeit, → Zerfahrenheit; → unaufmerksam.

Zerstreuung → Unterhaltung.

Zerstreuungslinse → Linse.

zerstritten → verfeindet.

zerstückeln → zerlegen.

Zerstückelung → Zerlegung.

zerteilen → zerlegen.

Zerteilung → Zerlegung.

zerteppern → zerstören.

zertrampeln → zerstören.

zertrennen → zerlegen.

Zertrennung → Zerlegung.

zertreten → zerstören.

zertrümmern → zerstören.

Zertrümmerung → Vernichtung.

Zervelat → Wurst.

Zerwürfnis → Streit.

zerzausen, zausen, zerraufen, verstrubbeln, strubbeln (landsch.); → frisieren, → zerren; → strubbelig.

zerzaust → strubbelig.

zerzupfen → zerlegen.

Zession → Abtretung.

Zet → Freiheitsentzug.

Zeta → Buchstabe.

Zeter: Z. und Mordio schreien → schreien.

Zetermordio: Z. schreien → schreien.

zetern → schelten.

Zettel → Papierschnitzel.

Zettelkartei → Kartei.

Zettelkasten → Kartei.

Zettelkatalog → Kartei.

Zeug: → Kleidung, → Kram, → Material; dummes Z. → Unsinn; was das Z. hält → sehr; das Z. zu etwas haben → begabt; dummes Z. reden → sprechen; jmdm. etwas am -e flicken → beanstanden; sich ins Z. legen → anstrengen (sich).

¹Zeuge, Kronzeuge, Hauptzeuge, Augenzeuge, Ohrenzeuge, Tatzeuge, Belastungszeuge, Entlastungszeuge; → beobachten, → zeugen (für, gegen), → zuschauen.

²Zeuge: → Zuschauer; -n Jehovas → Sekte; Z. sein, als Z. auftreten / aussagen → zeugen (für, gegen).

Zeugeglied → Penis.

¹zeugen (für, gegen), Zeuge sein, Zeugnis ablegen (geh., veraltend), als Zeuge aussagen / auftreten, etwas bezeugen; → Zeuge.

²zeugen: → schwängern; etwas zeugt von etwas → zeigen;

etwas zeugt von Geschmacklosigkeit → geschmacklos (sein).

Zeughaus → Warenlager.

¹Zeugnis, Schulzeugnis, Prüfungszeugnis, Semesterzeugnis, Abgangszeugnis, Abschlußzeugnis, Lehrbrief, Zwischenzeugnis, Ausweis (österr.); → Bescheinigung, → Reifezeugnis, → Zensur.

²Zeugnis: → Befähigungsnachweis, → Bescheinigung; Z. ablegen → zeugen (für, gegen); etwas legt Z. ab von etwas → zeigen.

Zeugnisnote → Zensur.

Zeugung → Befruchtung.

zeugungsfähig: → fruchtbar, → geschlechtsreif.

Zeugungsfähigkeit: → Fähigkeit, → Fertilität.

Zeugungskraft → Fähigkeit.

zeugungsunfähig → impotent.

Zeugungsunfähigkeit → Impotenz.

Zeus: → Gott; „was tun?" spricht Z. → unentschlossen [sein]; beim Z.! → versprechen.

Zfünfi → Zwischenmahlzeit.

Zibbe: → Kaninchen, → Schaf.

Zibbeleskäs → Weißkäse.

Zibebe → Weinbeere.

Zichorienkaffee → Kaffee.

Zicke: → Frau; -n machen → Unsinn [machen].

Zickel → Ziege.

Zickelleder → Leder.

Zickenbart → Bart.

zickig → tantenhaft.

Zicklein → Ziege.

Zickzackblitz → Blitz.

Zickzackfalz → Falte.

Zickzackfries → Fries.

Zickzackkurve → Kurve.

Zickzackspinner → Schmetterling.

Zieche → Bezug.

¹Ziege, Geiß, Hippe (landsch.), Kuh des kleinen Mannes (scherzh.), Hausziege, Angoraziege, Bezoarziege, Zwergziege · männliche: Ziegenbock, Geißbock, Bock · junge: Zickel, Zicklein; → Kleinvieh.

²Ziege: → Fisch; dumme Z. → Dummkopf.

Ziegel: → Dachziegel, → Ziegelstein.

ziegelbraun → braun.

Ziegeldach → Dach.

Ziegelmauer → Mauer.

**ziegelrot:** → rot; Ziegelroter Rißpilz / Schwefelkopf → Ständerpilz.

**Ziegelstein,** Ziegel, Backstein, Klinker, Klinkerstein, Mauerziegel, Vollziegel, Lochziegel, Lehmziegel; → Baustein.

**Ziegenbart:** → Bart; Gelber Z. → Ständerpilz.

**Ziegenbock** → Ziege.

**Ziegenfleisch** → Fleisch.

**Ziegenhirt** → Hirt.

**Ziegenkäse** → Käse.

**Ziegenleder** → Leder.

**Ziegenlippe** → Ständerpilz.

**Ziegenmelker** → Vogel.

**Ziegenmilch** → Milch.

**Ziegenpeter** → Ohrspeicheldrüsenentzündung.

**Zieger** → Weißkäse.

**Ziehamriemen** → Tasteninstrument.

**Ziehbrunnen** → Brunnen.

**¹ziehen,** ins Schlepptau nehmen, abschleppen, nachschleifen, schleifen; → abmachen, → zerren.

**²ziehen:** → hervorziehen, → strecken, → übersiedeln, → wirken, → zerren, → züchten; es zieht [wie Hechtsuppe] → Durchzug; Nebelschwaden z. → nebeln; z. lassen → sieden; einen z. lassen → Darmwind [entweichen lassen]; die Aufmerksamkeit auf sich z. → exponieren (sich); Bilanz z. → überprüfen; jmdm. das Fell über die Ohren z. → ausbeuten; ein ... Gesicht z. → aussehen; Gewinn / Nutzen z. aus → Profit [machen]; Gewinn aus etwas z. → kommerzialisieren; den Hut z. → begrüßen; vor jmdm., vor etwas den Hut z. → Achtung [haben]; die Karre aus dem Dreck z. → Ordnung; das Los z. → losen; das Große Los gezogen haben mit jmdm. / etwas z. → auswählen; die Notbremse z. → anhalten (etwas / jmdn.); alle Register z. → anwenden; andere Register z. → eingreifen; seine Schlüsse / die Schlußfolgerung z. → folgern; einen Strich darunter z. → beenden; seinen Vorteil aus etwas z. → kommerzialisieren; die Wurzel z. → radizieren; jmdm. den Zahn z. → ernüchtern; am gleichen / am selben Strang z. → streben; an sich z. → umfassen; an Land / aus dem Wasser z. → länden; sich aus der Affäre z. → Lage; aus dem Verkehr z. → gebrauchen; wie aus dem Wasser gezogen → verschwitzt; durch den Kakao / in den Dreck / in den Schmutz z. → schlechtmachen; in Betracht / Erwägung z. → erwägen; in die Länge gezogen → gedehnt; in Mitleidenschaft gezogen werden → verschonen; ins Geheimnis gezogen sein → wissen; ins Land z. → vergehen; jmdn. ins Vertrauen z. → mitteilen; vom Leder z. → schelten; von Lokal zu Lokal z. → bummeln; zur Rechenschaft / zur Verantwortung z. → belangen, → bestrafen, → Rechenschaft; jmdn. zur Verantwortung z. → prozessieren.

**Ziehharmonika** → Tasteninstrument.

**Ziehharmonikahose** → Hose.

**Ziehkind** → Kind.

**Ziehmutter** → Mutter.

**Ziehtochter** → Tochter.

**Ziehung,** Verlosung, Auslosung, Ausspielung; → Los.

**Ziehvater** → Vater.

**Ziehwagen** → Wagen.

**¹Ziel** · Reiseziel, Zielort, Bestimmungsort, Zielbahnhof, Bestimmungsbahnhof, Bestimmungshafen, Zielhafen, Endstation.

**²Ziel:** → Absicht, → Frist, → Zweck; das Z. erreichen → bewältigen, → treffen; ein Z. ins Auge fassen → zielen; ein Z. vor Augen haben, nicht von seinem Z. abzubringen sein → zielstrebig [sein]; weder Maß noch Z. kennen → hemmungslos [sein]; ein Z. setzen → befristen; das Z. verfehlen → treffen; das gleiche Z. verfolgen → streben; geradewegs auf sein Z. losgehen → Einleitung; ohne Maß und Z. sein → hemmungslos [sein]; übers Z. hinausschießen → überhandnehmen, → übertreiben; sich etwas zum Z. setzen → vorhaben.

**Zielbahnhof:** → Bahnhof, → Ziel.

**zielbewußt** → zielstrebig.

**Zielbewußtsein** → Beharrlichkeit.

**Zieldrama** → Drama.

**¹zielen,** ein Ziel ins Auge fassen, die Waffe / den Lauf auf etwas richten; → schießen, → treffen; → Munition.

**²zielen:** -des Verb → Verb; z. auf → abzielen (auf), → vorhaben; etwas zielt auf jmdn. → münzen.

**Zielfernrohr** → Fernglas.

**Zielflug** → Flug.

**Zielhafen:** → Hafen, → Ziel.

**Zielkurve** → Kurve.

**Ziellandung** → Landung.

**ziellos** → unbesonnen.

**Zielort** → Ziel.

**Zielscheibe** → Prügelknabe.

**zielsetzend** → richtungweisend.

**Zielsetzung** → Absicht.

**zielsicher** → zielstrebig.

**zielstrebig,** zielbewußt, zielsicher, unbeirrt, energisch, resolut, zupackend, zugriffig *(schweiz.),* tatkräftig, entschlossen, nachdrücklich, konsequent, willensstark, rücksichtslos *(abwertend),* nicht → willensschwach; → beharrlich, → bereit, → mutig, → totalitär, → unbarmherzig; **z. sein,** nicht von etwas / seinem Ziel abzubringen sein, ein Ziel vor Augen haben, sich durch nichts anfechten / ablenken lassen, rangehen wie Blücher / wie Hektor an die Buletten *(ugs.).*

**Zielstrebigkeit** → Beharrlichkeit.

**Zielwasser** → Alkohol.

**ziemen (sich):** etwas ziemt sich / schickt sich / gehört sich; → angemessen, → anständig.

**Ziemer** → Peitsche.

**ziemlich:** → einigermaßen; z. [groß, hoch] → ansehnlich; z. grobe See → Seegang.

**Ziepchen** → Huhn.

**Ziepelchen** → Huhn.

**Zieraffe** → Geck.

**Zierat:** → Flitter, → Schmuck, → Verzierung.

**Zierbengel** → Geck.

**Zierde** → Verzierung.

**Zierdecke:** → Bettdecke, → Tischtuch.

**zieren:** → schmücken; sich z. → schämen (sich).

**¹Ziererei,** Getue *(ugs., abwertend),* Gehabe *(ugs., abwertend),* Mache *(abwertend),* Umstände, Wirtschaft *(ugs., abwertend),*

Menkenke (*landsch., ugs.*), Zimperlichkeit, Prüderie; → Ausflucht.

²**Ziererei** → Gespreiztheit.

**Zierfarn** → Farn.

**Zierfisch** → Fisch.

**Ziergarten** → Garten.

**Ziergewächs** → Zierstrauch.

**Ziergiebel** → Giebel.

**zierlich** → zart.

**Zierlichkeit** → Zartheit.

**Zierpflanze** → Zierstrauch.

**Zierstaude** → Zierstrauch.

**Zierstrauch,** Zierstaude, Zierpflanze, Ziergewächs; →Pflanze.

**Ziertaschentuch** → Taschentuch.

**Ziertuch** → Taschentuch.

**Ziesel** → Pelz.

**Ziffer** → Zahl.

**Zigan** → Zigeuner.

**Zigany** → Zigeuner.

**Zigarette,** Stäbchen (*ugs.*), Glimmstengel (*ugs.*), Nikotinspargel (*scherzh.*), Sargnagel (*scherzh.*), Spreiz (*ugs., landsch.*), Tschik (*ugs., österr., abwertend*) · *mit Filter:* Filterzigarette, Kastrierte (*ugs., scherzh.*) · *selbstgedrehte:* Eigenbau (*scherzh.*), Selbstgedrehte · *nicht selbstgedrehte:* Fabrikzigarette, Aktive (*ugs.*) · *russische mit langem Hohlmundstück aus Pappe:* Papirossa · *mit Rauschgift:* Joint · *letzter Rest:* Zigarettenstummel, Stummel, Kippe (*ugs.*), Tschik (*ugs., österr.*); → Raucher, → Tabak. → Tabakspfeife, → Tabakwaren, → Zigarre; → rauchen.

**Zigarettendose** → Behälter.

**Zigarettenkiosk** → Verkaufsstand.

**Zigarettenpause:** → Pause; eine Z. einlegen → Pause [machen].

**Zigarettenraucher** → Raucher.

**Zigarettenstummel** → Zigarette.

**Zigarettentabak** → Tabak.

**Zigarillo** → Zigarre.

¹**Zigarre,** Stumpen, Importe, Havannazigarre, Havanna, Brissago, Sumatrazigarre, Sumatra, Brasilzigarre, Brasil, Trabuko (*österr.*), Rauchrolle (*scherzh.*), Stinkrolle (*ugs.*), Giftnudel (*ugs., scherzh.*), Lötkolben (*ugs., scherzh.*) · *kleine:* Zigarillo; → Raucher, → Tabak, → Tabakspfeife, → Tabakwaren, → Zigarette; → rauchen.

²**Zigarre** → Vowurf.

**Zigarrenraucher** → Raucher.

**Ziger** → Weißkäse.

¹**Zigeuner,** Cigány, (*ung.*), Zigany, Zigan, Tater (*niederd.*), Rom (*Zigeunersprache*); →Vagabund.

²**Zigeuner:** → Abschaum, → Vagabund.

**Zigeunerkapelle** → Orchester.

**zigeunern** → herumtreiben (sich).

**Zigeunerschinken** → Schinken.

**Zigeunerschnitzel** → Fleischgericht.

**zigmal** → oft.

**Zikatrix:** → Hautblüte, → Narbe.

**Zille** → Boot, → Schiff.

**Zilpzalp** → Vogel.

**Zimbal** → Saiteninstrument.

**Zimmer:** → Raum, → Stück; das Z. hüten → krank [sein]; sich ein Z. nehmen → mieten; mit jmdm. das Z. teilen → wohnen; ans Z. gefesselt sein → krank [sein].

**Zimmerantenne** → Antenne.

**Zimmerarrest** → Freiheitsentzug.

**Zimmerblume** → Topfpflanze.

**Zimmerbrand** → Schadenfeuer.

**Zimmerdecke,** Decke, Plafond (*österr.*) · Holzdecke, Balkendecke, Dippelbalkendecke, Rippenbalkendecke, Rippendecke, Stahlbetondecke, Stahlbetonrippendecke, Massivdecke, Kassettendecke, Stützdecke, Kappdecke; → Raum.

**Zimmerflak** → Schußwaffe.

**Zimmerflucht** → Wohnung.

**Zimmerherr** → Untermieter.

**Zimmerkellner** → Bedienung.

**Zimmerlampe** → Lampe.

**Zimmerlautstärke:** in Z. → gedämpft.

**Zimmerluft** → Luft.

**Zimmermann:** jmdm. zeigen, wo der Z. das Loch gelassen hat → hinauswerfen.

**Zimmermannsknoten** → Knoten.

**Zimmermannsnagel** → Nagel.

**Zimmermannsstift:** → Nagel, → Schreibstift.

**zimmern** → bauen.

**Zimmerofen** → Ofen.

**Zimmerpflanze** → Topfpflanze.

**Zimmertheater:** → Theater, → Theatergebäude.

**Zimmerverlesen** → Appell.

**Zimmervermieterin,** Vermieterin, Wirtin, Hausfrau (*bayr., österr.*), Zimmerfrau (*österr.*); → Untermieter.

**Zimmerwand** → Mauer.

**zimperlich:** → engherzig, → wehleidig.

¹**Zimperlichkeit,** Wehleidigkeit, Empfindlichkeit, Überempfindlichkeit, Pimpeligkeit (*ugs.*); → Empfindsamkeit, → Unleidlichkeit; **ohne Z.,** unter Männern;→ wehleidig.

²**Zimperlichkeit** → Ziererei.

**Zimperliese** → Mädchen.

**Zimt:** → Gewürz, → Kram.

**Zimtrose** → Rose.

**Zimtstern:** -e → Gebäck.

**Zimtzicke** → Frau.

**Zimtziege** → Frau.

**Zingel** → Fisch.

**zinken:** → markieren; mit gezinkten Karten spielen → betrügen.

**Zinken** → Nase.

**Zinksarg** → Sarg.

**Zinne** → Gipfel.

**Zinnenfries** → Fries.

**Zinnfigur,** Bleifigur, Zinnsoldat, Bleisoldat; → Spielzeug.

**Zinnfolie** → Folie.

**Zinnkraut** → Schachtelhalm.

**zinnober** → orange.

**Zinnober** → Kram.

**zinnoberrot** → rot.

**Zinnsoldat** → Zinnfigur.

**Zinnteller** → Teller.

**Zins** → Mietzins.

**Zinseszinsrechnung** → Mathematik.

**Zinsfuß** → Zinssatz.

**Zinshaus** → Haus.

**Zinskaserne** → Haus.

**Zinsrechnung** → Mathematik.

**Zinssatz,** Zinsfuß, Prozentsatz · Diskontsatz · Lombardsatz.

**Zinswohnung** → Wohnung.

**Zionist** → Israelit.

**Zipfel,** Ecke, Ende, Eckstück; → Rand.

**Zipfelmütze** → Kopfbedeckung.

**Zipferl** → Penis.

**Zipp** → Reißverschluß.

**Zipperlein** → Arthritis.

**Zippverschluß** → Reißverschluß.

**Zirbe** → Nadelhölzer.

**Zirbel** → Nadelhölzer.

**Zirbelkiefer** → Nadelhölzer.

**Zirene** → Flieder.

**zirka** → ungefähr.

Zirkel: → Ausschuß, → Stern-
bild.
Zirkelschluß → Teufelskreis.
Zirkon → Schmuckstein.
Zirkular → Umlaufschreiben.
Zirkulation, Umlauf, Kreisum-
lauf, das Zirkulieren; → kur-
sieren.
zirkulieren → kursieren.
Zirkulieren (das): → Zirkula-
tion.
Zirkumzision → Operation.
¹Zirkus, Wanderzirkus, Hippo-
drom; → Artist, → Jahrmarkt,
→Revue, → Schausteller, →
Tierbändiger.
²Zirkus → Getue.
Zirkusakrobat → Artist.
Zirkusbesitzer → Schausteller.
Zirkuskünstler → Artist.
Zirkusreiterin → Reiterin.
Zirm → Nadelhölzer.
Zirn → Nadelhölzer.
zirpen → Laut.
Zirrokumulus → Wolken.
Zirrostratus → Wolken.
Zirrus → Wolken.
zischeln → flüstern.
zischen: → aufpfeifen, → fau-
chen, → flüstern; einen z. →
trinken; eine Molle z. → Bier.
ziselieren → eingravieren.
Zisterne → Brunnen.
Zisternenwasser → Wasser.
Zisterzienser → Mönchsorden.
Zisterzienserinnen → Nonnen-
orden.
Zisterzienserorden → Mönchs-
orden.
Zitadelle → Festung.
¹Zitat, Ausschnitt, Auszug,
Textstelle, Stelle; → Beleg, →
Bescheinigung.
²Zitat: → Ausspruch, → Beleg.
Zitatenlexikon → Nachschlage-
werk.
Zitatenschatz → Nachschlage-
werk.
Zitation → Vorladung.
Zither → Zupfinstrument.
zitieren: → erwähnen, → heran-
ziehen; [vor jmdn.] z. → be-
ordern.
Zitrin → Schmuckstein.
Zitronat, Sukkade, Cedrat; →
Orangeat, → Zitrone.
Zitrone, Zitrusfrucht · dick-
schalige: Limone · süße: Lumie;
→ Apfelsine, → Mandarine, →
Pampelmuse, → Südfrucht, →
Zitronat.

Zitronenbaum → Laubhölzer.
Zitronenfalter → Schmetterling.
zitronengelb → gelb.
Zitronenmelisse → Küchenge-
würz.
Zitronenpresse → Saftpresse.
Zitrulle → Gemüse.
Zitrusfrucht → Zitrone.
Zittergreis → Greis.
zitterig: [alt und z.] → hin-
fällig.
zittern, wie Espenlaub z.,
beben, erzittern, erbeben, zuk-
ken, den Tatterich haben (ugs.),
vibrieren, bibbern (ugs.), es
schaudert / durchschüttelt
jmdn.; → frieren; → konvulsiv.
Zitterrochen → Fisch.
Zitze, Strich (oberd.), Dutte
(landsch.); → Brustwarze, →
Melker.
Ziu → Gott.
zivil: zu -en Preisen → billig.
Zivil → Kleidung.
Zivilbevölkerung → Bewohner.
Zivilcourage → Mut.
Zivilehe → Ehe.
Zivilflughafen → Flugplatz.
Zivilisation → Kultur.
zivilisationskrank → umweltge-
schädigt.
zivilisieren → verfeinern.
Zivilisierung → Verfeinerung.
Zivilist, Zivilperson, Bürger,
nicht → Soldat.
Zivilkammer → Gericht.
Zivilklage → Anklage.
Zivilperson → Zivilist.
Zivilprozeß → Gerichtsverfah-
ren.
Zivilprozeßrecht → Rechtsge-
biet.
Zivilrecht → Rechtsgebiet.
Zivilsenat → Gericht.
Zivilstand → Personenstand.
Ziviltrauung → Vermählung.
Zivilverfahren → Gerichtsver-
fahren.
zizerlweis → allmählich.
ZK → Leitung.
zleidwerken → schaden.
Zloty → Zahlungsmittel.
Zmittag → Mittagessen.
Zmorgen → Frühstück.
Znacht → Abendessen.
ZNS → Nervensystem.
Znüni → Zwischenmahlzeit.
Zobel: → Fisch, → Pelz.
zockeln → fortbewegen (sich).
Zofe → Kammerzofe.
Zoff → Streit.

¹zögern, zaudern, zagen, schwanken, unentschlossen / unschlüssig sein, Bedenken tragen, tatenlos / untätig zusehen (oder:)
dabeistehen, säumen, häsitieren
(veraltet), retardieren · Ggs. →
eingreifen; nicht z., keine Bedenken haben; nicht anstehen, etwas zu tun; → unentschlossen; → Zauderer.
²zögern: ohne Zögern → rundheraus; ohne zu z. → bereitwillig; ohne lange zu z. → kurzerhand.
zögernd → unentschlossen.
Zögling → Schüler.
Zölibat → Ehelosigkeit.
Zölioskopie → Ausspiegelung.
Zoll: →Abgabe, → Längenmaß;
Z. bezahlen / entrichten → versteuern.
Zollbeamter → Zöllner.
zollen: Beifall z. → applaudieren; Dank z. → danken; Tribut
z. → honorieren, → Opfer
[bringen].
Zoller → Zöllner.
Zollflagge → Fahne.
Zollhafen → Hafen.
Zöllner, Zollbeamter, Zollwache-
beamter (Amtsspr., österr.), Fi-
nanzer (österr.), Zoller
(schweiz.).
Zollstock → Metermaß.
Zollverschluß, Plombe · Bande-
role, Steuerband, Kontroll-
papierstreifen · Siegel; → Ab-
gabe.
Zollwachebeamter → Zöllner.
Zömeterium: → Begräbnis-
stätte, → Friedhof.
Zone: → Deutschland, → Ge-
biet.
Zonengrenze → Grenze.
Zoo → Tiergarten.
Zoologie → Tierkunde.
zoologisch: Zoologischer Gar-
ten → Tiergarten.
Zoon politikon → Mensch.
Zootoxin → Gift.
Zope → Fisch.
Zopf: Zöpfe → Frisur; [falscher
Z.] → Haarzopf; die alten Zöpfe
abschneiden → abschaffen.
zopfig → altmodisch.
Zopfperücke → Perücke.
Zores: → Abschaum, → Un-
annehmlichkeiten.
Zorn: → Ärgernis; einen Z. ha-
ben → grollen.
Zornausbruch → Wutanfall.

Zornesausbruch → Wutanfall.
Zornesröte → Verfärbung.
Zornesträne → Träne.
**zornig:** → ärgerlich; -e junge
Männer → Lost generation.
Zosse → Pferd.
Zote → Witz.
zotig → anstößig.
Zottelbär → Bär.
Zottelhaar → Haar.
zotteln → fortbewegen (sich).
Zotteltrab → Gangart.
zottig → strubbelig.
**zu:** → à; zu Recht → füglich;
zu sein → geschlossen [sein].
**zuallererst:** z. kommen → Vorrang [haben].
zuballern → schließen.
zubauen → verbarrikadieren.
**Zubehör,** Zugehör (*österr.,
schweiz.*), Utensilien (Plural),
Requisit, Extra, Accessoires
(Plural); → Beigabe, → Bühnendekoration, → Nebenumstände,
→ Zutaten; **mit allem Z.,** mit
allem Drum und Dran (*ugs.*),
mit allen Schikanen (*ugs.*), mit
allem Pipapo (*salopp*).
zubeißen → beißen.
**¹zubekommen,** zukriegen (*salopp*), geschenkt kriegen (*ugs.*),
als Zugabe / (*ugs.*) Draufgabe
bekommen, etwas extra kriegen (*ugs.*); → geben, → schenken.
**²zubekommen:** nicht z. →
schließen.
zubenannt → genannt.
Zuber → Gefäß.
**zubereiten:** → anfertigen; das
Essen z. → kochen.
zubilligen → billigen.
zubinden → verschnüren.
zubringen → liefern, → weilen.
Zubringerlinie → Bahnlinie.
Zubringerstraße → Straße.
Zubrot → Beilage.
Zubuße → Zuschuß.
**zubuttern:** → einbüßen, → zuzahlen.
**Zucht:** → Benehmen, → Disziplin, → Züchtung.
Zuchtbulle → Rind.
**züchten,** ziehen, kreuzen, veredeln, okulieren, propfen, pelzen, pfelzen (*österr.*); → Gestüt, → Züchtung.
**Zuchthaus:** → Strafanstalt; im
Z. sitzen → abbüßen.
Zuchthäusler → Gefangener.

Zuchthausstrafe → Freiheits-
entzug.
**Zuchthengst:** → Beischläfer, →
Pferd.
züchtig → anständig.
züchtigen → bestrafen.
**Züchtigung,** Prügelstrafe, Strafe, Bestrafung, Schläge, Stockschläge, Hiebe; → Maßregelung, → Schläge, → Strafe, →
Vergeltung; → bestrafen.
**Züchtigungsrecht:** von seinem
Z. Gebrauch machen → schlagen.
zuchtlos → anstößig.
**Zuchtlosigkeit** → Sittenlosigkeit.
Zuchtperle → Perle.
Zuchtstier → Rind.
Zuchtstute → Pferd.
**Züchtung,** Zucht, Neuzüchtung, Aufzucht, Anzucht; →
Gestüt, → züchten.
zuchtvoll → diszipliniert.
zuckeln → fortbewegen (sich).
**zucken:** → zittern; ohne mit der
Wimper zu z. → kurzerhand, →
ruhig.
zücken → hervorziehen.
zuckend → konvulsiv.
**¹Zucker,** Rohrzucker, Rübenzucker, Zuckerraffinade, Raffinade, Würfelzucker, Puderzucker, Staubzucker, Kandiszucker, Kandis, Zuckerkandis
(*österr.*), Zuckerkandel (*österr.*),
Zuckerhut, Vanillezucker,
Fruchtzucker, Fruktose, Lävulose, Dextrose, Stärkezucker,
Glucose, Glykose, Dextropur
Ⓦ, Traubenzucker; → Bon-
bon, → Süßigkeiten, → Traubenzucker.
**²Zucker:** dem Affen Z. geben →
spielen; mit Z. bestreuen →
zuckern.
Zuckerbäcker → Bäcker.
Zuckerbäckerei → Bäckerei.
Zuckererbse → Gemüse.
Zuckergurke → Gurke.
Zuckerguß → Guß.
Zuckerhut → Zucker.
Zuckerkandel → Zucker.
Zuckerkandis → Zucker.
Zuckerkuchen → Gebäck.
Zuckerl → Bonbon.
Zuckermelone → Melone.
**zuckern,** süßen, überzuckern,
verzuckern, kandieren, mit Zuk-
ker bestreuen; → Orangeat.
Zuckerraffinade → Zucker.

Zuckerrohrstaublunge→ Staublungenerkrankung.
Zuckerrose → Rose.
Zuckerrübe → Rübe.
Zuckerstar → Katarakt.
Zuckerstein → Bonbon.
zuckersüß → süß.
Zuckertang → Alge.
Zuckerwerk → Bonbon.
Zuckerzeug → Bonbon.
Zudeck → Federbett.
**zudecken:** → bedecken, → einschneien, → vertuschen; sich
gut z. → einhüllen (sich); mit
dem Mantel der christlichen
Nächstenliebe z. → vertuschen.
zudem → außerdem.
**zudiktieren:** → vorschreiben;
Strafe z. → bestrafen.
**zudrehen:** sich jmdm. z. → hinwenden (sich).
zudringlich → aufdringlich.
**Zudringlichkeit,** Aufdringlichkeit, Annäherungsversuch, Belästigung; → aufdringlich.
**zudrücken:** ein Auge z. →
tolerant [sein]; die Gurgel z. →
ausbeuten.
zueignen → widmen.
**Zueignung,** Widmung, Dedikation; → widmen.
**¹zuerkennen,** zusprechen, adjuzieren, sprechen (*schweiz.*).
**²zuerkennen:** etwas wird jmdm.
zuerkannt → zufallen.
**zuerst:** → zunächst; mit dem
Kopf z. → kopfüber.
**Zufahrt:** → Auffahrt; die Z. behindern → verstellen.
Zufahrtsstraße → Straße.
Zufall → Ereignis.
**zufallen:** etwas fällt jmdm. zu /
entfällt auf jmdn. / fällt an
jmdn. / fließt jmdm. zu / kommt
jmdm. zugute / kommt an
jmdn. / geht an jmdn. / wird
jmdm. zugesprochen / wird
jmdm. zugeteilt / wird jmdm.
zuerkannt / geht in jmds. Besitz
über; → erwerben.
**zufällig:** → unwichtig; wie z. →
nebenbei.
Zufallsergebnis → Ergebnis.
zufassen → greifen.
zufleiß → absichtlich.
**zufliegen:** jmdm. fliegen alle
Herzen zu → sympathisch
[sein]; etwas fliegt jmdm. zu →
bewältigen.
**zufließen:** etwas fließt jmdm. zu
→ zufallen.

**¹Zuflucht,** Zufluchtsort, Zufluchtsstätte, Refugium, Freistatt, Asyl, Versteck, Schlupfloch, Schlupfwinkel, Unterschlupf.

**²Zuflucht:** Z. suchen unter → unterstellen (sich).

**Zufluchtshafen** → Hafen.

**Zufluchtsort** → Zuflucht.

**Zufluchtsstätte** → Zuflucht.

**zuflüstern** → vorsprechen.

**zufolge** → gemäß.

**¹zufrieden,** befriedigt, genügsam, selbstgenügsam, bescheiden, wunschlos [glücklich], ohne weitere Wünsche, sorgenfrei; → glücklich; **z. sein,** sich in seiner Haut wohl fühlen; → zufriedengeben (sich).

**²zufrieden:** → glücklich; mit etwas z. gewesen sein → Erfahrung; mit etwas nicht z. sein → beanstanden.

**¹zufriedengeben (sich),** sich begnügen / bescheiden, vorliebnehmen mit, fürliebnehmen mit (*veraltend*), sich genügen lassen / genug sein lassen an; → zurückstecken; → zufrieden.

**²zufriedengeben:** sich z. → begnügen (sich).

**Zufriedenheit:** → Befriedigung, →Bescheidenheit, →Heiterkeit.

**zufriedenstellen** → befriedigen.

**zufügen:** → beimischen; Schaden z. → schaden.

**Zufuhr** → Lieferung.

**zuführen:** einer Klärung z. → berichtigen.

**Zuführung** → Lieferung.

**Zug:** → Abteilung, → Durchzug, → Herde, → Neigung, → Straßenbahn, → Verkehrsmittel; [durchgehender] Z. → Eisenbahnzug; leiser Z. → Windstärke; Z. der Zeit → Neigung; ein Z. durch die Gemeinde → Bummel; der Z. ist abgefahren → versäumen; einen Z. durch die Gemeinde machen → besuchen; in den letzten Zügen liegen → sterben; in knappen / kurzen / groben / großen Zügen → kurz; zum -e kommen → aktiv [werden].

**¹Zugabe,** Draufgabe (*österr.*), Dreingabe, Dakapo, Zuwaage (*ugs., österr.*); → Beigabe.

**²Zugabe:** als Z. → kostenlos; als Z. bekommen → zubekommen.

**Zugang:** → Auffahrt, → Neuer, → Tür; den Z. behindern → verstellen; keinen Z. zu etwas finden →unzugänglich; sich Z. verschaffen → eindringen.

**zugange:** z. sein → aufsein, → geschehen.

**zugänglich:** → aufgeschlossen, → begehbar.

**Zugangsweg** → Straße.

**Zugbrücke** → Brücke.

**zugeben:** → beimischen, → beitragen, → billigen, → gestehen, → schenken.

**zugegeben** → zwar.

**zugegen:** z. sein → anwesend [sein].

**Zugegensein** → Anwesenheit.

**zugehen:** z. lassen → schicken; es geht in bestimmter Weise zu → verlaufen.

**Zugeherin** → Putzfrau.

**Zugehfrau** → Putzfrau.

**zugehören** → angehören.

**zugehörig,** dazugehörend, assoziiert, integriert, angeschlossen, eingemeindet, zugewandt (*schweiz.*); → Eingemeindung; → verbünden (sich) · Ggs. → überflüssig.

**zugeknöpft** → unzugänglich.

**Zugeknöpftheit:** → Verschlossenheit, → Wortkargheit.

**Zügel:** keine Z. anlegen → einschränken; die Z. straffer anziehen → streng; die Z. fest in der Hand haben → führen; die Z. schleifen lassen → nachlässig [werden].

**zügellos** → hemmungslos.

**Zügellosigkeit:** → Ausschweifung, → Ungezügeltheit.

**zügeln:** → bändigen, → übersiedeln; sich z. → ruhig [bleiben].

**zugenäht:** verdammt / verflixt und z.! → verflucht!

**Zugereister:** → Fremder, → Zugezogener.

**zugeschlossen** → geschlossen.

**zugeschneit** → verschneit.

**¹zugesellen (sich),** sich gesellen zu, kommen zu; → Kontakt [aufnehmen], → verbünden (sich).

**²zugesellen:** sich jmdm. z. → begleiten.

**zugesperrt** → geschlossen.

**¹zugespitzt,** pointiert, betont, akzentuiert, prononciert, ausgeprägt, plakativ, demonstrativ.

**²zugespitzt** → spitz.

**¹Zugeständnis,** Konzession, Entgegenkommen; → Anpassung, → Bekenntnis, → Berechtigung, → Erlaubnis, → Gesinnungswandel.

**²Zugeständnis:** -se machen → nachgeben.

**zugestehen** → gewähren.

**zugetan:** z. sein → lieben.

**Zugewanderter** → Zugezogener.

**zugewandt** → zugehörig.

**Zugewinngemeinschaft** → Ehegemeinschaft.

**Zugezogener,** Zugewanderter, Zuzügler, Zuzüger (*schweiz.*), Zugereister (*ugs.*); → Neuer.

**Zugfederwaage** → Waage.

**zugig** → luftig.

**zügig:** → biegsam, → schnell, → zugkräftig.

**¹Zugkraft,** Werbewirksamkeit, Anreiz, Anziehungskraft, Attraktion; → zugkräftig.

**²Zugkraft** → Anziehungskraft.

**zugkräftig,** werbewirksam, wirkungsvoll, wirksam, effizient, anreizend, anfeuernd, anspornend, inzentiv, zügig (*schweiz.*); → anziehend, → einleuchtend, → einträglich, → probat, → reißerisch; → Zugkraft; → wirken.

**¹zugleich,** gleichzeitig, unter einem (*österr.*), in einem Aufwaschen / Aufwasch (*ugs.*), das ist ein Abwasch (*ugs.*).

**²zugleich** → und.

**Züglete** → Umzug.

**Zugluft** → Durchzug.

**Zugmaschine** → Traktor.

**Zugnummer** → Glanzpunkt.

**Zugpferd:** → Glanzpunkt, → Pferd.

**zugriffig** → zielstrebig.

**zugrunde:** z. gehen → sterben; z. richten → ausbeuten, → zerstören.

**Zugschaffner** → Schaffner.

**Zugstück** → Glanzpunkt.

**Zugsverbindung** → Verkehrsverbindung.

**Zugtelefon** → Fernsprecher.

**zugucken** → zuschauen.

**zugunfähig** → handlungsunfähig.

**Zugunglück** → Unglück.

**zugute:** etwas kommt jmdm. z. → zufallen.

**Zugverbindung** → Verkehrsverbindung.

**Zugwurzel** → Wurzel.

**zuhalten** → einteilen.

**Zuhälter**, Strizzi, Stenz, Louis (*salopp*), Loddel (*salopp*), Lude (*derb*), Mädchenhirt (*schweiz.*); → Prostituierte.

**Zuhause** → Wohnsitz.

**¹zuhören**, anhören, hinhören, ganz Ohr sein, die Ohren spitzen (*ugs.*), jmdm. Gehör schenken / sein Ohr leihen, ein offenes Ohr haben für, die Ohren aufsperren (*salopp*), an jmds. Lippen hängen · *ohne rechte Aufmerksamkeit:* mit halbem Ohr zuhören / hinhören.

**²zuhören:** → achtgeben, → hören.

**Zuhörer** → Publikum.

**Zuhörerschaft** → Publikum.

**zukehren:** → besuchen, → Pause [machen].

**zukleben**, verkleben, bekleben.

**zuklinken** → schließen.

**zuknallen** → schließen.

**zukneifen:** den Arsch z. → sterben.

**zukommen:** z. lassen → abgeben; etwas kommt jmdm. zu → zustehen; etwas kommt auf jmdn. zu → begegnen, → bevorstehen.

**Zukost** → Beilage.

**zukriegen:** → zubekommen; nicht z. → schließen; du kriegst die Tür nicht zu! → überrascht [sein].

**¹Zukunft**, zukünftige / kommende Zeit · Ggs. → Vergangenheit.

**²Zukunft:** → Nachwelt, → Schicksal, → Tempus; die Z. deuten → voraussehen; sich die Z. verbauen → verderben; in Z. → später.

**¹zukünftig**, in Zukunft / (*österr.*) Hinkunft, hinkünftig (*österr.*), von nun an, ab jetzt.

**²zukünftig:** → später; -e Zeit → Zukunft.

**Zukünftige** → Braut.

**Zukünftiger** → Bräutigam.

**Zukunftsglaube** → Optimismus.

**zukunftsgläubig** → zuversichtlich.

**Zukunftsgläubiger** → Optimist.

**Zukunftsroman:** → Literatur, → Roman.

**Zulage:** → Beigabe, → Gratifikation.

**zulassen:** → billigen, → zurückhalten; für den Gebrauch nicht mehr z. → gebrauchen.

**zulässig** → statthaft.

**Zulassungsbeschränkung**, Zulassungssperre, Numerus clausus; → Hochschule, → Student.

**Zulassungssperre** → Zulassungsbeschränkung.

**Zulauf:** → Zustrom; Z. haben → angesehen [sein], → frequentieren.

**zulegen:** sich jmdn. z. → anbandeln; sich etwas z. → kaufen.

**zuleide:** jmdm. etwas z. tun → schaden; keiner Fliege etwas z. tun [können] → friedfertig [sein].

**Zuleitung** → Lieferung.

**zuletzt** → spät.

**zuliebe:** mir z. → meinetwegen.

**Zulu** → Neger.

**Zulukaffer** → Dummkopf.

**¹zumachen** (Geschäft), schließen, [die Bude] dichtmachen (*ugs.*).

**²zumachen:** → abschließen, → schließen, → zahlungsunfähig [werden]; die Augen z. → sterben.

**zumauern** → verbarrikadieren.

**zumeist** → oft.

**zumessen** → einteilen.

**Zumessung** → Zuteilung.

**zumindest** → wenigstens.

**zumuten:** sich zuviel z. → übernehmen (sich); jmdm. etwas z. → verlangen.

**Zumutung:** → Vorschlag; etwas ist eine Z. → rücksichtslos [sein], → unerhört [sein], → unzumutbar [sein].

**¹zunächst**, zuerst, fürs erste, als erstes / nächstes, für einmal (*schweiz.*), vorerst, vorab, vorderhand, vorläufig, bis auf weiteres.

**²zunächst** → nahe.

**zunachten** → dunkel [werden].

**zunageln** → verbarrikadieren.

**¹Zunahme**, Zuwachs, Wachstum; → Ausdehnung.

**²Zunahme** → Steigerung.

**Zuname** → Familienname.

**Zündblättchen** → Feuerwerkskörper.

**zündeln** → anzünden.

**zünden:** → anzünden; es hat gezündet → erkennen; spät z. → begriffsstutzig [sein].

**Zunder** → Geld.

**Zünder** → Streichholz.

**Zündholz** → Streichholz.

**Zündhölzchen** → Streichholz.

**Zündstoff:** etwas enthält Z. → brisant [sein].

**¹zunehmen**, sich vermehren / vervielfachen / vergrößern / ausweiten, Platz greifen, eskalieren, anwachsen, ansteigen, anschwellen; → ausdehnen, → dick [werden], → steigern, → überhandnehmen, → vermehren; → Ausdehnung, → Steigerung · Ggs. → abnehmen, → verringern.

**²zunehmen:** → dick [werden]; -der Mond → Mond.

**¹Zuneigung**, Sympathie, Philia, Liebe, Haßliebe, Interesse, Liebesgefühle, Frühlingsgefühle (*scherzh.*), Strebung, Geschmack, Anhänglichkeit, Attachement, Neigung, Gewogenheit, Wohlgefallen, Gefallen, Gout, Wohlwollen, Verliebtheit, Schwäche für, Faible · *unter Jugendlichen:* erste / junge Liebe · *rasch gefaßte:* Liebe auf den ersten Blick; → Achtung, → Anmut, → Begeisterung, → Familienanhänglichkeit, → Freundschaft, → Geneigtheit, → Leidenschaft, → Liebe, → Liebelei, → Mitgefühl, → Neigung, → Patriotismus, → Tierpflege · Ggs. → Abneigung; **nicht aus Z. zu jmdm.**, nicht wegen jmds. schöner Augen / um jmds. schöner Augen willen; → freuen (sich), → lieben, → verlieben (sich); → anziehend, → hübsch, → verliebt.

**²Zuneigung:** Z. fassen → verlieben (sich).

**Zunft:** → Genossenschaft, → Zweckverband.

**zünftig:** → fachmännisch, → trefflich.

**Zunge:** → Lasche, → Sinnesorgan; böse -n → Lästerer; jmdm. klebt die Z. am Gaumen → Durst [haben]; sich eher die Z. abbeißen, als → mitteilen; das Herz auf der Z. haben → gesprächig [sein]; auf der Z. zergehen lassen → lutschen.

**zungenfertig** → beredt.

**Zungenfertigkeit** → Redegewandtheit.

**Zungenkuß** → Kuß.
**Zungenpapillen** → Sinnesorgan.
**Zungenschlag:** falscher Z. → Versprecher.
**Zungenwurst** → Wurst.
**Zünglein:** das Z. an der Waage sein → maßgeblich [sein].
**zunichte:** z. machen → verhindern.
**Zünsler** → Schmetterling.
**zunutze:** sich etwas z. machen → anwenden, → ausnutzen, → auswerten.
**zupacken** → helfen.
**zupackend** → zielstrebig.
**zupaß:** z. kommen → passen.
**zupfen:** → zerren; z. aus → herausreißen.
**Zupfinstrument,** Harfe, Zither, Gitarre, Sitar, Laute, Mandoline, Balalaika, Banjo, Hawaiigitarre, Ukulele, Lyra, Leier, Psalter; → Musikinstrument, → Saiteninstrument.
**Zupfinstrumentenmacher** → Musikinstrumentenbauer.
**zuprosten** → zutrinken.
**zuraten,** raten zu, zureden, aufmuntern, ermuntern, ermutigen, Mut machen, etwas befürworten, jmdn. in etwas bestärken, jmdn. zu etwas einladen, jmdm. den Rücken stärken / steifen, auffordern, einreden auf jmdn., mit Engelszungen reden, jmdm. etwas einreden / suggerieren, jmdm. zureden wie einem kranken Roß / Pferd (ugs.), jmdm. zureden wie einem kranken / lahmen Schimmel (ugs.), nicht → abraten; → anordnen, → anregen, → anrichten, → anstacheln, → beeinflussen, → bitten, → mahnen, → nötigen, → überreden, → vorschlagen; → Beauftragter · Ggs. → abschreiben.
**zurechnungsfähig:** nicht z. sein → geistesgestört [sein].
**zurechtbiegen** → bereinigen.
**zurechtkommen:** → übereinkommen; mit etwas gut zurechtgekommen sein → Erfahrung; jmd. kommt mit etwas nicht zurecht → schwerfallen; mit dem Leben z. → lebenstüchtig [sein].
**zurechtmachen** → schönmachen.
**zurechtrücken:** → bereinigen; jmdm. den Kopf z. → schelten.

**zurechtsetzen:** jmdm. den Kopf z. → schelten.
**zurechtstutzen:** → beschneiden; jmdn. z. → schelten.
**zurechtweisen** → schelten.
**Zurechtweisung:** → Maßregelung, → Vorwurf.
**zureden:** jmdm. z. wie einem kranken Roß,/ Pferd / Schimmel (oder:) wie einem lahmen Schimmel → zuraten.
**zureichend** → ausreichend.
**Zureicher** → Hilfskraft.
**zuriegeln** → abschließen.
**zürnen:** → ärgerlich [sein], → grollen.
**Zurschaustellung** → Entblößung.
**zurück:** → heimwärts, → rückwärts; hin und z. → hin.
**zurückbegeben** (sich), zurückgehen, zurücklaufen, zurückfahren, sich auf den Rückweg / Heimweg / Nachhauseweg begeben (oder:) machen, sich heimbegeben / nach Hause begeben, heimgehen, heimlaufen, heimfahren, nach Hause gehen / laufen / fahren, heimwärts gehen / laufen / fahren; → umkehren, → zurückkommen; → heimwärts; → Rückweg.
**zurückbehalten** → aufbewahren.
**zurückbeugen** (sich), sich zurückneigen / zurückwenden / nach rückwärts wenden, retrovertieren.
**zurückbleiben:** → zurücklassen; zurückgeblieben → verkümmert; hinter seiner / der Zeit z. → rückschrittlich [sein].
**zurückblicken** → erinnern (sich).
**zurückbringen:** → zurückgeben; auf den Boden der Wirklichkeit z. → ernüchtern.
**zurückdenken** → erinnern (sich).
**zurückdrehen:** das Rad der Geschichte läßt sich nicht z. → Entwicklung.
**zurückerinnern:** sich z. → erinnern (sich).
**zurückerobern** → retten.
**zurückerstatten** → zahlen.
**zurückfahren** → zurückbegeben (sich).
**¹zurückfallen** (auf), ein schlechtes Licht werfen auf, sich rächen an, treffen.
**²zurückfallen** → Rückgang.

**zurückfordern** → verlangen.
**zurückführbar,** rückführbar, reduzibel, ableitbar, zuweisbar, bestimmbar, erklärbar, begründet; → erklärlich; → Folgerung; → folgern · Ggs. → irreduktibel.
**zurückführen:** z. auf → folgern; zurückzuführen sein auf → stammen (von).
**Zurückführung** → Folgerung.
**Zurückgabe** → Rückgabe.
**¹zurückgeben,** wiedergeben, zurückbringen, wiederbringen, zurücksenden, retournieren (bes. österr.), zurückstellen (österr.); → Rückgabe.
**²zurückgeben** → antworten.
**zurückgeblieben:** → karg, → rückschrittlich; [geistig] z. → stumpfsinnig.
**Zurückgebliebenheit** → Rückständigkeit.
**zurückgehen:** → abnehmen, → zurückbegeben (sich); -d → nachlassend; z. auf → stammen (von); in seinen Forderungen z. → zurückstecken.
**zurückgezogen,** eingezogen (veraltet), für sich [lebend], einsam, vereinsamt, einsiedlerisch, abgeschieden, weltabgewandt; → abgelegen.
**Zurückgezogenheit** → Einsamkeit.
**¹zurückhalten,** behalten, einbehalten, gehalten (mundartl., bayr., österr.), nicht herausgeben / (salopp) herausrücken, auf etwas den Daumen halten / haben, nicht → geben; **nicht mehr z.,** freigeben, zulassen.
**²zurückhalten:** → aufbewahren, → aufstauen → bändigen; sich z. → bescheiden [sein], → ruhig [bleiben], → sparen; jmdn. z. → abschrecken.
**¹zurückhaltend,** bescheiden, unaufdringlich, dezent, nicht → aufdringlich; → anständig, → enthaltsam.
**²zurückhaltend** → passiv.
**Zurückhaltung:** → Bedenken, → Bescheidenheit, → Passivität, → Scheu, → Verschwiegenheit.
**zurückholen** → einschränken.
**zurückkehren** → zurückkommen.
**zurückkommandieren** → einschränken.

**zurückkommen,** wiederkommen, nach Hause kommen, zurückkehren, wiederkehren, heimkehren, heimkommen, heimfinden; → umkehren, → zurückbegeben (sich).

**¹zurücklassen** (jmdn.), hinterlassen; **zurückgelassen werden,** zurückbleiben, übrigbleiben; → hinterlassen, → sterben.

**²zurücklassen:** → hinterlassen, → übriglassen; jmdn. z. → überholen (jmdn.).

**zurücklaufen** → zurückbegeben (sich).

**¹zurücklegen,** beiseite legen, aufheben, reservieren, aufsparen, erübrigen; → aufbewahren.

**²zurücklegen:** → reservieren, → sparen; sein Amt z. → kündigen; eine Strecke / einen Weg z. → Strecke.

**Zurücknahme** → Widerruf.

**zurücknehmen** → widerrufen.

**zurückneigen:** sich z. → zurückbeugen (sich).

**zurückpfeifen** → einschränken.

**zurückrufen** → einschränken.

**zurückschauen** → erinnern (sich).

**zurückscheuen:** z. vor → Angst [haben]; nicht z. vor → erdreisten (sich).

**zurückschießen** → antworten.

**zurückschneiden** → beschneiden.

**zurückschrecken:** z. vor → Angst [haben]; nicht z. vor → erdreisten (sich).

**zurücksenden** → zurückgeben.

**zurücksetzen:** → diskriminieren; zurückgesetzt werden → zurückstehen.

**Zurücksetzung** → Benachteiligung.

**¹zurückstecken,** sich bescheiden, in seinen Forderungen zurückgehen, Abstriche machen, kleinere / kleine Brötchen backen, sich mäßigen, bescheidener werden; → zurückstehen, → zufriedengeben (sich).

**²zurückstecken** → nachgeben.

**zurückstehen,** zu kurz kommen, zurückgesetzt / hintangesetzt / benachteiligt werden, schlecht wegkommen (*ugs.*), ins Hintertreffen geraten; → bekommen, → nachgeben, → zurückstecken.

**zurückstellen:** → verschieben, → zurückgeben.

**Zurückstellung** → Rückgabe.

**zurückstrahlen** → spiegeln.

**zurücktreten:** → kündigen, → treten; z. müssen → entlassen [werden]; z. von etwas → abschreiben.

**zurückverlangen** → verlangen.

**zurückweisen:** → ablehnen, → verabscheuen; mit Abscheu z. → Angst [haben vor].

**Zurückweisung** → Ablehnung.

**zurückwenden:** sich z. → zurückbeugen (sich).

**zurückwerfen** → spiegeln.

**zurückzahlen** → zahlen.

**¹zurückziehen** (sich), sich distanzieren von, abrücken von, sich innerlich entfernen von, mit etwas nichts zu tun / zu schaffen haben wollen, Abstand nehmen von etwas, ein Rückzugsgefecht machen; → nachgeben.

**²zurückziehen:** sich z. → abkapseln, → schlafen [gehen], → weggehen; sich aufs Altenteil / ins Stöckli z. → pensionieren; sich ins Privatleben z. → kündigen; sich in den Schmollwinkel z. → gekränkt [sein].

**Zurückziehung** → Widerruf.

**zurüsten** → appretieren.

**Zurüstung** → Appretur.

**Zusage:** → Zusicherung; eine Z. zurücknehmen → absagen.

**zusagen:** → gefallen, → schmecken, → versprechen.

**zusammen:** → beieinander, → gemeinsam; z. mit → samt.

**Zusammenarbeit:** → Arbeit, → Mitarbeit; in Z. mit → gemeinsam.

**Zusammenballung** → Verklebung.

**zusammenbeißen:** die Zähne z. → mutig [sein].

**Zusammenbildung** → Kompositum.

**zusammenbinden:** → anbinden, → bündeln.

**zusammenbrauen:** → mischen; etwas braut sich zusammen → heraufziehen.

**zusammenbrechen** → ohnmächtig [werden].

**zusammenbringen** → beschaffen.

**Zusammenbruch:** → Debakel, → Unglück.

**zusammenfahren:** → erschrecken, → überfahren, → zusammenstoßen.

**Zusammenfall,** Zusammentreffen, Koinzidenz · *der Gegensätze:* Coincidentia oppositorum (*Philos.*).

**zusammenfallen:** → einstürzen, → fallen, → überschneiden (sich); -d → übereinstimmend; etwas fällt wie ein Kartenhaus zusammen → scheitern.

**zusammenfalten,** falten, zusammenlegen, zusammenklappen → falten.

**zusammenfassen:** → bündeln → subsumieren; -d → abschließend.

**¹Zusammenfassung,** Abriß, Kurzfassung, Inhaltsangabe, Resümee, Extrakt; → Kurzfassung.

**²Zusammenfassung:** → Einordnung, → Ratgeber.

**zusammenfinden:** sich z. → zusammentreffen.

**zusammenflechten** → binden.

**zusammenflicken** → zusammenfügen.

**zusammenfügen,** zusammensetzen, zusammenheften, zusammenkoppeln, kuppeln, koppeln, aneinanderfügen · *schlecht, notdürftig:* zusammenstücken (*ugs.*), zusammenstückeln (*ugs.*), zusammenflicken (*ugs.*), zusammenschustern (*ugs., abwertend*), zusammenstoppeln (*ugs., abwertend*); → verknüpfen.

**Zusammenfügung** → Synthese.

**zusammengeben** → trauen.

**zusammengebrochen** → gescheitert.

**zusammengehen:** → gerinnen, → verbünden (sich).

**Zusammengehörigkeit** → Gemeinsinn.

**Zusammengehörigkeitsgefühl** → Gemeinsinn.

**zusammengeschlossen** → vereinigt.

**zusammengesetzt:** → komplex; -e Ähre / Dolde → Blütenstand.

**Zusammenhalt** → Kohäsion.

**zusammenhalten:** [wie Pech und Schwefel z.] → unzertrennlich [sein].

**Zusammenhang:** → Kontext, → Verhältnis; in Z. stehen mit → zusammenhängen (mit).

¹**zusammenhängen** (mit), in Zusammenhang stehen mit, gebunden sein an, abhängig sein von, verquickt sein mit; → komplex.

²**zusammenhängen**: etwas hängt zusammen mit → betreffen; alles, was damit zusammenhängt → Nebenumstände.

**zusammenhängend**: → nacheinander, → organisch.

**zusammenhanglos**: → diskontinuierlich, → unzusammenhängend.

**Zusammenhanglosigkeit**, Beziehungslosigkeit, Ungereimtheit, Widersinn; → Absurdität, → Unsinn; → unzusammenhängend.

**zusammenheften** → zusammenfügen.

**zusammenkitten** → kleben (etwas).

**Zusammenklang** → Akkord.

**zusammenklappen**: →ohnmächtig [werden], → zusammenfalten.

**zusammenkleben**: → fest [sein], → kleben (etwas).

**zusammenkleistern** → kleben (etwas).

**zusammenknallen** → zusammenstoßen.

**zusammenknoten** → binden.

**zusammenknüpfen** → binden.

¹**zusammenkommen**: [Geld] kommt zusammen / kommt ein / geht ein / sammelt sich an; → buchen.

²**zusammenkommen**: → versammeln (sich), → zusammenlaufen; mit jmdm. z. → verkehren (mit).

**zusammenkoppeln** → zusammenfügen.

**zusammenkrachen**→einstürzen.

**zusammenkratzen**→beschaffen.

**Zusammenkunft**: → Verabredung, → Versammlung.

¹**zusammenlaufen**, zusammenströmen, herbeieilen, sich zusammenscharen / zusammenrotten; → tragen, → verbünden (sich).

²**zusammenlaufen**: → gerinnen; jmdm. läuft das Wasser im Mund zusammen → Appetit [haben].

**zusammenlegen**: → zusammenfalten; zusammengelegt werden → verbünden (sich).

**Zusammenlegung** → Flurbereinigung.

**zusammenlöten** → löten.

**zusammennehmen**: sich z. → ruhig [bleiben]; sich nicht z. → unbeherrscht [sein]; seine Gedanken z. → achtgeben, → denken; seine fünf Sinne z. → achtgeben.

**zusammenpappen** → fest [sein].

**zusammenpassen** → harmonieren; -d → abgestimmt; nicht -d → ungleich.

**zusammenphantasieren**→lügen.

**Zusammenprall** → Zusammenstoß.

**zusammenprallen**→zusammenstoßen.

**zusammenraffen** → nehmen.

**zusammenraufen**: sich z. → übereinkommen.

**zusammenrauschen** → zusammenstoßen.

**zusammenreimen**: sich etwas z. → vermuten.

**zusammenreißen**: sich z. → anstrengen (sich).

**zusammenrotten**: sich z. → verbünden (sich), → zusammenlaufen.

**Zusammenrottung** → Ansammlung.

**Zusammenrückung** → Kompositum.

**zusammenrühren** → rühren.

**zusammenrutschen** → zusammensinken.

**zusammensacken**: → ohnmächtig [werden], → zusammensinken.

**zusammenscharen**: sich z. → zusammenlaufen.

**zusammenschießen**: → töten, → zerstören.

**zusammenschlagen**: → schlagen; die Hacken z. → strammstehen; etwas schlägt über jmdm. zusammen → bewältigen; die Hände über dem Kopf z. → betroffen [sein].

**zusammenschließen**: → vereinigen; sich z. → verbünden (sich).

**Zusammenschluß** → Bund.

**zusammenschnurren**: beim Waschen / bei der Wäsche z. → einlaufen.

**zusammenschreiben** → schreiben.

¹**zusammenschrumpfen**, schrumpfen, schrumpeln (*ugs.*), verschrumpeln (*ugs.*); → welken.

²**zusammenschrumpfen**: → abnehmen, → einlaufen, → welken.

**zusammenschustern** → zusammenfügen.

**zusammenschweißen** → löten.

**zusammensein**: mit jmdm. z. → koitieren.

¹**zusammensetzen** (sich aus), bestehen aus, sich rekrutieren aus, gebildet werden von; → entstehen.

²**zusammensetzen**: → zusammenfügen; sich z. → tragen.

**Zusammensetzspiel** → Geduldspiel.

**Zusammensetzung** → Kompositum.

**zusammensinken**, zusammenrutschen (*ugs.*), zusammensacken (*ugs.*); → einstürzen, → umfallen.

**zusammenspannen**: mit jmdm. z. → konspirieren.

**zusammenstauchen** → schelten.

**zusammenstellen**: → aufräumen, → aufschreiben; jmdm. eine Rechnung z. → Unkosten.

**Zusammenstellung** → Verzeichnis.

**zusammenstimmen**: → harmonieren; -d → abgestimmt.

**zusammenstoppeln** → zusammenfügen.

¹**Zusammenstoß**, Zusammenprall, Aufprall, Aufschlag, Anprall, Kollision, Karambolage, Massenkarambolage, Auffahrunfall, Frontalzusammenstoß; →Havarie, → Stoß → Unfallschaden, → Unglück; → zusammenstoßen.

²**Zusammenstoß** → Streit.

¹**zusammenstoßen**, kollidieren, auffahren [auf], anfahren, rammen, zusammenfahren, zusammenprallen, zusammenknallen, fahren / prallen / (*ugs.*) knallen / (*salopp*) rumsen auf, aufeinanderrumsen (*salopp*), zusammenrauschen (*ugs.*), sich ineinander verkeilen; → berühren; → Havarie, → Zusammenstoß.

²**zusammenstoßen** → zanken (sich).

**zusammenströmen** → zusammenlaufen.

**zusammenstückeln** → zusammenfügen.

zusammenstücken → zusammenfügen.

zusammenstürzen → einstürzen.

zusammentreffen: → überschneiden (sich), → versammeln (sich).

¹Zusammentreffen, Gleichzeitigkeit, Simultaneität · *zweier gleichartiger Ereignisse:* Duplizität; → gleichzeitig.

²Zusammentreffen: → Versammlung, → Zusammenfall.

zusammentreten → tagen.

zusammentun: sich z. → verbünden (sich).

zusammenziehen: → zentralisieren; -der Muskel → Muskel.

Zusammenziehung → Zentralisierung.

zusammenzucken → erschrecken.

Zusatz → Anmerkung.

Zusatzabkommen → Abmachung.

¹zusätzlich, außertourlich (*österr.*), außer der Reihe, Extra-; → weitere.

²zusätzlich: → und, → weitere.

zuschanzen: jmdm. etwas z. → zuschieben (jmdm. etwas).

zuschauen, zugucken, zusehen, gaffen (*abwertend*), [dastehen und] glotzen, Maulaffen feilhalten (*abwertend*); → beobachten; → Zeuge.

¹Zuschauer, Betrachter, Beschauer, Augenzeuge, Zeuge, Gaffer (*abwertend*), Neugieriger, Adabei (*österr.*), Schaulustiger, Beobachter · *von Ferne zuschauender:* Zaungast · *als Anhänger einer sportlichen Mannschaft bei Auswärtsspielen:* Schlachtenbummler · *beim Kartenspiel:* Kiebitz · *perverser:* Spanner, Voyeur; → Person, → Publikum, → Weltreisender.

²Zuschauer: sich mit der Rolle des -s begnügen → teilnehmen.

Zuschauertribüne → Tribüne.

Zuschauerumfrage → Umfrage.

zuscheln → schlittern.

zuschicken → schicken.

¹zuschieben (jmdm. etwas), jmdm. etwas zustecken / übertragen / (salopp) zuschanzen / zuspielen / an die Hand geben / zur Verfügung stellen; → geben.

²zuschieben → aufbürden.

zuschießen → zuzahlen.

¹Zuschlag, Aufschlag, Aufgeld, Aufpreis, Erhöhung, Aufzahlung (*südd., österr.*), Mehrpreis; → Preisanstieg; → aufschlagen.

²Zuschlag: → Vergabe, → Zuschuß; jmdm. den Z. geben → vergeben.

zuschlagen: → eingreifen, → schlagen, → schließen, → vergeben; jmdm. die Tür vor der Nase z. → ablehnen.

zuschließen → abschließen.

zuschmeißen → schließen.

zuschmettern → schließen.

zuschnappen → beißen.

zuschneiden: etwas ist zugeschnitten auf → passen.

Zuschneideschere → Schere.

Zuschneidetisch → Tisch.

zuschneien → einschneien.

Zuschnitt: → Form, → Manier.

zuschnüren: → verschnüren; jmdm. ist die Kehle wie zugeschnürt → Angst [haben]; die Gurgel z. → ausbeuten.

zuschreiben, nachsagen, jmdm. etwas in den Mund legen; **jmdm. wird etwas zugeschrieben,** jmd. soll etwas gesagt haben; → beimessen.

Zuschrift → Schreiben.

Zuschuß, Unterstützung, Beitrag, Beihilfe, Subvention, Zubuße, Zuschlag, Zustupf (*schweiz.*) · *für wirtschaftlich unterentwickelte Länder:* Entwicklungshilfe; → Entwicklungsländer, → Gratifikation, → Vergütung.

zuschustern → einbüßen.

zusehen: → anstrengen (sich), → zuschauen; z., daß ... → beeilen (sich); tatenlos / untätig z. → zögern; z. müssen → bekommen; mit verschränkten Armen z. → faulenzen.

zusenden → schicken.

Zusendung → Lieferung.

¹zusetzen (jmdm.), drängen, bedrängen, jmdm. die Hölle heiß machen (*ugs.*), keine Ruhe geben, jmdm. keine Ruhe lassen, jmdn. nicht in Ruhe lassen, nicht nachlassen / aufhören mit, insistieren, bohren (*ugs.*), jmdn. in die Mangel / Zange nehmen (*ugs.*), jmdn. hart herannehmen, jmdm. die Würmchen abtreiben (*salopp*), das Letzte aus jmdm. herausholen; → behel-

ligen, → bestehen (auf), → bitten, → fragen.

²zusetzen: → beimischen, → bitten, → einbüßen, → zuzahlen.

zusichern: → versprechen; zugesichert → verbrieft.

Zusicherung, Versprechen, Zusage, Versprechungen, Verheißung, Gelöbnis, Ehrenwort, Wort, Beteuerung; → Erlaubnis; → versprechen.

zusperren → abschließen.

¹zuspielen, zustecken, heimlich geben.

²zuspielen: jmdm. etwas z. → zuschieben (jmdm. etwas).

zuspitzen → spitz [machen].

zusprechen: → einteilen, → zuerkennen; etwas wird jmdm. zugesprochen → zufallen; Mut z. → Trost [geben].

Zuspruch: → Trost; Z. haben → angesehen [sein].

¹Zustand, Status, Stand · *im Augenblick des Entstehens:* Status nascendi · *gegenwärtiger:* Status quo · *vor dem bezeichneten Tatbestand oder Ereignis:* Status quo ante · *schlechterer gegenüber dem gegenwärtigen:* Status quo minus; → Lage; → herrschen.

²Zustand: → Beschaffenheit, → Lage; deliranter Z. → Bewußtseinstrübung; flüssiger Z. → Flüssigsein; geordneter Z. → Ordnung; Zustände kriegen → ärgerlich [werden]; in unbeschreiblichem Z. → schmutzig.

zustande: z. bringen → verwirklichen; z. kommen → geschehen; das Gespräch kommt nicht z. → telefonieren (mit jmdm.).

zuständig: → befugt; z. nach → einheimisch; -e Stelle → Amt.

Zuständigkeit, Kompetenz, Verantwortlichkeit; → Berechtigung, → Vorrecht; → befugt.

Zustandsverb → Verb.

zustatten: z. kommen → nützlich [sein].

zustecken: → geben, → zuspielen; jmdm. etwas z. → zuschieben (jmdm. etwas).

zustehen: etwas steht / kommt jmdm. zu, etwas gebührt jmdm., etwas ist jmds. gutes Recht; → bekommen.

zusteigen → besteigen.

**zustellen:** → austragen, → liefern, → verbarrikadieren.

**Zusteller,** Briefträger, Postbote, Briefbote (*landsch.*), Briefzusteller, Paketzusteller, Geldbriefträger, Eilbote, Telegrammbote; → Bote, → Postbeamter, → Postsendung; → austragen.

**Zustellung** → Lieferung.

**zustimmen:** → billigen; -d → beifällig.

**Zustimmung:** → Erlaubnis; Z. finden → Beifall [finden]; seine Z. geben → billigen.

**zustoßen:** → sterben; etwas stößt jmdm. zu → begegnen.

**zustreben** → streben.

**zustreifen** → liefern.

**Zustrom,** Andrang, Zulauf, Run, Ansturm, Sturm, Geriß (*ugs., österr.*); → Ansammlung.

**Zustupf** → Zuschuß.

**zutage:** z. treten → hervortreten.

**Zutat** → Beigabe.

**Zutaten,** Ingredienzen, Beimengungen, Beimischungen, Bestandteile, Zusammensetzung; → Bestandteil, → Zubehör.

**zuteil:** etwas wird jmdm. z. → begegnen; z. werden lassen → abgeben; z. werden [lassen] → gewähren; jmdm. eine Ehre z. werden lassen → Gunst.

**zuteilen:** → einteilen, → vergeben; etwas wird jmdm. zugeteilt → zufallen.

**¹Zuteilung,** Zuweisung, Zumessung, Bemessung, Verteilung, Austeilung, Ausgabe, Verabreichung, Verabfolgung; → Aushändigung, → Lieferung, → Vergabe; → abgeben, → geben, → verabreichen.

**²Zuteilung** → Vergabe.

**zutiefst** → sehr.

**zutragen:** → geschehen, → mitteilen, → weitererzählen.

**Zuträger:** → Denunziant, → Verräter.

**zuträglich** → bekömmlich.

**Zuträglichkeit** → Unschädlichkeit.

**¹zutrauen** (jmdm. etwas), an jmdn. / an jmds. Fähigkeiten glauben, zumuten (*schweiz.*).

**²zutrauen:** sich etwas nicht z. → wagen.

**Zutrauen** → Hoffnung.

**zutreffen** → stimmen.

**zutreffend:** → wahr; z. sein → stimmen.

**zutrinken,** zuprosten, jmdm. Bescheid tun, prosten, einen Trinkspruch / Toast / ein Hoch auf jmdn. ausbringen, jmdn. hochleben lassen (*ugs.*), auf jmds. Wohl trinken / anstoßen; → trinken; → Trinkspruch.

**Zutritt:** sich Z. verschaffen → eindringen.

**Zutrittsverbot** → Aussperrung.

**zutun:** sich etwas z. → kaufen.

**Zutun:** ohne jmds. Z. → Hilfe.

**zuverlässig:** → aufrichtig, → erprobt, → glaubwürdig, → verbürgt, → verantwortungsbewußt, → wahr.

**Zuverlässigkeit:** → Authentizität, → Pflichtbewußtsein.

**Zuversicht** → Hoffnung.

**zuversichtlich,** hoffnungsvoll, hoffnungsfroh, unverzagt, getrost, optimistisch, zukunftsgläubig, fortschrittsgläubig, lebensbejahend; → gutgläubig • Ggs. → schwermütig; **z. sein,** Hoffnung schöpfen, [wieder] Land / einen Silberstreif am Horizont sehen, guten Mutes / guter Dinge sein, etwas durch eine rosa Brille sehen; → Optimismus, → Optimist.

**Zuversichtlichkeit** → Optimismus.

**zuviel:** → überladen, → überschüssig; etwas ist zum Leben zuwenig, zum Sterben z. → wenig; z. haben → Überfluß [haben]; z. werden → überhandnehmen; z. wiegen → dick; etwas wird jmdm. zuviel → ärgern.

**zuvor** → vorher.

**zuvorkommen** → vorwegnehmen.

**zuvorkommend** → höflich.

**Zuvorkommenheit** → Höflichkeit.

**Zuwaage** → Zugabe.

**Zuwachs:** → Steigerung, → Zunahme; Z. erwarten / bekommen / kriegen → schwanger [sein].

**zuwarten** → warten.

**zuwege:** z. bringen → verwirklichen.

**zuweilen** → manchmal.

**zuweisbar** → zurückführbar.

**zuweisen:** → einteilen; einen Platz z. → placieren; Quartier z. → einquartieren; jmdm. einen Standort z. → stationieren.

**Zuweisung:** → Folgerung, → Zuteilung.

**zuwenden:** sich jmdm. z. → hinwenden (sich).

**Zuwendung:** → Gratifikation, → Pflege; jmdm. -en machen → helfen.

**zuwenig:** → wenig; etwas ist zum Leben z., zum Sterben zuviel → wenig.

**zuwerfen** → schließen.

**zuwider:** z. sein → anwidern; jmdm. z. sein → verabscheuen, → unbeliebt [sein]; etwas ist jmdm. z. → schmecken; der Anblick ist jmdm. z. → unerträglich [sein].

**zuwiderhandeln:** einer Sache z. → verstoßen (gegen etwas).

**Zuwiderhandlung:** → Außerachtlassung, → Verstoß.

**zuwiderlaufen** → entgegenstehen.

**zuwinken** → winken.

**¹zuzahlen,** zusetzen, zuschießen, draufzahlen (*ugs.*), drauflegen (*ugs.*), zubuttern (*ugs.*); **nichts z.,** auf seine Kosten / Rechnung kommen; → zahlen.

**²zuzahlen** → zahlen.

**zuzeiten** → manchmal.

**Zuzel** → Schnuller.

**zuzeln:** → lutschen, → stottern.

**zuziehen:** → einwandern; sich etwas z. → einhandeln (sich etwas), → krank [werden]; sich eine Erkältung z. → erkälten (sich); sich eine Geschlechtskrankheit z. → Geschlechtskrankheit.

**Zuzler** → Schauspieler.

**Zuzug** → Hilfe.

**Zuzüger** → Zugezogener.

**Zuzügler** → Zugezogener.

**¹zuzüglich,** ungerechnet, hinzukommend, mit Hinzurechnung von; → ausgenommen • Ggs. → abzüglich.

**²zuzüglich** → einschließlich.

**Zvieri** → Zwischenmahlzeit.

**zwacken** → kneifen.

**¹Zwang,** Nötigung, das Muß, Ananke, Drohung, Druck, Gebundenheit, Einengung, Dirigismus, Pression, Kompulsion; → Anankasmus, → Beengung, → Erfordernis, → Neigung, →

Phobie, → Weisung; → bedrängt · Ggs. → Freiheit; → ungezwungen.

²**Zwang:** → Gewalt, → Vergeltungsmaßnahmen; Z. ausüben → nötigen; Z. ausübend → repressiv; ohne Z. → freiheitlich.

**zwängen** → quetschen.

**zwanglos** → ungezwungen.

**Zwanglosigkeit:** → Freiheit, → Ungezwungenheit.

**Zwangsarbeit,** Fron (*hist.*), Frondienst (*hist.*), Fronarbeit (*hist.*), Robot (*hist.*); → Arbeit.

**Zwangsbefürchtung** → Phobie.

**Zwangshandlung** → Anankasmus.

**Zwangslage** → Not.

**zwangsläufig:** → automatisch, → notgedrungen.

**Zwangsmaßnahme: -n** → Vergeltungsmaßnahmen.

**Zwangsneurose:** → Anankasmus, → Gemütskrankheit.

**Zwangsräumung,** Exmittierung; → hinauswerfen.

**Zwangsverschickung** → Deportation.

**Zwangsversteigerung** → Versteigerung.

**Zwangsverwaltung** → Sequestration.

**Zwangsvorstellung** → Anankasmus.

**zwangsweise** → notgedrungen.

**zwanzig:** die goldenen Zwanziger, die goldenen -er Jahre → Belle Epoque.

¹**zwar,** wohl, gewiß, sicher, freilich, allerdings, natürlich, zugegeben; → aber.

²**zwar:** und z. → nämlich.

**Zwarte Pitt** → Knecht Ruprecht.

¹**Zweck,** Sinn, Ziel, Absicht, Zweck und Sinn; → Absicht; → zweckmäßig.

²**Zweck:** → Absicht; etwas hat den Z. → dienen; den Z. haben / verfolgen → vorhaben; zu diesem Z. → deshalb; [eigens] zu diesem Z. → hierfür; zu welchem Z. → warum; Mittel zum Z. → Mittel.

**zweckdienlich** → zweckmäßig.

**Zwecke** → Reißzwecke.

**zweckentsprechend** → zweckmäßig.

**zwecklos** → wirkungslos.

**zweckmäßig,** opportun, vernünftig, sinnvoll, handlich, angemessen, gegeben, tauglich, geeignet, zweckentsprechend, zweckdienlich, sachdienlich, praktikabel, rationell, brauchbar, praktisch; → annehmbar, → anstellig, → erfreulich, → geeignet, → notdürftig, → nützlich, → planmäßig, → tunlichst · Ggs. → theoretisch; **z. sein,** ratsam / empfehlenswert sein, es empfiehlt sich, es ist angezeigt / geraten / tunlich; → Brauchbarkeit, → Zweck.

**Zweckpessimismus** → Pessimismus.

**zwecks** → wegen.

**Zweckverband,** Gilde, Innung, Zunft; → Bund.

¹**zwei,** zwo, beide; → zweierlei.

²**zwei:** nicht auf z. Hochzeiten tanzen können → entschließen (sich).

**Zweiachteltakt** → Takt.

**zweideutig:** → anstößig, → mehrdeutig.

**Zweideutigkeit:** → Anstößigkeit, → Mehrdeutigkeit.

**Zweidrittelmehrheit** → Mehrheit.

**Zweier:** → Boot, → Kajak.

**Zweierbob** → Schlitten.

**Zweierkajak** → Kajak.

¹**zweierlei,** beiderlei; → zwei.

²**zweierlei:** mit z. Maß messen → beurteilen.

**Zweierspiel** → Spiel.

**zweifach:** -e Kombination → Hindernis.

**Zweifel:** → Verdacht; ohne Z. → zweifellos; etwas ist über jeden Z. erhaben → wahr [sein].

**zweifelhaft:** → anrüchig, → ungewiß.

**Zweifelhaftigkeit** → Ungewißheit.

**zweifellos,** zweifelsohne, zweifelsfrei, ohne Zweifel, fraglos, gewiß, sicher, sicherlich, unbestritten, unbestreitbar, unstreitig, natürlich, axiomatisch; es ist doch offenbar so, daß ...; es darf doch als sicher angenommen werden, daß ...; es kann doch wohl nicht bezweifelt werden, daß ...; → einleuchtend, → ja, → wirklich; → zweifeln · Ggs. → ungewiß.

**zweifeln,** bezweifeln, anzweifeln, in Frage stellen, in Zweifel ziehen; ich fresse einen Besen [samt der Putzfrau], wenn ...

(*salopp*); → antworten, → beanstanden; **an etwas nicht z.,** sichergehen, sicher sein; fest überzeugt sein, daß ...; zehn gegen eins wetten, daß ... (*ugs.*); Gift darauf nehmen, daß ... (*ugs.*); jmdm. Brief und Siegel darauf geben, daß ...; → ungewiß, → zweifellos.

**zweifelsfrei** → zweifellos.

**zweifelsohne** → zweifellos.

**Zweifingerfaultier** → Faultier.

**Zweiflügler** → Insekt.

**Zweifrankenstück** → Franken.

**Zweifränkler** → Franken.

**Zweifrontenkrieg** → Krieg.

¹**Zweig,** Ast, Sproß, Geäst, Gezweig, Astwerk, Arm (*dichter.*), Astgabel; → Pflanze, → Stamm → Wurzel.

²**Zweig:** → Art, → Ausläufer; auf keinen grünen Z. kommen → avancieren.

**Zweigadler** → Vogel.

**zweigeschlechtig** → zwittrig.

**zweigeteilt** → geteilt.

¹**Zweigstelle,** Filiale, Niederlassung, Geschäftsstelle, Nebenstelle, Geschäftsnebenstelle, Agentur, Außenstelle, Ablage (*schweiz.*), Agentie (*veraltend, österr.*), Expositur (*österr.*), Niederlage · Vertretung, Generalvertretung, Repräsentanz, Generalrepräsentanz; → Annahmestelle, → Fabrik, → Geschäftsvermittler, → Hauptgeschäftsstelle, → Unternehmen, → Vermittlungsstelle.

²**Zweigstelle** → Unternehmen.

**Zweihalbetakt** → Takt.

**Zweihundertachtzehner** → Engelmacher.

**Zweihundertmeterhürdenlauf:** 200-m-Hürdenlauf → Lauf.

**Zweihundertmeterlauf:** 200-m-Lauf → Fünfkampf, → Lauf.

**Zweikampf,** Duell; → Kampf.

**Zweiklanghorn** → Hupe.

**Zweimonatsschrift** → Zeitschrift.

**Zweiphasenstrom** → Elektrizität.

**Zweipunktgurt** → Sicherheitsgurt.

**Zweisamkeit** → Ehe.

**zweiseitig** → bilateral.

**Zweisprachigkeit,** Bilingualismus; → Sprecherziehung; → sprechen.

**Zweitdruck** → Druck.

zweite: 2. Advent → Kirchenjahr; -r Bildungsweg → Schule; den zn Bildungsweg beschreiten / wählen → weiterbilden (sich); 2. Christtag / Feiertag / Festtag / Weihnachtsfeiertag / Weihnachtsfesttag/Weihnachtstag → Weihnachten; -r Fall → Genitiv; -r Frühling → Geschlechtstrieb; -s Frühstück → Zwischenmahlzeit; -s Futur, z. Vergangenheit → Tempus; z. Garnitur → Stellvertreter; -er Geiger → Musizierender; Zweites Gesicht → Hellsehen; aus -r Hand → antiquarisch; -r Konjunktiv → Modus; -r Mann → Stellvertreter; z. Mutter → Mutter; 2. Ostertag → Ostern; 2. Pfingsttag → Pfingsten; an -r Stelle stehen, erst in -r Linie in Betracht kommen → sekundär [sein]; 2. Tageshälfte → Nachmittag; in der -n Tageshälfte → nachmittags; -er Vater → Vater; die Jahre / die Zeit nach dem -en Weltkrieg → Nachkriegszeit.
zweiteilen → halbieren.
zweiteln → halbieren.
Zweiter-Klasse-Abteil → Eisenbahnabteil.
Zweiter-Klasse-Wagen → Eisenbahnwagen.
Zweitfrisur → Perücke.
Zweitimpfung → Impfung.
Zweitmöglichkeit → Gegenvorschlag.
zweitrangig → sekundär.
Zweitschrift → Abschrift.
Zweitwagen → Auto.
Zweiunddreißigstel → Notenzeichen.
Zweiunddreißigstelnote → Notenzeichen.
Zweivierteltakt → Takt.
Zweizeiler → Epigramm.
Zwerchdach → Dach.
Zwerchfellbruch → Bruch.
Zwerchgiebel → Giebel.
¹Zwerg, Liliputaner, Pygmäe, Gnom, Kobold, Däumling, Knirps (ugs.), Stöpsel (ugs.) · im Märchen: Graumännchen, Erdmännlein, Erdwichtel, Erdbiberli (landsch.), Wicht, Wichtel, Wichtelmännchen, Heinzelmännchen · beim Zweiten Deutschen Fernsehen: Mainzelmännchen; → Mann · Ggs. → Riese.
²Zwerg → Fabelwesen.

Zwergbrombeere → Brombeere.
Zwergdommel → Vogel.
Zwerggans → Vogel.
Zwergmotte → Schmetterling.
Zwergmöwe → Vogel.
Zwergohreule → Vogel.
Zwergotter → Raubtier.
Zwergpalme → Palme.
Zwergpinscher → Hunderassen.
Zwergpudel → Hunderassen.
Zwergrose → Rose.
Zwergsäger → Vogel.
Zwergscharbe → Vogel.
Zwergschnepfe → Vogel.
Zwergschule → Schule.
Zwergschwan → Vogel.
Zwergspaniel → Hunderassen.
Zwergspitz → Hunderassen.
Zwergstichling → Fisch.
Zwergsumpfhuhn → Vogel.
Zwergtaucher → Vogel.
Zwergwachtel → Hunderassen.
Zwergwuchs → Kleinwuchs.
Zwergziege → Ziege.
Zwetsche → Obst.
Zwetschenkern → Kern.
Zwetschenkraut → Brotaufstrich.
Zwetschenpfeffer → Pflaumenmus.
Zwetschge → Obst.
Zwetschgenwasser → Alkohol.
Zwetschke → Obst.
Zwetschkenknödel → Kloß.
Zwetschkenmus → Pflaumenmus.
Zwetschkenröster → Pflaumenmus.
zwicken: → entwerten, → kneifen.
Zwicker → Kneifer.
Zwickmühle → Brettspiel.
Zwieback → Gebäck.
¹Zwiebel, Bolle (nordd.), Bölle (schweiz.), Ünne (westd.), Öllich (westd.), Knolle, Zwiebelhäuptel (österr.), Häuptel (österr.) · Perlzwiebel, Steckzwiebel, Schlottenzwiebel, Gartenzwiebel, Sommerzwiebel, Winterzwiebel, Speisezwiebel, Küchenzwiebel; → Porree.
²Zwiebel: → Gemüse, → Dutt, → Uhr.
Zwiebeldach → Dach.
Zwiebelfisch: → Buchstabe, → Fehler.
Zwiebelkuchen → Gebäck.
Zwiebelkuppel → Kuppel.
zwiebeln → schikanieren.
Zwiebelsuppe → Suppe.

Zwielaut → Diphthong.
Zwielicht → Dämmerung.
zwielichtig → dunkel.
Zwiesel → Astgabel.
zwieseln: sich z. → gabeln (sich).
Zwiespalt, Konflikt, Interessenkonflikt, Widerstreit; → Schwierigkeit.
zwiespältig, gespalten, unharmonisch; → ungewiß; z. sein, mit sich selbst uneins sein, zwei Seelen in seiner Brust haben, zweierlei Sinnes sein, [innerlich] zerrissen sein.
Zwiespältigkeit → Unausgeglichenheit.
Zwiesprache: Z. halten → unterhalten (sich).
Zwietracht: → Streit; Z. säen → aufwiegeln.
Zwilling → Doppelgänger.
Zwillinge: → Geschwister, → Sternbild, → Tierkreiszeichen; siamesische Z. → Mißgeburt.
Zwillingsmißgeburt → Mißgeburt.
Zwingburg → Burg.
zwingen: → nötigen; gezwungen sein → müssen; sich z. → überwinden (sich); in die Knie / unter das Joch z. → besiegen.
zwingend → stichhaltig.
Zwinger → Freigehege.
zwinkern → blinzeln.
Zwirbelbart → Bart.
zwirbelig → benommen.
Zwirn: → Faden, → Geld; Himmel, Arsch und Z.! → verflucht!
zwischen → in.
Zwischenbrandmauer → Mauer.
Zwischendeck → Geschoß.
Zwischending → Mittelding.
zwischendrein → inzwischen.
zwischendrin → inzwischen.
zwischendurch → inzwischen.
Zwischenergebnis → Ergebnis.
Zwischenfall → Ereignis.
Zwischenfrage → Frage.
Zwischengericht → Vorgericht.
Zwischengeschoß → Geschoß.
Zwischenhandel: → Großhandel, → Transithandel.
Zwischenhändler → Großhändler.
Zwischenhirn → Gehirn.
Zwischenlandung → Fahrtunterbrechung.
Zwischenmahlzeit, Zwischenverpflegung (schweiz.) ·· am Vormittag: [zweites] Frühstück,

Gabelfrühstück, Brotzeit (*bayr.*), Zehnerjause (*österr.*), Jause (*österr.*), Marende (*tirol.*), Znüni (*schweiz.*) · *mit Sekt:* Sektfrühstück ·· *am Nachmittag:* Vesper (*bes. südwestd.*), Jause (*österr.*), Zvieri (*schweiz.*), Zfünfi (*schweiz.*), Kaffee, Nachmittagskaffee, Tee, Fünfuhrtee, Five o'clock; → Essen, → Imbiß, → Kaffeekränzchen; **eine Z. einnehmen,** frühstücken, Brotzeit machen (*bayr.*), vespern (*bes. südwestd.*), jausen (*österr.*), jausnen (*österr.*), Kaffee / Tee trinken; → essen, → Frühstück [einnehmen].

**Zwischenmauer** → Mauer.
**zwischenmenschlich:** →menschlich; -e Beziehungen → Kontakt.
**Zwischenraum** → Intervall.
**Zwischensatz** → Satz.
¹**Zwischenspiel,** Intermezzo, Interludium, Episode.
²**Zwischenspiel** → Ereignis.
**zwischenstaatlich** → bilateral.
**Zwischenträger** → Denunziant.
**Zwischenverpflegung** → Zwischenmahlzeit.
**Zwischenwand** → Mauer.
**Zwischenwirbelscheibenbruch**→ Bandscheibenschaden.
**Zwischenwirbelscheibenvorfall** → Bandscheibenschaden.
**Zwischenzeit:** → Intervall; in der Z.→ inzwischen.
**zwischenzeitlich** → inzwischen.
**Zwischenzeugnis** → Zeugnis.
**Zwist:** → Streit; den Z. begraben → bereinigen.

**Zwistigkeit** → Streit.
**zwitschern:** → singen; wie die Alten sungen, so z. auch die Jungen → ähneln; einen z. → trinken.
**Zwitterbildung** → Zwittertum.
**Zwittertum,** Zwittrigkeit, Zwitterbildung, Doppelgeschlechtlichkeit, Hermaphroditismus, Hermaphrodismus, Intersexualität · *unechtes:* Scheinzwittertum, Scheinzwittrigkeit, Pseudohermaphroditismus, Pseudohermaphrodismus · *unechtes bei Frauen:* Vermännlichung, Mannweibtum, Mannweibheit (*selten*), Androgynie, Androgynismus, Maskulinismus, Maskulinisierung, Maskulinisation (*selten*), Virilismus, Virilisierung, Virilisation, Viraginität, Androphanie (*selten*) · *unechtes bei Männern:* Verweiblichung, Gynandrie, Gynandrismus, Gynandromorphismus, Gynanthropismus, Gynanthropie (*selten*), Effemination, Feminismus, Feminisation (*selten*), Feminisierung (*selten*), Feminilismus (*selten*).
**zwittrig,** zweigeschlechtig, mannweiblich, androgyn, doppelgeschlechtig; → andersgeschlechtlich, → gleichgeschlechtlich, → sexuell.
**Zwittrigkeit** → Zwittertum.
**zwo** → zwei.
**Zwockel** → Österreicher.
**zwölf:** → Mittag, → Mitternacht; die Zwölf Nächte → Rauhnächte; z. Uhr [mittags]

→ Mittag; um z. Uhr [mittags]
→ mittags; um z. Uhr [nachts]
→ mitternachts; es ist fünf Minuten vor z. → spät.
**Zwölfender** → Soldat.
**Zwölffingerdarm** → Darm.
**Zwölfsilbler** → Vers.
**Zwölfte:** die -n → Rauhnächte.
**Zwölftonmusik** → Musik.
**zyanblau** → blau.
**Zyane** → Kornblume.
**Zyanhidrose** → Transpiration.
**Zyanidrose** → Transpiration.
**Zyankali** → Gift.
**Zygote** → Leibesfrucht.
**Zyklon** → Wirbelwind.
**Zyklonose** → Wetterfühligkeit.
**Zyklopenmauer** → Mauer.
**zyklopisch** → groß.
¹**Zyklus,** Kreislauf, Reihenfolge, Folge; → Reihenfolge.
²**Zyklus** → Menstruation.
**Zylinder:** → Kopfbedeckung, → Rohr.
**Zylinderschloß** → Schloß.
**Zyma** → Gärstoff.
**Zymbal** → Saiteninstrument.
**zynisch** → spöttisch.
**Zynismus** → Humor.
**Zyprer,** Zyprier, Zypriot.
**Zypresse** → Nadelhölzer.
**Zyprier** → Zyprer.
**Zypriot** → Zyprer.
**Zyste** → Geschwulst.
**Zystektomie** → Operation.
**Zystolith** → Harnstein.
**Zystorrhagie** → Blutung.
**Zystoskopie** → Ausspiegelung.
**Zytase** → Antikörper.
**Zytoplasma** → Protoplasma.

## Das große Duden-Wörterbuch in 6 Bänden

## Die authentische Dokumentation der deutschen Gegenwartssprache

„Das große Duden-Wörterbuch der deutschen Sprache" ist das Ergebnis jahrzehntelanger sprachwissenschaftlicher Forschung der Dudenredaktion. Mit seinen exakten Angaben und Zitaten erfüllt es selbst höchste wissenschaftliche Ansprüche. Wie die großen Wörterbücher anderer Kulturnationen, z. B. der „Larousse" in Frankreich oder das „Oxford English Dictionary" in der englischsprachigen Welt, geht auch „Das große Duden-Wörterbuch" bei seiner Bestandsaufnahme auf die Quellen aus dem Schrifttum zurück. Es basiert auf mehr als drei Millionen Belegen aus der Sprachkartei der Dudenredaktion.

„Das große Duden-Wörterbuch der deutschen Sprache" erfaßt den Wortschatz der deutschen Gegenwartssprache mit allen Ableitungen und Zusammensetzungen so vollständig wie möglich. Es bezieht alle Sprach- und Stilschichten ein, alle landschaftlichen Varianten, auch die sprachlichen Besonderheiten in der Bundesrepublik Deutschland, in der DDR, in Österreich und in der deutschsprachigen Schweiz.

Besonders berücksichtigt dieses Wörterbuch die Fachsprachen. Dadurch schafft es eine sichere Basis für die Verständigung zwischen Fachleuten und Laien.

„Das große Duden-Wörterbuch der deutschen Sprache" ist ein Gesamtwörterbuch, das die verschiedenen Aspekte, unter denen der Wortschatz betrachtet werden kann, vereinigt. Es enthält alles, was für die Verständigung mit Sprache und das Verständnis von Sprache wichtig ist. Einerseits stellt es die deutsche Sprache so dar, wie sie in der zweiten Hälfte des 20. Jahrhunderts ist, zeigt die sprachlichen Mittel und ihre Funktion, andererseits leuchtet es die Vergangenheit aus, geht der Geschichte der Wörter nach und erklärt die Herkunft von Redewendungen und sprichwörtlichen Redensarten.

### Duden – Das große Wörterbuch der deutschen Sprache in 6 Bänden

Über 500 000 Stichwörter und Definitionen auf etwa 3 000 Seiten. Mehr als 1 Million Angaben zu Aussprache, Herkunft, Grammatik, Stilschichten und Fachsprachen sowie Beispiele und Zitate aus der Literatur der Gegenwart.
Herausgegeben und bearbeitet vom Wissenschaftlichen Rat und den Mitarbeitern der Dudenredaktion unter Leitung von Günther Drosdowski.

## Bibliographisches Institut
Mannheim/Wien/Zürich

## Oxford-Duden Bildwörterbuch Deutsch und Englisch

Herausgegeben von der Dudenredaktion und dem German Department of Oxford University Press.

**864 Seiten mit 384 zum Teil mehrfarbigen Bildtafeln. Ein deutsches und englisches Register mit je 28 000 Stichwörtern.**

Das Oxford-Duden-Bildwörterbuch ist eine Gemeinschaftsproduktion der Dudenredaktion und des German Departments der Oxford University Press. Es entstand auf der Grundlage der 3., vollständig neu bearbeiteten Auflage des deutschen Bildwörterbuches, das als Band 3 der Reihe „Der Duden in 10 Bänden" erschienen ist.

Die Bildtafeln in diesem Buch zeigen die wichtigsten Dinge aus allen Bereichen des Lebens jeweils in ihrem thematischen Zusammenhang mit den dazugehörigen exakten deutschen Bezeichnungen und den korrekten englischen Entsprechungen. Die thematische Gliederung erspart mühsames Nachschlagen der einzelnen Wörter, da man sich über einen ganzen Sachbereich mit einem Blick informieren kann. Ein alphabetisches Register in jeder der beiden Sprachen ermöglicht den Zugang vom einzelnen Stichwort her. Diese Konzeption und die Tatsache, daß die Wortauswahl in hohem Maße gerade die speziellen und fachbezogenen Wörter berücksichtigt, machen das Oxford-Duden-Bilderwörterbuch zu einer unentbehrlichen Ergänzung jedes deutsch-englischen Wörterbuches.

## Duden Français Bildwörterbuch Deutsch und Französisch

Herausgegeben von der Dudenredaktion in Zusammenarbeit mit Daniel Moskowitz, Université de Paris.

**872 Seiten mit 384 zum Teil mehrfarbigen Bildtafeln. Ein deutsches und ein französisches Register mit je 28 000 Stichwörtern.**

Das Bildwörterbuch Deutsch und Französisch setzt die Reihe der zweisprachigen Bildwörterbücher fort, die mit dem Oxford-Duden „Bildwörterbuch Deutsch und Englisch" begonnen wurde. Die französischen Benennungen wurden von Professor Daniel Moskowitz von der Universität Paris mit der Unterstützung französischer Übersetzer und Fachwissenschaftler erarbeitet.

OXFORD-DUDEN

**Bildwörterbuch**
Deutsch und Englisch

Die Gegenstände und ihre Benennung. Umfassende
Darstellung der Dinge unserer Umwelt in Wort und Bild.
Ideal für die genaue Begriffsbestimmung.
384 zum Teil mehrfarbige Bildtafeln, englisches und
deutsches Register mit insgesamt 56 000
Stichwörtern.

**Bibliographisches Institut**
Mannheim/Wien/Zürich

# Meyers Neues Lexikon

**Das ideale Wissenszentrum für die 80er Jahre! Das Lexikon der »goldenen Mitte«.**

**Meyers Neues Lexikon in 8 Bänden, Atlasband und Jahrbücher**

**Rund 150 000 Stichwörter und 16 signierte Sonderbeiträge auf etwa 5 300 Seiten. Über 12 000 meist farbige Abbildungen und Zeichnungen im Text. Mehr als 1 000 Tabellen, Spezialkarten und Bildtafeln. Lexikon-Großformat 17,5 x 24,7 cm, in echtem Buckramleinen gebunden.**

Dieses neue, praxisgerechte Lexikon für die 80er Jahre ist auf der Grundlage einer rund 150jährigen Lexikontradition und mit der Erfahrung und dem Wissen einer hochqualifizierten Redaktion entstanden. Die neue Konzeption des Werkes basiert auf »Meyers Enzyklopädischem Lexikon« in 25 Bänden, dem derzeit größten deutschen Lexikon. Die Auswahl der Stichwörter wurde zudem in Abstimmung mit der heute fast 3 Millionen Belege umfassenden Duden-Sprachkartei und dem hauseigenen Dokumentationsarchiv vorgenommen.

Und das sind die 8 besonderen Vorzüge des »Neuen Meyer«:

### 1. Die ideale Größe
8 Bände – das ist die ideale Mittelgröße für jeden. Sie bringt das optimale Gleichgewicht von hoher Stichwortzahl und Ausführlichkeit der Artikel. Die »goldene Mitte« für den Anspruchsvollen.

### 2. Die große Leistung
Der »Neue Meyer« bietet 150 000 Stichwörter auf etwa 5 300 Seiten. Das sind viele Millionen Einzelinformationen – viel mehr, als man von einem Werk dieser Größe erwartet.

### 3. Die große Tradition
Seit der Mitte des vorigen Jahrhunderts und bis heute ist »Meyer« ein Synonym für höchste Lexikonqualität.

### 4. Das moderne Konzept
Das Werk stellt eine gekonnte Verbindung von klassischem Wissensreichtum und höchster Aktualität in den wichtigen Themenbereichen unserer Zeit dar.

### 5. Die Klarheit der Artikel
Die sprachliche Klarheit und der übersichtliche Aufbau der Artikel zeichnen dieses Lexikon besonders aus. Auch komplizierteste Sachverhalte werden exakt und allgemeinverständlich dargestellt.

### 6. Die durchgehende Farbigkeit
Der »Neue Meyer« bringt über 12 000 meist farbige Abbildungen und Zeichnungen im Text, sowie mehr als 1 000 Tabellen, Spezialkarten und Bildtafeln.

### 7. Die Sonderbeiträge
16 prominente Persönlichkeiten schreiben Grundsätzliches, Kritisches und in die Zukunft Weisendes über ihren »Beruf«. Die Beiträge geben einen direkten Einblick in zeitgeschichtliche Prozesse.

### 8. Die aktuellen Jahrbücher
Die neuartige Erweiterung des Wissensangebots. Damit schließt der »Neue Meyer« die unvermeidliche Lücke zwischen gesichertem Lexikonwissen und dem Geschehen der jüngsten Vergangenheit.

**Bibliographisches Institut**
Mannheim/Wien/Zürich

# Die Erde
# Meyers Großkarten-Edition

Zum Jubiläum des 150jährigen Bestehens der Kartographie im Bibliographischen Institut, herausgegeben vom Geographisch-Kartographischen Institut Meyer unter der Leitung von Dr. Adolf Hanle.

**Das Werk besteht aus zwei Teilbänden:**
**1. Die Karten: 87 großformatige Kartenblätter (Kartengröße von 38 x 51 cm bis zu 102 x 51 cm bzw. 66 x 83 cm), 32 Zwischenblätter mit Kartenweisern, geographisch-statistischen Angaben und Begleittexten zu den Karten. Spezialeinband mit Schraubverschluß. Alle Karten sind einzeln herausnehmbar.**
**2. Das Register: ein Registerband von 208 Seiten mit rund 200 000 geographischen Namen.**

**Beide Bände im Format 42 x 52 cm, in Naturleinen gebunden, zusammen in einem repräsentativen Umkarton.**

Mit Meyers Großkarten-Edition „Die Erde", die zum 150jährigen Bestehen der Kartographie im Bibliographischen Institut erschienen ist, stößt die deutsche Kartographie in eine neue Größenordnung vor. Zum ersten Mal bietet ein deutsches Werk Karten im Großformat bis zu 102 x 51 cm. Aber nicht nur die Größe der Karten ist beeindruckend. Die neue Farbskala für optimale Lesbarkeit, die Trennung von Karten- und Registerband, die Zwischenblätter mit wichtigen Daten und Zahlen zu den jeweiligen Karten, der Aktualisierungsdienst – dieses und vieles andere läßt „Meyers Großkarten-Edition" zum kartographischen „Ereignis" und zur erlesenen Rarität werden.
Die ausgereifte Konzeption, die Aktualität und die Übersichtlichkeit, die Präzision der kartographischen Arbeit, die zweckmäßige Einbandgestaltung und die gediegene Ausstattung reihen diesen Atlas auf internationaler Ebene in die Spitzengruppe kartographischer Werke ein.
Meyers Großkarten-Edition bietet:
– einmalig große Karten in den Formaten bis zu 102 x 51 cm bzw. 66 x 83 cm.
– eine ausgewogene Farbgebung, die optimale Lesbarkeit der Detailinformation garantiert.
– einen Spezialeinband mit Schraubverschluß, der ein müheloses Herausnehmen jeder Karte ermöglicht.
– einen separaten Registerband mit 200 000 geographischen Namen.
– einen aktuellen Nachtragsdienst zum Ergänzen von neu entwickelten Karten.
Dieses Spitzenwerk aus Meyers Kartographischem Institut ist zweifellos eines der schönsten und großartigsten Portraits der Erde – ein kostbarer und unschätzbarer Besitz für alle geographisch interessierten Menschen, die das Außergewöhnliche und Einzigartige für sich beanspruchen.

**Bibliographisches Institut**
Mannheim/Wien/Zürich

# Klipp und klar

**Das Wichtigste und Interessanteste eines Themas auf jeweils 100 Text- und 100 Bildseiten.**
Fundiertes Sachwissen – verständliche Sprache – Präzision – Anschaulichkeit: Mit dieser vierfachen Devise werden hier aktuelle Themen aus allen Lebensbereichen und Wissensgebieten unserer Zeit dargestellt. Jeder Sachverhalt wird auf zwei gegenüberliegenden Seiten erklärt – Text links und bildliche Darstellung rechts.

**»Klipp und klar«, die neue Wissensbibliothek – ideal auch für Ausbildung und Beruf.**
Jeder Band 208 Seiten mit 100 meist drei- bzw. vierfarbigen Bildseiten und einem Register.

**Eine Auswahl:**

**100 x Energie**
Von der Windmühle bis zum Kernkraftwerk

**100 x Umwelt**
Vom Wasserhaushalt bis zur Luftverschmutzung

**100 x Raumfahrt**
Vom Papierdrachen bis zum Weltraumlabor

**100 x Kriminalistik**
Von der Brandmarkung bis zum Verbrecherfoto

**100 x Kunst**
Von der Höhlenmalerei bis zum Happening

**100 x Luftverkehr**
Von der Flugsicherung bis zum Überschallflugzeug

**100 x Technik im Alltag**
Vom Farbfernseher bis zur Tiefkühltruhe

**100 x Computer**
Vom Datenschutz bis zur Computerzukunft

**100 x Bürgerrecht**
Von der Meinungsfreiheit bis zur Verfassungstreue

**100 x Tierverhalten**
Von der Brutpflege bis zum sozialen Verhalten

**Bibliographisches Institut**
Mannheim/Wien/Zürich

# DUDEN-TASCHENBÜCHER

Herausgegeben vom Wissenschaftlichen Rat der Dudenredaktion:
Professor Dr. Günther Drosdowski · Professor Dr. Paul Grebe · Dr. Rudolf Köster · Dr. Wolfgang Müller · Dr. Werner Scholze-Stubenrecht

### Band 1: Komma, Punkt und alle anderen Satzzeichen
Sie finden in diesem Taschenbuch Antwort auf alle Fragen, die im Bereich der deutschen Zeichensetzung auftreten können. 165 Seiten.

### Band 2: Wie sagt man noch?
Hier ist der Ratgeber, wenn Ihnen gerade das passende Wort nicht einfällt oder wenn Sie sich im Ausdruck nicht wiederholen wollen. 219 Seiten.

### Band 3: Die Regeln der deutschen Rechtschreibung
Dieses Buch stellt die Regeln zum richtigen Schreiben der Wörter und Namen sowie die Regeln zum richtigen Gebrauch der Satzzeichen dar. 188 Seiten.

### Band 4: Lexikon der Vornamen
Mehr als 3 000 weibliche und männliche Vornamen enthält dieses Taschenbuch. Sie erfahren, aus welcher Sprache ein Name stammt, was er bedeutet und welche Persönlichkeiten ihn getragen haben. 239 Seiten.

### Band 5: Satz- und Korrekturanweisungen
Richtlinien für die Texterfassung.
Mit ausführlicher Beispielsammlung.
Dieses Taschenbuch enthält nicht nur die Vorschriften für den Schriftsatz und die üblichen Korrekturvorschriften, sondern auch Regeln für Spezialbereiche. 268 Seiten.

### Band 6: Wann schreibt man groß, wann schreibt man klein?
In diesem Taschenbuch finden Sie in mehr als 7 500 Artikeln Antwort auf die Frage „groß oder klein?". 252 Seiten.

### Band 7: Wie schreibt man gutes Deutsch?
Eine Stilfibel. Der Band stellt die vielfältigen sprachlichen Möglichkeiten dar und zeigt, wie man seinen Stil verbessern kann. 163 Seiten.

### Band 8: Wie sagt man in Österreich?
Das Buch bringt eine Fülle an Informationen über alle sprachlichen Eigenheiten, durch die sich die deutsche Sprache in Österreich von dem in Deutschland üblichen Sprachgebrauch unterscheidet. 252 Seiten.

### Band 9: Wie gebraucht man Fremdwörter richtig?
Mit 4 000 Stichwörtern und über 30 000 Anwendungsbeispielen ist dieses Taschenbuch eine praktische Stilfibel des Fremdwortes. 368 Seiten.

### Band 10: Wie sagt der Arzt?
Dieses Buch unterrichtet Sie in knapper Form darüber, was der Arzt mit diesem oder jenem Ausdruck meint. 176 Seiten.

### Band 11: Wörterbuch der Abkürzungen
Berücksichtigt werden 36 000 Abkürzungen, Kurzformen und Zeichen aus allen Bereichen. 260 Seiten.

### Band 13: mahlen oder malen?
Hier werden gleichklingende aber verschieden geschriebene Wörter in Gruppen dargestellt und erläutert. 191 Seiten.

### Band 14: Fehlerfreies Deutsch
Viele Fragen zur Grammatik erübrigen sich, wenn man dieses Duden-Taschenbuch besitzt. Es macht grammatische Regeln verständlich und führt zum richtigen Sprachgebrauch. 204 Seiten.

### Band 15: Wie sagt man anderswo?
Dieses Buch will allen jenen helfen, die mit den landschaftlichen Unterschieden in Wort- und Sprachgebrauch konfrontiert werden. 190 Seiten.

### Band 17: Leicht verwechselbare Wörter
Der Band enthält Gruppen von Wörtern, die auf Grund ihrer lautlichen Ähnlichkeit leicht verwechselt werden. 334 Seiten.

### Band 18: Wie schreibt man im Büro?
Es werden nützliche Ratschläge und Tips zur Erledigung der täglichen Büroarbeit gegeben. 176 Seiten.

### Band 19: Wie diktiert man im Büro?
Alles Wesentliche über die Verfahren, Regeln und Techniken des Diktierens. 225 Seiten.

### Band 20: Wie formuliert man im Büro?
Dieses Taschenbuch bietet Regeln, Empfehlungen und Übungstexte aus der Praxis. Formulieren und Diktieren wird dadurch leichter, der Stil wirkungsvoller. 282 Seiten.

### Band 21: Wie verfaßt man wissenschaftliche Arbeiten?
Dieses Buch behandelt ausführlich und mit vielen praktischen Beispielen die formalen und organisatorischen Probleme des wissenschaftlichen Arbeitens. 208 Seiten.

## DER KLEINE DUDEN
### Deutsches Wörterbuch
Der Grundstock unseres Wortschatzes.
Über 30 000 Wörter mit mehr als 100 000 Angaben zu Rechtschreibung, Silbentrennung, Aussprache und Grammatik. 445 Seiten.

### Fremdwörterbuch
Ein zuverlässiger Helfer über die wichtigsten Fremdwörter des täglichen Gebrauchs. Rund 15 000 Fremdwörter mit mehr als 90 000 Angaben zur Bedeutung, Aussprache und Grammatik. 448 Seiten.

**Bibliographisches Institut**
Mannheim/Wien/Zürich

# LEXIKA

## MEYERS ENZYKLOPÄDISCHES LEXIKON IN 25 BÄNDEN,

1 Atlasband, 6 Ergänzungsbände und Jahrbücher.
Das größte Lexikon des 20. Jahrhunderts in deutscher Sprache.
Rund 250 000 Stichwörter und 100 enzyklopädische Sonderbeiträge auf 22 000 Seiten. 26 000 Abbildungen, transparente Schautafeln und Karten im Text, davon 10 000 farbig. 340 farbige Kartenseiten, davon 80 Stadtpläne. Halbledereinband mit Goldschnitt.
Ergänzungsbände:
Band 26: Nachträge/Band 27: Weltatlas/ Band 28: Personenregister/Band 29: Bildwörterbuch Deutsch-Englisch-Französisch/ Band 30–32: Deutsches Wörterbuch in 3 Bänden

## MEYERS GROSSES UNIVERSAL-LEXIKON IN 15 BÄNDEN,

1 Atlasband, 4 Ergänzungsbände und Jahrbücher.
Das perfekte Informationszentrum für die tägliche Praxis in unserer Zeit. Mit dem einzigartigen Aktualisierungsdienst.
Rund 200 000 Stichwörter und 30 namentlich signierte Sonderbeiträge auf etwa 10 000 Seiten. Über 20 000 meist farbige Abbildungen, Zeichnungen, Graphiken sowie Karten, Tabellen und Übersichten im Text.
Das Werk ist in zwei Ausstattungen erhältlich: gebunden in echtem Buckramleinen und in dunkelblauem Halbleder mit Echtgoldschnitt und Echtgoldprägung.

## MEYERS NEUES LEXIKON IN 8 BÄNDEN,

Atlasband und Jahrbücher.
Das neue, praxisgerechte Lexikon in der idealen Mittelgröße.
Rund 150 000 Stichwörter und 16 namentlich signierte Sonderbeiträge auf etwa 5 300 Seiten. Über 12 000 meist farbige Abbildungen und Zeichnungen im Text. Mehr als 1 000 Tabellen, Spezialkarten und Bildtafeln. In echtem Buckramleinen gebunden.

## MEYERS GROSSES STANDARDLEXIKON IN 3 BÄNDEN

Das aktuelle Kompaktlexikon des fundamentalen Wissens.
Rund 100 000 Stichwörter auf etwa 2 200 Seiten. Über 5 000 meist farbige Abbildungen, Zeichnungen und Graphiken sowie Karten, Tabellen und Übersichten im Text. Gebunden in Balacron.

### Meyers Großes Handlexikon in Farbe

Das moderne Qualitätslexikon in einem Band.
1 147 Seiten mit rund 60 000 Stichwörtern und 2 200 Bildern, Zeichnungen, Karten und 37 farbigen Kartenseiten.

## MEYERS GROSSES TASCHENLEXIKON IN 24 BÄNDEN

Das ideale Nachschlagewerk für Beruf, Schule und Universität.
Rund 150 000 Stichwörter und mehr als 5 000 Literaturangaben auf 8 640 Seiten. Über 6 000 Abbildungen und Zeichnungen sowie Spezialkarten, Tabellen und Übersichten im Text. Durchgehend farbig. 24 Bände zusammengefaßt in einer Kassette.

### Meyers Großes Jahreslexikon

Die ideale neuartige Ergänzung zu jedem Lexikon. Jedes Jahr ein neuer Band: Mit den Daten, Fakten und vielen Bildern über das vergangene Jahr. Jeder Band 328 Seiten. Über 1 000 Stichwörter, rund 250 meist farbige Abbildungen im Text.

### Meyers Jahresreport

Das kleine Taschenlexikon mit den wichtigsten Ereignissen eines Jahres in Daten, Bildern und Fakten. Jede Ausgabe 156 Seiten.

# GEOGRAPHIE/ATLANTEN

## MEYERS ENZYKLOPÄDIE DER ERDE in 8 Bänden

Das lebendige Bild unserer Welt – von den Anfängen der Erdgeschichte bis zu den Staaten von heute und den aktuellen Weltproblemen.
3 200 Seiten mit rund 7 500 farbigen Bildern, Karten, Tabellen, Graphiken und Diagrammen.

## DIE ERDE

### Meyers Großkarten-Edition

Ein kostbarer Besitz für alle, die höchste Ansprüche stellen.
Inhalt: 87 großformatige Kartenblätter (Kartengröße von 38 × 51 cm bis zu 102 × 51 cm bzw. 66 × 83 cm), 32 Zwischenblätter mit Kartenweisern, geographisch-statistischen Angaben und Begleittexten zu den Karten. Register mit 200 000 geographischen Namen. Alle Blätter sind einzeln herausnehmbar.
Großformat 42 × 52 cm.

### Meyers Großer Weltatlas

Ein Spitzenwerk der europäischen Kartographie.
610 Seiten mit 241 mehrfarbigen Kartenseiten und einem Register mit etwa 125 000 Namen.

### Meyers Neuer Handatlas

Der moderne Atlas im großen Format für die tägliche Information. 354 Seiten mit 126 mehrfarbigen Kartenseiten. Register mit etwa 80 000 Namen.

### Meyers Neuer Atlas der Welt

Der Qualitätsatlas für jeden zum besonders günstigen Preis. 148 Seiten mit 47 mehrfarbigen Kartenseiten. 23 Seiten mit thematischen und tabellarischen Übersichten sowie einem Register mit 48 000 geographischen Namen.

# Bibliographisches Institut
Mannheim/Wien/Zürich